## Prisma digitaal

Prisma is uiteraard ook dig
Op www.prisma.nl ziet u w

### Online
Met een online abonnement l ............ebt u
altijd snel toegang tot de (ver) .....ut.

Wilt u eerst een proefabonnement, ga dan ook naar www.prisma.nl. Voor een
maand hebt u dan de beschikking over het woordenboek of de
woordenboeken van uw keuze.

### Onderwijslicenties online
Voor uw onderwijsinstelling kunt u licenties aanschaffen die alle leerlingen en
leraren in staat stellen de online Pocketwoordenboeken te gebruiken. De talen
Nederlands, Engels, Frans, Duits en Spaans zijn beschikbaar, ook in combinatie.
Via verkoop@prisma.nl kunt u opvragen wat de mogelijkheden voor uw
onderwijsinstelling zijn.
Offertes voor licenties kunt u aanvragen via ons mailadres of bij een van onze
onderwijspartners:

Voortgezet en beroepsonderwijs: SLB diensten
www.slbdiensten.nl
020 420 13 96
admin@slbdiensten.nl

Hoger onderwijs: Surfdiensten
www.surfdiensten.nl
030 298 30 00
licenties@surfdiensten.nl

De belangrijkste Prisma woordenboeken:

miniwoordenboeken
- voor cursus en vakantie
- in klein formaat
- in 24 talen, waaronder Turks, Fries, Afrikaans, Arabisch en Fins

basisonderwijs woordenboeken
- voor beginnende taalleerders, de basisschool, lagere school
- glasheldere uitleg en voorbeelden
- met illustraties
- Nederlands (verklarend), Frans en Engels

vmbo woordenboeken
- voor de beginnende woordenboekgebruiker
- aansluitend bij het vmbo/mbo, bso/tso en de onderbouw havo/vwo, onderbouw tso/aso
- actuele informatie over de hedendaagse basiswoordenschat
- zeer toegankelijk, veel voorbeeldzinnen
- Nederlands (verklarend), Engels

pocketwoordenboeken
- voor de middelbare scholier
- elk jaar bijgewerkt
- overzichtelijk: trefwoorden en tabs in kleur
- het pocketwoordenboek met de meeste trefwoorden
- Nederlands (verklarend), Engels, Frans, Duits, Spaans, Italiaans en Fries

handwoordenboeken
- voor bovenbouw havo/vwo, bovenbouw tso/aso, studie en beroep
- gebonden, duurzame uitvoering
- veel voorbeeldzinnen en uitdrukkingen, kaderteksten met weetjes
- Nederlands (verklarend), Engels, Frans en Duits

# PRISMA POCKETWOORDENBOEK

# Nederlands Engels

drs. A.F.M. de Knegt
drs. C. de Knegt-Bos

**prisma**

Uitgeverij Unieboek | Het Spectrum bv, Houten – Antwerpen

# Pocketwoordenboek Nederlands - Engels

Oorspronkelijke auteur: dr. G.J. Visser
Bewerking: drs. A.F.M. de Knegt, drs. C. de Knegt-Bos
Omslagontwerp: Raak Grafisch Ontwerp
Typografie: M. Gerritse

Bijdrage Belgisch Nederlands:
prof. dr. W. Martin
prof. dr. W. Smedts

ISBN 978 90 491 0071 1
NUR 627
40 11

www.prisma.nl
www.prismawoordenboeken.be
www.unieboekspectrum.nl

Prisma maakt deel uit van Uitgeverij Unieboek | Het Spectrum bv
Postbus 97
3990 DB Houten

# Een taal leer je samen met Prisma

## Een breed aanbod
De Prisma pocketwoordenboeken worden al meer dan 50 jaar aanbevolen door docenten in het middelbaar onderwijs. Voor het basisonderwijs en voor het vmbo heeft Prisma aparte woordenboeken ontwikkeld, zeer toegankelijk en speciaal afgestemd op die twee onderwijsniveaus. Voor studie en beroep is er de reeks dikke Prisma handwoordenboeken, met twee delen in één band zodat je alle informatie over een taal handig bij elkaar hebt. En voor een buitenlandse reis is een praktisch klein boekje uit de uitgebreide reeks Prisma miniwoordenboeken de beste keuze.

## Dit woordenboek
In dit woordenboek vind je tienduizenden trefwoorden op alle gebieden, met duizenden voorbeeldzinnen om ze op de juiste manier te gebruiken. De Prisma pocketwoordenboeken worden voortdurend actueel gehouden door een netwerk van bewerkers. Dit woordenboek is helder geformuleerd en overzichtelijk ingedeeld, zodat je snel kunt vinden wat je zoekt. De Belgische gebruikers zullen in dit woordenboek de trefwoorden aantreffen uit hun natiolect, het Nederlands zoals dat in België wordt gesproken.

## Prisma online
Met een Prisma online abonnement kun je overal inloggen en heb je altijd snel toegang tot de (ver)taalinformatie die je nodig hebt. Neem een abonnement op www.prisma.nl of www.prismawoordenboeken.be. Heb je belangstelling voor een proefabonnement, ga dan naar www.prisma.nl/proefabonnement/2011.

## Woordenboeken, taaltrainingen en taalbeheersing
Prisma is gespecialiseerd in uitgaven voor gebruik bij het leren van een taal. Om helderheid te brengen in het aanbod zijn de uitgaven onderverdeeld in drie hoofdgroepen: *Woordenboeken*, *Taaltrainingen* en uitgaven op het gebied van *Taalbeheersing*. Aan de kleur in de bovenbalk van het omslag is te zien om wat voor soort uitgave het gaat: woordenboeken zijn geel/oranje, taaltrainingen groen en uitgaven op het gebied van taalbeheersing blauw. De lichtste tint: eenvoudig van inhoud. De donkerste tint: het hoogste niveau.

# Gebruiksaanwijzing

In dit woordenboek vind je veel **woorden met hun vertaling**. Soms heeft een trefwoord meerdere vertalingen. Een *bank* kan bijvoorbeeld een zitmeubel zijn, maar ook een geldinstelling. *Bij* kan een zelfstandig naamwoord zijn, maar ook een voorzetsel. Daarom geven we **extra informatie** als dat nodig is, bijvoorbeeld over de betekenis of over de grammatica. Of over hoe je een woord kunt combineren met andere woorden. Hieronder beschrijven we kort wat je kunt aantreffen.

Alle **trefwoorden** drukken we vet en blauw. Varianten erop en verwijzingen ernaar ook. Als een trefwoord meerdere **woordsoorten** heeft, geven we dat aan met blauwe romeinse cijfers. Zoek je bijvoorbeeld de vertaling van *laag* ('niet hoog'), controleer dan of je bij de goede woordsoort zit, het bijvoeglijk naamwoord (II), en niet bij (I) het zelfstandig naamwoord ('uitgespreide hoeveelheid').

Als een trefwoord meerdere **betekenissen** heeft, dan staan daar blauwe bolletjes voor met de betekenisnummers erin: ❷. Zoek je dus naar de vertaling van *pak* (in de betekenis 'kostuum'), dan kun je achter elk blauw bolletje controleren of je de juiste betekenis hebt, zodat je de juiste vertaling kiest (en niet die van 'pakket').

Bij een trefwoord vind je ook vaak **voorbeeldzinnen**. Deze laten zien hoe je het woord in een zin kunt gebruiken. Je kunt een werkwoord bijvoorbeeld combineren met een voorzetsel ('*afgaan* op'), of een zelfstandig naamwoord met een werkwoord ('het *anker* lichten').
Een apart type voorbeeldzin is het **idioom**: deze voorbeeldzinnen hebben niet de letterlijke betekenis, maar een meer idiomatische, zoals bv. 'voor aap staan'. Voorbeeldzinnen openen met een blauw sterretje, ★, idiomen met een blauw omgekeerd driehoekje, ▼.

Extra informatie over de betekenis van een woord geven we met **labels**: <u>muz</u> betekent dat het woord te maken heeft met muziek, <u>min</u> betekent dat het woord een minachtende lading heeft. Ook tussen geknikte **haakjes** vind je soms extra informatie, die je helpt de juiste vertaling te kiezen, bijvoorbeeld dat een vertaling alléén gebruikt wordt ⟨bij rugby⟩.

Op **pagina 10** kun je zien hoe dit alles er in het boek uitziet.

*Extra tips*

★ Als je op zoek bent naar de vertaling van een uitdrukking of idioom, kijk dan bij het **eerste zelfstandig naamwoord** dat daarin voorkomt. 'Goede raad was duur' vind je bij *raad*, niet bij *goed* of *duur*. Staan er meerdere zelfstandige naamwoorden in de zin, kijk dan eerst bij het eerste: 'race tegen de klok' vind je bij het trefwoord *race*, niet bij *klok*.

Als je de gezochte vertaling niet bij het eerste zelfstandig naamwoord vindt, kijk dan bij het tweede, enzovoort.

★ Veel **voorzetsels** (*aan, bij, met, tegen, voor*) vind je bij de (werk)woorden waar ze vaak bij voorkomen: 'deelnemen aan' vind je bij *deelnemen*, niet bij *aan*. 'Dol zijn op' vind je bij *dol*, niet bij *op*.

★ Zoek bij de **hele vorm** van het woord, niet bij de vervoeging of verbuiging: 'gediskwalificeerd' vind je dus bij *diskwalificeren*. 'alle' vind je bij *al*.
NB een aantal woorden kun je op meer plekken zoeken: *gebroken* heeft als bijvoeglijk naamwoord een aparte betekenis, die weinig meer te maken heeft met het woord waarvan het is afgeleid: *breken*. Daarom hebben we *gebroken* en andere dergelijke gevallen als apart trefwoord opgenomen.

★ Een aantal woorden kun je op meerdere manieren uitspreken. *Rap* (zeg: 'rap') betekent 'snel' en *rap* (zeg: 'rep') is een muziekstijl. Deze woorden staan in het boek als afzonderlijke trefwoorden:
   **rap**[1] snel [...]
   **rap**[2] [rep] [...]
Hetzelfde geldt voor woorden met meerdere klemtonen:
   **voorkomen** [...]
   **voorkomen** [...]

★ Als je iets in het woordenboek niet begrijpt, zoek dan in de lijsten met **bijzondere tekens** en **afkortingen** hierna. Als die geen uitkomst bieden, mail ons dan: redactie@prisma.nl.

*Beknopte grammatica*

Achter in dit woordenboek vind je een beknopte grammatica van het Engels.

# Bijzondere tekens

Voorbeelden van het gebruik van onderstaande tekens worden gegeven op pagina 10.

**I, II enz.** Als een trefwoord meerdere woordsoorten heeft (bv. overgankelijk én onovergankelijk werkwoord), worden deze voorafgegaan door blauw gedrukte romeinse cijfers.

❷ Als een trefwoord meerdere betekenissen heeft, worden deze voorafgegaan door een blauw bolletje. Ook vaste combinaties van het trefwoord met een voorzetsel worden gezien als een aparte betekenis.

★ Na een blauwe ster volgt een voorbeeldzin.

▼ Na een blauw driehoekje volgt een idiomatische uitdrukking.

[...] Tussen rechte haken staat extra grammaticale informatie.

⟨...⟩ Tussen geknikte haken staat extra uitleg over de betekenis of de vertaling daarvan.

~ Een tilde vervangt vaak het trefwoord in voorbeeldzinnen en zegswijzen.

/ Een schuine streep scheidt woorden die onderling verwisselbaar zijn.

≈ Een equivalentieteken geeft aan dat de vertaling een benadering is van het vertaalde. Een exactere vertaling is in dat geval niet te geven.

→ Een pijl verwijst voor meer informatie naar het erop volgende trefwoord.

# Lijst van gebruikte afkortingen

| | | | |
|---|---|---|---|
| aanw vnw | aanwijzend voornaamwoord | myth | mythologie |
| aardk | aardrijkskunde | natk | natuurkunde |
| admin | administratie | o | onzijdig |
| afk | afkorting | omschr | omschrijvend |
| agrar | agrarisch, landbouw | onb telw | onbepaald telwoord |
| anat | menselijke anatomie | onb vnw | onbepaald voornaamwoord |
| Angl | Anglicaans | onderw | onderwijs en wetenschappen |
| Aus | Australisch Engels, Australië | onov | onovergankelijk (zonder object) |
| auto | auto's en motoren | onp | onpersoonlijk |
| audio-vis | audiovisueel | onr. | onregelmatig |
| betr vnw | betrekkelijk voornaamwoord | onv | onvervoegbaar |
| bez vnw | bezittelijk voornaamwoord | o.s. | oneself |
| bijw | bijwoord | o.t.t. | onvoltooid tegenwoordige tijd |
| biol | biologie, milieu | oud | ouderwets |
| BN | Belgisch Nederlands | ov | overgankelijk (met object) |
| bnw | bijvoeglijk naamwoord | o.v.t. | onvoltooid verleden tijd |
| bouw | bouwkunde, architectuur | p. | persoon |
| chem | chemie | pers vnw | persoonlijk voornaamwoord |
| comm | communicatie, voorlichting, reclame | plantk | plantkunde |
| | | plat | plat, ordinair |
| comp | computer | pol | politiek |
| cul | culinaria, voeding | psych | psychologie |
| deelw. | deelwoord | reg | regionaal |
| dial | dialect | rel | religie |
| dierk | dierkunde | samentr. | samentrekking |
| drukk | drukkerij- en uitgeverijwezen | sb | somebody |
| econ | economie | scheepv | scheepvaart |
| elek | elektronica | scheik | scheikunde |
| euf | eufemistisch | sport | sport, lichamelijke oefening |
| ev | enkelvoud | sterrenk | sterrenkunde |
| fig | figuurlijk | sth | something |
| filos | filosofie | taalk | taalkunde |
| form | formeel | techn | techniek, mechanica |
| GB | vooral Brits-Engels, Groot-Brittannië | teg. | tegenwoordig |
| | | telw | telwoord |
| geo | geografie | ton | toneel, theater |
| gesch | geschiedenis | tw | tussenwerpsel |
| gmv | geen meervoud | typ | typografie |
| her | heraldiek | uitr vnw | uitroepend voornaamwoord |
| humor | humoristisch | USA | vooral Amerikaans Engels, Verenigde Staten |
| hww | hulpwerkwoord | | |
| id. | (verbuiging) identiek | v | vrouwelijk |
| iem. | iemand | v. | van |
| infin. | infinitief | v.d. | van de |
| inform | informeel | v.e. | van een |
| iron | ironisch | v.h. | van het |
| jeugdt | jeugdtaal | viss | visserij |
| jur | juridisch, recht | voetb | voetbal |
| kunst | beeldende kunst | volt. | voltooid |
| kww | koppelwerkwoord | voorv. | voorvoegsel |
| landb | landbouw | vr vnw | vragend voornaamwoord |
| lett | letterlijk | vulg | vulgair |
| lit | literatuur, letterkunde | vw | voegwoord |
| luchtv | luchtvaart | vz | voorzetsel |
| lw | lidwoord | wisk | wiskunde |
| m | mannelijk | wkd vnw | wederkerend voornaamwoord |
| med | medisch, geneeskunde | wkg vnw | wederkerig voornaamwoord |
| media | media: televisie, radio, tijdschriften | ww | werkwoord |
| | | www | internet |
| mil | militair | z. | zich |
| min | minachtend, afkeurend | zn | zelfstandig naamwoord |
| muz | muziek | | |
| mv | meervoud | | |

**aan** I *vz* ❶ to ★ *iets aan iem. geven* give sth to sb
❷ *naar een plaats toe* ★ *aan land gaan* come
ashore ❸ *bij, op, in een plaats* on, in, at ★ *aan de
kade* on the quay ★ *aan de muur* on the wall
★ *aan de piano: Jamie Lidell* on piano: Jamie
Lidell ★ *aan het raam* at the window ★ *aan de
Rijn* on the Rhine ★ *aan het strand* on the beach
★ *aan zee wonen* live by the sea ❹ *als gevolg van,
door* from, of ★ *aan koorts sterven* die from / of
fever ❺ *wat betreft* of ★ *een gebrek aan vitaminen*
a shortage / lack of vitamins ❻ *vlak naast of bij*
elkaar* by, upon ★ *twee aan twee* in twos, two by
two ❼ *bezig met* ★ *aan het werk zijn* be at work,
be working ★ *aan het eten zijn* be eating ▼ *het is
niet aan mij om dat te zeggen* I'm in no position
to say so ▼ *ik zie het aan je gezicht* I can tell by
your face II *bijw* ❶ *in werking* on ★ *de
verwarming is aan* the heating is on ★ *het vuur
is aan* the fire is on / burning ❷ *aan het lichaam*
on ★ *mijn jas is al aan* I have already put on my
coat ▼ *er is niets aan* (het is makkelijk) there's
nothing to it ▼ *er is niets aan* (het is saai) it's a
waste of time ▼ *inform* BN *er is niets van aan*
none of it's true

**aanbakken** burn, get burnt ★ *de aardappelen zijn
aangebakken* the potatoes are burnt ★ *de vis is
aangebakken* the fish has stuck to the pan

**aanbellen** ring (the bell)

**aanblazen** ❶ *doen opvlammen* blow ❷ *fig
aanwakkeren* fan, arouse ❸ *muz* blow

**aanblijven** stay on, (van ambt) remain in office

**aanblik** ❶ *het zien* ★ *bij de eerste* ~ at first sight /
glance ❷ *wat gezien wordt* sight, scene, (van
persoon) appearance ★ *'n droeve* ~ a sad sight /
spectacle ★ *het was geen prettige* ~ it was not a
pleasant sight

**aanbod** offer ★ *een* ~ *aannemen* accept an offer
★ *een* ~ *afslaan* decline / reject an offer ★ *een* ~
*doen* make an offer ★ *een* ~ *intrekken* withdraw
an offer

**aanbrengen** ❶ *plaatsen* put in / on, (slot) fix,
(veranderingen) introduce, (verf) apply
★ *versieringen* ~ *place* ornaments ★ *centrale
verwarming* ~ install central heating
❷ *verklikken* inform on / against ❸ *werven* bring
in

**aandeel** ❶ *portie* portion, share ★ *een* ~ *hebben in*
have a share / an interest in ❷ *bijdrage* part
★ *een* ~ *hebben in iets* have a part in sth ❸ *econ*
share ★ ~ *aan toonder* bearer share ★ ~ *op naam*
registered share ★ *preferent* ~ preference share,
preferred stock

**aankijken** ❶ *kijken naar* look at ★ *iem. niet* ~ look
away from sb ★ *iem. gemeen* ~ give sb a nasty
look ★ *iem. verbaasd* ~ give sb a surprised look
★ *het* ~ *niet waard* not worth looking at
❷ *overdenken* ★ *de zaak nog eens* ~ wait and see
❸ ~ *op* blame for ★ *jij wordt er op aangekeken*
you will be blamed for it

**aantonen** ❶ *laten zien* demonstrate, reveal, show
❷ *bewijzen* prove, demonstrate ❸ *taalk* → *wijs*

---

*Right-hand margin annotations:*

trefwoorden en eventuele varianten zijn vet gedrukt

woordsoorten zijn cursief gedrukt

Romeinse cijfers gaan vooraf aan een nieuwe woordsoort

cijfers in blauwe bolletjes gaan vooraf aan de verschillende betekenissen van een trefwoord

omgekeerde blauwe driehoekjes gaan vooraf aan voorbeeldzinnen die minder letterlijk en meer uitdrukking zijn

blauwe sterretjes gaan vooraf aan voorbeeldzinnen

onderstreepte labels geven extra informatie over stijl, herkomst of vakgebied

tussen geknikte haken wordt extra informatie gegeven

tildes vervangen de vorm van het trefwoord

schuine strepen staan tussen uitwisselbare varianten

voorzetsels die de betekenis van een trefwoord veranderen, zijn blauw gedrukt

pijltjes verwijzen naar een ander trefwoord

# A

**a ❶** *letter* a ★ *van a tot z* from A to Z ★ *de a van Anna* A as in Arthur ★ *wie a zegt, moet ook b zeggen* in for a penny, in for a pound ★ *van a tot z lezen* read from cover to cover **❷** *muzieknoot* A A *ampère* A
**aagje** ▼ *nieuwsgierig* ~ nosy parker
**aai** stroke, ⟨romantisch⟩ caress, ⟨over de bol⟩ a pat on the back
**aaien** stroke, ⟨dier⟩ pet, ⟨romantisch⟩ caress
**aak** *boot* (Rhine-)barge
**aal** eel ★ *zo glad als een aal* (as) slippery as an eel
**aalbes ❶** *vrucht* currant ★ *zwarte ~sen* blackcurrants ★ *rode ~sen* redcurrants **❷** *struik* currant
**aalmoes** alms *mv*
**aalmoezenier** chaplain, inform padre
**aalscholver** ⟨great⟩ cormorant
**aambeeld** *werkblok* anvil ★ *steeds op hetzelfde ~ slaan* harp on
**aambeien** haemorrhoids *mv*, piles *mv*
**aan I** *vz* **❶** to ★ *iets aan iem. geven* give sth to sb **❷** *naar een plaats toe* ★ *aan land gaan* come ashore **❸** *bij, op, in een plaats* on, in, at ★ *aan de kade* on the quay ★ *aan de muur* on the wall ★ *aan de piano: Jamie Lidell* on piano: Jamie Lidell ★ *aan het raam* at the window ★ *aan de Rijn* on the Rhine ★ *aan het strand* on the beach ★ *aan zee wonen* live by the sea **❹** *als gevolg van, door* from, of ★ *aan koorts sterven* die from / of fever **❺** *wat betreft* of ★ *een gebrek aan vitaminen* a shortage / lack of vitamins **❻** *vlak naast of bij elkaar* by, upon ★ *twee aan twee* in twos, two by two **❼** *bezig met* ★ *aan het werk zijn* be at work, be working ★ *aan het eten zijn* be eating ▼ *het is niet aan mij om dat te zeggen* I'm in no position to say so ▼ *ik zie het aan je gezicht* I can tell by your face **II** *bijw* **❶** *in werking* on ★ *de verwarming is aan* the heating is on ★ *het vuur is aan* the fire is on / burning **❷** *aan het lichaam* on ★ *mijn jas is al aan* I have already put on my coat ▼ *er is niets aan* ⟨het is makkelijk⟩ there's nothing to it ▼ *er is niets aan* ⟨het is saai⟩ it's a waste of time ▼ inform BN *er is niets van aan* none of it's true
**aanbakken** burn, get burnt ★ *de aardappelen zijn aangebakken* the potatoes are burnt ★ *de vis is aangebakken* the fish has stuck to the pan
**aanbellen** ring (the bell)
**aanbesteden** *gelegenheid geven voor prijsopgave* put out to contract / tender, invite tenders for
**aanbesteding ❶** *het geven van gelegenheid voor prijsopgave* ★ *een openbare / onderhandse* ~ a public / private contract **❷** *opdracht* ⟨aan iem.⟩ contract, ⟨opdracht⟩ (public) tender
**aanbetalen** make a down payment
**aanbetaling** down payment ★ *een ~ doen* make a down payment
**aanbevelen** form commend, ⟨een boek, persoon⟩ recommend ★ *warm aanbevolen* warmly recommended ★ *zich ~* recommend o.s. ★ *wij houden ons aanbevolen voor commentaar* we shall be pleased to hear / receive any comments

**aanbevelenswaardig** recommendable
**aanbeveling** recommendation ★ *op ~ van* on the recommendation of ★ *dit strekt tot ~* this would be an advantage / asset
**aanbevelingsbrief** letter of recommendation
**aanbiddelijk** adorable
**aanbidden** adore, worship, rel worship
**aanbidder** admirer, ⟨van goden⟩ worshipper ★ *een stille* ~ a secret admirer
**aanbidding** adoration, worship ★ *de ~ van de oude goden* the worship of the ancient gods ★ *in stille* ~ in silent worship / adoration
**aanbieden** offer, give, ⟨een nota, een petitie⟩ present ★ *zich ~* offer o.s., volunteer ★ *iets ter ondertekening* ~ submit sth for signing
**aanbieder ❶** *van product* supplier, dealer **❷** *van dienst / advies* provider **❸** *van netwerk* provider
**aanbieding ❶** *aanbod* offer **❷** *koopje* bargain, special offer ★ *in de ~ zijn* be on sale, be on special offer
**aanbinden** fasten (on), ⟨schaatsen⟩ tie on
**aanblazen ❶** *doen opvlammen* blow **❷** fig *aanwakkeren* fan, arouse **❸** muz blow
**aanblijven** stay on, ⟨van ambt⟩ remain in office
**aanblik ❶** *het zien* ★ *bij de eerste* ~ at first sight / glance **❷** *wat gezien wordt* sight, scene, ⟨van persoon⟩ appearance ★ *een trieste* ~ a sad sight / spectacle ★ *het was geen prettige* ~ it was not a pleasant sight
**aanbod** offer ★ *een ~ aannemen* accept an offer ★ *een ~ afslaan* decline / reject an offer ★ *een ~ doen* make an offer ★ *een ~ intrekken* withdraw an offer
**aanboren ❶** *borend openen* strike **❷** *aanbreken* tap, open up ★ *een nieuw vat* ~ broach a new cask
**aanbouw ❶** *het (aan)bouwen* building ★ *in ~* under construction **❷** *aangebouwd deel* annex, extension
**aanbouwen** build, ⟨uitbreiden⟩ build on to
**aanbraden** sear
**aanbranden** burn, be burnt ★ *laten ~* burn ★ *het eten is aangebrand* the food is burnt ★ *het is erg aangebrand* it's burnt to a frazzle
**aanbreken I** *ov ww, beginnen te gebruiken* ⟨een brood⟩ cut into, ⟨een fles⟩ open, ⟨van kapitaal⟩ break into **II** *on ww, beginnen* ⟨dag⟩ dawn, ⟨nacht⟩ fall ★ *bij het ~ van de dag* at daybreak, at dawn
**aanbrengen ❶** *plaatsen* put in / on, ⟨slot⟩ fix, ⟨veranderingen⟩ introduce, ⟨verf⟩ apply ★ *versieringen* ~ place ornaments ★ *centrale verwarming* ~ install central heating **❷** *verklikken* inform on / against **❸** *werven* bring in
**aandacht** attention ★ *~ schenken aan iets* pay attention to sth ★ *dat heeft mijn volle* ~ that has my undivided attention ★ *de ~ in beslag nemen* engage the attention ★ *de ~ richten op* turn attention to ★ *geen ~ schenken aan* take no notice of, pay no attention to ★ *~ vragen voor* call attention for ★ *de ~ trekken / opeisen* attract / catch attention ★ *de ~ vasthouden* hold the attention ★ *de ~ doen verslappen* cause attention to flag ★ *de ~ afleiden* divert attention ★ *de ~ op zich vestigen* draw attention to o.s. ★ *een en al ~ zijn* be all eyes / ears ★ *met gespannen ~* with

close attention, intently ★ *iets onder iemands ~ brengen* bring to sb's attention

**aandachtig** attentive

**aandachtsgebied** area for special attention

**aandachtspunt** point of (particular) interest

**aandeel** ❶ *portie* portion, share ★ *~ hebben in* have a share / an interest in ❷ *bijdrage* part ★ *een ~ hebben in iets* have a part in sth ❸ econ share ★ *~ aan toonder* bearer share ★ *~ op naam* registered share ★ *preferent ~* preference share, preferred stock

**aandeelhouder** shareholder

**aandelenkapitaal** GB share capital, USA capital stock

**aandelenkoers** share price

**aandelenmarkt** stock market

**aandelenpakket** block of shares

**aandenken** *souvenir* souvenir, keepsake ★ *een ~ aan...* a souvenir of...

**aandienen I** *ov ww, de komst melden van* announce **II** *wkd ww* [zich ~] zich doen voorkomen present oneself, put oneself forward ★ *zich ~ als...* present o.s. as...

**aandikken** ❶ *dikker maken* thicken ❷ *overdrijven* pile / lay (it) on, blow up ★ *iets ~* lay sth on thick, pile sth on

**aandoen** ❶ *aantrekken* put on ❷ *aansteken* put / switch on ❸ *bezoeken* ★ *een haven ~* call at a port ★ *een stad ~* visit a town ❹ *berokkenen* cause ★ *hij heeft het zichzelf aangedaan* he has only himself to blame, he asked for it ★ *iem. verdriet ~* cause sb grief ❺ *een indruk geven* strike as ★ *dat doet me vreemd aan* that looks / seems strange to me, it strikes me as odd

**aandoening** *kwaal* disorder, complaint ★ *een ~ aan de nieren* a kidney disorder

**aandoenlijk** moving, pathetic, ⟨zielig⟩ touching

**aandraaien** tighten

**aandragen** ❶ *dragen* carry ★ *komen ~ met iets* come forward with ❷ *opperen* put forward

**aandrang** ❶ *aansporing* instigation, pressure ★ *met ~* urgently, strongly ★ *op ~ van mijn broer* at the instigation of my brother ★ *~ uitoefenen op* exert pressure on ❷ *toevloed* pressure ❸ *aandrift* urgency

**aandraven** ★ BN *komen ~ met iets* come forward with

**aandrift** impulse, urge, instinct

**aandrijfas** drive shaft

**aandrijfriem** driving-belt

**aandrijven I** *ov ww* ❶ techn drive ★ *door een benzinemotor aangedreven* driven by a petrol engine ❷ *aansporen* prompt **II** *on ww, drijvend aankomen* be washed ashore, drift to the shore ★ *er kwam een stuk hout ~* a piece of wood came floating by

**aandrijving** drive

**aandringen** ❶ *aandrang uitoefenen* press the point ★ *op ~ van* at the instance of, at the urgent request of ★ *~ op iets* insist on sth, press for sth ★ *er bij iem. op ~ iets te doen* urge sb to do sth ❷ *naar voren dringen* press forward, advance

**aandrukken** push, press ★ *~ tegen* press against

**aanduiden** ❶ *aanwijzen* indicate, point out, ⟨met teken⟩ mark ★ *iets nader ~* specify sth ★ *iets kort ~* touch on sth ❷ *betekenen* denote, designate

❸ BN *selecteren* select, pick (out)

**aanduiding** ❶ *aanwijzing* indication, clue, mark, ⟨door teken⟩ sign ❷ *beschrijving* definition, description

**aandurven** dare (to) ★ *durf je het aan?* do you dare (do it)?, do you feel up to it? ★ *ik durf hem wel aan* I'm not afraid of him

**aanduwen** ❶ *aandrukken* press firm ❷ *door duwen starten* push, ⟨van auto⟩ give a push

**aaneen** ❶ *aan elkaar vast* on end, at a stretch, together ❷ *ononderbroken* on end ★ *twee dagen ~* for two successive days ★ *jaren ~* for years on end

**aaneengesloten** ❶ *tegen elkaar geplaatst* unbroken, connected ❷ *ononderbroken* ⟨in tijd⟩ consecutive

**aaneenschakeling** chain, sequence, series

**aanfluiting** mockery, travesty, farce, ⟨v. personen⟩ laughing-stock

**aangaan I** *ov ww* ❶ *betreffen* ★ *wat mij aangaat* as far as I'm concerned ★ *wat dat aangaat* as far as that goes, as for that ★ inform *wat gaat jou dat aan?* what's it to you? ❷ *beginnen* ⟨van schuld⟩ contract, ⟨van onderhandelingen / huwelijk⟩ enter into, ⟨van verdrag⟩ conclude ★ *een weddenschap ~* lay a bet **II** *on ww* ❶ *beginnen* go on, ⟨van vuur⟩ catch fire ★ *de school gaat aan* school starts ★ *het licht ging aan* the lights went on ❷ *langsgaan (bij)* call in, drop in ★ *bij iem. ~* call in at sb ❸ *behoren* ★ *het gaat niet aan* it won't do

**aangaande** concerning, regarding, as for / to

**aangapen** gape / stare at

**aangebonden** ▼ *kort ~ zijn* be short with sb

**aangeboren** ❶ biol congenital, inbred ❷ *natuurlijk* ⟨van talent⟩ innate

**aangebrand** ❶ *aangebakken* burnt ❷ *boos* ★ *gauw ~ zijn* be short tempered, have a short fuse ❸ BN ⟨van grappen e.d.⟩ *dubbelzinnig* risqué, suggestive

**aangedaan** ❶ *aangetast* affected ❷ *ontroerd* moved, touched

**aangelegd** inclined ★ *kunstzinnig ~ zijn* have an artistic bent, be artistically inclined ★ *ik ben niet romantisch ~* I am not given to romanticism

**aangelegenheid** affair, matter

**aangenaam** ❶ *plezierig* agreeable, pleasant, pleasing ❷ *sympathiek* ▼ *~ kennis te maken!* pleased to meet you, form how do you do?

**aangenomen** ❶ *verworven* accepted ★ *een ~ naam* an assumed name ★ *~ werk* contract work ❷ *geadopteerd* adopted

**aangeschoten** ❶ *licht dronken* tipsy ❷ *verwond* ⟨in arm / vleugel⟩ winged

**aangeslagen** ❶ *ontmoedigd* affected, shaken ❷ *met aanslag bedekt* steamed up, ⟨glas⟩ misted up, ⟨metaal⟩ burnished, ⟨ketel⟩ furred up

**aangetekend I** *bnw* registered ★ *~e brief* registered letter **II** *bijw* ★ *iets ~ versturen* send sth by registered post, USA send sth by registered mail

**aangetrouwd** related by marriage ★ *haar ~e familie* her in-laws

**aangeven** ❶ *aanreiken* give, hand, pass ★ *het zout ~* pass the salt ❷ *aanduiden* indicate ★ *gewicht / temperatuur / tijd ~* register weight /

temperature / time ★ *als reden* ~ give as a reason ★ *bijzonderheden* ~ state particulars ❷ *officieel melden* register, declare ★ *hebt u iets aan te geven?* have you anything to declare? ❸ *bij de politie aanbrengen* report (**to** bij) ★ *zichzelf* ~ turn o.s. in

**aangever** ❶ sport feeder ❷ *lid komisch duo* stooge, feed

**aangewezen** ❶ *juist* right ★ *de* ~ *persoon* the right / obvious person ★ *het* ~ *middel* the appropriate means ❷ BN *wenselijk* desirable ▼ ~ *zijn op iets* (have to) rely / be dependent on sth ▼ ~ *zijn op zichzelf* be thrown on one's own resources

**aangezicht** face, countenance ★ *in het* ~ *van de dood* staring death in the face

**aangezichtspijn** facial pain, med facial neuralgia

**aangezien** as, since, because, inform seeing (as)

**aangifte** ❶ *officiële aanmelding* ★ ~ *doen van geboorte / dood, e.d.* register a birth / death, etc. ❷ ⟨bij politie⟩ report ★ ~ *doen bij de politie van...* inform the police of... ❸ ⟨bij douane⟩ declaration ★ ~ *doen van goederen* declare goods ★ ⟨opschrift⟩ ~ *goederen* goods to declare ❹ *belastingaangifte* (tax) return ★ ~ *doen van belasting* submit a tax return

**aangiftebiljet** tax (return) form

**aangrenzend** adjacent, adjoining

**aangrijpen** ❶ *vastpakken* seize ❷ *ontroeren* move ★ *dat grijpt je aan* that moves / affects you

**aangrijpend** moving, stirring ★ *een* ~ *verhaal* a stirring story, a gripping story ★ *een* ~*e plechtigheid* a moving ceremony

**aangrijpingspunt** point of impact

**aangroei** growth

**aangroeien** ❶ *opnieuw groeien* grow (back / again) ❷ *toenemen* increase

**aanhaken** I *ov ww, vastmaken* hook on II *on ww* ~ *bij* add to, hitch on to

**aanhalen** ❶ *vaster trekken* tighten ★ *de teugels* ~ tighten the reins ❷ *liefkozen* ⟨van dier⟩ pet, ⟨van mens⟩ fondle, ⟨van mens⟩ caress ❸ *citeren* ⟨van tekst⟩ quote, ⟨van autoriteiten⟩ cite

**aanhalig** affectionate, ⟨vleierig⟩ coaxing

**aanhaling** quotation, quote

**aanhalingsteken** quotation mark, GB inverted comma ★ ~*s openen / sluiten* open / close quotation marks

**aanhang** *steunende groep* followers *mv*, supporters *mv*, adherents *mv* ★ *de beweging heeft een grote* ~ the movement has many supporters, the movement has a large following

**aanhangen** *steunen* follow, support

**aanhanger** ❶ *volgeling* follower, supporter ❷ *aanhangwagen* trailer

**aanhangig** pending ★ *een zaak* ~ *maken bij de rechtbank* bring a matter before a court ★ *een wetsontwerp* ~ *maken* introduce a bill

**aanhangsel** ❶ *aanhangend deel* form appendage ★ *anat wormvormig* ~ appendix ❷ *bijlage* ⟨van polis⟩ slip, ⟨van testament⟩ codicil, ⟨van boek / document⟩ appendix

**aanhangwagen** trailer

**aanhankelijk** attached, devoted, affectionate

**aanhebben** *aan het lichaam hebben* be wearing, have on ★ *wat had ze aan?* what was she wearing?

**aanhechten** attach, fasten on

**aanhechtingspunt** point of attachment

**aanhef** *begin van brief* salutation

**aanheffen** start, begin ★ *een lied* ~ strike up a song

**aanhikken tegen** worry about, be reluctant about

**aanhoren** ❶ *luisteren naar* listen to, hear ★ *ten* ~ *van* in the presence of, in the hearing of ★ *het is niet om aan te horen* I can't bear / stand listening to it ❷ *merken* hear, tell ★ *het was hem aan zijn stem aan te horen* you could tell by his voice

**aanhouden** I *ov ww* ❶ *arresteren* arrest ★ *een verdachte* ~ take a suspect into custody ❷ *tegenhouden* stop ❸ *niet uittrekken* keep on ★ *ik houd mijn jas aan* I'll keep my coat on ❹ *uitstellen* hold / leave over, ⟨van rechtszaak, e.d.⟩ adjourn ❺ *laten voortduren* prolong, ⟨vriendschap⟩ keep up ★ *een noot* ~ sustain a note ★ *een kamer* ~ keep a room on II *on ww, voortduren* go on, continue, hold, last ★ *de regen houdt aan* the rain continues ★ *ons geluk houdt aan* our luck is holding ★ *het weer houdt aan* the weather is holding

**aanhoudend** I *bnw, zonder ophouden* continuous, constant, incessant ★ ~*e periode van regen* prolonged period of rain II *bijw* time and again

**aanhouder** stickler ▼ *de* ~ *wint* perseverance pays

**aanhouding** arrest

**aanhoudingsmandaat** BN *arrestatiebevel* arrest warrant

**aanjagen** ❶ *aandoen* ★ *angst* ~ frighten, scare ★ *vrees* ~ intimidate ❷ techn boost

**aanjager** techn booster, supercharger

**aankaarten** raise, broach ★ *een probleem / zaak* ~ *bij* raise a matter (with)

**aankijken** ❶ *kijken naar* look at ★ *iem. niet* ~ look away from sb ★ *iem. gemeen* ~ give sb a nasty look ★ *iem. verbaasd* ~ give sb a surprised look ★ *het* ~ *niet waard* not worth looking at ❷ *overdenken* ★ *de zaak nog eens* ~ wait and see ❸ ~ **op** blame for ★ *jij wordt er op aangekeken* you will be blamed for it

**aanklacht** accusation, charge, form indictment, ⟨openlijke veroordeling⟩ denunciation

**aanklagen** ❶ jur bring charges against, form arraign, ⟨openlijk⟩ denounce ★ *iem.* ~ *wegens...* charge sb of..., take sb to court for... ❷ BN *afkeuren* condemn, disapprove (of), ⟨van gedrag⟩ frown upon

**aanklager** jur plaintiff ★ *openbare* ~ public prosecutor

**aanklampen** approach, buttonhole

**aankleden** ❶ *kleren aantrekken* dress ★ *zich* ~ dress ❷ *inrichten* ⟨een kamer⟩ furnish, ⟨een kamer⟩ fit

**aankleding** *het aankleden* ⟨van kamer⟩ furnishing, ⟨van toneelstuk⟩ scenery

**aanklikken** comp click (on)

**aankloppen** ❶ *op deur kloppen* knock (at the door) ❷ ~ **bij** appeal to ★ *bij iem. om hulp* ~ come / appeal to sb for help

**aanknopen** I *ov ww* ❶ *vastknopen aan* tie / fasten

to ❷ *beginnen* ★ *een gesprek* ~ enter into a conversation ★ *onderhandelingen* ~ enter into negotiations ★ *zakenconnecties* ~ *(met)* establish business connections (with) ▼*er een dagje* ~ stay another day **II** *on ww* ~ **bij** ★ ~ *bij een opmerking* take up a point

**aanknopingspunt** starting point, ⟨tussen mensen⟩ point of contact

**aankoeken** burn, stick

**aankomen** ❶ *arriveren* arrive ❷ *naderen* approach, come ★ *ik kom eraan* I'm coming ★ *ik kon het zien* ~ she could see it coming ❸ *langsgaan (bij)* drop in, come round ❹ *aanraken* touch ~*!* hands off! ❺ *raken, treffen* ★ *die klap kwam hard aan* the blow hit hard / hit home ❻ *verkrijgen* ★ *er is geen* ~ *aan* it's not to be had for love or money ★ *hoe ben je eraan gekomen?* how did you get it? ❼ *zwaarder worden* put on weight ★ *zij is 10 kilo aangekomen* she has gained 10 kilos ❽ *presenteren* ★ ~ *met iets* come up with sth ★ *daar hoef je bij hem niet mee aan te komen* that won't go down with him, he won't like that ❾~**op** ★ *hier komt het op aan* this is what it boils down to ★ *het komt er niet op aan* it doesn't matter ★ *je moet niet alles op het laatst laten* ~ you must not put off everything to the last moment ★ *hij laat alles op mij* ~ he shoves everything on to me ★ *als het op betalen aankomt* when it comes to paying

**aankomend** ❶ *aanstaand* next, coming ★ ~*e week* next week ❷ *beginnend* ★ ~*e kantoorbediende gevraagd* junior clerk wanted ★ ~ *schrijver* budding author

**aankomst** ❶ *het aankomen* arrival, ⟨in land⟩ entry ★ *bij* ~ on arrival, on entry ❷ sport finish

**aankondigen** announce ★ *een huwelijk* ~ announce a marriage

**aankondiging** ❶ *bekendmaking* announcement, ⟨v. boek⟩ review, ⟨officieel⟩ notification ★ *tot nadere* ~ until further notice ❷ BN *advertentie* advertisement, ⟨informeel⟩ ad

**aankoop** ❶ *het kopen* buying, acquisition ★ *bij* ~ *van X een Y cadeau* a free Y with every X ❷ *het gekochte* purchase

**aankoopsom** purchase price

**aankopen** purchase, buy

**aankruisen** mark, tick (off), check ★ ~ *wat verlangd wordt* tick as appropriate

**aankunnen** ❶ *opgewassen zijn tegen* ★ *iem.* ~ be a match for sb ❷ *berekend zijn voor* be up to, be able to manage, be able to cope with ★ *hij kon het werk niet aan* he wasn't up to the job ★ *hij kan het niet aan* he can't cope

**aankweken** grow, cultivate

**aanlanden** ❶ *aan land komen* land ❷ *terechtkomen* end up ★ *goed* ~ arrive safe and sound

**aanlandig** onshore ★ ~*e wind* onshore wind

**aanleg** ❶ *constructie* building, ⟨van kabel⟩ laying, ⟨van tuin⟩ laying-out, ⟨van wegen, spoorwegen, e.d.⟩ construction ★ *de* ~ *van elektriciteit* the installation of electricity ★ *in* ~ *zijn* be under construction ❷ *talent* talent ★ ~ *hebben voor* have a talent for ❸ *vatbaarheid* tendency ★ ~ *voor een ziekte hebben* be susceptible to a disease

**aanleggen I** *ov ww* ❶ *construeren* ⟨elektriciteit⟩ put in, ⟨(spoor)weg⟩ build, ⟨(spoor)weg⟩ construct, ⟨tuin⟩ lay out, ⟨voorraad⟩ build up, ⟨vuur⟩ make, ⟨verband⟩ bandage, ⟨verband⟩ dress ⟨a wound⟩, ⟨maatstaf⟩ apply ★ *regelen* ★ *het zo* ~ *dat...* arrange in such a way that... ★ *de zaken handig* ~ manage things cleverly ★ *iets verkeerd / goed* ~ set about sth the wrong / right way ★ *het met iem.* ~ get involved with sb ❸ *van schietwapen* level ★ ~ *op* aim at **II** *on ww, aan de wal gaan liggen* moor

**aanlegplaats** landing stage, mooring

**aanleiding** occasion ★ *naar* ~ *van* in connection with ★ ~ *geven tot* give rise to, lead to ★ *bij de geringste* ~ at the slightest provocation ▼*zonder enige* ~ without any reason ▼*naar* ~ *van uw brief* in reference to your letter

**aanlengen** dilute, weaken, ⟨knoeien⟩ adulterate

**aanleren** ❶ *onderwijzen* teach ❷ *eigen maken* learn, inform pick up

**aanleunen** *tegen* lean against ▼*zich iets laten* ~ put up with sth, take it as one's due ▼*hij laat zich dat niet* ~ he won't take that lying down

**aanleunwoning** ⟨adjoining⟩ service accommodation, ⟨flatwoning⟩ (adjoining) service flat

**aanlijnen** leash

**aanlokkelijk** alluring, enticing, tempting

**aanlokken** ❶ *aantrekken* lure, entice, ⟨klanten⟩ attract ❷ *bekoren* ★ *het lokt mij niet erg aan* it does not appeal to me very much, it's not my cup of tea

**aanloop** ❶ sport ★ *een* ~ *nemen* take a running start ❷ *bezoek* ★ *veel* ~ *hebben* have many visitors ❸ *inleiding* introduction, preamble

**aanloophaven** port of call

**aanloopkosten** initial / starting-up expenses

**aanloopperiode** trial period, ⟨v. product⟩ lead time

**aanlopen** ❶ *naderen* ★ ~ *op* walk towards ❷ *even langsgaan (bij)* drop by ★ *bij iem.* ~ drop in on sb, call on sb ❸ *tegen iets aan schuren* ★ *de rem loopt aan* the brake drags ❹ *een kleur krijgen* ★ *hij liep rood aan* his face went red, he was blushing ❺~**tegen** lett walk / bump / run into ❻~**tegen** fig *stuiten op* come across

**aanmaak** manufacture, production

**aanmaakblokje** firelighter

**aanmaakhout** kindling

**aanmaken** ❶ *aansteken* light, kindle ❷ *toebereiden* ⟨groente⟩ prepare, ⟨salade⟩ dress, ⟨verf, deeg, enz.⟩ mix ❸ *fabriceren* produce, manufacture

**aanmanen** ❶ *aansporen* urge, exhort ❷ *sommeren* order, demand, summon ★ *iem.* ~ *tot betaling* demand payment from sb

**aanmaning** ❶ *aansporing* reminder, exhortation ❷ *sommering* reminder, warning notice ★ *eerste* ~ reminder ★ *laatste* ~ final notice

**aanmatigen** [zich ~] presume, assume, form arrogate to oneself ★ *zich een oordeel* ~ presume to give an opinion, take it upon o.s. to pass judgement ★ *u matigt zich te veel aan* you presume too much

**aanmatigend** arrogant, presumptuous, overbearing

**aanmelden ❶** *presenteren* announce, report **❷** *opgeven* come forward ★ *zich voor een examen ~* enter for an examination **❸** comp *inloggen* log in

**aanmelding ❶** *inschrijving* ⟨voor betrekking⟩ application, ⟨voor deelneming, wedstrijd, enz.⟩ entry, ⟨voor dienst, cursus, enz.⟩ enrolment, ⟨als vrijwilliger⟩ enlistment **❷** *aankondiging* announcement, announcement

**aanmeldingsformulier** registration form, ⟨voor sollicitatie⟩ application form

**aanmeldingstermijn** closing date for application

**aanmeren** moor

**aanmerkelijk** considerable

**aanmerken ❶** *beschouwen (als)* consider (as), regard (as) **❷** *afkeurend opmerken* critize ★ *iets ~ op* find fault with ★ *er viel veel op zijn gedrag aan te merken* his conduct was far from blameless ★ *er valt niets op aan te merken* I can find no fault with it

**aanmerking ❶** *beschouwing* consideration ★ *in ~ komen voor* be considered for promotion ★ *niet in ~ komen* deserve / receive no consideration ★ *in ~ genomen* considering, in view of **❷** *kritiek* (critical) remark, comment ★ *~en maken op* find fault with, object to

**aanmeten I** *ov ww, de maat nemen* take someone's measurements **II** *wkd ww* [zich ~] *aanmatigen* ★ *zich een houding ~* assume a pose / an attitude

**aanmodderen** bungle on, stumble ★ *hij moddert maar wat aan* he's just playing about, he's just muddling on

**aanmoedigen** *aansporen* encourage, sport cheer

**aanmoediging** encouragement ★ *onder ~ van collega's* cheered on by colleagues

**aanmonsteren** sign on ★ *~ als matroos* sign on as a sailor

**aannaaien** sew on

**aanname ❶** *acceptatie* acceptance **❷** *veronderstelling* assumption

**aannemelijk ❶** *redelijk* reasonable, fair, acceptable **❷** *geloofwaardig* plausible, ⟨waarschijnlijk⟩ likely

**aannemen ❶** *in ontvangst nemen* accept, take **❷** *accepteren* accept, ⟨motie⟩ carry, ⟨wet⟩ pass ★ *iets als vanzelfsprekend ~* take sth for granted **❸** *geloven* accept, believe ★ *je mag van mij ~ dat* you may take it from me that **❹** *veronderstellen* assume, suppose ★ *er werd algemeen aangenomen dat* it was generally assumed that ★ *aangenomen dat* assuming / supposing that **❺** *eigen maken* adopt, ⟨religie⟩ embrace ★ *een houding ~* adopt an attitude ★ *een gewoonte ~* get into a habit **❻** *voor een bepaalde prijs uitvoeren* contract for ★ *de bouw van een huis ~* contract for the building of a house **❼** *in dienst nemen* engage, take on **❽** *adopteren* adopt **❾** *als lid opnemen* admit, ⟨in kerk⟩ receive, ⟨in kerk⟩ confirm

**aannemer** contractor, ⟨master⟩builder

**aanpak** approach

**aanpakken I** *ov ww* **❶** *vastpakken* take hold of, seize **❷** *gaan behandelen* deal with, handle, tackle ★ *hoe wil je dat ~?* how will you set about

it? ★ *een probleem ~* tackle / approach a problem **❸** *afstraffen* ★ *iem. eens goed ~* take a firm line with sb **❹** fig *aangrijpen* ★ *zijn scheiding pakte hem nogal aan* he was badly shaken by his divorce **II** *on ww, hard werken* ★ *hij weet van ~* he is a go-getter, he knows how to set about his work ★ *flink ~* get cracking

**aanpalend** adjacent, adjoining

**aanpappen** met chum up with

**aanpassen I** *ov ww* **❶** *passen* try on **❷** *geschikt maken* adapt **II** *wkd ww* [zich ~] *zich conformeren* adapt / adjust oneself to

**aanpassing** adaptation, adjustment

**aanpassingsvermogen** adaptability (to)

**aanplakbiljet** poster, bill

**aanplakken** affix, paste (up) ★ *~ verboden!* stick no bills!

**aanplant ❶** *het aanplanten* planting **❷** *het aangeplante* new plants *mv*, plantings *mv*, ⟨bos⟩ afforestation

**aanplanten** cultivate, ⟨bomen⟩ plant, ⟨graan⟩ grow

**aanporren** BN *aansporen* urge, stimulate, spur (on)

**aanpoten ❶** *flink doorwerken* slog away, slave away **❷** *voortmaken* hurry (up), inform get a move on ▼ *we moeten nog flink ~* we must keep our nose to the grindstone, wir müssen uns noch ins Zeug legen

**aanpraten** talk into ★ *iem. iets ~* talk sb into sth

**aanprijzen** recommend, praise ★ *iets luid ~* sing the praises of sth, form extol sth

**aanraakscherm** touch screen

**aanraden** advise, ⟨boek⟩ recommend, ⟨plan⟩ suggest ★ *op ~ van* at the suggestion of, on recommendation from ★ *dat is niet aan te raden* it's not advisable

**aanrader** a(n) (absolute) must ★ *de tentoonstelling is een ~* the exhibition is highly recommended

**aanraken** touch ★ *verboden aan te raken* do not touch

**aanraking ❶** *het aanraken* touch **❷** *contact* contact ★ *in ~ brengen met* put in touch with ★ *met de politie in ~ komen* get into trouble with the police

**aanranden ❶** *molesteren* assail, assault **❷** *tot seks dwingen* assault, harass **❸** *aantasten* injure

**aanrander** *geweldpleger* assailant, form violator

**aanranding ❶** *geweld* (criminal) assault **❷** *dwang tot seks* indecent assault, sexual harassment, violation **❸** *aantasting* violation

**aanrecht** kitchen sink unit

**aanreiken** pass, hand, reach

**aanrekenen ❶** *beschouwen als* ★ *iem. iets als een verdienste ~* give sb credit for sth **❷** *verwijten* blame (for), hold (against) ★ *iem. iets ~* blame sb for sth, hold sth against sb **❸** BN *meerekenen, meetellen* include (in), count (in)

**aanrichten ❶** *veroorzaken* cause, bring about, ⟨schade⟩ cause **❷** *voorbereiden* ★ *een feest ~* lay on a party, arrange a party

**aanrijden I** *ov ww, in botsing komen met* collide with, run / crash into ★ *zij werd aangereden* she was run over, she was knocked down by a car **II** *on ww, rijdend naderen* drive up ★ *op iem. ~* drive / ride towards sb ★ *tegen iets ~* drive into sth

**aanrijding** collision, crash, accident ★ *een ~ hebben* be (involved) in an accident

**aanroepen ❶** *roepen naar* call, hail **❷** *hulp vragen* invoke ★ *God als getuige ~* call God as a witness

**aanroeren ❶** *aanraken* touch **❷** *ter sprake brengen* touch upon ★ *een teer punt ~* bring up a delicate subject

**aanrukken** advance ★ *versterkingen laten ~* move up reinforcements ★ *een fles wijn laten ~* have another bottle of wine

**aanschaf** purchase, buy, acquisition

**aanschaffen** purchase, buy, acquire

**aanscherpen ❶** *scherper maken* sharpen **❷** *duidelijker naar voren brengen* accentuate, highlight, underline

**aanschieten I** *ov ww* **❶** *licht verwonden* hit, ⟨van vogel⟩ wing **❷** *gauw aantrekken* slip into **❸** *aanspreken* buttonhole, approach **II** *on ww, toesnellen* ★ *komen ~* dart forward

**aanschoppen** *tegen* kick against

**aanschouwelijk** clear, graphic ★ *~ onderwijs* teach by illustration ★ *~ maken* demonstrate, illustrate

**aanschouwen** see, behold ★ *ten ~ van* in full view of

**aanschrijven** summon, order, instruct ▼ *je staat goed / slecht bij hem aangeschreven* you are in his good / bad books

**aanschrijving** notification

**aanschuiven I** *ov ww, dichterbij brengen* draw / pull up ★ *een stoel ~* draw up a chair **II** *on ww* **❶** *aansluiten* shuffle (along) **❷** BN *in de file staan* be in a traffic jam

**aanslaan I** *ov ww* **❶** *kort raken* ⟨toets⟩ strike, ⟨snaar⟩ touch **❷** *waarderen* rate, estimate ★ *iem. hoog ~* think highly of sb **❸** *belasting opleggen aan* tax, impose taxes on **II** *on ww* **❶** *vasthechten* form a deposit, cake on **❷** *starten van motor* start **❸** *succes hebben* catch on, be a success **❹** *blaffen* start barking **❺** *beslaan* ⟨van raam, glas⟩ steam / mist up, ⟨van ketel, enz.⟩ get furred / scaled

**aanslag ❶** *aanval* attack, attempt ★ *een ~ op iem. plegen* make an attempt on sb's life **❷** *belastingaanslag* assessment ★ *voorlopige ~* provisional assessment ★ *definitieve ~* provisional / final assessment **❸** *afzetting* deposit, ⟨in ketel, op tanden.⟩ scale, ⟨in ketel, op tong.⟩ fur, ⟨op raam⟩ moisture **❹** *schietklare stand* ★ *het geweer in de ~ brengen* cock the rifle ★ *zijn geweer in de ~ hebben* have one's rifle at the ready **❺** *muz* touch

**aanslagbiljet** tax return, assessment notice, USA tax bill

**aanslibben** silt up

**aansluiten I** *ov ww* **❶** *verbinden* connect, link up, ⟨telefoon⟩ connect ★ *verkeerd aangesloten!* wrong number! **❷** *aaneen doen sluiten* close, link up **II** *on ww, verbonden zijn* correspond, ⟨van treinen⟩ connect ★ *die weg sluit aan bij...* that road links up with... ★ *~!* close up! **III** *wkd ww* [zich ~] **❶** *lid worden (van)* join, become a member ★ *zich bij een partij ~* join a party **❷** *het eens zijn (met)* agree with

**aansluiting ❶** *verbinding* connection ★ *de ~ missen* miss the connection ★ *in ~ op ons*

*schrijven* in reference to our letter ★ *~ krijgen* be put through **❷** *contact* joining ★ *~ zoeken bij iem.* seek contact with sb ★ *de ~ van Griekenland bij de EU* Greece's entry into the EU

**aansluitingstreffer** *sport* equaliser

**aansluitkosten** connection charge / fee

**aansmeren ❶** *dichtsmeren* smear, ⟨een muur e.d.⟩ daub **❷** *aanpraten* ★ *iem. iets ~* palm sth off on sb, fob sb off with sth

**aansnellen** run ★ *hij kwam aangesneld* he came running (along)

**aansnijden ❶** *afsnijden* cut (into) **❷** *aankaarten* bring up, ⟨heikel punt⟩ broach ★ *een onderwerp ~* bring up a subject

**aanspannen ❶** *jur beginnen* institute, initiate ★ *een rechtszaak tegen iem. ~* institute legal proceedings against sb **❷** *vastmaken* harness, hitch up **❸** *strak trekken* tighten

**aanspelen** *sport* ⟨in balsport⟩ pass (to), feed, play to

**aanspoelen** *aan land drijven* be washed ashore ★ *er is een lijk aangespoeld* a corpse has been washed ashore

**aansporen ❶** *fig stimuleren* urge, stimulate, spur (on) **❷** *lett* ⟨een paard⟩ *de sporen geven* spur

**aansporing** incentive, stimulation, stimulus ★ *op ~ van* at the instance / instigation of, urged by

**aanspraak ❶** *sociaal contact* contact ★ *veel ~ hebben* see a good many people **❷** *recht* claim, title ★ *~ hebben op* have a claim to, be entitled to ★ *~ maken op* lay claim to

**aansprakelijk** responsible, answerable, *jur* liable ★ BN *burgerlijk ~* civilly liable ★ *wettelijk ~* civilly liable ★ *zich ~ stellen* take responsibility ★ *~ stellen* hold responsible

**aansprakelijkheid** responsibility ★ *wettelijke ~* (legal) liability ★ *~ tegenover derden* third-party risk

**aansprakelijkheidsverzekering** third-party insurance

**aanspreekbaar** approachable

**aanspreektitel** term of address, (official) title

**aanspreekvorm** form of address

**aanspreken ❶** *het woord richten tot* address, speak to ★ *iem. met 'jij' ~* be on first-name terms with sb, call sb by his / her first name ★ *iem. met 'u' ~* address sb politely ★ *iem. ~ over iets* talk to sb about sth ★ *iem. ~ op straat* accost sb in the street **❷** *gaan gebruiken* ★ *zijn kapitaal ~* break into one's capital **❸** *in de smaak vallen bij* appeal to ★ *het spreekt mij niet aan* it doesn't appeal to me ▼ *iem. ~ op iets* call sb to account ▼ *ik voel me niet aangesproken* it doesn't concern me

**aanstaan ❶** *bevallen* please ★ *het staat me helemaal niet aan* I'm not at all happy about it, it rubs me the wrong way **❷** *in werking zijn* ⟨van motor⟩ be running, ⟨tv e.d.⟩ be (switched) on **❸** *op een kier staan* be ajar

**aanstaande I** *zn* [de], *verloofde* fiancé(e) ★ *mijn ~* my future husband / wife **II** *bnw* **❶** *eerstkomend* first, next, coming ★ *~ vrijdag* next Friday **❷** *toekomstig* future ★ *de ~ moeder* the expectant mother

**aanstalten** preparations ★ *~ maken (om / voor)* get ready to, prepare to ★ *geen ~ maken om weg te gaan* show no signs of leaving

**aanstampen** tamp down
**aanstaren** stare / gaze at, ⟨met open mond⟩ gape at
**aanstekelijk ❶** *besmettelijk* infectious, catching **❷** *gemakkelijk op anderen overgaand* contagious ★ *~e lach* infectious laugh
**aansteken ❶** *doen branden* ⟨een huis⟩ set fire to, ⟨lamp⟩ light, ⟨een vuur⟩ kindle **❷** *besmetten* infect **❸** *wormstekig maken* ★ *een aangestoken appel* a worm-eaten apple ▼ *zijn vrolijkheid stak iedereen aan* his gaiety infected everyone
**aansteker** lighter
**aanstellen I** *ov ww* appoint **II** *wkd ww* [zich ~] pose, put on airs ★ *stel je niet aan!* stop showing off!
**aansteller** crybaby, poser
**aanstellerig** affected, theatrical
**aanstellerij** affectation
**aanstelling** appointment, ⟨van officier⟩ commission ★ *tijdelijke ~* temporary appointment ★ *vaste ~* permanent appointment
**aansterken** get stronger, convalesce
**aanstichten** ⟨complot⟩ hatch, ⟨onheil⟩ cause, ⟨opstand⟩ instigate
**aanstichter** instigator
**aantippen ❶** *even aanraken* touch, <u>med</u> dab **❷** *even noemen* mention briefly, touch on **❸** *aankruisen* tick off
**aanstoken ❶** *aanwakkeren* fan **❷** *opruien (tot)* stir
**aanstonds** directly, at once, ⟨straks⟩ presently
**aanstoot** offence, scandal ★ *~ geven* give offence ★ *~ nemen aan* take offence at
**aanstootgevend** offensive, objectionable, ⟨sterk⟩ scandalous, ⟨sterk⟩ shocking
**aanstoten** nudge
**aanstrepen** ⟨op lijst⟩ tick off, ⟨een passage⟩ mark ★ *~ wat verlangd wordt* tick as appropriate
**aanstrijken ❶** *doen ontbranden* strike **❷** <u>muz</u> bow
**aansturen ❶** *~ op* sturen *naar* make for, head for ★ *op een haven ~* make / head for a harbour **❷** *~ op* streven *naar* steer towards, make for
**aantal** number ★ *een ~ schrijvers* a number of writers ★ *na een ~ jaren* after a number of years ★ *gering in ~* in small numbers ★ *in ~ overtreffen* outnumber
**aantasten ❶** *langzaam vernietigen* affect, damage, ⟨vooral van metalen⟩ corrode ★ *zijn gezondheid is aangetast* his health has been affected ★ *zijn goede naam is aangetast* his reputation has been damaged ★ *de grondslagen van iets ~* strike at the roots of sth ★ *zure regen tast metalen aan* acid rain corrodes metals, acid rain eats into metal **❷** <u>fig</u> *aanvallen* attack
**aantasting** *langzame vernietiging* ⟨van gezondheid⟩ adverse effect (on), ⟨van hout, enz.⟩ decay, ⟨van metaal⟩ corrosion, ⟨van milieu⟩ damage (to), ⟨van reputatie⟩ slur (on)
**aantekenboek** notebook, memorandum book
**aantekenen I** *ov ww* **❶** *opschrijven* write down, make a note of, record **❷** *opmerken* ★ *hierbij moet ik echter ~* it should be noted however **II** *on ww, in ondertrouw gaan* ≈ get a marriage licence
**aantekening ❶** *notitie* note, annotation, ⟨foot⟩note ★ *~en maken* take notes ★ *van ~en*

*voorzien* annotate **❷** *commentaar, vermelding* registration
**aantijging** allegation, accusation, imputation
**aantikken I** *ov ww, even aanraken* tap **II** *on ww, oplopen* mount / tot up ★ *dat tikt lekker aan!* that's adding up nicely
**aantocht** approach, advance ★ *in ~ zijn* be on the way ★ *er is onweer in ~* a thunderstorm is brewing ★ *de lente is in ~* spring is in the air
**aantonen ❶** *laten zien* demonstrate, reveal, show **❷** *bewijzen* prove, demonstrate **❸** <u>taalk</u> → **wijs**
**aantoonbaar** demonstrable
**aantreden** *zich verzamelen* fall in, line up ★ *de manschappen laten ~* fall the men in
**aantreffen** *tegenkomen* meet (with), find, come across
**aantrekkelijk** attractive, inviting, appealing
**aantrekken I** *ov ww* **❶** *aandoen* ⟨kleren⟩ put on, ⟨schoeisel⟩ pull on ★ *trek je schoenen aan!* put your shoes on! ★ *andere kleren ~* change **❷** *vasttrekken* draw tighter, tighten **❸** *naar zich toe halen* draw near, attract ★ *tegenpolen trekken elkaar aan* antipoles attract each other ★ *zich tot iets aangetrokken voelen* feel attracted to sth **❹** *werven* take on, recruit **II** *on ww, zich herstellen* improve **III** *wkd ww* [zich ~] *zich bekommeren om* be concerned about ★ *zich iets ~ van iets* take offence at sth, take sth to heart ★ *iets zich persoonlijk ~* take sth personally ★ *trek je van hem maar niets aan!* don't mind him! ★ *trek het je maar niet aan* never mind
**aantrekkingskracht ❶** <u>natk</u> power of attraction, ⟨gravitational⟩ pull **❷** *aantrekkelijkheid* attractiveness, appeal
**aanvaardbaar** acceptable, ⟨redenering⟩ plausible
**aanvaarden ❶** *aannemen* accept, take **❷** *in ontvangst nemen* take **❸** *op zich nemen* ⟨aanbod, consequenties⟩ accept, ⟨commando⟩ assume ★ *zijn taken ~* take up one's duties **❹** *beginnen* begin ★ *een reis ~* set out on a journey **❺** *in gebruik nemen* ★ *direct te ~* with immediate possession
**aanvaarding ❶** *inbezitneming* taking possession **❷** *het op zich nemen* assumption, taking on acceptance
**aanval ❶** *offensief* attack, assault, charge ★ *een ~ afslaan* beat off an attack ★ *tot de ~ overgaan* go on / take the offensive **❷** *uitbarsting* attack, fit ★ *een ~ van koorts* an attack of fever ★ *epileptische ~* epileptic fit ★ *een ~ van woede* a fit of rage **❸** <u>sport</u> attack ▼ *~ is de beste verdediging* attack is the best (form of) defence
**aanvallen I** *ov ww, een aanval doen* attack, ⟨plotseling en hevig⟩ assault, ⟨plotseling en hevig⟩ assail **II** *on ww, afstormen op* fall upon, charge ★ *op zijn eten ~* fall upon one's food
**aanvallend** offensive, aggressive
**aanvaller** *persoon, groep die aanvalt* attacker
**aanvalsoorlog** war of aggression
**aanvalsspits** <u>sport</u> striker
**aanvalswapen** offensive weapon
**aanvang** beginning, start, <u>form</u> commencement ★ *een ~ nemen* begin, <u>form</u> commence
**aanvangen I** *ov ww* begin, commence ★ *wat moet ik met haar ~?* what am I (supposed) to do

with her? **II** *on ww* begin
**aanvangsdatum** starting date
**aanvangssalaris** starting salary
**aanvangstijd** (scheduled) starting time
**aanvankelijk I** *bnw* original, first, initial **II** *bijw* initially, at first
**aanvaring** lett *botsing* collision ★ *ook fig in ~ komen met* collide with, collide / clash with
**aanvechtbaar** questionable, debatable
**aanvechten** question, ⟨van bewering⟩ challenge
**aanvechting** temptation, sudden impulse
**aanvegen** sweep (out)
**aanverwant I** *zn* [de] in-law **II** *bnw* ❶ *aangetrouwd* related by marriage ❷ *nauw betrokken bij* related
**aanvinken** tick, check USA
**aanvliegen I** *ov ww* fly at **II** *on ww, vliegend naderen* fly towards, approach
**aanvliegroute** approach route
**aanvoegend** taalk → **wijs**
**aanvoelen I** *ov ww, begrijpen* feel, appreciate, ⟨stemming⟩ sense ★ *zij voelen elkaar goed aan* they think alike, they speak the same language, they are on the same wavelength **II** *on ww, bepaald gevoel geven* feel ★ *het voelt raar aan* it feels strange
**aanvoelingsvermogen** intuition, sensitivity
**aanvoer** ❶ *het aanvoeren* supply, delivery ❷ *het aangevoerde* supply, ⟨import⟩ arrival(s) ★ *de ~ van olie* supply of oil ❸ *aanvoerleiding* feedpipe, supply ★ *de ~ is verstopt* the supply / feedpipe is blocked
**aanvoerder** commander, leader, sport captain
**aanvoeren** ❶ *leiden* lead, command ★ *een team ~* captain a team ❷ *ergens heen brengen* supply, bring, form convey ❸ *naar voren brengen* ⟨motieven⟩ advance, ⟨redenen⟩ produce, ⟨bezwaren⟩ raise, ⟨bewijs⟩ submit
**aanvoering** command, leadership, captaincy
**aanvraag** ❶ *verzoek* application, request, ⟨om inlichtingen⟩ inquiry ★ *een ~ indienen* submit an application, send an application to the Council ❷ *bestelling* demand, order, ⟨telefonisch⟩ call ★ *op ~* verkrijgbaar available on request
**aanvraagformulier** application form, ⟨voor goederen⟩ requisition (form)
**aanvragen** apply / ask for ★ *inlichtingen ~ over iets* inquire about sth
**aanvreten** ❶ *aan iets vreten* eat away at, gnaw at ❷ *aantasten* erode ★ *aangevreten longen* corroded lungs, lungs attacked (by gas) ★ *aangevreten door roest* eroded by rust
**aanvullen** ❶ *volledig maken* complete, finish, fill (up), ⟨van aantal⟩ complete, ⟨elkaar⟩ complement, ⟨van leemte⟩ fill, ⟨van tekort⟩ supply, ⟨van voorraad⟩ replenish ★ *een verlies ~* make up a loss ★ *een bibliotheek / informatie ~* supplement a library / information ❷ *vol maken* fill up
**aanvulling** supplement, addition, ⟨van voorraden⟩ replenishment, ⟨van bewering⟩ amplification, ⟨van aantal⟩ completion ★ *ter ~ van* as a supplement to, to complete
**aanvuren** fire, inspire, sport cheer (on)
**aanwaaien** ❶ *op de bonnefooi langskomen* ★ *ergens komen ~* come over ★ *bij iem. komen ~*

drop in on sb ❷ *als vanzelf beschikbaar worden* ★ *dat waait haar gewoon aan* it comes naturally to her
**aanwakkeren I** *ov ww* fig ⟨ongunstig⟩ stir up, ⟨ongunstig⟩ fan, ⟨gunstig⟩ stimulate **II** *on ww, heviger worden* strengthen, increase, ⟨van wind⟩ increase, ⟨van wind⟩ freshen
**aanwas** growth, increase ★ *de ~ van de bevolking* the growth in population
**aanwenden** *gebruiken* use, apply ★ *te eigen bate ~* use to one's own advantage ★ *zijn invloed ~* exert / use one's influence ★ *technieken ~* apply techniques
**aanwennen** [*zich ~*] make a habit of, get (yourself) used to ★ *een gewoonte ~* pick up a habit, fall into the habit of, get into bad habits ★ *zich ~ om duidelijk te spreken* make it a habit to speak clearly
**aanwensel** (bad) habit, trick
**aanwerven** canvass
**aanwezig** ❶ *present* present ★ *de ~en* those present ★ *nadrukkelijk ~ zijn* make one's presence felt ❷ *beschikbaar* existing, ⟨bestaand⟩ extant ★ *er zijn geen gelden ~* there are no funds available
**aanwezigheid** *het er zijn* presence, ⟨in school / vergadering⟩ attendance ★ *zeg dat niet in ~ van de kinderen* don't say that in front of the children
**aanwijsbaar** demonstrable, verifiable
**aanwijzen** ❶ *laten zien* point out / to, indicate, show ❷ *bestemmen* assign (to), designate, ⟨militair⟩ detail, ⟨fondsen⟩ earmark
**aanwijzing** ❶ *het aanwijzen* pointing, indicating ❷ *inlichting* instruction, direction ★ *iem. ~en geven* give sb instructions / directions ★ *op ~ van* under the directions of ❸ *indicatie* indication, sign, ⟨vingerwijzing⟩ pointer, ⟨vingerwijzing⟩ clue ★ *er is geen enkele ~ dat* there is no indication whatsoever that
**aanwinst** ❶ *verworven bezit* gain, acquisition ★ *welkome ~* welcome addition ❷ *waardevolle toevoeging* gain, asset ★ *zij is een ~ voor de zaak* she's an asset to the business
**aanwonende** resident
**aanwrijven I** *ov ww, verwijten* ★ *iem. iets ~* blame sb for sth, lay sth at sb's door **II** *on ww, wrijven* rub (*tegen* against)
**aanzeggen** give notice (of)
**aanzet** start, initiative, impulse ★ *zij heeft de ~ gegeven* she took the initiative ★ *de (eerste) ~ geven tot* take the initiative, initiate sth
**aanzetten I** *ov ww* ❶ *in werking zetten* ⟨elektrisch apparaat⟩ put / switch / turn on, ⟨motor⟩ start ❷ *vastmaken* put on (to), ⟨vaster draaien⟩ tighten ★ *een stuk ~* fit on a piece ★ *knopen ~* sew on buttons ❸ *aansporen* urge, incite, ⟨tot opstand, enz.⟩ incite to, spur / urge on, ⟨van paard⟩ spur on ❹ *slijpen* sharpen, whet, ⟨scheermes⟩ set **II** *on ww* ❶ *vastkoeken* stick, catch ★ *de melk is aangezet* the milk has stuck to the pan ★ *de ketel is aangezet* the kettle has scaled ❷ *komen* ★ *te laat komen ~* turn up late ★ *komen ~ met een idee* come up with an idea

**aanzicht** appearance, sight
**aanzien** I *zn* [het] ❶ *het bekijken* ★ *het ~ niet waard* not worth looking at ❷ *uiterlijk* look, aspect ★ *dat geeft de zaak een ander ~* that puts a different complexion on the matter ❸ *achting* esteem, prestige ★ *in ~ zijn* be held in (great) esteem ★ *een man van ~* a man of distinction ★ *ten ~ van* with regard / respect to ★ *zonder ~ des persoons* irrespective of rank II *ov ww* ❶ *beschouwen* look at, look (up)on, consider ★ *men ziet hem zijn leeftijd niet aan* he does not look his age ★ *het is niet om aan te zien* it's awful! ★ *laten we het nog wat ~* let us wait and see ★ *het laat zich ~ dat* there is every indication that ★ *niet kunnen ~* be unable to stand it ★ *het is niet om aan te zien!* it's awful! ❷ **~ op** ▼ *iem. ergens op ~* suspect sb of sth ❸ **~ voor** ★ *ten onrechte ~ voor* mistake for ★ *iemand / iets ~ voor* take sb / sth for
**aanzienlijk** I *bnw* ❶ *groot* considerable, substantial ❷ *voornaam* noble, distinguished, notable II *bijw, in hoge mate* considerably, substantially
**aanzitten** *aan tafel zitten* sit at table ★ *gaan ~* sit down to table ★ *de ~den* the guests
**aanzoek** proposal ★ *iem. een ~ doen* propose to sb
**aanzuigen** take in, suck in
**aanzuiveren** pay (off / back) ★ *een tekort ~* make up a deficit
**aanzwellen** swell
**aanzwengelen** ❶ *op gang brengen* crank (up) ❷ *fig ter sprake brengen* pump, boost
**aap** *dier* monkey, ⟨mensaap⟩ ape ▼ *in de aap gelogeerd zijn* be up the creek (without a paddle) ▼ *voor aap staan* be made a fool of ▼ *iem. voor aap zetten* make a laughing stock of sb ▼ *BN iem. voor de aap houden* make a monkey (out) of sb ▼ *zich een aap lachen* laugh your head off ▼ *toen kwam de aap uit de mouw* then the truth came out ▼ *zo trots als een aap* as proud as a peacock
**aar** ear
**aard** ❶ *gesteldheid* character, nature ★ *zijn ware aard tonen* show one's true character ★ *dat ligt niet in mijn aard* it is not my nature ★ *zwak van aard* weak by nature ❷ *soort* kind, sort ★ *zijn karakter is van dien aard, dat...* his character is such that.. ★ *niets van dien aard* nothing of the sort ▼ *hij heeft een aardje naar zijn vaartje* he is a chip off the old block ▼ *uit de aard van de zaak* by / from the nature of things, naturally ▼ *dat is de aard van het beestje* it's in the blood
**aardappel** potato *mv: potatoes*
**aardappelmeel** potato flour
**aardappelmesje** potato peeler
**aardappelpuree** cul mashed potatoes *mv*
**aardas** earth's axis
**aardbei** *vrucht* strawberry
**aardbeving** earthquake
**aardbodem** earth's surface, earth, ground ★ *van de ~ verdwijnen* disappear from the face of the earth
**aardbol** ❶ *planeet aarde* earth ❷ *globe* globe
**aarde** ❶ *grond* soil, earth ★ *zich ter ~ werpen* prostrate o.s. ❷ *aardbol* earth, world ❸ techn earth, USA ground ▼ *BN dat zet geen ~ aan de dijk* that cuts no ice, that will get us nowhere ▼ *ter ~*

*bestellen* commit to the earth, *form* inter ▼ *in goede ~ vallen* be well received, go down well
**aardedonker** pitch-dark
**aarden** I *bnw* earthen ▼ *~ pijp* clay pipe II *ov ww* techn earth, USA ground III *on ww* ❶ *wennen* ★ *ik kan hier niet ~* I can't feel at home here ❷ *~ naar* take after
**aardewerk** earthenware, ⟨voor keuken⟩ crockery, ⟨handwerk⟩ pottery
**aardewerken** earthenware
**aardgas** natural gas
**aardig** I *bnw* ❶ *vriendelijk* kind, nice, ⟨manier van doen⟩ pleasant ★ *dat is erg ~ van u* that is very kind / nice of you ★ *wij hebben een ~e lerares* we have a nice teacher ★ *hij was erg ~ voor me* he was very kind to me ★ *je bent niet ~ tegen haar* you are not very pleasant to her ★ *dat is erg ~ van je* it is / that's very good of you, that is most kind of you ❷ *leuk om te zien* nice ★ *een ~ meisje* a pretty girl ▼ *zij ziet er ~ uit* she looks nice ❸ *nogal groot* fair, nice ★ *een ~ inkomen* a nice income ★ *een ~ sommetje* a tidy sum of money ★ *(het kost) ~ wat* a pretty penny II *bijw, behoorlijk* fairly, pretty (good) ★ *het gaat hem ~ goed* he's doing very nicely, he's doing fairly well
**aardigheid** ❶ *plezier* fun, pleasure ★ *de ~ is eraf* the fun has gone out of it ★ *~ in iets hebben* take pleasure in sth ❷ *grap* joke, jest ★ *voor de ~* for fun, in sport
**aardigheidje** ⟨small⟩ present, a little something
**aarding** earthing
**aardkorst** earth's crust
**aardleiding** earth (wire), USA ground wire
**aardlekschakelaar** earth leakage circuit breaker
**aardnoot** peanut, groundnut
**aardolie** petroleum, crude oil
**aardrijkskunde** geography
**aardrijkskundig** geographical
**aards** ❶ *van de aarde* terrestrial ★ *~ paradijs* paradise on earth ❷ *wereldlijk* terrestrial ★ *~e genoegens* worldly pleasures ★ *~e goederen* worldly goods
**aardschok** earthquake
**aardschol** tectonic plate
**aardverschuiving** *lett* landslide
**aardwetenschappen** earth sciences
**aardworm** *pier* earthworm
**Aarlen** Arlon
**Aarlens** Arlon
**aars** arse
**aartsbisdom** archbishopric
**aartsbisschop** archbishop
**aartsengel** archangel
**aartshertog** archduke
**aartsleugenaar** inveterate liar
**aartslui** bone-idle
**aartsvader** patriarch
**aartsvijand** arch-enemy
**aarzelen** hesitate, waver, dither, ⟨uit bangheid⟩ hang back ★ *zonder ~* without hesitation, *form* without demur
**aarzeling** hesitation, wavering
**aas** I *zn* [de], *speelkaart* ace II *zn* [het] ❶ *lokaas* bait ❷ *dood dier* carrion
**aaseter** scavenging animal, carrion eater / bird,

scavenger
**aasgier** vulture
**abattoir** slaughterhouse, abattoir
**abc ❶** *alfabet* the ABC, the alphabet **❷** *eerste beginselen* rudiments
**abces** abscess, boil
**ABC-wapens** ABC weapons
**abdij** abbey
**abdis** abbess
**abituriënt** grammar / secondary / high school leaver, <u>USA</u> high school graduate
**abject** contemptible, despicable, abject
**abnormaal** abnormal
**Aboe Dhabi** Abu Dhabi
**abominabel** abominable
**abonnee** ⟨op tijdschrift enz.⟩ subscriber
**abonneetelevisie** pay television, cable
**abonnement** subscription, ⟨openbaar vervoer, concerten, e.d.⟩ season ticket
**abonneren I** *ov ww* enter as a subscriber **II** *wkd ww* [zich ~] subscribe (**op** to), take out a subscription
**Aboriginal** Aboriginal
**aborteren** *zwangerschap afbreken* abort ★ *zich laten ~* have an abortion ★ *een vrucht laten ~* have a child aborted
**abortus ❶** *ingreep* abortion ★ *~ provocatus* induced abortion, termination of pregnancy **❷** *miskraam* miscarriage
**abortuskliniek** abortion clinic
**abracadabra ❶** *toverspreuk* abracadabra **❷** *wartaal* double Dutch, gobbledygook
**Abraham** *eigennaam* Abraham ▼ *~ zien* have turned fifty ▼ *weten waar ~ de mosterd haalt* be nobody's fool
**abri** bus shelter
**abrikoos** *vrucht* apricot
**abrupt** abrupt, sudden
**ABS** *antiblokkeersysteem* ABS, anti-lock braking system
**abscis** abscissa
**abseilen** abseil, <u>USA</u> rappel
**absentie ❶** *afwezigheid* absence **❷** *verstrooidheid* absent-mindedness
**absentielijst** ⟨attendance-⟩register, list of absentees
**absolutie** absolution ★ *~ verlenen* give absolution
**absoluut I** *bnw* absolute **II** *bijw* absolutely
**absorberen** absorb ★ *~d middel* absorbent material
**absorptie** absorption
**abstract** abstract
**abstractie** abstraction ▼ <u>BN</u> *~ maken van iets* leave sth out of consideration, leave sth aside
**abstraheren** abstract
**absurd** absurd, ridiculous
**abt** abbot
**abuis I** *zn* [het] mistake, error ★ *per ~* by mistake, erroneously **II** *bnw* mistaken ★ *~ zijn* be mistaken
**abusievelijk** wrongly, mistakenly
**acacia** acacia
**academicus** university graduate, ⟨docent, professor⟩ academic
**academie ❶** *hogeschool* university, ⟨kunstacademie⟩ academy **❷** *geleerd genootschap* academy
**academisch I** *bnw* <u>lett</u> academic, university ★ *~e graad* university degree **II** *bijw* ★ *~ gevormd* university trained
**acajou** <u>BN</u> *mahoniehouten* mahogany
**a capella** a capella
**acceleratie** acceleration
**accelereren** accelerate
**accent¹** [aksent] **❶** *taalk klemtoon* stress **❷** *manier van spreken* accent ★ *een licht ~* a slight accent ★ *een zwaar ~* a strong accent, <u>inform</u> an accent you could cut with a knife **❸** <u>fig</u> *nadruk* emphasis
**accent²** [aksaN] *leesteken* accent ★ *~ aigu* acute accent ★ *~ circonflexe* circumflex ★ *~ grave* grave accent
**accentueren** accent, stress, emphasize, accentuate
**acceptabel** acceptable
**acceptatie** acceptance, acknowledgement
**accepteren** *aannemen* accept ★ *niet ~* refuse, reject, dishonour ★ *dat soort gedrag accepteer ik niet* I won't stand for that kind of behaviour
**acceptgiro** ⟨giro⟩ payment slip
**accessoire** accessory
**accijns** excise duty
**acclimatiseren** acclimatize
**accommodatie** *inrichting* accommodation
**accordeon** accordion
**account ❶** *econ klant / opdracht* account **❷** *econ rekening* account
**accountancy** accountancy
**accountant** ⟨chartered⟩ accountant
**accountantsverklaring** auditor's report
**accountmanager** account manager
**accu** battery ★ *de accu is leeg* the battery is dead
**accuklem** battery clip
**acculader** battery charger
**accumuleren** accumulate
**accuraat** accurate, precise
**accuratesse** accuracy, precision
**ace** *sport* ace
**aceton** acetone
**acetyleen** acetylene
**acetylsalicylzuur** acetyl-salicyclic acid
**ach** ah! ▼ *ach en wee roepen* lament, <u>inform</u> bellyache
**achilleshiel** Achilles heel
**achillespees** Achilles. tendon
**acht¹** *telw* **❶** eight **II** *zn* [de] **❶** *getal* eight **❷** <u>onderw</u> *schoolcijfer* ≈ C **❸** *aandacht* attention, heed ★ *in acht nemen* observe ★ *zich in acht nemen* take care of o.s. ★ *zich in acht nemen voor* be on one's guard against, beware of ★ *acht slaan op* pay attention to, ⟨met zorg⟩ take heed of
**achtbaan** roller coaster
**achtbaar** respectable
**achteloos** careless, negligent
**achten ❶** *beschouwen als, menen* deem, consider, judge ★ *ik acht het ongewenst* I consider it undesirable **❷** *waarderen* esteem, respect
**achter I** *vz* behind, at ★ *~ de boom* behind the tree ★ *~ het bureau* at the desk ★ *~ elkaar* one behind the other, in a row ★ *~ het stuur* at / behind the wheel ★ *~ iem. om* behind sb's back

**II** *bijw* ❶ *aan de achterkant* at | in the back | rear ★ *hij woont ~* he lives at the back ★ *~ in de auto* in the back of the car ★ *~ in de tuin* at the bottom of the garden ★ *~ in de gang* at the end of the hall | passage ★ *~ in het boek* at the back of the book ★ *van ~ naar voren* (from the) back to (the) front, ⟨kennen⟩ backwards ★ *iets van ~ naar voren kennen* know sth backwards ★ *hij is ~ in de dertig* he is in his late thirties ❷ *in achterstand* behind, slow ★ *hij is ~ bij de anderen* he is behind the others ★ *~ zijn met werk* be behind with | in work ★ *~ zijn met betalen* have fallen behind with payments, be in arrears with payments ★ *~ raken* drop | get behind

**achteraan** *achter* in the rear, behind, at the back ★ *zij ging | holde er ~* she ran after it

**achteraanzicht** rear view, view from the back

**achteraf** ❶ *naderhand* after the event, afterwards, later on ★ *~ beschouwd | bezien* in retrospect ★ *~ te betalen* to be paid later ★ *~ is het gemakkelijk praten* it's easy to be wise after the event ❷ *afgelegen* out of the way ★ *een ~ straatje* a back street ★ *~ wonen* live in the middle of nowhere

**achterbak** boot, USA trunk

**achterbaks I** *bnw* underhand ★ *~e streken* underhand dodges ★ *een ~e vent* a sneaky devil **II** *bijw* underhand, secretly

**achterban** supporters *mv*, backing, rank and file, ⟨van politieke partij, enz.⟩ grass roots ★ *steun van de ~* grass-roots support ★ *de ~ raadplegen* take the pulse of the people

**achterband** back tire

**achterbank** back seat

**achterblijven** ❶ *lett niet meekomen* stay behind, remain behind, ⟨bij wedstrijden⟩ drop | fall | lag behind ❷ *fig zich niet ontwikkelen* be backward ★ *een achtergebleven gebied* a backward area ❸ *achtergelaten worden* be left (behind) ★ *drie kinderen blijven achter* three children are left behind

**achterblijver** ❶ *degene die achteraan komt* straggler ❷ *wie blijft* stay-at-home ❸ *kind dat achterblijft* ⟨op school⟩ slow developer | learner, ⟨in ontwikkeling⟩ backward child

**achterbuurt** back street, slum

**achterdeur** backdoor, ⟨van auto⟩ rear door ▼ *fig ~tje* backdoor ▼ *door een ~tje* by | through the backdoor, by backdoor methods

**achterdocht** suspicion

**achterdochtig** suspicious, distrustful

**achtereen** without a pause ★ *kilometers ~* kilometres at a stretch ★ *dagen ~* for days on end

**achtereenvolgens** successively, in succession

**achtereind** ❶ *achterste deel* back, rear (end) ❷ *achterwerk* bottom ▼ *zo stom zijn als het ~ van een varken* be as thick as two short planks

**achteren** further back, backwards ★ *van ~* from behind

**achtergrond** ❶ *verst weg gelegen deel* background ★ *met een rode ~* against a red background ★ *zich op de ~ houden* keep a low profile ★ *op de ~ blijven* keep a low profile ★ *op de ~ raken* recede into the background ★ *naar de ~ schuiven* push into the background ❷ *iemands verleden* background ★ *met een universitaire ~*

with an academic background ❸ *reden* ★ *de ~ van de staking* the background to the strike

**achtergrondinformatie** background information

**achtergrondmuziek** background music, muzak, wallpaper music

**achterhaald** outdated, out of date, obsolete

**achterhalen** ❶ *lett te pakken krijgen* catch up with, run down ★ *zij hebben de dief kunnen ~* they've been able to catch up with the thief ❷ *fig terugvinden* recover, retrieve ★ *de waarheid ~ find* out the truth, get at the truth ❸ → **achterhaald**

**achterheen** ▼ *ergens ~ zitten* keep hard at sth ▼ *ergens ~ gaan* follow sth up, check up on sth

**achterhoede** ❶ *mil* rear(guard) ❷ *sport* defence

**achterhoofd** back of the head ▼ *hij is niet op zijn ~ gevallen* there are no flies on him, he wasn't born yesterday

**achterhouden** ❶ *bij zich houden* hold back ❷ *geheimhouden* withhold, conceal

**achterhuis** ▼ *Het ~ - Dagboekbrieven van Anne Frank* the Diary of a young girl

**achterin** in | at the back

**achterkant** back, reverse, ⟨van grammofoonplaat⟩ b-side

**achterklap** backbiting, scandal

**achterkleinkind** great-grandchild

**achterklep** USA trunk lid, ⟨van kofferbak⟩ lid of the boot, ⟨van stationcar⟩ tailgate, ⟨van vrachtwagen⟩ tailboard

**achterland** hinterland

**achterlangs** behind ★ *~ gaan* go by the backdoor

**achterlaten** *laten achterblijven* leave (behind) ★ *een boodschap voor iem. ~* leave a message for sb

**achterlicht** tail | rear light

**achterliggen** *lett* lie | be behind

**achterlijf** rump, ⟨van insect⟩ abdomen

**achterlijk** ❶ *achtergebleven* backward ❷ *zwakzinnig* retarded

**achterlopen** ❶ *niet de juiste tijd aangeven* be slow ★ *mijn horloge loopt vijf minuten achter* my watch is five minutes slow ❷ *niet bij zijn* be behind the times

**achterna** behind, after

**achternaam** surname, family name

**achternagaan** ❶ *volgen* go | follow behind ❷ *gaan lijken op* resemble, look like ★ *zij gaat haar moeder achterna* she is going to be just like her mother

**achternalopen** ❶ *run after,* follow ❷ *fig verliefd zijn op* follow ★ *hij loopt haar achterna* he runs | chases after her

**achternazitten** ❶ *achtervolgen* chase, pursue, track ★ *de politie zit hem achterna* the police are after him ❷ *controleren* check up on, keep an eye on

**achterneef** ❶ *zoon van neef | nicht* second cousin ❷ *zoon van oom- | tantezegger* great nephew

**achternicht** ❶ *dochter van neef | nicht* second cousin ❷ *dochter van oom- | tantezegger* great-niece

**achterom** round the back ★ *~ kijken* look back

**achterop** ❶ *achter* behind ❷ *op de achterkant* at the back ★ *hij zat bij mij ~* he was riding pillion with me ★ ~komen / lopen catch up with ★ een ~komende auto an overtaking car ★ iem. ~ nemen give sb a ride on the back of the bike

**achterophinken** ❶ BN lett niet meekomen stay / remain behind, (bij wedstrijden) drop / fall / lag behind ❷ BN fig zich niet ontwikkelen be backward

**achterover** back(wards), on one's back

**achteroverdrukken** pinch, lift

**achteroverslaan** I ov ww, snel drinken knock back, toss down ★ een borrel ~ knock back a drink ▼daar sloeg ik echt steil van achterover it really bowled me over II on ww, vallen fall down backwards

**achterplecht** after deck

**achterpoortje** BN fig achterdeurtje backdoor, loophole

**achterpoot** hind leg

**achterruit** rear window

**achterruitverwarming** rear window demister

**achterspeler** sport back

**achterstaan** sport be behind / down ★ Nederland staat met 2-0 achter the Netherlands are behind / down by two points

**achterstallig** in arrears ★ ~e schuld arrears mv ★ ~e huur back rent

**achterstand** arrears mv ★ ~ inhalen even / equalize the score, make up arrears

**achterstandswijk** depressed area / district

**achterste** ❶ achterstuk back-part ❷ zitvlak bottom, humor rump ▼niet het ~ van zijn tong laten zien not speak one's mind

**achterstellen** subordinate (**bij** to), discriminate (**bij** against), place at a disadvantage ★ je moet A niet ~ bij B you must not neglect A for B ★ zij voelde zich achtergesteld she felt discriminated against

**achtersteven** stern

**achterstevoren** back to front, the wrong way round, (volgorde) in reverse (order), (volgorde) backwards ★ je hebt je trui ~ aan you are wearing your sweater the wrong way round

**achtertuin** back garden

**achteruit** I zn [de] reverse ★ in zijn ~ zetten put in reverse II bijw backwards, back ▼~ daar! stand back!

**achteruitgaan** ❶ naar achteren gaan move back, go back ❷ verslechteren (van gezondheid) decline, (van kwaliteit) fall, (van kwaliteit) deteriorate, (van kwaliteit) decay

**achteruitgang** uitgang rear exit

**achteruitgang** verslechtering deterioration

**achteruitkijkspiegel** rear-view mirror

**achtervoegsel** suffix

**achtervolgen** pursue, run after ★ door pech achtervolgd pursued by bad luck ★ de gedachte achtervolgt me the thought haunts me ★ een misdadiger ~ pursue a criminal

**achtervolger** pursuer

**achtervolging** pursuit, chase ★ de ~ inzetten set off in pursuit (of)

**achtervolgingswaan** paranoia

**achterwaarts** I bnw backward ★ met een ~e beweging with backward movement II bijw back(wards)

**achterwege** ▼~ blijven not come off, be omitted

▼~ laten omit, drop

**achterwerk** backside, behind, bottom

**achterwiel** back / rear wheel

**achterwielaandrijving** rear-wheel drive

**achterzijde** back, rear

**achthoekig** octagonal

**achting** regard, esteem, respect ★ in iemands ~ dalen / stijgen fall / rise in sb's opinion ★ met de meeste ~ Yours faithfully / sincerely

**achtste** ❶ eighth ❷ → **vierde**

**achttien** ❶ eighteen ❷ → **vier**

**achttiende** ❶ eighteenth ❷ → **vierde**

**acne** med acne

**acquireren** acquire, obtain

**acquisiteur** canvasser, salesman

**acquisitie** acquisition

**acrobaat** acrobat

**acrobatiek** acrobatics mv

**acrobatisch** acrobatic

**acroniem** acronym

**acryl** nylon ★ een trui van ~ a nylon jumper

**acrylverf** acryllic paint

**act** act ★ een act opvoeren put on an act

**acteren** ❶ toneelspelen act, perform ❷ doen alsof act, pretend

**acteur** actor

**actie** ❶ handeling action ★ in ~ komen go / swing into action ❷ protestactie ★ ~ voeren (tegen / voor) agitate (against / for), campaign (against / for)

**actiecomité** action committee

**actief** I bnw ❶ bezig active ❷ in dienst active II zn [het] ❶ totale bezit assets mv ❷ taalk ▼BN iets op zijn ~ hebben have sth to one's name

**actiegroep** action group / committee

**actieradius** radius of action, range

**actievoerder** activist, campaigner

**activa** econ assets

**activeren** activate

**activist** activist

**activiteit** activity

**activiteitenbegeleider** occupational therapist

**actrice** actress

**actualiseren** make topical

**actualiteit** ❶ het actueel zijn topicality ❷ actueel onderwerp topical subject, current event ★ ~en current affairs, news

**actualiteitenprogramma** current affairs programme

**actueel** current, topical ★ actuele gebeurtenis topical event ★ dat is nu nog steeds ~ it is still relevant

**acupunctuur** acupuncture

**acuut** I bnw, plotseling opkomend acute, critical ★ in ~ gevaar verkeren be in a critical condition, be in acute danger II bijw immediately, right away

**adagio** I zn [het] adagio II bijw adagio

**Adam** eigennaam Adam

**adamsappel** Adam's apple

**adamskostuum** ▼in ~ in the nude

**adapter** adaptor

**addendum** addendum mv: addenda

**adder** viper, adder ▼er schuilt een ~tje onder het gras there's a snag

**additief** additive

**additioneel** additional

**adel** nobility ★ *van adel zijn* be a member of the nobility, belong to the nobility, be a peer
**adelaar** *vogel* eagle
**adelborst** midshipman, naval cadet
**adellijk ❶** *van adel* noble ★ *~e trots* nobiliary pride ★ *~e dame* noble lady ❷ *bijna bedorven* high, gamy
**adelstand** nobility ★ *in de ~ verheffen* raise to the peerage
**adem** breath ★ *buiten adem* out of breath ★ *buiten adem raken* get out of breath ★ *naar adem snakken / happen* gasp for breath / air ★ *op adem komen* recover one's breath ★ *zijn adem inhouden* hold one's breath ▼ *van lange adem* long-winded ▼ *de laatste adem uitblazen* breathe one's last / dying breath
**adembenemend** breathtaking
**ademen ❶** *ademhalen* breathe ★ *zwaar ~* wheeze ❷ *lucht doorlaten* breathe
**ademhalen** breathe, (diep) breathe deeply ▼ *opgelucht ~* breathe a sigh of relief
**ademhaling** breathing, respiration ★ *kunstmatige ~* artificial respiration
**ademhalingswegen** respiratory tracts
**ademloos** *buiten adem* breathless
**ademnood** lack of breath ★ *in ~ verkeren* be gasping for breath
**adempauze** (om tot rust te komen) breather, (onderbreking van activiteit?) breathing-space
**ademtest** breath test
**ademtocht** breath
**adequaat** adequate
**ader ❶** *bloedvat* vein ❷ *bodemlaag* vein, seam
**aderlaten** bleed
**aderlating ❶** med bleeding, blood letting ❷ *behoorlijk verlies* drain ★ *dat rondje was een enorme ~* that round of drinks made a great hole in my pocket
**aderverkalking** med arteriosclerosis, hardening of the arteries
**ADHD** *Attention Deficit Hyperactivity Disorder* ADHD, Attention Deficit Hyperactivity Disorder
**adhesie ❶** natk adhesion ❷ *instemming* adhesion, adherence ★ *~ betuigen met* express one's adherence to, express one's approval of
**ad hoc** ad hoc
**ad-hocbeleid** ad hoc policy
**adieu** goodbye, farewell
**ad interim** interim ★ *minister ~* (ad) interim minister
**adjectief I** *zn* [het] adjective **II** *bnw* adjectival
**adjudant ❶** *toegevoegd officier* adjutant, A.D.C., aide-de-camp ❷ *adjudant-onderofficier* ≈ warrant officer
**adjunct** assistant, deputy
**adjunct-directeur** deputy manager / director
**administrateur** administrator, (boekhouder) accountant, (boekhouder) bookkeeper, (op schip) purser
**administratie ❶** *afdeling* accounts department ❷ *beheer* administration, management ★ *een hoop ~* a lot of paper work ❸ BN *overheidsdienst* government / public service, the civil service
**administratief** administrative ★ *~ personeel* clerical staff
**administratiekantoor** administrative /

managerial office
**administratiekosten** administration costs
**administreren** administer, manage, (rekeningen, e.d.) keep accounts
**admiraal** admiral
**adolescent** adolescent
**adolescentie** adolescence
**adopteren ❶** *als eigen kind aannemen* adopt ❷ *onder zijn hoede nemen* take up
**adoptie** adoption
**adoptiefkind** adoptee, adopted child
**adoptiefouder** adoptive parent
**adoreren** adore
**ad rem** *gevat* ad rem, (straight / right) to the point, pertinent ★ *~ zijn* be quick(-witted)
**adrenaline** adrenalin
**adres** address ★ *per ~...* c / o..., care of... ▼ *je bent bij mij aan het verkeerde ~* you've come to the wrong shop
**adresboek** directory
**adresseren I** *ov ww, van adres voorzien* address, form direct **II** *on ww, rekest indienen* petition
**adreswijziging** change of address ★ *~en sturen* send out change of address cards
**Adriatische Zee** Adriatic Sea
**ADSL** *Asymmetrical Digital Subscriber Line* ADSL
**adv** *arbeidsduurverkorting* reduction in working hours, shorter working hours
**advent** Advent
**adverteerder** advertiser
**advertentie** advertisement, (informeel) ad
**advertentiecampagne** advertising campaign, inform ad campaign
**adverteren I** *ov ww, bekendmaken* advertise **II** *on ww, advertentie plaatsen* advertise
**advies** advice, counsel ★ *iem. van ~ dienen* advise sb
**adviesbureau** firm of consultants, consultancy
**adviesorgaan** advisory body / committee
**adviesprijs** recommended sales price
**adviseren** advise, recommend
**adviseur** adviser, counsellor, consultant, (van bedrijfsorganisatie) management consultant, legal adviser, jur solicitor
**advocaat ❶** *raadsman* lawyer, (in hoger gerechtshof) barrister, (in lager gerechtshof) solicitor, USA attorney ★ *een ~ nemen* call in a lawyer ❷ *drank* ≈ eggnog ▼ *~ van kwade zaken* bent lawyer
**advocaat-generaal** Solicitor General
**advocatencollectief** law centre, legal clinic
**advocatenkantoor** lawyer's / sollicitor's office, USA law firm
**advocatuur** Bar, legal profession ★ *de ~ ingaan* be called to the Bar
**aerobiccen** do aerobics, do aerobic exercises
**aerobics** aerobics
**aerodynamica** aerodynamics
**aerodynamisch** aerodynamic
**af I** *bnw, voltooid* finished, done ★ *het werk is af* the work is finished / done **II** *bijw* ❶ *vandaan / weg* from ★ *ver van de weg af* far from the road ★ *er is een poot af* a leg is missing ❷ *naar beneden* off ❸ *bevrijd / verlost van* off ★ *daar ben ik van af!* good riddance!, that's over and done with! ★ *zij is van hem af* she has separated from him ❹ *bij*

**af**

*benadering* to ▼ *af!* down! ▼ *af en aan lopen* come and go ▼ *hij reed af en aan* he drove back and forth ▼ *van nu af aan* from now on ▼ *af en toe* now and then, occasionally, off and on ▼ fig *daar wil ik van af zijn* I'm not sure, I wouldn't like to say ▼ *goed / slecht af zijn* be well / badly off

**afasie** aphasia

**afbakenen** ⟨van weg⟩ trace, ⟨van weg⟩ mark out, ⟨van vaarwater⟩ mark with buoys ▼ *een plan duidelijk ~* clearly define a plan

**afbeelden** represent, portray, depict

**afbeelding** ❶ *het afbeelden* portrayal ❷ *beeld* picture, portrait, ⟨in boek⟩ figure, ⟨in boek⟩ illustration

**afbekken** snarl / snap at ▼ *je hoeft me niet zo af te bekken* there's no need to snap my head off

**afbellen** *afzeggen* ring off

**afbestellen** ⟨een order⟩ cancel, ⟨van opdracht⟩ countermand

**afbetalen** ❶ *deels betalen* pay on account ❷ *helemaal betalen* pay off

**afbetaling** econ payment ★ *op ~ kopen* buy on the instalment plan, buy on hire purchase

**afbetalingstermijn** instalment, term / period of repayment

**afbeulen** wear out ★ *zich ~* work one's fingers to the bone

**afbieden** BN *afdingen* bargain, haggle

**afbijten** ❶ *bijtend wegnemen* bite off, ⟨nagels⟩ bite, ⟨woorden⟩ clip ❷ *verf wegnemen* strip, remove

**afbijtmiddel** paint stripper / remover

**afbinden** ❶ med tie off ❷ *losmaken* untie, undo

**afbladderen** peel off, ⟨van verf of huid⟩ flake off

**afblaffen** bark / snap / snarl at

**afblazen** ❶ *annuleren* call off, cancel ❷ sport *eindsignaal geven* whistle off ★ *de scheidsrechter heeft afgeblazen* the referee has blown the whistle

**afblijven** keep one's hands off, leave alone ★ *~!* hands off!

**afbluffen** outbluff, overawe

**afboeken** ❶ *boeken* enter up ❷ *afschrijven* write off

**afborstelen** ❶ *wegborstelen* brush (off), brush away ❷ *schoonborstelen* brush down

**afbouwen** ❶ *afmaken* finish ❷ *geleidelijk opheffen* cut back on, phase out

**afbraak** ❶ lett *sloop* demolition ❷ fig degradation ❸ *scheik* decomposition

**afbraakprijs** knock-down price

**afbraakproduct** breakdown product

**afbraakwerken** BN *sloopwerken* demolition work

**afbranden** I *ov ww* ❶ *door brand vernietigen* burn down ❷ *door branden verwijderen* burn off / away II *on ww, door brand vernietigd worden* burn down ★ *de kerk brandde af* the church burnt down

**afbreekbaar** scheik biodegradable, scheik decomposable

**afbreken** I *ov ww* ❶ *brekend losmaken* break (off) ❷ *slopen* pull down, tear down, ⟨huis⟩ demolish ❸ *demonteren* strike ❹ *afkraken* cry down, run down, form disparage ❺ *beëindigen* sever, break off, cut short ★ *een partij ~* adjourn a game ★ *de*

*onderhandelingen ~* break off negotiations II *on ww, losgaan* break off

**afbreking** breaking off, rupture, interruption

**afbrekingsteken** break

**afbrengen** *afleiden (van)* ▼ *het er goed van ~* do well, get through well ▼ *het er slecht van ~* do badly, come off badly ▼ *het er levend van ~* escape with one's life ▼ *iem. van de goede weg ~* lead sb astray

**afbreuk** ▼ *~ doen aan iets* harm sth, be detrimental to sth ▼ *zonder ~ te doen aan iets* without marring sth

**afbrokkelen** crumble (off)

**afbuigen** turn off, bend off, ⟨van weg⟩ branch off

**afdak** lean-to, shelter

**afdalen** go down, descend ▼ *~ in bijzonderheden* go / enter into details

**afdaling** descent

**afdanken** ❶ *wegdoen* ⟨kleren⟩ cast off, ⟨machine, e.d.⟩ scrap ❷ *wegsturen* dismiss, ditch ❸ BN *ontslaan* dismiss, inform fire, inform sack, ⟨uit baan⟩ discharge (from), ⟨van werknemers⟩ lay off

**afdankertje** hand-me-down

**afdekken** ❶ *bedekken* cover up ❷ *afruimen* clear (the table)

**afdeling** department, division, unit, ⟨van bestuur, (winkel)bedrijf⟩ department, ⟨van leger⟩ unit, ⟨maatschappij⟩ section, ⟨van ziekenhuis⟩ ward

**afdelingschef** department(al) manager

**afdichten** seal (off), plug, stop up

**afdingen** *minder bieden* haggle, bargain ▼ *daar valt niets op af te dingen* there's no question about that

**afdoen** ❶ *afzetten* take off ❷ *afnemen* ★ *iets van de prijs ~* knock sth off the price ❸ *afhandelen* finish ★ *een kwestie ~* settle a matter ❹ *niet meer nuttig zijn* ★ *dat heeft afgedaan* that is played out, that has had its day ❺ *schoonmaken* clean ▼ *hij heeft voor mij afgedaan* I want nothing more to do with him ▼ *dat doet niets aan de waarde af* that detracts nothing from the value

**afdoend** ❶ *doeltreffend* ★ *~e maatregelen* effective measures, form efficacious measures ❷ *beslissend* conclusive ▼ *~ bewijs* conclusive evidence ★ *dat is ~* that settles it

**afdraaien** ❶ *door draaien verwijderen* twist off ❷ *opdreunen* ★ *een verhaal ~* rattle off a story

**afdracht** payment, contribution(s)

**afdragen** ❶ *afgeven* hand over ❷ *verslijten* wear out

**afdrijven** I *ov ww* med abort ★ *vrucht ~* abort a foetus II *on ww, wegdrijven* ⟨van bui⟩ blow over, ⟨van schip⟩ drift off

**afdrogen** ❶ *droog maken* dry, wipe (off) ❷ *een pak slaag geven* give a hiding, thrash

**afdronk** aftertaste

**afdruipen** ❶ *druipend vallen* trickle down ❷ *weglopen* slink off

**afdruiprek** plate-rack

**afdruk** *resultaat* ⟨van voet, enz.⟩ print, ⟨van voet, enz.⟩ imprint, ⟨in zacht materiaal⟩ impression, ⟨van afgietsel⟩ mould, ⟨van afgietsel⟩ cast, ⟨van drukwerk, enz.⟩ copy

**afdrukken** ❶ *een afdruk maken* ⟨van boek, enz.⟩ print (off), ⟨van foto⟩ print, ⟨in klei⟩ impress ❷ *foto maken* press the button ❸ *in werking*

*stellen* ⟨vuurwapen⟩ pull the trigger
**afdruksnelheid** printing speed
**afdrukvoorbeeld** comp print preview
**afduwen** push / shove off
**afdwalen ❶** lett stray off **❷** fig stray from the subject, digress
**afdwingen ❶** *gedaan krijgen* ★ *een bekentenis ~* extort a confession **❷** *inboezemen* ★ *bewondering ~* compel / command admiration
**affabriekprijs** ex-factory price
**affaire ❶** *kwestie* affair, ⟨rechtzaak, enz.⟩ case **❷** *verhouding* affair
**affect** psych affect
**affectie** affection, fondness
**affiche** poster ▾ BN *op de ~ staan* be on the programme, be scheduled
**afficheren** lett post (up)
**affiniteit** affinity
**affix** affix
**afgaan ❶** *naar beneden gaan* go down, descend ★ *de trap ~* go down the stairs **❷** *weggaan (van)* leave, ⟨van school⟩ leave, ⟨van een sport⟩ give up **❸** *weggenomen worden van geheel* ★ *er gaat 10 pond af* ten pounds will be taken off **❹** *langsgaan* go to see, go along the line ★ *de rij ~* go along the line **❺** *afgeschoten worden, in werking treden* go off **❻** *blunderen* lose one's face **❼** *op bepaalde manier gedaan worden* ★ *het gaat hem gemakkelijk af* it comes easily to him **❽** ~ op *benaderen* make for **❾** ~ op *vertrouwen op* rely on ★ *op het uiterlijk ~* judge by appearances
**afgang** *mislukking* defeat, flop, inform comedown ★ *wat een ~* what a let-down
**afgedaan ❶** *afgehandeld* sold, settled, paid off **❷** → afdoen
**afgeladen ❶** *overvol* jam-packed, cramful, packed **❷** *dronken* canned, tanked, sloshed
**afgelasten** cancel, countermand, sport postpone, sport abandon
**afgelasting** cancellation
**afgeleefd** decrepit, worn out
**afgelegen ❶** *ver weg gelegen* distant, remote, out-of-the-way **❷** *eenzaam* isolated, secluded
**afgelopen I** *bnw* **❶** *jongstleden* last ★ *de ~ nacht* last night **❷** *voorbij* past **II** *tw* that's enough
**afgemat** worn out, exhausted, inform knackered
**afgemeten ❶** *afgepast* measured **❷** *stijf* formal, stiff
**afgepast** paced / measured (out)
**afgepeigerd** done in / up / for, all in, inform fagged
**afgescheiden** BN *met voorsprong* by a large margin
**afgesproken** → afspreken
**afgestompt** *stomp van geest* dulled, deadened
**afgetraind** in peak / prime / top condition
**afgetrapt** worn-out
**afgevaardigde ❶** pol delegate (to a meeting) **❷** BN *vertegenwoordiger* representative **❸** BN pol *lid van een provincieraad* county councillor
**afgeven I** *ov ww* **❶** *overhandigen* ⟨van papieren, telegram⟩ hand in, ⟨van goederen, krant⟩ deliver, ⟨van geld⟩ hand over ★ *zijn kaartje ~* leave one's card **❷** *verspreiden* give off ★ *licht ~* give off light **II** *on ww* **❶** *kleurstof loslaten* run ★ *deze jurk geeft af* this dress is not colourfast

**❷** ~ *op kritiek geven* ★ *op iem. ~* run sb down **III** *wkd ww* [zich ~] ~ met ★ *zich met iem. ~* take up with sb ★ *zich met iets ~* meddle with sth
**afgezaagd** ★ *een ~e grap* a corny / stale joke ★ *een ~e uitdrukking* a hackneyed phrase
**afgezant** envoy, ambassador
**afgezien** van apart from, besides
**afgezonderd** secluded, form sequestered
**Afghaan ❶** *bewoner* Afghan **❷** *hond* Afghan hound
**Afghaans I** *zn* [het]*, taal* Afghan, Pashto **II** *bnw* Afghan
**Afghaanse** Afghan (woman / girl)
**Afghanistan** Afghanistan
**afgieten ❶** *vocht weggieten* pour off, ⟨door vergiet⟩ strain **❷** *door gieten maken* cast
**afgietsel** cast, mould
**afgifte** het overhandigen ⟨van brief⟩ delivery, ⟨van document⟩ issue ★ *tegen ~ van* in exchange for
**afglijden** slide / slip down / off
**afgod** *onechte god* idol
**afgoderij** idolatry, idol worship
**afgooien** *naar beneden gooien* throw down / off
**afgraven** ⟨van heuvel⟩ dig away, ⟨egaliseren⟩ level
**afgrendelen** bolt
**afgrijselijk** horrible, ghastly ★ *~ lelijk* hideous
**afgrijzen** horror, abhorrence ★ *met ~ vervullen* horrify
**afgrond** precipice, abyss
**afgunst** jealousy
**afgunstig** jealous (of), envious
**afhaaldienst** collection service
**afhaalrestaurant** takeaway (restaurant)
**afhaken I** *ov ww, losmaken* unhook, uncouple **II** *on ww, niet meer meedoen* drop out
**afhakken** chop / cut off, ⟨tak⟩ lop off
**afhalen ❶** *meenemen* ⟨thuis⟩ call for, ⟨goederen, personen⟩ collect, ⟨met auto⟩ pick up ★ *iem. van het station ~* meet sb at the station **❷** *van iets ontdoen* ★ *het bed ~* strip the bed **❸** BN ⟨geld e.d.⟩ *opnemen* withdraw
**afhameren ❶** *snel afhandelen* deal with quickly, rush through **❷** *doen zwijgen* silence ★ *iem. ~ call* sb to order
**afhandelen** settle, deal with
**afhandig** ▾ *iem. iets ~ maken* filch sth from sb, trick sb out of sth
**afhangen I** *on ww* **❶** *naar beneden hangen* hang down **❷** ~ van depend on **❸** *dat hangt er vanaf* that depends (on it) **II** *ov ww, inhangen* ★ *een deur ~* hang a door
**afhankelijk ❶** *niet-zelfstandig* dependent (on) **❷** ~ van dependent on, subject to ★ *~ van omstandigheden* depending on circumstances ★ *~ van goedkeuring* subject to approval
**afhankelijkheid** dependence ★ *psychische ~* psychological dependence
**afhelpen** van rid of, relieve of, ⟨van ziekte⟩ cure of
**afhouden ❶** *inhouden* deduct, withhold **❷** *weghouden* keep off / from, sport obstruct ★ *de vijand van zich ~* keep the enemy at bay ★ *hij kon er zijn ogen niet ~* he couldn't keep his eyes off it
**afhuren** hire, rent, ⟨lokaliteit⟩ engage

**afjakkeren ❶** *afraffelen* dash (off), throw together **❷** *snel afleggen* tear / charge along ★ *een weg ~* tear along a road **❸** *uitputten* overwork, exhaust ★ *hij jakkerde zijn paard af* he exhausted his horse

**afkalven** cave in, crumble away

**afkammen** *kleineren* run down

**afkappen ❶** *afhakken* chop / cut off **❷** *plotseling beëindigen* cut short

**afkatten** snap at

**afkeer** aversion (to), dislike (of / to) ★ *zij heeft een grondige ~ van roken* smoking is her pet aversion

**afkeren** turn away, avert ▼ *zich ~ van iem. of iets* turn away from sb or sth

**afkerig** averse (to / from) ★ *~ zijn van geweld* abhor violence ★ *zeker niet ~ zijn van* not be averse to

**afketsen I** *ov ww, verwerpen* reject, turn down **II** *on ww* **❶** *terugstuiten (op)* glance off ★ *de kogel ketste af op de rots* the bullet glanced off the rock **❷** *verworpen worden* fall through, fail ★ *daar is de zaak op afgeketst* that's where the matter foundered

**afkeuren ❶** *ongeschikt verklaren (voor)* reject, ⟨v. soldaat⟩ declare unfit **❷** *niet goedkeuren* condemn, disapprove (of), ⟨van gedrag⟩ frown upon ★ *een doelpunt ~* disallow a goal

**afkeurend** disapproving

**afkeuring ❶** *het niet goedkeuren* condemnation, disapproval ★ *~ uitspreken* express disapproval **❷** *het ongeschikt verklaren* rejection

**afkickcentrum** drug rehabilitation centre

**afkicken** kick (a habit)

**afkickverschijnselen** withdrawal symptoms

**afkijken I** *ov ww, leren door te kijken* copy ★ *de kunst van iem. ~* learn the knack from sb, get the idea from sb **II** *on ww, spieken (bij)* copy, crib ★ *bij je buurman ~* crib from one's neighbour

**afkleden** have a slimming effect, be slimming

**afkloppen ❶** *schoonkloppen* dust **❷** *onheil bezweren* touch wood

**afkluiven** gnaw (off) ★ *een bot ~* pick a bone

**afknappen ❶** *knappend breken* snap **❷** *mentaal instorten* crack up, break down

**afknapper** letdown

**afkoelen I** *ov ww, fig rustiger maken* cool down, ⟨van dranken⟩ ice, ⟨bier⟩ chill **II** *on ww* **❶** *koeler worden* cool down **❷** *fig rustiger worden* settle down

**afkoeling** *het koeler worden* cooling off, ⟨door koeltechniek⟩ refrigeration

**afkoelingsperiode ❶** *lett tijd waarin iets koel wordt* cooling-off period **❷** *fig tijd waarin iem. rustig wordt* cooling-off period

**afkomen ❶** *voltooid worden* get finished **❷** *naar beneden komen* come down, ⟨van trap⟩ come down(stairs) **❸** *aan iets ontsnappen* ★ *ergens goed / slecht / goedkoop van ~* get off well / badly / cheaply **❹** *~ van kwijtraken* get rid of **❺** *~ op* head / make for ★ *het paard kwam recht op haar af* the horse headed straight for her

**afkomst** descent, ⟨afstamming⟩ origin, ⟨geboorte⟩ birth ★ *zij was van Ierse ~* she was of Irish descent, she was Irish by birth

**afkomstig van/uit** coming / originating from ★ *zij is uit Australië ~* she comes from Australia

★ *dit woord is ~ uit het Engels* this word is derived from English ★ *van wie is dat idee ~?* whose idea is it?

**afkondigen** proclaim, declare, ⟨huwelijk⟩ publish the banns

**afkondiging** proclamation, notification, ⟨huwelijk⟩ publication of the banns

**afkoopsom** ransom, redemption money

**afkopen** ⟨van verplichting⟩ redeem, ⟨iemand⟩ buy out, ⟨iets⟩ buy off

**afkoppelen** ⟨machine⟩ disconnect, ⟨spoorwagon⟩ uncouple

**afkorten** abbreviate, shorten

**afkorting** shortening, abbreviation ★ *'a.m.' is de ~ van 'ante meridiem'* 'a.m.' is short for 'ante meridiem'

**afkraken** slate, run down, ⟨informeel⟩ do down

**afkrijgen** get finished

**afkunnen** ★ *het ~* manage, handle

**aflaat** indulgence

**aflandig** offshore

**aflaten I** *ov ww, niet opdoen* leave off **II** *on ww* desist (from), cease ★ *niet ~de ijver* unremitting zeal

**afleggen ❶** *afdoen* take off, ⟨wapens⟩ lay down **❷** *zich ontdoen van* set / put aside **❸** *volbrengen, doen* ⟨bezoek⟩ pay, ⟨eed⟩ take, ⟨eed⟩ swear, ⟨gelofte⟩ make, ⟨getuigenis⟩ give ★ *een examen ~* sit for an exam, take an exam ★ *30 km per dag ~* cover 30 kilometres a day **❹** *verzorgen van dode* ★ *een dode ~* lay out a dead person **❺** ▼ *het tegen iem. ~* be no match for sb ▼ *het ~* die, drop off the twig / perch, snuff it

**afleiden ❶** *laten weggaan* guide / lead away **❷** *~ uit* concluderen conclude from, gather / infer from **❸** *gedachten wegleiden* divert, distract **❹** *oorsprong aanwijzen* trace back ⟨van to⟩ **❺** *afleiden* ⟨uit from⟩

**afleiding ❶** *verstrooiing* diversion ★ *zij heeft ~ nodig* she needs a change **❷** *taalk* derivation ⟨uit from⟩

**afleidingsmanoeuvre** diversionary manoeuvre, red herring, *sport* feint

**afleren** *doen ontwennen* ★ *een gewoonte ~* unlearn / break a habit ★ *iem. iets ~* cure sb of a habit ★ *het roken ~* give up smoking

**afleveren ❶** *komen brengen* deliver **❷** BN ⟨diploma e.d.⟩ *uitreiken* present, ⟨ook prijs⟩ present, ⟨paspoort⟩ issue

**aflevering ❶** *het afleveren* delivery **❷** *deel van een reeks* issue, ⟨van tijdschrift⟩ number, ⟨van tv-serie⟩ episode

**afleveringskosten** delivery costs

**afleveringstermijn** term of delivery, delivery date

**aflezen ❶** *uit wijzeraar, gezicht e.d. opmaken* read (off) **❷** *lezen* read out ★ *de nummers ~* read out the numbers, call the numbers

**aflikken** ⟨van bord⟩ lick off, ⟨van vingers⟩ lick

**afloop ❶** *eindpunt* end, ⟨van boek, film, enz.⟩ conclusion, ⟨van termijn⟩ expiration ★ *na ~ van* after, ⟨termijn⟩ on expiry of ★ *na ~ van de vergadering* after the meeting **❷** *resultaat* result, outcome ★ *ongeluk met dodelijke ~* fatal accident ★ *goede ~* happy ending

**aflopen I** *ov ww, helemaal langslopen* go / walk

down **II** *on ww* ❶ *naar beneden lopen* run / go down ❷ *eindigen* (come to an) end, (van contract, termijn) expire ★ *goed / slecht* ~ turn out well / badly ★ *het loopt af met de zieke* the patient is sinking fast ★ *en daarmee afgelopen!* ...and there's an end to it! ★ *het afgelopen jaar* the past year ❸ *hellen* slope (down / away) ❹ *rinkelen* (van klok) run down, (van wekker) go off ❺~**op** make for ▼*de ruzie liep met een sisser af* the row has blown over

**aflossen** ❶ *afbetalen* (lening, schuld) pay off, (lening, schuld) redeem ❷ *vervangen* relieve

**aflossing** ❶ *afbetaling* repayment, redemption ★ *een maandelijkse* ~ a monthly repayment / instalment ❷ *vervanging* relief ★ ~ *van de wacht* changing of the guard

**aflossingstermijn** term of repayment

**afluisterapparatuur** monitoring equipment, (telefoon) phone tapping equipment, <u>inform</u> bugging devices *mv*

**afluisteren** eavesdrop (on), (van telefoon) listen in to, (van telefoon) tap

**afmaken I** *ov ww* ❶ *beëindigen* finish, complete ❷ *doden* kill, finish off ★ *een paard laten* ~ have a horse put down ❸ *afkraken* pull / tear to pieces, run down **II** *wkd ww* [zich ~] ~**van** ★ *zich ergens gemakkelijk van* ~ shrug sth off

**afmars** marching off

**afmatten** exhaust, tire / wear out

**afmelden** ❶ *het vertrek melden* clock off / out, (in fabriek e.d.) sign out ❷ <u>comp</u> *uitloggen* log out

**afmeren** moor

**afmeten** ❶ *meten* measure (off) ❷ *beoordelen* judge ★ *iets* ~ *aan* judge sth by / from

**afmeting** *maat* dimension, size ★ *de* ~*en van het vertrek* the dimensions / size of the room

**afmonsteren I** *ov ww, ontslaan* pay off **II** *on ww, ontslag nemen* sign off

**afname** ❶ *vermindering* decline ❷ *aankoop* purchase ★ *bij* ~ *van* for quantities of ❸ *afzet* sale

**afneembaar** ❶ *af te nemen* removable, detachable ❷ *afwasbaar* washable

**afnemen I** *ov ww* ❶ *afzetten* take off ★ *zijn hoed* ~ take off one's hat ❷ *wegnemen* take away ❸ *afruimen* clear ★ *de tafel* ~ clear the table ❹ *kopen* buy ❺ *laten afleggen* hold, administer ❻ *schoonpoetsen* ★ *de tafels* ~ clean / wipe the tables ★ *de stoelen* ~ dust the chairs **II** *on ww, (ver)minderen* decrease, (van wind) subside, (van kracht, maan) wane

**afnemer** buyer, client, customer

**afnokken** ❶ *weggaan* buzz / push off ❷ *ophouden* knock off, stop

**aforisme** aphorism

**afpakken** take / snatch (away)

**afpalen** ❶ *afgrenzen* fence off ❷ *begrenzen* stake out

**afpassen** *afmeten* pace (out), measure ★ *geld* ~ give / pay the exact change

**afpeigeren** fag / wear out

**afperken** *afgrenzen* peg out, (omheinen) fence in

**afpersen** *afdwingen* ★ *geld* ~ extort money, blackmail

**afperser** (chanteur) blackmailer, (met bedreiging) extortionist

**afpersing** blackmail, extortion

**afpikken** *afpakken* pinch ★ *iets van iem.* ~ pinch sth from sb

**afplatten** flatten

**afpoeieren** brush off ▼*iem.* ~ send sb about his business, send sb packing

**afpraten** ❶ *veel praten* do a lot of talking ❷ *pretend van mening doen veranderen* talk out of

**afprijzen** mark down, reduce

**afraden** advise against ★ *iem. iets* ~ dissuade sb from sth

**afraffelen** (schrijven) dash off, (opzeggen) rattle off / through, (huiswerk) rush through

**aframmelen** ❶ *slaan* rattle off / through, (van les) rattle off ❷ BN *afraffelen* (schrijven) dash off, (opzeggen) rattle off / through, (huiswerk) rush through

**aframmeling** beating, hiding

**afranselen** thrash, (als straf) flog

**afrasteren** fence / rail off

**afrastering** railings *mv*, fence

**afreageren** ★ *zijn gevoelens* ~ work off one's feelings, let off steam

**afreizen I** *ov ww, bereizen* ★ *het land* ~ travel (all over) the country **II** *on ww, vertrekken* depart, leave (for)

**afrekenen** ❶ *betalen* pay / settle one's bill ❷ *aansprakelijk stellen* ★ *iem.* ~ *op iets* judge sb on sth ▼*ik heb nog iets met jou af te rekenen* I still have a bone to pick with you

**afrekening** ❶ *betaling* payment, settlement ★ *de* ~ *heeft plaatsgevonden* payment has been effected ❷ *nota* receipt, (bank, giro) statement

**afremmen I** *ov ww, matigen* temper, (enthousiasme) curb **II** *on ww, remmen* apply the brakes, slow down

**africhten** train, (voor wedstrijd) train, (paard) break

**afrijden I** *ov ww* ❶ *langsrijden* ride / drive down ❷ BN (gras) *maaien* cut, mow **II** *on ww* ❶ *naar beneden rijden* drive down, (op paard, fiets) ride down ★ *een heuvel* ~ ride / drive down a hill ❷ *rijexamen doen* do one's driving test

**Afrika** Africa

**Afrikaan** *bewoner* African

**Afrikaans I** *bnw, m.b.t. Afrika* African **II** *zn* [het], *taal* Afrikaans

**Afrikaanse** *bewoner* African (woman / girl)

**afrikaantje** African marigold

**afrit** sliproad, (autoweg) exit ★ *de volgende* ~ the next exit

**afroep** ★ *hij is op* ~ *beschikbaar* he is available on call ★ *op* ~ *verkopen* sell on demand / order

**afroepen** *afkondigen* call out / off ▼*onheil over iem.* ~ call down misfortune (up)on sb

**afrokapsel** afro

**afrollen I** *ov ww* ❶ *naar beneden rollen* roll down ❷ *uitrollen* unwind **II** *on ww, zich ontrollen* unwind, (van garen) reel off, (van metaaldraad) uncoil, (van rol) unroll

**afromen** ❶ *lett* cream, skim ❷ *fig* skim, cream off ★ *de winst* ~ cream off the profit

**afronden** ❶ *rond maken* round off ❷ *beëindigen* round down / off, wind up ❸ *wisk* ★ *naar beneden* ~ round down ★ *naar boven* ~ round up ★ *op een euro naar beneden* ~ round down / off the price to the nearest euro

**afrossen** ❶ *afranselen* flog, whack ❷ *roskammen* groom

**afruimen** clear away, clear the table

**afrukken** ❶ *met ruk aftrekken* tear away, rip off ❷ *masturberen* jerk / jack off, wank (off) ★ *zich ~* jerk off, wank

**afschaffen** ❶ *opheffen* abolish, ⟨een verbod⟩ lift ★ *de doodstraf ~* abolish capital punishment ❷ *wegdoen* do away with ❸ *BN laten vervallen* cancel ★ *de wedstrijd is afgeschaft* the match has been cancelled

**afschampen** glance off

**afscheid** parting, departure, leave ★ *~ nemen (van)* say good-bye (to), <u>form</u> take leave (of)

**afscheiden** ❶ *lett scheiding* divide, partition of ❷ *fig losmaken (van)* separate, detach ★ *zich ~* separate, break way, <u>form</u> secede ❸ *biol uitscheiden* secrete

**afscheiding** ❶ *afzondering* partition ❷ *het afsplitsen van* separation, ⟨m.b.t. kerk⟩ schism ❸ *substantie* secretion

**afscheidingsbeweging** separatist movement

**afscheidsfeest** farewell party

**afscheidsgroet** good-bye, farewell

**afscheidspremie** *BN ontslagpremie* severance pay

**afschepen** put off ★ *zich niet laten ~* not be fobbed off

**afschermen** ❶ *voorzien van scherm* screen, ⟨afdekken⟩ mask ❷ *beschermen (tegen)* protect from, screen, *sport* shield, *sport* screen

**afscheuren** I *ov ww, lostrekken* tear / pull off, ⟨met kracht⟩ rip off ★ *langs de perforatie ~* tear along the dotted line II *on ww, losscheuren* tear, get torn III *wkd ww* [zich ~] *BN zich afscheiden* separate, ⟨vnl. van groep, partij⟩ break way, <u>form</u> ⟨van land, enz.⟩ secede

**afschieten** I *ov ww* ❶ *doen afgaan* fire, discharge, ⟨van pijl⟩ shoot ❷ *doodschieten* shoot ★ *konijnen ~* shoot rabbits ❸ *ruimte afscheiden* partition off II *on ww* – **op** ★ *op iem. ~* dash towards sb, rush at sb

**afschilderen** ❶ *met verf afbeelden* paint ❷ *beschrijven* portray, make out ★ *de toekomst somber ~* paint a gloomy picture of the future ★ *iem. ~ als…* portray sb as…, make sb out to be…

**afschilferen** *loslaten* scale / flake off, peel (off), ⟨van huid⟩ peel

**afschminken** remove make-up

**afschrift** copy, ⟨van bankrekening⟩ statement (of account)

**afschrijven** ❶ *afzeggen* ★ *iem. ~* write sb a letter to cancel sth ❷ *afboeken* debit ★ *geld van een rekening ~* withdraw money from an account ❸ *niet meer rekenen op* ★ *wij hadden jullie bijna afgeschreven* you were very nearly given up ❹ *boekwaarde verlagen* write off

**afschrijving** ❶ *het afboeken* debit(ting), ⟨materiële goederen⟩ depreciation, ⟨immateriële goederen⟩ amortization ❷ *bewijs van afboeking* debit notice

**afschrikken** deter, put / scare off

**afschrikking** deterrence

**afschrikwekkend** deterrent

**afschroeven** unscrew

**afschudden** shake off ★ *zijn achtervolgers ~*

shake off one's pursuers

**afschuimen** ❶ *schuim afscheppen* skim ❷ *afzoeken* scour ★ *de stad ~ voor antiek meubilair* scour the town for antique furniture

**afschuiven** ❶ *wegschuiven* push / move away, shift ★ *zij schoof het boek van zich af* she pushed away her book ❷ *afwentelen* shift, pass on (to) ★ *de schuld / verantwoordelijkheid op iem. ~* shift the blame / responsibility onto sb

**afschuw** horror, disgust ★ *een ~ hebben van iets* loathe / detest sth ★ *vervuld van ~* horrified

**afschuwelijk** I *bnw* ❶ *heel slecht / lelijk* shocking, awful ❷ *afschuwwekkend* horrible, abominable, <u>inform</u> gross II *bijw* frightfully, terribly ★ *~ saai* awfully boring

**afserveren** ★ *iem. ~* write sb off, <u>inform</u> dump sb

**afslaan** I *ov ww* ❶ *wegslaan* beat off, ⟨vijand, aanval⟩ beat off, ⟨insecten⟩ swat ❷ *in prijs verlagen* reduce ❸ *weigeren* ⟨verzoek⟩ refuse, ⟨aanbod⟩ decline ★ *dat sla ik niet af* I can't refuse that, I don't mind if I do ▼ *de thermometer ~* shake down II *on ww* ❶ *van richting veranderen* turn (off), ⟨weg⟩ branch off ★ *links ~* turn left ❷ *niet meer werken* cut out, stall

**afslachten** ❶ *in groten getale doden* massacre, slaughter ❷ *slachten* slaughter, kill off

**afslag** ❶ *afrit* turn, ⟨van autoweg⟩ exit ❷ *veiling* ★ *verkopen bij ~* sell by (Dutch) auction ❸ *prijsvermindering* reduction

**afslanken** I *ov ww, slank maken* slim II *on ww* ❶ *slanker worden* lose weight, slim ❷ *kleiner worden* slim / trim down

**afsluiten** ❶ *ontoegankelijk maken* ⟨elektriciteit⟩ disconnect, ⟨gas, e.d.⟩ turn off, ⟨door gasbedrijf⟩ cut off, ⟨weg⟩ block, ⟨weg⟩ close ❷ *op slot doen* lock ❸ *een eind maken aan* ⟨de boeken⟩ balance, ⟨rekening⟩ close ★ *een afgesloten tijdperk* a closed era ❹ *overeenkomst sluiten* sign, enter into, conclude ★ *een verzekering ~* take out an insurance (policy) ▼ *zich ~ van* shut o.s. off from, seclude o.s. from

**afsluiting** ❶ *het ontoegankelijk maken* ⟨elektriciteit⟩ disconnection, ⟨gas, e.d.⟩ shut-off ❷ *iets dat afsluit* ⟨hek, schot⟩ partition, ⟨afsluitboom⟩ barrier ❸ *beëindiging* closing, conclusion

**afsluitprovisie** commission, ⟨van makelaar e.d.⟩ brokerage

**afsmeken** implore, <u>oud</u> beseech

**afsnauwen** ★ *iem. ~* snap / snarl at

**afsnijden** ❶ *wegsnijden* cut off ❷ *de weg verkorten* take a short cut

**afsnoepen** steal ★ *iem. iets ~* snatch sth from sb

**afspeelapparatuur** audio equipment

**afspelen** I *ov ww, afdraaien* play II *wkd ww* [zich ~] *happen*, take place ★ *het speelt zich af in* it takes place in

**afspiegelen** ❶ *weerspiegelen* reflect ★ *zich ~* be reflected ❷ *afschilderen* portray ★ *zij wordt afgespiegeld als een helleveeg* she's represented as a shrew

**afspiegeling** reflection ★ *een zwakke ~ zijn van iets* be a faint shadow of sth

**afsplitsen** I *ov ww* split off II *wkd ww* [zich ~] ⟨van weg, leiding⟩ branch off

**afsplitsing** ❶ *wat afgesplitst is* offshoot

**af**

❷ *afgescheiden groep* breakaway
**afspoelen** *schoonspoelen* wash, rinse, hose down
**afspraak** ❶ *overeenkomst* agreement ★ *zich aan de ~ houden* stick to the agreement ★ *tegen de ~* contrary to the agreement ★ *volgens (de) ~* as agreed ★ *dat was niet de ~* that was not what we agreed, that was not part of the deal ❷ *ontmoeting* appointment, ⟨voor zaken⟩ engagement ★ *een ~je hebben* have a date
**afspreken** I *ov ww, overeenkomen* agree (on), arrange ★ *afgesproken!* all right!, it's a deal!, done! ★ *zoals afgesproken* as agreed ★ *~ iets te doen* agree to do sth ★ *dat is dan afgesproken* it's a deal ★ *afgesproken werk* a put-up job II *on ww* make an appointment
**afspringen** ❶ *naar beneden springen* jump / leap down ❷ *loslaten* ★ *er springen gemakkelijk stukjes van deze kopjes af* these cups chip easily ❸ fig *afketsen* come to nothing, ⟨onderhandelingen, e.d.⟩ break down ❹ *~ op naderen* jump at, ⟨kat, e.d.⟩ pounce on
**afstaan** *afstand doen* give (up), hand over, ⟨privilege⟩ surrender, ⟨recht, zetel⟩ yield
**afstammeling** descendant
**afstammen** ❶ *~ van* ⟨m.b.t. personen⟩ be descended from ❷ *~ van* ⟨m.b.t. woorden, ideeën⟩ be derived from
**afstamming** lineage, descent
**afstand** ❶ *lengte tussen twee punten* distance ★ *op een ~* at a distance, fig aloof fig reserved ★ *op korte ~* at short distance ★ *op grote ~* at a great / long distance ★ *van korte ~* at close range ❷ *het afstaan* ⟨van bezit, recht⟩ renunciation, ⟨van bezit, recht⟩ surrender, ⟨van troon⟩ abdication ★ *~ doen van de troon* renounce the throne ★ *~ doen van bezit* part with possessions
**afstandelijk** aloof, distant, ⟨van houding⟩ standoffish
**afstandsbediening** remote control
**afstandsonderwijs** onderw *onderwijs via media* distance learning, ⟨schriftelijk⟩ correspondence course
**afstandsrit** ⟨long-distance⟩ rally
**afstapje** step ★ *denk om het ~* mind the step
**afstappen** ❶ *naar beneden stappen* step down, ⟨v. fiets, paard⟩ get off ❷ *~ op* ★ *op iemand / iets ~* step up to ❸ *~ van* fig ★ *van een onderwerp ~* leave / drop a subject
**afsteken** I *ov ww* ❶ *aansteken* let / set off ★ *vuurwerk ~* let off fireworks ❷ *uitspreken* deliver ★ *een speech ~* deliver / make a speech ❸ *wegsteken* cut off / away, ⟨met beitel⟩ chisel off II *on ww, ~ bij, tegen* *duidelijk uitkomen* stand out against ★ *gunstig ~ bij* compare favourably with
**afstel** postponement, delay
**afstellen** set, adjust (to) ★ *de ontsteking vroeger / later ~* advance / retard the ignition timing
**afstemmen** ❶ *aanpassen* adjust to ❷ *instellen* attune (**op** to) ★ *~ op een zender* tune in to a station ❸ *verwerpen* vote down
**afstemming** ❶ *verwerping na stemmen* voting down, rejection, ⟨van motie⟩ defeat ❷ *communicatie* tuning ❸ *overeenstemming* rapport
**afstempelen** stamp

**afsterven** die (off), ⟨van plant⟩ die back
**afstevenen op** make for, ⟨dreigend⟩ bear down on
**afstijgen** get off, dismount
**afstoffen** dust
**afstompen** I *ov ww* ❶ *stomp maken* blunt ❷ *ongevoelig maken* dull, numb ★ *het saaie werk had zijn geest afgestompt* the dull work had numbed his brain II *on ww* ❶ *stomp worden* become blunt ❷ *ongevoelig worden* become dull / numb
**afstoppen** ❶ *dichtmaken* fill, stop ❷ sport block
**afstotelijk** repugnant, repulsive
**afstoten** I *ov ww* ❶ *wegstoten* push down, knock off ❷ *wegdoen* ⟨van personeel⟩ discharge, ⟨van banen⟩ cut, ⟨van banen⟩ reduce, ⟨van bedrijf⟩ hive off ❸ biol *niet accepteren* reject ❹ *afkerig maken* repel, put off II *on ww, afkeer inboezemen* repel, put off
**afstotend** *afstotelijk* repulsive
**afstoting** ❶ *het afstoten* econ disposal, ⟨van bedrijfsonderdeel⟩ hiving off, ⟨van personeel⟩ discharge ❷ med rejection ❸ natk repulsion
**afstraffen** punish, reprimand
**afstraffing** ❶ *bestraffing* punishment ❷ *reprimande* reprimand, telling off ❸ sport taking advantage (of)
**afstralen** I *ov ww, afgeven* radiate, give off II *on ww* radiate ★ *vreugde straalde van zijn gezicht af* his face radiated joy
**afstrepen** strike / cross off
**afstrijken** ❶ *aansteken* strike, light ❷ *door strijken verwijderen* strike / wipe off ★ *een afgestreken theelepel zout* a level teaspoon of salt
**afstropen** ❶ *plunderen* pillage, ransack ❷ *de buitenste laag er aftrekken* strip (off), ⟨villen⟩ skin
**afstudeerproject** final project
**afstudeerscriptie** ⟨Master's⟩ thesis *mv:* theses
**afstuderen** graduate, finish one's studies
**afstuiten** ❶ *afketsen* rebound, bounce off ❷ *~ op* be foiled / frustrated by
**aft** aphta, aphtous ulcer
**aftaaien** buzz off, hit the road, USA beat it
**aftakelen** I *on ww, achteruitgaan* go to seed, go downhill II *ov ww, aftuigen van schip* unrig
**aftakeling** *achteruitgang* decay
**aftakking** branch, fork, techn shunt
**aftands** *afgeleefd* ⟨van persoon⟩ long in the tooth, ⟨van zaak⟩ decrepit
**aftapkraan** draw-off tap, drain cock
**aftappen** ❶ *laten uitstromen* draw (off), ⟨rubber⟩ tap ★ *bier ~* bottle beer ❷ med ⟨van bloed⟩ ★ *iem. bloed ~* take blood from sb ❸ *afluisteren* tap
**aftasten** ❶ *voorzichtig onderzoeken* feel ❷ *mogelijkheden aftasten* feel / sound out ❸ techn scan
**aftekenen** I *ov ww* ❶ *voor gezien tekenen* sign ❷ *nauwkeurig aangeven* outline, mark off II *wkd ww* ⟨zich ~⟩ *zichtbaar worden* show (up), become visible ★ *zich ~ tegen* stand out against
**aftellen** ❶ *van tien tot nul tellen* count down ❷ *aftelrijmpje opzeggen* dip for it ❸ *uittellen* count off / out
**aftershave** aftershave
**aftersun** aftersun lotion
**aftiteling** ⟨tv⟩ credit titles *mv*, ⟨film⟩ credits *mv*

**af**

**aftocht** retreat ▾ *de* ~ *blazen* sound the retreat, beat a retreat

**aftoppen** fig *verminderen* level down / off

**aftrainen** *geleidelijk minder intensief gaan trainen* detrain

**aftrap** kick-off

**aftrappen** kick off

**aftreden** I *on ww* resign, retire (from office), (van vorst) abdicate II *zn* [het] resignation, (van vorst) abdication

**aftrek** ❶ *vermindering* deduction, (voor kinderen) allowance ★ *na* ~ *van de onkosten* less expenses ❷ *vraag* sale, demand ★ *gretig* ~ *vinden* be in great demand

**aftrekbaar** (tax-)deductible ★ *aftrekbare kosten* deductible expenses

**aftrekken** ❶ *in mindering brengen (van)* (van geld) deduct, (van getal) subtract ❷ *wegtrekken* draw off / down ❸ *seksueel bevredigen* jerk / jack off, wank (off) ▾ *zijn handen van iem.* ~ wash one's hands of sb

**aftrekker** BN *vloerwisser* squeegee

**aftrekpost** deduction, rebate, (belasting) tax-deductible item / expense

**aftreksel** extract

**aftreksom** subtraction sum

**aftroeven** ❶ *winnen met troefkaart* trump ❷ *te slim af zijn* be too clever for somebody

**aftroggelen** wheedle / coax out of

**aftuigen** ❶ *afranselen* thrash, rough up ❷ *het tuig afhalen* (van paard) unharness, (van schip) unrig

**afvaardigen** delegate, depute

**afvaardiging** delegation, deputation

**afvaart** sailing, departure

**afval** waste, refuse, (van dier) offal, (van eten) leavings *mv* ★ *radioactief* ~ radioactive waste

**afvalemmer** dustbin, litter bin

**afvallen** I *on ww* ❶ *vermageren* lose weight ❷ *naar beneden vallen* fall off / down ❸ *niet meer meetellen* drop out ★ *dat plan viel af* that plan was dropped II *ov ww, ontrouw worden aan* go back on ★ *iem.* ~ go back on sb

**afvallig** disloyal, (van geloof) lapsed, (van geloof) form apostate

**afvallige** renegade, rel apostate

**afvalproduct** waste product, by-product

**afvalstof** waste product / matter

**afvalverwerking** waste disposal, (via bedrijf) waste processing

**afvalwater** waste water, (industrie) effluent

**afvalwedstrijd** heat, elimination race

**afvegen** ❶ *schoonmaken* wipe (off), mop ★ *je handen* ~ wipe your hands ❷ *weghalen* wipe off / away

**afvijlen** ❶ *weghalen door vijlen* file off / through ❷ *dunner, stomp maken* file down ❸ *glad vijlen* file smooth

**afvinken** tick off, check off

**afvloeien** ❶ *wegstromen* flow away / off ❷ *ontslagen worden* be laid off

**afvloeiingsregeling** redundancy scheme

**afvoer** ❶ *het afvoeren* (van goederen) removal, (van goederen) transport, (van vocht) discharge, (van troepen) evacuation ❷ *afvoerleiding* discharge, drain, waste pipe, outlet

**afvoeren** ❶ *wegvoeren* (van goederen) remove, (van goederen) transport, (van troepen) evacuate, (van water) drain away / off ❷ *schrappen* remove, (vnl als straf) strike off ★ *van de ledenlijst* ~ remove from the membership list

**afvoerkanaal** discharge, outlet, (in grond) drain

**afvoerpijp** discharge pipe, (voor gassen) exhaust pipe, (voor vloeistoffen / gassen) outlet pipe, waste pipe

**afvragen** [zich ~] wonder, ask oneself

**afvuren** fire (off), discharge, (raket) launch

**afwachten** *wachten* wait (for), (beurt, beslissing) wait, (de trein / iemand) wait for, (beurt, beslissing) form await ★ *een ~de houding aannemen* play a waiting game, sit on the fence ★ ~ *maar!* wait and see

**afwachting** expectation ★ *in* ~ *van zijn terugkomst* awaiting / pending his return

**afwas** ❶ *het afwassen* washing-up, doing the dishes ★ *wie doet de* ~ *vandaag?* who is doing the dishes today? ❷ *vuil serviesgoed* dishes *mv*, washing-up

**afwasbaar** washable

**afwasborstel** washing-up brush

**afwasmachine** dishwasher

**afwasmiddel** washing-up liquid

**afwassen** ❶ *afwas doen* do the dishes / the washing-up ❷ *schoonwassen* wash ❸ *wassend verwijderen* wash away / off

**afwateren** drain

**afwatering** drainage

**afweer** defence

**afweergeschut** anti-aircraft guns *mv*

**afweermechanisme** defence mechanism

**afweerstof** antibody

**afweersysteem** immune system

**afwegen** ❶ *wegen* weigh ❷ *overdenken* weigh ★ *de voor- en nadelen tegen elkaar* ~ weigh up the pros and cons

**afwenden** ❶ *wegdraaien* turn away, (aandacht) divert, (blik) avert ★ *zich van iem.* ~ wash one's hands of sb ❷ *tegenhouden* avert

**afwennen** *afleren* ★ *iem. iets* ~ break sb's habit of... ★ *dat moet u zich* ~ you must get out of the habit of doing that

**afwentelen** ❶ *wegrollen* roll off / away / down ❷ *afschuiven* ★ *de schuld van zich* ~ shift the blame onto sb else

**afweren** ❶ *tegenhouden* fend off, (van aanval) repel, (van aanval, van slag) parry, (vijand e.d.) keep / hold off ❷ fig *op een afstand houden* fend / ward off

**afwerken** ❶ *voltooien* finish (off), complete ❷ *afhandelen* settle, deal with, (een lijst) get through

**afwerking** ❶ *het voltooien* finishing ❷ *kwaliteit van het voltooide* finish, workmanship

**afwerpen** *neerwerpen* throw off, (van bladeren, bommen) drop, (uit schip, vliegtuig) jettison ★ *het paard wierp de ruiter af* the horse threw its rider

**afweten** *het laten* ~ excuse o.s., fail to turn up

**afwezig** ❶ lett *absent* absent, not in, not at home ❷ fig *verstrooid* absent-minded ★ *een ~e blik* a faraway look

**afwezigheid** ❶ *absentie* absence ❷ *verstrooidheid*

absent-mindedness ▼*schitteren door* ~ be conspicuous by one's absence

**afwezigheidslijst** BN *presentielijst* attendance list / record, ⟨school⟩ (attendance) register

**afwijken ❶** *verschillen* differ ★ *in* ~ *van* contrary to **❷** *andere richting deviation* **❸** med defect, aberration, handicap ★ *lichamelijke* ~ physical handicap / defect

**afwijking ❶** *verschil* difference ★ *in* ~ *van* contrary to **❷** *andere richting* deviation **❸** med defect, aberration, handicap ★ *lichamelijke* ~ physical handicap / defect

**afwijzen ❶** *niet toelaten* turn away, refuse admittance to ★ *een sollicitant* ~ reject an applicant **❷** *niet laten slagen* fail **❸** *afslaan* ⟨van aanklacht⟩ deny, ⟨van eis⟩ dismiss, ⟨van uitnodiging⟩ decline, ⟨van verzoek⟩ refuse

**afwijzing** refusal, denial, rejection

**afwikkelen ❶** *afwinden* unroll, unwind **❷** *afhandelen* wind up ★ *een zaak* ~ liquidate a business ★ *een transactie* ~ settle a transaction

**afwikkeling** *van zaak* completion, winding up

**afwimpelen** pass over, ⟨een voorstel / verzoek⟩ not follow up, ⟨een voorstel / verzoek⟩ turn down

**afwinden** unwind

**afwisselen I** *ov ww, beurtelings vervangen* relieve, ⟨van personen⟩ take turns with, ⟨van zaken⟩ alternate ★ *rood en groen wisselden elkaar af* red and green alternated **II** *on ww, telkens anders worden* vary ★ *bergen wisselen daar af met grote vlakten* mountains alternate with large plains

**afwisselend I** *bnw, gevarieerd* varied **II** *bijw, beurtelings* alternately, in turn

**afwisseling** *variatie* variation ★ *de* ~ *van het landschap* the variation of the landscape ★ *ter* ~ for a change

**afzagen ❶** *met zaag afscheiden* saw (off) **❷** *met zaag inkorten* saw down, shorten

**afzakken ❶** *naar beneden zakken* come down, sag **❷** *stroomafwaarts / zuidwaarts gaan* sail / float down **❸** *minder worden* fall / tail off, ⟨van bui⟩ blow over, ⟨van prestaties⟩ tail off, ⟨achterop komen⟩ fall behind

**afzeggen ❶** *meedelen dat men niet komt* call off, cry off ★ *iem.* ~ put off sb ★ *een visite* ~ call off a visit **❷** *annuleren* cancel ★ *een order* ~ cancel an order

**afzegging ❶** *mededeling van niet komen* ⟨direct⟩ refusal, ⟨van wat afgesproken is, enz.⟩ cancellation **❷** *annulering* cancellation

**afzender** sender ★ *retour* ~ return to sender

**afzet ❶** *verkoop* sale(s) ★ ~ *vinden* have a market **❷** *sport* ⟨bij sprong⟩ take-off

**afzetgebied** market(ing area), outlet

**afzetmarkt** consumers' market, outlet

**afzetten I** *ov ww* **❶** *afdoen* take off **❷** *buiten werking stellen* ⟨van motor⟩ shut off, ⟨van radio⟩ switch off, ⟨van wekker⟩ stop **❸** *amputeren* amputate **❹** *verkopen* sell, dispose of **❺** *oplichten* cheat, swindle, inform fleece **❻** *laten uitstappen* drop, put down **❼** *ontslaan* ★ *een koning* ~ depose a king ★ *een functionaris* ~ dismiss an official **❽** *afsluiten* block, close off ★ *een weg* ~ block a road **❾** *omboorden* trim ★ *afgezet met bont* fur-trimmed **❿** *doen bezinken* deposit **⓫** *afduwen* push off ▼*zij kon het idee niet van zich*

~ she could not let go of the idea **II** *wkd ww* [**zich** ~] ~ **tegen** react against

**afzetter** cheat, swindler

**afzetterij** swindle, inform rip-off

**afzetting ❶** *afsluiting* ⟨omheining⟩ enclosure, ⟨politie⟩ cordon **❷** *ontslag* dismissal, ⟨van president e.d.⟩ deposition **❸** *amputatie* amputation **❹** *vorming van neerslag* deposition

**afzichtelijk** hideous, ghastly

**afzien ❶** *lijden* have a hard / tough time (of it) **❷** ~ **van** ★ *van een plan* ~ abandon a plan ★ *ik zal er maar van* ~ I'll give it up ★ *afgezien van* apart from

**afzienbaar** → tijd

**afzijdig** ★ *zich* ~ *houden* stay / keep aloof (from)

**afzoeken** search, ⟨gebied⟩ scour ★ *alles* ~ look all over the place

**afzonderen I** *ov ww, afzonderlijk plaatsen* separate ⟨**van** from⟩ **II** *wkd ww* [**zich** ~] seclude oneself ⟨**van** from⟩, separate oneself ⟨**van** from⟩

**afzondering ❶** *het afzonderen* separation, seclusion **❷** *eenzaamheid* isolation, seclusion ★ *zijn leven in* ~ *doorbrengen* lead a secluded life, live in seclusion ▼BN *in* ~ *gaan* go to a training camp

**afzonderlijk I** *bnw* individual, single, ⟨zonder anderen⟩ private ★ *iedere* ~*e student* each individual student **II** *bijw* apart, separately ★ *iem.* ~ *spreken* speak to sb privately

**afzuigen ❶** *door zuigen verwijderen* remove by suction **❷** *seksueel bevredigen* suck off, give a blow job

**afzuigkap** cooker hood

**afzwaaien** mil leave the service

**afzwakken I** *ov ww, zwakker maken* weaken, tone / play down **II** *on ww, zwakker worden* subside, slacken

**afzwemmen** *zwemdiploma behalen* take the final swimmingtest

**afzweren** ⟨van drank⟩ swear off, ⟨van geloof⟩ abjure

**agaat** agate

**agenda ❶** *boekje* diary **❷** *bezigheden* agenda ★ *een punt op de* ~ an item on the agenda, agenda item ★ *de* ~ *afhandelen* finish the business of the meeting ★ *het staat hoog op de* ~ it's high on the agenda ★ *verborgen* ~ hidden agenda

**agenderen ❶** *op agenda zetten* put on the agenda **❷** *lijst opstellen* list the (agenda) items

**agens** agent

**agent ❶** *politieagent* policeman / policewoman, form constable, ⟨als aanspreektitel⟩ officer **❷** *vertegenwoordiger* agent

**agentschap ❶** *vertegenwoordiging* agency, ⟨van bank⟩ branch **❷** BN *makelaardij* estate / house agent

**ageren** agitate, campaign ★ *tegen iem.* ~ campaign against sb

**agglomeratie** agglomeration ★ *stedelijke* ~ conurbation

**aggregaat** aggregate

**aggregatie ❶** BN onderw *bevoegdheid voor het geven van tweedegraads onderwijs en hoger* teaching qualification for secondary and pre-university education **❷** BN onderw *lerarenopleiding* teacher training college

**ag**

**agio** premium, agio
**agitatie ❶** *het opruien* agitation **❷** *opwinding* excitement
**agiteren** agitate, excite ★ *geagiteerd zijn* be in a flap
**agnost** agnostic
**agrariër** agrarian
**agrarisch** agrarian
**agressie** aggression
**agressief** aggressive
**agressiviteit** aggression, belligerence
**agressor** aggressor
**agronomie** agronomy
**agronoom** agronomist
**aha-erlebnis** sudden insight
**ahorn** maple
**aids** AIDS
**aidspatiënt** AIDS patient
**aidsremmer** AIDS inhibitor
**aidstest** AIDS test
**aio** *onderw assistent in opleiding* PhD candidate, trainee research assistant
**air** air, look, appearance ★ *zich een air aanmeten* give o.s. airs ★ *een air over zich hebben* swank
**airbag** airbag
**airbrush** airbrush
**airco** air conditioning
**airconditioning** *regeling van temperatuur* air conditioning ★ *van ~ voorzien* airconditioned
**airhostess** BN *stewardess* female flight attendant
**airmile** Air Mile[fi], USA ≈ frequent flyer mile
**ajuin** onion
**A-kant** A-side
**akela** Akela, cub-mistress
**akelig ❶** *naar* dreary, nasty, dismal ★ *die ~e vent* that wretched fellow **❷** *onwel* ill, sick ★ *hij was er ~ van* it turned his stomach
**Aken** Aachen
**akkefietje** *karweitje* ⟨lastig karweitje⟩ chore, ⟨klein karweitje⟩ (little) job
**akker** field
**akkerbouw** agriculture
**akkerland** arable land
**akkoord I** *zn* [het] **❶** *overeenkomst* agreement, arrangement ★ *het op een ~je gooien (met)* compromise, come to terms (with) ★ *een ~ aangaan* enter into an agreement ★ BN *interprofessioneel ~* collective (labour) agreement **❷** muz chord **II** *bnw* ★ *iets ~ bevinden* find sth correct ★ *~ gaan met iets* agree to sth ★ *~ gaan met iem.* agree with sb **III** *tw* agreed
**akoestiek** acoustics *mv*
**akoestisch** acoustic
**akte ❶** *officieel document* deed, (legal) instrument ★ *akte van beschuldiging* (bill of) indictment ★ *akte van overdracht* deed of conveyance ★ *akte van overlijden* death certificate ★ *akte van verkoop* deed of sale ★ *notariële akte* notarial deed ★ *akte opmaken van* make a record of **❷** *getuigschrift* diploma, certificate, ⟨voor jacht⟩ licence **❸** *deel van toneelstuk* act ▼ *akte nemen van iets* take note of sth
**aktetas** briefcase
**al I** *onb vnw* all, every, each ★ *alle mensen* all people ★ *alle dagen* (each and) every day ★ *alle redenen om* every reason to ★ *alle vier* all four

★ *al haar wensen* all her wishes ★ *al het mogelijke doen* do all that is possible ★ *alle plezier was er af* all the fun had gone out of it ▼ *al met al* all in all **II** *bijw* **❶** *reeds* already, ⟨voornamelijk vragende zinnen⟩ yet ★ *hij is al lang dood* he has been dead for a long time ★ *is hij er al?* is he here yet? ★ *dat zei ik je toen al* I told you so at the time ★ *daar heb je het nou al* there you are, I told you so ★ *het wordt al donkerder* it's getting darker and darker **❷** *steeds* ★ *al kleiner en kleiner* smaller and smaller ★ *al pratende* talking all the time **❸** *zeer* ★ *niet al te best* none too good ★ *het is maar al te waar* it's all too true **III** *vw* ⟨tegenstellend⟩ (al)though, even if, even though ★ *al is ze nog zo arm* however poor she may be ★ *al ben je het niet met haar eens...* even though you disagree with her...
**à la carte** à la carte ★ *~ eten* dine à la carte
**à la minute** at once, immediately
**alarm ❶** *waarschuwing* alarm, alert ★ *loos ~* false alarm ★ *~ slaan* give / sound the alarm **❷** *alarminstallatie* alarm
**alarmcentrale** emergency centre
**alarmeren ❶** *waarschuwen* alert ★ *de brandweer ~* call out the fire brigade **❷** *ongerust maken* alarm
**alarminstallatie** alarm system / device, ⟨tegen diefstal⟩ burglar alarm, ⟨tegen brand⟩ fire alarm
**alarmklok** alarm bell ★ *de ~ luiden* raise / sound the alarm
**alarmnummer** emergency number
**alarmtoestand** state of emergency
**Albanees I** *bnw, m.b.t. Albanië* Albanian **II** *zn* [de], *bewoner* Albanian **III** *zn* [het], *taal* Albanian
**Albanese** Albanian (woman / girl)
**Albanië** Albania
**albast** alabaster
**albatros** albatross
**albino** albino
**album** album, ⟨voor knipsels⟩ scrapbook
**alchemie** alchemy
**alchemist** alchemist
**alcohol** alcohol
**alcoholcontrole** alcohol testing
**alcoholgehalte** alcoholic content
**alcoholica I** *zn* [de], *drinkster* (female) alcoholic **II** *de mv, drank* alcoholic drinks, strong drinks
**alcoholisch, alcoholhoudend** alcoholic, intoxicating ★ *~e dranken* alcoholic beverages, USA liquors spirits
**alcoholisme** alcoholism
**alcoholist, alcoholicus** (problem) drinker, alcoholic
**alcoholpromillage** blood alcohol level
**alcoholvergiftiging** alcohol poisoning
**alcoholvrij** non-alcoholic ★ *een ~ drankje* a soft drink
**aldaar** there ★ *de burgemeester ~* the mayor of that place
**aldoor** all the time, all along
**aldus** thus, in this manner
**alert** alert, wakeful, watchful ★ *~ op iets zijn* be on alert for sth
**Alexandrië** Alexandria
**alfa ❶** *Griekse letter* alpha **❷** *talenafdeling* ≈ humanities *mv* **❸** *persoon* humanities / language student

**al**

**alfabet** alphabet
**alfabetisch** alphabetic(al)
**alfabetiseren ❶** *alfabetisch rangschikken* alphabetize, place in alphabetical order **❷** *leren lezen en schrijven* ⟨persoon⟩ teach to read and write, ⟨land⟩ eliminate illiteracy
**alfahulp** ≈ unofficial home help
**alfanumeriek** alpha numeric
**alfastraling** alpha radiation
**alfawetenschap** humanities subject [mv: humanities] arts subject [mv: liberal arts]
**alg** alga [mv: algae]
**algebra** algebra
**algeheel** total, complete ★ *tot algehele tevredenheid* to everyone's satisfaction
**algemeen I** *bnw* **❶** *van / voor iedereen of alles* general ★ *met algemene stemmen* unanimously ★ ~ *kiesrecht* universal suffrage ★ *Algemeen Beschaafd Nederlands* Standard Dutch **❷** *niet specifiek* general ★ *een algemene regel* a general rule **II** *bijw* ★ *het is* ~ *bekend* it is common knowledge **III** *zn* [het] ★ *in het* ~ in general, on the whole ★ *in het* ~ *gesproken* generally speaking
**algemeenheid ❶** *het algemeen zijn* generality, universality ★ BN *met* ~ *van stemmen* unanimous(ly) **❷** *gemeenplaats* commonplace ★ *hij gaf enige algemeenheden ten beste* he made a few commonplace remarks
**Algerije** Algeria
**Algerijn** Algerian
**Algerijns** *m.b.t. Algerije* Algerian
**Algerijnse** Algerian (woman / girl)
**Algiers** Algiers
**algoritme** algorithm
**alhier** in / of this town ★ ~ *te bevragen* apply within
**alhoewel** although
**alias I** *zn* [de] alias **II** *bijw* aka, also known as., alias
**alibi** alibi
**alikruik** (peri)winkle
**alimentatie** alimony, ⟨voor kind⟩ child support
**alinea** paragraph
**alk** razorbill
**alkali** alkali
**alkalisch** alkaline
**alkaloïde** alkaloid
**alkoof** alcove
**Allah** *eigennaam* Allah
**allang** for a long time, for quite some time, a long time ago ★ *ik ben* ~ *blij dat we d'r zijn* I'm happy we got here at all ★ *ik heb je* ~ *gezien, hoor* I have seen you, you know
**alle** → **al**
**allebei** both
**alledaags ❶** *van elke dag* daily, everyday **❷** *heel gewoon* ★ *een* ~ *gezicht* a plain face
**alledag** day-to-day ★ *het leven van* ~ everyday life
**allee I** *zn* [de] avenue **II** *tw* BN let's go
**alleen I** *bnw, zonder andere(n)* alone, single-handed **II** *bijw, enkel* ★ *niet* ~... *maar ook*... not only..., but also... ★ *de gedachte* ~ *al* the mere / very thought of it ★ *ik wou* ~ *maar*... I only / merely wanted to...
**alleenheerschappij** absolute power
**alleenheerser** absolute ruler
**alleenrecht** jur exclusive rights *mv*
**alleenstaand ❶** *zonder levenspartner* single ★ ~*e* single person **❷** *losstaand* detached
**alleenverdiener** sole / single wage earner
**allegaartje** hotchpotch, farrago [mv: farragos, farragoes]
**allegorie** allegory
**allegorisch** allegorical
**allegro** allegro
**alleluja** → **halleluja**
**allemaal ❶** *alle(n)* everybody, everyone, (one and) all, inform the lot of them **❷** *alles* everything, inform the whole lot ★ *neem ze* ~ *maar* take the whole lot **❸** inform *klinkklaar* ★ ~ *onzin* a load of nonsense
**allemachtig I** *bijw* amazingly ★ ~ *goed* jolly good **II** *tw* well, I never!, good God!, good heavens!
**allemansvriend** everybody's friend
**allen** all
**allengs** gradually, by degrees
**aller- ❶** *meest* most, very ★ *allerhoogst* ⟨bedrag⟩ maximum, ⟨ambtenaar⟩ top, ⟨belang⟩ paramount **❷** *uiterst* extremely ★ *allervriendelijkst* most kind
**allerbest** *v het* ~*e!* all the best!
**allereerst I** *bnw* very first **II** *bijw* first of all
**allergeen** allergen
**allergie** allergy
**allergietest** patch / skin test
**allergisch** allergic (to)
**allerhande** all sorts / kinds of
**Allerheiligen** All Saints' Day
**allerijl** *v in* ~ in great haste, with all speed
**allerlaatst** very last ★ *tot het* ~ to the very end
**allerlei I** *bnw* all sorts of **II** *zn* [het] miscellany
**allermeest** most of all ★ *op zijn* ~ at the very most
**allerminst I** *bnw, minst* least of all ★ *op zijn* ~ at the very least **II** *bijw, helemaal niet* not in the least
**Allerzielen** All Souls' Day
**alles** all, everything, anything ★ *dit* ~ all this ★ ~ *tezamen genomen* all things considered ★ *van* ~ all sorts of things ★ *van* ~ *wat* sth of everything ★ *van* ~ *(en nog wat)* this, that and the other ★ *niets van dat* ~ nothing of the sort ★ *vóór* ~ above all *v* BN *dat is beneden* ~ that's below any standard, that's way below the mark *v* ~ *op* ~ *zetten* go all out, go for it
**allesbehalve** anything but, far from
**allesbrander** multi-burner
**alleseter** omnivore
**allesomvattend** all-embracing, comprehensive, universal
**allesoverheersend** overpowering
**allesreiniger** all-purpose cleaner
**alleszins ❶** *in elk opzicht* highly, in every respect, in every way **❷** BN *in elk geval* in any case, at all events, at any rate
**alliantie** alliance
**allicht** most probably / likely, likely ★ *je kunt het* ~ *proberen* there's no harm in trying
**alligator** alligator
**all-in** all-inclusive, all-in
**all-inprijs** all-in / total price

**al**

**alliteratie** alliteration
**allochtoon** I *zn* [de] immigrant, foreigner II *bnw* foreign
**allooi** ❶ *goud- / zilvergehalte* alloy ❷ *fig waarde / soort* quality, kind
**allrisk** comprehensive, blanket, USA no-fault
**allriskverzekering** comprehensive insurance
**allround** all-round, versatile, many-sided
**allrounder** all-rounder
**allterrainbike** *ATB* all-terrain bike
**allure** style, ⟨van personen⟩ air, ⟨van zaken⟩ style ★ *de ~s aannemen van een filmster* assume the airs of a filmstar
**allusie** BN *zinspeling* allusion (**op** to), min insinuation
**almaar** → **alsmaar**
**almacht** omnipotence
**almachtig** omnipotent, all-powerful ★ *de Almachtige* the Almighty
**almanak** almanac
**aloë** plantk aloe
**alom** everywhere ★ *alom bekend* generally known
**alomtegenwoordig** omnipresent
**alomvattend** all-embracing
**aloud** ancient, time-honoured ★ *een ~e methode* a time-honoured method
**alp** alp
**alpaca** alpaca
**Alpen** Alps *mv*
**alpenweide** alpine meadow
**alpien** alpine
**alpineskiën** alpine skiing
**alpinisme** mountaineering, alpinism
**alpinist** alpinist, mountaineer
**alpino** beret
**als** ❶ *zoals, gelijk* like, (such) as ★ *als een soldaat* like a soldier ★ *dieren als paarden, koeien, e.d.* animals, such as horses, cows, etc. ★ *als het ware* as it were ❷ *indien* if ★ *als hij het gezien had* if he had seen it ❸ *(telkens) wanneer* when ❹ *in de hoedanigheid van* as ★ *ik praat tegen je als je meerdere* I speak to you as your superior
**alsdan** then, in this / that case
**alsjeblieft** I *tw* ❶ *bij verzoek* please ❷ *bij overhandigen* ⟨ook vaak onvertaald⟩ here you are II *bijw, graag* please
**alsmaar** constantly, continually, all the time ★ *~ praten* talk non-stop / continuously
**alsmede** and also, also, as well as
**alsnog** as yet, ⟨nu nog⟩ still
**alsof** as if / though
**alsook** as well as, and also
**alstublieft** I *tw* ❶ *bij overhandigen* ⟨bij aanreiken⟩ here you are ❷ *bij verzoek* please II *bijw, bij verzoek* please ★ *houdt daar ~ mee op* please stop it
**alt** *stem* alto
**altaar** altar
**altaarstuk** altarpiece
**alter ego** alter ego
**alternatief** alternative
**alterneren** alternate
**althans** at least, at any rate, anyhow
**altijd** always, ever ★ *nog ~* still
**altijddurend** everlasting, unending, perpetual
**altruïsme** altruism

**altsaxofoon** alto sax(ophone)
**altviool** viola
**aluminium** I *zn* [het] aluminium, USA aluminum II *bnw* aluminium, USA aluminum
**aluminiumfolie** tin foil
**alvast** meanwhile, for now, for the time being
**alvleesklier** pancreas
**alvorens** before, prior to
**alweer** again, once more ★ *het is ~ drie maanden geleden* that was three months ago
**alwetend** omniscient
**alzheimer** Alzheimer's disease
**a.m.** *ante meridiem* a.m., USA A.M.
**amai** BN *och* oh dear!
**amalgaam** amalgam
**amandel** ❶ *vrucht* almond ❷ *boom* almond ❸ *klier* tonsil ★ *zijn ~en laten knippen* have one's tonsils out
**amandelontsteking** tonsillitis
**amandelspijs** almond paste
**amanuensis** (laboratory) assistant
**amaril** emery
**amaryllis** amaryllis
**amateur** *niet-professional* amateur
**amateurisme** amateurism
**amateuristisch** *door of van amateurs* amateurish ★ *dat is ~ gemaakt* that was made amateurishly
**amateurvoetbal** amateur soccer
**Amazone** Amazon
**amazone** ❶ *paardrijdster* horsewoman ❷ *mythologisch figuur* Amazon
**amazonezit** sidesaddle (style) ★ *in ~ (rijden)* (ride) sidesaddle
**ambacht** *nijverheid* (handi)craft, trade ▾ *twaalf ~en, dertien ongelukken* (he is a) Jack-of-all-trades and master of none
**ambachtelijk** according to traditional methods
**ambachtsman** artisan, craftsman
**ambassade** embassy
**ambassadeur** ambassador
**ambassadrice** ambassador
**amber** ❶ *barnsteen* amber ❷ *hars* storax ❸ *product uit potvis* ambergris
**ambetant** BN *vervelend* troublesome, annoying
**ambiance** ambiance
**ambiëren** aspire to
**ambigu** ambiguous, equivocal
**ambitie** ❶ *eerzucht* ambition ❷ *ijver* zeal
**ambitieus** ❶ *eerzuchtig* ambitious ❷ *ijverig* zealous
**ambivalent** ambivalent
**Ambon** Ambon
**ambt** office, position ★ *een ambt bekleden* hold office ★ *een ambt aanvaarden* enter office ★ *het ambt van rechter* the office of judge ★ *zijn ambt neerleggen* retire from office, step down from office
**ambtelijk** ★ *~e taal* official language ★ *~e taken* professional duties
**ambteloos** private ★ *~ burger* private citizen
**ambtenaar** official, civil servant ★ *burgerlijk ~* civil servant ★ *~ van het openbaar ministerie* counsel for the prosecution ★ *~ van de burgerlijke stand* registrar ★ *hij is een echte ~* he is a typical bureaucrat
**ambtenarenapparaat** civil service

**ambtenarij** ❶ *bureaucratie* officialdom, min red tape ❷ *de ambtenaren* civil service
**ambtgenoot** colleague
**ambtsaanvaarding** accession to office
**ambtseed** oath of office
**ambtsgebied** district, jur jurisdiction
**ambtsgeheim** official secret
**ambtshalve** by virtue of one's office, ex officio
**ambtsketen** chain of office
**ambtskledij** (official) robe(s)
**ambtstermijn** period / term of office / service
**ambtswoning** official residence
**ambulance** ambulance
**ambulancier** BN *verpleger op ambulance* paramedic
**ambulant** ❶ *zonder vaste plaats* travelling ★ *de ~e handel* street trading ❷ *op de been* ambulatory
**amechtig** breathless, winded, inform puffed (out)
**amen** amen
**amendement** amendment
**amenderen** amend
**Amerika** America
**Amerikaan** *bewoner* American
**Amerikaans** *m.b.t. Amerika* American
**Amerikaanse** American (woman / girl)
**amerikaniseren** Americanize
**amethist** amethyst
**ameublement** furniture
**amfetamine** amphetamine
**amfibie** dierk amphibian
**amfibievoertuig** amphibious vehicle
**amfitheater** amphitheatre
**amfoor** amphora
**amicaal** amicable, friendly
**aminozuur** amino acid
**ammonia** (aqueous) ammonia
**ammoniak** ammonia
**ammunitie** ammunition, inform ammo
**amnesie** amnesia
**amnestie** amnesty
**amoebe** amoeba [mv: amoebas]
**amok** ▾ *amok maken* run amuck, go berserk
**amoreel** amoral
**amorf** amorphous
**amoureus** *verliefd* amorous
**ampel** ample ★ *na ~ overleg* after careful consideration
**amper** hardly, scarcely
**ampère** ampere, inform amp
**ampersand** ampersand
**amplitude** amplitude
**ampul** *buisje met injectiestof* ampoule, USA ampule
**amputatie** amputation
**amputeren** amputate
**Amsterdam** Amsterdam
**Amsterdammer** citizen of Amsterdam
**amsterdammertje** *type bierglas (0,3 l)* beer glass (0,3 l)
**Amsterdams** Amsterdam
**Amsterdamse** Amsterdam (woman / girl)
**amulet** amulet, charm, talisman
**amusant** amusing, entertaining
**amusement** amusement, entertainment
**amuseren** amuse, entertain ★ *zich ~* enjoy o.s.,

have a good time
**anaal** anal
**anabool** anabolic ★ *anabole steroïden* anabolic steroids
**anachronisme** anachronism
**anagram** anagram
**analfabeet** illiterate
**analfabetisme** illiteracy
**analist** analyst
**analogie** analogy
**analoog** ❶ *overeenkomstig* analogous ❷ *niet-digitaal* analogue
**analyse** analysis *mv: analyses*
**analyseren** analyse
**analytisch** analytic(al)
**ananas** ❶ *vrucht* pineapple ❷ *plant* pineapple
**anarchie** anarchy
**anarchisme** anarchism
**anarchist** anarchist
**anarchistisch** anarchist, (m.b.t. principes) anarchic
**anatomie** anatomy
**anatomisch** anatomical
**anciënniteit** seniority
**Andalusië** Andalusia
**Andalusisch** Andalusian
**andante** andante
**ander** ❶ *verschillend* other ★ *de ~e tien* the other ten ★ *~e kleren aandoen* change (one's clothes) ❷ *meer ~ onder ~e(n)* (m.b.t. zaken) among other things, (m.b.t. personen) among others ❸ *volgend* next ★ *om de ~e dag* every other day
**anderendaags, 's anderendaags** BN *de volgende dag* the following day
**anderhalf** one and a half
**andermaal** once again
**andermans** another man's [mv: other people's]
**anders** I *bnw* different, other ★ *dat is wat ~* that's another matter ★ *iem. ~* sb else ★ *ergens ~* somewhere else ★ *nergens ~* nowhere else ★ *dat is iets ~* that's different ★ *het is nu eenmaal niet ~* that's how it is ★ *~ dan zijn broer* unlike his brother ★ *wie / wat / e.d. ~* who / what / etc. else ★ *niemand / niets ~ dan* nobody / nothing (else) but ★ *ik heb wel wat ~ te doen* I have other things to do ★ *er zit niets ~ op dan...* there is no other alternative but... II *bijw* ❶ *op andere wijze (dan)* differently, otherwise ★ *het is ~ gegaan dan ik me had voorgesteld* things turned out differently than I had expected ★ *ik kan niet ~* I have no choice ★ *~ nog iets?* anything else? ❷ *op ander moment* usually ★ *net als ~* just as usual ❸ *zo niet, dan* else, otherwise ★ *en ~ ga je maar weg* or else you can go
**andersdenkend** dissenting, pol dissident
**andersom** the other way round, the opposite, the reverse
**andersoortig** different
**anderstalig** having a different native language
**anderszins** otherwise
**anderzijds** on the other hand
**Andes** Andes
**andijvie** chicory, USA endive
**Andorra** Andorra
**Andorra la Vella** Andorra la Vella
**Andorrees** I *bnw* Andorran II *zn* [de] Andorran

**an**

**Andorrese** Andorran (woman / girl)
**androgyn** hermaphrodite
**anekdote** anecdote
**anekdotisch** anecdotal
**anemie** anaemia
**anemoon** anemone
**anesthesie** anaesthesia
**anesthesist** anaesthetist
**angel** ❶ *biol* sting ❷ *vishaak* hook
**Angelsaksisch** Anglo-Saxon
**angina** angina ★ ~ *pectoris* angina (pectoris)
**angiografie** angiography
**angiogram** angiogram
**anglicaans** Anglican
**anglicisme** Anglicism
**anglist** English expert, student of English language and literature
**anglofiel** Anglophile
**Angola** Angola
**Angolees** Angolan
**angora** *kat* angora
**angst** fear (**voor** of), ⟨hevig⟩ terror ★ *in ~ zitten over* be anxious about ★ *uit ~ voor* for fear of
**angstaanjagend** frightening
**angsthaas** chicken, scaredy cat
**angstig** ❶ *bang* frightened, ⟨predicatief⟩ afraid ★ *het maakte me ~* it made me afraid ❷ *angstaanjagend* anxious, fearful ★ *~e tijden* anxious / worrying times
**angstvallig** ❶ *bang* timid, form timorous ❷ *zorgvuldig* scrupulous, conscientious
**angstwekkend** alarming, terrifying
**angstzweet** cold sweat
**anijs** *zaad* aniseed
**anijslikeur** cul anisette
**animatie** ❶ *verlevendiging* animation ❷ comp media *filmtechniek* animation ❸ BN *activiteiten* ★ *voor kinderen is er ~* there are special treats and entertainment for children
**animatiefilm** animation film
**animeren** *aansporen* encourage, stimulate
**animo** ❶ *zin om iets te doen* gusto (in), zest (for), spirit ❷ *levendige stemming* eagerness
**anjer** carnation
**Ankara** Ankara
**anker** scheepv anchor ★ *voor ~ liggen* lie / ride at anchor ★ *het ~ lichten* weigh anchor ★ *het ~ uitwerpen* drop anchor
**ankeren** *voor anker gaan* (cast) anchor
**ankerplaats** anchorage, berth
**annalen** annals *mv*
**annex** I *bnw* annex(e) ★ *met garage ~* with adjoining garage II *vw* with / and adjoining ★ *uitgeverij ~ drukkerij* publisher's and (adjoining) printer's
**annexatie** annexation
**annexeren** annex
**anno** in the year ★ *anno 1666* in (the year) 1666
**annoteren** annotate
**annuïteit** annuity
**annuleren** cancel, ⟨van contract / huwelijk⟩ annul
**annulering** cancellation, ⟨van contract / huwelijk⟩ annulment
**annuleringsverzekering** cancellation insurance
**Annunciatie** Annunciation

**anode** anode
**anomalie** anomaly
**anoniem** anonymous, faceless ★ *de ~e massa* the anonymous / faceless crowd
**anonimiteit** anonymity
**anorak** anorak, parka
**anorectisch** anorectic
**anorexia nervosa, anorexie** anorexia nervosa
**anorganisch** inorganic
**ansichtkaart** picture postcard
**ansjovis** anchovy
**Antarctica** Antarctica, the Antarctic
**Antarctisch** Antarctic
**antecedent** ❶ *voorafgaand feit* antecedent, precedent ❷ *taalk* antecedent
**antedateren** antedate, predate
**antenne** ❶ *techn* aerial, USA antenna ❷ *biol* antenna ▼ BN media *op ~ zijn* be broadcast, be on the air
**antiaanbaklaag** non-stick coating
**antibacterieel** antibacterial
**antibioticum** antibiotic
**antiblokkeersysteem** *ABS* anti-lock braking system
**anticiperen** anticipate ★ *~ op de ontwikkelingen* anticipate developments
**anticlimax** anticlimax
**anticonceptie** contraception
**anticonceptiepil** contraceptive pill, the pill
**antidateren** → antedateren
**antidepressivum** antidepressant
**antidrugseenheid** drug squad
**antiek** I *zn* [het] antiques [mv] II *bnw* ❶ *oud* antique, ancient, min old-fashioned ❷ *uit de oudheid* classical, antique
**antiekbeurs** antique dealer's exhibition, antique fair
**antiekwinkel** antique shop
**antigeen** I *zn* [het] antigen II *bnw* antigenic
**antiglobalisme** anti-globalism
**antiglobalist** anti-globalist
**antiheld** antihero
**antihistamine** antihistamine
**anti-insectenspray** insect spray
**antilichaam** antibody
**Antillen** Antilles *mv*
**Antilliaan** *bewoner* Antillean
**Antilliaans** Antillean
**Antilliaanse** Antillean (woman / girl)
**antilope** antelope
**antimaterie** antimatter
**antioxidant** antioxidant
**antipathie** antipathy, dislike
**antipode** ❶ *tegenvoeter* antipode ❷ fig somebody with opposing views
**antiquaar** antiquarian bookseller
**antiquair** antique dealer, antiquary
**antiquariaat** antiquarian bookshop
**antiquarisch** antiquarian, second-hand
**antiquiteit** ⟨gebruik⟩ antiquity, ⟨voorwerp⟩ antique
**antireclame** bad publicity
**antirookcampagne** anti-smoking campaign
**antisemiet** anti-Semite
**antisemitisch** anti-Semitic
**antisemitisme** anti-Semitism

**antiseptisch** antiseptic
**antislip** non-skid
**antistatisch** antistatic
**antistof** antibody
**antiterreureenheid** anti-terrorist unit
**antithese** antithesis
**antivirusprogramma** comp anti-virus programme
**antivries** antifreeze
**antoniem** antonym, opposite
**antraciet** *delfstof* anthracite
**antropologie** anthropology
**antropologisch** anthropological
**antropoloog** anthropologist
**antroposofie** anthroposophy
**Antwerpen** Antwerp
**Antwerpenaar** inhabitant of Antwerp ★ *hij is een* ~ he's from Antwerp
**Antwerps** Antwerp
**Antwerpse** (woman / female) inhabitant of Antwerp ★ *zij is een* ~ she's from Antwerp
**antwoord** answer, reply ★ *gevat* ~ repartee *v ★ in* ~ *op* in answer / reply to ★ *ten* ~ *geven* reply, say in reply
**antwoordapparaat** answering machine
**antwoorden** answer, reply, ⟨gevat⟩ rejoin, ⟨scherp⟩ retort
**antwoordenvelop** stamped addressed envelope
**antwoordformulier** answer / reply form
**antwoordnummer** ≈ Freepost, USA prepaid reply
**anus** anus
**aorta** aorta
**AOW** ❶ *wet* Old Age Pensions Act ❷ *uitkering* retirement pension, ⟨in Eng.⟩ (old age) pension
**AOW'er** Old Age Pensioner, senior citizen
**Apache** Apache
**apart** ❶ *afzonderlijk* separate, apart ★ ~ *berekenen* charge extra ★ *hij wilde mij* ~ *spreken* he wanted to speak to me privately ★ *iets* ~ *leggen* set apart ❷ *bijzonder* special, exclusive ★ *iets heel* ~*s* sth very exclusive
**apartheid** apartheid, racial segregation
**apartheidswet** segregation law, law of apartheid / segregation
**apathie** apathy
**apathisch** apathetic
**apegapen** *v op* ~ *liggen* be on one's last legs
**Apennijnen** Apennines
**apennootje** peanut
**apenstaartje** *het teken* @ at-sign
**aperitief** aperitif
**apert** patent ★ *een* ~*e leugen* a manifest lie
**apetrots** proud as a peacock
**apezuur** *v zich het* ~ *werken* work like the blazes *v zich het* ~ *schrikken* be scared witless
**apk, apk-keuring** *algemene periodieke keuring* GB MOT (test), (periodic) motor vehicle test ★ *de auto is apk gekeurd* the car has had its MOT test ★ *de auto is door de apk* the car has passed its MOT (test)
**apneu** apnoea
**apocalyps** apocalypse
**apocalyptisch** apocalyptic
**apologie** apologia, apology
**apostel** apostle

**a posteriori** *achteraf* a posteriori
**apostolisch** apostolic
**apostrof** apostrophe
**apotheek** ❶ *winkel* chemist's (shop), ⟨vnl. ziekenhuis⟩ dispensary ❷ *geneesmiddelen* pharmacy
**apotheker** (dispensing) chemist, pharmacist
**apotheose** apotheosis
**Appalachen** Appalachian (Mountains)
**apparaat** ❶ *toestel* machine, appliance ★ *huishoudelijke apparaten* household appliances ❷ *organisatie* system, mechanism ★ *het ambtelijk* ~ the administrative system
**apparatuur** apparatus, equipment, comp hardware
**appartement** flat, USA apartment
**appartementsgebouw** BN block of flats, USA apartment building
**appel** *vrucht* apple *v door de zure* ~ *heen bijten* make the best of a bad job *v voor een* ~ *en een ei* for a song *v de* ~ *valt niet ver van de boom* like father, like son *v een* ~*tje met iem. te schillen hebben* have a bone to pick with sb *v* BN *iem.* ~*en voor citroenen verkopen* pull the wool over sb's eyes *v een* ~*tje voor de dorst bewaren* keep sth for a rainy day
**appel** ❶ *verzameling van alle aanwezigen* roll-call ★ ~ *houden* call the roll, take the roll-call ❷ jur *beroep* appeal ★ ~ *aantekenen tegen* lodge an appeal against
**appelboom** apple tree
**appelboor** apple borer
**appelflap** cul apple turnover
**appelleren** ❶ jur appeal, lodge an appeal ❷ ~ *aan* appeal to
**appelmoes** cul apple sauce
**appelsap** cul apple juice
**appelsien** BN *sinaasappel* orange
**appelstroop** apple syrup
**appeltaart** cul apple pie
**appendix** ❶ *supplement* appendix *mv: appendices* ❷ anat *aanhangsel van de blindedarm* appendix *mv: appendixes*
**appetijt** BN *eetlust* appetite
**appetijtelijk** tasty, ⟨eetlust opwekkend⟩ appetizing
**applaudisseren** applaud (**voor** for)
**applaus** applause ★ *het idee werd met* ~ *begroet* the idea was applauded
**applicatie** ❶ *het toepassen* application ❷ *versiersel* application ❸ comp *programma* application
**applicatiecursus** refresher course
**apporteren** fetch, retrieve
**appreciëren** appreciate, value
**après-ski** après-ski
**april** April ★ *1* ~ first of April, April Fool's Day, All Fools' Day
**aprilgrap** April Fool's joke, April Fool
**aprils** → gril
**a priori** a priori
**à propos I** *tw* apropos, by the way, incidentally **II** *zn* [het] ★ *iem. van zijn* ~ *brengen* throw sb off balance
**aquaduct** aqueduct
**aquajoggen** aquajogging
**aquaplaning** aquaplaning

**aquarel** watercolour
**aquarelleren** *iets in waterverf schilderen* paint in water colours
**aquarium** aquarium
**ar** sleigh, sledge
**ara** macaw
**Arabië** Arabia
**Arabier** ❶ *persoon* Arab ❷ *burger van Saoedi-Arabië* Saudi (Arabian)
**arabier** *paard* Arab
**Arabisch** *m.b.t. Arabië* Arab(ian), (van taal en cijfers) Arabic
**Arabische** ❶ *persoon* Arab (woman / girl) ❷ *burger van Saoedi-Arabië* Saudi (Arabian) (woman / girl)
**arachideolie** peanut oil
**arak** arrack
**arbeid** labour, work
**arbeiden** labour, work
**arbeider** workman, worker, (voor zware arbeid) labourer ★ *(on)geschoolde* ~ (un)skilled worker
**arbeidersbeweging** labour movement
**arbeidersbuurt** working class neighbourhood
**arbeidsaanbod** supply of labour
**arbeidsbemiddeling** employment-finding
**arbeidsbesparend** labour saving
**arbeidsbureau** Job Centre, Employment Exchange
**arbeidsconflict** labour / industrial dispute
**arbeidscontract** employment contract
**arbeidsduurverkorting** reduction in working hours
**arbeidsgeneesheer** BN *bedrijfsarts* company doctor
**arbeidsinspectie** *overheidsinstelling* Labour Inspectorate
**arbeidsintensief** labour-intensive
**arbeidskracht** worker ★ *~en* workers *mv*, workforce *ev*
**arbeidsloon** wages *mv*, (loonkosten) labour, labour costs *mv*
**arbeidsmarkt** labour market
**arbeidsomstandigheden** working conditions
**arbeidsongeschikt** (occupationally) disabled, unfit for work
**arbeidsongeschiktheid** disability to work
**arbeidsongeschiktheidsuitkering** disablement / disability benefit
**arbeidsovereenkomst** employment contract, labour contract, (voor bepaalde tijd) temporary employment contract, (voor onbepaalde tijd) permanent employment contract
**arbeidsplaats** job
**arbeidsproces** ❶ *gang van zaken m.b.t. arbeid* employment ❷ *handelingen in productieproces* production process
**arbeidsrecht** jur labour law
**arbeidsreserve** labour reserve
**arbeidstherapie** occupational therapy
**arbeidstijdverkorting** reduction in working hours, shorter working hours *mv*
**arbeidsverleden** previous employment, employment history
**arbeidsvermogen** ❶ *mate waarin arbeid verricht kan worden* (van personen) capacity for work ❷ natk energy

**arbeidsvoorwaarden** terms / conditions of employment, employment package ★ *secundaire* ~ fringe benefits
**arbeidzaam** hard-working
**arbiter** ❶ sport referee ❷ jur arbitrator
**arbitrage** econ jur arbitration
**arbitragecommissie** arbitration committee, board of arbitration
**arbitrair** *willekeurig* arbitrary
**arbodienst** Health and Safety Executive
**Arbowet** Health and Safety at Work Act, ≈ USA Labor Law
**arcade** arch, arcade
**arceren** shade
**archaïsch** archaic
**archaïsme** archaism
**archeologie** archeology
**archeologisch** archaeological, USA archeological
**archeoloog** archeologist
**archetype** archetype
**archief** archives *mv*, files *mv*
**archipel** archipelago
**architect** architect
**architectonisch** architectural ★ *~e vormgeving* architectural design
**architectuur** architecture
**architraaf** architrave
**archivaris** archivist
**archiveren** record, file
**arctisch** arctic
**Ardennen** Ardennes
**Ardenner, Ardeens , Ardens** Ardennes
**are** are
**areaal** area
**arena** arena, ring, (bij stierengevecht) bullring
**arend** eagle
**arendsblik** ≈ piercing look, ≈ piercing stare ★ *met* ~ eagle eyed
**argeloos** ❶ *niets vermoedend* unsuspecting ❷ *onopzettelijk* innocent, harmless, inoffensive
**Argentijn** Argentinian
**Argentijns** Argentine, Argentinian
**Argentijnse** Argentinian (woman / girl)
**Argentinië** Argentina
**arglistig** *boosaardig* crafty, cunning, form guileful
**argument** argument
**argumentatie** argumentation
**argumenteren** argue
**argusogen** ▼ *iets met* ~ *bekijken* look at sth with suspicion
**argwaan** suspicion ★ *~ wekken* arouse suspicion
**argwanend** suspicious
**aria** aria
**ariër** Aryan
**arisch** Aryan
**aristocraat** aristocrat
**aristocratie** aristocracy
**aristocratisch** aristocratic
**aritmetica** arithmetic
**aritmie** (cardiac) arythmia
**ark** ★ *de ark van Noach* Noah's ark ▼ *de Ark des Verbonds* the Ark of the Covenance
**arm I** zn [de], *lichaamsdeel* arm ★ *met de armen over elkaar* with folded arms ★ *arm in arm* arm

in arm ★ *iem. een arm geven* offer sb one's arm ★ *met open armen* with open arms ▾ *de sterke arm* ≈the police, the strong arm of the law ▾ *iem. in de arm nemen,* BN *iem. onder de arm nemen* consult sb ‖ *bnw* ❶ *weinig bezittend* poor, needy ★ *arm aan* poor in, lacking ❷ *meelijwekkend* poor, wretched

**armatuur** ❶ *draagconstructie lichtbron* fitting, bracket ❷ *wapening van constructie* armature

**armband** bracelet

**arme** *weinig bezittende* poor man / woman ★ *de armen* the poor

**Armeens** Armenian

**armelijk** poor, shabby

**Armenië** Armenia

**armetierig** miserable, pathetic

**armlastig** poverty-stricken, form destitute

**armlengte** arm's length

**armleuning** armrest

**armoede, armoe** ❶ *het weinig bezitten* poverty ★ *bittere ~* dire poverty ★ *tot ~ geraken* be reduced to poverty ★ *~ lijden* live in poverty ❷ *gebrek* ★ *~ aan ideeën* paucity of ideas ▾ *het is er armoe troef* they are poor as churchmice, they are hard up

**armoedegrens** poverty line

**armoedig** ❶ *van armoede blijk gevend* poor, paltry ❷ *haveloos* poor, shabby ★ *die jas ziet er zo ~ uit* that coat looks so shabby

**armoedzaaier** poor devil, down-and-out

**armsgat** armhole

**armslag** elbow room

**armzalig** ❶ *armoedig* poor ❷ *onbeduidend* paltry

**Arnhem** Arnhem

**aroma** ❶ *geur* aroma ❷ *smaakstof* flavouring

**aromatisch** aromatic

**aromatiseren** flavour

**aronskelk** arum

**arrangement** *regeling* arrangement

**arrangeren** arrange

**arrangeur** arranger

**arrenslee** horse-sleigh, sledge

**arrest** ❶ *hechtenis* arrest, detention, ⟨voorarrest⟩ custody ★ *onder ~ staan* be under arrest, be in custody ❷ *beslaglegging* seizure (of goods) ❸ *gerechtelijke uitspraak* judgment, ruling

**arrestant** *gearresteerde* an arrested man / woman, ⟨een gevangene⟩ prisoner ❷ *beslaglegger* seizor

**arrestatie** arrest ★ *een ~ verrichten* make an arrest

**arrestatiebevel** warrant for someone's arrest, arrest warrant

**arrestatieteam** ≈ special squad

**arresteren** arrest ★ *iem. laten ~* have sb arrested

**arriveren** arrive

**arrogant** arrogant

**arrogantie** arrogance

**arrondissement** district

**arrondissementsrechtbank** jur district court

**arsenaal** ❶ *wapenopslagplaats* arsenal ❷ *flinke hoeveelheid* repertory, stock

**arsenicum** arsenic

**art deco** kunst art deco

**artdirector** art director

**arteriosclerose** arteriosclerosis

**articulatie** articulation

**articuleren** articulate

**artiest** (variety) artist, entertainer

**artikel** ❶ *voorwerp* article ❷ *geschreven stuk* article, paper ★ *redactioneel ~* editorial ❸ *wetsbepaling* article, ⟨van wet⟩ section, ⟨van wet⟩ clause ❹ taalk *lidwoord* article

**artillerie** artillery

**artisanaal** BN *handwerk* according to traditional methods

**artisjok** (globe) artichoke

**artistiek** artistic

**artritis** arthritis

**artrose** arthrosis

**arts** physician, doctor

**arts-assistent** assistant physician

**artsenbezoeker** medical representative

**artsenij** medicine

**artwork** artwork

**Aruba** Aruba

**Arubaan** Aruban

**Arubaans** Aruban

**Arubaanse** Aruban (woman / girl)

**as** ❶ *verbrandingsresten* ashes *mv* ★ *gloeiende as* embers ❷ *spil* ⟨van wiel⟩ axle ★ *om zijn as draaien* rotate ❸ muz A flat ▾ *in de as leggen* reduce to ashes

**ASA** ASA

**asbak** ashtray

**asbest** asbestos

**asblond** ash blonde

**asceet** ascetic

**ascendant** ❶ *dierenriemteken* ascendant ❷ *overwicht* ascendancy, domination

**ascese** asceticism

**ascetisch** ascetic

**ascorbinezuur** ascorbic acid

**aselect** random, arbitrary

**aseptisch** aseptic

**asfalt** asphalt

**asfalteren** asphalt

**asgrauw** ashen, ash-grey

**asiel** ❶ *toevluchtsoord* asylum ★ *~ verlenen* grant asylum ❷ *dierenverblijf* home for lost animals

**asielprocedure** asylum procedure

**asielzoeker** person seeking asylum

**asielzoekerscentrum** asylum seekers' centre

**asjeblieft** → alsjeblieft

**asjemenou** oh dear, my goodness, well I never

**aso I** zn [de] antisocial **II** afk, BN onderw *algemeen secundair onderwijs* ≈ senior general secondary education, ≈ pre-university education

**asociaal** antisocial

**aspartaam** aspartame

**aspect** ❶ *opzicht* aspect, angle ❷ *vooruitzicht* outlook, prospect

**asperge** asparagus

**aspirant** ❶ *kandidaat* applicant, candidate ❷ *iem. in opleiding* trainee ❸ *jonge sporter* junior

**aspiratie** ❶ *aanblazing* aspiration ❷ *eerzucht* aspiration, ambition ★ *hoge ~s hebben* aim high, be ambitious, min have big ideas

**aspirientje** aspirin

**aspirine** aspirin

**assemblage** assembly

**assemblee** assembly

**as**

**assembleren** assemble
**assenkruis** coordinate system
**Assepoester** Cinderella
**assertief** assertive
**assertiviteit** assertiveness
**assessment** assessment
**assimilatie** assimilation
**assimileren** *gelijkstellen* assimilate
**assisenhof** BN jur ≈ Crown Court, USA ≈ district court
**assistent** helper, assistant, aid ★ *een* ★ BN *maatschappelijk* ~ social / welfare worker
**assistentie** assistance, help
**assisteren** assist, help
**associatie** association
**associatief** associative
**associëren** associate (with) ★ *zich* ~ *met* enter into partnership with
**assortiment** assortment, selection
**assuradeur** insurer, scheepv underwriter
**assurantie** insurance
**aster** aster
**asterisk** asterisk, star
**astma** asthma
**astmaticus** asthmatic, asthma sufferer
**astmatisch** asthmatic
**astraal** astral
**astrologie** astrology
**astrologisch** astrological
**astroloog** astrologer
**astronaut** astronaut
**astronomie** astronomy
**astronomisch** ❶ sterrenk astronomic(al) ★ ~ *jaar* solar year ★ ~*e maand* lunar month ❷ *enorm groot* astronomical
**astronoom** astronomer
**Aswoensdag** Ash Wednesday
**asymmetrisch** asymmetric(al)
**asymptoot** asymptote
**asynchroon** asynchronous
**ATB** ❶ *allterrainbike* ATB ❷ *automatische treinbeïnvloeding* ATC, Automatic Train Control
**atelier** (v. kunstenaar) studio, (ambachtelijk) workshop
**Atheens** Athenian
**atheïsme** atheism
**atheïst** atheist
**Athene** Athens
**atheneum** ≈grammar school, ≈USA high school
**atjar** (Indonesian) pickles *mv*
**Atlantisch** Atlantic
**Atlantische Oceaan** Atlantic (Ocean)
**atlas** ❶ *boek met kaarten* atlas ❷ *halswervel* atlas
**atleet** athlete
**atletiek** athletics *mv*
**atletisch** athletic
**atmosfeer** atmosphere
**atmosferisch** atmospheric
**atol** atoll
**atomair** atomic
**atoom** atom
**atoombom** atom(ic) bomb
**atoomgeleerde** nuclear physicist / scientist
**atoomgewicht** atomic weight
**atoomtijdperk** nuclear / atomic age
**atoomwapen** nuclear / atomic weapon

**atrofie** atrophy
**attaché** attaché
**attachékoffer** attaché case
**attachment** comp attachment
**attaque** med *beroerte* stroke, attack ★ *een* ~ *krijgen* suffer a stroke
**at-teken** *het teken* @ at-symbol / sign
**attenderen op** ★ *iem.* ~ *op iets* draw sb's attention to sth
**attent** ❶ *opmerkzaam* attentive ★ *iem. op iets* ~ *maken* draw sb's attention to sth ❷ *vriendelijk* considerate
**attentie** ❶ *aandacht* attention ★ *ter* ~ *van X* for the attention of X, fao X, attn X ★ ~*!* look out! ❷ *blijk van vriendelijkheid* token of attention, (cadeau) present
**attest** *certificaat* testimonial, certificate
**attitude** attitude
**attractie** attraction
**attractief** attractive
**attractiepark** amusement park, recreation park, theme park
**attributief** taalk attributive
**attribuut** attribute
**atv** *arbeidstijdverkorting* ≈ shorter working hours
**atv-dag** ★ *een* ~ *hebben* ≈ have a day off
**au** ouch!, ow!
**a.u.b.** *alstublieft* please
**aubade** aubade
**au bain-marie** cul ★ *iets* ~ *verwarmen* cook in a bain marie
**aubergine** aubergine, USA eggplant
**audiëntie** audience ★ *iem.* ~ *verlenen* grant sb an audience ★ *op* ~ *gaan bij* have an audience with
**audioapparatuur** audio equipment
**audiorack** music centre, stereo system
**audiovisueel** audio-visual
**auditeur-militair** judge advocate
**auditie** audition
**auditorium** auditorium
**auerhoen** capercaillie
**augurk** gherkin
**augustus** August
**aula** auditorium, hall
**au pair I** *zn* [de] au pair **II** *bijw* ★ ~ *werken* work as an au pair
**aura** *uitstraling* aura, charisma
**aureool** ❶ *stralenkrans* aureole, halo ❷ fig *goede reputatie* aura
**auspiciën** ★ *onder* ~ *van* under the auspices of
**ausputzer** sport sweeper
**Australië** Australia
**Australiër** *bewoner* Australian, inform Aussie
**Australisch** *m.b.t. Australië* Australian, (informeel) Aussie
**Australische** Australian (woman / girl)
**autarkie** autarchy
**auteur** author
**auteursrecht** ❶ jur *recht van de auteur* copyright ❷ *royalty's* royalties *mv*
**authenticiteit** authenticity
**authentiek** authentic
**autisme** autism
**autistisch** autistic
**auto** car, motor car
**autobiografie** autobiography

**autobiografisch** autobiographical
**autobom** car bomb
**autobus, BN autocar** (lijnbus) bus, ⟨voor langere afstanden⟩ coach
**autochtoon I** zn [de] inform native (inhabitant), autochthon **II** bnw indigenous, autochthonous
**autocoureur** racing-car driver
**autodidact** autodidact, self-taught person
**autogas** LPG LPG
**autogordel** seat belt
**auto-immuunziekte** autoimmune disease
**auto-industrie** car / motor industry
**autokerkhof** old car dump, scrapyard
**autokostenvergoeding** payment / refund of car expenses
**autokraker** car burglar
**autoluw** low / reduced / limited-traffic
**automaat ❶** uit zichzelf functionerend apparaat automaton, robot ❷ distributieapparaat GB slot machine, vending machine ❸ auto automatic
**automatiek** automat
**automatisch** automatic ★ ~e piloot autopilot ★ een ~e versnellingsbak automatic transmission ★ ~ overschrijven pay by direct debit ★ ~e informatieverwerking automatic data processing
**automatiseren** automate, comp computerize
**automatisering** automation, comp computerization
**automatisme** automatism
**automobilist** motorist
**automonteur** car / motor mechanic
**autonomie** autonomy
**autonoom** autonomous
**auto-ongeluk** car accident
**autopapieren** car papers / documents
**autopark** fleet of cars (vans / taxis)
**autopech** car trouble, breakdown
**autoped** scooter
**autopsie** autopsy
**autoradio** car radio
**autorijden** drive (a car)
**autorijschool** driving school
**autorisatie** authorization
**autoriseren** authorize
**autoritair** authoritarian
**autoriteit** authority
**autoslaaptrein** car train
**autosleutel** car key
**autosloperij** (car-)breaker's yard
**autosnelweg** motorway, USA freeway, USA highway
**autosport** motor sport, motor / car racing
**autostoel** transp car seat
**autostop** ▼ BN ~ doen hitchhike
**autostopper** BN lifter hitchhiker
**autostrade** BN snelweg motorway, USA freeway, USA highway
**autoverhuur** car hire, ⟨zonder chauffeur⟩ self-drive (car hire
**autoverzekering** car insurance
**autovrij** ⟨gebied⟩ pedestrian, ⟨dag⟩ carless
**autoweg** motorway, USA highway
**autozetel** BN transp car seat
**avance** advance, approach ★ ~s maken naar / jegens make advances to
**avant-garde** avant-garde

**avant-gardistisch** avant-garde
**avatar** www avatar
**avenue** avenue
**averechts I** bnw ❶ andersom ingestoken ★ ~e steek inverted stitch ❷ verkeerd wrong ★ een ~e uitwerking hebben have a contrary effect **II** bijw, andersom ingestoken (in) the wrong way ★ ~ breien purl
**averij** ⟨van schip⟩ damage, ⟨van motor⟩ breakdown ★ ~ oplopen suffer damage
**aversie** aversion ★ een ~ tegen iets hebben have an aversion to sth
**A-viertje** A4 ⟨sized sheet of paper⟩
**avocado** avocado
**avond** evening, night, ⟨vooravond⟩ eve ★ 's ~s in the evening, at night ▼ fijne / prettige ~! good evening!, have a nice evening!
**avondeten** dinner, supper
**avondjurk, BN avondkleed** evening dress / gown
**avondkleding** evening dress
**avondklok** curfew
**avondkrant** evening paper
**Avondland** Occident
**avondmaal ❶** avondeten evening meal, supper, dinner ❷ rel the Lord's Supper ▼ het Laatste Avondmaal the Last Supper
**avondmens** night person, inform night owl
**avondrood** rode gloed sunset (sky), evening glow
**avondschool** night school, evening classes mv
**avondspits** evening rush hour
**avondverkoop** evening sales mv
**avondvullend** ★ een ~ programma a programme lasting the whole evening
**avondwinkel** late-night shop, USA late-night store
**avonturier** adventurer [v: adventuress]
**avontuur ❷** adventure → avontuurtje
**avontuurlijk ❶** vol avonturen full of adventure, adventurous, exciting ❷ gewaagd risky
**avontuurtje** affair
**axioma** axiom
**ayatollah** ayatollah
**azalea** azalea
**azen ❶** ~ op aas zoeken prey on ❷ ~ op graag willen have one's eye on
**Azerbaidzjaans** Azerbaijani
**Azerbaidzjan** Azerbaijan
**Aziaat** bewoner Asian
**Aziatisch** Asian
**Aziatische** Asian (woman / girl)
**Azië** Asia
**azijn** vinegar
**azijnzuur** acetic acid
**Azoren** Azores
**Azteeks** Aztec
**Azteken** Aztecs
**azuren** azure
**azuur** azure

# B

**b ❶** *letter* b ★ *de b van Bernard* B as in Benjamin **❷** *muzieknoot* B
**B2B** *econ Business to Business* B2B
**BA** *Bachelor* BA
**baai** bay
**baak** *scheepv* beacon
**baal** *zak* bale, sack, (rijst) bag ▼ *ergens de balen van hebben* be sick and tired of sth
**baaldag** (slechte dag) off-day, <u>inform</u> (met smoesje) sickie
**baan ❶** *betrekking* job ★ *een baan in het onderwijs / bij de overheid* a teaching / government job ★ *baan voor halve dagen* half-time job ★ *een rustig baantje* an easy job, a soft job **❷** *strook stof, behang* (lengte) length, (breedte) width, (van vlag) bar **❸** *rijstrook* lane **❹** *route* (van hemellichaam) orbit, (van projectiel) trajectory ★ *baan rond de aarde* orbit ★ *iets in een baan om de aarde brengen* put sth into orbit ★ *een baan om de aarde beschrijven* orbit the earth **❺** *sport* (ijs) rink, (kegelen) alley, (roeien e.d.) course, (tennis) court, (ren- / wielersport) track ▼ *baantjes trekken* swim laps ▼ *ruim baan maken* clear the way ▼ *ruim baan hebben* have a clear field ▼ *het gesprek in andere banen leiden* divert the conversation ▼ *in goede banen leiden* guide in the right direction ▼ *iets op de lange baan schuiven* shelve sth, postpone sth indefinitely ▼ <u>BN</u> *over de baan kunnen met iem.* get on well with sb, <u>inform</u> hit it off with sb ▼ *dat is van de baan* that's off
**baanbrekend** pioneering, epoch-making ★ *~ werk verrichten* do pioneering work
**baanrecord** track record
**baansport** track sport
**baantjesjager** job hunter
**baanvak ❶** *traject* section **❷** <u>BN</u> *rijstrook* lane
**baanwachter** signalman
**baanwedstrijd** track race
**baar I** *zn* [de] **❶** *staaf edelmetaal* bar, ingot ★ *een baar goud* a gold ingot / bar **❷** *draagbaar* stretcher, (voor lijk) bier **❸** *golf* billow ★ *de woelige baren* the wild billows **II** *bnw, contant* ★ *in baar geld betalen* pay with ready money / cash
**baard ❶** *haargroei* beard ★ *zijn ~ laten staan* grow a beard **❷** *deel van sleutel* bit ▼ *hij heeft de ~ in de keel* his voice is breaking
**baardgroei** growth of beard ★ *zware ~* heavy growth (of beard)
**baardig** bearded
**baarmoeder** womb
**baarmoederhalskanker** cervical cancer
**baarmoederslijmvlies** endometrium ★ *ontsteking van het ~* endometritis
**baars** perch, bass
**baas ❶** *chef* boss, <u>inform</u> governor ★ *hij is zijn eigen baas* he is his own boss **❷** *man, jongen* bloke, fellow ★ *een klein baasje* a little fellow **❸** *uitblinker* ▼ *de baas spelen* dominere, dominate, boss around / about ▼ *over iem. de baas spelen* boss sb around / about ▼ *iem. de baas blijven* keep

the upper hand ▼ *iem. de baas worden* get the better of sb ▼ *je hebt altijd baas boven baas* there is always sb better / bigger ▼ *zo druk als een klein baasje* as busy as a bee ▼ *je bent mij de baas (af)* you're too strong / clever for me
**baat ❶** *voordeel* benefit, advantage, asset ★ *baat vinden bij* benefit by / from ★ *te baat nemen* avail o.s. of ★ *ten bate van* for the benefit of, in aid of **❷** *opbrengst* profit, benefit ★ *baten en lasten* (van bedrijf) assets and liabilities
**babbel** *praatje* chat ★ *een ~tje maken* have a chat ▼ *~s hebben* be big-mouthed ▼ *een vlotte ~ hebben* be a smooth talker
**babbelaar ❶** *kletskous* chatterer, (van kinderen) chatterbox **❷** *snoep* butterscotch, ≈ boiled lolly
**babbelbox** chatline
**babbelen** *kletsen* chat, <u>inform</u> natter, (veel) chatter
**babbelkous** chatterbox
**babe** babe
**babi pangang** <u>cul</u> <u>omschr</u> Indonesian sweet and sour roast pork
**baby** baby
**babyboom** baby boom
**babyboomer** baby boomer
**babyfoon** baby alarm
**babykleding** baby clothes *mv*
**babyshampoo** baby shampoo
**babyshower** baby shower
**babysitten** babysit
**babysitter** babysitter
**babyuitzet** layette
**babyvoeding** baby food
**babyzalf** baby ointment
**baccalaureaat** <u>onderw</u> Bachelor's (degree)
**bachelor** <u>onderw</u> *student* bachelor
**bacil** bacillus
**back** *sport achterspeler* back
**backhand** *sport* backhand
**backslash** backslash
**backspace** <u>comp</u> backspace
**backspacetoets** <u>comp</u> backspace
**back-up** <u>comp</u> backup
**back-upbestand** <u>comp</u> backup
**baco** *bacardi-cola* rum and coke
**bacon** bacon
**bacterie** bacteria *mv*
**bacteriedodend** bactericidal
**bacterieel** bacterial
**bacteriologisch** bacteriological
**bad ❶** *onderdompeling* bath ★ *gemengd baden* mixed bathing ★ *iem. in bad doen* bath sb ★ *een bad nemen* have / take a bath **❷** *badkuip* bath
**badcel** bath / shower cubicle
**badderen** have bathies, go splishy splashy
**baden I** *ov ww, in bad doen* bath **II** *on ww* **❶** *een bad nemen* bathe **❷** *~ in* be bathed / steeped in ★ *~ in tranen / zweet* be bathed in tears / sweat ★ *~d in bloed* swimming in blood
**badgast** (seaside) visitor, (in badplaats) holidaymaker, (in kuuroord) patient
**badge ❶** *naamkaartje* badge, name tag **❷** <u>mil</u> *onderscheiding* badge
**badgoed** swimwear, (strand) beachwear
**badhanddoek** bath towel, beach towel
**badhuis** bathhouse *mv*

**badineren** banter, chaff
**badjas** bathrobe
**badkamer** bathroom
**badkuip** (bath)tub
**badlaken** bath towel, beach towel
**badmeester** pool attendant, lifeguard
**badminton** badminton
**badmintonnen** play badminton
**badmuts** bathing cap, swimming cap
**badpak** swimsuit, USA bathing suit
**badplaats ❶** *plaats aan zee* seaside resort ❷ *kuuroord* spa
**badschuim** bath foam, bubble bath
**badstof** towelling, terry(cloth)
**badwater** bathwater
**badzout** bath salts *mv*
**bagage** *lett* luggage, baggage
**bagagedepot** left-luggage office
**bagagedrager ❶** *fietsonderdeel* carrier ❷ BN *imperiaal* roof rack
**bagagekluis** luggage locker
**bagagerek ❶** *bagagenet* luggage rack ❷ *imperiaal* roof rack
**bagageruimte** luggage space, ⟨in auto⟩ boot, ⟨in auto⟩ USA trunk, ⟨in schip / vliegtuig⟩ hold
**bagatel** trifle, bagatelle
**bagatelliseren** play down, make light of
**Bagdad** Baghdad
**bagel** bagel
**bagger** mud, slush
**baggeren I** *ov ww, uit het water halen* dredge **II** *on ww, waden* wade ★ *door de modder* ~ wade through the mud
**baggermachine** dredger
**baggermolen** dredger
**bah** ugh!, bah!
**Bahama's** Bahamas, Bahama Islands
**Bahamees** Bahamian
**bahco** adjustable spanner
**Bahrein** Bahrain
**Bahreins** Bahraini
**bajes** slammer, nick
**bajesklant** jailbird
**bajonet** bayonet ★ *met gevelde* ~ with fixed bayonet
**bak ❶** *omhulsel* ⟨voor water⟩ tank, ⟨eten⟩ dish, ⟨ondiep⟩ tray, ⟨trog⟩ trough, ⟨voor water⟩ cistern ❷ *bajes* slammer, USA can ❸ *mop* joke, lark ❹ BN *krat* crate ▼ *aan de bak komen* get a job
**bakbeest** giant, *inform* whopper
**bakboord** port, larboard
**bakboter** concentrated butter
**bakeliet®** bakelite^fi
**baken ❶** *scheepv* beacon, ⟨boei⟩ buoy ❷ *boei* ▼ *~s verzetten* change one's tack ▼ *de ~s zijn verzet* times have changed
**bakermat** cradle, origin ★ *de ~ van de beschaving* the cradle of civilization
**bakerpraatje ❶** *bijgelovig praatje* old wives' tale ❷ *kletspraatje* idle gossip
**bakfiets** carrier bike
**bakkebaarden** sideboards, (side-)whiskers
**bakkeleien ❶** *ruz[en* bicker, quarrel ❷ *vechten* tussle, scuffle, scrap
**bakken I** *ov ww* ⟨in oven⟩ bake, ⟨in pan⟩ fry ▼ *er niets van* ~ fail at it, perform poorly **II** *on ww,* BN

*onderw zakken voor examen* fail
**bakkenist** ≈ sidecar passenger
**bakker** baker
**bakkerij** bakery
**bakkes** mug ★ *hou je* ~ shut your face, shut up
**bakkie ❶** *zendapparatuur* rig ❷ *kopje (koffie / thee)* cuppa
**bakmeel** flour ★ *zelfrijzend* ~ self-raising flour
**bakpoeder** baking powder
**bakschieten** BN *sjoelen* ≈ play shuffleboard / shovelboard
**baksteen** brick ▼ *zakken als een* ~ fail utterly / miserably, flunk ▼ *iem. als een* ~ *laten vallen* drop sb like a hot brick ▼ BN *een* ~ *in de maag hebben* want to have a house of one's own
**bakvet** cooking fat
**bakvis** *meisje* teenage girl
**bakvorm** baking / cake tin
**bakzeil** ▼ *~ halen* back down, climb down (from)
**bal I** *zn* [de] ❶ *bolvormig voorwerp* ball ★ *een balletje trappen* kick a ball about ★ *een moeilijke bal maken* play a difficult shot ❷ *testikel* testicle ❸ *deel van hand* heel ❹ *deel van voet* ball ❺ *bekakte jongen* snob, stuck-up person ▼ *wie kaatst, moet de bal verwachten* those who play at bowls must look (out) for rubs ▼ *de bal aan het rollen brengen* set / start the ball rolling ▼ *geen bal ervan snappen* understand bugger-all about it ▼ *elkaar de bal toespelen* play into each other's hands, scratch each other's back ▼ *ik weet er de ballen van* don't ask me, I haven't got a clue ▼ *ergens een balletje over opgooien* drop a hint, put out a feeler ▼ *de bal ligt nu bij jou,* BN *de bal ligt nu in jouw kamp* the ball is in your court now **II** *zn* [het]*, dansfeest* ball, dance ★ *gemaskerd bal* masked ball, fancy dress ball
**balanceren I** *ov ww, techn* uitbalanceren balance **II** *on ww* ❶ *evenwicht bewaren* balance ❷ *fig* vacillate
**balans ❶** *econ* balance sheet ★ *de* ~ *opmaken* draw up the balance, balance the books, strike a balance ★ *de* ~ *opmaken van* assess the results of ❷ *evenwicht* balance ★ *uit* ~ *zijn* be off balance ❸ *weegschaal* pair of scales, scales *mv*
**balanswaarde** admin balance sheet value
**baldadig** ⟨handeling⟩ wanton, ⟨gedrag⟩ unruly, ⟨gedrag⟩ disorderly
**baldadigheid** disorderliness, wantonness
**Balearen** Balearic Islands
**balein I** *zn* [de]*, stok, staafje* bone, rib, ⟨van korset⟩ stay, ⟨van paraplu⟩ spoke **II** *zn* [het]*, materiaal* whalebone
**balen** be fed up with, be sick and tired of ★ ~ *als een stekker* be fed up to the back teeth
**balie ❶** *toonbank* counter, desk ❷ *leuning* railing ❸ *balustrade* counter ❹ *advocaten* bar ❺ *rechtbank* bar, bench ★ *voor de* ~ *verschijnen* appear at the bar
**baljurk** ball dress, gown
**balk ❶** *stuk hout / metaal* beam, ⟨in dak⟩ rafter, ⟨in vloer⟩ joist, ⟨van ijzer⟩ girder ❷ *notenbalk* staff, stave
**Balkan** Balkans *mv*
**Balkanstaten** Balkan States, Balkans
**balken** yell, ⟨van ezel⟩ bray, ⟨van mensen⟩ bawl
**balkon ❶** *uitbouw* balcony ❷ *ruimte in trein*

ba

platform ❸ *rang* balcony, circle
**ballade** ballad
**ballast** ❶ *nutteloze lading* ballast ❷ *fig* lumber
**ballen** I *ov ww, samenknijpen* ★ *de vuist* ~ clench
one's fist II *on ww, spelen met bal* play with a
ball, play ball
**ballenjongen** ball boy
**ballerina** ballet dancer, ballerina
**ballet** ballet
**balletdanser** ballet dancer ★ *~es* ballerina
**balletgezelschap** ballet company
**balletschoen** ballet shoe
**balling** exile
**ballingschap** banishment, exile
**ballistisch** ballistic ★ *een ~e raket* a ballistic
missile
**ballon** ❶ *speelgoed* balloon ❷ *luchtballon* balloon
❸ *tekstballon* ▼ *een ~netje oplaten* put out feelers,
fly a kite
**ballonvaarder** hot air balloonist
**ballonvaart** ❶ *het ballonvaren* ballooning ❷ *trip*
balloon ride
**ballonvaren** ballooning
**ballotage** ballot
**ballpoint** ball-point (pen), biro
**ballroomdansen** ballroom dancing
**bal masqué** masked ball
**balorig** ❶ *slecht gehumeurd* peevish, cross
❷ *onwillig* unruly, *form* refractory
**balpen** ballpoint (pen), biro
**balsahout** balsa (wood)
**balsamicoazijn** *cul* balsamic vinegar
**balsem** balm
**balsemen** embalm
**balspel** ball game
**balsport** ball game
**balsturig** obstinate
**Baltische Zee** Baltic (Sea), The Baltic
**balts** display, courtship
**balustrade** balustrade
**balzaal** ballroom
**balzak** ❶ *scrotum* scrotum ❷ *biljartzak* pocket
**bamastelsel** *onderw bachelor-masterstelsel*
bachelor-master system
**bamboe** I *zn* [de/het], *rietsoort* bamboo II *zn* [de],
*stengel* bamboo cane
**bami** Chinese noodle dish ★ *bami goreng* ≈ fried
noodles *mv*
**ban** ❶ *betovering* spell ★ *in de ban van* under the
spell of ❷ *verbanning* ban ★ *in de ban doen*
outlaw, ban ❸ *excommunicatie*
excommunication ★ *de ban uitspreken over*
excommunicate
**banaal** *alledaags* banal, trite, corny
**banaan** *vrucht* banana ★ *een tros bananen* a
bunch of bananas
**banaliteit** ❶ *het alledaags zijn form* platitude
❷ *platvloersheid* banality
**bananenrepubliek** banana republic
**bancair** banking, banking ★ *een ~ krediet* a bank
loan
**band¹** ❶ *strook textiel* ⟨verband⟩ bandage,
⟨vechtsport⟩ belt, ⟨om hoed, arm⟩ band, ⟨breed
lint⟩ ribbon, ⟨smal lint⟩ string ❷ *luchtband* tyre,
USA tire ★ *een band plakken* repair a puncture
★ *een lekke band* a flat tyre ❸ *transportband*

conveyor belt, assembly line ★ *productie aan de
lopende band* assembly-line production ★ *aan de
lopende band gemaakt* mass-produced
❹ *magneetband* tape ★ *opnemen op de band* tape
❺ *bindweefsel* ligament ❻ *boekomslag* binding
❼ *boekdeel* volume ❽ *verbondenheid* bond, tie
★ *banden aanknopen* strike up / begin a
relationship ★ *banden (van vriendschap) aanhalen*
tighten the bonds of friendship ★ *banden
onderhouden* maintain relationships / ties ★ *de
banden verbreken* sever the bonds / ties ★ *een
nauwe band hebben met* have a close
relationship with ❾ *radiofrequentie* (wave)band
❿ *rand van biljart* cushion ⓫ → **bandje** ▼ *fig aan
de lopende band* incessantly, continually, all the
time ▼ *iemand / iets aan banden leggen* restrain
sb / sth ▼ *uit de band springen* let one's hair down
**band²** [bend] *muz* band
**bandage** ❶ *zwachtel* bandage, dressing
❷ *breukband* truss
**bandbreedte** ❶ *breedte v.e. band* bandwidth
❷ *frequentiespreiding* bandwidth ❸ *econ* range of
salaries, wage / salary spread
**bandenlichter** tyre lever
**bandenpech** tyre trouble, puncture
**bandenspanning** tyre pressure
**banderol** ❶ *beschreven band* banderole ❷ *vaan*
banderole ❸ *sigarenbandje* excise band, cigar
band
**bandiet** ⟨rover⟩ bandit, ⟨schurk⟩ scoundrel,
⟨schurk⟩ villain
**bandje** ❶ *cassettebandje* tape ❷ *schouderbandje*
(shoulder) strap
**bandplooibroek** pair of pleated trousers,
pleated trousers *mv*
**bandrecorder** tape recorder
**bandstoten** play continental billiards
**banen** ★ *zich een weg* ~ work / push one's way
through ★ *de weg* ~ *voor* pave the way for
▼ *gebaande weg* beaten track
**banenplan** employment plan, job pool / scheme
**bang** ❶ *angstig* scared, frightened ★ *bang maken*
scare, frighten ★ *bang worden* become / get
scared / frightened ★ *hij is bang (voor)* he is
afraid / frightened / scared (of) ❷ *bezorgd* afraid,
anxious, uneasy ★ *ik ben bang dat het niet gaat*
I'm afraid it won't work ❸ *snel angstig* fearful,
timid
**bangelijk** I *bnw, angstig* fearful, timid II *bijw,
inform BN* zeer very, (very) much, extremely
**bangerd, bangerik** coward, chicken
**Bangkok** Bangkok
**Bangladesh** Bangladesh
**bangmakerij** intimidation
**banier** banner
**banjeren** *rondlopen form* pace up and down,
⟨met veel drukte⟩ swagger
**banjo** banjo
**bank** ❶ *zitmeubel* sofa, settee, couch, ⟨onbekleed⟩
bench, ⟨in auto, e.d.⟩ seat, ⟨in kerk⟩ pew, ⟨in
school⟩ desk ❷ *geldinstelling* bank ★ *bank van
lening* pawnshop ★ *hij werkt bij een bank* he
works for a bank ★ *geld op de bank hebben* have
money in the bank ❸ *werkbank* bench ❹ *inzet*
bank ★ *de bank hebben / houden* keep the bank
★ *de bank laten springen* break the bank ❺ *laag*

**ba**

▼ *door de bank genomen* on (an) average, by and large

**bankafschrift** bank statement, statement of account

**bankbiljet** banknote

**bankbreuk** bankruptcy ★ *bedrieglijke ~* fraudulent bankruptcy ★ *eenvoudige ~* simple bankruptcy

**bankcheque** bank cheque, USA bank check

**bankdirecteur** bank manager

**banket ❶** *feestmaal* banquet **❷** *gebak* fancy pastry

**banketbakker** pastry cook, ⟨van chocolaatjes, e.d.⟩ confectioner

**banketbakkerij** confectioner's, patisserie

**banketletter** (almond) pastry letter

**bankgarantie** bank guarantee

**bankgeheim** banking secrecy

**bankier** banker

**bankieren** bank

**bankkaart** BN *bankpas* bank / credit card

**bankoverval** bank hold-up / robbery

**bankpas** bank / banker's card

**bankrekening** bank account

**bankrekeningnummer** bank account number

**bankroet I** *zn* [het] bankruptcy **II** *bnw* bankrupt ★ *~ gaan* fail, go bankrupt

**bankroof** bank robbery, ⟨overval⟩ bank hold-up

**banksaldo** bank balance

**bankschroef** vice

**bankstel** 3-piece suite

**bankwerker** fitter, bench worker / operator

**bankwezen** banking

**banneling** exile

**bannen** ⟨gedachten, personen⟩ banish, ⟨personen⟩ exile

**banner** comp banner

**Bantoe I** *zn* [de], *persoon* Bantu **II** *zn* [het], *taal* Bantu **III** *bnw* Bantu

**banvloek** anathema, curse

**bapao** Bapao (roll)

**baptist** baptist

**bar¹ I** *zn* [de] **❶** *café* bar **❷** *tapkast* bar, counter **II** *bnw* **❶** *vreselijk* ★ *dat is (al te) bar* that's a bit thick **❷** *dor* barren **❸** *koud* severe **III** *bijw* awfully ★ *een bar slechte uitvoering* an awfully bad performance

**bar²** [baar] natk *eenheid van druk* bar

**barak ❶** shed **❷** mil hut, barracks *enk en mv*

**barbaar** barbarian

**barbaars** barbarian, ⟨handelwijze⟩ barbaric, ⟨zeer wreed⟩ barbarous

**Barbadiaans** Barbadian

**Barbados** Barbados

**barbarisme** barbarism

**barbecue ❶** *maaltijd* barbecue-party **❷** *toestel* barbecue

**barbecueën** barbecue

**barbeel** barbel

**Barbertje** ▼ *~ moet hangen* there must be a scapegoat

**barbiepop** Barbie<sup>fi</sup> (doll)

**Barcelona** Barcelona

**barcode** bar code

**bard** bard

**barema** BN *loonschaal* salary scale

**baren ❶** *ter wereld brengen* bear, give birth to

**❷** *veroorzaken* cause, give ★ *opzien ~* cause a sensation ★ *zorgen ~* cause concern / anxiety

**barenswee** contraction, labour pains *mv*

**Barentszzee** Barents Sea

**baret** cap, beret, ⟨op universiteit⟩ mortarboard

**Bargoens I** *zn* [het] thieves' slang, ⟨moeilijk verstaanbaar⟩ jargon **II** *bnw* slangy

**bariton** baritone

**bark** *zeilschip* barque

**barkeeper** barman, barmaid, USA bartender

**barkruk** bar stool

**barmhartig** charitable, merciful

**barmhartigheid** charity, mercy

**barnsteen** amber

**barok I** *zn* [de] baroque **II** *bnw, als / van de barok* baroque

**barometer** barometer

**barometerstand** barometric pressure

**baron** baron ★ *meneer de ~* his Lordship

**barones** baroness

**baroscoop** baroscope

**barracuda** barracuda

**barrel¹** *krottig geval* ▼ *aan ~s slaan / gooien* smash to smithereens

**barrel²** [berrul] barrel

**barrevoets I** *bnw* barefooted **II** *bijw* barefoot

**barricade** barricade

**barricaderen** barricade

**barrière** *hindernis* barrier

**bars ❶** ⟨van stem⟩ gruff **❷** ⟨van uiterlijk⟩ grim, ⟨van uiterlijk⟩ stern

**barst I** *zn* [de] crack, ⟨in huid⟩ chap ▼ *het kan me geen ~ schelen* I don't give a damn **II** *tw* get lost, drop dead

**barsten ❶** *barsten krijgen* burst, ⟨van ruit⟩ crack, ⟨van huid⟩ chap **❷** *uit elkaar springen* burst, explode ▼ *iem. laten ~* desert sb, leave sb in the lurch ▼ *de zaal was tot ~s toe vol* the hall was jam-packed

**barstensvol** chock-full ★ *~ ideeën* brimming over with ideas ★ *~ energie* brimful of energy ★ *~ fouten* chock-full of mistakes

**bas** muz *stem, persoon, partij, instrument* bass ★ *bas zingen* sing bass ★ *bas spelen* play the bass

**basaal** basic, basal

**basalt** basalt

**base** base

**baseball** baseball

**Basel** Basel

**baseline** baseline

**baseren op** base on, ground on / in

**basgitaar** bass guitar

**basilicum** cul basil

**basiliek** basilica

**basilisk** *fabeldier* basilisk

**basis ❶** *grondslag, fundament* basis *mv: bases*, foundation ★ *op ~ van* on the basis of ★ *de ~ leggen voor* lay the foundations for **❷** wisk base **❸** mil base

**basisbeurs** basic student grant

**basisch** basic

**basiscursus** elementary course

**basisinkomen ❶** *minimuminkomen* guaranteed minimum income, basic income **❷** *inkomen zonder toeslag* basic income

**basisloon** basic wage(s)

**basisonderwijs** onderw primary education
**basisopstelling** sport starting line-up
**basisschool** onderw primary school
**basisspeler** sport regular player
**basisvak** onderw basic subject
**basisvorming** basic secondary education
**Bask** Basque
**Baskenland** Basque Country
**basketbal I** zn [de], bal basketball **II** zn [het], spel basketball
**basketballen** play basketball
**Baskisch I** bnw, m.b.t. Baskenland Basque **II** zn [het], taal Basque
**Baskische** Basque (woman / girl)
**bas-reliëf** bas-relief
**bassin ①** bekken basin **②** zwembad swimming pool
**bassist** bass player, (moderne muziek) bassist
**bassleutel** bass clef
**bast ①** boomschors bark **②** lijf body ★ een bruine bast hebben be tanned ★ in zijn blote bast bare-chested
**basta** enough! ★ en daarmee ~! and that's that!
**bastaard ①** onwettig kind bastard **②** dier crossbreed, mongrel **③** biol plant hybrid
**Bastenaken** Bastogne
**basterdsuiker** brown sugar, (wit) caster sugar
**bastion** bastion
**bat** sport slaghout bat
**bataljon** battalion
**Batavier** Batavian
**batch** comp batch
**bate** → baat
**baten** avail, do good, benefit ★ daarmee ben ik niet gebaat that will not benefit me ★ daar zij wij beiden mee gebaat that will benefit both of us, that will be mutually beneficial ★ wat baat het? what's the use? ★ baat het niet, dan schaadt het niet it won't hurt to try
**batig** ★ ~ saldo credit balance, surplus
**batikken** batik
**batterij ①** kleine energiebron battery ★ droge ~ dry battery / cell ★ op ~en werken run on batteries **②** accu (motor, auto) battery **③** mil battery **④** hoeveelheid battery, array ★ een ~ flessen a battery of bottles
**bauxiet** bauxite
**bavarois** cul bavarois (cream)
**baviaan** baboon
**baxter** BN med infuus drip, infusion
**bazaar ①** liefdadigheidsverkoop jumble sale, fair, church / hospital bazaar **②** marktplaats bazaar **③** warenhuis stores mv, (department) store
**bazelen** waffle, talk rubbish
**bazig** masterful, domineering, inform bossy
**bazin** vrouwelijke chef mistress
**bazooka** bazooka
**BBQ** barbecue BBQ
**beachvolleybal** beach volleyball
**beademen** breathe upon ★ kunstmatig ~ give artificial respiration ★ hij moest beademd worden he needed artificial respiration
**beademing** ★ mond-op-mond~ mouth-to-mouth resuscitation
**beagle** beagle
**beambte** official, officer

**beamen** assent / agree (to), (bevestigen) endorse, (bevestigen) confirm
**beamer** beamer
**beangstigen** alarm, frighten, scare
**beantwoorden I** ov ww, reageren op answer, reply to ★ een bezoek / compliment ~ return a visit / compliment ★ een signaal ~ acknowledge a signal ★ vriendschap ~ return / reciprocate friendship **II** on ww~ aan ★ aan de verwachting ~ meet one's expectations ★ aan het doel ~ serve the purpose
**bearnaisesaus** cul Béarnaise (sauce)
**beat** beat (music)
**beatbox** beatbox, beatboxer
**beatboxen** beatbox
**beaujolais** Beaujolais
**beautycase** vanity case
**beautyfarm** ≈ health farm
**bebloed** bloodstained
**beboeten** fine
**bebop** muz bebop, bop
**bebossen** afforest, plant a forest
**bebouwen ①** gebouwen neerzetten op build on **②** gewassen kweken op cultivate ★ het land ~ farm / till the land
**bebouwing ①** het bouwen building **②** gebouwen buildings mv ★ BN halfopen ~ semi-detached **③** akkerbouw cultivation
**bechamelsaus** cul béchamel (sauce)
**becijferen** calculate, figure out, work out
**becommentariëren** comment on
**beconcurreren** compete with
**bed ①** slaapplaats bed ★ in bed liggen met griep be laid up with flu ★ naar bed brengen put to bed ★ naar bed gaan go to bed ★ iem. uit zijn bed halen drag sb out of bed ★ het bed houden stay in bed **②** rivierbed ▼ aan bed gekluisterd zijn be bed-ridden ▼ met iem. naar bed gaan (seks hebben) go to bed with sb ▼ iem. van zijn bed lichten arrest sb in his bed ▼ zijn bedje is gespreid he's got it made
**bedaagd** elderly, getting on in years
**bedaard** calm, composed
**bedacht ①** voorbereid prepared for **②** strevend naar intent on, alive to
**bedachtzaam** thoughtful, cautious, circumspect
**bedankbrief ①** dankbetuiging letter of thanks, inform thank-you note **②** afwijzing letter of refusal
**bedanken I** ov ww, dank betuigen thank ★ zonder te ~ without acknowledgement **II** on ww **①** afslaan turn down, form decline ★ voor een uitnodiging ~ decline an invitation **②** opzeggen resign ▼ ik bedank ervoor om zo behandeld te worden I refuse to be treated like this
**bedankje ①** dankwoord acknowledgement, letter / word of thanks **②** opzegging resignation **③** weigering refusal
**bedankt** thanks, thank you ★ hartelijk ~! thank you very much!, thanks very much!
**bedaren I** ov ww, tot rust brengen calm down, soothe, (vrees) allay **II** on ww, tot rust komen (van personen) calm down, (van storm, e.d.) die down, (van storm, e.d.) subside ★ bedaar! quiet!, control yourself! ★ tot ~ komen pull o.s. together
**bedbank** sofa bed

**beddengoed** bedding, bedclothes *mv*
**beddenlaken** sheet
**bedding** ❶ *onderlaag* bed ❷ *geul* bed, channel
**bede** *smeekbede* entreaty, form supplication
**bedeesd** timid, shy, bashful
**bedekken** cover (up)
**bedekking** cover(ing)
**bedekt** ❶ *afgedekt* covered ❷ *niet openlijk* covert ★ ~*e toespelingen* covert allusions
**bedelaar** beggar
**bedelares, bedelaarster** beggar woman
**bedelarij** begging
**bedelarmband** charm bracelet
**bedelen** beg ★ ~ *om iets* beg for sth
**bedelen** endow
**bedelstaf** beggar's staff ★ *tot de* ~ *brengen* reduce to beggary, reduce to begging
**bedeltje** charm
**bedelven** ❶ *helemaal bedekken* bury ★ *onder het puin bedolven worden* be buried under the rubble ❷ fig *overstelpen* ★ *bedolven onder het werk* snowed under (with work), swamped with work
**bedenkelijk** ❶ *twijfel uitdrukkend* doubtful ★ ~ *kijken* look doubtful ❷ *zorgelijk* serious, grave, (gevaarlijk, kritiek) critical / risky ★ *het ziet er* ~ *voor je uit* things look pretty serious for you
**bedenken** I *ov ww* ❶ *overwegen* consider ❷ *verzinnen* think up, devise, invent ★ *het is goed bedacht* it is a good idea ❸ *een schenking doen* remember II *wkd ww* [zich ~] ❶ *nadenken over* ★ *zich op iets* ~ think sth over, think a matter over ★ *zich tweemaal* ~ *vóórdat...* think twice before... ★ *zonder (zich te)* ~ without (any) hesitation ❷ *van gedachten veranderen* change one's mind
**bedenking** ❶ *overweging* consideration ❷ *bezwaar* objection ★ ~*en hebben (tegen)* make / have objections (to)
**bedenktijd** time for reflection, time to think
**bederf** ❶ *rotting* decay, rot, corruption, (van koren) blight ★ *aan* ~ *onderhevig* perishable ★ *tot* ~ *overgaan* go bad, decay, rot ❷ *verslechtering* deterioration
**bederfelijk** perishable
**bederven** I *ov ww* ❶ *slechter maken* upset, (zeden) corrupt, (plezier) mar, (gezondheid) ruin, (lucht) taint ★ *de hele boel* ~ spoil the whole thing ❷ *verwennen* spoil II *on ww, slecht, zuur of rot worden* go sour / off, (van eetwaren) go bad, (van eetwaren) go off, (van goederen) deteriorate
**bedevaart** pilgrimage
**bedevaartganger** pilgrim
**bedevaartplaats** place of pilgrimage
**bediende** ❶ *dienaar* servant, (in winkel) assistant, (in zaken) employee ❷ BN *werknemer op kantoor* clerk
**bedienen** I *ov ww* ❶ *helpen* serve, (horeca ook) wait on, (klant ook) attend to ★ *aan tafel* ~ wait at table ❷ *laten functioneren* operate, work ❸ rel administer the last sacraments / rites II *wkd ww* [zich ~] ~ *van gebruik maken* use, make use of, (aan tafel) help oneself
**bediening** ❶ *het helpen* service ❷ *het laten functioneren* operation, (auto) controls *mv* ❸ rel administration of the last sacraments / rites
**bedieningspaneel** console, control panel
**bedillen** ❶ *zich bemoeien met* meddle with, interfere with ❷ *vitten op* find fault with, carp at
**beding** condition ★ *onder geen* ~ on no account, in / under no circumstances ★ *onder één* ~ on one condition
**bedingen** stipulate, insist on, (prijs) bargain (for) ★ *dat is er niet bij bedongen* that is not included (in the bargain)
**bedisselen** arrange, manage
**bedlegerig** bedridden, confined to (one's) bed
**bedoeïen** Bedouin, Beduin
**bedoelen** ❶ *aanduiden* mean, have in view / mind ❷ *beogen* aim at, drive at, intend ★ ~ *met* mean by ★ *ze* ~ *het goed* they mean well ★ *het was niet kwaad bedoeld* no offence was meant, no offence meant / intended ★ *wat bedoel je (daar) eigenlijk (mee)?* what are you driving at?
**bedoeling** intention, purpose, aim ★ *zonder kwade* ~*en* without meaning any harm ★ *met de beste* ~*en* with the best intentions ★ *ik had er geen* ~ *mee* I did not mean anything by it ★ *het ligt niet in mijn* ~ *om...* I have no intention of..., I do not propose to...
**bedoening** ❶ *gedoe* fuss, ado ❷ *toestand* affair, business ★ *een vreemde* ~ a strange affair / business ❸ *spullen* things *mv*, belongings *mv*
**bedompt** close, stuffy
**bedonderd** ❶ *gek* crazy, mad ★ *ben je helemaal* ~? are you mad / nuts? ❷ *beroerd* idle, lazy, good-for-nothing ★ *er* ~ *uitzien* look lousy / awful ★ *ergens te* ~ *voor zijn* be too lazy to work
**bedonderen** fool, dupe, con
**bedorven** ❶ *slecht, zuur of rot* bad, (lucht) foul / stale, (maag) upset ❷ *verwend* spoilt ❸ *moreel aangetast* corrupt
**bedotten** *beetnemen* trick, dupe, fool ★ *iem.* ~ take sb for a ride
**bedpan** BN *ondersteek* bedpan
**bedplassen** bedwetting
**bedraden** wire
**bedrading** wiring
**bedrag** amount ★ *boven het normale* ~ over and above, in addition to the normal sum ★ *ten* ~*e van* to the amount of
**bedragen** amount to ★ *in totaal £35* ~ total £35
**bedreigen** *gevaar vormen voor* threaten
**bedreiging** threat ★ *onder* ~ *van* under threat of
**bedremmeld** confused, embarrassed, taken aback
**bedreven** *vaardig (in)* skilled, skilful
**bedriegen** cheat, deceive, swindle ★ *dan kom je bedrogen uit* you will be disappointed
**bedrieger** impostor, cheat, fraud, (oplichter) swindler ▼ *de* ~ *bedrogen* the biter bitten
**bedrieglijk** *misleidend* (van karakter) deceitful, (van praktijken) fraudulent, (van uiterlijk) deceptive
**bedrijf** ❶ *onderneming* enterprise, company, business, (groot) concern, (nijverheid) industry, (gas, spoorwegen) service ❷ *deel van toneelstuk* act ❸ *werking* operation ★ *buiten* ~! out of order! ★ *buiten* ~ *stellen* close down ★ *in* ~ *komen* come into operation ❹ *vakgebied* ▼ *tussen de bedrijven door* meanwhile

**bedrijfsadministratie** business administration
**bedrijfsarts** company doctor
**bedrijfsauto** <u>transp</u> company car
**bedrijfschap** <u>trading</u> organization, industrial board
**bedrijfseconomie** business economics *mv*
**bedrijfseconoom** business economist
**bedrijfsgeheim** company / trade secret
**bedrijfshulpverlening** in-house emergency response
**bedrijfskapitaal** working capital
**bedrijfsklaar** in (good) working order, ready to use
**bedrijfskunde** business administration, management
**bedrijfsleider** (works) manager, ⟨van filiaal⟩ branch manager
**bedrijfsleiding** management
**bedrijfsleven ❶** *de bedrijven* business, industrial / business circles *mv* **❷** *industrie en handel* business, trade and industry
**bedrijfsongeval** industrial accident
**bedrijfspand** ⟨winkel, kantoor⟩ business premises *mv*, ⟨winkel, kantoor⟩ property, ⟨fabriek⟩ industrial premises / property
**bedrijfsrevisor** BN *registeraccountant* auditor
**bedrijfsspionage** industrial espionage
**bedrijfstak** branch of industry
**bedrijfsvereniging** industrial insurance board
**bedrijfsvoering** (operational) management
**bedrijfszeker** reliable, dependable
**bedrijven** commit, perpetrate ★ *de liefde* ~ make love
**bedrijvenpark** industrial / trading estate, <u>USA</u> industrial park
**bedrijvig ❶** *levendig* active, busy, lively **❷** *ijverig* active, busy, ⟨hard werkend⟩ industrious
**bedrijvigheid ❶** *levendigheid* activity **❷** *ijver* activity, industriousness
**bedrinken** [zich ~] get tight, <u>vulg</u> get pissed
**bedroefd** *verdrietig* sad, dejected, distressed, <u>lit</u> sorrowful
**bedroeven** grieve ★ *zich* ~ *over* be grieved at
**bedroevend ❶** *treurig* sad, saddening, distressing **❷** *ergerlijk* pathetic, pitiful ★ ~ *slecht* distressingly bad
**bedrog** fraud, deceit, deception ★ ~ *plegen* cheat
**bedruipen I** *ov ww* <u>cul</u> baste **II** *wkd ww* [zich ~] support oneself, pay one's way
**bedrukken** *met inkt bewerken* print
**bedrukt ❶** *met inkt bewerkt* printed **❷** *neerslachtig* dejected, depressed
**bedtijd** bedtime
**beducht** ★ ~ *zijn voor* be fearful of, be apprehensive about, be afraid of
**beduiden ❶** *betekenen* mean, signify **❷** *aanduiden* signal, motion ★ *hij beduidde mij te gaan zitten* he motioned for me to sit down **❸** *voorspellen* indicate, <u>form</u> portend
**beduidend** significant, <u>important</u>, considerable ★ *het gaat* ~ *beter* things are considerably better now
**beduimelen** thumb ★ *een beduimeld boek* a well-thumbed book
**beduusd** taken aback
**beduvelen** sell, swindle, double-cross ▼ *het ziet er*

*beduveld uit* it looks pretty grim
**bedwang** restraint, control ★ *in* ~ *hebben / houden* have / keep under control ★ *niet in* ~ *kunnen houden* lose control
**bedwelmen** stun, daze, ⟨door drank⟩ intoxicate, ⟨door gas⟩ stupefy, ⟨door bedwelmend middel⟩ drug ★ *~de middelen* drugs
**bedwingen ❶** *in bedwang houden* suppress, ⟨lach ook⟩ contain, ⟨opstand ook⟩ quell, ⟨tranen⟩ hold / choke back ★ *een brand* ~ get a fire under control **❷** *onderwerpen* control, restrain, ⟨hartstocht⟩ master
**beëdigen ❶** *eed laten afleggen* swear in ★ *de president zal morgen worden beëdigd* the President will be sworn in tomorrow **❷** *bekrachtigen* swear to (something)
**beëindigen** finish, end
**beëindiging** end(ing), conclusion
**beek** brook, stream
**beeld ❶** *afbeelding, voorstelling* picture, portrait ★ *iets in* ~ *brengen* picture / portray sth **❷** *beeldhouwwerk* statue, sculpture **❸** *indruk, idee* image, image, picture **❹** *stijlfiguur* figure (of speech) **❺** *mooi exemplaar* picture ★ *een* ~ *van een meisje* a picture of a girl ★ *een* ~ *van een jurk* a dream of a dress
**beeldbuis ❶** *techn* cathode-ray tube **❷** *televisie* television, <u>inform</u> telly, <u>inform</u> box
**beelddrager** (image) medium
**beeldend** plastic, expressive, evocative ★ *~e kunsten* visual / plastic arts ★ *~ kunstenaar* visual artist ★ *~ taalgebruik* expressive language
**Beeldenstorm** <u>gesch</u> Iconoclastic Fury
**beeldenstorm** *verwoesting* iconoclasm
**beeldhouwen** *beelden maken* sculpture, sculpt, ⟨in hout⟩ carve
**beeldhouwer** sculptor
**beeldhouwkunst** sculpture
**beeldhouwwerk** sculpture
**beeldig** gorgeous, charming, lovely
**beeldmerk** logo(type)
**beeldplaat** videodisc
**beeldpunt** picture element, ⟨beeldscherm⟩ pixel
**beeldscherm** screen
**beeldschoon** gorgeous, stunning, ravishing
**beeldspraak** imagery, metaphor
**beeldverbinding** television link-up
**beeltenis** image, effigy, ⟨portret⟩ portrait
**been I** *zn* [het] **❶** *ledemaat* leg ★ *de benen strekken* stretch your legs ★ *goed ter been zijn* be a good walker ★ *slecht ter been zijn* be a bad walker **❷** *bot* bone **❸** *deel van passer* leg **❹** <u>wisk</u> side ▼ *de benen nemen* take to your heels ▼ *met het verkeerde been uit bed stappen* get out of bed on the wrong side ▼ *met beide benen op de grond staan* be level-headed ▼ *met één been in het graf staan* have one foot in the grave ▼ *op eigen benen staan* stand on your own (two) feet ▼ *iem. tegen het zere been schoppen* touch sb on the raw ▼ BN *ergens zijn benen onder tafel steken / schuiven* go out for a meal somewhere ▼ BN *iets aan zijn been hebben* be saddled with sth **II** *zn* [de] ▼ *op de been blijven* keep on your feet ▼ *op de been brengen* set on his / its feet, raise ▼ *iets op de been houden* keep sth going ▼ *op de been zijn* be about ▼ ⟨van zieke⟩ *weer op de been zijn* be up and about

be

again

**beenbreuk** fracture of the leg

**beendergestel** skeleton, bones *mv*

**beenham** <u>cul</u> ham off the bone

**beenhouwer** BN *slager* butcher

**beenhouwerij** BN *slagerij* butcher's shop

**beenmerg** (bone) marrow

**beenmergtransplantatie** bone marrow transplantation

**beenruimte** legroom

**beenvlies** periosteum

**beenwarmer** leg warmer

**beer ❶** *roofdier* bear **❷** *varken* boar **❸** *drek* muck, excrement ▼ *de Grote Beer* the Great Bear ▼ *de Kleine Beer* Little Bear ▼ *een ongelikte beer* a lout ▼ *zo sterk als een beer* as strong as a horse ▼ *de beer is los* the fat is in the fire ▼ *een beer van een vent* a giant of a man

**beerput ❶** <u>lett</u> cesspool, cesspit **❷** <u>fig</u> ★ *de ~ opentrekken* open a can of worms

**beest I** *zn* [het] **❶** *dier* animal, beast, ⟨vee⟩ beast [mv: livestock] ⟨persoon⟩ brute ★ *het arme ~* the poor creature / beast **❷** *ruw mens* ▼ *het is dol de ~en af* it is too awful for words ▼ BN *het is een mager ~je* it's not much of a... **II** <u>zn</u> [de] ▼ *de ~ uithangen* behave like a beast, behave like an animal

**beestachtig I** *bnw, wreed* brutal **II** *bijw, in hoge mate* beastly, terribly ★ *het is ~ koud* it's beastly cold

**beestenboel** mess, pigsty, ⟨herrie⟩ racket

**beestenweer** *lousy* / *rotten weather*

**beet ❶** *het bijten* bite, ⟨wesp, slang, e.d.⟩ sting **❷** *wond* bite **❸** *hap* bite, morsel

**beetgaar** al dente

**beethebben ❶** *vast hebben* have (got) (a) hold of, ⟨van vis⟩ have a bite **❷** *bedotten* trick, fool ★ *ze hebben haar beet gehad* they fooled her, they took her in

**beetje** bit, little ★ *een klein ~* a little bit ★ *stukje bij ~* little by little ★ *alle ~s helpen* every little helps

**beetnemen ❶** *beetpakken* seize, grab, take hold of **❷** *bedotten* make a fool of, fox, pull somebody's leg, ⟨oplichten⟩ con

**beetpakken** seize, take / get hold of, grab

**beetwortel** beet(root)

**bef ❶** *vlek bij dier* chest, breast ★ *een kat met een witte bef* a cat with a white chest **❷** *kledingstuk* jabot

**befaamd** famous, famed, <u>form</u> renowned

**beffen** go down on, eat (pussy)

**begaafd** gifted, talented

**begaafdheid** gift, talent

**begaan I** *bnw* ★ *~ zijn met* pity, feel sorry for **II** *ov ww* **❶** *uitvoeren* ★ *een vergissing ~* make a mistake ★ *een flater ~* blunder ★ *een fout ~* make an error ★ *een misdaad ~* commit a crime **❷** *betreden* walk on **III** *on ww, zijn gang gaan* ★ *laat mij maar ~* leave it to me

**begaanbaar** passable, <u>form</u> practicable

**begeerlijk** desirable

**begeerte** desire (for), wish (for), ⟨lichamelijk⟩ lust

**begeesteren** enthuse, inspire

**begeleiden ❶** *meegaan met* accompany, ⟨meerdere⟩ attend, ⟨met politie e.d.⟩ escort,

⟨schip⟩ convoy **❷** *ondersteunen* guide, counsel ★ *een leerling ~* coach a pupil **❸** *muz* accompany

**begeleider ❶** *iem. die meegaat* companion, escort **❷** <u>muz</u> accompanist

**begeleiding ❶** *het vergezellen* escort, accompanying **❷** *het ondersteunen* guide, support, ⟨bij studie⟩ supervise **❸** <u>muz</u> accompaniment

**begenadigd** gifted, talented

**begenadigen ❶** *zegenen* ★ *hij is een begenadigd kunstenaar* he is an inspired artist **❷** *gratie verlenen* reprieve, pardon

**begeren** desire, wish, long for, <u>form</u> covet

**begerenswaardig** desirable

**begerig ❶** *gretig* greedy ★ *~e blikken werpen op* cast covetous / greedy eyes on **❷** *verlangend* desirous (naar of), eager (naar for)

**begeven I** *wkd ww* [zich ~] *gaan* go (naar to), make one's way (naar à) ★ *zich op weg ~* set out (for) ★ *zich in gevaar ~* expose o.s. to danger ★ *zich naar huis ~* go home ★ *zich onder de mensen ~* mix with people ▼ *zich op glad ijs ~* walk on thin ice **II** *on ww, het begeven* ★ *zijn krachten begaven het* his strength gave out

**begieten** water

**begiftigen** endow (with), present (with) ★ *met talent begiftigd* endowed with talent, talented

**begijn** beguine

**begijnhof** beguinage

**begin** beginning, start, <u>form</u> commencement, ⟨periode, proces⟩ outset ★ *in het ~* at the beginning / outset ★ *van het ~ af aan* from the first / beginning ★ *van het ~ tot het eind* from beginning to end, from start to finish ★ *alle ~ is moeilijk* all beginnings are difficult ▼ *een goed ~ is het halve werk* a good start is half the battle, well begun is half done

**beginfase** first stage

**beginkapitaal** *som geld* starting capital

**beginneling, beginner** novice, beginner

**beginnen I** *ov ww* **❶** *begin maken met* begin, start, <u>form</u> commence, ⟨gesprek, zaak⟩ start, ⟨onderhandelingen⟩ open ★ *iets ~* begin sth, start on sth ★ *waar ben ik aan begonnen?* what have I let myself in for? **❷** *gaan doen* do ★ *wat te ~!* what to do! ★ *er is niets mee te ~* it's hopeless, there's no point ★ *wat moet ik met haar ~?* what am I to do with her? **II** *on ww* **❶** *aanvangen* ★ *om te ~* to begin with, for a start ★ *~ te sneeuwen* begin to snow ★ *begin maar!* go ahead!, fire away! ★ *de route begint in Utrecht* the route starts at Utrecht **❷** *~ over* bring up, broach ★ *over een ander onderwerp ~* change the subject

**beginnerscursus** beginners' course

**beginnersfout** beginner's error / mistake

**beginrijm** alliteration

**beginsel ❶** *elementaire eigenschap* principle ★ *de (eerste) ~en* the rudiments, the basics **❷** *overtuiging* principle ▼ *in ~* in principle

**beginselverklaring** programme, constitution, <u>form</u> declaration of intent, ⟨van partij⟩ manifesto

**beglazing** glazing ★ *dubbele ~* double glazing

**begluren** spy on, peep at

**begoed** BN *gegoed* well-to-do ★ *een ~e familie* a well-to-do family ★ *~e burgerij* the upper middle class

**begonia** begonia

**begoochelen** delude, take in

**begraafplaats** cemetery, burial ground, graveyard

**begrafenis** *plechtigheid* funeral ★ BN *burgerlijke* ~ non-religious funeral

**begrafenisonderneming** undertaker's business

**begrafenisstoet** funeral procession

**begraven ❶** bury ★ *hij werd met militaire eer* ~ he was buried with military honours ❷ *in het graf leggen* ▼ *zich in zijn werk* ~ bury o.s. in one's work

**begrenzen ❶** *de grens vaststellen van* limit, restrict ❷ *de grens zijn van* border ★ *begrensd* limited ❸ *fig afbakenen, beperken* define, determine the limits

**begrenzing ❶** *grens* boundary, border ❷ *fig afbakening* definition

**begrijpelijk** comprehensible, understandable, intelligible

**begrijpen ❶** *verstandelijk bevatten* understand, comprehend, grasp ★ *verkeerd* ~ misunderstand ★ *ze* ~ *elkaar niet* they've got their wires crossed ★ *ik begrijp het* I see ★ *ik begrijp er helemaal niets van* I don't understand it at all ★ *begrijp dat goed!* get this straight! ★ *moeilijk / vlug* ~ be slow / quick on the uptake ★ *iron dat kan je* ~*!* no way!, no fear! ❷ *omvatten* include, cover ★ *alles inbegrepen* all in ▼ *ik heb het niet op hem begrepen* I don't trust him ▼ *ze hebben het niet op elkaar begrepen* they don't get on

**begrip ❶** *het begrijpen* comprehension, understanding ★ *dat gaat mijn* ~ *te boven* that's beyond me, that's above my head ★ *niet het flauwste* ~ *ervan* not the faintest notion of it, not the faintest idea ❷ *denkbeeld* idea, notion, concept ★ *geen* ~ *van tijd hebben* have no sense of time

**begripsbepaling** definition

**begripsverwarring** confusion of thought / ideas

**begroeien** grow over (with)

**begroeiing** (over)growth

**begroeten ❶** *groet brengen* greet, welcome, form salute ❷ *fig ontvangen* welcome ★ *begroet worden met een kogelregen* treat sb to a hail of bullets

**begroeting** greeting, welcome

**begrotelijk** expensive, GB dear

**begroten** estimate (at)

**begroting ❶** *raming* estimate ★ *een gat in / een tekort op de* ~ a deficit on the budget ★ *een* ~ *(op)maken* draw up an estimate ★ *een* ~ *overschrijden* exceed an estimate / a budget ★ *een* ~ *sluitend maken* balance the books ❷ *het stuk* ⟨national⟩ budget ★ ~ *van inkomsten / uitgaven* estimate of income / expenditure

**begrotingsjaar** fiscal year, budgetary year

**begrotingstekort** budgetary deficit, budget deficit

**begunstigde** beneficiary

**begunstigen** favour

**begunstiger** patron, supporter, ⟨van kunst⟩ patron (of the arts)

**beha** bra

**behaaglijk** *prettig* comfortable, pleasant ★ *zich* ~ *voelen* feel comfortable

**behaagziek** coquettish, flirtatious

**behaard** hairy

**behagen I** *zn* [het] pleasure ★ ~ *scheppen in* take pleasure in **II** *on ww* please

**behalen** win, gain, get, ⟨winst⟩ make, ⟨diploma⟩ obtain ★ *de overwinning* ~ be victorious ▼ *daar valt geen eer aan te* ~ it's beyond prayer

**behalve ❶** *uitgezonderd* except, but ❷ *niet alleen* besides

**behandelen ❶** *omgaan met* deal with, handle, ⟨een machine⟩ operate ★ *voorzichtig* ~ handle with care ★ *als gelijke* ~ treat as an equal ★ *iem. goed / slecht* ~ treat sb well / badly ❷ *ambtelijk afhandelen* deal with, attend to ★ *een kwestie* ~ deal with a matter / question ❸ *bespreken* discuss, deal with ★ *wat wordt in dit boek behandeld* what does the book deal with? ❹ *med* treat ★ *de* ~*d arts* the attending doctor

**behandeling ❶** *het omgaan met iets* ⟨goederen⟩ treatment, ⟨goederen⟩ handling, ⟨van machine⟩ operation ❷ *med verzorging* treatment ★ *zich onder* ~ *stellen van* place o.s. in the care of ❸ *bejegening* treatment ★ *slechte* ~ ill treatment

**behandelkamer** surgery, USA doctor's office

**behandelmethode** method of treatment

**behang** wallpaper

**behangen ❶** *behang aanbrengen* (wall)paper ❷ *hangen aan* hang (with)

**behanger** decorator

**behappen** handle ★ *iets kunnen* ~ to be able to handle sth ▼ *dat kan zij niet in haar eentje* she cannot handle that on her own

**beharing** growth of hair ★ *zware* ~ dense growth of hair

**behartigen** serve, have at heart, look after ★ *iemands belangen* ~ look after sb's interest

**beheer ❶** *beherende instantie* management ❷ *het beheren* direction, ⟨toezicht⟩ control, ⟨over bezit⟩ trusteeship ★ *onder zijn* ~ *hebben* have under one's control ★ *iets onder* ~ *hebben* be in control of sth

**beheerder** director, ⟨boedel⟩ trustee, ⟨eigendom van anderen⟩ administrator, ⟨kantine, e.d.⟩ manager

**beheersen I** *ov ww* ❶ *heersen over* control, ⟨markt⟩ dominate, ⟨volk, leven⟩ govern, ⟨volk, leven⟩ rule, ⟨positie⟩ form command ★ *zich laten* ~ *door* be swayed by ★ *alles* ~*de vraag* all-important question ❷ *kennis hebben van* be fluent in **II** *wkd ww* [zich ~] control oneself

**beheersing** control, ⟨v.e. taal⟩ command

**beheerst** composed, (self-)restrained, collected

**beheksen** bewitch

**behelpen** [zich ~] make do ★ *wij zullen ons ermee moeten* ~ we'll just have to make do with it

**behelzen** contain ★ ~*de dat* to the effect that

**behendig** ⟨van lichaam en geest⟩ adroit, ⟨met de handen⟩ dexterous

**behendigheid** dexterity, adroitness

**behendigheidsspel** game of skill

**behept met** afflicted with, -ridden ★ *met vooroordelen* ~ prejudice-ridden

**beheren** *besturen* manage, ⟨geld⟩ administer

**behoeden** keep (from), guard (from)

**behoedzaam** cautious, wary

**behoefte** *verlangen* want, need (of / for) ★ ~ *hebben aan iets* be in want / need of sth ★ *in een*

~ *voorzien* meet / supply a need ★ *er bestaat dringend ~ aan voedsel* there is an urgent need for food ▼ *zijn ~ doen* answer nature's call, relieve o.s.

**behoeftig** destitute, needy

**behoeve** ★ *ten ~ van* on behalf of

**behoeven I** *ov ww, nodig hebben* want, need **II** *on ww, nodig zijn* ★ *we ~ hem niet te schrijven* we needn't write to him, we don't need to write to him

**behoorlijk ❶** *zoals het hoort* proper, decent **❷** *vrij groot* considerable, fair ★ *dat is een ~ eind lopen* that is quite a distance

**behoren ❶** *betamen* should, ought to ★ *naar ~* properly ★ *dat behoor je niet te zeggen* you shouldn't say that **❷** *~ aan* be owned by, belong to **❸** *~ bij* go with / together with **❹** *~ tot* belong to, be among ★ *dat behoort nu tot het verleden* that's all in the past

**behoud ❶** *het in stand houden* ⟨van vrede⟩ maintenance, ⟨van natuur⟩ preservation ★ *met ~ van salaris* on full pay ★ *met ~ van uitkering* without loss of (unemployment) benefit **❷** *redding* salvation ★ *dat is je ~ geweest* that has been your salvation

**behouden I** *bnw* (be) safe ★ *~ aankomen* arrive safe and sound **II** *ov ww* **❶** *blijven houden* maintain, keep **❷** *niet kwijtraken* preserve, keep, ⟨rechten, zetel⟩ retain

**behoudend** conservative

**behoudens ❶** *behalve, op... na* except for ★ *~ enkele wijzigingen* except for a few minor changes **❷** *onder voorbehoud van* subject to ★ *~ goedkeuring van de leiding* subject to approval of the management

**behoudsgezind** BN *conservatief* conservative

**behoudzucht** conservatism

**behuisd** housed ★ *ruim ~ zijn* have plenty of room ★ *klein ~ zijn* live in a small / cramped house

**behuizing ❶** *woning* house **❷** *huisvesting* housing

**behulp** ★ *met ~ van* with the help of

**behulpzaam** obliging, helpful ★ *zij zijn erg ~* they're always ready to help

**beiaard** carillon

**beiaardier** carillon player

**beide ❶** [bijvoeglijk] both, either (one), ⟨twee⟩ two ★ *ons ~r vriend* our mutual friend **❷** [zelfstandig] both ★ *wij ~n* the two of us ★ *een van ~n* one of the two ★ *jullie kunnen ~n gaan* both of you can go

**beiderlei** ★ *van ~ kunne* of both sexes / either sex

**Beieren** Bavaria

**beieren** ring, chime, ⟨carillon⟩ play the carillon

**Beiers** Bavarian

**beige** beige

**beignet** fritter

**Beijing** → Peking

**beijveren** [zich ~] exert oneself, apply oneself (**om, voor** to)

**beïnvloeden** influence ★ *gunstig / ongunstig ~* have a positive / negative effect

**beïnvloeding** ★ *~ van de getuigen* manipulation of the witnesses, influencing the witnesses

**Beiroet** Beirut

**beitel** chisel ★ *holle ~* gouge

**beitelen** chisel ▼ *dat zit gebeiteld* that's in the bag

**beits** (wood) stain

**beitsen** stain

**bejaard** aged, elderly, old

**bejaarde** elderly man / woman, senior citizen

**bejaardentehuis** old people's home, home for the elderly

**bejaardenverzorgster** geriatric helper

**bejaardenwoning** old people's flat

**bejaardenzorg** care of the aged

**bejegenen** treat, use ★ *iem. onheus ~* treat sb badly

**bejubelen** cheer, applaud

**bek ❶** *mond van dier* muzzle, jaws [mv], ⟨lange snuit⟩ snout **❷** *snavel* bill, ⟨kort⟩ beak **❸** *mond* mouth, trap **❹** *wat op een bek lijkt* ▼ *breek me de bek niet open* don't get me started on that! ▼ *een grote bek hebben* be loudmouthed ▼ *op zijn bek gaan* come a cropper ▼ *houd je bek!* shut up!, shut your trap!

**bekaaid** ▼ *er ~ afkomen* get the worst of it

**bekabelen** cable

**bekaf** done in, dog-tired, knackered

**bekakt** affected, stuck-up, ladida

**bekeerling** convert

**bekend ❶** *gekend* known ★ *goed / slecht ~ staan* have a good / bad reputation ★ *~ worden* ⟨persoon⟩ become known, ⟨nieuws⟩ get around ★ *~ staan als* be known as ★ *~ staan om iets* be known for sth ★ *voor zover mij ~* as far as I know ★ *dat is algemeen ~* it's common / public knowledge ★ *als ~ aannemen* take for granted ★ *dat was me niet ~* I wasn't aware of it, I didn't know about it ★ *dat komt mij ~ voor* that sounds / looks familiar to me **❷** *befaamd* well-known (**om** for) ★ *~ worden* become well-known, become famous ★ *een ~e persoon* a celebrity, inform a celeb **❸** *ervan wetend* familiar (**met**with), acquainted (with) ★ *enigszins ~ zijn met* be somewhat familiar with ★ *bent u hier ~?* are you local?, do you know the area?

**bekende** acquaintance

**bekendheid ❶** *het bekend zijn (met)* acquaintance (with) ★ *~ geven aan iets* make sth public, give publicity to sth ★ *~ verkrijgen* become widely known **❷** *faam* name, reputation

**bekendmaken I** *ov ww* **❶** *gekend maken* make known **❷** *aankondigen* announce **II** *wkd ww* [zich ~] *vertrouwd maken* familiarize oneself, acquaint oneself

**bekendmaking ❶** *het bekendmaken* announcement **❷** *publicatie* publication

**bekendstaan** be known as, be known to be, be reputed to be ★ *goed / slecht ~* have a good / bad reputation ★ *~ om iets* be known for sth

**bekennen I** *on ww, jur zich schuldig verklaren* confess, plead guilty **II** *ov ww* **❶** *toegeven* admit, confess, own up ★ *zijn ongelijk ~* admit one is wrong ★ *zijn schuld ~* admit one's guilt **❷** *bemerken* ★ *er was geen mens te ~* there was no one to be seen, there wasn't a soul to be seen

**bekentenis** confession, admission ★ *een ~ afleggen* make a confession, jur plead guilty

**beker ❶** *mok* cup, mug, beaker **❷** *trofee* cup

**bekeren** convert (**tot** to) ★ *zich ~* be converted

**bekerfinale** cup final

**be**

**bekering** conversion, ⟨van zondaar⟩ reform
**bekerwedstrijd** cup match, cup tie
**bekeuren** fine ★ *bekeurd worden voor te hard rijden* be fined for speeding
**bekeuring** fine, ticket
**bekijken** ❶ *kijken naar* look at, examine ❷ *overdenken* look at, consider ★ *alles wel bekeken* all things considered ★ *zo moet je het niet ~* you must not look at it / consider it like that ★ *iets van alle kanten ~* look at sth from every angle ▼ *het is zo bekeken* it won't take a minute ▼ *bekijk het maar!* suit yourself! ▼ BN *het voor bekeken houden* be through with sb / sth
**bekijks** ▼ *veel ~ hebben* attract a great deal of attention
**bekisting** form(work)
**bekken** I *zn* [het] ❶ *anat* pelvis ❷ *kom* basin ❸ *slaginstrument* cymbal ❹ *stroomgebied* basin II *on ww* ▼ *die tekst bekt goed* that text reads well
**beklaagde** accused
**beklaagdenbank** dock
**bekladden** ❶ *besmeuren* ⟨met inkt⟩ blot, ⟨met verf⟩ daub ❷ *belasteren* slander, smear
**beklag** complaint ★ *zijn ~ doen over iets bij iem.* complain of / about sth to sb
**beklagen** I *ov ww* ❶ *medelijden tonen* pity ❷ *betreuren* ★ *zijn lot ~* bemoan one's fate II *wkd ww* [zich ~] complain
**beklagenswaardig** deplorable, sorry, ⟨persoon⟩ pitiable ★ *zij is ~* she is (much) to be pitied
**bekleden** ❶ *bedekken* cover, ⟨binnenkant⟩ line, ⟨van meubels⟩ upholster, ⟨van muur⟩ hang ❷ *vervullen* occupy, ⟨ambt⟩ hold ★ *een leerstoel ~* hold a chair ❸ *opdragen* ★ *iem. met gezag / macht ~* invest sb with authority / power
**bekleding** ❶ *bedekking* clothing, covering, lining ❷ *uitoefening* tenure
**beklemmen** ❶ *vastknellen* jam ❷ *benauwen* oppress
**beklemtonen** *taalk klemtoon toepassen* stress
**beklijven** sink in, remain, stick
**beklimmen** climb, *form* mount
**beklinken** I *ov ww, afspreken* clinch, settle ★ *de zaak is al lang beklonken* the matter has long been settled II *on ww, inklinken* set, settle
**beknellen** ❶ *lett* clench, tighten ❷ *fig* oppress
**beknibbelen** ★ *~ op* skimp (on), cut back on
**beknopt** brief, concise
**beknotten** curtail, reduce
**bekocht** cheated, taken in
**bekoelen** *koeler worden* cool (down)
**bekogelen** pelt
**bekokstoven** cook up, hatch, contrive
**bekomen** ❶ *uitwerking hebben (op)* ⟨goed⟩ agree with, ⟨slecht⟩ disagree ★ *het zal je slecht ~* you'll be sorry ★ *die wandeling is mij slecht ~* that walk did me no good ❷ *bijkomen (van)* recover, get over
**bekommerd** concerned, anxious
**bekommeren** [zich ~] om/over worry about, trouble oneself about
**bekomst** ★ *zijn ~ hebben van* be fed up with
**bekonkelen** plot, hatch, scheme
**bekoorlijk** charming
**bekopen** I *ov ww* ★ *iets met zijn leven ~* pay for sth with one's life II *wkd ww* [zich ~] be cheated,

be taken for a ride
**bekoren** *verrukken* charm ★ *dat kan mij niet ~* it doesn't appeal to me
**bekoring** *aantrekkingskracht* charm ★ *onder de ~ komen van* be charmed / fascinated by
**bekorten** shorten, cut short, ⟨een boek⟩ abridge
**bekostigen** pay the cost of, pay for ★ *hij kon het niet ~* he could not afford it
**bekrachtigen** ❶ *bevestigen* confirm ★ *met een handtekening bevestigen* confirm with a signature ❷ *ratificeren* ratify, confirm ★ *met een eed ~* confirm on oath
**bekrachtiging** confirmation, *form* ratification
**bekritiseren** criticize
**bekrompen** narrow-minded, bigoted
**bekronen** crown (with success) ★ *met 'n prijs ~* award a prize ★ *bekroonde verhandeling* prize essay
**bekroning** ❶ *voltooiing* pinnacle ❷ *prijs* award
**bekruipen** ❶ *besluipen* steal / creep up on ❷ *opkomen van gevoelens* steal over, come over
**bekvechten** wrangle, bicker
**bekwaam** ❶ *kundig* capable, able, competent ★ *een ~ werkman* a skilled workman ❷ *in staat tot* ▼ *met bekwame spoed* with all possible speed
**bekwaamheid** capability, ability
**bekwamen** I *ov ww* train II *wkd ww* [zich ~] qualify, prepare (for), train (to be)
**bel** ❶ *kleine klok* bell ❷ *deurbel* bell ❸ *luchtbel* bubble
**belabberd** *slecht* rotten, wretched, *inform* lousy
**belachelijk** ridiculous, laughable ★ *~ maken* ridicule ★ *zich ~ maken* make a fool of o.s.
**beladen** I *bnw* emotionally charged II *ov ww* ⟨ook fig.⟩ load, ⟨ook fig.⟩ burden
**belagen** waylay, beset, ⟨vrijheid, veiligheid, e.d.⟩ threaten
**belager** assailant
**belanden** land / end up, ★ *doen ~* land
**belang** ❶ *aandacht* interest ❷ *betekenis* importance ★ *van geen ~* of no importance ★ *~ hechten aan* attach importance to ❸ *voordeel* interest, concern ★ *algemeen ~* public interest ★ *~ hebben bij* have an interest in ★ *in het ~ van* in the interest(s) of
**belangeloos** ❶ *onbaatzuchtig* unselfish, selfless ❷ *gratis* free of charge, for nothing
**belangenorganisatie** (special) interest group
**belanghebbend** concerned, interested
**belangrijk** *van betekenis* important, ⟨aanzienlijk⟩ considerable
**belangstellen** in be interested in, have / take an interest in
**belangstellend** I *bnw* interested II *bijw* with interest
**belangstelling** interest (voor in) ★ *~ tonen* show / take an interest in ★ *in de ~ staan* be the focus of attention
**belangwekkend** interesting
**belast** *~ met verantwoordelijk voor* charged with, in charge of ▼ *erfelijk ~ zijn* have a hereditary disability / defect
**belastbaar** *econ te belasten* taxable, ⟨bij douane⟩ dutiable
**belasten** ❶ *last leggen op* load, burden ❷ *belasting heffen op* tax ★ *een rekening ~* debit

an account ★ *te zwaar* ~ overtax ❸ ~ *met* charge with, put in charge of ★ *zich* ~ *met* take charge of
**belasteren** slander, <u>form</u> defame
**belasting** ❶ *last, druk* load ❷ *geestelijke druk* pressure, burden ❸ *verplichte bijdrage* taxation, ⟨rijk⟩ tax(es), ⟨gemeente⟩ rates *mv* ★ *in de* ~ *vallen* be liable for taxation
**belastingaangifte** tax return
**belastingaanslag** tax assessment
**belastingadviseur** tax consultant
**belastingaftrek** tax deduction
**belastingbetaler** taxpayer
**belastingbiljet** tax form
**belastingconsulent** tax consultant
**belastingdienst** tax authorities *mv*
**belastingdruk** <u>form</u> burden of taxation
**belastingfraude** fiscal fraud
**belastingheffing** taxation, levying of tax
**belastingjaar** fiscal / tax year
**belastingontduiking** evasion of taxes, tax evasion
**belastingontvanger** tax collector, <u>inform</u> taxman
**belastingparadijs** tax haven / paradise
**belastingplichtig** liable to pay tax
**belastingplichtige** taxpayer
**belastingschuld** tax arrears *mv*
**belastingteruggave** tax rebate, <u>USA</u> tax refund
**belastingverhoging** increase in taxes
**belastingverlaging** tax reduction / cut
**belastingvoordeel** tax advantage / benefit
**belastingvrij** tax-free, ⟨douane⟩ duty-free
**belastingvrijheid** tax exemption
**belazerd** ❶ *gek* crazy ★ *ben je* ~? are you mad?, you must be crazy ★ *ben jij helemaal* ~? are you out of your mind? ❷ *beroerd* lousy, rotten
**belazeren** diddle ★ *iem.* ~ take sb for a ride
**belcanto** bel canto
**beledigen** insult, offend, affront ★ ~*de woorden* insulting / offensive words ★ *zich beledigd voelen* take offence (at)
**belediging** insult, offence, affront
**beleefd** civil, polite, obliging, courteous ★ ~ *zijn tegen iem.* be polite to sb
**beleefdheid** civility, courtesy, politeness ★ *de gewone* ~ *in acht nemen* show common courtesy
**beleg** ❶ <u>cul</u> *broodbeleg* ⟨sandwich⟩ filling ❷ *belegering* siege ★ *het* ~ *opbreken* raise a siege ★ *het* ~ *slaan voor* lay siege to
**belegen** matured
**belegeren** besiege
**belegering** siege
**beleggen** ❶ *bedekken* cover, ⟨boterham⟩ put cheese (etc.) on ★ *belegd broodje* filled roll, ⟨cheese, etc.⟩ roll ❷ *investeren* invest, investment banking ❸ *bijeenroepen* convene, call
**belegger** investor
**belegging** *geldinvestering* investment
**beleggingsfonds** ❶ *instelling* investment trust / fund ❷ *effecten* gilt-edged / government security
**beleggingsmarkt** investment market
**beleggingsobject** investment
**beleid** ❶ *gedragslijn* conduct, policy ★ *het* ~ *van de regering* government policy ❷ *tact* tact ★ *met* ~ *te werk gaan* proceed with tact / tactfully, be

tactful
**beleidslijn** (line of) policy
**beleidsmaker** policymaker
**beleidsmedewerker** policymaker
**beleidsnota** policy paper / document
**belemmeren** hamper, hinder, ⟨in sterke mate⟩ impede, ⟨m.b.t. groei⟩ stunt ★ *iem. in zijn werk* ~ interfere with sb's work ★ *het verkeer* ~ obstruct traffic
**belemmering** obstruction, interference, impediment, handicap
**belendend** adjacent, neighbouring
**belenen** ⟨goederen⟩ pawn, ⟨effecten⟩ borrow money on
**belerend** pedantic
**beletsel** obstacle, impediment
**beletselteken** <u>drukk</u> dot dot dot
**beletten** prevent, obstruct
**beleven** go through, experience ★ *zoiets heb ik nog nooit beleefd!* I've never seen / heard anything like it ★ *dat ik dat nog mag* ~ I never thought I'd live to see the day ★ *zijn 100e verjaardag* ~ live to be a hundred
**belevenis** experience, adventure
**beleving** perception
**belevingswereld** experience
**belezen** well-read
**Belg** Belgian
**belgicisme** Belgianism
**België** Belgium
**Belgisch** Belgian
**Belgische** Belgian ⟨woman / girl⟩
**Belgrado** Belgrade
**belhamel** *kwajongen* rascal, scamp, ⟨raddraaier⟩ ringleader
**belichamen** embody, personify
**belichaming** embodiment, personification
**belichten** ❶ *licht laten schijnen op* illuminate, light up ❷ *verhelderen* shed light on ❸ <u>audio-vis</u> expose ★ *te kort / lang* ~ underexpose / overexpose
**belichting** ❶ *het belichten* illumination, lighting ❷ <u>audio-vis</u> exposure
**belichtingstijd** exposure time
**believen** I *zn* [het] pleasure ★ *naar* ~ at will II *ov ww, wensen* please ★ *zoals het u belieft* as you please ★ *belieft u nog iets?* (would you like) anything else?
**belijden** ❶ *bekennen* confess, admit ❷ *aanhangen* <u>form</u> profess ▼ *iets met de mond* ~ pay lip service to sth
**belijdenis** *geloofsgetuigenis* confirmation ★ ~ *doen* be confirmed
**Belizaans** Belizean
**Belize** Belize
**bellen** I *ov ww, telefoneren* ring, call, phone ★ *ik zal je* ~ I'll give you a ring II *on ww* ❶ *aanbellen* ring (the bell) ★ *er wordt gebeld* there's sb at the door ❷ *signaal geven* ring / sound the bell
**belminuut** talktime minute
**belofte** promise ★ *een* ~ *doen* make a promise ★ *een* ~ *gestand doen* live up to a promise, keep a promise ★ *een* ~ *houden* keep a promise ★ *iem. aan zijn* ~ *houden* hold / keep sb to his promise ▼ ~ *maakt schuld* a promise is a promise
**beloken** → **Pasen**

**be**

**belonen ❶** *betalen* pay, form remunerate **❷** *voldoening geven* reward ★ *zijn inspanningen werden niet beloond* his efforts were not rewarded

**beloning** ⟨voor werk⟩ pay, ⟨voor daad⟩ reward ★ *een ~ uitloven* offer a reward ★ *als ~ van / voor* in reward for

**beloop** *gang* course, way ★ *de zaak maar op zijn ~ laten* let things drift

**belopen ❶** *lopend afleggen* walk ★ *deze afstand is niet te ~* this is too far to walk, you can't go all the way on foot **❷** *bedragen* amount to, add up to, run into

**beloven** promise ★ *het belooft een mooie dag te worden* it looks like being a fine day ★ *dat belooft wat!* it sounds promising! ▼ *~ en doen zijn twee* it is one thing to promise and another to perform, promising is the easy bit

**belspel** media phone-in show

**beltegoed** call⟨ing⟩ credit ★ *zijn ~ opwaarderen* top up one's mobile phone ★ *mijn ~ is op* I've run out of call credit

**beltoon** ringtone

**beluisteren** *luisteren naar* listen to, ⟨radio, e.d.⟩ listen in to

**belust op** eager for, keen on ★ *~ op wraak* bent on revenge ★ *hij is ~ op macht* he is power-hungry

**belwinkel** call shop

**bemachtigen ❶** *te pakken krijgen* get hold of, form secure **❷** *buitmaken* capture

**bemalen** drain

**bemannen** *van personeel / mensen voorzien* man, ⟨van fort⟩ garrison

**bemanning** ⟨schip, e.d.⟩ crew, ⟨fort⟩ garrison

**bemanningslid** crew member, crewman

**bemerken** notice, spot, form perceive

**bemesten** ⟨dress, ⟨organisch⟩ manure, ⟨voornamelijk met kunstmest⟩ fertilize

**bemesting** manuring, ⟨voornamelijk met kunstmest⟩ fertilization

**bemeten** ★ *ruim ~ zijn* be spacious, be large (-sized), be of large dimensions ★ *krap ~ zijn* be cramped, be a bit on the short side

**bemeubelen** BN furnish

**bemiddelaar** intermediary, inform go-between, ⟨bij conflict⟩ mediator

**bemiddeld** well-to-do, inform well off ★ *een ~ man* a man of means, a well-to-do man

**bemiddelen** *tussenbeide komen* mediate

**bemiddeling** mediation ★ *door ~ van* through / by the agency of, by courtesy of

**bemind** dear to, beloved ★ *zich ~ maken bij* endear o.s. to

**beminnelijk** ⟨passief⟩ lovable, ⟨actief⟩ amiable

**beminnen** love

**bemoederen** mother

**bemoedigen** encourage, cheer up

**bemoeial** busybody, nos⟨e⟩y parker

**bemoeien [zich ~] ❶** *~met* zich bezighouden met have to do with, min meddle with / in ★ *bemoei je er niet mee!* mind your own business! ★ *waar bemoei je je mee?* what business is that of yours? ★ *zich overal mee ~* poke one's nose into everything ★ *zich met de zaak gaan ~* intervene, step in ★ *ik wil me niet met jullie ~* I won't have

anything to do with you **❷** *~met* zich bekommeren om deal with

**bemoeienis ❶** exertion ★ *door zijn ~* through his efforts **❷** *inmenging* interference

**bemoeilijken** hamper, handicap, obstruct, impede

**bemoeiziek** meddlesome, interfering

**bemoeizucht** meddling, meddlesomeness

**benadelen** harm, injure

**benaderen ❶** *dichter komen tot* come close to, ⟨bedrag, ideaal⟩ approximate (to) **❷** *aanpakken* approach **❸** *ongeveer berekenen* calculate roughly **❹** *polsen* approach

**benadering ❶** *het naderbij komen* approach, ⟨bedrag⟩ approximation **❷ ▼** *bij ~* approximately

**benadrukken** stress, emphasize, underline

**benaming** name, ⟨titel⟩ lit appellation

**benard** ⟨moeilijk⟩ awkward, ⟨hachelijk⟩ perilous, ⟨tijden⟩ hard, ⟨situatie⟩ critical

**benauwd I** bnw **❶** *moeilijk ademend* ★ *het ~ hebben* feel oppressed, feel tight in the chest **❷** *drukkend* close, ⟨van kamer⟩ stuffy, ⟨van weer⟩ sultry, ⟨van weer⟩ muggy **❸** *angstig* afraid, anxious, ⟨droom⟩ bad ▼ *het Spaans ~ hebben* be scared out of one's wits **II** *bijw, angstig* afraid

**benauwen ❶** *beklemmen* oppress **❷** *beangstigen* frighten

**bende ❶** *groep* body, gang, ⟨dieven⟩ gang, ⟨dieven⟩ pack ★ *(hele)boel* a lot, crowd, mass, ⟨dingen⟩ heap ★ *een ~ fouten* a lot of mistakes **❸** *wanorde* mess

**bendeleider** gang leader

**bendeoorlog** gang war

**beneden I** *vz* **❶** *onder* under, below, beneath **❷** *minder dan* under, below ★ *~ de tien jaar* under ten ★ *~ de waarde* below value ▼ *dat is ~ mij* that's beneath me **II** *bijw, onder, omlaag* down, ⟨in huis⟩ downstairs, at the bottom ★ *naar ~ brengen* take down / downstairs ★ *naar ~ gaan* go down / downstairs, ⟨van prijs⟩ go / come down ★ *ze woont ~* she lives on the ground floor, USA she lives on the first floor ★ *naar ~ komen* come down / downstairs

**benedenbuur** downstairs neighbour

**benedenhuis** ground-floor flat, USA first-floor apartment

**benedenloop** lower stretch, lower reaches mv

**benedenverdieping** ground floor, USA first floor

**Benedenwindse Eilanden** Leeward Islands

**benedenwoning** ground-floor flat

**benefietconcert** benefit concert

**benefietvoorstelling** benefit performance

**benefietwedstrijd** ⟨voor persoon⟩ benefit match, ⟨voor instelling⟩ charity match

**Benelux** Benelux

**benemen** ★ *iem. de moed ~* dishearten sb ★ *zich het leven ~* take one's life ★ *het uitzicht ~* obstruct / block the view ★ *de lust ~* spoil one's pleasure ★ *de adem ~* take one's breath away

**benen I** bnw bone **II** ov ww inform leg it

**benenwagen** ▼ *met de ~ gaan* travel by shanks's pony, hoof it

**benepen ❶** *benauwd* bashful, timid ★ *een ~ stemmetje* a small voice **❷** *bekrompen* petty

**beneveld ❶** *met nevel* misty **❷** *dronken*

befuddled, muzzy
**benevens** (together) with, in addition to
**Bengaals, Bengalees** Bengali, Bengal
**bengel** little scamp, naughty boy
**bengelen** *slingeren* dangle, swing
**benieuwd** curious (about) ★ ~ *zijn* wonder, be curious
**benieuwen** ★ *het zal mij* ~ *of* I wonder if
**benig** ❶ *(als) van been* bony ❷ *knokig* bony, ⟨gezicht⟩ angular
**benijden** envy
**benijdenswaardig** enviable
**Benin** Benin
**Benins** Beninese
**benjamin** Benjamin, baby
**benodigd** required, necessary, wanted
**benodigdheden** needs, necessities, requirements
**benoemen** ❶ *naam geven* name ❷ *aanstellen (als)* appoint ★ *tot erfgenaam* ~ name sb as one's heir
**benoeming** *aanstelling* appointment
**benul** notion, inkling ★ *hij heeft er geen* ~ *van* he hasn't the faintest / foggiest idea
**benutten** make use of, utilize ★ *de gelegenheid* ~ avail o.s. of the opportunity
**benzedrine** Benzedrine
**benzeen** benzene
**benzine** petrol, <u>USA</u> gas(oline)
**benzinemotor** petrol engine
**benzinepomp** ❶ *toestel* petrol pump ❷ *station* petrol / filling / service station, <u>USA</u> gas station
**benzinestation** filling station, petrol station, <u>USA</u> gas(oline) station
**benzinetank** petrol tank, <u>USA</u> gas tank
**benzineverbruik** petrol / fuel consumption, <u>USA</u> gas(oline) consumption / mileage
**beo** myna(h)
**beoefenaar** ⟨taal, muziek⟩ student, <u>sport</u> sportsman, ⟨exacte wetenschap⟩ scientist, ⟨niet-exacte wetenschap⟩ scholar
**beoefenen** practise, ⟨wetenschap⟩ study ★ *een sport* ~ be a sportsman ★ *een vak* ~ practise a trade
**beogen** aim at, have in mind ★ *het beoogde doel* the object in view ★ *het beoogde resultaat* the intended result
**beoordelen** judge, assess, ⟨boek, e.d.⟩ review, ⟨van examenwerk⟩ mark, ⟨kans, situatie⟩ estimate
**beoordeling** judg(e)ment, assessment, ⟨van boek, e.d.⟩ review, ⟨van examenwerk⟩ marking, ⟨kans, situatie⟩ estimate ★ *dit staat ter* ~ *van...* that is for... to judge, that is at the discretion of...
**bepaald** I *bnw* ❶ *vastgesteld* specific, fixed, particular, ⟨bedrag⟩ specified, ⟨tijd⟩ fixed, ⟨tijd⟩ appointed ★ *als hierboven* ~ as stated above ❷ *omschreven* particular, specific, *taalk* definite ★ *in dat* ~*e geval* in that particular case ★ ~ *lidwoord* definite article ❸ ⟨niet nader omschreven⟩ certain ★ ~*e mensen* certain people II *bijw, zeker* positively, absolutely ★ *niet* ~ *vroeg* not exactly early
**bepakking** pack ★ *met volle* ~ with full kit
**bepakt** ▾ ~ *en gezakt* all packed and ready (to go), with bag and baggage
**bepalen** I *ov ww, vaststellen* determine, decide,

⟨prijs, tijd⟩ fix, ⟨voorwaarde⟩ stipulate, ⟨waarde⟩ assess ★ *de wet bepaalt* the law prescribes ★ *de boete werd bepaald op 100 euro* the fine / penalty was set at 100 euros ★ *dat bepaal ik zelf* that's for me to decide, that's up to me ★ *ik bepaal wat er hier gebeurt* I call the shots here II *wkd ww* [*zich* ~] ~ *tot* restrict oneself to
**bepaling** ❶ *vaststelling* determination ★ ~ *van de ouderdom* determination of the age ❷ *omschrijving* definition ★ *een nauwkeurige* ~ *geven* give a detailed definition ❸ *voorschrift* provision, regulation, stipulation ★ *wettelijke* ~*en* legal provisions / stipulations ❹ *beding* condition, proviso, clause ★ *de* ~*en van een contract* the conditions / terms of a contract ❺ *taalk* adjunct, modifier
**beperken** I *ov ww* ❶ *begrenzen* limit, restrict ❷ *inkrimpen* reduce, curtail, ⟨uitgaven⟩ cut down II *wkd ww* [*zich* ~] ★ *zich* ~ *tot* restrict o.s. to
**beperking** ❶ *grens* limit, limitation, restriction ★ *iem.* ~*en opleggen* impose restrictions on sb, restrict sb ❷ *inkrimping* ⟨uitgaven⟩ reduction
**beperkt** limited, restricted, ⟨benepen⟩ narrow ★ ~ *houdbaar* perishable
**beplanten** plant
**beplanting** *gewassen* plants *mv*, ⟨bomen e.d.⟩ plantation
**bepleiten** plead, advocate, argue
**bepraten** ❶ *bespreken* discuss ❷ *overhalen* persuade ★ *zich laten* ~ allow o.s. to be persuaded / swayed
**beproefd** well-tried, tried and tested, ⟨methode⟩ approved ★ *zwaar* ~ *form* sorely tried
**beproeven** ❶ *proberen* attempt, endeavour ❷ *op de proef stellen* try, test
**beproeving** ❶ *tegenspoed* trial, ordeal ❷ *proef* trial, test
**beraad** consideration, deliberation ★ *iets in* ~ *nemen* take sth into consideration ★ *na rijp* ~ after careful / serious consideration ★ *iets in* ~ *houden / nemen* think sth over, consider sth
**beraadslagen** deliberate (on) ★ ~ *met* consult (with)
**beraadslaging** consultation, consideration, deliberation
**beraden** [*zich* ~] ★ *zich* ~ *op / over iets* deliberate (about / over) sth, think sth over
**beramen** ❶ *ontwerpen* devise, plan ★ *vooraf beraamd* premeditated ❷ *begroten* estimate
**Berber** *lid van* Berber
**berber** *tapijt* Berber carpet
**berde** ▾ *iets te* ~ *brengen* bring up sth, raise a point
**bere-** super-
**berechten** *jur* try, <u>form</u> adjudicate
**beredderen** arrange, manage
**bereden** *te paard* mounted ★ ~ *politie* mounted police
**beredeneren** discuss, ⟨aantonen⟩ argue, ⟨bespreken⟩ reason out ★ *hoe beredeneer je dat?* how do you make that out?
**beregoed** fantastic, terrific, great
**bereid** *genegen (tot / te)* ready, willing, prepared
**bereiden** ⟨maaltijd⟩ prepare, ⟨voedsel⟩ make, ⟨salade⟩ dress
**bereidheid** readiness, willingness

**bereiding** preparation, production
**bereidwillig** willing, obliging
**bereik** *gebied binnen reikwijdte* reach, range ★ *binnen ~* within reach ★ *binnen het ~ van* within (the) reach of ★ *buiten het ~ van* beyond (the) reach of ★ *buiten ~* out of reach
**bereikbaar** ⟨doel⟩ attainable, ⟨plaats⟩ accessible ★ *makkelijk ~ vanuit* within easy reach of, easy to get to from
**bereiken** ❶ *aankomen te / komen tot* arrive in / at, ⟨van leeftijd⟩ reach ★ *gemakkelijk te ~* easy to get to, easy to reach ★ *hoe bent u te ~?* how can we contact you? ❷ *komen tot iets* achieve, attain ★ *zo bereik je niets* that won't get you anywhere
**bereisd** (widely) travelled
**berekend op** ⟨personen⟩ equal to, ⟨zaken⟩ designed for
**berekenen** ❶ *uitrekenen* calculate ★ *de kosten zijn berekend op...* the costs are calculated at... ❷ *in rekening brengen* charge ★ *dat is in de prijs berekend* that's included in the price ★ *iem. te veel ~* overcharge sb
**berekenend** calculating, scheming, designing
**berekening** calculation ★ *volgens een ruwe ~* at a rough estimate
**berenklauw** *plantk* hogweed
**berenmuts** bearskin (cap), busby
**beresterk** as strong as an ox / a lion
**berg** ❶ *grote heuvel* mountain, ⟨hoog⟩ peak ❷ *hoop* pile, load ❸ *hoofdduitslag* cradle cap ▼ *gouden bergen beloven* promise mountains of gold, promise the earth ▼ *ergens als een berg tegenop zien* dread sth
**bergachtig** mountainous
**bergafwaarts** ❶ *lett* downhill ❷ *fig* downhill, on the downgrade ★ *het gaat ~ met hem* he's going downhill
**bergbeklimmen** mountain climbing
**bergbeklimmer** mountaineer
**bergbewoner** mountain dweller
**Bergen** ❶ *plaats in België* Mons ❷ *plaats in Noorwegen* Bergen
**bergen** ❶ *opbergen* store, put away ❷ *ruimte bieden aan* hold, accommodate, put up ★ *deze zaal kan 500 bezoekers ~* this hall can hold 500 spectators ❸ *in veiligheid brengen* rescue, ⟨scheepv⟩ salvage, ⟨ruimte capsule, brokstukken, enz.⟩ recover
**Bergenaar** ❶ *inwoner van België* inhabitant of Mons ❷ *inwoner van Noorwegen* inhabitant of Bergen
**Bergens** ❶ *van / uit plaats in België* from Mons ❷ *van / uit plaats in Noorwegen* from Bergen
**Bergense** ❶ *inwoonster van België* (woman / female) inhabitant of Mons ★ *zij is een ~* she's from Mons ❷ *inwoonster van Noorwegen* (woman / female) inhabitant of Bergen ★ *zij is een ~* she's from Bergen
**bergetappe** *sport* mountain stage
**berggeit** mountain goat, ⟨gems⟩ chamois
**berghelling** mountain slope
**berghok** shed, ⟨in huis⟩ storeroom
**berghut** mountain / climbers' hut
**berging** ❶ *het bergen* salvage ❷ *berghok* storeroom
**bergingsoperatie** salvage (operation)

**bergkam** (mountain) ridge
**bergketen** mountain range / chain
**bergkristal** rock crystal
**bergloon** salvage (money)
**bergmassief** massif
**bergmeubel** storage cabinet
**bergopwaarts** ❶ *lett de berg op* uphill ❷ *fig beter* uphill, better and better
**bergpas** (mountain) pass
**bergplaats** storage space, ⟨in huis⟩ storeroom, ⟨van meubelen, e.d.⟩ depository
**Bergrede** *rel* Sermon on the Mount
**bergrug** *bergkam* mountain ridge
**bergruimte** ❶ *hok* storeroom ❷ *capaciteit* storage capacity / room
**bergschoen** mountain / climbing boot
**bergsport** mountaineering
**bergtop** mountaintop, peak, summit
**bergweide** mountain meadow
**beriberi** beriberi
**bericht** message, news, report ★ *volgens de laatste ~en* according to the latest reports ★ *~ krijgen van iets* be informed about / of sth ★ *~ van overlijden / huwelijk, e.d.* notice of death / marriage, etc. ★ *een ~ van ontvangst* an acknowledgement of receipt ★ *u krijgt ~* you will receive a message, you will be notified ★ *gemengde ~en* miscellaneous news ★ *nagekomen ~en* ⟨krant⟩ stop press, ⟨journaal⟩ breaking news, ⟨journaal⟩ reports / news just in ★ *tot nader ~* until further notice ★ *een ~je voor iem. achterlaten* leave a message for sb ★ *iem. ~ geven van* notify sb of sth
**berichten** report, inform ★ *iem. over iets ~* inform sb of sth
**berichtgeving** reporting, ⟨nieuws⟩ (news) coverage
**berijden** ❶ *rijden op* ride ❷ *rijden over* drive along, ride on
**berin** female bear
**Beringstraat** Bering Strait(s)
**berispen** rebuke, reprimand
**berisping** rebuke, reprimand
**berk** birch
**Berlijn** Berlin
**Berlijner** Berliner
**Berlijns** Berlin
**Berlijnse** Berlin (woman / girl)
**berlinerbol** *cul* ≈ custard doughnut
**berm** shoulder, ⟨gras⟩ verge ★ *zachte berm* soft shoulder / verge
**bermbom** *mil* roadside bomb
**bermtoerisme** roadside picknicking
**bermuda** Bermuda shorts *mv*, Bermudas *mv*
**Bermuda-eilanden** Bermudas *mv*
**Bern** Bern(e)
**Berner** Berner
**beroemd** famous (om for), renowned (om for), celebrated (om for)
**beroemdheid** ❶ *het beroemd zijn* fame ❷ *beroemd persoon* celebrity, *inform* celeb
**beroemen** [zich ~] *op* boast about, pride oneself on, glory in
**beroep** ❶ *vak* occupation, job, ⟨hoger opgeleid⟩ profession, ⟨ambacht⟩ trade, ⟨zaak⟩ business ★ *vrije ~en* (liberal) professions ★ *van ~* by

profession ★ *wat is hij van* ~*?* what does he do for a living?, *form* what is his occupation? **❷** *oproep* appeal ★ *een* ~ *doen op* appeal to, make an appeal to **❸** *jur* ★ *in hoger* ~ *gaan* appeal (to a higher court) ★ *het vonnis werd in hoger* ~ *vernietigd* the appeal was upheld ★ *(hoger)* ~ *aantekenen* give notice of appeal ▼ *hij maakt er zijn* ~ *van om...* he makes it his business to...

**beroepen** [zich ~] *op* call on, appeal to, ⟨op onwetendheid⟩ plead, ⟨op een uitspraak⟩ refer to

**beroeps** professional, *mil* regular

**beroepsbevolking** working population, labour force

**beroepsdeformatie** *med stoornis* occupational disability

**beroepsethiek** professional standards *mv*, professional ethics *mv*

**beroepsgeheim** trade / professional secret

**beroepsgroep** professional / occupational group

**beroepshalve** by virtue of one's profession, professionally

**beroepsinstantie** instance of appeal

**beroepskeuze** choice of profession / career ★ *bureau voor* ~ careers office, careers advice centre

**beroepskeuzeadviseur** counsellor, ⟨school⟩ careers master

**beroepsleger** regular / professional army

**beroepsmatig** professionally

**beroepsmilitair** professional / regular soldier

**beroepsonderwijs** onderw vocational training

**beroepsopleiding** vocational training (course)

**beroepsschool** BN onderw *vakschool* technical school

**beroepssporter** professional (athlete / player), inform pro

**beroepsverbod** Berufsverbot ★ *er werd een* ~ *tegen hem ingesteld* he was banned from his profession

**beroepsvoetbal** professional football / soccer

**beroepsziekte** occupational disease

**beroerd** **❶** *slecht* miserable, wretched, rotten ★ *er* ~ *uitzien* look terrible ★ *er* ~ *aan toe zijn* be in a very bad way **❷** *vervelend* indolent, lazy **❸** *onwel* ★ *ik word er* ~ *van* it makes me sick ▼ *hij is nog te* ~ *om...* he's too damn lazy to... ▼ *nooit te* ~ *zijn om te helpen* be always willing to help

**beroeren** **❶** *even aanraken* touch, brush **❷** *verontrusten* disturb, trouble

**beroering** **❶** *het aanraken* touch **❷** *onrust* trouble, commotion, unrest ★ *in* ~ *brengen* trouble, disturb ★ *de gemoederen in* ~ *brengen* stir up feelings

**beroerte** med stroke, fit ★ *een* ~ *krijgen* have a stroke / fit

**berokkenen** ★ *iem. schade* ~ cause / do damage to sb ★ *iem. leed* ~ cause sb sorrow / grief

**berooid** penniless, *form* destitute

**berouw** remorse, compunction, rel repentance ★ ~ *hebben over* regret, rel repent (of) ▼ ~ *komt na de zonde* remorse is easy after the event

**berouwen** feel sorry ★ *dat zal je* ~*!* you'll be sorry!

**berouwvol** penitent, rel repentant

**beroven** **❶** *bestelen* rob, plunder **❷** ~ *van*

*ontdoen* deprive of, strip of ★ *iem. van het leven* ~ take sb's life

**beroving** theft, robbery, inform mugging

**berucht** notorious, disreputable ★ ~ *zijn* be notorious (wegens for)

**berusten** **❶** *in zich schikken* resign to, acquiesce in / to **❷** ~ *bij* be deposited with, be in the keeping of ★ *het voorzitterschap berust bij hem* the presidency is held by him ★ *de beslissing berust bij hem* the decision rests with him **❸** ~ *op* be based on, rest on

**berusting** resignation

**bes** **❶** *vrucht* berry **❷** muz *muzieknoot* B flat **❸** *oude vrouw* old woman

**beschaafd** **❶** *niet barbaars* civilized **❷** *ontwikkeld* cultured, cultivated **❸** *goed opgevoed* well bred, well mannered, polite ★ ~*e manieren* refined / polite manners ★ *in* ~*e termen* in polite terms

**beschaamd** ashamed ★ ~ *doen staan* make sb blush, shame sb

**beschadigen** damage

**beschadiging** damage

**beschamen** **❶** *beschaamd maken* (put to) shame **❷** *teleurstellen* disappoint, let down, ⟨vertrouwen⟩ betray

**beschamend** embarrassing, humiliating

**beschaving** **❶** *cultuur* civilization ★ *op een hoge trap van* ~ a high degree of civilization **❷** *goede manieren* culture, polish

**bescheiden** **I** *bnw, niet opdringerig* unobtrusive, ⟨persoon, inkomen⟩ modest ★ *naar mijn* ~ *mening* in my humble opinion **II** *de mv* documents *mv*

**bescheidenheid** modesty ★ *in alle* ~ with all due respect

**bescherming** protégé

**beschermen** **❶** *behoeden* protect, shield, ⟨tegen zon / wind⟩ screen ★ ~ *tegen* protect from **❷** *begunstigen* promote, ⟨kunst⟩ patronize

**beschermengel** guardian angel

**beschermer** protector

**beschermheer** patron

**beschermheilige** patron saint

**bescherming** *beveiliging* protection ▼ BN *Civiele Bescherming* Civil Defence

**beschermingsfactor** protection factor

**beschermvrouwe** patroness

**bescheuren** [zich ~] laugh one's head off, split one's sides laughing, split (one's sides) with laughter

**beschieten** **❶** *schieten op* fire on / at **❷** *bekleden* line, board

**beschieting** firing ★ *'s nachts was er een zware* ~ there was heavy firing during the night

**beschijnen** shine on, light up

**beschikbaar** available ★ ~ *stellen* make available, put at sb's disposal ★ *iets* ~ *houden voor* set / put sth aside for, earmark sth for ★ ~ *komen* become available, become vacant

**beschikbaarheid** availability

**beschikken** **I** *ov ww, beslissen* see to, arrange ★ *(on)gunstig op een verzoek* ~ grant / refuse a request **II** *on ww* ~ *over* have at one's disposal, ⟨een meerderheid⟩ command

**beschikking** **❶** *zeggenschap* disposal ★ *ter* ~ available ★ *ter* ~ *stellen van iem.* place / put at

**be**

sb's disposal ★ *de ~ hebben over* have at one's disposal ★ *de ~ krijgen over* obtain, form secure ❷ *besluit* decision, command, ⟨ministerieel, gerechtelijk⟩ decree

**beschilderen** paint ★ *beschilderde ramen* stained glass windows

**beschimmelen** ★ *beschimmeld* mouldy

**beschimpen** scoff / jeer / sneer (at)

**beschoeiing** campshot

**beschonken** intoxicated

**beschoren** ★ *hem was geen lang leven ~* he wasn't granted a long life ★ *het lot dat hem ~ was* the fate that was to befall him

**beschot** ❶ *bekleding* panelling ❷ *afscheiding* partition

**beschouwen** ❶ *bezien* consider, look at ★ *op zichzelf beschouwd* in itself ★ *(alles) wel beschouwd* all things considered, on balance ★ *oppervlakkig beschouwd* on the face of it ❷ ~ **als** consider, regard as

**beschouwend** contemplative

**beschouwing** ❶ *overdenking* view, consideration ★ *bij nadere ~* on further consideration ★ *buiten ~ laten* leave out of consideration, leave aside ❷ *bespreking* view ★ *een ~ geven over* give some reflections on ★ pol *algemene ~en* general debate

**beschrijven** ❶ *schrijven op* write on (paper) ★ *dicht beschreven bladzijde* closely written page ❷ *omschrijven* describe ★ *een boedel ~* draw up an inventory ★ *~d* descriptive ❸ *volgen* follow, trace ★ *een baan ~* follow an orbit, follow a trajectory

**beschrijving** description, ⟨van praktijkgeval⟩ case study

**beschroomd** timid

**beschuit** ≈ Dutch rusk ▼ *~ met muisjes* Dutch rusk with aniseed sprinkles

**beschuitje** cul omschr piece of Dutch rusk

**beschuldigde** accused

**beschuldigen** accuse (**van** of), charge (**van** with), ⟨van staatsmisdaden⟩ USA impeach

**beschuldiging** accusation, charge, jur indictment, ⟨van staatsmisdaden⟩ USA impeachment ★ *~ richten tegen* level charges at ★ *een ~ uiten* make a charge ★ *op ~ van* on (a) charge of

**beschut** protected, sheltered

**beschutten** shelter (from), screen (from), protect (from / against)

**beschutting** shelter, protection

**besef** ❶ *bewustzijn* consciousness ★ *tot het ~ komen dat* come to realize that ★ *het nationaal ~* the national consciousness ❷ *begrip* notion, idea, ⟨van situatie⟩ realization ★ *geen ~ hebben van* have no proper understanding of ★ *elk ~ van tijd verliezen* lose all sense of time

**beseffen** realize, appreciate, be aware of ★ *ik besef heel goed dat...* I fully appreciate that...

**besje** → **bes**

**beslaan I** *ov ww* ❶ *innemen* ⟨ruimte⟩ cover, ⟨ruimte⟩ take up, ⟨van tekst⟩ run to ❷ *van hoefijzers voorzien* shoe **II** *on ww, vochtig worden* mist over / up, steam up ★ *de ruiten zijn beslagen* the windows are misted / steamed up

**beslag** ❶ *deeg* batter ❷ *metalen bekleedsel* ⟨van deur⟩ metal / ironwork, ⟨op riem, schild⟩ studs

*mv*, ⟨van schoenen⟩ tips *mv* ❸ *hoefijzers* shoes *mv* ❹ *het bezit nemen* jur attachment, ⟨v. goederen⟩ seizure, ⟨v. schip in oorlogstijd⟩ embargo *mv: embargoes* ★ *in ~ nemen* confiscate ★ *~ leggen op* jur seize lay / impose an embargo on ▼ *zijn ~ krijgen* be settled / decided

**beslagen** ❶ → **beslaan** ❷ BN *onderlegd* ★ *goed ~ zijn in iets* have a good grounding in sth ▼ *ten ijs komen* be well prepared

**beslaglegging** seizure, confiscation

**beslapen** ★ *(het bed) was niet ~* (the bed) had not been slept in

**beslechten** settle, decide

**beslissen** ❶ *besluiten* decide, ⟨van voorzitter⟩ rule ★ *~ ten gunste / ten nadele van* decide in for / against ❷ *uitkomst bepalen* decide

**beslissend** ⟨doorslaggevend⟩ decisive, ⟨belangrijk⟩ crucial ★ *~e stem* casting vote ★ *op het ~e ogenblik* at the critical moment

**beslisser** ★ *voor de snelle ~* for people who can decide quickly

**beslissing** *besluit* decision, ⟨officieel⟩ ruling ★ *een ~ nemen* make / take a decision

**beslissingsbevoegd** have the power of decision

**beslissingswedstrijd** decider, ⟨extra wedstrijd⟩ play-off

**beslist I** *bnw, vastberaden* decided, resolute **II** *bijw, zeker* definitely, decidedly

**beslommering** care, worry

**besloten** ❶ *niet openbaar* private, closed ❷ *vast van plan* ★ *~ zijn om te gaan* be resolved / determined to go

**besluipen** stalk

**besluit** ❶ *beslissing* decision, resolution, ⟨ministerieel⟩ decree ★ *bij Koninklijk Besluit* by Royal Decree ★ *een ~ nemen* take a decision ★ *mijn ~ staat vast* my mind is made up ★ *tot een ~ komen* make up one's mind, come to a decision ❷ *conclusie* conclusion ★ *tot het ~ komen dat...* come to the conclusion that... ❸ *einde* conclusion, close ★ *tot ~* in conclusion ★ *tot een ~ brengen* bring (sth) to a close

**besluiteloos** indecisive, form irresolute

**besluiten** ❶ *het besluit nemen te* decide ❷ *concluderen* conclude ❸ *~ met* *beëindigen* end by, finish (up) by

**besluitvaardig** decisive, resolute

**besluitvorming** decision making

**besmeren** spread, ⟨met boter⟩ butter, ⟨met verf⟩ daub, ⟨vies maken⟩ smear

**besmettelijk** contagious, infectious, catching

**besmetten** infect, contaminate

**besmettingsgevaar** risk / danger of infection

**besmettingshaard** seat / root of the infection

**besmeuren** smear (on / over), stain

**besmuikt** sniggering, ⟨heimelijk⟩ furtive

**besneeuwd** snow-covered, snowed over

**besnijden** ❶ *snijden in* ⟨hout⟩ carve, ⟨stok⟩ whittle ❷ *besnijdenis toepassen* circumcise ▼ *fijn besneden gezicht* finely chiselled features

**besnijdenis** *bij mannen* circumcision

**besnoeien I** *ov ww, snoeien* prune, ⟨bomen⟩ lop, ⟨heg⟩ trim **II** *on ww, beperken* cut

**besodemieterd** ❶ *gek* cracked, crackers, mad ★ *ben je ~?* are you cracked / crackers?, have you gone mad? ❷ *beroerd* rotten ★ *ergens te ~ voor* *zijn* be too bloody-minded to do sth ★ *er ~ uitzien* look rotten

**besodemieteren** cheat, screw, shaft

**besogne** affair ★ *veel ~s hebben* have a lot to attend to

**bespannen** ❶ *trekdieren spannen voor* harness ★ *met paarden ~* horse-drawn ❷ *iets spannen op* ⟨met snaren⟩ string, ⟨met doek⟩ stretch

**besparen** ❶ *bezuinigen* save ★ *zich de moeite ~* save / spare o.s. the trouble ❷ *niet belasten met* save, spare

**besparing** saving ★ *ter ~ van tijd* to save time

**bespelen** ❶ *muziek maken op* play ❷ *spelen in / op* ★ *een schouwburg ~* play a theatre, play in a theatre ❸ *beïnvloeden* ⟨omstandigheden⟩ manipulate, ⟨gevoelens⟩ play on ★ *een publiek ~* play to the gallery

**bespeuren** perceive, sense, catch sight of, spot ★ *onraad ~* sense danger

**bespieden** spy on, watch

**bespiegelen** reflect on, contemplate

**bespiegeling** contemplation ★ *~en houden* speculate (on)

**bespioneren** spy on

**bespoedigen** accelerate, speed up

**bespottelijk** ridiculous ★ *zich ~ maken* make a fool of o.s. ★ *(iets / iemand) ~ maken* ridicule, deride ★ *~!* ridiculous!

**bespotten** ridicule, mock, deride

**bespraakt** articulate, eloquent

**bespreekbaar** ❶ *waar over te praten is* discussable ❷ *waarover te overleggen is* debatable, ⟨m.b.t. onderhandeling⟩ negotiable

**bespreekbureau** (advance) booking office, (theater) box office

**bespreken** ❶ *spreken over* speak / talk about, discuss ★ *iets onder vier ogen ~* talk about sth in private ❷ *reserveren* book ❸ *recenseren* review

**bespreking** ❶ *gesprek* discussion, talk ★ *een punt in ~ brengen* bring up a point, raise a point ★ *een ~ hebben met iem.* have a meeting with sb ❷ *onderhandeling* meeting, conference ❸ *recensie* review, write up

**besprenkelen** sprinkle

**bespringen** ❶ *springen op* leap / pounce / jump on ❷ *aanvallen* pounce upon, assault ❸ *dekken* cover, mount

**besproeien** ⟨planten⟩ water, ⟨land⟩ irrigate

**bespuiten** spray (on), spray ⟨met with⟩

**bessensap** cul red / blackcurrant juice

**bessenstruik** red / blackcurrant bush

**best I** bnw ❶ *overtreffende trap van goed* best, very good, ⟨zeer goed⟩ excellent ★ *er het beste van hopen* hope for the best ★ *de op een na beste* the second best ❷ ⟨als aanspreekvorm⟩ dear ★ *beste Bart* dear Bart ❸ *goed* fine ★ *het weer is best* the weather is fine ★ *niet best* not much good ★ *het ziet er niet zo best uit* it doesn't look too good, it's not looking too good ★ *ik vind het best* it's fine with me ▼ *het beste!* all the best! ▼ *het beste ermee* good luck, best wishes ▼ *zingen als de beste* sing with the best of them, sing as well as anyone / anybody ▼ *zo iets kan de beste overkomen* it could happen to the best of us **II** bijw ❶ *overtreffende trap van goed* best ★ *zij leest het best* she's the best reader ❷ *uitstekend* very well ❸ *tamelijk* quite

❹ *vast* ★ *het is best mogelijk* it's highly likely ★ *hij kan best thuis zijn* he may well be at home ★ *ik zou best wat lusten* I could do with a good meal ★ *dat doet hij best voor je* he is sure to do it for you **III** tw ★ *mij best, hoor* I don't mind ★ <u>iron</u> *mij best* a fat lot I care **IV** zn [het] best ★ *zijn best doen* do one's best ★ *zijn uiterste best doen* do one's utmost ★ *op zijn best* at one's best ▼ *ten beste geven* perform, sing

**bestaan I** on ww ❶ *zijn* be, exist ★ *er bestaat geen reden tot ongerustheid* there is no cause for alarm ❷ *mogelijk zijn* be possible ★ *dat bestaat niet!* that is impossible! ❸ ~ **uit** consist of ❹ ~ **van** live on ★ *er goed van kunnen ~* earn a good living, live comfortably **II** zn [het], *er van* existence ★ *het honderdjarig ~* the hundredth anniversary

**bestaansminimum** subsistence level, bare minimum ★ *beneden / boven het ~* below / above the poverty line

**bestaansrecht** right to exist ★ *~ ontlenen aan* be justified by

**bestaansreden** reason for existence

**bestaanszekerheid** social security

**bestand I** zn [het] ❶ comp file ❷ *wapenstilstand* truce **II** bnw ★ ~ *tegen hitte* heatproof ★ *tegen die verleiding was hij niet ~* he could not resist the temptation

**bestanddeel** element, ingredient

**bestandsbeheer** file management

**bestandsnaam** file name

**besteden** ❶ *uitgeven* spend (**aan** on) ❷ *gebruiken, aanwenden* ⟨aandacht⟩ pay (**aan** to), ⟨tijd⟩ spend (**aan** on), ⟨tijd⟩ devote (**aan** to) ★ *de tijd zo goed mogelijk ~* make the most of one's time ★ *veel zorg ~ aan iets* take a lot of care over sth

**besteding** expenditure, spending

**bestedingsbeperking** cut in expenditure, <u>form</u> retrenchment

**bestedingspatroon** pattern of spending

**besteedbaar** ★ ~ *inkomen* disposable income, income after tax

**bestek** ❶ *eetgerei* cutlery ❷ *kader* scope, compass ★ *in kort ~* in a nutshell, in brief ★ *buiten het ~ van dit werk* outside the scope of this work ❸ *bouwplan* specifications mv ❹ scheepv position, fix ★ ~ *opmaken* determine the position ❺ BN *prijsopgave* ⟨schatting⟩ estimate, ⟨offerte⟩ quotation

**bestekbak** cutlery tray

**bestel** ★ *het maatschappelijk ~* the social system

**bestelauto** (delivery) van

**bestelbon** order form

**bestelen** rob

**bestelformulier** order form

**bestellen** ❶ *iets laten komen* order (from), ⟨iemand⟩ send for somebody ❷ *thuis bezorgen* deliver

**besteller** ❶ *bezorger* ⟨postbode⟩ postman, ⟨van zaak⟩ delivery man ❷ *opdrachtgever* ≈ customer

**bestelling** ❶ *order* order ★ *in ~ zijn* be on order ★ ~*en doen bij* place orders with ❷ *bestelde goederen* order, goods ordered ❸ *bezorging* delivery

**bestelnummer** order number

**bestelwagen** (delivery) van

**bestemmen** mean, intend, mark out ★ *geld voor*

**be**

*iets* ~ set aside / earmark money for sth, *form* allocate money for sth

**bestemming ❶** *doel* destination ❷ *lot* destiny, lot

**bestemmingsplan** development plan

**bestemmingsverkeer** local / residential traffic

**bestempelen ❶** *een stempel drukken op* stamp ❷ *aanduiden als* call, label

**bestendig ❶** *niet veranderlijk* stable, 〈karakter〉 steady ★ ~ *weer* settled / stable weather ❷ *duurzaam* 〈kleur〉 permanent, 〈materialen〉 durable, 〈vrede, vriendschap〉 lasting, 〈vrede, vriendschap〉 enduring

**bestendigen** continue, make permanent

**besterven I** *ov ww* ★ *ik bestierf het bijna van de schrik* I nearly jumped out of my skin, I nearly died of fright ★ *ik bestierf het bijna van het lachen* I nearly died laughing **II** *on ww, licht rotten van vlees* ★ *het vlees laten* ~ hang meat ▼ *dat woord ligt hem in de mond bestorven* that word is constantly on his lips ▼ *de woorden bestierven op zijn lippen* the words died on his lips

**bestijgen** climb, 〈ook fig.〉 ascend, 〈van rijdier〉 mount

**bestoken ❶** *aanvallen* harass, 〈met granaten〉 shell, 〈met stenen〉 pelt ❷ *fig lastigvallen* pester, 〈met vragen〉 assail, 〈met vragen〉 bombard

**bestormen ❶** *stormlopen op* storm, attack ❷ *fig massaal bezoeken* besiege ★ *de bank werd bestormd* there was a run / rush on the bank ▼ *iem. met vragen* ~ bombard sb with questions

**bestorming ❶** *aanval* assault, attack ❷ *fig stormloop* 〈van winkel〉 rush (on), 〈van bank〉 run on

**bestraffen ❶** *straffen* punish ❷ *berispen* reprimand, rebuke

**bestraffing** punishment

**bestralen** med give radiotherapy

**bestraling** irradiation, med radiotherapy

**bestralingstherapie** radiotherapy

**bestraten** pave

**bestrating ❶** *het bestraten* paving, surfacing ❷ *wegdek* pavement

**bestrijden ❶** *vechten tegen* fight (against) ❷ *aanvechten* dispute (a point) ❸ *onkosten dekken* cover, reimburse, *form* defray

**bestrijding** fight, 〈het aanvechten〉 dispute, 〈het aanvechten〉 challenge ★ ~ *van insecten* pest control ★ *ter* ~ *van de kosten* to meet the expenses

**bestrijdingsmiddel** 〈tegen onkruid〉 weedkiller, 〈tegen insecten〉 pesticide

**bestrijken ❶** *besmeren* spread (over), smear, 〈verf〉 coat (with) ❷ *kunnen bereiken* cover, command ★ *een weg* ~ *met een machinegeweer* cover a road with a machine gun

**bestrooien** strew, 〈met suiker〉 sprinkle, 〈poeder〉 dust

**bestseller** bestseller

**bestuderen ❶** *studie maken van* study ❷ *onderzoeken* study, investigate, research

**bestuiven** cover with / in dust, biol pollinate

**besturen ❶** *sturen, bedienen* 〈schip〉 steer, 〈auto〉 drive, 〈vliegtuig〉 pilot, 〈vliegtuig〉 fly ❷ *leiding geven aan* manage, run ❸ *regeren* govern, rule

**besturing ❶** *het besturen* steering ❷ *stuurinrichting* controls *mv*

**besturingssysteem, besturingsprogramma** operating system

**bestuur ❶** *het leiding geven* 〈van land〉 government, 〈van land〉 rule, 〈bedrijf〉 management, 〈school〉 administration ❷ *groep bestuurders* 〈van school〉 (board of) governors *mv*, 〈van stad〉 council, 〈van vereniging〉 (executive) committee ★ *dagelijks* ~ executive committee ★ *in het* ~ *zitten* be on the committee / board ★ *plaatselijk* ~ local authorities

**bestuurder ❶** *leidinggevende* 〈van school, ziekenhuis〉 governor, 〈van school, ziekenhuis〉 director, 〈van land〉 ruler ❷ *voertuigbestuurder* 〈auto〉 driver

**bestuurlijk** administrative, managerial

**bestuursapparaat** machinery of government, administrative machinery

**bestuurscollege** governing body

**bestuurskunde** management science, business studies *mv*, study of public and social management

**bestuurslid** 〈instelling〉 member of the governors, 〈bedrijf〉 member of the board of directors, 〈vereniging〉 committee member

**bestuursrecht** jur administrative law

**bestwil** ★ *het is voor je eigen* ~ it's for your own good, it's in your own best interest

**bèta ❶** *Griekse letter* bèta ❷ *afdeling* science (subjects) ★ *bètafaculteiten* science and medicine ❸ *persoon* science student

**betaalautomaat** POS terminal, point-of-sale terminal, 〈voor kaartjes〉 ticket machine

**betaalbaar** *financieel haalbaar* affordable ★ *het moet wel* ~ *blijven* it must remain affordable

**betaald ❶** *beroeps* professional ★ ~ *voetbal* professional football / soccer ❷ *gehuurd* hired, paid for ★ ~ *antwoord* reply paid ▼ *iem. iets* ~ *zetten* get even with sb

**betaalmiddel** currency, means of payment *ev en mv* ★ *een wettig* ~ legal tender ★ *buitenlandse* ~*en* foreign currency

**betaalpas**, BN **betaalkaart** bank card

**betaalrekening** bank statement, statement of account

**betaaltelevisie** pay TV

**betaal-tv** pay TV

**bètablokker** beta blocker

**betalen I** *ov ww* ❶ *de kosten voldoen* 〈goederen〉 pay for, 〈rekening〉 pay, 〈schuld〉 settle, 〈schuld〉 pay off ★ *ik kan het niet* ~ I can't afford it ★ *iem. £5 laten* ~ charge sb £5 ★ *te veel laten* ~ overcharge ★ *vooruit* ~ pay in advance ❷ *vergelden* repay **II** *on ww, opleveren* ★ *dat betaalt goed* it pays well ★ *slecht* ~ underpay

**betaler** payer

**betaling** payment, 〈schuld〉 settlement ★ ~ *bij ontvangst* cash on delivery (c.o.d.) ★ *achterstallige* ~ back pay ★ *tegen* ~ *van...* on payment of... ★ *ter* ~ *van* in payment of ★ ~*en doen* make payments

**betalingsachterstand** arrears *mv* ★ *een* ~ *oplopen* get into arrears

**betalingsbalans** balance of payments

**betalingsopdracht** payment order

**betalingstermijn** payment period, term of payment

**betalingsverkeer** payment transactions, money

transfer

**betalingsvoorwaarden** terms of payment

**betamelijk** proper, decent

**betamen** become, befit ★ *zoals het betaamt* as is befitting

**betasten** feel, finger, handle

**bètastraling** beta radiation

**bètawetenschap** (natural) science

**betekenen ❶** *beduiden* mean, signify, stand for ★ *dat heeft niets te* ~ it's of no importance ★ *dat betekent niet veel goeds* that doesn't bode well ★ *wat betekent dat?* what does it mean? **❷** *waarde hebben* mean, matter ★ *haar werk betekent alles voor haar* her job means everything to her ★ *hij betekent iets* he's quite important ★ *weinig ~d* unimportant, insignificant ★ *het heeft niets te* ~ it doesn't matter ▼ *wat moet dat ~?* what's that supposed to mean?

**betekenis ❶** *inhoud, bedoeling* sense, meaning **❷** *belang, strekking* importance, significance ★ *een persoon van* ~ an important person, a distinguished person

**betekenisleer** semantics *mv*

**beter I** *bnw* **❶** *vergrotende trap van goed* better ★ *ik heb wel wat ~s te doen* I have better things to do ★ *jij bent ~ af dan ik* you are better off than I am ★ *de toestand wordt* ~ the situation is improving ★ *hij probeerde het* ~ *te krijgen* he tried to improve his position / lot **❷** *gezond* ★ ~ *worden* get better, recover **❸** *van bepaald niveau* ▼ *ik ben er niets* ~ *op / van geworden* I haven't got anything out of it, I have nothing to show for it **II** *bijw* ★ ~ *maken* make well / better ★ *de volgende keer ~!* better luck next time!

**beteren I** *ov ww, beter maken* ★ *zich / zijn leven* ~ mend one's ways, turn over a new leaf **II** *on ww, beter worden* get better

**beterschap ❶** *lichamelijk herstel* recovery ★ ~ *gewenst!* get well soon! **❷** *alg. verbetering* improvement ★ ~ *beloven* promise to mend one's ways

**beteugelen** check, curb

**beteuterd** perplexed, dazed, stunned

**betichten** ★ *iem. van iets* ~ accuse sb of sth

**betijen** ★ *laat hem* ~ leave him alone, let him be

**betimmeren** board, panel

**betitelen** call, style ★ *iets als flauwekul* ~ call / label sth nonsense

**betoeterd** cracked ★ *ben je ~?* have you lost your mind?

**betogen I** *ov ww, beredeneren* argue **II** *on ww, demonstreren* demonstrate, march

**betoger** demonstrator

**betoging** demonstration

**beton** concrete ★ *gewapend* ~ reinforced concrete

**betonen** [zich ~] show, display ★ *zijn dankbaarheid* ~ show one's gratitude

**betonijzer** reinforcing bars / metal

**betonmolen** concrete mixer

**betonrot** decay of concrete

**betonvlechter** steel / bar bender

**betoog** argument ★ *het behoeft geen ~ dat* it goes without saying that ★ *zijn ~ kwam hierop neer* his argument boiled down to this

**betoogtrant** line of argumentation / reasoning

**betoveren ❶** *beheksen* cast a spell on, bewitch **❷** *bekoren* fascinate, enchant

**betovergrootmoeder** great-great-grandmother

**betovergrootvader** great-great-grandfather

**betovering ❶** *beheksing* spell, bewitchment **❷** *bekoring* fascination, enchantment

**betrachten** practise, ⟨terughoudendheid⟩ show ★ *zuinigheid* ~ practise economy ★ *plicht* ~ do one's duty ★ *zorg* ~ exercise care

**betrappen** catch ★ *iem. op heterdaad* ~ catch sb in the act ★ *iem. op diefstal* ~ catch sb stealing ★ *iem. op leugens* ~ catch sb out

**betreden ❶** *stappen op* set foot on, step onto **❷** *binnengaan* enter

**betreffen ❶** *betrekking hebben op* concern, relate to ★ *het betreft het volgende* it concerns the following ★ *waar het nieuwe technologie betreft* when it comes to new technology **❷** *aangaan* concern, regard ★ *wat mij betreft* as far as I'm concerned, as for me, personally ★ *wat zijn gezondheid betreft* as regards his health, regarding his health ★ *wat dat betreft* as to that

**betreffend** concerned ★ *de ~e personen* the persons concerned, the persons in question

**betreffende** concerning, regarding ★ ~ *dat onderwerp* concerning that subject

**betrekkelijk** *relatief* relative, comparative ★ ~ *voornaamwoord* relative pronoun

**betrekken I** *ov ww* **❶** *laten meedoen (met)* involve, include ★ *hij is er niet bij betrokken* he's not involved in it ★ *iem. in een gesprek* ~ draw sb into a conversation **❷** *gaan bewonen* move into ★ *de wacht* ~ mount guard ★ *een nieuw huis* ~ move into a new house **❸** *koopwaar afnemen* obtain, buy **❹** ~ *op* ★ *alles op jezelf* ~ relate everything to yourself **II** *on ww* **❶** *somber worden* cloud over ★ *zijn gezicht betrok* his face fell **❷** *bewolkt worden* become overcast

**betrekking ❶** *band, verband* relation ★ *met* ~ *tot* with relation / regard to, <u>form</u> in / with reference to ★ ~ *hebben op* relate to, bear on ★ *in* ~ *staan tot* be connected with ★ ~ *en onderhouden met* maintain relations / a relationship with ★ *de hierop* ~ *hebbende gegevens* the data pertaining to this **❷** *baan* position, post, job ★ *naar een* ~ *solliciteren* apply for a job ★ *in* ~ *zijn bij* be employed by ★ *zonder* ~ out of work, unemployed

**betreuren** regret, deplore, ⟨een verlies⟩ mourn, ⟨overledene⟩ mourn for ★ *er waren geen mensenlevens te* ~ there was no loss of life

**betreurenswaardig** regrettable, deplorable, sad

**betrokken ❶** *bij iets gemoeid* concerned, involved ★ *de ~ autoriteiten* <u>form</u> the proper authorities ★ *de ~ persoon* the <u>person</u> concerned / in question **❷** *bewolkt* dull, overcast, cloudy **❸** *somber* gloomy, sad

**betrokkenheid** *engagement* involvement, concern

**betrouwbaar** reliable, dependable ★ *uit betrouwbare bron* on good authority

**betrouwbaarheid** reliability, dependability

**betten** bathe, dab

**betuigen** express, ⟨onschuld⟩ protest ★ *zijn onschuld* ~ protest one's innocence ★ *zijn*

**be**

*medeleven* ~ express one's sympathy to sb
**betuiging** expression, declaration ★ ~ *van vriendschap* expression of friendship ★ ~ *van deelneming* expression of sympathy
**betuttelen** patronize, find fault with
**betweter** know(-it)-all, inform smart-arse
**betwijfelen** doubt
**betwistbaar ❶** *aan te vechten* disputable **❷** *betwijfelbaar* questionable, debatable
**betwisten ❶** *aanvechten* dispute, ⟨stelling, recht, e.d.⟩ challenge ★ *ik betwist dat niet* I don't deny it **❷** *ontzeggen* deny **❸** *strijden om bezit* contest
**beu** ▼ *iets beu zijn* be fed up with sth, be sick / tired of sth
**beugel** *tandbeugel* brace ▼ *dat kan niet door de ~* that won't do
**beugel-bh** underwired bra
**beuk ❶** *boom* beech **❷** *bouw* ⟨hoofdbeuk⟩ nave, ⟨zijbeuk⟩ aisle ▼ *de beuk erin!* go for it!
**beuken I** *bnw* beech **II** *ov ww, hard slaan* batter, pound, hammer
**beukenhout** beech(wood)
**beukennootje** beech nut
**beul ❶** *uitvoerder van lijfstraf* executioner, ⟨bij ophanging⟩ hangman **❷** *fig wreedaard* brute, beast ▼ *zo brutaal als de beul* as bold as brass
**beunhaas ❶** *prutser* bungler, inform cowboy, ⟨in politiek, e.d.⟩ dabbler **❷** *zwartwerker* moonlighter
**beuren ❶** *tillen* lift (up) **❷** *verdienen* receive
**beurs I** *zn* [de] **❶** *portemonnee* purse **❷** *toelage* scholarship, ⟨beperkt⟩ bursary, grant ★ *van een ~ studeren* be on a scholarship **❸** *econ* stock exchange, ⟨gebouw⟩ Exchange ★ *op de* ~ on the stock exchange / market **❹** *tentoonstelling* fair ▼ *in zijn ~ tasten* dip into one's purse **II** *bnw, te zacht* overripe, ⟨gekneusd⟩ bruised ▼ *iem. ~ slaan* beat sb to a pulp
**beursbericht** stock market report
**beursgang** (stock exchange / market) flotation
**beursgenoteerd** quoted on the stock exchange
**beursindex** stock market price index, share price index
**beurskoers** share price, ⟨stock-exchange⟩ quotation
**beurskrach** (stock market) crash
**beursmakelaar** stockbroker
**beursnotering** *koers* ⟨m.b.t. wisselkoers⟩ foreign exchange rate, ⟨m.b.t. aandelen⟩ quotation
**beursstudent** scholarship student, form scholar
**beurswaarde** market price / value
**beurt ❶** *gelegenheid dat iets gebeurt* turn, ⟨van kamer⟩ turn-out ★ *de ~ is aan mij* it's my turn ★ *wie is aan de ~?* who is next?, whose turn is it? ★ *om ~en* in turn ★ *om de ~* in turn, by turns ★ *ieder op zijn ~* everyone in their turn ★ *voor je ~ geven* give sth a thorough cleaning **❸** *revisie* service ★ *grote ~* major service **❹** *indruk* ★ *een goede ~ maken* make a good impression ★ *een slechte ~ maken* put up a poor show **❺** *vulg* vrijpartij ▼ *te ~ vallen* fall to your share, fall to you ▼ *de ontvangst die mij te ~ viel* the reception which I met with ▼ *de eer die mij te ~ valt* the honour conferred on me
**beurtelings** in turn

**beurtrol** ▼ *BN volgens ~* in turn, by turns
**beuzelarij** *kletspraat* twaddle, drivel
**bevaarbaar** navigable
**bevallen ❶** *in de smaak vallen (bij)* please ★ *het beviel hem niets* he didn't like it at all **❷** *baren* have / deliver a baby, lit be delivered (of a child) ★ *ze moet* ~ she's expecting, she is going to have her baby
**bevallig** graceful
**bevalling** delivery ★ *zware* ~ difficult delivery
**bevallingsverlof** BN maternity leave
**bevangen** overcome, seize ★ *door de hitte / vermoeidheid* ~ overcome by the heat / with fatigue ★ *door paniek / schrik* ~ panic-stricken, terror-struck
**bevaren** sail
**bevattelijk ❶** *duidelijk* intelligible **❷** *vlug van begrip* intelligent
**bevatten ❶** *in zich houden* contain **❷** *begrijpen* comprehend, grasp
**bevattingsvermogen** comprehension, grasp ★ *dat gaat mijn ~ te boven* that's beyond me
**bevechten ❶** *vechten tegen* fight (against), combat **❷** *vechtend verkrijgen* fight for ★ *de overwinning* ~ carry the day, gain victory
**beveiligen** protect, secure (against / from)
**beveiliging ❶** *het beveiligen* protection, security **❷** *middel* safety / security device
**beveiligingsbeambte** security guard
**beveiligingsdienst** security service / firm
**beveiligingssysteem** security system
**bevel ❶** *opdracht* order, command, jur warrant ★ ~ *en geven* give orders ★ *op* ~ *van* by order of ★ ~ *tot aanhouding* warrant for arrest **❷** *bevelvoering* command ★ *onder* ~ *van* under the command of ★ *het* ~ *voeren (over)* be in command (of)
**bevelen** order, command
**bevelhebber** commander
**bevelschrift** warrant
**bevelvoering** command
**beven** tremble, ⟨van angst, kou⟩ shake, ⟨van angst, kou⟩ shiver ★ ~ *van kou* shiver with cold ★ ~ *als een rietje* tremble / shake like a leaf ★ *met ~de stem* in a quavering voice
**bever** *dier* beaver
**beverig** trembling, shaking, shivery, ⟨handschrift⟩ shaky
**bevestigen ❶** *vastmaken* fix, fasten, attach **❷** *bekrachtigen* confirm, jur uphold ★ *dit bevestigt mijn mening* this confirms my opinion **❸** *beamen* affirm, confirm
**bevestigend I** *bnw* affirmative **II** *bijw* ★ ~ *antwoorden* answer in the affirmative
**bevestiging ❶** *het vastmaken* fastening **❷** *bekrachtiging* confirmation ★ *ter* ~ *van* in confirmation of **❸** *erkenning* confirmation, ⟨van brief⟩ acknowledgement
**bevinden I** *ov ww, vaststellen* find ★ *akkoord* ~ find correct ★ *schuldig* ~ *aan iets* find guilty of sth **II** *wkd ww* [zich ~] *in toestand / plaats zijn* find oneself, be ★ *hij bevindt zich elders* he is somewhere else ★ *zich in gevaar* ~ be in danger
**bevinding ❶** *uitkomst* result, ⟨resultaat van onderzoek⟩ finding, ⟨slotsom⟩ conclusion **❷** *ervaring* experience

**beving** quake, tremor

**bevlekken** lett soil, ⟨moeilijk te verwijderen⟩ stain

**bevlieging** caprice, impulse, whim ★ *een ~ krijgen om* get a sudden impulse to ★ *een ~ van ijver* a sudden attack of zeal

**bevloeien** irrigate

**bevlogen** animated, inspired, enthusiastic ★ *een ~ kunstenaar* an inspired artist

**bevochtigen** moisten

**bevoegd ❶** *gerechtigd* authorized, ⟨leraar⟩ qualified, ⟨gezag, gerechtshof⟩ competent **❷** *competent* qualified

**bevoegdheid ❶** *recht* qualification, authority, ⟨gezag, gerechtshof⟩ competence ★ *de ~ bezitten om* have the power to ★ *dat ligt buiten mijn ~* that is outside / beyond my authority **❷** *competentie* competence, qualification

**bevoelen** feel, finger, touch

**bevolken** people

**bevolking** population ★ BN *actieve ~* working population, labour force

**bevolkingscijfer** population rate

**bevolkingsdichtheid** population density

**bevolkingsexplosie** population explosion

**bevolkingsgroei** population growth

**bevolkingsgroep** *stand* population group, ⟨section of the⟩ community

**bevolkingsonderzoek** med screening

**bevolkingsoverschot** population excess, overpopulation

**bevolkingsregister** population register, GB Register of Births, Deaths and Marriages ★ *uittreksel uit het ~* certificate of residence

**bevoogden** *betuttelen* patronize

**bevoordelen** benefit, favour

**bevooroordeeld** prejudiced, bias(s)ed

**bevoorraden** supply

**bevoorrecht** privileged

**bevoorrechten** privilege

**bevorderen ❶** *begunstigen* further, ⟨belangen, e.d.⟩ promote, ⟨gezondheid⟩ benefit, ⟨groei, eetlust⟩ stimulate ★ *de bloedsomloop ~* stimulate the circulation of the blood **❷** *promoveren* promote

**bevordering ❶** *begunstiging* promotion, advancement **❷** *promotie* ★ *de ~ tot commissaris* the promotion to commissioner

**bevorderlijk** conducive (**voor** to), beneficial (**voor** to)

**bevrachten** *vracht laden* load

**bevragen I** *ov ww* ▼ *te ~ bij* apply to **II** *wkd ww* [zich ~] BN inform *zich informeren* ask for information

**bevredigen I** *ov ww* **❶** *tevreden stellen* satisfy, please **❷** *voldoening geven aan* satisfy, ⟨wens⟩ gratify ★ *~d* satisfactory, satisfying **II** *wkd ww* [zich ~] masturbate

**bevrediging** ⟨van verlangen, e.d.⟩ satisfaction, gratification

**bevreemden** surprise

**bevreemding** surprise

**bevreesd** afraid (**voor** of), scared (**voor** of), frightened (**voor** of)

**bevriend** friendly ★ *~ raken* become friends, befriend

**bevriezen I** *ov ww* **❶** *zeer koud maken* freeze **❷** fig *blokkeren* ⟨lonen⟩ freeze, ⟨krediet⟩ freeze, ⟨krediet⟩ block **II** *on ww* **❶** *zeer koud worden* freeze, be frozen ★ *water bevriest bij 0 °C* water freezes at 0 °C ★ *de rivier is bevroren* the river is frozen over ★ *zijn vingers waren bevroren* his fingers were frozen, ⟨door kou aangetast⟩ his fingers were frostbitten ★ *bevroren ruiten* frosted windows ★ *de leidingen zijn bevroren* the pipes are frozen up / solid ★ *ik bevries zowat* I'm freezing cold ★ *het is hier om te ~* it's freezing cold in here **❷** psych *verstijven* freeze ★ *ik bevroor toen ze dat hoorde* I froze (up) when she heard that

**bevrijden** liberate, free (from), ⟨gevangenen⟩ set free, ⟨uit gevaar⟩ rescue ▼ *daar ben ik van bevrijd gebleven* I was spared that

**bevrijding** liberation, ⟨gevangenen⟩ release, ⟨uit gevaar⟩ rescue

**Bevrijdingsdag** liberation day

**bevruchten** fertilize, ⟨zwanger maken⟩ impregnate

**bevruchting** *conceptie* fertilization, ⟨het bezwangeren⟩ impregnation ★ *kunstmatige ~* artificial insemination

**bevuilen** soil, dirty

**bewaarder ❶** *bewaker* keeper, ⟨van gevangenen⟩ prison officer, ⟨van gevangenen⟩ warder **❷** *iem. die bewaart* keeper, ⟨beheerder⟩ custodian

**bewaarmiddel** BN preservative

**bewaken ❶** *waken over* watch over, ⟨voor veiligheid⟩ guard ★ *een huis laten ~* put a house under surveillance **❷** *controleren* monitor, control

**bewaker** guard, ⟨m.b.t. veiligheid⟩ security guard, ⟨in museum⟩ custodian, ⟨in museum⟩ curator, ⟨in gevangenis⟩ warder

**bewaking ❶** *het waken over* guard, watch ★ *onder ~ staan* be under guard / surveillance ★ *onder ~ stellen* put under guard ★ *onder ~ van de politie* under police surveillance **❷** *het controleren* monitoring

**bewakingsdienst** security service / firm

**bewandelen** walk (on) ▼ *de officiële weg ~* take the official line ▼ *de middenweg ~* steer a middle course

**bewapenen** arm

**bewapening** armament, ⟨wapens⟩ arms *mv*

**bewapeningswedloop** arms race

**bewaren ❶** *bij zich houden* keep, save **❷** *in stand houden* keep, maintain, preserve ★ *zijn kalmte ~* keep calm ★ *zijn evenwicht ~* maintain one's balance **❸** *behoeden* protect, save (from) **❹** *opbergen* keep, store, ⟨etenswaren⟩ preserve ★ *aardappelen ~* store potatoes ★ *dit voedsel kan niet worden bewaard* this food won't keep **❺** comp *opslaan* save (**als** as) ▼ *de hemel beware me!* heaven forbid!

**bewaring ❶** *het bewaren* keeping, ⟨opslaan⟩ storage, ⟨voedsel⟩ preservation ★ *in ~ geven* deposit (with) ★ *in ~ nemen* take into custody ★ *in ~ hebben* have in one's keeping **❷** *opsluiting* custody ★ *iem. in verzekerde ~ nemen* take sb into custody ★ *verzekerde ~* detention

**beweegbaar** movable

**beweeglijk ❶** *te bewegen* mobile, movable

be

**②** *levendig* lively, active
**beweegreden** motive, ground
**bewegen I** *on ww, in beweging komen* move, stir
**II** *ov ww, overhalen (tot)* ★ *iem. ~ te...* induce / get
sb to... **III** *wkd ww* [zich ~] *omgang hebben met*
move (in)
**beweging ①** *verandering van plaats* movement,
motion, (lichaamsbeweging) exercise ★ *een*
*omtrekkende ~ maken* outflank ★ *in ~ brengen* set
in motion, get going ★ *in ~ houden* keep going
★ *de trein zette zich in ~* the train pulled away
**②** *groep mensen met streven* movement
**③** *beroering* commotion ★ *de gemoederen in ~*
*brengen* stir up (public) concern / discussion /
debate ▼ *uit eigen ~* spontaneously, of one's own
accord
**bewegingsmelder** motion detector
**bewegingsruimte ①** lett space to move **②** fig
freedom of movement, elbowroom
**bewegingstherapie** physiotherapy
**bewegingsvrijheid** freedom of movement
**bewegwijzering** signposting
**beweren** assert, claim, (voorgeven) pretend
★ *wat zij wil ~ is dat...* her point is that...
**bewering** assertion, (uitspraak) statement,
(betwistbaar) claim
**bewerkelijk** laborious, elaborate,
time-consuming
**bewerken ①** *behandeling laten ondergaan* (boek)
edit, (herzien) revise, (land) cultivate, (land)
farm, (muziek) arrange, (stoffen) manufacture,
(stoffen) make, (toneelstuk) rewrite, (voor toneel,
film) adapt (for) ★ *bewerkt naar* adapted from ★ *~*
*tot* work up into (a play / book / film)
**②** *beïnvloeden* manipulate, work on, (kiezers)
canvass **③** *teweegbrengen* accomplish, bring
about
**bewerking ①** *het bewerken* (van land) cultivation,
(grondstoffen, voedsel e.d.) process ★ *in ~ in*
preparation **②** *herziening* revision **③** *resultaat*
(boek, tekst) adaptation, (muziekstuk)
arrangement, (van toneelstuk, film, boek, e.d.)
version ★ *~ voor film* adaptation for the screen
**④** wisk operation
**bewerkstelligen** bring about, achieve,
accomplish
**bewijs ①** *iets wat overtuigt* proof, evidence ★ *het*
*levende ~* the living proof ★ *iets met bewijzen*
*staven* substantiate sth ★ *als ~ aanvoeren* quote in
evidence ★ *het is aan hem om het ~ te leveren* the
burden of proof lies with him ★ *ten bewijze*
*hiervan* in proof / support of this ★ *het ~ leveren*
produce evidence ★ *~ uit het ongerijmde* reductio
ad absurdum **②** *document* certificate, testimonial
★ *~ van betaling* receipt, USA sales slip ★ *~ van*
*eigendom* (vastgoed) (title) deed(s) ★ *~ van goed*
*gedrag* certificate of good conduct ★ *~ van*
*lidmaatschap* certificate of membership,
membership card ★ *~ van ontvangst* receipt
**③** *blijk* proof, evidence, (van respect) token /
mark ★ *~ van erkentelijkheid* token of
appreciation
**bewijsgrond** argument
**bewijskracht** ★ *~ ontlenen aan* provide evidence
of
**bewijslast** burden of proof

**bewijsmateriaal** evidence
**bewijsstuk** evidence, proof, jur exhibit
**bewijsvoering ①** furnishing of proof **②** *betoog*
argumentation
**bewijzen ①** *aantonen* prove, establish,
demonstrate ★ *zijn gelijk ~* prove one's point
**②** *betuigen* show, (een dienst) form render ★ *eer*
*~* pay tribute to ★ *de laatste eer ~* pay sb one's last
respects ★ *een gunst ~* confer a favour
**bewind** *regering* government, administration
★ *aan het ~ komen* come / get into power, come
to the throne
**bewindsman ①** *minister* Minister
**②** *staatssecretaris* State Secretary
**bewindspersoon ①** *lid van regering* member of
government, minister **②** *lid van een bestuur*
member of the Board
**bewindvoerder** *bestuurder* administrator, (bij
faillissement) trustee
**bewogen ①** *ontroerd* moved, stirred ★ *sociaal ~*
actively concerned in social matters / public
affairs ★ *tot tranen toe ~* moved to tears
**②** audio-vis onscherp blurred **③** *veelbewogen*
eventful, stirring
**bewolking** clouds *mv*
**bewolkt** cloudy, overcast ★ *wisselend ~*
intermittent clouds
**bewonderaar** admirer
**bewonderen** admire
**bewonderenswaardig** admirable
**bewondering** admiration (of / for)
**bewonen** inhabit, (huis, e.d.) live in, (huis, e.d.)
occupy
**bewoner** (van stad, huis) resident, (huis, kamer)
occupant, (van stad, land) inhabitant ★ *aan de ~s*
*van dit pand* (to) occupants
**bewoning** habitation, occupation ★ *ongeschikt*
*voor ~* unfit for (human) habitation ★ *ongeschikt*
*voor permanente ~* unsuitable for permanent
residence
**bewoordingen** wording, phrasing ★ *in duidelijke*
*~ te verstaan geven* tell sth in no uncertain terms
**bewust ①** *wetend* aware, conscious ★ *zich ~*
*worden van iets* become conscious / aware of sth
★ *zich ~ zijn van* be conscious / aware of,
appreciate ★ *van geen gevaar ~* unaware of any
danger **②** *betreffende* concerned ★ *die ~e dag* that
particular day ★ *de ~e zaak* the matter in
question, the matter concerned **③** *doelbewust*
intentional, deliberate ★ *~ of on~* consciously or
unconsciously
**bewusteloos** unconscious, senseless
**bewusteloosheid** unconsciousness
**bewustmaking** alerting to
**bewustwording** awakening, realisation
**bewustzijn** consciousness, awareness ★ *bij ~*
conscious ★ *buiten ~* unconscious ★ *weer tot ~*
*komen* regain consciousness ★ *het ~ verliezen* lose
consciousness
**bewustzijnsvernauwing** lowering of
consciousness, reduced / restricted consciousness
**bewustzijnsverruimend** psychodelic
**bezaaien** *inzaaien* sow, (bloemen) dot, (rommel)
litter, (bloemen, papieren) strew, (sterren) stud
**bezadigd** sober-minded, (persoon) steady
**bezatten** [zich ~] get drunk, get sloshed, hit the

bottle, inform get pissed

**bezegelen** seal ★ *een koop* ~ clinch a sale ★ *zijn lot* ~ seal one's fate

**bezeilen ❶** *zeilen over* sail ❷ *door zeilen bereiken* sail for / to ▾ *er valt geen land mee te* ~ it's hopeless, one cannot do a thing with it

**bezem** broom ▾ *de* ~ *er eens goed door halen* make a clean sweep of things, give things a good shake up

**bezemsteel** broomstick

**bezemwagen** sag wagon, broomwagon

**bezeren** hurt, injure

**bezet ❶** *gevuld met mensen* occupied, ⟨van plaats⟩ taken ★ *geheel* ~ full up ★ *de voorstelling was goed / slecht* ~ attendance was good / poor, the performance was well / poorly-attended ❷ *gevuld met activiteiten* ⟨van persoon⟩ occupied, ⟨van persoon⟩ busy ★ *druk ~te dag* crowded / busy day ★ *dan ben ik* ~ then I'll be engaged / busy ❸ *mil ingenomen* occupied ❹ *bedekt* set ★ *met juwelen* ~ set with jewels

**bezeten ❶** *krankzinnig* possessed ★ *als een* ~ like one possessed ❷ ~ *van* obsessed by / with, mad / crazy about

**bezetten ❶** *innemen* occupy, fill, ⟨ruimte, plaats⟩ take, ⟨hotelkamer, land⟩ occupy ❷ *bedekken* set ❸ *rol e.d. vervullen* ⟨toneelstuk, film⟩ cast, ⟨vacature⟩ fill

**bezetter** occupier

**bezetting ❶** *het bezetten* occupation ❷ *spelers* cast, ⟨van een orkest⟩ strength

**bezettingsgraad** occupancy

**bezettoon** engaged tone

**bezichtigen** inspect, view ★ *een huis* ~ view a house ★ *een kathedraal* ~ pay a visit to a cathedral, visit a cathedral ★ *te* ~ on view

**bezichtiging** viewing, inspection

**bezield** animated, inspired

**bezielen ❶** *leven geven aan* animate, breathe life into ❷ *inspireren* inspire, animate ★ *wat bezielt je?* what has come over you? ★ *wat bezielde hem toch om zo iets te doen?* whatever possessed him to do that?

**bezieling** *inspiratie* animation, inspiration

**bezien** *denken over* ★ *het staat te* ~ it remains to be seen

**bezienswaardig** worth seeing

**bezienswaardigheid** sight, place of interest ★ *de bezienswaardigheden van een stad* the sights of a town

**bezig** busy, engaged (in), occupied (with) ★ ~ *zijn aan iets* be at work on sth ★ *nu ik er toch mee* ~ *ben* while I am at / about it ★ *hij was druk* ~ *met schrijven* he was busy writing ▾ *zij is weer eens* ~ she is at it again

**bezigen** use

**bezigheid** work, activity, occupation ★ *dagelijkse bezigheden* daily tasks / activities

**bezigheidstherapie** occupational therapy

**bezighouden I** *ov ww* ❶ *aandacht eisen* keep busy, ⟨iemands aandacht⟩ hold ★ *het houdt mij voortdurend bezig* it haunts me, it occupies my mind ❷ *amuseren* ★ *aangenaam* ~ entertain **II** *wkd ww* [zich ~] ~ *met aandacht besteden aan*, be engaged in

**bezingen** sing

**bezinken ❶** *naar bodem zakken* settle (down) ❷ *helder worden* clarify ❸ *tot rust komen* sink in, digest ★ *iets laten* ~ let sth sink in

**bezinking** *het bezinken* sedimentation, scheik precipitation

**bezinksel ❶** scheik deposit ❷ aardk sediment

**bezinnen** *nadenken* reflect, ponder ★ *bezint, eer gij begint* look before you leap

**bezinning ❶** *het nadenken* reflection, contemplation ★ *een periode van* ~ a time / period of (self-)reflection ❷ *besef* reflection ★ *tot* ~ *komen* come to one's senses ★ *iem. tot* ~ *brengen* bring sb to his senses

**bezit ❶** *het bezitten* possession ★ *iets in* ~ *nemen* take possession of sth ★ *in het* ~ *komen van iets* come into possession of sth ❷ *bezitting* possession, credits *mv*, ⟨eigendom⟩ property, ⟨op een balans⟩ assets *mv* ★ *gedeeld / gemeenschappelijk* ~ shared / collective ownership

**bezittelijk** possessive

**bezitten** own, possess

**bezitter** owner, possessor, ⟨hotel, huis⟩ proprietor

**bezitterig** possessive

**bezitting** property, possession, ⟨onroerend goed⟩ estate

**bezoedelen** stain, soil

**bezoek ❶** *het bezoeken* visit, call, ⟨van school, e.d.⟩ attendance ★ *een* ~ *afleggen* pay a visit (to), call on ★ *ik ga vaak bij ze op* ~ I often go and visit / see them ★ *op* ~ *zijn bij* be visiting ❷ *personen* visitors *mv*, callers *mv*

**bezoeken ❶** *gaan naar* visit, call on, ⟨kerk, school⟩ attend ❷ *beproeven* try ★ *door het ongeluk bezocht* afflicted by misfortune

**bezoeker** guest, caller, visitor, ⟨schouwburg⟩ theatregoer

**bezoeking** *beproeving* trial

**bezoekrecht** jur ⟨bij scheiding⟩ (right of) access

**bezoekregeling** visiting arrangements *mv*

**bezoektijd** visiting hour / time

**bezoekuur** visiting hour / time

**bezoldigen** pay ★ *een bezoldigde functie* a paid / salaried position

**bezoldiging** pay, salary

**bezondigen** [zich ~] aan be guilty of

**bezonken** mature, well-considered

**bezonnen** well thought out, ⟨persoon⟩ steady, ⟨persoon⟩ level-headed, ⟨plan⟩ well-advised

**bezopen ❶** *dronken* sloshed, plastered ❷ *idioot* ★ *'n* ~ *idee* a daft / crackpot idea

**bezorgd ❶** *ongerust* uneasy (about), anxious, worried ★ *ik maak me niet* ~ *over hem* I don't worry about him ❷ *zorgzaam* concerned (for / about)

**bezorgdheid ❶** *ongerustheid* worry, anxiety ★ *geen reden tot* ~ no cause for concern ❷ *zorgzaamheid* concern (for / about)

**bezorgdienst** delivery service

**bezorgen ❶** *afleveren* deliver ❷ *verschaffen* get, provide ❸ *(een uitgave) verzorgen* edit

**bezorger** *besteller* delivery man / woman, roundsman, ⟨van krant⟩ newspaper boy / girl

**bezorging** delivery ★ ~ *aan huis* home delivery

**bezorgkosten** delivery charge

**bezuinigen** economize (**op** on), cut back / down (**op** on) ★ *op de uitgaven* ~ cut back on spending

**bezuiniging** economy, cutback, (besparing) saving ★ *dit levert een grote* ~ *op* this saves a lot of money

**bezuinigingsmaatregel** economy measure, (geld) spending cut

**bezuren** ★ *dat zal je* ~ you'll regret that

**bezwaar ❶** *beletsel* drawback ★ ~ *opleveren* present difficulties ★ *op bezwaren stuiten* meet with objections **❷** *bedenking* objection, (gewetensbezwaar) scruple, (gewetensbezwaar) qualm ★ ~ *hebben / maken tegen* object to

**bezwaard** troubled, worried, (door schulden) aggrieved ★ *zich* ~ *voelen over iets* have qualms / scruples about sth

**bezwaarlijk I** *bnw* inconvenient ★ *vindt u het* ~ *morgen te komen?* would tomorrow be inconvenient? **II** *bijw* hardly, not very well

**bezwaarschrift** petition, appeal, (tegen belasting) petition

**bezwaren ❶** *econ belasten* burden, encumber ★ *met een hypotheek* ~ mortgage ★ *bezwaard eigendom* encumbered property **❷** *psych belasten* burden, weigh down ★ *zijn geweten* ~ trouble one's conscience

**bezweet** perspiring, sweating ★ *ik ben helemaal* ~ I'm all sweaty

**bezweren ❶** *plechtig / onder ede verklaren* swear **❷** *smeken* implore **❸** *in zijn macht brengen* conjure up, charm, (geest) lay ★ *slangen* ~ charm snakes **❹** *afwenden* (angst) allay, (gevaar, opstand) avert, (geest) excorcize ★ *het gevaar* ~ avert the danger

**bezwering ❶** *jur het onder eed verklaren* swearing **❷** *het verdrijven van geesten* exorcism **❸** *magische formule* incantation

**bezwijken ❶** *het begeven (onder)* collapse, give way **❷** *zwichten (voor)* succumb, give in, yield to ★ *voor de verleiding* ~ yield to temptation **❸** *sterven* go under, succumb ★ *aan een ziekte* ~ succumb to a disease

**bezwijmen** faint (away)

**B-film** B-movie / film

**b.g.g.** *bij geen gehoor* if no answer

**bh** *bustehouder* bra

**Bhoetaans** Bhutanese

**Bhoetan** Bhutan

**bi I** *zn* [de], *biseksueel* bisexual **II** *bnw*, *biseksueel* bisexual

**biatleet** biathlete

**biatlon** *sport* biathlon

**bib** BN *bibliotheek* library

**bibberen** (van de kou, angst) shiver, (van de kou, angst) tremble, (van angst) quiver

**bibbergeld** danger money

**bibliografie** bibliography

**bibliografisch** bibliographical

**bibliothecaris** librarian

**bibliotheek** library

**bic** BN *inform balpen* ballpoint (pen), biro

**biceps** biceps

**bicommunautair** BN *van / in Vlaanderen en Wallonië* bicommunal

**bidden ❶** *gebed doen* pray, say one's prayers ★ *voor / na het eten* ~ say grace **❷** *smeken* beg,

entreat, implore ★ *na lang* ~ *en smeken* after much begging and pleading

**bidet** bidet

**bidon** water bottle

**bidprentje ❶** *prentje ter nagedachtenis* mortuary card **❷** *heiligenprentje* devotional picture

**bidsprinkhaan** praying mantis

**bieb** *bibliotheek* library

**biecht** confession ★ *te* ~ *gaan* go to confession ★ *iem. de* ~ *afnemen* take sb's confession ▼BN *uit de* ~ *klappen* spill the beans, let the cat out of the bag

**biechten** confess

**biechtgeheim** secret of the confessional

**biechtstoel** confessional

**bieden ❶** *aanbieden, geven* (kansen, geld) offer, (aanblik) present **❷** *een bod doen* bid, make a bid ★ *meer* ~ *dan iem.* outbid sb

**bieder** bidder ★ *de hoogste* ~ the highest bidder

**biedkoers** *inloopkoers* bid price

**biedprijs** offer(ed) price, bid

**biefstuk** cul steak ★ ~ *van de haas* fillet steak

**biels** (railway) sleeper

**bier ❶** cul beer, ale ★ *blond bier* lager ★ *donker bier* ≈ stout ★ *bier van het vat* draught beer ▼BN *dat is geen klein bier* that's not to be sneezed at **❷** → *biertje*

**bierblikje** beer can

**bierbrouwerij** brewery

**bierbuik** beer belly / gut

**bierglas** beer glass

**bierkaai** ▼ *vechten tegen de* ~ fight a losing battle

**biertje** cul beer

**bierviltje** beermat

**bies ❶** *oeverplant* (bul)rush **❷** *boordsel* piping, (randje) border ▼ *zijn biezen pakken* clear out

**bieslook** cul chive(s)

**biest** beestings

**biet** (sugar)beet ★ *bietjes* beetroot

**bietsen** scrounge, cadge, USA bum ★ *een appel bij iem.* ~ scrounge an apple off sb

**biezen I** *bnw* rush ★ ~ *zitting* rush-seat **II** *ov ww* edge, pipe

**bifocaal** bifocal

**big** piglet

**bigamie** bigamy

**bigband** big band

**big bang** big bang

**biggelen** trickle ★ *tranen biggelden haar over de wangen* tears trickled down her cheeks

**biggen** farrow, have piglets

**bij I** *vz* **❶** *in de omgeving van* near, by, close to, next to ★ *bij het station* near the station, close to the station ★ *bij de muur* by / near the wall **❷** *in / op de plaats zelf* at ★ *logeren bij familie* stay with relatives ★ *ik was bij de vergadering* I was (present) at the meeting **❸** *samen met* with ★ *een koekje bij de thee* a biscuit and a cup of tea **❹** *aan, op* by ★ *zij nam hem bij de hand* she took him by the hand ★ *iem. bij de schouders pakken* grab sb by the shoulders ★ *heb je het bij je?* have you got it on / with you? **❺** *gelijktijdig met* at, on ★ *bij een glaasje wijn* over a glass of wine ★ *bij het ontbijt* at breakfast ★ *bij aankomst* at / on arrival **❻** *omstreeks* by ★ *het is bij zessen* it's almost / nearly 6 o'clock, it's going on for six **❼** *in het*

*geval van* in case of ★ *bij brand* in case of fire ❻ *maal* by ★ *zes bij zes meter* six by six metres ❽ *met* (een hoeveelheid) by ★ *bij honderden* by the hundred, in hundreds ❿ *vergeleken met* as compared with ★ *bij Boogerd valt hij in het niet* he's nothing compared to Boogerd, compared to Boogerd he pales / sinks into insignificance **II** *bijw* ❶ *schrander* clever ★ *hij is goed bij* he's all there ❷ *bij bewustzijn* conscious ★ *hij is nog niet bij* he hasn't regained consciousness yet, he hasn't come to / round yet ❸ *zonder achterstand* up to date ★ *ik ben bij* (met betaling, enz.) I'm up to date, (met werk) I'm not behind ★ *dat boek is niet bij* that book is dated ★ *ik ben nog niet bij* I'm not up to date yet, I have not yet caught up (with the rest) ❹ *op de hoogte* ▼ *dat is bij het belachelijke af* it's too absurd for words ▼ *ik was er* (geestelijk) *niet bij* my mind was on other things **III** *zn* [de], *insect* bee
**bijbaan** sideline
**bijbal** epididymis
**bijbedoeling** hidden motive
**bijbehorend** ★ *met ~e broek* with trousers to match, matching trousers
**Bijbel** *heilig geschrift* Bible
**bijbel** *exemplaar van de Bijbel* bible
**Bijbels** biblical
**Bijbeltekst** passage in the Bible, scriptural passage
**Bijbelvast** well-versed in the Scriptures / Bible
**Bijbelvertaling** translation of the Bible
**bijbenen** keep up with
**bijbetalen** pay extra, make an extra payment
**bijbetekenis** connotation, secondary meaning
**bijbeunen** (vooral zwart) moonlight
**bijblijven** ❶ *niet achter raken* keep pace, keep up, keep one's hand in ❷ *in herinnering blijven* stick in one's mind / memory
**bijbrengen** ❶ *leren* teach, *form* impart (to) ★ *iem. kennis ~* impart knowledge to sb ❷ *tot bewustzijn brengen* bring round
**bijdehand** ❶ *pienter* bright, smart ❷ *vrijpostig* forward, bold
**bijdehandje** ❶ *slim kind* smart kid ❷ *wijsneus* wise guy
**bijdetijds** modern, up-to-date
**bijdraaien** ❶ *toegeven* come round ❷ scheepv heave to
**bijdrage** contribution
**bijdragen** contribute (**aan** to) ▼ *zijn steentje ~* do one's share / bit
**bijeen** together, assembled
**bijeenblijven** stay together
**bijeenbrengen** bring together, gather, (geld, leger) raise
**bijeenkomen** meet, come together, gather
**bijeenkomst** meeting, gathering, inform get-together
**bijeenrapen** ❶ *bijeenbrengen* collect, pick up ❷ *met moeite verzamelen* ▼ *bijeengeraapt zootje* ill-assorted collection, a motley collection
**bijeenroepen** call together, convene, (parlement) summon ★ *de leden voor een vergadering ~* convene the members for a meeting
**bijeenzijn** **I** *on ww* be together, (parlement) be

in session **II** *zn* [het] gathering
**bijeenzoeken** collect, gather
**bijenhouder** beekeeper
**bijenkast** beehive
**bijenkoningin** queen bee
**bijenkorf** (bee)hive
**bijensteek** bee sting
**bijenteelt** apiculture, bee culture
**bijfiguur** (in boek / film) minor character
**bijgaand** enclosed ★ *~e stukken* enclosures
**bijgebouw** annex(e), outhouse
**bijgedachte** ❶ *bijbedoeling* ulterior motive ❷ *associatie* association
**bijgeloof** superstition
**bijgelovig** superstitious
**bijgenaamd** nicknamed
**bijgerecht** cul side dish
**bijgeval** **I** *bijw* by any chance **II** *vw, indien* if
**bijgevolg** consequently, as a consequence
**bijholte** sinus
**bijholteontsteking** sinusitis
**bijhouden** ❶ *bijbenen* keep up (with), keep pace (with) ★ *geen ~ aan* impossible to keep up with ❷ *blijven werken aan* keep up to date ★ *ontwikkelingen ~* keep abreast of developments
**bijkans** almost, nearly
**bijkantoor** branch office
**bijkeuken** scullery
**bijklussen** have a sideline, (vooral zwart) moonlight
**bijkomen** ❶ *bij bewustzijn komen* come round / to, regain consciousness ▼ *niet meer ~ van het lachen* be helpless with laughter, ❷ *weer beter worden* recover, (op adem) get one's breath again / back ❸ *komen bij* be added ★ *er komt nog bij dat...* in addition..., what's more..., on top of that... ★ *er komt nog twee euro bij* that will be another two euros ▼ *hoe kwam je erbij?* whatever made you think that? ▼ *dat moest er nog ~!* that would be the last straw!
**bijkomend** ❶ (omstandigheden) attendant, (kosten) extra ❷ BN *extra* extra
**bijkomstig** incidental, accidental, of minor importance
**bijkomstigheid** incidental circumstance, (bijzaak) side issue
**bijl** axe, (klein) hatchet ▼ *het bijltje erbij neerleggen* chuck it in ▼ *hij heeft al meer met dat bijltje gehakt* he is an old hand at it ▼ *voor de bijl gaan* get it in the neck
**bijlage** *bijgesloten document* (boek) appendix, (brief) enclosure, comp attachment, (krant) supplement
**bijleggen** ❶ *bijbetalen* contribute ★ *ergens geld moeten ~* lose money over sth ❷ *beslechten* settle, reconcile ★ *een ruzie ~* patch up a quarrel ★ *een geschil ~* settle a dispute ★ *het ~* make up
**bijles** extra lesson ★ *~ nemen / hebben* take / have extra lessons
**bijlichten** light ★ *iem. ~* give sb some light
**bijltjesdag** day of reckoning
**bijna** nearly, almost ★ *~ niet* hardly, scarcely
**bijnaam** nickname
**bijna-doodervaring** near-death experience
**bijna-ongeluk** near-accident

**bijnier** adrenal / suprarenal gland
**bijnierschors** adrenal cortex
**bijou** bijou [mv: bijoux]
**bijouterie** jewellery, USA jewelry
**bijpassen** pay the difference, pay extra
**bijpassend** fitting, appropriate ★ *een broek met ~e trui* trousers and a sweater to match
**bijpraten** I *on ww* catch up (on news / gossip) ★ *we moeten weer eens goed ~* we have a lot to catch up on II *ov ww* ★ *iem. ~ over iets* fill sb in on sth
**bijproduct** by-product
**bijrijder** relief (driver), driver's mate
**bijrol** supporting role / part
**bijschaven** ❶ *glad maken* plane down, smooth ❷ *beter maken* brush / polish / touch up ★ *een tekst ~* polish up a text
**bijscholen** give extra training, ⟨vnl. omscholen⟩ retrain ★ *zich ~* take a refresher course
**bijscholing** extra training, ⟨herhaling⟩ refresher course, ⟨vnl. omscholing⟩ retraining, ⟨in werktijd⟩ in-service training
**bijschrift** caption, marginal note
**bijschrijven** ❶ *bijboeken* enter ★ *rente ~* credit interest ❷ *inschrijven* enter, book
**bijslaap** ❶ *geslachtsgemeenschap* (sexual) intercourse, form coitus, form copulation ❷ *bedgenoot* lover
**bijsluiter** instructions (for use) *mv*
**bijsmaak** (funny) taste / flavour ▼ *hier zit een ~je aan* there's sth fishy about this
**bijspijkeren** ❶ *bijwerken* brush up ★ *zijn kennis ~* brush up one's knowledge ★ *iem. ~* bring sb up to standard ❷ *bijspringen* stand by somebody, back somebody up
**bijspringen** help out, ⟨financieel⟩ support
**bijstaan** I *ov ww, helpen* assist, help II *on ww, herinneren* dimly recollect
**bijstand** ❶ *hulp* assistance, help ★ *~ verlenen* render assistance ★ *rechtskundige ~* legal advice, ⟨financieel⟩ legal aid ❷ *uitkering* social security (payment), USA welfare ★ *in de ~ zitten* be on / receive social security, inform be on the dole
**bijstandsmoeder** mother on social security, USA welfare mother
**bijstandsuitkering** social security benefit, income support, USA welfare (payment)
**bijstandtrekker** person on social security
**bijstellen** ❶ *in juiste stand brengen* adjust ❷ *aanpassen* adapt, adjust
**bijstelling** ❶ *het bijstellen* adjustment ❷ apposition
**bijster** I *bnw* ★ *het spoor ~ zijn* be on the wrong track, be all at sea II *bijw* extremely ★ *niet ~... not* particularly...
**bijsturen** ❶ *de juiste richting geven* make (small) corrections (to), scheepv allow for drift ❷ *licht wijzigen* adjust
**bijt** hole (in the ice)
**bijtanken** ❶ *brandstof bijvullen* refuel ❷ *energie opdoen* replenish one's energy, recharge one's battery
**bijtekenen** renew / prolong a contract, sign up (for more years) ★ *drie jaar ~* sign on for three more years
**bijten** I *ov ww, tanden zetten in* bite ★ *op je*

*nagels / lippen ~* bite your nails / lips ▼ *van je af ~* give as good as you get, stick up for yourself ▼ *je moet er maar doorheen ~* you'll have to grin and bear it II *on ww, inbijten (in)* be corrosive
**bijtend** ❶ *vinnig* biting, mordant ❷ *corroderend* caustic, biting
**bijtgaar** al dente
**bijtijds** ❶ *op tijd* in time ❷ *vroeg* early
**bijtreden** BN *steunen* back (up), support
**bijtrekken** ❶ *beter worden* ★ *dat trekt wel bij* it will hardly show ❷ psych *je isolement opgeven* ★ *ze trekt wel weer bij* she'll come (a)round
**bijtring** teething ring
**bijvak** subsidiary subject, minor subject
**bijval** ❶ *instemming* approval ★ *onder luide ~* to the applause ★ *~ oogsten / vinden bij* meet with general agreement / support of ❷ *applaus* applause
**bijvallen** *steunen* back (up), support
**bijverdienen** ★ *wat ~* earn a bit extra
**bijverdienste** extra income
**bijverschijnsel** additional effect, side effect, med additional symptom
**bijverzekeren** take out additional insurance (against)
**bijvoeding** supplementary feeding
**bijvoegen** add, enclose
**bijvoeglijk** adjectival ★ *~ naamwoord* adjective
**bijvoegsel** addition, supplement, ⟨van brief⟩ enclosure, ⟨van boek⟩ appendix
**bijvoorbeeld** for example, for instance
**bijvullen** top / fill up (with)
**bijwerken** ❶ *in orde maken* improve, bring up to date, ⟨van boek⟩ revise ❷ *bijverdienen* earn extra income, have a sideline ★ *een leerling ~* coach a pupil
**bijwerking** side effect(s)
**bijwonen** ⟨meemaken⟩ witness, ⟨bezoeken⟩ attend ★ *een vergadering ~* attend a meeting
**bijwoord** taalk adverb *m*
**bijwoordelijk** adverbial
**bijzaak** side issue, matter of secondary importance ★ *geld is ~* money is no object ★ *hoofdzaken en bijzaken* essentials and inessentials
**bijzettafel** occasional table
**bijzetten** ❶ *erbij zetten* add ★ *kracht ~* emphasize ★ *een zeil ~* set a sail ❷ *begraven* bury, form inter
**bijziend** short-sighted, myopic
**bijziendheid** short- / near-sightedness, myopia
**bijzijn** ★ *in het ~ van* in front of, form in the presence of
**bijzin** subordinate clause
**bijzonder** I *bnw* ❶ *ongewoon* special ★ *niets ~s* nothing much ★ *een ~ geval* a special case ❷ *niet van de overheid* private ★ *~e school* private school II *bijw* ❶ *zeer* very, (very) much, extremely ❷ *vooral* especially III *zn* [het] ▼ *in het ~* in particular
**bijzonderheid** ❶ *detail* (particular) detail ★ *in bijzonderheden treden* go into detail ★ *geen verdere bijzonderheden* no further comments / details ★ *tot in de kleinste bijzonderheden* down to the smallest detail ❷ *iets bijzonders* ⟨eigenaardigheid⟩ peculiarity, ⟨bezienswaardigheid⟩ curiosity, ⟨omstandigheid⟩

special circumstance
**bikini** bikini
**bikkel** *gehard persoon* fire-eater ▾ *zo hard als een ~* (as) hard as nails
**bikkelhard ❶** ⟨van materie⟩ *erg hard* rock-hard **❷** *onvermurwbaar* very hard **❸** ⟨van persoon⟩ *gehard* (as) tough as nails
**bikken ❶** *afhakken* ⟨muur⟩ chip, ⟨ketelsteen⟩ scrape **❷** *eten* lay into, have some nosh / grub
**bil ❶** buttock, ⟨van dier⟩ rump ★ *iem. voor de billen geven* spank sb **❷** BN *dij* thigh
**bilateraal** bilateral
**biljard** thousand billion(s), USA quadrillion
**biljart ❶** *spel* billiards *mv* ★ *~ spelen* play (at) billiards **❷** *tafel* billiard table
**biljartbal** billiard ball ★ *zo kaal als een ~* as bald as a coot
**biljarten** play (at) billiards
**biljet ❶** *kaartje* ticket **❷** *bankbiljet* (bank)note
**biljoen** billion
**billboard** billboard
**billenkoek** spanking
**billijk** ⟨prijs / vraag⟩ fair, ⟨eisen⟩ reasonable ★ *niet meer dan ~* only fair
**billijken** approve (of) ★ *dat kan men ~* that's reasonable
**bilspleet, bilnaad** anal / gluteal cleft, humor cleavage of the buttocks
**bimetaal** bimetal
**binair** binary
**binden ❶** lett *vastmaken* bind, tie ★ *iets tot een pakje ~* tie sth up in a parcel **❷** fig *doen samenhangen* tie (up) ★ *zich ~* commit o.s. **❸** cul *dik maken* thicken **❹** ⟨boek⟩ *inbinden* bind **❺** → **gebonden**
**bindend** jur *verplichtend* binding (on) ★ *~ advies* binding advice
**binding** *band* bond, tie, relationship
**bindmiddel** binding agent, thickener
**bindvlies** conjunctiva
**bindvliesontsteking** conjunctivitis
**bindweefsel** connective tissue
**bingo** bingo
**bink** tough guy, he-man ★ *de bink uithangen* show off, try to impress
**binnen I** *vz* **❶** *in* inside, within ★ *~ de muren van het kasteel* inside the castle walls ★ *~ de grenzen van de stad* within the city limits **❷** *in minder dan* within ★ *~ een week* within a week **II** *bijw* inside ★ *~ in de cirkel* in / within the circle ★ *hij liep naar ~* he went in(side) ★ *van ~ naar buiten* from the inside out, outward(s) ★ *de deur van ~ sluiten* lock the door on the inside ★ *is nummer 8 al ~?* is number 8 in yet? ★ *ze is nog ~* she's still inside ▾ *~! come in!, enter!* ▾ *~ zonder kloppen* please walk in ▾ fig *hij is ~* ⟨gefortuneerd⟩ he has made his pile
**binnenbaan ❶** *binnenste baan* inside lane **❷** sport *overdekte baan* indoor track, ⟨tennis⟩ indoor court, ⟨schaatsen⟩ indoor (ice) rink
**binnenbad** indoor swimming pool
**binnenband** (inner) tube
**binnenblijven** stay in(side), remain indoors
**binnenbocht** inside bend / curve
**binnenbrand** small fire, indoor fire
**binnenbrengen ❶** *binnenshuis brengen* bring /

take / carry / gather in **❷** scheepv pilot into port
**binnendoor ❶** *via kortere weg* ★ *~ gaan* take a short cut **❷** *niet buitenom* ★ *~ gaan* go through the house
**binnendringen** penetrate, ⟨land⟩ invade, ⟨met geweld⟩ break into, ⟨met geweld⟩ force one's way into
**binnendruppelen** trickle in
**binnengaan** go in, enter
**binnenhalen** get / bring / fetch in
**binnenhaven** ⟨haven⟩ inner harbour, ⟨stad⟩ inland port
**binnenhuisarchitect** interior decorator, interior designer
**binnenin** inside
**binnenkant** inside
**binnenkomen** *binnengaan* come in ★ *laat hem ~* show him in
**binnenkomer** introduction, introducing remarks *mv* ★ *dat is een leuke ~* that's a nice entry
**binnenkomst** entry, entrance, ⟨trein, enz.⟩ arrival
**binnenkort** before long, soon, shortly
**binnenkrijgen ❶** *ontvangen* get, receive, obtain **❷** *inslikken* get down, swallow ★ *water ~* swallow water, ⟨schip⟩ ship / make water
**binnenland ❶** aardk interior **❷** *het eigen land* ★ *in ~ en buitenland* at home and abroad
**binnenlands** ★ *~e handel* domestic trade ★ *~e markt* domestic market
**binnenlaten** let / show in, admit
**binnenloodsen** *in de haven brengen* pilot (a ship) into port
**binnenlopen ❶** *lopend binnengaan* walk in, ⟨bij iem.⟩ drop in (bij en) **❷** *binnenkomen* ⟨van schip⟩ put in, go in(to) ★ *de trein liep het station binnen* the train drew into the station **❸** fig *rijk worden* cash in, strike it rich
**binnenplaats** (inner) court(yard)
**binnenpretje** private joke ★ *een ~ hebben* be secretly amused
**binnenrijm** internal rhyme
**binnenroepen** call in
**binnenscheepvaart** inland navigation
**binnenschipper** (barge) skipper, GB bargee
**binnenshuis** indoors, inside, within doors
**binnenskamers** privately, in private
**binnensmonds** under one's breath ★ *~ spreken* mumble
**binnenspiegel** rear-view mirror
**binnensport** indoor sport
**binnenstad** town / city centre, USA downtown
**binnenste I** *zn* [het] inside, interior ★ *in zijn ~ in* his heart (of hearts), deep down **II** *bnw* inmost
**binnenstebuiten** inside out ★ *~ keren* turn inside out
**binnenvaart** inland navigation
**binnenvallen ❶** *binnenkomen* burst / barge in(to) **❷** *binnendringen* ⟨land⟩ invade ★ *bij iem. komen ~* drop in on sb
**binnenvetter** ★ *hij is een ~* he bottles things up
**binnenwaarts** inward ★ *~ gebogen* bent inwards
**binnenwater** inland waterway
**binnenweg** byroad, ⟨kortere route⟩ short cut
**binnenwerk ❶** *inwendige delen* mechanism,

bi

innards *mv* ❷ *werk binnenshuis* indoor work
**binnenwippen** *aanwippen* drop in (**bij** on)
**binnenzak** inside pocket
**binnenzee** inland sea
**bint** beam, ⟨vloer en plafond⟩ joist
**bintje** early summer potato *mv: potatoes*
**bioafval** biological waste
**biobak** compost bin
**biochemie** biochemistry
**biodynamisch** biodynamic
**bio-energie** bioenergy
**biofysica** biophysics *mv*
**biogas** biogas
**biograaf** biographer
**biografie** biography
**biografisch** biographical
**bio-industrie** bio industry, factory farming
**bio-ingenieur** BN *ingenieur in de biowetenschappen* bioengineer
**biologeren** mesmerize
**biologie** biology
**biologisch** I *bnw* biological ★ ~*e ouders* biological parents II *bijw* biologically ★ ~ *afbreekbaar* biodegradable ★ ~ *geteeld* organically grown
**bioloog** biologist
**biomassa** biomass
**biopsie** biopsy
**bioritme** biorhythm
**bios** bioscoop movies
**bioscoop** cinema ★ *naar de ~ gaan* go to the cinema, USA go to the movies
**biosfeer** biosphere
**biotechnologie** biotechnology
**biotoop** biotope
**biowetenschappen** bioscience
**bips** bottom, buttocks *mv*
**Birma** Burma
**Birmees** Burmese
**bis** I *zn* [de], *muz muzieknoot* B sharp II *bijw* ❶ *toegevoegd* ★ *artikel 23 bis* section 23b ❷ *nog eens* once again / more III *tw* encore!
**bisamrat** muskrat, ⟨bont⟩ musquash
**biscuit** biscuit, USA cookie / cooky
**biscuitje** biscuit
**bisdom** diocese, bishopric
**biseksualiteit** bisexuality
**biseksueel** bisexual
**bisschop** bishop
**bisschoppelijk** episcopal
**bissectrice** bisector
**bissen** BN onderw repeat the class / year
**bisser** BN onderw repeater
**bistro** bistro
**bit** I *zn* [de] comp bit II *zn* [het], *mondstuk* bit
**bits** snappy ★ *een bitse opmerking* a tart remark
**bitter** I *bnw* ❶ *scherp van smaak* bitter ❷ *smartelijk* bitter ★ ~*e noodzaak* dire necessity ★ *tot het* ~*e eind* to / until the bitter end ❸ *verbitterd* bitter, embittered ❹ *intens* ★ ~*e armoede* dire poverty ★ ~*e kou* bitter / severe cold ★ *het is mij* ~*e ernst* I'm in deadly earnest II *bijw, in hoge mate* extremely, terribly ★ ~ *weinig* precious little ★ *het is* ~ *koud* it's freezing / bitterly cold
**bitterbal** ball-shaped croquette
**bittergarnituur** appetizers *mv*

**bitterkoekje** cul (bitter) macaroon
**bitterzoet** bittersweet
**bitumen** bitumen
**bivak** bivouac ★ *een ~ opslaan* set up a bivouac
**bivakkeren** ❶ bivouac ❷ *tijdelijk wonen* stay, be put up
**bivakmuts** balaclava
**bizar** bizarre
**bizon** bison ★ *Amerikaanse* ~ buffalo
**B-kant** B-side
**blaadje** → **blad**
**blaag** brat
**blaam** blame ★ *hem treft geen* ~ he's not to blame ★ *iem. van alle* ~ *zuiveren* exonerate sb
**blaar** ❶ *zwelling* blister ★ *blaren krijgen* blister ❷ *bles* blaze
**blaarkop** cow / animal with a blaze
**blaas** ❶ *orgaan* bladder ❷ *luchtbel* bubble
**blaasaandoening** bladder complaint / trouble
**blaasbalg** pair of bellows, bellows *mv*
**blaasinstrument** wind instrument
**blaaskaak** big-head
**blaaskapel** wind band, ⟨koper⟩ brass band
**blaasmuziek** music for wind instruments
**blaasontsteking** inflammation of the bladder, med cystitis
**blaaspijpje** ❶ *instrument alcoholtest* breathalyser ★ *in het* ~ *blazen* breathe into the breathaliser ❷ *blaaswerktuig* blowpipe
**blabla** blah blah blah, yadda yadda yadda
**black-out** blackout
**blad** ❶ *deel van plant / boom* leaf *mv: leaves* ★ *in het blad komen* come into leaf ❷ *deel van bloem* petal ❸ *vel papier* sheet, leaf *mv: leaves*, ⟨bladzijde⟩ page ★ *van het blad spelen* sight-read ❹ *tijdschrift* magazine ❺ *dienblad* tray ❻ *plat en breed voorwerp* ⟨van zaag, roeiriem⟩ blade, ⟨van tafel⟩ top ▾*hij is omgedraaid als een blad aan de boom* he did an about-face / turn ▾*in een goed blaadje staan bij iemand*, BN *op een goed blaadje staan bij iem.* be in sb's good books ▾*geen blad voor de mond nemen* not mince one's words ▾*een onbeschreven blad zijn* be young and innocent
**bladderen** blister
**bladerdeeg** puff pastry
**bladeren** ★ *in een boek* ~ leaf through a book
**bladgoud** gold leaf, ⟨klatergoud⟩ tinsel
**bladgroen** chlorophyll, leaf green
**bladgroente** greens *mv*, (leafy) green vegetables *mv*
**bladluis** aphid, greenfly
**bladmuziek** sheet music
**bladspiegel** text area / space, type page
**bladstil** ★ *het was* ~ not a leaf stirred ★ *het werd* ~ it became dead calm
**bladverliezend** deciduous
**bladvulling** padding
**bladwijzer** ❶ *boekenlegger* bookmark ❷ *inhoudsopgave* table of contents
**bladzijde** page ▾BN fig *de* ~ *omslaan* turn the page
**blaffen** ❶ *geluid maken* bark ❷ *hoesten* cough ❸ *tekeergaan* bark (at), snap (at)
**blaken** ❶ *branden* burn, ⟨zon⟩ blaze ❷ *vol zijn van* ★ ~ *van* glow with
**blaker** flat candlestick (with a handle)

**bl**

**blakeren** scorch
**blamage** disgrace
**blameren** discredit ★ *zich* ~ disgrace o.s.
**blancheren** blanch
**blanco** open, ⟨cheque⟩ blank ★ ~ *stemmen* give in a blank vote, abstain (from voting) ★ ~ *volmacht* blank power of attorney, fig carte blanche
**blancokrediet** blank / open / cash credit
**blancovolmacht** blank power of attorney, full discretionary power, fig carte blanche
**blank** ❶ *licht van kleur* white ★ *van het blanke ras* white, form Caucasian ❸ *onder water* ★ ~ *staan* be flooded ❹ *onbedekt* blank
**blanke** white man / woman / child, form Caucasian ★ *de* ~*n* the whites, the white people
**blasé** blasé
**blasfemie** blasphemy
**blaten** bleat
**blauw** I *bnw* blue II *zn* [het] blue
**blauwbekken** ★ *staan te* ~ stand in the cold
**blauwblauw** ▾*iets* ~ *laten* let sth rest
**blauwboek** blue book
**blauwdruk** blueprint
**blauweregen** wisteria
**blauwgrijs** bluish grey, USA bluish gray
**blauwgroen** blue-green
**blauwhelm** blue helmet
**blauwrood** blue-red
**blauwtje** ▾*een* ~ *lopen* be turned down / rejected
**blauwzuur** hydrocyanic acid
**blauwzwart** blue-black, bluish black
**blazen** I *on ww* ❶ *met uitademen* blow ❷ ⟨van kat⟩ *sissen* spit / hiss ❸ *bespelen* ▾*beter hard ge~ dan de mond gebrand* it's better to be safe than sorry ▾BN *warm en koud tegelijk* ~ *(over iets)* blow hot and cold (about sth) II *ov ww* ❶ *met uitademen maken* blow ❷ *bespelen* blow, play ▾*het is oppassen ge~* we need to watch out
**blazer**[1] *muz* player of a wind instrument
**blazer**[2] [blezer] *jasje* blazer
**blazoen** coat of arms, crest
**bleek** pale, form wan, ⟨ziekelijk⟩ pallid ★ ~ *om de neus worden* go green around the gills ★ ~ *worden* turn / go pale
**bleekgezicht** paleface
**bleekjes** palish
**bleekmiddel** bleach
**bleekneus** paleface
**bleekselderij** celery, blanched celery
**bleekwater** liquid bleach
**bleekzucht** med green sickness, chlorosis
**bleken** bleach
**blèren** ❶ *blaten* bleat ❷ *luid huilen* squall, bawl
**bles** ❶ *witte plek* blaze ❷ *paard* horse with a blaze
**blesseren** injure, wound
**blessure** injury
**blessuretijd** sport injury time
**bleu** ❶ *blauw* light blue ❷ *bedeesd* shy, timid
**bliep** I *tw* bleep II *znw* bleep
**blieven** like ★ *wat blieft?* pardon?
**blij** ❶ *verheugd* glad, happy, pleased ★ *blij als een kind zijn* be as pleased as Punch ★ *ik ben blij je te zien* I'm pleased to see you ★ *iem. ergens blij mee maken* please sb with sth ★ *blij toe!* thank heavens! ❷ *verheugend* happy ★ *blijde dag* happy / joyful day

**blijdschap** gladness, joy (at) ★ *met* ~ *geven wij kennis van...* we are happy to announce...
**blijf** ▾BN *geen* ~ *weten met iets* not know what to do with sth
**blijf-van-mijn-lijfhuis** women's shelter / refuge
**blijheid** gladness, joy (at)
**blijk** token, sign ★ ~ *geven van* be evidence of, show, form evince
**blijkbaar** apparent, evident, obvious
**blijken** appear (from) ★ ~ *te zijn* turn out to be ★ *het is ons gebleken dat...* we find that... ★ *doen / laten* ~ show ★ *je moet er hem niets van laten* ~ *inform* don't let on to him about it ★ *er is niets gebleken van bedrog* there is no evidence of fraud ★ *uit alles blijkt dat...* everything goes to show that..., it all points to the fact that
**blijmoedig** cheerful
**blijspel** comedy
**blijven** I *on ww* ❶ *voortduren* remain ★ *ik blijf van mening* I still think, form I remain of the opinion ❷ *doorgaan met* ★ ~ *regenen* continue / keep (on) raining ★ ~ *leven* live on ❸ *niet weg- of doorgaan* stay ★ ~ *eten* stay to / for dinner ★ *waar blijft het eten toch!* what's happened to dinner? ★ *waar is mijn hoed gebleven?* where has my hat got to? ★ *waar zijn jullie zo lang gebleven?* where have you been all this time? ★ *waar ben ik gebleven?* where had I got to?, where did I leave off? ★ *dat blijft onder ons* that's between you and me ★ *het blijft binnen de perken* it stays within bounds ★ *buiten de oorlog* ~ keep out of the war ❹ *sterven* ★ *dood* ~ die ★ *hij is in de strijd gebleven* he was killed in action ❺ ~ *bij* ★ *bij een belofte* ~ stand by a promise ★ *bij de zaak* ~ stick to the point ★ *ik blijf er bij dat* I maintain that, I insist on ★ *en daarbij bleef het* and that was that II *kww* remain, stay ★ *kalm* ~ stay calm ★ *het blijft de vraag of...* it remains to be seen whether..., the question remains whether...
**blijvend** permanent, lasting, enduring
**blik** I *zn* [de] ❶ *oogopslag* look, ⟨lang⟩ gaze, ⟨vluchtig⟩ glance ★ *in één blik* at a glance ★ *bij de eerste blik* at first sight ❷ *manier van kijken* look ★ *iem. met een heldere blik* a clear-sighted person ❸ *kijk op iets* view, outlook ★ *een ruime blik hebben* have a broad outlook II *zn* [het] ❶ *metaal* tin ❷ *bus* tin ★ *een blikje cola* a can of cola ❸ *stofblik* dustpan
**blikgroente** tinned / canned vegetables *mv*
**blikje** → **blik**
**blikken** I *bnw* tin II *on ww* look, glance ▾*zonder* ~ *of blozen* without batting an eyelid, coolly
**blikkeren** flash, gleam ★ *een* ~*de rij tanden* a flashing row of teeth
**blikopener** tin / can opener
**blikschade** damage to the bodywork
**bliksem** ❶ lightning ★ *door de* ~ *getroffen* struck by lightning ❷ *persoon* ★ *arme* ~ poor devil ▾*als de (gesmeerde)* ~ like blazes ▾*naar de* ~ *gaan* go to pot ▾*loop naar de* ~*!* go to hell!
**bliksemactie** lightning operation / action
**bliksemafleider** lightning conductor
**bliksemcarrière** lightning career, meteoric rise
**bliksemen** I *on ww, flitsen* flash ★ *zijn ogen bliksemden* his eyes flashed II *onp ww* lighten

**bl**

★ *het heeft de hele dag gebliksemd* there were flashes of lightening all day (long)
**bliksemflits** flash of lightning
**blikseminslag** bolt of lightning, thunderbolt
**bliksemoorlog** blitzkrieg
**bliksems I** *bnw* infernal ★ *de hele ~e boel* the whole caboodle **II** *bijw* damn(ed) **III** *tw* dash (it)!
**bliksemschicht** flash of lightning
**bliksemsnel I** *bnw* instantaneous, lightening **II** *bijw* as quick as lightning, like greased lightening
**bliksemstart** lightning start
**bliksemstraal** ❶ *flikkering* flash of lightning ❷ *ellendeling* rascal
**blikvanger** eye-catcher
**blikveld** field of vision
**blikvoer** canned / tinned food
**blind I** *bnw* ❶ *zonder zicht* blind ★ *~ worden* go blind ★ *~ aan één oog* blind in one eye ❷ *zonder opening / loos* ★ *~e steeg* blind alley ★ *~e muur* blind / blank wall ★ *~e deur* blind / dead door ❸ *fig zonder inzicht* blind ★ *~ voor* blind to ★ *ziende ~ zijn* none so blind as those who won't see **II** *zn* [het], *vensterluik* shutter
**blind date** blind date
**blinddoek** blindfold
**blinddoeken** blindfold
**blinde** blind person
**blindedarm** appendix
**blindedarmontsteking** appendicitis
**blindelings** ❶ *zonder te zien* blindly ❷ *zonder nadenken* ★ *iem. ~ vertrouwen* trust sb implicitly
**blindemannetje** blindman's buff ★ *~ spelen* play (at) blindman's buff
**blindengeleidehond** guide dog, U͟S͟A͟ seeing-eye dog
**blindenschrift** *brailleschrift* Braille
**blinderen** ❶ *afdekken* face, ⟨ramen⟩ shutter ❷ *pantseren* armour
**blindganger** unexploded shell, i͟n͟f͟o͟r͟m͟ dud
**blindheid** blindness ★ *met ~ geslagen* struck blind
**blindstaren** [zich ~] *op* be fixated on
**blindvaren** *op* trust blindly on
**bling, blingbling** bling-bling
**blinken** shine, glitter
**blits I** *zn* [de] ▼ *de ~ met iets maken* steal the show **II** *bnw* groovy, hip
**blocnote** (writing) pad, notepad
**bloed** blood ★ *~ geven* give / donate blood ★ *fig ~ vergieten* shed blood ▼ *het ~ kruipt waar het niet gaan kan* blood is thicker than water ▼ *dat zal kwaad ~ zetten* that will stir up bad feelings ▼ *in koelen ~e* in cold blood → **bloedje** of royal blood
**bloedarmoede** anaemia
**bloedbaan** bloodstream
**bloedbad** bloodbath, massacre
**bloedbank** blood bank
**bloedbezinking** m͟e͟d͟ ESR, erythrocyte sedimentation rate, (blood) sedimentation rate
**bloedblaar** blood blister
**bloedcel** blood cell
**bloeddonor** blood donor
**bloeddoorlopen** bloodshot
**bloeddoping** blood doping
**bloeddorstig** bloodthirsty

**bloeddruk** blood pressure
**bloeddrukmeter** m͟e͟d͟ blood pressure gauge
**bloeddrukverlagend** hypotensive
**bloedeigen** ★ *~ kinderen* own flesh and blood
**bloeden** ❶ *bloed verliezen* bleed ★ *uit de neus ~* bleed from the nose, have a nosebleed ★ *hij werd tot ~s toe geslagen* he was beaten till he bled ❷ *boeten voor* pay ★ *iem. ergens voor laten ~* make sb pay for sth
**bloederig** bloody ★ *een ~ verhaal* a gory story
**bloederziekte** haemophilia
**bloedgang** breakneck speed
**bloedgeld** ❶ *loon voor misdaad* blood money ❷ *hongerloon* pittance, starvation wages *mv*
**bloedgroep** blood group
**bloedheet** sweltering / boiling (hot)
**bloedhekel** ★ *een ~ hebben aan* loathe, have an utter loathing for, absolutely hate
**bloedhond** ❶ *hond* bloodhound ❷ *wreedaard* brute
**bloedig I** *bnw*, *bloederig* bloody **II** *bijw*, *in hoge mate* very hard ★ *~ zijn best doen* sweat blood
**bloeding** bleeding, ⟨hevig⟩ haemorrhage
**bloedje** ▼ *zeven ~s van kinderen* seven poor little things
**bloedkanker** leukaemia, U͟S͟A͟ leukemia
**bloedkleurstof** haemoglobin
**bloedkoraal** (red) coral
**bloedlichaampje** blood cell, m͟e͟d͟ corpuscle
**bloedlink** ❶ *riskant* (extremely) risky, dangerous ❷ *boos* hopping mad
**bloedmooi** gorgeous, stunning ★ *ze is ~* she's a knockout / smasher
**bloedneus** bloody nose ★ *iem. een ~ slaan* give sb a bloody nose
**bloedonderzoek** blood test
**bloedplaatje** platelet
**bloedplasma** blood plasma
**bloedproef** blood test
**bloedprop** blood clot
**bloedschande** incest
**bloedserieus** dead serious
**bloedserum** blood serum
**bloedsinaasappel** blood orange
**bloedsomloop** (blood) circulation
**bloedspiegel** blood level
**bloedstollend** blood-curdling
**bloedstolling** coagulation (of the blood)
**bloedstolsel** blood clot
**bloedstroom** bloodstream
**bloedsuiker** blood sugar
**bloedsuikerspiegel** blood sugar level
**bloedtransfusie** blood transfusion
**bloeduitstorting** bruise, m͟e͟d͟ contusion, ⟨in de hersens⟩ cerebral haemorrhage
**bloedvat** blood vessel
**bloedverdunnend** blood diluting ★ *~ middel* diluent
**bloedvergieten** bloodshed
**bloedvergiftiging** blood poisoning
**bloedverlies** loss of blood
**bloedverwant** relation, relative, blood relation
**bloedverwantschap** blood relationship
**bloedvlek** bloodstain
**bloedworst** c͟u͟l͟ black pudding, U͟S͟A͟ blood sausage

**bloedwraak** vendetta, blood feud
**bloedzuiger** ❶ *dier* leech ❷ *uitbuiter* leech, parasite, bloodsucker
**bloedzuiverend** cleansing the blood
**bloei** ❶ plantk flowering, bloom, ⟨van vruchtboom⟩ blossoming ★ *in ~* in bloom ★ *in ~ staan* be in bloom ❷ fig *ontplooiing* prosperity, prime ★ *in de ~ van zijn jaren* in the prime of his life ★ *tot ~ brengen* bring to prosperity
**bloeien** ❶ plantk bloom, blossom, flower ❷ fig *floreren* flourish, bloom
**bloeiperiode** ❶ plantk flowering time ❷ fig *succesperiode* prime, heyday
**bloeiwijze** inflorescence
**bloem** ❶ plantk flower ❷ *meel* flour ❸ → **bloemetje** ▼ *de ~ der natie* the flower of the nation ▼ *de ~etjes buiten zetten* paint the town red
**bloembak** flower box, ⟨op straat⟩ flower tub
**bloembed** flowerbed
**bloembol** bulb
**bloembollenteelt** bulb growing
**bloemencorso** floral / flower parade
**bloementeelt** floriculture
**bloemenvaas** vase
**bloemenwinkel** flower shop
**bloemetje** ❶ *bos bloemen* flowers *mv* ❷ → **bloem**
**bloemig** mushy, ⟨van aardappelen⟩ floury
**bloemist** *verkoper* florist
**bloemisterij** ❶ *winkel* florist's (shop) ❷ *bedrijf* florist's business
**bloemknop** bud
**bloemkool** cauliflower
**bloemlezing** anthology
**bloemperk** flowerbed
**bloempot** flowerpot
**bloemschikken** arranging flowers
**bloemstuk** ❶ *bloemen* bouquet, flower arrangement ❷ *schilderij* flower piece
**bloemsuiker** BN *poedersuiker* powdered sugar, icing sugar
**bloes** blouse
**bloesem** blossoms *mv*, flowers *mv*
**blog** www blog
**blogger** www blogger
**blok** ❶ *recht stuk* block, brick, ⟨hout⟩ log, ⟨speelgoed⟩ building block, ⟨wielblok⟩ chock ❷ *hijsblok* pulley block ❸ *huizenblok* block ★ *een blokje om lopen* take a walk around the block ❹ *samenwerkende groep* bloc ❺ onderw *periode* unit ▼ *slapen als een blok* sleep like a log ▼ *voor het blok zitten* be up against a wall ▼ *iem. voor het blok zetten* force sb's hand ▼ *een blok aan het been zijn* be a millstone around sb's neck, be a drag on sb
**blokfluit** recorder
**blokhut** log cabin
**blokkade** blockade ★ *de ~ doorbreken* run the blockade ★ *de ~ opheffen* lift the blokkade
**blokken** cram, swot ★ *het is hard ~* it's a real grind ★ *~ voor een tentamen* cram for an examination
**blokkendoos** box of bricks
**blokkeren** ❶ *beweging tegenhouden* lock, jam ★ *~de wielen* locked wheels ❷ *toegang afsluiten* blockade, ⟨weg e.d.⟩ obstruct, ⟨weg e.d.⟩ block ❸ *onttrekken aan het geldverkeer* ⟨geld⟩ block,

⟨krediet⟩ freeze, ⟨cheque⟩ stop ★ *een bankrekening ~* freeze a bank account
**blokletter** block letter, printing ★ *met ~s schrijven* print
**blokletteren** BN *in grote krantenkoppen schrijven* headline
**blokpolis** BN *pakketpolis* package insurance policy, póliza multirriesgo
**blokuur** double period / lesson
**blond** blond, ⟨van vrouw⟩ blonde, fair, ⟨goudkleurig⟩ golden
**blonderen** bleach
**blondine** blonde
**blondje** blonde ★ *dom ~* bimbo, dumb blonde
**blooper** blooper
**bloot** ❶ *onbedekt* bare, naked ★ *op blote voeten* in bare feet, barefoot ★ *op de blote huid dragen* wear next (to) the skin ★ *jurk met blote hals* revealing dress ❷ *louter* ★ *~ toeval* mere accident / coincidence ★ *het blote feit* the bald / bare fact ❸ *zonder hulpmiddel* ★ *uit het blote hoofd* off the top of one's head ★ *met blote handen* barehanded
**blootblad** nude mag(azine)
**blootgeven** [zich ~] show one's hand, commit oneself
**blootje** ▼ *in je ~* in the altogether / nude
**blootleggen** ❶ *van bedekking ontdoen* lay bare ❷ *onthullen* disclose, ⟨plan, toestand⟩ reveal
**blootshoofds** bareheaded
**blootstaan aan** be subject to, be exposed to
**blootstellen aan** expose to
**blootsvoets** barefoot
**blos** flush, ⟨van gezondheid⟩ bloom, ⟨verlegenheid⟩ blush
**blotebillengezicht** moonface
**blowen** smoke dope
**blowtje** joint ★ *een ~ draaien* roll a joint
**blozen** ⟨van verlegenheid⟩ blush (with), ⟨van opwinding⟩ flush (with), ⟨van gezondheid⟩ bloom (with) ★ *~ tot over de oren* blush to the roots of one's hair
**blubber** ❶ *modder* mud, ⟨van sneeuw⟩ slush ❷ *speklaag van walvis* blubber
**blues** blues
**bluf** *opschepperij* bluff
**bluffen** bluff
**blufpoker** bluff poker
**blunder** blunder
**blunderen** blunder
**blusapparaat** fire extinguisher
**blusboot** fire boat
**blussen** ❶ *doven* extinguish, put out ❷ *afkoelen* quench
**blusvliegtuig** fire plane
**blut** broke, ⟨na spel⟩ cleaned out
**bluts** ▼ BN *de ~ met de buil nemen* take the rough with the smooth
**blutsen** dent
**B-merk** low-quality brand
**BMI** *body mass index* BMI, body mass index
**bmr-prik** *inenting tegen bof, mazelen, rodehond* MMR shot (measles, mumps, rubella)
**BN'er** Dutch VIP
**bnp** econ *bruto nationaal product* GNP, Gross National Product

**bo**

**boa** ❶ *slang* boa ❷ *halskraag* boa
**board** hardboard
**bobbel** ❶ *bultje* lump, bump ❷ *blaasje* bubble
**bobbelen** bubble
**bobijn** BN *spoel* spool, ⟨voor garen⟩ bobbin
**bobo** big shot, bigwig
**bobslee** bobsleigh, bobsled
**bobsleeën** bobsleigh
**bochel** ❶ *bobbel* lump ❷ *hoge rug* hump
❸ *gebochelde* hunchback
**bocht** I *zn* [de], *buiging* ⟨ook in lijn⟩ curve, bend,
⟨in kustlijn⟩ bay ★ *een scherpe ~* a sharp bend
★ *uit de ~ vliegen* fail to take a bend, go / run off
the road ★ *een ~ afsnijden* cut (off) a corner ★ *een
~ maken* take a bend, ⟨van weg, rivier⟩ bend
★ *een ~ van 180 graden maken* make a U-turn
★ *een ~ nemen* take a bend, negotiate a bend
▼ *Roeland in de ~!* Roeland at it again! ▼ *zich in
(allerlei) ~en wringen* tie o.s. in knots II *zn* [het],
*troep* trash, rubbish
**bochtig** winding, tortuous
**bockbier** cul bock beer
**bod** ❶ econ *prijsvoorstel* bid, offer ★ *een bod doen
op* make a bid for ❷ *beurt* turn ★ *aan bod komen*
get a chance ★ *wie is er aan bod?* whose turn is
it?
**bode** ❶ *boodschapper* messenger, ⟨koerier⟩
courier, ⟨vrachtrijder⟩ carrier, ⟨post⟩ postman
❷ *bediende* ⟨gerechtsbode⟩ usher
**bodega** bodega
**bodem** ❶ *grondvlak* bottom ★ *tot de ~ leegdrinken*
drain to the last drop ❷ *grond* soil ★ *vruchtbare ~*
fertile soil ★ *op Nederlandse ~* on Dutch soil /
territory ❸ *restje* ★ *er zat nog maar een ~pje in*
there was only a drop left ▼ *dubbele ~* false
bottom, double meaning ▼ *verwachtingen de ~
inslaan* dash hopes / expectations
**bodembescherming** soil protection
**bodemgesteldheid** condition of the soil
**bodemkunde** soil science, form pedology
**bodemloos** bottomless
**bodemmonster** soil sample
**bodemonderzoek** soil research, ⟨groot gebied⟩
soil survey
**bodemprijs** minimum price, rock-bottom price
**bodemprocedure** jur procedure on the merits
**bodemsanering** soil clean-up, soil
decontamination
**bodemschatten** natural resources
**bodemverontreiniging** soil pollution
**Bodenmeer** Lake Constance
**bodybuilden** bodybuilding
**bodybuilding** body-building
**bodylotion** body lotion
**body mass index** body mass index
**bodypaint** body painting
**bodystocking** body stocking
**bodywarmer** body warmer
**boe** ▼ *boe noch ba zeggen* not say a word
**Boedapest** Budapest
**Boedapests** Budapest
**Boeddha** *eigennaam* Buddha
**boeddha** *beeldje* Buddha
**boeddhisme** Buddhism
**boeddhist** Buddhist
**boeddhistisch** Buddhist

**boedel** ❶ *bezit* property ❷ *nalatenschap* estate
**boedelscheiding** division of estate / property
**boef** villain, inform crook, humor rascal
**boeg** ❶ *bow(s)* ❷ *roeier* ▼ *een schot voor de boeg* a
warning shot ▼ *'t over een andere boeg gooien*
change tack, change your tactics ▼ *voor de boeg
hebben* have in front of you
**boegbeeld** figurehead
**boegeroep** booing, hooting
**boegspriet** bowsprit
**boei** ❶ *kluister* fetter, shackle ★ *in de boeien slaan*
put / clap in irons ❷ *baken* buoy ❸ *reddingsgordel*
lifebelt ▼ *een kleur als een boei hebben* be as red as
a beetroot
**boeien** I *ov ww* ❶ *in de boeien slaan* fetter,
shackle, handcuff ❷ *fascineren* grip, arrest,
enthrall ★ *die muziek kon haar niet ~* the music
failed to hold her attention II *tw* inform I
couldn't care less
**boeiend** gripping, fascinating
**boek** ❶ *bundel bijeengebonden bedrukt papier* book
❷ *notatieregister* ★ *te boek stellen* set down, record
★ *de boeken afsluiten* close the books / accounts
★ BN *de boeken neerleggen* file for bankruptcy
★ *de boeken bijhouden* keep the books / accounts
★ *iets te boek stellen* record sth ❸ *bundel* ▼ *een
open boek zijn* be an open book ▼ *buiten zijn
boekje gaan* go beyond one's powers / authority
▼ *te boek staan als* be known as ▼ *goed / slecht te
boek staan* have a good / bad name / reputation
▼ *volgens het boekje* by the book
**Boekarest** Bucharest
**Boekarests** Bucharest
**boekbespreking** (book) review, criticism
**boekbinden** bookbinding
**boekbinder** bookbinder
**boekdeel** volume ▼ *dat spreekt boekdelen* that
speaks volumes
**boekdrukkunst** printing
**boeken** ❶ *in- / opschrijven* enter, book ❷ *behalen*
⟨succes⟩ score, ⟨vooruitgang⟩ make, ⟨verliezen⟩
register ❸ *reserveren* book
**boekenbeurs** book fair
**boekenbon** book token
**boekenclub** book club
**boekenkast** bookcase
**boekenlegger** bookmark
**boekenlijst** reading list
**boekenplank** bookshelf [mv: bookshelves]
**boekenrek** bookshelves *mv*
**boekensteun** bookend
**Boekenweek** book week
**boekenwijsheid** book learning
**boekenwurm** bookworm
**boeket** *bloemen* bouquet
**boekhandel** ❶ *winkel* bookshop ❷ *bedrijfstak*
book trade
**boekhandelaar** bookseller
**boekhouden** keep the books / accounts ★ *dubbel
~* bookkeeping by double entry
**boekhouder** bookkeeper
**boekhouding** ❶ *het boekhouden* bookkeeping,
accounting ★ *enkele / dubbele ~* single / double
entry bookkeeping ❷ *afdeling* accounts
department
**boekhoudkundig** accounting, bookkeeping

**bo**

**boeking** ❶ <u>admin</u> entry ❷ *bespreking* booking, reservation
**boekjaar** financial / fiscal year
**boekomslag** dust cover / jacket
**boekstaven** ❶ *opschrijven* (put on) record, set down ❷ *bewijzen* substantiate
**boekwaarde** book value
**boekweit** buckwheat
**boekwerk** book, work
**boekwinkel** bookshop, <u>USA</u> bookstore
**boekwinst** paper profit, book profit
**boel** ❶ *grote hoeveelheid* ★ *een hele boel* (quite) a lot (of) ❷ *toestand* ★ *de hele boel* the whole business / affair / lot ★ *een saaie boel* a dull affair ★ *de boel verraden* give the show / game away ★ <u>iron</u> *dat is ook een mooie boel!* there's a pretty kettle of fish for you ▼ *de boel op stelten zetten* raise Cain / hell
**boem** boom
**boeman** bogeyman
**boemel** ▼ *aan de ~ zijn* be on a spree
**boemelen** ❶ *treinreis maken* take the slow train ❷ *pret maken* go out boozing, go on a spree
**boemeltje** *trage trein* slow train
**boemerang** boomerang
**boender** scrubbing brush
**boenen** ⟨schrobben⟩ scrub, ⟨oppoetsen⟩ polish
**boenwas** beeswax
**boer** ❶ *agrariër* farmer ❷ *speelkaart* jack ❸ *oprisping* belch ❹ *lomperik* yokel, country bumpkin ▼ *de boer opgaan* go on the road
**boerderij** ❶ *woning* farmhouse ❷ *boerenbedrijf* farm
**boeren** ❶ *boer zijn* farm ❷ *een boer laten* burp, belch ▼ *goed ~* do well ▼ *slecht ~* do badly
**boerenbedrijf** farm, ⟨beroep⟩ farming
**boerenbedrog** humbug, rubbish
**boerenbont** ❶ *stof* checkered gingham ❷ *aardewerk* colonial
**boerenbruiloft** country wedding
**boerenbuiten** ▼ <u>BN</u> *op de ~* in the country
**boerenjongens** <u>cul</u> brandied raisins
**boerenkaas** <u>cul</u> farmhouse cheese
**boerenkinkel** yokel
**boerenkool** curly kale
**boerenverstand** common sense ★ *daar kan ik met mijn ~ niet bij* that's beyond me
**boerin** ❶ *vrouwelijke boer* woman farmer ❷ *vrouw van de boer* farmer's wife *mv: wives*
**boerka** burqa
**Boerkina Faso** Burkina Faso
**boerkini** Burkini
**Boeroendi** Burundi
**boers** ❶ *plattelands* rustic ❷ *lomp* boorish
**boete** ❶ *straf* penalty, <u>rel</u> penance ★ *~ doen* do penance ❷ *geldstraf* fine, penalty ★ *een ~ krijgen* be fined ★ *iem. een ~ opleggen* fine sb
**boetedoening** penance
**boetekleed** hair shirt ▼ *het ~ aantrekken* put on the hair shirt
**boeten** *boete doen* suffer (for), ⟨voor vergissing⟩ pay (for) ★ *daar zul je voor ~* you'll pay for that
**boetiek** boutique
**boetseerklei** modelling clay
**boetseren** *met kneedbaar materiaal maken* model

**boetvaardig** penitent, contrite, repentant
**boevenbende** pack of thieves
**boezem** ❶ *borst(en)* bosom, breast ❷ *hartholte* atrium ❸ *gemoed* heart
**boezemfibrilleren** <u>med</u> atrial fibrillation
**boezemvriend** bosom friend
**bof** ❶ *ziekte* mumps *mv* ❷ *gelukje* piece of luck
**boffen** be lucky
**bofkont** lucky dog
**bogen op** boast of ★ *~ op iets* pride o.s. on, boast of sth
**Boheems** Bohemian
**Bohemen** Bohemia
**bohemien** Bohemian
**boiler** water heater, boiler
**bok** ❶ *mannetjesdier* ⟨geit⟩ billy goat, ⟨hert⟩ buck, ⟨hert, eland⟩ stag ❷ *gymnastiektoestel* ⟨vaulting⟩ horse ❸ *hijstoestel* derrick, ⟨scheepsbok⟩ sheers ❹ *zitplaats van koetsier* box ❺ *schraag* ▼ *een bok schieten* (make a) blunder ▼ *oude bok* old goat
**bokaal** ❶ *beker* goblet, ⟨als prijs⟩ cup ❷ *glazen kom* bowl ❸ <u>BN</u> *glazen pot of fles* jar
**bokjespringen** (play) leapfrog
**bokken** ❶ *springen als een bok* ⟨van paard⟩ buck ❷ *tochtig zijn* be on heat ❸ *nors zijn* sulk
**bokkenpoot** ❶ *koekje* ≈ sweet finger-shaped biscuit ❷ *teerkwast* tar brush
**bokkenpruik** ▼ *de ~ op hebben* mope, have the sulks
**bokkensprong** caper ▼ *~en maken* cut capers
**bokkig** surly, sullen, morose
**bokking** bloater, smoked herring, ⟨vers⟩ white / fresh herring
**boks** <u>BN</u> *vuistslag* punch, thump
**boksbal** punchball
**boksbeugel** knuckleduster, <u>USA</u> brass knuckles *mv*
**boksen** box ▼ *iets voor elkaar ~* fix sth
**bokser** *vechter* boxer, ⟨voor geld⟩ prizefighter
**bokshandschoen** boxing glove
**bokspringen → bokjespringen**
**bokswedstrijd** boxing match
**bol** I *zn* [de] ❶ *bolvormig voorwerp* ball, globe, <u>wisk</u> sphere, ⟨van hoed⟩ crown ❷ *broodje* roll ❸ *hoofd* noddle, nut ★ *het is hem in zijn bol geslagen* he is off his nut / head ❹ *bloembol* bulb ▼ *een knappe bol* a clever fellow, a smart chap II *bnw* ❶ *bolvormig* round, ⟨lens⟩ convex, ⟨wangen⟩ chubby, ⟨zeilen⟩ billowing ❷ *opgezwollen* spherical ★ *bol gezicht* plump face
**bolbliksem** ball lightning
**boleet** boletus
**bolero** *dans* bolero
**bolero** *jasje* bolero
**bolgewas** bulbous plant
**bolhoed** bowler (hat)
**bolide** racing car
**Bolivia** Bolivia
**Boliviaan** Bolivian
**Boliviaans** Bolivian
**Boliviaanse** Bolivian (woman / girl)
**bolleboos** clever / bright person, dab, <u>min</u> clever clogs *mv*
**bollen** bulge, swell (up), ⟨van stof⟩ billow
**bollenveld** bulb field
**bolletje → bol**

**bolletjesslikker** *jur* drug swallower
**bolletjestrui** sport red-spotted jersey
**bolrond** spherical, convex
**bolsjewiek** Bolshevik
**bolsjewisme** Bolshevism
**bolster** ❶ husk ❷ *kaf* ▾ *ruwe ~, blanke pit* a rough diamond
**bolvormig** spherical, globular
**bolwassing** BN dressing-down, talking-to ★ *iem. een ~ geven* give sb a talking-to, give sb a rap over the knuckles
**bolwerk** ❶ *mil* rampart, bastion ❷ *fig* bulwark
**bolwerken** ★ *het (kunnen) ~* manage
**bom** ❶ *explosief* bomb ★ *slimme bom* smart bomb ❷ *grote hoeveelheid* load, pile ★ *een bom geld* a heap / pile of money ❸ → **bommetje** ▾ *de bom is gebarsten* the storm has broken, the bombshell has been dropped
**bomaanslag** bomb attack
**bomalarm** bomb alert, (bij bomaanslag ook) bomb scare, 〈oorlog〉 air-raid warning
**bombardement** bombardment, shelling
**bombarderen** ❶ *mil bestoken* (met granaten) shell, (met bommen) bomb ❷ *fig* bombard, shower
**bombarie** noise, fuss ★ *~ maken* kick up / make a fuss
**bombast** bombast, pompous language
**bombastisch** bombastic, pompous
**Bombay** → Mumbai
**bomberjack** bomber jacket
**bombrief** letter bomb
**bomen** I *ov ww* scheepv punt II *on ww, praten* have a long good talk, *inform* have a chinwag / natter
**bomexplosie** bomb explosion
**bomma** BN *oma* grandma, granny
**bommelding** bomb alert / scare ★ *een valse ~* a bomb hoax
**bommen** ▾ *het kan me niet ~* I don't care a toss, a fat lot I care
**bommentapijt** carpet of bombs
**bommenwerper** bomber
**bommetje** *grote plons* cannonball ★ *een ~ maken* do a cannonball
**bommoeder** *bewust ongehuwde moeder* ≈ bachelor mother
**bompa** BN *opa* grandpa, gran(d)dad
**bomtrechter** bomb crater
**bomvol** chock-full, packed, crammed
**bon** ❶ *betalingsbewijs* receipt ❷ *waardebon* voucher, 〈voor cadeau〉 token ❸ *bekeuring* ticket ★ *iem. op de bon slingeren* give sb a ticket, book sb
**bonafide** bona fide
**Bonaire** Bonaire
**bonbon** chocolate, sweet
**bond** ❶ *vereniging* alliance, league, 〈vakvereniging〉 union ❷ *verbond* alliance, pact
**bondgenoot** ally
**bondgenootschap** ❶ *verbond* alliance ★ *een ~ sluiten* conclude an alliance ❷ *statenbond* confederacy
**bondig** concise, succinct
**bondscoach** national coach
**bondskanselier** Federal Chancellor

**bondsrepubliek** federal republic
**bondsstaat** federal state
**bonenkruid** summer savory
**bonenstaak** ❶ *stok* beanpole ❷ *mager mens* beanpole
**bongo** bongo (drum)
**boni** BN econ *positief saldo* credit balance, surplus
**bonje** row, rumpus ★ *~ met iem. hebben* have a row with sb
**bonk** ❶ *brok* chunk, lump ❷ *lomperik* lout ▾ *één bonk zenuwen* a bundle of nerves
**bonken** pound, bang, thump ★ *op de deur ~* pound on the door ★ *niet zo ~ op die deur!* stop hammering away at that door!
**Bonn** Bonn
**bonnefooi** ▾ *op de ~* on the off chance
**bons** ❶ *klap* thump, clunk ❷ *baas* big boss ▾ *de bons geven* jilt (sb)
**bonsai** bonsai
**bont** I *zn* [het] ❶ *pels* fur ❷ *boerenbont* (cotton) print II *bnw* ❶ *veelkleurig* multi-coloured, 〈van plant〉 variegated, (koe, hond) spotted, (paard) piebald, (was) coloured ❷ *afwisselend* colourful, *min* motley, (programma) varied ★ *een bonte menigte* a colourful crowd ▾ *iem. bont en blauw slaan* beat sb black and blue ▾ *het te bont maken* go too far ▾ *maak het niet te bont* don't go too far, don't pile it on
**bontjas** fur coat
**bontwerker** furrier
**bonus** bonus, premium
**bonusaandeel** bonus share
**bonus-malusregeling** no-claim bonus system
**bonze** (big) boss, *inform* big shot
**bonzen** *hard slaan / stoten* bang, thump ★ *tegen iets aan ~* bump against / into sth ★ *zijn hart bonsde* his heart was pounding
**boobytrap** booby trap
**boodschap** ❶ *bericht* message, errand ★ *een ~ achterlaten* leave a message ★ *de blijde ~* good news ★ *een ~ sturen* send word ❷ *het inkopen* (the) shopping, purchase(s) ★ *~pen doen* go shopping, do the shopping ★ *een ~ doen* do / run an errand ❸ *stoelgang* ★ *een grote / kleine ~ doen* do number two / one ▾ *daar heb ik geen ~ aan* that's nothing to do with me ▾ *hem kun je wel om een ~ sturen* you can leave things to him ▾ *oppassen is de ~* be on your guard ▾ *zwijgen is de ~* mum's the word
**boodschappendienst** messenger service, 〈expresbesteldienst〉 courier service
**boodschappenkarretje** shopping trolley / cart
**boodschappenlijstje** shopping list
**boodschappenmandje** shopping basket
**boodschappentas** shopping bag
**boodschapper** messenger (boy)
**boog** ❶ *kromme lijn* curve, 〈van cirkel〉 arc ❷ *wapen* bow ❸ *bouwwerk* (bouwkunde) arch, 〈van brug〉 span ▾ *de boog kan niet altijd gespannen zijn* you've got to take a break sometime ▾ *met een boog om iets heen lopen* give sth a wide berth
**boogbal** sport lob
**boogbrug** arched bridge
**boogiewoogie** boogie-woogie

**booglamp** arc lamp / light
**boogschieten** archery
**Boogschutter** *dierenriemteken* Sagittarius
**boogschutter** *boogschieter* archer
**bookmaker** bookmaker
**bookmark** comp *markering* bookmark ★ *een ~ toevoegen* set a bookmark
**bookmarken** comp bookmark
**boom¹** ❶ *gewas* tree ❷ *slagboom* barrier, ⟨van spoor ook⟩ gate ❸ *vaarboom* punt(ing) pole ❹ *dissel* ▾ *een boom opzetten* have a good long talk ▾ *hoge bomen vangen veel wind* a great tree attracts the wind ▾ *je kunt me de boom in!* get lost! ▾ *een boom van een kerel* a strapping lad ▾ *je ziet door de bomen het bos niet meer* you can't see the wood for the trees
**boom²** [boem] *sterke stijging* boom
**boomdiagram** tree (diagram)
**boomgaard** orchard
**boomgrens** tree line
**boomklever** wood nuthatch
**boomkruiper** treecreeper
**boomkweker** tree nurseryman
**boomkwekerij** tree nursery
**boomschors** bark
**boomstam** tree trunk
**boomstronk** stump
**boon** bean ★ *witte boon* haricot bean ★ *bruine boon* brown bean ★ *blauwe boon* bullet ▾ BN *boontje hebben voor iets* ⟨voorliefde hebben⟩ have a soft spot for sb / sth ▾ BN *een boontje hebben voor iem.* ⟨een zwak hebben⟩ have a soft spot for sb, have a crush on sb ▾ *ik ben een boon als het waar is* I'll eat my hat if it's true ▾ *in de bonen zijn* be all at sea
**boontje** ▾ *een heilig ~* a saint, a goody-goody ▾ *~ komt om zijn loontje* serves you right, you get what you deserve ▾ *zijn eigen ~s doppen* fend for o.s., fight one's own battles ▾ *je eigen ~s (kunnen) doppen* (be able to) take care of o.s., fight one's own battles ▾ *ik kan mijn eigen ~s wel doppen* I don't need spoonfeeding
**boor** ❶ *boortoestel* ⟨omslagboor⟩ brace (and bit), ⟨drilboor⟩ drill, ⟨fretboor⟩ gimlet ❷ *boorijzer* bit
**boord** I *zn* [de] ❶ *rand* border ❷ *oever* bank, shore II *zn* [het] ❶ *halskraag* collar ★ *opstaande ~* stand-up collar ★ *liggende ~* turn-down collar ❷ *scheepv* board ★ *aan ~ gaan* go on board, embark ★ *van ~ gaan* go ashore, disembark ▾ BN *iets aan ~ leggen* manage a job well
**boordcomputer** onboard computer
**boordevol** brimful, brimming with ★ *~ meubels staan* be crammed with furniture
**boordwerktuigkundige** flight mechanic, flight engineer
**booreiland** oil rig
**boorkop** *houder* (drill) chuck
**boormachine** (power) drill
**boorplatform** drilling platform, (oil) rig
**boortoren** derrick, drilling rig
**boos** ❶ *kwaad* angry, mad ★ *boze bui* fit of temper ★ *boos zijn op iem.* be angry with sb, be mad at sb ★ *boos worden* lose one's temper ★ *iem. boos maken* make sb angry ★ *boos om / over* angry at / about ★ *boos kijken naar iem.* scowl at sb ❷ *kwaadaardig, slecht* evil, wicked ❸ *vol zorgen* barren

**boosaardig** ❶ *gemeen* malicious ❷ *gevaarlijk* malignant
**boosdoener** wrongdoer ▾ *hij is de ~* he is the villain / culprit
**boosheid** ❶ *toorn* anger ❷ *slechtheid* wickedness
**boot** ⟨groot⟩ steamer, boat, ⟨groot⟩ ship ★ *gaan bootje varen* go (out) boating ▾ *toen was de boot aan* then the fat was in the fire, that put the cat among the pigeons ▾ *iem. in de boot nemen* pull sb's leg
**booten** comp *computer opstarten* boot (up)
**boothals** boat neck ★ *een trui met ~* a boat-neck sweater
**bootsman** boatswain, bosun
**boottocht** boat trip
**boottrein** boat train
**bootvluchteling** ★ *~en* boat refugees, boat people
**bootwerker** docker
**bop** muz bop
**bord** ❶ *etensbord* plate ❷ *speelbord* board ❸ *schoolbord* (black)board ❹ *uithangbord* sign ❺ *naambord* nameplate ❻ *mededelingenbord* (notice) board ▾ *een bord voor zijn kop hebben* be thick-skinned ▾ *de bordjes zijn verhangen* the tables are turned
**bordeaux** *wijn* bordeaux, claret
**bordeel** brothel
**bordenwasser** dishwasher
**border** border
**borderline** ★ *een ~ persoonlijkheid zijn* be borderline
**bordes** ≈ (flight of) steps *mv*
**bordspel** board game
**borduren** embroider
**borduursel** embroidery
**boren** I *ov ww, met boor maken* ⟨v. tunnel⟩ bore, ⟨in metaal, hout, enz.⟩ drill, ⟨v. put⟩ sink ★ *een gat in de muur ~* drill a hole in the wall II *on ww* ❶ *met boor werken* drill ★ *~ naar olie* drill for oil ❷ *gaan door* pierce, penetrate ★ *de kogel boorde zich in de muur* the bullet lodged in the wall
**borg** ❶ *onderpand* security ❷ *persoon* surety, guarantor ★ *borg staan voor iem.* answer / vouch for sb ★ *ergens borg voor staan* guarantee sth
**borgpen** locking pin
**borgsom** security, ⟨huur, e.d.⟩ deposit
**borgstelling** ❶ *handeling* (waarborg) securityship ❷ *akte* guarantee, security bond ❸ *geldsom* security (money)
**borgtocht** ❶ *waarborgsom* bail ★ *op ~ vrijgelaten worden* be released on bail ❷ *overeenkomst* security (money)
**boring** ❶ *het boren* boring, drilling ★ *~ naar olie* boring / drilling for oil ❷ *kaliber* bore
**borium** boron
**borrel** ❶ *drankje* drink, dram ★ *een ~ drinken* have a drink / dram ❷ *het samen drinken* drinks party ★ *een ~ geven* give / throw a drinks party ★ *iem. op de ~ vragen* invite sb for drinks
**borrelen** ❶ *bubbelen* bubble ❷ *borrels drinken* have drinks
**borrelgarnituur** snacks *mv*
**borrelhapje** snack, appetizer
**borrelpraat** twaddle, blather

**borst** ❶ *lichaamsdeel* chest, ⟨van paard⟩ breast ❷ *vrouwenborst* breast [mv: breasts, bosom] ★ *een kind de ~ geven* nurse / breastfeed a child ▾ *uit volle ~* at the top of one's voice, lustily ▾ *zich op de ~ kloppen* congratulate o.s. ▾ *dat stuit mij tegen de ~* that goes against the grain with me ▾ *maak je ~ maar nat!* now you're in for it!, ⟨voor werk⟩ roll up your sleeves! ▾ *een hoge ~ opzetten* stick out one's chest, give o.s. airs
**borstamputatie** mastectomy
**borstbeeld** bust, ⟨op munt⟩ effigy
**borstbeen** breastbone, med sternum
**borstcrawl** crawl
**borstel** ❶ *werktuig* brush ❷ *stekels van dier* bristle ❸ BN *verfkwast* paintbrush ❹ BN *bezem* broom ▾ BN *er met de grove ~ doorgaan* stop / stick at nothing
**borstelen** brush
**borstelig** bristly, bushy ★ *~e wenkbrauwen* bushy eyebrows
**borstholte** chest cavity
**borstkanker** breast cancer
**borstkas** chest
**borstkolf** breast pump
**borstomvang** size of the chest
**borstplaat** ≈ fondant
**borstpomp** breast pump
**borstprothese** breast / mammary prosthesis
**borstslag** breast stroke
**borststem** chest voice
**borststuk** ❶ *deel van harnas* breastplate ❷ cul *vlees* breast, ⟨van rund⟩ brisket
**borstvlies** pleura [mv: pleurae]
**borstvliesontsteking** pleurisy, pleuritis
**borstvoeding** breastfeeding
**borstwering** parapet
**borstzak** breast pocket
**bos** I *zn* [de]*, bundel* bundle ★ *bos (bloemen)* bunch (of flowers) *mv ~ bos (haar)* head / mop of hair ★ *bos (hout)* faggot, bundle (of wood) ★ *bos (sleutels)* bunch (of keys) II *zn* [het] wood, ⟨groot⟩ forest ▾ *iem. het bos in sturen* lead sb up the garden path
**bosachtig** wooded
**bosbeheer** forestry, forest management
**bosbes** bilberry, USA blueberry
**bosbouw** forestry
**bosbrand** forest fire
**bosje** ❶ *bundeltje* bunch ★ *~ haar* tuft of hair ★ *een ~ stro* a wisp of straw ❷ *struiken* grove, thicket ❸ *bosschage* ▾ *bij ~s sterven* die by the dozen
**Bosjesman** Bushman
**bosklas** BN onderw ≈ nature class
**bosneger** Maroon
**Bosnië** Bosnia
**Bosnië-Herzegovina** Bosnia-Herzegovina
**Bosniër** *bewoner* Bosnian
**Bosnisch** *m.b.t. Bosnië* Bosnian
**Bosnische** Bosnian (woman / girl)
**bospad** forest path
**bosrand** edge of the wood
**bosrijk** wooded, woody
**bosschage** grove
**bosuil** tawny owl
**bosviooltje** plantk wood violet

**bosvruchten** forest fruit
**boswachter** forester
**bot** I *bnw* ❶ *stomp* dull, ⟨mes⟩ blunt ❷ *lomp* blunt ★ *bot gedrag* rude behaviour II *zn* [het]*, been* bone ▾ *tot op het bot to the bone* ▾ *botje bij botje leggen* club together III *zn* [de] ❶ *vis* flounder ❷ plantk bud ▾ *bot vangen* draw a blank
**botanicus** botanist
**botanie** botany
**botanisch** botanical
**botbreuk** fracture (of a bone), broken bone
**boter** cul butter ▾ *dat is ~ aan de galg gesmeerd* it's a waste of time / effort ▾ *~ bij de vis* cash down ▾ *~ op het hoofd hebben* have soiled hands ▾ *zo geil als ~* horny / randy as hell
**boterbloem** buttercup
**boterbriefje** marriage certificate ▾ *samenwonen zonder ~* living together, shacking up
**boteren** ★ *het botert niet tussen hen* they don't hit it off, they don't get on
**boterham** ❶ cul *snee brood* (a slice of) bread (and butter), ⟨met beleg⟩ sandwich ❷ *levensonderhoud* ★ *een behoorlijke ~ verdienen* make a decent living ★ *daar zit geen droge ~ in* there's no money to be made in it
**boter-kaas-en-eieren** noughts and crosses, USA tic-tac-toe
**boterkoek** ❶ cul butter biscuit ❷ BN *zacht koffiebroodje, vaak met rozijnen* currant bun
**boterletter** cul (almond) pastry letter
**botervloot** butter dish
**boterzacht** as soft as butter
**botheid** ❶ *het stomp zijn* bluntness ❷ *domheid* dullness, thickness ❸ *lompheid* bluntness
**botkanker** bone cancer
**Botnische Golf** Gulf of Bothnia
**botontkalking** osteoporosis
**Botox®** Botox
**botsautootje** dodgem car
**botsen** ❶ *hard raken* collide (with), crash (into), bump (into) ★ *tegen iem. ~* bump into sb ❷ *in strijd komen* conflict, clash ★ *hun belangen botsten met elkaar* they had conflicting interests
**botsing** *het botsen* collision, crash, inform smash-up ★ *in ~ komen met* collide with, clash with ❷ *strijd* clash, conflict ★ *in ~ komen met de wet / iemand* run foul of the law / sb
**Botswaans** Botswanan
**Botswana** Botswana
**bottelen** bottle
**bottenkraker** med chiropractor, med osteopath
**botter** ≈ smack, ⟨Dutch⟩ fishing boat
**botterik** ❶ *lomperd* lout ❷ *domoor* dimwit
**bottleneck** fig bottleneck
**botulisme** botulism
**botvieren** ★ *zijn hartstochten ~* indulge one's passions
**botweg** bluntly, point-blank ★ *iets ~ ontkennen* flatly deny sth
**boud** bold ★ *een boude bewering* a bold assertion
**bougie** spark(ing) plug ★ *vette ~* oily spark plug
**bougiekabel** elek techn transp plug lead, ignition wire / cable
**bougiesleutel** (spark / sparking) plug spanner
**bouillon** broth, ⟨als basis voor een gerecht⟩ stock ★ *heldere ~* consommé

**bouillonblokje** stock / beef cube
**boulevard** boulevard, ⟨aan zee⟩ promenade
**boulevardblad** tabloid, glossy magazine
**boulevardpers** yellow / gutter press
**boulimia, boulimie** boulimia
**bourgeois** I *zn* [de] bourgeois II *bnw* bourgeois, middle-class
**bourgeoisie** bourgeoisie, middle class(es)
**bourgogne** *wijn* burgundy
**Bourgondië** *aardk* Burgundy
**Bourgondisch** *van / uit Bourgondië* Burgundian, exuberant, lively
**bourgondisch** *overvloedig* exuberant ★ *~ tafelen* dine heartily
**bout** ❶ *staaf, pin* bolt ❷ *cul stuk vlees* leg, ⟨van vogel⟩ drumstick ❸ *ijzer* ▼ *je kan me de bout hachelen* go to hell, get stuffed
**bouvier** bouvier
**bouw** ❶ *het bouwen* building, construction ★ *in de bouw werken* be in the building trade ❷ *opbouw* ⟨van atoom⟩ structure, ⟨van schip, lijf, e.d.⟩ build. ❸ *bouwbedrijf* building trade
**bouwbedrijf** ❶ *bouwvak* building trade ❷ *onderneming* construction firm
**bouwdoos** ⟨met blokken⟩ box of bricks, ⟨bouwpakket⟩ do-it-yourself kit
**bouwen** ❶ *construeren* build (on) ★ *huizen ~* build houses ❷ *~ op vertrouwen* rely on, depend on ▼ *op zand ~* build on sand
**bouwer** builder
**bouwfonds** building society
**bouwgrond** ❶ *bouwterrein* building site ❷ *akkerland* arable land, farmland
**bouwheer** BN principal
**bouwjaar** ❶ *jaar van bouwen* date of building / construction ❷ *jaar van productie* date of manufacture
**bouwkeet** site office, portable office
**bouwkunde** architecture
**bouwkundig** architectural ★ *~ ingenieur* structural engineer
**bouwkundige** structural / construction engineer
**bouwkunst** architecture
**bouwland** arable land, farmland
**bouwmateriaal** [vaak mv] construction material
**bouwnijverheid** building industry, construction trade
**bouwpakket** do-it-yourself kit ★ *een ~ voor een modelvliegtuig* a model aeroplane kit
**bouwplaat** *uitknipwerk* cut-out
**bouwplaats** building site, USA construction site
**bouwplan** building plan, ⟨van straten enz.⟩ development plan
**bouwpromotor** BN property developer, real estate developer
**bouwput** (building) excavation
**bouwrijp** ready for building ★ *het terrein wordt ~ gemaakt* the site is will be prepared for building
**bouwsector** building industry / trade
**bouwsel** building, structure
**bouwsteen** ❶ *steen* brick, ⟨natuursteen⟩ building stone ❷ *fig* material, building block
**bouwstijl** architecture, architectural style
**bouwstof** building material
**bouwtekening** blue print
**bouwterrein** building site, USA construction site

**bouwvak** I *zn* [de] set holiday period for the building trade II *zn* [het] building (trade)
**bouwvakker** construction / building worker
**bouwval** ruin, wreck
**bouwvallig** ramshackle, dilapidated
**bouwvergunning** planning permission, building licence
**bouwwerf** BN *bouwplaats* building site, USA construction site
**bouwwerk** building, structure, construction
**boven** I *vz* ❶ *hoger dan* above, ⟨recht boven⟩ over ★ *~ het huis* above the house ★ *~ het dal* over the valley ❷ *meer dan* above, over ★ *kinderen ~ de twaalf jaar* children over twelve ★ *toegang ~ de twaalf jaar* no admission for children under twelve ★ *een prijs ~ de 100 euro* a price of over one hundred euros ❸ *ten noorden van* above ★ *net ~ Utrecht* just north of Utrecht ❹ *hoger in rang* ★ *~ iem. staan* be above sb II *bijw, hoger, hoogst* above, up, ⟨in huis, enz.⟩ upstairs ★ *~ op elkaar* on top of each other ★ *naar ~* up, upwards, upstairs ★ *naar ~ brengen* take / carry up / upstairs, ⟨vanaf lager punt⟩ bring up, ⟨herinneringen⟩ bring back ★ *naar ~ gaan* go up, ⟨in huis⟩ go upstairs ★ *van ~ naar beneden* (from the top) downwards ★ *van ~ tot onder* from top to bottom ★ *hij woont ~* he lives upstairs ★ *zie ~* as above ▼ *dat gaat mijn krachten te ~* that's beyond my power ▼ *te ~ gaan* exceed, surpass ▼ *iets te ~ komen* overcome sth, surmount sth ▼ *we zijn de crisis te ~ gekomen* we have passed the crisis
**bovenaan** at the top ★ *~ staan* head the list, lead, be at the head (of the list)
**bovenaanzicht** view from above
**bovenaards** ❶ *bovengronds* surface, ⟨van leidingen, e.d.⟩ overhead ❷ *hemels* supernatural
**bovenal** above all (things)
**bovenarm** upper arm
**bovenarms** ▼ BN *het zit er ~ op* they're having a blazing / flaming row
**bovenbeen** upper leg, thigh
**bovenbouw** ❶ *hogere klassen op school* last two or three classes of a secondary school *mv* ❷ *bouw* superstructure
**bovenbuur** upstairs neighbour
**bovendien** besides, in addition, moreover
**bovendrijven** ❶ *aan oppervlakte drijven* float ❷ *overhand hebben / krijgen* prevail, get the upper hand
**bovengenoemd** above(-mentioned)
**bovengrens** upper limit
**bovengronds** ⟨trein⟩ overground, ⟨leidingen⟩ overhead
**bovenhand** ▼ *de ~ krijgen* get the upper hand
**bovenhands** overarm, USA overhand
**bovenhuis** upstairs flat / apartment
**bovenin** at the top
**bovenkaak** upper jaw
**bovenkamer** upper / upstairs room ▼ *het mankeert hem in zijn ~* he's funny in the head
**bovenkant** top
**bovenkleding** outer clothing
**bovenkomen** ❶ *naar hogere verdieping komen* come up(stairs) ★ *laat hem maar ~* send him up ❷ *aan oppervlakte komen* surface, rise, float to

**bo**

the surface ❸ *opwellen* surface
**bovenlaag** ❶ *bovenste laag* upper layer, <u>aardk</u> top layer, ⟨van verf⟩ top coat ❷ *sociale klasse* upper class
**bovenlangs** along the top
**bovenleiding** overhead line / cable
**bovenlichaam** upper body
**bovenlicht** ❶ *licht* top light ❷ *raam* fanlight, <u>USA</u> transom
**bovenlijf** upper body ★ *met ontbloot ~* stripped to the waist
**bovenlip** upper lip
**bovenloop** upper course, upper reaches *mv*
**bovenmate** extremely
**bovenmatig** excessive, extreme
**Bovenmeer** Lake Superior
**bovenmenselijk** superhuman
**bovennatuurlijk** supernatural
**bovenop** ❶ *op de bovenkant* on top ★ *~ liggen* be on top ★ *~ elkaar* on top of each other ❷ *herstelde* ★ *iem. er (weer) ~ helpen* pull / see sb through, set sb on his feet again ★ *er weer ~ komen* pick up, pull through ★ *hij is er weer ~* he's back on his feet again ▾ *ergens ~ zitten* be right on the ball
**bovenst** upper(most), topmost, ⟨verdieping, e.d.⟩ top ★ *het ~e* the upper part, the top ▾ *je bent een ~e beste* you're marvellous, you're a brick
**bovenstaand** ★ *het ~e* the above
**boventallig** supernumerary, ⟨overbodig⟩ redundant ★ *~ personeel ontslaan* lay off redundant staff
**boventoon** *toon die overal bovenuit komt* overtone ▾ *de ~ voeren* predominate, hog the conversation
**bovenuit** ★ *zijn stem klonk overal ~* his voice drowned (out) everything
**bovenverdieping** upper storey, <u>USA</u> upper story
**bovenvermeld** above-mentioned
**bovenwinds** windward ★ *de Bovenwindse Eilanden* Windward Islands
**Bovenwindse Eilanden** Windward Islands
**bovenwoning** upstairs flat / apartment
**bovenzijde** top
**bovenzinnelijk** transcendental
**bowl** *drank* punch ★ *bowl maken* make punch
**bowlen** bowl
**bowling** I *zn* [het], *het bowlen* bowling ⟨game⟩ II *zn* [de], *hal* bowling alley
**box** ❶ *kinderbox* playpen ❷ *luidspreker* (loud)speaker ❸ *afgescheiden ruimte* box
**boxer** *hond* boxer
**boxershort** boxer shorts *mv*
**boycot** boycott
**boycotten** boycott
**boze** ▾ *uit den boze* unacceptable, entirely wrong, wicked / sinful, fundamentally / altogether wrong
**braadpan** Dutch oven, casserole
**braadslee** roasting tin
**braadspit** spit
**braadworst** <u>cul</u> ⟨frying⟩ sausage, bratwurst
**braaf** ❶ *deugdzaam* decent, respectable, honest ❷ *gehoorzaam* good, obedient ★ *wees ~* be good
**braak** I *zn* [de] burglary II *bnw* ❶ *onbebouwd* fallow ❷ *onbewerkt m.b.t. kennis* fallow, undeveloped

**braakbal** pellet
**braakmiddel** emetic
**braaksel** vomit
**braam** ❶ *vrucht* blackberry ★ *bramen gaan zoeken* go blackberrying ❷ *struik* blackberry (bush), bramble ❸ *ruwe rand* burr
**Brabançonne** *volkslied van België* national anthem of Belgium
**Brabander** ★ *hij is een ~* he's from Brabant
**Brabant** Brabant
**Brabants** Brabant
**Brabantse** ★ *zij is een ~* she's from Brabant
**brabbelen** babble, jabber
**brabbeltaal** ⟨van peuter⟩ baby talk, ⟨van volwassene⟩ gibberish
**braden** I *ov ww, bakken* ⟨boven vuur, in oven⟩ roast, ⟨boven rooster⟩ broil, ⟨boven rooster⟩ grill, ⟨op het fornuis⟩ fry ★ *ge~ rundvlees* roast beef II *on ww, zonnebaden* be baking
**braderie** fair
**brahmaan** Brahmin, Brahman
**braille** Braille
**braindrain** brain drain
**brainstormen** do some brainstorming
**brainwave** brainwave
**brak** I *bnw* ❶ *half zout* brackish ❷ *katerig* lousy II *zn* [de], *hond* beagle
**braken** *overgeven* vomit, be sick, throw up ▾ *vlammen ~* belch flames
**brallen** brag, boast
**brancard** stretcher
**branche** line (of business)
**brancheorganisatie** trade / industry organisation
**branchevreemd** outside the branch
**brand** *vuur* fire, ⟨groot⟩ blaze ★ *uitslaande ~* blaze, *form* conflagration ★ *in ~ staan* be on fire ★ *in ~ steken* set on fire, set fire to ★ *in ~ vliegen* catch fire ★ *~!* fire! ★ *er is ~* there is a fire ★ *~ veroorzaken* start a fire ★ *de ~ is bedwongen* the fire is under control ▾ *iem. uit de ~ helpen* help sb out (of a predicament) ▾ <u>BN</u> *uit de ~ slepen* carry off, bag, scoop
**brandalarm** fire alarm
**brandbaar** combustible, inflammable
**brandbeveiligingssysteem** fire prevention system
**brandblaar** blister
**brandblusser** fire extinguisher
**brandbom** incendiary (bomb), firebomb
**brandbrief** urgent letter, pressing letter
**branden** I *on ww* ❶ *in brand staan* burn, be on fire ★ *het vuur wou niet ~* the fire wouldn't light ❷ *gloeien* burn ❸ *licht / warmte uitstralen* burn ❹ *brandend gevoel geven* burn, ⟨van brandnetel⟩ sting ▾ *~ van verlangen* burn with desire II *ov ww* ❶ *met vuur bewerken* ⟨van wond⟩ cauterize, ⟨van jenever, enz.⟩ distil, ⟨van glas⟩ stain, ⟨van koffie⟩ roast ❷ *verwonden* burn, ⟨door heet water, e.d.⟩ scald, ⟨vinger⟩ burn
**brander** *vlambek* burner
**branderig** ❶ *ontstoken* inflamed, burning ❷ *als van brand* burnt
**brandewijn** <u>cul</u> brandy
**brandgang** firebreak
**brandgevaar** fire hazard / risk

**br**

**brandglas** burning glass
**brandhaard** ❶ fig hotbed ❷ lett seat of fire
**brandhout** firewood, fig junk
**branding** surf, ⟨golven⟩ breakers mv
**brandkast** safe, strongbox
**brandkraan** fire hydrant
**brandladder** brandtrap fire ladder, ⟨aan gebouw⟩ escape ladder
**brandlucht** smell of burning
**brandmeester** fire officer
**brandmelder** fire alarm
**brandmerk** ❶ ingebrand merk brand ❷ fig blijvende schande stigma
**brandmerken** ❶ een brandmerk geven brand ❷ fig stigmatiseren stigmatize
**brandnetel** nettle
**brandpreventie** fire prevention
**brandpunt** ❶ focus ❷ middelpunt focus, centre
**brandschade** fire damage
**brandschatten** plunder, loot
**brandschilderen** stain glass ★ gebrandschilderd raam stained-glass window
**brandschoon** ❶ helemaal schoon spotless, spick-and-span ❷ onschuldig spotless, blameless, inform clean
**brandsingel** firebreak
**brandslang** fire hose
**brandspuit** fire engine
**brandstapel** funeral pyre ★ op de ~ sterven burn at the stake
**brandstichten** start a fire
**brandstichter** arsonist, fire-raiser, inform firebug
**brandstichting** arson
**brandstof** fuel
**brandtrap** fire escape
**brandveilig** fireproof
**brandverzekering** fire insurance
**brandvrij** flame / fire resistant, fireproof
**brandweer** fire brigade
**brandweerkorps** fire brigade, USA fire department
**brandweerman** fireman
**brandwerend** fireproof, fire-resistant
**brandwond** burn
**brandwondencentrum** burns unit
**brandy** brandy
**brandzalf** ointment for burns / scalds
**branie** ❶ lef swank, swagger ★ hij kwam met veel ~ binnen he came swaggering / strutting in ❷ branieschopper show-off, poser ★ de ~ uithangen show off
**branieschopper** swaggerer, show-off
**brasem** bream
**brassen** zuipen binge, guzzle, have a blow-out
**Bratislava** Bratislavian
**bravo** well done!, hear, hear!
**bravoure** bravado
**Braziliaan** Brazilian
**Braziliaans** Brazilian
**Braziliaanse** Brazilian (woman / girl)
**Brazilië** Brazil
**break** break
**break-evenpunt** break-even point
**breakpoint** sport break point
**breed** I bnw ❶ broad, wide ★ brede schouders

hebben be broad-shouldered ★ breder maken broaden, widen ❷ ruim ★ van opzet broadly-based ❸ uitgebreid ★ in de meest brede betekenis in the / its broadest sense ★ in brede kringen in wide circles ▼ het niet ~ hebben not be well off ▼ het ~ zien take a broad view ★ wie het ~ heeft, laat het ~ hangen they that have plenty of butter can lay it on thick ▼ in brede trekken schetsen roughly sketch II bijw widely ★ zij was al lang en ~ thuis she'd been home for ages ★ iets ~ uitmeten talk about sth at great length
**breedband** www broadband
**breedbandverbinding** broadband connection
**breedbeeldscherm** widescreen
**breedbeeldtelevisie** toestel wide-screen TV
**breedsprakig** verbose, long-winded
**breedte** ❶ afmeting width, breadth ★ in de ~ breadthwise, widthwise ❷ aardk latitude
**breedtecirkel** parallel (of latitude)
**breedtegraad** degree of latitude
**breeduit** ❶ voluit ★ ~ lachen laugh out loud ❷ in volle breedte ★ hij zat ~ in zijn stoel he sprawled in his chair
**breedvoerig** detailed, exhaustive
**breekbaar** breakable, fragile
**breekijzer** crowbar
**breekpunt** kritisch punt breaking point
**breien** knit
**brein** ❶ brain ❷ verstand intellect ★ het ~ achter de organisatie the mastermind of the organisation
**breinaald** knitting needle
**breipen** knitting needle
**breiwerk** knitting
**breken** I ov ww ❶ stuk maken break, ⟨draad⟩ snap, ⟨van bot / arm⟩ fracture ❷ schenden break ❸ opvangen ★ een val ~ break a fall ❹ natk refract II on ww ❶ stuk gaan break ❷ natk be refracted ❸ ~ met (gewoonte) break, ⟨met geliefde⟩ break up with ★ ~ met iem. break with sb ★ ~ met een traditie break with a tradition
**breker** golf breaker
**breking** natk refraction
**brekingsindex** refractive index
**brem** broom
**brengen** ❶ vervoeren (naar de spreker) bring, ⟨van de spreker af⟩ take ★ zijn hand naar zijn voorhoofd ~ put one's hand to one's forehead ❷ doen geraken ★ iem. aan het lachen ~ make sb laugh ★ iem. in moeilijkheden ~ get sb into trouble ★ ik zal proberen hem ertoe te ~ I shall try to persuade him to do it ★ wat bracht je ertoe dat te zeggen? what made you say that?, what induced you to say that? ★ ik bracht het gesprek op (dat onderwerp) I steered the conversation round to... ★ hij bracht het tot directeur he rose to be a director ★ tot elkaar ~ bring together, reconcile ❸ fig (aan)bieden ▼ iets naar voren ~ put sth forward, suggest sth ▼ het ver ~ go far
**bres** breach, gap ★ 'n bres schieten make a breach ▼ op de bres staan voor step into the breach for
**Bretagne** Brittany
**bretel** pair of braces, braces mv, USA suspenders mv
**Bretons** I bnw, m.b.t. Bretagne Breton II zn [het], taal Breton

**br**

**breuk ❶** *scheur* ⟨van kabel, metaal⟩ fracture, ⟨in glas⟩ crack **❷** fig *verwijdering* ⟨met het verleden⟩ break, ⟨in betrekking⟩ rupture / split **❸** med *botbreuk* fracture ★ *gecompliceerde* ~ compound fracture **❹** med *hernia* hernia **❺** wisk fraction ★ *gewone* ~ vulgar fraction ★ *samengestelde* ~ complex fraction
**breukvlak** fracture
**brevet** certificate, ⟨luchtvaart⟩ licence
**brevier** rel breviary, book of hours
**bridge** bridge
**bridgen** play bridge
**brie** Brie
**brief ❶** letter ★ *aangetekende* ~ registered letter ★ *begeleidende* ~ covering letter ★ *ingezonden* ~ letter to the editor ★ *per* ~ by letter **❷** → **briefje**
**briefen** brief ⟨over about / on⟩
**briefgeheim** confidentiality of the mail
**briefhoofd** letterhead
**briefing** brief(ing)
**briefje ❶** *berichtje* note **❷** *bankbiljet* banknote ▾ *dat geef ik je op een* ~ you can take that from me
**briefkaart** postcard
**briefopener** letter opener
**briefpapier** notepaper
**briefwisseling** correspondence
**bries** breeze
**briesen** ⟨van leeuw⟩ roar, ⟨van paard⟩ snort ★ ~ *van woede* roar with anger
**brievenbus** mailbox, ⟨aan huis⟩ letterbox, ⟨om te verzenden⟩ pillar box
**brievenbusfirma** letterbox / paper company
**brigade** mil brigade, ⟨groep⟩ squad ★ *luchtmobiele* ~ airborne brigade
**brigadier** ⟨in het leger⟩ brigadier, ⟨bij de politie⟩ police sergeant
**brij ❶** *pap* porridge **❷** fig *warboel* pulp
**brik** I zn [de] **❶** *rijtuig* break ★ *een ouwe brik* an old heap, banger **❷** *schip* brig II zn [de/het] **❶** *baksteen* brick **❷** BN *pak* ⟨melk, sap⟩ carton
**briket** briquette
**bril ❶** *glazen in montuur* pair of glasses, glasses *mv*, ⟨ter bescherming⟩ goggles *mv* ★ *twee brillen* two pairs of glasses **❷** *wc-bril* seat ▾ *alles door een roze bril zien* see everything through rose-coloured spectacles
**brildrager** ★ *hij is een* ~ he wears glasses
**briljant** I zn [de], *diamant* diamond II bnw brilliant
**brillenkoker** spectacle / glasses case
**brilmontuur** glasses frame
**brilslang** cobra
**brink** ≈ village green
**Brit** *bewoner* Briton
**britpop** Britpop
**Brits** I bnw, *m.b.t. Groot-Brittannië* British II zn [het], *taal* British English
**brits** plank / wooden bed
**Brits-Columbia** British Columbia
**Brits-Columbiaans** British Columbian
**Britse** Briton ⟨woman / girl⟩
**broccoli** broccoli
**broche** brooch
**brochure** brochure
**broddelwerk** botched job, bungled work

**broeden ❶** *ei doen uitkomen* brood, sit ⟨on eggs⟩ **❷** ~ *op* fig ★ *op wraak* ~ brood on revenge
**broeder ❶** *broer* brother **❷** *verpleger* male nurse **❸** *gelijkgezinde* brother ★ ~*s* ⟨in het geloof⟩ brethren **❹** rel friar
**broederlijk** brotherly ★ ~ *omgaan met* fraternize with
**broedermoord** fratricide
**broederschap ❶** *het broer-zijn* brotherhood **❷** *vereniging* fraternity **❸** *genootschap* brotherhood
**broedgebied** breeding / nesting ground / place
**broedmachine** incubator
**broedplaats** dierk breeding ground
**broeds** broody
**broedsel** brood
**broei** heating
**broeien ❶** *drukkend warm zijn* be sultry **❷** *heet worden* heat, get heated **❸** *dreigen* ★ *er broeit iets* there is sth brewing, there is sth in the wind
**broeierig** close, sultry
**broeikas** hothouse, greenhouse
**broeikaseffect** greenhouse effect
**broeikasgas** greenhouse gas
**broeinest** dierk hotbed
**broek** *kledingstuk* pair of trousers / USA pants, trousers *mv*, pants *mv* ★ *korte* ~ pair of shorts, shorts *mv* ▾ *iem. achter de* ~ *zitten* keep sb up to scratch ▾ *een pak voor zijn* ~ *krijgen* be spanked ▾ *iem. (een pak) voor zijn* ~ *geven* spank sb ▾ *het in zijn* ~ *doen* wet / soil your pants ▾ *zij heeft de* ~ *aan* she wears the trousers ▾ *daar zakt mijn* ~ *van af* that's way beyond me
**broekje ❶** *ondergoed* pair of briefs, briefs *mv*, underpants *mv*, ⟨vrouw ook⟩ panties *mv* **❷** *onervaren persoon* rookie
**broekpak** trouser suit
**broekriem** belt ★ *de* ~ *aanhalen* tighten one's belt
**broekrok** culottes *mv*
**broekzak** trouser pocket
**broer** brother ★ ~*tje* little brother, USA kid brother ▾ *een* ~*tje dood hebben aan iets* hate sth
**brok ❶** *brokstuk* chunk, piece, ⟨groot⟩ lump ★ *brokken maken* make a mess of things, mess things up **❷** *hoeveelheid* piece, bit ▾ *één brok energie* a bundle of energy ▾ *een brok in de keel hebben* have a lump in one's throat ▾ *met de brokken zitten* be left holding the baby
**brokaat** brocade
**brokkelen** I ov ww, *breken* break ▾ *hij heeft niets in de melk te* ~ he is a nobody II on ww, *uiteenvallen* crumble
**brokkelig** crumbly
**brokkenmaker** a clumsy / accident-prone person
**brokkenpiloot** omschr accident-prone person
**brokstuk** fragment, piece
**brombeer** grumbler
**bromelia** bromeliad
**bromfiets** moped, scooter
**bromfietser** moped / scooter rider
**bromium** bromine
**brommen ❶** *geluid maken* ⟨van motor, radio⟩ hum, ⟨van motor, radio⟩ whirr, ⟨dier⟩ growl (at) **❷** *mopperen* mutter, grumble (at / about) **❸** *gevangen zitten* do time **❹** *bromfietsen* ride (on)

a moped / scooter
**brommer** moped
**bromtol** hummingtop
**bromvlieg** bluebottle
**bron ❶** *opwellend water* spring, ⟨van rivier⟩ source
**❷** *fig oorsprong* source, origin ★ *bron van inkomsten* source of income ★ *bron van ergernis* nuisance, <u>inform</u> pain in the neck
**❸** *informatiebron* source ★ *uit betrouwbare / welingelichte bron* from well-informed sources, on good authority
**bronchiën** bronchi *mv*, bronchial tubes
**bronchitis** bronchitis
**bronchoscopie** bronchoscopy
**broncode** <u>comp</u> source code
**brons** bronze
**bronst** ⟨mannetjesdier⟩ rut, ⟨vrouwtjesdier⟩ heat
**bronstig** ruttish, in / on heat
**bronstijd** Bronze Age
**bronsttijd** rutting season, mating season
**brontaal** source language
**brontosaurus** brontosaurus
**bronvermelding** acknowledgement of sources, reference, bibliography
**bronwater** spring water
**bronzen I** *bnw, van brons* bronze **II** *ov ww* ★ *een gebronsd gelaat* a bronzed / tanned face
**brood ❶** <u>cul</u> *gebakken deegwaar* bread, ⟨in een vorm⟩ loaf *mv: loaves* ★ *een ~* a loaf of bread ★ *een half ~* a half loaf *(heel) ~* a loaf of bread ★ *een half ~* a half loaf
**❷** *levensonderhoud* ★ *zijn ~ verdienen* earn a living ★ *daar is geen droog ~ mee te verdienen* there's no money in it **❸** → **broodje ▼** *iem. het ~ uit de mond stoten* take the bread out of sb's mouth **▼** *ik krijg het op mijn ~* I'll get it thrown into my face **▼** *iem. iets op zijn ~ geven* give sb hell for sth **▼BN** *dat is gesneden ~* that is child's play **▼** *ik zie er geen ~ in* I don't see the point of it
**broodbeleg** (sandwich) filling
**broodheer** employer, <u>inform</u> boss
**broodje** <u>cul</u> (French) roll ★ *~ gezond* salad roll ★ *~ kaas* cheese roll **▼** *een ~ aap* a tall story **▼** *zoete ~s bakken* eat humble pie **▼** *als warme ~s verkocht worden* sell like hot cakes **▼BN** *je ~ is gebakken* you have made your pile
**broodjeszaak** sandwich shop
**broodkorst** bread crust
**broodkruim** bread crumbs
**broodmaaltijd** cold meal / lunch, sandwiches *mv*
**broodmager** (as) thin as a rake, skin and bone
**broodmes** breadknife
**broodnijd** professional jealousy
**broodnodig** much needed ★ *ik heb het ~* I need it badly
**broodnuchter ❶** *nog helemaal niet gegeten hebbend* stone-cold sober **❷** *zeer realistisch* level-headed
**broodplank** breadboard
**broodroof** deprivation of income ★ *~ plegen aan iem.* take the bread out of sb's mouth
**broodrooster** toaster
**broodschrijver** hack (writer)
**broodtrommel ❶** *lunchtrommel* lunch box
**❷** *bewaartrommel* bread bin
**broodwinning** living, livelihood

**broom ❶** *broomkali* bromide **❷** *bromium* bromine
**broos** fragile, delicate, frail ★ *~ geluk* frail happiness
**bros** crunchy, crisp(y), brittle
**brosser** truant
**brousse** <u>BN</u> jungle
**brouwen ❶** *bereiden* brew **❷** *veroorzaken* brew, stir up ★ *onheil ~* brew mischief **▼** *hij heeft er maar wat van ge~* he botched it **▼** *hij heeft er niets van ge~* he messed up
**brouwer** *biermaker* brewer
**brouwerij** brewery
**brouwsel** *drankje* brew, concoction
**brownie** <u>cul</u> brownie
**browsen** <u>comp</u> browse
**browser** <u>comp</u> browser
**brr** brr
**brug ❶** *verbinding* bridge ★ *een brug slaan (over)* bridge **❷** *gymnastiektoestel* parallel bars *mv*
**❸** *commandobrug* bridge **❹** *gebitsprothese* bridge(work) **❺** *brugstand* **▼** *over de brug komen* pay / stump up
**Brugge** Bruges
**Bruggeling** inhabitant of Bruges
**Bruggelinge** ★ *zij is een ~* she's from Bruges
**bruggenhoofd ❶** *steun waar brug op rust* abutment **❷** *mil* bridgehead, ⟨op strand⟩ beachhead
**brugklas** <u>onderw</u> transition class, first year of secondary school, <u>GB</u> year seven
**brugleuning** railing of a bridge, handrail, ⟨van steen⟩ parapet
**brugpensioen** <u>BN</u> *vervroegd pensioen* early retirement
**brugpieper** <u>omschr</u> pupil in the first year of secondary school
**Brugs** (from) Bruges
**brugwachter** bridgekeeper
**brui ▼** *er de brui aan geven* chuck it (all) in
**bruid** bride
**bruidegom** bridegroom
**bruidsboeket** bridal bouquet
**bruidsdagen** pre-wedding period
**bruidsjapon** wedding dress, bridal gown
**bruidsjonker** page(boy), best man
**bruidsmeisje** bridesmaid
**bruidspaar** bride and (bride)groom
**bruidsschat** dowry
**bruidssluier ❶** *sluier* wedding veil **❷** *plant* Russian vine
**bruidssuiker** sugar(ed) almond
**bruikbaar** usable, ⟨nuttig⟩ useful, ⟨auto, e.d.⟩ serviceable, ⟨persoon⟩ employable ★ *~ maken* make usable ★ *niet erg ~ zijn* be not much use ★ *een bruikbare methode* a workable method
**bruikbaarheid** utility, usefulness
**bruikleen** ★ *in ~* on loan ★ *in ~ hebben* have on loan
**bruiloft** wedding ★ *zilveren / gouden / diamanten ~* silver / golden / diamond wedding (anniversary) ★ *een ~ vieren* celebrate a wedding
**bruin I** *bnw* **❶** *bruin van kleur* brown
**❷** *zongebruind* tanned ★ *~ worden* get a tan **II** *zn* [het], *kleur* brown
**bruinachtig** brownish

**br**

**bruinbakken** ▼ *hij bakt ze weer bruin* he's overdoing it again

**bruinbrood** *cul* brown bread

**bruinen I** *ov ww, bruin maken* brown **II** *on ww, bruin worden* ⟨door de zon⟩ tan

**bruingoed** brown goods *mv*

**bruinkool** brown coal, lignite

**bruinvis** porpoise

**bruisen ➊** ⟨van drank⟩ fizz, ⟨van drank⟩ sparkle, ⟨van beek⟩ bubble **➋** *levendig zijn* ▼ *~d van leven* brimming (over) / bursting with life

**bruistablet** effervescent tablet

**brulaap ➊** *aap* howler monkey **➋** *schreeuwlelijk* bawler, bigmouth

**brulboei** whistling buoy

**brullen** roar ★ *~ van het lachen* roar with laughter

**brunch** brunch

**Brunei** Brunei

**brunette** brunette

**Brussel** Brussels

**Brusselaar** citizen of Brussels

**Brussels** Brussels

**Brusselse** Brussels (woman / girl)

**brutaal ➊** *onbeschaamd* rude, impertinent, *form* ⟨grof⟩ insolent, *inform* cheeky ★ *~ antwoorden* answer / talk back ★ *~ zijn tegen iem.* give sb lip ★ *een brutale opmerking* an insolent remark **➋** *stoutmoedig* bold, ⟨vrijpostig⟩ forward **➌** *ongegeneerd* unashamed, rude ★ *zo ~ als de beul* as bold as brass ▼ *de brutalen hebben de halve wereld* fortune favours the bold

**brutaaltje** cheeky monkey

**brutaliteit** rudeness, impertinence, ⟨grof⟩ insolence, *inform* cheek ★ *de ~ hebben om* have the cheek / nerve to

**bruto** gross

**brutogewicht** gross weight

**brutoloon** gross wage / salary

**bruusk** brusque, abrupt

**bruut I** *zn* [de] brute **II** *bnw* coarse, brutal ★ *met ~ geweld* with brute force

**BSE** *bovine spongiform encephalopathy* BSE, bovine spongiform encephalopathy

**BSN** *burgerservicenummer* National Insurance Number, *USA* Social Security Number

**bso** *BN onderw beroepssecundair onderwijs* ≈ pre-vocational secondary education

**btw** *belasting op de toegevoegde waarde* VAT, Value Added Tax, *USA* sales tax

**bubbelbad** whirlpool (bath), jacuzzi

**bubbelen** bubble

**buddy** buddy

**budget** budget ★ *binnen het ~* within the budget

**budgetbewaking** budgetary control

**budgetoverschrijding** exceeding the budget

**budgettair** budgetary

**budgetteren** budget (for something)

**buffel** buffalo

**buffer** buffer

**buffergeheugen** buffer memory / storage

**bufferstaat** buffer state

**buffervoorraad** buffer stock

**bufferzone** buffer zone

**buffet ➊** *meubel* sideboard **➋** *tapkast* ⟨in café⟩ bar, ⟨in station, e.d.⟩ refreshment bar **➌** *maaltijd* buffet ★ *koud ~* cold buffet ★ *lopend ~* stand-up buffet

**bug** *comp* bug

**buggy** buggy

**bühne** stage

**bui ➊** *regenbui* shower ★ *af en toe een bui* scattered showers ★ *maartse buien* April showers **➋** *humeur* mood ★ *een goede / kwade bui hebben* be in a good / bad mood ★ *in een driftige bui* in a fit of temper ▼ *bij buien* by fits and starts ▼ *de bui zien hangen* see trouble ahead ▼ *de bui laten overdrijven* wait until the storm blows over

**buidel ➊** *zak* bag, pouch **➋** *huidplooi* pouch ▼ *diep in de ~ tasten* spare no expense

**buideldier** marsupial

**buigbaar** pliable, flexible

**buigen I** *ov ww, krom maken* bow, bend ★ *zich ~* bend, bow, stoop, curve ▼ *zich over een probleem ~* tackle a problem **II** *on ww* **➊** *afbuigen* bend, ⟨v. stralen⟩ diffract **➋** *buiging maken* bow **➌** *~ voor* submit to ▼ *~ of barsten* bend or break

**buiging ➊** *het buigen* bow, ⟨reverence⟩ curtsy **➋** *stembuiging* modulation, inflection

**buigingsuitgang** inflexional ending

**buigzaam ➊** *buigbaar* flexible **➋** *meegaand* flexible, pliable, (com)pliant

**buigzaamheid** flexibility

**buiig ➊** *regenachtig* showery **➋** *humeurig* unpredictable, volatile

**buik ➊** *lichaamsdeel* belly, *form* abdomen ★ *zijn buikje rond eten* eat one's fill **➋** *bol gedeelte* belly, thickest section, *natk* antinode **➌** → **buikje** ▼ *ik heb er mijn buik van vol* I'm fed up with it

**buikdans** belly dance

**buikdansen** belly dancing

**buikdanseres** belly dancer

**buikgriep** intestinal / stomach flu

**buikholte** abdominal cavity

**buikje** paunch, a pot belly ★ *een ~ krijgen* develop / get a paunch, get a middle-aged spread

**buiklanding** belly landing

**buikloop** diarrhoea

**buikpijn** stomach ache, *inform* bellyache, *jeugdt* tummy ache

**buikriem** *riem* belt ▼ *de ~ aanhalen* tighten one's belt

**buikspieroefening** stomach / abdominal exercise

**buikspreken** practising ventriloquism

**buikspreker** ventriloquist

**buikvlies** peritoneum

**buikvliesontsteking** peritonitis

**buikwand** stomach / abdominal wall

**buil ➊** *bult* lump, swelling **➋** *zakje* paperbag ▼ *daar kun je je geen buil aan vallen* you can't go wrong with that

**building** *BN flatgebouw* block of flats, *USA* apartment building, ⟨hoog ook⟩ high-rise (building)

**buis ➊** *pijp* tube ★ *buis van Eustachius* Eustachian tube **➋** *televisie* telly, box

**buiswater** spray

**buit** booty, spoils *mv*, loot ▼ *met de buit gaan strijken* carry off the loot / prize

**buitelen** tumble

**bu**

**buiteling** tumble ★ *een ~ maken* take a tumble

**buiten I** *vz* ❶ *niet binnen* (een plaats) outside ★ ~ *Europa* outside Europe ★ ~ *de stad* outside the town / city ❷ *niet betrokken bij* out of ★ *laat mij daar ~* leave me out of it ★ *er ~ staan* not be involved, not play a role (in) ❸ *zonder* without, out of ★ *ik kan niet ~ mijn fiets* I can't do without my bike ❹ *behalve* except for ★ ~ *haar vriendin wist niemand ervan* except for her friend no one knew about it ▼ ~ *zichzelf zijn van* be beside o.s. with **II** *bijw, niet binnen* outside ★ ~ *op straat* (out) on the street(s) ★ *naar ~* outside ★ *naar ~ gaan* go outside, 〈buiten de stad〉 go into the country ★ *van ~* 〈gezien〉 from the outside ★ *van ~ komen* come from outside ★ *van ~ naar binnen* from the outside in ▼ *iets te ~ gaan* go sth to excess ▼ *zich te ~ gaan aan iets* overindulge in sth ▼ *iets van ~ leren* learn sth by heart ▼ *iets van ~ kennen* know sth inside out **III** *zn* [het], *landgoed* country seat **IV** *zn* [de], *BN platteland* country(side)

**buitenaards** extraterrestrial ★ ~*e wezens* aliens

**buitenaf** ▼ *van ~* outside, external ★ *druk van ~* external pressure ★ *hulp van ~* outside help ★ *cursisten van ~* external students

**buitenbaan** ❶ *buitenste baan* outside / outer lane ❷ *sport onoverdekte baan* 〈atletiek〉 outdoor track, 〈schaatsen〉 outdoor rink, 〈tennis, e.d.〉 outdoor court

**buitenbaarmoederlijk** ★ ~*e zwangerschap* ectopic pregnancy

**buitenbad** open-air / outdoor pool

**buitenband** tyre

**buitenbeentje** eccentric, crank, oddball

**buitenbocht** outside bend / curve

**buitenboordmotor** outboard motor

**buitendeur** front door, outside door

**buitendienst** fieldwork, (personeel) fieldstaff

**buitenechtelijk** 〈verhouding〉 extramarital, 〈kind〉 illegitimate, 〈kind〉 <u>form</u> born out of wedlock

**buitengaats** offshore

**buitengewoon I** *bnw, ongewoon* special, extra, extraordinary, exceptional ★ *buitengewone uitgaven* extra expenses **II** *bijw, zeer* extremely, exceptionally

**buitenissig** eccentric, strange, unusual

**buitenkans** stroke / bit / piece of luck, 〈geld〉 windfall

**buitenkant** outside, 〈buitenwijk〉 outskirts *mv* ★ *aan de ~* on the outside ▼ *op de ~ afgaan* judge by appearances

**buitenkerkelijk** non-denominational, 〈onkerkelijk〉 non-church, 〈onkerkelijk〉 churchless

**buitenlamp** outside light

**buitenland** foreign country ★ *in / naar het ~* abroad

**buitenlander** foreigner

**buitenlands** foreign ★ ~*e markt* foreign market

**buitenleven** country life, life in the country

**buitenlucht** 〈op het platteland〉 country air, 〈buitenshuis〉 open air

**buitenmens** *iem. die graag buiten is* outdoorman / woman

**buitenmodel** off-size ★ *een ~ pak* off-size suit

**buitenom** ★ ~ *het huis / de stad, e.d. gaan* go round the house / town

**buitenparlementair** extraparliamentary

**buitenplaats** ❶ *buitenhuis* country seat ❷ *uithoek* secluded spot, out-of-the-way spot

**buitenschools** <u>onderw</u> extra-curricular

**buitenshuis** out-of-doors ★ ~ *eten* eat / dine out ★ ~ *slapen* sleep out ★ ~ *werken* work outside the home

**buitensluiten** ❶ *niet binnenlaten* shut / lock out ★ *hij heeft zichzelf buitengesloten* he has locked himself out ❷ <u>fig</u> *niet toelaten* shut out, exclude

**buitenspel** <u>sport</u> offside ▼ *iem. ~ zetten* cut sb out

**buitenspeler** <u>sport</u> winger

**buitenspiegel** outside / wing mirror

**buitensporig** extravagant, excessive

**buitensport** outdoor sports *mv*, 〈vissen, jagen, e.d.〉 field sports *mv*

**buitenstaander** outsider

**buitenverblijf** country house, 〈van dieren〉 open-air enclosure

**buitenwaarts I** *bnw* outward **II** *bijw* outwards

**buitenwacht** the outside world, the outsiders *mv*

**buitenwereld** *de mensen om ons heen* outside world

**buitenwijk** suburb ★ *de ~en* the suburbs, the outskirts

**buitenwipper** *BN uitsmijter* bouncer

**buitenzijde** outside

**buitmaken** capture, seize

**buizen** *BN* <u>onderw</u> *zakken* fail

**buizerd** (common) buzzard

**bukken** ❶ *buigen* stoop, 〈snel〉 duck ❷ <u>fig</u> *zwichten* bend ▼ *gebukt gaan onder* be weighed down by

**buks** rifle

**bul** ❶ *stier* bull ❷ *oorkonde* diploma, degree certificate ❸ *pauselijke brief* (papal) bull

**bulderen** ❶ *dreunen* roar, thunder ❷ *brullen* roar, bellow, bluster ★ *met ~de stem* in a booming voice

**buldog** bulldog

**Bulgaar** *bewoner* Bulgarian

**Bulgaars I** *bnw, m.b.t. Bulgarije* Bulgarian **II** *zn* [het], *taal* Bulgarian

**Bulgaarse** Bulgarian (woman / girl)

**Bulgarije** Bulgaria

**bulk** bulk

**bulken** ❶ *loeien* moo ❷ *brullen* bellow ★ ~ *van het lachen* bellow / roar with laughter ❸ ~ *van ★ ~ van het geld* roll in money

**bulkgoederen** bulk goods

**bulldozer** bulldozer

**bullebak** bully

**bulletin** bulletin

**bult** ❶ *buil* lump, bump ❷ *bochel* hump ▼ *zich een bult lachen* split one's sides, be in fits

**bumper** bumper

**bumperkleven** tailgate

**bumperklever** tailgater

**bundel** ❶ *pak* bundle ★ *een ~ papieren* a sheaf of papers ★ *een ~ bankbiljetten* a wad of banknotes ❷ *boekje* collection

**bundelen** bundle, 〈artikelen, gedichten〉 collect, 〈gedichten〉 compile, 〈krachten〉 join ▼ *zijn*

**bu**

*krachten* ~ gather one's strength
**bungalow** bungalow
**bungalowpark** holiday park
**bungalowtent** frame tent
**bungeejumpen** bungee jumping
**bungelen** dangle, hang ▼*er maar wat bij* ~ tag along
**bunker ❶** *verdedigingswerk* pillbox, (schuilplaats) (air raid) shelter ❷ *brandstofruim* bunker
**bunkeren ❶** *brandstof innemen* bunker, coal ❷ *veel eten* stuff oneself
**bunsenbrander** Bunsen burner
**bunzing** polecat
**bups** *santenkraam* ★ *de hele bups* the whole (kit and) caboodle, the (whole) lot
**burcht** castle, citadel, fortress
**bureau ❶** *schrijftafel* writing desk / table ❷ *afdeling* bureau, office ❸ *politiebureau* police station
**bureaublad** comp desktop ★ *extern* ~ remote desktop
**bureaucratie** bureaucracy, inform red tape
**bureaucratisch** bureaucratic
**bureaulamp** desk light
**bureaustoel** desk chair
**buren** → buur
**burengerucht** ★ ~ *maken* cause a disturbance
**burgemeester** mayor, (in Nederland, Vlaanderen, Duitsland) burgomaster, (in Londen en grote steden) Lord Mayor ★ *(college van)* ~ *en wethouders* town council, mayor and aldermen
**burger** (inwoner) citizen, (tegenover edelman) commoner, (tegenover militair) civilian ▼*in* ~ plain-clothes, in civilian clothes ▼*dat geeft de* ~ *moed* that's heartening
**burgerbevolking** civilian population
**burgerij ❶** *bevolking* citizens *mv* ❷ *stand* middle classes *mv* ★ *de kleine* ~ the lower middle class
**burgerkleding** (van politie) plain clothes *mv*, (van militair) civilian dress, inform civvies *mv*
**burgerlijk ❶** *van de burgerstand* middle-class ❷ *van de staatsburger* (recht, samenleving) civil, (plichten) civic ❸ *kleinburgerlijk* middle-class, bourgeois, min smug, (gebruiken) conventional
**burgerluchtvaart** civil aviation
**burgerman** middle-class man, bourgeois ★ *de kleine* ~ the ordinary little man
**burgeroorlog** civil war
**burgerplicht** civic duty
**burgerrecht** jur civil right(s)
**burgerservicenummer** National Insurance Number, USA Social Security Number
**burgerslachtoffer** ★ ~*s* euf collateral damage
**burgervader** mayor
**burgerwacht** home guard, (buurtwacht) neighbourhood watch
**burgerzin** sense of public responsibility
**burn-out** burnout
**bus ❶** *trommel* box, caddy ❷ *autobus* bus, (lange afstand) coach ❸ *brievenbus* (privé) mailbox, (openbaar) postbox ★ *een brief op de bus doen* post a letter ❹ *huls* ▼*dat klopt / sluit als een bus!* it all fits! ▼*als winnaar uit de bus komen* turn out to be the winner
**busbaan** bus lane ★ *vrije* ~ bus lane
**buschauffeur** bus driver

**busdienst** bus service
**bush** *rimboe* jungle
**bushalte** bus stop
**bushokje** bus shelter
**businessclass** business class
**buskaart** bus ticket
**buskruit** gunpowder ▼*hij heeft het* ~ *niet uitgevonden* he is no Einstein
**buslichting** collection
**busstation** bus station
**buste ❶** *boezem* bust, bosom ❷ *borstbeeld* bust
**bustehouder** brassiere, inform bra
**butagas** Calor gas
**buts** *deuk* dent
**button** badge
**buur** neighbour ▼*beter een goede buur dan een verre vriend* a good neighbour is worth more than a distant friend
**buurjongen** boy next door
**buurland** neighbouring country, neighbour
**buurman** (next-door) neighbour, man next door
**buurmeisje** girl next door
**buurt ❶** *omgeving* neighbourhood, vicinity ★ *hier in de* ~ around here ★ *ver uit de* ~ far away ★ *ik was toevallig in de* ~ I was just passing ★ *blijf uit zijn* ~ give him a wide berth ❷ *wijk* quarter, neighbourhood, district, area
**buurtbewoner** local resident
**buurtcafé** local cafe / pub, USA corner / neighbourhood bar / restaurant
**buurten** visit a neighbour
**buurthuis** community centre
**buurtpreventie** neighbourhood watch
**buurtwerk** community work
**buurtwinkel** local / corner shop
**buurvrouw** neighbour, woman next door
**buxus** box (tree), (hout) boxwood
**buzzer** buzzer
**BV** BN *Bekende Vlaming* Well-known Fleming
**bv** *besloten vennootschap* Ltd, limited, USA Inc., incorporated
**bv.** *bijvoorbeeld* for example, for instance
**bvba** BN *besloten vennootschap met beperkte aansprakelijkheid* company with limited liability
**B-weg** B-road, secondary / minor road
**bypass** bypass
**bypassoperatie** med bypass operation
**byte** byte
**Byzantijns** Byzantine
**Byzantium** Byzantium

# C

**c ❶** *letter* c ★ *de c van Cornelis* C as in Charles
**❷** *muzieknoot* C
**C** *Celsius* C
**cabaret** cabaret
**cabaretier** cabaret performer
**cabine ❶** *hokje* booth **❷** *stuurhut* cabin
**❸** *passagiersruimte* cabin
**cabriolet** convertible
**cacao ❶** *boon* cacao **❷** *drank, poeder* cocoa
**cacaoboter** cul cocoa butter
**cachegeheugen** comp cache memory
**cachet** cachet, prestige
**cachot** lock-up, cell
**cactus** cactus
**CAD I** *zn* [het], *consultatiebureau voor alcohol en
drugs* clinic for alcohol and drug abuse **II** *afk,
computer-aided design* CAD, computer-aided
design
**cadans** cadence, rhythm
**caddie** sport caddie, caddy
**cadeau** present, gift ★ *iem. iets ~ geven / doen*
make sb a present of sth ★ *iets ~ krijgen* get sth as
a present, (*gratis*) get sth for free ★ *fig ik krijg het
niet ~* it doesn't come natural to me
**cadeaubon** gift token / voucher
**cadet ❶** cadet **❷** BN *jong lid van een sportclub
(van 12 tot 15 jaar)* ≈ junior
**cadmium** scheik cadmium
**café** pub, licensed bar / café
**caféhouder** publican, landlord
**cafeïne** caffeine
**cafeïnevrij** decaf(feinated)
**café-restaurant** restaurant
**cafetaria** snack bar
**cahier** notebook, onderw exercise book
**Caïro** Cairo
**caissière** (woman) cashier, (*supermarkt*)
checkout assistant / operator
**caisson ❶** *damconstructie* caisson **❷** *duikersklok*
caisson
**caissonziekte** caisson disease, decompression
sickness
**cake** (plain) cake
**calamiteit** calamity, disaster
**calcium** calcium
**calculatie** calculation, (*begroting*) costing
**calculator ❶** *rekenmachine* calculator **❷** *beroep*
calculator
**calculeren** calculate
**caleçon** BN *legging* leggings mv
**caleidoscoop** kaleidoscope
**Californië** California
**Californisch** Californian
**callcenter** call centre
**callgirl** call girl
**calloptie** call option
**calorie** calorie
**caloriearm** low-calorie
**calorierijk** high-calorie ★ *~ zijn* be rich in
calories
**calvarietocht** BN lit Calvary, Golgotha
**calvinisme** Calvinism

**calvinist ❶** rel *gelovige* Calvinist **❷** fig *sober
persoon* ≈ puritan
**calvinistisch ❶** rel Calvinist(ic) **❷** fig puritanical
**cambio** BN *wisselkantoor* exchange office
**Cambodja** Cambodia
**Cambodjaan** Cambodian
**Cambodjaans** Cambodian
**Cambodjaanse** Cambodian (woman / girl)
**camcorder** camcorder
**camee** cameo
**camembert** Camembert
**camera** camera
**cameraman** cameraman
**cameraploeg** camera crew / team
**camion** BN *vrachtwagen* lorry, USA truck
**camioneur** BN lorry driver, USA trucker
**camouflage** camouflage
**camoufleren** camouflage
**campagne** campaign ★ *een ~ voeren voor / tegen*
(conduct a) campaign for / against
**camper** camper (van), USA motorhome
**camping** camp(ing) site, (*voor caravans*) caravan
park, (*voor caravans*) USA trailer park
**campingstoel** camp(ing) chair
**campingvlucht** camping flight
**campingwinkel** camping shop
**campus** campus
**Canada** Canada
**Canadees I** *bnw, m.b.t. Canada* Canadian **II** *zn*
[de], *bewoner* Canadian
**Canadese** Canadian (woman / girl)
**canapé** sofa, couch
**Canarische Eilanden** Canary Islands
**cancelen** cancel
**canon ❶** *meerstemmig lied* round, canon
**❷** *erkende verzameling* canon
**canoniek** canonic(al)
**cantate** cantata
**cantharel** chanterelle
**cantorij** church choir
**canvas** canvas
**canyoning** sport canyoning
**cao** *collectieve arbeidsovereenkomst* collective
labour agreement
**capabel** capable, competent, able
**capaciteit ❶** *vermogen* capacity, (*van motor,
enz.*) power ★ *op volle ~ werken* work at full
capacity **❷** *bekwaamheid* capability, ability
**cape** (*kort*) cape, (*lang*) cloak
**capitulatie** capitulation
**capituleren** capitulate
**cappuccino** cappuccino
**capriool** caper ★ *rare capriolen uithalen* cut
capers
**capsule** capsule, (*van fles*) bottle cap
**captain ❶** *gezagvoerder* captain **❷** sport
*aanvoerder* captain
**capuchon** hood
**cara** *chronische aspecifieke respiratoire
aandoeningen* CORD, chronic obstructive
respiratory disorder
**caracole** BN escargot, edible snail
**Caraïben, Caraïbische Eilanden** Caribbeans,
Caribbean Islands
**Caraïbisch** Caribbean
**carambole** cannon, USA carom

**caravan** caravan, USA trailer
**carbolineum** creosote
**carbonaat** carbonate
**carbonpapier** carbon paper
**carburateur, carburator** carburettor
**carcinoom** carcinoma
**cardanas** crankshaft
**cardiogram** cardiogram
**cardiologie** cardiology
**cardioloog** cardiologist
**cargadoor** ship broker
**cargo** cargo, load
**Caribisch** → Caraïbisch
**cariës** tooth decay, med caries
**carillon** carillon, chimes mv
**carkit** car kit
**carnaval** carnival
**carnavalsoptocht** carnival procession
**carnivoor** carnivore
**carpoolen** carpool
**carport** carport
**carré** square
**carrière** career ★ ~ maken make a career ★ zijn ~ mislopen be in the wrong business, miss one's vocation
**carrièrejager** careerist
**carrièreplanning** career planning
**carrosserie** coachwork, bodywork
**carter** crankcase
**cartografie** cartography
**cartoon** cartoon
**cartridge** cartridge
**casanova** Casanova, Don Juan, ladykiller
**casco** romp body
**cascoverzekering** ⟨schip⟩ hull insurance, ⟨auto⟩ insurance on bodywork
**cash** I zn [de] cash II bijw ★ cash betalen pay cash
**cashewnoot** cashew (nut)
**cashflow** cash flow
**casino** gokhuis casino
**cassatie** cassation ★ in ~ gaan appeal to the court of cassation ★ ~ aantekenen give notice of appeal
**casselerrib** cured side of pork
**cassette** ❶ doos ⟨geld⟩ cash box, ⟨voor sieraden⟩ casket, ⟨voor bestek⟩ canteen ⟨of cutlery⟩ ❷ cassettebandje cassette (tape)
**cassettebandje** cassette (tape)
**cassettedeck** cassette player
**cassetterecorder** cassette recorder
**cassis** blackcurrant drink
**cast** rolbezetting cast
**castagnetten** castanets
**castratie** castration
**castreren** castrate, ⟨paard⟩ geld
**catacombe** catacomb
**catalogiseren** catalogue
**catalogus** catalogue
**catamaran** catamaran
**cataract** med cataract
**catastrofaal** catastrophic, disastrous
**catastrofe** catastrophe, disaster
**catechese** catechesis
**catechisatie** confirmation classes mv
**catechismus** catechism
**categorie** soort category
**categorisch, BN categoriek** I bnw categorical

II bijw categorically
**categoriseren** categorize
**catering** catering
**catharsis** catharsis
**catwalk** catwalk
**causaal** causal
**cavalerie** cavalry
**cavia** guinea pig
**cayennepeper** cul cayenne pepper
**CBS** Centraal Bureau voor de Statistiek ONS, Office for National Statistics, USA Bureau of the Census
**cc** ❶ copie conform cc, carbon copy ❷ inhoudsmaat cc
**cc'en** send cc ★ een mailtje ~ aan iem. send sb a cc ★ ik zal je ~ I'll cc you
**cd** compact disc CD
**cd-bon** CD gift voucher / token
**cd-brander** CD burner
**cd-r** CD-R
**cd-rom** CD-ROM
**cd-romspeler** CD-ROM drive
**cd-speler** CD player
**cd-winkel** CD shop
**ceder** cedar
**cederhout** cedar
**cedille** cedilla
**ceel** opslagbewijs warrant
**ceintuur** belt
**cel** ❶ hokje cell ★ een natte cel a wet area ❷ anat onderdeel van organisme cell ❸ biol kamer in honingraat cell ❹ groep samenwerkende mensen cell ❺ BN jur speciaal politieteam special (police) team
**celdeling** cell division
**celgenoot** cellmate
**celibaat** celibacy
**celibatair** I bnw celibate II bijw as a celibate
**cellist** cellist
**cello** cello
**cellofaan** cellophane
**cellulitis** cellulitis
**celluloid** celluloid
**cellulose** cellulose
**Celsius** Celsius ★ 20 graden ~ 20 degrees centigrade / Celsius
**celstof** cellulose
**cement** cement
**cementmolen** cement mixer
**censureren** censor
**censuur** censorship ★ ~ instellen impose censorship ★ onder ~ stellen censor
**cent** muntstuk cent ★ geen cent waard zijn not worth a penny ★ geen rooie cent hebben / geen cent te makken hebben not have a penny to one's name, not have two pennies to rub together ★ op de centen zijn be tight-fisted ★ tot de laatste cent (down) to the last penny ★ voor geen cent minder and not a penny less ★ hij deugt voor geen cent he's no good ★ het kost je geen cent it won't cost you a penny ★ iedere cent omkeren look twice at every penny ★ een aardige cent verdienen make a nice bit of money ★ geen centje pijn no problem at all
**centaur** centaur
**centercourt** centre court
**centiliter** centilitre

**centimeter ❶** *maat* centimetre ★ *vierkante ~* square centimetre ★ *kubieke ~* cubic centimetre **❷** *meetlint* (metric) tape measure
**centraal** central
**Centraal-Afrikaans** Central African
**Centraal-Afrikaanse Republiek** Central African Republic
**centrale ❶** *bedrijf* ★ *elektrische ~* power station / plant **❷** *telefooncentrale* exchange, switchboard
**centralisatie** centralization
**centraliseren** centralize
**centralistisch** centralist
**centreren** centre
**centrifugaal** centrifugal
**centrifuge** centrifuge, ⟨wasgoed⟩ spin dryer / drier
**centrifugeren** centrifuge, ⟨wasgoed⟩ spin-dry
**centripetaal** centripetal
**centrum ❶** *middelpunt* centre ★ *~ van de stad* town / city centre **❷** *instelling* centre
**ceramiek** ceramics
**ceremonie** ceremony
**ceremonieel** ceremonial
**ceremoniemeester** master of ceremonies, MC
**certificaat ❶** *getuigschrift* certificate **❷** *waardepapier* certificate
**cervelaatworst** cul cervelat, saveloy
**cessie** assignment
**cesuur** caesura
**cfk** *chloorfluorkoolstof* CFC, chlorofluorocarbon
**chachacha** cha-cha(-cha)
**chador** chador
**chagrijn ❶** *persoon* grumbler, inform grouch, misery ★ *een stuk ~* a sourpuss, an old grumbler **❷** *humeurigheid* chagrin, vexation
**chagrijnig** grouchy, peevish
**chalet** chalet
**champagne** champagne, inform bubbly
**champignon** mushroom
**Chanoeka** Hanukkah, Chanukah
**chanson** song, chanson
**chantage** blackmail ★ *~ plegen* blackmail
**chanteren** blackmail
**chaoot** scatterbrain
**chaos** chaos, disorder
**chaotisch** chaotic
**charcuterie** BN cul assorted sliced meat
**charge I** *zn* [de], *aanval* charge **II** *bijw* → **getuige**
**chargeren** exaggerate, overdo
**charisma** charisma
**charismatisch** charismatic
**charitatief** charitable ★ *geld inzamelen voor charitatieve doeleinden* raise money for charity
**charlatan** charlatan, ⟨kwakzalver⟩ quack
**charmant** charming, delightful
**charme** charm
**charmeren** charm ★ *gecharmeerd zijn van* be taken with, be charmed by ★ *daar ben ik niet zo van gecharmeerd* I'm not too pleased about that
**charmeur** charmer, ladies' man
**charter** *vlucht* charter flight
**charteren ❶** *afhuren* charter **❷** *hulp inroepen* enlist, charter
**chartermaatschappij** charter company
**chartervliegtuig** charter(ed) plane
**chartervlucht** charter flight

**chassis** chassis *ev en mv*
**chat** chat
**chatbox** chat box
**chatten** chat
**chauffage** BN *centrale verwarming* central heating
**chaufferen** drive (a car)
**chauffeur** driver, ⟨van belangrijk / rijk persoon⟩ chauffeur
**chauvinisme** chauvinism
**chauvinist** chauvinist
**chauvinistisch** chauvinistic
**check** check
**checken** ⟨iets⟩ check (over / through), ⟨iemand⟩ check up on
**checklist** checklist
**check-up** med check-up ★ *een ~ laten doen* go for / have a check-up
**cheeta** dierk cheetah
**chef** chief, head, inform boss, ⟨van afdeling⟩ office manager, ⟨directeur⟩ manager, ⟨werkgever⟩ employer
**chef-kok** chef
**chef-staf** chief of staff
**chemicaliën** chemicals
**chemicus** chemist
**chemie** chemistry
**chemisch** chemical ★ *~ bestrijdingsmiddel* chemical agent ★ *~ toilet* chemical toilet ★ *~ wapen* chemical weapon
**chemokar** chemical waste collector
**chemotherapie** chemotherapy
**cheque** cheque, USA check ★ *aan toonder* cheque to bearer ★ *een ~ uitschrijven* write a cheque, make out a cheque (to sb) ★ *blanco ~* blank cheque ★ *ongedekte ~* bad cheque
**cherubijn** cherub
**chic I** *bnw, elegant* chic, stylish ★ *een chique tent* a classy place ★ *een chique buurt* a fashionable area **II** *zn* [de], *mensen* jet set
**chihuahua** chihuahua
**Chileen** Chilean
**Chileens** Chilean
**Chileense** Chilean (woman / girl)
**Chili** Chile
**chili** cul chilli ★ *~ con carne* chilli con carne
**chillen** chill out
**chimpansee** chimpanzee, inform chimp
**China** China
**Chinees I** *bnw, m.b.t. China* Chinese **II** *zn* [de], *bewoner* Chinese [mv: Chinese] **III** *zn* [het], taalk *taal* Chinese
**chinees** *restaurant* Chinese restaurant ★ *zullen we ~ halen?* let's get Chinese take-away
**Chinese** Chinese (woman / girl)
**Chinese Zee** Chinese Sea
**chinezen ❶** *Chinese maaltijd gebruiken* eat out in a Chinese restaurant **❷** *heroïne snuiven* chase the dragon
**chip ❶** comp (computer) chip **❷** → **chips**
**chipkaart** chip / smart card
**chipknip** ≈ smart / chip card (for small amounts)
**chipolatapudding** ≈ bavarois
**chippen** ≈ pay with a smart / chip card
**chips** crisps, USA (potato) chips
**chiropracticus** chiropractor

**ch**

**chirurg** surgeon
**chirurgie** surgery ★ *plastische* ~ plastic surgery
**chirurgisch** surgical
**chlamydia** clamydia
**chloor** chlorine
**chloorwaterstof** scheik hydrochloric acid
**chloride** chloride
**chloroform** chloroform
**chlorofyl** chlorophyll
**chocolaatje** chocolate, inform choccy
**chocolade, chocola** chocolate ★ *pure* ~ bitter(-sweet) chocolate
**chocoladeletter** chocolate letter
**chocolademelk** cul drinking chocolate ★ *warme* ~ hot cocoa / chocolate
**chocoladereep** bar of chocolate
**chocomel®** drinking chocolate
**chocopasta** chocolate spread
**choke** choke
**cholera** cholera
**cholesterol** cholesterol
**cholesterolgehalte** cholesterol level
**choqueren** shock, offend
**choreograaf** choreographer
**choreografie** choreography
**chorizo** chorizo
**chowchow** chow (chow)
**christelijk** Christian ★ *de* ~*e leer* Christian doctrine
**christen** Christian
**christendemocraat** Christian Democrat
**christendemocratisch** Christian Democratic
**christendom** Christianity
**Christus** Christ ★ *na* ~ AD, Anno Domini, after Christ ★ *voor* ~ BC, before Christ
**Christusbeeld** figure / statue of Christ
**chromosoom** chromosome
**chronisch** chronic
**chronologie** chronology
**chronologisch** chronological
**chronometer** chronometer
**chroom** chromium
**chrysant** chrysanthemum
**ciabatta** ciabatta
**cichorei** chicory
**cider** cider
**cijfer ❶** *teken* figure, digit ★ *ronde* ~*s* round figures ★ *in de rode* ~*s staan* be in the red **❷** *beoordeling* mark, grade ★ *lage* ~*s halen* get poor / low marks / grades ★ *een hoog* ~ *voor scheikunde* a good / high grade / mark in chemistry
**cijfercode** numerical code
**cijferen** do sums / arithmetic
**cijferlijst** list of marks, report
**cijfermateriaal** figures *mv*, numerical data *mv*
**cijferslot** combination lock
**cilinder** cylinder
**cilinderinhoud** cylinder / cubic capacity
**cilinderslot** cylinder lock
**cilindrisch** cylindrical
**cineast** film director, USA movie director
**cinema** bioscoop cinema
**cipier** warder, oud gaoler
**cipres** cypress
**circa** about, approximately, ⟨jaartal⟩ circa

**circuit ❶** *netwerk* circuit ★ *gesloten* ~ closed circuit **❷** *renbaan* circuit **❸** *wereldje* scene
**circulaire** circular
**circulatie** circulation ★ *in* ~ *brengen* bring / put in(to) circulation ★ *uit de* ~ *nemen* withdraw from circulation
**circuleren** circulate ★ *laten* ~ circulate
**circus** circus ★ *wat een* ~*!* what a farce!, what a ridiculous spectacle!
**circusnummer** circus act
**circustent** circus tent, (the) big top
**cirkel** circle ★ *in een* ~ in a circle ★ *halve* ~ semicircle ★ *de* ~ *is (weer) rond* it / things has / have come / turned full circle
**cirkelen** circle
**cirkelredenering** circular argument / reasoning
**cirkelzaag** circular saw
**cirrose** cirrhosis
**cis** muz C sharp
**citaat** quotation ★ *einde* ~ end of quote
**citadel** citadel
**citer** zither
**citeren** quote, form cite
**citroen ❶** *vrucht* lemon **❷** *boom* lemon tree
**citroengeel** lemon yellow
**citroenmelisse** lemon balm
**citroensap** cul lemon juice
**citroenvlinder** brimstone butterfly
**citroenzuur** citric acid
**citruspers** lemon-squeezer, ⟨elektrisch⟩ juicer
**citrusvrucht** citrus fruit
**civiel** *burgerlijk* civil, ⟨niet militair⟩ civilian ★ ~*e lijst* civil list ★ ~*e partij* party in a civil suit ★ ~*e zaak* civil suit / action
**civielrechtelijk** jur civil, according to civil law ★ *iem.* ~ *vervolgen* bring civil action against sb
**civilisatie** civilization
**civiliseren** civilize
**cl** *centiliter* cl
**claim ❶** *aanspraak* claim ★ *een* ~ *indienen* file a claim (with) **❷** *voorkeursrecht* preferential right
**claimen** claim
**clan ❶** *stam* clan **❷** *hechte groep* clan, min tribe
**clandestien** clandestine, secret, ⟨handel⟩ illicit ★ ~*e handel* black market, illicit trade ★ ~*e zender* pirate transmitter
**classicisme** classicism
**classicus** classicist, classical scholar
**classificatie** classification
**classificeren** classify, class
**claustrofobie** claustrophobia
**clausule** clause, stipulation
**claxon** horn
**claxonneren** honk, sound the / one's horn
**clean ❶** *zuiver* clean **❷** *zakelijk* without emotion, clinical **❸** *afgekickt* clean, off drugs
**clematis** clematis
**clementie** clemency, mercy
**clerus** clergy *mv*
**cliché ❶** *gemeenplaats* cliché, hackneyed phrase **❷** drukk *drukplaat* (stereotype) block, plate
**clichématig** clichéd, hackneyed, commonplace
**cliënt ❶** *klant* customer, ⟨van zorginstelling, e.d.⟩ client **❷** jur client
**clientèle, BN cliënteel** clientele
**cliffhanger** cliffhanger

**climax** climax
**clinch** ▼*in de ~ gaan / raken met iem.* fall out with sb, get into a tussle with sb ▼*in de ~ liggen met iem.* be at loggerheads with sb (over sth)
**clinic** clinic
**cliniclown** clown doctor
**clip** ❶ *paperclip* paper clip, ⟨groot⟩ Bulldog^fi clip ❷ *videoclip* (video) clip
**clitoris** clitoris
**close** close
**closet** oud water closet, ⟨opschrift⟩ WC, toilet
**closetpapier** toilet / lavatory paper, inform loo paper
**closetrol** toilet / lavatory roll, inform loo roll
**close-up** close-up
**clou** point, ⟨van grap⟩ punchline ★ *dat is de clou* that's the point
**clown** clown ★ ~ *spelen* (play the) clown
**clownesk** clownish
**club** ❶ *vereniging* club, society ❷ *groep vrienden* group, inform gang ❸ *golfstick* club
**clubhuis** club house, ⟨voor meerdere clubs⟩ community centre
**cluster** cluster, collection
**clusterbom** mil cluster bomb
**clusteren** group / classify (**naar** by)
**coach** coach, trainer, ⟨bij opleiding⟩ supervisor
**coachen** coach, train, ⟨bij opleiding⟩ supervise
**coalitie** coalition
**coalitiepartner** coalition partner
**coassistent** intern(e)
**coauteur** co-author
**coaxkabel** elek coaxial cable, coax (cable)
**cobra** cobra
**cocaïne** cocaine
**cockpit** cockpit, ⟨lijnvliegtuig⟩ flight deck
**cocktail** cocktail
**cocktailbar** cocktail bar / lounge
**cocktailjurk** cocktail dress
**cocktailparty** cocktail party
**cocktailprikker** cocktail stick
**cocon** cocoon
**cocoonen** cocoon
**code** ❶ *tekensysteem* code ❷ *geheimschrift* code, cipher ★ *in code* in code / cipher ★ *een code breken* break / crack a code ❸ *set gedragsregels* code
**codeïne** codeine
**codenaam** code name
**coderen** (en)code
**codicil** codicil
**coëfficiënt** coefficient
**co-existentie** coexistence ★ *vreedzame ~* peaceful coexistence
**coffeeshop** cannabis coffee shop
**coffeïne** caffeine
**cognac** cul cognac, (French) brandy
**cognitief** cognitive
**coherent** coherent
**coherentie** coherence
**cohesie** cohesion
**coiffure** hairstyle
**coïtus** coitus
**coke** ❶ *cocaïne* coke ★ *een lijntje coke* a line of coke ❷ *cola* Coke^fi, cola
**cokes** coke

**col** ❶ *rolkraag* turtleneck, roll-neck ❷ *bergpas* col, pass
**cola** cul cola, Coke^fi
**cola-tic** gin and coke
**colbert** jacket
**collaborateur** collaborator
**collaboratie** collaboration
**collaboreren** *de vijand steunen* collaborate
**collage** collage
**collectant** charity collector
**collect call** reverse-charge call, USA collect call ★ ~ *bellen* call reverse-charge, USA call collect
**collecte** collection ★ *een ~ voor een goed doel houden* collect money for a charity
**collectebus** collection box
**collecteren** collect money (for a charity)
**collectie** collection
**collectief** I *bnw* collective ★ *de collectieve sector* corporate / public sector II *zn* [het], *groep* collective
**collector's item** collector's item
**collega** colleague ★ *mijn ~'s op school* my fellow teachers
**college** ❶ *les* lecture ★ ~ *geven* lecture, give lectures ★ ~ *lopen / volgen* attend (the) lectures ❷ *bestuurslichaam* board ★ ~ *van burgemeester en wethouders* mayor and (municipal) executive board ★ ~ *van bestuur* governing body, ⟨universiteit⟩ senate ❸ *school* school, ⟨in namen⟩ college
**collegedictaat** lecture notes *mv*
**collegegeld** tuition / student fees *mv*
**collegekaart** student card, university identity card
**collegezaal** lecture room / hall
**collegiaal** I *bnw* ★ *zich ~ gedragen / opstellen* behave like a good colleague ★ *dat is niet ~* that's unfair (on your colleagues) II *bijw* ★ ~ *met elkaar omgaan* get on amicably
**collegialiteit** collegiality
**collier** necklace
**colofon** colophon
**Colombia** Colombia
**Colombiaan** Colombian
**Colombiaans** Colombian
**Colombiaanse** Colombian (woman / girl)
**colonne** column
**coloradokever** Colorado beetle
**colportage** selling door to door, hawking
**colporteren** sell door to door, hawk
**colporteur** door-to-door salesman, hawker
**coltrui** turtleneck sweater, roll-neck sweater
**column** column
**columnist** columnist
**coma** coma ★ *in coma liggen* be in (a) coma
**comapatiënt** comatose patient, patient in a coma
**combi** estate car
**combimagnetron** combination microwave
**combinatie** *verbinding* combination
**combinatieslot** combination lock
**combinatietang** pair of combination pliers, combination pliers *mv*
**combineren** combine
**combo** combo
**comeback** comeback

**CO**

**comedy** comedy (series)
**comfort** comfort ★ *van alle ~ voorzien* fitted with modern conveniences, inform with all mod cons
**comfortabel** comfortable
**coming-out** coming out
**comité** committee
**commandant** mil commander, scheepv captain
**commanderen** ❶ *bevelen* give orders ★ *ik laat me door niemand ~* I won't take orders from anybody ★ inform *commandeer je hond (en blaf zelf)!* don't order me about! ❷ *het bevel voeren* command, be in command (of)
**commando** I *zn* [het] ❶ *bevel* command, order, comp command ❷ *bevelvoering* command ★ *het ~ overnemen* take over command ★ *het ~ voeren* be in command (of) ❸ *gevechtseenheid* commando II *zn* [de], *soldaat* commando
**commandotroepen** commando troops *mv*, commandos
**commentaar** comment, media commentary ★ *~ leveren op* comment (up)on ★ *~ overbodig* no comment!
**commentaarstem** voice-over
**commentariëren** (gebeurtenis) commentate on, (tekst) annotate, comment (up)on
**commentator** commentator
**commercial** commercial
**commercialisering** commercialization ★ *de ~ van Kerstmis* the commercialisation of Christmas
**commercie** commerce, trade
**commercieel** commercial
**commissariaat** ❶ *ambt* commissionership ❷ *bureau* commissioner's office
**commissaris** ❶ *gemachtigde* commissioner ★ *~ van politie* chief constable, USA police commissioner ★ *~ der Koningin* ≈ Royal Commissioner ❷ *lid raad v. commissarissen* member of the supervisory board
**commissie** ❶ *committee* ★ *~ van advies* advisory committee ★ *~ van beroep* committee of appeal ★ *~ van deskundigen* committee of experts ★ *~ van onderzoek* fact-finding committee ★ *in een ~ zitten* be on a committee ★ *als ik lieg, lieg ik in ~* I'm telling you this for what it's worth ❷ *opdracht* ★ *in ~ verkopen* sell on commission ❸ BN inform *boodschap in winkel* purchase
**commissionair** commission agent ★ *een ~ in effecten* stockbroker
**commode** chest of drawers
**commotie** commotion ★ *~ veroorzaken* cause a commotion, inform kick up a fuss
**communautair** communal
**commune** commune
**communicant** communicant
**communicatie** communication
**communicatief** communicative ★ *communicatieve vaardigheden* communication skills
**communicatiemiddel** means of communication *ev en mv*
**communicatiesatelliet** communications satellite, comsat
**communicatiestoornis** communication breakdown
**communicatiewetenschap** communication studies *mv*

**communiceren** ❶ *in verbinding staan* communicate ❷ *ter communie gaan* receive Holy Communion
**communie** (Holy) Communion ★ *zijn ~ doen* make one's first Communion
**communiqué** communiqué ★ *een ~ uitgeven* issue a communiqué
**communisme** communism
**communist** communist
**communistisch** communist
**Comorees** Comoran
**Comoren** Comoros *mv*, Comoro Islands
**compact** compact
**compact disc** compact disc
**compagnie** company ★ *Verenigde Oost-Indische Compagnie* East India Company
**compagnon** ❶ *vennoot* business associate, partner ❷ *makker* mate
**compartiment** compartment
**compatibel** compatible
**compendium** compendium ★ *grammaticaal ~* grammar compendium
**compensatie** compensation ★ *ter / als ~ van* by way of compensation, in settlement of
**compenseren** compensate for, make up for, counterbalance
**competent** *bekwaam* competent, capable
**competentie** competence, capability
**competitie** ❶ *wedijver* competition ❷ sport league
**competitief** competitive ★ *~ ingesteld zijn* be highly competitive, be keen / anxious to get ahead / on
**compilatie** compilation
**compiler** comp compiler
**compileren** compile
**compleet** I *bnw* complete, full II *bijw* completely, utterly ★ *zij is het ~ vergeten* she completely forgot ★ *~ vergeten* clean forgotten!
**complement** ❶ *aanvullend deel* complement ❷ wisk complement
**complementair** complementary
**completeren** complete
**complex** I *zn* [het] ❶ *geheel* complex ❷ psych complex II *bnw, ingewikkeld* complex, complicated
**complicatie** *factor die iets moeilijker maakt* complication
**compliceren** complicate
**compliment** *prijzende opmerking* compliment ★ *iem. een ~ maken over iets* compliment sb on sth ★ *naar een ~je vissen* fish for a compliment ★ *scheutig zijn met ~en* be lavish with compliments
**complimenteren** compliment (**met** on)
**complimenteus** complimentary
**complot** plot, conspiracy, intrigue ★ *een ~ smeden* plot, conspire
**complottheorie** conspiracy theory
**component** component
**componeren** compose
**componist** composer
**compositie** composition
**compositiefoto** photofit
**compost** compost
**compote** compote

**compressie** compression
**compressor** compressor
**comprimeren** compress
**compromis** compromise ★ *een ~ sluiten* make a compromise
**compromitteren** compromise ★ *zich ~* compromise o.s.
**compromitterend** compromising, incriminating ★ *~e documenten* incriminating documents
**computer** computer ★ *in de ~ zetten* computerize
**computeranimatie** computer animation
**computerbestand** computer file
**computeren** work at the computer, ‹spelletjes› play computer games
**computerfraude** computer fraud
**computergestuurd** computer-controlled
**computerisering** computerization
**computerkraak** computer break-in
**computerkraker** hacker
**computernetwerk** computer network
**computerondersteund** computer-aided / assisted
**computerprogramma** computer program
**computerspel** computer game
**computerstoring** computer breakdown / failure
**computertaal** programming language
**computervirus** computer virus
**concaaf** concave
**concentraat** concentrate
**concentratie** concentration
**concentratiekamp** concentration camp
**concentratieschool** BN onderw ≈ *school met veel allochtone leerlingen* ≈ school with a high number of immigrant children
**concentreren** I *ov ww* concentrate, centre ★ *troepen ~* mass troops II *wkd ww* [zich ~] concentrate (**op** on), focus (**op** on) ★ *zich op een onderwerp ~* concentrate / focus on a subject
**concentrisch** concentric
**concept** ❶ *ontwerp* (rough) draft, outline ❷ *begrip* concept
**conceptie** ❶ *bevruchting* conception ❷ *denkbeeld* conception, idea, notion
**conceptovereenkomst** draft agreement
**conceptueel** conceptual
**concern** concern
**concert** concert, ‹solo› recital
**concertganger** concertgoer
**concertgebouw** concert hall
**concertmeester** leader, USA concertmaster
**concessie** ❶ *het toegeven* concession, climbdown ★ *iem. een ~ doen* make a concession to sb ❷ *vergunning* concession, licence ★ *~ aanvragen* apply for a concession ★ *een ~ verlenen* grant a concession / licence
**conciërge** caretaker, ‹grote gebouwen› janitor
**concilie** council
**concipiëren** conceive, draft
**conclaaf** conclave ★ *in ~ gaan* go into conclave
**concluderen** *tot besluit komen* conclude (**uit** from), infer (**uit** from)
**conclusie** conclusion, inference, ‹bevindingen› findings *mv* ★ *voorbarige ~s trekken* jump to conclusions
**concours** competition, contest ★ *~ hippique* horse show

**concreet** concrete ★ *een ~ geval* a specific case
**concretiseren** make concrete, be specific about
**concubine** concubine
**concurrent** competitor, rival
**concurrentie** competition, rivalry ★ *~ met iem. aangaan* compete with sb ★ *moordende / oneerlijke ~* cut-throat / unfair competition
**concurrentiebeding** restraint of trade, non-competition clause
**concurrentieslag** competition war / battle ★ *de ~ overleven* survive the competition
**concurreren** compete (**met** with)
**concurrerend** competitive
**condens** condensation
**condensatie** condensation
**condenseren** I *ov ww, vloeibaar maken* condense II *on ww, vloeibaar worden* condense
**conditie** ❶ *toestand* condition, state ❷ biol *fitheid* condition, terms *mv* ★ *een goede ~ hebben* be in good condition / shape ★ *in ~ blijven* keep fit ❸ *voorwaarde* condition ★ *gunstige ~s* favourable terms
**conditietraining** fitness training
**conditioner** conditioner
**conditioneren** ❶ psych *in toestand houden* condition ❷ *voorwaarde stellen* stipulate
**condoleance** condolence(s), sympathy
**condoleanceregister** condolences book
**condoleren** condole ★ *iem. ~* offer (one's) condolences to sb ★ *gecondoleerd met het verlies van je vader* accept my condolences / sympathy on the death of your father
**condoom** condom, inform rubber
**condor** condor
**conducteur** conductor, guard, USA conductor
**conductrice** woman conductor, woman ticket collector, inform clippie
**confectie** ready-made clothing / clothes, off-the-peg clothing / clothes
**confederatie** confederation
**conference** *voordracht* (solo) sketch / act, comic monologue
**conferencier** entertainer, stand-up comedian
**conferentie** conference ★ *een ~ houden* hold a conference
**confessioneel** confessional, denominational ★ *confessionele school* denominational school
**confetti** confetti
**confidentieel** confidential
**configuratie** configuration
**confisqueren** confiscate, seize
**confituur** BN *jam* jam, ‹citrusvruchten› marmalade
**conflict** conflict, dispute ★ *in ~ komen met* come into conflict with, conflict / clash with
**conflictstof** matter / ground of conflict
**conform** I *vz* in conformity / accordance with ★ *~ de eis* in accordance with the demand, as demanded II *bnw* in conformity / accordance with
**conformeren** conform () ★ *zich ~ aan iemand / iets* conform to sb / sth, comply with sb / sth
**conformisme** conformism
**conformistisch** conformist
**confrontatie** confrontation

CO

**CO**

**confronteren** *tegenover elkaar plaatsen* confront, face ★ *geconfronteerd worden met* be confronted / faced with
**confuus** confused
**congé** dismissal ★ *iem. zijn ~ geven* dismiss sb, inform sack / fire sb ★ *hij kreeg zijn ~* he was dismissed, inform he was sacked / fired
**conglomeraat** conglomerate
**Congo** Congo
**Congolees** Congolese
**congregatie** congregation
**congres** congress
**congresgebouw** conference centre / hall
**congruent** ❶ congruent (*aan* with), corresponding (*aan* to) ❷ *wisk* congruent
**congruentie** *wisk* congruence, *taalk* concord
**conifeer** conifer
**conjunctief** subjunctive, subjuntivo *m*
**conjunctureel** ★ *conjuncturele maatregelen* economic policy measures ★ *conjuncturele schommelingen* fluctuations in the market
**conjunctuur** economic / trade conditions ★ *dalende ~* declining economy, downward economic trend, slump ★ *opgaande ~* rising economy ★ *hoge ~* booming economy, boom
**connectie** ❶ *verband, aansluiting* connection, link ❷ *verbonden persoon* connection, relation ★ *hij heeft uitstekende ~s* he has excellent connections / contacts
**conrector** deputy headmaster, deputy / vice principal
**consciëntieus** conscientious, scrupulous
**consensus** consensus
**consequent** consistent, logical
**consequentie** ❶ *gevolg* consequence ★ *de ~s aanvaarden* accept / bear the consequences ❷ *standvastigheid* consistency
**conservatief** I *zn* [de] conservative II *bnw* conservative, *pol* Conservative, <u>GB</u> ook Tory ★ *de conservatieve partij* the Conservative Party
**conservator** curator ★ *conservatrice* curator
**conservatorium** conservatoire, <u>USA</u> conservatory
**conserven** canned / tinned food, preserves *mv*
**conservenblik** tin, can
**conserveren** preserve, ⟨in blik⟩ can ★ *ze is (nog) goed geconserveerd* she's well preserved
**conserveringsmiddel, conserveermiddel** preservative
**consideratie** ❶ *respect* consideration, respect ★ *uit ~ voor* out of respect / consideration for ❷ *toegeeflijkheid* consideration ★ *~ tonen* show consideration ★ *~ hebben met iem.* make allowances for sb ❸ *overweging* consideration, reason
**consistent** ❶ *coherent* consistent ❷ *stevig* consistent
**consistentie** ❶ *coherentie* consistency ❷ *stevigheid* consistency
**consolidatie** consolidation
**consolideren** consolidate
**consonant** *medeklinker* consonant
**consorten** associates, <u>min</u> pals, <u>min</u> mob
**consortium** consortium
**constant** I *bnw* constant II *bijw* ★ *zij valt me ~ lastig* she's always pestering me

**constante** constant
**constateren** establish, ascertain ★ *ik constateer tot mijn genoegen* I am pleased to see (that)
**constatering** observation, conclusion, ⟨van feit⟩ establishment
**constellatie** ❶ *sterrenk* constellation ❷ *toestand* state of affairs
**consternatie** consternation, alarm ★ *dat was een hele ~* that was quite a commotion / stir
**constitutie** ❶ *grondwet* constitution ❷ *gestel* constitution
**constitutioneel** constitutional
**constructeur** design engineer
**constructie** ❶ *het construeren* construction ❷ *het geconstrueerde* structure, construction
**constructief** constructive
**constructiefout** construction defect, ⟨in ontwerp⟩ faulty design
**construeren** *bouwen* construct
**consul** consul
**consulaat** consulate
**consulair** consular
**consulent** adviser, consultant
**consult** consultation ★ *~ volgens afspraak* consultation by appointment
**consultancy** consultancy, consulting firm
**consultatie** consultation
**consultatiebureau** health centre ★ *~ voor (aanstaande) moeders* maternity centre ★ *~ voor zuigelingen* child health clinic, infant welfare centre
**consulteren** consult
**consument** consumer
**consumentenbond** consumers' association / union
**consumentenelektronica** consumer electronics
**consumeren** consume
**consumptie** ❶ *verbruik* consumption ❷ *eten / drinken* refreshments *mv*, food, drinks *mv* ★ *~ verplicht* for patrons only
**consumptiebon** food / drink voucher, chit
**consumptiegoederen** consumer goods *mv*
**consumptie-ijs** ice cream
**consumptiemaatschappij** consumer society
**contact** ❶ *verbinding* contact ★ *in ~ komen met* come into contact with ★ *in ~ brengen met iem.* bring into contact with sb ★ *~ opnemen met iem.* get into contact with sb, get in touch with sb ❷ *persoon* contact, connection ❸ *elektrische verbinding* contact, ⟨auto⟩ ignition
**contactadres** contact address
**contactadvertentie** personal ad(vertisement)
**contactdoos** socket ★ *meervoudige ~* multiple socket
**contacteren** <u>BN</u> *contact opnemen met* contact, get in touch with
**contactgestoord** socially handicapped
**contactlens** contact lens, inform contact
**contactlensvloeistof** contact lens solution / liquid
**contactlijm** contact / impact adhesive
**contactpersoon** contact, contact man
**contactsleutel** ignition key
**contactueel** ★ *met goede contactuele eigenschappen* with good communication skills

★ ~ *gestoord zijn* be socially handicapped
**container** container
**containerpark** BN *afvalscheidingsstation* recycling station
**containerschip** container ship
**contant** I *bnw* cash ★ *à* ~ cash down ★ *tegen ~e betaling* cash (payment) only ★ *~e betaling* cash payment ★ ~ *geld* cash, ready money II *bijw* in cash ★ ~ *betalen* pay (in) cash, pay cash in hand
**contanten** cash, ready money ★ *betaling in* ~ cash payment ★ *omwisselen in* ~ ⟨van cheque⟩ cash
**content** content, happy, satisfied ★ ~ *met iets zijn* be happy / pleased with sth
**context** context ★ *uit de* ~ *gelicht* taken out of context
**continent** continent
**continentaal** continental ★ ~ *stelsel* Continental System ★ ~ *plat* continental shelf
**continu** continuous, ⟨steeds weer⟩ continual
**continubedrijf** ❶ *bedrijf, industrie* continuous working plant, continuous industry ★ *deze fabriek is een* ~ this factory operates around the clock ❷ *werkwijze* continuous production
**continudienst** continuous shift, 24 / 7 shift
**continueren** ❶ *voortzetten* continue, carry on ❷ *handhaven* retain
**continuïteit** continuity
**conto** account ★ *à* ~ on account ★ *iets op iemands* ~ *schrijven* hold sb accountable for sth
**contour** contour, outline
**contra** I *vz* contra, against, jur versus II *zn* [het] → pro
**contra-alt** contralto
**contrabas** double bass
**contraceptie** contraception
**contract** contract, agreement ★ *bij* ~ *vastleggen* stipulate by contract ★ *volgens* ~ according to contract ★ *een* ~ *aangaan* enter into a contract
**contractbreuk** breach of contract
**contracteren** ❶ *in dienst nemen* contract ❷ *contract sluiten* contract
**contractueel** I *bnw* contractual ★ *zich* ~ *verbinden* bind o.s. by contract II *zn* [de], BN *ambtenaar met een tijdelijk contract* temporary civil servant
**contra-expertise** countercheck, ⟨verzekering⟩ reappraisal
**contra-indicatie** contraindication
**contramine** be uncooperative ★ *hij is altijd in de* ~ he's always in (the) opposition
**contraproductief** counterproductive
**contrapunt** counterpoint
**contrareformatie** Counter-Reformation
**contraspionage** counter-espionage, counter-intelligence
**contrast** contrast ★ *een* ~ *vormen met* contrast with, form / present a contrast to / with
**contrastekker** elek coupling socket
**contrasteren** contrast ⟨met / with⟩
**contrastvloeistof** contrast fluid
**contrastwerking** contrast effect
**contreien** regions
**contributie** subscription (fee)
**controle** ❶ *beheersing* control ★ *iets onder* ~ *hebben* be in control of sth ❷ *toezicht* check (on),

supervision, med checkup, econ audit, ⟨kaartjes, kwaliteit⟩ inspection ★ *onder strenge* ~ under strict surveillance ★ *sociale* ~ social control ★ ~ *uitoefenen op iets* exercise supervision over sth
**controleerbaar** verifiable, checkable
**controlekamer** control room
**controleren** ❶ *nagaan* ⟨kaartjes⟩ inspect, ⟨personen, woorden⟩ check, ⟨feiten⟩ verify ★ *een tekst* ~ *op spelfouten* check the spelling of a text, comp spellcheck a text ❷ *toezien* supervise ★ *~d geneesheer* medical officer ❸ *beheersen* control
**controleur** inspector, ⟨kaartjes⟩ ticket inspector, econ controller
**controverse** controversy
**controversieel** controversial
**conventie** ❶ *verdrag* convention ❷ *afspraak* convention ★ *in strijd zijn met de ~s* go against the accepted norm(s)
**conventioneel** conventional
**convergent** convergent
**convergeren** converge
**conversatie** conversation, talk
**converseren** *een gesprek voeren* converse ★ *met zijn gasten* ~ make conversation with one's guests
**conversie** conversion
**converteren** convert into / from
**convex** convex
**cookie** www cookie
**cool** I *bnw* cool, USA awesome II *tw* cool
**coöperant** BN *ontwikkelingswerker* development-aid worker
**coöperatie** ❶ *samenwerking* cooperation ❷ *vereniging* cooperative
**coöperatief** ❶ *bereid samen te werken* cooperative ❷ *samenwerkend* cooperative
**coöptatie** co-option, co-optation
**coöpteren** co-opt
**coördinaat** coordinate ★ *coördinaten uitzetten* set coordinates ★ BN *coördinaten* ⟨persoonlijke gegevens⟩ personal details
**coördinatenstelsel** coordinate system, grid system
**coördinatie** coordination
**coördinator** coordinator, ⟨school⟩ supervisor
**coördineren** coordinate
**co-ouder** co-parent
**co-ouderschap** joint custody
**COPD** *chronic obstructive pulmonary disease* COPD, Chronic Obstructive Pulmonary Disease
**copieus** copious, abundant, plentiful ★ *een copieuze maaltijd* a lavish meal
**copiloot** co-pilot
**coproductie** co-production
**copuleren** copulate, ⟨dieren⟩ mate
**copyright** copyright
**copywriter** copywriter
**cordon bleu** *kalfsvlees met ham en kaas ertussen* cordon bleu
**cordon sanitaire** cordon sanitaire
**corduroy** cord(uroy), ⟨fijn⟩ needle cord
**cornedbeef** corn / corned beef
**corner** corner, ⟨hockey⟩ corner hit, ⟨voetbal⟩ corner kick ★ *een* ~ *nemen* take a corner (kick / hit)
**cornflakes** cornflakes *mv*

CO

**CO**

**corporatie** corporate body, corporation
**corps** students' society, USA (mannen) ≈ (students') fraternity, USA (vrouwen) ≈ (students') sorority ★ *~ diplomatique* diplomatic corps
**corpsbal** ≈ frat boy
**corpulent** corpulent, stout
**corpulentie** corpulence, stoutness
**correct** I *bnw* correct, proper ★ *politiek ~* politically correct II *bijw* ★ *~ handelen* behave properly / correctly, do the correct / right thing
**correctie** *verbetering* correction
**correctievloeistof** correction fluid
**corrector** (proof) reader
**correlatie** correlation
**correleren** correlate
**correspondent** correspondent
**correspondentie** correspondence ★ *~ voeren met* be in correspondence with ★ *de ~ voeren* conduct the correspondence
**correspondentieadres** postal address
**corresponderen** ❶ *schrijven* correspond (**met** with) ❷ *overeenstemmen* correspond (**met** to / with)
**corrigeren** ❶ *verbeteren* correct, (schoolwerk ook) mark ★ *gecorrigeerd voor seizoensinvloeden* seasonally adjusted ❷ *berispen* correct, reprove
**corrosie** corrosion
**corrumperen** corrupt
**corrupt** ❶ *omkoopbaar* corrupt, dishonest ❷ *bedorven* corrupt, perverted
**corruptie** corruption
**corsage** *opgespelde bloem* corsage
**Corsica** Corsica
**Corsicaans** Corsican
**corso** parade
**corvee** chores *mv*, mil fatigue ★ *wie heeft er ~?* who's doing the chores?
**coryfee** star, celebrity
**coschap** internship ★ *~pen lopen* do internship
**cosinus** cosine
**cosmetica** cosmetics *mv*
**cosmetisch** cosmetic ★ *de ~e industrie* the cosmetics industry
**Costa Rica** Costa Rica
**Costa Ricaan** Costa Rican
**Costa Ricaans** Costa Rican
**Costa Ricaanse** Costa Rican (woman / girl)
**Côte d'Azur** Côte d'Azur
**couchette** berth, (in trein ook) couchette
**coulant** accommodating, generous, (voorwaarden) reasonable
**coulisse** wings *mv* ★ *achter de ~n* behind the scenes, backstage
**counter** sport *tegenaanval* counter(-attack)
**counteren** sport counter
**country** muz country music
**country-and-western** muz country and western
**coup** coup ★ *een coup plegen* carry out / stage a coup
**coupe** ❶ *haardracht* cut, hairstyle ❷ *beker* cup
**coupé** ❶ *treindeel* compartment ❷ *personenauto* coupé
**couplet** stanza, (van twee regels) couplet
**coupon** remnant

**coupure** ❶ *deelwaarde* denomination ❷ *weglating in film* cut
**courant** current, marketable ★ *~e effecten* listed stocks ★ *~e maten* stock / standard sizes ★ *niet ~e maten* unusual sizes
**coureur** (motor) motorcycle racer, (auto) race / racing driver, (fiets) racing cyclist
**courgette** courgette, USA zucchini
**couscous** couscous
**couvert** ❶ *eetgerei* cover ★ *diners van veertig euro per ~* dinners of forty euros each ❷ *envelop* envelope ★ *onder ~* under cover
**couveuse** incubator
**couveusekind** premature baby
**cover** ❶ muz cover (record), remake ❷ *omslag* (dust) cover / jacket, (tijdschrift) cover
**coverartikel** cover story
**coveren** *opnieuw uitvoeren* cover
**cowboy** cowboy
**cowboyfilm** western
**crack** ❶ *uitblinker* ace ❷ *drug* crack
**cracker** cracker
**cranberry** *plant / bes* cranberry
**crank** *v. fiets* crank
**crash** ❶ *ernstig ongeluk* crash ❷ comp crash
**crashen** ❶ *van voertuigen* crash ❷ comp crash
**crawl** crawl
**crawlen** crawl
**creatie** creation
**creatief** creative ★ *~ taalgebruik* creative use of language
**creativiteit** creativity, creativeness
**creatuur** creature
**crèche** day nursery, crèche
**credit** credit
**creditcard** credit card ★ *iets met ~ betalen* pay sth by credit card
**crediteren** ❶ *bijschrijven* credit ★ *iem. ~ voor 2500 euro* credit sb's account with 2500 euros, credit 2500 euros to sb's account ❷ *als schuld boeken* put to the credit of somebody's account
**crediteur** *schuldeiser* creditor
**creditnota** credit note
**creditrente** credit interest
**credo** credo (*mv* cridos), (overtuiging) creed
**creëren** create
**crematie** cremation
**crematorium** crematorium, USA ook crematory
**crème** I *zn* [de] ❶ *zalf* ointment, cream ❷ *room* cream ★ *~ fraîche* crème fraiche ▼ *~ de la ~* crème de la crème II *bnw* cream(-coloured)
**cremeren** cremate
**creool** Creole
**creools** I *zn* [het] creole II *bnw* creole
**crêpe** ❶ *materiaal* crepe, crape ❷ *flensje* crepe
**crêpepapier** crêpe paper
**creperen** die (miserably), perish ★ *~ van de honger* starve to death
**crescendo** muz crescendo
**cricket** cricket
**cricketen** play cricket
**crime** disaster ★ *het is een ~!* it's a disaster!
**criminaliseren** criminalize
**criminaliteit** crime ★ *de toename van ~* the increase in crime
**crimineel** I *zn* [de], *misdadiger* criminal II *bnw*

**❶** *misdadig* criminal **❷** *strafrechtelijk* criminal **III** *bijw, in hoge mate* horribly, terribly
**criminologie** criminology
**crisis** crisis *mv: crises* ★ *een ~ doormaken* pass / go through a crisis ★ *een ~ doorstaan* weather a crisis ★ *de ~ te boven zijn* have passed the critical stage
**crisiscentrum ❶** *opvangcentrum* crisis centre **❷** *coördinatiecentrum* emergency / crisis centre
**crisisteam** crisis team
**criterium ❶** criterion *mv: criteria* **❷** sport criterium
**criticus** critic
**croissant** cul croissant
**croque-monsieur** BN *tosti* toasted ham and cheese sandwich
**cross** cross-country
**crossen ❶** *aan cross meedoen* take part in a cross-country event / race **❷** *racen* tear / race about
**crossfiets** cross-country bike / bicycle
**croupier** croupier
**crouton** cul crouton
**crowdsurfen** crowd surf
**cru I** *zn* [de]*, wijnklasse* cru **II** *bnw* crude, blunt ★ *dat klinkt een beetje cru* that sounds a bit harsh
**cruciaal** crucial (**voor** to / for)
**crucifix** crucifix
**cruise** cruise
**cruisecontrol** cruise control
**cruisen ❶** *cruise maken* go on a cruise **❷** *op de versiertoer zijn* cruise
**crux** crux
**crypte** crypt, vault
**cryptisch** cryptic
**cryptogram** cryptic crossword puzzle
**c-sleutel** C clef
**CT-scan** CAT / CT scan
**Cuba** Cuba
**Cubaan** Cuban
**Cubaans** Cuban
**Cubaanse** Cuban (woman / girl)
**culinair** culinary
**culmineren** culminate
**culpabiliseren** BN *beschuldigen* make somebody feel guilty
**cult-** cult
**cultfilm** cult movie
**cultiveren** cultivate
**cultureel** cultural ★ *~ akkoord* cultural agreement ★ *~ centrum* arts / cultural centre
**cultus** cult
**cultuur ❶** *beschaving* culture ★ *de westerse ~* Western culture, Western civilization **❷** *bebouwing met gewas* culture, ⟨landbouwgrond⟩ cultivation, ⟨bacteriën⟩ culture ★ *grond in ~ brengen* bring land under cultivation
**cultuurbarbaar** Philistine
**cultuurdrager** purveyor of culture
**cultuurgeschiedenis** cultural history
**cultuurgewas** cultivated crop
**cultuurpessimist** cultural pessimist
**cultuurschok** cultural shock
**cultuurvolk** civilized people
**cum laude** cum laude ★ *~ afstuderen* graduate

cum laude
**cumulatie** accumulation
**cumulatief** cumulative ★ *~ preferent aandeel* cumulative preference share
**cumuleren** BN pol ⟨meerdere ambten⟩ *uitoefenen* combine offices
**cup ❶** *beker* cup **❷** *deel van beha* cup
**cupwedstrijd** cup tie
**Curaçao** Curaçao
**Curaçaoër** inhabitant of Curaçao
**Curaçaos** Curaçao
**Curaçaose** (woman / female) inhabitant of Curaçao ★ *zij is een ~* she's from Curaçao
**curatele** guardianship, econ receivership ★ *onder ~ stellen* place under guardianship, make a ward of (the) court, econ place in receivership ★ *onder ~ staan* econ be in receivership
**curator ❶** *toezichthouder* ⟨voogd⟩ guardian, ⟨van museum, e.d.⟩ curator, ⟨van museum, e.d.⟩ custodian ★ *~ in een faillissement* (official) receiver **❷** *lid van raad van toezicht* member of the supervisory board
**curettage** med curettage
**curieus** curious, strange, odd
**curiositeit** curiosity, ⟨klein voorwerp⟩ curio, oddity
**curiositeitenkabinet** curiosity cabinet
**curriculum vitae** curriculum vitae, USA résumé
**curry ❶** *gerecht* curry **❷** *saus* curry sauce
**cursief I** *zn* [de] italic **II** *bnw* italicized, in italics ★ *cursieve letter* italic ★ *cursieve druk* italic type
**cursiefje** column
**cursist** student
**cursiveren** print in italics, italicize
**cursor** cursor
**cursus** course ★ *schriftelijke ~* correspondence course ★ *een ~ volgen* follow / take classes (in), take classes **bij** with) ★ *een vijfjarige ~* a five-year course
**cursusgeld** course fee
**curve** curve, ⟨in diagram ook⟩ graph
**custard** custard
**CV** econ *CommandITAIRE Vennootschap* Limited Partnership
**cv I** *afk* [de] *centrale verwarming* CH, central heating **II** *afk* [het] *curriculum vitae* CV, USA résumé
**cv-ketel** central-heating boiler
**CVS** *Chronisch-Vermoeidheidssyndroom* CFS, chronic fatigue syndrome
**cyaankali** potassium cyanide, inform cyanide
**cyanide** cyanide
**cybercafé** cybercafé
**cyberspace** cyberspace
**cyclaam** cyclamen
**cyclisch** cyclic(al)
**cycloon** cyclone
**cycloop** Cyclops
**cyclus ❶** *zich herhalend geheel* cycle **❷** BN onderw *leergang* course
**cynicus** cynic
**cynisch** cynical
**cynisme** cynicism
**Cypriot** *bewoner* Cypriot
**Cypriotisch** Cypriot
**Cypriotische** Cypriot (woman / girl)

cy

**Cyprus** Cyprus
**cyste** cyst

# D

**d** ❶ *letter* d ★ *de d van Dirk* D as in David
❷ *muzieknoot* D

**daad** action, act, deed, (grootse daad) exploit
★ *een goede daad* a good deed ▼ *de daad bij het
woord voegen* suit the action to the word

**daadkracht** decisiveness, energy

**daadwerkelijk I** *bnw* actual **II** *bijw* ★ ~ *hulp
bieden* actively offer help, offer practical help /
assistance

**daags** ❶ *per dag* ★ *tweemaal* ~ twice a day
★ *driemaal* ~ *in te nemen* to be taken three times
a day ❷ *op de dag* by day ★ ~ *tevoren* the
previous day, the day before ★ *des* ~ during the
day, by day

**daar I** *bijw* there ★ *wie zingt daar?* who's that
singing? **II** *vw* ⟨vóór de hoofdzin⟩ as, ⟨na de
hoofdzin⟩ because

**daaraan** on / to it / them ★ *houd je* ~ *vast* hold on
to it! ★ ~ *ga je niet dood* it won't kill you, you
won't die of it

**daarachter** behind it / them, at the back (of it /
that)

**daarbij** ❶ *bij dat* near it ❷ *tevens* besides

**daarbinnen** inside, in there, in that / these /
those ★ ~ *is het behaaglijk* inside it's comfortable

**daarbuiten** outside, out there ★ *blijf* ~! keep out
of it ★ *laat mij* ~ leave me out of it

**daardoor** ❶ *daar doorheen* through that ❷ *door
die oorzaak* therefore, that's why, for that reason

**daardoorheen** through there

**daarenboven** besides, moreover

**daarentegen** ⟨keuze⟩ on the other hand,
⟨tegenstelling⟩ on the contrary

**daarginds** over there

**daarheen** there, ⟨met beweging⟩ over there, ⟨met
beweging⟩ that way

**daarin** ❶ *in iets* in there, in it, ⟨met beweging⟩
into it ❷ *wat dat betreft* ★ ~ *heeft ze gelijk* she's
right there.

**daariangs** along there

**daarlaten** leave something out of consideration,
leave aside

**daarmee** with it / them / that / those ★ *wat wil je*
~? what do you want it for ★ *wat wil je* ~ *zeggen?*
what are you trying to say? ★ ~ *is de zaak
afgedaan* so much for that

**daarna** after that, afterwards

**daarnaast** ❶ *naast iets* next to it, beside it
❷ *daarenboven* besides, in addition

**daarnet** just now, just then, a little while ago

**daarom** ❶ *om die reden* therefore ❷ *desondanks*
in spite of...., although

**daaromheen** around it

**daaromtrent** ❶ *betreffende iets* as to that,
concerning that ❷ *ongeveer* ★ *(30 jaar) of* ~ (30
years) or thereabout(s) ❸ *in die omgeving*
thereabout, around there

**daaronder** ❶ *onder iets* under that (it) ❷ *onder
meer* among(st) others, including

**daarop** ❶ *op dat* (up) on it, on top of it ❷ *daarna*
thereupon, following this

**daaropvolgend** next, following, subsequent ★ *de*

**da**

~*e dinsdag* the following Tuesday
**daarover ❶** *over dat (heen)* across / on / over that
**❷** *daaromtrent* about that ★ *je zult* ~ *later meer horen* you'll hear more about that later
**daaroverheen** on / over / across that, on top of that
**daarstraks** just now / then, a little while ago
**daartegen** against it / that / them / those, next to it / that / them those ★ *warmte helpt* ~ warmth is good for it ★ ~ *helpt niets* there's no remedy (for it), it can't be helped
**daartegenover ❶** *tegenover iets* opposite, facing it ★ *het hotel en* ~ *het postkantoor* the hotel and the post office opposite **❷** *daarentegen* on the other hand
**daartoe** for that purpose, to that end
**daartussen** between (among) them
**daaruit** out of that, out of it ★ ~ *volgt...* from that it follows...
**daarvan** ⟨m.b.t. plaats⟩ from it / that / there, ⟨m.b.t. voedsel, e.d.⟩ of that ★ *neem* ~ *zoveel je wilt* take as much of it as you like ★ *wat weet jij* ~? what do you know about it?
**daarvandaan** away from there / it
**daarvoor ❶** *geplaatst vóór dat* in front of it **❷** *eerder dan dat* before that **❸** *vanwege dat* that's why **❹** *ten behoeve van dat* for that (purpose) ★ *daar is het voor* that's what it is for
**daarzo** (over) there
**daas I** *zn* [de], *steekvlieg* horsefly, gadfly **II** *bnw*, *verward* scatterbrained, dazed
**dadel** date
**dadelijk I** *bnw, onmiddellijk* immediate, direct **II** *bijw* **❶** *meteen* immediately, directly, at once ★ *ik kom* ~ *bij u* I'll be with you in a moment **❷** *straks* later, soon, presently
**dadelpalm** date palm
**dadendrang** thirst for action
**dader** offender, culprit, form perpetrator ▼ *de* ~ *ligt op het kerkhof* Mr Nobody has done it, there's no trace of the culprit
**dag I** *zn* [de] day ▼ *de dag des Heren* the Lord's day ★ *Dag van de Arbeid* Labour Day ★ *dag en nacht* night and day ★ *de hele dag* all day (long) ★ *open dag* open day, USA open house ★ *vrije dag* day off ★ *dagen achtereen* for days on end ★ *twee dagen lang* for two days at a stretch, for two days running ★ *de dag daarna* the following day ★ *de dag tevoren* the previous day, the day before ★ *bij dag* by day ★ *in de loop van de dag* in the course of the day ★ *op een (zekere / goede) dag* one (fine) day ★ *op klaarlichte dag* in broad daylight ★ *van de ene op de andere dag* from one day to the next ★ *van dag tot dag* from day to day, day by day ★ *halve dagen werken* work half time ★ *het wordt dag* day is breaking ★ *ik heb mijn dag niet* it just isn't my day ▼ *een dezer dagen* one of these days ▼ *de oude dag* old age ▼ *ouden van dagen* senior citizens ▼ *aan de dag brengen* bring to light ▼ *aan de dag komen* come to light ▼ *aan de dag leggen* show, display ▼ *zo klaar als de dag* as plain as day ▼ *als de dag van gisteren* as if it happened only yesterday ▼ *bij de dag leven* live for the day ▼ *in vroeger dagen* in the old days ▼ *in onze dagen* nowadays, these days ▼ *met de dag erger worden* get worse every day ▼ *op de dag (af)* to the / a day,

jour pour jour ▼ *op alle dagen lopen* be due any minute / day ▼ *op mijn oude dag* in my old age ▼ *op een goede dag* one (fine) day ▼ *tot op deze dag* to this day ▼ *voor dag en dauw opstaan* get up before daybreak ▼ *voor de dag halen* take out, produce ▼ *voor de dag komen* appear, turn up, ⟨dingen⟩ become apparent ▼ *goed voor de dag komen* cut a good figure, make a good impression ▼ *voor de dag ermee!* let's have it!, out with it! ▼ *vandaag de dag*, BN *de dag van vandaag* these days, today ▼ *een dezer dagen* one of these days ▼ *hij heeft betere dagen gekend* he has seen better days ▼ *morgen komt er weer een dag* tomorrow is another day ▼ *pluk de dag!* seize the day! ▼ *zijn dagen zijn geteld* his days are numbered ▼ *het is kort dag* time is short ▼ *dag in, dag uit* day in, day out **II** *tw* **❶** *hallo* hello **❷** *tot ziens* bye (bye)
**dagafschrift** daily statement (of account)
**dagbehandeling** outpatient treatment
**dagblad** daily (paper)
**dagboek** diary ★ *een* ~ *bijhouden* keep a diary
**dagdeel** part of the day
**dagdienst** day-duty, ⟨m.b.t. ploegendienst⟩ day-shift
**dagdromen** daydream
**dagdroom** daydream
**dagelijks I** *bnw* **❶** *daags* daily, everyday ★ ~ *bestuur* executive committee **❷** *gewoon* ★ ~*e bezigheden* daily round ★ ~*e sleur* daily routine / grind ★ *in het* ~*e leven* in everyday life **II** *bijw* daily, ⟨sterrenkunde⟩ diurnal
**dagen I** *ov ww, dagvaarden* summon **II** *onp ww, dag worden* ★ *het begon te* ~ day was breaking / dawning ▼ *het begint me te* ~ it begins to dawn upon me
**dagenlang I** *bnw* lasting for days **II** *bijw* for days (and days)
**dageraad** dawn, daybreak
**dagindeling** schedule, time table, plan for the day
**dagjesmensen** day trippers *mv*
**daglicht** daylight ★ *in het volle* ~ in broad daylight ▼ *in een kwaad* ~ *komen te staan* appear in a bad light ▼ *iemand / iets in een kwaad* ~ *stellen* show / put sb / sth in a bad light ▼ *dat kan het* ~ *niet verdragen* it can't stand / bear the light of day
**dagloner** day-labourer, ≈ casual labourer
**dagloon** daily wages *mv*
**dagmars** day's march
**dagmenu** day's menu, today's special
**dagpauwoog** peacock butterfly
**dagretour** day return (ticket)
**dagschotel** cul day's menu, plat du jour, today's special
**dagtaak** day's work ★ *daar heb ik een* ~ *aan* that's a full day's work for me
**dagtarief** daily rate
**dagtekening** date
**dagtocht** day trip
**dagvaarden** summon, ⟨vnl. v. getuige⟩ jur subpoena
**dagvaarding** jur summons *mv*, ⟨vnl. v. getuige⟩ subpoena
**dagverblijf ❶** *personenverblijfplaats* ⟨vertrek⟩ day

centre, ⟨voor kinderen⟩ day-care centre, ⟨van ziekenhuis⟩ day-room ❸ *dierenverblijfplaats* outside pen, outdoor enclosure

**dagwaarde** current value / price

**dagwerk** ❶ *dagelijks werk* (daily) work ❷ *hoeveelheid werk* day's work

**dahlia** dahlia

**daim** BN suede, buckskin

**dak** roof ★ *open dak* open roof ▼ *iem. onder dak brengen* put up sb, take in sb ▼ *onder dak zijn* be under cover, be well provided for ▼ *iem. op zijn dak komen* scold sb, have a go at sb ▼ *dat krijg ik op mijn dak* they'll blame it on me ▼ *iem. iets op zijn dak schuiven* pile work onto sb, put the blame on(to) sb ▼ *dat viel me koud / rauw op mijn dak* that was an unpleasant surprise ▼ *uit zijn dak gaan* van be over the moon about / with, be crazy about ▼ *uit zijn dak gaan* freak out, blow one's top ▼ *van de daken schreeuwen* shout from the housetops / rooftops ▼ *het ging van een leien dakje* it was plain sailing

**dakgoot** gutter

**dakje** taalk *accent circonflexe* hat

**dakkapel** dormer (window)

**dakloos** *zonder onderdak* homeless ★ *vele mensen raakten ~* many people were made homeless

**dakloze** homeless (person)

**daklozenkrant** street / homeless newspaper

**dakpan** (roof) tile

**dakpansgewijs** overlapping

**dakraam** skylight, attic / garret window

**dakterras** roof garden

**daktuin** roof garden

**dal** ⟨algemeen⟩ valley, ⟨vnl. Noord-Engeland⟩ dale, ⟨nauw, in Schotland⟩ glen

**dalai lama** Dalai Lama

**dalen** ❶ *omlaag gaan* descend, ⟨van vliegtuig⟩ descend, ⟨aan grond komen⟩ land, ⟨zon⟩ sink ❷ *verminderen* ⟨prijs, temperatuur⟩ fall, ⟨prijs, temperatuur⟩ drop ★ *zijn stem laten ~* lower one's voice

**daling** ❶ *het omlaag gaan* descent, ⟨van vliegtuig⟩ descent, ⟨het aan de grond komen⟩ landing ❷ *vermindering* ⟨prijs, temperatuur⟩ fall, ⟨prijs, temperatuur⟩ drop

**dalmatiër** Dalmatian

**daltononderwijs** onderw Dalton (plan) education

**daluren** off-peak hours *mv*

**dam** ❶ *waterkering* dam ❷ *dubbele damschijf* king ★ *een dam halen* crown a draughtsman

**damast** damask

**dambord** GB draughtboard(s), USA checkerboard

**dame** ❶ *vrouw* lady ★ *dames en heren!* ladies and gentlemen! ★ ⟨opschrift toilet⟩ *dames* ladies ❷ *schaakstuk* queen ★ *een dame halen* queen a pawn

**damesblad** women's magazine

**damesfiets** woman's / lady's / girl's bike / bicycle

**dameskapper** ladies' hairdresser / stylist

**dameskleding** women's wear, ladies' wear

**damesmode** ladies' fashion, women's fashion

**damestoilet** ladies' toilet, ladies' rest room, USA women's rest room

**damesverband** sanitary towel, USA sanitary

napkin

**damhert** fallow-deer

**dammen** play draughts, USA play checkers

**damp** ❶ *wasem* steam, ⟨nevel⟩ mist ❷ *rook* smoke, ⟨schadelijk⟩ fume [meestal mv] ★ *kwade / schadelijke dampen* noxious fumes

**dampen** ❶ *damp afgeven* ⟨damp⟩ steam, ⟨rook⟩ smoke, ⟨rook⟩ fume ❷ *roken* form smoke, puff

**dampkap** BN cooker hood

**dampkring** atmosphere

**damschijf** draught(sman), USA checker (man)

**damspel** draughts *mv*, USA checkers *mv*

**dan** I *bijw* ❶ *op die tijd* then ❷ *in dat geval* vaak onvertaald laten ★ *en wat dan nog?* so what? ★ *als het regent, dan kom ik niet* if it rains, I won't / shan't come ★ *dan nog geloof ik het niet* even so I don't believe it II *vw* ❶ ⟨bij vergelijking⟩ than ★ *groter / langer dan* bigger / longer than ❷ ⟨na ontkenning⟩ but ❸ ⟨na 'ander(s)'⟩ ★ *anders dan hij heeft gezegd* different from what he said III *zn* [de] sport dan

**dandy** dandy

**danig** I *bnw* ⟨pak slaag⟩ sound, ⟨afgang⟩ severe II *bijw* soundly, severely, terribly ★ *zich ~ vergissen* be badly mistaken

**dank** gratitude ★ *(aan) iem. dank betuigen* render thanks to sb ★ *in dank ontvangen* receive with thanks ▼ *hartelijk dank!* thank you very much! ▼ *dank voor de informatie* thanks for the information ▼ *geen dank!* not at all!, you're welcome!, don't mention it!

**dankbaar** ❶ *dank voelend* thankful, grateful ❷ *voldoening gevend* rewarding

**dankbaarheid** gratitude ★ *uit ~ voor* in appreciation of

**dankbetuiging** expression of thanks ★ *onder ~* with thanks

**danken** I *ov ww* ❶ *bedanken* thank, give thanks ★ *dank je / u wel* thank you ★ *dank je / u zeer* thank you very much, thanks very much ★ *nee, dank je / u* no, thank you ★ *niets te ~* you're welcome ❷ *verschuldigd zijn* owe (aan to), be indebted (aan to) ★ *hij heeft het aan zichzelf te ~* he only has himself to blame, it's his own fault ★ *dit heb ik aan mijn vader te ~* I owe this to my father ★ *iem. iets te ~ hebben* owe sth to sb ▼ *dank je feestelijk!* no, thank you!, not likely! II *on ww, bidden* say grace

**dankjewel**, form **dankuwel** ❶ *acknowledgement*, thanks *mv* ★ *er kan nog geen ~ af* get little thanks for it ❷ → **danken**

**dankwoord** word of thanks

**dankzeggen** thank

**dankzegging** ★ *onder ~ voor bewezen diensten* with thanks for services rendered

**dankzij** thanks to

**dans** dance ▼ *de dans ontspringen* have a lucky escape, get off (scot-free)

**dansen** dance ★ *vanavond wordt er gedanst* tonight there will be a dance

**danser** dancer

**danseres** dancer

**dansles** dancing-lesson

**dansorkest** dance band / orchestra

**dansschool** dancing school

**dansvloer** dance floor

**danszaal** ballroom
**dapper** brave, ⟨officier⟩ gallant, ⟨ridder⟩ valiant, ⟨oude vrouw, kind⟩ plucky
**dapperheid** bravery, ⟨van soldaat⟩ gallantry, ⟨van soldaat⟩ valour
**dar** drone
**darkroom** backroom
**darm** intestine, gut ★ *dikke darm* large intestine ★ *dunne darm* small intestine ★ *darmen* intestines, bowels
**darmflora** intestinal bacteria
**darmkanaal** intestinal tract
**darmklachten** intestinal complaints *mv*
**darmontsteking** inflammation of the intestine, enteritis
**dartel** *speels* playful, ⟨van dieren⟩ frisky
**dartelen** ⟨van dier⟩ frisk, ⟨van kinderen, e.d.⟩ frolic
**darts** darts *mv*
**darwinisme** Darwinism
**darwinist** Darwinist
**darwinistisch** Darwinian, Darwinist
**das** ❶ *dier* badger ❷ *stropdas* tie ❸ *sjaal* scarf ▼ *iem. de das omdoen* do (the business) for sb, cook sb's goose
**dashboard** dashboard, control panel, ⟨in vliegtuig⟩ instrument panel
**dashboardkastje** glove compartment
**dashond** dachshund
**dasspeld** tie-pin
**dat** I *aanw vnw* that [mv: those] ★ *wat zijn dat?* what are they (those)? ★ *dat zijn de wielen* those are the wheels ★ *ben jij dat?* is that you? ★ *op dat en dat uur* at such and such an hour ▼ *het is niet je dat* it's not it II *betr vnw* that, which III *vw* that
**data** data ★ *data invoeren* enter / input data ★ *data opslaan* save data ★ *data oproepen / opvragen* retrieve data
**databank** data bank, data base
**datacommunicatie** data communication
**datatransmissie** data transmission
**datatypist** data typist
**date** *soc* date
**daten** date
**dateren** I *ov ww, van datum voorzien* date II *on ww,* ~ *van stammen* date back to / from
**datgene** that ★ ~ *wat* that which
**datief** I *zn* [de] dative II *bnw* jur dative
**dato** ▼ *na dato* afterwards, after the date mentioned ▼ *twee weken na dato* two weeks after date
**datum** date ★ ~ *postmerk* date as postmark ★ ~ *van ingang* date of entry / effect ★ *zonder* ~ undated
**datumgrens** dateline
**datumstempel** ❶ *apparaat* date-stamping machine, date stamper ❷ *afdruk* date stamp
**datzelfde** the same
**dauw** dew
**dauwtrappen** ≈ taking a walk at dawn
**daver** ▼ BN *iem. de* ~ *op het lijf jagen* put the fear of God into sb, give sb a fright
**daveren** boom, thunder ★ *doen* ~ shake ▼ *een ~d succes* a resounding success
**daverend** resounding, roaring
**davidster** Star of David

**DDR** gesch *Duitse Democratische Republiek* GDR, German Democratic Republic, inform East Germany
**de** the
**deactiveren** deactivate
**deadline** deadline
**deal** deal
**dealen** ★ ~ *in harddrugs* deal in hard drugs
**dealer** ❶ *vertegenwoordiger* dealer ❷ *handelaar in drugs* dealer, pusher
**debacle** collapse, crash
**debat** discussion, ⟨formele aangelegenheid⟩ debate ★ *in* ~ *gaan met iem.* enter into debate with sb
**debatteren** discuss, form debate
**debet** econ debit ★ ~ *en credit* debit and credit ▼ *wij zijn er niet* ~ *aan* we are not to blame for it ▼ *haar ziekte zal er wel* ~ *aan zijn* her illness will have sth to do with it
**debetnota** debit note / slip
**debetrente** debit interest
**debetzijde** debit side
**debiel** I *zn* [de] mentally defective person, ⟨scheldwoord⟩ moron II *bnw* backward, mentally defective
**debiteren** ❶ *vertellen* ★ *een grap* ~ crack a joke ❷ econ *als debet boeken* ★ *wij zullen u voor het bedrag* ~ we shall debit you with the amount
**debiteur** debtor
**deblokkeren** release, econ unfreeze, ⟨gsm⟩ unlock
**debriefen** debrief
**debutant** debutant [v: debutante], ⟨beginner⟩ novice, ⟨speler, e.d.⟩ novice, ⟨speler, e.d.⟩ new talent, ⟨club⟩ newcomer
**debuteren** make one's début, make one's first appearance
**debuut** début, first appearance
**deca-** deca-, ⟨voor klinker⟩ dec-
**decaan** ❶ *faculteitsvoorzitter* dean ❷ *studieadviseur* (student) counsellor
**decadent** decadent
**decadentie** decadence
**decafé** decaf(fineited)
**decatlon** sport decathlon
**december** December
**decennium** decade, lit decennium [mv: decennia]
**decent** decent
**decentraliseren** decentralize
**deceptie** disappointment
**decharge** → getuige
**decibel** decibel
**deciliter** decilitre
**decimaal** I *zn* [de] decimal ★ *tot op drie decimalen uitrekenen* calculate to three decimals II *bnw* decimal
**decimeren** decimate
**decimeter** decimetre
**declamatie** declamation, ⟨voornamelijk van verzen⟩ recitation
**declameren** declaim, ⟨voornamelijk van verzen⟩ recite
**declaratie** ❶ *onkostennota* expenses claim, statement of expenses ★ *een* ~ *indienen* put in one's claim ❷ *aangifte* ⟨van belasting⟩

**de**

**de**

declaration of income, ⟨voor douane⟩ (customs) declaration

**declareren ❶** *in rekening brengen* declare (expenses) **❷** *aangifte doen* declare

**declasseren ❶** *in lagere klasse zetten* downgrade, declass, degrade **❷** *overklassen* outclass

**declinatie** taalk declension

**declineren** decline

**decoder** decoder

**decoderen** decode

**decolleté** décollete, low-necked dress

**decompressie** decompression

**deconfiture ❶** *mislukking* defeat, failure **❷** *bankroet* bankruptcy, financial ruin

**decor ❶** ton *bouwsel op toneel* scenery, ⟨film⟩ set ★ *het ~ wisselen* change the scene **❷** *omgeving* background

**decoratie ❶** *versiering* decoration **❷** *onderscheiding* decoration

**decoratief** decorative, ornamental ★ *decoratieve kunst* ornamental / decorative art

**decoreren** decorate

**decorstukken** (pieces of) scenery

**decorum** decorum ★ *het ~ bewaren* maintain the decorum

**decoupeerzaag** jigsaw

**decreet** decree

**decrescendo** decrescendo

**dedain** contempt, disdain

**deduceren** deduce

**deductie** deduction

**deeg** dough, ⟨van gebak⟩ paste

**deegroller** rolling pin

**deegwaren** pasta

**deejay** deejay

**deel I** zn [het] **❶** *gedeelte* part, portion, share ★ *deeltje* particle ★ *deel uitmaken van* form part of ★ *ten dele* partly, in part ★ *voor het grootste deel* for the greater / most part ★ *ik wil er geen deel aan hebben* I won't be a party to it ★ *het grootste deel van* the greater part of **❷** *boekdeel* volume, ⟨groot en dik⟩ tome ▼ *de edele delen* private parts ▼ *iem. ten deel vallen* fall to sb's share ▼ *de eer die mij ten deel valt* the honour conferred upon me **II** zn [de], *dorsvloer* threshing-floor

**deelachtig** ★ *~ worden* obtain, acquire ★ *~ zijn* participate in, share ★ *iem. iets ~ maken* impart sth to sb

**deelbaar** divisible ★ *niet ~ getal* prime number ★ *8 is ~ door* 4 8 is divisible by 4 ★ *~ getal* composite number

**deelcertificaat** onderw modular certificate

**deelgebied** (sub)sector, area, ⟨industrie⟩ branch

**deelgemeente** ≈ borough

**deelgenoot** sharer, partner ★ *iem. ~ maken van een geheim* disclose a secret to sb ★ *iem. ~ maken van zijn geluk* share one's happiness with sb

**deelhebben aan** participate in

**deellijn** dividing line, wisk bisector

**deelname ❶** *het meedoen* participation (aan in) **❷** BN *aandeel* portion, share

**deelnemen ❶** *meedoen* ★ *~ aan* take part in, join in, attend **❷** *~ in meevoelen* sympathize with

**deelnemer** participant, ⟨wedstrijd⟩ competitor, ⟨examen⟩ candidate, ⟨congres, e.d.⟩ member

**deelneming ❶** *het meedoen* participation, ⟨aan wedstrijd⟩ entry **❷** *medeleven* sympathy ★ *iem. zijn ~ betuigen* extend / express one's sympathy / condolences, form condole sb

**deelraad** ≈ district council

**deelregering** BN pol regional government

**deels** partly ★ *~ door...*, *~ door...* what with... and...

**deelstaat** federal state

**deelstreep** bar of division, ⟨op schaal⟩ mark

**deeltal** dividend

**deelteken** wisk division sign

**deeltijd** part-time ★ *in ~ werken* work part-time

**deeltijdarbeid** part-time work

**deeltijdbaan** a part-time job

**deeltijder, deeltijdwerker** part-timer, part-time employee

**deeltijds** part-time

**deeltjesversneller** cyclotron, particle accelerator

**deelverzameling** subset

**deelwoord** participle ★ *tegenwoordig ~* present participle ★ *verleden ~* past participle ★ *voltooid ~* past participle

**deemoed** meekness, humility

**deemoedig** humble, meek

**Deen** *bewoner* Dane

**Deens I** zn [het], *taal* Danish **II** bnw, m.b.t. *Denemarken* Danish

**Deense** Danish (woman / girl) ★ *zij is een ~* she's Danish, she's from Denmark

**deerlijk I** bnw, *jammerlijk* pitiful, sad, miserable **II** bijw, *in hoge mate* ★ *~ gehavend* sadly battered, badly damaged ★ *~ gewond* badly / grievously wounded ★ *~ toegetakeld* in a sorry state, knocked about

**deernis** pity, compassion

**deerniswekkend** pitiful, pathetic

**defaitisme** defeatism

**defect I** zn [het] defect, ⟨onvoorzien⟩ hitch ★ *een ~ krijgen* have a breakdown **II** bnw defective, ⟨opschrift⟩ out of order, ⟨auto⟩ broken-down

**defensie** defence

**defensief I** zn [het] defensive ★ *in het ~ gedrongen worden* be forced into the defensive **II** bnw defensive

**defibrilleren** med defibrillate

**deficiëntie** deficiency, shortcoming

**defilé** procession, ⟨militair⟩ march-past

**defileren** march past

**definiëren** define

**definitie** definition

**definitief** ⟨antwoord⟩ definite, ⟨besluit⟩ final, ⟨van documenten / papieren⟩ definitive ★ *een definitieve regeling* a permanent arrangement

**deformatie** deformation

**deformeren** deform, disfigure

**deftig** ⟨man, gezicht⟩ distinguished, ⟨verschijning, huis⟩ stately, ⟨stijl⟩ dignified, ⟨gemaakt⟩ genteel ★ *doe niet zo ~* don't be so pompous

**degelijk I** bnw **❶** *stevig* solid, sound **❷** *betrouwbaar* reliable, respectable, solid, thorough **II** bijw ▼ *wel ~* most certainly, actually

**degen** sword, ⟨schermdegen⟩ foil ▼ *de ~s kruisen* cross swords

**degene** ★ ~ *die...* he / she who... ★ ~*n die...* those who...
**degeneratie** degeneration, ⟨gedrag, e.d.⟩ degeneracy
**dégénéré** degenerate
**degenereren** degenerate
**degradatie** degradation, mil demotion, mil reduction, sport relegation
**degradatiewedstrijd** relegation match
**degraderen** I *ov ww, in rang verlagen* degrade, mil reduce to (the ranks) II *on ww* ❶ *rang verliezen* be degraded, be relegated ❷ sport ★ *deze club is gedegradeerd naar de tweede divisie* this club has been relegated to the second division
**degusteren** BN *proeven* taste, sample
**dehydratie** dehydration
**deinen** heave, roll
**deining** ❶ *golfbeweging* swell, roll ❷ *opschudding* commotion, excitement ★ *een grote ~ veroorzaken* cause a great stir
**déjà vu** déjà vu
**dek** ❶ *bedekking* ⟨algemeen⟩ cover, ⟨voor paard, enz⟩ blanket, ⟨lakens, dekens, enz⟩ bed-clothes *mv* ❷ *scheepsvloer* deck ★ *aan dek* on deck
**dekbed** duvet, continental quilt, ⟨donzen⟩ eiderdown (quilt)
**dekbedovertrek** quilt cover
**deken** ❶ *textielen bedekking* blanket ❷ *overste* ⟨van kapittel⟩ dean, ⟨van ambassade⟩ doyen (of ambassadors)
**dekhengst** (breeding) stallion, stud
**dekken** ❶ *bedekken* cover, ⟨met dakpannen⟩ tile, ⟨met leien⟩ slate, ⟨met riet⟩ thatch ★ *de tafel ~* lay the table ❷ *vergoeden* cover ★ *onkosten ~* cover / meet expenses ★ *gedekt zijn tegen verlies* be secured against loss(es) ❸ *beschutten* cover ❹ *paren met* serve ❺ sport ⟨tegenstander⟩ mark, ⟨teamgenoot⟩ cover ▼ *hou je gedekt* keep your head down, inform keep your hair on
**dekking** ❶ *beschutting* cover, shelter ★ ~ *zoeken* take cover ❷ *bevruchting* service ❸ sport marking
**deklaag** ⟨verf⟩ finishing coat, ⟨verf⟩ top coat, ⟨weg- en waterbouw⟩ covering layer
**dekmantel** ★ *onder de ~ van* under the cloak of
**dekolonisatie** decolonization
**deksel** cover, lid
**dekstoel** deckchair
**dekzeil** tarpaulin, ⟨van auto⟩ weather apron
**del** slut, tart
**delegatie** delegation
**delegeren** delegate
**delen** I *ov ww* ❶ *splitsen* divide (by) ★ *8 ~ door 2* divide 8 by 2 ★ *2 op 8 ~* divide 8 by 2 ❷ *samen hebben* share ★ *wij ~ haar mening niet* we don't share her opinion II *on ww* ~ in share in, participate in ★ ~ *in de winst* share in the profits ▼ *eerlijk ~!* fifty fifty!, share and share alike!
**deler** wisk divisor ★ *grootste gemene ~* (greatest) common divisor / denominator
**deleteknop** comp delete button
**deleten** comp delete
**delfstof** mineral
**delgen** pay off ★ *een schuld ~* discharge a debt
**delibereren** deliberate (over / on)

**delicaat** delicate
**delicatesse** ❶ *lekkernij* delicacy ❷ *tact* delicacy, consideration
**delicatessenwinkel** delicatessen
**delict** offence, delict
**deling** ❶ *het (ver)delen* division, ⟨van huis, land⟩ partition ❷ wisk division
**delinquent** delinquent, ⟨formeel⟩ offender
**delirium** delirium ★ ~ *tremens* delirium tremens, D.T.s, inform the horrors
**delta** ❶ *Griekse letter* delta ❷ *riviermonding* delta
**deltavliegen** hang-gliding
**Deltawerken** Delta Works *mv*
**delven** *opgraven* dig
**demagogie** demagogy
**demagogisch** demagogic
**demagoog** demagogue
**demarcatielijn** demarcation-line
**demarche** démarche
**demarrage** sport breaking away, ⟨uitlooppoging⟩ breakaway
**demarreren** break away (from), dash off
**dement** demented
**dementeren** I *ov ww, logenstraffen* deny II *on ww, dement worden* grow demented
**dementie** dementia, dotage
**demilitariseren** demilitarize
**demissionair** ★ *het ~e kabinet* the outgoing Cabinet
**demo** *monster* demo
**demobiliseren** demobilize, inform demob
**democraat** democrat
**democratie** democracy
**democratisch** democratic
**democratiseren** democratize
**demografie** demography
**demografisch** demographic
**demon** demon
**demonisch** demonic
**demoniseren** pol demonize
**demonstrant** demonstrator
**demonstratie** ❶ *het tonen* demonstration ❷ *betoging* demonstration
**demonstratief** I *bnw* ostentatious, demonstrative II *bijw* ostentatiously ★ ~ *weglopen* walk out / leave in protest
**demonstreren** I *ov ww, aantonen* demonstrate, show II *on ww, betoging houden* demonstrate (for / against), hold a protest march
**demontabel** something which can be disassembled, ⟨afneembaar⟩ detachable, ⟨afneembaar⟩ removable
**demontage** techn dismantling
**demonteren** ⟨machine, motor⟩ strip / dismantle / disassemble, ⟨bom, mijn⟩ defuse / deactivate
**demoraliseren** demoralize
**demotie** demotion
**demotiveren** demotivate
**dempen** ❶ *dichtgooien* fill up ★ *een gracht ~* fill in a canal ❷ *onderdrukken* ⟨opstand⟩ quell, ⟨opstand⟩ put down, ⟨licht⟩ dim ★ *gedempt geluid* muffled sound ★ *met gedempte stem* in a hushed / subdued voice
**demper** ❶ *knalpot* silencer ❷ *schokdemper* shock absorber ❸ muz mute

de

**de**

**den** fir(-tree)
**denappel** fir-cone
**Den Bosch** Den Bosch
**denderen** rumble
**denderend** ⟨lawaai⟩ thundering, ⟨succes⟩ tremendous, ⟨succes⟩ overwhelming, ⟨feest⟩ wild
**Denemarken** Denmark
**Den Haag** The Hague
**denigrerend** denigratory, belittling ★ ~ *over iem. spreken* run sb down, speak disparagingly about sb
**denim** denim
**denkbaar** imaginable, conceivable
**denkbeeld** ❶ *gedachte* notion, idea, thought ❷ *plan* idea, plan ★ *op het ~ komen...* hit on the idea of... ★ *iem. op het ~ brengen* put an idea into sb's head ❸ *mening* opinion, view, idea ★ *zich een ~ vormen van* form an idea of
**denkbeeldig** imaginary
**denkelijk** probable, likely
**denken** I *on ww* ❶ *nadenken* think, consider ★ *dat geeft te ~* that sets one thinking, that makes you think ★ *die kunnen alleen maar aan geld ~* all they can think of is money ★ *doen ~ aan* suggest ★ *zij doet me ~ aan die actrice* she reminds me of that actress ★ *ik moet er nog even over ~* I want / need to give it some further thought ❷ *van mening zijn* ★ *wel, hoe denk je erover?* well, how about it? ★ *hij is er anders over gaan ~* he has changed his mind about it ❸ *van plan zijn* think of / about, intend to, plan to ★ *ik denk morgen te vertrekken* I intend to leave tomorrow ★ *zij ~ dit jaar nog een nieuw huis te kopen* they are planning to buy a new house this year ❹ *niet vergeten* ★ *denk eraan dat je komt!* mind you come!, be sure to come ★ *~ om* think of, remember ★ *denk om het afstapje* mind the step ▼ *geen ~ aan!* out of the question!, no way / chance!, not likely! ★ *ik denk er niet aan!* I wouldn't dream of it, I won't (even) consider it! ▼ *ik moet er niet aan ~!* it does not bear thinking of II *ov ww* ❶ *van mening zijn* think, be of the opinion ★ *bij zichzelf ~* think to o.s. ★ *ik weet niet wat ik van hem moet ~* I don't know what to make of him ❷ *vermoeden* think, suppose ★ *dat dacht ik al!* I thought as much! ❸ *zich voorstellen* think, imagine III *zn* [het] thinking, thought
**denker** thinker, philosopher
**denkfout** logical error, mistake in thought, error of reasoning
**denkpatroon** pattern of thought, thought pattern, way of thinking
**denksport** puzzle- / problem-solving
**denktank** think tank
**denkvermogen** intellectual capacity
**denkwereld** (way of) thinking, mental world, mentality
**denkwijze** way of thinking
**dennenappel** fir-cone
**dennenboom** fir-tree
**dennennaald** fir-needle, pine-needle
**denotatie** denotation
**dentaal** dental
**deodorant** deodorant
**deontologie** BN professional standards *mv*, professional ethics *mv*

**depanneren** ❶ BN *repareren* fix, repair ❷ BN *uit de nood helpen* fix ★ *iem. ~ help* sb (out of a predicament)
**departement** ❶ *ministerie* department ❷ BN *subfaculteit* department
**depersonalisatie** depersonalization
**depolitiseren** depoliticize
**deponeren** ❶ *neerleggen* deposit, put down, place ❷ *in bewaring geven* ★ *bij een bank ~* deposit with / in a bank
**deportatie** deportation
**deporteren** deport
**deposito** deposit ★ *in ~ hebben* hold on deposit ★ *in ~ geven* deposit with
**depositorekening** deposit account
**depot** ❶ *bewaarplaats* depot, store ❷ *wat bewaard wordt* (goods on) deposit
**deppen** dab
**depressie** ❶ *psych* depression ❷ *econ* depression ★ *een economische ~ over de hele wereld* a world-wide economic depression ❸ *lagedrukgebied* depression ★ *een ~ uit het noorden* a depression moving in from the North
**depressief** depressive
**depri** *depressief* depressed, inform down
**deprimeren** depress
**deputatie** deputation
**der** I *lidw, van de* of the II *bijw, daar* → **her**
**derailleren** be derailed
**derailleur** derailleur (gear)
**derby** *sport* (local) derby
**derde** ❶ third ★ *een ~ (deel)* a third (part) ❷ → **vierde**
**derdegraads** third-degree
**derdegraadsverbranding** third degree burn
**derderangs** third rate
**derdewereldland** Third World country
**dereguleren** deregulate
**deregulering** deregulation
**deren** ❶ *schaden* harm, injure, hurt ★ *dat deert me niet* it doesn't hurt / affect me ❷ *verdriet doen* hurt, upset
**dergelijk** such(-like), similar ★ *iets ~s heb ik nog nooit beleefd* I have never seen anything like it, I have never experienced anything like it
**derhalve** so, consequently, therefore
**derivaat** *wat afgeleid is* derivative
**dermate** to such an extent ★ *hij was ~ gewond* he was so badly wounded ★ *~ boos* so angry
**dermatologie** dermatology
**dermatoloog** dermatologist
**derrie** ❶ *viezigheid* muck, goo ❷ *laagveen* peat
**derrière** derrière, bottom
**dertien** ❶ thirteen ❷ → **vier**
**dertiende** ❶ thirteenth ❷ → **vierde**
**dertig** ❶ thirty ❷ → **vier, veertig**
**dertiger** somebody in his thirties
**dertigste** ❶ thirtieth ❷ → **vierde, veertigste**
**derven** miss out on, lose ★ *inkomsten ~* lose income
**derving** lack, loss
**des** I *zn* [de] *muz* D flat II *bijw* ★ *des te beter* all the better ★ *des te erger* so much the worse ★ *des te meer omdat* the more so as ★ *hoe meer...des te beter...* the more...the better... III *lidw* → **de**
**desalniettemin** nevertheless

**desastreus** disastrous
**desbetreffend** relevant, relative
**descriptief** descriptive
**desem** leaven, yeast
**deserteren** desert
**deserteur** deserter
**desertie** desertion
**desgevallend** BN possibly, if necessary
**desgevraagd** if required / requested ★ *~ verklaarde hij dat...* on being asked, he declared that...
**desgewenst** if desired, if you like
**design** I *zn* [de/het] ❶ *het ontwerpen* artistic design ★ *het ~ van meubels* the styling / designing of furniture ❷ *object* design, artistically styled / designed object II *bnw* design ★ *~ meubels* design furniture
**designer** designer
**desillusie** disillusion(ment)
**desinfectans** desinfectant, antiseptic
**desinfecteermiddel** disinfectant, antiseptic
**desinfecteren** disinfect
**desinformatie** misinformation
**desintegratie** disintegration
**desintegreren** disintegrate
**desinteresse** lack of interest
**desinvestering** disinvestment
**desktop, desktopcomputer** comp desktop
**desktoppublishing** comp desktop publishing
**deskundig** expert, professional ★ *~ advies* expert / professional advice
**deskundige** expert (in / at), authority (on), specialist (in) ★ *oorlogs~* war expert
**deskundigheid** expertise, know-how
**desnoods** if need be
**desolaat** ❶ *troosteloos* dismal, ⟨woest, verlaten⟩ desolate, ⟨treurig⟩ disconsolate ❷ *verwaarloosd* desolate, ruinous
**desondanks** in spite of
**desoriëntatie** disorientation
**despoot** despot
**despotisch** despotic
**dessert** dessert
**dessertwijn** cul dessert wine
**dessin** design, pattern
**destabiliseren** destabilize
**destijds** at the time
**destilleren** → **distilleren**
**destructie** destruction
**destructief** destructive
**detachement** detachment, draft
**detacheren** sent on secondment ★ *hij werd aan een nieuw ziekenhuis gedetacheerd* he was posted to a new hospital
**detail** detail
**detailhandel** *handelsvorm* retail trade
**detailleren** detail, specify
**detaillist** retail trader, retailer
**detailopname** close-up (picture), detailed photograph, detail
**detecteren** detect
**detectie** detection
**detectiepoortje** ⟨op luchthaven⟩ security gate, ⟨in winkels, enz.⟩ anti-theft gate
**detective** ❶ *persoon* detective ❷ *roman* detective story / novel

**detector** detector
**detentie** detention, arrest, custody
**determineren** determine, biol identify
**determinisme** determinism
**detineren** detain
**detoneren** ❶ *vals klinken* be out of tune ❷ *ontploffen* detonate ❸ *uit de toon vallen* be out of keeping, not fit in
**deuce** sport deuce
**deugd** virtue ▼ BN *~ beleven aan* take pleasure in
**deugdelijk** ❶ *degelijk* sound, reliable ❷ *gegrond* sound, valid ★ *~ bewijs* solid / sound evidence
**deugdzaam** virtuous, upright, honest ★ *een ~ leven leiden* lead an honest life
**deugen** ❶ *geschikt zijn* ★ *hij deugt niet voor zijn werk* he is no good at his job ❷ *braaf zijn* ★ *nergens voor ~* be a good-for-nothing ★ *hij deugt voor geen cent* he is a thoroughly bad lot ★ *hij deugt niet* he is a bad egg
**deugniet** scamp, rascal
**deuk** ❶ *buts* dent ❷ *knauw* blow, shock ★ *zijn zelfvertrouwen heeft een deuk gekregen* his self-confidence took a knock ▼ *in een deuk liggen* be in stitches
**deuken** I *ov ww, deuken maken* dent II *on ww, deuken krijgen* be dented
**deun** ditty ▼ *een deuntje zitten huilen* have a little cry, cry a little
**deur** door ★ *vijfde deur* rear door, hatchback ★ *aan de deur* at the door ★ *voor een gesloten deur staan* find the door locked ★ *de deur uitgaan* leave the house, go out of doors ★ *hij deed de deur voor mijn neus dicht* he shut the door in my face ▼ BN *iem. aan de deur zetten* give sb the sack, sack sb ▼ *met gesloten deuren* behind closed doors ▼ *met de deur in huis vallen* come straight out with it, come straight to the point ▼ *een open deur intrappen* say / state the obvious ▼ *iem. de deur wijzen* show sb the door ▼ *iem. de deur uitzetten* turn sb out of the house ▼ *dat doet de deur dicht* that settles it, inform that puts the (tin) lid on it ▼ *iem. de deur voor zijn neus dichtslaan* shut the door in sb's face
**deurbel** doorbell
**deurdranger** door spring / closer
**deurknop** door handle, doorknob
**deurmat** doormat
**deuropening** doorway
**deurpost** door-post
**deurwaarder** bailiff, ⟨in rechtszaal⟩ usher
**deuvel** dowel
**deux-chevaux** deux-chevaux
**deux-pièces** two-piece (suit)
**devaluatie** devaluation, ⟨prijzen⟩ depreciation
**devalueren** I *ov ww, minder waard maken* devalue II *on ww, minder waard worden* devalue
**devies** ❶ *stelregel* device, motto ❷ *betaalmiddel* foreign exchange
**deviezenhandel** foreign exchange
**deviezenreserve** foreign currency reserves *mv*
**devoot** ❶ *vroom* pious, devout ❷ *toegewijd* devoted
**devotie** devotion, piety
**dextrose** dextrose
**deze** this [mv: these] ▼ *bij dezen* herewith, hereby ▼ *deze en gene* this one and the other, this and

**de**

that ▼ *deze of gene* ⟨persoon⟩ sb or other ▼ *deze of gene* ⟨zaak⟩ this or that
**dezelfde** the same
**dia** transparency, slide
**diabetes** diabetes
**diabeticus** diabetic
**diabolo** diabolo
**diacones** deaconess, ⟨verpleegster⟩ (sick)nurse
**diadeem** diadem, tiara
**diafilm** film for slides
**diafragma** *lensopening* diaphragm
**diagnose** *med* diagnosis *mv: diagnoses*
**diagnosticeren** diagnose
**diagnostisch** diagnostic
**diagonaal** I *bnw* diagonal II *zn* [de] diagonal
**diagram** diagram
**diaken** deacon
**diakritisch** diacritic(al) ★ *~e tekens* diacritical marks
**dialect** dialect
**dialoog** dialogue
**dialyse** dialysis
**diamant** I *zn* [de] diamond II *zn* [het] diamond
**diamantair** diamond dealer / merchant
**diamanten** diamond
**diameter** diameter, ⟨van cilinder⟩ bore
**diametraal** diametral, diametrical
**diapositief** slide
**diaprojector** slide projector
**diaraampje** slide frame / mount
**diarree** diarrhoea
**dicht** I *bnw* ❶ *gesloten* closed, shut ❷ *opeen* close, dense ★ *~e mist* dense fog II *bijw* ❶ *dichtbij* ★ *~ bij* near, close to ★ *~ op* close upon ❷ *gesloten* ★ *het wil niet ~* it won't shut ❸ *opeen* ★ *sta niet zo ~ op elkaar* don't crowd together so much ★ *~ geweven stof* closely woven fabric
**dichtbegroeid** overgrown, densely wooded, thickly covered (with...)
**dichtbevolkt** densely populated
**dichtbij** close by, close at hand, nearby ★ *van ~* at close quarters
**dichtbinden** tie up
**dichtbundel** collection of poems, book of poetry / verse
**dichtdoen** shut, close
**dichtdraaien** turn off
**dichten** ❶ *in dichtvorm schrijven* write verses / poetry ❷ *dichtmaken* close, ⟨gat, e.d.⟩ stop (up)
**dichter** poet
**dichterbij** I *bnw* nearer, closer II *bijw* nearer, closer, more closely
**dichteres** poetess
**dichterlijk** poetic(al) ★ *~e vrijheid* poetic licence
**dichtgaan** close, shut
**dichtgooien** ❶ *met klap dichtdoen* bang, ⟨deur⟩ slam ❷ *dichtmaken* fill in
**dichtheid** density
**dichtklappen** I *ov ww, hard dichtdoen* snap shut ★ *hij klapte de deur dicht* he slammed the door II *on ww* ❶ *hard dichtgaan* close with a bang ★ *de deur klapte dicht* the door banged shut ❷ *zich niet uiten* clam up ★ *hij klapte tijdens zijn examen helemaal dicht* he clammed up during his exam
**dichtknijpen** close ★ *zijn handen ~* clench one's fingers ★ *zijn neus ~* pinch his nose ★ *iemands*

*keel ~* take sb by the throat ▼ *een oogje ~* turn a blind eye
**dichtkunst** ⟨art of⟩ poetry
**dichtmaken** close, ⟨jas⟩ button up
**dichtnaaien** sew / stitch up
**dichtplakken** seal up
**dichtregel** verse, line (of poetry)
**dichtslaan** I *ov ww, krachtig dichtdoen* bang, slam ★ *hij sloeg de deur voor mijn neus dicht* he slammed the door in my face II *on ww* ❶ *psych* clam up ❷ *hard dichtgaan* slam shut, bang to
**dichtslibben** silt up, get / become silted up
**dichtspijkeren** nail up
**dichtstbijzijnd** nearest ★ *de ~e supermarkt* the nearest supermarket
**dichtstoppen** ⟨met prop, plug⟩ plug, ⟨gat enz.⟩ stop up / fill
**dichttimmeren** ⟨met planken enz.⟩ board up, ⟨sluiten⟩ nail up
**dichttrekken** I *ov ww, dichtdoen* pull to, ⟨gordijnen ook⟩ draw II *on ww, bewolkt worden* cloud over
**dichtvriezen** freeze over
**dichtwerk** ❶ *groot gedicht* long / epic poem ❷ *gedichten* poetic works *mv*
**dichtzitten** ❶ *afgesloten zijn* be closed, blocked ★ *de ramen zitten dicht* the windows have got stuck ❷ *niet zichtbaar zijn door mist* not be visible due to fog ★ *het vliegveld zit dicht door de mist* the airport is fogged in
**dictaat** ❶ *aantekeningen* ⟨lecture⟩ notes *mv* ★ *een ~ maken* take notes ❷ *het dicteren* dictation ★ *een ~ opnemen* take a dictation
**dictafoon** dictaphone
**dictator** dictator
**dictatoriaal** dictatorial
**dictatuur** dictatorship
**dictee** dictation
**dicteerapparaat** dictating machine
**dicteren** dictate
**dictie** diction
**didactiek** educational theory, pedagogy
**didactisch** pedagogic
**didgeridoo** *muz* didgeridoo
**die** I *aanw vnw* that [mv: those] ★ *Jan? die is boven* Jan? he is upstairs ▼ *mijnheer Die-en-Die* Mr. So and So II *betr vnw* ⟨personen en zaken⟩ that, ⟨personen⟩ who, ⟨zaken⟩ which
**dieet** diet, regimen ★ *~ houden* diet, be on a diet ★ *een streng ~ volgen* follow a strict diet / regimen
**dief** thief *mv: thieves*, ⟨met inbraak⟩ burglar ★ *houdt de dief!* stop thief! ▼ *hij is een dief van zijn eigen portemonnee* he is robbing his own purse ▼ *wie eens steelt, is altijd een dief* once a thief, always a thief
**diefstal** ⟨algemeen⟩ theft, ⟨voornamelijk met geweld⟩ robbery, ⟨met inbraak⟩ burglary
**diegene** he / she who ★ *~ die* he / she who ★ *~n die...* those who...
**diehard** diehard
**dienaangaande** as to that, with respect to / reference / regard to that, on that score
**dienaar** servant
**dienblad** (dinner-)tray
**dienen** I *ov ww, werken voor* serve ★ *waarmee*

*kan ik u ~?* what can I do for you? ▼ *daarvan ben ik niet gediend!* none of that for me! **II** *on ww* **❶** *~ te ★ je dient te gaan* you should go, you ought to go **❷** *~ als* serve as **❸** *~ toe/tot* serve for *★ dat dient nergens toe* that is of no use, that is no good **❹** *~ voor ★ waarvoor dient deze knop?* what's this button for?, what does this button do? **❺** *soldaat zijn* serve, do one's military service **❻** *jur behandeld worden* come up *★ die zaak dient voor de rechtbank* that case will come up in court

**dienovereenkomstig** accordingly

**diens** his

**dienst** **❶** *het werken voor* service *★ ten ~e van* for the use of *★ tot uw ~* at your service, *inform* don't mention it *★ iem. van ~ zijn* be of use to sb *★ wat is er van uw ~?* what can I do for you? *★ BN ~ inbegrepen* service included **❷** *behulpzame daad* service *★ iem. een ~ bewijzen* render / do sb a service **❸** *instelling ★ geheime ~* secret service *★ BN ~ na verkoop* customer service **❹** *periode van werk* duty *★ buiten ~* off duty *★ ~ hebben* be on duty **❺** *werking ★ buiten ~ uit* out of order / use *★ buiten ~ stellen* put out of commission, withdraw from service, lay up *★ in ~ stellen* put into service **❻** *betrekking* place, situation *★ in ~ hebben* employ *★ in ~ nemen* engage *★ in ~ treden* go into service **❼** *godsdienstoefening* service **❽** *het soldaat zijn ★ buiten ~ (b.d.)* retired *★ in actieve ~* on active service *★ in ~ gaan* join the army *★ ~ nemen* enlist, join the army *★ de ~ verlaten* retire, be pensioned off ▼ *de ene ~ is de andere waard* one good turn deserves another

**dienstauto** official car, ⟨van zaak⟩ company car

**dienstbaar** *★ ~ maken aan* make subservient to

**dienstbetrekking** **❶** *het in dienst zijn* employer-employee relationship **❷** *functie* (gainful) employment *★ in ~ staan tot* be employed by

**dienstbevel** order

**dienstbode** maid-servant, servant girl

**dienstdoen als** serve for / as, do duty for / as

**dienstdoend** on duty, ⟨waarnemend⟩ acting

**dienstcentrum** social welfare centre, community welfare service

**dienstensector** service sector

**dienster** waitress

**dienstgeheim** official secret

**dienstig** useful, expedient

**dienstjaar** *jaar dat men in dienst is* year of service

**dienstklopper** ≈ martinet, fussy official

**dienstmededeling** staff announcement

**dienstmeisje** servant-girl

**dienstplicht** compulsory (military) service, conscription

**dienstplichtig** liable to (military) service, USA draftable *★ ~ soldaat* conscript

**dienstplichtige** conscript

**dienstregeling** timetable

**dienstreis** official trip / journey *★ op ~ zijn* be on an official trip / journey

**diensttijd** **❶** mil term of national service **❷** *werktijd* period of service, ⟨m.b.t. loopbaan⟩ term of office, ⟨dienstjaren⟩ seniority **❸** *arbeidsjaren voor pensioen* pensionable service

**dienstvaardig** willing, helpful

**dienstverband** employment *★ in vast / los ~ werken* be employed on a permanent / temporary basis

**dienstverlenend** service *★ de ~e sector* service sector / industry

**dienstverlener** service provider

**dienstverlening** (rendering of) service

**dienstweigeraar** conscientious objector

**dienstweigeren** **❶** *niet functioneren ★ mijn benen weigerden dienst* my legs felt like water, my legs gave under me **❷** *mil* refuse to serve (in the army)

**dienstweigering** conscientious objection

**dienstwoning** official residence

**dientengevolge** therefore, consequently

**diep** **I** *bnw* **❶** ⟨van plaats⟩ *laag, achter* deep *★ diepe buiging* low bow *★ dieper maken / worden* deepen **❷** *fig* deep, profound, profound *★ diepe minachting* profound contempt *★ uit het diepst van mijn ziel* in my heart of hearts **II** *bijw* **❶** ⟨van plaats⟩ *laag, achter* deeply, profoundly *★ het schip ligt zeven voet diep* the ship draws seven feet of water **❷** *fig* he had fallen very low *★ tot diep in de nacht* till the early hours, (till) far into the night *★ diep in de put zitten* be depressed, be down (in the dumps) *★ diep in de schulden zitten* be deep in debt **III** *zn* [het], *vaargeul* canal, channel

**diep-** *★ diepblauw* deep blue *★ dieptreurig* deeply distressing

**diepdruk** engraving, etching

**dieperik** ▼ BN *de ~ ingaan* go down the drain

**diepgaand** in-depth, ⟨onderzoek⟩ searching, ⟨studie⟩ profound

**diepgang** **❶** *lett* profundity, draught **❷** *fig* depth *★ dat boek heeft grote ~* that book is very profound

**diepgeworteld** deep rooted / seated

**dieplader** flatbed trailer

**diepliggend** ⟨ogen⟩ deep set, ⟨oorzaak, gevoelens⟩ deep seated

**diepte** depth

**diepte-interview** in-depth interview

**dieptepass** sport long ball / pass

**dieptepsychologie** depth psychology

**dieptepunt** **❶** *laagste punt* low point, low **❷** *slechtste toestand* all time low

**diepvries** **❶** *het diepvriezen* deep freeze *★ ~kip* (deep) frozen chicken **❷** *vriezer* deepfreeze, freezer

**diepvriesmaaltijd** freezer meal, USA TV meal

**diepvriezen** (deep) freeze

**diepvriezer** freezer, deepfreeze

**diepzee** deep sea

**diepzeeduiken** deep-sea diving

**diepzinnig** **❶** *diep denkend* profound, discerning **❷** *grondig doordacht* profound

**dier** *beest* animal, beast, creature

**dierbaar** dear, beloved *★ zij die ons het meest ~ zijn* our nearest and dearest

**dierenarts** vet(erinary surgeon)

**dierenasiel** animal home / shelter

**Dierenbescherming** *organisatie voor dierenbescherming* R.S.P.C.A., Royal Society for the Prevention of Cruelty to Animals

**di**

**dierenbeul** somebody who is cruel to animals
**dierendag** Animal / Pet's Day
**dierenriem** zodiac
**dierenrijk** animal kingdom
**dierentemmer** animal tamer / trainer
**dierentuin** Zoo, form zoological garden(s)
**dierenvriend** animal lover
**dierenwelzijn** animal welfare
**dierenwinkel** pet shop
**diergeneeskunde** veterinary medicine / science, zootherapy
**dierkunde** zoology
**dierlijk ❶** *(als) van dieren* ★ *~e vetten* animal fats ★ *~ voedsel* animal food product(s) ❷ *bestiaal* bestial ★ *het ~e in de mens* the animal side of man, man's bestial nature
**dierproef** animal test, vivisection ★ *dierproeven verbieden* ban animal testing
**diersoort** animal species ★ *bedreigde ~en* threatened species
**dies¹** ▼ *en wat dies meer zij* and so on (and so forth)
**dies²** [diesjes] foundation day
**diesel ❶** *olie* diesel (oil / fuel) ★ *deze auto rijdt op ~* this car takes diesel, this car is diesel-driven ❷ *voertuig* diesel (train / car)
**dieselmotor** diesel engine
**dieselolie** diesel (oil / fuel)
**diëtetiek** dietetics *mv*
**diëtist** dietician
**diets** make sth clear to sb
**dievegge** (female) thief *mv: thieves*
**dievenklauw** security lock, USA police lock
**dievenpoortje** security gate, anti-shoplifting alarm, security label detector
**diezelfde** the (very) same
**differentiaal** differential
**differentiaalrekening** differential calculus
**differentiatie** differentiation, specialization
**differentieel** differential
**differentiëren** differentiate
**diffuus** diffuse
**difterie** diphtheria
**digestief I** *zn* [het], *drankje* digestive **II** *bnw* digestive
**diggelen** shards ▼ *aan ~ slaan / vallen* smash to pieces
**digibeet** computer illiterate
**digitaal** digital
**digitaliseren** comp digitize
**dij** thigh
**dijbeen** ⟨het bot⟩ thigh-bone, ⟨het been⟩ thigh
**dijenkletser** side splitter, scream
**dijk** dyke ▼ *iem. aan de dijk zetten* give sb the sack, sack sb ▼ *een dijk van een baan* a plum job, a terrific job
**dijkdoorbraak** bursting of a dike
**dijkgraaf** person responsible for maintenancy of embankments
**dik I** *bnw* ❶ *omvangrijk* big, thick, fat ★ *een dik boek* a thick / fat book ★ *dikke stenen* big stones ★ *een muur van twee meter dik* a wall two metres thick ★ *een vinger dik* an inch thick ❷ *gezet* fat, stout, plump ★ *dik worden* grow fat, put on weight ★ *een dikke buik* a fat belly, a potbelly ❸ *opgezwollen* swollen ★ *dik worden* swell (up)

★ *een dikke arm* a swollen arm ❹ *dikvloeibaar* thick ❺ *ruim* good, ample, thick ★ *een dikke duizend euro* a good thousand euros, upwards of a thousand euros ★ *een dik uur* a good hour ★ *een dik jaar geleden* well over a year ago ❻ *innig* thick, close, great ★ *dikke vrienden* close / great friends ❼ *dicht op elkaar* dense, thick ★ *dikke mist* thick / dense fog ★ *dikke rook* thick smoke ▼ *zich dik maken* get worked up ▼ *maak je niet dik* keep your cool, keep your shirt on, don't sweat it **II** *bijw* ❶ *dicht* thickly, densely ★ *dik gekleed* warmly dressed ❷ *zeer* ★ *dik tevreden* well-satisfied ★ *het is dik aan tussen hen* they're as thick as thieves, ⟨geliefden ook⟩ they're pretty close ★ *het er dik bovenop leggen* lay it on thick ★ *het ligt er dik (boven)op* it's quite obvious ★ *dat zit er dik in* that's more than likely ▼ *dik doen* swagger, show off **III** *zn* [het], *bezinksel* dregs *mv*, grounds ▼ *door dik en dun* through thick and thin
**dikdoenerij** bragging, boasting, talking big
**dikhuidig** anat thick-skinned
**dikkerd** fatty, fatso
**dikkop ❶** *dierk kikkervisje* tadpole ❷ *stijfkop* pigheaded / stubborn person
**dikte ❶** *het dik zijn* fatness, thickness ❷ *afmeting* thickness ❸ *dichtheid* density, thickness
**dikwijls** often
**dikzak** fatty, fatso, ⟨ongunstig⟩ gutbucket
**dildo** dildo
**dilemma** dilemma ★ *iem. voor een ~ stellen* place sb in a dilemma ★ *zich in 'n ~ bevinden* be in a dilemma
**dilettant** dilettante, amateur
**dille** cul dill
**dimensie** dimension
**dimlicht** dipped headlights *mv*, USA dimmed headlights *mv*
**dimmen ❶** *licht dempen* dim, dip ❷ *inbinden* cool it
**dimmer** dimmer-switch
**diner ❶** *maaltijd* dinner ❷ *feestmaal* dinner party
**dineren** dine ★ *uit ~ gaan* dine out
**ding ❶** *zaak / voorwerp* thing, object ★ *zijn ding doen* do one's own thing ★ *dat is een heel ding voor hem* that means a great deal to him ★ *alle mogelijke dingen* all sorts of things ★ *en al dat soort dingen* and all that (sort of thing) ★ *een ding om de stroom af te zetten* a gadget / device to switch off the current ★ *een ding van niets* a worthless thing ★ *dat is een mooi ding, dat bootje* that is a nice little job, that boat ❷ *feit* ★ *de dingen van de dag* everyday / current affairs ★ *over die dingen moet je niet praten* you shouldn't talk about such things ❸ *jong meisje* thing ★ *lekker ding* cutie
**dingen** naar compete for
**dinges** thingamabob, thingummy, ⟨zaak⟩ what d'you-call-it, ⟨persoon⟩ what's his / her name
**dinosaurus** dinosaur
**dinsdag** Tuesday
**dinsdagavond** Tuesday evening
**dinsdagmiddag** Tuesday afternoon
**dinsdagmorgen, dinsdagochtend** Tuesday morning
**dinsdagnacht** Tuesday night
**dinsdags I** *bnw* Tuesday **II** *bijw* on Tuesdays

**diocees** diocese
**diode** diode
**dioxine** dioxin
**dip** _psych_ *depressie* ★ *in een dip zitten* go through a bad / rough patch
**diploma** certificate, diploma
**diplomaat** diplomat(ist)
**diplomatenkoffertje** attaché case
**diplomatie** diplomacy
**diplomatiek** diplomatic ★ *langs ~e weg* through diplomatic channels
**diplomeren** certificate ★ *een gediplomeerde verpleegster* Registered Nurse, trained nurse ★ *gediplomeerd* qualified, trained, registered ★ *niet gediplomeerd* unqualified, untrained
**dippen** dip
**dipsaus** _cul_ dip
**direct** I _bnw_ direct ★ *~e toegang* direct access II _bijw_ directly, right away ▾ *niet ~ beleefd* not exactly polite
**directeur** director, (fabriek ook) manager, (school) head-master, (school) principal, (maatschappij) managing director, (postkantoor) postmaster, (gevangenis) governor
**directeur-generaal** general manager
**directie** _leiding_ management, board of directors
**directielid** member of the board of directors
**directiesecretaresse** executive secretary
**direct mail** direct mail
**directory** _comp_ directory
**dirigeerstok** baton
**dirigent** conductor
**dirigeren** ❶ *orkest leiden* conduct ❷ *sturen* direct ★ *hij dirigeerde ons naar buiten* he directed us outside
**dis¹** ❶ *(tafel met) eten* table, board ❷ *maaltijd* table
**dis²** [dies] _muz_ D sharp
**discipel** disciple
**disciplinair** disciplinary ★ *~ straffen* take disciplinary action against
**discipline** discipline
**disclaimer** disclaimer
**discman** discman
**disco** ❶ *discotheek* disco ❷ *muziek* disco
**discografie** discography
**disconteren** discount
**disconto** (rate of) discount, (bankdisconto) bank rate ★ *in ~ nemen* to discount ★ *particulier ~* private discount
**discotheek** ❶ *dansgelegenheid* disco ❷ *platenverzameling* record library
**discount** discount
**discountzaak** discount house / store
**discreet** considerate, (geheimhoudend) discreet, (bescheiden) modest, (kies) discrete
**discrepantie** discrepancy
**discretie** (kiesheid) discretion, (kiesheid) consideration, (bescheidenheid) modesty, (geheimhouding) discretion
**discriminatie** discrimination
**discrimineren** discriminate
**discus** disc, _sport_ discus
**discussie** discussion, debate ★ *in ~ brengen* bring up for discussion ★ *in ~ treden* enter into a discussion

**discussieleider** discussion (group) leader, (in chatroom, enz.) moderator
**discussiepunt** subject under discussion
**discussiëren** discuss
**discussiestuk** discussion paper, working paper
**discuswerpen** discus-throwing
**discutabel** debatable, dubious, disputable
**discuteren** discuss, debate
**disgenoot** table companion
**disharmonie** _muz_ disharmony
**disk** diskette, (floppy) disk
**diskdrive** disk drive
**diskette** diskette, (floppy) disk
**diskjockey** disc jockey, D.J., deejay
**diskrediet** discredit ★ *iem. in ~ brengen* discredit sb (with)
**diskwalificatie** disqualification
**diskwalificeren** disqualify
**dispensatie** dispensation
**dispenser** dispenser
**dispersie** dispersion
**display** ❶ *beeldscherm* (van computers, enz.) display ❷ *uitstalkast e.d.* hoarding
**disputeren** argue, dispute
**dispuut** ❶ *discussie* dispute ❷ *studentenclub* debating society
**diss** *beledigende rap* dis(s)
**dissel** *disselboom* pole, pair of shafts, shafts _mv_
**dissen** _inform_ *rappend beledigen* dis, diss
**dissertatie** ❶ *proefschrift* thesis _mv: theses_ ❷ *verhandeling* dissertation
**dissident** I _zn_ [de] dissident II _bnw_ dissident
**dissonant** I _zn_ [de] discord, dissonance II _bnw_ dissonant
**distantie** distance
**distantiëren** [zich ~] van dissociate oneself from, keep aloof from
**distel** thistle
**distillaat** distillate
**distillatie** distillation
**distilleerderij** distillery
**distilleren** distil ★ *uit iemands woorden iets ~* deduce sth from sb's words
**distinctie** distinction
**distribueren** distribute, (voedsel) ration
**distributie** ❶ *verdeling* distribution ❷ *rantsoenering* rationing
**distributiekanaal** trade channel, channel of distribution
**district** district
**dit** this [mv: these] ★ *dit zijn jouw schoenen* these are your shoes
**ditmaal** this time
**dito** I _bnw_ ★ *trendy kleren en dito kapsels* trendy outfits and (matching) hairstyles II _bijw_ ditto
**diva** diva
**divan** divan, couch
**divergent** diverging, divergent
**divergentie** divergence, divergency
**divergeren** diverge
**divers** various
**diversen** miscellaneous, sundry items _mv_, sundries _mv_, (bij een begroting) incidental expenses _mv_
**diversifiëren** diversify
**diversiteit** diversity

**di**

**di**

**dividend** dividend
**dividenduitkering** dividend distribution / payout
**divisie** ❶ *afdeling* division, branch ❷ *sport* division, league, ❸ *mil* division ❹ *wisk* division
**dixieland** dixieland
**dizzy** dizzy
**dj** *diskjockey / deejay* DJ
**djellaba** djellaba
**djembé** djembe
**Djibouti** Djibouti
**Djiboutiaans** Djiboutian
**dl** *deciliter* dl
**dm** *decimeter* dm, decimetre
**DNA** DNA, deoxyribonucleic acid
**DNA-profiel** DNA profile, DNA fingerprint
**do** muz doh, do
**dobbelbeker** shaker
**dobbelen** dice, play dice
**dobbelsteen** die [mv: dice] ★ *de dobbelstenen gooien* roll the dice
**dobber** float ▾ *hij had er een zware ~ aan* he found it a tough job
**dobberen** ⟨van schip⟩ bob (up and down), ⟨van schip⟩ dance
**dobermann, dobermann pincher** dierk Dobermann
**docent** teacher, master
**docentenkamer** staff / common room
**doceren** *lesgeven* in teach
**doch** but, yet
**dochter** daughter
**dochteronderneming** subsidiary
**dociel** docile
**doctor** doctor ★ *~ in de letteren* Doctor of Literature, D. Litt ★ *~ in de wiskunde en natuurkunde* Doctor of Science, D. Sc., Ph.D
**doctoraal** I *zn* [het] ≈ Master's degree, Master's exam II *bnw* ≈ Master's, ≈ (post)graduate
**doctoraalstudent** onderw ≈ postgraduate student
**doctoraat** doctorate
**doctorandus** ⟨alfawetenschappen⟩ ≈ Master of Arts, ⟨alfawetenschappen⟩ ≈ M.A, ⟨bètawetenschappen⟩ ≈ Master of Science, ⟨bètawetenschappen⟩ ≈ M.Sc
**doctoreren** BN onderw *promoveren* take a doctor's degree
**doctrinair** doctrinal, dogmatic
**doctrine** doctrine, dogma
**docudrama** docudrama
**document** *officieel schrijven* document
**documentaire** documentary (film)
**documentatie** documentation
**documenteren** document
**dode** dead person, deceased ★ *over de doden niets dan goeds* do not speak ill of the dead
**dodehoekspiegel** blind angle mirror
**dodelijk** I *bnw, dood veroorzakend* deadly, lethal, fatal, ⟨wond⟩ mortal, ⟨vergif⟩ deadly ★ *~(e) ongeluk / verwonding / ziekte* fatal accident / injury / disease ★ *~e dosis* lethal dose II *bijw* ★ *~ verliefd* desperately in love ★ *~ verschrikt* frightened to death
**doden** *doodmaken* kill, lit slay
**dodencel** death cell, condemned cell

**dodendans** dance of death
**dodenherdenking** commemoration of the dead, GB Remembrance Day, USA Memorial Day
**dodenlijst** *lijst van overledenen* casualty list, ⟨op monument⟩ death-roll, ⟨oorlog, ongeluk, e.d.⟩ list of the dead
**dodenmasker** death-mask
**dodenmis** Requiem Mass
**dodenrijk** realm of the death, underworld
**dodenrit** breakneck / suicidal drive / ride
**dodensprong** death-defying jump
**dodenstad** necropolis
**dodental** number of dead / deaths / casualties
**dodenwake** ⟨death⟩ watch, vigil
**Dode Zee** Dead Sea
**Doebai** Dubai (city)
**Doebais** Dubai
**doedelzak** bagpipes *mv*
**doe-het-zelfzaak** DIY shop, do-it-yourself shop
**doe-het-zelven** do it yourself
**doe-het-zelver** do-it-yourselfer
**doei** bye, see you
**doek** I *zn* [de], *lap stof* cloth ▾ *zo wit als een doek* as white as a sheet ▾ BN *iem. in de doeken doen* take sb for a ride II *zn* [het] ❶ *stof* cloth ❷ *schilderslinnen* canvas ❸ *schilderij* painting ❹ *projectiescherm* screen ❺ *toneelgordijn* curtain ★ *het doek gaat op* the curtain rises ★ *het doek valt* the curtain falls
**doel** ❶ *doelwit* butt, target ★ *militair doel* objective ★ *doel van een reis* destination ★ *zijn doel bereiken* attain one's end ★ *een doel beogen / najagen* pursue an object / end ★ *het doel treffen* hit the mark ❷ *bedoeling* aim, objective, target ★ *met dat doel* for that purpose ★ *zich ten doel stellen om* set out to ❸ *sport* goal ▾ *het doel heiligt de middelen* the end justifies the means ▾ *het doel voorbijstreven* overshoot the mark ▾ *recht op het doel afgaan* go / come straight to the point ▾ *een kans voor open doel missen* pass up / miss a sure thing ▾ *het is voor een goed doel* it's for a good cause
**doelbewust** purposeful
**doeleinde** ❶ *oogmerk* aim, purpose ❷ *bestemming* aim, end
**doelen** op aim at, allude / refer to
**doelgebied** ⟨voetbal⟩ goal area, ⟨bij bombardement⟩ target area
**doelgemiddelde** goal average
**doelgericht** purposeful, form purposive
**doelgroep** target group
**doellijn** goal-line
**doelloos** ❶ *zonder doel* aimless, purposeless ❷ *nutteloos* useless, pointless
**doelman** goal-keeper, inform goalie
**doelmatig** efficient, appropriate, suitable
**doelpunt** goal ★ *een ~ maken* score a goal
**doelsaldo** goal difference
**doelstelling** objective, aim
**doeltaal** object / target language
**doeltrap, doelschop** goal kick
**doeltreffend** effective, efficient
**doelwit** *mikpunt* target, butt ★ *het ~ treffen* hit the mark
**Doema** duma
**doemdenken** doom-mongering, defeatism

**doemdenker** doomster, <u>USA</u> doomsayer
**doemen** doom (**tot** to) ★ *gedoemd te sterven* doomed to die ★ *tot mislukken gedoemd* doomed to fail / failure
**doen I** *ov ww* ❶ *verrichten* make, take ★ *zoiets doe je niet* it isn't done ★ *hij doet medicijnen* he is reading medicine ★ *werk doen* do work ★ *je moet meer aan je werk doen* you should give more time to your work ★ *we moeten er iets aan doen* we must do sth about it ★ *met een dollar kun je niet veel doen* a dollar does not go far ★ *je kunt er jaren mee doen* it will last you for years ★ *hij studeert harder dan jij ooit zult doen* he is studying harder than you will ever do ★ *zal ik ze halen of wil jij het doen?* shall I fetch them or will you? ❷ *functioneren* ★ *de remmen doen het niet* the brakes don't work ❸ *plaatsen* ★ *iets in je zak doen* put sth in your pocket ★ *een postzegel op de envelop doen* put a stamp on the envelope ★ *een jongen op school doen* put a boy to school ★ *erbij doen* add ★ *hij doet er iets bij* he does sth on the side ❹ *schoonmaken* ★ *een kamer doen* do a room ★ *zijn haar doen* do one's hair ❺ *berokkenen* ★ *iem. verdriet doen* cause sb sorrow ★ *iem. pijn doen* cause sb pain, hurt sb ❻ *ertoe brengen* ▾ *dat doet er niet toe* that does not matter ▾ *er is niets aan te doen* it can't be helped, nothing can be done about it ▾ *anders krijg je met mij te doen* else you'll have to deal with me ▾ *het is mij te doen om te...* what I want is to... ▾ *het is hem om je geld te doen* he is after your money ▾ *je doet het erom* you do it on purpose ▾ *dat doet het goed* that works well, that fits the bill ★ *ik heb het altijd gedaan* I'm always blamed ▾ *daar kan ik het wel mee doen* that will do ▾ *daar kon hij het mee doen* he can put that in his pipe and smoke it ▾ *wat is daar te doen?* what is up there, what is going on there? ▾ *ik had met hem te doen* I felt for him, I was sorry for him ▾ *hij wil niets met haar te doen hebben* he'll have no truck with her ▾ *al doende leert men* practice makes perfect ▾ <u>BN</u> *ik laat me niet doen* I'm not to be trifled with **II** *on ww* ❶ *zich gedragen* ★ *doen alsof* make believe, pretend ★ *je doet maar!* please yourself! ★ *vreemd doen* be queer, behave oddly ★ *hoe lang heb je erover gedaan?* how long did it take you? ❷ *~ aan* go in for ★ *aan sport doen* go in for sport ★ *hij doet niet meer aan voetbal* he has given up football ❸ *~ in* ★ *in rubber / oud ijzer doen* deal in rubber / scrap metal ❹ *~ over* ★ *hoe lang doe je daar over?* how long will it take you **III** *zn* [het] ★ *zijn doen en laten* (all) his doings ▾ *dat is geen doen* that can't be done, that's impossible ▾ *in goeden doen zijn* be well-to-do, be well off ★ *iem. uit zijn (gewone) doen brengen* upset sb ▾ *hij is uit zijn (gewone) doen* he is not his usual / normal self ▾ *voor zijn doen* for him...
**doenbaar** <u>BN</u> possible, feasible
**doener** doer
**doenlijk** practicable, feasible
**doetje** softy, ⟨vrouw⟩ silly
**doezelen** *dommelen* doze, drowse
**doezelig** ❶ *slaperig* drowsy ❷ *vaag* blurred, ⟨van beeld⟩ fuzzy
**dof** ❶ *niet helder* ⟨blik, oogopslag⟩ lacklustre, ⟨blik, oogopslag⟩ dull, ⟨brons, koper, metaal⟩

tarnished, ⟨goud, kleur⟩ dull ❷ *gedempt* dull, muffled ★ *doffe bons* dull thud ★ *doffe knal* muffled bang
**doffer** cock-pigeon, male pigeon
**dog** bulldog, mastiff ★ *Deense dog* great Dane
**dogma** dogma
**dogmatisch** dogmatic
**dogmatiseren** be dogmatic, dogmatize, <u>inform</u> lay down the law
**dojo** sport dojo
**dok** dock ★ *drijvend dok* floating dock
**doka** darkroom
**dokken** ❶ *betalen* fork out (money) ❷ *in dok brengen* dock
**dokter** doctor, physician, medical man ★ *naar de ~ gaan* see the doctor ★ *een ~ laten komen* send for the doctor, summon the doctor
**dokteren** ❶ *als dokter optreden* practise ❷ *rommelen* tinker (**aan** at / with)
**doktersadvies** medical advice
**doktersassistente** (medical) doctor's receptionist
**doktersverklaring** doctor's statement
**dokwerker** dock-labourer, docker
**dol I** *bnw* ❶ *gek* mad, frantic, wild ★ *het is om dol te worden* it's maddening ★ *dol van vreugde* overjoyed ★ *iem. dol maken* drive sb mad ★ *dol worden* run mad ★ *~ op* verzot mad about ★ *dol zijn op iets* love sth ★ *dol zijn op iem.* be crazy about sb ❸ *van slag* worn, ⟨v. schroef⟩ stripped ▾ *door het dolle heen zijn* be wild with excitement **II** *bijw* ★ *zich dol amuseren* have rare / great fun **III** *zn* [de], *roeipen* thole(-pin)
**dol-** *in hoge mate* ★ *dolverliefd* madly in love
**dolblij** delighted, thrilled, over the moon (**met** about)
**doldraaien** ❶ *controle verliezen* go off the rails ★ *de directeur is dolgedraaid* the manager has gone off the rails ❷ *niet pakken van schroeven* slip, not bite
**dolen** *dwalen* wander (about), roam
**dolfijn** dolphin
**dolfinarium** dolphinarium
**dolgelukkig** ★ *~ zijn met iets* be over the moon about sth, be in raptures about / over sth, <u>inform</u> be chuffed about sth
**dolgraag** with great pleasure ★ *ik zou ~ willen* I'd be delighted to, I'd love to
**dolk** dagger ▾ *iem. een dolk in de rug steken* stab sb in the back
**dolkstoot** dagger thrust / stab
**dollar** dollar
**dollarcent** dollar cent
**dollekoeienziekte** <u>BN</u> mad cow disease
**dolleman** madman ★ *als een ~ tekeergaan* carry on like a maniac ★ *rijden als een ~* drive like a madman, drive like the clappers|
**dollemansrit** crazy ride
**dollen** *zich vermaken* horse around ★ *met iem. ~* horse around with sb ▾ *zonder ~* seriously
**Dolomieten** Dolomites ★ *van de*
**dom I** *bnw, niet slim* stupid (in), dull ★ *dat is zo dom nog niet* there's sth in that ▾ *zich van de domme houden* pretend innocence, fake ignorance **II** *zn* [de], *kerk* cathedral

do

do

**domein** ❶ *terrein* domain ❷ *geestelijk terrein*
★ *publiek* ~ public domain
**domeinnaam** comp domain name
**domesticeren** domesticate
**domheid** stupidity, dullness
**domicilie** domicile, jur place of residence ★ *zijn* ~
*hebben in* be domiciled / resident at ★ ~ *kiezen*
*ten huize / kantore van* elect domicile at the
office of
**dominant** I *bnw* dominant II *zn* [de] dominant
**dominee** ⟨algemeen⟩ clergyman, ⟨niet
Anglicaans⟩ minister, ⟨Anglicaans⟩ vicar,
⟨Anglicaans⟩ rector ★ ~ *(J.) Maclean* (The) Rev. J.
Maclean ★ ~ *worden* enter the Church, become a
minister ▼ *daar gaat een ~ voorbij* there's a lull in
the conversation
**domineren** dominate
**Dominica** Dominica
**dominicaan** rel Dominican
**Dominicaans** Dominican
**Dominicaanse Republiek** Dominican Republic
**domino** *spel* dominoes ★ ~ *spelen* play dominoes
**dominosteen** domino
**dominostekker** BN elek multiway plug
**dommekracht** ❶ *werktuig* jack ❷ *persoon*
mindless hulk
**dommelen** doze, drowse, be half asleep
**domoor, domkop , dommerik** stupid, nitwit,
blockhead
**dompelaar** ❶ *verwarmingsstaaf* immersion
heater ❷ *zuiger* plunger ❸ *vogel* diver
**dompelen** ❶ *onder laten gaan* dip, plunge
❷ *doen verzinken* plunge ★ *in duisternis
gedompeld* plunged into darkness
**domper** ❶ lett *kapje* extinguisher ❷ fig *iets dat de
stemming bederft* ★ *een ~ zetten op de feestvreugde*
put a damper on the party
**dompteur** animal tamer
**domweg** just, (quite) simply ★ ~ *vergeten* just /
quite simply forget
**donateur** donor, supporter
**donatie** donation
**Donau** Danube
**donder** ❶ *gerommel bij onweer* thunder ❷ *persoon*
★ *arme ~* poor devil ▼ *iem. op zijn ~ geven* give sb
a good licking / beating, to read sb the riot act
▼ *daar kan je ~ op zeggen* and no mistake!, you
bet! ▼ *het kan me geen ~ schelen* I don't give a
damn about it ▼ *het helpt geen ~* it's no bloody
good
**donderbui** ❶ *onweer* thunderstorm ❷ *tirade*
dressing-down
**donderdag** Thursday
**donderdagavond** Thursday evening
**donderdagmiddag** Thursday afternoon
**donderdagmorgen, donderdagochtend**
Thursday morning
**donderdagnacht** Thursday night
**donderdags** (on) Thursdays
**donderen** I *ov ww, gooien* fling, chuck, hurl ★ *ik
heb hem eruit gedonderd* I chucked / kicked him
out II *on ww* ❶ *vallen* tumble, come crashing
down ▼ *hij donderde naar beneden* he came
tumbling down ❷ *tekeergaan* thunder (away),
bluster ❸ *donderjagen* ▼ BN *te dom zijn om te
helpen* ~ be as thick as two short planks III *onp*

*ww, onweren* thunder ▼ *hij keek alsof hij het in
Keulen hoorde* ~ he looked stunned /
flabbergasted
**donderjagen** be a nuisance, be a pain in the
neck ★ *hij zat in de klas te* ~ he was making a
nuisance of himself in class, he was playing up
in class
**donderpreek** fire-and-brimstone sermon, ⟨niet
religieus⟩ harangue
**donders** I *bnw* damn(ed), bloody II *bijw* ★ *hij
weet ~ goed* he knows jolly / damn well III *tw*
dash it!, damn it!
**donderslag** thunderclap, peal of thunder ▼ *als
een ~ bij heldere hemel* like a bolt from the blue
**dondersteen** *brutaaltje* rascal
**donderwolk** thunder-cloud
**donjuan** Don Juan
**donker** I *bnw, duister* dark, obscure ★ ~ *maken /
worden* darken II *zn* [het] dark, darkness
**donker-** ★ *donkerrood* dark red
**donkerblond** dark-blonde
**donor** donor
**donorcodicil** donor card
**donquichot** Don Quixote
**dons** ❶ *fijne veertjes* down ❷ *fijne haartjes* down,
fuzz, ⟨van jong dier⟩ fluff
**donut** doughnut, USA donut
**donzen** down ★ ~ *dekbed* duvet, continental
quilt, eiderdown quilt
**donzig** downy, fluffy
**dood** I *zn* [de] death ★ *ter dood brengen* put to
death ★ *een natuurlijke dood sterven* die a natural
death ★ *ter dood veroordelen* sentence to death
▼ *de zwarte dood* the Black Death ▼ *als de dood
voor iets zijn* be scared stiff of sth ▼ *ten dode
opgeschreven zijn* be doomed, be a dead man
▼ *iem. uit de dood opwekken* raise sb from the
dead ▼ *duizend doden sterven* die a thousand
deaths ▼ *de dood vinden* meet your death ▼ *de een
zijn dood is de ander zijn brood* one's man's meat is
another man's poison II *bnw* ❶ *niet levend* dead
★ *meer dood dan levend* more dead than alive
❷ *saai* dull, lifeless ★ *inform een dooie boel* a slow
affair, a dull show / place ▼ BN *dood van de
honger* famished, starved ▼ BN *dood van de dorst*
parched, very thirsty
**dood-** ❶ *tot de dood erop volgt* death ❷ *zeer*
★ *doodsimpel* dead easy
**doodbloeden** ❶ *sterven* bleed to death ❷ *aflopen*
blow over
**dooddoener** silencer, clincher ★ *met een ~
afschepen* fob sb off with a bromide
**doodeenvoudig** perfectly simple
**doodeng** dead scary / creepy
**doodergeren** [zich ~] be mortally vexed (**aan** by)
**doodgaan** die ★ ~ *van de honger* die of hunger
▼ *ik ga liever gewoon dood* I'd rather die (in my
bed)
**doodgeboren** still-born
**doodgewoon** I *bnw* quite / perfectly common,
common or garden II *bijw* ★ *hij bleef ~ weg* he
simply stayed away ★ *dat is ~ belachelijk* that is
quite simply ridiculous
**doodgooien** ❶ *doden* stone to death
❷ *overstelpen* ★ *ze gooien je dood met...* we are
flooded / bombarded with...

**doodgraver** ❶ *grafdelver* grave digger ❷ *kever* sexton beetle

**doodhouden** [zich ~] pretend to be dead

**doodkalm** quite / perfectly calm, <u>inform</u> cool as a cucumber

**doodkist** coffin

**doodlachen** [zich ~] laugh one's head off, be tickled to death

**doodleuk** coolly, as cool as you please

**doodlopen** *nergens heen leiden* ⟨van zaak⟩ peter out, ⟨van straat⟩ come to a dead end ▼ *de onderzoekingen zijn doodgelopen* the investigations have stagnated / come to a dead end

**doodmaken** kill

**doodmoe** dead beat ★ *hij maakt me ~ met zijn gezanik* he is wearing me out with his nagging

**doodop** worn-out, dead-beat

**doodrijden I** *ov ww* ⟨ongeluk⟩ run over and kill, ⟨een paard⟩ ride to death **II** *wkd ww* [zich ~] get oneself killed in a crash

**doods** ❶ *niet levendig* dead ❷ *akelig* deathly ★ *~e stilte* deathly silence

**doodsangst** ❶ *angst voor de dood* fear of death ❷ *grote angst* agony, mortal fear ★ *~en uitstaan* be terrified, be mortally afraid, <u>inform</u> be scared stiff

**doodsbang** terrified ★ *~ zijn voor iemand / iets* be terrified of sb / sth, stand in mortal fear of sb / sth

**doodsbed** death bed

**doodsbenauwd** *angstig* terrified, scared stiff

**doodsbleek** deathly pale, white as a sheet

**doodschamen** die of shame

**doodschieten** shoot (dead)

**doodschrikken** [zich ~] be frightened out of one's wits, <u>inform</u> be scared stiff

**doodseskader** death squad

**doodsgevaar** deadly peril, mortal danger

**doodshoofd** death's head, skull

**doodskist** coffin

**doodslaan** kill, beat to death ▼ *al sla je me dood ik zou het niet weten* for the life of me I don't know

**doodslag** manslaughter, homicide

**doodsnood** *stervensnood* agony, death-struggle

**doodsschrik** mortal fright

**doodsstrijd** death agony, death throes *mv*

**doodsteek** ❶ *lett* death-blow ❷ *fig* ★ *dat gaf hen de ~* that finished them off

**doodsteken** stab to death

**doodstil** stock-still, deadly quiet

**doodstraf** capital punishment

**doodsverachting** contempt of / for death

**doodsvijand** mortal enemy

**doodtij** slack water

**doodvallen** ❶ *dodelijke val maken* fall to one's death ❷ *doodblijven* fall dead ▼ *ik mag ~ als het niet waar is* I'll eat my hat if that isn't so

**doodverklaren** pronounce dead

**doodvervelen** [zich ~] be bored stiff

**doodvonnis** death-sentence

**doodwerken** [zich ~] work oneself to death

**doodziek** ❶ *dodelijk ziek* critically / dangerously ill ❷ *fig* sick to death ★ *ik word ~ van al dat lawaai* I'm sick and tired of all the noise

**doodzonde I** *zn* [de], *zonde* mortal sin **II** *bnw* a great pity, great shame, ⟨m.b.t. verspilling⟩ a terrible waste

**doodzwijgen** ⟨een zaak⟩ hush up, ⟨iemand⟩ ignore

**doof** deaf ★ *doof aan één oor* deaf in one ear ★ *zich doof houden* turn a deaf ear ▼ *Oost-Indisch doof zijn* play deaf

**doofheid** deafness

**doofpot** extinguisher ▼ *iets in de ~ stoppen* hush up sth

**doofstom** deaf and dumb

**dooi** thaw

**dooien** thaw

**dooier** yolk

**dool** ▼ <u>BN</u> *op de dool zijn* wander (about), go astray

**doolhof** labyrinth, maze

**doop** ❶ <u>rel</u> christening, baptism ★ *de doop ontvangen* receive baptism ★ *ten doop houden* present at the font ❷ *inwijding* christening, inauguration ❸ <u>BN</u> *ontgroening* initiation

**doopceel** certificate of baptism ▼ *iemands ~ lichten* lay bare one's past

**doopjurk** christening dress / gown

**doopnaam** Christian name

**doopsel** baptism, christening

**doopsgezind** Mennonite

**doopsuiker** <u>BN</u> sugared almonds (given on the occasion of baptism)

**doopvont** font ▼ <u>BN</u> *iets boven de ~ houden* found / establish sth

**door I** *vz* ❶ *van a naar b* through ★ *door de kamer* through the room ★ *de straat door* down the street ★ *de kamer door lopen* walk across the room ❷ *door... heen* through ★ *door het raam* through the window ★ *ergens niet door kunnen* not be able to pass ❸ *gedurende* ★ *door de week* on weekdays ★ *het hele jaar door* throughout the year ❹ ⟨gevolgd door de maker / doener⟩ by ★ *dit is gemaakt door Jan* this has been made by Jan ❺ *dankzij* thanks to ★ *door jouw hulp* through you, thanks to your help ❻ *vanwege* because of, owing to ★ *door een lekke band kwam ik te laat* due to a puncture I was late ❼ *door middel van* by means of ★ *door harde arbeid* through hard work ★ *door te trainen word je sterk* exercise will make you strong ❽ *in* through, in(to) ★ *wat doe jij door de sla?* what do you mix in with your salad? ▼ *dat kan ermee door* it's passable **II** *bijw, versleten* worn through, threadbare ★ *die broek is door* the trousers are worn through ▼ *door en door* through and through ▼ *door en door koud* chilled to the bone ▼ *door en door eerlijk* perfectly honest, honest to the core ▼ *iem. door en door kennen* know sb like the back of your hand

**doorbakken** well-done

**doorberekenen** pass on (to)

**doorbetalen** go on paying, continue to pay

**doorbijten I** *ov ww, door iets heen bijten* bite through ▼ *zich ergens ~* grin and bear it **II** *on ww, doorzetten* keep at it, hold on

**doorbladeren** leaf through, skim through ★ *de krant ~* leaf / skim through the paper

**doorbloed** rare, underdone

**doorborduren** ★ *op iets ~* embroider away on

sth

**doorboren** *dringen door* drill through, ⟨gaatjes maken⟩ perforate, ⟨van berg⟩ tunnel through, ⟨met blikken⟩ pierce ★ *iem. met een zwaard ~* run sb through with a sword

**doorbraak** ❶ *het doordringen* bursting, collapse, ⟨v. obstakel⟩ breakthrough ❷ *ommekeer* breakthrough ★ *een ~ in het onderzoek* a breakthrough in research

**doorbranden** ❶ *stukgaan* burn through, blow, burn out ★ *de gloeilamp is doorgebrand* the (light)bulb is burned-out ❷ *doorgaan met branden* go on burning

**doorbreken** I *ov ww, stukbreken* break / snap (in two) II *on ww* ❶ *stukgaan* break apart / up, ⟨dijk⟩ burst ❷ *erdoor komen* break / burst through ★ *de zon breekt door* the sun breaks through ❸ *aan de top komen* break through, make it

**doorbreken** [durchbrechen] break / burst through, ⟨blokkade⟩ run ★ *de linies ~* break / burst through the lines

**doorbrengen** *besteden* ⟨vakantie⟩ spend, ⟨tijd⟩ pass

**doordacht** well-considered ★ *een goed ~ plan* a well thought-out plan

**doordat** because

**doordenken** *diep denken* reflect, consider, think over

**doordenken** *overwegen* consider, reflect

**doordenkertje** brain teaser

**doordeweeks** weekday ★ *een ~e dag* a weekday ★ *~e kleren* weekday clothes

**doordouwen** I *ov ww, doordrukken* keep at it, push through ★ *plannen ~* push through plans II *on ww, doorzetten* keep trying ★ *~ in het verkeer* drive aggressively

**doordraaien** I *ov ww* ❶ *econ uit de verkoop halen* withdraw from the market ❷ *verkwisten* squander, run / get through II *on ww* ❶ *verder draaien* keep turning ❷ *doldraaien* slip, ⟨van schroef⟩ not bite ❸ *psych overspannen raken* ★ *hij is helemaal doorgedraaid* he's out of his mind, he's off his head ★ *ze voelt zich helemaal doorgedraaid* she feels quite worn out

**doordrammen** harp on, push ★ *hij weet altijd zijn zin door te drammen* he always manages to get his way

**doordraven** ❶ *verder draven* trot on ❷ *wild redeneren* be | go off, ⟨praten⟩ rattle on ★ *wat draaf je weer door* you're off again!

**doordrenken** soak through, drench, *fig* imbue ★ *doordrenkt met* permeated / drenched with ★ *met bloed doordrenkt* bloodsoaked

**doordrijven** *dwingend opleggen* force / push through ★ *zijn zin / wil ~* have (it all) one's own way ★ *een voorstel ~* push through a proposal

**doordringen** ❶ *binnendringen* penetrate ❷ *~ tot zich kenbaar maken* get through to ★ *het dringt niet tot jou door dat...* it doesn't dawn on you that..., it doesn't occur to you that..., you don't realize that...

**doordringen** *~ van overtuigen* convince of, persuade of, drive home ★ *iem. van iets ~* convince / persuade sb of sth, drive / bring sth home to sb ★ *doordrongen van* convinced / persuaded of

**doordringend** ⟨blik⟩ piercing, ⟨lucht⟩ penetrating

**doordrukken** I *ov ww, dwingend opleggen* ★ *een voorstel ~* force a proposal through II *on ww, een doordruk maken* ★ *het papier drukt door* the print shows through the paper

**doordrukstrip** strip, ⟨medicijnen, e.d.⟩ blister pack

**dooreen** pell-mell, in confusion

**dooreten** *verder eten* continue eating ★ *eet eens door* finish your food

**doorgaan** ❶ *blijven gaan* go on ★ *we gaan door tot het donker wordt* we'll go on until it gets dark ❷ *blijven doen* carry on, continue, go on, keep on ★ *~ met lezen* keep on reading ★ *~ met iets* continue with sth ❸ *voortduren* ★ *dit kan zo niet ~* this has got to stop ❹ *doorgang vinden* come off, take place ★ *niet ~* be cancelled ❺ *gaan door iets* ⟨de keuken, het leven⟩ go through, ⟨een brief⟩ run through ❻ *~ voor beschouwd worden als* ★ *voor een genie ~* pass for a genius ★ *zich laten ~ voor* pass o.s. off as, pose as

**doorgaand** transit ★ *~ verkeer* through traffic ★ *~e trein* through train, non-stop train

**doorgaans** generally

**doorgang** ❶ *weg erdoor* passage ★ *geen ~!* no right of way, no thoroughfare!, no through way, no entry ❷ *het plaatsvinden* ★ *~ vinden* take place

**doorgangskamp** transit camp

**doorgedreven** BN *intensief* intensive

**doorgeefluik** ⟨service⟩ hatch

**doorgeven** ❶ *verder geven* hand / pass on ★ *kun je het zout even ~?* would you pass the salt, please? ❷ *overbrengen* let somebody know, pass on (aan to)

**doorgewinterd** dyed-in-the-wool, seasoned, experienced

**doorgroeien** continue to grow

**doorgronden** fathom ★ *hij is niet te ~* he is a closed book, he is inscrutable

**doorhalen** ❶ *erdoor trekken* pull through ❷ *schrappen* cross out

**doorhaling** erasure, ⟨van woord⟩ deletion, *inform* crossing-out

**doorhebben** see through, be wise to ★ *ik heb je door* I have got your measure, I have sized you up

**doorheen** through ▾ *zich er ~ slaan* pull through, carry it off

**doorkiesnummer** direct-dialling / dial direct number, GB STD number

**doorkijk** ⟨open⟩ view

**doorkijken** I *ov ww, vluchtig inzien* glance through, ⟨boek⟩ skim II *on ww, door iets kijken* look through

**doorklieven** cleave

**doorkneed** well-kneaded, well versed, well-versed ★ *~ zijn in...* be well versed in..., be an adept in...

**doorknippen** cut through, cut (in two) ★ *lint ~* cut the tape

**doorkomen** ❶ *door iets heen komen* come through ★ *zijn tanden komen door* his teeth are coming through, he is cutting his teeth ★ *er is geen ~ aan* it is impossible to come through ❷ *waarneembaar worden* come out, show up /

through ★ *die zender komt goed door* that reception of that station is good ❸ *het eind halen van* get through, ⟨moeilijke tijden⟩ tide over ★ *er is geen ~ aan* there's no getting through ★ *een examen ~* get through an examination ★ *de winter ~* make it through the winter

**doorkrassen** cross out, scratch (out)

**doorkruisen** traverse, ⟨een plan⟩ thwart

**doorkruisen** ❶ *rondtrekken* traverse, roam across ❷ *dwarsbomen* thwart

**doorlaatpost** checkpoint

**doorlaten** let through, ⟨kandidaat⟩ pass ★ *geen water ~* be waterproof ★ *geen geluid ~* be soundproof

**doorleefd** wrinkled, aged ★ *een ~ gezicht* a face marked by age

**doorlekken** leak through, ooze / seep out

**doorleren** continue with one's studies, go on to higher education

**doorleven** *doormaken* live through ★ *opnieuw ~* relive

**doorlezen I** *ov ww, doornemen* read through, peruse **II** *on ww, verder lezen* go on reading

**doorlichten** ❶ *met röntgenstralen onderzoeken* X-ray ❷ *onderzoeken* investigate ★ *een bedrijf ~* investigate a business / concern

**doorliggen** become bedsore, to get bedsore

**doorlopen I** *ov ww* ❶ *stuklopen* ★ *sokken ~* wear out socks ❷ *doorkijken* run through, glance through **II** *on ww* ❶ *verder lopen* walk on ★ *~!* move along! ★ *flink ~* mend one's pace ❷ *niet onderbroken worden* continue, run on ★ *de nummering loopt door* the numbering is consecutive, the numbering runs on ❸ *overvloeien* run through

**doorlopen** ❶ *lopend gaan door* walk through ❷ *afleggen* go through ★ *een school ~* attend a school

**doorlopend** continuous, ⟨getallen⟩ consecutive, ⟨programma⟩ non-stop ★ *~e voorstelling* continuous performance

**doorloper** ❶ *puzzel* Mephisto crossword ❷ *schaats* safety speed-skate

**doormaken** ★ *een moeilijke tijd ~* go through a difficult time

**doormidden** in two ★ *iets ~ scheuren* tear sth apart

**doormodderen** muddle / struggle on

**doorn** thorn ▼ *dat is me een ~ in het oog* it is an eyesore, it is a thorn in my flesh

**doornat** wet through, soaked ★ *~ van het zweet* drenched in sweat ★ *~ van de regen* rain-soaked

**doornemen** ❶ *doorkijken* go over / through ★ *een brief ~* go through a letter ❷ *bespreken* go over ★ *een stuk nog eens ~* go over a piece once again

**doornig** thorny

**Doornroosje** Sleeping Beauty

**doornummeren** number consecutively

**doorploeteren** plod on

**doorpraten I** *ov ww, bespreken* talk over ★ *iets ~* talk sth over **II** *on ww, verder praten* go on talking

**doorprikken** ❶ prick, ⟨gezwel⟩ lance ❷ *ontzenuwen* ▼ *een illusie ~* shatter an illusion

**doorregen** ⟨spek⟩ streaky, ⟨vlees⟩ marbled

**doorreis** passage ★ *op ~ zijn* be on one's way through, be passing through

**doorrijden** ❶ *verder rijden* ride / drive on ★ *de bus reed door zonder te stoppen* the bus carried on without stopping ❷ *sneller rijden* ride / drive faster, inform step on it

**doorrijhoogte** headroom

**doorrookt** ⟨van vis enz.⟩ smoked

**doorschakelen** redirect

**doorschemeren** ▼ *iem. iets laten ~* hint at sth to sb, drop a hint to sb

**doorschieten** *te ver doorgaan* overshoot

**doorschieten** *doorboren* ★ *met kogels ~* riddle with bullets

**doorschijnen** show / shine through

**doorschijnend** translucent

**doorschuiven I** *ov ww, verder schuiven* pass on **II** *on ww, schuivend verder gaan* advance, move on / up

**doorseinen** transmit, relay, send

**doorslaan I** *ov ww, stukslaan* break **II** *on ww* ❶ *overhellen* turn, dip ★ *de balans doen ~* tip the scales ❷ *kortsluiten* blow ★ *doorgeslagen zekering* blown fuse ❸ *zwammen* run on ❹ *bekennen* talk ★ *de verdachte sloeg door* the suspect talked ❺ *doldraaien* race

**doorslaand** ★ *een ~ succes* a resounding success

**doorslag** *kopie* carbon copy ★ *een ~ maken* take a carbon copy ▼ *de ~ geven* settle the matter, tip the scales

**doorslaggevend** decisive

**doorslikken** swallow

**doorsmeren** grease, lubricate

**doorsnede** ❶ *diameter* diameter ★ *de ~ van een cirkel* the diameter of a circle ❷ *vlak* sectional plane ❸ *tekening* (cross) section, slice

**doorsnee** *gemiddelde* average ★ *in ~* on average

**doorsnijden** cut, slice, sever, ⟨in twee stukken⟩ cut in two

**doorsnijden** intersect

**doorspekken** interlard (**met** with) ▼ *een toespraak doorspekt met grappen* a speech interlarded with jokes

**doorspelen I** *ov ww* ❶ *helemaal doornemen* play through ❷ *doorgeven* pass on, leak ★ *de vraag aan een ander ~* pass on the question to sb else **II** *on ww, verder spelen* play on

**doorspoelen** ❶ *reinigen* ⟨in vloeistof⟩ rinse, ⟨afvoer, wc⟩ flush ❷ *doordraaien* wind on

**doorspreken I** *ov ww, grondig bespreken* talk through / over ★ *iets ~* talk sth through **II** *on ww, verder spreken* go on speaking

**doorstaan** ⟨aanval⟩ sustain, ⟨ziekte⟩ pull through, ⟨toets, kou⟩ stand, ⟨pijn⟩ endure, ⟨storm, crisis⟩ weather

**doorstart** ❶ *techn* *nieuwe start* restart ❷ *fig* *nieuw begin* new start

**doorsteken I** *ov ww, erdoor steken* pierce, cut **II** *on ww, kortere weg nemen* take a short cut (through)

**doorsteken** *doorboren* stab, run through

**doorstoten** ❶ *oprukken* advance ❷ *doordringen* ★ *~ naar de top* reach the top ★ *~ tot de kern van de zaak* get to the heart of the matter

**doorstoten** stab, run through

**doorstrepen** cross out, delete, strike out

**do**

**do**

**doorstromen** *verder bewegen* move on / up

**doorstromen** *stromen door* run / flow through ★ *rood bloed doorstroomt zijn aderen* red blood runs through his veins

**doorstuderen** continue one's studies

**doorsturen** send on, redirect, ⟨verwijzen⟩ refer (naar to)

**doortastend** energetic ★ ~ *optreden* act boldly

**doortimmerd** sound, solid, well-built ★ *een hecht* ~ *verhaal* a well-constructed story

**doortocht** ❶ *het doortrekken* <u>mil</u> march through ❷ *doorgang* passage, right of way

**doortrapt** crafty ★ *een ~e schurk* a regular scoundrel, <u>inform</u> a right bastard

**doortrekken** I *ov ww* ❶ *wc doorspoelen* flush ★ *de wc* ~ flush the toilet ❷ *verlengen* extend II *on ww, gaan door* traverse, travel / pass through, ⟨militair⟩ march through

**doortrekken** *doordringen* permeate, ⟨door en door⟩ impregnate ★ *doortrokken van corruptie* riddled with corruption ★ *een kamer doortrokken van tabaksrook* a room permeated with tobacco smoke

**doortrokken** ⟨van water⟩ soaked, ⟨met kennis⟩ steeped ★ ~ *van* soaked with

**doorvaart** passage

**doorverbinden** ⟨telefoon⟩ connect, ⟨telefoon⟩ put through (to) ★ *kunt u me* ~ *met Het Spectrum?* could you put me through to Het Spectrum?

**doorverkopen** resell

**doorvertellen** tell others, pass on

**doorverwijzen** refer ★ ~ *naar* refer to

**doorvoed** well-fed

**doorvoer** ❶ *het doorvoeren* transit ❷ *doorgevoerde waren* transit goods *mv*

**doorvoeren** ❶ *ten uitvoer brengen* carry through, ⟨van wet⟩ enforce ❷ *transporteren* convey (goods) in transit

**doorvoerhaven** transit port

**doorvoerrecht** <u>jur</u> transit duty

**doorvorsen** scrutinize, study in depth

**doorvragen** ask exhaustive / detailed questions, grill

**doorwaadbaar** fordable ★ *doorwaadbare plaats* ford

**doorwaakt** wakeful

**doorweekt** soaked, waterlogged, soaked, ⟨velden⟩ soggy, ⟨van kleren, e.d.⟩ wet through

**doorwegen** <u>BN</u> *de doorslag geven* carry weight

**doorwerken** I *ov ww, geheel bestuderen* work through, finish II *on ww* ❶ *verder werken* work on ❷ *invloed hebben* affect, make itself felt ★ ~ *op* affect

**doorworstelen** struggle / plough through ★ *hij worstelde het boek door* he struggled his way through the book

**doorwrocht** thorough, elaborate

**doorzagen** I *ov ww* ❶ *in tweeën zagen* saw through, saw in two ❷ *ondervragen* grill ★ *iem.* ~ *over iets* grill sb about sth II *on ww, doorzeuren* moan on

**doorzakken** ❶ *verzakken* sag ❷ *lang / veel drinken* drink to excess, <u>inform</u> booze

**doorzetten** I *ov ww, laten doorgaan* carry through, ⟨aanval⟩ press ★ *een plan* ~ carry through a plan II *on ww* ❶ *volhouden* persevere, carry on ★ *hij weet van* ~ he is a go-getter, he doesn't take no for an answer ❷ *krachtiger worden* get / become stronger ★ *het onweer zette niet door* the thunderstorm did not develop

**doorzetter** go-getter

**doorzettingsvermogen** perseverance

**doorzeven** riddle ★ *doorzeefd met kogels* riddled with bullets

**doorzichtig** ❶ *doorschijnend* transparent ❷ <u>fig</u> *te doorgronden* transparent / obvious

**doorzien** look through, skim

**doorzien** *het ware ontdekken* see through

**doorzoeken** ⟨streek⟩ comb out, ⟨huis⟩ search, go through ★ *iemands zakken* ~ go through sb's pockets

**doorzonwoning** house / flat with a through lounge

**doos** ❶ *lichte constructie om dingen in te houden* box, case ★ *de zwarte doos* the black box ❷ <u>min</u> *vrouw* cunt ▼ *uit de oude doos* antiquated, <u>inform</u> old hat ▼ *de doos van Pandora* Pandora's box

**dop** ⟨dekseltje⟩ lid, ⟨van vulpen, flacon⟩ cap, ⟨van degen⟩ button ❷ *omhulsel* ⟨van erwt⟩ pod, ⟨van ei, noot⟩ shell, ⟨van zaden⟩ husk ❸ *oog* eye ★ *kijk uit je doppen* look where you're going ▼ *dichter in de dop* budding poet

**dope** dope, doping ★ *aan de dope zijn* be on dope

**dopen** ❶ *de doop toedienen* baptize, christen, ⟨schip⟩ name ❷ *indompelen* ⟨beschuit⟩ sop ★ *de pen in de inkt* ~ dip the pen in the ink

**Doper** ▼ *Johannes de* ~ John the Baptist

**doperwt** green pea

**dopheide** bell-heather

**doping** ❶ *middel(en)* drug(s) ❷ *het toedienen* doping

**dopingcontrole** anti-doping test

**doppen** ⟨bonen⟩ shell

**dopplereffect** Doppler effect

**dopsleutel** socket spanner

**dor** ❶ *verdroogd* ⟨hout⟩ dry, ⟨land⟩ barren, ⟨bladeren⟩ withered ❷ *saai* dull, insipid

**dorp** village

**dorpel** *drempel* threshold

**dorpeling** villager

**dorps** countrified, rustic, parochial

**dorpsbewoner** villager

**dorpsgek** village idiot

**dorpsgenoot** fellow-villager

**dorpshuis** *gemeenschapshuis* ⟨centrum⟩ community centre

**dorsen** thresh

**dorsmachine** threshing-machine

**dorst** ❶ *behoefte aan drinken* thirst ★ ~ *hebben* be thirsty ❷ <u>fig</u> *sterk verlangen* thirst for / after, craving for / after ★ *de* ~ *naar macht* the thirst for power

**dorsten** *naar* ★ ~ *naar* thirst for

**dorstig** thirsty

**dorsvlegel** flail

**dorsvloer** threshing-floor

**doseren** dose

**dosering** dose, dosage

**dosis** dose, ⟨moed⟩ amount, ⟨geduld⟩ supply ★ *te grote* ~ overdose ★ *te kleine* ~ underdose

**dossier** ⟨in rechtszaak⟩ dossier, ⟨kantoor⟩ file

★ *een ~ aanleggen van* place on file, file

**dot** ❶ *plukje (haar)* knot, (gras) tuft ❷ *iets kleins, schattigs* dear ★ *een dot van een hoed* a dream of a hat

**dotatie** BN *overheidssubsidie* state / government grant / subsidy

**dotcom** *internetbedrijf* dotcom

**dotterbehandeling** med (percutaneous) angioplasty

**dotterbloem** marsh-marigold, king-cup

**dotteren** med perform angioplasty

**douane** ❶ *grenspost* custom-house, (the) Customs *mv* ❷ *beambte* customs officer

**douanebeambte** customs official

**douanier** customs officer

**doublé** I *zn* [het] gold plate II *bnw* gold-plated

**doubleren** ❶ *verdubbelen* double ❷ *blijven zitten* repeat a class

**douceurtje** (fooi enz.) windfall, (bijverdienste) extra / additional earnings *mv*

**douche** ❶ shower ❷ *douchecel* ▼ *koude ~* cold shower

**douchecel** shower cubicle

**douchegordijn** shower curtain

**douchekop** shower head

**douchen** take a shower

**douchestang** shower bar

**douw** inform → duw

**douwen** inform → duwen

**dove** deaf person ▼ *voor doven preken* preach to deaf ears

**dovemansoren** ▼ *voor ~ spreken* talk to a brick wall ▼ *dat is niet aan ~ gezegd* it didn't fall on deaf ears ▼ BN *dat valt in ~* it's like talking to a brick wall

**doven** ❶ *uitdoen* extinguish, put out ❷ *minder maken* dampen, (van geluid) deaden

**dovenetel** dead nettle

**doventolk** interpreter for the deaf

**down** *depressief* down

**downgraden** downgrade

**download** comp download

**downloaden** comp download

**downsyndroom** Down's syndrome

**dozijn** dozen ★ *per ~* by the dozen

**draad** ❶ *dunne, gesponnen vezel van textiel* thread ★ *een ~ in de naald steken* thread a needle ❷ *dunne, getrokken vezel van metaal* wire ❸ BN elek *snoer* mains lead, (van lamp e.d.) flex ❹ *vezel* fibre ❺ *schroefdraad* thread ❻ *samenhang* thread, (bij onderzoek) clue ★ *de ~ kwijtraken* lose the thread ★ *de ~ weer opvatten* resume / take up the thread again ▼ *aan een zijden ~je hangen* hang by a thread ▼ *met de ~ mee* with the grain ▼ *tegen de ~ in* against the grain ▼ *tot op de ~ versleten* worn to a thread ▼ *voor de ~ komen met iets* come out with sth ▼ *ik heb geen droge ~ aan het lijf* I have not a dry stitch on me ▼ *er zit bij hem een ~je los* he has a screw loose

**draadloos** *via radiogolven* wireless

**draadnagel** wire-nail

**draadtang** pair of wire-cutters, wire-cutters *mv*

**draagbaar** I *zn* [de] stretcher, litter II *bnw* (van radio, telefoon) portable, (van kleding) wearable

**draagberrie** BN *brancard* stretcher

**draagkarton** cardboard container (for bottles / tins)

**draagkracht** (van stem) carrying-power, (van schip, brug, e.d.) carrying-capacity, (van vliegtuig) lift, (van vuurwapen) range ★ *financiële ~* financial capacity ▼ *het gaat mijn ~ te boven* it is beyond my means

**draagkrachtig** well-off, well-to-do

**draaglijk** tolerable, passable

**draagmoeder** surrogate mother

**draagraket** booster (rocket), launch / carrier rocket

**draagstoel** sedan chair, (van zieke) litter

**draagtas** carrier bag

**draagtijd** gestation period

**draagvermogen** (van brug, schip, e.d.) carrying-capacity, (van vliegtuig) carrying capacity, (van vliegtuig) lift

**draagvlak** ❶ *vlak* plane, (van vliegtuig) airfoil ❷ *ondersteunende groep* basis *mv:* bases, support ★ *een breed maatschappelijk ~* a broad social basis

**draagwijdte** ❶ *bereik* range, (van stem) carrying power ❷ *strekking* impact, (van woorden) import, (van voorstel) scope

**draai** ❶ *draaiing* turn, (van weg) bend ★ *de ~ te kort nemen* take the bend / turn too short ❷ *klap* ★ *iem. een ~ om de oren geven* box sb's ears ▼ *ergens een ~ aan geven* give sth a turn / twist, twist the meaning of sth ▼ *zijn ~ vinden* find one's niche

**draaibaar** revolving

**draaibank** lathe

**draaiboek** script, (van film) scenario

**draaicirkel** turning-circle

**draaideur** revolving door

**draaideurcrimineel** recidivist

**draaien** I *ov ww* ❶ *in het rond doen gaan* (wiel) turn, (knop) twiddle ❷ *keren / wenden* (auto) turn ❸ *draaiend vervaardigen* (hout) turn, (pillen) roll ★ *een telefoonnummer ~* dial a (telephone) number ❹ *afspelen* (een plaat, cd) play, (film) show ▼ *zich eruit ~* wriggle out ▼ BN *hoe je het ook draait of keert* whichever way you look at it II *on ww* ❶ *in het rond gaan* turn, rotate, (snel) spin (round), (om as) revolve ❷ *wenden* shift, (van wind) veer ❸ *functioneren* run, work ★ *hij houdt de zaak aan het ~* he keeps things going ❹ *uitvluchten zoeken* prevaricate, hedge ★ *eromheen ~* fence, beat about the bush, equivocate ▼ *daar draait alles om* everything turns on that ▼ *alles draaide om hem heen* his brain was in a whirl ▼ *het draait me (voor de ogen)* my head swims

**draaierig** giddy

**draaiing** *het draaien* turn(ing), (om eigen as) rotation, (om ander hemellichaam) revolution

**draaikolk** vortex, eddy

**draaikont** twister

**draaimolen** merry-go-round, roundabout

**draaiorgel** barrel-organ

**draaipunt** turning point

**draaischijf** ❶ *kiesschijf* (telefoon) dial ❷ *draaitafel* turntable ❸ *pottenbakkersschijf* potter's wheel

**draaitafel** turntable

**draaitol** ❶ *tol* top ❷ *persoon* fidgetter

**draak** ❶ *beest* dragon ❷ *akelig mens* ★ *ze is een ~*

*van een mens* she is an odious / hateful person, she is an absolute cow ❸ *voorwerp* monstrosity ❹ *melodrama* melodrama ▼ *de ~ steken met* poke fun at

**drab** ❶ *derrie* ooze ❷ *bezinksel* dregs *mv*, lees *mv*

**dracht** ❶ *drachtig zijn* gestation ❷ *kleding* dress, costume

**drachtig** with young ★ *~ zijn* be with young, be in foal, be in calf, be in lamb, be in pig, be pregnant

**draconisch** draconian

**draf** *snelle gang* trot ★ *het op een draf zetten* break into a trot ★ *op een drafje* at a trot

**drafsport** trotting (races)

**dragee** ❶ *snoep* coated tablet ❷ *geneesmiddel* tablet

**dragen** I *ov ww* ❶ *opgetild houden* carry ❷ (*kleding enz.*) *aan- / omhebben* wear ★ *kleding ~* wear clothes ❸ *ondersteunen* bear ★ *een gewicht ~* bear a weight ❹ *fig . op zich nemen ★ de gevolgen ~* bear / take the consequences ❺ *voortbrengen ★ fruit ~* bear / yield fruit ❻ *verdragen ★ ik kan het niet langer ~* I can't bear it any longer ▼ *zo snel als je benen je kunnen ~* as fast as your legs can carry you II *on ww, klinken ★ zijn stem draagt ver* his voice has a great carrying power, his voice carries far

**drager** ❶ *iem. die iets draagt* bearer, carrier, (v. bagage) porter, (van bril, e.d.) wearer ❷ med (van ziekte e.d.) carrier ❸ *voorwerp* support

**dragline** dragline

**dragon** tarragon

**dragonder** *soldaat te paard* ▼ *vloeken als een ~* swear like a trooper

**drain** drain, drainpipe

**draineren** drain

**dralen** tarry, delay ★ *zonder ~* without delay, without hesitation

**drama** drama

**dramatiek** dramatic art

**dramatisch** dramatic

**dramatiseren** dramatize

**dramaturg** dramatist

**drammen** *zaniken* nag ★ *hou eens op met ~!* oh (do) stop nagging!

**drammer** nag, pain in the neck

**drammerig** tiresome, (van een kind) whining ★ *doe niet zo ~* stop nagging

**drang** ❶ *druk* pressure ★ *onder de ~ van de publieke opinie* under the pressure of public opinion ❷ *aandrang* urge ★ *~ naar vrijheid* desire for liberty ★ *innerlijke ~* inner urge

**dranger** door-closer

**dranghek** crush barrier

**drank** ❶ *vocht* drink, (op menu) beverage ❷ *alcoholische drank* strong drink ▼ *aan de ~ raken* take to drink(ing) ▼ *aan de ~ zijn* be addicted to liquor, be an alcoholic

**drankenautomaat** drinks / beverage machine

**drankje** ❶ *glaasje drank* drink ❷ *geneesmiddel* draught, potion ★ *zijn ~ innemen* take one's medicine

**drankmisbruik** excessive drinking

**drankorgel** boozer

**drankvergunning** liquor licence

**draperen** drape

**drassig** marshy, swampy

**drastisch** drastic

**draven** trot

**draver** a good trotter

**draverij** trotting race

**dreadlocks** dreadlocks *mv*

**dreef** *laan* lane, avenue ★ *door velden en dreven* through fields and pastures ▼ *op ~ zijn* be in great form ▼ *op ~ komen* warm up to (a subject), get into one's stride

**dreg** drag, grapnel

**dreggen** drag

**dreigbrief** threatening letter

**dreigement** threat, menace

**dreigen** I *ov ww, bedreigen* threaten, menace II *on ww, ~ te mogelijk gebeuren* (van iets negatiefs) ★ *het dreigt te gaan regenen* it looks like rain ★ *hij dreigde te sterven* he was in danger of dying

**dreigend** threatening, menacing ★ *een ~e blik* a scowling / threatening look

**dreiging** threat, menace

**dreinen** whine ★ *~ om iets* whine for sth

**drek** dung, filth

**drempel** ❶ *verhoging* threshold ❷ *barrière* threshold

**drempelvrees** threshold fear

**drempelwaarde** threshold value

**drenkeling** drowning person, drowned person

**drenken** ❶ *drinken geven* water ★ *het vee ~* water the cattle ❷ *nat maken* water

**drentelen** lounge, saunter

**Drenthe** Drenthe

**Drents** Drenthe

**drenzen** whine

**dresseren** (dieren) train, (paarden) break (in) ★ *gedresseerde dieren* trained animals, performing animals

**dressing** (salad) dressing

**dressoir** sideboard, dresser

**dressuur** training

**dreumes** nipper, toddler

**dreun** ❶ *het dreunen* boom, rumble ❷ *eentonig geluid* (van stem) drone, (van stem) singsong ❸ *klap* sock, smack ★ *iem. een ~ op zijn gezicht geven* give sb a thick ear, smack sb's face

**dreunen** *weerklinken* rumble, boom

**drevel** drift, (voor gaten) punch, (voor verzinken) punch

**dribbel** dribble

**dribbelen** trip, totter, (van kind) toddle, (voetbal) dribble

**drie** I *telw* ❶ three ❷ → **vier** II *zn* [de] ❶ *getal* three ❷ *onderw schoolcijfer* ≈ F, Failure

**driebaansweg** three-lane road

**driedaags** three-day, three days' ★ *een ~e reis* a three-day journey, a three days' journey

**driedelig** ★ *~ pak* three-piece suit

**driedimensionaal** three-dimensional ★ *een driedimensionale film* a picture in 3-D

**driedubbel** treble

**drie-eenheid** triad

**driehoek** *wiskundig figuur* triangle

**driehoekig** triangular

**driehoeksruil** trilateral exchange

**driehoeksverhouding** (the) eternal triangle

**driekamerflat** three-room flat, <u>USA</u> three-room apartment
**drieklank ❶** <u>taalk</u> thriphthong **❷** <u>muz</u> triad
**driekleur** tricolour
**Driekoningen** (feast of) Epiphany, Twelfth Day
**driekwart** three fourths, three quarters ★ ~ *mijl* three quarters (of a mile)
**driekwartsmaat** three-four time
**drieledig** threefold
**drieling** *drie kinderen* triplets *mv*
**drieluik** triptych
**driemaal** on three occasions, three times, <u>oud</u> thrice ★ ~ *kopiëren / vermenigvuldigen* triplicate
**driemaandelijks I** *bnw* quarterly, three-monthly **II** *bijw* quarterly, every three months
**driemanschap** triumvirate
**driemaster** three-master
**driepoot** tripod
**driesprong** three-forked road
**driestemmig** three-part, for three voices
**driesterrenhotel** three-star hotel
**drietal** three, trio
**drietalig** trilingual
**drietand** trident
**drietonner** three-tonner
**drietrapsraket** three-stage rocket
**drievoud** treble ★ *in* ~ *opgemaakt* drawn up in triplicate
**drievoudig** triple, threefold
**Drievuldigheid** <u>rel</u> the (Holy) Trinity
**driewegstekker** <u>elek</u> three-way plug
**driewieler** tricycle
**driezitsbank** (three-seat(er) sofa / settee
**drift ❶** *woede* passion, temper **❷** *aandrang* desire, passion **❸** *het afdrijven* drift ★ *op* ~ *raken* break adrift
**driftbui** fit of temper
**driftig I** *bnw* **❶** *opvliegend* hot- / quick-tempered **❷** *kwaad* ★ ~ *worden* fly into a passion, flare up **II** *bijw, heftig* vehement ★ ~ *gebaren* make vehement gestures
**driftkop** hothead
**drijfgas** propellant
**drijfhout** driftwood
**drijfijs** drift ice
**drijfjacht** battue, drive
**drijfkracht** driving power, (van schip ook) propelling force
**drijfnat** soaking wet, dripping
**drijfnet** drift net
**drijfveer** *beweegreden* motive
**drijfzand** quicksand, quicksands *mv*
**drijven I** *ov ww* **❶** *voortdrijven* drive ★ *vee* ~ drive cattle **❷** *aandrijven* drive, push ★ *iem. tot wanhoop* ~ drive sb to despair ★ *door afgunst gedreven* prompted by jealousy **❸** *uitoefenen* run ★ *een zaak* ~ carry on / run a business **❹** ▼*(het) te ver* ~ carry things too far **II** *on ww* **❶** *niet zinken* float ★ *op / in het water* ~ float on / in the water ★ *in de boter* ~ swim in butter **❷** *stromen* ★ *de rivier af*~ drift / float down the river **❸** *kletsnat zijn* be soaked, be sopping wet ★ *hij dreef van het zweet* he was dripping with perspiration ▼*de vereniging drijft op hem* he is the mainstay of the society

**drijver ❶** *opjager* beater **❷** *herder* driver **❸** *voorwerp dat drijft* float ★ *de* ~ *van een vliegboot* the float of a seaplane
**drilboor** drill
**drillen ❶** *africhten* ★ *soldaten* ~ drill soldiers **❷** *boren* drill
**dringen I** *on ww, krachtig voortgaan* push, press ★ *dring niet zo!* don't push / crowd me ★ *door de menigte* ~ push / elbow your way through the crowd **II** *ov ww, duwen* push ▼*zich bij iem. in de gunst* ~ worm o.s. into sb's favour
**dringend ❶** *met aandrang* pressing **❷** *urgent* pressing, urgent
**drinkbaar** drinkable
**drinken I** *ov + on ww* **❶** drink, (met kleine teugjes) sip ★ *thee* ~ have tea ★ *stevig* ~ drink hard / heavily **❷** ~ *op toosten* drink to ★ ~ *op iemands gezondheid* drink to sb' health **II** *zn* [het] drink(s), beverage
**drinkgelag** drinking-bout
**drinkgeld** tip(s)
**drinklied** drinking song
**drinkwater** drinking-water ★ (opschrift) *geen* ~ unfit for drinking
**drinkyoghurt** <u>cul</u> yoghurt drink
**drive ❶** *energie* drive **❷** <u>sport</u> drive, driving stroke
**drive-inwoning** house with built-in garage
**droef** sad, afflicted
**droefenis** sorrow, grief
**droefgeestig I** *bnw* melancholy **II** *bijw* dolefully, sadly
**droesem** dregs *mv*, lees *mv*
**droevig ❶** *verdrietig* sorrowful, sad **❷** *bedroevend* ★ ~ *resultaat* poor result
**drogbeeld** illusion
**drogen I** *ov ww* **❶** *droog maken* dry **❷** *doen uitdrogen* dry **II** *on ww, droog worden* dry
**droger** dryer, drier
**drogeren** drug, <u>inform</u> dope
**drogist ❶** *verkoper* chemist, <u>USA</u> druggist **❷** *winkel* chemist's, <u>USA</u> drugstore
**drogisterij** chemist's
**drogreden** fallacy, <u>form</u> sophism
**drol** <u>inform</u> turd
**drom** crowd, throng
**dromedaris** dromedary
**dromen I** *ov ww, droom hebben* dream ★ *ik kan dat verhaal wel* ~ I know that story like the back of my hand, I know the story by heart ▼*dat had je gedroomd!* no way!, not in your wildest dreams! **II** *on ww* **❶** *droom hebben* dream (**van** of) **❷** *mijmeren* daydream
**dromenland** dreamland, land of Nod
**dromer** dreamer
**dromerig ❶** *mijmerend* dreamy **❷** *onwerkelijk* dreamlike, unreal
**drommel** ▼*arme* ~ poor devil ▼*om de* ~ *niet* not on your life, no way ▼*wat voor de* ~ *betekent dit?* what the deuce / on earth does this mean?
**drommen** throng, swarm ★ *de kinderen dromden om haar heen* the children were swarming about her
**dronk** ▼*hij heeft een kwade* ~ he is quarrelsome when drunk, when he has had a drink or two, he turns nasty
**dronkaard, dronkenman** drunkard

**dr**

**dr**

**dronken ❶** *bedwelmd* tipsy, intoxicated, ⟨alleen attributief⟩ drunken, ⟨alleen predicatief⟩ drunk, loaded ★ *een ~ man* a drunken man ★ *~ zijn* drunk ❷ *~ van* drunk with, intoxicated with

**dronkenman, dronkenlap** drunk(ard), soak

**dronkenschap** drunkenness, intoxication ★ *in staat van ~ verkeren* be the worse for drink, be under the influence of drink

**droog ❶** *niet nat* dry ❷ *niet zoet* dry

**droogbloem** dried flower

**droogdoek** cloth, (tea-)towel, dishtowel, USA tea-cloth

**droogdok** dry-dock ★ *drijvend ~* floating dock

**droogje** ▼ *op een ~ zitten* have nothing to wet one's whistle

**droogkap** (hair) drier (hood)

**droogkloot** bore, drag

**droogkomiek** wry / satirical comedian, dry wit

**droogkuis** BN *stomerij* dry-cleaner's

**droogkuisen** BN dry-clean

**droogleggen ❶** *droogmaken* reclaim ❷ *alcoholverkoop verbieden* forbid the consumption of alcohol ★ *een drooggelegde stad* a dry city

**drooglijn** clothes-line

**droogmaken** dry

**droogmolen** rotary clothes-line

**droogpruim** bloody / utter bore

**droogrek** drying-frame, ⟨voor kleren⟩ clotheshorse

**droogstaan** *zonder water zijn* have run / gone dry

**droogstoppel** bore, drag

**droogte ❶** *het droog zijn* dryness, ⟨van klimaat⟩ aridity ❷ *periode* drought

**droogtrommel** tumble dryer

**droogvallen** stand clear of the water, ⟨van conversatie⟩ inform dry up

**droogzwemmen ❶** lett *leren zwemmen* practise swimming exercises on (dry) land ❷ fig *oefenen* have a dry run

**droogzwierder** BN spin drier

**droom** dream ★ *in dromen verzonken zijn* be lost in dreams, be day-dreaming ▼ *iem. uit de ~ helpen* open sb's eyes, lift the scales from sb's eyes ▼ *dromen zijn bedrog* dreams are deceptive

**droombeeld** vision

**droomreis** trip of one's dreams

**droomwereld** dream world

**drop** I *zn* [de/het], *snoep* liquorice, USA licorice II *zn* [de], *druppel* drop

**dropje** (piece of) liquorice, lozenge

**dropkick** sport drop kick

**drop-out** dropout

**droppen ❶** *neerlaten* (make a) drop ★ *voedsel ~* airlift / drop food(supplies) ❷ *afzetten* drop off ★ *zal ik je hier ~?* shall I drop you off here?

**dropping** *het uit een vliegtuig werpen* drop

**dropshot** sport drop-shot

**drubbelen ❶** drukk *nog net op tijd ontvluchten* escape in the nick of time ❷ cul *wijn drinken* drink wine

**drug** drug, narcotic, form controlled substance ★ *drugs gebruiken* take drugs ★ *aan de drugs zijn* be on drugs

**druggebruiker** drug user

**drugsbaron** drug baron

**drugsbeleid** drug policy

**drugsbestrijding** fight against drugs

**drugshandel** drug dealing, drug trafficking

**drugshandelaar** (drug) dealer, inf drug pusher

**drugsmaffia** drug mafia

**drugsscene** drug scene

**drugsverslaafde** drug addict

**drugsverslaving** drug addiction

**druïde** Druid

**druif ❶** *vrucht* grape ❷ *persoon* goon ▼ *de druiven zijn zuur* the grapes are sour

**druilen** I *on ww, zeuren* mope II *onp ww, motregenen* drizzle ★ *het druilt* it's drizzling

**druilerig ❶** *regenachtig* drizzly ❷ *lusteloos* moping!

**druiloor** mope, gloomy / mopey person, wet blanket

**druipen ❶** drip, trickle ❷ *nat zijn* ★ *zij druipt* she's soaking, she's sopping wet ★ *~ van het vet / zweet* drip with grease / sweat

**druiper** *gonorroe* clap, dose

**druipnat** dripping / sopping / soaking wet

**druipneus** runny nose

**druipsteen** sinter, ⟨hangend⟩ stalactite, ⟨staand⟩ stalagmite

**druivensap** cul grapejuice

**druivensuiker** grape sugar, glucose

**druiventros** bunch of grapes

**druk** I *zn* [de] ❶ *het duwen* pressure ★ *een druk op de knop is voldoende* just press the button ❷ natk *drukkracht* pressure ★ *gebied van hoge / lage druk* high / low pressure area ★ *onder druk zetten / staan* put / be under pressure ❸ psych pressure, ⟨last⟩ oppression, ⟨spanning⟩ strain, ⟨spanning⟩ stress ★ *onder hoge druk werken* work under great pressure / stress ★ *onder de druk van de omstandigheden* forced by circumstances ★ *onder druk staan* be under pressure ★ *iem. onder druk zetten* put pressure on sb, inform lean on sb ★ *druk uitoefenen op iem.* exert / put pressure on sb ❹ *het boekdrukken* print(ing) ★ *in druk verschijnen* appear in print ❺ *oplage* edition ★ *eerste druk* first impression ★ *herziene druk* revised edition ★ *derde ongewijzigde druk* third impression ▼ *de druk is van de ketel* the pressure is off II *bnw* ❶ *actief* ⟨drukbezet⟩ busy, ⟨drukbezet⟩ active, ⟨handel, kinderen⟩ lively ★ *een drukke baan* a demanding job ★ *drukke uren* busy / rush hours ★ *een druk programma* a busy / full programme ★ *wegens drukke werkzaamheden* owing to pressure of work ▼ *druk, druk, druk!* always on the go!, ❷ *vol met mensen* crowded, busy ★ *het was er erg druk* the place was very crowded ★ *een drukke kroeg* a crowded pub ★ *een drukke straat* a busy street ★ *druk verkeer* heavy traffic ★ *een drukke winkel* a busy shop, a well-patronized shop ★ *het was me te druk op dat feestje* it was too crowded for me at the party ❸ *opgewonden* active, excited, fussy ★ *de kinderen zijn veel te druk* the children are far too excited, ⟨luidruchtig⟩ the children are far too noisy ★ *zich druk maken* get worked up (over about) ★ *zich niet druk maken* take things easy ❹ *bedrijvig* ⟨van handel⟩ busy, ⟨handel⟩ lively, ⟨handel⟩ brisk ▼ *zich druk* ⟨bezorgd⟩ *maken over* worry about ▼ *maak je*

*niet druk!* ⟨bezorgd⟩ not to worry! **III** *bijw*
**❶** *intensief* busily ★ *druk bezig zijn* be very busy
★ *druk gebruik maken van iets* use sth frequently
★ *druk aan het schrijven / leren zijn* be busy
writing / studying ★ *druk in de weer zijn* bustle
around ★ *een druk bezochte vergadering* a
well-attended meeting ★ *een druk bezocht café* a
much frequented pub **❷** *luidruchtig* noisily
★ *druk door elkaar praten* talk excitedly at the
same time ▾ *het razend druk hebben* be up to
one's neck in work

**drukdoenerij** fussiness

**drukfout** misprint, printer's error

**drukinkt** printer's ink

**drukken I** *ov ww* **❶** *duwen* press, push, squeeze
**❷** *afdrukken* print **❸** *doen dalen* ★ *de markt ~
depress the market* ★ *de prijzen / kosten ~* hold /
keep the prices / costs down **❹** *fig bezwaren*
oppress **II** *on ww* **❶** *kracht uitoefenen* push ★ *op
een knop ~* push a button **❷** *fig als iets zwaars
liggen* weigh (heavily) **(op** upon) **III** *wkd ww* [zich
~] shirk, dodge, ⟨ziekte voorwenden⟩ malinger

**drukkend ❶** *bezwarend* burdensome, ⟨gevoel⟩
heavy **❷** *drukkend warm* close, ⟨hitte⟩ oppressive,
⟨weer⟩ sultry

**drukker ❶** *boekdrukker* printer ★ *naar de ~ sturen*
send to press ★ *bij de ~ zijn* be in the press, at the
printer's **❷** *drukknop* push button

**drukkerij** printing-office, ⟨katoendrukkerij⟩
printing-shop

**drukkingsgroep** BN pressure group

**drukknoop** press-stud, press fastener, USA snap

**drukkunst** (art of) printing

**drukmiddel** lever

**drukpers** printing-press, ⟨medium⟩ press
▾ *vrijheid van ~* freedom of the press

**drukproef** galley(proof), proof(-sheet)

**drukte ❶** *veel werk* rush / pressure of business
**❷** *leven, bedrijvigheid* excitement, ⟨zaken⟩ bustle,
⟨bij uitverkoop e.d.⟩ rush ★ *de ~ rondom kerst* the
Christmas rush **❸** *ophef* fuss, ⟨zenuwachtige
drukte⟩ flurry ★ *veel ~ om iets maken* make a fuss
about sth ▾ *kouwe ~* la-di-da, fuss about nothing

**druktechniek** printing (technique)

**druktemaker** loudmouth, fuss pot, busy body,
noisy fellow

**druktoets** (push) button ★ *~telefoon* push button
telephone, touch tone telephone

**drukverband** compress, tourniquet

**drukwerk** printed matter ★ *als ~ verzenden* send
as printed matter

**drum ❶** *instrument* drum **❷** *vat* drum

**drumband** drum band

**drummen ❶** *drums bespelen* play the drums **❷** BN
*dringen* push, press

**drummer** drummer

**drums** (set of) drums, drum kit

**drumstel** drum kit, drums *mv*

**drumstick** cul drumstick

**drup** drip

**druppel** drop, drip, med drops *mv* ▾ *dat is een ~
op een gloeiende plaat* it's a drop in the ocean
▾ *dat is de ~ die de emmer doet overlopen* that's the
last straw ▾ *als twee ~s water op elkaar lijken* be as
like as two peas in a pod

**druppelen I** *ov ww, in druppels laten vallen* drip,

---

trickle ★ *zijn oog ~* put drops in one's eye **II** *on
ww, druipen* drip, trickle

**druppelflesje** dropper

**druppelsgewijs ❶** *druppel voor druppel* drop by
drop, in drops **❷** *beetje voor beetje* little by little
★ *~ binnenkomen* trickle in

**druppen** drip

**dtp** *desktoppublishing* DTP, desktop publishing

**dtp'er** desktop publisher

**D-trein** intercity with additional payment

**duaal** dual

**dualistisch** dualist(ic)

**dubbel I** *bnw* **❶** *tweevoudig* double ★ *het ~e
bedrag* double the amount **❷** *tweeslachtig* double
**II** *bijw* doubly ★ *~ zo lang* twice as long ▾ *~ en
dwars*, BN *~ en dik* more than deserved, more
than one's share **III** *zn* [het] **❶** sport doubles *mv*
★ *gemengd ~* mixed double **❷** → **dubbeltje**

**dubbelalbum** double album

**dubbel-cd** double CD

**dubbeldekker ❶** *bus* double decker (bus) **❷** *trein*
double decker (train) **❸** *vliegtuig* biplane

**dubbeldeks** double-decked

**dubbelen ❶** sport *dubbelspel spelen* double **❷** BN
onderw *doubleren* repeat a class

**dubbelganger** double

**dubbelhartig** double-hearted

**dubbelklik** double-click

**dubbelklikken** double-click

**dubbelleven** double life ★ *een ~ leiden* lead a
double life

**dubbelop** double

**dubbelparkeren** double-park

**dubbelrol** double role ★ *een ~ spelen* play a
double role

**dubbelspel ❶** sport doubles *mv* **❷** fig *verraad* ★ *~
spelen* play a double game

**dubbelspion** double agent

**dubbelspoor** double track, twin track

**dubbeltje** ▾ *zo plat als een ~* as flat as a pancake
▾ *je weet nooit hoe een ~ rollen kan* you never can
tell ▾ *het is een ~ op zijn kant* it's a toss-up, it's
touch and go ▾ *elk ~ omdraaien* look twice at
every penny

**dubbelvouwen** fold in half / two, fold double

**dubbelzijdig** double / two-sided

**dubbelzinnig ❶** *met meerdere betekenissen*
ambiguous, equivocal **❷** *gewaagd* with a double
meaning

**dubbelzout** double salt

**dubben I** *ov ww, kopiëren* copy, ⟨bandje⟩ dub
**II** *on ww, weifelen* be in two minds, hesitate

**dubieus** doubtful, dubious

**dubio** ▾ *in ~ staan* be in doubt ▾ *in ~ staan over iets*
be in two minds about sth

**Dublin** Dublin

**Dublins** Dublin

**duchten** dread, fear

**duchtig** sound, thorough ★ *~e weerstand* stout /
strong resistance

**duel** duel, single combat

**duelleren** (fight a) duel

**duet** duet

**duf ❶** *muf* musty, stuffy **❷** *saai* fusty, stale

**dug-out** dugout

**duidelijk** ⟨teken⟩ clear, ⟨taal⟩ plain, ⟨vergissing⟩

**du**

du

obvious ★ *iem. iets ~ maken* make sth clear to sb
**duidelijkheid** clearness, clarity, obviousness
**duiden** I *ov ww, verklaren* interpret II *on ww,
~ op een aanwijzing zijn voor* point to / at ★ *dat
duidt op een hartkwaal* that suggests / indicates a
heart condition
**duif** pigeon, dove ▾ *onder iemands duiven schieten*
poach on sb's preserves
**duig** stave ▾ *het plan viel in duigen* the plan fell
through, the plan miscarried
**duik** ❶ *het duiken* dive, diving ★ *een duik nemen*
take a dip, dive ❷ *duikvlucht* dive
**duikboot** submarine
**duikbril** pair of (diving) goggles, (diving) goggles
*mv*
**duikelaar** ▾ *slome ~* sad sack, geek, slowcoach
**duikelen** (take a) tumble, fall head over heels
**duiken** ❶ *duik maken* dive, plunge, duck,
⟨duikboot⟩ submerge ★ *~ naar iets* dive for sth
❷ *duiksport beoefenen* dive ❸ *zich verdiepen (in)*
★ *in een onderwerp ~* go deep into a subject ★ *in
zijn boeken gedoken* immersed in his books
**duiker** ❶ *persoon* diver ❷ *watergang* culvert
**duikerklok** diving bell
**duikerpak** diving suit
**duikerziekte** decompression sickness, <u>inform</u>
the bends *mv*
**duikplank** diving board
**duiksport** diving
**duikuitrusting** diving equipment / gear
**duikvlucht** (nose-)dive
**duim** *vinger* thumb ▾ *Klein Duimpje* Tom Thumb
▾ *iem. onder de duim houden* have sb under one's
thumb ▾ *iets uit zijn duim zuigen* make up a story,
invent sth ▾<u>BN</u> *de duimen leggen voor iem.* get
the short end of the stick
**duimbreed** ▾ *geen ~ wijken* not budge / move an
inch
**duimen** ❶ *geluk afdwingen* ★ *ik zal voor je ~* I'll
keep my fingers crossed for you ❷ *duimzuigen*
suck one's thumb
**duimendik** ▾ *het ligt er ~ bovenop* it's quite
obvious, it sticks out like a sore thumb, it
stands / sticks out a mile, it's (just) so obvious
**duimendraaien** twiddling one's thumbs
**duimgreep** thumb index
**duimschroef** thumbscrew
**duimstok** (folding) rule
**duimzuigen** ❶ *zuigen* suck one's thumb,
thumb-sucking ❷ *fantaseren* fantasize, imagine
**duin** I *zn* [de] dune II *zn* [het] dunes *mv*
**duindoorn** ⟨kattendoorn⟩ sea buckthorn,
⟨gaspeldoorn⟩ gorse
**Duinkerke** Dunkirk
**duinlandschap** dune landscape
**duinpan** dip / cup in the dunes
**duister** I *zn* [het] ▾ *in het ~ tasten* be in the dark
II *bnw* ❶ *donker* ★ *een ~e nacht* a dark night
❷ *onduidelijk* dark, dim ★ *~e toekomst* dim /
uncertain future, bleak future ❸ *onguur* shady,
dubious ★ *~e praktijken* dubious / shady practices
**duisternis** dark(ness)
**duit** *fig geld* ★ *dat kost een aardige duit* that costs
a pretty penny ▾ *een duit in het zakje doen* put in
a word
**Duits** I *bnw, m.b.t. Duitsland* German II *zn* [het],

*taal* German
**Duitse** German (woman / girl)
**Duitser** *bewoner* German
**Duitsland** Germany
**Duitstalig** German-speaking
**duivel** devil, <u>inform</u> Old Nick, <u>inform</u> Old Harry
▾<u>BN</u> *tekeergaan als een ~ in een wijwatervat* carry
on like a man / woman possessed ▾ *het is alsof de
~ ermee speelt* it is as if the devil is in it, you'd
think the devil has a hand in it ▾ *des ~s zijn* be
furious ▾ *loop naar de ~!* go to hell!, go to the
blazes! ▾ *als je van de ~ spreekt, trap je hem op zijn
staart* talk of the devil and he is sure to appear
▾ *voor de ~ niet bang zijn* have no fear of the devil
▾ *waar voor de ~...?* where for heaven's sake...?
▾ *te dom zijn om voor de ~ te dansen* be a blazing
ass ▾<u>BN</u> *iem. de ~ aandoen* get / put sb's back up,
get under sb's skin ▾ *de ~ is in hem gevaren* the
devil has got into him
**duivel-doet-al** <u>BN</u> *manusje-van-alles* jack of all
trades
**duivelin** she-devil
**duivels** ❶ *van een / de duivel* devilish, diabolic(al)
❷ *boosaardig* devilish, diabolical ★ *een ~ plan* a
diabolical plan ❸ *woedend* furious ★ *iem. ~
maken* infuriate sb
**duivelskunstenaar** ❶ *tovenaar* magician,
sorcerer [v: sorceress] ❷ *alleskunner* wizard
**duivenmelker** pigeon-fancier
**duiventil** pigeon-coop, pigeon-loft
**duizelen** grow dizzy ▾ *'t duizelt mij* my head is
swimming
**duizelig** dizzy, giddy
**duizeling** dizziness
**duizelingwekkend** ❶ *duizelig makend* dizzy,
giddy ❷ *fig enorm* enormous, staggering
**duizend** ❶ a / one thousand ❷ → **vier** ▾ *hij is er
een uit ~en* he is one in a million
**Duizend-en-een-nacht** Arabian Nights
**duizendkunstenaar** *alleskunner* versatile
person, multitalented person
**duizendmaal** a thousand times
**duizendpoot** ❶ *dier* centipede ❷ *alleskunner*
Jack-of-all-trades
**duizendschoon** sweet william
**duizendste** ❶ thousandth ❷ → **vierde**
**duizendtal** a thousand
**dukdalf** mooring buoy
**dulden** ❶ *verdragen* bear, endure ❷ *toelaten*
tolerate ★ *geen uitstel ~* brook no delay ★ *dat duld
ik niet* I won't stand(for) it ▾ *je wordt daar slechts
door hem geduld* you are there only on his
sufferance
**dummy** ❶ *demonstratiemodel* dummy ❷ *domoor*
dummy
**dump** ❶ *handel* (army) surplus trade
❷ *opslagplaats* dump, tip
**dumpen** dump
**dumping** *lozing* dumping
**dumpprijs** bulk-purchase price ★ *goederen tegen
dumpprijzen verkopen* sell goods at clearance
prices
**dun** ❶ *niet dik* thin, ⟨lucht⟩ rare, ⟨taille⟩ slender,
⟨taille⟩ thin ❷ *niet dicht opeen* thin, ⟨haar,
bevolking ook⟩ sparse ❸ *zeer vloeibaar* thin, light,
⟨bier⟩ small, ⟨soep⟩ watery ❹ *kleinzielig* ▾ *dun*

*toelopen* taper

**dunbevolkt** thinly / sparsely populated

**dundruk** india-paper, edition printed on india-paper

**dungezaaid** few and far between, in short supply

**dunk** ❶ *mening* opinion ★ *een hoge dunk hebben van* have a high opinion of, think much of ★ *een lage / geringe dunk hebben van* have a poor / low opinion of, not think much of ❷ sport dunk (shot)

**dunken** ★ *mij dunkt dat...* it seems to me, that...

**dunnetjes** thinly, lightly ▼ *het nog eens ~ overdoen* go through it again, have another try

**dunschiller** *mes* parer, peeler

**duo** *twee personen* duo

**duobaan** job shared by two employees

**duopassagier** pillion rider / passenger ★ *~ zijn* ride pillion

**dupe** ▼ *de dupe zijn* be left to face the music, be left holding the baby

**duperen** let down, ⟨bedriegen⟩ dupe, ⟨bedriegen⟩ fool, ⟨bedriegen⟩ con

**duplexwoning, duplex** BN *appartement met twee verdiepingen* duplex apartment

**duplicaat** duplicate

**dupliceren** duplicate

**duplo** ▼ *in ~* in duplicate

**duren** last ★ *van A naar B duurt tien minuten* it takes ten minutes from A to B ★ *het duurde niet lang, of zij kwam naar buiten* it was not long before she came out, she was not long in coming out ★ *duurt het lang voor je klaar bent?* are you going to be long? ★ *dat duurt mij te lang* that is too long for me

**durf** pluck, nerve, daring

**durfal** dare-devil

**durven** dare ★ *hoe durf je het te doen!* how dare you (do it)! ★ *dat zou ik niet met zekerheid ~ zeggen* I could not say that for sure ▼ *jij durft!* you've got a nerve!

**dus** I *bijw* ⟨bijgevolg⟩ consequently, ⟨bijgevolg⟩ hence, ⟨aldus⟩ thus II *vw* so, then, therefore ★ *dat is dus afgesproken* that's a deal then

**dusdanig** I *bijw* so, in such a way, ⟨dermate⟩ to such an extent II *aanw vnw* such

**duster** housecoat, USA duster

**dusver** ▼ *tot ~* up to now, so far

**dutje** ★ *een ~ doen* take / have a nap

**dutten** doze, snooze

**duur** I *zn* [de], *tijdsruimte* duration, ⟨van contract⟩ length ★ *op den duur* in the end, in the long run ★ *van korte duur* of short duration ★ *van lange duur* of long duration II *bnw, niet goedkoop* dear, expensive, costly ★ *hoe duur is dat?* how much is it? III *bijw, niet goedkoop* dear(ly) ★ *iets duur betalen* pay a high price for sth, pay dearly for sth ★ *duur kopen* buy dear ★ *duur verkopen* sell dear

**duurloop** endurance race, long-distance race

**duursport** endurance sport

**duurte** costliness, expensiveness

**duurzaam** ❶ *lang goed blijvend* durable, ⟨van stof ook⟩ hard-wearing ❷ *lang durend* long-lasting, permanent ❸ *milieuvriendelijk* sustainable

**duvel** → **duivel** ▼ *op zijn ~ krijgen* get a (good) hiding

**duw** push, thrust, ⟨hard⟩ shove ★ *iem. een duwtje geven* nudge sb, ⟨helpen⟩ give sb a boost / a leg up

**duwen** push, thrust, ⟨hard⟩ shove ★ *iem. opzij ~* elbow sb aside ★ *niet ~!* don't push!, stop pushing! ★ *een ~de menigte* a jostling crowd

**duwvaart** push-towing

**dvd** *Digital Versatile Disk* DVD

**dvd-recorder** DVD recorder

**dvd-speler** DVD player

**dwaalleer** false doctrine, heresy

**dwaallicht** ❶ *persoon* false guide ❷ *vlam* will-o'-the-wisp

**dwaalspoor** wrong track ★ *op een ~ brengen* lead astray

**dwaas** I *zn* [de] fool II *bnw* silly, foolish, absurd ★ *een ~ plan* a stupid plan

**dwaasheid** folly, absurdity

**dwalen** ❶ *dolen* wander, stray, ⟨zonder doel⟩ roam ❷ *zich vergissen* err

**dwaling** error, mistake ★ *rechterlijke ~* judicial error, form miscarriage of justice

**dwang** compulsion, coercion ★ *onder ~* under compulsion, jur under duress

**dwangarbeid** penal servitude, hard labour

**dwangarbeider** forced labourer, slave labourer

**dwangbevel** warrant, ⟨van belastingen⟩ distress-warrant

**dwangbuis** straitjacket

**dwangmaatregel** coercive / compulsory measure

**dwangmatig** ❶ *tegen iemands wil* inexorable, relentless ❷ *van binnen uit opgelegd* compulsive

**dwangneurose** obsessional neurosis

**dwangsom** penal sum, penalty

**dwangvoorstelling** obsession

**dwarrelen** whirl ▼ *alles dwarrelt mij* my head is in a whirl

**dwars** ❶ *haaks erop* diagonal, transverse ★ *~ door... heen* (right) across ★ *~ over* right across ❷ *onwillig* unruly, intractrable, contrary, pig-headed

**dwarsbalk** cross beam

**dwarsbomen** cross, thwart

**dwarsdoorsnede** ❶ lett cross-section ❷ fig cross-section

**dwarsen** BN *kruisen* cross, cut across

**dwarsfluit** transverse flute

**dwarskijker** snooper, spy

**dwarskop** troublemaker

**dwarslaesie** spinal chord lesion, ⟨gevolg⟩ paraplegia

**dwarsliggen** be obstructive, be contrary

**dwarsligger** ❶ *biels* sleeper ❷ *dwarsdrijver* trouble maker, form obstructionist

**dwarsligging** transverse presentation

**dwarsstraat** side-street

**dwarsverband** ❶ bouw bracket frame, cross bracing ❷ fig *onverwachte verbinding* cross connection

**dwarszitten** hinder, cross, hamper ★ *wat zit je dwars?* what's bothering / eating you? ★ *die brief zat haar dwars* that letter preyed on her mind ★ *het zit me dwars* it worries me, it rankles within me

**dw**

**dw**

**dweepziek** fanatic(al)
**dweil** ❶ *lap* (floor)cloth, ⟨aan stok⟩ mop ❷ *slons* slut
**dweilen** *schoonmaken* mop, ⟨vloer⟩ wash, ⟨dek⟩ swab
**dwepen** met rave about, be mad about
**dweper** fanatic, ⟨met idee⟩ devotee, ⟨sport⟩ fan
**dwerg** ❶ *klein mens* dwarf ❷ *sprookjesfiguur* dwarf, pigmy
**dwergachtig** dwarfish
**dwingeland** tyrant
**dwingelandij** tyranny
**dwingen** force, coerce, compel ★ *dat laat zich niet* ~ it's no use forcing the matter
**dynamica** dynamics *mv*
**dynamiek** ❶ <u>muz</u> dynamics *mv* ❷ *vaart* dynamics *mv*, vitality
**dynamiet** dynamite
**dynamisch** dynamic
**dynamo** dynamo *mv: dynamos*, generator
**dynastie** dynasty
**dysenterie** dysentery
**dyslectisch** dyslexic
**dyslexie** dyslexia
**dystrofie** dystrophy

# E

**e** ❶ *letter* e ★ *de e van Eduard* E as in Edward ❷ *muzieknoot* E
**e.a.** ❶ *en andere* and other things ❷ *en anderen* and others, <u>form</u> et al.
**eau de cologne** eau de cologne
**eb** *laag tij* ebb, low tide ★ *eb en vloed* ebb and flow, low tide and high tide ★ *bij eb* at low tide ★ *het is eb* the tide is out
**ebben** ebony
**ebbenhout** ebony
**ebbenhouten** ebony
**ebola** Ebola
**e-business** e-business
**ECB** *Europese Centrale Bank* ECB, European Central Bank
**ecg** *elektrocardiogram* ECG, electrocardiogram
**echec** setback ★ *een ~ lijden* suffer a setback
**echelon** echelon ★ *het hoogste* ~ the top / highest echelon
**echo** ❶ *nagalm* echo *mv: echoes* ❷ <u>med</u> ultrasound scan
**echoën** echo, reverberate
**echografie** ultrasound scanning, echography
**echolood** echo / depth sounder
**echoput** echoing well
**echoscopie** ultrasound scan
**echt** I *bnw* ❶ *onvervalst* real, genuine, authentic ★ *echte parels* real / genuine pearls ★ *een echte Hollander* a true / typical Dutchman ★ *een echte vriendin* a true / real friend ❷ *wettig* legitimate ★ *echte en onechte kinderen* legitimate and illegitimate children II *bijw* ❶ really, genuinely, truly ★ *ik weet dat echt niet* I really don't know ★ *echt?* really? ★ *meen je dat nou echt?* are you serious? ❷ *typerend* ★ *dat is echt Frans* that's typically French ★ *dat is echt iets voor hem* that's him all over III *zn* [de] matrimony, marriage ★ *in de echt verbinden* join in matrimony, marry ★ *in de echt treden* enter into matrimony, marry
**echtbreuk** adultery ★ ~ *plegen* commit adultery
**echtelijk** matrimonial, conjugal ★ *~e plicht* conjugal duty
**echter** however ★ *ik veronderstel ~ dat...* however, I suppose that..., I suppose, however, that...
**echtgenoot** husband, <u>form</u> /<u>jur</u> spouse
**echtgenote** wife *mv: wives*, <u>form</u> /<u>jur</u> spouse
**echtheid** *het echt zijn* authenticity, genuineness, ⟨wettigheid⟩ legitimacy
**echtpaar** married couple
**echtscheiden** divorce
**echtscheiding** divorce ★ ~ *aanvragen* file for (a) divorce
**eclectisch** eclectic
**eclips** eclipse
**ecologie** ecology
**ecologisch** ecological ★ ~ *evenwicht* ecological balance ★ ~ *verantwoord* ecologically friendly / sound
**e-commerce** e-commerce
**econometrie** econometrics *mv*
**economie** ❶ *economisch stelsel* economy ★ *geleide* ~ controlled / planned economy ★ *de ~ leeft op*

the economy is picking up ★ *de* ~ *loopt terug* the economy is going down ❷ *schoolvak* economics *mv*

**economisch** ❶ *met betrekking tot economie* economic ❷ *zuinig* economical

**economyclass** economy class

**econoom** economist

**ecosysteem** ecosystem

**ecotaks** ecotax

**ecotoerisme** ecotourism

**ecru** ecru, light fawn

**ecstasy** *xtc* Ecstasy, <u>inform</u> E

**Ecuador** Ecuador

**Ecuadoriaan** Ecuadorean

**Ecuadoriaans** Ecuadorean

**eczeem** eczema ★ *last van* ~ *hebben* suffer from eczema

**e.d.** *en dergelijke* and suchlike, and the like

**Edam** Edam

**Edammer** <u>cul</u> *kaas* Edam

**ede** → **eed**

**edel** ❶ *adellijk* noble ★ *van edele geboorte* of noble birth ❷ *zeer goed* noble

**edelachtbaar** honourable ★ *Edelachtbare* Your Honour

**edele** noble

**edelgas** inert / noble gas

**edelhert** red deer

**edelman** nobleman

**edelmetaal** precious metal

**edelmoedig** generous

**edelmoedigheid** generosity

**edelsmid** gold- and silversmith

**edelsteen** precious stone ★ *een geslepen* ~ a gem

**edelweiss** edelweiss

**edict** edict

**editen** ❶ <u>comp</u> edit ❷ *redigeren* edit

**editie** edition, ⟨krant enz.⟩ issue

**editor** editor

**educatie** education ★ *permanente* ~ continuous / lifelong education

**educatief** educational

**eed** oath ★ *een eed op de Bijbel* an oath on the Bible ★ *de eed op de vlag* an oath of allegiance to the flag ★ *eed van trouw* oath of allegiance ★ *onder ede staan* be on / under oath ★ *iets onder ede bevestigen* confirm sth on / under oath ★ *een eed afleggen (op)* take / swear an oath (on) ★ *een eed afleggen / doen* swear an oath ★ *iem. een eed afnemen* put sb under oath, ⟨ambtenaar⟩ swear sb in ★ *een dure / heilige eed zweren* swear a solemn oath ★ *ik durf er een eed op te doen* I could swear to it

**EEG** EEC, European Economic Community

**eeg** *elektro-encefalogram* EEG, electroencephalogram

**eega** spouse

**eekhoorn** squirrel, ⟨gestreept⟩ chipmunk

**eekhoorntjesbrood** cep

**eelt** callus ★ *eelt op je ziel hebben* be thick-skinned

**een¹** [één] **I** *telw* one ★ *een januari* the first of January, January the first ★ *niet een* not (a single) one ★ *nog een (extra)* one more ★ *nog zo een* another one (like that) ★ *op een na* except / but one ★ *een voor een* one by one ★ *een op de vier* one out of four, one in four ★ *een van de boeken*

one of the books ★ *een van hen* one of them ★ *een en dezelfde persoon* one and the same person ★ *een zijn met...* be one with... ★ *een of twee boeken* one or two books ★ *Willem I* William the First ★ *dat is me er een!* he / she's quite sth! ★ <u>BN</u> *in een, twee, drie* in a jiffy / tick, in no time ★ *zo een, twee, drie* on the spur of the moment **II** *zn* [de] ❶ *cijfer* one, <u>onderw</u> ≈ F, <u>onderw</u> Failure ❷ *entiteit* ★ *de een of ander* sb or other ★ *de een na de ander* the one after the other ★ *een of ander(e)...* some... or other ★ *op een of andere manier* in one way or another, somehow ★ *een uit velen* one out of many ★ *een voor een* one by one **III** *zn* [het] ★ *het een en ander* this and that ★ *van het een komt het ander* one thing leads to another

**een²** [un] **I** *onb vnw* one ★ *een meneer Janssen heeft gebeld* a (certain) Mr Janssen has called **II** *lw* a, ⟨voor klinker⟩ an ★ *om een uur of zes* around / about six (o'clock)

**eenakter** one-act play

**eencellig** unicellular

**eend** ❶ *watervogel* duck ★ *wilde eend* mallard, wild duck ★ *het lelijke jonge eendje* the ugly little duckling ★ *een vreemde eend in de bijt* the odd one out ❷ *auto* Citroën 2CV

**eendagsvlieg** ❶ *insect* mayfly, ephemeron [mv: ephemera] ❷ *tijdelijk iets of iem.* ephemera *mv*

**eendelig** ⟨kleding⟩ one-piece, ⟨boekwerk⟩ single / one- volume

**eendenkooi** decoy

**eendenkroos** duckweed

**eender** **I** *bnw* the same, equal ★ *het is mij* ~ it's all the same to me **II** *bijw* alike, equally

**eendracht** harmony, <u>lit</u> concord ★ ~ *maakt macht* union is strength

**eendrachtig** **I** *bnw* united, harmonious **II** *bijw* in unison, as one man

**eenduidig** unambiguous

**eeneiig** monozygotic, ⟨tweeling ook⟩ identical

**eenennegentig** ninety-one, noventa y uno

**eenennegentigste** ninety-first

**eenentachtig** eighty-one

**eenentachtigste** eighty-first

**eenentwintig** ❶ twenty-one ❷ → **vier**

**eenentwintigen** play blackjack / pontoon

**eenentwintigste** ❶ twenty-first ❷ → **vierde**

**eenenzeventig** seventy-one

**eenenzeventigste** seventy-first

**eengezinswoning** single-family house

**eenhedenstelsel** system of measurements

**eenheid** ❶ *geheel* unity ★ *de* ~ *herstellen* restore unity ★ *de* ~ *verbreken* destroy unity ★ ~ *brengen in* unify ❷ *maat, grootheid* unit ★ ~ *van gewicht* unit of weight ★ *eenheden en tientallen* units and tens ❸ *groep* unit ★ *mobiele* ~ riot police

**eenheidsprijs** ❶ *gelijke prijs* uniform price ❷ *prijs per artikel* unit price

**eenheidsworst** ⟨boring⟩ uniformity

**eenhoorn** unicorn

**eenieder** everybody, everyone

**eenjarig** ❶ *een jaar oud* one-year-old ★ *het* ~ *bestaan vieren* celebrate the first anniversary ❷ *een jaar durend* of one year, <u>plantk</u> annual ★ *~e cursus* one-year course

ee

**eenkennig** shy, timid

**eenling ❶** *eenzelvig persoon* loner, lone wolf *mv: wolves* **❷** *enkeling* individual

**eenmaal ❶** once, ⟨eens, ooit⟩ one day ★ *~, andermaal, verkocht!* going, going, gone! ★ *als hij ~ geslaagd is...* once he has succeeded..., once he has passed (his exams)... **❷** *daaraan is niets te veranderen* ★ *dat is nu ~ zo* that's (just) how it is, that's life ★ *ik ben nu ~ zo* that's (just) the way I am ★ *hij is nu ~...* he happens to be...

**eenmalig** once only ★ *~ gebruik* single-use, disposable ★ *~e uitkering* one-off payment ★ *een ~e aanbieding* a once-only offer

**eenmanszaak** one-man business

**eenoog** → *land*

**eenoudergezin** single-parent family

**eenpansmaaltijd** one-pan meal

**eenparig I** *bnw* **❶** *gelijkmatig* uniform ★ *~e beweging* uniform motion **❷** BN *eenstemmig* unanimous ★ *met ~e stemmen* unanimously **II** *bijw* **❶** *gelijkmatig* ★ *~ versneld / vertraagd* uniformly accelerated / decelerated **❷** BN *eenstemmig* unanimously

**eenpersoons-** single ★ *eenpersoonsbed* single bed ★ *eenpersoonskamer* single (room)

**eenrichtingsverkeer** one-way traffic ★ *straat met ~* one-way street

**eens I** *bnw, akkoord* agreed ★ *het eens worden over de prijs* come to an agreement about the price ★ *het eens zijn (met) iem.* agree (with) sb ★ *daar ben ik het niet mee eens* I disagree, I don't agree ★ *het eens zijn over iets* agree on / about sth **II** *bijw* **❶** *één keer, ooit* ⟨verleden⟩ once, ⟨toekomst⟩ one day ★ *er was eens...* once upon a time... ★ *eens gegeven blijft gegeven* once given always given ★ *een eens machtig land* a once powerful country ★ *voor eens en voor altijd* once and for all ★ *dat is eens, maar nooit weer* once is enough, never again ★ *eens zo groot* twice as large / big ★ *nu eens... dan weer* now... now, at one time... at another time **❷** *als versterking* ★ *hij kan niet eens lezen* he can't even read ★ *hij is nog niet eens zo slecht* he's not half bad ★ *luister eens* (just) listen ★ *zij antwoordde mij niet eens* she did not even answer me ★ *dat is nog eens moedig!* that's what I call brave! ★ *kijk maar eens* (just) have a look ★ *denk eens goed na* just think ★ *als je het hem eens vroeg* suppose you asked him

**eensgezind** unanimous

**eensgezindheid** unanimity, harmony

**eensklaps** suddenly, all of a sudden

**eenslachtig** unisexual

**eensluidend** identical, uniform ★ *~ afschrift* true copy ★ *~e verklaringen* identical statements

**eenstemmig I** *bnw* **❶** *muz* unison, for one voice ★ *~e muziek* music for one voice ★ *~ zingen* sing in unison **❷** *unaniem* unanimous **II** *bijw* unanimously, with one voice, *muz* in unison

**eentalig** monolingual

**eentje** one ★ *op / in mijn ~* (all) by myself ★ *iets in z'n ~ doen* go it alone, do sth alone / single-handed(ly) ★ *laten we er ~ nemen* let's have one ★ *jij bent me er ~!* you're a nice one! ★ *dat is me er ~!* he / she's quite sth!

**eentonig** monotonous, dull, ⟨geluid, kleur⟩ monotone

**eentonigheid** monotony, sameness

**een-tweetje ❶** *sport* one-two **❷** *onderonsje* private chat, tête-à-tête

**eenverdiener** single / sole wage earner

**eenvormig** uniform

**eenvoud ❶** *ongecompliceerdheid* simplicity **❷** *soberheid* simplicity ★ *zij werd in alle ~ begraven* she was given a quiet burial ★ *in alle ~* in all simplicity

**eenvoudig I** *bnw* **❶** *ongecompliceerd* simple, plain, uncomplicated ★ *kinderlijk ~* childishly simple ★ *zo ~ is dat niet* it's not that simple **❷** *bescheiden* simple, plain ★ *een ~e maaltijd* a frugal / simple meal **II** *bijw* simply ★ *dat is ~ belachelijk* that's downright ridiculous

**eenvoudigweg** (quite) simply, just

**eenwieler** unicycle, monocycle

**eenwording** unification, integration ★ *Europese ~* European integration / unification ★ *politieke ~* political integration

**eenzaam ❶** *alleen* lonely, solitary ★ *zich ~ voelen* feel lonely **❷** *afgezonderd* lonely, isolated, ⟨verlaten⟩ desolate

**eenzaamheid ❶** *alleenheid* loneliness, solitude **❷** *afzondering* loneliness, isolation, ⟨verlatenheid⟩ desolation

**eenzaat** BN *eenzelvig persoon* loner, lone wolf *mv: wolves*

**eenzelfde** similar, such

**eenzelvig** self-contained, solitary, keeping to oneself ★ *~ persoon* self-contained person, loner, *inform* lone wolf

**eenzijdig ❶** *van / aan één zijde* one-sided, unilateral ★ *~e ontwapening* unilateral disarmament **❷** *partijdig* bias(s)ed, *min* partial

**eer I** *zn* [de] honour, credit ★ *met militaire eer* with (full) military honours ★ *met ere* with honour, honourably ★ *met de eer gaan strijken* take the credit (for) ★ *ter ere van...* in honour of... ★ *in ere houden* honour ★ *iem. in zijn eer herstellen* rehabilitate sb ★ *in ere herstellen* restore, ⟨gewoonte⟩ reinstate ★ *het aan zijn eer verplicht zijn te...* be / feel honour bound to... ★ *iem. in zijn eer aantasten* hurt sb's pride ★ *iem. tot eer strekken* be to sb's credit ★ *voor de eer bedanken* decline the honour ★ *de eer aan zichzelf houden* put a good face on the matter, save one's honour ★ *iem. eer bewijzen / aandoen* do honour to sb ★ *de eer hooghouden* save the honour ★ *eer inleggen met* gain credit by ★ *er een eer in stellen om* consider it an honour to, be proud to ★ *zijn naam eer aandoen* live up to one's name, be a credit to one's name ★ *iem. alle eer geven voor* give sb full credit for ★ *de eer is gered* honour has been saved, the day has been saved ★ *in alle eer en deugd* in honour and decency ★ *iem. de laatste eer bewijzen* pay the last respects (to sb) ★ *naar eer en geweten,* BN *in eer en geweten* in good faith, to the best of one's ability ★ *ere wie ere toekomt* honour to whom honour is due ★ *dat is mijn eer te na* I have my pride, I would be piqued **II** *vw* before ★ *liever.... eer* rather... than ★ *eer dat* before

**eerbaar** *fatsoenlijk* honourable, ⟨kuis⟩ demure, *form* virtuous

**eerbetoon** (mark of) honour, ⟨hulde⟩ homage ★ *met militair ~* with (full) military honours
**eerbewijs** (mark of) honour, ⟨hulde⟩ homage
**eerbied** respect, ⟨achting⟩ esteem ★ *uit ~ voor in* / out of respect for, as a mark of respect for ★ *~ afdwingen* cmmand respect
**eerbiedig** respectful ★ *op ~e afstand* at a respectful distance
**eerbiedigen** respect
**eerbiedwaardig** respectable, ⟨mbt ouderdom, wijsheid⟩ venerable
**eerdaags** one of these days, soon, before long
**eerder I** *bnw* earlier ★ *een ~e poging* an earlier attempt **II** *bijw* ❶ *vroeger* before, sooner, earlier ★ *al eens ~* on an earlier occasion ★ *hoe ~ hoe beter* the sooner the better ★ *ik had haar ~ al ontmoet* I'd met her before ❷ *liever* rather, sooner ★ *~ meer dan minder* rather more than less ❸ *waarschijnlijker* rather, more likely ★ *hij is ~ lui dan dom* he's lazy rather than stupid ★ *Ik denk ~ dat hij niet komt* I rather think he won't come
**eergevoel** sense of honour ★ *op iemands ~ werken* appeal to sb's honour
**eergisteren** the day before yesterday
**eerherstel** rehabilitation
**eerlijk I** *bnw, oprecht* honest, sincere, fair ★ *~ spel* fair play ★ *een ~e kans* a fair chance ★ *~ duurt het langst* honesty is the best policy ★ *~ is ~* fair is fair **II** *bijw* honestly, fairly ★ *~ spelen* play fair ★ *het ~ menen* be honest / straight ★ *~ gezegd* frankly speaking ★ *~ waar* honestly ★ *het is ~ waar* it's the plain truth ★ *~ verdiend* fairly earned ★ *alles ging er strikt ~ aan toe* everything was fair and square
**eerlijkheid** *oprechtheid* honesty, fairness ★ *in alle ~* in all honesty ★ *de ~ gebiedt me te zeggen dat...* in all honesty I have to say that...
**eerlijkheidshalve** to be honest, in all fairness
**eerroof** BN *jur* smaad defamation, slander
**eerst I** *bijw* ❶ *eerder dan wie of wat ook* first ★ *~ ben jij aan de beurt, dan zij* you're first, she's next ❷ *in het begin* at first, initially ★ *~ ging alles goed* at first things went swimmingly **II** *zn* [het] ★ *het ~ aankomen* arrive first, be the first to arrive ★ *voor het ~* for the first time ★ *wie het ~ komt, het ~ maalt* first come, first served ★ *wie het ~ boven is!* I'll race you to the top!
**eerstdaags** before long
**eerste** first ★ *ten ~* first(ly), in the first place ★ *voor de ~ keer* for the first time ★ *de ~ de beste* ⟨mensen⟩ anyone / -body, ⟨mensen / dingen⟩ any ⟨old⟩ ★ *bij de ~ de beste gelegenheid* at the first opportunity ★ *hij is niet de ~ de beste* he's not just anybody, he's not just any man
**eerstegraads** ★ *~ verbranding* first-degree burn ★ *~ lesbevoegdheid* postgraduate teaching certificate ★ *~ vergelijking* linear equation
**eerstehulppost** first-aid post, casualty ward / department
**eerstejaars I** *zn* [de] *onderw* first-year student, USA ⟨universiteit⟩ freshman **II** *bnw onderw* first-year
**eersteklas** *uitstekend* first-class, excellent, *inform* top-notch ★ *van ~ kwaliteit* of first-class / excellent quality ★ *~ reizen* travel first class ★ *~*

*kaartje* first-class ticket
**eerstelijns** primary ★ *~ gezondheidszorg* primary health care
**eersterangs** first-rate, first-class
**eerstkomend** next ★ *de ~e dagen* the next few days
**eerstvolgend** next ★ *de ~e jaren* the next few years
**eervol** honourable ★ *~le vermelding* honourable mention ★ *~ ontslag* honourable discharge
**eerwraak** honour killing / revenge
**eerzaam** respectable
**eerzucht** ambition
**eerzuchtig** ambitious
**eetappel** BN eating apple
**eetbaar** edible ★ *niet ~* inedible
**eetcafé** pub serving food
**eetgelegenheid** eating place, restaurant
**eetgerei** tableware, ⟨bestek⟩ cutlery
**eethoek** ❶ *plaats* dining area, dinette ❷ *meubels* dining furniture set, dinette set
**eethuis** eating house, (petit) restaurant
**eetkamer** dining room
**eetlepel** tablespoon ★ *een ~ suiker* one tablespoonful of sugar, 1 tbsp sugar
**eetlust** appetite ★ *de ~ opwekken* give an appetite ★ *de ~ benemen* spoil one's appetite
**eetstokje** chopstick
**eetstoornis** eating disorder
**eettent** snack bar, cafe, *min* greasy spoon
**eetwaar** eatables, foodstuff(s)
**eetzaal** dining hall / room, *mil* mess, *mil* USA mess hall
**eeuw** ❶ *periode van 100 jaar* century, age ★ *in de 18e eeuw* in the 18th century ★ *de Gouden Eeuw* the Golden Age ★ *de eeuw van de verlichting* the Age of Enlightenment ❷ *lange tijd* an age, ages ★ *ik heb je in geen eeuwen gezien* it's been an age since I've seen you ★ *ik wacht al eeuwen op je* I've been waiting for you for ages
**eeuwenlang I** *bnw* age-long **II** *bijw* for centuries / ages
**eeuwenoud** centuries old, as old as the hills, ⟨gebruiken⟩ age-old
**eeuwfeest** centenary, centennial
**eeuwig I** *bnw* eternal, perpetual, perennial ★ *voor ~* for ever ★ *~e sneeuw* perpetual snow ★ *de ~e jachtvelden* the happy hunting grounds **II** *bijw* forever ★ *altijd en ~* forever, incessantly ★ *~ zonde* a crying shame
**eeuwigdurend** perpetual, everlasting
**eeuwigheid** eternity ★ *we hadden hem in geen ~ gezien* we hadn't seen him for ages ★ *tot in de ~* for all eternity ★ *de ~ ingaan* pass into eternity
**eeuwigheidswaarde** perpetual / lasting value
**eeuwwisseling** turn of the century ★ *rond de ~* around the turn of the century
**effect** ❶ *uitwerking* effect, result, consequence ★ *~ hebben* have an effect, be effective ★ *een averechts ~ hebben* have an adverse effect ★ *dat heeft geen ~ gehad* it hasn't had any effect, it has been ineffective ★ *op ~ berekend* calculated for effect ❷ *econ* share, security ❸ *sport* spin, ⟨biljart⟩ side ★ *een bal ~ geven* put spin / side on ball
**effectbal** ⟨voetbal⟩ swerve kick, ⟨tennis, cricket⟩

ef

spinner
**effectenbeurs** stock exchange
**effectenmakelaar** stockbroker
**effectenmarkt** stock market
**effectief ❶** *doeltreffend* effective ★ ~ *middel* effective means *ev en mv*, med effective remedy ❷ *daadwerkelijk* real, actual ★ *in effectieve dienst* on active service ❸ BN jur ⟨van straf⟩ *onvoorwaardelijk* unconditional
**effen** *vlak* even, smooth, level ★ ~ *terrein* even terrain [uni] solid, uniform, ⟨van stof⟩ plain ★ ~ *blauw* solid / uniform blue ⟨zonder uitdrukking⟩ impassive, straight ★ *een ~ gezicht* a straight / poker face inform *eventjes* (for) a sec ★ *mag ik ~* do you mind
**effenen** *glad maken* level, smooth ★ *de weg ~ voor iem.* smooth / pave the way for sb
**efficiënt** efficient, businesslike
**efficiëntie** efficiency
**EG** *Europese Gemeenschap* EC, European Community
**eg** harrow
**egaal** *vlak* smooth, level [uni] solid, uniform ★ *egale kleur* solid colour
**egaliseren** *effenen* level
**egard** consideration, respect, regard ★ *iem. met ~s behandelen* treat sb with respect
**Egeïsche Zee** Aegean Sea
**egel** hedgehog
**eggen** harrow
**ego** ego ★ *alter ego* alter ego, other self ★ *iemands ego strelen* boost sb's ego
**egocentrisch** egocentric, selfish
**egoïsme** ego(t)ism, selfishness
**egoïst** egoist, self-seeker
**egoïstisch** egoistic, selfish
**egotrip** ego trip
**egotrippen** ego trip
**egotripper** somebody on an ego trip
**Egypte** Egypt
**Egyptenaar** Egyptian
**Egyptisch** Egyptian
**Egyptische** Egyptian (woman / girl)
**EHBO I** *afk, Eerste Hulp Bij Ongelukken* first aid **II** *zn* [de], *dienst* first aid ⟨post / station⟩, ⟨in ziekenhuis⟩ casualty ward / department
**EHBO-doos** first-aid box / kit
**EHBO'er** first aider, ⟨op ambulance⟩ paramedic
**ei I** *zn* [het] ❶ biol egg, ⟨eicel⟩ ovum *mv: ova* ★ *gebakken ei* fried egg ★ *geklutst ei* beaten / whisked egg ★ *gekookt ei* boiled egg ★ *gepocheerd ei* poached egg ★ *zachtgekookt ei* soft-boiled egg ★ *hardgekookt ei* hard-boiled egg ★ *eieren leggen* lay eggs ★ *eieren voor zijn geld kiezen* make the best of a bad bargain / job ★ *beter een half ei dan een lege dop* half a loaf is better than no bread ★ *op eieren lopen* walk on eggs ★ *zijn ei niet kwijt kunnen* not be able to say one's piece ★ *dat is het hele eieren eten* that's all there's to it ★ BN *een eitje te pellen hebben met* have a bone to pick with ▼ *het ei van Columbus* the very thing, just what's wanted, ❷ *doetje* wimp, wet ❸ → **eitje II** *bijw* ▼ BN *ei zo na* very nearly, all but, within an ace of ★ *de thuisploeg wist ei zo na gelijk te stellen* the home team very nearly equalized
**eicel** egg cell, ovum *mv: ova*

**eidereend** eider (duck)
**eierdooier** (egg) yolk
**eierdoos** egg box
**eierdop ❶** *schaal* eggshell ❷ *napje* egg cup
**eierkoek** cul ≈ sponge cake
**eierschaal** eggshell
**eierstok** ovary
**eierwekker** egg timer
**Eiffeltoren** Eiffel Tower
**eigeel** egg yolk ★ *met ~ bestrijken* brush with egg yolk
**eigen ❶** *van iem. of iets* own, of one's own, ⟨persoonlijk⟩ private ★ ~ *weg* private road ★ *voor ~ gebruik* for private use ★ *een ~ huis hebben* have a house of one's own ❷ *vertrouwd* familiar ★ ~ *met iem. zijn* be on familiar terms with sb ★ *zich iets ~ maken* familiarize o.s. with sth ★ *zich een taal ~ maken* make o.s. familiar with a language ❸ ~ **aan** *kenmerkend voor* characteristic of, peculiar to
**eigenaar** owner, proprietor ★ *van ~ verwisselen* change hands
**eigenaardig I** *bnw* ❶ *kenmerkend* singular, peculiar ❷ *zonderling* peculiar, strange, odd **II** *bijw* in a peculiar way, strangely, oddly
**eigenaardigheid ❶** *vreemde eigenschap* peculiarity, oddity ❷ *eigenheid* peculiarity, idiosyncrasy
**eigenbaat** selfishness, ego(t)ism
**eigenbelang** self-interest ★ *uit ~* out of self-interest ★ *alleen op ~ uit zijn* be driven only by self-interest
**eigendom** *object* property ★ *in ~ hebben* own, be in possession of ★ *iets in ~ verkrijgen* obtain the ownership of ★ *dat huis is mijn ~* that house belongs to me
**eigendunk** self-importance, arrogance ★ *veel ~ hebben* be arrogant
**eigengebakken** home-made, home-baked
**eigengemaakt** home-made, self-made
**eigengereid** high-handed, obstinate
**eigenhandig I** *bnw* ⟨made / done⟩ with one's own hands **II** *bijw* ★ ~ *geschreven brief* letter in one's own hand(writing), self-written letter
**eigenheimer ❶** *persoon* obstinate / stubborn person ❷ *aardappel* omschr variety of potato
**eigenliefde** self-love ★ *gekrenkte ~* hurt pride
**eigenlijk I** *bnw* real, proper ★ *de ~e reden* the real / true reason ★ *zijn ~e naam is Marco* his real name is Marco ★ *de ~e kwestie* the real issue ★ *de ~e betekenis van het woord* the proper meaning / sense of the word **II** *bijw* really, in fact, actually ★ ~ *heeft hij gelijk* he's right, really, strictly speaking, he's right ★ ~ *weet ik het niet* I don't really know ★ *wat bedoel je ~?* what exactly do you mean?, just what do you mean? ★ *zij wist ~ niet wat ze moest doen* she didn't quite / really know what to do ★ *daarvoor kom ik ~ niet* that's not really what I've come for ★ *wat is dat ~?* what exactly is it?
**eigenmachtig** high-handed ★ ~ *optreden* high-handed action, ⟨niet gemachtigd⟩ unauthorized action
**eigennaam** proper name
**eigenschap** quality, ⟨van iets ook⟩ property
**eigentijds** contemporary

**eigenwaan** (self-)conceit
**eigenwaarde** self-respect ★ *gevoel van ~* sense of self-respect
**eigenwijs** (self-)opinionated, self-willed, ⟨koppig⟩ pigheaded
**eigenwoningforfait** ≈ rateable value of a house
**eigenzinnig** obstinate, stubborn
**eik** oak
**eikel** ❶ *vrucht* acorn ❷ *deel van penis* glans ❸ *kluns* oaf
**eiken** oak ★ *een massief ~ keuken* a kitchen of solid oak
**eikenhout** oak
**eiland** island, ⟨deel van naam⟩ isle ★ *~je* islet ★ *op een ~* on an island ★ *onbewoond ~* desert island ★ *de Britse ~en* The British Isles
**eilandengroep** group of islands, archipelago
**eilander** islander
**eileider** ⟨mensen⟩ Fallopian tube, ⟨vogels⟩ oviduct
**eind** ❶ ⟨in tijd⟩ *laatste deel* end, close ★ *eind mei* at the end of May ★ *tegen het eind van de maand* towards the end of the month ★ *aan zijn einde komen* meet one's death / end ★ *lelijk aan zijn eind komen* come to a bad / sticky end ★ *aan alles komt een eind* all (good) things must come to an end ★ *aan / op het eind van* at the end of ★ *op zijn eind lopen* come to an end ★ *ten einde brengen* bring to a conclusion ★ *ten einde lopen* draw to an end ★ *mijn geduld is ten einde* my patience has run out ★ *tot een goed einde brengen* bring (things) to a happy conclusion ★ *tot het einde (toe)* till the end ★ *een eind maken aan* put an end to, ⟨ruzie⟩ settle ★ *een eind aan zijn leven maken* put an end to it all ★ *er komt geen einde aan* there's no end to it ★ *komt er nooit een eind aan?* will it never end? ★ *er moet een einde aan komen* it must stop ★ *een einde nemen* come to an end ★ *het eind van het liedje* the upshot (of it all) ★ *eind goed, al goed* all is well that ends well ❷ ⟨in plaats⟩ *laatste stuk* end, extremity ★ *aan het andere einde van de stad* at the other / far end of the town ★ *van het ene naar het andere eind* from one end to the other ★ *aan het eind van de straat* at the end / bottom of the street ★ *aan het andere eind van de wereld* at the other end of the world, fig at the back of beyond ★ *ten einde raad zijn* be at one's wits' end ★ *aan het eind van zijn Latijn / krachten zijn* be at the end of one's tether ★ *tot het bittere eind* to / until the bitter end ▼ *dan is het einde zoek!* then there's no way out! ❸ *afstand* ★ *eindje* little / some way ★ *een eindje gaan wandelen* go for (a bit of) a walk ★ *een heel eind* quite a ways ★ *een eindje omlopen* go for a stroll ★ *een eind weg* faraway ★ *loop je een eindje mee?* are you coming part of the way? ★ *een eindje met iem. oplopen* walk part of the way with sb ★ *een eindje verderop* a bit farther along / down ★ *het is maar 'n klein eindje* it's only a short distance ★ *ik ga 'n eindje fietsen* I'm going for a spin ❹ *stuk van bepaalde lengte* piece, bit, ⟨potlood⟩ stub, ⟨kaars⟩ stump, ⟨touw⟩ length ★ *een heel eind in de 40* well into one's forties, well over 40 ★ *de eindjes aan elkaar knopen* make ends meet ★ *het bij het rechte eind hebben* be right ★ *het bij het verkeerde eind hebben* be wrong ★ *aan het kortste*

*eind trekken* get the worst of it ★ *aan het langste eind trekken* come off best, get the best of it ▼ *dat is het einde!* that's really it!, that's fantastic / fabulous! ▼ *ze vindt je het einde* she thinks the world of you
**eindbedrag** sum total
**eindbestemming** lett (final) destination
**eindcijfer** ❶ *uitkomst* result, final figure ❷ *beoordeling* onderw final mark
**einddiploma** diploma, ⟨voortgezet onderwijs⟩ school-leaving certificate
**einddoel** (ultimate) goal / object, ⟨bestemming⟩ final destination
**einde** → **eind**
**eindejaarsuitkering,** BN **eindejaarspremie** end-of-year / annual bonus
**eindelijk** finally, at last, in the end ★ *nou, ~!* at (long) last! ★ *kom je nou ~?* (are you) coming at last?
**eindeloos** I *bnw* ❶ *zonder einde* endless ❷ *geweldig* wonderful II *bijw* ❶ *zonder einde* endlessly, infinitely ★ *~ duren* last for ages, last an eternity ❷ *zeer* infinitely ★ *die film is ~ goed* that film is totally awesome
**einder** horizon
**eindexamen** onderw final exam(ination), school-leaving exam(ination) ★ *slagen voor het ~* pass one's final exam(s) ★ *~ doen* take / do / sit one's final exam(s)
**eindexamenklas** onderw (upper) sixth form, USA senior class
**eindfase** *laatste fase* final / closing stage
**eindig** ❶ *beperkt* limited, finite ★ *het leven is ~* life must come to an end ❷ wisk finite ★ *een ~ getal* a finite number
**eindigen** I *ov ww, een eind maken aan* ⟨van werk⟩ finish, ⟨brief, leven⟩ end II *on ww, ophouden* end, finish, come to an end ★ *op een klinker ~* end in a vowel ★ *de brief eindigt met de woorden* the letter ends with the words ★ *~ met* end in, come to an end with ★ *de lessen ~ om een uur* classes finish at one o'clock ★ *bij het ~ van* at the end of
**eindje** → **eind**
**eindklassement** final / overall placings mv, mv
**eindproduct** final / end product, ⟨afgewerkt⟩ finished product
**eindpunt** endpoint, ⟨bestemming⟩ destination, ⟨van trein, bus⟩ terminus
**eindrapport** ❶ *eindbericht* final report ❷ onderw *schoolrapport* school-leaving report, ⟨bij overgang⟩ end-of-year report
**eindredactie** ❶ *laatste redactie* final editing, final wording ★ *onder ~ van* under the editorship of ❷ *afdeling* editorial board
**eindrijm** end rhyme
**eindsprint** final sprint
**eindstadium** *laatste stadium* final stage
**eindstand** final score ★ *de ~ is 3-0 voor Utrecht* the final score is 3-0 to Utrecht
**eindstation** ❶ *eindhalte* terminus, ⟨met stationsgebouw, enz⟩ terminal ❷ *eindfase* final destination
**eindstreep** finish ★ *als eerste over de ~ gaan* finish first, be first past the post ★ *de ~ halen* make the finish
**eindstrijd** sport final(s)

**ei**

**eindwerk** BN *afstudeerscriptie* final paper / thesis *mv: theses,* ⟨universiteit⟩ master's thesis, ⟨HBO⟩ bachelor's thesis

**eis ❶** *het dwingend verlangde* demand, ⟨schade⟩ claim, ⟨examen⟩ requirement, ⟨scheiding⟩ petition ★ *naar de eisen van de tijd* according to the demands of the times ★ *hoge eisen stellen aan* make high / great demands on ★ *aan de eisen voldoen* meet the requirements / demands ★ *de eisen van het vak* the demands of the trade **❷** *vordering* claim, ⟨van Officier van Justitie⟩ sentence demanded ★ *eis tot echtscheiding* petition for divorce ★ *eis tot echtscheiding indienen* present a petiton for divorce, sue for divorce ★ *eis tot schadevergoeding indienen* bring a claim for damages (against) ★ *van een eis afzien* waive a claim ★ *een eis toewijzen* give judgement for the plaintiff ★ *iemands eis afwijzen* find against sb ★ *een eis instellen tegen iem.* bring an action against sb

**eisen ❶** *dwingend verlangen* demand, require **❷** *vergen* claim ★ *de burgeroorlog eiste veel slachtoffers* the civil war claimed many lives **❸** *jur* demand ★ *een straf ~* demand a punishment ★ *~de partij* demanding party ★ *schadevergoeding ~* claim damages ★ *het Openbaar Ministerie eiste vier maanden gevangenisstraf* the prosecution demanded four months in prison

**eisenpakket** list of demands

**eiser** claimant, jur plaintiff, jur ⟨in strafzaak⟩ prosecutor, [v: prosecutrix] jur ⟨echtscheiding⟩ petitioner

**eisprong** ovulation

**eitje ❶** *makkelijk karwei* ★ *dat is een (zacht) ~* it's a piece of cake **❷** → **ei**

**eivol** chock-a-block, crammed ★ *het was er ~* the place was (absolutely) packed

**eiwit ❶** *wit van ei* egg white **❷** *proteïne* protein, albumen

**eiwitrijk** high-protein

**ejaculatie** ejaculation

**ejaculeren** ejaculate

**EK** *Europees Kampioenschap* European championships

**EKO-keurmerk** EKO quality mark

**ekster** magpie ★ *klappen als een ~* ⟨veel praten⟩ chatter like a magpie

**eksteroog** corn

**el** ≈ two feet

**elan** verve, spirit, lit elan

**eland** elk, USA moose

**elasticiteit** elasticity

**elastiek I** *zn* [het], *rubber bandje* elastic band **II** *bnw* elastic

**elastisch** elastic

**elders** elsewhere ★ *naar ~* elsewhere, somewhere else ★ *van ~* from elsewhere

**eldorado** eldorado

**electoraal** electoral

**electoraat** electorate *(ev en mv)*

**elegant** elegant, smart

**elegantie** elegance

**elektra ❶** *stroom* electricity **❷** *apparaten* electrical appliances *mv*, electrical equipment

**elektricien** electrician

**elektriciteit** electricity ★ *door waterkracht opgewekte ~* hydroelectricity

**elektriciteitsbedrijf** electricity company ★ *gemeentelijk ~* municipal electricity company

**elektriciteitscentrale** power plant / station

**elektriciteitsmast** (electric / electricity) pylon

**elektriciteitsnet** electricity grid

**elektrisch** electric

**elektrocardiogram** electrocardiogram

**elektrocuteren** electrocute

**elektrocutie** electrocution

**elektrode** electrode

**elektro-encefalogram** electroencephalogram, EEG

**elektrolyse** electrolysis

**elektromagneet** electromagnet

**elektromagnetisch** electromagnetic

**elektromonteur** electrical fitter

**elektromotor** electric motor

**elektron** natk electron

**elektronica** electronics *mv*

**elektronisch** electronic ★ *~ betalen* pay electronically

**elektroshock** electric(al) shock

**elektrotechniek** electrical engineering

**element ❶** scheik element **❷** *bestanddeel* element ▼ *in zijn ~ zijn* be in one's element ▼ *de ~en trotseren* ⟨weersomstandigheden⟩ brave the elements

**elementair** elementary ★ *~ onderwijs* elementary education / training ★ *~e kennis* elementary knowledge ★ *~ deeltje* elementary particle

**elf I** *telw* eleven **II** *zn* [de], *sprookjesfiguur* fairy

**elfde ❶** eleventh **❷** → **vierde**

**elfendertigst** ★ *op zijn ~* at a snail's pace

**elftal** eleven ★ *het Nederlands ~* the Dutch football team, the Dutch eleven ★ *nationaal ~* national football team

**eliminatie** elimination

**elimineren** eliminate

**elitair** elitist

**elite** elite

**elixer** elixir

**elk** ⟨één van twee of meer⟩ each, ⟨meer dan twee⟩ every, ⟨welk(e) dan ook⟩ any ★ *ze kosten elk 25 euro* they are 25 euros each ★ *elke week* every week ★ *hij kan elk ogenblik komen* he may come any moment

**elkaar** each other, one another ★ *zij zijn ~s vrienden* they're friends ★ *we schrijven ~* we write each other / one another ★ *zij keken ~ aan* they looked at each other / one another ★ *~ helpen* help each other / one another ★ *aan ~ grenzend* bordering on each other / one another, adjoining ★ *achter ~ staan* stand one behind the other, ⟨in rij⟩ queue (up) ★ *achter ~* ⟨in tijd⟩ one after another, one after the other ★ *uren achter ~* for hours on end ★ *achter ~ lopen* walk in single file ★ *bij ~* (all) together ★ *bij ~ brengen* bring together, unite ★ *bij ~ komen* come together, meet (up) ★ *door ~ liggen* be in a heap, be jumbled up / together ★ *in ~ zakken* collapse ★ *in ~ leggen / zetten* put together, techn assemble ★ *goed in ~ zitten* well-made, ⟨systeem, enz.⟩ be well set up, ⟨verhaal, plan⟩ be well planned ★ *dat zit slecht in ~* it's badly put together, ⟨verhaal, plan⟩ it's badly planned ★ *met* ~ together, between us / them ★ *naast* ~ side by side ★ *onder* ~ amongst themselves, ⟨plaats⟩ one below the other ★ *op* ~ on top of the other, on top of one another ★ *met de armen over* ~ with arms folded, with folded arms ★ *uit* ~ *halen / nemen* take apart ★ *uit* ~ *houden* tell apart, distinguish ★ *uit* ~ *vallen* fall to pieces ★ *ze hebben niets van* ~ they're entirely different ★ *ze houden van* ~ they love each other / one another ★ *gescheiden van* ~ separated, ⟨niet meer getrouwd⟩ divorced ★ *iets voor* ~ *hebben* have fixed sth ★ *iets voor* ~ *krijgen* get sth done ▼ *het is voor* ~ it's settled / OK

**elleboog** elbow ★ *zijn ellebogen staken door zijn mouwen* his... was worn at the elbows ★ *met de ellebogen werken* use one's elbows ★ *het achter de ellebogen hebben* be a slyboots

**ellende** misery, distress ★ *doffe* ~ awful business, sheer misery ★ *van* ~ *uit elkaar vallen* falling apart, falling to bits / pieces ★ *de* ~ *met hem is dat...* the trouble / problem with him is that... ★ *een diepe bron van* ~ a source of (endless) trouble ★ *dan is de* ~ *niet te overzien* (then) it will be a right disaster

**ellendeling** a nasty piece of work, ⟨schurk⟩ villain

**ellendig** miserable, wretched

**ellenlang** lengthy, long-winded ★ ~ *verhaal* interminable story

**ellepijp** ulna *mv alnae*

**ellips** ellipsis *mv ellipses*

**elliptisch** elliptical

**elpee** LP, long-playing record

**els** alder

**El Salvador** El Salvador

**Elzas** Alsace

**email** enamel

**e-mail** email, e-mail

**e-mailadres** e-mail address

**e-mailbericht** e-mail message

**e-mailen** email, e-mail

**emailleren** enamel

**emancipatie** emancipation

**emancipatorisch** emancipatory

**emanciperen** emancipate

**emballage** packing

**embargo** ❶ *uitvoerverbod / beslag op schip* embargo *mv: embargoes* ★ *een* ~ *opleggen / opheffen op* impose / lift an embargo on ❷ *publiceerverbod* embargo ★ *dit persbericht is nog onder* ~ this press release is still under embargo

**embleem** *onderscheidingsteken* emblem

**embolie** embolism

**embouchure** *muz* embouchure

**embryo** embryo [mv: embryos]

**embryonaal** embryonic ★ *in embryonale toestand* in embryo, in the embryonic stage

**emeritaat** emeritus status ★ *met* ~ *gaan* be given emeritus status

**emeritus** emeritus ★ ~ *hoogleraar* emeritus professor

**emfyseem** emphysema

**emigrant** emigrant

**emigratie** emigration

**emigreren** emigrate

**eminent** eminent

**eminentie** eminence ★ *grijze* ~ éminence grise

**emir** emir

**emiraat** emirate ★ *Verenigde Arabische Emiraten* United Arab Emirates

**emissie** emission, econ issue

**emissiekoers** issue price, price of issue

**emitteren** ❶ econ issue ❷ *uitstralen* emit

**emmentaler** Emment(h)al

**emmer** bucket

**emmeren** whine on, go on and on

**emoe** emu

**emolumenten** fringe benefits *mv*, perks *mv*

**emoticon** emoticon

**emotie** emotion ★ *zijn ~s bedwingen* control one's emotions ★ *~s oproepen / losmaken* release / unlock emotions

**emotionaliteit** sensitivity, sensitiveness

**emotioneel** emotional ★ *uit de emotionele sfeer halen* discuss sensibly

**empathie** empathy

**empathisch** empathetic

**empirisch** empirical ★ ~ *onderzoek* empirical research ★ *~e wetenschappen* empirical science

**emplacement** rail(way) yard

**emplooi** employment, employ ★ *zonder* ~ unemployed ★ ~ *vinden* find employment

**employé** employee, staff member

**EMU** *Economische en Monetaire Unie* EMU, Economic and Monetary Union

**emulgator** emulsifier

**en** and ★ *twee en twee is vier* two plus two makes / is four ★ *en wat dan nog?* so what?, and what of it? ★ *en? so?* ★ *hij spreekt én Engels én Duits* he speaks both English and German

**encefalogram** electroencephalogram, EEG

**enclave** enclave

**encycliek** encyclical

**encyclopedie** encyclop(a)edia ★ *een wandelende* ~ a walking encyclopaedia

**encyclopedisch** encyclop(a)edic

**end** *inform* → **eind**

**endeldarm** rectum

**endemisch** endemic

**endorfine** endorphin

**ene** *een* a(n), one ★ *ene meneer Jansen* a Mr Jansen

**enenmale** ★ *ten* ~ entirely, absolutely

**energetica** energetics *mv*

**energetisch** energetic

**energie** energy, ⟨elektrisch⟩ power

**energiebedrijf** electricity / power company

**energiebesparend** energy-saving, low-energy

**energiebesparing** energy saving

**energiebron** energy / power source, source of energy / power

**energiek** energetic

**energieverbruik** energy consumption

**enerverend** exciting, enervating

**enerzijds** ★ *~... anderzijds...* on the one hand... on the other hand

**enfin** anyhow, anyway, ⟨kortom⟩ in short

**eng** ❶ *nauw* narrow ★ *enger maken* narrow ★ *eng behuisd zijn* live in cramped conditions, be cramped for space ❷ *griezelig* creepy, scary ★ *een enge vent* a creep, a creepy man

**engagement ❶** *betrokkenheid* commitment **❷** econ *contract* engagement, agreement
**engageren I** *ov ww* engage **II** *wkd ww* [zich ~] **❶** *in dienst treden* join **❷** *verloven* get engaged (met to) **❸** BN *zich verplichten* ★ zich ~ om commit o.s. to, undertake / engage to
**engel** angel ★ *gevallen* ~ fallen angel ★ *reddende* ~ guardian angel
**engelachtig** angelic
**Engeland** England, lit Albion
**engelbewaarder** guardian angel
**engelengeduld** patience of a saint
**engelenhaar** angel hair
**Engels I** *bnw, m.b.t. Engeland* English ★ *de ~e kerk* The Church of England, The Anglican Church ★ *~e drop* liquorice allsorts ★ *de ~e vlag* the Union Jack **II** *zn* [het], *taal* English
**Engelse** Englishwoman
**Engelsman** *bewoner* Englishman
**Engelstalig** English-language, (Engelssprekend) English-speaking ★ *zij is* ~ she's an English native speaker
**engerd** creep ★ *hij is een* ~ he's a creep
**engte** narrow passage, (zee) strait(s), (berg) defile, (land) isthmus
**engtevrees** claustrophobia
**enig I** *bnw* **❶** *enkel* only, sole, unique ★ *enig kind* only child ★ *enig in zijn soort* unique, the only one of its kind ★ *enig erfgenaam* sole heir ★ *de enige* the only one ★ *het enige dat telt* the only thing that counts ★ *het enige wat ik hoorde* all I heard **❷** *leuk* great, lovely, inform cool ★ *wat enig!* how marvellous! **II** *onb vnw* some, (in vraag en ontkenning) any ★ *enige tijd geleden* some time ago ★ *zonder enige reden* without any reason ★ *over enige maanden* in a few months
**enigerlei** any ★ *op* ~ *wijze* in some way or other, in any way
**enigermate** somewhat, to some extent
**enigma** enigma
**enigszins** *enigermate* somewhat, a little / bit, slightly, rather ★ *zodra ik maar* ~ *kan* as soon as I possibly can ★ *indien* ~ *mogelijk* if at all possible
**enkel I** *zn* [de] ankle **II** *bijw* only, merely, just ★ ~ *en alleen* simply and solely **III** *telw* (slechts één) sole, (slechts één) single, (meer dan één) a few, (meer dan één) one or two ★ ~*e* a few, one or two ★ ~*en* a few, some ★ *een* ~ *handschoen* a single glove ★ ~*e personen* a few people, some people ★ *geen* ~ not a single ★ *geen* ~*e kans* no chance at all ★ *een* ~*e keer* occasionally, once in a while ★ *geen* ~*e keer* not / never once, never ever
**enkeling** individual ★ *slechts een* ~ *weet ervan* only one or two people know about it
**enkelspel** single(s) ★ *dames~* women's singles *ev en mv*
**enkelspoor** single track
**enkeltje** single, USA one-way ticket ★ *een* ~ *Tilburg alstublieft* a single to Tilburg please
**enkelvoud** singular ★ *in het* ~ in the singular
**enkelvoudig** (niet samengesteld) simple, (in het enkelvoud) singular
**enorm** enormous, huge, immense
**enormiteit** enormity
**enquête** (opinie) (opinion) poll, (opinie) survey, pol inquiry, pol investigation ★ *een* ~ *houden*

conduct a survey ★ *een parlementaire* ~ *instellen naar* set up / hold a parliamentary inquiry into
**enquêteren ❶** *enquête houden* poll, survey **❷** *ondervragen* poll, survey
**enquêteur** pollster
**ensceneren** stage, produce
**enscenering** staging, production
**ensemble ❶** *groep* ensemble **❷** *dameskostuum* ensemble
**ent** graft
**enten** plantk graft (op onto)
**enteren** board
**entertainen** entertain
**entertainment** entertainment
**entertoets** enter / return key
**enthousiasme** enthusiasm
**enthousiasmeren** enthuse, make enthusiastic
**enthousiast** enthusiastic ★ ~ *maken* make enthusiastic ★ *wild* ~ *zijn over iets* be wildly enthusiastic about sth, crazy about sth
**enthousiasteling** enthusiast, inform fanatic
**entiteit** entity
**entourage** environment, (van belangrijk persoon) entourage
**entrecote** entrecôte, USA prime rib
**entree ❶** *het binnentreden* entrance, entry ★ *zijn* ~ *maken* make one's entrance / entry **❷** *ingang* entrance **❸** *toegangsprijs* (schouwburg, enz.) admission (fee / price), (museum, club, enz.) entrance fee, (station) gate (money) ★ *vrij* ~ admission free ★ ~ *betalen* pay for admission **❹** *voorgerecht* entrée
**entreegeld** admission (fee), entrance fee
**entreeprijs** admission (charge / price), entrance fee
**entstof** vaccine
**E-nummer** E-number
**envelop, enveloppe ❶** *briefomslag* envelope ★ *een brief in een* ~ *stoppen* put a letter in an envelope ★ ~ *met venster* window envelope **❷** BN *budget* budget
**enz.** *enzovoorts* etc., et cetera
**enzovoort, enzovoorts** et cetera
**enzym** enzyme
**epaulet** epaulette, USA epaulet
**EPD** med *Elektronisch Patiëntendossier* electronic patient record
**epicentrum** epicentre
**epidemie** epidemic ★ *er brak een* ~ *uit* an epidemic broke out
**epidemisch** epidemic
**epiek** epic (literature)
**epigoon** epigone
**epilepsie** epilepsy ★ *een aanval van* ~ *krijgen* have an epileptic fit
**epilepticus** epileptic
**epileptisch** epileptic
**epileren** depilate
**epiloog** epilogue
**episch** epic, heroic ★ ~*e poëzie* epic / heroic poetry
**episcopaat** episcopacy
**episode** episode
**epistel** epistle
**epitaaf** epitaph
**epitheel** med epithelium *mv* epithelia

**epo** *erytropoëtine* EPO, erythropoietin
**epos** epic
**epoxyhars** epoxy resin
**equator** equator
**equatoriaal** equatorial
**Equatoriaal Guinee** Equatorial Guinea
**Equatoriaal Guinees** Equatorial Guinean
**equipe** team
**equiperen** equip(**met** with), kit out (**met** with)
**equivalent I** *zn* [het] equivalent, counterpart **II** *bnw* equivalent (**aan** to)
**er I** *bijw* ❶ *daar* there ★ *hij was er* he was there ★ *is er iemand?* anybody in / home / here? ★ *is hij er?* ⟨thuis⟩ is he in? ★ *we zijn er* well, here we are ❷ ⟨zonder betekenis⟩ ★ *er wordt aan de deur geklopt* there's a knock on the door ★ *wie komt er vanavond?* who's coming tonight ★ *hij ziet er moe uit* he looks tired ★ *er goed uitzien* look fine / well ★ *er komt regen* it looks like rain, it's going to rain ★ *wat is er?* what's the matter?, what's wrong? ★ *is er iets?* anything wrong?, is anything the matter? ★ *er is nog niets vastgesteld* nothing has been decided yet ★ *wat is er gebeurd?* what('s) happened? ★ *er wordt gebeld* there's a ring ★ *er was eens...* once upon a time... ★ *ik heb er nog twee* I've still got two left, ⟨nóg⟩ I've got another two ★ *ik zit er niet mee* it doesn't bother me ★ *er werd gedanst* there was a dance (going on), there was dancing ★ *er werd gefluisterd dat* it was whispered / rumoured that ★ *ze zijn er nog niet (uit)* they're not yet out of the woods, they're not yet in the clear **II** *pers vnw* ★ *er zijn er vijf* there are five of them ★ *hoeveel heb je er?* how many have you got?, how many do you have? ★ *er zijn er die...* there are those / people who...
**eraan** attached to (it), on (it) ★ *wat heb ik ~?* what good will it do me?, what use is it to me? ★ *wat kun je ~ doen?* what can you do about it? ★ *~ gaan* ⟨zaken⟩ be destroyed ★ *je gaat ~!* you've had it!, ⟨doodgaan⟩ your number is up!
**erachter** behind (it / them) ★ *~ komen* find out ★ *~ zijn* have found out
**eraf** *los* off (it) ★ *de knoop is eraf* the button has come off ★ *de aardigheid is eraf* (all) the fun has gone out of it ★ *eraf zijn* ⟨ervan bevrijd⟩ be rid of, ⟨ermee klaar⟩ be through with
**erbarmelijk** ❶ *slecht* awful, dreadful, abominable ❷ *meelijwekkend* pitiful, miserable
**erbarmen I** *zn* [het] pity, mercy, compassion **II** *wkd ww* [zich ~]~**over** have mercy / pity on
**erbij** there, included at / with / in it / them ★ *~ zijn* be there / present ★ *de navulling zit ~* the refill comes / goes with it ★ *zit de gebruiksaanwijzing ~?* are the directions for use enclosed? ★ *water ~ doen* add water ★ *dat hoort ~* that's part of it ★ *kun je ~?* ⟨pakken⟩ can you get at it?, ⟨begrijpen⟩ do you get it? ★ *het ~ laten* leave it at that ★ *ik blijf ~ dat het correct is* I still think / believe it is correct ★ *dat hoort er nu eenmaal bij* it's all part of the game ★ *hoe kom je ~!* what on earth makes you think that? ▼ *nu ben je er bij!* ⟨betrapt⟩ gotcha!, now you're in for it!
**erboven** above it / them ★ *~ staan* be above sth / all that
**erdoor** through it / them ★ *iets ~ krijgen* get sth through / passed / accepted ★ *zij is ~* ⟨geslaagd⟩

she's passed / through ★ *laat me ~* let me through / pass ▼ *~ zitten* have had it
**ere** → **eer**
**erebaan** honorary post / job
**ereburger** honorary citizen, GB freeman
**erectie** erection
**eredame** BN *winnares van de tweede of derde prijs* 1st / 2nd runner-up (in a beauty contest)
**eredienst** service
**eredivisie** premier league / division
**eredoctoraat** honorary doctorate
**erekwestie** question of honour
**erelid** honorary member
**ereloon** BN fee
**eremetaal** medal of honour
**eren** honour
**ereplaats** place of honour, ⟨voorwerp, enz.⟩ pride of place
**erepodium** victory podium
**ereprijs** ❶ *prijs* first prize ❷ *plant* veronica, speedwell
**ereschuld** debt of honour
**eretitel** honorary title
**eretribune** seats for honoured guests, sport VIP box
**erewacht** guard of honour
**erewoord** word of honour ★ *op mijn ~!* cross my heart! ★ *zijn ~ geven* give one's word of honour ★ *op zijn ~ vrijlaten* release on parole
**erf** *grond* ⟨met huis⟩ premises *mv*, ⟨van boerderij⟩ (farm)yard
**erfdeel** ❶ *jur* portion, inheritance ★ *vaderlijk ~* patrimony ★ *wettelijk ~* legitimate inheritance ★ *zijn ~ krijgen* come into one's inheritance ❷ *fig* heritage
**erfelijk** hereditary ★ *~ belast zijn* have an inherited condition ★ *~ bepaald zijn* be determined by heredity
**erfelijkheid** heredity
**erfelijkheidsleer** genetics *mv*
**erfenis** inheritance, legacy ★ *door ~ verkrijgen* inherit
**erfgenaam** heir [v: heiress] ★ *universeel ~* universal / sole heir ★ *wettig ~* legal heir
**erfgoed** inheritance ★ *het culturele ~* the cultural heritage
**erflater** testator [v: testatrix]
**erfopvolger** heir [v: heiress], successor
**erfopvolging** hereditary succession
**erfpacht** *gebruiksrecht* long-term ground lease ★ *grond in ~ uitgeven* distribute land on a long-term lease
**erfrecht** ❶ *jur erfelijk recht* law of succession ❷ *jur recht om te erven* right of succession
**erfstuk** (family) heirloom
**erfvijand** hereditary / traditional enemy
**erfzonde** original sin
**erg I** *bnw* ❶ *zeer vervelend* awful, terrible, bad ★ *een erge misdaad* a serious crime ★ *het is meer dan erg* it's absolutely awful ★ *dit wordt al te erg* this is getting out of hand ★ *dat is al erg genoeg* that's bad enough (as it is) ★ *wat erg!* how awful! ★ *iets erg vinden* feel bad about sth ★ *vind je het erg als ik ga?* do you mind me going? ★ *het is niet (zo) erg* it isn't that bad ★ *het ergste vrezen* fear the worst ★ *er erg aan toe zijn* be in a bad way

er

**er**

★ *er is nog niets ergs gebeurd* there are no bones broken ★ *wat erger is* which is worse ❷ *heftig* serious, awful ★ *ik heb erge honger* I'm starving ★ *zijn ergste vijand* his worst enemy **II** *bijw* very, much ★ *erg duur* very expensive ★ *het spijt me erg* I'm very sorry ★ *ik hou erg van hem* I love him very much ★ *hij had erg veel weg van jou* he looked very much like you **III** *zn* [het] ★ *zonder erg* (onopzettelijk) unintentionally ★ *ergens geen erg in hebben* be unaware of sth ★ *ik had er geen erg in* I was not aware of it ★ *voor je er erg in hebt* before you know where you are

**ergens** ❶ *op een plaats* somewhere, ⟨in vraag, ontkenning⟩ anywhere ★ ~ *anders* somewhere / anywhere else ★ *daar* ~ somewhere over there ❷ *in enig opzicht* somehow ❸ *iets* something ★ *zij stond* ~ *naar te kijken* she was looking at sth

**ergeren I** *ov ww* annoy, irritate **II** *wkd ww* [zich ~] be / get annoyed (**aan/over** by / about), take offence (**aan** at) ★ *zich mateloos* ~ *over iets* get very annoyed about sth ★ *zich groen en geel* ~ get one's goat, ⟨boos⟩ see red

**ergerlijk** *irritant* annoying, irritating ★ *het* ~*e ervan is...* the annoying thing about it is...

**ergernis** annoyance, irritation ★ ~ *geven* annoy, irritate ★ *tot* ~ *van* to the annoyance of

**ergonomie** ergonomics *mv*

**ergonomisch** ergonomic

**ergonoom** ergonomist

**ergotherapie** ergotherapy

**erheen** there, to it / them ★ *op de weg* ~ on the way (there) ★ *ga je* ~? are you going (there)?

**erin** in(to) it / them, ⟨ruimte⟩ inside ★ *staat het erin?* is it in there? ★ *kom erin!* come in(side)! ★ *erin lopen* fig walk right into it ★ *iem. erin luizen* take sb for a ride ▼ *dat zit er niet in* that's not likely

**Eritrea** Eritrea

**Eritrees** Eritrean

**erkend** ❶ *algemeen bekend* recognized, acknowledged ★ *een* ~ *gegeven* an undisputed fact ❷ *officieel toegestaan* recognized, authorized ★ *de* ~*e godsdienst* the recognized religion ★ *officieel* ~ officially recognized

**erkennen** ❶ *inzien, toegeven* recognize, acknowledge, admit ★ *volmondig / ruiterlijk* ~ admit frankly / wholeheartedly ★ *naar u zelf erkent* by your own confession ★ *zijn fout* ~ admit one's mistake ❷ *als wettig aanvaarden* recognize, acknowledge ★ *iem. als zijn meerdere* ~ acknowledge sb's superiority ★ *ontvangst* ~ acknowledge receipt

**erkenning** acknowledgement, recognition, admission ★ *tot de* ~ *komen dat* come to the conclusion that

**erkentelijk** grateful, thankful ★ *zich* ~ *tonen jegens iem.* show one's gratitude towards sb

**erkentelijkheid** gratitude, appreciation ★ ~ *betuigen* show one's gratitude / appreciation ★ *uit* ~ *voor haar steun* in gratitude for her support

**erker** bay window

**erlangs** past (it / them), alongside (it / them) ★ *een rivier met bomen* ~ a river lined with trees ★ ~ *komen / gaan* pass ★ *de weg loopt* ~ the road goes past it ★ *ik wil* ~ I want to get past

**ermee** with it / them ★ *wat doen we* ~? what shall we do about / with it? ▼ *het kan* ~ *door* it'll do ▼ *je hebt jezelf* ~ you're the one to suffer

**erna** after (it), afterwards ★ *drie weken erna* three weeks afterwards / later ★ *het jaar erna* the year after (it), the next / following year

**ernaar** at / to(wards) it / them ★ *ze hebben het* ~ *gemaakt* they've asked for it

**ernaast** beside it / them, next to it / them, adjoining it / them ★ *de keeper greep* ~ the goalkeeper missed the ball ★ *fig* ~ *zitten* be (wide) off the mark

**ernst** ❶ *serieusheid* earnest(ness), seriousness ★ *in* ~ seriously, in earnest ★ *in volle* ~ in all seriousness, in sober earnest ★ *dat meen je niet in* ~ you can't be serious ★ *het wordt (nu)* ~ it's getting serious (now) ★ *het is mij (bittere)* ~ I'm in (deadly) earnest ❷ *zwaarte* seriousness, gravity ★ *de* ~ *van een misdrijf* the gravity / seriousness of the crime ★ *de* ~ *van de toestand* the gravity of the situation

**ernstig I** *bnw* ❶ *gemeend* serious, earnest, ⟨mbt ernstige toestand / gebeurtenis⟩ grave ★ ~*e man* serious(-minded) man ★ ~ *woord* serious / earnest word ★ *een* ~ *gezicht* with a serious look, with a grave face ❷ *akelig* serious, ⟨straf⟩ severe ★ *een* ~*e ziekte* a serious disease / illness **II** *bijw, zeer* seriously

**eroderen** erode

**erogeen** erogenous

**eromheen** around (it / them) ★ ~ *draaien* beat about the bush ★ *zonder* ~ *te draaien* coming straight to the point, without mincing one's words

**eronder** under it / them, underneath ★ *iem.* ~ *houden* keep sb down, keep sb under one's thumb

**erop** ❶ *op iets* ⟨rust⟩ on it / them, ⟨beweging⟩ onto it / them ★ *ik sta erop!* I insist (on it)! ★ *dat zit erop!* it's done!, done and dusted! ★ *erop slaan* hit it, hit out ★ *mijn naam staat erop* my name is on it ★ *erop of eronder* sink or swim, a matter of life and death ★ *met alles erop en eraan* ⟨met extra, niet-noodzakelijke toevoegingen⟩ with all the frills, ⟨feest(maal)⟩ with all the trimmings ★ *erop komen* think of sth ★ *hoe kwam je erop?* what gave you the idea? ❷ *volgend* following, the next ★ *de ochtend erop* the following / next morning, the morning after

**eropaan** ★ *nu komt het* ~ now it comes to the crunch, now the chips are down ★ *het* ~ *laten komen* let things come to a head ★ ~ *kunnen* be able to count / rely on it

**eropaf** ★ ~ *gaan* make for it

**eropna** ★ *lett* ~ *houden* have, ⟨huisdier⟩ keep, ⟨auto⟩ run / keep ★ *fig* ~ *houden* ⟨ideeën enz.⟩ have, hold

**eropuit** ★ ~ *zijn* be out (**om** to), be bent (**om** on)

**erosie** erosion

**erotiek** eroticism

**erotisch** erotic

**erover** over (it), across (it) ★ *zand* ~ let bygones be bygones, let's forget it ★ ~ *praten* talk about it ★ ~ *gaan* ⟨leiding hebben⟩ be in charge (of)

**eroverheen** over / across it / them

**erratum** erratum *mv:* errata ★ (lijst) *errata* errata

**ertegen** against it / them, at it / them ★ *ik kan er niet meer tegen* I can't bear it any longer ★ *ik ben ~* I'm against (it / them)

**ertegenin** against it / them ★ *~ gaan* go against sb / sth

**ertegenop** ⟨omhoog⟩ up it / them, ⟨tegenin⟩ against it / them ★ *~ zien* dread sth, not look forward to sth ★ *niet ~ kunnen* not be able to cope with sth

**ertegenover** opposite (to) it / them ★ *het politiebureau ligt ~* the policestation is opposite (to) it, the police station is across from it ★ *hoe staat hij ~?* what's his position on it?

**ertoe** to (it / them) ★ *wat doet het ~?* (what) does it matter? ★ *de moed ~ hebben* have the nerve to do it, feel up to it ★ *~ in staat zijn* be able to do it ★ *iem. ~ bewegen / brengen iets te doen* get / persuade sb to do it ★ *het zwijgen ~ doen* remain silent

**erts** ore ★ *erts winnen* mine ore

**ertussen** (in) between (it / them), among(st) (it / them) ★ *hij probeert ~ te komen* he's trying to get a word in ★ *ik hoop dat ik ~ zit* I hope that I am one among them ★ *iem. ~ nemen* pull sb's leg, take sb for a ride

**ertussendoor** through it / them, between it / them, mix / blend in, in the meantime ★ *iets tussendoor doen* do sth in the meantime ★ *je kunt ~* you can get through

**ertussenin** between, between them, among other things

**ertussenuit** out of it / them ★ *~ knijpen* slip away / off

**erudiet** erudite

**eruit** out (of it), from it ★ *~!* out!, clear off! ★ *die blindedarm moet ~* the appendix has to go ★ *je hemd hangt ~* your shirt is sticking out ★ *~ komen* ⟨uit probleem⟩ find the answer / solution, ⟨opstaan⟩ get up ★ *de kosten ~ halen* recover the expenses ★ *bij iem. ~ liggen* be in the doghouse with sb ★ *~ opmaken (dat)* gather / deduce from it (that) ★ *even twee dagen ~* get away (from it all) for two days

**eruitzien** ❶ *voorkomen hebben* look ★ *~ als* look like ★ *er slecht uitzien* look bad / ill ★ *er gezond uitzien* look well / fit ★ *wat zie jij eruit!* look at you!, what a sight you are! ★ *er florissant uitzien* look well / healthy ★ *wat ziet de kamer eruit!* the room is a dump! ★ *hoe ziet hij eruit?* what does he look like? ★ *hij ziet er jonger uit dan hij is* he doesn't look his age ★ *er moe uitzien* look tired ★ *dat ziet er niet uit!* it looks terrible! ❷ *de indruk wekken te* look like, look as if / though ★ *het ziet er slecht uit voor je* things are not looking too good for you, things look (pretty) bad for you ★ *het ziet ernaar uit dat het gaat regenen* it looks like rain ★ *het ziet eruit als / though...* it looks as if / though... ★ *het ziet er wel naar uit* it looks like it

**eruptie** eruption

**ervan** from it / them, of it / them

**ervandaan** away (from there), from there ★ *ik kom ~* that's where I was born (and bred)

**ervandoor** away, off ★ *~ gaan* bolt, run away, take to one's heels ★ *~ gaan met het geld* make off with the money

**ervaren I** *bnw* experienced, skilled ★ *~ zijn in* be

experienced in, ⟨ambachtslieden⟩ skilled in / at **II** *ov ww, ondervinden* experience ★ *zij heeft dat als heel naar ~* she found it a painful experience

**ervaring** experience ★ *uit ~* from experience ★ *volgens mijn ~* in my experience ★ *de ~ leert dat* experience shows / teaches (us) that ★ *~ opdoen* get experience

**ervaringsspectrum** experience span

**erven I** *ov ww, door erfenis verkrijgen* inherit **II** *zn* [de] heirs *mv* ★ *de ~ Jansen* the Jansen heirs

**ervoor** ⟨plaats⟩ in front (of it / them), ⟨bestemming⟩ for it, ⟨tijd, volgorde⟩ before (it / them), ⟨in ruil⟩ instead (of it / them) ★ *op de dag ~* on the day before, on the previous day ★ *alleen ~ staan* have to fend for o.s. ★ *~ en erna* before and after ★ *~ opdraaien* take the blame / rap for sth ★ *ik vrees ~, dat...* I fear that... ★ *ik ben ~* I'm (all) for it, I'm in favour of it ★ *wat krijg ik ~ terug?* what will I get for it in return? ★ *dat dient ~ om...* it serves to...

**erwt** pea ★ *grauwe erwten* yellow peas ★ *groene erwten* green / garden peas

**erwtensoep** cul pea soup

**es** ❶ *boom* ash (tree) ❷ *muzieknoot* E flat

**escalatie** escalation

**escaleren** escalate, snowball

**escapade** escapade

**escapetoets** escape key

**escort** *vrouw* escort, call girl

**escortbureau** escort agency

**escorte** escort

**escorteren** escort

**esculaap** *embleem* staff of Aesculapius, Aesculapius' staff

**esdoorn** maple (tree)

**eskader** squadron

**eskadron** squadron

**Eskimo** Eskimo

**esoterie** esotericism

**esoterisch** esoteric

**esp** aspen

**espadrille** espadrille

**Esperanto** Esperanto

**esplanade** esplanade

**espresso** espresso

**espressoapparaat** espresso machine ★ *~ voor twee kopjes* two-cup espresso machine

**essay** essay

**essayist** essayist

**essence** essence, extract

**essenhout** ash (wood)

**essentie** essence ★ *in ~* in essence

**essentieel** essential ★ *het essentiële* the essence, the essential part ★ *van ~ belang* of vital importance, essential

**Est** → **Estlander**

**establishment** the Establishment

**estafette** relay race

**estafetteloper** relay racer

**estafetteploeg** relay team

**ester** scheik ester

**estheet** aesthete, USA esthete

**esthetica** aesthetics *mv*, USA esthetics *mv*

**esthetiek** aesthetics, USA esthetics

**esthetisch** aesthetic, USA esthetic ★ *~e chirurgie* cosmetic / corrective surgery ★ *een ~e natuur*

**es**

*hebben* be an aesthete
**Estland** Estonia
**Estlander** Estonian
**Estlands, Ests** Estonian
**Estlandse, Estse** Estonian (woman / girl)
**ETA** *Euskadi Ta Askatasuna* ETA
**etablissement** establishment
**etage** storey, floor ★ *op de eerste ~* on the first floor, <u>USA</u> on the second floor
**etagère** etagere
**etalage** shop window, display window
**etalagepop** shop-window mannequin / dummy
**etaleren** display ★ *zijn kennis ~* show off one's knowledge
**etaleur** window dresser
**etappe** stage ★ *in ~s / ~n* in / by stages
**etappezege** stage victory
**etc.** etc.
**et cetera** et cetera
**eten I** *ov + on ww* eat, ⟨avondeten⟩ have dinner, ⟨avondeten⟩ <u>form</u> dine ★ *wat eten we?* what are we having for dinner?, <u>inform</u> what's for dinner? ★ *veel / weinig eten* eat much / little ★ *niets te eten hebben* have nothing to eat ★ *niet te eten* not eatable, ⟨sterker⟩ inedible ★ *te eten vragen* invite for a meal, invite for dinner ★ *uit eten gaan* eat out, go out for a meal ★ *hij kan flink eten* he is a hearty eater ★ *ik ga bij mijn vriend eten* I'm eating at my friend's house / place ★ *mensen te eten hebben / vragen* have / ask people to dinner ★ *te eten geven* feed ★ *eten voor drie* eat like a horse **II** *zn* [het] ❶ *voedsel* food ❷ *maaltijd* meal, dinner ★ *het warme eten* the hot meal ★ *na het eten* after dinner / the meal ★ *onder het eten* during dinner / the meal ★ *het eten klaarmaken* cook / prepare dinner ★ *het eten is klaar* dinner is ready ★ *het eten is opgediend* dinner is served ★ *houden van lekker eten* be fond of good food ★ *ben je er met het eten?* will you be in for dinner?
**etensresten** leftovers *mv*
**etenstijd** dinner time
**etenswaar** food
**etentje** dinner, small dinner party ★ *iem. voor een ~ uitnodigen* invite sb over / round for dinner
**eter** ❶ *iem. die (veel) eet* eater ★ *een grote eter* a big eater ★ *een flinke eter zijn* be a hearty eater, have a large appetite ★ *een kleine eter* a small / poor eater ★ *een kleine eter zijn* be a small eater, have a small appetite ❷ *gast* dinner guest ★ *vanavond hebben we eters* this evening we are having people in for dinner
**ethaan** ethane
**ethanol** ethanol, ethyl alcohol
**ether** ether ★ *in de ~ zijn* be on (the) air
**etherpiraat** pirate radio station
**etherreclame** television and radio advertising / commercials
**ethiek** ⟨wijsbegeerte⟩ ethics ⟨ev⟩, ⟨normen en waarden⟩ ethics [mv]
**Ethiopië** Ethiopia
**Ethiopiër** Ethiopian
**Ethiopisch** Ethiopian
**Ethiopische** Ethiopian (woman / girl)
**ethisch** ethical ★ *~ verantwoord* morally justified

**ethyl** ethyl
**etiket** label ★ *iem. een ~ opplakken* label sb
**etiketteren** label
**etiquette** etiquette, www <u>humor</u> netiquette ★ *de ~ in acht nemen* observe proper manners
**etmaal** 24 hours *mv*, 24-hour period ★ *binnen een ~* within 24 hours ★ *het duurt een ~* it takes 24 hours
**etniciteit** ethnicity
**etnisch** ethnic ★ *~e minderheden* ethnic minorities
**ets** etching ★ *droge ets* dry point etching
**etsen** etch
**et-teken** *het & teken* ampersand
**ettelijke** ⟨enkele⟩ several, ⟨vele⟩ innumerable
**etter** ❶ *pus* pus ❷ *naarling* pain in the neck, real bastard
**etterbuil** ❶ *gezwel* abscess ❷ *rotzak* pain in the neck, real bastard
**etteren** ❶ *etter afscheiden* fester, <u>med</u> suppurate ★ *~d festering* ❷ *klieren* be a pain in the neck
**etude** étude, study
**etui** case
**etymologie** etymology
**etymologisch** etymological
**EU** *Europese Unie* EU, European Union
**eucalyptus** eucalyptus [mv: eucalyptus]
**eucharistie** Eucharist ★ *de ~ vieren* celebrate the Eucharist
**eucharistieviering** celebration of the Eucharist
**eufemisme** euphemism
**eufemistisch** euphemistic
**euforie** euphoria
**euforisch** euphoric
**Eufraat** Euphrates
**eugenetica, eugenese** eugenics *mv*
**EU-ingezetene** EU citizen / resident
**eunuch** eunuch
**Euratom** Euratom, European Atomic Energy Community
**Eurazië** Eurasia
**euro** euro [mv: euros, euro]
**eurocent** (euro)cent
**eurocheque** Eurocheque
**euroland** euro country
**euromarkt** (European) Common Market
**euromunt** euro
**Europa** Europe
**europarlement** European Parliament
**Europarlementariër** Member of the European Parliament, MEP
**Europeaan** *bewoner* European
**Europees** European
**Europese** European (woman / girl)
**eurovignet** Eurovignette
**eustachiusbuis** Eustachian tube
**euthanaseren** euthanize ★ *iem. ~* euthanize sb, perform euthanasia on sb
**euthanasie** euthanasia, mercy killing ★ *~ plegen* perform euthanasia
**euvel I** *zn* [het] defect, fault ★ *een ~ verhelpen* remedy a defect / fault ★ *aan hetzelfde ~ mank gaan* suffer from the same defect / fault **II** *bnw* ★ *de ~e moed hebben om* have the nerve to ★ *iem. iets ~ duiden* hold sth against sb
**Eva** Eve

**evacuatie** evacuation
**evacué** evacuee
**evacueren** evacuate
**evaluatie** evaluation
**evalueren** evaluate
**evangelie** gospel ★ *het ~ van Johannes* the Gospel according to St John, St John's Gospel ★ *iem. tot het ~ bekeren* evangelize sb, bring sb (to) the Gospel ★ *het ~ prediken* preach the Gospel
**evangelisatie** evangelization
**evangelisch** evangelical
**evangelist ❶** *schrijver* Evangelist ❷ *prediker* evangelist
**even I** *bnw, deelbaar door twee* even ★ *even getallen* even numbers ★ *de even zitplaatsen* the even(-numbered) seats ★ *even of oneven* even or odd **II** *bijw* ❶ *net zo* (just) as ★ *hij is even oud als ik* he's the same age as me ★ *even groot als* as big / large as ★ *al even erg* equally bad ★ *even goede vrienden* no hard feelings ❷ *een korte tijd* just, for a moment ★ *we blijven maar even* we won't stay long ★ *wacht even* wait a moment, hang on ★ *het duurt nog wel even* it'll take a bit longer ★ *(maar) even langskomen* drop by / in ★ *als het maar even kan dan...* if at all possible... ❸ *versterkend* ★ *is je broer even een boffer!* what a lucky dog your brother is! ★ *hoor eens even!* (just) listen! ★ *was me dat even schrikken!* it was quite a fright! ★ *altijd even rustig* always / invariably quiet ★ *is dat even mooi!* how beautiful! ❹ *amper / een weinig* ★ *even over tienen* just after ten ★ *even in de 30* just over thirty ▼ *het is mij om het even* it's all the same to me
**evenaar** *equator* equator
**evenals** (just) as, (just) like
**evenaren** equal, match, be a match for ★ *iem. in iets ~* equal sb in sth ★ *niet te ~* unequalled, unparalleled
**evenbeeld** image, likeness ★ *naar Gods ~* to God's image ★ *hij is het ~ van zijn vader* he's the (spitting) image of his father
**eveneens** also, as well, likewise
**evenement** event
**evengoed ❶** just as well, (evenzeer) just as ★ *dat is ~ mogelijk* that's equally possible ★ *hij is ~ schuldig als zij* he's just as guilty as she is ★ *je kunt ~ opnieuw beginnen* you can just as well start again ❷ *toch* all the same, nevertheless ★ *ik had geen zin, maar ben ~ gekomen* I didn't feel like it, but nevertheless I have come
**evenknie** equal, peer, match ★ *iemands ~ zijn* be sb's equal / peer / match ★ *hij heeft zijn ~ gevonden* he's met his match
**evenmin** ★ *~ als* no more than ★ *ik ga niet en mijn vrienden ~* I'm not going, and neither are my friends
**evenredig** proportionate (to) ★ *recht ~ zijn aan* be directly proportional to ★ *omgekeerd ~ zijn aan* be inversely proportional to ★ *~ (aan)deel* proportionate share ★ *de ~e vertegenwoordiging* proportional representation
**evenredigheid** *wisk* proportion ★ *in ~ met* in proportion to ★ *naar ~ van* in the proportion of
**eventjes** *een moment* (just) a moment / minute ★ *kom ~ hier* come here for a minute ★ *laat haar dat maar ~ doen* just let her do that

**eventualiteit** eventuality, contingency
**eventueel I** *bnw* any (possible) ★ *eventuele klachten* complaints, if any ★ *bij eventuele problemen* in the event of problems **II** *bijw* possibly, if necessary ★ *ik zou ~ kunnen komen* I could come if necessary ★ *mocht dit ~ het geval zijn* should this be the case
**evenveel** (ontelbaar) as much (**als** as), (telbaar) as many (**als** as) ★ *jullie krijgen allemaal ~* you all get just as much / many
**evenwel** however, nevertheless, yet
**evenwicht** balance, *lit* scheik equilibrium ★ *in ~ brengen* balance ★ *in ~ houden* keep balanced ★ *iem. uit z'n ~ brengen* throw sb off balance ★ *het ~ bewaren* keep a / one's balance ★ *het ~ herstellen* restore the balance ★ *zijn ~ hervinden* recover one's balance ★ *het ~ verliezen* lose one's balance ★ *BN econ een begroting in ~* a balanced budget
**evenwichtig** well-balanced, steady, balanced ★ *een ~ karakter* a (well-)balanced character
**evenwichtsbalk** (balance) beam
**evenwichtsleer** statics *mv*
**evenwichtsorgaan** organ of balance / equilibrium
**evenwichtsstoornis** balance disturbance, disturbance of balance / equilibrium
**evenwijdig** parallel ★ *een ~e lijn* a parallel ★ *~ lopen aan* run parallel to
**evenzeer** (just) as much / great (**als** as) ★ *jij bent ~ schuldig als hij* you are just as much guilty as he is ★ *dit is ~ waar* this is equally true
**evenzo** likewise
**evergreen** evergreen
**everzwijn** wild boar
**evident** evident, obvious
**evolueren** evolve
**evolutie** evolution
**evolutieleer** evolutionary theory
**ex** ex ★ *zijn ex* his ex
**ex-** ex- ★ *ex-echtgenoot* ex-husband
**exact** exact, precise ★ *~e wetenschappen* exact sciences
**examen** *onderw* examination, *inform* exam ★ *mondeling ~* viva (voce) ★ *mondeling / schriftelijk ~* oral / written exam ★ *een ~ afleggen / doen* take / sit an exam ★ *~ afnemen* hold an exam ★ *voor een ~ slagen / zakken* pass / fail an exam
**examenperiode** *onderw* exam period
**examenvrees** *psych* exam fear
**examinator** examiner
**examineren** examine, hold an exam
**excellent** excellent, outstanding
**excellentie** Excellency ★ *Hare / Zijne Excellentie* Her / His Excellency
**excentriek** eccentric ★ *zij gedraagt zich ~* she behaves eccentrically
**exces** excess
**excessief** excessive, (prijs) exorbitant
**exclusief I** *bnw, chic* exclusive ★ *een ~ feestje* an exclusive party **II** *bijw, niet inbegrepen* exclusive of, excluding ★ *~ de bediening* exclusive of / excluding service charge ★ *~ btw* exclusive of / excluding VAT
**exclusiviteit** exclusivity, exclusiveness

**ex**

**excommunicatie** excommunication
**excommuniceren** excommunicate
**excursie** excursion, trip ★ *op* ~ *gaan* go on an excursion
**excuseren** excuse ★ *zich* ~ *voor iets* excuse o.s. for sth ★ BN *excuseer* excuse me
**excuus** ❶ *verontschuldiging* apology ★ *zijn excuses maken* apologize ★ *om* ~ *vragen* apologize ❷ *reden* excuse ★ *een geldig* ~ a valid excuse ★ *als* ~ *aanvoeren* use as an excuse
**executeren** ❶ *terechtstellen* execute ❷ jur execute, put into effect, ⟨hypotheek⟩ foreclose
**executeur** executor [v: executrix] ★ *~-testamentair* executor
**executeur-testamentair** executor [v: executrix]
**executie** ❶ *terechtstelling* execution ❷ jur execution, ⟨hypotheek⟩ foreclosure ★ *bij* ~ *verkopen* sell under execution
**executiewaarde** value under foreclosure
**exegese** exegesis
**exemplaar** specimen, sample, ⟨boek⟩ copy, iron ⟨persoon⟩ specimen
**exemplarisch** illustrative, exemplary
**exerceren** I *ov ww, uitoefenen* exercise II *on ww, uitvoeren* drill
**exercitie** mil drill, fig exercise
**exhibitionisme** exhibitionism
**exhibitionist** exhibitionist
**existentialisme** existentialism
**existentie** existence
**existentieel** existential
**exit** exit
**exodus** exodus
**exorbitant** exorbitant
**exotisch** exotic
**expansie** expansion
**expansiedrang** urge for expansion
**expansievat** expansion tank / vessel
**expat** expatriate, inform expat
**expatriëren** I *ov ww* expatriate II *on ww* expatriate
**expediteur** shipping agent, forwarding agent
**expeditie** ❶ *tocht* expedition ★ *dat was een hele* ~ that was quite an undertaking ❷ *verzending* shipping, forwarding
**experiment** experiment
**experimenteel** experimental
**experimenteren** experiment (met/op with / on)
**expert** expert, ⟨verzekering⟩ assessor
**expertise** ⟨deskundigheid⟩ expertise, ⟨onderzoek, verslag⟩ assessment ★ ~ *uitbrengen* submit an assessment report
**expliciet** explicit
**expliciteren** make explicit, state explicitly
**exploderen** explode
**exploitant** operator, ⟨krant, hotel⟩ owner, ⟨vergunninghouder⟩ licensee
**exploitatie** ❶ *het winstgevend maken* exploitation, ⟨van mijn⟩ work ❷ *uitbuiting* exploitation
**exploitatiekosten** running / operating costs
**exploiteren** ❶ *winstgevend maken* exploit, ⟨van mijn⟩ work, ⟨hotel⟩ run ❷ *uitbuiten* exploit
**exploratie** exploration, ⟨van bodemschatten⟩ prospecting
**exploreren** explore, ⟨van bodemschatten⟩ prospect
**explosie** explosion
**explosief** I *zn* [het] explosive II *bnw* explosive
**exponent** ❶ *vertegenwoordiger* exponent ❷ wisk exponent
**exponentieel** exponential
**export** export
**exportdocumenten** export documents / papers *mv*
**exporteren** export
**exporteur** exporter
**exportland** exporting country
**exportvolume** export volume
**exposé** account, survey ★ *een* ~ *geven* give a talk / survey
**exposeren** exhibit, show
**expositie** *tentoonstelling* exhibition, show
**expres** I *bijw* ❶ *met opzet* on purpose, deliberately ★ *hij heeft het* ~ *gedaan* he did it on purpose ❷ *speciaal* expressly, specifically ★ *ze zijn* ~ *gekomen om...* they have come specifically to... II *zn* [de] express
**expresbrief** express letter
**expresse** *brief* express, special delivery ★ *per* ~ *sturen* send by express delivery / messenger
**expressie** expression ★ *zonder* ~ expressionless, lacking in expression
**expressief** expressive ★ *een* ~ *gezicht* an expressive face
**expressionisme** expressionism
**extase** ecstasy ★ *in* ~ *raken* (over) go into ecstasies over / about
**extatisch** ecstatic
**extensie** extension, ⟨omvang⟩ extent, extension
**exterieur** I *zn* [het] exterior II *bnw* exterior
**extern** ❶ *van buiten komend* external, outside ❷ *uitwonend* non-resident ★ ~*e leerlingen* non-residents, day students
**extra** I *bnw* extra, additional ★ *de* ~ *kosten* the extras ★ ~ *editie* special edition / issue ★ ~ *bagage* excess luggage ★ *iets* ~*'s* sth extra ★ ~ *trein* special / relief train ★ ~ *moeite doen* make a special effort II *bijw* extra ★ ~ *berekenen* charge (as an) extra ★ ~ *sterk* extra strong
**extraatje** *kleine toeslag* bonus, ⟨meevaller⟩ windfall ★ *als* ~ *krijgt u... erbij* and as a bonus you'll receive..., you'll receive... into the bargain
**extract** ❶ *aftreksel* extract ❷ *uittreksel* extract, excerpt
**extramuraal** ★ *extramurale gezondheidszorg* extramural health care
**extranet** comp extranet
**extraneus** external candidate / student
**extrapoleren** extrapolate
**extravagant** extravagant
**extravert** extrovert, extravert
**extreem** extreme
**extreemlinks** far / extreme / ultra left
**extreemrechts** far / extreme / ultra right
**extremisme** extremism
**extremist** extremist
**extremistisch** extremist
**extrovert** → **extravert**
**eyecatcher** eye-catcher

**eyeliner** eyeliner
**eyeopener** eye-opener
**ezel ❶** *dier* donkey ★ *een ezel stoot zich in het gemeen geen tweemaal aan dezelfde steen* once bitten twice shy ★ *zo koppig als een ezel* as stubborn as a mule **❷** *domoor* ass **❸** *schildersezel* easel
**ezelsbruggetje** memory aid, mnemonic device
**ezelsoor** *omgekrulde hoek* dog's ear
**e-zine** e-zine

# F

**f ❶** *letter* f ★ *de f van Ferdinand* F as in Frederic **❷** *muzieknoot* F
**F ❶** *Fahrenheit* F **❷** *fluor* F
**fa** fa(h)
**fa.** *firma* Messrs
**faalangst** fear of failure
**faam ❶** *goede naam* reputation, name **❷** *vermaardheid* fame, reputation
**fabel ❶** *vertelling* fable **❷** *verzinsel* fable, fiction **❸** *beknopte inhoud* plot
**fabelachtig ❶** *als in fabels* fabulous, legendary **❷** *ongelofelijk* fantastic, incredible
**fabricaat ❶** *makelij* manufacture, make **❷** *product* product, goods *mv* ★ *Engelse fabricaten* English products / goods
**fabricage** manufacture
**fabriceren ❶** *vervaardigen* manufacture **❷** *knutselen* fabricate
**fabriek** factory, works *mv*, ⟨katoen, papier⟩ mill ★ *prijzen af* ~ prices ex works / factory
**fabrieksfout** manufacturer's fault, fault in the manufacture
**fabrieksgeheim** trade secret
**fabrieksmatig** factory-made
**fabrieksprijs** factory / manufacturer's price
**fabrikant** manufacturer
**fabuleus** fabulous
**façade ❶** *voorgevel* façade **❷** *uiterlijke schijn* front
**facelift** *chirurgische ingreep* facelift(ing)
**facet ❶** *geslepen vlak* facet **❷** *aspect* facet, aspect, angle ★ *alle ~ten van iets bekijken* look at sth from all angles
**facetoog** compound eye
**facilitair** facilitating, providing assistance
**faciliteit ❶** *voorziening* facility, amenity **❷** econ *tegemoetkoming* allowance
**faciliteren** facilitate
**facsimile** facsimile
**factie** faction
**factor ❶** *medeoorzaak* factor, circumstance **❷** wisk factor
**factoranalyse** factor analysis *mv: analyses*
**factureren** invoice, charge to someone's account
**factuur** invoice
**facultair** faculty ★ *~e aangelegenheid* faculty matter
**facultatief** optional
**faculteit ❶** *deel universiteit* faculty ★ *~ der geneeskunde* Faculty / School of Medicine ★ *de ~ der rechtsgeleerdheid* the Faculty of Law **❷** wisk factorial
**fade-out** audio-vis fade-out
**Faeröer** Faroese
**fagot** bassoon
**Fahrenheit** Fahrenheit ★ *20 graden* ~ 20 degrees Fahrenheit
**failliet I** *zn* [het] **❶** econ bankruptcy **❷** fig failure, collapse **II** *bnw* bankrupt ★ *~e boedel* bankrupt's estate ★ *~ gaan* fail, go bankrupt ★ *~ verklaard worden* be declared bankrupt, jur be adjudged bankrupt
**faillissement** bankruptcy ★ *~ aanvragen van een*

*bedrijf* present a bankruptcy petition against a firm ★ *in staat van ~ verkeren* be in bankruptcy
**faillissementsaanvraag** bankruptcy petition
**fair** fair ★ *fair play* fair play
**faken** fake
**fakir** fakir
**fakkel** torch
**falafel** falafel, felafel
**falen I** *zn* [het] failure **II** *on ww* ❶ *niet slagen* fail, be unsuccessful ★ *nimmer ~d* unfailing, unerring ❷ *fouten maken* fail, make mistakes
**falie** ▼ *iem. op zijn ~ geven* dust sb's jacket, give sb a good telling / dusting off
**faliekant** utterly, absolutely, completely ★ *je zit er ~ naast* you're way off target, you are nowhere near it
**Falklandeilanden** Falkland Islands, Falklands *mv*
**fallisch** phallic
**fall-out** fallout
**fallus** phallus
**falset** ❶ *stemregister* falsetto ★ *~ zingen* sing (in) falsetto ❷ *zanger* falsetto, counter tenor
**falsificatie** *vervalsing* falsification, forgery
**falsificeren** ❶ *vervalsen* forge, ⟨geld⟩ counterfeit, ⟨boekhouding⟩ falsify ❷ *weerleggen* refute, falsify
**fameus** ❶ *befaamd* famous ❷ *verbazend* ★ *een fameuze som geld* an enormous sum of money
**familiaal** ❶ *huiselijk* familial ❷ BN *jur het gezin betreffend* familial
**familiair** ❶ *ongedwongen* familiar, informal, casual, ⟨intiem⟩ close, ⟨intiem⟩ intimate ★ *~ met iem. zijn* be on familiar / intimate terms with sb ❷ *vrijpostig* (over-)familiar, presumptuous ★ *een ~e toon aanslaan* take a familiar tone
**familie** ❶ *gezin* family ❷ *alle verwanten* family, relations *mv*, relatives *mv* ★ *naaste ~* next of kin ★ *verre ~* distant relations *mv* ★ *het zit in de ~* it runs in the family ★ *hij is van goede ~* he is of a good family ❸ *biol* family
**familiebedrijf** family business / concern
**familieberichten** (notices of) births, marriages and deaths
**familiegraf** family grave / tomb, ⟨kelder⟩ family vault
**familiehotel** family inn / hotel
**familiekring** family-circle
**familielid** member of the family, relation, relative
**familienaam** surname, family name
**familieomstandigheden** ▼ *wegens ~* owing to family circumstances
**familiestuk** ⟨schilderij⟩ family portrait, ⟨erfstuk⟩ family heirloom
**familieziek** overly attached to one's family
**fan** ❶ *liefhebber* fan ❷ *ventilator* fan
**fanaat** zealot, fanatic
**fanaticus** fanatic
**fanatiek** fanatic(al)
**fanatiekeling** fanatic
**fanatisme** fanaticism
**fanclub** fan club
**fancy fair** bazaar, GB jumble sale, USA rummage sale
**fanfare** ❶ *muziekkorps* brass band ❷ *fig grote ophef* fuss

**fanmail** fan mail
**fantaseren I** *ov ww, verbeelden* dream / fantasize about **II** *on ww, zich aan fantasie overgeven* dream, invent, romance (about), ⟨dagdromen⟩ make up
**fantasie** ❶ *verbeeldingskracht* imagination, fancy ❷ *verzinsel* fantasy ❸ *muz* fantasia
**fantasieloos** unimaginative
**fantasievol** imaginative
**fantast** fantast, dreamer
**fantastisch** ❶ *verzonnen* fantastic, unrealistic ❷ *schitterend* great
**fantoom** phantom
**fantoompijn** phantom limb pain
**FAQ** www *frequently asked questions* FAQ, frequently asked questions
**farao** pharaoh
**farce** farce
**farizeeër** hypocrite
**farmaceutica** pharmaceutics
**farmaceutisch** pharmaceutical
**farmacie** pharmacy
**farmacologie** pharmacology
**fascinatie** fascination
**fascineren** fascinate
**fascinerend** fascinating, intriguing
**fascisme** fascism
**fascist** fascist
**fascistisch** fascist
**fase** stage, phase ★ *de ziekte is in een kritieke fase gekomen* the disease has reached a critical stage ★ *in fasen* phased
**faseren** phase
**fastfood** fast-food
**fastfoodrestaurant** fast-food restaurant
**fataal** fatal ★ *een fatale afloop krijgen* end in disaster ★ *die val werd hem ~* that fall proved fatal for him
**fatalisme** fatalism
**fatalistisch** fatalistic
**fata morgana** fata morgana, mirage
**fatsoen** ❶ *goede manieren* decency, good manners *mv* ★ *voor zijn ~* for decency's sake ★ *hou je ~* behave yourself, mind your manners ★ *ik kon met goed ~ niet weigeren* I could not in decency refuse ❷ *vorm* shape, form ★ *uit zijn ~* out of shape
**fatsoeneren** *in fatsoen brengen* shape, model, fashion ★ *zichzelf / zijn kleren ~* straighten one's clothes
**fatsoenlijk** ❶ *behoorlijk* ⟨inkomen, huis, e.d.⟩ decent ❷ *welgemanierd* decent, respectable
**fatsoensrakker** prude
**fatwa** rel fatwa
**fauna** fauna
**fauteuil** *meubel* easy-chair
**favoriet I** *zn* [de] favourite **II** *bnw* favourite
**fax** fax
**faxen** fax, send a fax
**faxnummer** fax number
**fazant** pheasant
**februari** February
**federaal** ❶ *een federatie betreffend* ⟨staat / regering⟩ federal, ⟨systeem⟩ federative ❷ BN *op nationaal, Belgisch niveau* federal Belgian
**federalisme** federalism

**federatie** federation
**fee** fairy
**feedback** feed-back
**feeëriek** fairytale-like
**feeks** shrew
**feeling** feel, feeling ★ *ergens ~ voor hebben* have a feel for sth
**feest ❶** *viering* feast, festival ★ BN *Feest van de Arbeid* Labour Day ❷ *partij* party ★ *een ~ geven* throw a party ★ *een ~je houden / bouwen* have a party ▼ *het ~ gaat niet door!* that's definitely off!
**feestartikelen** party goods / gadgets *mv*
**feestavond** social evening, *inform* evening do, *form* gala night
**feestdag** *gedenkdag, vrije dag* holiday, ⟨voornamelijk religieus⟩ feast-day ★ *officiële ~* public holiday ★ BN *wettelijke ~* public holiday
**feestelijk** festive, *form* festal ▼ *dank je ~!* nothing doing!
**feesten** feast, *inform* party
**feestganger** party-goer
**feestmaal** feast, ⟨groots⟩ banquet
**feestneus ❶** *masker* false nose ❷ *persoon* reveller, party goer, ⟨grapjas⟩ buffoon, ⟨grapjas⟩ clown
**feestnummer ❶** *gangmaker* merrymaker, party goer ❷ *blad* anniversary number
**feestvarken** the toast of the party, ⟨bij verjaardag⟩ the birthday boy / girl
**feestvieren** feast, celebrate
**feestvreugde** gaiety, fun ★ *de ~ verstoren* spoil the fun
**feilbaar** fallible
**feilen** *falen* fail
**feilloos** faultless, ⟨regelmaat⟩ unfailing
**feit** fact ★ *strafbaar feit* punishable offence ★ *voldongen feit* accomplished fact, fait accompli ★ *de feiten onder ogen zien* recognize the facts ▼ *achter de feiten aanlopen* be overtaken by events / developments ▼ *in feite* in fact
**feitelijk** I *bnw* actual II *bijw* actually, practically, virtually
**fel** I *bnw* ❶ *sterk van licht of kleur* fierce, ⟨brand / zon⟩ blazing, ⟨kleur⟩ vivid ❷ *onaangenaam aanvoelend* fierce, ⟨kou⟩ bitter, ⟨pijn⟩ sharp, ⟨woorden⟩ biting ❸ *intens* fierce II *bijw* ★ *daar ben ik fel op tegen* I'm dead against it
**felbegeerd** intensely desired
**felicitatie** congratulations *mv*
**feliciteren ❶** congratulate (**met** on) ❷ → **gefeliciteerd**
**felrood** bright / vivid red
**feminien** feminine
**feminisme** feminism
**feministe** feminist
**feministisch** feminist, feministic
**feniks** phoenix, USA phenix
**fenomeen** phenomenon *mv: phenomena*
**fenomenaal** phenomenal
**feodaal** feudal
**feodalisme** feudalism
**ferm ❶** *flink* firm ★ *een ferme houding* a firm attitude ❷ *zeer groot* stout, ⟨van persoon⟩ strapping, ⟨portie⟩ generous, ⟨reprimande⟩ sound
**fermenteren** ferment

**fervent** fervent, ardent ★ *een ~ voorstander van de EU* a fervent supporter of the EC ★ *een ~ voetballer* an ardent / keen footballer
**festijn** *feest* feast, ⟨groots⟩ banquet
**festival** festival
**festiviteit** festivity
**feston** festoon
**feta** feta (cheese)
**fêteren** fête, make much of
**fetisj** fetish
**fetisjisme** fetishism
**fetisjist** fetishist
**feuilleton** serial (story) ★ *als ~ verschijnen* appear in serial form
**feut** fresher, ≈ freshman
**fez** fez *mv: fezzes*
**fiasco** failure, flop, *inform* washout
**fiat** authorization, sanction, fiat, *econ* approval ★ *zijn fiat geven* give one's permission, *inform* give the go-ahead authorize
**fiatteren** authorize
**fiber** fibre
**fiberglas** fibreglass
**fiche ❶** *speelpenning* counter, ⟨in gokspel⟩ chip ❷ *systeemkaart* index / filing card
**fictie** fiction
**fictief** fictitious
**fictioneel** fictional
**ficus** ⟨soort⟩ ficus, ⟨plant⟩ rubber plant
**fideel ❶** *sympathiek* jovial, jolly ❷ *trouwhartig* good natured
**fiducie** faith, confidence
**fier** proud
**fiets** (bi)cycle, *inform* bike, ⟨in tegenstelling met motorfiets⟩ push-bike
**fietsen** cycle ★ *'n eindje gaan ~* go for a ride
**fietsenmaker** bicycle repair man
**fietsenrek ❶** *rek voor fietsen* bicycle rack / stand ❷ *fig slecht gebit* gapped teeth
**fietsenstalling** bike / bicycle shed
**fietser** cyclist
**fietspad** bicycle lane
**fietspomp** bicycle-pump
**fietsslot** bicycle lock, ⟨kabelslot⟩ bicycle padlock
**fietstas** (bicycle) pannier
**fietstaxi** pedicab
**fietstocht** cycling-tour
**fietsvakantie** cycling holiday
**fiftyfifty** fifty-fifty ★ *~ delen met iem.* go fifty-fifty / halves with sb
**figurant ❶** *acteur* extra, walk-on ❷ *onbetekenend persoon* nonentity
**figuratief ❶** *beeldend* figurative ★ *figuratieve kunst* figurative art ❷ *versierend* decorative, ornamental
**figureren ❶** *optreden als* act / figure (as) ❷ *figurant zijn* be an extra
**figuur** I *zn* [de], *personage* figure, character II *zn* [het] ❶ *gestalte, vorm van lichaam* figure ❷ *schematische afbeelding* figure ★ *een meetkundige ~* a geometric figure, a geometric design ▼ *een goed / slecht ~ slaan* make / cut a good / poor figure ▼ *een ~ als modder slaan* make / cut a sorry / foolish figure ▼ *iem. een gek ~ laten slaan* make sb look silly
**figuurlijk** figurative

**figuurzaag** fret-saw
**figuurzagen** do fretwork ★ *het* ~ fretwork
**Fiji-eilanden** Fiji Islands *mv*
**fijn ❶** *prettig* nice, lovely ★ *een fijn boek* a lovely book ★ *dat is fijn* that's nice / great ❷ *in kleine deeltjes* fine ★ *fijn zand* fine sand ❸ *niet grof* fine, tiny ★ *een fijne kam* fine-tooth(ed) comb ★ *fijne gereedschappen* precision tools ❹ *zeer goed, precies* fine, choice ★ *een fijne neus voor iets hebben* have a nose for sth ★ *fijne smaak* (re)fine(d) taste ★ *fijne appels* choice apples ❺ *subtiel* subtle ★ *fijn verschil* subtle difference ❻ *zuiver* ▾ *hij weet er het fijne van* he knows the rights of it, he knows the ins and outs of the matter ▾ *zo fijn als (gemalen) poppenstront* holier-than-thou
**fijnbesnaard** finely(-)strung, sensitive
**fijngebouwd** slender
**fijngevoelig** sensitive
**fijnhakken** mince
**fijnkauwen** chew up
**fijnknijpen** squeeze, crush, press
**fijnmaken** pulverize
**fijnmalen** grind, crush
**fijnproever** connoisseur
**fijnschrijver** fineliner
**fijntjes I** *bnw, nogal fijn* delicate **II** *bijw* ❶ *op fijne wijze* nicely, neatly ❷ *op slimme wijze* cleverly, subtly
**fijnwasmiddel** washing powder for delicate fabrics
**fijnzinnig** discerning, discriminating
**fijt** whitlow
**fik** *brand* fire ★ *in de fik steken* set fire to, send up in flames ★ *in de fik staan* be in flames / on fire
**fikken I** *zn* [de], *vingers* inform paws **II** *on ww* form burn
**fiks** considerable, ⟨pak slaag⟩ sound, ⟨dosis, wandeling⟩ stiff
**fiksen** fix (up), manage
**filantroop** philanthropist
**filantropisch** philanthropical
**filatelie** philately
**filatelist** philatelist
**file¹** [fiele] *rij* traffic-jam, tailback ★ *in de file staan* be in a traffic-jam
**file²** [fajl] comp *bestand* file
**filenieuws** ≈ traffic news
**fileparkeren** parallel parking
**fileren** *tot filet snijden* fillet
**filerijden** drive in congested traffic, drive in stop-and-go traffic
**filet** fillet
**filet americain** ≈ steak tartare
**filevorming** build-up of traffic, traffic congestion
**filevrij** free of traffic jams
**filharmonisch** philharmonic
**filiaal** branch
**filiaalhouder** branch manager(ess)
**filigraan** filigree
**Filippijn** Filipino
**Filippijnen** Philippines *mv*, Philippine Islands *mv*
**Filippijns** Filipino
**Filippijnse** Filipina
**filistijnen** ▾ *naar de* ~ *gaan* go bust, go to the dogs

**film ❶** *bewegende beelden* film, feature (film), USA movie, *form* motion-picture ★ *naar de film gaan* go to the movies ❷ *fotorolletje* film roll ★ *een film(pje) in een camera doen* load a camera ❸ *dun laagje* film
**filmacademie** film academy / school
**filmcamera** (cine / film)camera, USA movie camera
**filmen** film, ⟨een scene⟩ shoot
**filmer** film-maker
**filmfestival** film festival
**filmhuis** cinema club, USA film club
**filmkeuring** filmcensorship, movie rating system
**filmkritiek** ⟨recensie⟩ film review, USA movie review
**filmmaker** film-maker
**filmmuziek** score, film music, USA movie music
**filmopname** shoot, shooting ★ *een* ~ *maken* do a shoot
**filmploeg** film crew, USA movie crew
**filmregisseur** film director, USA movie director
**filmrol ❶** *band* reel of film ❷ *rol in een film* role
**filmster** film star, USA movie star
**filmstudio** film studio, USA movie studio
**filosoferen** philosophize
**filosofie** philosophy
**filosofisch** philosophic(al)
**filosoof** philosopher
**filter** filter, ⟨voor koffie⟩ percolator ★ ⟨van sigaretten⟩ *met* ~ filtered
**filteren** *laten doorsijpelen* filter, filtrate, sieve, ⟨koffie⟩ percolate
**filterhouder** ⟨coffee⟩ filter holder
**filterkoffie** filter coffee
**filtersigaret** filter (tip), filter-tipped cigarette
**filterzakje** ⟨coffee⟩ filter
**filtraat** filtrate
**filtratie** filtration
**filtreren** filter, strain, ⟨koffie⟩ percolate
**Fin** *bewoner* Finn
**finaal I** *bnw* ❶ *uiteindelijk* final ❷ *algeheel* complete, total ★ *finale uitverkoop* closing-down / clearance sales **II** *bijw* ❶ *volkomen* quite, clean, utterly ★ *ik ben het* ~ *vergeten* I clean forgot (it) ★ *het was* ~ *onmogelijk* it was utterly impossible ❷ BN *uiteindelijk* eventually, ultimately, in the long run
**finale** *sport slotwedstrijd* final ★ *halve* ~ semifinals *mv*
**finaleplaats** place in the finals
**finalist** finalist
**financieel** financial
**financiën** ⟨geld⟩ finances *mv*, ⟨geldwezen⟩ finance, ⟨geldwezen⟩ financial system
**financier** financier, sponsor
**financieren** finance
**financiering** ⟨actief⟩ financing, ⟨passief⟩ funding
**financieringsplan** financing plan
**financieringstekort** financing deficit
**fineer** veneer
**fineliner** fineliner
**fineren ❶** *met dun hout beplakken* veneer ❷ *houtlaagjes op elkaar lijmen* laminate
**finesse** finesse, nicety ★ *de* ~*s* the ins and outs, details ★ *tot in de* ~*s berekend* calculated in detail
**fingeren** feign, simulate, fake, ⟨ensceneren⟩ stage

**fingerspitzengefühl** sensitivity, sure instinct, tact

**finish** *eindstreep* finish, finishing line ★ *als eerste door de ~ gaan* be first past the post / tape

**finishen** finish, cross the line ★ *als derde ~* finish third

**finishing touch** finishing touch(es) / stroke(s)

**Finland** Finland

**Fins** I *zn* [het], *taal* Finnish II *bnw, m.b.t. Finland* Finnish

**Finse** Finn, Finnish woman / girl

**Finse Golf** Finnish Gulf

**FIOD** Fiscal Information and Investigation Department

**firewall** comp firewall

**firewire** comp firewire

**firma** *handelszaak* firm, concern

**firmament** firmament, sky

**firmawagen** BN transp company car

**fis** muz F sharp

**fiscaal** fiscal ★ *fiscale rechten* fiscal duties

**fiscus** tax authorities *mv,* (in Engeland) Inland Revenue

**fistel** fistula

**fit** fit, healthy ★ *zij is niet erg fit* she is a bit off colour

**fitness** fitness

**fitnesscentrum** fitness centre, gym, health club

**fitnessen** sport do fitness exercises, go to a fitness class, do a (fitness) workout

**fitting** ❶ *deel van gloeilamp* screw(cap), fitting ❷ *lamphouder* socket, lamp-holder

**fixatie** ❶ *het vastleggen* fixing ❷ psych fixation, obsession ★ *~ op het verleden* fixation with the past

**fixeerbad** fixing-bath

**fixeren** ❶ *vastmaken / -stellen* fix, fasten, (vaststellen) establish ❷ *strak aankijken* fix with one's eyes, stare at ❸ audio-vis fix

**fjord** fjord

**flacon** flask, bottle

**fladderen** ❶ *vliegen* flutter ❷ *wapperen* flap

**flageolet** flageolet

**flair** flair

**flakkeren** flicker, (in de tocht) waver

**flamberen** *brandend serveren* (serve) flambé

**flamboyant** flamboyant

**flamenco** flamenco

**flamingant** supporter of the Flemish Movement

**flamingo** flamingo *mv: flamingos*

**flanel** ❶ *stof* flannel ❷ *kledingstuk* singlet

**flaneren** lounge, stroll, inform mooch (about)

**flank** flank, side

**flankeren** flank

**flansen** ★ *hij heeft het in elkaar geflanst* he has knocked it together

**flap** ❶ *omgeslagen deel* flap ❷ *bankbiljet* (bank)note

**flapdrol** drip, jerk, idiot

**flapoor** protruding ear, jug-ear

**flap-over** flip chart

**flappen** ▼ *iets eruit ~* blurt out sth

**flappentap** hole in the wall

**flaptekst** blurb

**flapuit** blab(ber)

**flard** ❶ *fragment* fragment, scrap ★ *~en van een*

---

*gesprek* snippets / fragments of a conversation ★ *aan ~en schieten* shoot to pieces ❷ *lap* rag, shred

**flashback** flashback

**flat** ❶ *flatgebouw* block of flats, USA apartment building ❷ *etagewoning* flat, USA apartment

**flater** blunder, howler ★ *een ~ slaan* blunder, drop a clanger

**flatgebouw** block of flats, USA apartment building

**flatteren** flatter ★ *geflatteerd portret* flattering portrait ★ *deze cijfers zijn geflatteerd* these figures present a rosy picture

**flatteus** flattering

**flauw** I *bnw* ❶ *met weinig smaak* tasteless ❷ *kinderachtig* silly ❸ *niet geestig* silly, (grap) lame, (opmerking) insipid ❹ *zwak* feeble, weak, (kleur) faint, (schijnsel) dim ★ *~ zijn van de honger* be faint with hunger ❺ *licht gebogen* ★ *een ~e bocht* a gentle / slight curve / bend ❻ econ dull, (markt) flat II *bijw, kinderachtig* ★ *doe niet zo ~* don't be silly

**flauwekul** nonsense, tomfoolery, inform bunk ★ *geen ~ alsjeblieft* no messing around, no nonsense, please

**flauwerd** a silly person, spoilsport, (lafaard) chicken, (lafaard) sissy

**flauwiteit** silly joke / remark

**flauwte** faint, fainting fit ★ *ze kreeg een ~* she was in a (dead) faint

**flauwtjes** faintly, (verlicht) dimly ★ *~ glimlachen* smile faintly / wanly

**flauwvallen** faint, pass out

**fleece** fleece

**flegma** phlegm

**flegmatiek** phlegmatic

**flemen** cajole, coax

**flensje** thin pancake

**fles** ❶ *verpakking* bottle ★ BN *op flessen trekken* bottle ❷ *(voor babymelk)* zuigfles ★ *met de fles voeden* feed by bottle, bottle-feed ▼ *op de fles gaan* go bust, go to pot ▼ BN *iem. op flessen trekken* swindle sb, take sb for a ride

**flesopener** bottle-opener

**flessen** ❶ *afzetten* swindle, rip off ❷ *voor de gek houden* pull somebody's leg, take somebody for a ride

**flessenrek** bottle-rack

**flessentrekker** swindler

**flessentrekkerij** con, swindle, swindling

**flesvoeding** bottle-feeding ★ *~ geven* bottle-feed

**flets** ❶ *dof* (kleur) dull, (ogen) lacklustre, (kleuren) faded ❷ BN *flauw* (van smaak enz.) bland, tasteless, insipid ❸ *ongezond* wan, pale ★ *er ~ uitzien* look pale

**fleur** *bloei* ▼ *de ~ is eraf* the bloom is gone / off ▼ *de fine ~* the cream / pick of the bunch

**fleurig** ❶ *bloeiend* blooming ❷ *fris / vrolijk* cheerful, colourful, gay

**Flevoland** Flevoland

**Flevolands** Flevoland

**flexibel** ❶ *buigbaar* flexible ❷ psych *meegaand* flexible, pliable, (com)pliant ★ *mijn baas is erg ~* my boss is very flexible ❸ *variabel* supple, elastic ★ *~e werktijden* flexible hours, flex(i)time

**flexibiliteit** ❶ *buigzaamheid* flexibility, pliability

**fl**

**❷** *meegaandheid* flexibility
**flexie** inflexion
**flexplek** flexible workplace
**flexwerk** flexible work, flex work, flexiwork
**flexwerker** flexiworker
**flierefluiten** be a layabout, loaf around
**flierefluiter** good-for-nothing, layabout, idler
**flik** BN *agent* cop, copper
**flikflooien ❶** *vleien* cajole, toady (to somebody),
inform suck up (to somebody) **❷** *liefkozen* pet,
cuddle
**flikken ❶** *klaarspelen* bring / pull off ★ *dat heb je
'm aardig geflikt* you pulled it off very nicely
**❷** *streek leveren* pull a trick on somebody, (iets
ongeoorloofds) get away with ★ *dat moet je mij
niet meer ~!* don't pull that one on me again!
**flikker** *homo* fag, queer, poof, (positief) gay ▼ *iem.
op zijn ~ geven* give so.a clip round the ear ▼ *je
weet er geen ~ van* you don't know a damn thing
about it ▼ *het kan me geen ~ schelen* I don't give a
fuck about it
**flikkeren I** *ov ww, smijten* dump **II** *on ww*
**❶** *schitteren* glint, (van sterren) twinkle, (van
ogen) glitter, (van kaars) flicker **❷** *vallen* tumble,
topple
**flikkering** flicker, twinkle
**flikkerlicht** flash(ing)light
**flink I** *bnw* **❶** *stevig* (van persoon) strapping,
robust, sturdy, stout **❷** *behoorlijk* considerable,
substantial ★ *een ~ pak slaag* a sound thrashing
★ *een ~e dosis / wandeling* a stiff dose / walk
★ *een ~e som geld* a considerable sum of money
**❸** *moedig* brave, plucky ★ *~ zijn!* keep a stiff
upper-lip!, pull yourself together! **II** *bijw* soundly,
firmly, considerably ★ *zij kan ~ eten* she is a
hearty eater ★ *hij verloor en ~ ook!* he lost, and
how! ★ *~ optreden tegen* take a firm line with,
deal firmly with ★ *iem. er ~ van langs geven* give
sb a good hiding / telling off ★ *er komen ~ wat
mensen* a great deal / mass of people are coming
**flinter** thin slice
**flinterdun** paper- / wafer-thin
**flip-over** flip-chart
**flippen ❶** *afknappen* feel let down ★ *zij is geflipt
op haar baas* she is fed up with her boss **❷** *onwel
worden door drugs* have a bad trip, freak out
**flipperen** play pinball
**flipperkast** pin-ball machine
**flirt ❶** *het flirten* flirtation **❷** *persoon* flirt, (man)
philanderer
**flirten** flirt, (man ook) philander
**flits ❶** *licht* flash **❷** *audio-vis flitslicht* flashlight
**❸** *kort moment* flash
**flitsen I** *ov ww, fotografisch bekeuren* catch on a
speed camera ★ *geflitst worden* get flashed **II** *on
ww* **❶** *oplichten* flash **❷** *audio-vis flitser gebruiken*
flash **❸** *snel bewegen* flash
**flitsend** flashy, dazzling, (informeel) snazzy
**flitser** audio-vis flashgun
**flitslamp** flash(bulb)
**flitslicht** flashlight
**flitspaal** speed camera
**flodder** ▼ *losse ~* (munitie) blank, dummy
**flodderen ❶** *slordig werken* mess (about)
**❷** *slordig zitten* hang loosely
**flodderig ❶** *knoeierig* messy, sloppy **❷** *slordig*

shabby, dowdy, (van kleren) baggy
**floepen** slip, whip ★ *het glas floepte uit zijn
handen* the glass slipped from his hand
**floers ❶** *waas* veil, shroud ★ *een ~ van tranen* a
mist of tears **❷** *stof* crape, crêpe
**flonkeren** (van ster) twinkle, (van diamant, enz.)
sparkle
**flonkering** (van ster) twinkling, (van diamant,
enz.) sparkling
**flop** *mislukking* flop, failure, inform washout
**floppen** (be a) flop, misfire
**floppydisk, floppy** diskette, floppy (disk)
**floppydrive** comp floppy drive
**flora** flora
**Florence** Florence
**floreren** flourish, prosper
**florissant** flourishing, prospering, healthy ★ *dat
ziet er niet zo ~ uit* that doesn't look very good
**flossdraad** dental floss
**flossen** floss (one's teeth)
**flowerpower** flower power
**fluctueren** fluctuate, rise and fall, swing
**fluim ❶** *speeksel* phlegm, inform gob (of spit)
**❷** *vent van niks* drip
**fluimen** hawk and spit, gob
**fluistercampagne** whispering campaign
**fluisteren** *zacht zeggen* whisper
**fluistertoon** whisper
**fluit ❶** *muziekinstrument* flute **❷** *signaalfluit*
whistle
**fluitconcert ❶** *concert* concerto for flute, flute
concerto *mv: concertos*, (uitvoering) flute recital
**❷** *afkeurend gefluit* catcalls *mv*, booing
**fluiten I** *ov ww* **❶** *roepen* whistle **❷** *sport* referee
**II** *on ww* **❶** *fluitgeluid maken* whistle, (van vogel)
warble **❷** *op fluit spelen* play the flute ▼ *kunnen ~
naar je geld* whistle for your money
**fluitenkruid** cow parsley
**fluitist** flautist, USA flutist
**fluitje ❶** *signaal* whistle **❷** → **fluit** ▼ *een ~ van een
cent* a piece of cake
**fluitketel** whistling kettle
**fluor** fluor
**fluoresceren** fluoresce
**fluorescerend** fluorescent
**fluoride** fluoride
**flut-** *waardeloos* rubbish, crummy ★ *flutboek*
crappy / crummy book ★ *een flutkrantje* a rag
**fluweel** velvet
**fluweelzacht** velvety, downy
**fluwelen** velvet
**fluwelig** velvety
**fly-drive** fly-drive
**flyer** *strooibiljet* flyer, handbill, leaflet
**fnuikend** fatal, pernicious
**fobie** phobia ★ *hij heeft een ~ voor water* he has a
phobia about water
**focaal** focal
**focus** focal point, focus
**focussen ❶** *~ op* audio-vis *scherp stellen* focus
on, bring into focus **❷** *aandacht richten* ★ *~ op
een onderwerp* focus on a subject
**foedraal** case
**foefelen** BN *rommelen* cheat, swindle,
(wegmoffelen) cover up, (wegmoffelen) hide
away

**foefje** trick ★ *alle ~s kennen* know all the tricks of the trade
**foei** shame (on you)!, ⟨m.b.t. kinderen⟩ naughty, naughty!
**foeilelijk** as ugly as sin
**foerageren** forage
**foeteren** storm, rage (at)
**foetsie** gone, vanished (into thin air)
**foetus** foetus, fetus
**foeyonghai** cul (egg) foo yong
**föhn** ❶ *haardroger* hair dryer ❷ *wind* föhn
**föhnen** blow-dry
**fok** ❶ *voorzeil* foresail ❷ *bril* specs *mv*
**fokdier** breeder
**fokken** breed, rear
**fokkenmast** foremast
**fokker** breeder
**fokkerij** ❶ *het fokken* breeding ❷ *fokbedrijf* breeding farm
**fokstier** breeding bull
**folder** leaflet, brochure
**folie** (tin) foil
**foliumzuur** folic acid
**folk** folk music
**folklore** folklore
**folkloristisch** folkloristic
**follikel** follicle
**follow-up** *vervolg* follow-up, sequel
**folteraar** torturer
**folteren** ❶ *pijnigen* torture ❷ *fig* torment
**foltering** ❶ *pijniging* torture ❷ *fig* torment, agony
**folterwerktuig** instrument of torture
**fondant** ❶ *suikergoed* fondant ❷ BN *pure chocolade* pure chocolate
**fonds** ❶ *kapitaal* fund, capital ★ *geheime ~en* secret funds ❷ *waardepapier* stock, security ❸ *stichting* fund ★ *een ~ stichten* set up / raise a fund ❹ *boeken bij uitgever* publisher's list
**fondsenwerving** fund-raising
**fondslijst** backlist
**fondue** fondue
**fonduen** eat / have fondue
**fonduestel** fondue set
**fonetiek** phonetics *mv*
**fonetisch** phonetic
**fonkelen** sparkle
**fonkelnieuw** brand(-)new
**font** *typografie* font, GB fount
**fontanel** fontanel(le)
**fontein** fountain ★ *een ~ van vuur* a jet / spurt of flames ★ *de ~ werkt* the fountain is playing
**fonteintje** wash-basin
**foodprocessor** food processor
**fooi** tip, gratuity ★ *iem. een fooi geven* tip sb
**fooienpot** tip-bowl
**foor** BN (fun)fair, USA carnival
**fopartikel** trick / joke item
**foppen** fool, kid
**fopspeen** dummy, USA comforter
**forceren** ❶ *doordrijven* force, carry through ★ *de zaak ~* force the issue ★ *een doelpunt ~* force a goal ❷ *door geweld openen* force / prize open, ⟨van ogen, stem⟩ strain, ⟨met breekijzer e.d.⟩ jemmy (open)
**forel** trout

**forens** commuter, non-resident
**forensisch** forensic
**forenzen** commute
**forfait** fixed sum ▼ BN *sport* ~ *geven* make default, fail to appear
**forfaitair** BN *vast, overeengekomen* agreed, fixed
**formaat** size, format ★ *iem. van zijn ~* a man of his stature
**formaliseren** formalize
**formalisme** formalism
**formaliteit** formality ★ *de ~en achterwege laten* cut the red tape
**formateur** pol person charged with forming a new government
**formatie** ❶ *vorming* formation ❷ *sport* group, mil unit
**formatieplaats** permanent position
**formatteren** comp format
**formeel** ❶ *de vorm betreffend* formal ❷ *officieel* formal, official
**formeren** form
**formica** formica
**formidabel** formidable
**formule** ook fig *recept* formula ★ *een scheikundige ~* a chemical formula ★ *een beproefde ~* a tried (and tested) formula
**formuleren** phrase, formulate, put (into words) ★ *hij formuleert slecht* he expresses himself badly
**formulering** formulation, wording ★ *een ongelukkige ~* an unfortunate expression, an unfortunate way of putting it
**formulier** form
**fornuis** cooking-range, kitchen-range, cooker
**fors** ❶ *aanzienlijk* substantial, considerable ❷ *krachtig* sturdy, ⟨handschrift⟩ bold, ⟨mens⟩ robust, ⟨stem⟩ loud
**forsythia** forsythia
**fort¹** *vesting* fort(ress)
**fort²** [fòòr] *sterke eigenschap* strong point
**fortuin** I *zn* [de], *(nood)lot* ▼ *de ~ lachte mij toe* fortune smiled on me II *zn* [het], *vermogen* fortune, (good) luck ★ *~ maken* make one's fortune
**fortuinlijk** lucky
**fortuinzoeker** fortune hunter
**forum** ❶ *plaats / plein* Forum ❷ *discussiebijeenkomst* forum, ⟨radio, televisie⟩ panel (discussion) ❸ *deskundigen* panel
**forumdiscussie** panel / forum discussion
**forwarden** comp forward
**fosfaat** phosphate
**fosfaatvrij** phosphate-free, ⟨voornamelijk reclame⟩ no-phosphate ★ *~ wasmiddel* phosphate-free washing powder
**fosfor** phosphorus
**fosforesceren** phosphoresce
**fosforescerend** phosphoresce
**fosforhoudend** ⟨hoge valentie⟩ phosphoric, ⟨lage valentie⟩ phosphorous
**fossiel** I *zn* [het] fossil II *bnw* fossil ★ *~e brandstoffen* fossil fuel
**foto** photograph, photo, picture, snap(shot) ★ *een foto nemen* take a picture
**fotoalbum** photo(graph) album
**fotoautomaat** photo booth
**foto-elektrisch** photoelectric ★ *~e cel*

**fo**

photoelectric cell, <u>inform</u> magic eye
**fotofinish** photo finish
**fotogeniek** photogenic
**fotograaf** photographer
**fotograferen** photograph ★ *zich laten* ~ have one's photo taken
**fotografie** photography
**fotografisch** photographic
**fotohandelaar** photographic dealer / supplier
**fotojournalist** press photographer
**fotokopie** photocopy, photostat
**fotokopieerapparaat** photocopier
**fotokopiëren** photocopy, photostat
**fotomodel** (fashion) model, covergirl
**fotomontage** photomontage
**fotoreportage** photoreportage
**fotorolletje** roll of film
**fotosafari** photo safari
**fotosynthese** photosynthesis
**fototoestel** camera
**fotozaak** photography shop, camera shop
**fouilleren** (body-)search, <u>inform</u> frisk
**foulard** *halsdoekje* scarf
**foundation** ❶ *crème* foundation (cream) ❷ *stichting* foundation
**fourneren** ❶ *verschaffen* furnish, supply ❷ *geld storten* furnish, provide
**fournituren** haberdashery
**fout I** *zn* [de] ❶ *onjuistheid* mistake, error, (grote fout) blunder ★ *fouten voorbehouden* errors excepted ❷ *gebrek* fault, defect ❸ *misslag* mistake, error, (schuld) fault ★ *een fout begaan* make a mistake ★ *de fout bij zichzelf zoeken* look to o.s. for the blame ★ *in de fout gaan* slip up ▼ *niemand is zonder fouten* nobody is perfect **II** *bnw* wrong, faulty▼ *hij was fout in de oorlog* he collaborated with the enemy **III** *bijw* ★ *hij zat fout* he was wrong ★ *iets fout rekenen* fault sth
**foutief** wrong, incorrect, erroneous
**foutloos** faultless, impeccable ★ *ze spreekt* ~ *Frans* her French is impeccable, she speaks perfect French
**foutmelding** <u>comp</u> <u>comp</u> error message
**foutparkeren** <u>parking illegally</u> ★ *het* ~ illegal parking
**foxterriër** fox terrier
**foxtrot** foxtrot
**foyer** foyer, lobby
**fraai** *mooi* beautiful, fine▼ *dat staat je* ~ that's nice of you▼ *het is een* ~*e geschiedenis* it's a pretty kettle of fish
**fractie** ❶ <u>pol</u> party, group ❷ *onderdeel* fraction ★ *in een* ~ *van een seconde* in a split second
**fractieleider** ≈ leader of parliamentary party, ≈ USA floor leader
**fractievoorzitter** leader of a parliamentary fraction
**fractuur** fracture, break
**fragiel** fragile, brittle
**fragment** fragment
**fragmentarisch** fragmentary, sketchy ★ *een* ~*e beschrijving* a sketchy account
**fragmentatiebom** fragmentation bomb
**fragmenteren** fragment
**framboos** ❶ *vrucht* raspberry ❷ *struik* raspberry bush

**frame** *audio-vis* *één beeldje* frame
**Française** *bewoonster* Frenchwoman
**franchise** ❶ *vrijstelling* exemption (from) ❷ <u>BN</u> *eigen risico* policy excess
**franchisegever** franchisor
**franchisenemer** franchisee
**franciscaan** Franciscan
**franciscaner I** *bnw* Franciscan ★ ~ *monnik* Grey Friar, Franciscan friar **II** *znw* Franciscan
**franco** post-free, (van goederen) carriage paid ★ ~ *boord* free on board, f.o.b. ★ ~ *huis* free domicile ★ ~ *pakhuis* free warehouse ★ ~ *spoor* free (on) rail, f.o.r. ★ ~ *wagon* free on truck ★ ~ *wal* free on quay
**francofiel** Francophile
**francofoon** French-speaking
**franje** ❶ *versiering* fringe ❷ *bijzaken* frill(s) ★ *ontdaan van alle* ~ stripped of all its frills
**frank I** *zn* [de], *munt* franc▼ <u>BN</u> *een* ~ *in tweeën bijten* be penny-pinching **II** *bnw* ★ ~ *en vrij* frank and free
**frankeermachine** franking machine
**frankeren** (machinaal) frank, (met postzegel) stamp, (vooraf porto voldoen) prepay ★ *een gefrankeerde envelop* a stamped envelope
**frankering** postage
**Frankrijk** France
**Frans I** *bnw, m.b.t. Frankrijk* French **II** *zn* [het], *taal* French ★ *in het* ~ in French▼ *daar is geen woord* ~ *bij* that's plain speaking
**frans** ▼ *vrolijke* ~ cheerful / bubbly person
**Frans-Guyana** French Guiana
**Fransman** *bewoner* Frenchman
**Franstalig** French-speaking
**frappant** striking
**frapperen** strike
**frase** phrase▼ *holle* ~*n* mere phrases
**fraseren** phrase
**frater** (lay) brother, friar
**frats** ★ *malle* ~*en* antics, pranks
**fraude** fraud ★ ~ *plegen* commit / practise fraud ★ *hij heeft* ~ *gepleegd* he has committed a fraud
**fraudebestendig** fraud-proof
**frauderen** commit fraud
**fraudeteam** Fraud Squad
**fraudeur** fraud, cheat, swindler
**frauduleus** fraudulent, bent, not on the level, <u>inform</u> crooked
**freak** ❶ *fanatiekeling* freak ★ *auto*~ car freak ❷ *zonderling persoon* freak, nut, weirdo
**freelance** freelance
**freelancen** (work) freelance
**freelancer** freelance(r)
**frees** (industrie) fraise, (industrie) milling cutter, (landbouw) rotary cultivator
**freewheelen** ❶ *het kalm aan doen* freewheel, take it easy, coast along ❷ *in vrijloop fietsen* coast, freewheel
**fregat** frigate
**frêle** frail, fragile, delicate
**frequent** frequent
**frequenteren** visit often, frequent, (van café, e.d.) patronize
**frequentie** frequency
**fresco** fresco
**fresia** freesia

**fret I** *zn* [de], *boor* gimlet **II** *zn* [het], *dier* ferret
**freudiaans** Freudian ★ *~e verspreking* a Freudian slip
**freule** lady, gentlewoman
**frezen** mill
**fricandeau** fricandeau, ⟨ronde⟩ veal cutlet
**fricassee** BN cul ≈ ragout ≈ ragout
**frictie** friction
**friemelen** fumble
**Fries I** *bnw, m.b.t. Friesland* Frisian **II** *zn* [de], *bewoner* Frisian **III** *zn* [het], *taal* Frisian
**fries** frieze
**Friesland** Friesland
**friet** chips *mv*, USA French fries *mv*
**frietketel** BN *friteuse* deep(-fat) fryer, deep-frying pan
**frietkot** BN → frietkraam
**frietkraam, friettent** ≈ fish and chips stand, chippy
**frietsaus** cul ≈ mayonnaise (for chips, French fries)
**Friezin** *bewoonster* Frisian (woman / girl)
**frigide** frigid
**frigo** BN *koelkast* fridge, USA icebox
**frigobox** BN *koelbox* cool box
**frik** pedant
**frikadel** ≈ beef sausage
**fris I** *zn* [de/het], *frisdrank* soft drink **II** *bnw* ❶ *koel* fresh, cool ❷ *zuiver en schoon* clean, fresh ★ *een frisse wind* a fresh wind
**frisbee** frisbee
**frisbeeën** (play) frisbee
**frisco** BN *chocolade-ijsje* chocolate ice cream
**frisdrank** cul soft drink, inform pop
**frisheid** freshness
**frisjes** chilly, cool, nippy
**frites** → friet
**friteuse** deep(-fat) fryer, deep-frying pan
**frituren** deep-fry
**friturist** BN *frietkraamhouder* owner of fish and chips stand
**frituur ❶** BN *gefrituurd voedsel* deep-fried food, inform fry-up ❷ BN *patatkraam* ≈ fish and chips stand, inform chippy, USA ≈ hot-dog stand
**frituurpan** deep-frying pan
**frituurvet** deep-frying fat
**frivool** frivolous
**fröbelen** play around / about, ⟨prutsen⟩ mess about
**frommelen I** *ov ww, verkreukelen* crumple ★ *hij frommelde het papier op* he crumpled the piece of paper **II** *on ww, friemelen* fumble ★ *hij frommelde aan zijn das* he fumbled with his tie
**frons** frown, ⟨boos⟩ scowl
**fronsen** frown, ⟨boos⟩ scowl
**front** *voorste linie* front ★ *aan het ~* at the front
**frontaal** frontal ★ *frontale botsing* head-on collision ★ *een frontale aanval* a frontal attack
**frontlijn** front line
**frontlinie** front (line)
**frontsoldaat** front-line soldier
**fructose** fructose
**fruit** fruit ★ *Turks ~* Turkish delight
**fruitautomaat** fruit / slot machine, one-armed bandit
**fruitboom** fruit-tree, fruiter

**fruiten** fry
**fruithapje** fruit cocktail
**fruitig** fruity
**fruitmes** fruit knife *mv: knives*
**fruitsalade** cul fruit salad
**fruitsap** BN cul *vruchtensap* fruit juice
**fruitschaal** fruit-dish
**frunniken** fiddle (**aan** with)
**frustratie** frustration
**frustreren** frustrate, thwart
**frutselen** fiddle
**f-sleutel** F clef
**FTP** www *File Transfer Protocol* FTP
**FTP-server** www FTP server
**fuchsia** *plant* fuchsia
**fuck** damn▼ *geen fuck* fuck all
**fuga** fugue
**fuif** party, ⟨drinkfuif⟩ spree ★ *'n fuif geven* throw a party
**fuifnummer** raver, party animal, champagne Charlie
**fuik** bow-net, fish-trap▼ *in de fuik lopen* fall into the trap
**fuiven** feast, revel ★ *iem. ~* feast sb
**full colour** full-colour
**full speed** full speed
**fulltime** full-time
**fulmineren** fulminate (against), thunder (against)
**functie ❶** *werking* function ❷ *betrekking* position, post, duties *mv* ★ *in ~ treden* enter upon one's duties ★ *een hoge ~ bekleden* hold a leading position ★ *de ~ van voorzitter waarnemen* act / officiate as chairman ❸ *wisk* function▼ BN *in ~ van* depending on, according to, with a view to
**functieomschrijving** function description, job description / specification
**functietoets** function key
**functionaris** functionary, official
**functioneel** functional
**functioneren** function
**functioneringsgesprek** performance review
**fundament** foundation
**fundamentalisme** fundamentalism
**fundamentalist** fundamentalist
**fundamentalistisch** fundamentalist(ic)
**fundamenteel** basic, fundamental
**funderen ❶** *fundering aanbrengen* found, build ❷ *baseren* base, found ★ *een goed gefundeerd betoog* a well-founded argument
**fundering ❶** *het funderen* founding ❷ *fundament* foundation(s) ★ *de ~ leggen* lay the foundation(s) ❸ *grondslag* basis *mv: bases*
**funest** disastrous, fatal
**fungeren ❶** *in functie zijn* be acting (as) ❷ *dienst doen (als)* act as, function as ★ *~ als* act / officiate as
**funk** funk
**furie** *woede* fury
**furieus** furious
**furore** furore ★ *~ maken* cause a furore, become a craze, be the talk of the town
**fuseren,** BN **fusioneren** *samenvoegen* merge (with) ★ *die twee bedrijven zijn onlangs gefuseerd* those two companies recently merged, there has been a recent merger between / of those two

companies

**fusie** merger, amalgamation ★ *een ~ aangaan met* merge with

**fusilleren** shoot

**fust** barrel, ⟨vat⟩ cask, ⟨emballage⟩ packing ★ *leeg fust* empty packaging

**fut** go, spirit, grit, spunk ★ *de fut is er bij hem uit* there's no go left in him ★ *er zit geen fut in hem* there's no spirit in him

**futiel** insignificant, futile

**futiliteit** futility, triviality

**futloos** spiritless

**futurisme** futurism

**futuristisch** *m.b.t. toekomst* futuristic

**fuut** great crested grebe

**fysica** physics *mv*

**fysicus** physicist

**fysiek** I *bnw, lichamelijk* physical II *zn* [het] physique

**fysiologie** physiology

**fysiologisch** physiological

**fysiotherapeut** ❶ *iemand die fysiotherapie toepast* physiotherapist ❷ BN *revalidatiearts* rehabilatation specialist

**fysiotherapie** physiotherapy

**fysisch** physical

# G

**g** ❶ *letter* g ★ *de g van Gerard* G as in George ❷ *muzieknoot* G

**gaaf** ❶ *ongeschonden* whole, perfect, ⟨van exemplaar⟩ undamaged, ⟨van fruit⟩ sound ❷ *prachtig* cool, super, great

**gaai** jay

**gaan** I *on ww* ❶ *in beweging zijn* go, ⟨van tijd⟩ pass ★ *we gaan over Utrecht* we go by way of Utrecht ★ *te voet gaan* go on foot ★ *we gaan met de trein* we're going by train ★ *naar de dokter gaan* ⟨go⟩ see the doctor ★ *het gerucht gaat* it is rumoured ★ *laat maar gaan* let it go / pass ★ *hij liet zich gaan* he let himself go ★ *dat gaat er bij mij niet in* that won't go down with me ★ *er gaat niets boven...* there's nothing like... / to beat... ❷ *weggaan* go, leave ★ *er vandoor gaan* make off, run away, bolt ★ *er stilletjes vandoor gaan* take French leave, sneak away / off ★ *kom, ik ga er vandoor* well, I'm off now ★ *daar gaat 'ie dan!* here we go ❸ *beginnen met* ★ *gaan wandelen* go for a walk ★ *ga je wassen* go and get washed ❹ *functioneren* ★ *de telefoon gaat* the ⟨tele⟩phone rings ❺ *passen* ★ *er gaan 1000 mensen in dit theater* this theatre can hold / accommodate 1000 people ❻ *~* **met** ★ *Mark gaat met Janet* Mark is going out with Janet ❼ *~ over als onderwerp hebben* ★ *over wie gaat het?* who is it about? ❽ *~ over beslissen* ★ *hier ga ik niet over* I'm not in charge of this ❾ *~ voor voorrang hebben* ★ *zaken gaan voor het meisje* business before pleasure II *onp ww* ❶ *gesteld zijn* ★ *hoe gaat het?* how are you (getting on)?, how is it going ★ *het gaat* not too bad ★ *het ga je goed!* good luck to you! ★ *het gaat niet goed met hem* he is doing badly ★ *het gaat goed met hem* he is doing well ★ *gaat het?* are you okay? ❷ *gebeuren* ★ *zo gaat het goed* that's the way ★ *zo gaat het in het leven* such is life, that's the way of the world ❸ *lukken* ★ *het gaat niet* it won't work, it's impossible, nothing doing ❹ *~ om* ★ *het gaat om je leven* your life is involved / at stake ★ *het gaat erom of...* the question / point is whether... ★ *daar gaat het (niet) om* that's (not) the point

**gaande** ❶ *in beweging* going ★ *het gesprek ~ houden* keep up the conversation ★ *~ houden* keep going (on) ❷ *aan de gang* going on ★ *wat is er ~?* what's up?, what's going on?

**gaandeweg** gradually

**gaap** yawn

**gaar** ❶ *voldoende toebereid* done, cooked ★ *te gaar* overdone ★ *goed gaar* well-done ★ *niet gaar* underdone, rare ❷ *duf* done, tired ★ *ik werd helemaal gaar van die les* that lesson really did for me

**gaarkeuken** soup kitchen

**gaarne** willingly, gladly ★ *ik ben ~ bereid om het te doen* I will gladly do so, I shall be pleased to do so

**gaas** ❶ *weefsel* gauze, net⟨ting⟩ ❷ *vlechtwerk van metaal* wire netting

**gaasje** gauze (dressing) pad

**gaatje** ❶ *gat in tand* hole, cavity ❷ → **gat**

**gabber** ❶ *vent* bloke ❷ *makker* pal, mate, buddy
**Gabon** Gabon
**Gabonees** Gabonese
**gade** *huwelijkspartner* spouse
**gadeslaan** watch, observe
**gadget** gadget
**gading** ★ *dat is niet van mijn ~* it is not to my taste, it is not in my line ★ *er was niets van haar ~ bij* there was nothing she fancied ★ *ik kon niets van mijn ~ vinden* I couldn't find anything I wanted
**gadsie** yu(c)k!
**gadver** yu(c)k!
**gadverdamme** yuck, yech
**Gaelic** taalk *Keltische taal* Gaelic
**gaffel** ❶ *gereedschap* (two-pronged) fork, ⟨hooivork⟩ pitchfork ❷ scheepv gaff
**gage** salary, pay
**gaine** BN roll-on
**gajes** scum, (the) rabble
**gal** *vloeistof* bile ▼ *zijn gal spuwen* vent one's spleen (on)
**gala** ❶ *feest* gala ❷ *kleding* ★ *in gala zijn* be in full dress
**galabal** grand ball
**galactisch** galactic
**galakostuum** full dress, form state / ceremonial dress
**galant** *hoffelijk* gallant
**galapremière** gala première
**galavoorstelling** gala performance
**galblaas** gall bladder
**galei** galley
**galerie** kunst (art) gallery
**galeriehouder**, BN **galerijhouder** gallery owner
**galerij** ❶ *overdekte gang* gallery, ⟨van flatgebouw⟩ walkway ❷ BN kunst *galerie* (art) gallery
**galerijflat** block of flats with access balconies
**galg** gallows *enk en mv* ▼ *hij groeit op voor galg en rad* he is heading straight for the gallows
**galgenhumor** grim humour
**galgenmaal** ❶ *laatste maal van ter dood veroordeelde* last meal ❷ *afscheidsmaal* farewell meal
**galgje** ❶ *spelletje* hangman ★ *~ spelen* play hangman ❷ → **galg**
**galjoen** *zeilschip* galleon
**gallisch** ▼ *daar word ik ~ van* that gives me the hump
**galm** ❶ *klank* booming sound ❷ *echo* resonance, reverberation
**galmen** I *ov ww, zingen* bawl (out) II *on ww* ❶ *luid klinken* resound, boom ★ *~de klokken* pealing bells ❷ *weerkaatsen* echo, reverberate
**galop** gallop ★ *korte ~* canter ★ *in volle ~* (at) full gallop
**galopperen** gallop
**galsteen** gallstone
**galvanisch** galvanic
**galvaniseren** galvanize
**galzuur** bile acid
**gamba** (jumbo) shrimp
**Gambia** Gambia
**Gambiaans** Gambian
**game** ❶ sport *wedstrijdonderdeel* game ❷ *computerspel* game

**gamen** game
**gamer** comp gamer
**gamma** I *zn* [de], *letter* gamma II *zn* [het] ❶ *reeks* gamut, spectrum, ⟨van tonen⟩ scale ❷ BN *assortiment* assortment, selection
**gammastraling** gamma radiation, gamma rays *mv*
**gammawetenschap** social science
**gammel** ❶ *niet stevig* rickety, ⟨van huis⟩ tumbledown ❷ *slap, lusteloos* shaky, form languid
**gang** ❶ *doorloop* ⟨van gebouw⟩ corridor, ⟨van mijn⟩ gallery ❷ *manier van gaan* walk, form gait ❸ *verloop* ★ *de normale gang van zaken* the normal procedure ★ *voor een goede gang van zaken* for a proper conduct / course of affairs ❹ *deel van menu* course ❺ *beweging* ★ *aan de gang zijn* have begun, be in progress, be at work ★ *aan de gang blijven* keep going ★ *je kunt daarmee niet aan de gang blijven* you can't go on like that ★ *aan de gang brengen* set going, spark off ★ *aan de gang gaan met* start with ★ *aan de gang houden* keep things going, keep the conversation alive ★ *iets aan de gang krijgen* get sth started ★ *het feest is in volle gang* the party is in full swing ★ *op gang brengen* set going ★ *op gang komen* get going ★ *zodra alles op gang is* as soon as everything is going properly ★ *goed op gang zijn* well under way, be in full swing ★ *gang hebben* have speed ★ *gang maken* spurt, set the pace ❻ *m.b.t. gedrag, handelen* ★ *alles gaat gewoon zijn gang* it's business as usual ★ *ga je gang* go ahead ★ *ga uw gang* go ahead!, do as you please! ★ *zijn eigen gang gaan* go one's own way ★ *iemands gangen nagaan* shadow sb, watch sb's movements → **gangetje**
**gangbaar** ❶ *gebruikelijk* usual, ⟨van theorie⟩ accepted, ⟨van opinie⟩ current, ⟨van uitdrukking⟩ common ❷ econ *in omloop* accepted, ⟨van betaalmiddel⟩ current ★ *een gangbare munt* an accepted currency ❸ econ *veel gekocht* popular, in demand
**gangboord** gangway
**gangenstelsel** network of corridors ★ *ondergronds ~* underground network
**gangetje** ❶ *snelheid* pace, speed ❷ *voortgang* ★ *alles gaat z'n ~* things are going just fine ★ *hij gaat zijn gewone ~* he jogs on as usual
**gangmaker** ❶ sport pacemaker ❷ *ijveraar* ⟨op een feest, enz.⟩ (the) life and soul
**gangpad** gangway, aisle
**gangreen** med gangrene
**gangstarap** muz gangsta rap
**gangster** gangster, inform mobster
**gangsterfilm** gangster film
**gans** I *zn* [de] ❶ *vogel* goose *mv:* geese ★ *wilde gans* wild goose ★ *grauwe gans* greylag goose ❷ fig *persoon* goose ★ *wat een domme gans!* she's as thick as a brick II *bnw* BN *whole*, entire III *bijw* wholly, entirely
**ganzenbord** Game of Goose, ⟨speelbord⟩ Goose board
**ganzenlever** goose liver
**ganzenpas** mil *paradepas* goose-step ★ *in de ~ lopen* walk in single file
**ganzerik** ❶ plantk cinquefoil ❷ *mannetjesgans*

ga

gander

**gapen** ❶ *geeuwen* yawn ❷ *dom toekijken* gape
❸ *dreigend geopend zijn* gape, ⟨van afgrond, graf⟩
yawn ★ *een ~de kloof* a yawning chasm / gap
★ *een ~de wond* a gaping wound

**gappen** pinch, pilfer, snatch

**garage** ❶ *autostalling* garage ★ *in de ~ stallen*
garage (the car) ❷ *werkplaats* service station
★ *mijn auto moet naar de ~* my car needs
servicing

**garagehouder**, <u>BN</u> **garagist** garage keeper

**garanderen** guarantee

**garant** guarantor ★ *~ staan voor schulden, e.d.*
stand surety for debts, etc.

**garantie** guarantee, warranty

**garantiebewijs** warranty, guarantee

**garantiefonds** guarantee / contingency fund

**garde** ❶ *keukengerei* whisk ❷ *lijfwacht* guard(s)

**garderobe** ❶ *klerenbewaarplaats* wardrobe, ⟨in
theater, e.d.⟩ cloakroom ❷ *kleren* wardrobe

**gareel** *halsjuk* collar, harness ▼ *in het ~ lopen* toe
the line

**garen** I *zn* [het] thread, yarn ▼ *goed ~ spinnen bij
iets* make money out of sth II *bnw* thread

**garnaal** <u>dierk</u> shrimp, ⟨steurgarnaal⟩ prawn

**garnalencocktail** prawn / shrimp cocktail

**garneren** ⟨van kleding⟩ trim, ⟨van schotel⟩
garnish

**garnering** ⟨van kleding⟩ trimming, ⟨van schotel⟩
garnishing

**garnituur** ❶ *garneersel* garnish(ing), trimmings
*mv*, decorations *mv* ❷ *set voorwerpen* accessories
*mv*, ⟨van juwelen⟩ set

**garnizoen** *legerafdeling* garrison

**gas** gas ★ *vloeibaar gas* liquid gas ★ *op gas koken*
cook with gas ▼ *vol gas* full throttle ▼ *gas geven*
open the throttle, step on the gas ▼ *gas
terugnemen / minderen* throttle down

**gasaansteker** *keukenvoorwerp* gas lighter

**gasbedrijf** gas company

**gasbel** gas pocket

**gasbrander** *op mondstuk van gasbuis* gas burner

**gasexplosie** gas explosion

**gasfabriek** gasworks *mv*

**gasfitter** gas fitter

**gasfles** gas cylinder

**gasfornuis** gas cooker

**gaskachel** gas heater / fire

**gaskamer** *executieruimte* gas chamber, ⟨voor
dieren⟩ lethal chamber

**gaskraan** gas tap

**gasleiding** gas pipe, ⟨hoofdtoevoer⟩ gas main

**gaslek** gas leak

**gasmasker** gas mask / helmet

**gasmeter** gas meter

**gasolie** gas oil

**gasoven** gas oven

**gaspedaal** accelerator

**gaspit** ❶ *vlam* gas jet ❷ *brander* gas ring / burner

**gasslang** gas tube

**gasstel** gas ring, burner

**gast** ❶ *bezoeker* guest, visitor ❷ *gozer* fellow ★ *een
slimme gast* a sly dog ▼ <u>BN</u> *halve gast* apprentice
▼ <u>BN</u> *volle gast* skilled apprentice

**gastarbeider** guest worker

**gastcollege** guest lecture ★ *een ~ geven /*

*verzorgen* deliver / give / hold a guest lecture

**gastdocent** guest lecturer

**gastenboek** *ter registratie* visitors' book, ⟨van
hotel⟩ hotel register

**gastenverblijf** visitors' quarters *mv*

**gastgezin** host family

**gastheer** host

**gasthuis** hospital

**gastland** host country

**gastmaal** feast

**gastoevoer** gas supply

**gastoptreden** guest appearance

**gastouder** foster parent

**gastrol** guest appearance

**gastronomie** gastronomy

**gastronomisch** gastronomic

**gastspreker** guest speaker

**gastvrij** hospitable

**gastvrijheid** *gastvrij gedrag* hospitality

**gastvrouw** *vrouw bij wie men te gast is* hostess

**gasvlam** gas flame

**gasvormig** gaseous

**gasvuur** <u>BN</u> *gasfornuis* gas cooker

**gat** ❶ *opening* gap, hole ★ *een gat in zijn hoofd
vallen* break one's head (open) ★ *een gat in de
dag slapen* sleep far into the day ★ *een gat in de
lucht springen* jump out of one's skin ★ *er geen
gat meer in zien* see no way out ★ *niet voor één
gat te vangen zijn* be a slippery customer ★ *iem.
het gat van de deur wijzen* show sb the door
★ *houd hem in de gaten!* watch out for him! ★ *in
de gaten krijgen* spot, ⟨begrijpen⟩ cotton on (to)
★ *in de gaten lopen* attract notice ❷ *gehucht* hole
★ *een saai gat* a dull hole ❸ *achterwerk* <u>form</u>
bottom, bum, backside ★ *iem. een schop onder
zijn gat geven* kick sb up the backside ★ <u>BN</u> *met
zijn gat in de boter vallen* strike it lucky / rich
★ <u>BN</u> *geen zittend gat hebben* be fidgety, <u>inform</u>
have ants in one's pants → **gaatje**

**gatenkaas** <u>cul</u> cheese with holes

**gatenplant** Swiss cheese plant, monstera

**gauw** I *bnw* quick, swift II *bijw* ❶ *snel* quickly ★ *zo
gauw als hij komt* as soon as he comes ★ *ik wist
niet zo gauw wat te zeggen* I was lost for words
❷ *binnenkort* soon

**gauwdief** snatcher

**gauwigheid** rush, hurriedness ★ *in de ~* in haste

**gave** ❶ *talent* talent, gift ★ *de gave van het woord*
the gift of the gab ❷ *geschenk* gift ★ *gulle gaven*
generous gifts

**gay** gay

**gaybar** gay bar

**Gaza** Gaza

**Gazastrook** Gaza Strip

**gazelle** gazelle

**gazon** lawn

**GB** <u>comp</u> *gigabyte* GB, Gb

**ge** → **gij**

**geaard** ❶ *met aardleiding* earthed ❷ *van aard*
disposed ★ *zo ben ik nu eenmaal ~* that's my
nature

**geaardheid** disposition

**geacht** esteemed, respected ★ *~e heer / mevrouw*
Dear Sir / Madam

**geadresseerde** addressee

**geaffecteerd** affected, mannered

**geagiteerd** agitated, excited
**geallieerden** allies *mv*
**geamuseerd** amused ★ *zij keek hem ~ aan* she watched him in amusement
**geanimeerd** animated ★ *een ~ gesprek* an animated conversation
**gearmd** arm in arm
**geavanceerd** *vooruitstrevend* advanced
**gebaar** *beweging* gesture
**gebak** pastry, cake(s)
**gebakje** pastry, cake
**gebakstel** tea plates *mv*
**gebaren I** *ov ww, duidelijk maken* beckon, signal ★ *ze gebaarde hen haar te volgen* she beckoned them to follow her **II** *on ww, gebaren maken* gesticulate, gesture
**gebarentaal** sign language
**gebed** prayer ★ *zijn ~(en) doen* say one's prayers
**gebedsgenezer** faith healer
**gebeente** bones *mv* ★ *wee je ~ als* woe betide you if
**gebeiteld** ▼ *ik zit ~* I have got it made, I'm sitting pretty
**gebekt** ▼ *goed ~ zijn* have the gift of the gab
**gebelgd** incensed, enraged
**gebenedijd** → **woord**
**gebergte** mountain range ★ *in het ~* in the mountains
**gebeten** → **bijten** ▼ *~ zijn op iem.* bear sb a grudge
**gebeuren I** *on ww* **❶** *plaatsvinden* happen, occur, inform go down ★ *dat gebeurt niet!* you will do nothing of the kind ★ *het gebeurde toevallig dat...* it so happened that... ★ *het is met hem gebeurd* it's all over with him, he's done for **❷** *overkómen* happen, occur ★ *wat is er met jou gebeurd?* what has happened to you? ★ *het zal je maar ~* what an awful thing to happen ★ *dat zal me niet weer ~* I won't let that happen again **❸** *gedaan worden* ★ *het moet ~* it has to be done ★ *er moet heel wat aan ~* a lot has to be done to it ★ *het is zo gebeurd* it will only take a minute **II** *zn* [het] event, inform happening
**gebeurtenis** event, occurrence ★ *blijde ~* happy event
**gebied** **❶** *streek* area **❷** *grondgebied* territory **❸** *kennisterrein* domain ★ *dat behoort niet tot mijn ~* that falls outside my province ★ *een autoriteit op het ~ van* an authority / expert on / in the field of
**gebieden I** *ov ww* **❶** *gelasten te* order, command ★ *waakzaamheid is geboden* vigilance is required **❷** taalk → **wijs II** *on ww, heersen* rule
**gebit** *tanden en kiezen* teeth *mv* ★ *vals ~* set of false teeth, dentures *mv*
**gebitsverzorging** dental care
**geblaat** bleating
**gebladerte** foliage
**geblèr ❶** (van mens) squalling **❷** (van schaap) bleating
**geblesseerd** wounded, (sport) injured
**gebloemd** flowered
**geblokt** chequered
**gebocheld** hunchbacked ★ *~e* hunchback
**gebod** order ★ *de tien ~en* the ten commandments

**gebodsbord** mandatory sign
**gebogen** bent, curved, (van hoofd) bowed, (van rug) bent, wisk curved
**gebonden ❶** *gehouden* bound, tied ★ *aan een vaste prijs ~ zijn* be committed / bound to a fixed price **❷** *ingebonden* bound **❸** *niet dun* (van saus) thick, (van soep) creamy
**geboorte ❶** *het geboren worden* birth ★ *(van) voor de ~* prenatal ★ *(van) na de ~* post-natal **❷** *afkomst* birth, descent ★ *Nederlander van ~ zijn* be Dutch by birth
**geboorteakte** birth certificate
**geboortebeperking** family planning, birth control
**geboortebewijs** birth certificate
**geboortecijfer** birth rate
**geboortedag** birthday
**geboortedaling** falling birth rate, birth decline
**geboortedatum** birthdate, date of birth
**geboortegolf** baby boom
**geboortehuis** house of birth
**geboortejaar** year of (one's) birth
**geboortekaartje** birth announcement card
**geboorteoverschot** increase in population
**geboorteplaats** place of birth, birthplace
**geboorterecht** jur birthright
**geboorteregeling** birth control, family planning
**geboorteregister** register of births, deaths and marriages
**geboren ❶** *ter wereld gebracht* born ★ *~ en getogen zijn in Utrecht* be born and bred in Utrecht ★ *~ uit een Hollandse moeder* born of a Dutch mother ★ *een ~ Engelsman* an Englishman by birth **❷** *van nature* born, natural ★ *een ~ staatsman* a born statesman ★ *een ~ idioot* a congenital idiot
**geborgen** safe, secure
**geborgenheid** security, safety
**geborneerd** narrow-minded
**gebouw** building, form edifice
**gebraad** roast / fried meat
**gebrand** ▼ *~ zijn op* be keen on
**gebrek ❶** *gemis* want (aan of), lack(aan of), shortage (aan of) ★ *een nijpend ~* an acute shortage, a dire need ★ *bij ~ aan* failing ★ *~ hebben aan* be in want of ★ *aan niets ~ hebben* want for nothing ★ *~ krijgen aan* run short of **❷** *mankement* defect, (onvolkomenheid) shortcoming, (kwaal) infirmity ▼ *in ~e blijven* fail ▼ *in ~e stellen* hold liable
**gebrekkig ❶** *onvolkomen* (van gereedschap) defective, (van uitspraak) faulty, (niet toereikend) poor, (niet toereikend) inadequate **❷** *invalide* infirm
**gebroeders** ★ *de ~ A.* the A. brothers
**gebroken ❶** *kapot* broken, fractured **❷** *niet in een geheel* interrupted **❸** *gebrekkig* ★ *hij praat ~ Engels* he speaks broken English **❹** *uitgeput* broken, crushed **❺** *niet zuiver* off ★ *~ wit* off-white
**gebruik ❶** *het benutten* use ★ *buiten ~ raken* go out of use ★ *buiten ~ zijn* be out of use ★ *door het ~ leren* learn by practice ★ *in ~ nemen* put into use, open to traffic ★ *in ~ zijn* be in use ★ *ten ~e van* for the use of ★ BN *wegens dubbel ~* because

of surplus ★ ~ *maken van* make use of, use ★ *druk ~ maken van* het consumeren use, consumption ❸ *gewoonte* custom, usage

**gebruikelijk** usual ★ *zoals te doen* ~ as usual

**gebruiken** ❶ *benutten* use ★ *zijn hersens* ~ use one's brains ★ *ik kan wel een nieuw pak* ~ I could do with a new suit ★ *ik kan hier geen luilakken* ~ I have no use for idlers here ❷ *consumeren* eat, ⟨van maaltijd⟩ have, ⟨van maaltijd⟩ eat, ⟨verbruiken⟩ consume, ⟨van voedsel, suiker in thee⟩ take ★ *wilt u iets* ~? can I get you anything?

**gebruiker** ❶ *benutter* user ❷ *consument* consumer

**gebruikersnaam** www user name

**gebruikersvriendelijk** user-friendly, easy to use / open, etc.

**gebruikmaking** ▼ *met* ~ *van* with the use of, (by) using

**gebruiksaanwijzing** directions for use

**gebruiksklaar** ready-to / for-use

**gebruiksvoorwerp** implement, ⟨in keuken⟩ utensil

**gebruiksvriendelijk** user-friendly

**gebruind** (sun)tanned, browned

**gecertificeerd** certified

**gecharmeerd** *van* taken / charmed with

**geciviliseerd** civilized

**gecommitteerde** ❶ *gevolmachtigde* delegate ❷ *toeziener* (external) examiner

**gecompliceerd** complicated ★ ~*e breuk* compound fracture

**geconcentreerd** ❶ *sterk* concentrated ★ ~ *appelsap* concentrated apple juice ❷ *aandachtig* concentrated ★ ~ *werken* work with (great) concentration

**geconditioneerd** conditioned

**gedaagde** jur defendant

**gedaan** ❶ *klaar* done ★ *iets* ~ *krijgen* bring sth off ★ BN ~ *zijn* be finished / over / done ❷ *beëindigd* done, finished ★ *dan is het met het gezag* ~ then authority goes for nothing ▼ ⟨in akten⟩ ~ *en getekend de 12e juni* given this 12th day of June ▼ *het is met hem* ~ he is finished, he is done for ▼ *dat is niets* ~ that's no good

**gedaante** ❶ *uiterlijk* shape, figure ★ *van* ~ *veranderen* change one's shape ★ *zich in zijn ware* ~ *tonen* come out in one's true colours ❷ *verschijning* ★ *een spookachtige* ~ ghostly apparition

**gedaanteverandering** metamorphosis, transformation

**gedachte** ❶ *het denken* thought ★ *de* ~ *aan* the thought of ★ *in zijn* ~*n* in his mind's eye ★ *in* ~*n* absorbed, (lost) in thought ★ *iets in* ~*n houden* keep sth in mind ★ *zijn* ~ *over iets laten gaan* think sth over ★ *zijn* ~*n bij elkaar houden* keep one's mind on the job ★ *zijn* ~*n er niet bij hebben* be wool-gathering, be absent minded ❷ *wat gedacht wordt* thought, idea ★ *bij de* ~ *aan* at the thought of ★ *hij bracht me op de* ~ he suggested the idea to me ★ *iem. tot andere* ~*n brengen* make sb change his mind ★ *van* ~*n veranderen* change one's mind ★ *van* ~ *zijn dat* be of (the) opinion that ★ *de* ~ *alleen al* the mere thought

**gedachtegang** train of thought

**gedachtegoed** range of thought

**gedachtekronkel** quirk of the brain

**gedachteloos** I *bnw* unthinking, thoughtless, absent minded II *bijw* ★ ~ *voor zich uitkijken* stare / gaze into space

**gedachtenis** ❶ *aandenken* souvenir, memento ❷ *nagedachtenis* memory, remembrance ★ *ter* ~ *van* in memory of ★ *zaliger* ~ of blessed memory

**gedachtepuntje** point ellipsis *mv:* ellipses

**gedachtesprong** mental leap / jump, ⟨van één onderwerp naar een totaal ander onderwerp⟩ go off at a tangent

**gedachtestreep** dash

**gedachtewereld** way of thinking, climate of thought

**gedachtewisseling** exchange of views

**gedachtig** ★ ~ *aan* in view of ★ *aan iets* ~ *zijn* be mindful of sth

**gedag** hello ★ *iem.* ~ *zeggen* say hello / goodbye to sb

**gedateerd** ❶ *met datum* dated ★ *een brief* ~ *11 april* a letter dated April 11th, a letter under date April 11th ❷ *ouderwets* dated, archaic

**gedecideerd** resolute

**gedeelte** part, section, ⟨afbetaling, e.d.⟩ instalment ★ *voor het grootste* ~ for the greater part ★ *bij / in* ~*n betalen* pay by / in instalments ★ *voor een groot* ~ largely, to a large extent

**gedeeltelijk** I *bnw* partial II *bijw* partially, partly

**gedegen** *degelijk* solid, ⟨van werk⟩ thorough ★ *zij heeft een* ~ *kennis van moderne kunst* she has a solid knowledge of modern art

**gedeisd** ▼ *zich* ~ *houden* lie low, inform lie doggo

**gedekt** ❶ *niet fel* ★ ~*e kleuren* subdued colours ❷ *gevrijwaard tegen risico* covered ▼ *zich* ~ *houden* keep a low profile

**gedelegeerde** *afgevaardigde* delegate

**gedenkboek** memorial volume

**gedenkdag** anniversary

**gedenken** ❶ *herdenken* commemorate ❷ *niet vergeten* remember

**gedenksteen** memorial stone

**gedenkteken** memorial, monument

**gedenkwaardig** memorable

**gedeprimeerd** depressed

**gedeputeerde** deputy

**gedesillusioneerd** desillusioned

**gedesoriënteerd** disoriented, disorientated ★ ~ *raken* become disoriented

**gedetailleerd** I *bnw* detailed II *bijw* in detail

**gedetineerde** prisoner, ⟨vnl. politiek⟩ detainee

**gedicht** poem

**gedichtenbundel** collection of poetry

**gedienstig** obliging ★ *al te* ~ officious

**gedijen** prosper, thrive

**geding** ❶ *rechtszaak* lawsuit, case ★ *een kort* ~ *aanspannen* apply for an injunction ★ *een zaak in kort* ~ *beslissen* settle a case summarily ★ *vonnis in kort* ~ summary judgment ★ *kort* ~ summary proceedings ❷ *geschil* ▼ *in het* ~ *brengen* argue ▼ *in het* ~ *zijn* be at issue ▼ *in het* ~ *komen* come into play

**gediplomeerd** qualified

**gedisciplineerd** disciplined

**gedistilleerd** spirits *mv*

**gedistingeerd** refined, distinguished

**gedoe** *toestand* business, goings on ★ *wat een ~!* what a fuss!, what a carry on!

**gedoemd** → **doemen**

**gedogen** tolerate, put up with ★ *deze zaak gedoogt geen uitstel* this matter requires immediate attention ★ *iets ~* turn a blind eye to sth

**gedomicilieerd** BN resident

**gedonder** ❶ *geluid* thunder ❷ *gedoe* trouble

**gedoodverfd** ★ *de ~e winnaar* the person tipped to win

**gedoogbeleid** tolerance policy

**gedrag** behaviour, conduct ★ *van onbesproken ~* jur with no previous convictions ★ *wegens goed ~* for good behaviour

**gedragen I** *bnw* ❶ *plechtstatig* lofty ❷ *al eerder gebruikt* worn **II** *wkd ww* [zich ~] behave / conduct oneself ★ *zich slecht ~* misbehave ★ *gedraag je!* just behave!

**gedragsgestoord** behaviourally disturbed

**gedragslijn** line of conduct, policy

**gedragspatroon** behavioural pattern

**gedrang** ❶ *het dringen* crush ❷ *mensenmassa* crowd ▼ *in het ~ komen* suffer

**gedreven** passionate, single-minded ★ *een ~ wetenschapper* a keen scientist

**gedrocht** monster

**gedrongen** ❶ *kort en breed* stocky, thick-set ★ *~ gestalte* thick-set figure ❷ *summier* terse ★ *~ stijl* terse style

**geducht** ❶ *gevreesd* formidable ❷ *flink* tremendous, enormous

**geduld** patience ★ *~ hebben* have patience ★ *mijn ~ is op* my patience is at an end

**geduldig** patient

**gedurende** during, for ★ *~ zes dagen* for 6 days

**gedurfd** daring

**gedurig** ❶ *voortdurend* continuous, incessant ❷ *telkens weer* continual

**geduvel** *gedoe* trouble, hassle ★ *daar begint het ~ weer!* there comes the hassle again!

**gedwee** meek, docile

**gedwongen** ❶ *verplicht* enforced, ⟨van verkoop⟩ compulsory ★ *~ arbeid* forced labour ★ *~ voeding* force / forcible feeding ❷ *gekunsteld* ⟨van gedrag⟩ constrained, ⟨van vrolijkheid⟩ forced ★ *~ glimlachen* force a smile

**geef** ▼ *dat is te geef* it's a gift

**geëigend** appropriate, fitting, right

**geel I** *bnw* yellow **II** *zn* [het] ❶ *kleur* yellow ❷ *eigeel* yolk

**geelkoper** brass

**geeltje** *plakkend geel papiertje* Post-it<sup>fi</sup>

**geelzucht** jaundice

**geëmancipeerd** liberated, emancipated

**geëmotioneerd** emotional, moved, ⟨predicatief⟩ touched

**geen** ⟨bijvoeglijk gebruikt⟩ no, ⟨zelfstandig gebruikt⟩ not one ★ *geen van allen* none of them ★ *geen van beiden* neither (of them)

**geëngageerd** *betrokken* committed

**geenszins** by no means, not at all

**geest** ❶ *onstoffelijk wezen* spirit, ghost ★ *boze ~en* evil spirits ★ *de Heilige Geest* the Holy Ghost / Spirit ★ *je ziet er uit als een ~* you look like a ghost ❷ *ziel* ★ *de ~ geven* expire ❸ *vermogen om*

te denken, voelen, willen spirit ★ *zich iets voor de ~ halen / roepen* recall sth ★ *de ~ krijgen* be inspired, be in the mood ★ *de ~ is gewillig, maar het vlees is zwak* the spirit is willing, but the flesh is weak ★ *hoe groter ~, hoe groter beest* the more learned, the less wise ❹ *denker* ★ *een grote ~* a great mind, a master spirit ❺ *denkwijze, sfeer* spirit ★ *de ~ van de tijd* the spirit of the times ★ *geheel in de ~ van...* quite in the spirit of... ★ *naar de ~* in spirit

**geestdodend** monotonous ★ *~ werk* drudgery

**geestdrift** enthusiasm ★ *in ~ raken* get enthusiastic ★ *tot ~ brengen* make enthusiastic

**geestdriftig** enthusiastic

**geestelijk** ❶ *mentaal* spiritual, mental ★ *~e gezondheid* mental health ❷ *kerkelijk* clerical ★ *de ~e stand* the clerical order ❸ *godsdienstig* spiritual ★ *~ leven* spiritual / religious life

**geestelijke** clergyman ★ *~ worden* enter the Church

**geestelijkheid** *de geestelijken* clergy *mv*

**geestesgesteldheid** ❶ *stemming* state of mind ❷ *wijze van denken* mentality

**geesteskind** brainchild

**geestesoog** (the) mind's eye

**geestesproduct** brainchild

**geesteswetenschappen** arts *mv*, humanities *mv*

**geestesziek** mentally ill, insane ★ *inrichting voor ~en* mental home

**geestesziekte** mental illness

**geestgrond** loam, rich loamy soil

**geestig** *grappig* witty

**geestigheid** ❶ *het geestig zijn* wit, humour ❷ *geestige opmerking* witticism

**geestkracht** energy, strength of mind

**geestrijk** ❶ *geestig* bright, spirited ❷ *alcoholrijk* strong ★ *~ vocht* spirits / liquor

**geestverruimend** mind-expanding ★ *~e middelen* psychedelic drugs

**geestverschijning** apparition

**geestverwant I** *zn* [de] kindred spirit, sympathizer **II** *bnw* kindred, congenial

**geestverwantschap** spiritual relationship / kinship

**geeuw** yawn

**geeuwen** yawn

**geeuwhonger** ravenous hunger

**gefeliciteerd** congratulations ★ *hartelijk ~* my sincere congratulations

**gefingeerd** fictitious

**gefixeerd** ★ *~ zijn op* be fixated on

**geflatteerd** flattered, flattering

**geflikflooi** ❶ *het vleien* coaxing, cajoling ❷ *het vrijen* petting, cuddling

**geforceerd** ❶ *ingespannen* forced, strained ❷ *gekunsteld* forced ★ *een ~ lachje* a forced smile

**gefortuneerd** wealthy, well off

**gefrustreerd** frustrated

**gefundeerd** ★ *goed ~* well founded

**gegadigde** *belangstellende* interested party, prospective buyer, ⟨bij sollicitatie⟩ applicant

**gegarandeerd I** *bnw* guaranteed ★ *~e kwaliteit* guaranteed quality **II** *bijw* without a doubt, definitely, assuredly ★ *ik kom ~* I promise I'll come

**ge**

**gegeerd** BN *in trek* much sought after, popular, ⟨van product⟩ in demand

**gegeven** I *zn* [het] ❶ *feit, geval* data, datum ★ ~s [mv] data ★ *de technische* ~s specification(s) ❷ *onderwerp* ⟨thema⟩ theme ❸ *wisk* given ★ *twee* ~s *en een onbekende* two givens and one unknown factor II *bnw, bepaald* given ★ *in de* ~ *omstandigheden* in the present circumstances

**gegevensbank** data base / bank

**gegevensinvoer** data entry

**gegijzelde** hostage

**gegoed** well-to-do

**gegroefd** ★ *een* ~ *gelaat* lined face

**gegrond** well founded, just

**gehaaid** sharp

**gehaast** hurried, hastened ★ ~ *zijn* be in a hurry

**gehaat** hated

**gehakt** minced meat, *inform* mince

**gehaktbal** meat ball

**gehaktmolen** (meat) mincer, USA meat grinder

**gehalte** ❶ *hoeveelheid* percentage, ⟨van erts⟩ grade, ⟨van alcohol⟩ degrees proof, ⟨van goud⟩ carat ❷ *hoedanigheid* quality, standard

**gehandicapt** *med* disabled, handicapped ★ *geestelijk* ~, BN *mentaal* ~ mentally disabled ★ *lichamelijk* ~ physically handicapped, disabled ★ *de* ~*en* the disabled

**gehandicapte** *med* disabled / handicapped person ★ *geestelijk* ~, BN *mentaal* ~ mentally handicapped person ★ *lichamelijk* ~ physically handicapped person, disabled person

**gehandicaptenzorg** care for the disabled

**gehannes** *geknoei* fumbling, clumsiness

**gehard** tough, hardened, ⟨van staal⟩ tempered, ⟨van troepen⟩ seasoned ★ ~ *tegen pijn* inured to pain

**geharrewar** bickering(s), squabble(s)

**gehavend** damaged, battered

**gehecht** *aan* attached to

**geheel** I *zn* [het] whole ★ *iets in zijn* ~ *beschouwen* consider sth in its entirety / as a whole ★ *in het* ~ *niet* not at all ★ *over het* ~ on the whole ★ *het werk als* ~ the work as a whole II *bnw* whole, entire III *bijw* ★ ~ *de uwe* yours faithfully / sincerely, USA yours truly ★ ~ *en al* altogether, entirely

**geheelonthouder** teetotaller

**geheelonthouding** teetotalism

**geheid** sure, certain ★ *dat gaat* ~ *fout* that is bound to go wrong ★ *dat gebeurt* ~ that is a (dead) cert

**geheim** I *zn* [het] secret ★ *een* ~ *bewaren* keep a secret ★ *in het* ~ secretly, in secret ★ *er geen* ~ *van maken* be quite open about sth ★ *publiek* ~ open secret ★ *het* ~ *van de smid* the tricks of the trade II *bnw, verborgen* secret, ⟨officieel⟩ classified ★ ~*e Raad* Privy Council ★ ~ *telefoonnummer* ex-directory number, unlisted number ★ *een* ~ *agent* a secret agent

**geheimhouden** *stilhouden* keep (a) secret

**geheimhouding** secrecy ★ *iem.* ~ *opleggen* enjoin secrecy upon sb

**geheimhoudingsplicht** pledge of secrecy

**geheimschrift** cipher

**geheimtaal** secret / private language

**geheimzinnig** mysterious ★ ~ *doend* secretive

**geheimzinnigheid** *raadselachtigheid* mysteriousness

**gehemelte** palate, roof of the mouth ★ *een gespleten* ~ a cleft palate

**geheugen** *psych* memory ★ *in het* ~ *houden* remember, bear in mind ★ *het ligt mij nog vers in het* ~ it is still fresh in my memory ★ *als mijn* ~ *mij niet bedriegt* if my memory serves me right

**geheugenkaart** *comp* memory card

**geheugensteuntje** reminder ★ *een* ~ *geven* prompt

**geheugenverlies** loss of memory

**gehoor** ❶ *het horen* hearing ★ *op het* ~ from hearing ★ *op het* ~ *spelen* play by ear ★ *ten gehore brengen* perform, present ★ *ik krijg geen* ~ get no answer ❷ *geluid* sound ❸ *zintuig* ear ★ *een muzikaal* ~ *hebben* have an ear for music ❹ *aandacht* ★ ~ *geven aan* obey, respond to, accept, comply with, act upon ★ *het vond geen* ~ it met with no response ★ ~ *vinden bij* get / find a hearing with ❺ *toehoorders* audience ★ *onder iemands* ~ *zijn* be among sb's audience

**gehoorapparaat** hearing aid

**gehoorbeentje** (auditory) ossicle

**gehoorbeschadiging** hearing damage

**gehoorgang** auditory duct

**gehoorgestoord** hard of hearing, hearing impaired

**gehoororgaan** auditory organ

**gehoorsafstand** ★ *op* ~ within earshot

**gehoorzaal** auditorium

**gehoorzaam** obedient

**gehoorzaamheid** obedience

**gehoorzamen** obey

**gehorig** noisy

**gehouden** obliged to, bound to

**gehucht** hamlet

**gehumeurd** ★ *goed / slecht* ~ good- / bad-tempered

**gehuwd** married ★ ~*en* married people

**geigerteller** Geiger counter

**geijkt** ❶ *voorzien van ijkmerk* ★ ~*e maten* legally stamped measures ❷ *gebruikelijk* ★ ~*e uitdrukking* set phrase

**geil** *wellustig* lascivious

**geilen** *op* lust after, be hot for

**geïllustreerd** illustrated

**gein** fun, humour

**geinig** I *bnw* funny, cute ★ *een* ~ *dingetje* a cute thing II *bijw* ★ *dat hebben ze* ~ *gedaan, zeg!* they did that neatly!

**geinponem** stupid fool

**geïnteresseerd** *belangstellend* interested

**geintje** joke, prank ★ *geen* ~*s!* no tricks!, don't joke around! ★ *wel van een* ~ *houden* be (always) in for a lark, be a joker ★ ~! just kidding / joking!

**geiser** ❶ *warme bron* geyser, hot spring ❷ *toestel* geyser, (gas) water heater

**geisha** geisha

**geit** *dier* (she)goat ▼ *vooruit met de geit!* get on with it!

**geiten** giggle, be giggly

**geitenbok** billy goat

**geitenkaas** *cul* goat's cheese

**geitenmelk** goat's milk

**gejaagd** agitated

**gejammer** wailing, moaning, whining
**gejuich** cheers *mv*
**gek I** *zn* [de] madman, lunatic, fool ★ *rennen als een gek* run like mad ★ *de gekken krijgen de kaart* fortune favours fools ★ *gekken en dwazen schrijven hun namen op deuren en glazen* fool's names, like their faces, appear in all places **II** *bnw* ❶ *krankzinnig* mad, crazy ★ *gek worden* go mad ★ *het is om gek van te worden* it's enough to drive you crazy ★ *iem. gek maken* drive sb mad / crazy ★ *hij is niet zo gek als hij er uitziet* he is not such a fool as he looks ★ *dat is te gek om los te lopen* that's too absurd for words ❷ *zonderling, raar* silly, foolish, funny, strange, queer ★ *het gekke* the funny part of it is ❸ ~**op, met** *verzot* mad on, crazy about **III** *bijw* ❶ *bespottelijk* ★ *gek doen* act silly ❷ *raar* ★ *het moet al gek gaan als...* I'd be surprised if... ❸ *erg* ★ *lang niet gek gedaan* not bad at all
**gekant** ▼ ~ *zijn tegen iets* be opposed to sth
**gekend** BN *bekend, vertrouwd* familiar
**gekheid** ❶ *dwaasheid* folly, (tom)foolery ❷ *grapje* joke ★ *uit* ~ for fun ★ *och wat!* ~*!* nonsense! ★ *~ uithalen* play pranks ★ *haal nou geen ~ uit* don't do anything foolish ★ *geen ~ verstaan* stand no nonsense ▼ *alle ~ op een stokje* joking apart ▼ *zonder ~* no kidding, seriously
**gekkekoeienziekte** mad cow disease
**gekkenhuis** *psychiatrische inrichting* madhouse
**gekkenwerk** madness, folly
**gekleed** ❶ *met kleren aan* dressed ❷ *keurig* formal, smart, inform dressy ★ *het staat ~* it is dressy
**geklets** *gebabbel* twaddle ★ *hou op met dat ~* cut out the cackle ▼ ~ *in de ruimte* blether
**gekleurd** ❶ *met bepaalde kleur* coloured ★ ~ *glas* stained glass ❷ *niet neutraal* coloured ★ *een ~ verslag* a biassed report ▼ *er ~ op staan* have egg on one's face
**geknipt** ▼ ~ *zijn voor...* be cut out for... ▼ *dat is ~ voor mij* that is the very thing I want
**geknoei** ❶ *gepruts* bungling ❷ *bedrog* fraud, tampering (with), ⟨met voedsel⟩ adulteration ❸ *het gemors* messing
**gekonkel** intrigue
**gekostumeerd** ★ ~ *bal* fancy dress ball ★ ~*e optocht* pageant
**gekrakeel** row, ⟨op straat⟩ brawl, wrangle, ⟨ruzie om niets⟩ tiff
**gekruid** ❶ *pikant* hot, racy ❷ *met kruiden* spicy, hot ★ *een (flink) ~ gerecht* a (highly) seasoned dish
**gekscheren** jest, joke ★ ~ *met* poke fun at ★ *niet met zich laten ~* stand no nonsense from anyone
**gekte** lunacy, insanity
**gekunsteld** artificial, ⟨bij spreken⟩ affected, ⟨in schrijfstijl⟩ laboured
**gekwalificeerd** ❶ *gerechtigd* qualified, authorised ★ *een ~ advocaat* a qualified lawyer ❷ *bekwaam* qualified, skilled
**gel** gel, jelly
**gelaagd** *in lagen* layered, laminated ★ ~ *hout* plywood, bonded / laminated wood ★ ~ *glas* safety glass, laminated glass
**gelaarsd** ❶ booted ❷ → **kat**
**gelaat** countenance, face

**gelaatskleur** complexion ★ *met een donkere / lichte* ~ of a dark / fair complexion
**gelaatstrekken** features *mv*, form lineaments *mv* ★ *scherpe / zachte* ~ chiselled / soft features
**gelaatsuitdrukking** (facial) expression
**gelach** laughter
**geladen** *gespannen* explosive, tense
**gelag** ▼ *het is een hard* ~ *voor hem* it is hard lines on him ▼ *het* ~ *betalen* pay the piper, foot the bill
**gelagkamer** tap-room, bar (room)
**gelang** ▼ *naar* ~ according to, as ▼ *naar* ~ *van* according to
**gelasten** order
**gelaten** *berustend* resigned
**gelatenheid** *berusting* resignation
**gelatine** gelatin(e)
**gelazer** load of trouble
**geld** money, cash ★ *buitenlands geld* foreign currency ★ *contant geld* cash ★ *eigen geld* private means ★ *los geld* (loose / small) change ★ *weggegooid geld* a waste of money ★ *het is met geen geld te betalen* it's priceless / invaluable ★ *alles draait om geld* money makes the world go (a)round ★ *voor half geld* at half-price ★ *te gelde maken* realize ★ *zonder geld zitten* be out of money ★ *dat is geen geld* it's cheap at the price ★ *(veel) geld hebben* be well off ★ *daar is geld mee te verdienen* there is money in it ▼ *zwemmen in het geld* be rolling in money ▼ *voor geld is alles te koop* money can buy anything ▼ *voor geen geld of goede woorden te krijgen* not to be had for love or money ▼ *voor geen geld (ter wereld)* not for the world ▼ *geld moet rollen* money should circulate ▼ *geld als water verdienen*, BN *geld als slijk verdienen* make big money ▼ *het geld groeit me niet op de rug* I'm not made of money ▼ *geld over de balk smijten* throw one's money about / around, spend money like water ▼ *geld maakt niet gelukkig* money isn't everything ▼ *geld stinkt niet* money doesn't smell ▼ *geld zoekt geld* money makes money
**geldautomaat** *automaat om geld op te nemen* cash dispenser, ATM, Automated Teller Machine
**geldbelegging** investment
**geldboete** (monetary) fine
**geldcirculatie** circulation (of money)
**geldelijk** financial, monetary ★ ~ *voordeel* pecuniary advantage
**gelden** ❶ *van kracht / geldig zijn* be in force, apply ★ *de algemeen ~de opinie* the prevailing opinion ★ *dat geldt niet* that does not count ★ *zich doen ~* assert o.s. ★ *zijn recht laten ~* assert one's right ❷ *aangaan* concern ★ *voor wie ~ deze woorden?* whom are these words meant for? ❸ ~ *als beschouwd worden* pass for ★ *dat geldt als gevaarlijk* this is considered as / to be dangerous
**Gelderland** Gelderland
**Gelders** Gelderland
**geldgebrek** lack of money
**geldig** valid, ⟨van wet⟩ in force ★ ~ *voor de dag van afgifte* valid on the day of issue
**geldigheid** validity
**geldigheidsduur** duration of validity / availability
**geldingsdrang** assertiveness

ge

**geldkoers ❶** *rentestand* interest rate **❷** *wisselkoers* exchange rate

**geldkraan** ★ *de ~ dichtdraaien* cut off / stop the flow of money / funds

**geldmarkt** money market

**geldmiddelen** finances *mv*, (financial) means

**geldnood** financial problems / straits *mv* ★ *in ~ zitten* be pressed for money, be hard up

**geldomloop** circulation of money

**geldontwaarding** (monetary) depreciation, inflation

**geldschieter** moneylender, financier, ⟨van programma, manifestatie⟩ sponsor

**geldsom** sum of money

**geldsoort** type of money, type of currency

**geldstroom** flow of money, monetary flow

**geldstuk** coin

**geldtransport** money transport

**geldverkeer** monetary transactions / dealings *mv*

**geldverspilling** waste of money

**geldwezen** finance

**geldwisselautomaat** (money) change machine

**geldwolf** money-grubber

**geldzorgen** money troubles *mv*, financial worries *mv*

**geldzucht** avarice, greed for money

**geleden** ★ *lang ~* long ago ★ *kort~* a short time ago ★ *heel kort* quite recently

**gelederen → gelid**

**geleding ❶** *deel* section **❷** *verbindingsplaats* joint

**geleed** jointed, biol segmental, ⟨van kust⟩ indented

**geleedpotig** arthropodal, arthropodous

**geleerd** *erudiet* scholarly, learned ★ *de ~e wereld* the scientific world, the world of scholarship

**geleerde** ⟨alfawetenschap⟩ scholar, ⟨betawetenschap⟩ scientist

**geleerdheid** scholarship, erudition

**gelegen ❶** *liggend* situated ★ *hoe zijn de zaken ~?* how do matters stand? ★ *het is zo ~* it's like this **❷** *geschikt* convenient ★ *het kwam me niet erg ~* it did not suit me, it was not very convenient ▼ *er is mij veel aan ~* it matters a great deal to me ▼ *hij liet er zich niets aan ~ liggen* he cared nothing for it

**gelegenheid ❶** *gebeurtenis* occasion ★ *voor de ~* for the occasion ★ *gunstige toestand* opportunity ★ *bij ~* ⟨soms, ooit⟩ on occasion, occasionally ★ *bij de eerste ~* when it is convenient ★ *als de ~ zich voordoet* when the occasion arises / presents itself ★ *in de ~ stellen om* enable to ★ *niet in de ~ zijn iets te doen* be in a position to do sth ★ *de ~ aangrijpen* seize / take the opportunity ★ fig *de ~ maakt de dief* opportunity makes the thief **❸** *eet- / slaapgelegenheid* place, café, restaurant ▼ *op eigen ~* do (sth) off one's own bat, on one's own, on one's own account

**gelegenheidsdrinker** occasional drinker

**gelegenheidskleding** formal dress, special dress

**gelei** jelly

**geleide ❶** *het vergezellen* attendance, mil escort, scheepv convoy **❷** *personen* guard ★ *onder ~* under escort ★ *kinderen zonder ~ geen toegang* no admission to unaccompanied children ▼ *ten ~* introduction, preface

**geleidehond** guide-dog

**geleidelijk** gradual, progressive ★ *~ aan* little by little

**geleidelijkheid** ★ *langs lijnen van ~* gradually, step by step

**geleiden ❶** *begeleiden* guide, lead, escort **❷** natk conduct

**geleider ❶** *begeleider* guide **❷** natk conductor

**geleiding ❶** *het geleiden* conduction **❷** natk conduction

**Gele Rivier** Yellow River

**geletterd** lettered

**geleuter** drivel, waffle

**Gele Zee** Yellow Sea

**gelid ❶** *gewricht* joint **❷** *rij* rank, file ★ *de gelederen sluiten* ook fig close (the) ranks ★ *in het ~ gaan staan* draw up, mil fall in ★ *in het ~ staan* be lined up ★ *voorste / achterste gelederen* front / rear ranks ★ *uit het ~ treden* leave the ranks, mil fall out ★ *in gesloten gelederen* in serried ranks, in close order ★ *de gelederen versterken* ook fig swell the ranks

**geliefd ❶** *bemind* beloved, dear **❷** *favoriet* ★ *~ onderwerp* favourite subject

**geliefde** *minnaar* sweetheart, ⟨man ook:⟩ lover

**geliefkoosd** favourite, pet

**gelieven** please ★ *gelieve mij te berichten* please inform me

**gelig** yellowish

**gelijk I** *zn* [het] right ★ *hij geeft mij ~* he agrees with me, he thinks I am right ★ *daar moet ik je ~ in geven* I have to agree with you on that one ★ *~ hebben* be right ★ *je hebt groot ~* you are quite right ★ *daar heb je ~ aan* I'm with you there ★ *~ heb je!* quite right too! ★ *altijd ~ willen hebben* always want to be right ★ *~ krijgen* be put in the right, carry your point ★ *de feiten stellen je in het ~* the facts prove you (to be) right **II** *bnw* **❶** *hetzelfde* same, equal, ⟨op gelijk niveau⟩ equal, ⟨alleen pred.⟩ alike, ⟨gelijkend⟩ similar, ⟨precies gelijk⟩ identical ★ *het is mij ~* it is all the same to me ★ *van ~e leeftijd* of an age, of the same age ★ *1-1* one all ★ *alle mensen zijn ~* all men are equal **❷** *vlak* level, smooth **III** *bijw* **❶** *hetzelfde* alike ★ *~ handelen* act alike **❷** *meteen* at once, immediately **❸** *gelijkelijk* ★ *~ delen* (share and) share alike

**gelijkaardig** BN similar

**gelijkbenig** wisk isosceles

**gelijkberechtiging** jur (granting) equal rights

**gelijke** peer, equal ★ *zijn ~n* his peers ★ *hij heeft zijns ~ niet* he is without an equal

**gelijkelijk** equally

**gelijken** resemble ★ *een goed ~d portret* a good likeness

**gelijkenis ❶** *overeenkomst* resemblance, likeness **❷** *parabel* parable

**gelijkgerechtigd** jur equal, having equal rights

**gelijkgericht** the same, common, like

**gelijkgestemd** like-minded, congenial ★ *~ zijn* be of the same mind

**gelijkgezind** of the same mind, like-minded

**gelijkheid** equality

**gelijklopen ❶** *de juiste tijd aanwijzen* keep time **❷** *evenwijdig zijn* run parallel (to)

**gelijkluidend ❶** *hetzelfde klinkend* taalk

homophonous, <u>muz</u> unisonous
❷ *overeenstemmend* identical, similar ★ *voor ~ afschrift* true copy ★ *in ~e bewoordingen* with identical wording
**gelijkmaken** ❶ *egaliseren* equalize ❷ <u>sport</u> equalize
**gelijkmaker** equalizer
**gelijkmatig** equal, ⟨van klimaat⟩ equable, ⟨van stem⟩ even ★ *een ~ karakter* a steady character
**gelijkmoedig** even-tempered
**gelijknamig** of the same name
**gelijkschakelen** ❶ <u>techn</u> connect to the same circuit ❷ *op dezelfde wijze behandelen* standardize, ⟨v. groepen⟩ regard / treat as equals ★ *mannen en vrouwen ~* give equal opportunity to men and women
**gelijksoortig** similar
**gelijkspel** draw, tie ★ *1-1 ~* one-all draw
**gelijkspelen** draw ★ *~ tegen...* draw against...
**gelijkstaan** ❶ *overeenkomen met* be equal ★ *dat staat gelijk met een beschuldiging* that is tantamount to an accusation ❷ *evenveel punten hebben* be level (with)
**gelijkstellen** put on a par ⟨met⟩ with, ⟨m.b.t. kwaliteit⟩ compare ⟨met⟩ with, ⟨v. rechten⟩ give equal rights
**gelijkstroom** direct current
**gelijktijdig** simultaneous
**gelijktrekken** ❶ *op gelijk niveau brengen* level (up), equalize ★ *salarissen ~* even up salaries ❷ *recht trekken* straighten
**gelijkvloers I** *bnw, op dezelfde verdieping* ⟨begane grond⟩ on the ground floor, USA ⟨begane grond⟩ on the first floor ★ *~e kruising* ⟨met spoorlijn⟩ level crossing, ⟨van wegen⟩ road junction **II** *zn* [het], BN *benedenverdieping* ground floor, USA first floor
**gelijkvormig** *van gelijke vorm* identical / similar (in shape / form) ★ *~e driehoeken* similar triangles
**gelijkwaardig** equal (to), equivalent (to)
**gelijkzetten** set ⟨watch⟩, synchronize ★ *zijn horloge ~ met de radio* set one's watch by the radio
**gelijkzijdig** equilateral
**gelikt** licked, <u>min</u> slick
**gelinieerd** ruled
**geloei** ❶ *geluid van runderen* ⟨van koe⟩ lowing, ⟨van koe⟩ mooing, ⟨stier⟩ bellowing ❷ *gierend, huilend geluid* ⟨van sirene⟩ wailing, ⟨van storm⟩ roaring, ⟨van storm⟩ howling, ⟨van vuur⟩ roaring
**gelofte** vow ★ *een ~ doen* make a vow
**geloof** ❶ *overtuiging* faith, belief, conviction ★ *~ aan iets hechten* give credence to sth ★ *~ stellen in* put faith in ★ *~ kan bergen verzetten* faith can move mountains ❷ *vertrouwen* belief, faith ★ *iets op goed ~ aannemen* take sth on trust, take sth in good faith ★ *iem. ~ schenken* believe sb ★ *~ vinden* find credence ★ *geen ~ verdienen* deserve no credit ❸ <u>rel</u> religion ★ *het ware ~ aanhangen* follow the true religion
**geloofsartikel** article of faith
**geloofsbelijdenis** profession of faith
**geloofsbrief** credentials *mv*, ⟨van gezant⟩ Letter of Credence ★ *zijn geloofsbrieven aanbieden* offer one's credentials

**geloofsleer** religious doctrine
**geloofsovertuiging** religious conviction
**geloofsvrijheid** religious liberty
**geloofwaardig** ⟨van persoon⟩ reliable, ⟨van verhaal⟩ credible
**geloofwaardigheid** credibility
**geloven I** *ov ww* ❶ *vertrouwen, voor waar houden* ★ *geloof dat maar* take it from me ★ *je kunt me ~ of niet* believe it or not ★ *het is niet te ~!* it's incredible!, it's unbelievable! ★ *dat geloof ik graag!* I dare say! ★ *ik geloof het (verder) wel!* I think I'll pack it in ❷ *menen* think, believe **II** *on ww* ❶ *gelovig zijn* believe ❷ *~ in* believe in, have faith in ★ *ik geloof er niet in* I don't believe in it ★ *in God ~* believe in God ★ *hij zal eraan moeten ~* he'll have to face up to it, his number is up
**gelovig** religious
**geluid** sound
**geluiddemper** silencer
**geluiddicht** soundproof
**geluidloos** soundless, without sound
**geluidsband** tape
**geluidsbarrière** sound barrier
**geluidseffect** sound effect
**geluidsgolf** sound wave
**geluidshinder** noise nuisance
**geluidsinstallatie** audio / sound system
**geluidsisolatie** sound insulation / proofing
**geluidskaart** <u>comp</u> sound card
**geluidsmuur** <u>BN</u> sound barrier
**geluidsoverlast** noise pollution / nuisance
**geluidssnelheid** speed of sound
**geluidswagen** sound van
**geluidswal** noise barrier
**geluidwerend** soundproofing
**geluimd** ★ *goed ~* good-humoured ★ *slecht ~* bad-tempered
**geluk** ❶ *gunstig toeval, omstandigheid* luck ★ *~ hebben* be in luck ★ *wat een ~!* what a piece of luck! ★ *wat een ~ dat...* what a mercy... ★ *bij / per ~* by chance, as luck would have it ★ *het was stom ~* it was a mere fluke ★ *het was een ~ voor je* it was lucky for you ❷ *blijheid* happiness, bliss ★ *~ ermee* I wish you joy (of it) ▼ *dat is meer ~ dan wijsheid* it is more by luck than judgement ▼ *op goed ~* at random ▼ *van ~ mogen spreken* count yourself lucky ▼ *het ~ is met de dommen* ignorance is bliss
**gelukkig I** *bnw* ❶ *intens tevreden* happy ★ *volmaakt ~* perfectly happy ❷ *fortuinlijk* lucky, fortunate ★ *zich ~ prijzen* consider o.s. fortunate ❸ *gunstig* happy **II** *bijw, tot vreugde van* ★ *~!* thank goodness! ★ *~ maar!* a good thing too! ★ *we kwamen ~ net op tijd* fortunately we were just in time
**geluksdag** lucky day
**geluksgetal** lucky number
**geluksgevoel** sense of happiness, elation
**gelukstelegram** telegram of congratulation
**gelukstreffer** lucky shot, chance hit
**geluksvogel** lucky dog
**gelukwens** congratulation
**gelukwensen** congratulate (on)
**gelukzalig** blessed, blissful
**gelukzoeker** adventurer
**gelul** bull(shit), balls *mv* ▼ *~ in de ruimte* blether

**ge**

**gemaakt** affected, pretentious, artificial, pretended

**gemaal** I *zn* [de], *echtgenoot* consort II *zn* [het], *pomp* pumping-engine / station

**gemachtigde** deputy, ⟨van postwissel, e.d.⟩ endorsee

**gemak** ❶ *moeiteloosheid* ease ★ *met* ~ easily ❷ *kalmte* ease ★ *op zijn* ~ *zijn* be at one's ease ★ *iem. op zijn* ~ *stellen* set sb at ease ★ *doe het maar op je* ~ take your time ★ *op zijn (dooie)* ~ at leisure ★ BN *op zijn duizenden* ~*jes* at leisure ★ *houd je* ~ keep quiet ❸ *gerief* comfort, convenience ★ *voor het* ~ for the sake of convenience ★ *van moderne* ~*ken voorzien* fitted with modern conveniences ★ *er zijn* ~ *van nemen* take one's ease, take things easy

**gemakkelijk** I *bnw* ❶ *niet moeilijk* easy ★ ~ *in de omgang zijn* be easy-going ★ *hij is niet* ~ *in de omgang* he isn't easy to get on with ★ *zo* ~ *als wat* as easy as pie / anything ★ *het* ~ *hebben* have an easy time of it ★ *het leven* ~ *opnemen* take things easy ❷ *geriefelijk* comfortable II *bijw* ❶ *niet moeilijk* easily, with ease ★ *jij hebt* ~ *praten* that's easy for you to say ★ ~ *verdiend geld* easy money ★ *er* ~ *van afkomen* get off lightly ❷ *geriefelijk* ★ *het zich* ~ *maken* make o.s. comfortable ★ ~ *zitten* fit easily, be comfortable

**gemakshalve** for convenience('s sake)

**gemakzucht** indolence, laziness

**gemakzuchtig** indolent, lazy

**gemalin** consort

**gemanierd** ❶ *zich correct gedragend* well-mannered, well-behaved ❷ *geaffecteerd* affected, mannered

**gemankeerd** failed, unsuccessful

**gemaskerd** masked ★ ~ *bal* masked ball

**gematigd** *zonder uitersten* ⟨van eisen e.d.⟩ moderate, ⟨van luchtstreek⟩ temperate

**gember** ginger

**gemberkoek** cul gingerbread

**gemeen** I *bnw* ❶ *laag, vals* mean, vile, ⟨van aard⟩ wicked, bad ★ ~ *spel* foul play ★ fig ~ *weer* vile weather ★ fig *gemene wond* nasty wound ❷ *gemeenschappelijk* common ★ *iets* ~ *hebben met* have sth in common with II *bijw* ❶ *slecht, vals* meanly, beastly ★ *hij gedroeg zich* ~ he acted beastly ❷ *zeer* awfully, terribly ★ *het is* ~ *koud* it is beastly cold

**gemeend** sincere ★ *zijn woorden klonken* ~ his words sounded sincere

**gemeengoed** common property

**gemeenplaats** commonplace, platitude

**gemeenschap** ❶ *groep, maatschappij* community ★ *op kosten van de* ~ at public expense ❷ *omgang* ⟨vnl. seksueel⟩ intercourse ❸ *het gemeenschappelijk hebben* ★ *in* ~ *van goederen trouwen* marry on equal terms ★ *buiten* ~ *van goederen* (marry) under the separate estate arrangement ❹ BN pol *elk van de drie delen van België* (language) community

**gemeenschappelijk** I *bnw* common, joint ★ ~ *eigendom* common property ★ ~*e keuken* communal kitchen ★ ~*e actie* joint action ★ ~*e rekening* joint account ★ ~ *gezang* community singing II *bijw* jointly, together

**gemeenschapsonderwijs** BN onderw state /

public education (in the Flemish, French and German Community)

**gemeenschapszin** public spirit

**gemeente** ❶ *bestuurlijke eenheid* municipality ★ *de* ~ *Utrecht* the city of Utrecht ❷ *gelovigen* parish, ⟨kerkgangers⟩ congregation

**gemeenteambtenaar** municipal official

**gemeentearchief** municipal archives *mv*, ⟨gebouw⟩ municipal records office

**gemeentebedrijf** municipal enterprise, council-owned business

**gemeentebestuur** municipality, corporation

**gemeentehuis** town hall

**gemeentelijk** municipal

**gemeentepils** Adam's ale

**gemeenteraad** local council

**gemeentereiniging** municipal cleansing department

**gemeentesecretaris** ≈ town clerk

**gemeenteverkiezingen** local / municipal elections

**gemeenteverordening** by(e)-law

**gemeentewerken** municipal works *mv*

**gemêleerd** *gemengd* mixed, blended ★ *een* ~ *gezelschap* a mixed bunch, a motley crowd

**gemelijk** peevish, sullen

**gemenebest** commonwealth ★ *het Britse Gemenebest* the British Commonwealth (of Nations)

**gemenerik** meany, nasty piece of work

**gemiddeld** I *bnw* average II *bijw* on an average ★ *het komt* ~ *op twee uur per dag* it averages two hours a day

**gemiddelde** average ★ *het* ~ *bepalen* / *nemen van* strike / take the average of

**gemier** *gepruts* fiddling, muddling

**gemis** lack, want ★ *een groot* ~ a great loss

**gemoed** mind, heart ★ *met bezwaard* ~ with a heavy heart ★ *zijn* ~ *luchten* vent one's feelings, pour out one's heart

**gemoedelijk** kind, kind-hearted, genial, ⟨van sfeer⟩ cosy ★ ~ *gesprek* informal conversation

**gemoederen** ❶ *mensen* ★ *de* ~ *waren opgewonden* feelings were running high ❷ → gemoed

**gemoedsaandoening** emotion

**gemoedsrust** tranquillity, peace of mind

**gemoedstoestand** state of mind

**gemoeid** ★ *er is veel geld mee* ~ a lot of money is involved ★ *zijn leven is er mee* ~ his life is at stake

**gemotoriseerd** motorised

**gems** chamois

**gemunt** ▼ *het op iem.* ~ *hebben* have it in for sb, be after sb ▼ *waarom heb je het altijd op mij* ~? why do you always pick on me?

**gemutst** ★ *goed* / *slecht* ~ in a good / bad temper

**gen** gene

**genaamd** called, named

**genade** mercy, ⟨bij oordeel⟩ pardon, ⟨godsdienst⟩ grace ★ *aan iemands* ~ *overgeleverd zijn* be at the mercy of sb ★ *door Gods* ~ by the grace of God ★ *in* ~ *aannemen* restore to favour ★ *iem.* ~ *schenken* pardon sb ▼ ~ *voor recht laten gelden* temper justice with mercy ▼ *grote* / *goeie* ~! good gracious!

**genadebrood** bread of charity

**genadeloos** merciless, pitiless
**genadeslag** finishing stroke, deathblow ★ *dat gaf hem de ~* that finished him off, that was the nail in his coffin
**genadig** I *bnw* ❶ *vol genade* merciful ❷ *neerbuigend* gracious, condescending II *bijw* ★ *ergens ~ vanaf komen* get off lightly
**gênant** embarrassing, awkward
**gendarme** gendarme
**gender** gender
**gene** that ★ *aan gene zijde van* beyond, across
**gêne** embarrassment, discomfiture, awkwardness ★ *zonder gêne* unashamed
**genealogie** genealogy
**geneesheer** physician, medical practitioner
**geneesheer-directeur** medical superintendent
**geneeskrachtig** healing ★ *~e kruiden* medicinal herbs
**geneeskunde** medical science, medicine
**geneeskundig** medical ★ *~e dienst* public health service / department / *arts van de ~e dienst* medical officer of health
**geneesmiddel** remedy, medicine
**geneesmiddelenindustrie** pharmaceutical industry
**geneeswijze** cure, treatment
**genegen** ❶ *geneigd* inclined, willing ❷ *goedgezind* ★ *iem. ~ zijn* have a certain affection for sb
**genegenheid** ❶ *goedgezindheid* affection ❷ *zin, lust* inclination
**geneigd** inclined (to), ⟨tot kwaad⟩ prone (to)
**geneigdheid** inclination, disposition
**generaal** I *zn* [de] general II *bnw* general
**generalisatie** generalization
**generaliseren** generalize
**generatie** generation
**generatiekloof** generation gap
**generator** generator
**generen** [zich ~] ★ *zich ~* feel embarrassed ★ *geneer je niet* don't be shy ★ *zich niet ~ te...* not hesitate to...
**genereren** generate
**genereus** generous, magnanimous
**generiek** I *zn* [de], BN *media aftiteling* credits *mv* II *bnw* generic
**generlei** no... whatever / whatsoever
**genetica** genetics *mv*
**genetisch** genetic ★ *~e manipulatie* genetic engineering
**Genève** Geneva
**genezen** I *ov ww, beter maken* cure (somebody), ⟨wond⟩ heal II *on ww, beter worden* recover (from), ⟨van wond⟩ heal
**genezing** cure, recovery, ⟨verwonding⟩ healing
**geniaal** ★ *~ man* man of genius ★ *iets ~s* a touch of genius ★ *een ~ idee* a brilliant idea
**genialiteit** genius
**genie** I *zn* [het] ❶ *persoon* genius [mv: geniuses] ❷ *begaafdheid* genius, brilliance II *zn* [de] <u>mil</u> the Engineers *mv*
**geniep** ▼ *in het ~* on the sly
**geniepig** I *bnw, gemeen* sneaky, sly, secretive II *bijw* on the sly
**genieten** I *ov ww* ❶ *ontvangen, bezitten* enjoy, receive ★ *een goede opvoeding ~* receive / enjoy a good education ★ *een goede gezondheid ~* enjoy

good health, be in good health ★ *een goed salaris ~* enjoy a good salary ❷ *plezierig in de omgang zijn* ★ *niet te ~ zijn* be unbearable, be in a bad mood II *on ww,* vreugde beleven enjoy oneself, enjoy (van) ★ *~ van iets* enjoy sth
**genitaliën** genitals *mv*
**genocide** genocide
**genodigde** guest
**genoeg** I *onb vnw* enough, sufficient ★ *eten tot men ~ heeft* eat one's fill ★ *ik heb ~ gegeten* I've eaten enough ★ *daar krijg ik nooit ~ van* I can never get / have enough of it ★ *daar heb ik voorlopig wel ~ aan* that'll keep me going for the time being ▼ *ik heb er ~ van* I've had enough of it, I am fed up with it ▼ *ik heb er schoon ~ van* I'm fed up to the back teeth with it ▼ *zo is het ~!* that's enough!, that will do! II *bijw* enough ★ *ben ik duidelijk ~* have I made myself clear ★ *oud ~ zijn* be old enough
**genoegdoening** satisfaction
**genoegen** ❶ *plezier* pleasure, joy ★ *geen onverdeeld ~* a mixed blessing ★ *met ~* with pleasure ★ *tot ~!* pleased to have met you! ★ *het doet mij ~ te horen* I am glad / pleased to hear, it gives me pleasure to hear ★ *iem. een ~ doen* do sb a favour ★ *~ scheppen in* take (a) pleasure in ★ *het is mij een waar ~* I am delighted ❷ *voldoening, tevredenheid* satisfaction ★ *~ nemen met* be content with, settle for ★ *naar ~* satisfactory ★ *naar ieders ~* to the satisfaction of everyone
**genoeglijk** pleasant
**genoegzaam** sufficient
**genootschap** society
**genot** ❶ *genoegen* pleasure, delight, enjoyment ★ *het is een ~ voor het oog* it's a sight for sore eyes ★ *~ scheppen in* delight in ❷ *het genieten* use
**genotmiddel** luxury, stimulant
**genotzucht** love of pleasure, hedonism
**genotzuchtig** pleasure-loving, hedonistic
**genre** genre, style ★ *niet mijn ~* not my style
**Gent** Ghent
**gentechnologie** gene technology
**Gentenaar** inhabitant of Ghent
**gentherapie** <u>med</u> gene therapy
**gentiaan** <u>plantk</u> gentian
**gentleman** gentleman ★ *hij is een echte ~* he is a real gentleman
**gentlemen's agreement** gentleman's agreement, gentlemen's agreement
**Gents** (from) Ghent
**Gentse** (woman / female) inhabitant of Ghent ★ *zij is een ~* she's from Ghent
**Genua** Genoa
**genuanceerd** differentiating, subtle, shaded, ⟨met verschillen⟩ variegated, ⟨afgewogen⟩ balanced ★ *~ (over iets) denken* keep an open mind about sth, see the pros and cons of sth
**genus** ⟨biologie⟩ genus, ⟨taalkunde⟩ gender
**geodriehoek** <u>wisk</u> geometry set square
**geoefend** practised, trained
**geograaf** geographer
**geografie** geography
**geografisch** geographic(al)
**geologie** geology
**geologisch** geological

**ge**

**geoloog** geologist
**geometrie** geometry
**geoorloofd** permissible, allowed ★ *~e middelen* lawful means
**Georgië** Georgia
**Georgisch** Georgian
**geouwehoer** inform crap, bull
**geowetenschappen** earth sciences
**gepaard** by twos, in pairs ★ *het gaat ~ met* it involves, it is attended with / by ★ *de daarmee ~ gaande kosten* the cost involved
**gepakt** v *~ en gezakt* all packed and ready (to go), with bag and baggage
**gepassioneerd** impassioned, passionate
**gepast** ❶ *afgepast* exact ★ *met ~ geld betalen* pay the exact money ❷ *geschikt* proper, becoming
**gepeins** meditation, reverie ★ *in ~ verzonken* lost in thought
**gepensioneerd** retired
**gepensioneerde** pensioner
**gepeperd** ❶ cul peppery ❷ fig *duur* steep
**gepeupel** mob, populace
**gepikeerd** piqued, sore (at)
**geplaatst** v BN *~ zijn om...* be the right person in the right place to...
**geploeter** ❶ *geplas, gespetter* splashing ❷ *gezwoeg* drudgery, toil(ing)
**geplogenheid** BN *gewoonte* custom, habit
**gepokt** v *~ en gemazeld* tried and tested
**geprikkeld** irritable, irritated ★ inform *~ zijn* be prickly
**geprononceerd** pronounced
**geproportioneerd** proportioned
**geraakt** ❶ *ontroerd* moved ❷ *gepikeerd* offended, nettled
**geraamte** ❶ *skelet* skeleton ❷ *constructie* carcass, frame, ⟨van schip, huis⟩ shell
**geraas** din, noise
**geradbraakt** shaken up, exhausted, dead-beat ★ *zij was ~ na de lange reis* she was exhausted after the long journey
**geraden** advisable ★ *het is hem ~* he'd better
**geraffineerd** ❶ *verfijnd* refined ❷ *gezuiverd* refined ❸ *doortrapt* ★ *~e schurk* thorough-paced villain ★ *~e leugenaar* arrant liar
**geraken** get ★ *tot zijn doel ~* attain one's end
**geranium** geranium
**gerant** ❶ *beheerder van restaurant* manager ❷ BN *filiaalhouder* branch manager(ess)
**gerbera** gerbera
**gerecht I** *zn* [het] ❶ cul *eten* ⟨schotel⟩ dish, ⟨gang v. maaltijd⟩ course ❷ jur *rechtbank* court (of justice), court of law ★ *voor het ~ brengen* bring sb to trial, take sb to court ★ *voor het ~ dagen* summon **II** *bnw* just, due
**gerechtelijk** jur ★ *iem. ~ vervolgen* take legal proceedings against sb ★ *~ bevel* court order ★ *~e dwaling* judicial error ★ *~e geneeskunde* forensic medicine
**gerechtigd** jur qualified, entitled
**gerechtigheid** jur justice
**gerechtsgebouw** jur court house
**gerechtshof** jur *hogere rechtbank* court (of justice)
**gerechtvaardigd** jur justified, legitimate ★ *~ optimisme* justifiable optimism

**gereed** *klaar (met iets)* finished, ready
**gereedheid** readiness ★ *in ~ brengen* put in readiness, get ready
**gereedkomen** be complete, be finished ★ *~ met iets* finish sth
**gereedmaken** prepare, make ready ★ *zich ~ om* get ready to, prepare to ★ *~ voor gebruik* make / get ready for use
**gereedschap** tools *mv*, instruments *mv*
**gereedschapskist** tool-box
**gereedstaan** *beschikbaar zijn* be ready, stand in readiness, stand ready ★ *voor iem. ~* be at sb's disposal ★ *de taxi staat gereed* the taxi is waiting ★ *~ om* be ready / prepared to
**gereformeerd** rel Calvinist(ic), (Dutch) Reformed
**gereformeerde** member of the Dutch Reformed Church
**geregeld** ❶ *regelmatig* regular ❷ *ordelijk* ★ *een ~ leven leiden* lead an orderly life
**gerei** gear, ⟨om te vissen⟩ tackle
**geremd** inhibited
**gerenommeerd** renowned ★ *~e firma* well-established house / business
**gereserveerd** ❶ *besproken* reserved, booked ❷ *terughoudend* reserved, reticent
**geriatrie** geriatrics *mv*
**geriatrisch** geriatric
**gericht I** *zn* [het] ★ *het jongste ~* the Last Judgment **II** *bnw* directed / aimed (op at) ★ *een ~e vraag stellen* ask a specific question
**gerief** ❶ *genot* convenience, comfort ❷ BN *gerei, spullen* things, gear, ⟨sport, vnl. vissen⟩ tackle
**gerieflijk** convenient, comfortable
**gerieven** accommodate, oblige (with)
**gering** scanty, slight, small ★ *om het minste of ~ste* at the slightest excuse
**geringschatten** disparage, derogate, slight
**geringschattend** disparaging, derogatory
**Germaan** *lid van volk* Teuton
**germanisme** Germanism
**geroezemoes** hum, buzz
**gerommel** *rommelend geluid* rumbling
**geronnen** clotted
**geroutineerd** experienced, practised
**gerst** barley
**gerstenat** (barley) beer
**gerucht** ❶ *praatje* rumour, report ★ *het ~ gaat dat...* there is a rumour that... ★ *het bij ~e weten hebben* have it by / from hearsay ❷ *geluid* noise ★ *~ maken* make a noise, cause a stir
**geruchtmakend** sensational
**geruim** → tijd
**geruis** *geluid* noise, ⟨van japon, boom⟩ rustle
**geruisloos** ❶ *onhoorbaar* noiseless, soundless ❷ *zonder ophef* quiet ★ *het voorstel verdween ~ van tafel* the proposal was quietly dropped
**geruit** checked, chequered
**gerust I** *bnw* easy, quiet, calm ★ *ik ben er ~ op dat...*, BN *ik ben er ~ in dat...* I feel confident that... ★ *ik ben er nog niet ~ op dat...*, BN *ik ben er nog niet ~ in dat...* I still feel uneasy about it that... **II** *bijw, zonder vrees* ★ *~!* certainly! ★ *je kunt het ~ nemen* you are welcome to it ★ *men kan ~ zeggen dat...* one may safely say that... ★ *ik zou het ~ durven zeggen* I should make no bones about saying it

**geruststellen** reassure, set (someone's mind) at ease ★ *zich ~* reassure o.s. ★ *stel je gerust!* don't worry

**geruststelling** reassurance ★ *het was een hele ~* it was a great comfort

**geschenk** gift, present ★ *iem. iets ten ~e geven* present sb with sth, give sb sth as a present ★ *iets ten ~e krijgen* get sth as a present ▾ BN *een vergiftigd ~* ≈ an unwelcome gift

**geschenkverpakking** gift-wrap(ping)

**geschieden** *gebeuren* happen, occur ★ *het kwaad is al geschied* the damage has already been done ★ *wat geschied is, is geschied* what is done is done

**geschiedenis ❶** *historie* history ★ *de oude ~* ancient history ★ *de nieuwe ~* modern history **❷** *voorval* story ★ *het is (weer) de oude ~* it's the (same) old story (again) ★ *een beroerde ~* an unpleasant affair

**geschiedkundig** historical

**geschiedschrijver** historian

**geschiedvervalsing** falsification / rewriting of history

**geschift ❶** *bedorven* curdled **❷** *getikt* nuts, crackers, crazy ★ *hij is helemaal ~* he's crackers

**geschikt ❶** *bruikbaar* fit, suitable ★ *dat maakt je nog niet ~ voor dokter* that does not fit you to be a doctor ★ *dit was niet ~ om de zaak beter te maken* this did not tend to improve matters ★ *ik ben niet ~ voor zoiets* I am no good at that sort of thing ★ *~ zijn voor verpleegster* make a good nurse **❷** *aardig* decent

**geschil** difference, dispute

**geschillencommissie** disputes committee, conciliation board

**geschilpunt** point at issue, controversy

**geschoold** onderw trained, schooled ★ *~e arbeiders* skilled labourers

**geschreeuw** shouting, cries *mv* ▾ *veel ~ en weinig wol* much ado about nothing

**geschrift** (piece of) writing, pamphlet

**geschubd** scaly

**geschut** artillery, guns *mv* ★ *met zwaar ~* with heavy artillery ▾ fig *met grof ~ schieten* use heavy-handed methods, (met woorden) use strong language

**gesel** *zweep / stok* whip, scourge

**geselen** *slaan* flog, lash, (met zweep) whip

**geseling** *het slaan* flogging, whipping

**gesetteld** settled

**gesitueerd** situated ★ *goed ~ zijn* be well situated, be well-off

**geslaagd** successful, (bij examen) passed

**geslaagde** onderw successful candidate, USA (new) graduate

**geslacht ❶** *soort* race, biol genus ★ *het menselijk ~* the human race, mankind **❷** *familie* family, line ★ *een oud ~* an ancient family / line **❸** *generatie* generation **❹** *sekse* sex ★ *het schone / zwakke ~* the fair / weaker sex **❺** *geslachtsorgaan* genitals *mv* **❻** taalk gender

**geslachtelijk** sexual

**geslachtloos ❶** *zonder geslachtelijk kenmerk* neuter **❷** *aseksueel* sexless

**geslachtsdaad** sex(ual) act, med coitus

**geslachtsdeel** ★ *geslachtsdelen* genitals, private parts

**geslachtsdrift** sex(ual) urge / drive

**geslachtsgemeenschap** sexual intercourse

**geslachtshormoon** sex hormone

**geslachtsorgaan** sexual organ

**geslachtsrijp** sexually mature

**geslachtsverkeer** sexual intercourse, sexual relations *mv* ★ *~ hebben* have intercourse, inform have sex

**geslachtsziekte** venereal disease, V.D.

**geslepen** *sluw* sly, cunning

**gesloten ❶** *dicht* closed, shut, (op slot) locked ★ *~ enveloppe* sealed envelope **❷** *in zichzelf gekeerd* close, tight-lipped, reticent ★ *zo ~ als het graf* as silent as a grave **❸** *ononderbroken* ★ *~ circuit* closed circuit ★ *~ gelederen* serried / closed ranks

**gesluierd** veiled

**gesmaakt** BN *gewaardeerd* appreciated

**gesmeerd** ★ *het liep ~* it went without a hitch

**gesnurk** snoring

**gesodemieter** messing / pissing around

**gesofisticeerd** BN *geavanceerd* sophisticated, advanced

**gesorteerd ❶** *ruim voorzien* ★ *ruim ~ zijn* have a large stock / assortment **❷** *in diverse soorten* assorted, sorted

**gesp** buckle, clasp

**gespannen** *intens* strained, tense ★ *met ~ aandacht* with close attention ★ *~ verwachting* tense expectation ★ *~ verhouding* strained relationship ★ *de verwachtingen zijn hoog ~* there are great expectations ★ *~ verhoudingen* strained relations ★ *op ~ voet staan met* be at daggers drawn with

**gespeend van** devoid of, utterly lacking in ★ *zij was ~ van talent* she was lacking all talent

**gespen** buckle, (met riem) strap

**gespierd ❶** *met sterke spieren* muscular **❷** fig *krachtig* vigorous, (van taal) forceful

**gespikkeld** speckled

**gespitst ❶** *~ op* keen on **❷** plantk pointed ▾ *met ~e oren* all ears, ears pricked up

**gespleten** *met een spleet* split, cleft ▾ *~ persoonlijkheid* split personality

**gesprek** conversation, talk, (over telefoon) call ★ (telefonisch) *in ~* in conference ★ *hij is* (telefonisch) *in ~* his number is engaged ★ *een ~ voeren* have / hold a conversation ★ *het ~ brengen op* turn the conversation on to, bring the conversation round to

**gespreksgroep** discussion group

**gesprekskosten** (telephone) call charges *mv*

**gespreksonderwerp** subject / topic of conversation, subject for discussion

**gesprekspartner** discussion / conversation partner

**gespreksstof** topic / subject of discussion

**gespuis** rabble, scum, riff-raff

**gestaag** Ⅰ *bnw* steady, constant Ⅱ *bijw* steadily, continually

**gestalte ❶** *gedaante* shape ★ *~ krijgen* take shape **❷** *lichaamsbouw* figure, build

**gestand** → **belofte**, **woord**

**Gestapo** gesch Gestapo

**geste** gesture ★ *een aardige ~* a friendly / nice gesture

**gesteente** stone ★ *vast ~* solid rock

**ge**

**gestel** ❶ *samengesteld geheel* system ❷ *lichaamsgesteldheid* constitution ❸ *karakter* temperament

**gesteld I** *bnw* ❶ *toestand* ★ *hoe is het ermee ~?* how do matters stand? ❷ *aangewezen* ★ *binnen de ~e tijd* within the time specified / set ❸ ~ **op** ★ *ik ben heel erg op hem ~* I'm very fond of him ★ *daar ben ik niet op ~* I want none of that ★ *ik ben er erg op ~ om...* I'm very keen on... **II** *bijw* ★ ~ *dat hij kwam* suppose he came

**gesteldheid** state, condition, constitution ★ ~ *van de bodem* composition of the soil

**gestemd** *in bepaalde stemming* disposed

**gesternte** ❶ *de sterren* stars *mv* ❷ *stand van de sterren* constellation ▼ *onder een gelukkig / ongelukkig ~ geboren* born under a lucky / unlucky star

**gesticht** *psychiatrische inrichting* institution, mental home

**gesticuleren** gesticulate

**gestoord** ❶ *met een storing* disturbed, faulty, defective ❷ psych mentally disturbed

**gestreept** striped

**gestress** stress

**gestrest** stressed (out)

**gestroomlijnd** *aerodynamisch* streamlined

**getaand** tawny, tanned ★ *een ~ gezicht* a tanned face

**getailleerd** waisted

**getal** number ★ *ronde ~len* round figures ★ *in groten ~e* in great numbers, in force ★ *ten ~e van* to the number of

**getalenteerd** talented

**getalsterkte** numerical strength

**getand** ❶ *met tanden* toothed, ⟨van wiel⟩ cogged ❷ *met insnijdingen* indented, notched

**getapt** popular (with)

**geteisem** *dregs mv*, scum, riff-raff

**getekend** ❶ *misvormd* branded ★ *voor het leven ~* branded for life ❷ *gegroefd* lined ★ *scherp ~ gezicht* sharp featured face ❸ *een bepaald patroon hebbend* marked ★ *die kat is mooi ~* that cat is beautifully marked / has beautiful markings

**getijde, getij** tide

**getijdenenergie** tidal energy / power

**getikt** *gek* crazy, barmy, mad

**getint** *gekleurd* tinted ★ ~ *glas* tinted / dark glass

**getiteld** ⟨m.b.t. boeken, films, enz.⟩ entitled, ⟨personen⟩ titled

**getogen** → geboren

**getourmenteerd** tormented

**getouw** ▼ BN *iets op het ~ zetten* organize / plan sth

**getralied** barred, latticed

**getrapt** ❶ *met trappen* ⟨raketten e.d.⟩ multi-stage ❷ *indirect* indirect

**getroosten** [zich ~] *doorstaan* put up with ★ *zich veel moeite ~* take great pains ★ *zich opofferingen ~* make sacrifices ★ *zich de moeite ~ om* take the trouble to

**getrouw** ❶ *trouw* loyal, faithful, true ❷ *nauwkeurig* true, faithful, exact ★ *een ~e weergave* a faithful reproduction

**getrouwd** married, wedded ★ *een pas ~ stel* newlyweds, a newly wedded couple ▼ *zo zijn we niet ~* that's not in the bargain, it's simply not on

**getto** ghetto

**gettoblaster** ghetto blaster

**gettovorming** ghettoization

**getuige I** *zn* [de] ❶ *aanwezige ter bevestiging* best man ❷ *toeschouwer* witness ★ ~ *zijn van* witness sth, be a witness to sth ❸ *jur* witness ★ ~ *à charge* witness for the prosecution ★ ~ *à decharge* witness for the defence ★ *als ~ voorkomen* appear as a witness ★ *iem. tot ~ roepen* call sb as a witness ★ *stille ~* silent witness **II** *vz* witness ★ ~ *je diploma kun je best goed leren* judging by your certificate, you're quite a good student

**getuigen I** *ov ww, verklaren* bear witness (to), testify ★ *jij kunt het ~* you can bear me out (on that) **II** *on ww* ❶ *blijk geven* ★ *het getuigt van grote moed* it is evidence of great courage, it shows great courage ❷ *getuigenis afleggen* appear as a witness, give evidence ★ ~ *tegen* give evidence against ★ *voor iem. ~* testify in sb's favour ❸ *pleiten* ★ *de feiten ~ tegen hem* the facts are against him

**getuigenis** ❶ *bewijs* evidence ❷ *getuigenverklaring* testimony, evidence ★ ~ *afleggen van* bear evidence to ★ *valse ~ afleggen* give false evidence

**getuigenverhoor** examination of the witnesses

**getuigenverklaring** testimony, ⟨geschreven⟩ deposition

**getuigschrift** certificate, ⟨van dienstbode⟩ character, ⟨van personeel⟩ testimonial ★ *van goede ~en voorzien* with excellent references

**getver** → gadver

**getverderrie** ugh!

**geul** ❶ *gleuf* groove ❷ *smal en diep water* channel, channel, trench, gully

**geur** smell, ⟨aangenaam⟩ scent, ⟨aangenaam⟩ fragrance, ⟨onaangenaam⟩ odour ★ *een akelige geur* a nasty smell / odour ★ *de geur van sigaren* the scent of cigars ▼ *in geuren en kleuren vertellen* tell a story in great / full detail

**geuren** ❶ *ruiken* smell ❷ *pronken* sport, show off

**geurig** fragrant

**geurstof** aromatic substance

**geurtje** ❶ *reukwater* scent ★ *zij heeft een lekker ~ op* she is wearing a nice scent ❷ → geur

**geurvreter** odour-eater

**geus** (Sea) Beggar, Protestant

**gevaar** *gevaarlijke toestand* peril, danger ★ *buiten ~ zijn* be out of danger, inform be out of the wood ★ *in ~ brengen* endanger ★ *in ~ komen* get into danger ★ *met ~ voor zijn leven* at the risk of his life ★ *op het ~ af...* at the risk of... ★ ~ *lopen* be in danger ★ ~ *lopen om...* run the risk of..., be in danger of... ★ *zijn positie loopt ~* his position is in jeopardy

**gevaarlijk** risky, dangerous

**gevaarte** monster, colossus

**geval** ❶ *toestand* case ★ *in elk ~* in any case, at any rate ★ *in geen ~* by no means, on no account ★ *in ~ van nood* in case of emergency ★ *in het ergste ~* if the worst comes to the worst ★ *in het gunstigste ~* at best ★ *in het uiterste ~* at worst ★ *in voorkomende ~len* should the occasion arise ★ *voor het ~ dat...* in case... ★ *een op zichzelf staand ~* an isolated case ★ *elk ~ op zichzelf beoordelen* consider each case on its own merits

❷ *voorval* case ★ *lastig* ~ awkward affair / case
❸ *toeval* ★ *het* ~ *wil dat...* it just so happens
(that)..., it happens to be the case (that)...
**gevangen** captive, ⟨in gevangenis⟩ imprisoned
★ *zich* ~ *geven* surrender, give o.s. up
**gevangenbewaarder** (prison) warden / officer,
<u>oud</u> jailer
**gevangene** ❶ *gevangen genomen persoon* captive
❷ *gedetineerde* prisoner
**gevangenhouden** detain, keep in prison /
custody
**gevangenis** *bajes* prison, jail, ⟨jeugd⟩ young
offender institution ★ *de* ~ *ingaan* go to jail ★ *in
de* ~ *zetten* put in prison, imprison
**gevangenisstraf** imprisonment, jail sentence
★ *tot* ~ *worden veroordeeld* be sentenced to jail
★ *tot vier jaar* ~ *veroordeeld worden* be sentenced
to four years' imprisonment
**gevangeniswezen** prison system
**gevangennemen** <u>mil</u> take prisoner / captive,
⟨algemeen⟩ arrest
**gevangenschap** captivity, ⟨in gevangenis⟩
imprisonment
**gevangenzitten** be in jail / prison
**gevarendriehoek** hazard / breakdown triangle
**gevarenzone** danger area / zone
**gevarieerd** varied
**gevat** quick-witted, sharp, on the ball
**gevecht** fight, action ★ *buiten* ~ *stellen* put out of
action, knock out, disable
**gevechtsklaar** ready for action / battle ★ ~
*maken* prepare for combat, clear for action ★ ~
*zijn* be in combat readiness
**gevechtspak** (battle) fatigue
**gevechtsvliegtuig** fighter (plane)
**gevechtszone** battle / combat zone / area
**gevederd** feathered
**geveinsd** ❶ *niet gemeend* feigned, assumed
❷ *huichelachtig* hypocritical
**gevel** façade, front
**gevelsteen** plaque, tablet
**geveltoerist** cat burglar
**geven** I *ov ww* ❶ *aanreiken, aangeven* hand, give,
⟨kaartspel⟩ deal ★ *kun je me het zout even* ~? 
could you pass me the salt? ❷ *bezorgen,
veroorzaken* give, ⟨v. warmte⟩ give out, ⟨v. rente⟩
yield ★ *de kachel geeft een hoop warmte* the stove
gives out plenty of heat ❸ *schenken, bieden* give
★ *iem. iets te eten* ~ give sb sth to eat ★ ~ *en
nemen* give and take ★ *het is niet iedereen ge-
om...* it is not given to everyone to... ❹ *toekennen*
give, grant ★ *ik geef hem 40 jaar* I put him down
at forty ★ *welke leeftijd geef je mij?* how old do
you think I am? ▼ *iets eraan* ~ give up sth II *on
ww* ❶ *hinderen* matter ★ *het geeft niets* it doesn't
matter at all ❷ ~ **om** care for / about ★ *hij geeft
veel om haar* he cares a great deal for her ★ *hij
geeft er niet veel om* he doesn't really care about
it ▼ *iem. ervan langs* ~ give sb what for, let sb
have it III *wkd ww* [zich ~] ★ *zich* ~ *zoals men is*
be o.s., *form* be without affectation ★ *zich
(helemaal)* ~ *aan iets* throw o.s. into sth, give o.s.
entirely to sth
**gever** ⟨kaartspel⟩ dealer ★ *de gulle* ~ generous
donor
**gevestigd** *vaststaand* established

**gevierd** celebrated
**gevlamd** flamed, ⟨van hout⟩ grained
**gevlekt** spotted
**gevleugeld** winged
**gevlij** ★ *bij iem. in het* ~ *komen* humour sb
**gevoeglijk** decently, properly ★ *dat zouden we* ~
*kunnen doen* we could certainly do that
**gevoel** ❶ *zintuig* touch, feeling ★ *de weg op het* ~
*vinden* grope one's way ❷ *lichamelijke
gewaarwording* feeling, sense, sensation ★ *een
pijnlijk* ~ a painful sensation ★ *het* ~ *hebben alsof*
feel as if / though ★ *wat voor* ~ *is het om...?* what
does it feel like to...? ❸ *innerlijke gewaarwording*
feeling ★ *ik heb het* ~ *dat* I have the feeling that
★ *naar mijn* ~ to my mind ❹ *emotie* emotion,
feeling ★ *met* ~ *spelen* play with feeling ★ ~
*leggen in* put one's heart into ★ *gemengde* ~*ens*
mixed emotions ★ *op iemands* ~ *werken* work on
sb's feelings ❺ *begrip* ★ ~ *voor humor* sense of
humour
**gevoelen** feeling, opinion ★ *zijn* ~*s onderdrukken*
suppress one's feelings ★ *met gemengde* ~*s* with
mixed feelings
**gevoelig** I *bnw* ❶ *die de kleinste indrukken
waarneemt* sensitive (**voor** to), susceptible (**voor**
to) ★ *uiterst* ~ hypersensitive ❷ *sentimenteel*
touchy ❸ *pijnlijk* tender, sore ★ ~*e huid* sensitive
skin ★ *een* ~ *verlies* a heavy loss ★ *een* ~*e slag* a
severe blow ★ *iem. op een* ~*e plek raken* touch sb
on a sore spot II *bijw* ❶ *met veel gevoel*
sensitively, with great feeling ❷ *op heftige wijze*
smartly, sorely ❸ *pijnlijk* ★ *dat ligt* ~ that's a
delicate matter / point
**gevoeligheid** ❶ *het gevoelig zijn* sensitivity,
susceptibility ❷ *lichtgeraaktheid* touchiness
**gevoelloos** ❶ *fysiek ongevoelig* numb
❷ *hardvochtig* unfeeling, callous, insensitive ★ ~
*jegens* insensible to
**gevoelloosheid** *fysieke ongevoeligheid*
callousness, numbness
**gevoelsarm** lacking in feeling, insensitive
**gevoelsleven** emotional life
**gevoelsmatig** instinctive
**gevoelsmens** (wo)man of feeling, emotional
person
**gevoelswaarde** *affectieve waarde* emotional
value
**gevogelte** ❶ *vogels* birds *mv* ❷ *eetbare vogels*
fowl, poultry
**gevolg** ❶ *resultaat* consequence, result ★ *het zal
ten* ~*e hebben dat...* it will result in..., it will bring
on... ★ *zijn inspanningen hadden geen* ~ his
efforts remained unsuccessful / without success
★ *geen nadelige* ~*en ondervinden van* be none the
worse for ★ *de* ~*en zijn voor jou* you must take
the consequences ★ *met goed* ~ successfully ★ ~
*geven aan een plan* carry out a plan ★ ~ *geven
aan een verzoek* grant a request, comply with a
request ❷ *personen* retinue, train
**gevolgtrekking** conclusion ★ ~*en maken* draw
conclusions
**gevolmachtigd** having full powers ★ *een* ~*e* ★ ~
*zijn* hold power of attorney
**gevorderd** advanced ★ *cursus voor* ~*en* advanced
course ★ *wegens het* ~*e uur* due to the time / late
hour

**ge**

**gevreesd** dreaded, feared

**gevuld ❶** *met vulling* (van portemonnee) well-filled, (van gevogelte, e.d.) stuffed, (van kies) filled **❷** *dik, mollig* full, plump

**gewaad** robe, garment

**gewaagd ❶** *overmoedig* daring **❷** *seksueel getint* risqué, suggestive ▼ *zij zijn aan elkaar ~* they are a match for each other

**gewaarworden** *(op)merken* perceive, notice, become aware of, (te weten komen) find out

**gewaarwording ❶** *indruk* feeling, impression **❷** *ondervinding* sensation, (van zintuigen) perception ★ *een aangename ~* a pleasant sensation

**gewag** ★ *geen ~ maken van iets* keep quiet about sth

**gewapend** *bewapend* armed

**gewas ❶** plantk *begroeiing* crop **❷** *plant* plant

**gewatteerd** (van deken) quilted ★ *~e deken* quilt

**geweer** rifle, gun ▼ *in het ~ komen* be up in arms

**geweerschot** rifle-shot, gunshot

**geweervuur** gunfire, rifle-fire

**gewei** antlers *mv*

**geweld** *ruwe kracht* violence, force ★ *zinloos ~* random / senseless (acts of) violence ★ *met ~* by force ★ *~ plegen* use violence ▼ *met alle ~* at any cost ▼ *met alle ~ iets willen doen* be dead set on... ▼ *hij moest zich ~ aandoen om...* he had to make a real effort to...

**gewelddaad** act of violence, outrage

**gewelddadig** violent

**geweldenaar ❶** *sterk persoon* superman, (kundig) crack **❷** *dwingeland* tyrant, bully

**geweldig ❶** *hevig, groot* tremendous, vehement, (storm) violent, enormous, tremendous, (gebouw) immense ★ *een ~e schok* a tremendous shock **❷** *goed* terrific, inform great ★ *hij was ~* he was great / terrific

**geweldloos** non-violent

**geweldpleging** violence ★ *openbare ~* public / street violence

**geweldsspiraal** spiral of violence

**gewelf** vault, arch ★ *onderaards ~* an underground vault

**gewelfd ❶** *gebogen* curved **❷** *met gewelf* arched, vaulted

**gewend** used / accustomed (aan to) ★ *zij is beter ~* she has seen better days ★ *ik ben nog niet ~* I'm not yet accustomed

**gewennen I** *ov ww, gewoon maken* accustom (aan to), habituate (aan to) ★ *zich ~ aan* accustom o.s. to **II** *on ww, gewoon worden* get used / accustomed to

**gewenning** (het gewennen) habituation, (aan iets onaangenaams) inurement

**gewenst ❶** *wenselijk* desirable **❷** *verlangd* desired

**gewerveld** vertebrate ★ *~e dieren* vertebrates

**gewest ❶** *landstreek, gebied* district, region, district, county **❷** BN pol *elk van de drie delen van België* region

**gewestelijk ❶** *van een bepaalde streek, gebied* regional, (accent) local, provincial **❷** BN *van / uit één der Belgische gewesten* regional

**geweten** conscience ★ *een slecht ~ hebben* have a bad conscience ★ *zijn ~ begon te spreken* his conscience began to bother him ★ *ik kan het niet met mijn ~ overeenbrengen* I cannot reconcile it to my conscience ★ *hij heeft heel wat op zijn ~* he has much to answer for

**gewetenloos** unscrupulous

**gewetensbezwaar** scruple ★ *dienstweigering op grond van gewetensbezwaren* conscientious objection ★ *vrijstelling op grond van gewetensbezwaren* exemption on grounds of conscience

**gewetensbezwaarde** conscientious objector

**gewetensnood** moral dilemma ★ *in ~ komen* get into a moral dilemma

**gewetensvol** conscientious, scrupulous ★ *zich ~ van een taak kwijten* discharge one's duty / task conscientiously

**gewetensvraag** soul-searching question

**gewetenswroeging** remorse, compunction

**gewetenszaak** matter of conscience

**gewettigd** justified, legitimate

**gewezen** former, ex-

**gewicht ❶** *zwaarte* weight ★ *soortelijk ~* specific gravity ★ *weer op zijn ~ komen* recover one's lost weight **❷** *voorwerp* weight ★ *maten en ~en* weights and measures ★ *dat legt ~ in de schaal* it carries weight ★ *zijn ~ in de schaal werpen* throw one's weight into the scale **❸** *belang* weight, importance ★ *~ hechten aan* attach importance to ★ *een man van ~* a man of importance

**gewichtheffen** weightlifting

**gewichtheffer** weightlifter

**gewichtig I** *bnw* weighty, important, momentous ★ *een ~e gebeurtenis* an important / momentous event **II** *bijw* ★ *~ doen* behave rather pompously

**gewichtigdoenerij** pomposity, self-importance

**gewichtloos** weightless

**gewichtsklasse** weight (class)

**gewichtsverlies** loss of weight

**gewiekst** astute, cunning, smart, shrewd

**gewijd ❶** *geheiligd* consecrated ★ *~e aarde* consecrated soil **❷** *met betrekking tot liturgie* sacred ★ *~e muziek* sacred music

**gewild ❶** *in trek* much sought after, popular, (van product) in demand **❷** *gekunsteld* affected ★ *~ geestig* would-be witty

**gewillig I** *bnw* willing, ready ★ *een ~ karakter* a docile nature ★ *'n ~ oor lenen aan* lend a ready ear to **II** *bijw* ★ *~ meegaan* come along willingly

**gewin** profit, gain

**gewis I** *bnw* certain ★ *aan een ~se dood ontsnapt* have escaped certain death **II** *bijw* for sure

**gewoel ❶** *het woelen* tossing and turning **❷** *drukte* bustle, turmoil

**gewond** injured, wounded ★ *~ raken* get injured

**gewonde** wounded / injured person ★ *hoeveel ~n zijn er?* how many people are injured? ★ *doden en ~n* casualties

**gewoon I** *bnw* **❶** *gebruikelijk* normal, usual, customary ★ *zij is niet in haar gewone doen* she is not her usual self **❷** *alledaags* ordinary, common, plain ★ *de gewone lezer* the general reader **❸** *gewend* accustomed / used to ★ *zij was ~ te gaan vissen* she used to go fishing ★ *zoals hij ~ was* as was his wont / habit **II** *bijw, gewoonweg* simply, just ★ *ik kan ~ niet ophouden* I just can't stop

**gewoonlijk** usually ★ *zoals ~* as usual

**gewoonte** ❶ *wat men gewend is* custom, habit ★ *uit* ~ out of habit ★ *een* ~ *van iets maken* make a habit of sth ❷ *(traditioneel)* gebruik custom, usage ★ *het is de* ~ *om...* it is customary to..., it is common usage to...

**gewoontedier** creature of habit

**gewoontedrinker** habitual drinker

**gewoontegetrouw** in accordance with previous practice / custom, as usual

**gewoonterecht** *jur* common law

**gewoontjes** ordinary, common, plain

**gewoonweg** ❶ *eenvoudigweg* just ★ *hij wil* ~ *niet luisteren* he just won't listen ❷ *ronduit* downright, simply, just ★ *het is* ~ *belachelijk* it is downright ridiculous ★ ~ *onzin* simply nonsense

**geworteld** ❶ *met wortels* entrenched ❷ *fig* rooted, ingrained ★ *diep* ~ deeply ingrained, deep-seated

**gewraakt** *afkeuren* objected to, *jur* challenged ★ *de* ~*e uitspraak* the challenged statement

**gewricht** joint

**gewrongen** ❶ *verdraaid* distorted, 〈handschrift〉 disguised ❷ *onnatuurlijk* strained, tortuous

**gezag** ❶ *macht* autority, command ★ *op eigen* ~ on one's own authority ★ *het* ~ *voeren over* be in command of ❷ *autoriteit* authority ★ *met* ~ *spreken* speak with authority ★ *op* ~ *aannemen* take on trust

**gezaghebbend** authoritative ★ ~*e kringen* leading circles

**gezaghebber, gezagsdrager** person in charge / authority

**gezagsgetrouw** I *bnw* law-abiding II *bijw* in a law-abiding fashion

**gezagsverhoudingen** hierarchical relationships *mv*

**gezagvoerder** ❶ scheepv commander, captain ❷ luchtv captain

**gezamenlijk** I *bnw* complete, combined, 〈eigendom〉 joint, 〈eigendom / verantwoordelijkheid〉 collective ★ *met* ~*e krachten* with combined forces ★ ~ *optreden* concerted action ★ *voor* ~*e rekening* for / on joint account II *bijw* together ★ *we hebben het* ~ *besloten* we made the decision together, it was a joint decision

**gezang** ❶ *het zingen* singing ❷ *lied* song, rel hymn

**gezanik** bother, trouble, 〈gezeur〉 nagging ★ *een hoop* ~ a lot of bother ★ *hou op met dat* ~*!* stop nagging!

**gezant** envoy, ambassador ★ *buitengewoon* ~ envoy extraordinary

**gezantschap** ❶ *legatie* mission, delegation ❷ *gebouw* embassy

**gezapig** *bedaagd* sluggish, languid, easy-going

**gezegde** ❶ *zegswijze* proverb, saying ❷ taalk predicate

**gezegend** blessed

**gezeglijk** accommodating, obedient

**gezel** *makker* companion, mate

**gezellig** 〈van persoon〉 sociable, 〈van persoon〉 companionable, 〈van sfeer enz.〉 pleasant, 〈van sfeer enz.〉 enjoyable ★ *hij is* ~ he is good company ★ ~ *avondje* enjoyable evening

**gezelligheid** sociability, 〈van kamer〉 snugness,

〈van kamer〉 cosiness ★ *voor de* ~ for company ★ *hij houdt van* ~ I like company

**gezelligheidsdier** companionable sort

**gezellin** *vrouwelijke metgezel* companion

**gezelschap** ❶ *samenzijn* company ★ ~ *houden* keep sb company ★ *in* ~ *van* in the company of ❷ *groep* company, society ★ *een vrolijk* ~ a merry party

**gezelschapsspel** party / round game

**gezet** *dik* stout, corpulent, 〈gedrongen〉 thick-set

**gezeten** ❶ *met vaste woonplaats* settled, resident ❷ *welgesteld* substantial ★ *de* ~ *burgerij* the well-to-do middle class

**gezeur** moaning, nagging

**gezicht** ❶ *gelaat* face ★ *een vol* ~ a full / chubby face ★ *een vrolijk* ~ *zetten* put on a cheerful face ★ *(rare)* ~*en trekken* pull faces ★ *ik ken hem van* ~ I know him by sight ★ *zijn* ~ *redden* save one's face ❷ *zintuig* (eye)sight, vision ❸ *aanblik* view, sight ★ *op het eerste* ~ at first sight ★ *uit het* ~ *verdwijnen* disappear from sight ★ *uit het* ~ *verliezen* lose sight of ★ *het is geen* ~ it is a sorry sight ★ *de winkel een ander* ~ *geven* give the shop a new look

**gezichtsafstand** ❶ *reikwijdte* seeing distance, view, eyeshot ★ *zich in* ~ *bevinden* be within sight / view / eyeshot ❷ *oogafstand* focusing distance

**gezichtsbedrog** optical illusion

**gezichtsbruiner** facial solarium

**gezichtshoek** ❶ lett angle (of vision) ❷ fig point of view

**gezichtspunt** point of view, viewpoint, angle ★ *nieuwe* ~*en openen* open up new prospects

**gezichtsuitdrukking** facial expression

**gezichtsveld** field of vision

**gezichtsverlies** ❶ *verlies van gezichtsvermogen* loss of (eye)sight ❷ *verlies van prestige* loss of face ★ ~ *lijden* lose face

**gezichtsvermogen** (eye)sight

**gezien** I *bnw* ★ *zij is zeer* ~ *bij haar collega's* she's popular among / with her colleagues II *vz* in view of, considering ★ ~ *zijn staat van dienst* considering / given his record (of service)

**gezin** family, 〈huishouden〉 household

**gezind** disposed ★ *iem. slecht* ~ *zijn* be ill-disposed towards sb ★ *Engels*~ pro-English, Anglophil(e)

**gezindheid** ❶ *houding* disposition ❷ *overtuiging* conviction, persuasion

**gezindte** denomination

**gezinsauto** family car

**gezinsfles** family(-size) bottle

**gezinshereniging** family reunification

**gezinshoofd** head of the family

**gezinshulp** ❶ *hulpverlening* home help ❷ *hulpverlener* home help

**gezinsleven** family life

**gezinsplanning** family planning, birth control

**gezinsuitbreiding** addition to the family

**gezinsverpakking** family pack ★ *ook verkrijgbaar in* ~ also available in family packs

**gezinsverzorgster** home help

**gezinszorg** family-welfare (services), home help

**gezocht** ❶ *gewild* ★ *zeer* ~ in great demand, much sought after ❷ *gekunsteld* studied, contrived ★ *de ontknoping was een beetje* ~ the

**ge**

ending was a bit contrived

**gezond** ❶ *niet ziek* healthy ★ ~ *en wel* fit and well, safe and sound ★ ~ *naar lichaam en geest* sound in body and mind ★ ~ *zijn* be in good health ★ *(weer) ~ worden* get well (again) ★ ~ *maken* cure ★ *zich ~ voelen* feel fit / well ❷ *heilzaam* healthy, ⟨voedsel ook⟩ wholesome ★ *een ~ klimaat* a healthy climate ★ *dat is ~ voor je* it's good for your health ★ ~ *advies* sound advice ★ *een ~ standpunt* a sane point of view ★ ~*e taal spreken* talk sense

**gezondheid** I *zn* [de] health ★ *in goede ~* in excellent health ★ *op iemands ~ drinken* drink (to) sb's health ★ *op je ~!* here's to you! ★ ~ *is de grootste schat* health is better than wealth II *tw* ⟨bij niesen⟩ bless you, ⟨bij proosten⟩ cheers, ⟨bij proosten⟩ here's to you

**gezondheidscentrum** health care centre

**gezondheidsredenen** considerations of health

**gezondheidszorg** health care

**gezusters** ★ *de ~ A.* the A. sisters

**gezwel** ❶ *zwelling* swelling, lump ❷ *woekering van weefsel* tumour ★ *een woekerend ~* a cancerous growth

**gezwollen** *hoogdravend* bombastic, inflated (with)

**gezworen** sworn ★ ~ *vrienden / vijanden* sworn friends / enemies

**gezworene** jurywoman, juror, juryman

**gft-afval** organic waste

**gft-bak** *biobak* organic waste bin

**Ghana** Ghana

**Ghanees** Ghanaian

**ghb** *gammahydroxybutyraat* GHB, (sodium) gamma-hydroxybutyrate

**ghostwriter** ghostwriter

**Gibraltar** Gibraltar

**gids** ❶ *persoon* guide ❷ *object* guide(book) ★ BN *de Witte Gids^fl* telephone directory ★ *de Gouden Gids^fl* the Yellow Pages

**gidsen** guide, act as a guide, direct

**giebelen** giggle

**giechelen** titter, giggle ★ *in ~ uitbarsten* have a fit of) the giggles

**giek** ❶ *roeiboot* gig ❷ *dwarsmast* boom

**gier** I *zn* [de] [mv: +en] *vogel* vulture ★ *vale gier* griffon vulture II *zn* [de] [gmv] *mest* liquid manure

**gieren** ❶ *brullen, gillen, loeien* ⟨van wind⟩ whistle, ⟨van wind⟩ howl, scream ❷ *bemesten* spread (liquid) manure

**gierig** *vrekkig* miserly, stingy, ⟨in grote mate⟩ avaricious

**gierigaard** miser

**gierigheid** avarice, stinginess

**gierst** millet, (grain) sorghum

**gierzwaluw** swift

**gietbui** downpour

**gieten** I *ov ww* ❶ *schenken* pour ❷ *vormgeven* mould, ⟨van metaal⟩ cast ★ *gedachten in een bepaalde vorm ~* couch one's thoughts in a particular form ★ *het zit je als gegoten* it fits you like a glove II *onp ww* pour ★ *het giet* it is pouring, it's pelting down

**gieter** *waterkan* watering can ▼ *afgaan als een ~* lose face, look a complete / utter fool ▼ BN ⟨zo⟩

*fier als een ~* (as) proud as a peacock

**gieterij** foundry

**gietijzer** cast iron, ⟨in onbewerkte vorm⟩ crude iron

**gif** toxin, venom, poison ▼ *daar kun je gif op innemen* you can bet your life on that!, you bet!

**gifbeker** poisoned chalice

**gifbelt** (illegal) dump for toxic wastes

**gifgas** poison(ous) gas

**gifgroen** bilious green

**gifgrond** (chemically) polluted / contaminated soil / ground

**gifkikker** bad- / mean-tempered person

**gifklier** poison / venom gland

**gifslang** poisonous snake

**gifstof** poisonous / toxic substance

**gift** *schenking* gift, ⟨van donateur⟩ donation

**giftig** ❶ *vergiftig* poisonous, ⟨afval, e.d.⟩ toxic ❷ *venijnig* ⟨van mensen⟩ venomous, ⟨boos⟩ touchy

**gifwolk** toxic cloud

**gigabyte** gigabyte

**gigant** giant

**gigantisch** gigantic, huge, immense ★ *een ~e hagelbui* inform a monumental hailstorm

**gigolo** gigolo

**gij** ❶ BN *jij* you ❷ *form* u thou ★ *gij zult niet doden* thou shalt not kill

**gijzelaar** hostage

**gijzelen** *jur* imprison for debt, ⟨als waarborg⟩ take hostage, ⟨voor geld⟩ kidnap

**gijzeling** ❶ *terreurdaad* taking of hostages, kidnapping ★ *iem. in ~ houden* hold sb hostage ❷ *jur* jur imprisonment for debt

**gijzelnemer** hostage taker, terrorist, ⟨kaper⟩ hijacker

**gil** scream, yell, shriek

**gilde** gild, guild

**gilet** waistcoat

**gillen** I *ov ww, schreeuwen* shriek, scream II *on ww* ▼ *het is om te ~* it is a scream

**giller** scream, howler, USA gas ★ *wat een ~!* what a scream!

**gimmick** gimmick

**gin** gin, ⟨jenever⟩ Dutch / Hollands gin, ⟨jenever⟩ geneva

**ginder** *daar* there

**ginderachter** inform BN *daar ergens* somewhere over there

**ginds** over there, *form* yonder

**ginnegappen** giggle, snigger ★ *wat zit je te ~?* what are you sniggering about?

**gips** *materiaal* plaster ★ *mijn been zit in het gips* my leg is in plaster

**gipsen** plaster

**gipskruid** gypsophila, soap root

**gipsplaat** plasterboard, gypsum board

**gipsverband** plaster cast

**gipsvlucht** ski special

**giraal** (by) giro ★ ~ *betalen* pay by giro

**giraffe, giraf** giraffe

**gireren** pay / transfer by giro

**giro** ❶ *girorekening* giro account ★ *storten op de giro* deposit into a giro account ❷ *overschrijving* giro

**girocheque** giro cheque

**giromaat** ≈ cash dispenser
**giromaatpas** cashpoint card
**gironummer** giro account number
**giropas** giro (guarantee) card
**girorekening** giro account
**gis¹ I** zn [de], *giswerk* guess ★ *op de gis* at random, at a guess **II** bnw, *slim* smart
**gis²** [gies] muz G sharp
**gissen** guess, conjecture
**gissing** *veronderstelling* guess, conjecture ★ *naar ~* at a guess, at a rough estimate
**gist** yeast
**gisten ❶** ferment ★ *laten ~* ferment **❷** *onrustig zijn* ▼ *het gist in het land* the country is in a ferment
**gisteravond** yesterday evening
**gisteren** yesterday ▼ *niet van ~ zijn* be nobody's fool, know a thing or two
**gistermiddag** yesterday afternoon
**gistermorgen** yesterday morning
**gisternacht** last night, yesterday night
**gisting** ferment, fermentation
**git** jet
**gitaar** guitar
**gitarist** guitarist, guitar player
**gitzwart** jet-black
**G-krachten** g-forces
**glaceren** *glanzend maken* glaze, *(van gebak)* ice, *(van schilderij)* varnish
**glad I** bnw **❶** *effen* smooth, *(van haar)* sleek, *(van ring)* plain, *(van water)* calm **❷** *glibberig* slippery **❸** *vlot, gemakkelijk* smooth ★ *dat is nogal glad* that's pretty obvious! **❹** *sluw* clever, cunning, smooth ★ *zo glad als een aal* as slippery as an eel ★ *een gladde jongen* a smooth operator **II** bijw **❶** *makkelijk* smoothly ★ *het gaat hem glad af* it comes easy to him ★ *dat zat hem niet glad* he was in for a hard / rough time, he was not going to get away with it **❷** *totaal* ★ *glad verkeerd* altogether wrong ★ *hij is het glad vergeten* he clean forgot about it
**gladgeschoren** clean shaven
**gladharig** sleek-haired, *(van dier)* shiny / smooth coated, *(van individu)* smooth-haired
**gladheid ❶** *effenheid* smoothness **❷** *glibberigheid* slipperiness
**gladiator** gladiator
**gladiool ❶** *bloem* gladiolus **❷** *persoon* ★ *achterlijke ~* dipstick
**gladjanus** sly dog, smooth operator
**gladjes** *nogal glibberig* slippery
**gladstrijken ❶** *lett* smooth / iron out **❷** *fig* smooth out, iron out
**gladweg** completely, totally ★ *iets ~ vergeten* clean / totally forget sth ★ *iets ~ bekennen* confess sth straight out
**glamour** glamour
**glans ❶** *(weer)schijn* gloss, lustre, shine ★ *van genoegen* beam of pleasure **❷** *luister* splendour ★ *hij slaagde met ~* he passed with flying colours ★ *~ bijzetten / verlenen aan* add / lend lustre to
**glansmiddel** rinse agent
**glanspapier** glazed / glossy paper, art paper
**glansrijk** glorious, splendid ★ *het kan de vergelijking ~ doorstaan* it compares very favourably (with) ★ *een ~e overwinning* a glorious

victory
**glansrol** star part / role
**glansverf** gloss (paint)
**glanzen** shine, shimmer, gleam, *(vochtig glanzen)* glisten ★ *~d* (v. fotopapier) glossy
**glas I** zn [het] [gmv] *materiaal* glass ★ *kogelvrij glas* bulletproof glass, armour-plated glass ★ *gewapend glas* wired glass ★ *glas in lood* leaded glass ★ *zo helder als glas* crystal clear **II** zn [het] [mv: glazen] **❶** *drinkglas* glass ★ *een glaasje te veel ophebben* have had one too many **❷** *ruit* (window)pane ★ *zijn eigen glazen ingooien* cook one's own goose
**glasbak** bottle bank
**glasblazen** glass-blowing
**glasblazer** glassblower
**glasfiber** glass fibre, fibreglass
**glashard I** bnw as hard as nails, ruthless **II** bijw ★ *iets ~ ontkennen* flatly deny sth
**glashelder ❶** *doorzichtig* crystal-clear **❷** *duidelijk* crystal-clear, lucid, clear cut
**glas-in-loodraam**, BN **glasraam** stained-glass window
**glasplaat** *(onbewerkt)* sheet of glass, *(bewerkt)* glass plate
**glasschade** broken glass
**glastuinbouw** cultivation under glass, glasshouse horticulture
**glasverzekering** (plate-)glass insurance
**glasvezel** fibre glass, glass fibre
**glaswerk ❶** *glazen* glass(ware) **❷** *ruiten* glazing
**glaswol** glass wool, spun glass
**glazen** glass(y)
**glazenwasser** *persoon* window-cleaner
**glazig** glassy, *(van aardappel)* waxy ★ *met een ~e blik* glassy-eyed
**glazuren** glaze, *(van gebak)* ice
**glazuur ❶** *glasachtige laag* *(van aardewerk)* glaze, *(van aardewerk)* glazing **❷** *tandglazuur* enamel **❸** *taartglazuur* icing
**gletsjer** glacier
**gletsjerdal** glaciated valley
**gleuf ❶** *spleet* (geul) trench, *(in rots)* fissure, *(v. schroefkop)* groove, *(v. automaat)* slot, *(v. brievenbus)* slit **❷** *vagina* cunt, slit
**glibberen** slither
**glibberig** *glad* slippery, slithery
**glijbaan ❶** *speeltuig* slide, chute **❷** *baan van ijs* slide
**glijden** slip, *(op ijs)* slide, *(op water)* glide ★ *een schaduw gleed over haar gezicht* a shadow stole over her face
**glijmiddel** lubricant, lubricating jelly
**glijvlucht** *(van vliegtuig)* glide, *(van vogels)* gliding flight
**glimlach** smile ★ *een brede ~* big smile, grin
**glimlachen** smile (at) ★ *breed ~* smile broadly, grin
**glimmen ❶** *glanzen* shine, gleam, *(zwakjes)* glimmer, *(van zweet)* glisten **❷** *glunderen* glow, shine ★ *hij glom van plezier* he was glowing with joy
**glimp** glimpse ★ *met een ~ van waarheid* with a colour of truth ★ *een ~je hoop* a glimmer of hope
**glimworm** glow-worm
**glinsteren** sparkle, glitter, twinkle

**gl**

**glinstering** glitter(ing), sparkle
**glippen** wegglijden slip
**glitter ❶** iets dat glinstert glitter, ⟨op kerstboom, e.d.⟩ tinsel **❷** schone schijn glitter ★ ~ en glamour glitter and glamour
**globaal I** bnw **❶** ruw rough, broad **❷** BN totaal total, complete **II** bijw ★ ~ genomen roughly speaking
**globaliseren** globalise
**globalisering** globalization
**globe** globe
**globetrotter** globetrotter
**gloed ❶** schijnsel, warmte glow, ⟨fel⟩ glare, glow, ⟨sterk⟩ blaze ★ de ~ van het vuur the glow of the fire ★ in ~ aglow **❷** bezieling ardour ★ in ~ (doen) raken get excited / enthusiastic (about)
**gloednieuw** brand-new
**gloedvol** glowing, fervent ★ ~ spreken speak with passion / fervour
**gloeien ❶** branden zonder vlam smoulder **❷** stralen van hitte glow
**gloeiend ❶** in gloed staande, heet burning / scalding / piping hot, ⟨van metaal⟩ red hot **❷** fig hartstochtelijk ★ een ~e hekel aan iem. hebben hate sb with a passion
**gloeilamp** light bulb
**glooien** slope, slant
**glooiing** slope
**gloren** aanbreken glimmer, ⟨van de dag⟩ dawn ★ de ochtend begon te ~ the day was breaking / dawning
**glorie ❶** roem glory **❷** pracht ▼ in volle ~ in full splendour
**glorietijd** heyday, golden age
**glorieus** glorious
**glossarium** glossary
**glossy I** bnw, glanzend glossy ★ ~ tijdschrift glossy magazine **II** zn [de], tijdschrift glossy
**glucose** glucose
**glühwein** ≈ mulled claret, Glühwein
**gluiperd** shifty character
**gluiperig** vals, geniepig sneaky, shifty
**glunderen** beam, radiate
**gluren** peep, ⟨wellustig⟩ leer
**gluten** gluten
**gluurder** voyeur, peeper, Peeping Tom
**glycerine** glycerine
**gniffelen** chuckle (over / at), laugh up one's sleeve, snigger (at)
**gnoe** gnu
**gnoom** gnome, hopgoblin, leprechaun
**gnuiven** gloat (**over** over), chuckle (**over** at)
**goal** doelpunt goal ★ een goal scoren score a goal
**gobelin ❶** wandtapijt gobelin **❷** meubelstof flower patterned upholstery fabric
**gocart** BN skelter ⟨go-⟩kart, ⟨trapauto⟩ pedal car
**God** God ★ in Gods naam in the name of God ★ God geve dat... God grant that... ★ God zij dank thank God ★ in God geloven believe in God ▼ Gods water over Gods akker laten lopen let things take their natural course ▼ ik zou het bij God niet weten for the life of me, I wouldn't know ▼ God zegene de greep! here goes!
**god** godheid god ▼ de goden verzoeken tempt fate
**goddank** thank God ★ ~ zag hij me niet thank goodness he did not see me

**goddelijk ❶** van een god divine **❷** verrukkelijk divine
**goddomme** damn it, goddammit
**godendom** gods mv
**godgans** entire, whole blessed / mortal ★ de ~e avond the entire evening ★ de ~e dag the livelong day
**godgeklaagd** disgraceful ★ het is ~! it's an outrage!, it cries to (high) heaven!
**godgeleerdheid** theology
**godheid** deity, divine / celestial being
**godin** goddess
**godsdienst** religion
**godsdienstig ❶** religieus religious **❷** vroom pious, devout
**godsdienstoefening** divine service, (practice of) worship
**godsdienstoorlog** religious war
**godsdienstvrijheid** freedom of religion / worship
**godsdienstwaanzin** religious mania ★ hij lijdt aan ~ he's a religious maniac
**godsgeschenk** gift from God
**godsgruwelijk I** bnw God-awful **II** bijw God-awful
**godshuis** house of God
**godslasteraar** blasphemer
**godslastering** blasphemy, profanity
**godslasterlijk** blasphemous
**godsnaam** ▼ in ~ for heavens' sake, for the love of God, for Gods' / Pete's sake
**godswonder** miracle
**godverdomme** bloody hell, damn
**godvergeten** erg God-forsaken
**godvruchtig** God-fearing, pious, devout
**godzijdank** thank God

**goed I** bnw **❶** kwalitatief hoog good ★ goed zo! well done!, good show! ★ in goede gezondheid in good health ★ goed in de talen good at languages ★ het smaakt goed it tastes good ★ in goeden doen zijn be well off ★ daar is zij niet te goed voor she's not above doing that **❷** correct right ★ het goed hebben be right ★ ik kan het niet goed krijgen I can't get it right ★ met de goede kant naar boven the right way up **❸** zoals voorgeschreven proper **❹** geschikt good ★ hij kon geen goede auto vinden he couldn't find a suitable car **❺** gunstig ★ het is toch nog ergens goed voor geweest it was of some use after all ★ het is maar goed dat... it's a good thing that..., it's as well that... **❻** deugdzaam, vriendelijk good, kind ★ een goed mens a good person ★ goede daad kind / good deed ★ zou u zo goed willen zijn om... would you be so kind as to..., would you mind... **❼** gezond, onbedorven good, well ★ in goede gezondheid in good health ★ ik word hier niet goed van I'm getting sick of this ★ die bloemen blijven niet goed those flowers don't last ★ dat vlees blijft niet goed that meat won't keep ★ ruim ★ een goed 100 euro a hundred odd euros ★ een goed jaar geleden a good year ago **❽** waard zijnde ★ hij is goed voor twee ton he's good for two hundred thousand euros ★ goed voor twee consumpties valid for two drinks, valid for two meals **❿** bepaald ★ op een goede morgen one fine morning ▼ net goed! serves you right! ▼⟨na grap⟩ die is goed! that is a good

one! ▼ ⟨instemmend⟩ *dat is goed* O.K. with me ▼ *zo goed als* as good as, all but ▼ *zo goed als niets* next to nothing ▼ *ik wou dat ik goed en wel thuis was* I wish I were safely at home ▼ *alles goed en wel, maar...* that is all very well but... **II** *bijw* **❶** *in hoge / grote mate* thoroughly ★ *hij heeft goed huisgehouden* he made a thorough / complete mess of it ★ *dat kan ik niet goed betalen* I cannot very well afford that **❷** *kwalitatief hoog* ★ *zo goed ik kon* as best I could ★ *zo goed en zo kwaad als het gaat* as best it may, somehow or other **❸** *correct* well, right ★ *als ik het goed heb* if I am not mistaken ★ *heb je het goed gedaan?* did you do it right? ★ *begrijp me goed...* don't get me wrong **❹** *zoals voorgeschreven* properly ★ *je goed gedragen* behave properly ★ *het ging niet goed* it did not go right **❺** *gunstig, aangenaam* ★ *dat zal je goed doen* it will do you good ★ *zit je goed?* are you comfortable? **❻** *gezond, onbedorven* ★ *ze maken het goed* they are doing well ★ *voel je je wel goed?* are you all right? ★ *ik voel me niet goed* I'm not feeling very well, I feel sick ▼ *jij hebt goed praten* it is all very well for you to talk **III** *zn* [het] **❶** *wat goed is; nut, voordeel* good ★ *het goede doen* do the right thing ★ *ik kan geen goed bij hem doen* he never has a good word for me ★ *ten goede of ten kwade* for good or evil ★ *een verandering ten goede* a change for the better ★ *het was een beetje te veel van het goede* it was too much of a good thing ★ *de goeden moeten onder de kwaden lijden* the good must suffer with the bad ★ *zich te goed doen aan* do o.s. well on, tuck into ★ *ten goede komen aan* be to the benefit of, do good to ★ *houd me ten goede, maar...* I could be wrong about this, but..., I'm not absolutely sure about this, but... **❷** *bezit* goods *mv*, property ★ *onroerend goed* real estate, *jur* immovables *mv* **❸** *spullen* goods *mv*, wares *mv* ★ *gestolen goed* stolen goods *mv*, loot ★ *gestolen goed gedijt niet* ill-gotten gains do not prosper **❹** *spul* ★ *een vreemd goedje* funny stuff **❺** *kleren* clothes *mv*, things *mv*, gear ★ *schoon goed* a change of linen, clean things *mv* **❻** *krediet* ★ *ik heb nog 100 euro van je te goed* you owe me a hundred euros ★ *dat houden we nog te goed* ⟨aanbod, uitnodiging⟩ we'll take a rain check on it
**goedaardig ❶** *goedig* good-natured, kind-hearted **❷** *med* mild, ⟨van ziekten, gezwel⟩ benign
**goeddeels** largely, for the greater part
**goeddoen** do good (things) ★ *die vakantie zal haar* ~ the holiday will do her a world of good ★ *die brief heeft hem goedgedaan* that letter has cheered him up
**goeddunken I** *zn* [het] discretion, consent, pleasure ★ *naar* ~ *van* at the discretion of ★ *naar eigen* ~ *handelen* do as you please, do as you think fit **II** *on ww* think fit / proper, please, like
**goedemiddag** good afternoon
**goedemorgen** good morning
**goedenacht** good night
**goedenavond** ⟨begroeting⟩ good evening, ⟨afscheid⟩ good night
**goedendag ❶** *hallo* good day **❷** *tot ziens* good-bye ★ ~ *zeggen* say good-bye (to)
**goederen ❶** *bezittingen* goods *mv*, property

**❷** *koopwaar* merchandise, econ commodities *mv*
**goederenlift** goods lift, USA service elevator
**goederentrein** goods train, USA freight train
**goederenverkeer** goods traffic
**goederenwagon** goods carriage, USA freight car
**goedgebekt** eloquent ★ ~ *zijn* have the gift of the gab
**goedgeefs** generous, liberal, open-handed
**goedgehumeurd** well-tempered
**goedgelovig** credulous, gullible
**goedgemutst** good-humoured / tempered
**goedgezind ❶** *welwillend* well-disposed **❷** BN *goed gehumeurd* good-humoured
**goedgunstig I** *bnw* kind, favourable **II** *bijw* ★ ~ *beschikken op een verzoek* grant a request
**goedhartig** kind-hearted, good-natured
**goedheid ❶** *het goed-zijn* goodness **❷** *barmhartigheid* grace, mercy ★ *uit de* ~ *van zijn hart* out of the kindness of his heart
**goedig** good-natured, kind-hearted
**goedje** *stof* stuff
**goedkeuren** pass, approve (of), pass, ⟨van begroting / subsidie⟩ vote, ⟨van begroting / subsidie⟩ agree to, ⟨van rapporten / notulen⟩ adopt, ⟨van verdrag⟩ ratify ★ *medisch goedgekeurd worden* pass one's medical
**goedkeuring** approval, ⟨van notulen⟩ adoption ★ *ter* ~ *voorleggen* submit for approval ★ *de algemene* ~ *wegdragen* meet with general approval ★ *zijn* ~ *hechten aan* approve of, sanction ★ *behoudens* ~ *van* pending approval of
**goedkoop ❶** *niet duur* cheap, inexpensive **❷** *flauw, gemakkelijk* ★ *een* ~ *argument* a cheap argument ▼ ~ *is duurkoop* a bad bargain is dear at a farthing, quality pays ▼ *er* ~ *afkomen* get off cheaply
**goedlachs** cheerful ★ ~ *zijn* laugh readily
**goedmaken ❶** *ongedaan maken* make good, make up for, put right, make amends for ★ *niet meer goed te maken* irretrievable, irreparable ★ *kan ik het* ~? can I make it up to you? **❷** *kosten dekken* ★ *ze kunnen de kosten nauwelijks* ~ they can scarcely defray / cover the cost
**goedmakertje** peace offering
**goedmoedig** *goedig* good-natured
**goedpraten** explain away, ⟨vergoelijkend⟩ gloss over ★ *een fout* ~ explain away a mistake ★ *het is niet goed te praten* it is inexcusable
**goedschiks** with a good grace, willingly ★ ~ *of kwaadschiks* willy-nilly, willing or unwilling
**goedvinden I** *ov ww* consent, approve of, think fit **II** *zn* [het] consent ★ *met uw* ~ with your permission ★ *met wederzijds* ~ by mutual consent ★ *naar* ~ at pleasure ★ *handel naar* ~ use your discretion
**goedzak** kind soul
**goegemeente** the public at large, the man in the street, the hoi polloi
**goeierd** kind(ly) soul
**goeroe** guru
**goesting** BN *zin, trek* liking, desire, appetite ★ *zijn* ~ *doen* do as one pleases
**gok ❶** *speculatie, onzekere onderneming* gamble, (long) shot, wager ★ *een gokje wagen* have a go at it **❷** *gissing* ★ *op de gok* on the off chance

**go**

go

❸ *grote neus* conk

**gokautomaat** gambling machine, fruit machine, inform one-armed bandit

**gokken** ❶ *om geld spelen* gamble ❷ *speculeren* take a chance ★ *ik gok erop dat...* I take a chance on... ❸ *gissen* guess

**goklust** gambling fever

**goktent** gambling den / joint

**gokverslaafde** gambling addict

**gokverslaving** gambling addiction

**golden retriever** golden retriever

**golf¹** ❶ *waterbeweging* wave, ⟨grote golf⟩ breaker, ⟨klein⟩ ripple ❷ *natk* wave ★ *lange golf* long wave ★ *korte golf* short wave ❸ *wat op een golf lijkt* wave ★ *groene golf* phased traffic lights ❹ *baai* gulf, bay

**golf²** ['golf' met de g van 'goal'] *sport* golf ★ *golf spelen* play golf

**golfbaan** golf course, golf-links *mv*

**golfbeweging** undulation

**golfbreker** breakwater

**golfclub** ❶ *golfstok* golf club ❷ *vereniging* golf club

**golfen** play golf

**golfer** golfer

**golfkarton** corrugated cardboard

**golflengte** wave-length

**golflijn** *golvende lijn* wavy line

**golfplaat** ⟨ijzer⟩ (sheet of) corrugated iron, ⟨karton⟩ (sheet of) corrugated cardboard

**golfslag** *het slaan van golven* wash of the waves, surge

**golfslagbad** wave pool

**golfspeler** golfer

**golfstaat** Gulf state

**Golf van Biskaje** Gulf of Biscay

**golven** *golvend op en neer gaan* wave, undulate, ⟨van haar⟩ flow, ⟨van vlakte⟩ roll

**gom** ❶ *lijmstof* gum ❷ *vlakgom* rubber, USA eraser

**gommen** *uitvlakken* rub (out), erase

**gondel** gondola

**gondelier** gondolier

**gong** gong

**gongslag** gong-stroke / beat

**goniometrie** trigonometry

**gonorroe** gonorrhea

**gonzen** ⟨van insect⟩ hum, ⟨van insect⟩ buzz ★ *het gonst van bedrijvigheid* it is a hive of activity ★ *mijn oren* ~ my ears are buzzing / ringing

**goochelaar** conjurer, magician

**goochelen** ❶ *toveren* conjure ❷ *handig omspringen met* juggle (met with)

**goocheltruc** magic trick, conjuring

**goochem** knowing, smart ★ *hij is behoorlijk* ~ he's no fool

**goodwill** *goede naam* goodwill ★ ~ *kweken* cultivate goodwill

**googelen** www google

**gooi** throw, cast ★ *een gooi doen naar* make a bid for, have a go at ▼ *zij doen een goede gooi naar het kampioenschap* they stand a good chance of gaining the championship

**gooien** throw, fling, ⟨hard en gericht⟩ pitch ★ *met de deur* ~ slam the door ★ *alles eruit* ~ blurt it all out ★ *iem. eruit* ~ chuck sb out, give sb the push

▼ *'t* ~ *op* put the blame on ▼ *het op een akkoordje* ~ reach a compromise

**gooi-en-smijtwerk** knockabout, slapstick

**goor** ❶ *onsmakelijk* revolting, loathsome, revolting, gross ❷ *vuil* foul, filthy, ⟨van kleur⟩ sallow ★ *fig gore taal uitslaan* use filthy / foul language

**goot** ❶ *straatgoot* gutter ❷ *dakgoot* gutter

**gootsteen** (kitchen) sink

**gordel** ❶ *riem* belt, girdle ❷ *kring* circle ❸ <u>aardk</u> zone

**gordeldier** armadillo

**gordelroos** shingles *mv*

**gordijn** curtain, ⟨rolgordijn⟩ blind ★ *de* ~*en open* / *dichttrekken* draw the curtains ★ *het* ~ *ophalen* / *neerlaten* raise / drop the curtain ★ *het* ~ *gaat op voor...* the curtain rises on

**gordijnrail** curtain rail

**gordijnroe** curtain rod

**gorgelen** gargle

**gorgonzola** Gorgonzola

**gorilla** gorilla

**gors I** *zn* [de], *vogel* bunting **II** *zn* [de/het], *kwelder* salt marsh

**gort** ⟨gebroken⟩ groats *mv*, ⟨gepeld⟩ pearl barley

**gortdroog** *droog* as dry as dust

**gortig** ▼ *het al te* ~ *maken* go too far

**GOS** *Gemenebest van Onafhankelijke Staten* (Commonwealth of Independent States) CIS

**gospel** gospel(song)

**gospelmuziek** gospel music

**Gotenburg** Göteborg

**Gotenburgs** Göteborg

**gothic** Gothic

**gotiek** Gothic

**gotisch** Gothic ★ ~*e letter* black / Gothic letter

**gotspe** cheek, effrontery

**gouache** gouache

**goud** gold ▼ *het is niet alles goud wat er blinkt* all is not gold that glitters ▼ *hij is (zijn gewicht in) goud waard* he is worth his weight in gold ▼ *(ik zou het) voor geen goud (willen missen)* (I wouldn't miss it) for the world

**goudader** gold-vein

**goudblond** golden

**goudbruin** chestnut brown

**goudeerlijk** honest through and through

**gouden** ❶ *van goud* gold ★ ~ *bril* gold-rimmed spectacles ❷ *goudkleurig* golden

**goudenregen** laburnum

**goudhaantje** ❶ *vogel* gold crest, golden-crested kinglet ❷ *kever* rose / leaf-beetle

**goudkleurig** gold(en), gold coloured

**goudkoorts** goldfever

**goudmijn** *mijn* goldmine

**goudprijs** gold price

**goudrenet** golden reinette

**Gouds** Gouda

**goudsbloem** marigold

**goudschaaltje** → **woord**

**goudsmid** goldsmith

**goudstuk** gold coin

**goudvink** bullfinch

**goudvis** goldfish

**goudzoeker** *goudgraver* gold digger

**goulash** goulash

**gourmetstel** gourmet set
**gourmetten** *omschr* grill at the table
**gouvernement** government
**gouverneur** ❶ *bestuurder* governor ❷ BN *hoofd van een provincie* provincial governor
**gozer** guy, bloke, chap
**gps** *global positioning system* GPS, Global Positioning System
**graad** ❶ *meeteenheid* degree ★ *het is vijf graden onder nul* it's five degrees below zero ★ *op 100 graden lengte en 50 graden breedte* at longitude 100, latitude 50 ❷ *wisk* degree ★ *een hoek van 90 graden* an angle of 90 degrees ★ *een vergelijking van de tweede ~* a quadratic equation ★ *een vergelijking van de derde ~* a cubic equation ❸ *rang, trap* grade, degree ★ *academische ~* university / academic degree ★ *een ~ halen* graduate, take one's degree ❹ *mate* degree ★ *neef in de eerste ~* first cousin, cousin once removed ★ *in hoge ~* to a high degree ★ *nog een ~je erger* even worse
**graadmeter** ❶ *lett* gauge ❷ *fig* measure, gauge
**graaf** count, earl
**graafmachine** excavating machine
**graafschap** county, shire
**graag** ❶ *met plezier* gladly, with pleasure ★ *~ of niet* take it or leave it ★ *wat ~!* with all my heart! ★ *ze zal wat ~ gaan* she will be delighted to go ★ *ik zou het ~ hebben* I would love to have it ★ *~ gedaan* you're welcome ★ *ik lees ~* I like to read ❷ *(bij verzoek)* willingly, gladly ★ *~!* I'd love to!, yes, please!
**graagte** eagerness
**graaien** *grijpen* grab, snatch
**graal** grail ★ *de Heilige Graal* the Holy Grail
**graan** ❶ *gewas* corn, grain ❷ *koren* corn, grain ▼ *een ~tje meepikken* get one's share, get a slice of the pie ▼ *iedereen pikt een ~tje mee* everybody gets his share
**graanoogst** ❶ *het oogsten* corn harvest ❷ *opbrengst* corn crop
**graanschuur** *agrar* granary
**graansilo** grain silo
**graat** fish-bone ★ *zij zijn niet zuiver op de ~* they are unreliable ▼ *van je ~ vallen* be faint with hunger, have a roaring appetite
**grabbel** ▼ *iets te ~ gooien* squander sth, throw away sth
**grabbelen** grabble (in), grope (about)
**grabbelton** lucky dip, USA grab bag
**gracht** ❶ *waterweg* canal, ⟨slotgracht⟩ moat ❷ *straat langs gracht* ≈ quay
**grachtenpand** canalside house, house by a canal
**gracieus** elegant, graceful
**gradatie** gradation ★ *een kleur in verschillende ~s* a colour in different shades
**gradenboog** protractor
**gradueel** gradual ★ *een ~ verschil* a difference of / in degree
**graf** grave ▼ *zijn eigen graf graven* dig one's own grave
**graffiti** graffiti [mv: graffiti]
**graffitispuiter** graffiti sprayer
**graficus** graphic artist / designer
**grafiek** ❶ *kunst* graphic art ❷ *grafische*

*voorstelling* graph, diagram
**grafiet** graphite
**grafisch** graphic ★ *de ~e vakken* the printing trade ★ *~e voorstelling* diagram
**grafkelder** ⟨family⟩ vault
**grafkist** coffin
**grafologie** graphology
**grafoloog** graphologist
**grafrede** funeral oration, graveside speech
**grafschennis** desecration of tombs
**grafschrift** epitaph
**grafsteen** tombstone, gravestone
**grafstem** sepulchral voice
**graftombe** tomb
**grafzerk** gravestone, tombstone
**gram** I *zn* [de] ▼ *zijn gram halen* get one's own back II *zn* [het] gram(me)
**grammatica** grammar
**grammaticaal** grammatical
**granaat** I *zn* [de] ❶ *projectiel* shell, grenade ❷ *edelsteen* garnet ❸ *boom* pomegranate II *zn* [het], *delfstof* garnet
**granaatappel** *vrucht* pomegranate
**grand café** grand cafe
**grandioos** magnificent
**graniet** granite
**granieten** granite
**grap** ❶ *geestig verhaal* joke, a bit of fun, ⟨van komiek⟩ gag ★ *grappen maken* tell funny stories ★ *een grap(je) van iets maken* make fun of sth ❷ *geintje* (practical) joke, laugh, prank ★ *voor de grap* for a laugh ★ *voor de grap iets zeggen* say sth in jest ★ *grappen uithalen met iem.* play tricks on sb ★ *dat is geen grapje meer* it's past a joke ★ *ik kan wel tegen een grap* I can take a joke ▼ *dat is een dure grap* that's an expensive business
**grapefruit** grapefruit [mv: grapefruit(s)]
**grapjas** joker, funny-man
**grappenmaker** joker, funny man
**grappig** *vermakelijk* funny, amusing, ⟨oneerbiedig⟩ facetious ★ *ik zie er het ~e niet van* I don't think it is funny ▼ *het ~e is dat...* the funniest part of it is that...
**gras** *gewas* grass ▼ *je hebt mij het gras voor de voeten weggemaaid* you have cut / taken the ground from under my feet ▼ *hij laat er geen gras over groeien* he loses no time (in doing it); he does not let the grass grow under his feet
**grasduinen** *neuzen* ⟨in boeken⟩ browse
**grasland** grassland, pasture(land)
**grasmaaien** mow the lawn / grass
**grasmaaier** grass cutter, ⟨van gazon⟩ lawnmower
**grasmat** turf
**grasperk** lawn
**graspol** clump of grass
**grasspriet** blade of grass
**grasveld** lawn, (grass) field
**grasvlakte** stretch of grass, grassy plain
**graszode** turf
**gratie** ❶ *gunst* grace ★ *bij de ~ Gods* by the grace of God ★ *in de ~ komen bij iem.* get in sb's good books, find favour with sb ★ *in de ~ zijn bij iem.* be in favour with sb ★ *uit de ~ raken bij iem.* lose favour with sb ★ *uit de ~ zijn bij iem.* be out of favour with sb ❷ *jur* *genade* pardon, ⟨van

**gr**

doodstraf) reprieve ★ ~ *verlenen* give / grant a pardon, ⟨ter dood veroordeelde⟩ grant a reprieve ❸ *sierlijkheid* grace
**gratieverzoek** petition for clemency / ⟨an⟩ amnesty ★ *een* ~ *indienen* put in a petition for clemency, sue for pardon
**gratificatie** bonus, *form* gratuity
**gratineren** cover with melted cheese ★ *een gegratineerd gerecht* a dish au gratin
**gratis I** *bnw* free, gratis **II** *bijw* gratis, free of charge, for free ★ ~ *verkrijgbaar* available free of charge
**gratuit** gratuitous
**grauw** grey
**graveerkunst** (art of) engraving
**gravel** gravel, ⟨tennisveld⟩ clay court
**graven** *spitten* dig, ⟨van greppels, kanalen ook:⟩ cut, ⟨van mijn, put⟩ sink
**graveren** engrave
**graveur** engraver
**gravin** countess
**gravure** engraving
**grazen** *iem. te* ~ *nemen* have sb on ★ *de leeuw had hem aardig te* ~ *gehad* the lion had badly mauled him
**grazig** grassy
**greep** ❶ *graai* grip, grasp ★ *een* ~ *doen naar* make a grab at, make a dive for ★ *een* ~ *naar de macht doen* make a bid for power ❷ *houvast* ★ *zijn* ~ *op iets verliezen* lose hold of sth ❸ *handvat* handle ❹ *muz* finger arrangement, ⟨gitaar enz.⟩ chord ❺ *keus* pick
**gregoriaans** Gregorian
**grein** *fig minieme hoeveelheid* ★ *geen* ~*tje* respect not an ounce of respect ★ *geen* ~*tje verstand* not an ounce of common sense ★ *geen* ~*tje hoop* not a spark of hope ★ *hij heeft er geen* ~*tje verstand van* he doesn't know the first thing about it
**Grenada** Grenada
**Grenadaans** Granadian
**grenadier** grenadier
**grenadine** grenadine
**grendel** bolt ★ *de* ~ *erop doen* shoot / run / draw the bolt
**grendelen** bolt
**grenen** pine(wood), (red) deal
**grens** ❶ *aardk scheidingslijn* border, frontier ★ *aan de* ~ at the border ★ *over de* ~ *zetten* deport ❷ *fig limiet* limit, boundary, border, frontier ★ *op de* ~ *van* on the verge of ★ *nu is de* ~ *bereikt* that's the limit ★ *men moet ergens de* ~ *trekken* one has to draw the line somewhere ★ *alles heeft zijn grenzen* there is a limit to everything ★ *zijn eerzucht kent geen grenzen* his ambition knows no bounds
**grensbewoner** inhabitant of border area
**grensconflict** border conflict
**grensdocument** travel document, ⟨m.b.t. douane⟩ customs document *mv*
**grensgebied** ❶ *lett* border region ❷ *fig* borderline
**grensgeval** borderline case
**grenskantoor** (border) custom-house
**grenslijn** line of demarcation, borderline
**grensovergang** border-crossing
**grenspost** border crossing

**grensrechter** *sport* linesman, ⟨rugby⟩ touch-judge
**grensstreek** border region
**grensverleggend** breaking new ground, opening up new horizons
**grenswisselkantoor** border exchange office
**grenzeloos** boundless
**grenzen** *lett* ★ ~ *aan* be bounded by, border on ★ ~ *aan elkaar* be contiguous, join ★ *hun tuinen* ~ *aan elkaar* their gardens are adjacent to one another, their gardens border one another
**greppel** ditch, trench
**gretig** eager
**gribus** *buurt* slum
**grief** grievance, offence
**Griek** *bewoner* Greek, *gesch* Grecian
**Griekenland** Greece
**Grieks I** *bnw, m.b.t. Griekenland* Greek **II** *zn* [het], *taal* Greek
**Griekse** Greek (woman / girl)
**Grieks-orthodox** *rel* Greek Orthodox
**griend** *uiterwaard* holm, osier bed
**grienen** blubber, whimper
**griep** influenza, (the) flu ★ *Spaanse* ~ Spanish influenza / flu ★ *hij heeft* ~ he has got (the) flu, he is ill with flu
**grieperig** ill with (the) flu ★ *ik voel mij een beetje* ~ I have got a touch of (the) flu
**grieppik** influenza vaccination, flu jab
**griesmeel** semolina
**griet** ❶ *meid* bird, doll, chick ★ *een leuke* ~ a great gal ★ *een lekker* ~*je* a goodlooking chick, a dish ❷ *vis* brill ❸ *vogel* godwit
**grieven** grieve, hurt
**griezel** ❶ *engerd* creep, horror ❷ *afkeer* shiver
**griezelen** shudder, get the creeps ★ *iem. doen* ~ give sb the creeps
**griezelfilm** horror film, ⟨video⟩ video nasty
**griezelig** creepy, eerie ★ ~ *knap* uncannily clever
**griezelverhaal** horror story, spine chiller
**grif** *vlot* promptly ★ *grif toegeven* admit readily ★ *alles is grif verkocht* everything was sold out fast, everything was snapped up
**griffen** engrave ▼ *het is in mijn geheugen gegrift* it is engraved / etched on my memory
**griffie** ≈ registry ★ *een document ter* ~ *deponeren* file a document
**griffier** ⟨van griffie⟩ ≈ registrar, ⟨van rechtbank⟩ clerk of the court
**grijns** grin, ⟨gemeen⟩ sneer
**grijnzen** grin, ⟨gemeen⟩ sneer ★ *hij begon te* ~ he started to grin ★ *sta niet zo dom te* ~! wipe that silly grin off your face!
**grijpen I** *ov ww, pakken* seize, grip, catch, grasp ★ *voor het* ~ *liggen* be ready to hand ★ *je hebt ze maar voor het* ~ they are as common as dirt ★ *de verklaring ligt voor het* ~ the explanation is obvious **II** *on ww, tastende beweging maken* ★ ~ *naar* grab / snatch at, reach for ★ *deze tandraderen* ~ *in elkaar* these cog-wheels gear into each other ▼ *dan grijp je ernaast* then you may whistle for it ▼ *het vuur greep snel om zich heen* the fire spread fast
**grijper** *grijparm van machine* bucket, grab, ⟨van robot⟩ grip(per)
**grijpstuiver** *klein bedrag* tuppence ★ *ik heb er een*

~ *voor gegeven* I bought it for a song, I got it for next to nothing ★ *daar is een aardige ~ mee te verdienen* you can earn a pretty penny that way
**grijs** ❶ *kleur* grey ❷ *oud* hoary, ancient ★ *in het ~ verleden* in the dim past
**grijsaard** (grey) old man
**grijsblauw** greyish-blue
**grijsrijden** avoid paying the full fare
**grijzen** (turn) grey
**gril** *bevlieging* caprice, whim ★ *een gril van het lot* a quirk, a trick of fate ★ **BN** *aprilse grillen* April showers
**grill** grill
**grillbakoven** oven with grill
**grillen I** *ov ww, grilleren* grill, **USA** broil **II** *on ww, huiveren* shudder
**grillig** ❶ *onregelmatig* freakish ❷ *wispelturig* capricious, whimsical, fanciful, (van weer) changeable
**grilligheid** ❶ *wispelturigheid* capriciousness, whimsicality ❷ *onregelmatigheid* irregularity, freakishness
**grimas** grimace ★ *~sen maken* make grimaces
**grime** make-up, (theater) greasepaint
**grimeren** make up
**grimeur** make-up artist
**grimmig** grim ★ *met ~e stem* in a grim tone of voice
**grind** gravel, (grof grind) shingle
**grinniken** chuckle, chortle, (giechelen) snigger
**grip** ❶ *greep* grip, handle ❷ *houvast* grip, hold ★ *grip hebben op* have a grip on
**grissen** snatch
**groef** ❶ *gleuf* groove, (in zuil) flute ❷ *rimpel* furrow ★ *een gezicht vol groeven* deeply lined face
**groei** ❶ *het groeien* growth ★ *in de ~ zijn* be growing ❷ *fig toename* growth, increase
**groeien** *groter worden* grow ★ *uit zijn kleren ~* grow out of / outgrow one's clothes ★ *het werk groeit hem boven het hoofd* his job is getting the better of him ★ *iem. boven het hoofd ~* outgrow sb ★ *een baard laten ~* grow a beard
**groeihormoon** growth hormone
**groeikern** *groeiende stad* centre of urban growth
**groeimarkt** expanding / growth market
**groeistuip** growing pains (mv), teething troubles (mv), initial problem ★ *last hebben van ~en* suffer from growing pains
**groeizaam** *goed voor de groei* favourable (to growth) ★ *~ weer* growing weather
**groen I** *bnw* ❶ *kleur* green ❷ *onervaren* green **II** *zn* [het] ❶ *kleur* green ❷ *gebladerte* greenery, foliage
**groenblijvend** evergreen
**groene** *lid van milieupartij* Green ★ *de Groenen* the green party
**Groenland** Greenland
**Groenlands** Greenland
**groenstrook** grass / centre strip
**groente** vegetable ★ *~(n)* vegetables *mv*, greens *mv*
**groenteboer** ❶ *persoon* greengrocer ❷ *winkel* greengrocer's
**groentesoep** *cul* vegetable soup
**groentetuin** kitchen garden, vegetable garden

**groentje** newcomer, novice, greenhorn, ⟨op universiteit⟩ ≈ freshman, **USA** rookie
**groenvoer** green fodder
**groenvoorziening** green space / area
**groep** ❶ *meerdere personen / dingen* group, ⟨van bomen, huizen, e.d.⟩ cluster, ⟨van brieven, leerlingen⟩ batch, ⟨van manschappen⟩ body, ⟨dieven⟩ gang ★ *iets in de ~ gooien* discuss sth ★ *in ~jes van drie of vier* in threes and fours ❷ *leerjaar* year, **USA** grade ★ *in ~ drie zitten* be in year three
**groeperen** group
**groepering** ❶ *het groeperen* grouping ❷ *groep* ★ *een politieke ~* a (political) faction
**groepsfoto** group photo(graph)
**groepsgeest** team spirit, esprit de corps
**groepsgesprek** group conversation
**groepspraktijk** group practice
**groepsreis** group trip / travel
**groepstaal** (group) jargon
**groepstherapie** group therapy
**groepsverband** group, team ★ *op school werken we in ~* at school we work in groups, at school we do teamwork, we do groupwork at school
**groet** greeting, *mil* salute ★ *met vriendelijke ~* with kind(est) regards ★ *de ~en thuis* best wishes to the family ★ *doe hem de ~en van mij* give him my best wishes
**groeten** greet, *mil* salute ★ *gegroet!* so long! ★ *groet je vader van mij* (give) my regards to your father, *inform* say hello to your dad for me ★ *hij laat je ~* he sends his regards, *inform* he sends his love
**groetjes** ❶ bye-bye, greetings *mv* ❷ → **groet**
**groeve** ❶ *grafkuil* grave ❷ *afgraving* quarry, pit
**groeven** engrave, groove ★ *een gegroefd gezicht* a deeply lined face
**groezelig** dingy, grubby
**grof I** *bnw* ❶ *niet fijn, ruw* coarse, rough, (stem) harsh ★ *grof gebouwd* big-boned, heavily built ★ *grove gelaatstrekken* coarse features ★ *grof geld verdienen* make big money ❷ *ongemanierd* rude ★ *grof worden* cut up rough ❸ *ernstig* gross ★ *grof onrecht* gross injustice **II** *bijw, in het groot* ★ *grof spelen* play high
**grofgebouwd** heavily built, big boned, stocky
**grofheid** ❶ *het grof zijn* coarseness, roughness ❷ *lompheid* rudeness ★ *grofheden debiteren* make rude remarks
**grofvuil** bulky refuse
**grofweg** roughly, about, around
**grog** grog, ⟨met suiker⟩ (hot) toddy
**grol** broad joke
**grommen I** *ov ww, morren* grumble **II** *on ww, geluid maken* growl
**grond** ❶ *aarde, land, bodem* ground, bottom, farmland, arable land, earth, soil ★ *begane ~* ground floor, **USA** first floor ★ *vaste ~* firm ground ★ *vaste ~ onder de voeten hebben* be on firm ground, have a firm foothold ★ *aan de ~ blijven* be grounded ★ *aan de ~ lopen* run aground ★ *aan de ~ zitten* be on the rocks ★ *ik stond als aan de ~ genageld* I stood rooted to the spot ★ *boven de ~* above ground ★ *onder de ~* below ground, underground ★ *op de ~ vallen* fall to the ground ★ *tegen de ~ gooien* throw to the

**gr**

ground, ⟨gebouw⟩ pull down ★ *hij had wel door de ~ willen zinken* he wanted the ground to open up and swallow him ★ *te ~e gaan* to be ruined, go to rack and ruin ★ *te ~e richten* ruin, wreck ★ *tot de ~ toe afbranden* burn to the ground ★ *~ aanwinnen* reclaim land ★ *de ~ bewerken* work the land ★ *van de koude ~* field-grown, fig homespun fig of sorts ★ *van de ~ komen* get airborne, ⟨ook fig.⟩ get off the ground ★ *~ voelen* touch bottom ★ *ook fig geen ~ voelen* be out of one's depth ★ *met de ~ gelijkmaken* raze to the ground ★ *een gebouw uit de ~ stampen* throw up a building ★ *de ~ in boren* sink, send to the bottom, fig tear to pieces fig torpedo ★ *iem. de ~ in boren* crucify sb ★ *de ~ in schrijven* slate ❷ *beginsel, het diepste of voornaamste* ground, foundation ★ *van de ~ af* from scratch ★ *in de ~ (van de zaak)* basically, essentially ★ *op ~ van* on grounds of, by reason of ★ *elke ~ missen* be without any foundation ★ *uit de ~ van mijn hart* from the bottom of my heart ❸ *reden, argument* ground, reason ★ *op goede ~en* on good grounds, for good reason ★ *op ~ van* on account of ★ *op medische ~en* for medical reasons ★ *van alle ~ ontbloot* without any foundation ★ *er is goede ~ om* there are good reasons to

**grondbedrijf** land development company
**grondbeginsel** basic / fundamental principle ★ *~en* basics, fundamentals
**grondbegrip** fundamental / basic idea
**grondbelasting** land-tax, property tax
**grondbetekenis** ❶ *oorspronkelijke betekenis* original meaning ❷ *hoofdbetekenis* primary meaning
**grondbezit** landownership
**grondeigenaar** landlord, landowner
**gronden** ❶ *baseren op* found, ⟨van hoop⟩ ground (on), ⟨van mening⟩ base / ground (on) ❷ *grondverven* prime
**grondgebied** territory
**grondig** I *bnw* sound, solid, thorough, ⟨van onderzoek⟩ profound, ⟨van verandering⟩ radical, ⟨van kennis⟩ thorough, ⟨van examen⟩ searching II *bijw* ★ *iets ~ overleggen* talk sth through
**grondlaag** ❶ *onderste laag* bottom layer ❷ *eerste verflaag* priming-coat, primer
**grondlegger** founder
**grondlegging** foundation
**grondoffensief** ground offensive
**grondoorzaak** basic / underlying cause
**grondpersoneel** ground-staff
**grondrecht** ❶ *jur mensenrechten* basic right, ⟨van burgers⟩ civil rights ❷ *jur rechtssysteem* basic law
**grondregel** ❶ *belangrijke regel* basic rule ❷ *principe* (basic) principle
**grondslag** ❶ *fundament* foundation ❷ *jur beginsel* basis *mv:* bases, foundations *mv* ★ *ten ~ liggen aan* underlie ★ *de omstandigheden die eraan ten ~ liggen* the underlying circumstances / conditions ★ *iets tot ~ nemen van* make sth the basis of
**grondstewardess** ground hostess, USA ground stewardess
**grondstof** ❶ *hoofdbestanddeel* (starting) material, component, commodity ❷ *materiaal* raw material
**grondtal** base ★ *tien als ~* base ten

**grondtoon** *muz* keynote, tonic
**grondverf** undercoat, primer
**grondvesten** I *de mv*▼ *iets op zijn ~ doen schudden / daveren* rock / shake sth to its foundations II *ov ww* found, base (on)
**grondvlak** base (area)
**grondvorm** ❶ *kenmerkende vorm* basic form / shape ❷ *oudste vorm* primitive / original form
**grondwater** ground / subsoil water
**grondwet** constitution
**grondwettelijk** constitutional
**grondwoord** root
**grondzeil** ground sheet
**Groningen** *stad* Groningen
**Groninger** inhabitant of Groningen ★ *hij is een ~* he's from Groningen
**Gronings** Groningen
**Groningse** (woman / female) inhabitant of Groningen ★ *zij is een ~* she's from Groningen
**groot** I *bnw* ❶ *van zekere omvang* big, great, ⟨van persoon⟩ tall, ⟨uitgestrekt⟩ large, ⟨uitgestrekt⟩ vast ★ *een grote man* a tall man ★ *een ~ huis* a big house ★ *de grote massa* the masses ★ *een ~ bos* a large wood ★ *groter* bigger ★ *~st* biggest ★ *3 cm ~* three cm in size ❷ *belangrijk* great ★ *een ~ man* a great man ★ *de grote mogendheden* the Great Powers ❸ *intens* great ★ *~ verdriet* great sadness ❹ *oud(er)* grown(-up) ★ *grote kinderen* grown-up children ★ *~ worden* grow up ❺ *muz majeur* ★ *in A ~* in A major II *zn* [het] ★ *alles in het ~ doen* do everything on a large scale
**grootbeeld** large-screen (television)
**grootboek** (general) ledger ★ *~ van de nationale schuld* register of national debt
**grootbrengen** bring up, raise ★ *kinderen ~* raise a family
**Groot-Brittannië** Great Britain
**grootdoenerij** boasting, swagger(ing)
**grootgrondbezit** large landownership, large scale landholding
**grootgrondbezitter** large landowner ★ *~s* landed gentry
**groothandel** ❶ *bedrijf* wholesaler's ❷ *handelsvorm* wholesale trade
**groothandelaar** wholesale dealer, wholesaler
**groothandelsprijs** wholesale price
**grootheid** ❶ *het groot zijn* magnitude, ⟨van geest⟩ greatness ❷ *wisk* quantity, ⟨veranderlijk⟩ variable ❸ *persoonlijkheid* man / woman of consequence, celebrity, *inform* big shot
**grootheidswaan** megalomania, delusions of grandeur
**groothertog** grand duke
**groothertogdom** grand duchy
**groothoeklens** wide-angle lens
**groothouden** [zich ~] *zich flink houden* bear up bravely, keep a stiff upper lip
**grootindustrieel** captain of industry
**grootje** granny ▼ *iets naar zijn ~ helpen* destroy / ruin sth ▼ *maak dat je ~ wijs* pull the other one
**grootkapitaal** *econ* big business, high finance
**grootmeester** Grandmaster
**grootmoeder** grandmother
**grootmoedig** magnanimous
**grootouder** grandparent ★ *~s* grandparents
**groots** *indrukwekkend* grand(iose), spectacular

★ *iets ~ aanpakken* go about sth on a large scale
**grootschalig** large-scale
**grootscheeps** *ruim opgezet* grand, ambitious, ⟨van productie, e.d.⟩ largescale
**grootspraak** boast(ing)
**grootsteeds** big city...
**grootte** ⟨omvang⟩ size, ⟨omvang⟩ magnitude, ⟨omvang⟩ extent, ⟨lengte / hoogte⟩ height, ⟨hoedanigheid⟩ greatness ★ *model op ware ~* life / full-size model ★ *ter ~ van* the size of
**grootvader** grandfather
**grootverbruiker** bulk consumer
**grootwarenhuis** BN department store
**grootwinkelbedrijf** chain store
**grootzeil** mainsail
**gros** ❶ *12 dozijn* gross ❷ *merendeel* majority ★ *het gros van de mensen* the bulk of the people
**grossier** wholesale dealer
**grossieren** (sell) wholesale ▼ *ze grossiert in ongelukkige liefdes* she collects unhappy love affairs by the dozen
**grot** cave, ⟨groot en diep⟩ cavern
**grotendeels** mainly, largely
**Grote Oceaan** Pacific
**groterdanteken** wisk larger than sign / symbol
**grotesk** grotesque
**grotschildering** cave(-wall) painting
**groupie** groupie
**gruis** grit, aardk waste, ⟨van kolen⟩ coal-dust
**grut** I *zn* [de], *gort* ★ *grutten* groats, grits ▼ *goeie grutten!* good heavens!, gosh! II *zn* [het], *kinderen* ★ *het kleine grut* the young fry
**grutto** black-tailed godwit
**gruwel** ❶ *gruwelijke daad* atrocity, gruesome deed ❷ *afkeer* horror ★ *het is mij een ~* I abhor / detest it
**gruweldaad** atrocity
**gruwelen** be horrified, abhor ★ *van iets ~* be horrified of / at sth
**gruwelijk** *afschuwwekkend* atrocious, gruesome ★ *een ~e daad* a horrifying deed ▼ *zich ~ vervelen* be bored stiff / to tears
**gruwen** shudder ★ *~ van* detest / loathe
**gruzelementen** smithereens *mv*, bits and pieces *mv* ★ *aan ~ slaan* smash to pieces, reduce to matchwood
**g-sleutel** G clef, treble clef
**gsm**® I *zn* [de], *gsm-telefoon* mobile (phone), cellphone II *afk, Global System for Mobile Communication* GSM[fi]
**gsm-toestel** mobile (phone), cellphone
**Guatemala** Guatemala
**Guatemalteek** Guatemalan
**guerrilla** *manier van strijden* guer(r)illa ★ *~-aanvallen / oorlog* guerrilla attacks / warfare
**guerrillabeweging** guerilla movement
**guerrillaoorlog** guerilla war
**guerrillastrijder** guerrilla
**guillotine** guillotine
**Guinee** Guinea
**Guinee-Bissau** Guinea-Bissau
**Guinees** Guinean
**guirlande** garland, wreath
**gul** ❶ *vrijgevig* generous ❷ *hartelijk* ★ *gulle ontvangst* cordial reception
**gulden** I *zn* [de] guilder, Dutch florin II *bnw*

golden
**gulheid** ❶ *vrijgevigheid* generosity ❷ *hartelijkheid* cordiality
**gulp** ❶ *sluiting* fly ★ *zijn gulp dichtdoen* button up one's fly, zip up one's fly ❷ *straal* gush
**gulpen** gush
**gulzig** greedy
**gulzigaard** glutton
**gum** eraser, rubber
**gummen** rub out, erase
**gummi** I *zn* [het] (india) rubber II *bnw* rubber
**gummiknuppel** rubber truncheon
**gunnen** ❶ *verlenen* grant, allow, ⟨uitvoering v. werk⟩ place, ⟨uitvoering v. werk⟩ award ★ *hij gunt je geen ogenblik rust* he does not give you a moment's rest ★ *een contract ~ aan* award a contract to ★ *een order ~* place an order (with) ❷ *toewensen* ★ *ik gun het je!* iron I wish you joy of it! iron you can have it! ★ *het is je (van harte) gegund* you are (heartily) welcome to it ★ *zij gunt hem het licht in zijn ogen niet* she begrudges him the air he breathes ★ *men moet een ander ook wat ~* give onto others ★ *ik gun ieder het zijne* (one must) live and let live
**gunst** ❶ *goede gezindheid* favour ★ *in de ~ komen bij* find favour with ★ *in iemands ~ trachten te komen* ingratiate o.s. with sb ★ *uit de ~ raken* fall out of favour ★ *in de ~ staan bij iem.* be in sb's good books ❷ *weldaad* favour ★ *iem. een ~ bewijzen* do sb a favour ★ *iem. om een ~ vragen* ask a favour of sb ★ *ten ~e van* on behalf of, in favour of
**gunstig** I *bnw* ❶ *goedgezind, welwillend* favourable, kind ★ *iem. ~ stemmen* put sb in a good mood, propitiate sb ★ *een ~ antwoord* positive answer ★ *~e gelegenheid* favourable opportunity ❷ *voordelig* convenient ★ *~e prijs* reasonable price ★ *in het ~ste geval* at best II *bijw* ❶ *goedgezind, welwillend* ★ *~ over iem. denken* think well of sb ★ *het lot is mij ~ gezind* fortune smiles on me, fate is on my side ❷ *voordelig* ★ *~ bekendstaan* enjoy a good reputation
**guppy** guppy
**guts** ❶ *beitel* gouge, ⟨voor linoleum⟩ lino-cutter ❷ *plens* gush
**gutsen** I *ov ww, werken met een guts* gouge II *on ww, plenzen* gush, ⟨van zweet⟩ pour (down)
**guur** bleak, ⟨van weer ook⟩ raw
**Guyana** Guyana
**Guyanees** Guyanese ★ *zij is een Guyanese* she's a Guyanese woman, she's from Guyana
**gym** I *zn* [de], *gymnastiek* gym II *zn* [het], *gymnasium* ≈ grammar school, ≈ USA high school ★ *hij zit op het gym* he is at the grammar school
**gymles** onderw sport PE class
**gymmen** have gym, have P.E. / Physical Education, do gymnastics
**gymnasiast** ≈ grammar school pupil
**gymnasium** ≈ grammar school, USA high school
**gymnastiek** physical education, PE, gymnastics *mv*
**gympie** plimsoll, gym shoe
**gymschoen** gym shoe, plimsoll, trainer
**gymzaal** gym(nasium)
**gynaecologie** gynaecology

**gynaecoloog** gynaecologist
**gyros** gyros

# H

h h ★ *de h van Hendrik* H as in Harry
**haag** hedge
**Haags** The Hague
**Haagse** (woman / female) inhabitant of The
Hague ★ *zij is een* ~ she's from The Hague
**haai** *vis* shark ★ *naar de haaien gaan* go down the
drain, go to the dogs
**haaibaai** shrew
**haaienvinnensoep** cul shark-fin soup
**haak ❶** *gebogen voorwerp* hook, ⟨van kapstok⟩ peg
★ *er zitten haken en ogen aan* there are hooks
and eyes to it, there are quite a few catches, it's
a tricky business ★ *er is iets niet in de haak* there's
sth wrong ★ *dat is niet in de haak* that is not as it
should be ❷ *bevestigingshaak* hook, clasp, ⟨van
raam⟩ catch ❸ *vishaak* hook ★ *schoon aan de
haak* undressed ❹ *telefoonhaak* hook ★ *de hoorn
van de haak nemen* lift the receiver, take the
phone off the hook ❺ *leesteken* bracket ★ *iets
tussen haakjes zetten* put sth between brackets
★ *tussen haakjes* between brackets, incidentally,
by the way ❻ *winkelhaak* tear
**haaknaald** crochet hook / pin
**haakneus** hooknose, hooked nose
**haaks I** *bnw* wisk square **II** *bijw* ❶ wisk ★ ~ *op* at
right angles to ❷ fig *tegengesteld* ★ ~ *op elkaar
staan* be diametrically opposed ▼ *hou je* ~! keep
your chin up!
**haakwerk** crochet(ing)
**haal ❶** *het halen / trekken* ⟨aan touw⟩ pull, ⟨aan
net⟩ haul, ⟨aan sigaret⟩ drag ★ *aan de haal zijn* be
on the run ❷ *streep* stroke
**haalbaar** feasible, manageable ★ *die slag is niet* ~
that trick can't be made ★ *dat voorstel is niet* ~
that proposal is not realistic
**haalbaarheid** feasibility
**haan ❶** *dier* cock, USA rooster ★ *daar zal geen
haan naar kraaien* nobody will be the wiser
❷ *weerhaan* weathercock ❸ *pal in wapen* cock
★ *de haan spannen* cock a gun
**haantje-de-voorste** ▼ ~ *zijn* be the cock of the
walk
**haar I** *zn* [de] hair ★ *ik heb er grijze haren van
gekregen* it has turned my hair grey ★ *elkaar in
de haren vliegen* fly at each other ★ *elkaar in de
haren zitten* be at loggerheads, get in each
other's hair ★ *iets met de haren erbij slepen* drag
sth in by the head and shoulders ★ *op een haar
na* within a hair's breadth ★ *zijn wilde haren
verliezen* settle down, sow one's wild oats ★ *het
scheelde geen haar* it was touch and go, it was a
very close call ★ *het scheelde geen haar of ik had
het gedaan* I was within an ace of doing it ★ *het
scheelde geen haar of ik was overreden* I was very
nearly run over ★ *jij bent geen haar beter dan ik*
you're not a whit better than me ★ *geen haar op
mijn hoofd die eraan denkt* I wouldn't dream of it
**II** *zn* [het] hair ★ *zijn haar laten knippen* have a
haircut ★ BN *ik ken hem van haar noch pluimen* I
don't know him from Adam ★ BN *iets bij het
haar trekken* drag sth in (by the head and
shoulders) **III** *pers vnw* her **IV** *bez vnw* her, hers

**haarband** headband, (lint) ribbon
**haarbreed** ★ *geen ~ wijken* not budge an inch
**haard** ❶ *stookplaats* (kachel) stove, (open) hearth, (open) fireplace ★ *open ~* fireplace ★ *bij de ~ zitten* sit by the fire ★ *eigen ~ is goud waard* there is no place like home ❷ *middelpunt* centre, (van de brand) seat of the fire, (van verzet) centre of resistance, (ziektehaard) focus
**haardos** (head of) hair
**haardracht** hair style, hairdo
**haardroger** hairdryer, hairdrier
**haardvuur** fire (burning in the hearth)
**haarfijn** I *bnw* ❶ *lett zeer fijn* as fine as a hair ❷ *fig gedetailleerd* minute, subtle II *bijw, fig tot in detail* minutely ★ *iets ~ uitleggen* explain sth in great detail
**haargroei** hair growth
**haarkloverij** ❶ *muggenzifterij* hair splitting, nitpicking ❷ *gekibbel* quibbling
**haarlak** hairspray, hair lacquer
**haarlok** lock of hair
**haarnetje** hairnet
**haarscherp** very sharp, (van redenering) clear-cut, (van onderscheid) very fine
**haarscheurtje** hairline crack
**haarspeld** hairpin, (als sier) hair slide
**haarspeldbocht** hairpin bend / curve
**haarspray** hairspray
**haarstukje** hairpiece
**haaruitval** hair loss
**haarvat** capillary
**haarversteviger** setting lotion
**haarverzorging** hair care
**haarwortel** hair-root ★ *blozen tot in zijn ~s* blush to the roots of one's hair
**haarzakje** (voor uitgekamd haar) hair tidy, (anatomie) (hair) follicle
**haarzelf** ❶ [meewerkend] her herself ★ *je moet het aan ~ geven* you must give it to her herself ❷ [lijdend] her herself ★ *zo straffen wij ~ in* this way we punish her herself
**haas** ❶ *dier* hare ★ *er als een haas vandoor gaan* take to one's heels ❷ *bangerik* coward ❸ *lendenvlees* fillet ❹ *sport* pacemaker
**haasje-over** ★ *~ springen* play (at) leapfrog
**haaskarbonade** loin chop
**haast** I *zn* [de] ❶ *drang tot spoed* hurry ★ *~ hebben* be in a hurry ★ *er is ~ bij* it is urgent ★ *er is geen ~ bij* there is no hurry ❷ *snelheid* haste ★ *in alle ~*, BN *in zeven ~en* in a tearing hurry ★ *~ maken met* speed / hurry up, press on with ★ BN *~ en spoed is zelden goed* more haste, less speed, haste makes waste II *bijw, bijna* almost, nearly ★ *~ niet* hardly ★ *~ geen geld* hardly any money
**haasten** I *wkd ww* [zich ~] hurry, rush, hasten ★ *haast je wat!* hurry up! ★ *haast je maar niet* take your time ★ *haast je langzaam* hasten slowly II *ov ww* hurry (somebody)
**haastig** I *bnw, gehaast* hasty, hurried II *bijw* hurriedly, in a hurry, hastily
**haastje-repje** in a tearing hurry, on the double ★ *~ vertrekken* leave in a hurry
**haastklus** rush job
**haastwerk** ❶ *urgent werk* urgent work, rush job ❷ *haastig gedaan werk* rushed job
**haat** hatred ★ *haat en nijd* hatred and malice

**haatdragend** resentful, vindictive, spiteful
**haat-liefdeverhouding** love-hate relationship
**habbekrats** next to nothing ★ *voor een ~* for a song
**habijt** habit
**hachee** hash, hashed meat
**hachelijk** critical, precarious ★ *een ~e situatie* a tricky situation, a tight spot
**hachje** skin, life *mv: lives* ★ *hij is bang voor z'n ~* he fears for his life ★ *z'n ~ redden* save one's bacon / skin ★ *hij schoot er z'n ~ bij in* it cost him his life
**hacken** comp www hack
**hacker** hacker
**hagedis** lizard
**hagel** ❶ *neerslag* hail ❷ *jachthagel* shot ★ *een schot ~* a shower of shot
**hagelbui** hailstorm
**hagelen** hail
**hagelslag** *cul broodbeleg* chocolate sprinkles *mv*
**hagelsteen** hailstone
**hagelstorm** hailstorm
**hagelwit** as white as snow
**Hagenaar** inhabitant of The Hague ★ *hij is een ~* he's from The Hague
**haiku** haiku
**Haïti** Haiti
**Haïtiaans** Haitian ★ *zij is een ~e* she's a Haitian woman, she's from Haiti
**hak** ❶ *hiel* heel ❷ *deel van schoen* heel ★ *met hoge / lage hakken* high / flat-heeled ★ *met de hakken over de sloot* by the skin of one's teeth ❸ *gereedschap* hoe ▾ *iem. een hak zetten* play a dirty trick on sb ▾ *van de hak op de tak springen* ramble on
**hakbijl** hatchet, chopper, (van slager) cleaver
**hakblok** chopping board, butcher's block
**haken** I *on ww, vastzitten* catch II *ov ww* ❶ *vastmaken* hook, hitch ❷ *handwerken* crochet
**hakenkruis** swastika
**hakhout** coppice, scrub, fire wood
**hakje** *sport* (back-)heel
**hakkelen** stammer, stutter
**hakken** I *ov ww* ❶ *stuk / los hakken* chip, cut (up) ★ *een leger in de pan ~* rout an army ❷ *sport* back-heel II *on ww* ❶ *houwen* hack (at) ❷ *vitten* pick holes in, find fault with ★ *hij zit altijd op mij te ~* he's always cutting me down
**hakkenbar** ≈ counter where shoes are repaired
**hakmes** chopper, chopping knife *mv: knives*
**hal** ❶ *vestibule* (entrance) hall, (van hotel, theater) foyer, (van hotel, theater) lobby ❷ *zaal* hall
**halal** I *bnw* rel halal II *bijw* rel halal
**halen** ❶ *op-/ afhalen* fetch, get ★ *laten ~* send for ★ *een dokter erbij ~* call in a doctor ★ *iem. van de trein ~* meet sb at the station ★ *er valt bij hem niets te ~* there's nothing to be got out of him ★ *door elkaar ~* mix up ★ *eruit ~ wat erin zit* run it for all it is worth ❷ *naar zich toetrekken* pull ★ *naar beneden ~* lower ★ *een kam door je haar ~* run a comb through your hair ★ *naar zich toe ~* draw towards o.s., take ★ *de waarheid uit iem. ~* elicit the truth from sb ★ *iets uit iem. trachten te ~* try to get sth out of sb ❸ *bereiken* ★ *de trein ~* catch the train ★ *jij haalt de 90 wel* you'll live to be 90 yet ★ *hij haalde het net* he scraped

**ha**

**ha**

through, he barely made it ★ *de helling ~* make the grade ★ *dat haalt (het) er niet bij* that is not a patch upon it, it can't compare with it ★ *mijn auto haalt zeker 150 km per uur* my car does over 150 kilometres an hour ★ *een noot ~* reach a (high) note ❹ *behalen* obtain ★ *een diploma ~* obtain / receive a certificate ★ *de eerste prijs ~* win the first prize

**half I** *bnw* ❶ *de helft vormend* half, semi- ★ *een halve liter* half a litre ★ *baan voor halve dagen* part-time job, job for half-days ★ ❷ *halverwege* ★ *half een* half past twelve, twelve-thirty ★ *half mei* the middle of May **II** *bijw* half ★ *half om half* half-and-half ★ *zijn werk maar half doen* do one's work by halves ★ *half klaar met* half-way through ★ *half en half beloven* half promise ★ *je weet niet half hoe...* little do you know how...

**halfbakken** *gebrekkig* half-baked, crackbrained ★ ~ *geleerde* half-baked scholar ★ ~ *wijsheid* pseudo wisdom, half-wit wisdom

**halfbloed** ❶ *mens* halfbreed ❷ *paard* crossbreed

**halfbroer** half-brother

**halfdonker I** *zn* [het] semi-darkness **II** *bnw* half darkened

**halfdood** half dead ★ *iem. ~ slaan* thrash sb within an inch of his life ★ *zich ~ lopen* to run one's legs off ★ *zich ~ schrikken* be frightened out of one's wits

**halfedelsteen** semi precious stone

**halffabricaat** semimanufactured article, semi-finished product

**halfgaar** ❶ *niet helemaal gaar* half-done ❷ *niet goed wijs* half-baked, half-witted

**halfgeleider** semiconductor

**halfgod** demigod

**halfhartig** half-hearted

**halfjaar** six months *mv*, half a year ★ *elk ~ betalen* pay twice annually / a year

**halfjaarlijks** *elk half jaar* half-yearly, biannual

**halfje** half a loaf ★ *een ~ wit* half a white loaf, a half white

**halfleeg** half-empty

**halfpension** half board

**halfpipe** halfpipe

**halfrond I** *zn* [het] ❶ *aardk* hemisphere ❷ *BN pol vergaderzaal van parlement* Belgian Parliament debating chamber **II** *bnw* ❶ *(cirkelvormig)* semicircular, *(bolvormig)* hemispherical

**halfslachtig** half-hearted ★ *een ~ antwoord* only half an answer

**halfstok** half-mast

**halftijds** half-time

**halftime** half-time

**halfuur** half (an) hour

**halfvol** ❶ *half gevuld* half full ❷ *half vet* low-fat ★ ~*le melk* semi-skimmed milk

**halfweg** halfway

**halfzacht** ❶ *tussen hard en zacht* soft-boiled ❷ *verwijfd, slap* soft, weak, mealy-mouthed ❸ *dwaas* soft in the head

**halfzuster**, *inform* **halfzus** half-sister

**halleluja** halleluja

**hallo** hello

**hallucinatie** hallucination

**hallucineren** hallucinate

**halm** stalk, *(van gras)* blade

**halo** halo, aureole [*mv:* halo(e)s]

**halogeen** halogen

**halogeenlamp** halogen lamp

**hals** ❶ *lichaamsdeel* neck ★ *hals over kop vertrekken* rush off ★ *iem. om de hals vliegen* throw one's arms around sb's neck ★ *iem. iets op de hals schuiven* shove sth on to sb ★ *zich iets op de hals halen* bring sth on o.s., incur, catch, develop ★ *weet wel wat je je op de hals haalt!* be careful what you're letting yourself in for! ❷ *halsopening* neckline ★ *dun gedeelte* neck ❸ *sukkel* ★ *onnozele hals* sucker, mug

**halsband** collar

**halsbrekend** ★ ~*e toeren uithalen* risk one's neck

**halsdoek** scarf

**halsketting** *sieraad* necklace

**halsmisdaad** capital crime

**halsoverkop** in a rush / hurry, helter-skelter, head-over-heels ★ ~ *vertrekken* leave in a rush

**halsreikend** eagerly, keenly, expectantly ★ *ergens ~ naar uitzien* eagerly look forward to sth

**halsslagader** carotid (artery)

**halssnoer** necklace

**halsstarrig** obstinate, headstrong, stubborn

**halster** halter

**halswervel** cervical vertebra

**halszaak** capital crime, hanging matter ★ *je moet er geen ~ van maken* don't take it too seriously

**halt I** *zn* [het] ★ *een halt toeroepen* call a halt to, put a stop to **II** *tw* stop!

**halte** stop ★ *volgende ~!* next stop, please!

**halter** *(kort)* dumbbell, *(lang)* barbell

**haltertop** haltertop

**halvarine** *cul* low-fat margarine

**halvegare** dope

**halvelings** *BN* more or less

**halvemaan** half-moon, crescent

**halveren** ❶ *in tweeën delen* divide into halves ★ *een hoek ~* bisect an angle ❷ *tot de helft verminderen* halve

**halveringstijd** half-life *mv:...lives*

**halverwege I** *vz, op de helft van* halfway ★ ~ *de trap* halfway down / up the stairs ★ ~ *het boek* halfway through the book, in the middle of the book ★ ~ *zijn werk* in the middle of his work **II** *bijw* ❶ *op de helft van de weg* halfway, midway ★ *iem. ~ ontmoeten* meet sb halfway ❷ *midden in een bezigheid* halfway through

**ham** ham

**Hamburg** Hamburg

**hamburger** hamburger, beefburger

**Hamburgs** Hamburg

**hamer** ❶ *werktuig* hammer, *(houten)* mallet ❷ *anat gehoorbeentje* ★ *onder de ~ brengen* put up for auction, bring under the hammer ▼ *onder de ~ komen* come / go under the hammer, be put up for sale ▼ *tussen ~ en aanbeeld* between the devil and the deep blue sea

**hameren I** *ov ww, met hamer slaan* hammer ★ *iets erin ~* hammer home / in sth ★ *iets erin ~ bij iem.* hammer sth into sb **II** *on ww* op ★ *ergens op ~* hammer at sth ★ *ergens op blijven ~* keep going on about sth

**hamerstuk** *agendapunt* formality

**hamerteen** hammer-toe

**hamlap** pork steak

**hamster** hamster
**hamsteren** hoard (up)
**hamstring** hamstring
**hamvraag** key question, USA the sixty-four thousand dollar question
**hand ❶** *lichaamsdeel* hand ★ *handen thuis!* hands off!, keep your hands to yourself! ★ *bij de hand hebben* hold by the hand ★ *met de hand gemaakt* handmade ★ *op handen en voeten* on all fours ★ *iem. de hand drukken / geven* shake hands with sb ❷ *handschrift* hand ★ *van dezelfde hand* by the same hand(writing) ❸ *macht* ★ *de hand leggen op* lay hands on ★ *in handen hebben* possess, have in hand, control ★ *iem. iets in handen spelen* smuggle sth into sb's hands ★ *in handen stellen van* refer to, place the case in the hands of ★ *de brief viel mij in handen* the letter fell into my hands ★ *in vertrouwde handen zijn* be in safe keeping ★ *iem. naar je hand zetten* force sb to do your will ★ *iem. iets ter hand stellen* hand sth to sb ★ *uit handen van justitie blijven* keep clear of the law ★ *uit de hand lopen* get out of hand ▼ fig BN *een onschuldige hand* lot onpartijdige lot) fate ▼ *aan de hand van die gegevens* on the basis of the data ▼ *iem. een baan aan de hand doen* get sb a job ▼ *iem. een middel aan de hand doen* suggest a remedy to sb ▼ *wat is er aan de hand?* what's wrong?, what's the matter? ▼ *aan de winnende hand zijn* be on the winning side ▼ *aan handen en voeten gebonden* bound hand and foot, tied down ▼ *iets achter de hand hebben* have sth up your sleeve, have sth in reserve ▼ *iets bij de hand hebben* have sth at hand ▼ *dat heb ik vaker bij de hand gehad* I am an old hand at this ▼ *hand in hand gaan* go hand in hand ▼ *in de hand werken* play into the hands of ▼ *je hebt je wat in je handen laten stoppen* you've been taken in ▼ *met kwistige hand* with a lavish hand, lavishly ▼ *met de handen in het haar zitten* be at your wits' end ▼ *iets met beide handen aangrijpen* seize sth with both hands, jump at sth ▼ *met hand en tand verdedigen* defend tooth and nail ▼ *met hand en tand* with might and main, with tooth and nail ▼ *iets met handen vol weggooien* spend sth like water ▼ *met de hand op het hart* cross my heart (and hope to die), in all conscience ▼ BN *met handen en voeten* with everything you've got ▼ *(met) de hand over het hart strijken* stretch a point ▼ *niets om handen hebben* have nothing to do, be at a loose end ▼ *om de hand van een meisje vragen* ask for a girl's hand in marriage ▼ *iets onder handen hebben* be at work on sth ▼ *iets onder handen nemen* fix sth, undertake sth ▼ *iem. onder handen nemen* give sb a good talking-to ▼ *zwaar op de hand* heavy, ponderous ▼ *iem. op handen dragen* be devoted to sb ▼ *op handen zijn* be (near) at hand ▼ *hand over hand toenemen* increase rapidly ▼ *iets ter hand nemen* take sth in hand, take up sth ▼ *hij eet uit je hand* he eats out of your hand ▼ *inlichtingen uit de eerste hand* inside information ▼ *ik heb het uit de eerste / tweede hand* I have it at first / second hand ▼ *duur van de hand gaan* sell at high prices ▼ *vlot van de hand gaan* sell like hot cakes ▼ BN *van de hand Gods geslagen zijn* be thunderstruck ▼ *van de hand wijzen* refuse, decline, dismiss, reject, turn down

▼ *van de hand in de tand leven* live from hand to mouth ▼ *voor de hand liggen* be obvious ▼ *ergens de hand aan houden* adhere to sth, stick to the rules ▼ *de hand houden aan een regel* enforce a rule ▼ *de laatste hand leggen aan iets* put a finishing touch to sth ▼ *je hand schenken aan iem.* give your hand (in marriage) to sb ▼ *de hand aan zichzelf slaan* lay violent hands on o.s., commit suicide ▼ *iem. de hand boven het hoofd houden* protect sb, back sb up ▼ *ergens de hand in hebben* have a hand in sth ▼ *de hand in eigen boezem steken* search one's own heart ▼ *ergens een handje van hebben* have a way of doing sth ▼ *je handen in onschuld wassen* wash your hands of sth ▼ *de handen ineenslaan* join hands / forces ▼ *iem. de helpende hand bieden* lend sb a hand ▼ *je mag je handen / handjes dichtknijpen* you may count yourself lucky ▼ *de hand lichten met het werk* scamp ▼ *de hand lichten met de waarheid* trifle / palter with the truth, be economical with the truth ▼ *de hand opheffen tegen* raise your hand against ▼ *je hand overspelen* overplay your hand ▼ *nooit een hand uitsteken* never do a stroke of work ▼ *hij stak geen hand uit om mij te helpen* he did not lift a finger to help me ▼ *de hand op de knip houden* keep your pockets closed ▼ *het zijn twee handen op één buik* they are hand and glove ▼ *de handen uit de mouwen steken* put your shoulder to the wheel ▼ *zijn hand er niet voor omdraaien* think nothing of it ▼ *ik kan geen hand voor ogen zien* I can't see my hand in front of my face ▼ *hand erop!* honestly! ▼ *ik heb er mijn handen vol aan* I have my work cut out for me ▼ *ik heb mijn handen vol aan hem* he's a handful ▼ *iem. de handen binden* tie sb's hands ▼ *vele handen maken licht werk* many hands make light work ▼ *iem. de helpende hand toesteken* extend a helping hand ▼ *iem. de vrije hand laten* give sb a free hand with sth
**handalfabet** hand alphabet
**handappel** eating apple
**handarbeider** manual worker / labourer, blue collar worker
**handbagage** hand luggage
**handbal I** *zn* [de], *bal* handball **II** *zn* [het], *balspel* handball
**handballen** play handball
**handballer** handball player
**handbediening** hand / manual control, hand-operated
**handbereik** ▼ *binnen / onder ~* within arm's reach, close at hand ▼ *buiten ~* out of reach
**handboei** handcuff, manacle ▼ *~en* manacles, handcuffs ★ *iem. ~en omdoen* manacle / handcuff sb
**handboek** manual, handbook
**handborstel** BN *stoffer* brush
**handbreed** ★ *geen ~ wijken* not yield an inch of ground, not budge (an inch)
**handcrème** hand lotion
**handdoek** towel, ⟨op rol⟩ roller towel
**handdruk** *geven van een hand* handshake ★ *een ~ geven aan* shake hands with ★ *gouden ~* golden handshake
**handel ❶** *in- en verkoop* trade, commerce, business, ⟨ongunstig⟩ traffic (in drugs, etc.)

ha

★ *zwarte* ~ illicit work, illegal trade ★ *in de ~ brengen* bring / put on the market, bring out ★ *in de ~ zijn* be in business, be in / on the market ★ *niet in de* ~ not on the market, not for sale ★ *~ drijven* do business, carry on trade ❷ *zaak* business ❸ *handelswaar* ★ *iemands ~ en wandel* sb's conduct

**handelaar** merchant, ⟨in auto's⟩ car dealer, ⟨in paarden⟩ horse trader

**handelbaar** ❶ *handzaam* manageable, handy, easy to use ❷ *meegaand* tractable, manageable

**handelen** ❶ *handel drijven* trade ★ ~ *in* deal in ❷ *te werk gaan* act ★ ~ *in strijd met de wet* break the law, contravene the law ❸ ~ *over* treat (of), deal with

**handeling** ❶ *daad* act ❷ *verslag* proceedings *mv*, ⟨van genootschap⟩ transactions *mv*, ⟨van parlement⟩ Parliamentary Reports *mv*, ⟨van parlement⟩ parliamentary proceedings *mv*

**handelingsbekwaam** capable of closing / signing a contract, *jur* capable of acting

**handelsakkoord** trade agreement, commercial treaty / accord

**handelsbalans** ❶ *balans van koopman* balance sheet ❷ *waardeverhouding* trade balance ★ *actieve* ~ favourable trade balance

**handelsbetrekkingen** trade relations *mv*

**handelsboycot** trade boycott

**handelscentrum** trade centre, commercial centre

**handelscorrespondentie** business correspondence

**handelsembargo** trade embargo *mv: embargoes*

**handelsgeest** spirit of commerce, mercantile spirit, ⟨zakeninstinct⟩ business instinct

**handelshuis** BN *winkelpand* shop premises *mv*, business premises / property

**handelsingenieur** BN *bedrijfseconoom* business economist

**handelsmaatschappij** trading company, USA business corporation

**handelsmerk** trademark

**handelsmissie** trade mission

**handelsonderneming** commercial / business enterprise

**handelsoorlog** trade war

**handelsregister** commercial register, company register

**handelsreiziger** commercial traveller, travelling businessman

**handelsverdrag** commercial treaty

**handelsverkeer** commercial traffic, trade

**handelsvloot** merchant fleet

**handelswaar** merchandise, commodity, goods *mv*

**handelswetenschappen** BN business economics *mv*

**handelszaak** BN business (concern), firm

**handeltje** ❶ *handel op kleine schaal* small-scale trade ★ *hij heeft een* ~ *in antiek* he trades in antiques ❷ *spullen* lot

**handelwijze** ❶ *gedrag* conduct, way of acting ❷ *wijze van handelen* course of action, procedure

**handenarbeid** ❶ *werk met de handen* manual labour ❷ *schoolvak* handicraft ★ *leraar* ~ handicraft instructor, woodwork teacher

**hand-en-spandiensten** odd jobs *mv* ★ ~ *verrichten* lend a helping hand

**handenwringend** wringing one's hands

**handgebaar** gesture, motion

**handgeklap** applause, handclapping

**handgeld** earnest money

**handgemaakt** handmade

**handgemeen** scuffle, fight ★ ~ *raken / krijgen* come to blows

**handgeschreven** handwritten

**handgranaat** (hand) grenade

**handgreep** ❶ *handvat* handle, grip ❷ *handigheid* knack, trick

**handhaven** I *ov ww* ⟨regels, verbod⟩ enforce, ⟨mening, orde, kwaliteit⟩ maintain, ⟨besluit, eis⟩ uphold ★ *zich* ~ maintain o.s. ★ *zijn voorstellen* ~ stand by one's proposals ★ *iem. in zijn ambt* ~ keep sb in office II *wkd ww* [zich ~] maintain oneself

**handicap** handicap, disability

**handig** ❶ *vaardig* skilful, clever ★ ~ *gedaan* cleverly / neatly done ❷ *gemakkelijk te hanteren* handy ★ ~ *formaat* handy size

**handigheid** ❶ *het handig zijn* skill, cleverness ❷ *foefje* knack, trick ★ *het is een ~je* it's just a knack

**handigheidje** knack, trick, knack

**handjeklap** ❶ *kinderspel* pat-a-cake ❷ *econ* ★ ~ *spelen* ⟨gesjoemel⟩ be hand in glove with, be in league with

**handjevol** handful

**handkar** barrow, handcart

**handkus** hand kiss

**handlanger** ❶ *medeplichtige* accomplice, tool ❷ *ondergeschikte helper* assistant

**handleiding** ❶ *gebruiksaanwijzing* manual, directions / instructions for use ★ *met volledige* ~ with full instructions ❷ *leerboek* manual, handbook

**handlezen** hand-reading, palm reading, palmistry

**handmatig** I *bnw* manual, by hand II *bijw* manually, by hand

**handomdraai** ▼ *in een* ~ in a trice, in less than no time

**handoplegging** laying on of hands, ⟨genezen⟩ faith-healing

**handopsteken** show of hands ★ *met / bij* ~ *stemmen* vote by show of hands

**handpalm** palm of the hand

**handreiking** *hulp* help(ing hand), assistance

**handrem** handbrake

**hands** hands *mv* ★ *aangeschoten* ~ accidental hands

**handschoen** glove, ⟨werk, motor⟩ gauntlet ★ *iem. de* ~ *toewerpen* throw down the gauntlet to sb ★ *met de* ~ *trouwen* marry by proxy ★ *iem. met fluwelen ~en aanpakken* handle sb with kid gloves

**handschoenenkastje** *transp* glove compartment

**handschrift** ❶ *manier van schrijven* handwriting ❷ *tekst* manuscript

**handsfree** ★ ~ *bellen* call hands-free

**handsinaasappel** (eating) orange

**handstand** handstand

**handtas** handbag, USA pocketbook, USA purse
**handtastelijk** *opdringerig* ⟨gewelddadig⟩ violent, ⟨vrijpostig⟩ free ★ ~ *worden* use violence, paw, become intimate
**handtastelijkheid** physical violence, ⟨bij vrouw⟩ pawing
**handtekening** signature
**handvaardigheid ❶** *bedrevenheid* manual skill, craftsmanship **❷** *schoolvak* handicraft
**handvat** handle
**handvest** charter, covenant
**handvol** handful
**handwas** hand-wash(ing)
**handwerk ❶** *wat met de hand gemaakt is* handwork, handiwork **❷** *ambacht* trade, craft
**handwerken** do needlework
**handwoordenboek** concise dictionary
**handzaam ❶** *handelbaar* manageable **❷** *praktisch* handy
**hanenbalk** purlin, collar beam ★ *onder de* ~*en* in the garret
**hanenkam ❶** *kam van haan* cockscomb **❷** *kapsel* Mohawk, Mohican haircut
**hanenpoot** *handschrift* scrawl, scribble
**hang** ★ *een hang hebben tot* be born with a passion for
**hangar ❶** *vliegtuigonderkomen* hangar **❷** BN *loods* shed
**hangborst** sagging breast
**hangbrug** *brug* suspension bridge
**hangbuik** pot belly
**hangbuikzwijn** pot-bellied pig
**hangen I** *ov ww* **❶** *bevestigen* hang (up) **❷** *doden door ophanging* hang **II** *on ww* **❶** *af- / neerhangen* hang, ⟨bloemen⟩ droop **❷** *als straf opgehangen zijn* hang ★ *ik mag* ~ *als...* I'll be hanged if... **❸** *vastzitten* stick to ★ *ik bleef met mijn broek aan een spijker* ~ I caught my trousers on a nail ★ *aan iemands lippen* ~ hang on sb's lips, hang on sb's every word ★ *ze* ~ *erg aan elkaar* they are devoted to each other ★ *aan de letter van de wet* ~ stick to the letter of the law **❹** *onbeslist zijn* hang **❺** *rondhangen* loll ★ *staan te* ~ hang about ★ *in Frankrijk blijven* ~ linger on in France **❻** *blijven zweven* ★ *de lucht bleef* ~ the smell lingered **❼** ~*naar* crave (for) ▼ *tussen* ~ *en wurgen* between the devil and the deep blue sea
**hangende** pending ★ ~ *het onderzoek* pending the inquiry
**hang-en-sluitwerk** door / window furniture
**hanger ❶** *sieraad* ⟨aan ketting⟩ pendant, ⟨aan oren⟩ pendant / hanging earring **❷** *kleerhaak* hanger
**hangerig** drooping, listless
**hangglider** hangglider
**hangijzer** pot hanger ▼ *een heet* ~ a hot potato, a controversial issue
**hangjongere** kid / youth hanging around / about
**hangkast** *klerenkast* wardrobe, USA closet
**hangklok** (wall)clock
**hanglamp** hanging lamp
**hangmap** hanging file
**hangmat** hammock
**hangplant** hanging plant
**hangplek** omschr spot where kids hang around,

hangout
**hangslot** padlock
**hangsnor** drooping moustache
**hangtiet** sagging tit
**hangwang** flabby cheek
**hanig ❶** *agressief* waspish, quarrelsome **❷** *wellustig* macho, cocky
**hannes** twit, clot
**hannesen** *klungelen* muck / fool about, mess about / around
**hansop** nighty, sleeping-suit, sleepsuit
**hansworst** buffoon, clown
**hanteerbaar** manageable
**hanteren ❶** *met de handen gebruiken* manage **❷** *omgaan met* handle
**hap ❶** *beet* bite **❷** *afgehapt stuk* morsel **❸** *fig gedeelte* bit ★ *het is 'n hele hap uit mijn portemonnee* it's a large portion of my income **❹** *boel mensen / dingen* lot **❺** → *hapje*
**haperen ❶** *blijven steken* stick, get stuck, ⟨van stem⟩ falter ★ *zonder* ~ without a hitch ★ *het gesprek haperde* the conversation flagged **❷** *mankeren* ★ *de motor hapert* there's sth wrong with the engine ★ *dat hapert nooit* that never fails
**hapje** *maaltje* ⟨klein beetje⟩ bite, ⟨klein gerecht⟩ bite to eat, ⟨klein gerecht⟩ snack ★ *lekker* ~ titbit ★ *een* ~ *eten* have a bite to eat
**hapjespan** frying / sauté pan
**hapklaar** ready-to-eat, oven-ready ★ *hapklare brokken* ready-to-eat chunks
**happen ❶** *bijten* bite ★ ~ *naar* snap at **❷** *reageren* take the bait ★ *hap toch niet zo!* don't take it so seriously!, can't you take a joke?
**happening** happening
**happig** op eager for, keen on
**happy** happy ★ *ergens niet* ~ *mee zijn* be unhappy with sth
**hapsnap** bitty ★ ~ *beleid* ad hoc policy
**haptonomie** haptonomy
**haptonoom** haptonomist
**harakiri** harakiri ★ ~ *plegen* commit harakiri
**haram** rel haram
**hard I** *bnw* **❶** *niet week* hard ★ *hard worden* harden, set **❷** *luid* loud ★ *met een harde stem* in a loud voice **❸** ⟨van kleur, licht⟩ *fel* ★ *harde kleuren* bright colours, loud colours **❹** *hevig* heavy ★ *er staat een harde wind* there's a strong wind (blowing) **❺** *streng, ruw* stern, harsh ★ *de harde werkelijkheid* the harsh reality ★ *het is hard voor je* it is hard (lines) on you **❻** *vaststaand* hard ★ *harde bewijzen* hard evidence **❼** *kalkrijk* hard **II** *bijw* **❶** *hevig* hard ★ *het regent hard* it's raining very hard ★ *ze hebben het geld hard nodig* they need the money badly ★ *hard aankomen bij iem.* be a great blow to sb **❷** *snel* fast ★ *te hard rijden* speed, drive too fast ★ *hard vooruitgaan* make rapid progress **❸** *luid* loud ★ *harder spreken* speak up ★ *ze zongen om het hardst* they sang their loudest **❹** *streng, ruw* hard ★ *iem. hard aanpakken* be stern with sb ★ *hard tegen hard* with the gloves off
**hard-** ★ *hardblauw* bright blue ★ *hardgeel* bright yellow, dazzling yellow ★ *hardgroen* bright green
**hardboard** hardboard
**harddisk** hard disk

**ha**

**harddrug** hard drug
**harden ❶** *hard maken* harden, ⟨staal⟩ temper, steel ★ *zich ~* train / harden o.s. ❷ *uithouden* stand, bear ★ *dit is niet te ~* this is unbearable
**harder** grey mullet
**hardgekookt** hard-boiled
**hardhandig** rough
**hardheid ❶** *het niet week zijn* hardness ❷ *strengheid, ruwheid* harshness, severity ❸ *luidheid* loudness
**hardhorend** hard of hearing
**hardhout** hardwood
**hardleers ❶** *eigenwijs* obstinate, stubborn ❷ *moeilijk lerend* dull, dense, thick-skulled
**hardlopen** run
**hardloper** runner ★ *~s zijn doodlopers* haste trips over its own heels
**hardmaken** substantiate
**hardnekkig ❶** *koppig* obstinate, stubborn, pig headed ❷ *aanhoudend* dogged, ⟨van gerucht⟩ persistent
**hardop** (out) loud, aloud
**hardrijden** racing, ⟨scheuren⟩ speeding, ⟨op schaatsen⟩ speed-skating
**hardrijder** racer, ⟨in auto⟩ speeder, ⟨op schaatsen⟩ speed-skater
**hardrock** hard rock
**hardvochtig** callous, harsh, heartless
**hardware** hardware
**harem** harem
**harig** hairy
**haring ❶** *vis* herring ★ *BN droge ~* bloater, smoked herring ★ *nieuwe ~* fresh herring ★ *~ kaken* cure / gut herrings ★ *daar moet ik ~ of kuit van hebben* I want to get to the bottom of it ★ *als ~en in een ton* packed like sardines ❷ *pin van tent* peg
**hark ❶** *gereedschap* rake ❷ *stijf persoon* ★ *stijve hark* dull old stick
**harken** rake
**harkerig** stiff, clumsy
**harlekijn** harlequin
**harmonica ❶** *trekharmonica* accordion, ⟨zeshoekig⟩ concertina ❷ *mondharmonica* harmonica
**harmonicadeur** folding door
**harmonie ❶** *muz* harmony ❷ *fig eendracht* harmony ❸ *orkest* brass band
**harmoniemodel** conflict avoidance strategy
**harmonieorkest** (brass) band
**harmoniëren** harmonize (with), ⟨kleuren, voorwerpen enz.⟩ go well together, ⟨met omgeving ook⟩ blend in with
**harmonieus** harmonious
**harmonisatie** harmonization
**harmonisch** harmonious
**harmoniseren I** *ov ww, harmonisch maken* harmonize, bring in(to) line with **II** *on ww, harmonisch zijn* harmonize (with)
**harnas** armour ★ *iem. tegen zich in het ~ jagen* antagonize sb
**harp** harp
**harpist** harpist, harp player
**harpoen** harpoon
**harpoeneren** harpoon
**harpoengeweer** harpoon gun

**harrewarren** squabble, bicker
**hars** plankt resin
**harsen** depilate with wax, wax
**hart ❶** *orgaan* heart ★ *zwak hart* weak / bad heart ★ *het aan zijn hart hebben* have a weak heart, have a heart condition ★ *het hart klopt mij in de keel* my heart is in my mouth ❷ *zetel gevoelsleven* heart ★ *van harte gefeliciteerd!* congratulations! ★ *van ganser harte* wholeheartedly, with all my heart ★ *het gaat niet van harte* my heart is not in it ★ *het hart op de juiste plaats hebben* have one's heart in the right place ★ *in zijn hart* at heart, deep down ★ *een gebroken hart* a broken heart ★ *een goed hart hebben* be kind-hearted ★ *hij zegt wat er in zijn hart omgaat* he speaks his mind freely ★ *met een gerust hart* with confidence ★ *het komt uit een goed hart* the intention is good ★ *iemands hart breken* break sb's heart ★ *zijn hart luchten / uitstorten bij iem.* unburden o.s. ★ *zijn hart aan iets verpanden* devote one's heart and soul to sth ★ *waar het hart van vol is, loopt de mond van over* what the heart thinks, the mouth speaks ★ *het hart niet hebben om...* not have the courage / heart to... ★ *heb het hart eens!* don't you dare! ★ *met heel mijn hart* with all my heart ★ *zich met hart en ziel aan iets wijden* devote o.s. heart and soul to sth ★ *je hebt geen hart voor de zaak* your heart is not in it ★ *zijn hart aan iets ophalen* have one's fill, doing sth ★ *iem. een warm hart toedragen* be well disposed towards sb ★ *haar hart kromp ineen van angst* she cringed with fear ★ *iem. een hart onder de riem steken* give encouragement to sb ★ *zijn hart vasthouden* fear the worst ★ *het gaat me aan het hart* it really touches me, it goes to my heart ★ *het gaat me aan het hart* it really touches me, it goes to my heart ★ *het ligt me na aan het hart* it's close to my heart to the backbone ★ *een man naar mijn hart* a man after my own heart ★ *iem. op het hart trappen* trample on sb's feelings ★ *iem. iets op het hart drukken* enjoin sb to do sth, impress sth on sb's mind ★ *iets op het hart hebben* have sth on one's mind ★ *ik kon het niet over mijn hart krijgen* I didn't have the heart for it ★ *de zaak gaat mij zeer ter harte* I feel very strongly about it ★ *iets ter harte nemen* take sth to heart ★ *uit het diepst van mijn hart* from the bottom of my heart ★ *van zijn hart geen moordkuil maken* speak one's mind ★ *het hart op de tong hebben* wear your heart on your sleeve, speak freely ★ *BN iets niet aan zijn hart laten komen* not bother o.s. about sth, not bother one's head with sth ★ *BN ik laat dat niet aan mijn hart komen* I won't let that worry me ★ *BN van zijn hart geen steen maken* wear one's heart on one's sleeve ❸ *kern* heart ★ *het hart van de zaak* the heart of the matter ★ *het hart van de stad* the heart / centre of town ★ *hartje zomer* in the height of summer ★ *hartje winter* in the dead of winter
**hartaandoening** heart condition / problem / complaint
**hartaanval** heart attack
**hartbewaking ❶** *controle* coronary care ❷ *afdeling* coronary / intensive care
**hartboezem** atrium, auricle
**hartbrekend** heartbreaking

**hartchirurg** cardiac / heart surgeon
**hartelijk** cordial, hearty
**harteloos** heartless, callous
**harten** hearts *mv* ★ *één* ~ one heart ★ ~ *vrouw* queen of hearts
**hartenaas** ace of hearts
**hartenboer** jack of hearts
**hartenbreker** heart breaker, ⟨man⟩ lady-killer, ⟨vrouw⟩ flirt
**hartendief** honey bun(ch), darling, pet
**hartenheer** king of hearts
**hartenjagen** play hearts
**hartenkreet** heartfelt cry, cry from the heart
**hartenlust** *v naar* ~ to one's heart's content
**hart- en vaatziekten** cardiovascular diseases / disorders *mv*
**hartenvrouw** queen of hearts
**hartenwens** heart's desire
**hartgrondig I** *bnw* heartfelt, cordial **II** *bijw* cordially, wholeheartedly
**hartig ❶** *zout* salt, savoury **❷** *krachtig* tasty, ⟨voedzaam⟩ hearty ★ *een* ~ *woordje met iem. spreken* give sb a good talking-to
**hartinfarct** coronary
**hartkamer** ventricle (of the heart)
**hartklachten** heart trouble
**hartklep** valve (of the heart)
**hartklopping** palpitation (of the heart)
**hartkwaal** heart disease
**hart-longmachine** heart lung machine
**hartmassage** heart massage, cardiac massage, heart resuscitation
**hartoperatie** heart surgery
**hartpatiënt** heart patient
**hartritmestoornis** cardiac arythmia
**hartroerend I** *bnw* touching **II** *bijw* pathetically
**hartruis** heart murmur
**hartsgeheim** *diep geheim* intimate secret
**hartslag** heartbeat
**hartspier** heart / cardiac muscle
**hartstikke** awfully, terribly ★ ~ *dood* stone dead
**hartstilstand** cardiac arrest ★ *ik kreeg een* ~ *van schrik* I nearly died with fright
**hartstocht** passion
**hartstochtelijk** passionate
**hartstoornis** heart defect
**hartstreek** heart region
**hartsvriend** bosom friend
**hartsvriendin** bosom friend
**harttransplantatie** heart transplant
**hartvergroting** dilation of the heart
**hartverlamming** heart failure
**hartveroverend** enchanting, ravishing
**hartverscheurend** heartrending
**hartversterking ❶** *borrel* pick-me-up **❷** *aanmoediging* tonic, encouragement
**hartverwarmend** heartwarming
**hasj** hash, pot, dope
**hasjhond** sniffer dog
**haspel** reel
**haspelen ❶** *op haspel winden* reel **❷** *verwarren* mix up, mess (up) ★ *namen door elkaar* ~ mix up names
**Hasselt** Hasselt
**Hasselts** Hasselt
**hatchback** *transp* hatchback

**hateenheid** *huisvesting van alleenstaanden en tweepersoonshuishoudens* ≈ apartment for one- / two-person household, ≈ studio flat
**hatelijk** hateful, nasty
**hatelijkheid ❶** *het hatelijk zijn* malice, nastiness **❷** *opmerking* nasty remark, gibe, jibe
**haten** hate
**hatsjie, hatsjoe** achoo, atchoo, atishoo
**hattrick** *sport* hattrick
**hausse** ⟨trade⟩ boom, rise
**hautain** haughty
**haute couture** haute couture, high fashion
**Havanna** Havana
**have** property, stock ★ *levende have* live stock ★ *have en goed* goods and chattels
**haveloos ❶** *sjofel* shabby **❷** *vervallen* delapidated, ⟨gescheurd⟩ tattered **❸** *berooid* shabby
**haven** harbour, ⟨groot⟩ port ★ *een* ~ *binnenlopen* put into port
**havenarbeider** dock worker
**havengeld** harbour / port dues *mv*
**havenhoofd** jetty, pier
**havenkantoor** harbour master's office
**havenmeester, BN havenkapitein** harbour master
**havenstad** port
**havenstaking** dock strike
**havenwijk** harbour / dock area
**haver** oats *mv* ★ *iem. van* ~ *tot gort kennen* know sb intimately / inside out
**haverklap** *v om de* ~ continually
**havermout ❶** *haver* oats *mv* **❷** *pap* oatmeal porridge
**havik ❶** *vogel* hawk, Northern goshawk **❷** *oorlogshitser* hawk
**haviksneus** hook-nose
**haviksogen** hawkeyes *mv*
**havo** *hoger algemeen voortgezet onderwijs* Senior General Secondary Education
**Hawaï** Hawaii
**Hawaïaans** Hawaiian
**hazelaar** hazel
**hazelnoot** hazelnut
**hazenlip** harelip
**hazenpad** *v het* ~ *kiezen* take to one's heels
**hazenpeper** *cul* ≈ jugged hare
**hazenrug** saddle of hare
**hazenslaapje** nap, catnap ★ *een* ~ *doen* take a nap
**hazewindhond, hazewind** greyhound
**hbo** *hoger beroepsonderwijs* higher professional education
**hdtv** *high-definition television* HDTV, high definition television
**hé** hey!, ⟨verbazing⟩ oh! ★ *hé, kom eens* hey! come here
**hè** oh ⟨dear / my⟩, ⟨van pijn⟩ ouch, ⟨van pijn⟩ bother, ⟨van opluchting⟩ phew! ★ *lekker weertje hè?* nice day, isn't it? ★ *dat wist je niet, hè?* you didn't know that, did you?
**headbangen** headbanging
**headhunter** headhunter
**heat** *sport* heat
**heavy metal** heavy metal
**hebbedingetje** gadget, gimmick
**hebbelijkheid** habit, way, mannerism

**he**

he

**hebben I** ov ww **❶** bezitten have ★ hier heb je het here you are ★ willen ~ want **❷** krijgen ★ daar heb je het nou! there you are! ★ liever koffie dan thee ~ prefer coffee to tea, rather have coffee than tea ★ wie moet je ~? whom do you want? **❸** ondervinden ★ graag ~ like ★ wat zullen we nu ~? (good) heavens!, what's up? ★ ik heb graag dat hij komt I like him to come ★ ik zou liever ~ dat je niet ging I'd rather you didn't go ★ het aan de longen ~ have lung trouble ★ wat heb je? what's wrong with you? ★ hoe heb ik het nou? what's going on here?, what's this? ★ het goed / slecht ~ be well / badly off ★ dat ~ we weer gehad that's that ★ ik wist niet hoe ik het had I was completely baffled **❹** praten ★ het over iets ~ talk about sth ★ daar heb ik het niet over that's not the point ★ iedereen heeft het erover it's the talk of the town ★ hij weet waar hij het over heeft he knows what he's talking about ★ heb je het tegen mij? inform you talking to me? **❺** verdragen ★ ik kan het niet ~ I cannot bear / stand it ★ ik kan veel ~ I can take a lot **❻** aantreffen ★ zo heb je bijvoorbeeld... there is, for instance...., now take,for example.... **❼**~aan ★ daar heb ik niets aan that's (of) no use to me ★ je weet nooit wat je aan hem hebt you never know what to expect of him ★ wat heb je daaraan? what use is it?, what good is it to you? **❽**~te ★ je hebt maar te luisteren! listen up! **❾**~van lijken op ★ het heeft er iets van it looks like it ★ het heeft er veel van weg dat we... it looks very much as if we... ▾ iets ~ met iem. have sth going with sb ▾ ik heb het niet erg op hem I don't like him very much ▾ hij heeft iets over zich there's sth about him ▾ ik moet er niets van ~ I want nothing to do with it ▾ dat heb je ervan that comes of it, that's what you get ▾ ~ is ~, maar krijgen is de kunst possession is nine points of the law ▾ een klap van heb ik jou daar an enormous bang ▾ ik wil niets met hem te maken ~ I'll have no truck with him, I don't want to have anything to do with him, have ★ gelachen dat we ~ did we laugh ★ ze heeft hem gisteren gesproken she talked to him yesterday **II** zn [het] ★ hun hele ~ en houden all their belongings, inform all their traps
**hebberd** greedy / grasping person
**hebberig** greedy, covetous
**hebbes** gotcha!, got it!
**Hebreeuws I** zn [het] Hebrew **II** bnw, m.b.t. de Hebreeërs Hebrew
**Hebriden** Hebrides mv
**hebzucht** greed
**hebzuchtig** greedy
**hecht ❶** solide, vast firm, strong **❷** fig onverbrekelijk ★ ~e vrienden close friends
**hechtdraad** med suture
**hechten I** ov ww **❶** vastmaken attach, fasten, med stitch, med suture **❷** toekennen attach ★ zijn goedkeuring ~ aan give one's assent to ★ daar hecht ik geen betekenis aan I don't attach any importance to it **II** on ww **❶** vastkleven adhere, stick ★ verf hecht niet op deze ondergrond paint will not adhere to this background **❷**~aan gesteld zijn op be attached to, be devoted to **III** wkd ww [zich ~]~aan attach oneself to, become attached to

**hechtenis** custody, detention ★ in ~ nemen take into custody
**hechting** draad waarmee gehecht is suture, stitch
**hechtpleister** sticking plaster, bandage, elastoplast
**hectare** hectare
**hectiek** hectic state / circumstances
**hectisch** hectic
**hectogram** hectogram(me)
**hectoliter** hectolitre
**hectometer** hectometre
**heden I** zn [het] present **II** bijw today ★ ~ ten dage nowadays ★ tot op ~ up to the present, so far, up till now ★ de krant van ~ today's paper
**hedendaags** modern, present-day
**hee** hallo, hoi hi, USA howdy
**heel I** bnw **❶** geheel entire, whole ★ de hele dag the whole day, all day **❷** niet kapot whole, entire ★ er bleef geen ruit heel all the windows were broken **❸** veel, groot quite **II** bijw **❶** zeer, erg very ★ heel veel / wat a lot of, a great many **❷** geheel en al quite, wholly, completely, entirely ★ heel wat goedkoper a good deal cheaper ★ dat is heel wat anders that's quite a different thing
**heelal** universe
**heelhuids** without injury, unhurt
**heelmeester** surgeon ▾ zachte ~s maken stinkende wonden desperate cases require desperate remedies
**heemraadschap** district water board
**heen** away ★ heen en terug there and back ★ nergens heen nowhere ★ heen en weer to and fro, up and down ★ overal heen everywhere ★ waar wil hij heen? where does he want to go?, what is he driving at? ★ waar moet deze stoel heen? where does this chair go? ★ waar moet dat heen? what's the world coming to? ★ hij is ver heen he is far gone
**heen-en-weer** back and forth
**heengaan ❶** weggaan go away, leave **❷** sterven pass away ★ in vrede ~ depart in peace **❸** verstrijken ★ er ging veel tijd mee heen it took much time
**heenkomen** ▾ een goed ~ zoeken run to safety
**heenreis** outward journey, (scheepvaart) outward voyage
**heenronde** BN sport eerste helft van de competitie first half of the competition
**heenweg** the way there
**Heer** God Lord
**heer ❶** form man gentleman mv: gentlemen ★ de heer X Mr. X ★ Geachte heer Dear Sir ★ de oude heer the governor, the pater ★ (opschrift toilet) heren men's room, gents **❷** meester lord ★ de heer des huizes the master of the house ★ heer en meester zijn be lord and master ★ men kan geen twee heren dienen no man can serve two masters **❸** figuur in kaartspel king
**heerlijk ❶** lekker delicious **❷** prachtig, aangenaam delightful, wonderful, (van weer) lovely ★ ik zou het ~ vinden! I'd love to!
**heerlijkheid ❶** iets heerlijks delicacies mv **❷** gelukzaligheid bliss
**heerschap ❶** fellow, gent, min lordship ★ een vreemd ~ an oddball, a weirdo **❷** persoon ★ lastig ~ awkward customer

**heerschappij** mastery, dominion, lordship ★ *de ~ voeren over* rule over, hold sway over ★ *de ~ op zee* command of the sea ★ *onder Franse ~* under French rule

**heersen** ❶ *regeren* rule, ⟨van vorst⟩ reign ❷ *aanwezig zijn* prevail ★ *er heerst griep* there is a lot of flu about ★ *er heerst veel werkloosheid* unemployment is widespread, there is a lot of unemployment ★ *er heerste stilte* there was silence, silence reigned

**heerser** ruler

**heerszuchtig** imperious, domineering

**hees** hoarse

**heester** shrub

**heet I** *bnw* ❶ *warm* hot ❷ *scherp* spicy ❸ *hitsig* hot **II** *bijw, heftig* ★ *bij het debat ging het er heet aan toe* it was a heated debate

**heetgebakerd** hot- / quick-tempered

**heethoofd** hothead

**hefboom** *werktuig* lever

**hefbrug** *brug bij scheepvaart* vertical lift-bridge

**heffen** ❶ *tillen* raise, lift ❷ *opleggen* ⟨belasting⟩ levy, ⟨belasting⟩ impose, ⟨boete⟩ impose, ⟨boete⟩ fine, ⟨schoolgeld⟩ charge

**heffing** *vordering* levying, imposition ★ *~ ineens* capital levy

**heft** handle, haft ▼ *het heft in handen hebben* be in command ▼ *het heft in handen nemen* take command

**heftig** ❶ *onstuimig* violent, vehement ❷ *hevig* fierce, ⟨emotie⟩ intense, ⟨pijn⟩ severe, ⟨discussie⟩ heated

**heftruck** fork-lift truck

**hefvermogen** lifting power

**heg** hedge, fence ★ *heg noch steg weten* not know one's way at all

**hegemonie** hegemony

**heggenschaar** pair of ⟨garden⟩ shears, ⟨garden⟩ shears *mv*

**hei** ❶ *vlakte* heat / moor ⟨land⟩ ❷ *plant* heather

**heibel** ❶ *ruzie* row ❷ *lawaai* racket

**heiblok** ram(mer)

**heide** ❶ *plant* heather ❷ *gebied* heath / moor ⟨land⟩

**heidebloem** heath flower

**heiden** heathen, pagan ▼ *aan de ~en overgeleverd zijn* be in Queer street, be in hot water

**heidens** ❶ *niet-christelijk* pagan, heathen ❷ *ontzettend* atrocious ★ *~ kabaal* infernal racket

**heien** ram, drive ★ *iets erin rammen* drive sth home

**heiig** hazy

**heikel** tricky, ⟨probleem⟩ knotty

**heikneuter** ❶ *pummel* yokel, ⟨country⟩ bumpkin ❷ *vogel* linnet

**heil** ❶ *welzijn* good ★ *daar zie ik geen heil in* I don't believe in it, I see no good in it ★ *ik verwacht er geen heil van* I don't expect any good to come of it ❷ *redding* safety, refuge

**Heiland** Saviour

**heilbot** halibut

**heildronk** toast

**heilig I** *bnw* ❶ *zonder zonde* holy ★ *iem. ~ verklaren* canonize sb ❷ *gewijd* holy, ⟨van plicht⟩ sacred ★ *'t is nog ~ bij...* it is so much better than... **II** *bijw* ★ *zich ~ voornemen om* make a

firm resolution, be firmly determined

**heiligbeen** sacrum

**heiligdom** ❶ *plaats* sanctuary, shrine ❷ *voorwerp* relic

**heilige** saint

**heiligen** ❶ *wijden* hallow, sanctify ❷ *eerbiedigen* sanctify, keep holy ★ *de sabbat ~* keep the Sabbath holy

**heiligenleven** life of a saint

**heiligschennis** sacrilege

**heiligverklaring** canonization

**heilloos** ❶ *geen geluk brengend* fatal ★ *een ~ idee* a disastrous idea ❷ *verderfelijk* sinful, wicked

**heilsoldaat** soldier in the Salvation Army

**heilstaat** ideal state, Utopia

**heilzaam** ❶ *geneeskrachtig* curative, healing ❷ *weldadig* beneficial, salutary ★ *een heilzame werking hebben* have a beneficial effect

**heimelijk** secret, furtive

**heimwee** homesickness, ⟨naar verleden⟩ nostalgia ★ *~ hebben* be homesick (for)

**Hein** ▼ *magere Hein* the Grim Reaper

**heinde** ▼ *van ~ en verre* from far and near

**heipaal** pile

**heisa** to-do, fuss ★ *(een) ~ maken* kick up a fuss ★ *het is een hele ~* what a carry-on

**hek** ❶ *omheining* railing(s), fence ❷ *deur* gate ★ *het hek is van de dam* anything goes, now it's a free-for-all ❸ → **hekje**

**hekel** ❶ *dislike* ★ *een ~ hebben aan* dislike ★ *een gloeiende ~ aan iets / iemand hebben* hate sth / sb like poison ❷ *afkeer* ▼ *over de ~ halen* criticize, haul over the coals

**hekeldicht** satire

**hekelen** *bekritiseren* criticize

**hekje** *het teken #* number sign, hash

**hekkensluiter** ★ *~ zijn* bring up / take up the rear, be (the) last (one)

**heks** ❶ *tovenares* witch ❷ *lelijk wijf* (old) hag

**heksen** practise witchcraft ★ *ik kan niet ~* I can't work wonders

**heksenjacht** witch hunt

**heksenketel** *drukke toestand* bedlam

**heksenkring** fairy ring

**heksentoer** tough job ★ *dat is geen ~* it's as easy as pie

**hekserij** witchcraft, sorcery

**hekwerk** fencing, railings *mv*, ⟨voor klimplanten⟩ trellis [mv: trellises]

**hel** ❶ *zn* [de] hell ★ *loop naar de hel!* go to hell! **II** *bnw* vivid, ⟨van licht⟩ glaring, ⟨van kleur⟩ bright

**hela** hey

**helaas I** *bijw* sadly, unfortunately **II** *tw* alas

**helblauw** bright blue

**held** ❶ *dapper iem.* hero *mv: heroes* ❷ *hoofdpersoon* hero, protagonist

**heldendaad** heroic deed

**heldendicht** heroic poem, epic poem

**heldenmoed** heroism

**heldenrol** part / role of a hero, heroic part

**helder** ❶ *duidelijk* clear, lucid, sonorous ★ *~ ogenblik* lucid moment ★ *een ~ betoog* a lucid argument ❷ *licht* bright, ⟨water⟩ clear ★ *een ~e vlam* a bright flame ❸ *schoon, zuiver* clear ❹ *scherpzinnig* bright

**helderheid ❶** *duidelijkheid* clarity, lucidity **❷** *lichtheid van kleur* brightness **❸** *zindelijkheid* cleanness **❹** *scherpzinnigheid* brightness
**helderziend** clairvoyant
**helderziende** clairvoyant ★ *ik ben geen ~!* I'm not a mind reader!
**heldhaftig** heroic
**heldin** heroine
**heleboel** ★ *een ~...* loads / tons of..., an awful lot of...
**helemaal** quite, all, entirely, altogether ★ *~ niet!* not at all! ★ *~ niets* nothing at all ★ *~ erdoorheen* right through ★ *niet ~* not altogether, not quite ★ *ben je nu ~ gek* are you completely out of your mind ★ *dat is het ~ voor ons* that's just what we wanted ★ *~ fout* all wrong ★ *~ boven* right at the top ★ *~ tot* all the way to ★ *~ van / naar Groningen* all the way from / to Groningen
**helen I** *ov ww, gestolen goederen kopen* receive, inform fence **II** *on ww, genezen* cure, heal
**heler** receiver, inform fence ★ *de ~ is zo goed als de steler* the receiver is as bad as the thief
**helft ❶** *elk van twee gelijke delen* half *mv:* halves ★ *op de ~,* BN *in de ~* halfway ★ *we zijn op de ~* we are halfway ★ *voor de ~ gevuld* half full ★ *voor de ~ van de prijs* at half the price ★ *ieder de ~ betalen* go fifty-fifty, go halves ★ *de ~ te veel* fifty percent too much / many ★ *de ~ minder* half as much / many **❷** *grootste deel* half ★ *de grootste ~ van* the best part of ★ *mijn betere ~* my better half
**helikopter, heli** helicopter
**heling** *kopen van gestolen goed* receiving, inform fencing
**helium** helium
**hellen ❶** *schuin aflopen* slope ★ *het ~d vlak* the downward / slippery slope **❷** *overhangen* slant, slope, ⟨van schip⟩ list
**helling ❶** *het hellen* inclination, ⟨van schip⟩ list **❷** *glooiing* slope, declivity, techn gradient **❸** BN *talud* slope
**hellingproef** hill-start test
**hellingsgraad** inclination, ⟨van weg, spoorlijn⟩ gradient
**hellingspercentage** gradient percentage
**helm ❶** *hoofddeksel* helmet **❷** *duingras* marram ★ *met de helm geboren zijn* ⟨een geluksvogel zijn⟩ be born with a caul, be a lucky dog
**helmgras** marram (grass), beach grass
**helmstok** tiller
**help** help! ▼ *lieve help!* good heavens!
**helpdesk** help desk
**helpen ❶** *bijstaan* aid, help ★ *ik kan u er wel aan ~* I can get it for you ★ *kunt u mij ~ aan een lucifer?* can you oblige me with a match? ★ *iem. erdoorheen ~* carry sb through **❷** *bedienen* help ★ *wordt u al geholpen?* are you being served? **❸** *baten* help ★ *het helpt niets* it's (of) no use ★ *wat helpt het?* what's the use?
**helper** helper, hand, form assistant
**helpscherm** help screen
**helpster** ▼ BN *familiaal ~* home help
**helrood** glaring red
**hels ❶** *van, uit de hel* hellish, infernal **❷** *afschuwelijk* ★ *een hels kabaal* an infernal noise **❸** *woedend* furious

**Helsinki** Helsinki
**hem** him, ⟨m.b.t. dier, ding⟩ it ★ *deze trui is van hem* this jumper is his, this is his jumper ▼ *dat is het hem nu net* that's just the point
**hemd ❶** *onderhemd* vest, USA undershirt ★ *nat tot op het hemd* soaked to the skin ★ *het hemd is nader dan de rok* charity begins at home ★ *in zijn hemd staan* look foolish, have egg on one's face ★ *ik heb geen hemd meer aan mijn lijf* I don't have a shirt to my back ★ *iem. het hemd van het lijf vragen* question sb thoroughly ★ fig *iem. tot op het hemd* ⟨financieel⟩ *uitkleden* fleece omebody **❷** *overhemd* shirt
**hemdsmouw** shirtsleeve
**hemel ❶** *uitspansel* heaven, sky ★ *aan de ~* in the sky ★ *bij heldere / bewolkte ~* with a clear / overcast sky ★ *onder de blote ~* under the open sky, (out) in the open (air) ★ *tussen ~ en aarde* between heaven and earth, in mid-air ★ *~ en aarde bewegen* move heaven and earth **❷** *hiernamaals* heaven ★ *in de ~* in heaven ★ *naar de ~ gaan* ascend to heaven ★ *de ~ zij dank!* thank heaven! ★ *lieve ~!* (good) heavens! ★ *in de zevende ~ zijn* be in the seventh heaven
**hemelbed** four-poster (bed)
**hemelbestormer** idealist, revolutionary
**hemelhoog** sky-high ★ *hemelhoge bergen* lofty mountains
**hemellichaam** heavenly body
**hemelpoort** gate of heaven
**hemels ❶** *van de hemel* heavenly **❷** *goddelijk* sublime, divine
**hemelsblauw** azure
**hemelsbreed I** bnw **❶** *in rechte lijn* ★ *5 mijl ~* 5 miles as the crow flies **❷** *zeer groot* enormous ★ *een ~ verschil* an enormous difference **II** bijw, *enorm* ★ *ze verschillen ~* they are as different as chalk and cheese, they are poles apart
**hemelsnaam** ▼ *in 's ~!* in heaven's name, for heaven's sake, (verwijtend) for crying out loud
**hemeltergend** outrageous, appalling ★ *het is ~* it cries out to heaven
**Hemelvaartsdag, Hemelvaart** Ascension Day
**hemisfeer** hemisphere
**hemofilie** haemophilia
**hemzelf ❶** [meewerkend] him himself ★ *je moet het aan ~ geven* you must give it to him himself **❷** [lijdend] him himself ★ *zo straf je ~* in this way you punish him himself
**hen I** zn [de] hen **II** pers vnw, *na voorzetsel* them ★ *een oom van hen* an uncle of theirs ★ *deze auto is van hen* this car is theirs
**hendel** handle, lever ★ *de ~ overhalen* pull / throw a handle / lever
**Hendrik** Henry
**hendrik** ▼ *een brave ~* a paragon of virtue, a goody-goody
**Henegouwen** Hainaut
**Henegouws** (from) Hainaut
**hengel** fishing rod
**hengelaar** angler
**hengelen ❶** *vissen* angle **❷** *~ naar* fish / angle for
**hengelsport** angling
**hengsel ❶** *beugel* handle **❷** *scharnier* hinge
**hengst ❶** *paard* stallion **❷** *harde klap* thump
**hengsten ❶** *hard slaan* thump **❷** *hard leren* swot

**henna** henna
**hennep** hemp
**hens** ▾ *alle hens aan dek!* all hands on deck ▾ *in de hens vliegen* catch fire
**henzelf** them themselves ★ *wij moeten het aan ~ geven* we must give it to them themselves ★ *zo straffen wij ~* in this way we punish them themselves
**hepatitis** hepatitis
**her** I *zn* [het], *herexamen* resit, re-examination II *bijw* ❶ *geleden* here, ⟨sinds⟩ ago ★ *van oudsher* of old ★ *dat was jaren her* that was many years ago ★ *van jaren her dateren* be of many years' standing ❷ *hier* ★ *her en der* here and there
**herademen** breathe more freely
**heraldiek** heraldry
**heraldisch** heraldic
**herbebossen** reafforest
**herbenoemen** reappoint
**herberg** inn, public house, tavern
**herbergen** ❶ *huisvesten* house, lodge, inform put up, ⟨van vluchteling⟩ harbour ❷ *bevatten* contain
**herbergier** landlord [v: landlady], innkeeper, form host [v: hostess]
**herbewapenen** rearm
**herbivoor** herbivore
**herboren** reborn, born again
**herdenken** ❶ *de herinnering vieren* commemorate ❷ *terugdenken aan* recall, recollect
**herdenking** commemoration ★ *ter ~ van* in commemoration of
**herdenkingsdag** commemoration day
**herdenkingsdienst** memorial service
**herder** ❶ *dierenhoeder* ⟨van schapen⟩ shepherd, ⟨van koeien⟩ cowherd, ⟨van koeien⟩ cattleman ★ *de Goede Herder* the Good Shepherd ❷ *hond* ★ *Duitse ~* Alsatian ★ *Schotse ~* Shetland sheepdog
**herderlijk** pastoral ★ *~ schrijven* pastoral (letter)
**herdershond** sheepdog
**herderstasje** shepherd's purse
**herdruk** reprint
**herdrukken** reprint
**heremiet** hermit
**heremietkreeft** hermit crab
**herenakkoord** gentlemen's agreement
**herenboer** gentleman farmer
**herenfiets** gent's bike, (gentle)men's bicycle
**herenhuis** mansion, large house
**herenigen** reunite
**hereniging** reunification
**herenkapper** men's hairdresser, barber shop
**herenkleding** men's wear
**herenmode** men's fashion
**herentoilet** men's toilet, Gentlemen's, inform Gents, USA men's room
**herexamen** onderw re-examination
**herformuleren** rephrase
**herfst** autumn, USA fall
**herfstblad** autumn leaf *mv: leaves*
**herfstdag** autumn day
**herfstkleur** autumn(al) colour
**herfstmaand** autumn month
**herfststorm** autumn storm
**herfsttint** autumn(al) colour / shade

**herfstvakantie** onderw autumn half-term, USA fall break
**hergebruik** ❶ *recycling* recycling ❷ *het opnieuw gebruiken* reuse
**hergroeperen** regroup, ⟨van troepen⟩ redeploy, ⟨van zaken⟩ rearrange, ⟨van kabinet⟩ GB reshuffle
**herhaald** repeated ★ *~e malen* repeatedly
**herhaaldelijk** repeatedly, time and again, on repeated / various occasions
**herhaaltoets** repeat key
**herhalen** I *ov ww, opnieuw doen* repeat, say again ★ *kort ~* recapitulate, inform recap ★ *zich ~* repeat o.s. II *wkd ww* [zich ~] *opnieuw gebeuren* ★ *de geschiedenis herhaalt zich* history repeats itself
**herhaling** ❶ *het opnieuw iets doen* repetition, ⟨formeel⟩ reiteration ★ *bij ~* repeatedly ★ *in ~en vervallen* repeat o.s. ❷ media *herhaalde uitzending* rerun, repeat, ⟨televisie⟩ replay
**herhalingsoefening** revision exercise, mil retraining
**herhalingsrecept** repeat prescription
**herindelen** redivide, regroup, reclassify
**herindeling** redivision, regrouping
**herinneren** I *ov ww* remind ★ *iem. aan iets ~* remind sb of sth II *wkd ww* [zich ~] remember, recollect ★ *men zal zich ~* it will be remembered...
**herinnering** ❶ *het herinneren* recollection ❷ *wat men herinnert* recollection, memory, form reminiscence ★ *ter ~ aan* in memory of ★ *oude ~en ophalen* revive old memories ❸ *wat doet herinneren* reminder ❹ *souvenir* memento, souvenir ❺ *geheugen* memory
**herintreden** re-enter the workforce
**herintreder** re-entrant
**herkansing** resit
**herkauwen** ❶ *opnieuw kauwen* ruminate, chew the cud ❷ *herhalen* go / keep on about something
**herkauwer** ruminant
**herkenbaar** recognizable ★ *~ aan* identifiable by
**herkennen** I *ov ww* recognize, ⟨identificeren⟩ identify ★ *ze zullen je niet ~* you won't be recognized II *wkd ww* [zich ~] *in* ★ *een film waarin ik me kan ~* a film I can identify with
**herkenning** recognition, identification
**herkenningsmelodie** signature tune
**herkeuring** re-examination
**herkiesbaar** eligible for re-election ★ *zich ~ stellen* stand for re-election, USA run again for office
**herkiezen** re-elect
**herkomst** origin, source ★ *land van ~* country of origin
**herleidbaar** reducible (to), convertible (into)
**herleiden** ❶ *terugvoeren* reduce (to), convert (into) ❷ BN *verminderen* reduce
**herleven** revive ★ *~d nationalisme* resurgent nationalism
**herleving** revival, resurgence
**hermelijn** I *zn* [de] stoat II *bnw* ermine
**hermetisch** hermetic, airtight
**hernemen** ❶ *terugnemen* retake, recapture ❷ *hervatten* resume

**hernia** ❶ *breuk* hernia ❷ *rugaandoening* slipped disc
**hernieuwen** renew, ⟨vriendschap⟩ resume ★ *hernieuwde poging* renewed attempt
**heroïek** heroism
**heroïne** heroin, inform smack, inform horse
**heroïnehoer** heroine / junkie prostitute
**heroïsch** heroic
**herontdekken** rediscover
**heropenen** reopen
**heropvoeden** re-educate
**heropvoeding** re-education
**heroriëntatie** reorientation
**heroriënteren** reorientate
**heroveren** reconquer, recapture ★ *verloren terrein ~* recover lost ground
**herovering** recapture
**heroverwegen** reconsider, rethink, revise
**herpes** herpes
**herrie** ❶ *lawaai* noise, din, racket, row ★ *~ maken / schoppen* kick up a row, cause trouble ❷ *ruzie* row
**herrieschopper** rowdy, troublemaker, ⟨voornamelijk bij voetbal⟩ hooligan
**herrijzen** rise again
**herrijzenis** resurrection
**herroepen** ⟨van besluit⟩ revoke, ⟨van bevel⟩ countermand, ⟨van wet⟩ repeal, ⟨van belofte⟩ retract
**herscheppen** ⟨verjongen⟩ recreate, ⟨veranderen⟩ transform (into)
**herschikken** rearrange
**herscholen** retrain
**herscholing** retraining
**herschrijven** rewrite
**hersenbeschadiging** brain damage
**hersenbloeding** brain haemorrhage
**hersenbreker** brain-teaser
**hersendood** brain death
**hersenen, hersens** ❶ *orgaan* brain ★ *kleine ~* little brain, cerebellum ★ *grote ~* great brain, cerebrum ❷ *verstand* brains *mv* ★ *hij heeft een goed stel hersens* he has a good head on his shoulders ★ *zijn hersens pijnigen* rack one's brains ★ *hoe haal je het in je hersens?* have you gone off your rocker? ❸ inform *hersenpan* skull ★ *iem. de ~ inslaan* beat sb's brains out
**hersengymnastiek** mental training
**hersenhelft** hemisphere, half of the brain
**hersenkronkel** *gedachtekronkel* quirk of the brain
**hersenkwab** brain lobe
**hersenletsel** brain damage
**hersenpan** cranium
**hersens** → hersenen
**hersenschim** chimera, fantasy ▼ *~men najagen* chase an illusion
**hersenschudding** concussion ★ *een ~ hebben* suffer from concussion
**hersenspinsel** chimera, concoction
**hersenspoelen** brainwash
**hersenspoeling** brainwashing
**hersentumor** brain tumour
**hersenvlies** cerebral membrane
**hersenvliesontsteking** meningitis
**herstel** ❶ *beterschap* ⟨van economie, gezondheid⟩

recovery, ⟨van onrecht⟩ redress ❷ *reparatie* repair ❸ *het weer instellen* ⟨van monarchie, e.d.⟩ restoration
**herstelbetaling** indemnity, ⟨na oorlog⟩ reparation
**herstellen I** *ov ww* ❶ *repareren* mend, repair ❷ *goedmaken* ⟨van onrecht⟩ redress, ⟨van onrecht⟩ remedy, ⟨van fout⟩ rectify, ⟨van verlies⟩ retrieve ❸ *in de oude staat brengen* re-establish, ⟨orde, vrede⟩ restore ★ *in zijn eer ~* rehabilitate **II** *on ww, genezen* recover, convalesce **III** *wkd ww* [zich ~] *in de oude toestand komen* recover, ⟨ook markt, prijs⟩ rally
**herstellingsoord** sanatorium, convalescent home
**herstelwerkzaamheden** repairs *mv*
**herstructureren** reorganize, restructure, remodel
**herstructurering** restructuring, reorganizing
**hert** deer [mv: deer] ⟨mannetje⟩ stag
**hertenkamp** deer park / forest
**hertenleer** deerskin
**hertog** duke
**hertogdom** dukedom, duchy
**hertogin** duchess
**hertrouwen** remarry, marry again
**hertz** hertz
**heruitgave** reissue
**hervatten** resume
**herverdelen** redistribute
**herverkaveling** ≈ reallocation, ≈ re-allotment
**herverkiezing** re-election
**herverzekeren** reinsure
**hervormd** reformed ★ *de ~e kerk* the Reformed Church
**hervormen** reform
**hervorming** ❶ *het hervormen* reform ★ *sociale ~en* social reforms ❷ rel Reformation
**herwaarderen** *opnieuw waarderen* revalue
**herwinnen I** *ov ww* ❶ *heroveren* regain, recover ❷ *uit recycling verkrijgen* recycle **II** *wkd ww* [zich ~] recover oneself, pull oneself together
**herzien** revise ★ *~e uitgave* revised edition
**herziening** *het herzien* revision
**hes** smock
**hesp** BN ham, gammon
**het I** *pers vnw* it ★ *ben jij het?* is it you? ★ *ik ben het* it is me **II** *onb vnw* it ★ *hoe gaat het?* how are you? **III** *lw* the ★ *van het begin tot het eind* from beginning to end
**heteluchtballon** hot-air balloon
**heteluchtkachel** convector, ⟨elektrisch⟩ fan heater
**heteluchtoven** hot-air oven
**heten** ❶ *een naam dragen* be called / named ★ *hoe heet je?* what's your name? ★ *hij heet Jan* he is called Jan ★ *hoe heet dat?* what is it called? ❷ *beweerd worden* be reputed
**heterdaad** ▼ *iem. op ~ betrappen* catch sb in the act, catch sb red-handed
**hetero I** *zn* [de] heterosexual **II** *bnw* heterosexual
**heterofiel** heterosexual, inform hetero
**heterogeen** heterogeneous
**heteroseksueel** heterosexual
**hetgeen** which, what, that which
**hetze** witch hunt, ⟨gestook⟩ smear campaign

**hetzelfde** the same
**hetzij** either ★ ~... ~ either... or ★ ~ *arm of rijk* whether poor or rich
**heug** ▼ *tegen heug en meug* reluctantly, unwillingly
**heugen** ★ *dat zal je* ~ you'll be sorry for this, you won't forget this in a hurry
**heuglijk** ❶ *verheugend* joyful ★ ~ *nieuws* joyful news ❷ *gedenkwaardig* memorable
**heulen** met collaborate with ★ ~ *met de vijand* be in league with the enemy
**heup** hip, ⟨van dier⟩ haunch ★ *het op de heupen hebben* be wound up (about sth) ★ *als hij het op de heupen krijgt* when the fit is on him, once he gets going...
**heupbroek** pair of hipsters, hipsters *mv*, <u>USA</u> hip-huggers *mv*
**heupfles** hip flask
**heuptasje** bum bag
**heupwiegen** sway / shake / waggle one's hips, ⟨m.b.t. dansen⟩ swing
**heupwijdte** hip measurement
**heupzwaai** hip sway
**heus** I *bnw* ❶ *echt* real, genuine, true ★ *een heuse edelsteen* a real gem ❷ *beleefd* courteous, polite II *bijw, echt* really, indeed ★ *ik bewonder hem, heus!* I do admire him, honest! ★ *is het heus?* really? ★ *maar niet heus!* yeah, right! ★ *ze koopt het heus wel* she is bound to buy it
**heuvel** hill
**heuvelachtig** hilly ★ *een ~ landschap* a hilly countryside
**heuvelland** the hills *mv*, hilly country
**hevel** siphon
**hevig** ❶ *intens* ⟨gevoelens⟩ intense, ⟨pijn⟩ severe ❷ *heftig* violent, vehement
**hiaat** gap
**hiel** heel ★ *zodra ik mijn hielen licht* as soon as I turn my back ★ *hij zat mij dicht op de hielen* he was hard / hot on my heels
**hielenlikker** bootlicker, groveller, creep
**hielprik** med heel prick, PKU test
**hier** I *bijw, op deze plaats* here ★ *hier te lande in* this country, over here ★ *hier staat dat...* here it says... ★ *ergens hier in de buurt* somewhere around here II *tw, alsjeblieft* here you are
**hieraan** to / at / on / by / from this ★ ~ *valt niet te twijfelen* there's no doubt about it ★ ~ *valt niets te doen* there is nothing to be done about this
**hierachter** ⟨m.b.t. plaats⟩ behind (this), ⟨m.b.t. tijd⟩ after this
**hiërarchie** hierarchy
**hiërarchisch** hierarchical
**hierbij** with this, <u>form</u> hereby, <u>form</u> herewith ★ *wij zullen het ~ laten* we'll leave it at this ★ *u gelieve ~ aan te treffen* please find enclosed ★ ~ *komt nog* in addition (to this) ★ ~ *zend ik u* I enclose ★ ~ *deel ik u mede* this is to inform / tell you ★ ~ *verklaar ik* I hereby declare ★ ~ *komt nog dat* in addition (to this)
**hierbinnen** in here, inside
**hierboven** up here, ⟨in tekst⟩ above ★ *zie* ~ see above ★ *zij woont* ~ she lives upstairs
**hierbuiten** outside
**hierdoor** ❶ *door deze oorzaak* owing to this, because of this ❷ *hier doorheen* through here /

this
**hierheen** here, this way ★ *onderweg* ~ on the way here
**hierin** ❶ *in deze plaats* ⟨plaats⟩ in here ❷ *wat dit betreft* in this, <u>form</u> herein
**hierlangs** along here
**hiermee** with this, ⟨in brief⟩ herewith
**hierna** ⟨m.b.t. tijd⟩ after this, ⟨m.b.t. plaats⟩ below, ⟨m.b.t. tijd⟩ <u>form</u> hereafter
**hiernaast** alongside, ⟨buren⟩ next door ★ ~ *zijn ze niet thuis* our next-door neighbours are not in
**hiernamaals** hereafter
**hiëroglief** hieroglyph(ic)
**hierom** ❶ *om deze reden* for this reason, because of this ❷ *hier omheen* around this
**hieromheen** around this
**hieromtrent** *hierover* about this
**hieronder** ❶ *onder het genoemde* by this ★ ~ *versta ik* by this I understand ❷ *onder deze plaats* under here, below ★ ~ *is de garage* under here / below is the garage ❸ *verderop* below ❹ *erbij zijnd* among these
**hierop** ❶ *bovenop dit* (up)on this ★ *de hele zaak komt* ~ *neer dat...* the whole thing boils down to this, that... ❷ *hierna* upon this, <u>form</u> hereupon
**hierover** ❶ *hier overheen* over this ❷ *omtrent* about this
**hiertegen** against this
**hiertegenover** ❶ *tegenover deze plaats* opposite ❷ *tegenover deze zaak* against this
**hiertoe** *tot dit doel* for this purpose
**hiertussen** between these, ⟨hieronder⟩ among them / these
**hieruit** ❶ *uit deze plaats* out of here ★ *van* ~ *gezien* seen from here ❷ *uit het genoemde* from this ★ ~ *volgt dat* from this it follows that
**hiervan** of this ★ ~ *ben echt ik geschrokken* this really scared me
**hiervandaan** from here
**hiervoor** ❶ *in ruil voor* (in return) for this ❷ *vóór het genoemde* ⟨m.b.t. tijd⟩ before this, ⟨m.b.t. plaats⟩ in front of this ❸ *hiertoe* for this purpose, to this end
**hifi** hi-fi
**hifi-installatie** hi-fi equipment, hi-fi set
**hifitoren** hi-fi tower
**high** high
**high society** high society
**hightech** I *zn* [de] high technology II *bnw* high-tech, hi-tech
**hij** I *zn* [de] he ★ *het is een hij* it's a he II *pers vnw* he ★ *hij is het* it's him
**hijgen** pant, gasp for breath
**hijger** heavy breather ★ *een ~ aan de lijn krijgen* have an obscene phone call
**hijs** ❶ *het hijsen* hoisting ❷ *zware taak* ▼ *het is een hele hijs* it's quite a job
**hijsblok** pulley block
**hijsen** ❶ *omhoog trekken* hoist, ⟨vlag⟩ hoist, ⟨vlag⟩ run up ❷ *stevig drinken* booze
**hijskraan** (hoisting) crane
**hijzelf** he himself, himself ★ ~ *zal het moeten doen* he himself will have to do it ★ *iem. anders dan* ~ sb other than himself
**hik** hiccup ★ *de hik hebben* have the hiccups
**hikken** hiccup ▼ *tegen iets aan* ~ not look forward

**hi**

to, shrink from
**hilarisch** hilarious
**hilariteit** hilarity
**Himalaja** the Himalayas
**hinde** hind, doe
**hinder** nuisance, bother, impediment ★ *ik heb er geen ~ van* it doesn't bother me
**hinderen ❶** *belemmeren* hinder, hamper ★ *hinder ik?* am I in the way? ❷ *dwarszitten* annoy, bother
**hinderlaag** ambush ★ *in een ~ liggen* lie in ambush ★ *iem. in een ~ lokken* ambush sb
**hinderlijk ❶** *belemmerend* inconvenient ❷ *storend* troublesome, disturbing
**hindernis** lett obstacle, hindrance ★ *wedren met ~sen* obstacle race, steeplechase ★ *een ~ wegnemen* remove an obstacle
**hindernisbaan** obstacle course, steeple chase course, mil assault course
**hindernisloop** obstacle race
**hinderpaal** obstacle
**Hinderwet** ≈ nuisance act
**hindoe** rel Hindu
**hindoeïsme** Hinduism
**hinkelen** hop, ⟨spel⟩ play hopscotch
**hinken ❶** *mank gaan* limp, walk with a limp ★ *op twee gedachten ~* halt between two opinions ❷ *hinkelen* hop
**hinkepoot** hobbler
**hink-stap-sprong** sport hop, step and jump
**hinniken** neigh, whinny
**hint** hint, clue ★ *iem. een hint geven* tip sb off, drop a hint
**hip** hip
**hiphop** hip hop
**hippen** hop
**hippie** hippy, hippie
**historicus** historian, student of history
**historie** *geschiedenis* history
**historieschilder** historical painter
**historisch** historical ★ *~e roman* historical novel
**hit ❶** *succesvol nummer* hit ❷ *treffer op internet* hit ❸ *paard* pony, cob
**Hitlergroet** Hitler / Nazi salute
**hitlijst** hit parade
**hitparade** hit parade, charts *mv* ★ *hoog in de ~* high up in the charts
**hitsig ❶** *driftig* hot-blooded ❷ *geil* randy, ⟨dieren⟩ hot
**hitte** *hete warmte* heat
**hitteberoerte** heatstroke
**hittebestendig** heat-resistant, ⟨moeilijk smeltbaar⟩ refractory
**hittegolf** heat wave
**hitteschild** heat shield
**hiv** *human immunodeficiency virus* HIV, human immunodeficiency virus
**ho** ho, stop, ⟨tegen paard⟩ whoa!
**hoax** comp hoax
**hobbel ❶** *oneffenheid* bump ❷ fig *obstakel* glitch
**hobbelen** bump, ⟨op hobbelpaard e.d.⟩ rock
**hobbelig** rough, bumpy
**hobbelpaard** rocking-horse
**hobbezak ❶** *kledingstuk* sack ❷ *persoon* dowdy, frump
**hobby** hobby
**hobo** oboe

**hoboïst** oboist
**hockey** hockey
**hockeyen** play hockey, USA play field hockey
**hockeyer** sport hockey player
**hockeystick** hockey stick
**hocus pocus I** *zn* [de] hocus-pocus, abracadabra **II** *tw* hey presto!
**hoe I** *bijw* ❶ *op welke wijze* how ★ *hoe heet je?* what's your name? ★ *hoe dan ook* anyway, in any case, anyhow ★ *ik wil weten hoe of wat* I want to know where I am / stand ★ *hoe het ook zij* however the case may be, in any case ❷ *in welke mate* how ❸ *als voegwoord* how ★ *zij vertelde hoe...* she told how... ★ *hoe eerder hoe beter* sooner the better ★ *hoe langer hoe erger* worse and worse ★ *hoe langer je wacht, hoe...* the longer you wait, the... **II** *zn* [het] ★ *het hoe en wat* all the details ★ *het hoe en waarom van iets* the how and why of sth
**hoed** hat, bonnet ★ *hoge hoed* top hat, inform topper ★ *zijn hoed afnemen voor* raise one's hat to, tip one's hat, take off one's hat to ★ *met de hoed in de hand, komt men door het ganse land* cap in hand will take you through the land
**hoedanigheid ❶** *aard* quality ❷ *functie* ★ *ik spreek in de ~ van* I speak in the capacity of, I speak with the authority of
**hoede** care ★ *iets aan iemands ~ toevertrouwen* commit / entrust sth to sb's care ★ *iem. onder zijn ~ nemen* take care / charge of sb ▼ *op zijn ~ zijn* be on the alert ▼ *op z'n ~ zijn voor* be on one's guard against, inform watch out for
**hoeden I** *ov ww* tend, keep watch over **II** *wkd ww* ⟨zich ~⟩ guard (**voor** against), beware (**voor** of) ★ *hoedt u voor overhaaste conclusies* beware of jumping to conclusions
**hoedenplank** hat rack, ⟨in auto⟩ parcel board
**hoef** hoof
**hoefdier** hoofed animal, ungulate
**hoefgetrappel** trampling of hoofs
**hoefijzer** horseshoe
**hoefsmid** farrier, blacksmith, ⟨voor renpaarden⟩ plater
**hoegenaamd ❶** *volstrekt* at all ★ *~ niet* not at all ★ *~ niets* absolutely nothing ★ *~ geen pijn* no pain at all ★ *daar is ~ niets van waar* it's completely untrue ❷ *nauwelijks* hardly, scarcely ★ *~ niemand* hardly anybody
**hoek ❶** *ruimte* ⟨van vertrek, straat⟩ corner ★ *uit welke hoek* from what quarter? ★ *iem. in de hoek drijven*, BN *iem. in de hoek drummen* corner sb ★ *in alle hoeken en gaten* in every nook and cranny ★ *verstandig uit de hoek komen* be sensible ❷ *kant of punt* side ★ *op de hoek* at / on the corner ★ fig *het hoekje omgaan* kick the bucket ❸ wisk *angle* ★ *dode hoek* blind angle ★ *met / onder een hoek van 90°* at an angle of 90 degrees ❹ *hoekstoot* hook
**hoekhuis** corner house, house on the corner
**hoekig ❶** *met hoeken* angular ❷ *stuntelig* awkward
**hoekpunt** angular point
**hoekschop** corner kick
**hoeksteen ❶** *steen op de hoek* cornerstone ❷ fig *fundament* foundation ★ *~ van de samenleving* mainstay of society

**hoektand** canine tooth *mv: teeth*
**hoekwoning** ⟨v. straat⟩ corner house, ⟨v. rij⟩ end house
**hoelang** how long
**hoen** hen, fowl ★ *zo fris als een hoentje* as fresh as a daisy
**hoenderhok** chicken coop
**hoepel** hoop
**hoepelen** play with / trundle a hoop
**hoepelrok** hoop-skirt, crinoline
**hoepla** (wh)oops(-a-daisy)
**hoer** whore, USA hooker
**hoera** hurrah ★ *drie ~'s voor* three cheers for
**hoerenbuurt** red-light district
**hoerenjong** ❶ *onvolledige regel* widow ❷ *onwettig kind* son of a bitch, bastard
**hoerenloper** whore-hopper
**hoerenmadam** madam
**hoerig** tarty ★ *~e laarzen* tarty boots
**hoes** cover, ⟨boek⟩ slip cover, ⟨boek⟩ book jacket, ⟨grammofoonplaat⟩ sleeve, ⟨grammofoonplaat⟩ ⟨record⟩ cover, ⟨grammofoonplaat⟩ ⟨record⟩ jacket, ⟨kussen⟩ pillowcase, ⟨meubels⟩ slipcover, ⟨meubels⟩ dust cover / sheet
**hoeslaken** fitted sheet
**hoest** cough
**hoestbui** coughing fit
**hoestdrank** cough syrup / medicine
**hoesten** cough
**hoestpastille** cough sweet / drop
**hoeve** farm, farmstead
**hoeveel** how much / many
**hoeveelheid** quantity, amount
**hoeveelste** ★ *de ~ is het vandaag?* what is today's date? ★ *de ~ keer is dit?* how many times does this make? ★ *het ~ deel van een liter is dat?* what part of a liter is that?
**hoeven** I *ov ww, moeten* ★ *ik hoef niet te gaan* I don't have to go ★ *dat had je niet ~ doen* there was no need for you to do that, you shouldn't have done that II *on ww, nodig zijn* need, be necessary ★ *voor mij hoeft het niet* I don't care, I couldn't care less
**hoeverre** ▾ *in ~* to what extent
**hoewel** although, though
**hoezeer** however much, as much as
**hoezo** in what way / respect?, what do you mean? ★ *~ moeilijk?* what do you mean, difficult?
**hof** I *zn [het]* ❶ *rond vorst* court ★ *aan het hof* at court ▾ *iem. het hof maken* court sb, ❷ *jur gerechtshof* court ★ *Hof van Justitie* court of justice, court of law ★ BN *Hof van appel / beroep* court of appeal ★ BN *Hof van assisen* ≈ Crown court, USA ≈ district court ★ BN *Hof van Cassatie* court of cassation II *zn [de]*, *tuin* garden
**hofdame** lady-in-waiting
**hoffelijk** courteous
**hoffelijkheid** courtesy
**hofhouding** royal household
**hofje** *groep woningen* ≈ almshouses *mv*
**hofleverancier** purveyor to the Royal Household
**hofmeester** steward, stewardess
**hofnar** court jester
**hoge** ❶ *duikplank* high (diving) board ❷ *persoon* highly-placed person

**hogedrukgebied** high-pressure area / zone, anticyclone, *inform* (a) high
**hogedrukpan** pressure cooker
**hogedrukreiniger** high-pressure washer
**hogedrukspuit** high-pressure jet, ⟨verf⟩ spray gun
**hogepriester** high priest
**hoger** higher
**hogerhand** ▾ *van ~* by the powers that be, from above
**Hogerhuis** Upper House, GB House of Lords, USA Senate
**hogerop** ❶ *hoger* higher up ★ *~ willen* want to get on, seek promotion ❷ *bij een hogere instantie* ★ *het ~ zoeken* submit a case to a higher authority, appeal to a higher court
**hogeschool** *onderw* college, academy
**hogesnelheidslijn** high-speed raillink
**hogesnelheidstrein** high-speed train
**hoi** ❶ *hallo* hi, hello, USA howdy ❷ *hoera* whoopee, yee ha, hurray
**hok** ❶ *bergplaats* shed ❷ *krot / hol* den ❸ *dierenhok* ⟨duiven⟩ dove cot(e), ⟨duiven⟩ pigeon house, ⟨hond⟩ dog kennel, ⟨konijn⟩ rabbit hutch, ⟨schaap⟩ sheepfold, ⟨varken⟩ pigsty
**hokje** ❶ *vakje* compartment, ⟨op formulier⟩ box ★ *een ~ aankruisen* tick off a box ❷ *klein hok* cabin, ⟨van schildwacht⟩ sentry box, ⟨kleedhokje⟩ cubicle ★ *iem. in een ~ stoppen* pigeon-hole sb
**hokjesgeest** parochialism, narrow- / petty-mindedness
**hokken** *samenwonen form* live together, shack up (with) ★ *zij ~ bij elkaar* they huddle together ★ *zij ~ al drie jaar* they've been shacking up together for three years
**hol** I *zn [het]* ❶ *schuilplaats* den, haunt ❷ *verblijf van dier* ⟨van konijn⟩ burrow, ⟨van vos⟩ hole, ⟨van vos⟩ earth, ⟨van wild dier⟩ den, ⟨van wild dier⟩ lair ★ *zich in het hol van de leeuw wagen* beard the lion in his den, take an enormous risk / chance ❸ *grot* cave, cavern II *znw* ★ *op hol slaan* run away / amuck, bolt, stampede ★ *zijn verbeelding sloeg op hol* his imagination ran wild III *bnw* ❶ *leeg* hollow, ⟨maag⟩ empty ❷ *niet bol* concave ★ *holle weg* sunken road ❸ *leeg klinkend* hollow ▾ *in het holst van de nacht* in the dead of (the) night
**holbewoner** *mens* cave-dweller
**holding** holding company
**hold-up** BN robbery, hold-up
**holebi** BN *homoseksueel, lesbisch of biseksueel* holebi
**Holland** ❶ *de provincies* Holland ❷ *Nederland* the Netherlands *mv*, Holland
**Hollander** Dutchman ★ *de Vliegende ~* the Flying Dutchman
**Hollands** Dutch
**Hollandse** Dutchwoman, Dutch girl
**hollen** *rennen* run ★ *het is met hem ~ of stilstaan* he always runs to extremes, with him it's always all or nothing
**holletje** → **hol** ▾ *op een ~* at a run / gallop
**holocaust** Holocaust
**hologram** hologram
**holrond** concave
**holster** holster

**ho**

ho

**holte** ❶ *holle ruimte* cavity, ⟨van de hand⟩ hollow ❷ *uitholling* hollow
**hom** milt, soft roe
**home** BN *tehuis* home
**homeopaat** homeopath(ist)
**homeopathie** homeopathy
**homeopathisch** homeopathic
**homepage** comp home page
**homerun** home run
**hometrainer** ⟨fiets⟩ exercise bicycle, ⟨roeien⟩ rowing machine
**hommage** homage
**hommel** bumblebee
**hommeles** ★ *dat wordt* ~ there will be a row
**homo** *homoseksueel* homo, homosexual, gay
**homobar** gay bar
**homobeweging** gay movement
**homo-erotisch** homoerotic
**homofiel** homosexual, gay
**homofilie** homosexuality
**homofoob** homophobic
**homogeen** homogeneous
**homohaat** homophobia
**homohuwelijk** gay / homo marriage
**homoscene** gay scene
**homoseksualiteit** homosexuality
**homoseksueel** homosexual, gay
**homp** lump, chunk, hunk
**hond** *dier* dog ★ *de hond uitlaten* take the dog for a walk ★ *pas op voor de hond* beware of (the) dog ★ *blaffende honden bijten niet* barking dogs don't bite ★ *bekend staan als de bonte hond* have a bad reputation ★ *de gebeten hond zijn* always get the blame, be always blamed ★ *je moet geen slapende honden wakker maken* let sleeping dogs lie ★ *de hond in de pot vinden* go without your dinner ★ *daar lusten de honden geen brood van* it's disgusting ★ *een hond wil slaan, vindt altijd wel een stok* any stick will do to beat a dog ★ *als twee honden vechten om een been, loopt de derde ermee heen* two dogs fight for a bone, and a third runs away with it ★ *of je van de hond of van de kat gebeten wordt, is hetzelfde* it is six of one and half a dozen of the other ★ *commandeer je hondje (en blaf zelf)!* I'm not your slave! ★ *zo ziek als een hond zijn* be as sick as a dog ★ *zo moe als een hond zijn* be dog-tired
**hondenasiel** dog's home, USA dog pound
**hondenbaan** lousy / rotten / awful job
**hondenbelasting** dog licence fee, USA dog tax
**hondenbrokken** dry dog food
**hondenhok** doghouse
**hondenleven** dog's life ★ *hij had een* ~ *bij haar* she treated him like a dog / dirt
**hondenpenning** *belastingplaatje* dog license disc
**hondenpoep** dog poo, dog mess
**hondentrimmer** canine beautician
**hondenweer** beastly weather
**honderd I** *telw* a / one hundred ★ BN *vijf ten* ~ ⟨5 procent⟩ five per cent, USA five percent **II** *zn* [het] ★ *alles loopt in het* ~ things are going all wrong ★ *alles is in het* ~ *gelopen* things are all at sixes and sevens
**honderdduizend** a / one hundred thousand
**honderdduizendste** ❶ one / the hundred thousandth ❷ → **vierde**

**honderdeneen** ❶ a hundred and one ❷ → **vier**
**honderdje** hundred-euro note
**honderdste** ❶ hundredth ★ *een* ~ *(deel)* a / one hundredth (part) ❷ → **vierde**
**honderduit** ▼ ~ *praten* talk nineteen to the dozen
**honds** rude, churlish, surly
**hondsberoerd** sick as a dog
**hondsbrutaal** brazen, bold as brass
**hondsdagen** dogdays *mv*
**hondsdolheid** med rabies, ⟨voornamelijk bij mens⟩ hydrophobia
**hondsdraf** groundivy
**hondsmoe** dog-tired
**Honduras** Honduras
**Hondurees** Honduran
**honen** gibe / jeer at
**honend** jeering, derisive, scornful
**Hongaar** Hungarian
**Hongaars I** *bnw, m.b.t. Hongarije* Hungarian **II** *zn* [het], *taal* Hungarian
**Hongaarse** Hungarian (woman / girl)
**Hongarije** Hungary
**honger** ❶ *behoefte aan eten* hunger ★ ~ *hebben* be hungry ★ ~ *krijgen* get hungry ★ ~ *lijden* starve, go hungry ★ *van* ~ *doen omkomen* starve to death ★ *ik rammel van* ~ I'm starving ★ *sterven van* ~ starve to death ★ ~ *maakt rauwe bonen zoet* hunger is the best sauce ❷ *begeerte* lust ★ BN *op zijn* ~ *blijven* be dissatisfied
**hongerdood** death from starvation ★ *de* ~ *sterven* die of starvation
**hongeren** ❶ *honger lijden* starve ❷ *verlangen* be hungry (**naar** for)
**hongerig** ❶ *honger hebbend* hungry, (sterker) starving ❷ *begerig* hungry, eager
**hongerklop** hunger pang
**hongerlijder** ❶ *armoedzaaier* somebody on the breadline ❷ *iem. die honger lijdt* starveling
**hongerloon** starvation wages *mv* ★ *laten werken voor een* ~ exploit, run a sweat-shop
**hongeroedeem** hunger oedema
**hongersnood** famine
**hongerstaking** hunger strike ★ *in* ~ *gaan* go on a hunger-strike
**hongerwinter** hunger winter
**Hongkong** Hong Kong
**Hongkongs** Hong Kong
**honing** honey ★ *iem.* ~ *om de mond smeren* butter sb up
**honingraat** honey comb
**honingzoet** ❶ *zeer zoet* as sweet as honey ❷ *vleierig* honeyed, mellifluous ★ *op* ~*e toon* in a honeyed voice, mellifluously
**honk** ❶ *thuis* home ❷ *sport* base
**honkbal** baseball
**honkbalknuppel** baseball bat
**honkballen** play baseball, inform play ball
**honkvast** stay-at-home
**honnepon** sweetheart
**honneurs** *eerbewijzen* honours *mv* ★ *de* ~ *waarnemen* do the honours
**honorair** honorary
**honorarium** fee
**honoreren** ❶ *belonen* pay, remunerate ❷ *gestand doen* honour ★ *een verzoek* ~ honour a request
**hoofd** ❶ *lichaamsdeel* head ★ *het* ~ *stoten* knock

one's head (against), meet with a rebuff ★ *al ga je op je ~ staan* whatever you may say or do ★ *een ~ groter* a head taller ★ *ben je wel goed bij je ~?* are you crazy, or what? ★ *hij is niet goed bij het ~* he is not all there, he's out of his mind ★ *het schoot mij door het ~* it crossed my mind ★ *iets uit het ~ citeren* quote sth from memory ★ *dat zal hij wel uit zijn* he knows better than that ★ *iets uit het ~ leren* learn sth by heart ★ *sommen uit het ~ maken* do sums in one's head ★ *iem. iets uit het ~ praten* talk sb out of sth ★ *uit het ~ rekenen* do mental arithmetic ★ *zich het ~ breken over iets* cudgel / rack one's brains about sth, trouble one's head about sth ★ *iem het ~ stijgen* go to your head ★ *iem. een beschuldiging naar het ~ gooien* level an accusation at sb ★ *over het ~ zien* overlook ★ *uit ~e van* on account of ★ *uit dien ~e* for that reason ★ *iem. voor het ~ stoten* rebuff, offend sb ★ *iem. het ~ op hol brengen* turn sb's head ★ *er een zwaar ~ in hebben* take a dim view of the matter ★ *het ~ laten hangen* hang one's head ★ *zij staken de ~en bij elkaar* they put their heads together ★ *het ~ bieden aan* face, brave, resist ★ *mijn ~ staat er niet naar* I am not in the mood for it ★ *het ~ buigen* yield ★ *hij heeft een hard ~* he is hard-headed ★ *ik heb er een hard ~ in* I have my doubts about it ★ *mijn ~ loopt om* my head is reeling ★ *het ~ boven water houden* keep one's head above water ★ *met het ~ in de wolken lopen* walk around with one's head in the clouds ❷ *bestuurder* (van groep, partij) chief, (van school) headmaster ❸ *persoon* ★ *per ~* per head ★ *zoveel ~en, zoveel zinnen* so many men so many minds ❹ *voorste / bovenste gedeelte* (bovenste) top, (voorste) front, (van troep) head, (briefhoofd) heading

**hoofdagent** *politieagent* senior police officer
**hoofdartikel** *redactioneel stuk* leading article, leader, editorial
**hoofdberoep** chief / main occupation
**hoofdbestuur** (instelling) general / executive committee, (van bedrijf) board of directors
**hoofdbewoner** principal occupant
**hoofdbrekens** ▾ *het kost me veel* ~ it causes me a good deal of worry
**hoofdbureau** head office, (van politie) police headquarters *ev en mv*
**hoofdcommissaris** (chief) commissioner (of police)
**hoofdconducteur** chief conductor
**hoofddeksel** headgear
**hoofddocent** (universiteit) senior lecturer, (school) department / subject head
**hoofddoek** headscarf, kerchief, shawl
**hoofdeinde** head
**hoofdelijk** ★ ~ *stemmen* vote by call ★ ~*e stemming* roll-call vote
**hoofdfilm** feature film
**hoofdgebouw** main building
**hoofdgerecht** cul main course
**hoofdhaar** hair (of the head)
**hoofdhuid** scalp
**hoofdingang** main entrance
**hoofdinspecteur** chief inspector
**hoofdkantoor** head office, headquarters *ev en mv*

**hoofdkraan** main cock / faucet ★ *de ~ dichtdraaien* turn off the main
**hoofdkussen** pillow
**hoofdkwartier** *verblijf van de legerleiding* headquarters *ev en mv*
**hoofdleiding** main
**hoofdletter** capital (letter)
**hoofdlijn** outline(s), main lines *mv* ★ *iets in ~en geven* outline sth
**hoofdmacht** main force
**hoofdmoot** principal part
**hoofdofficier** field officer
**hoofdpersoon** principal person, (in boek, toneelstuk) leading character
**hoofdpijn** headache ★ *barstende ~* splitting headache ★ *schele ~* migraine
**hoofdprijs** first prize
**hoofdredacteur** editor-in-chief
**hoofdrekenen** mental arithmetic
**hoofdrol** leading part ★ *de ~ spelen* play the leading part, be the leading man / lady
**hoofdrolspeler** leading man / actor, male lead
**hoofdschotel** ❶ cul *voornaamste gerecht* main course ❷ *het belangrijkste* the main item
**hoofdschudden** shake one's head
**hoofdschuddend** with a shake of the head, shaking one's head
**hoofdstad** capital, (van provincie) provincial capital
**hoofdstedelijk** metropolitan
**hoofdstel** bridle ★ *een paard het ~ omdoen* bridle a horse
**hoofdsteun** head rest, (auto) head restraint
**hoofdstraat** main street
**hoofdstuk** chapter
**hoofdtelefoon** headphone
**hoofdtelwoord** cardinal number
**hoofdvak** main subject, major
**hoofdweg** main road, USA highway
**hoofdwond** head wound
**hoofdzaak** main point / issue ★ *in ~* in the main
**hoofdzakelijk** chiefly, mainly
**hoofdzin** main / principal clause
**hoofs** courtly
**hoog I** *bnw* ❶ *plaats / getal* high, (stem) high(-pitched), (boom, gebouw) tall, (boom, ideaal) *form* lofty ★ *muz de hoge c* the upper C ★ *ik woon twee hoog GB* I live on the second floor USA I live on the first floor ★ *zij woont twee hoog* she lives on the second floor, USA she lives on the first floor ★ *bij hoog en laag zweren* swear by all that is holy ❷ *aanzienlijk* (kosten) high, (leeftijd) advanced, (leeftijd) old ★ *Hoge Raad* Supreme Court of Judicature ★ *zich niet te hoog achten om te werken* not be above working **II** *bijw* ❶ *plaats / getal* ★ *hoog staan* be high ★ *of je hoog of laag springt* whether you like it or not ★ *hoog en droog zitten* be high and dry, be out of harm's way ★ *dat zit mij hoog* that sticks in my throat, that's on my mind ❷ *aanzienlijk* ★ *hoog grijpen* aim high ★ *dat gaat mij te hoog* that is beyond me
**hoogachten** esteem highly
**hoogachtend** *form* sincerely / respectfully / faithfully yours, yours sincerely / respectfully / faithfully

**ho**

**ho**

**hoogachting** esteem, respect
**hoogbegaafd** highly gifted
**hoogbejaard** aged
**hoogblond** light blonde, very fair, golden
**hoogbouw** high-rise buildings / flats *mv*
**hoogconjunctuur** (period of) boom
**hoogdravend** high-flown, pompous, *inform* highfalutin
**hoogdringend** BN urgent
**hooggeacht** ★ *~e heer* (Dear) Sir
**hooggebergte** high mountains *mv*
**hooggeëerd** highly honoured ★ *~ publiek!* Ladies and Gentlemen!
**hooggeleerd** ★ *de ~e heer A.* Professor A.
**hooggeplaatst** high(-up), highly placed
**hooggerechtshof** jur High Court (of Justice), Supreme Court
**hooggespannen** high strung ★ *~ verwachtingen* high hopes
**hooggewaardeerd** highly valued
**hoogglanslak** gloss paint
**hooghartig** haughty
**hoogheemraadschap** ≈ river / catchment board
**hoogheid** *titel* highness ★ *Uwe Hoogheid* Your Highness
**hooghouden** *in ere houden* uphold
**hoogland** highland ★ *het Schotse ~* the Highlands *mv*
**hoogleraar** professor
**Hooglied** Song of Songs
**hooglijk** highly, greatly
**hooglopend** ★ *een ~e ruzie* violent quarrel, flaming row
**hoogmis** high mass
**hoogmoed** pride, haughtiness ▼ *~ komt voor de val* pride will have a fall
**hoogmoedig** haughty, proud
**hoogmoedswaanzin** megalomania
**hoognodig** I *bnw* highly necessary ★ *alleen het ~e doen* do only what is absolutely necessary II *bijw* ★ *~ hersteld moeten worden* be in urgent need of repair
**hoogoplopend** high-rising ★ *~e ruzie* blazing row ★ *~e prijzen* escalating costs
**hoogoven** blast furnace
**hoogrendementsketel** high efficiency boiler
**hoogschatten** value highly
**hoogseizoen** high season
**hoogslaper** raised bed
**hoogspanning** high tension ★ *voorzichtig!* *~!* caution! high tension / voltage! ★ *onder ~ staan* be under great stress
**hoogspanningskabel** elek high tension cable, power line
**hoogspanningsmast** electricity pylon
**hoogspringen** high jumping
**hoogst** I *bijw, in hoge mate* highly, greatly, extremely ★ *~ onwaarschijnlijk* highly improbable II *zn* [het] highest, top ★ *op z'n ~ tien* ten at most ★ *op het ~* at its height ★ *ten ~e* at (the) most ★ *een boete van ten ~e...* a fine up to...
**hoogstaand** high-principled
**hoogstandje** tour de force
**hoogsteigen** ★ *in ~ persoon* in person, him- / herself

**hoogstens** at most, at the utmost
**hoogstpersoonlijk** in person, self, personally
**hoogstwaarschijnlijk** I *bnw* most likely / probable II *bijw* most likely / probably, in all probability
**hoogte** ❶ *peil, niveau* height, level ★ *in de ~ bouwen* build upward(s) ★ *in de ~ gaan* rise ★ *een hand in de ~ steken* put up a hand ★ *op dezelfde ~ blijven* remain stationary ★ *op gelijke ~ staan met* be on the same level as, rank with ★ *op de ~ blijven* keep abreast of, keep o.s. informed ★ *iem. op de ~ brengen van iets* inform / post sb about sth ★ *iem. op de ~ houden* keep sb informed / posted ★ *goed op de ~ zijn van iets* be well-informed on sth, be well-posted on sth, be knowledgeable about sth ★ *niet op de ~ van* out of touch with ★ *iem. uit de ~ behandelen* treat sb haughtily ★ *erg uit de ~ zijn / doen* be very supercilious, act with a superior air ★ *uit de ~ op iem. neerzien* look down upon sb. ★ *ik kan er geen ~ van krijgen* it beats me ★ *ik kan geen ~ van hem krijgen* I don't understand him ❷ *klank* pitch ❸ *verheffing* height, elevation
**hoogtelijn** ❶ wisk perpendicular ❷ aardk contour (line)
**hoogtepunt** *climax* climax, height, peak, ⟨ook seksueel⟩ climax ★ *het ~ bereiken* culminate, reach a climax, come to a head
**hoogteverschil** ⟨niveau⟩ difference in altitude, ⟨objecten enz.⟩ difference in height
**hoogtevrees** fear of heights
**hoogtezon** sun(ray) lamp ★ *~behandeling* sunray treatment
**hoogtij** ▼ *~ vieren* reign supreme, be rampant
**hooguit** at the (very) most, no more than ★ *het gesprek duurt ~ een uur* the interview takes an hour at the very most
**hoogverraad** high treason
**hoogvlakte** uplands *mv*, plateau
**hoogvlieger** high-flier ★ *hij is geen ~* he is no genius
**hoogwaardig** ❶ *van hoge waarde* high-grade, high-quality ❷ *zeer verheven* eminent ★ *het ~e Sacrament* the host
**hoogwaardigheidsbekleder** dignitary
**hoogwater** ❶ *vloed* high tide ❷ *hoge waterstand in rivier enz.* high water
**hoogwerker** tower waggon
**hoogzwanger** in advanced state of pregnancy
**hooi** hay ▼ *te hooi en te gras* once in a while, at odd moments ▼ *hij neemt te veel hooi op zijn vork* he bites off more than he can chew
**hooiberg** haystack
**hooien** make hay ★ *het ~* hay-making
**hooikoorts** hay fever
**hooimijt** haystack
**hooivork** pitchfork, hayfork
**hooiwagen** ❶ *kar* hay wagon / cart ❷ *spinachtig dier* daddy longlegs
**hooizolder** hayloft
**hooligan** hooligan
**hoon** scorn
**hoongelach** derisive laughter, jeers
**hoop** ❶ *verwachting* hope (of) ★ *op hoop van* in the hope of ★ *zijn hoop vestigen op* set one's hopes *mv* on ★ *tussen hoop en vrees leven* hover

between hope and fear ★ *goede hoop hebben* have good hopes ★ *veel / weinig hoop geven* hold out much / little hope ★ *dat sloeg onze hoop de bodem in* that shattered our hopes *mv* ★ *iets op hoop van zegen doen* trust to (one's) luck ❷ *stapel* heap, pile ★ *bij hopen* in heaps *mv*, by the score ★ *alles op één hoop gooien* lump everything together ❸ *grote hoeveelheid* lot of, great deal of, great many ★ *een hoop mensen* a crowd of people ★ *'n hele hoop geld / mensen* quite a lot of money / people ★ *te hoop lopen* gather in a crowd ★ BN *hoop en al* at (the) most ❹ *drol* muck, mess

**hoopgevend** hopeful

**hoopvol** hopeful

**hoor** I *zn* [het] ★ *hoor en wederhoor* the right to hear and be heard II *tw* ★ *nee hoor!* no way! ★ *niks hoor!* nothing doing! ★ *ja hoor!* oh yes!

**hoorapparaat** hearing aid

**hoorbaar** audible

**hoorcollege** (formal) lecture

**hoorn** I *zn* [de] ❶ *uitsteeksel aan kop* horn ❷ *blaasinstrument* horn, bugle ★ ~ *van overvloed* horn of plenty, cornucopia ❸ *van telefoon* receiver II *zn* [het] horn

**hoorndol** nuts, crazy, mad, crazy, nuts ★ *ik word er ~ van!* it's driving me mad / nuts / round the bend

**hoornen** horn

**hoornlaag** epidermis

**hoornvlies** cornea

**hoornvliesontsteking** keratitis, inflammation of the cornea

**hoorspel** radio play

**hoorzitting** hearing

**hoos** ❶ *wervelwind* whirlwind, ⟨boven water⟩ waterspout ❷ *laars* wader

**hoosbui** downpour

**hop** I *zn* [de] ❶ *vogel* hoopoe ❷ *plant* hop II *tw* come on, let's go

**hopelijk** hopefully ★ ~ *wel / niet* I hope so / not, hopefully it is / isn't

**hopeloos** *uitzichtloos* hopeless

**hopen** *wensen* hope ★ *laten we het ~* let's hope so ★ *ik hoop dat hij komt* hopefully he's coming ★ *op iets ~* hope for sth ★ *ik hoop van niet* I hope not ★ *ik hoop van wel* I hope so

**hopman** scouter

**hor** (insect) screen

**horde** ❶ *bende* horde ❷ sport hurdle ★ *de 100 meter ~n voor vrouwen* the women's 100 metre hurdles

**hordeloop** hurdles *mv*

**hordelopen** hurdling

**horeca** (hotel and) catering industry

**horen** I *ov ww* ❶ *met gehoor waarnemen* hear ★ *dat is hier niet te ~* that cannot be heard here ★ *hij hoorde lopen* he heard footsteps ★ *geluid laten ~* utter / emit sound ★ *moeilijk ~* be hard-of-hearing ★ ~ *en zien verging je* the noise was deafening ★ *~de doof zijn* pretend not to hear ❷ *vernemen* hear ★ *hoor eens!* listen!, look here! ★ *van ~ zeggen* by / from hearsay ★ *ik moet altijd maar ~ dat...* I am constantly told... ★ *te ~ krijgen* hear, be told ★ *ik kreeg te ~ dat...* I was given to understand that... ★ *hij heeft veel van*

*zich doen ~* he has made a great stir, he has made quite a name for himself ★ *laat eens wat van je ~* let us hear from you ★ *niets van zich laten ~* send no news of o.s. ★ *wie niet ~ wil, moet maar voelen* he that will not be counselled cannot be helped ❸ *verhoren* interrogate ★ *de getuige werd door de politie gehoord* the witness gave a statement to the police II *on ww, passen, behoorlijk zijn* should, ought to, belong ★ *die stoel hoort hier niet* that chair does not belong here ★ *voor wat hoort wat* one good turn deserves another III *znw* → **hoorn**

**horizon** aardk horizon

**horizontaal** horizontal

**hork** boor, oaf

**horkerig** boorish, oafish, loutish

**horloge** watch ★ *vier uur op mijn ~* four o' clock by my watch

**horlogebandje** watchband

**hormonaal** hormonal

**hormoon** hormone

**hormoonpreparaat** hormone preparation

**horoscoop** horoscope ★ *iemands ~ trekken* chart sb's horoscope

**horrelvoet** clubfoot

**horror** (spine) chiller, horror story, film, etc., ⟨video⟩ (video) nasty

**horrorfilm** horror film

**hort** jerk, jolt ▾ *met horten en stoten* joltingly, by fits and starts ▾ *de hort opgaan* go on a spree, be on the loose

**horten** jolt, jerk

**hortensia** hydrangea

**hortus botanicus** botanical garden

**horzel** horsefly, gadfly, ⟨wespachtige⟩ hornet

**hospes** landlord

**hospita** landlady

**hospitaal** hospital

**hospitant** student / practice teacher

**hospiteren** onderw do one's teaching practice

**hossen** *dansen* jig ★ *een ~de menigte* a dancing / frolicking crowd

**host** comp host

**hosten** comp host

**hostess** ❶ *gastvrouw* hostess ❷ *stewardess* stewardess

**hostie** host

**hot** I *bnw* ★ *hot issue / item* hot item II *bijw* ★ *van hot naar her* to and fro, back and forth

**hotdog** hot dog

**hotel** hotel

**hotelaccommodatie** hotel rooms / accommodation

**hoteldebotel** ❶ *verliefd* crazy, nuts ❷ *stapelgek* round the bend, nuts, crackers

**hotelgast** hotel guest

**hotelhouder** hotelier, hotel manager

**hôtelier** form → **hotelhouder**

**hotelkamer** hotel room

**hotelketen** chain of hotels

**hotel-restaurant** hotel with a public restaurant

**hotelschakelaar** two-way switch

**hotelschool** onderw hotel school ★ *hogere ~* hotel management school

**hotemetoot** bigwig

**hotline** hot line

**ho**

**hotpants** hot pants *mv*
**houdbaar** I *te bewaren* ★ *ten minste ~ tot...* best before... ❷ *verdedigbaar* tenable
**houdbaarheidsdatum** sell-by date ★ *uiterste ~* expiration date
**houden** I *ov ww* ❶ *vast-, tegenhouden* ⟨adem⟩ hold, hold ★ *hij was niet te ~ van woede* he was beside himself with rage ❷ *behouden* keep ❸ *erop na houden* keep ★ *duiven ~* keep pigeons ❹ *handhaven* keep ★ *zijn woord ~* keep one's word ❺ *in toestand laten blijven* ★ *houd je medelijden maar vóór je!* spare me your pity! ★ *een opmerking vóór zich ~* keep a remark to o.s. ★ *rechts ~* keep to the right ❻ *doen plaatsvinden* ★ *een vergadering ~* hold a meeting ★ *een toespraak ~* make / deliver a speech ❼ *uithouden* keep, maintain ★ *ik kon het niet tegen hem ~* I was no match for him ❽ ~ **aan** keep / adhere to ★ *zij hield hem aan zijn woord* she kept him to his word ★ *daar houd ik je aan* I'll hold you to that ★ *zich aan een belofte / de feiten ~* stick to a promise / the facts ❾ ~ **op** ★ *het erop ~ dat...* believe that... ❿ ~ **voor** ★ *ik houd hem voor een eerlijk man* I consider him (to be) an honest man ★ *ik hield hem voor...* I mistook him for... **II** *on ww* ❶ *niet stukgaan* ★ *het ijs houdt nog niet* the ice isn't thick enough yet ❷ ~ **van** *liefhebben* love ❸ ~ **van** *graag willen hebben* like, be fond of, ⟨sterk⟩ love **III** *wkd ww* [zich ~] ❶ *blijven* ★ *je hebt je kranig ge~* you behaved splendidly, you were splendid ★ *eerst eens kijken hoe hij zich houdt* let's wait and see how he shapes up / reacts ★ *ik kon me niet goed ~* I could not help laughing ★ *hou je goed!* keep up the good work!, keep it up! ★ *het weer hield zich goed* the weather remained clear / fair ★ *deze stof houdt zich goed* this fabric wears well ★ *zich ~ bij* stick to ★ *zich ver ~ van* keep away from ★ *zich goed ~* acquit o.s. well, control one's emotions, bear up (bravely), keep a straight face ❷ *schijn aannemen* pretend ★ *hij houdt zich maar zo* he is only pretending, it's only make-believe
**houder** ❶ *voorwerp om iets vast te houden* holder, container, holder ❷ *beheerder* keeper
**houdgreep** hold ★ *iem. in de ~ hebben / nemen* have / put sb in a hold
**houding** ❶ *lichaamshouding* bearing, posture ★ *een goede ~ hebben* have a good posture ★ *in de ~ gaan staan* come to attention ★ *in de ~ staan* stand at attention ❷ *gedragslijn* attitude, manner ★ *zich een ~ geven* strike an attitude, assume an air ★ *een afwachtende ~ aannemen* play a waiting game ★ *met zijn ~ verlegen zijn* feel embarrassed ★ *om zich 'n ~ te geven* to save one's face ★ *het is maar een ~ van hem* he is only posing ★ *een dreigende ~ aannemen* assume a threatening attitude / position
**houdoe** bye-bye
**house** house
**houseparty** house party
**housewarming** housewarming party
**hout** timber, wood ★ *hij is uit ander hout gesneden* he is cast from a different mould ★ *uit hetzelfde hout gesneden zijn* be cast in the same mould ★ *van dik hout zaagt men planken* he got a severe thrashing / beating ★ *alle hout is geen*

*timmerhout* every reed will not make a pipe ★ **BN** *niet meer weten van welk hout pijlen te maken* no longer know which way to turn, be at a complete loss
**houtblazer** *muz* wood player
**houtduif** wood pigeon
**houten** wooden
**houterig** I *bnw* wooden **II** *bijw* ★ *zich ~ gedragen* move woodenly / stiffly
**houtgravure** wood engraving, wood cut
**houthakken** tree felling, chopping wood
**houthakker** woodcutter, lumberjack
**houthandel** ❶ *winkel* timber yard, USA lumber yard ❷ *bedrijfstak* timber trade, wood industry, USA lumber trade
**houthoudend** containing wood ★ ~ *papier* woody paper
**houtje** ▾ *op een ~ moeten bijten* have difficulty keeping body and soul together
**houtje-touwtjejas** duffle-coat
**houtkap** ★ *illegale ~* illegal logging
**houtlijm** joiner's glue, glue for joining wood
**houtskool** charcoal
**houtskooltekening** charcoal drawing
**houtsnijwerk** wood carving
**houtsnip** *vogel* woodcock
**houtvester** forester
**houtvesterij** *toezicht* forestry
**houtvrij** wood-free
**houtwal** wooded bank
**houtwerk** ❶ *houten delen* woodwork, carpentry ❷ *constructie* timber construction
**houtwol** wood wool
**houtworm** woodworm
**houtzagerij** sawmill
**houvast** ❶ *lett steunpunt* hold, foothold, handhold ★ ~ *hebben aan* have hold on ❷ *fig* grip, hold ★ *geen ~ hebben* have nothing to go by
**houw** ❶ *slag* gash ❷ *snee* cut, gash
**houweel** pickaxe
**houwen** ❶ *hakken* hew, cut, slash ❷ *vormen* hew, carve
**houwitser** howitzer
**hoveling** courtier
**hovenier** gardener
**hovercraft** hovercraft
**hozen** I *ov ww* bail, bale **II** *onp ww* ★ *het hoost* it's pouring down
**hr-ketel** high efficiency boiler
**HTML** *Hypertext Markup Language* HTML
**Hudsonbaai** Bay of Hudson
**hufter** lout, clodhopper
**huichelaar** hypocrite
**huichelachtig** hypocritical
**huichelarij** hypocrisy
**huichelen** I *ov ww, veinzen* simulate, sham **II** *on ww, zich anders voordoen* dissemble, give a false impression
**huid** ❶ *vel* skin ★ *met huid en haar* hide and hair ★ *een dikke huid hebben* be insensitive, be thick-skinned ★ *iem. op zijn huid geven* give sb a sound hiding, tan a person's hide ★ *iem. de huid vol schelden* heap abuse on sb ❷ *pels* hide, ⟨kleine dieren⟩ skin ★ *zijn huid duur verkopen* sell one's life dearly ★ *de huid verkopen voor de beer geschoten is* count one's chickens before they

have hatched
**huidaandoening** skin disorder
**huidarts** dermatologist
**huidcrème** skin cream
**huidig** present(-day), at the present time ★ *tot op de ~e dag* to this (very) day, to the present day
**huidkanker** skin cancer
**huidmondje** stoma
**huidskleur, huidkleur** skin colour, ⟨gezicht⟩ complexion
**huidtransplantatie** skin grafting / transplant
**huiduitslag** rash, eczema
**huidverzorging** skin care
**huidziekte** skin disease
**huif** hood
**huifkar** covered waggon
**huig** uvula
**huilbui** fit of crying / weeping
**huilebalk** crybaby
**huilen** ❶ *wenen* cry ★ *het ~ stond me nader dan het lachen* I was on the verge of tears, I was close to tears ★ *het is om te ~* it's enough to make one cry ★ *in ~ uitbarsten* burst out crying ❷ *janken* howl ★ *~ met de wolven in het bos* when in Rome, do as the Romans do
**huilerig** *geneigd tot huilen* tearful
**huis** ❶ *woning* house ★ *huisje* cottage ★ *tweede huis* second home ★ *huis aan huis* from door to door ★ *aan huis bezorgen* deliver to the door ★ *bij iem. aan huis komen* be on visiting terms with sb ★ *in huis nemen* take in ★ *in huis zijn bij* live with ★ *geen melk meer in huis hebben* have run out of milk ★ *langs de huizen gaan* go from door to door ★ *naar huis gaan* go home ★ *ten huize van* at the house / home of ★ *het huis uitgaan* leave (the parental) home ★ *iem. het huis uitzetten* turn sb out of the house, jur evict sb (from his house) ★ *huizen gaan kijken* go house-hunting ★ *huis van bewaring* house of detention ★ *het Witte Huis* the White House ★ *heilig huisje* sacred cow ★ *open huis houden* have an open day, USA have an open house ★ *uitverkocht huis* full house ★ *huis en haard* hearth and home ★ *heel wat in huis hebben* have a lot going for yourself ★ *het is niet om over naar huis te schrijven* it's nothing to write home about ★ *nog verder van huis zijn* be even worse off ★ *van huis uit* originally ★ *er is geen huis met hem te houden* he's impossible ★ BN *daar komt niets van in huis* they'll never pull that one off ❷ *geslacht house* ★ *van goeden huize* of a good family ★ *het Koninklijk huis* the Royal House(hold) ❸ *handelshuis* house ★ BN *huis van vertrouwen* old established firm
**huis-aan-huisblad** free local paper
**huisadres** private adress
**huisapotheek** medicine chest
**huisarrest** house arrest
**huisarts** family doctor, general practitioner, GP
**huisbaas** landlord
**huisbezoek** house call ★ *een ~ afleggen* make a house visit / call
**huisdeur** front door
**huisdier** ⟨kat, hond, e.d.⟩ pet, ⟨op boerderij, e.d.⟩ domestic animal
**huiseigenaar** *bezitter* house-owner
**huiselijk** ❶ *het huis betreffend* ★ *~ leven*

domestic / home life ★ *~e omstandigheden* domestic circumstances ★ *de ~e haard* the fireside ★ *in de ~e kring* in the family circle ❷ *graag thuis zijnd* ★ *een ~e man* a home-loving / family man ❸ *gezellig* ★ *een ~e sfeer* homelike / homey feeling
**huisgenoot** *medebewoner* housemate, flatmate
**huisgezin** family, household
**huishoudbeurs** home exhibition
**huishoudboekje** housekeeping book
**huishoudelijk** ❶ *het huishouden betreffend* domestic ★ *~e artikelen* household goods ❷ *dagelijkse zaken betreffend* domestic
**huishouden I** *zn* [het] ❶ *huishouding* housekeeping, management ★ *het ~ doen* keep house ❷ *gezin* family, household ★ *een ~ opzetten* set up house **II** *on ww* ❶ *de huishouding doen* keep house ❷ *tekeergaan* carry on
**huishoudgeld** housekeeping money
**huishouding** *huishouden* ⟨het regelen⟩ housekeeping, ⟨huisgenoten⟩ household ★ *de ~ doen* run the house
**huishoudschool** onderw School of Domestic Science, School of Home Economics *mv*
**huishoudster** housekeeper
**huisjesmelker** slumlord, rackrenter
**huiskamer** living room
**huisknecht** butler, (man)servant
**huisman** house husband
**huismeester** *conciërge* warden, ⟨flatgebouw, e.d.⟩ caretaker, ⟨flatgebouw, e.d.⟩ USA janitor
**huismerk** own brand
**huismiddel** home / domestic remedy
**huismijt** dust mite
**huismoeder** housewife, mother
**huismus** ❶ *vogel* house sparrow ❷ *persoon* stay-at-home
**huisnummer** house number
**huisraad** furniture, furnishings *mv*
**huisregel** house rule
**huisschilder** house painter
**huissleutel** house key, frontdoor key, ⟨loper⟩ pass key
**huisstijl** house style, ⟨logo⟩ company logo
**huistelefoon** internal telephone
**huis-tuin-en-keukenonderwerp** common-or-garden topic
**huisvader** father of the family, family man
**huisvesten** house, lodge, ⟨tijdelijk⟩ accommodate
**huisvesting** ❶ *het huisvesten* housing ❷ *verblijf* accommodation, lodging ★ *iem. ~ verlenen* provide housing / accommodation for sb
**huisvlijt** home industry
**huisvredebreuk** unlawful entry, trespassing ★ *zich aan ~ schuldig maken* trespass on private property
**huisvriend** family friend
**huisvrouw** housewife
**huisvuil** household refuse / rubbish, USA garbage ★ *stortplaats voor ~* refuse / rubbish / garbage dump ★ *gescheiden inzameling van ~* assorted / selected domestic waste collection
**huiswaarts** homeward(s)
**huiswerk** ❶ *schoolwerk* homework ★ *zijn ~ maken* do one's homework ❷ *huishoudelijk werk*

housework

**huiswijn** cul house wine

**huiszoeking** house search ★ *er werd ~ gedaan* the house was searched

**huiszwaluw** house martin

**huiveren ❶** *rillen* ⟨van afgrijzen⟩ shudder (at), ⟨van koude⟩ shiver **❷** *terugschrikken* shrink from

**huiverig ❶** *rillerig* shivery **❷** *angstig* ★ *hij was er ~ voor* he was hesitant to do it

**huivering ❶** *rilling* ⟨van afgrijzen⟩ shudder, ⟨van koude⟩ shiver(s) **❷** *aarzeling* hesitation

**huiveringwekkend** horrible

**huizen** live, be housed, ⟨tijdelijk⟩ lodge

**huizenblok** row of houses, terrace, USA block (of houses)

**huizenhoog** towering, mountainous

**huizenmarkt** housing market

**hulde** tribute, homage ★ *warme ~ brengen aan* pay a warm tribute to

**huldebetoon** homage

**huldeblijk** tribute

**huldigen ❶** *eren* pay homage to, ⟨bij afscheid⟩ honour **❷** *aanhangen* ★ *een opvatting ~* hold a point of view

**hullen** in wrap (up) in

**hulp ❶** *het helpen* help, aid, assistance ★ *eerste hulp* first aid ★ *eerste hulp verlenen* give / render first aid ★ *op eigen hulp aangewezen zijn* depend on one's own resources ★ *iem. te hulp komen* aid sb, come to sb's rescue ★ *hulp bieden* render assistance **❷** *persoon* ★ *hulp in de huishouding* household help

**hulpbehoevend** needy

**hulpbron** resource

**hulpdienst** emergency service(s) ★ *telefonische ~* emergency number / line, crisis line

**hulpeloos** helpless, ⟨machteloos⟩ powerless ★ *hij stond er wat ~ bij* he looked on / watched helplessly

**hulpmiddel** aid, help, ⟨gereedschap⟩ tool

**hulporganisatie** relief organization

**hulppost** *post waar men hulp biedt* aid station

**hulpstuk** attachment, ⟨elektrisch⟩ fitment, ⟨tussenstuk⟩ adaptor

**hulpvaardig** helpful

**hulpverlener** social worker

**hulpverlening** *het verlenen van hulp* assistance

**hulpwerkwoord** auxiliary

**huls ❶** *omhulsel* case, cover **❷** *patroonhuls* ⟨cartridge⟩ case

**hulst** holly

**hum** ★ *goed in zijn hum zijn* be in good spirits

**humaan** humane

**humaniora** BN onderw ≈ senior general secondary education, ≈ grammar school

**humanisme** humanism

**humanist** humanist

**humanistisch** humanist(ic) ★ *het Humanistisch Verbond* Humanist Society

**humanitair** humanitarian

**humbug** humbug, rubbish ★ *dat is toch allemaal ~!* that's just nonsense / a load of rubbish

**humeur** temper, humour, mood ★ *in / uit zijn ~ zijn* be in a good / bad mood

**humeurig** *grillig* moody, surly

**hummel** toddler, (tiny) tot

**humor** humour

**humorist** humorist

**humoristisch** humorous

**humus** humus

**humuslaag** layer of humus

**Hun** Hun

**hun I** *pers vnw* them **II** *bez vnw* their ★ *één van hun kennissen* an acquaintance of theirs

**hunebed** megalithic tomb

**hunkeren** yearn / long for, ⟨liefde⟩ ache for ★ *~ naar ruzie* be spoiling for a fight, be itching to pick a fight

**hunzelf** them themselves ★ *we moeten het ~ geven* we must give it to them themselves

**hup** come on, go for it, ⟨bij tillen / trekken van iets zwaars⟩ heave (ho)

**huppeldepup** whats-his / her-name, whatsit

**huppelen** skip, frisk

**huren** ⟨zaken⟩ hire, ⟨huis⟩ rent

**hurken I** *on ww* squat **II** *zn* [de] ★ *op zijn ~ gaan zitten* squat

**hurktoilet** seatless toilet

**hurkzit** crouch, squat

**Huronmeer** Lake Huron

**husselen** mix up, shake up, ⟨kaarten⟩ shuffle

**hut ❶** *huisje* cottage, ⟨armoedig⟩ hut, ⟨armoedig⟩ hovel **❷** *cabine op schip* cabin

**hutkoffer** cabin trunk

**hutspot ❶** *stamppot* hotchpotch **❷** *mengelmoes* hotchpotch, mish mash

**huur ❶** *het huren* lease ★ *te huur* for rent, for / to let, for / on hire **❷** *huursom* ⟨house⟩ rent

**huurachterstand** arrears of rent *mv*

**huurauto** rented / hire(d) car

**huurbelasting** tax on rent

**huurbescherming** rent protection

**huurcommissie** rent tribunal

**huurcontract** lease

**huurder** hirer, renter, ⟨van huis⟩ tenant

**huurhuis** rented house

**huurkoop** hire-purchase

**huurleger** army of mercenaries, mercenary army

**huurling** hireling, ⟨soldaat⟩ mercenary

**huurmoordenaar** hired assassin, inform hit man, USA contract killer

**huurovereenkomst** lease, tenancy agreement

**huurprijs** rent

**huurschuld** arrears (of rent) *mv*

**huursubsidie** housing benefit, rental subsidy

**huurverhoging** rent increase

**huurwoning** rented house / home

**huwbaar** marriageable

**huwelijk ❶** *verbintenis* marriage, form matrimony ★ *burgerlijk ~* civil wedding ★ *kerkelijk ~* church / religious wedding ★ *~ uit liefde* love match ★ *in het ~ treden* marry ★ *iem. ten ~ vragen* propose to sb ★ *een ~ sluiten* contract a marriage **❷** *huwelijksvoltrekking* marriage, wedding

**huwelijks** → staat, voorwaarde

**huwelijksaankondiging** wedding-announcement

**huwelijksaanzoek** marriage proposal

**huwelijksadvertentie** ⟨aankondiging⟩ marriage announcement

**huwelijksbootje** ▾ *in het ~ stappen* get married,

tie the knot
**huwelijksbureau** matrimonial agency
**huwelijksfeest** wedding party
**huwelijksgeschenk** wedding present / gift
**huwelijksnacht** wedding night
**huwelijksreis** honeymoon
**huwelijksvoltrekking** celebration of (a) marriage
**huwen** marry
**huzaar** hussar
**huzarensalade** cul ≈ Russian salad
**huzarenstukje** dashing / daring exploit
**hybride** hybrid
**hydrateren** hydrate
**hydraulisch** hydraulic
**hydrocultuur** hydro-culture
**hyena** hyena
**hygiëne** hygiene
**hygiënisch** hygienic
**hymne** hymn
**hype** hype
**hypen** hype
**hyperactief** hyperactive
**hyperbool ❶** wisk hyperbola **❷** taalk hyperbole
**hypercorrectie** hypercorrect
**hyperlink** comp hyperlink
**hypermodern** ultra-modern
**hypertext** comp hypertext
**hyperventilatie** med hyperventilation
**hypnose** hypnosis, hypnotic trance
**hypnotiseren** hypnotize
**hypnotiseur** hypnotist
**hypochonder** hypochondriac
**hypocriet I** zn [de] hypocrite **II** bnw hypocritical
**hypocrisie** hypocrisy, sanctimoniousness
**hypotenusa** wisk hypotenuse
**hypothecair** mortgage
**hypotheek** mortgage ★ vrij van ~ unencumbered ★ belast met ~ mortgaged ★ eerste ~ hebben op hold a first mortgage on ★ geld op ~ nemen raise money with a mortgage
**hypotheekbank** mortgage bank, ≈ building society
**hypotheekrente** mortgage interest
**hypothese** hypothesis mv: hypotheses
**hypothetisch** hypothetic(al)
**hystericus** hysteric, hysterical person
**hysterie** hysteria
**hysterisch** hysterical

# I

i i ★ de i van Izaak I as in Isaac
**ia** (van ezel) hee-haw
**Iberië** Iberia
**Iberisch** Iberian
**Iberisch Schiereiland** Iberian Peninsula
**ibis** ibis
**Ibiza** Ibiza
**icoon** icon
**ICT** Informatie- en Communicatietechnologie ICT
**ICT'er** comp ICT worker
**ideaal I** zn [het] ideal **II** bnw ideal
**ideaalbeeld** ideal(ized) picture / image
**idealiseren** idealize
**idealisme** idealism
**idealist** idealist
**idealistisch** idealistic
**idealiter** ideally, in theory
**idee ❶** inval, plan idea ★ met het idee om with the idea of ★ op een idee komen hit upon an idea **❷** voorstelling, inschatting idea, notion ★ ik heb het idee dat... I have a hunch that... ★ ik heb geen flauw idee! I haven't the foggiest (idea)!, I haven't a clue! **❸** mening opinion ★ naar mijn idee in my view
**ideëel** ideal
**ideeënbus** suggestion box
**idee-fixe** idée-fixe, obsession ★ een ~ hebben over iets have a bee in one's bonnet about sth
**idem** ditto, the same, ⟨bij citaat⟩ idem ★ idem dito ditto
**identiek** identical
**identificatie** identification
**identificatieplicht** obligation to carry identification papers
**identificeren** identiteit vaststellen identify
**identiteit** identity
**identiteitsbewijs** identity papers mv, identity card (ID card)
**identiteitscrisis** identity crisis
**identiteitskaart** identity card, identification card
**identiteitsplaatje** identity disk
**ideologie** ideology
**ideologisch** ideological
**idiomatisch** idiomatic
**idioom** idiom
**idioot I** zn [de] idiot, imbecile ★ zich als een ~ gedragen make a perfect idiot of o.s. **II** bnw **❶** zwakzinnig idiotic **❷** onzinnig idiotic, foolish ★ een ~ antwoord a silly answer
**idioterie** idiocy
**ID-kaart** ID card
**idolaat** ★ ~ zijn van iem. worship / idolize sb
**idool** idol
**idylle** idyl(l)
**idyllisch** idyllic
**ieder I** onb vnw, iedereen everyone, everybody, each, anyone, anybody ★ ~ voor zich every man for himself **II** bnw ⟨meer dan twee⟩ every, ⟨meer dan twee⟩ each, ⟨welke dan ook⟩ any ★ ~e dag every day ★ aan ~e voet on each foot
**iedereen** everyone, everybody

ie

**iel** thin
**iemand** someone, somebody ★ *iem. anders* sb else ★ *een zeker iem.* a certain sb ★ *een eerlijk iem.* an honest person
**iep** elm tree
**leper** Ypres
**lepers** (from) Ypres
**ler** *bewoner* Irishman
**lerland** Ireland, ⟨Ierse naam⟩ Éire
**lers** *m.b.t. Ierland* Irish
**lerse** Irishwoman, Irish girl
**lerse Zee** Irish Sea
**iet** ▼ BN *iet of wat* somewhat, slightly
**iets** I *bijw* a little, somewhat II *onb vnw* something, anything ★ *is er iets?* is anything the matter? ★ *ik heb nog nooit zo iets gezien* I've never seen anything like it ★ *dat is weer echt iets voor hem!* that's just like him! ★ *dan is er nóg iets* then there is another thing ★ *het heeft iets van...* it is suggestive of... ★ *deze hoed is net iets voor jou* this hat is the very thing for you
**ietsje** ★ *een ~ zwaarder* a trifle heavier
**ietwat** somewhat
**iglo** igloo
**i-grec** ypsilon
**ijdel** ❶ *pronkzuchtig* vain, ⟨verwaand⟩ conceited ❷ *vergeefs* vain
**ijdelheid** *zelfingenomenheid* vanity
**ijdeltuit** ★ *een ~* a vain creature
**ijken** *keuren* calibrate, hallmark
**ijkpunt** benchmark
**ijkwezen** the inspection of weights and measures
**ijl** *dun* thin, rare
**ijlbode** courier, express (messenger)
**ijlen** ❶ *onzin uitkramen* be delirious, rave ★ *~de koorts* delirium ❷ *haasten* hasten, hurry
**ijlings** in great haste
**ijltempo** top speed, great haste
**ijs** ❶ *bevroren water* ice ★ *door het ijs ingesloten* icebound ★ *whisky met ijs* whisky on the rocks ❷ *lekkernij* ice cream ▼ *zich op glad ijs wagen* venture into dangerous territory, skate on thin ice ▼ *beslagen ten ijs komen* be well prepared ▼ *ijs en weder dienende* wind and weather permitting
**ijsafzetting** icing up / over, ice up
**ijsbaan** skating rink
**ijsbeer** polar bear
**ijsberen** pace up and down, walk back and forth
**ijsberg** iceberg
**ijsbergsla** iceberg lettuce
**ijsbloemen** frost flowers *mv*
**ijsblokje** ice cube
**ijsbreker** icebreaker
**ijsco** ice cream (cone)
**ijscoman** ice-cream man
**ijscoupe** ice cream dessert
**ijselijk** horrible
**ijsgang** floating ice, ice floes *mv*
**ijsheiligen** Ice Saints
**ijshockey** ice hockey
**ijshockeyen** USA hockey, GB ice hockey
**ijshockeyer** ice hockey player
**ijsje** ice cream (cone)
**ijskap** ice cap
**ijskar** ice cream cart / van

**ijskast** refrigerator, icebox, inform fridge ★ *in de ~ zetten / houden* put / keep on ice
**ijsklomp** lump of ice
**ijsklontje** ice cube
**ijskoud** ❶ *zeer koud* ice cold ❷ *emotieloos* icy, frosty, ⟨bedaard⟩ cool
**ijskristal** ice crystal
**IJsland** Iceland
**IJslander** *bewoner* Icelander
**IJslands** I *zn* [het], *taal* Icelandic II *bnw, m.b.t. IJsland* Icelandic
**IJslandse** Icelandic (woman / girl) ★ *zij is een ~* she's an Icelandic woman, she's from Iceland
**ijslolly** ice lolly
**ijspegel** icicle
**ijssalon** ice-cream parlour
**ijsschots** (ice) floe
**IJssel** IJssel
**IJsselmeer** IJssel Lake
**ijstaart** cul ice cream cake, ice pudding
**ijsthee** cul ice(d) tea
**ijstijd** Ice Age
**ijsvogel** kingfisher
**ijsvrij** I *zn* [het], *vakantiedag* ★ *~ krijgen* get the day off to go skating II *bnw, zonder ijs* clear of ice
**ijswater** ice water
**ijszee** polar sea ★ *Noordelijke IJszee* Arctic ★ *Zuidelijke IJszee* Antarctic
**ijszeilen** ice-sailing, ice-boating
**ijver** ❶ *vlijt* diligence, industry ❷ *geestdrift* zeal, ardour
**ijveren** ★ *~ voor* advocate zealously ★ *~ tegen* oppose
**ijverig** I *bnw* diligent, industrious II *bijw* ★ *~ bezig zijn met* be very busy with
**ijzel** glazed frost
**ijzelen** ★ *het ijzelt* it is icing up, it is freezing over
**ijzen** shudder (at)
**IJzer** Yser
**ijzer** iron ▼ *men kan geen ~ met handen breken* one can not do the impossible ▼ *smeed het ~ terwijl het heet is* strike while the iron is hot ▼ *hij is van ~ en staal* he is made of iron
**ijzerdraad** (iron) wire
**ijzeren** ❶ *van ijzer* iron ❷ *erg sterk* iron, steel
**ijzererts** iron ore
**ijzerhandel** ❶ *winkel* ironmongery, hardware dealer, hardware shop ❷ *bedrijfstak* iron / hardware trade, hardware business
**ijzerhoudend** ferrous
**ijzersterk** (as) strong as iron
**ijzertijd** Iron Age
**ijzervijlsel** iron filings *mv*
**ijzervreter** fire-eater, war-horse
**ijzerwaren** hardware, ironware
**ijzerzaag** metal saw, ⟨met beugel⟩ hacksaw
**ijzig** ❶ *ijskoud* icy, freezing ❷ *ongevoelig* icy, steely
**ijzingwekkend** gruesome, horrifying
**ik** I *pers vnw* I ★ *ik voor mij* I for one ★ *ik ben het* it's me ★ *ik kom eraan!* coming! ★ *ik ook* me too ★ *ikzelf* (I) myself II *zn* [het] self ★ *mijn tweede ik* my other self ★ *het ik* the ego
**ik-figuur** first person, narrator
**ikzelf** I myself, myself ★ *~ zal het moeten doen* I

myself will have to do it ★ *iem. anders dan ~* sb other than myself
**illegaal** illegal
**illegaliteit ❶** *onwettigheid* illegality **❷** *verzet* resistance movement
**illusie** illusion ★ *zich geen ~s maken omtrent* have no illusions about
**illusionist** *goochelaar* conjurer, magician
**illusoir** illusory, illusive
**illuster** illustrious
**illustratie** illustration ▾ *ter ~* by way of illustration ▾ *ter ~ van* in illustration of
**illustratief** illustrative
**illustrator** illustrator
**illustreren** illustrate
**image ❶** *imago* image **❷** comp *kopie* image
**imagebuilding** image-building
**imaginair** imaginary
**imago** *image* image
**imam** imam
**imbeciel I** *zn* [de] **❶** *zwakzinnige* imbecile **❷** *dom persoon* imbecile **II** *bnw* **❶** *zwakzinnig* imbecile **❷** *dom* imbecile
**IMF** *Internationaal Monetair Fonds* IMF, International Monetary Fund
**imitatie** imitation
**imitatieleer** imitation leather
**imitator** impersonator
**imiteren** imitate
**imker** beekeeper, apiculturist
**immaterieel** immaterial
**immens** immense
**immer** ever ★ *voor ~* for ever
**immers ❶** *toch* indeed, after all ★ *je kent hem ~?* you know him, don't you? **❷** *want* ★ *~, zij is mijn vrouw* for she is my wife
**immigrant** immigrant
**immigratie** immigration
**immigratiebeleid** immigration policy
**immigreren** immigrate
**immobiliënkantoor** BN estate / house agency
**immoreel** immoral
**immuniseren** immunize
**immuniteit** immunity
**immuun ❶** *onvatbaar* immune ★ *~ maken tegen* immunize from ★ *~ zijn voor* be immune to **❷** *onschendbaar* immune **❸** *ongevoelig* immune
**immuunsysteem** med immune system
**impact** impact, effect
**impasse** impasse, deadlock
**imperatief I** *zn* [de] imperative **II** *bnw* imperative
**imperfectum** taalk imperfect
**imperiaal** *bagagerek* roof rack
**imperialisme** imperialism
**imperialist** imperialist
**imperialistisch** imperialist(ic)
**imperium** empire, imperium
**impertinent** impertinent
**implantaat** implant
**implanteren** implant
**implementatie** implementation
**implementeren** implement
**implicatie** implication
**impliceren** imply
**impliciet** implicit ★ *iets ~ zeggen / bedoelen* imply

sth
**imploderen** implode
**implosie** implosion
**imponeren** impress
**impopulair** unpopular
**import** import
**importeren** import
**importeur** importer
**imposant** imposing, impressive
**impotent** impotent
**impotentie** impotence
**impregneren** impregnate
**impresariaat ❶** *werk* (artists') management **❷** *kantoor* agency
**impresario** (publicity) manager, impresario, agent
**impressie** impression
**impressionisme** impressionism
**impressionist** impressionist
**impressionistisch** impressionist(ic)
**improductief** unproductive
**improvisatie** improvisation
**improviseren** improvise
**impuls** impulse
**impulsaankoop** impulse purchase
**impulsief** impulsive
**impulsiviteit** impulsiveness
**in I** *vz* **❶** *op een bepaalde plaats* in(side), at ★ *in de stad* in the city ★ *in bed* in bed ★ *in huis* inside ★ *in Utrecht* in Utrecht ★ *hij is nog nooit in Utrecht geweest* he's never been to Utrecht ★ *in Nederland* in The Netherlands ★ *hij woont in de stad* he lives in town ★ *in heel het land* throughout the country, all over the country **❷** *in de richting van* into ★ *in de doos kijken* look into the box ★ *zij loopt het huis in* she walks into the house **❸** *op / binnen een bepaalde tijd* (with)in ★ *in de zomer* in summer ★ *in de zomer van 2050* in the summer of 2050 ★ *in 2050* in (the year) 2050 ★ *in het begin* at / in the beginning ★ *in een week of twee* in a week or two **❹** *(gelijk aan of) meer dan* ★ *in de veertig (jaar) zijn* be in your forties, be forty-sth ★ *er zijn er in de twintig* there are twenty odd ▾ *dag in, dag uit* day in, day out **II** *bijw* **❶** *binnen* in, inside ★ *er zit niets in* there's nothing inside **❷** *populair* in ★ *die kleur is in* that colour is in / trendy ▾ *in zijn voor iets* be all for sth, be game for sth
**in- ❶** *uitermate* highly, greatly ★ *indom* thick as a brick ★ *ingelukkig* perfectly happy ★ *intriest* truly / very sad **❷** *on* in-, un- ★ *inacceptabel* unacceptable ★ *inactief* inactive
**inachtneming** observance ★ *met ~ van* with due observance of
**inactief** inactive
**inademen** *ademhalen* inhale, breathe (in) ★ *in- en uitademen* inhale and exhale
**inadequaat** inadequate
**inauguratie** inauguration
**inaugureel** inaugural (address)
**inaugureren** inaugurate
**inbaar** collectable
**inbedden** embed, imbed
**inbeelden** [zich ~] **❶** *verkeerde voorstelling maken* imagine, fancy **❷** *hoge dunk hebben van* think much of oneself, fancy oneself ★ *hij beeldt zich*

**in**

*heel wat in* he fancies himself
**inbeelding ❶** *hersenschim* fancy, imagination
**❷** *verwaandheid* conceit, vanity
**inbegrepen** included ★ *alles ~* all found, no extras, everything included ★ *prijs alles ~* all-in price, inclusive price
**inbegrip** ▼ *met ~ van* including
**inbeslagneming** seizure, confiscation, ⟨i.v.m. belastingschuld⟩ sequestration
**inbewaringstelling** arrest, taking into custody
**inbinden I** *ov ww, in band binden* bind **II** *on ww, zich matigen* climb down, swallow one's words ★ *hij moest ~* he had to swallow his words
**inblazen** blow into
**inblikken** *in blik doen* tin, can
**inboedel** *huisraad* furniture, movables
**inboedelverzekering** fire and theft insurance
**inboeten** aan lose
**inboezemen** ⟨walging⟩ fill with, inspire, ⟨wantrouwen⟩ excite, ⟨vertrouwen⟩ inspire, ⟨angst⟩ strike terror into
**inboorling** aborigine, native
**inborst** disposition, nature
**inbouwapparatuur** equipment
**inbouwen ❶** *in iets anders bouwen* build in ★ *ingebouwd* built-in, fitted **❷** *fig erbij opnemen* build in
**inbouwkeuken** fitted / built-in kitchen
**inbraak** burglary, housebreaking
**inbraakpreventie** prevention of burglary
**inbranden** burn, ⟨van merkteken⟩ brand
**inbreken** bij/in break into ★ *er was bij hem ingebroken* there had been a burglary at his house
**inbreker** burglar, inform cracksman
**inbreng ❶** *bijdrage* contribution **❷** *inleg* deposit **❸** *gift* contribution
**inbrengen ❶** *naar binnen brengen* bring in, ⟨thermometer e.d.⟩ insert **❷** *bijdragen* contribute **❸** *argumenteren* ★ *~ tegen* bring up against, allege against ★ *daar valt niets tegen in te brengen* that argument is unanswerable ★ *hij had niets in te brengen* he had nothing to say ▼ *hij heeft heel wat in te brengen* he has great influence
**inbreuk op** infringement on, ⟨op wet⟩ violation of, ⟨op rechten⟩ encroachment of ★ *~ maken op* infringe, encroach upon
**inburgeren** naturalize, acclimatize, ⟨van woord⟩ come to stay ★ *fig ingeburgerd* at home, established, current
**inburgering** integration
**inburgeringscursus** integration programme (for immigrants in The Netherlands)
**inburgeringsexamen, inburgeringstoets** integration examination
**Inca** *bewoner* Inca
**incalculeren** calculate in, reckon in
**incapabel** incapable (of)
**incasseren ❶** *geld innen* collect, ⟨een cheque⟩ cash **❷** *moeten verduren* receive, ⟨belediging, slag⟩ take
**incasseringsvermogen** stamina, resilience
**incasso** collection ★ *ter ~ geven* bank (a cheque)
**incassobureau** (debt-)collection agency
**incassokosten** debt-collection charges *mv*

**incest** incest
**incestueus** incestuous
**inch** inch
**incheckbalie** check-in counter / desk
**inchecken** check in
**incident** incident
**incidenteel ❶** *nu en dan* incidental, occasional ★ *incidentele gevallen* random occurrences **❷** *terloops* incidental ★ *een incidentele opmerking* a random / casual remark
**inciviek** BN *zonder burgerzin* without public spirit
**incluis** included
**inclusief** inclusive
**incognito I** *bijw* incognito **II** *zn* [het] incognito
**incoherent** incoherent
**incompatibel** incompatible
**incompatibiliteit** incompatibility
**incompetent** incompetent
**incompleet** incomplete
**in concreto** in fact, to give a specific example
**incongruent** incongruent
**inconsequent** inconsistent
**inconsistent** inconsistent
**incontinent** incontinent
**incontinentie** incontinence
**incorporeren** incorporate
**incorrect ❶** *onjuist* incorrect, inaccurate **❷** *ongepast* incorrect, improper
**incrowd** in-crowd
**incubatietijd** incubation period
**indachtig** mindful of
**indammen ❶** *met dam insluiten* dam (up), embank **❷** *inperken* dam, contain
**indekken** [zich ~] cover oneself against, hedge against
**indelen ❶** *onderbrengen* ⟨in groepen⟩ divide, group, class(ify) ★ *in vier categorieën ~* classify / divide in four categories **❷** *rangschikken* divide, order, classify, arrange **❸** *organiseren* plan
**indeling ❶** *rangschikking* classification ★ *~ in categorieën* classification / division into categories **❷** *(het) onderbrengen (bij)* arrangement
**indenken** [zich ~] imagine ★ *zich ~ in* put o.s. in sb's place, stand in another p.'s shoes ★ *ik kan het me ~* I can understand it ★ *ik kan het mij niet ~* I can't imagine it
**inderdaad** indeed, in (point of) fact
**inderhaast** in haste
**indertijd** formerly, at the time
**indeuken** *een deuk krijgen* dent, indent
**index** index ★ *~ van de kosten van levensonderhoud* cost-of-living index ★ *op de ~ plaatsen* place on the index, blacklist
**indexcijfer** index figure
**indexeren** index ★ *geïndexeerd pensioen* index-linked pension
**India** India
**indiaan** American Indian, Native American, min Injun ★ *~tje spelen* play cowboys and Indians
**Indiaas** Indian ★ *zij is een Indiase* she's an Indian woman, she's from India
**indianenverhaal** tall story
**Indiase** Indian (woman / girl)
**indicatie** indication
**indicatief** indicative (mood)

**indicator** indicator
**indien** if, in case
**indienen** ⟨begroting⟩ present, ⟨klacht⟩ lodge, ⟨motie⟩ move, ⟨ontslag⟩ tender, ⟨verzoekschrift⟩ present, ⟨vordering⟩ put in, ⟨wet⟩ introduce ★ *een aanklacht ~ tegen iem.* bring an accusation / charge against sb ★ *'n rapport ~* hand in / submit a report ★ *'n verzoek tot echtscheiding ~* file a petition for divorce
**indiensttreding** taking up one's duties, taking office, beginning of employment
**Indiër** Indian
**indigestie** indigestion
**indigo** *kleur* indigo, indigo
**indijken** dike, embank
**indikken** ❶ *dik worden* thicken ❷ *dik maken* thicken, condense
**indirect** indirect ★ *~e belasting* indirect tax(ation)
**Indisch** (East) Indian
**Indische** Indian (woman / girl) ★ *zij is een ~* she's from India
**Indische Oceaan** Indian Ocean
**indiscreet** indiscreet
**indiscretie** indiscretion
**individu** individual ★ *'n verdacht ~* a shady character
**individualiseren** *een op het individu gericht karakter geven* individualize
**individualisme** individualism
**individualist** individualist
**individualistisch** individualistic
**individueel** individual
**indoctrinatie** indoctrination
**indoctrineren** indoctrinate
**indommelen** drop / nod off
**Indonesië** *gebied* Indonesia
**Indonesiër,** *inform* **Indo** Indonesian
**Indonesisch,** *inform* **Indo** Indonesian
**Indonesische** Indonesian (woman / girl)
**indoor-** indoor
**indraaien** I *ov ww, in iets draaien* screw in(to) II *on ww, ingaan* turn into ▼ *de bak ~* go to prison
**indringen** I *ov ww, erin duwen* push / thrust into II *on ww, binnendringen* penetrate (into) III *wkd ww* [zich ~] *zich opdringen* thrust oneself, intrude into ★ *zich bij iem. ~* thrust o.s. on sb
**indringend** penetrative, probing
**indringer** intruder
**indrinken** *omschr* pre-drink at home before going out
**indruisen** ★ *~ tegen* conflict with, clash with, run counter to
**indruk** ❶ *inwerking* impression ★ *een ~ krijgen van* get an impression of ★ *de ~ krijgen dat...* gather that... ★ *grote / gunstige ~ maken* make a big / favourable impression ★ *diep onder de ~ zijn van...* be deeply impressed by... ★ *je maakt op mij de ~ van...* you strike me as... ❷ *spoor* (im)print, ⟨van voet⟩ footprint, ⟨van voet⟩ footmark
**indrukken** ❶ *drukken op* push (in), press ❷ *kapotdrukken* crush ❸ *afdruk achterlaten* impress
**indrukwekkend** impressive
**induceren** induce
**inductie** induction
**inductiekoken** induction cooking

**inductiemotor** induction motor
**inductiestroom** induced current
**industrialisatie** industrialization
**industrialiseren** industrialize
**industrie** industry ★ *zware ~* heavy industry
**industrieel** I *zn* [de] industrialist II *bnw* industrial ★ *industriële vormgeving* industrial design
**industriegebied** industrial area
**industrieland** industrial country
**industrieterrein** industrial estate
**indutten** doze off
**ineen** ❶ *in elkaar* together ❷ *dichter naar elkaar toe* (closer) together
**ineenduiken** crouch, huddle
**ineengedoken** crouched, hunched (up) ★ *hij zat ~ over een klein vuurtje* he was hunched over a meagre fire
**ineenkrimpen** *samentrekken* wince, ⟨bij pijn⟩ double up, ⟨bij angst⟩ cower
**ineens** ❶ *opeens* suddenly, all at once ❷ *in één keer* at once ★ *~ geraden* guessed it the first time ★ *een boek ~ uitlezen* read a book straight through
**ineenschrompelen** shrivel up
**ineenschuiven** slide into each other
**ineenstorten** collapse
**ineenstorting** collapse
**ineenzakken** collapse, ⟨van persoon⟩ faint, ⟨van persoon⟩ collapse
**ineffectief** ineffective, ineffectual
**inefficiënt** inefficient
**inenten** vaccinate
**inenting** vaccination
**inentingsbewijs** certificate of vaccination
**inert** inert
**in extremis** BN *op het nippertje* in the nick of time, ⟨ternauwernood⟩ a close shave
**infaam** infamous
**infaden** fade in
**infanterie** infantry
**infanterist** infantry man
**infantiel** infantile
**infantiliseren** I *ov ww* make / render infantile II *on ww* become infantile
**infarct** infarct
**infecteren** infect
**infectie** infection
**infectiehaard** focus of infection
**infectieus** infectious, contagious
**infectieziekte** infectious disease / illness
**inferieur** *minderwaardig* inferior
**inferno** inferno
**infiltrant** infiltrator
**infiltratie** infiltration
**infiltreren** infiltrate
**infinitesimaalrekening** calculus
**infinitief** infinitive
**inflatie** inflation
**inflatiecorrectie** inflation correction
**inflatoir** inflationary
**inflexibel** inflexible
**influenza** influenza
**influisteren** ❶ *fluisterend zeggen* whisper (in someone's ear) ❷ *suggereren* suggest
**info** info

**in**

**infomercial** infomercial
**informant** informant
**informateur** politician who investigates whether a proposed cabinet formation will succeed
**informatica** information / computer science, informatics *mv*
**informaticus** information / computer scientist
**informatie** information *★ veel ~* a great deal of information *★ nadere ~ inwinnen (bij)* obtain / get further information (from), make further inquiries (of) *★ ~ inwinnen (over)* make inquiries (about) *★ iem. ~ verstrekken (over)* give sb information (about)
**informatiebalie** information desk / counter
**informatiedrager** data carrier
**informatief** exploratory, instructive, informative *★ informatieve gesprekken* informative discussions
**informatiestroom** flow of information
**informatietechnologie** information technology
**informatieverwerking** data processing / handling
**informatisering** computerization
**informeel** informal
**informeren** I *ov ww, inlichten* inform *★ iem. ~* inform sb II *on ww, inlichtingen inwinnen* inquire *★ ~ naar iets* inquire about / after sth
**infotainment** infotainment
**infrarood** infra-red
**infrastructuur** infrastructure
**infuus** med drip, infusion *★ aan een ~ liggen* be on a drip
**ingaan** ❶ *binnengaan* enter, go into ❷ *beginnen* ⟨maatregel⟩ come into force, ⟨maatregel⟩ take effect, ⟨vakantie, loon, e.d.⟩ begin *★ de huur gaat de eerste januari in* the rent is due as from the first of January ❸ *~ op reageren* ⟨onderwerp⟩ go into, ⟨gedachte, idee⟩ take up *★ hij ging er niet op in* he let it pass, he did not pursue the matter further ❹ *toestemmen* ⟨verzoek⟩ comply with, ⟨voorstel⟩ agree to ❺ *~ tegen* go against, run counter to *★ daar moet je tegen ~* you must oppose that *▼ dat gaat erin als gesneden koek* it's going like a bomb *▼ er ~* take on
**ingang** ❶ *toegang* entrance, ⟨opschrift⟩ way in *★ er zijn twee ~en* there are two entrances ❷ *begin ★ met ~ van vandaag* from today, as of today *★ met ~ van 1 april* with effect from April 1st, from April 1st ❸ *trefwoord* entry *▼ ~ vinden* find acceptance
**ingangsexamen** BN onderw entrance examination
**ingebakken** deep-seated, ingrained
**ingebeeld** ❶ *denkbeeldig* imaginary *★ ~e ziekte* imaginary disease ❷ *verwaand* (self-)conceited
**ingebrekestelling** ❶ *document* default notice ❷ *verklaring* proof of default
**ingebruikneming** ⟨van producten enz.⟩ introduction, ⟨van woning enz.⟩ occupation
**ingeburgerd** integrated
**ingenieur** engineer *★ civiel ~* civil engineer *★ elektrotechnisch ~* electrical engineer *★ scheepsbouwkundig ~* shipbuilding engineer *★ werktuigbouwkundig ~* mechanical engineer
**ingenieus** cleverly contrived, ingenious
**ingenomen** *★ ~ met* pleased with

**ingesleten** *▼ ~ gewoonte* ingrained habit
**ingespannen** ❶ *met inspanning* strenuous ❷ *geconcentreerd* intent, intense *★ ~ luisteren* strain one's ears, listen intently
**ingesprektoon** engaged signal
**ingesteldheid** BN *mentaliteit* mentality
**ingetogen** *niet uitbundig* modest, quiet, demure
**ingeval** in case, in the event of / that
**ingeven** ❶ *doen innemen* administer ❷ *in gedachten geven* inspire, suggest, dictate
**ingeving** inspiration, brainwave, prompting *★ aan een ~ gehoor geven* act on impulse
**ingevoerd** *▼ goed ~ zijn in* be informed about, be well up in
**ingewanden** entrails *mv*, innards *mv*
**ingewijde** adept, inform insider
**ingewikkeld** intricate
**ingeworteld** deep-seated / rooted
**ingezetene** resident, inhabitant
**ingooi** throw in
**ingooien** I *ov ww* ❶ *erin gooien* throw / cast in(to) ❷ *kapotgooien* smash, break II *on ww* sport throw in
**ingraven** *begraven* bury *★ zich ~* dig (o.s.) in
**ingrediënt** ingredient
**ingreep** intervention, med operation, med surgery
**ingrijpen** ⟨handelend optreden⟩ intervene, ⟨bemoeien⟩ interfere *★ operatief ~* operate, perform surgery
**ingrijpend** radical, drastic, far-reaching *★ ~e veranderingen* radical changes
**ingroeien** *in iets vastgroeien* grow into *★ een ingegroeide nagel* an ingrown nail
**inhaalmanoeuvre** overtaking manoeuvre
**inhaalrace** race to catch up (with something)
**inhaalstrook** overtaking lane, USA passing lane
**inhaalverbod** overtaking prohibition, ⟨op bord⟩ no overtaking
**inhaken** ❶ *een arm geven* link arms ❷ BN *telefoongesprek beëindigen* hang up, ring off ❸ *~ op reageren op ★ op een opmerking ~* take up a remark
**inhakken** I *ov ww, hakkend inslaan* ⟨deur, e.d.⟩ break down II *on ww, hakkend inslaan ★ ~ op* pitch / wade into *▼ dat heeft er flink ingehakt* that has made a hole in my pocket
**inhalen** ❶ *naar binnen halen* ⟨oogst⟩ gather (in), ⟨vlag⟩ lower, ⟨zeilen⟩ take in ❷ *verwelkomen* welcome in ❸ *gelijk komen met* catch up with ❹ *voorbijgaan* overtake ❺ *goedmaken* ⟨achterstand⟩ make up (for), ⟨verlies⟩ recover
**inhaleren** inhale
**inhalig** greedy, covetous, grasping
**inham** *baai* inlet, creek, bay
**inhechtenisneming** arrest
**inheems** ⟨gebruiken⟩ native *★ ~e planten* indigenous plants
**inherent** inherent (in)
**inhoud** ❶ *wat erin zit* contents *mv* ❷ *wat erin kan zitten* content, capacity *★ kofferbak met grote ~* boot with great capacity ❸ *inhoudsopgave* table of contents ❹ *strekking* purport *★ een brief van de volgende ~* a letter to this effect ❺ *datgene waarover iets handelt* contents *mv ★ korte ~* summary *★ de ~ van een boek* the contents *mv* of

a book
**inhoudelijk** as regards content, with respect to content
**inhouden I** *ov ww* ❶ *bevatten* hold, contain ❷ *betekenen* imply, 〈verplichting〉 involve, 〈belofte〉 hold out ❸ *bedwingen* restrain, hold (back), 〈paard〉 rein in ❹ *niet betalen* 〈loon〉 stop, 〈een percentage〉 deduct **II** *wkd ww* [zich ~] restrain oneself
**inhouding** ❶ *handeling* deduction, 〈m.b.t. belasting〉 withholding, 〈op salaris〉 stoppage ❷ *bedrag* deduction, 〈m.b.t. belasting〉 amount withheld
**inhoudsmaat** cubic measure
**inhoudsopgave** table of contents
**inhuldigen** ❶ *de ambtsaanvaarding vieren van* inaugurate, install ❷ BN *feestelijk in gebruik nemen* inaugurate, 〈kerk e.d.〉 consecrate, 〈standbeeld e.d.〉 unveil
**inhuldiging** inauguration, installation
**inhuren** hire ★ *weer ~* renew the lease
**initiaal** initial
**initialiseren** initialize
**initiatie** initiation
**initiatief** initiative ★ *op ~ van* on / at the initiative of ★ *het particulier ~* private enterprise
**initiatiefnemer** initiator, originator
**initieel** initial ★ *initiële kosten* initial costs
**initiëren** ❶ *inwijden* initiate (into) ❷ *invoeren* start (off)
**injecteren** inject
**injectie** ❶ injection ❷ *materiële hulp* ★ *een financiële ~* a financial injection
**injectiemotor** fuel injection engine
**injectienaald** injection / hypodermic needle
**injectiespuit** hypodermic syringe
**inkapselen** encapsulate
**inkeer** repentance ★ *tot ~ komen* repent ★ *iem. tot ~ brengen* get sb to repent
**inkeping** *inkerving* notch, nick
**inkijk** view of the inside, looking in ★ *~ hebben* ≈ expose o.s. ★ *een jurk met ~* a dress with a plunging neckline
**inkijken** *doorbladeren* glance through
**inkjetprinter** inkjet printer
**inklappen I** *ov ww, naar binnen vouwen* fold in / up **II** *on ww, in(een)storten* break down, collapse
**inklaren** clear
**inklaring** clearance
**inkleden** word, express
**inkleuren** colour
**inkoken** *dikker maken* boil down
**inkom** BN *toegang(sprijs)* entrance
**inkomen I** *zn* [het] income ★ BN *gewaarborgd ~* guaranteed minimum income ★ BN *kadastraal ~* ≈ ratable value, fixed percentage of the rental value of a house for tax purposes ★ *nationaal ~* national income **II** *on ww* come in ▼ *daar kan ik ~* I can understand that ▼ *daar komt niets van in* that's out of the question
**inkomensafhankelijk** income-related
**inkomensgrens** ❶ *grens van het loonbedrag* income limit, wage limit ❷ *welstandsgrens* maximum wage level (for entitlement to national health insurance)
**inkomensgroep** income bracket

**inkomsten** revenues *mv*, income, earnings *mv*
**inkomstenbelasting** income tax
**inkomstenbron** source of income
**inkomstenderving** loss of income
**inkoop** purchase ★ *inkopen doen* make purchases, buy
**inkoopprijs** cost price
**inkopen** ❶ *kopen* buy ❷ *rechthebbende worden op* buy, purchase ★ *jaren ~ voor zijn pensioen* buy years for one's pension
**inkoper** purchaser, buyer
**inkorten** shorten, curtail
**inkrimpen I** *ov ww, geringer maken* cut down / back, reduce ★ *het personeel ~* reduce the staff **II** *on ww, geringer worden* shrink, contract
**inkrimping** ❶ *samentrekking* shrinking, shrinkage ❷ *afname* reduction
**inkt** *vloeistof om mee te schrijven* ink ★ *Oost-Indische inkt*, BN *Chinese inkt* Indian ink ▼ *heel wat inkt doen vloeien* arouse a good deal of controversy
**inktcartridge** ink cartridge
**inktpatroon** ink cartridge
**inktvis** inkfish, squid, cuttlefish
**inktvlek** ink spot
**inktzwart** pitch-black
**inkuilen** 〈aardappels〉 clamp, 〈veevoer〉 ensilage
**inkwartieren** billet
**inkwartiering** billeting, quartering
**inladen** *beladen* load
**inlander** native
**inlands** *van eigen bodem* native, 〈gewassen ook〉 homegrown
**inlassen** ❶ *invoegen* insert ❷ *met een las invoegen* let in
**inlaten I** *ov ww, binnenlaten* let in, admit **II** *wkd ww* [zich ~] *~ met* take up with, 〈m.b.t. kwestie〉 concern oneself with, 〈m.b.t. persoon〉 associate with ★ *hij liet zich er niet mee in* he would have nothing to do with it ★ *zich met politiek ~* go in for politics
**inleg** *ingelegd geld* 〈bij bank〉 deposit, 〈bij spel, weddenschap〉 stake
**inleggen** ❶ *invoegen* insert, 〈trein〉 put on ❷ *geld inbrengen* deposit, 〈bedrijf〉 invest, 〈bij spel〉 stake
**inlegkruisje** panty-liner
**inlegvel** supplementary sheet
**inlegzool** insole
**inleiden** ❶ *introduceren* introduce ❷ *beginnen* open
**inleiding** introduction
**inleven** [zich ~] ★ *zich in een rol ~* enter into a part ★ *zich ~ in iemands situatie* empathize with sb
**inleveren** ❶ *afgeven* hand in, *jur* forfeit, 〈gedwongen〉 surrender, 〈verzoek〉 submit, 〈de wapens〉 give up ❷ *minder verdienen* sacrifice ★ *loon ~ voor werkgelegenheid* reduce wages to create employment
**inlevering** handing in, 〈onder dwang〉 surrender, 〈onder dwang〉 giving up ★ *tegen ~ van* in exchange for
**inlevingsvermogen** empathy
**inlezen I** *ov ww* read in **II** *wkd ww* [zich ~] read up on
**inlichten** inform (about), enlighten (on)

in

★ *verkeerd* ~ misinform

**inlichting** (piece of) information, tip, information [mv: inquiries, information]

**inlichtingendienst** ❶ *informatiedienst* information / inquiries office ❷ *geheime dienst* intelligence, secret service

**inlijsten** frame

**inlijven** incorporate (in), mil enrol(l), ⟨gebied⟩ annex

**inlikken** [zich ~] worm one's way in, suck up to somebody

**inloggen** log in

**inloopspreekuur** walk-in clinic, consultation without appointment

**inlopen I** *ov ww* ❶ *inhalen* ⟨achterstand⟩ make up (for) ❷ *binnenlopen* walk into, ⟨een winkel⟩ enter, ⟨een straat⟩ turn into **II** *on ww*, ~ **op** *inhalen* ★ *op iem*. ~ gain on sb

**inlossen** ❶ *aflossen* pay off, repay ❷ *nakomen* ⟨belofte⟩ redeem ★ *zijn woorden* ~ keep one's promise

**inloten** ★ *ingeloot zijn voor een studie* draw a place for study

**inluiden** usher in ★ *het nieuwe jaar* ~ ring in the New Year

**inmaken** ❶ *inleggen* preserve, ⟨in zout⟩ salt, ⟨in azijn⟩ pickle ❷ *sport* slaughter

**in memoriam** in memoriam

**inmengen I** *ov ww, door mengen indoen* mix (in, with) **II** *wkd ww* [zich ~] ~ **in** interfere with ★ *zich ergens* ~ interfere with sth, inform butt in

**inmenging** interference

**inmiddels** meanwhile, in the mean time

**innaaien** *in omslag naaien* sew

**innemen** ❶ *binnenhalen* ⟨brandstof, water. e.d.⟩ take in, ⟨brandstof⟩ fuel, ⟨kaartjes⟩ collect ❷ *tot zich nemen* take ❸ *beslaan, bezetten* occupy, ⟨ruimte⟩ take up ★ *plaats* ~ take up room ❹ *veroveren* take, ⟨een stad, e.d.⟩ capture ❺ ⟨kleren⟩ *kleiner maken* ▼ *iem. voor zich* ~ win sb's sympathy ▼ *iem. tegen zich* ~ antagonize sb

**innemend** winning, captivating, prepossessing

**innen** ⟨huur⟩ collect, ⟨cheque⟩ cash

**innerlijk I** *bnw, van binnen* inner, inward ❷ *intrinsiek* intrinsic **II** *bijw* inner, inwardly **III** *zn* [het] inner self

**innig** *diep gevoeld* profound, heartfelt

**inning** ❶ *het innen* collection, ⟨van cheque⟩ cashing ❷ *sport* innings *mv*

**innovatie** innovation

**innovatief** innovative

**innoveren** innovate, make innovations

**in optima forma** ★ ~ *zijn* to be in top / tip-top form

**inox** BN *roestvrij staal* stainless steel

**inpakken** ❶ *verpakken* ⟨in koffer⟩ pack, ⟨in papier, e.d.⟩ wrap up ❷ *warm kleden* wrap / muffle (oneself) up ❸ *inpalmen* win over

**inpakpapier** wrapping paper

**inpalmen** ❶ *zich toe-eigenen* ★ *de winst* ~ pocket the winnings ❷ *voor zich winnen* win over, charm

**inpandig** ★ *een ~e garage* a built-in garage

**inparkeren** back / reverse into a parking space

**inpassen** fit in

**inpeperen** *betaald zetten* ▼ *ik zal het je* ~ I'll get

even with you, I'll pay you back

**inperken** restrict, curtail

**in petto** ▼ *iets* ~ *hebben* have sth up one's sleeve ▼ ~ *houden* have / keep in reserve

**inpikken** ❶ *min stiekem pakken* grab, snap up ★ *de beste stoelen* ~ snap up the best seats ❷ ~ **op** BN *inhaken op* anticipate

**inplakken** paste in

**inplannen** plan for

**inplanten** *planten* plant

**inpolderen** impolder, reclaim

**inpoldering** impoldering, reclamation

**inpompen** drill / drum in

**inpraten op** talk (somebody) into (something), work on

**inprenten** impress (upon), drum into

**inproppen** cram in(to)

**input** input

**inquisitie** inquisition ★ *de Heilige Inquisitie* the Holy Inquisition

**inregenen** ★ *het regent hier in* the rain's coming in / through

**inrekenen** *arresteren* pull in, inform run in

**inrichten** ❶ *regelen* arrange, ⟨cursus, e.d.⟩ organize ★ *het zo* ~ *dat...* manage so that... ❷ *toerusten* fit up, furnish, construct, ⟨informeel⟩ fix up ★ *zich* ~ set-up house ★ *goed ingericht* well appointed ★ *speciaal ingericht voor* specially equipped for

**inrichting** ❶ *aankleding* furnishing, fitting up ❷ *instelling* institute

**inrijden** ❶ *naar binnen rijden* ride in(to), ⟨met auto⟩ drive in(to) ❷ *geschikt maken* ⟨paard⟩ break in, ⟨auto⟩ run in

**inrit** entry, entrance, driveway ★ *geen* ~ no entry

**inroepen** call in, invoke ★ *iemands hulp* ~ enlist sb's help

**inroesten** rust up, rust solid ▼ *ingeroeste gewoonten* ingrained habits

**inroosteren** schedule

**inruil** ❶ *het inwisselen* exchange ❷ *het inleveren van iets bij aankoop* trading-in

**inruilen** exchange, ⟨van auto e.d.⟩ trade in ★ ~ *voor / tegen* exchange for

**inruilwaarde** resale value, replacement value

**inruimen** *vrijmaken* ★ *plaats* ~ make room, give space (to)

**inrukken** *afmarcheren* dismiss ★ *ingerukt, mars!* dismiss!

**inschakelen** ❶ *in werking stellen* ⟨stroom⟩ turn / switch on, ⟨motor⟩ let out / slip the clutch, ⟨elektriciteit⟩ switch on ❷ *doen meewerken* enlist, ⟨advocaat, leger⟩ call in

**inschalen** put on the scale

**inschatten** assess, judge

**inschatting** assessment

**inschattingsfout** error of judgement

**inschenken** ⟨glas⟩ fill, ⟨thee⟩ pour

**inschepen** ship ★ *zich* ~ embark (for)

**inscheuren** tear

**inschieten** ❶ *sport* score ❷ *verliezen* lose ★ *zijn leven* ~ lose one's life ★ *zijn geld erbij* ~ lose money over it ★ *mijn vakantie is erbij ingeschoten* my holiday fell through ❸ *met vaart binnengaan* ★ *zij schoot de kamer in* she shot into the room

**inschikkelijk** accommodating, obliging

**inschikken ❶** *inschuiven* sit closer together, _inform_ move up **❷** *toegeven* be accommodating / obliging

**inschoppen ❶** *stuk schoppen* kick down **❷** *schoppen in iets* kick in(to)

**inschrijfformulier** ⟨voor aanmelding⟩ registration form, ⟨voor onderwijs⟩ enrolment form, ⟨voor sollicitatie⟩ application form, ⟨voor wedstrijd⟩ entry form

**inschrijfgeld** enrolment fee

**inschrijven I** *ov ww* **❶** *optekenen* enter **❷** *aanmelden* ⟨van onderzoek, wedstrijd⟩ enter, ⟨school⟩ enrol, register ★ *zich laten ~* enrol o.s. as a member, register ★ *het aantal ingeschreven leerlingen* the number of pupils on the roll **II** *on ww* **❶** *intekenen op iets* sign up (for), put one's name down (**voor** for) **❷** *prijsopgave doen* tender

**inschrijving ❶** *intekening* subscription, ⟨voor aanbesteding⟩ tender ★ *de ~ openstellen* invite subscriptions, invite tenders ★ *de ~ is gesloten* the subscription list is closed **❷** *registratie* registration, ⟨bij onderwijs⟩ enrolment, ⟨bij wedstrijd ook⟩ entry

**inschrijvingsbewijs** BN *kentekenbewijs* ≈ (vehicle) registration card

**inschuiven ❶** *naar binnen schuiven* shove / slide in **❷** *inschikken* move / close up

**inscriptie** inscription

**insect** insect, bug

**insectenbeet** insect bite

**insectendodend** pesticidal

**insecticide** insecticide

**inseinen** inform, _inform_ tip off

**inseminatie** insemination

**insemineren** inseminate

**ins en outs** ins and outs *mv*

**insgelijks** likewise

**insider** insider

**insigne** badge

**insinuatie** insinuation

**insinueren** *beschuldigend zinspelen op* insinuate

**inslaan I** *ov ww* **❶** *erin slaan* drive in, ⟨van spijker⟩ hammer in **❷** *stukslaan* smash (in) **❸** *in voorraad nemen* stock up, lay in **❹** *ingaan* turn (into) **II** *on ww* **❶** *met kracht doordringen* strike ★ *de bliksem is ingeslagen* lightning has struck **❷** *indruk maken* be a (great) success, strike home ★ *dat slaat in als een bom* that is a complete surprise / shock

**inslag ❶** *het inslaan* impact **❷** *karakter(trek)* ★ *humoristische ~* humoristic streak ★ *met zo'n ~ zul je niet ver komen* this attitude / mentality won't get you anywhere ★ *fascistische ~* fascist leanings **❸** *dwarsdraad* weft

**inslapen ❶** *in slaap vallen* fall asleep, drop off **❷** *sterven* pass away

**inslikken** swallow

**insluimeren** *in slaap vallen* doze off, drop off (to sleep)

**insluipen ❶** _lett_ steal in(to) **❷** _fig_ creep in ★ *er is een fout ingeslopen* an error has crept in

**insluiper** intruder

**insluiten ❶** *opsluiten* lock in **❷** *omgeven* surround, encircle **❸** *bijsluiten* enclose

**insmeren** ⟨lotion, e.d.⟩ rub with, ⟨met boter, vet⟩ smear, ⟨met boter, vet⟩ grease

**insneeuwen** snow in ★ *het huis was ingesneeuwd* the house was snowed under

**insnijden** cut in(to)

**insnoeren** constrict

**insolvent** insolvent

**inspannen I** *ov ww* **❶** *vastmaken* ⟨trekdier⟩ harness (to) **❷** *moeite geven* ⟨kracht⟩ exert, ⟨ogen⟩ strain **❸** BN jur *beginnen* institute, initiate ★ *een rechtszaak tegen iem. ~* institute legal proceedings against sb **II** *wkd ww* [zich ~] *moeite doen* exert oneself, make an effort

**inspannend** strenuous, laborious, ⟨voornamelijk geestelijk⟩ exacting ★ *~ werk* strenuous / exacting work

**inspanning** effort, exertion, ⟨te grote⟩ strain ★ *met ~ van alle krachten* with the utmost exertion

**inspecteren** inspect

**inspecteur** inspector ★ *~ van politie* police inspector ★ *~ bij de belastingen* inspector / surveyor of taxes ★ *~ van gezondheid* health inspector

**inspecteur-generaal** inspector general

**inspectie** ⟨controle⟩ inspection, ⟨district⟩ inspectorate

**inspelen I** *ov ww* play in **II** *on ww* **❶** *vooraf oefenen* warm-up **❷** *~* **op** *reageren* anticipate

**inspiratie** inspiration

**inspirator** source of inspiration

**inspireren** *bezielen* inspire

**inspraak** voice, say, participation, ⟨in bedrijf, universiteit⟩ participation

**inspraakprocedure** (public) participation procedure

**inspreken ❶** *tekst inspreken* record ★ *een bandje ~* record a tape ★ *u kunt uw boodschap ~ na de pieptoon* you may leave / record your message after the beep **❷** *inboezemen* inspire ★ *iem. moed ~* put heart into sb, inspire with courage, _inform_ pep sb up

**inspringen ❶** *erin springen* leap in(to) **❷** *invallen* substitute (for), fill / stand in for ★ *voor iem. ~* fill in for sb **❸** *terugwijken* bend in(ward), ⟨van regel⟩ indent **❹** *~* **op** seize on

**inspuiten I** *ov ww, inbrengen* inject **II** *on ww, naar binnen komen* gush into ★ *het water spoot de kelder in* the water gushed into the cellar

**instaan voor** take responsibility for ★ *voor iem. ~* answer for sb ★ *ik kan niet voor de waarheid ~* I can't vouch for the truth

**instabiel** unstable, insecure

**instabiliteit** instability

**installateur** installer, ⟨van elektriciteit⟩ electrician ★ *erkend ~* approved / qualified installer

**installatie ❶** *apparatuur* equipment **❷** *stereo-installatie* stereo

**installatiekosten** installation costs *mv*

**installeren ❶** *inrichten* fit up, furnish **❷** *monteren* install **❸** *vestigen* settle ★ *zij installeerden zich voor de buis* they settled down in front of the tv

**instampen ❶** *erin stampen* ram / pound in **❷** *kapotmaken* kick / bash in **❸** *inprenten* drill ★ *iem. iets ~* drum sth into sb's head

**instandhouding** maintenance

**instantie** instance, resort ▾ *in eerste ~* in the first

**in**

**in**

instance ▼ *in laatste* ~ in the last resort
**instantkoffie** instant coffee
**instapkaart** boarding pass
**instappen** *stappend ingaan* ⟨auto, trein⟩ get in, ⟨bus⟩ get on ★ *iedereen* ~! USA all aboard!
**insteek** approach
**insteekkaart** comp expansion board
**insteken** *plaatsen* put in
**instellen** ❶ *beginnen* set up, begin ★ *een vordering* ~ bring a claim ❷ *afstellen* ⟨camera⟩ focus, ⟨instrument⟩ adjust ★ *op Engeland ingesteld* orientated to England ❸ *oprichten* establish, institute
**instelling** ❶ *mentaliteit* mentality, attitude ★ *een zakelijke* ~ a businesslike attitude ❷ *instituut* institute
**instemmen** fall in with, agree / concur (with)
**instemmend** assenting, approving
**instemming** agreement, ⟨bijval⟩ approval
**instigatie** instigation
**instinct** instinct
**instinctief** instinctive
**instinken** be conned
**instinker** trick(y) question
**institutionaliseren** institutionalize
**institutioneel** institutional
**instituut** institution, institute
**instoppen** ❶ *indoen* put in ★ *stop het hier maar in* put it in here ❷ *toedekken* tuck in
**instorten** ❶ *in elkaar vallen* fall / come down, collapse, ⟨kuil, gang⟩ cave-in ❷ med *terugvallen* collapse, break down
**instorting** *het in elkaar vallen* collapse
**instromen** fig move / flow into
**instroom** influx, ⟨studenten enz.⟩ intake
**instructeur** instructor
**instructie** ❶ *aanwijzing* direction, ⟨voor een vlucht, e.d.⟩ briefing ❷ *onderricht* instruction, tuition ❸ jur inquiry
**instructiebad** learners' pool
**instructief** instructive, enlightening
**instrueren** ❶ *instructies geven* instruct, ⟨piloot, e.d.⟩ brief ❷ *onderrichten* instruct
**instrument** ❶ *verfijnd werktuig* instrument ❷ *muziekinstrument* musical instrument
**instrumentaal** instrumental
**instrumentalist** instrumentalist
**instrumentarium** set of instruments, med instrumentarium
**instrumentenpaneel** instrument panel
**instrumentmaker** instrument maker / builder
**instuderen** ⟨muziek⟩ practise, ⟨rol⟩ study, ⟨stuk⟩ rehearse
**instuif** informal party / gathering
**insturen** send in(to) ★ *een verslag* ~ send in / submit a report
**insubordinatie** insubordination
**insuline** insulin
**intact** intact, unimpaired
**intakegesprek** interview on admission to hospital, school, etc.
**intapen** tape
**inteelt** inbreeding
**integendeel** on the contrary
**integer** honest, incorruptible
**integraal** integral

**integraalhelm** crash helmet with fixed visor
**integraalrekening** integral calculus
**integratie** integration
**integreren** I *on ww, in geheel opgaan* integrate II *ov ww, in geheel onderbrengen* integrate III wkd ww [zich ~] BN *in geheel opgaan* integrate ★ *die mensen* ~ *zich makkelijk in de maatschappij* those people easily integrate into society
**integriteit** integrity
**intekenen** I *ov ww, inschrijven* register, enter II *ov ww, zich verplichten* subscribe (to, for), put one's name down (for) ★ ~ *voor een bedrag van vijf euro* put one's name down for a sum of five euros ★ ~ *op een nieuwe editie* subscribe to a new edition
**intekenlijst** subscription list
**intekenprijs** subscription price
**intellect** ❶ *verstand* intellect ❷ *intellectuelen* intelligentsia, the intellectuals *mv*
**intellectueel** I *zn* [de] intellectual II *bnw* intellectual, highbrow
**intelligent** intelligent
**intelligentie** intelligence
**intelligentiequotiënt** intelligence quotient
**intelligentietest** intelligence test
**intelligentsia** intelligentsia
**intens** intense
**intensief** intensive
**intensiteit** intensity
**intensive care** ❶ med *intensieve bewaking* intensive care ❷ med *afdeling* intensive care
**intensiveren** intensify
**intentie** intention, purpose ★ *de* ~ *hebben om* intend to, have it in mind to
**intentieverklaring** declaration of intent
**intentioneel** intentional
**interactie** interaction
**interactief** interactive
**interbancair** interbank
**interbellum** period between the wars
**intercedent** interceder, intermediary
**intercity** intercity (train)
**intercom** intercom
**intercommunaal** BN *tussen gemeenten* intermunicipal
**intercontinentaal** intercontinental
**intercultureel** intercultural
**interdependentie** interdependence
**interdisciplinair** interdisciplinary
**interen** ★ *op zijn kapitaal* ~ eat into one's capital
**interessant** interesting
**interesse** interest
**interesseren** I *ov ww* interest ★ *iem. voor iets* ~ interest sb in sth II *wkd ww* [zich ~] ~ **voor, in** be interested in
**interest** interest ★ *samengestelde / enkelvoudige* ~ compound / simple interest ★ *met* ~ *terugbetalen* pay back with interest ★ *tegen* ~ at interest
**interface** comp interface
**interfaculteit** combined faculty ★ *de* ~ *van geografie en prehistorie* combined faculty of geography and prehistory
**interferentie** interference
**interfereren** ❶ *tussenbeide komen* interfere ❷ *op elkaar inwerken* interfere
**interieur** interior

**interieurverzorgster** cleaning lady, cleaner
**interim** *tijdelijke werkkracht* interim ❷ BN *tijdelijke baan* temporary job ❸ → **ad interim**
**interim-** ★ *~manager* interim manager
**interimkantoor** BN *uitzendbureau* (temporary) employment agency, *inform* temp agency
**interkerkelijk** interchurch, interdenominational
**interland** international (match)
**interlinie** *ruimte tussen regels* (line) spacing
**interlokaal** ★ *~ telefoneren* make a long-distance call ★ *~ gesprek* long-distance call
**intermediair I** *zn* [de], *bemiddelaar* intermediary **II** *bnw*, *bemiddelend* intermediary
**intermenselijk** interpersonal, human ★ *~e verhoudingen* human relations
**intermezzo** intermezzo, interlude
**intern** ❶ *inwendig* internal ★ *~e geneeskunde* internal medicine ❷ *binnen organisatie* internal, (aangelegenheden) domestic ❸ *inwonend* resident, (patiënt) in-patient ★ *~ zijn* live-in
**internaat** boarding school
**internationaal** international
**international** *sport* international
**interneren** intern
**interneringskamp** internment camp
**internet** Internet
**internetaansluiting** comp internet connection
**internetcafé** Internet café
**internetprovider** Internet provider
**internetten** surf (on) the Net
**internetter** internet user
**internist** internal medical specialist, USA internist
**interpellatie** interpellation
**interpelleren** interpellate, question
**interpretatie** interpretation
**interpreteren** interpret
**interpunctie** punctuation
**interrumperen** interrupt
**interruptie** *onderbreking* interruption
**interval** interval
**intervaltraining** interval training
**interveniëren** intervene
**interventie** intervention
**interventiemacht** intervention force
**interventietroepen** peace-keeping forces *mv*
**interview** interview
**interviewen** interview
**interviewer** interviewer
**intiem** intimate
**intifada** intifada
**intimidatie** intimidation ★ *seksuele ~* ≈ sexual harassment
**intimideren** intimidate
**intimiteit** ❶ *het intiem zijn* intimacy ❷ *vertrouwelijkheid* intimacy ❸ *vrijpostigheid* liberty ★ *ongewenste ~en* sexual harassment ▼ BN *in alle ~* in the family circle, private(ly)
**intocht** entry
**intoetsen** enter, compose
**intolerant** intolerant
**intolerantie** intolerance
**intomen** curb, check, restrain
**intonatie** intonation
**intranet** comp intranet
**intransitief** intransitive

**intrappen** *kapottrappen* kick in / down
**intraveneus** intravenous
**intrede** ❶ *ambtsaanvaarding* inauguration ★ *zijn ~ doen* enter upon one's office ❷ *begin* advent ❸ *binnenkomst* ▼ *zijn ~ doen* set in
**intreden** ❶ *beginnen* set in ★ *de dood trad onmiddellijk in* death was instantaneous ❷ *non / monnik worden* enter an order / a convent
**intrek** ★ *zijn ~ nemen in een hotel* put up at a hotel ★ *zijn ~ bij iem. nemen* move in with sb
**intrekken I** *ov ww* ❶ *naar binnen trekken* draw in, (klauwen, landingsgestel) retract ❷ *terugnemen* (vergunning, geld, woorden) withdraw, (een wet) repeal, (een bevel) revoke, (verlof, een opdracht) cancel ★ *de verloven zijn ingetrokken* all leave has been cancelled ★ *een rijbewijs tijdelijk ~* suspend a driving licence **II** *on ww* ❶ *binnentrekken* march into, move in(to) ❷ *gaan inwonen* move in (with) ★ *wanneer trek je hier in?* when do you move in? ❸ *opgezogen worden* ★ *de inkt zal er ~* the ink will soak in
**intrigant** intriguer, schemer
**intrige** ❶ *slinks plan* intrigue ❷ *plot* plot, intrigue
**intrigeren I** *ov ww*, *boeien* intrigue **II** *on ww*, *samenzweren* intrigue, scheme
**intro** intro
**introducé** guest
**introduceren** ❶ *voorstellen* introduce ❷ *in omloop brengen* introduce, launch
**introductie** introduction
**introductieprijs** introductory price
**introductieweek** orientation week
**introeven** trump
**introspectie** introspection
**introvert I** *zn* [de] introvert **II** *bnw* introvert
**intubatie** med intubation
**intuinen** swallow, be fooled, fall for
**intuïtie** intuition ★ *bij ~* by intuition, intuitively
**intuïtief** intuitive
**intussen** meanwhile
**intypen** type in
**Inuit** Inuit
**inval** ❶ *het binnenvallen* (van vijand) invasion, (van politie) raid ★ *een ~ doen* invade, raid ❷ *idee* idea, brain wave ❸ *begin* ▼ *het is daar de zoete ~* they keep open house there
**invalide I** *zn* [de] disabled person [mv: the disabled] invalid **II** *bnw* handicapped, (soldaat, arbeider) disabled
**invalidenwagen** wheelchair
**invaliditeit** invalidity, disablement
**invalkracht** substitute, replacement
**invallen** ❶ *binnenvallen* invade, (door politie) raid ❷ *instorten* cave in, (van huis) collapse, (van huis) fall down ❸ *in gedachte komen* ★ *het viel hem in* it occurred to him ❹ *beginnen* (van nacht) fall, (van dooi, e.d.) set in ★ *bij het ~ van de nacht* at nightfall ❺ *muz* join in ❻ *vervangen* deputize, (ook sport) stand in (for) ▼ *een ingevallen gezicht* a shrunken face
**invaller** *plaatsvervanger* substitute, sport reserve
**invalshoek** ❶ *gezichtshoek* angle ❷ *natk* angle of incidence
**invalsweg** approach / access (road)
**invasie** invasion
**inventaris** (lijst) inventory, (aanwezige

in

goederen) stock, (van huis) furniture (and fittings) ★ *de ~ opmaken* take stock, make an inventory

**inventarisatie** stocktaking

**inventariseren** make an inventory of

**inventief** inventive, resourceful

**invers** inverse, opposite

**inversie** inversion

**investeerder** investor

**investeren** invest, investment banking

**investering** investment

**investeringsbank** investment bank

**invetten** grease, oil

**invitatie** invitation

**inviteren** invite (**voor** to)

**in-vitrofertilisatie** in vitro fertilization

**invliegen** v BN *er eens ~* go all out, put out all the stops

**invloed** influence, pull, (uitwerking) effect ★ *~ uitoefenen op* exert an influence on ★ *zijn ~ aanwenden* use one's influence ★ *zwaar onder ~* USA jeugd zonked

**invloedrijk** influential

**invloedssfeer** sphere of influence

**invoegen** I *ov ww, inlassen* insert, put in II *on ww, tussenvoegen bij verkeer* filter (in), get in lane

**invoegstrook** acceleration lane

**invoer** ❶ import (handeling) import, (goederen) imports *mv* ❷ comp *input* input

**invoerbelasting** import duty, input tax

**invoerdocumenten** import documents *mv*

**invoeren** ❶ *erin brengen* introduce, lead / feed in ★ *elektriciteit ~* feed in electricity ❷ *introduceren* introduce ❸ *importeren* import ❹ comp enter, input (to) ❺ → **ingevoerd**

**invoerrecht** import duty

**invoerverbod** import ban / embargo *mv*: *embargoes*

**invorderbaar** collectable, (belasting ook) leviable

**invorderen** *innen* collect, (van betaling) demand payment, (van belasting) levy

**invreten** corrode

**invriezen** freeze

**invrijheidstelling** release ★ *voorwaardelijke ~* conditional discharge

**invullen** (naam) fill in, (formulier) fill in / up

**invulling** ❶ *het invullen* filling in, USA filling out ❷ *interpretatie* interpretation

**invuloefening** gap-exercise

**inwaarts** inward(s)

**inweken** soak, soften

**inwendig** inward, interior, inner ★ *~ letsel* internal injuries

**inwerken** I *ov ww* ❶ *aanbrengen in* work into ❷ *vertrouwd maken* train ★ *zich ~* learn the ropes, master the details of a job ★ *iem. ~* show sb the ropes II *on ww, invloed hebben* act upon, affect ★ *op elkaar ~* interact ★ *iets op je laten ~* let sth sink in

**inwerking** effect, influence, impact

**inwerkingtreding** coming into force, (besluit, wet enz.) taking effect

**inwerktijd** training period

**inwerpen** ❶ *naar binnen werpen* throw in, (van munt) insert ❷ sport throw in

**inwijden** ❶ (een persoon) *initiëren* initiate ❷ (een gebouw e.d.) *in gebruik nemen* inaugurate

**inwijding** ❶ *initiatie* initiation ❷ *ingebruikneming* inauguration

**inwijkeling** BN immigrant

**inwijken** BN immigrate

**inwilligen** comply with ★ *eisen ~* concede demands

**inwilliging** compliance (with), consent / agreement (to)

**inwinnen** ★ *inlichtingen ~* gather information, make inquiries ★ *iemands raad ~* ask sb's advice ★ *rechtskundig advies ~* seek legal advice

**inwisselbaar** exchangeable

**inwisselen** change, exchange for

**inwonen** live-in

**inwonend** resident ★ *~e kinderen* children living at home ★ *~ arts* resident doctor

**inwoner** resident, (van stad) inhabitant

**inwonertal** population

**inwoning** → **kost**

**inworp** sport throw-in

**inwrijven** rub in ★ *~ met* rub with

**inzaaien** sow, seed ★ *een gazon ~* seed a lawn

**inzage** inspection, perusal ★ *ter ~ zenden* send on approval ★ *~ nemen van* peruse ★ *ter ~ leggen* open to / deposit for (public) inspection

**inzake** with regard to ★ *~ uw situatie* with regard to your situation

**inzakken** ❶ *in elkaar zakken* collapse, cave in, (vloer) give way, (gebouw, grond) subside ❷ *lager worden* slump

**inzamelen** collect

**inzameling** collection ★ *een ~ houden* make / take a collection

**inzamelingsactie** collection

**inzegenen** (kerk) consecrate, (huwelijk) celebrate

**inzegening** consecration, (van huwelijk ook:) solemnization

**inzenden** send in, contribute ★ *zijn stukken ~* send in one's papers

**inzending** *het ingezondene* (van prijsvraag) entry, (op tentoonstelling) exhibit, (van tijdschrift) contribution

**inzepen** soap, (bij scheren) lather

**inzet** ❶ *inspanning* effort ❷ *bod* upset price, starting price ❸ *inleg bij spel* stake, stakes *mv* ★ *de hele ~ winnen* win the pool / jackpot ❹ *kleine foto / tekening* inset ❺ muz attack

**inzetbaar** employable, usable

**inzetten** I *ov ww* ❶ *erin zetten* set / put in ❷ *in actie brengen* bring / put into action ★ *extra treinen ingezet* they are putting on extra trains, they are putting extra trains in service ❸ *beginnen* start, (winter, toestand) set in, (aanval) launch ❹ *wedden* stake ❺ muz start, (lied, wals) strike up II *wkd ww* [*zich ~*] do one's best ★ *zich voor een zaak ~* dedicate o.s. to a cause

**inzicht** ❶ *begrip* insight ★ *tot ~ komen* see the light ❷ *mening* opinion ★ *naar eigen ~ handelen* act on one's own discretion ★ *naar mijn ~* in my opinion ★ *een verschil van ~* a difference of opinion

**inzichtelijk** providing insight (into)

**in**

**inzien I** *zn* [het] ▾ *bij nader* ~ on second thought **II** *ov ww* ❶ *inkijken* glance over ❷ *beseffen* see, realize ❸ *beoordelen* ★ *dat zie ik niet in* I do not see that ★ *iets verkeerd / somber* ~ take a wrong / gloomy view of sth

**inzinken** ❶ *lager komen te liggen* sink, subside ❷ *minder worden* go down, slump ❸ *geestelijk instorten* give up, lose heart

**inzinking** ❶ *het dieper komen te liggen* subsidence ❷ *terugval* slump, decline ❸ *lichamelijke instorting* collapse relapse ❹ *geestelijke instorting* breakdown

**inzitten** ❶ ~ **over** worry about ★ *over iets* ~ be worried about sth ★ *zij zit er erg over in* she is worried sick about it ❷ ~ **met** ★ *ergens lelijk mee* ~ be in a fix about sth, be at one's wits' end about sth

**inzittende** occupant, passenger

**inzoomen** zoom in on

**inzwachtelen** bandage

**ion** ion

**Ionische Zee** Ionian Sea

**ioniseren** ionize

**IQ** *intelligentiequotiënt* IQ

**IRA** *Irish Republican Army* IRA

**Iraaks** Iraqi

**Iraans** Iranian

**Iraanse** Iranian (woman / girl)

**Irak** Iraq

**Irakees I** *zn* [de] Iraqi **II** *bnw* Iraqi

**Irakese** Iraqi (woman / girl)

**Iran** Iran

**Iraniër** Iranian

**iris** ❶ *bloem* iris ❷ *deel van oog* iris

**iriscopie** iridiscopy

**irisscan** iris scan

**ironie** irony ★ *de* ~ *van het noodlot* the irony of fate

**ironisch** ironical

**irrationeel** irrational

**irreëel** unreal, imaginary

**irrelevant** irrelevant

**irrigatie** irrigation

**irrigator** irrigator

**irrigeren** irrigate

**irritant** irritating, annoying, exasperating

**irritatie** *ergernis* irritation

**irriteren** irritate, annoy, exasperate

**ischias** sciatica

**ISDN** *Integrated Service Digital Network* ISDN

**isgelijkteken** equals sign

**islam** Islam

**islamiet** Islamite

**islamisering** Islamization

**islamist** Islamist

**islamitisch** Islamic

**ISO** *International Standardization Organization* ISO

**isobaar** isobar

**isolatie** ❶ *het isoleren* insulation ★ ~ *van de spouwmuur* cavity wall insulation ❷ *het geïsoleerd-zijn* isolation

**isolatieband** insulating tape

**isolatielaag** insulation layer

**isolatiemateriaal** insulation material, insulant

**isolator** insulator

**isoleercel** isolation cell

**isoleerkan** thermos flask

**isolement** isolation

**isoleren** *afzonderen* isolate

**isotoon** isotonic

**isotoop** scheik isotope

**Israël** Israel

**Israëli** Israeli

**Israëliër** Israeli

**Israëliet** Israelite

**Israëlisch** Israeli

**Israëlische** Israeli (woman / girl)

**Israëlitisch** Israelite

**issue** issue

**Istanboel** Istanbul

**IT** *informatietechnologie* IT, Information Technology

**Italiaan** Italian

**Italiaans I** *bnw, m.b.t. Italië* Italian **II** *zn* [het], *taal* Italian

**Italiaanse** Italian (woman / girl)

**Italië** Italy

**item** item

**IT'er** IT-specialist

**ivf** med *in-vitrofertilisatie* IVF, in vitro fertilization

**ivoor** *materiaal* ivory

**Ivoorkust** Ivory Coast

**ivoren** ivory

**Ivoriaans** Ivorian

**Ivriet** (modern) Hebrew

**iv**

# J

**j** j ★ *de j van Jan* J as in Jack
**ja** I *tw* yes ★ *ja zeker* certainly ★ *ja knikken* nod
assent ★ *een vraag met ja beantwoorden* answer a
question in the affirmative ▼ *maar ja...* but
then..., oh well... ▼ *op alles ja en amen zeggen*
agree with everything II *zn* [het] yes
**jaap** cut, gash ★ *iem. een jaap geven* cut / gash sb
**jaar** year ★ *de laatste jaren* in recent years, of late
years ★ *jaar in, jaar uit* year in and year out ★ *in
het jaar onzes Heren* in the year of our Lord ★ *met
de jaren* over / with the years, after years ★ *jaar
na jaar* year by / after year ★ *over een jaar* in a
year's time ▼ *nog vele jaren!* many happy returns
of the day! ▼ *de magere jaren* the lean years ▼ *de
vette jaren* the fat years ▼ *de jaren des onderscheids,*
BN *de jaren van verstand* the age of discretion
▼ BN *in het jaar één, als de uilen preken* when pigs
fly, when hell freezes over ▼ *op jaren zijn* be
advanced in years, be elderly / old ▼ *sinds jaar en
dag* for many years now, for a long time
**jaarbeurs** ❶ *tentoonstelling* (trade) fair, exhibition
❷ *gebouw* fair centre, exhibition centre
**jaarboek** ❶ *kroniek* yearbook ❷ *annalen* annals
*mv*, chronicles *mv*
**jaarcijfers** annual returns *mv*
**jaarclub** omschr society of students who started
in the same academic year, ≈ sorority /
fraternity
**jaarcontract** annual contract
**jaargang** volume, ⟨van wijn⟩ vintage ★ *een oude ~*
a back volume
**jaargenoot** ❶ *studiegenoot* fellow-student,
⟨leerling⟩ classmate ❷ *leeftijdsgenoot*
contemporary
**jaargetijde** season
**jaarkaart** annual season ticket
**jaarlijks** I *bnw* yearly, annual II *bijw* every year,
annually
**jaarmarkt** (annual) fair
**jaaropgaaf** annual statement
**jaarring** annual ring
**jaarsalaris** annual / yearly salary
**jaartal** date, year
**jaartelling** era
**jaarvergadering** annual meeting
**jaarverslag** annual report
**jaarwisseling** turn of the year ▼ *prettige ~!* happy
New Year!
**jacht** I *zn* [de] ❶ *het jagen* hunting, ⟨op klein wild⟩
shooting, hunt, ⟨op klein wild⟩ shoot, hunt⟨ing
ground⟩, ⟨klein wild⟩ shoot⟨ing ground⟩,
⟨hunting⟩ season ★ *op ~ gaan* go hunting /
shooting ★ *~ maken op* hunt out, pursue ❷ *het
najagen* pursuit II *zn* [het] yacht
**jachten** hurry, rush
**jachtgebied** hunting ground, ⟨klein wild⟩
shooting
**jachtgeweer** shotgun
**jachthaven** marina
**jachthond** hound
**jachtig** hurried ★ *~ in de weer zijn* rush around,
bustle about

**jachtluipaard** cheetah
**jachtopziener** gamekeeper
**jachtschotel** cul hotpot
**jachtseizoen** hunting / shooting season
**jachtvliegtuig** fighter (plane)
**jack** jacket
**jacket** med crown
**jackpot** jackpot
**jackrussellterriër** hond Jack Russell terrier
**jacquet** morning coat, inform tails *mv*
**jacuzzi** jacuzzi, whirlpool (bath)
**jade** jade
**jagen** I *ov ww* ❶ *jacht maken op* hunt, ⟨herten⟩
stalk, ⟨klein wild⟩ shoot, ⟨prooi⟩ chase
❷ *voortdrijven* hurry, ⟨snel⟩ rush ★ *een wet erdoor
~ railroad / rush a bill through Parliament II *on
ww* ❶ *proberen te vangen* hunt ❷ *streven naar*
pursue ❸ *snel bewegen* rush, race
**jager** ❶ *iem. die jaagt* hunter ★ *~ op groot wild* big
game hunter ❷ *jachtvliegtuig* fighter
★ *langeafstands~* long-range fighter ❸ *schip*
hunter, mil destroyer
**jaguar** jaguar
**jak** *overjasje* jacket
**Jakarta** Djakarta
**jakhals** *roofdier* jackal
**jakkeren** *snel gaan* rush, ⟨vnl. met auto⟩ tear
along, ⟨hard werken⟩ work oneself to death
**jakkes** ugh!, yuk!
**jaknikker** ❶ *jabroer* yes-man ❷ *pomp* noddy
donkey, grasshopper pump
**jakob** ▼ *de ware* = Prince Charming
**jakobsschelp** scallop
**jaloers** jealous, envious
**jaloezie** ❶ *jaloersheid* jealousy ❷ *zonwering*
Venetian blind
**jam** cul jam, marmelade ★ *jam maken van* make
into jam
**Jamaica** Jamaica
**Jamaicaans** Jamaican ▼ *zij is een ~e* she's a
Jamaican woman, she's from Jamaica
**jamboree** jamboree
**jammen** to take part in a jam session, jam
**jammer** a pity ★ *wat ~!* what a pity!, what a
shame! ★ *het is erg ~* it's really a shame ★ *het is ~
van het geld* it's too bad about the money ★ *dat is
erg ~ voor je* I'm sorry to hear that, that's tough
on you ★ *~ genoeg* unfortunately ★ *~ genoeg
kwam hij niet* sad to say he didn't turn up ★ *~
dan!* tough luck!
**jammeren** lament, wail, moan, inform yammer
**jammerklacht** lamentation
**jammerlijk** woeful, pitiful
**jampot** jam jar
**jamsessie** jam session
**Jan** John ▼ *Jan Klaassen en Katrijn* Punch and Judy
▼ *Jan Rap en z'n maat* ragtag and bobtail, scum
▼ *Jan Salie* stick-in-the-mud ▼ *boven Jan zijn* be
over the hump
**jan** ▼ BN *de grote jan uithangen* behave rather
pompously
**janboel** muddle, mess ★ *een grote ~* a dreadful
mess
**janboerenfluitjes** ▼ *op z'n ~* in a slaphappy /
slapdash way
**janet** BN humor *mannelijke homo* queer

**janken** cry, ⟨van personen, luidkeels⟩ howl, ⟨van personen, luidkeels⟩ inform blubber, ⟨van dieren, kinderen⟩ whine ★ *ik kon wel* ~ I could cry, I was almost in tears

**jantje-van-leiden** v *zich er met een* ~ *van afmaken* talk one's way out of sth, ⟨slordig werk⟩ do sth in a slapdash manner

**januari** January

**jan-van-gent** gannet

**Japan** Japan

**Japanner** *bewoner* Japanese

**Japans** *m.b.t. Japan* Japanese

**Japanse** Japanese (woman / girl)

**Japanse Zee** Sea of Japan

**japon** dress, ⟨lang⟩ gown

**jappenkamp** Japanese (POW) camp

**jarenlang I** *bnw* many years' **II** *bijw* for years

**jargon** jargon

**jarig** ★ *ik ben vandaag* ~ today is my birthday v *dan ben je nog niet* ~ then you are in no end of a mess, then you're in big trouble

**jarige** person whose birthday it is, inform birthday boy / girl

**jarretelle** garter

**jas ❶** *kledingstuk* coat **❷** *colbert* jacket

**jasbeschermer** dress guard

**jasmijn** jasmine

**jassen** *schillen* peel ★ *piepers* ~ peel spuds

**jaszak** coat pocket

**jatten I** *ov ww*, inform *stelen* pinch, nab, swipe **II** *de mv*, inform *handen* paw ★ *blijf er met je* ~ *vanaf!* keep your paws off!

**Java** Java

**Javaans** Javanese ★ *zij is een* ~*e* she's a Javanese woman, she's from Java

**Javazee** Java Sea

**jawel** yes, indeed

**jawoord** consent ★ *het* ~ *geven* say yes ★ *om het* ~ *vragen* propose

**jazz** jazz (music)

**jazzballet** jazz-ballet

**jazzband** jazz band

**jazzclub** jazz club

**jazzdance** *dans* jazz dance

**je I** *pers vnw* you **II** *wkd vnw* yourself [mv: yourselves] ★ *je zou je moeten schamen* you ought to be ashamed of yourself **III** *bez vnw* your ★ *dat is je van het!* the very best! **IV** *onb vnw*, *men* you ★ *zoiets doe je niet* you don't do things like that ★ *je hebt van die mensen* it takes all kinds (to make a world)

**jeans** (blue) jeans *mv*

**jeansvest** BN *spijkerjack* denim jacket, jean(s) jacket

**jee** gee!, gosh!

**jeep** jeep

**jegens** to, towards

**Jemen** Yemen

**Jemenitisch** Yemeni

**jenever** Hollands / Dutch gin, geneva

**jeneverbes ❶** *bes* juniper berry **❷** *struik* juniper

**jengelen** whine, whimper

**jennen** tease, harass, badger

**jeremiëren** complain, wail, inform bellyache

**jerrycan** jerrycan, jerrican

**jersey** jumper, jersey, USA sweater

**Jeruzalem** Jerusalem

**jet I** *zn* [de] [mv: jets] jet **II** *zn* [de] [mv: jetten] ★ *de jarige jet* the birthday girl

**jetlag** jet lag

**jetset** jet-set

**jetski** jet-ski

**jeu** flavour ★ *de jeu is eraf* the gilt is off the gingerbread

**jeu de boules** jeu de boules, ≈ (lawn) bowling

**jeugd ❶** *jonge leeftijd* youth ★ *tweede* ~ second childhood ★ *niet meer in zijn eerste* ~ past his prime ★ *zij heeft haar* ~ *gehad* she is no spring chicken **❷** *jonge mensen* youth *mv*, young people *mv* ★ *de* ~ *van tegenwoordig* the youth of today v *wie de* ~ *heeft, heeft de toekomst* the future belongs to the young

**jeugdcriminaliteit** juvenile delinquency

**jeugdherberg** youth hostel

**jeugdherinnering** childhood memory

**jeugdig** youthful

**jeugdliefde** young love, ⟨persoon⟩ love of one's youth

**jeugdpuistje** pimple, inform spot, inform zit

**jeugdrechter** BN *jur* juvenile court magistrate / judge

**jeugdsentiment** youthful / childhood memories *mv*, nostalgia for one's youth

**jeugdwerkloosheid** youth unemployment

**jeugdzonde** sin(s) of one's youth

**jeuk** itch ★ *jeuk hebben* itch

**jeuken** *jeuk veroorzaken* itch v *mijn handen* ~ *om eraan te beginnen* my fingers are itching to start with it

**jewelcase** jewel case

**jezelf ❶** [meewerkend] yourself ★ *je hebt* ~ *een cadeautje gegeven* you've given yourself a present, you've given a present to yourself ★ *vanavond kook je voor* ~ tonight you're cooking for yourself ★ *kijk naar* ~ look at yourself ★ *je hebt het aan* ~ *te danken* you have yourself to blame / thank for it **❷** [lijdend] yourself ★ *daar heb je alleen* ~ *mee* that way you do yourself an injustice ★ *zo straf je* ~ in this way you punish yourself

**Jezus** Jesus

**jezus** jesus, oh je!

**jicht** gout

**Jiddisch I** *zn* [het] Yiddish **II** *bnw* Yiddish

**jihad** jihad

**jij** you

**jijen** ★ ~ *en jouen* be on first-name terms with sb

**jijzelf** you yourself, yourself ★ ~ *zal het moeten doen* you yourself will have to do it ★ *iem. anders dan* ~ sb other than yourself

**jingle** jingle

**Job** Job v *zo arm als Job* as poor as a church mouse v *zo geduldig zijn als Job* have the patience of Job

**job¹** v *de jarige job* the birthday boy

**job²** [djob, dzjob] job

**jobhoppen** job hopping

**jobhopper** job hopper

**jobstudent** BN *werkstudent* working student

**joch, jochie** lad

**jockey** jockey

**jodelen** yodel

**Jodendom** *volk* Jewry, Jews *mv*

**jo**

**jodendom** *geloof* Judaism
**Jodenster** Star of David
**Jodenvervolging** persecution of the Jews, pogrom
**Jodin** *lid van het Joodse volk* Jewess
**jodin** *gelovige* Jewess
**jodium** iodine
**Joegoslaaf** Yugoslav
**Joegoslavië** Yugoslavia
**Joegoslavisch** Yugoslav
**Joegoslavische** Yugoslav (woman / girl)
**joekel** whopper ★ *een ~ van een fout* a whopping mistake, a terrible blunder
**joelen** shout, howl, roar
**jofel** great, nice, super
**joggen** jog
**jogger** jogger
**joggingpak** jogging suit
**joint** joint, reefer ★ *een ~ draaien* roll a joint
**joint venture** joint venture
**jojo** yoyo
**jojoën** yo-yo
**joker** joker ▼ *voor ~ staan* look foolish, look a fool ▼ *iem. voor ~ zetten* make a fool of sb
**jokken** fib, tell tales / lies
**jol** yawl, dinghy
**jolig** jolly
**Jom Kipoer** *rel* Yom Kippur
**jonassen** toss in a blanket
**jong I** *zn* [het] ⟨dier⟩ young one, ⟨mens⟩ child ★ *jongen krijgen* have a litter **II** *bnw* young, ⟨recent⟩ recent, ⟨onervaren⟩ junior ★ *jong en oud* young and old ★ *hij is de jongste van de twee* he is the younger one ★ *zij is de jongste van de groep* she is the youngest of the group ★ *van jongs af aan* from childhood ★ *in zijn jonge jaren* in his early years ★ *de jongste berichten* the latest news
**jonge** *verbaasde uitroep* gosh, (oh) boy, my
**jongedame** young lady
**jongeheer** ❶ *jongeman* young gentleman, ⟨met naam⟩ Master (John) ❷ *penis* willie
**jongelui** young people *mv*, youngsters
**jongeman** young man
**jongen I** *zn* [de] boy, boy, lad ★ *is het een ~ of een meisje?* is it a boy or a girl? ★ *zware ~* tough guy **II** *on ww* give birth, ⟨van hond⟩ have pups *mv*, ⟨van kat⟩ have kittens *mv*
**jongensachtig** boyish
**jongensboek** boys' book
**jongensgek** boy crazy / mad
**jongere** young person ★ *werkende ~n* working youngsters
**jongerejaars** first / second year student
**jongerencentrum** youth centre
**jongerentaal** teenage language, argot
**jongerenwerk** youth work
**jongleren** juggle
**jongleur** juggler
**jongstleden** last ★ *zaterdag ~* last Saturday
**jonk** junk
**jonker** (young) nobleman, esquire
**jonkheer** esquire
**jonkie** ❶ *mens* young one, baby ❷ *dier* little / young one
**jonkvrouw** ≈ Lady
**Jood** *lid van het Joodse volk* Jew

**jood** *gelovige* Jew
**Joods** *m.b.t. het Joodse volk* Jewish
**joods** *m.b.t. het joodse geloof* Jewish
**Joost** ▼ *~ mag het weten* goodness knows, search me
**Jordaan** Jordan
**Jordaans** Jordanian
**Jordaanse** Jordanian (woman / girl)
**Jordanië** Jordan
**Jordaniër** Jordanian
**jota** iota ▼ *ik begrijp er geen jota van* I don't understand a word of it ▼ *geen jota* not a jot
**jou** you ★ *jou moet ik net hebben* you're just the person I am looking for ★ *is dit huis van jou?* is this house yours?
**joule** joule
**journaal** ❶ *nieuws* news, ⟨film⟩ newsreel ❷ *dagboek* journal, diary, ⟨scheepsjournaal⟩ log (book)
**journalist** journalist, newspaperman
**journalistiek I** *zn* [de] journalism **II** *bnw* journalistic
**jouw** your ★ *dat boek is het jouwe* that book is yours
**jouwen** hoot, boo
**jouzelf** form → **jezelf**
**joviaal** jovial, genial
**jovialiteit** joviality
**joyriden** joy riding
**joystick** joy-stick
**jubelen** shout with joy, exult (at), be jubilant
**jubelstemming** jubelant mood
**jubeltenen** upturned toes *mv*
**jubilaris** somebody celebrating his / her jubilee / anniversary
**jubileren** celebrate one's jubilee / anniversary
**jubileum** jubilee, anniversary ★ *zijn zilveren ~ vieren* celebrate one's silver jubilee
**juchtleer** Russia leather
**judassen** nag, needle, pester
**judo** judo
**judoën** practise judo
**judoka** judoka
**juf** *onderwijzeres* teacher
**juffrouw** *ongetrouwde vrouw* Miss ★ *~ Smith* Miss Smith
**juichen** cheer, be jubilant, shout with joy ★ *niet te vroeg ~* don't speak too soon, don't count your chickens before they're hatched
**juist I** *bnw* right, correct, right, correct, right, proper, correct, fair ★ *het ~e antwoord* the correct answer ★ *~ gedrag* correct behaviour ★ *het ~e bedrag* the right amount ★ *~!* exactly!, quite so! ★ *de ~e man op de ~e plaats* the right man in the right place ★ *op het ~e ogenblik* at the right moment ★ *dat is ~ het probleem* that's just / precisely the problem **II** *bijw* ❶ *correct* ★ *~ handelen* do the right thing ❷ *precies* just, exactly ★ *~ daarom!* for that very reason! ★ *dat is het ~* that's just it ❸ *net, zojuist* just
**juistheid** rightness, correctness, exactness
**juk** yoke
**jukbeen** cheekbone
**jukebox** jukebox
**juli** July
**jullie I** *pers vnw* you *mv*, you people *mv* **II** *bez vnw*

your ★ *is dat ~ huis?* is that house yours?
**julliezelf ❶** [onderwerp] you yourselves ★ *~ zullen het moeten doen* you yourselves will have to do it ★ *iem. anders dan ~* sb other than yourselves **❷** [meewerkend] yourselves ★ *jullie hebben ~ een cadeautje gegeven* you've given yourselves a present, you've given a present to yourselves **❸** [lijdend] yourselves ★ *zo straffen jullie ~* in this way you punish yourselves
**jumbojet** jumbo jet
**jungle** jungle ★ *de wet van de ~* the law of the jungle
**juni** June
**junior I** *zn* [de] junior **II** *bnw* junior
**junk, junkie** junkie
**junkfood** junk food
**junkmail** comp *e-mail* spam
**junta** junta
**Jura** Jura
**jureren** judge
**juridisch** legal ★ *~e faculteit* Faculty of Law(s), Law Faculty
**jurist** *rechtsgeleerde* jurist, lawyer
**jurk** dress
**jury ❶** *beoordelingscommissie* jury, panel (of judges) **❷** *jur* jury
**jurylid** member of the jury
**juryrapport** report of the jury
**juryrechtbank** jur jury court
**jus ❶** *vleessaus* gravy **❷** *vruchtensap* juice
**jus d'orange** orange juice
**juskom** gravy boat
**justitie ❶** *rechtswezen* justice **❷** *rechterlijke macht* judiciary, inform the law ★ *iem. aan ~ overleveren* hand sb over to the law
**justitieel** judicial
**justitiepaleis** BN jur court of justice, court of law
**Jut ▼** *Jut en Jul* odd couple
**jute** jute
**jutezak** hessian bag, USA gunny sack
**jutten** comb the beach, loot
**jutter** beachcomber
**juweel ❶** *sieraad* jewel, gem **❷** *prachtexemplaar* treasure, gem
**juwelenkistje** jewellery case / box
**juwelier ❶** *persoon* jeweller **❷** *winkel* jeweller's

# K

**k** k ★ *de k van Karel* K as in King
**ka ❶** *vogel* jackdaw **❷** *bazig persoon* dragon
**kaaiman** cayman, alligator
**kaak ❶** *kaakbeen* jaw **❷** *wang* ★ *iem. met beschaamde kaken doen staan* put sb to shame, make sb blush ★ *met beschaamde kaken staan* look shame-faced ★ *kieuw* gill ▼ *aan de kaak stellen* denounce, expose
**kaakbeen** jawbone
**kaakchirurg** dental surgeon
**kaakchirurgie** dental surgery
**kaakholte** maxillary sinus
**kaakje** biscuit
**kaakslag ❶** lett punch to the jaw **❷** BN fig slap in the face
**kaal ❶** *onbedekt* bare **❷** *zonder hoofdhaar* bald **❸** *zonder veren* featherless **❹** *zonder bladeren* bare ★ *de bomen worden kaal* the trees are losing their leaves **❺** *zonder planten e.d.* bare, barren **❻** *afgesleten* threadbare, worn, ⟨van band ook⟩ bald **❼** *armoedig* shabby
**kaalheid ❶** *kaalhoofdigheid* baldness **❷** *onbedekt zijn* bareness
**kaalknippen** shave bald
**kaalkop** baldy
**kaalplukken ❶** *van veren ontdoen* pluck **❷** fig *van bezit ontdoen* bleed dry
**kaalscheren** shave ★ *zijn hoofd laten ~* have one's head shaven
**kaalslag ❶** *woningafbraak* demolition **❷** *het vellen van bomen* deforestation **❸** *kale plek in bos* clearing
**kaalvreten** eat bare ★ *kaalgevreten velden* close cropped fields
**kaap ❶** aardk *landpunt* cape, headland **❷** BN fig *mijlpaal* land-mark
**Kaap de Goede Hoop** the Cape of Good Hope
**Kaap Hoorn** Cape Horn
**Kaapstad** Cape Town
**Kaapstads** Cape Town
**Kaapverdië** → **Kaapverdische eilanden**
**Kaapverdisch** Cape Verdean
**Kaapverdische eilanden** Cape Verde Islands
**kaars** candle
**kaarslicht** candlelight
**kaarsrecht** as straight as an arrow / a die ★ *hij liep ~* he walked bolt upright
**kaarsvet** candle wax, tallow
**kaart ❶** *stuk karton* card ★ *de gele / rode ~* the yellow / red card ★ *groene ~* green card **❷** *toegangsbewijs* ticket **❸** *speelkaart* card ★ *een spel ~en* a deck of cards ★ *een goede ~ hebben* have a good hand ★ *iem. in de ~ kijken* look at sb's cards **❹** *landkaart* aardk map, scheepv chart ★ *in ~ brengen* map (out), scheepv chart **❺** *plattegrond* plan **❻** comp *module* ▼ *open ~ spelen* speak frankly, put your cards on the table ▼ *alles op één ~ zetten* put all your eggs in one basket ▼ *het is doorgestoken ~* it's a frame-up, it is a put-up job ▼ *iem. in de ~ kijken* see through sb('s plans) ▼ *zich in de ~ laten kijken* give o.s. away ▼ *iem. in de ~ spelen* play into sb's hands ▼ *van de*

**ka**

~ *zijn* be all at sea, be upset ▾ BN *de ~ van X trekken* put all your money on X

**kaarten** play cards

**kaartje** ❶ *plaatsbewijs* ticket ❷ *toegangsbewijs* ticket ❸ *visitekaartje* visiting-card, ⟨zakenman⟩ business card ★ *je ~ afgeven bij iem.* leave sb your (business) card ▾ *een ~ leggen* have a game of cards

**kaartlezen** I *zn* [het] map-reading II *on ww* read maps

**kaartspel** ❶ *spel met speelkaarten* playing cards ❷ *stel speelkaarten* pack of cards, USA deck of cards

**kaartverkoop** ticket sale

**kaas** cul cheese ★ *Goudse kaas* Gouda cheese ★ BN *platte kaas* ≈ curd cheese, ≈ cream cheese ▾ *daar heb ik geen kaas van gegeten* that's beyond me

**kaasboer** cheese-maker / monger

**kaasbroodje** cul cheese roll

**kaasburger** cul cheeseburger

**kaasfondue** cul cheese fondue

**kaasfonduen** have cheese fondue

**kaaskop** min cheesehead

**kaasschaaf** cheese-slicer

**kaassoufflé** cheese soufflé

**kaasstolp** cheese cover, cheese soufflé

**kaatsen** ❶ *sport* play fives ❷ *terugstuiten* bounce

**kabaal** din, row ★ ~ *maken* make a racket, kick up a row ★ *hels* ~ pandemonium, infernal racket

**kabbelen** ripple, babble, lap

**kabel** *dikke draad* cable

**kabelaansluiting** media techn connection to cable TV

**kabelbaan** cable-railway, cable car

**kabelexploitant** media cable company, proprietor of a cable TV system

**kabeljauw** cod

**kabelkrant** media cable TV information service

**kabelnet** ❶ elek *elektriciteitsnet* electric mains *mv* ❷ media *kabeltelevisienet* cable television network

**kabelslot** (bicycle) cable lock

**kabeltelevisie** media cable television

**kabeltouw** cable, ⟨van staaldraad⟩ steel cable

**kabinet** ❶ *regering* cabinet ❷ *meubel* cabinet

**kabinetsberaad** cabinet meeting

**kabinetsbesluit** cabinet('s) decision

**kabinetscrisis** cabinet / ministerial crisis *mv: crises*

**kabinetsformateur** person appointed by the Queen to form a new government

**kabinetsformatie** formation of a government / cabinet

**Kaboel** Kabul

**kabouter** gnome

**kachel** I *zn* [de] stove, heater, (electric)fire II *bnw* inform ▾ ~ *zijn* be tight / loaded

**kadaster** ❶ *register* land registry ❷ *kantoor* land registry office

**kadaver** ⟨van dier⟩ dead body, ⟨voor dissectie⟩ cadaver, ⟨van dier in ontbinding⟩ carrion, ⟨lijk⟩ corpse

**kade** quay, wharf ★ *het schip ligt aan de kade* the ship lies by the quayside / wharf

**kader** ❶ lett *lijst, raamwerk* frame ❷ fig *verband* framework, scope ★ *het valt buiten het ~ van...*

it's beyond the scope of... ★ *in het ~ passen van...* fit in with... ❸ *stafpersoneel* executives *mv* ❹ BN *omgeving* environment, surroundings *mv*

**kaderen** ~ in BN *passen bij* fit in with

**kadetje** roll

**kadreren** frame

**kaduuk** rickety, in bad nick, kaput, broken

**kaf** chaff ★ *het kaf van het koren scheiden* separate the wheat from the chaff

**kafkaiaans, kafkaësk** Kafkaesque

**kaft** ⟨als omslag⟩ (paper) cover, ⟨ter bescherming⟩ wrapper

**kaften** cover

**kaftpapier** wrapping paper

**kajak** kayak

**kajakken** go kayaking

**kajuit** cabin

**kak** ❶ *poep* shit, crap ❷ *kapsones* swank

**kakelbont** gaudy

**kakelen** ❶ *geluid (als) van kip maken* cackle ❷ *kwebbelen* blabber, chatter, rattle

**kakelvers** farm-fresh

**kaken** gut (and cure)

**kaketoe** cockatoo

**kaki** ❶ *kleur* khaki ❷ *stof* khaki

**kakken** shit, crap ★ *we hebben hem vies te ~ gezet* we made him look like an idiot / a jerk

**kakkerlak** cockroach

**kakofonie** cacophony

**kalebas** gourd, calabash

**kalend** balding

**kalender** calendar

**kalenderjaar** calendar-year

**kalf** *dier* calf [mv: calves] ▾ *als het kalf verdronken is, dempt men de put* close / lock the stable door after the horse has bolted ▾ *het gemeste kalf slachten* kill the fatted calf ▾ *het gouden kalf aanbidden* worship the golden calf

**kalfshaas** filet of veal

**kalfslapje** veal-steak

**kalfsleer** calfskin, calf leather

**kalfsoester** veal escalope

**kalfsvlees** veal

**kaliber** ❶ *diameter* calibre, bore ★ *wapen van groot / klein ~* large / small bore / calibre weapon ❷ *formaat, aard* ★ *een man van zijn ~* a man of his calibre

**kalium** potash, potassium

**kalk** ❶ *steensoort* lime, limestone ❷ *bouwmateriaal* lime, quicklime, cal *v* ★ *gebluste kalk* slaked lime ★ *ongebluste kalk* quick lime

**kalkaanslag** scale

**kalkafzetting** ❶ *proces* calcification, deposition of lime ❷ *resultaat v. proces* deposit of lime

**kalken** ❶ *pleisteren* ⟨bepleisteren⟩ plaster, ⟨witten⟩ whitewash ❷ *schrijven* ⟨met krijt⟩ chalk, ⟨slordig⟩ scribble

**kalkhoudend** calcareous, ⟨water⟩ hard

**kalkoen** turkey

**kalkrijk** rich in lime

**kalksteen** limestone

**kalm** I *bnw* calm, quiet ★ *kalm blijven* stay calm II *bijw* ★ *kalmpjes aan* ⟨geleidelijk⟩ steadily ★ *kalm aan!* ⟨doe rustig!⟩ calm / settle down!, USA cool it!

**kalmeren** I *ov ww, kalm maken* calm, soothe

II *on ww, kalm worden* calm down, compose oneself
**kalmeringsmiddel** sedative, <u>GB</u> tranquillizer, <u>USA</u> tranquilizer
**kalmpjes** ❶ *onbewogen* calmly ❷ *rustig* calmly, easily
**kalmte** (bedaardheid) calm(ness), (bedaardheid) composure, (rust) tranquillity, (rust) quiet
**kalven** ❶ *een kalf werpen* calve ❷ *afbrokkelen* break away / off, cave in
**kalverliefde** puppy love
**kam** ❶ *haarkam* comb ❷ <u>techn</u> *radtand* cam ❸ <u>dierk</u> *lob* crest ❹ <u>muz</u> *brug* bridge ❺ *bergkam* ridge ▼ *er met een fijne kam doorheen gaan* go over sth with a fine-tooth(ed) comb
**kameel** camel
**kameleon** chameleon
**Kamer** <u>pol</u> Chamber, House ★ *Eerste* ~ the (Dutch) Upper Chamber / House, the House of Lords, the Upper House, <u>USA</u> the Senate ★ *Tweede* ~ the (Dutch)Lower Chamber / House, <u>GB</u> the (House of) Commons <u>USA</u> the House of Representatives ★ *BN* ~ *van Volksvertegenwoordigers* the Lower Chamber / House, <u>GB</u> the (House of) Commons <u>USA</u> the House of Representatives ★ *de* ~ *bijeenroepen / ontbinden* convoke / dissolve the Chamber ▼ ~ *van Koophandel* Chamber of Commerce
**kamer** ❶ *vertrek* room, chamber ★ *donkere* ~ darkroom ★ *op* ~*s wonen* live in lodgings ★ *gemeubileerde* ~*s te huur* furnished rooms to let, <u>USA</u> furnished apartments to let ❷ *holte in vuurwapen* chamber ❸ *hartholte* ventricle
**kameraad** ❶ *vriend, makker* pal, buddy ❷ <u>pol</u> *partijgenoot* comrade
**kameraadschappelijk** I *bnw* companionable, friendly, <u>inform</u> chummy, <u>inform</u> pally II *bijw* in a friendly way / manner ★ ~ *omgaan met* be friendly with, be on friendly terms with
**kamerbewoner** lodger
**kamerbreed** wall-to-wall
**Kamerdebat** parliamentary debate, <u>USA</u> congressional debate
**Kamerfractie** parliamentary party / group, <u>USA</u> congressional party / group
**kamergeleerde** closet scholar
**kamergenoot** roommate
**kamerheer** chamberlain
**kamerjas** dressing gown
**Kamerlid** <u>pol</u> Member of Parliament, M.P.
**Kamermeerderheid** parliamentary majority, (in eerste kamer) majority in the Upper Chamber, (in tweede kamer) majority in the Lower Chamber.
**kamermeisje** chambermaid
**kamermuziek** chamber music
**Kameroen** Cameroon
**Kameroens** Cameroonian
**kamerplant** houseplant
**Kamerreces** <u>pol</u> recess of the House
**kamerscherm** room-divider, screen
**kamertemperatuur** room temperature
**kamerverhuur** letting rooms / accommodation
**Kamerverkiezing** parliamentary elections *mv*, <u>USA</u> congressional elections *mv*
**Kamerzetel** seat

**Kamerzitting** session of Parliament
**kamikaze** suicide pilot, kamikaze
**kamille** camomile
**kamillethee** <u>cul</u> camomile-tea
**kammen** comb
**kamp** ❶ *tijdelijk verblijf* camp ★ *het kamp opbreken* break / strike camp ★ *het kamp opslaan* pitch camp ❷ *partij* camp
**kampbeul** concentration camp warden / executioner
**kampeerartikelen** camping equipment
**kampeerauto** camper, mobile home, <u>USA</u> motor-home
**kampeerboerderij** (private) camp site (on farmland)
**kampeerbus** camper
**kampeerder** camper
**kampeerterrein** campground, campsite
**kampement** camp, encampment
**kampen** contend, fight ★ *te* ~ *hebben met* have to contend with, be up against ★ ~ *met een probleem* wrestle with a problem
**kamperen** camp (out) ★ *gaan* ~ go camping
**kamperfoelie** honeysuckle
**kampioen** *winnaar* champion
**kampioenschap** ❶ *wedstrijd* championship ❷ *titel* championship, title ★ *het* ~ *behalen* win the championship
**kampleiding** camp leaders *mv*
**kampvuur** camp fire
**kampwinkel** camp shop
**kan** jug, can ▼ *wie het onderste uit de kan wil hebben, krijgt het lid op de neus* grasp all, lose all ▼ *in kannen en kruiken* in the bag, fixed up
**Kanaal** English Channel
**kanaal** ❶ *gegraven water* canal, (vaargeul) channel ❷ *frequentieband* channel ❸ <u>fig</u> *weg, middel* channel
**Kanaaleilanden** Channel Islands *mv*
**Kanaaltunnel** Channel Tunnel, Chunnel, Eurotunnel
**kanaliseren** canalize
**kanarie, kanariepiet** canary
**kanariegeel** canary yellow
**kandelaar** candlestick
**kandidaat** *gegadigde* candidate, (sollicitant) applicant ★ *iem.* ~ *stellen* nominate sb ★ *zich* ~ *stellen voor* stand / run for
**kandidaats** ≈ Bachelor examination / degree
**kandidatenlijst** list of candidates
**kandidatuur** nomination, candidature
**kandij** candy
**kandijkoek** <u>cul</u> candy cake
**kaneel** <u>cul</u> cinnamon
**kaneelpijp** cinnamon stick
**kangoeroe** kangaroo
**kanis** nob, nut ★ *iem. een klap voor zijn* ~ *geven* give sb a smack round the nut ▼ *houd je* ~! shut your trap!, shut up!
**kanjer** ❶ *groot exemplaar* whopper ★ *een* ~ *van een vis* a whopping fish ❷ *uitblinker* crack, dab ★ *wat een* ~! some eyeful!
**kanker** ❶ *ziekte* cancer ❷ <u>fig</u> *woekerend kwaad* cancer
**kankeraar** grouser, (informeel) bellyacher
**kankerbestrijding** cancer-control, (campagne)

**ka**

cancer research campaign
**kankeren** *foeteren* grumble, <u>inform</u> chew the rag ★ *hij loopt altijd te ~* he is always moaning about sth
**kankergezwel** cancerous tumour / growth
**kankerlijer** <u>min</u> bastard, arsehole
**kankerpatiënt** cancer patient
**kankerverwekkend** carcinogenic
**kannibaal** *menseneter* cannibal
**kannibalisme** cannibalism
**kano** *rank bootje* canoe
**kanoën** canoe
**kanon** gun, cannon ▼ *zo dronken als een ~* as drunk as a lord ▼ *je kunt een ~ naast hem afschieten* he sleeps like a log
**kanonnade** cannonade
**kanonnenvlees** cannon fodder
**kanonnier** <u>mil</u> gunner
**kanonschot** ❶ *schot met kanon* cannonshot ❷ *sport* cannonshot, <u>inform</u> scorcher
**kanonskogel** cannon ball
**kanovaarder** canoeist
**kanovaren** canoe
**kans** ❶ *waarschijnlijkheid* chance, possibility, likelihood ★ *geen kans van slagen hebben* have no chance of success ★ *de kansen zijn gekeerd* luck has turned ★ *er bestaat een grote kans dat* there's a very good chance that ★ *er is niet veel kans op* there's not much chance of it ★ *je hebt grote kans dat hij komt* he's very likely to come ★ *geen schijn van kans hebben* have / stand not the ghost of a chance ★ *gelijke kansen voor iedereen* equal opportunities for everyone ★ *een kleine / grote kans* a small / great chance ❷ *risico, gok* chance, risk ★ *de kans lopen om geld te verliezen* run the risk of losing money ★ *een kans wagen* take a chance ★ *je kans grijpen* seize the opportunity ★ *een kansje wagen* ⟨wedje⟩ have a flutter ❸ *gelegenheid* opportunity, chance ★ *de kans van je leven* the chance of a lifetime ★ *geen kans voorbij laten gaan om* not miss an opportunity to ★ *hij heeft kans gezien te ontsnappen* he managed to escape ★ *de kans waarnemen* seize the opportunity ★ *de kans kan keren* luck may turn ★ *de kans doen keren* turn the tide ★ *die kans komt nooit weer* it's the chance of a lifetime ★ *ik zie er geen kans toe* I can't see it happening, it's beyond my power ▼ *gemiste kans* missed / lost opportunity ▼ *zijn kans schoon zien* see one's chance / opportunity
**kansarm** underprivileged, deprived
**kansel** pulpit
**kanselier** chancellor
**kanshebber** favourite
**kansloos** prospectless ★ *zij was ~* she didn't stand a chance
**kansrekening** probability analysis *mv: analyses*, wisk theory of chances / probability
**kansrijk** ❶ *met kans op succes* likely to be successful ★ *hij is niet erg ~ in deze verkiezing* he is not likely to be successful in this election, he is not a likely candidate in this election ❷ *met kans op maatschappelijk succes* privileged
**kansspel** game of chance
**kant I** *zn* [de] ❶ *zijde* side ★ *aan de andere kant* on the other side ★ *op zijn kant zetten* put on its side

❷ *rand* border, side ❸ *richting* way, direction ★ *naar alle kanten lopen* run in all directions ★ *het gesprek ging een andere kant op* the conversation took a new turn ★ *welke kant ga je uit?* which way are you going / heading? ★ *fig het gaat de goede kant op met jou* you're taking a turn for the better ★ *die kant moet het uit* that's the course we ought to take ★ *van alle kanten* on all sides, from every quarter ★ *de andere kant uitkijken* look the other way ❹ *aspect* side, aspect ★ *aan de ene kant..., aan de andere (kant)...* on the one hand..., on the other... ★ *iets van de vrolijke kant bekijken* look on the bright side ★ *men kan de zaak van twee kanten bekijken* there are two sides to the question ★ *de zaak van alle kanten bekijken* consider the matter from all sides, consider the matter from every angle ★ *de zaak heeft nog een andere kant* there's another side to the matter ❺ *groep, partij* ★ *van moeders kant* on the mother's side ★ *ik van mijn kant* I, on my side ★ *van de kant van* on the part of ❻ *oever* edge ★ *naar de kant zwemmen* swim ashore ▼ *het was kantje boord* it was touch and go, it was a close shave / thing ▼ *de kamer aan kant maken* tidy up the room, do the room ▼ *het was op het kantje af* it was a near thing ▼ *op het kantje af ontsnappen* escape by the skin of your teeth ▼ *laat het maar over je kant gaan* let it pass ▼ *zich van kant maken* make away with o.s. ▼ *dat raakt kant noch wal* that's absurd ▼ *de kantjes eraf lopen* cut corners **II** *zn* [het], *weefsel* lace
**kanteel** battlement
**kantelen I** *ov ww, omdraaien* cant, tilt, overturn, flip (over) ★ *niet ~!* this side up! **II** *on ww, omvallen* topple / turn over, ⟨van schip⟩ capsize, ⟨van schip⟩ keel over
**kantelraam** horizontal pivot window
**kanten I** *on ww* square **II** *wkd ww* [zich ~] ~ **tegen** oppose ★ *zich tegen iets ~* set one's face against sth
**kant-en-klaar** ready for use, ready-made
**kant-en-klaarmaaltijd** ready meal
**kantine** canteen
**kantlijn** *marge* margin ★ *een ~ trekken* rule a margin ★ *een opmerking in de marge maken* make a marginal note
**kanton** canton
**kantongerecht** <u>jur</u> ≈ magistrate's court
**kantonrechter** <u>jur</u> ≈ magistrate
**kantoor** office ★ *op een ~ zijn* be in an office
**kantoorbaan** office / clerical job
**kantoorbehoeften** office supplies *mv*
**kantoorboekhandel** stationer's (shop)
**kantoorgebouw** office building
**kantoorpand** office premises *mv*
**kantoortijd** office-hours *mv*
**kantoortuin** open-plan office
**kanttekening** ❶ *opmerking* short / marginal comment ★ *~en plaatsen bij iets* give a short comment on sth ❷ *aantekening* marginal note, annotation
**kantwerk** lace(-work)
**kap** ❶ *bedekking, bovenstuk* ⟨van auto, kinderwagen, e.d.⟩ hood, ⟨van huis⟩ roof, ⟨van lamp⟩ shade ★ *twee onder één kap* semi-detached ★ *kap van een laars* top of a boot

❷ *hoofdbedekking* hood, cap, ⟨van monnik ook⟩ cowl, ⟨van non⟩ wimple

**kapel** ❶ *gebedshuis* chapel ❷ *muziekkorps* band ❸ *vlinder* butterfly

**kapelaan** rel ⟨hulppriester⟩ curate, ⟨in tehuis, e.d.⟩ chaplain

**kapelmeester** bandmaster

**kapen** ❶ *overmeesteren* hijack ★ *een vliegtuig ~* hijack (an aircraft), sky-jack ❷ *gappen* pinch

**kaper** ❶ *zeerover* raider, gesch privateer ❷ *ontvoerder* hijacker ▼ *er zijn ~s op de kust* the coast is not clear, there are rivals in the field

**kaping** hijack(ing)

**kapitaal** I *zn* [de], *hoofdletter* capital (letter) II *zn* [het] econ capital ★ *geplaatst ~* issued capital ★ *risicodragend ~* risk bearing capital ★ *~ beleggen* invest capital III *bnw, zeer groot* capital, excellent

**kapitaalgoederen** capital goods *mv*

**kapitaalkrachtig** substantial

**kapitaalmarkt** capital market

**kapitaalvlucht** flight of capital, foreign investment (to avoid taxes)

**kapitalisme** capitalism

**kapitalist** capitalist

**kapitalistisch** capitalist(ic)

**kapitein** ❶ scheepv *gezagvoerder* captain, ⟨klein schip⟩ skipper ★ *~ op de grote vaart,* BN *~ ter lange omvaart* captain in the merchant navy ❷ mil *officier* captain

**kapitein-ter-zee** (naval) captain

**kapittel** ❶ *hoofdstuk* chapter ❷ *vergadering* ▼ *een stem in het ~ hebben* have a say in the matter

**kapje** ❶ *hoofddeksel* (little) cap ❷ *uiteinde van brood* heel, end(er)

**kaplaars** top-boot, jackboot

**kapmeeuw** black-headed gull, laughing gull

**kapmes** chopping knife *mv: knives*

**kapoen** BN *deugniet* scamp, rascal

**kapot** ❶ *stuk* broken, ⟨van auto⟩ broken down, ⟨van machine⟩ out of order, ⟨van kousen⟩ in holes, ⟨van schoenen⟩ worn out ★ *zijn kleren waren helemaal ~* his clothes were in tatters ❷ *doodmoe* worn out, fit to drop, dead beat, ⟨van de zenuwen⟩ frayed, ⟨van de zenuwen⟩ on edge ❸ *ontzet* ★ *ik ben er ~ van* I am cut up by it ❹ *verrukt* ★ *ik ben er niet ~ van* I'm not wild about it

**kapotgaan** ❶ *breken* break (down), fall apart, go to pieces, go wrong, inform conk out ❷ fig *sterven* ★ *ergens aan ~ die* of sth

**kapotgooien** smash

**kapotje** French letter

**kapotlachen** [zich ~] laugh one's head off

**kapotmaken** *beschadigen* break (up), wreck, spoil

**kapotslaan** smash, bust, break

**kapottrekken** tear apart

**kapotvallen** fall to pieces

**kapotwerken** [zich ~] work your fingers to the bone

**kappen** I *ov ww* ❶ *hakken* ⟨van bomen⟩ cut down, ⟨van bomen⟩ fell, ⟨hout⟩ chop, ⟨kabel⟩ cut ❷ *haar opmaken* style, dress, model II *on ww,* *~ met ophouden* stop, leave off

**kapper** hairdresser, ⟨heren⟩ barber

**kappertje** caper

**kapsalon** hairdresser's, ⟨heren⟩ barber's, barbershop

**kapseizen** capsize, keel over

**kapsel** *haardracht* haircut, hair-style

**kapsones** ★ *~ hebben* put on airs, be full of o.s. ★ *gaan we ~ krijgen?* are we getting cocky?

**kapstok** ⟨haak⟩ peg, ⟨aan muur⟩ hat-rack, ⟨staand⟩ hatstand ▼ *iets als ~ gebruiken* use sth as a stepping-stone

**kapucijner** ❶ *monnik* capuchin ❷ *erwt* marrowfat, Dutch admiral pea

**kar** *voertuig* cart, ⟨handkar⟩ barrow

**karaat** carat ★ *18 ~s goud* 18 carat gold

**karabijn** carbine

**Karachi** Karachi

**karaf** water bottle, ⟨alleen voor drank⟩ decanter

**karakter** ❶ *aard* character, nature ★ *een zwak ~ hebben* have a weak character ★ *zijn eigen ~ bewaren* retain one's individuality ❷ *letterteken* character

**karakteriseren** characterize

**karakteristiek** I *zn* [de] wisk characterization, description II *bnw* characteristic

**karaktertrek** trait, characteristic

**karamel** *gebrande suiker* caramel ★ *zachte ~* fudge

**karameliseren** caramelize, GB caramelise

**karaoke** karaoke

**karate** karate

**karateka** sport karateka

**karavaan** caravan

**karbonade** cul chop, cutlet ★ BN *Vlaamse ~* ≈ braising steak

**kardinaal** I *zn* [de] cardinal II *bnw* cardinal ★ *het kardinale punt* cardinal / vital point

**karig** ❶ *niet talrijk* scant(y), sparse ★ *~e gegevens* scant information ❷ *sober* meagre, scanty, ⟨van maal⟩ frugal ★ *een ~ loon* meagre wages ★ *een ~ inkomen* paltry / slender income ❸ *zuinig* parsimonious, mean

**karikaturaal** caricatural

**karikaturiseren** caricature

**karikatuur** caricature

**Karinthië** Carinthia

**Karinthisch** Carinthian

**karkas** ❶ anat *geraamte* carcass ❷ fig *gestel* carcass, ⟨van gebouw ook⟩ skeleton

**karma** karma

**karnemelk** cul buttermilk

**karnen** churn

**karos** state-carriage

**Karpaten** Carpathian Mountains *mv*

**karper** carp

**karpet** carpet

**karren** ❶ *rijden* motor (along), drive ❷ *fietsen* bike, cycle, pedal

**karrenvracht** cart-load

**kart** kart

**kartel** *kerving* serration, notch

**kartel** econ *samenwerking* cartel, trust

**kartelen** I *ov ww, kartels maken* notch, serrate II *on ww, kartels hebben / krijgen* serrate, ⟨van munten⟩ mill ★ *gekartelde rand van een geldstuk* milled edge of a coin

**kartelrand** ⟨van munt⟩ milled edge, ⟨van

**ka**

handwerkje) zigzag edge
**kartelvorming** trust / cartel formation
**karten** kart
**karton** ⟨verpakking⟩ carton, ⟨verpakking⟩ cardboard box, ⟨materiaal⟩ cardboard
**kartonnen** cardboard
**karwats** riding-crop, hunting-whip
**karwei** job ★ *het was een heel ~* it was quite a job, it was a tough job ★ *op ~* on the job ★ *allerlei ~tjes opknappen* do odd jobs
**karwij** *plant* caraway
**kas** ❶ *broeikas* hothouse, ⟨voor planten⟩ greenhouse ❷ *holte* ⟨van oog, tand⟩ socket ❸ *geld(bergplaats)* cash, funds (in hand) *mv* ★ *de gemeenschappelijke kas* the common fund ★ *de openbare kas* the public funds ★ *geld in kas* cash in hand ★ *de kas beheren* keep the cash ★ *kast van horloge* ▾ *goed bij kas zijn* be well off ▾ *krap bij kas zitten* be out / short of cash
**kasboek** cash book
**kasbon** BN savings certificate / bond
**kasgeld** petty cash, tillmoney
**kashba** kasbah, casbah
**kasjmier** cashmere
**kaskraker** (box-office) hit / winner, smash hit
**Kaspische Zee** Caspian Sea
**kasplant** ❶ *lett* hothouse plant ❷ *fig kwetsbaar persoon* hothouse plant, wimp, softy
**kassa** till, ⟨van supermarkt⟩ check-out (point), ⟨van theater⟩ box office ★ *aan de ~ betalen* pay at the desk ▾ *~!* jackpot!, bingo!
**kassabon** receipt, sales slip
**kassaldo** cash balance
**kassei** cobble(stone)
**kassier** cashier
**kassierster** BN (woman) cashier, ⟨supermarkt⟩ checkout girl
**kasstroom** *econ* cash flow
**kassucces** box office success
**kast** ❶ *meubel* cupboard, ⟨boekenkast⟩ bookcase, ⟨klerenkast⟩ wardrobe, ⟨porseleinkast⟩ cabinet ❷ *omgebouwd omhulsel* case ❸ *groot bouwsel* ⟨huis⟩ barn, ⟨voertuig⟩ tank, ⟨voertuig⟩ rattle-trap ❹ → *kastje* ▾ *iem. op de kast jagen* wind sb up, take the mickey / rise out of sb ▾ *op de kast zitten* be wound up / angry ▾ *uit de kast komen* come out of the closet
**kastanje** ❶ *vrucht* chestnut ★ *tamme ~* sweet chestnut ★ *wilde ~* horse chestnut ❷ *boom* (horse)chestnut ▾ *de ~s voor iem. uit het vuur halen* do sb else's dirty work
**kastanjebruin** auburn, chestnut (brown)
**kaste** caste
**kasteel** *burcht* castle
**kastekort** deficit
**kastelein** *herbergier* innkeeper, landlord
**kasticket** BN *kassabon* receipt, sales slip
**kastijden** chastise
**kastje** *televisie* box ★ *~ kijken* watch the box ▾ *iem. van het ~ naar de muur sturen* send sb from pillar to post
**kat** ❶ *huisdier* cat ★ *cyperse kat* tabby cat ❷ *snibbige vrouw* cat ❸ *bitse opmerking* reprimand ★ *iem. een kat geven* give sb a good ticking-off ❹ → *katje* ▾ *de gelaarsde kat* puss in boots ▾ *als een kat en hond leven* live like cat and dog

▾ *als een kat in een vreemd pakhuis* like a fish out of water ▾ *als een kat in het nauw* like a cornered animal ▾ *als een kat om de hete brij heen draaien* pussyfoot (around) ▾ *als de kat van huis is, dansen de muizen op tafel* when the cat's away, the mice will play ▾ *de kat in het donker knijpen* be a sneak ▾ *een kat in het nauw maakt rare sprongen* desperate needs lead to desperate deeds ▾ *een kat in de zak kopen*, BN *een kat in een zak kopen* buy a pig in a poke ▾ *de kat op het spek binden* set the fox to watch the geese ▾ *de kat uit de boom kijken* wait to see which way the cat jumps ▾ *de kat de bel aanbinden* bell the cat ▾ *maak dat de kat wijs!* tell that to the marines!, pull the other one! ▾ BN *een kat een kat noemen* call a spade a spade ▾ BN *andere katten te geselen hebben* have other / bigger things to worry about ▾ BN *zijn kat sturen* fail to turn up ▾ BN *nu komt de kat op de koord* now we're in for it, there'll be the devil to pay now ▾ BN *er was geen kat* there was not a soul
**katachtig** cat-like, *biol* feline
**katalysator** catalyst, catalytic agent
**katapult** *kinderschiettuig* catapult ★ *met een ~ schieten* catapult
**kat-en-muisspel** cat-and-mouse game
**katenspek** ≈ smoked bacon
**kater** ❶ *mannetjeskat* tomcat ❷ *gevolg van drankgebruik* hangover ❸ *teleurstelling* disillusionment
**katern** section
**katheder** *spreekgestoelte* lectern
**kathedraal** I *zn* [de] cathedral II *bnw* cathedral
**katheter** catheter ★ *een ~ inbrengen* catheterize
**katheteriseren** *med* catheterize
**kathode** cathode
**katholicisme** (Roman) Catholicism
**katholiek** I *zn* [de] *rel* (Roman) Catholic II *bnw* ❶ *rel* (Roman) Catholic ❷ BN *fig rechtschapen* righteous, honest
**katje** ❶ *jonge kat* kitten ❷ *bloeiwijze* catkin ▾ *zij is geen ~ om zonder handschoenen aan te pakken* she's too hot to handle
**katoen** cotton ▾ *iem. van ~ geven* let sb have it ▾ *geef 'm van ~!* give it all you got! ▾ BN *~ geven* go for it
**katoenen** cotton
**katrol** pulley
**kattebelletje** *briefje* scribbled note
**katten** snap / snarl (at) ★ *gaan we ~?* getting bitchy are we?
**kattenbak** ❶ *bak voor de kat* litterbox ❷ *ruimte in auto* dickey seat
**kattenbakstrooisel** cat litter
**kattenbrokken** dry cat food
**kattenkop** cat, bitch
**kattenkwaad** mischief ★ *~ uithalen* get into mischief
**kattenluikje** cat flap
**kattenoog** cat's eye
**kattenpis** ▾ *dat is geen ~* no kidding, that is not to be sneezed at
**katterig** ❶ *een kater hebbend* chippy, hung over ❷ *beroerd* under the weather, ropy
**kattig** catty, bitchy
**katzwijm** ★ *in ~ vallen* (throw a) faint ★ *in ~* blacked out, out cold, in a faint

**ka**

**Kaukasus** Caucasus
**kauw** jackdaw
**kauwen** op chew on
**kauwgom** chewing gum
**kauwgombal** (chewing-)gum ball
**kavel** *stuk land* parcel, lot
**kavelen** parcel / lot out
**kaviaar** caviar
**Kazachstaans** Kazakh
**Kazachstan** Kazakhstan
**kazerne** <u>mil</u> barracks *enk en mv*, ⟨brandweer⟩ station
**kebab** <u>cul</u> kebab
**keel** throat ★ *iem. de keel dichtknijpen* throttle sb ★ *zich de keel smeren* wet one's whistle ★ *hij kon zijn eten niet door de keel krijgen* he couldn't get his food down (his throat) ★ *het woord bleef hem in de keel steken* the word stuck in his throat ▼ *iem. naar de keel vliegen* fly at sb's throat ▼ *het hangt me de keel uit* I'm sick and tired of it ▼ *een keel opzetten* shout, make an outcry (about)
**keel-, neus- en oorarts** ear, nose and throat specialist, E.N.T. specialist
**keelgat** gullet ★ *in het verkeerde ~ schieten* go down the wrong way
**keelholte** pharynx
**keelklank** guttural (sound)
**keelontsteking** tonsillitis, throat infection
**keelpastille** throat lozenge
**keelpijn** sore throat
**keep** *inkeping* notch, nick
**keepen** goalkeeping
**keeper** (goal)keeper
**keer** ❶ *maal* time ★ *een enkele keer* once in a while ★ *een doodenkele keer* once in a blue moon ★ *één enkele keer* only once ★ *in één keer* in one go ★ *op een keer* one day ★ *keer op keer* time and time again ★ *negen van de tien keer,* <u>BN</u> *negen keren op de tien* nine times out of ten ★ *voor deze keer* for this once ❷ *wending* turn, change ★ *er zal wel eens 'n keer komen* things will take a turn ★ *de zaken namen een goede keer* things took a turn for the better, changed for the better ▼ *binnen de kortste keren* in no time at all, before you can say knife
**keerkring** tropic
**keerpunt** ❶ *wendingspunt* turning point ❷ *beslissend ogenblik* turning point
**keerzijde** ❶ <u>lett</u> *achterkant* reverse, ⟨van stoffen⟩ wrong side ❷ <u>fig</u> *onaangename zijde* ▼ *de ~ van de medaille* the other side of the coin ▼ *alles heeft zijn ~* there's two sides to everything, everything has it's down side
**keeshond** keeshond, Pomeranian
**keet** ❶ *schuurtje* shed, shanty ❷ *chaos* ⟨herrie⟩ row, ⟨herrie⟩ racket, ⟨rommel⟩ mess ★ *keet schoppen* muck around, kick up a racket / row
**keffen** yap, ⟨van angst, pijn⟩ yelp
**keffertje** yapper
**kegel** ❶ *voorwerp* cone ❷ *wisk* cone ❸ *slechte adem* bad breath, breath like a brewery
**kegelbaan** skittle / bowling alley
**kegelen** I *on ww* <u>sport</u> play skittles / ninepins II *ov ww,* <u>sport</u> toss (out)
**kei** ❶ *steen* boulder, ⟨van straat⟩ cobble(-stone) ❷ *uitblinker* crack ▼ *iem. op de keien zetten* sack sb

**keihard** ❶ *hard* rock hard ❷ *luid* at full blast ❸ *heel snel* at full speed ❹ *meedogenloos* tough, as hard as nails, hard-boiled ★ *~e onderhandelingen* (very) tough negotiations
**keikop** <u>BN</u> *koppig persoon* obstinate person, inform pigheaded person
**keilbout** Rawlplug[R], wall plug
**keilen** ❶ *gooien met steentjes* skim ★ *steentjes over het water ~* skim stones on the water ❷ *smijten* fling
**keizer** emperor
**keizerin** empress
**keizerlijk** imperial
**keizerrijk** empire
**keizersnede** Caesarian (section)
**kelder** cellar, ⟨van bank⟩ vault ▼ *naar de ~ gaan* go to the bottom, go to pot
**kelderen** I *on ww* ❶ *vergaan* sink ❷ *in waarde dalen* slump II *ov ww* ❶ *doen zinken* sink ❷ <u>BN</u> *doen mislukken* tear to pieces, torpedo
**keldertrap** cellar steps *mv*
**kelen** cut the throat of
**kelk** ❶ *beker* cup, chalice ❷ <u>plantk</u> calyx
**kelner** waiter
**Kelt** *lid van volk* Celt
**Keltisch** I *zn* [het], *taal* Celtic II *bnw, m.b.t. de Kelten* Celtic
**kelvin** <u>natk</u> Kelvin
**kemphaan** ❶ *vogel* ruff [v: reeve], ⟨vechthaan⟩ fighting-cock ❷ *ruziezoeker* brawler, somebody spoiling for a fight, rowdy ★ *als kemphanen tegenover elkaar staan* be at daggers drawn, be ready to fly at one another
**kenau** battle-axe, virago
**kenbaar** ❶ *te herkennen* recognizable ❷ *bekend* known ★ *zijn bedoelingen ~ maken* make known one's intentions, express / state / declare one's intentions
**kengetal** ❶ *kenmerkend getal* index number ❷ *netnummer* dialling code, <u>USA</u> area code
**Kenia** Kenya
**Keniaan** Kenyan
**Keniaans** Kenyan ★ *zij is een ~e* she's a Kenyan woman, she's from Kenya
**Keniaanse** Kenyan (woman / girl)
**kenmerk** ❶ *kenteken* characteristic, distinguishing mark / feature ❷ *referentie* reference
**kenmerken** characterize, mark
**kenmerkend** characteristic (**voor** of, typical (**voor** of) ★ *~e eigenschappen* distinctive features
**kennel** ❶ *hondenfokkerij* kennels *mv* ❷ *hondenloophok* kennel
**kennelijk** I *bnw* recognizable, apparent, ⟨blijkbaar⟩ obvious II *bijw* clearly, obviously
**kennen** ❶ *vertrouwd zijn met* know, be acquainted with ★ *je moet hem ~* he takes some knowing ★ *hij deed zich ~ als...* he proved himself to be... ★ *iem. ~ als* know sb for ★ *iem. van gezicht ~* know sb by sight ❷ *weten, beheersen* know, understand ★ *zij kent geen Italiaans* she doesn't know Italian ★ *zijn vak ~* know one's job ❸ *herkennen* ★ *iem. ~ aan zijn stem* know sb by his voice ❹ *in zich hebben* ★ *geen vrees ~* know no fear ❺ *~ in* consult ★ *hij heeft er mij niet in gekend* he has not consulted me about it ▼ *uit het*

**ke**

*hoofd* ~ know by heart ▼ *laat je niet* ~ don't let yourself down ▼ *de wens te* ~ *geven* express a wish

**kenner** connoisseur, judge, ⟨expert⟩ authority

**kennis ❶** *bewustzijn* consciousness ★ *bij* ~ *komen* regain consciousness ★ *bij* ~ *zijn* be conscious ★ *buiten* ~ unconscious ★ *buiten* ~ *raken* lose consciousness ★ *buiten* ~ *zijn* be unconscious **❷** *het weten* knowledge, learning ★ ~ *van zaken* know-how ★ ~ *geven van* announce, give notice of ★ *dat gaat mijn* ~ *te boven* that's beyond me ★ ~ *nemen van* take note of, become acquainted with ★ *buiten mijn* ~ without my knowledge **❸** *bekendheid met* knowledge, acquaintance ★ ~ *nemen van* note ★ *met* ~ *van zaken* with / from knowledge ★ ~ *hebben van* have knowledge of, be aware of ★ *iem.* ~ *geven van iets* announce sth to sb, notify sb of sth ★ *zonder* ~ *te geven* without notice ★ *krijgen van iets* become acquainted with sth, receive notice of sth ★ *ik zal je met haar in* ~ *brengen* I'll introduce you to her ★ *met iem. in* ~ *komen* make sb's acquaintance ★ *iem. van iets in* ~ *stellen* acquaint sb with sth, inform sb of sth ★ *ter* ~ *brengen van* bring to the notice of ★ *ter* ~ *komen van* come to the knowledge of **❹** *bekende* acquaintance ★ *een* ~ *van mij* an acquaintance of mine ▼ ~ *is macht* knowledge is power

**kenniseconomie** knowledge economy

**kennisgeven** notify

**kennisgeving** notice, announcement ▼ *voor* ~ *aannemen* take note of sth ▼ *voor* ~ *aangenomen* duly noted

**kennismaken** get acquainted with, meet ★ *hebt u al met hem kennisgemaakt?* have you met him yet? ★ *aangenaam kennis te maken* pleased to meet you ★ ~ *met de wetenschap* be introduced to science

**kennismaking** acquaintance ★ ~ *aanknopen* strike up an acquaintance ★ *ter* ~ for your inspection

**kennissenkring** (circle of) acquaintances / friends

**kenschetsen** characterize

**kenteken ❶** *kenmerk* distinguishing mark **❷** *registratienummer* licence number

**kentekenbewijs** (vehicle) registration card

**kentekenplaat** number / registration plate, <u>USA</u> license plate

**kenteren ❶** *geo draaien* turn ★ *het tij kentert* the tide is turning **❷** *kapseizen* turn over, capsize

**kentering ❶** *fig verandering* turn, change **❷** <u>geo</u> *draaiing* turn

**keper I** *zn* [de], *weefpatroon* twill (weave) ▼ *op de* ~ *beschouwd* on close examination, after all **II** *zn* [het], *stof* twill, twilled cloth

**kepie** BN *uniformpet* uniform cap

**keppeltje** yarmulke, skullcap

**keramiek** ceramics *mv*, ⟨kunst⟩ ceramic art, ⟨kunst⟩ ceramics *mv*

**keramisch I** *bnw* ceramic **II** *bijw* <u>cul</u> ★ ~ *koken* ceramic hob cooking

**kerel** <u>inform</u> *man* fellow, chap, bloke ★ <u>inform</u> *arme* ~ poor sod

**keren I** *ov ww* **❶** *omdraaien* turn ★ *per* ~*de post* by return (of post) ★ *u mag hier niet* ~ no turning ★ *iets ondersteboven* ~ turn a thing upside down

★ *binnenstebuiten* ~ turn inside out ★ *achterstevoren* ~ turn back to front **❷** *tegenhouden* stem, check **II** *ov ww* **❶** *omslaan, veranderen* turn, ⟨van wind⟩ shift ★ *zich ten goede* ~ take a turn for the better **❷** *omkeren* (about) ▼ <u>BN</u> *het* ~ *van de jaren* ⟨de menopauze⟩ menopause **III** *wkd ww* [zich ~] **❶** ~ *tot* ★ *zich tot iem.* ~ turn to sb **❷** ~ *tegen* turn against

**kerf** notch, nick

**kerfstok** ▼ *hij heeft heel wat op zijn* ~ he has a bad record

**kerk ❶** *gebouw* church, chapel, ⟨Schots⟩ kirk **❷** *eredienst* ⟨divine⟩ service, ⟨mis⟩ mass ★ *de kerk gaat aan* the church begins ★ *de kerk gaat uit* the church is over ★ *na de kerk* after church / mass ▼ *ben je in de kerk geboren?* were you born in a barn?

**kerkboek ❶** *kerkregister* church / parish register **❷** *gebedsboek* prayer book

**kerkdienst** ⟨divine / church⟩ service ★ *een* ~ *bijwonen* attend a service

**kerkelijk** ecclesiastical, church ★ ~*e plechtigheid* Christian ceremony

**kerkenraad** ⟨bestuur⟩ church council, ⟨vergadering⟩ church council meeting

**kerker** jail, gaol, dungeon

**kerkfabriek** <u>BN</u> *rel* (church-)fabric, fabric committee

**kerkganger** churchgoer

**kerkgenootschap** denomination

**kerkhof** churchyard, graveyard, ⟨meestal niet bij kerk⟩ cemetery

**kerkklok ❶** *uurwerk* church clock **❷** *luiklok* church bell

**kerkkoor** church choir

**kerkmuziek** church music

**kerkorgel** church organ

**kerkprovincie** archdiocese

**kerks** churchgoing, religious

**kerktoren** church tower, ⟨spitse toren⟩ steeple, ⟨spitse toren⟩ spire

**kerkuil** barn owl

**kermen** moan, groan, whine, ⟨jammeren⟩ moan

**kermis** (fun)fair, <u>USA</u> carnival ★ ~ *houden* be fairing ▼ *van een koude* ~ *thuiskomen* come away with a flea in one's ear ▼ *het is niet alle dagen* ~ Christmas comes but once a year, life is not all beer and skittles

**kermisattractie** fairground attraction

**kern ❶** *binnenste* core, ⟨van atoom⟩ nucleus, ⟨van boom, hout⟩ core, ⟨van noot, zaad⟩ kernel **❷** *essentie* ★ *tot de kern van de zaak doordringen* get (down) to the root of the matter ★ *een kern van waarheid* a nucleus / grain of truth ★ *de kern van de zaak* the heart / crux / gist of the matter

**kernachtig** pithy, terse, concise

**kernafval** nuclear waste

**kernbom** nuclear bomb

**kerncentrale** nuclear power station

**kerndeling** <u>biol</u> nuclear division

**kernenergie** nuclear power, atomic energy

**kernfusie** nuclear fusion

**kernfysica** nuclear physics *mv*

**kernfysicus** nuclear physicist

**kerngezond** perfectly healthy ★ *hij ziet er* ~ *uit* he looks in perfect health, he looks as fit as a

fiddle
**kernmacht** nuclear Power
**kernoorlog** nuclear war
**kemploeg** squad
**kemproef** atomic / nuclear test
**kempunt** essence, crux
**kemraket** nuclear missile
**kemreactor** atomic / nuclear reactor
**kemwapen** nuclear weapon
**kerosine** kerosene
**kerrie** curry
**kerriepoeder** curry powder
**kers ❶** *vrucht* cherry **❷** *boom* cherry (tree)
★ *Oost-Indische kers* nasturtium
**kerselaar** BN *kersenboom* cherry tree
**kersenbonbon** cul cherry liqueur chocolate
**kersenboom,** BN **kerselaar** cherry tree
**kersenhout** cherry(-wood)
**kersenjam** cul cherry jam
**kerst** Christmas ★ *met de* ~ at Christmas (time)
**kerstavond** Christmas Eve
**kerstboom** Christmas tree
**kerstdag** ★ *eerste* ~ Christmas Day ★ *tweede* ~
Boxing Day ★ *prettige* ~*en* Merry Christmas
★ *fijne* ~*en en een gelukkig nieuwjaar* season's
greetings
**kerstdiner** Christmas dinner
**kerstenen** christianize
**kerstfeest** Christmas (feast)
**kerstgratificatie** Christmas bonus
**kerstkaart** Christmas card
**Kerstkind** *Jezus* infant / baby Jesus
**kerstkind** *kind* Christmas baby
**kerstkransje** cul GB Christmas biscuit, USA
Christmas cookie
**kerstlied** Christmas carol
**Kerstman** Santa Claus, GB Father Christmas
**kerstmarkt** Christmas market
**Kerstmis** Christmas, ⟨vnl. op kaarten, e.d.⟩ Xmas,
⟨vnl. in liederen⟩ Noel ★ *gelukkig* ~ happy
Christmas
**kerstnacht** Christmas night
**kerstpakket** Christmas hamper
**kerststal** crib
**kerstster ❶** *kerstversiering* Christmas star **❷** *plant*
Christmas flower
**kerststol** (Christmas) stollen
**kerststukje** Christmas bouquet
**kerstvakantie** onderw Christmas holidays *mv*
**kersvers ❶** *zeer vers* quite fresh / new **❷** *pas aan- /
uitgekomen* brand new ★ ~ *van school* straight /
fresh from school ★ ~ *uit de winkel* straight from
the shop
**kervel** cul chervil
**kerven** carve, notch ★ *hij kerfde zijn naam in het
hout* he carved his name in the wood
**ketchup** ketchup
**ketel ❶** *kookketel* kettle, ⟨groot⟩ cauldron
**❷** *stoomketel* boiler
**ketelsteen** (lime)scale, fur
**keten I** *zn* [de] **❷** *zware ketting* chain ★ *in de* ~*en
slaan* put into chains **❷** *reeks* chain, series **II** *on
ww* fool around
**ketenen ❶** *met ketens vastmaken* chain, ⟨boeien⟩
shackle **❷** *aan banden leggen* curb, restrain
**ketjap** soya sauce

**ketsen ❶** *afschampen* glance off, ⟨biljart⟩ miscue
**❷** *niet afgaan* misfire
**ketter** heretic ▼ *roken als een* ~ smoke like a
chimney ▼ *zuipen als een* ~ drink like a fish
**ketterij** heresy
**ketters** heretical
**ketting** chain ★ *aan de* ~ *leggen* moor, chain up
★ *de* ~ *op de deur doen* chain the door
**kettingbotsing** chain collision, pile-up
**kettingbrief** chain letter
**kettingkast** chain guard
**kettingreactie** chain reaction
**kettingroker** chain smoker
**kettingslot** padlock and chain
**kettingzaag** chain-saw
**keu ❶** *biljartstok* cue **❷** *big* pig
**keuken ❶** *plaats* kitchen **❷** *kookstijl* cuisine ≈
private matter
**keukenblok** kitchen unit
**keukengerei** kitchen utensils *mv*
**keukenhanddoek** BN tea towel, USA dish-towel
**keukenkastje** kitchen cabinet / cupboard
**keukenmachine** food processor
**keukenpapier** kitchen paper
**keukenrol** kitchen roll
**keukentrap** stepladder
**keukenzout** kitchen / cooking salt
**Keulen** Cologne ▼ ~ *en Aken zijn niet op één dag
gebouwd* Rome was not built in a day ▼ *staan te
kijken, of men het in* ~ *hoort donderen* look
flabbergasted / astounded
**Keuls** Cologne
**keur ❶** *keuze* choice, pick **❷** *waarmerk* hall-mark
**keuren** inspect, test, ⟨edelmetaal⟩ assay, ⟨film⟩
censor, ⟨medisch⟩ examine, ⟨voedsel, drank⟩
sample
**keurig I** *bnw* **❶** *zorgvuldig* neat, trim ★ *een* ~
*gazon* a trim lawn ★ *het staat hem* ~ it suits him
very well ★ *hij zag er* ~ *netjes uit* he looked very
spruce / trim ★ *de keuken zag er* ~ *netjes uit* the
kitchen looked spick and span **❷** *correct* ★ ~*e
manieren* good manners **II** *bijw* smartly, nicely,
neatly ★ ~ *gedaan* nice work ★ *zij was* ~ *gekleed*
she was smartly dressed
**keuring** test, inspection, ⟨van edelmetaal⟩ assay,
⟨van film⟩ censorship, ⟨medisch⟩ examination,
⟨van voedsel⟩ inspection
**keuringsarts** medical examiner
**keuringsdienst** ≈ Food Inspection Department
**keurmeester** ⟨van voedsel⟩ inspector, ⟨van goud⟩
assayer
**keurmerk** hallmark, plate-mark
**keurslijf ❶** straitjacket **❷** *knellende verplichting*
★ *in een* ~ *zitten* have one's hands tied
**keurstempel** hall / quality mark
**keus ❶** *het kiezen* choice ★ *de keus vestigen op* fix
on, choose ★ *gemakkelijke keus* soft option, easy
choice ★ *naar keus* at choice **❷** *mogelijkheid tot
kiezen* choice, option ★ *uit vrije keus* of one's own
free will ★ *iem. voor de keus stellen* give sb the
choice ★ *er blijft mij geen andere keus over* I have
no option, there is no alternative left to me ★ *ter
keuze van* at the option of **❸** *sortering* choice,
selection ★ *vakken naar keuze* optional subjects
★ *een ruime keus* a large assortment, a wide
choice **❹** *wat gekozen is* selection, choice ★ *een*

**ke**

*keuze uit zijn werk* a selection from his work
**keutel ❶** *drolletje* vulg turd ★ *~s* droppings, pellet
 **❷** *dreumes* nipper, tiny tot
**keuterboer** small holder, crofter
**keuvelen** chat, natter
**keuze →** keus
**keuzemenu ❶** cul set menu, fixed price menu
 **❷** comp menu
**keuzemogelijkheid** option, choice
**keuzepakket** choice of subjects / courses
**keuzevak** option, optional course, USA elective
 (course)
**kever ❶** *insect* beetle **❷** *auto* beetle
**keyboard ❶** comp keyboard **❷** muz keyboard
 (instrument)
**kg** *kilogram* kg, kilogramme
**kibbelen** squabble, bicker, barney
**kibbeling** cod parings *mv*
**kibboets** kibbutz [mv: kibbutzim]
**kick** kick ★ *ergens een kick van krijgen* get a kick
 out of sth
**kickboksen** kickboxing
**kickeren** BN *tafelvoetbal spelen* play table
 football
**kidnappen** kidnap
**kidnapper** kidnapper
**kids** inform *kinderen* kids
**kiekeboe** keekaboo, peekaboo
**kiekendief** harrier
**kiekje** snap (shot)
**kiel ❶** scheepv keel **❷** *kledingstuk* blouse
**kielhalen** keelhaul
**kielzog** wake ▼ *in iemands ~ varen* follow in sb's
 wake
**kiem ❶** *eerste begin van organisme* germ **❷** *spruit
 van zaad* germ, shoot **❸** *ziektekiem* germ ▼ *in de
 kiem smoren* nip in the bud
**kiemen ❶** *ontspruiten* germinate **❷** fig *beginnen
 te groeien* sprout, come up
**kien ❶** *pienter* keen, sharp, bright, quick-witted
 **❷** *~ op* keen on, eager for
**kiep** ▼ sport *vliegende kiep* roaming goalie
**kiepauto** tip-up truck
**kiepen I** *ov ww, neergooien* dump, tip ★ *iets op de
 grond ~* tip sth on the ground **II** *on ww, vallen*
 keel over, tumble, topple
**kieperen** *tuimelen* tumble, topple
**kier** chink ★ *de deur op een kier laten staan* leave
 the door ajar ★ *op een kier* ajar
**kierewiet** crackers
**kies I** *zn* [de] molar, back tooth *mv: teeth* ★ *een
 kies laten trekken* have a tooth (pulled) out ▼ *iets
 voor zijn kiezen krijgen* have a hard time of it
 ▼ *heel wat achter zijn kiezen hebben* have gone
 through a lot ▼ *zijn kiezen op elkaar houden* keep
 mum **II** *bnw* **❶** *fijngevoelig* 〈vraag〉 delicate,
 〈persoon〉 considerate **❷** *kieskeurig* fastidious,
 particular
**kiesdeler** quota
**kiesdistrict** constituency
**kiesdrempel** electoral threshold
**kiesgerechtigd** jur pol entitled to vote
**kieskeurig** choosy, fastidious, particular, inform
 pernickety
**kieskring** constituency
**kiespijn** toothache ▼ *ik kan hem missen als ~* I

prefer his room to his company, I miss him like
 toothache ▼ *hij lachte als een boer die ~ heeft* he
 laughed on the wrong side of his mouth
**kiesrecht** jur pol suffrage, franchise, right to
 vote ★ *algemeen ~* universal suffrage ★ *het ~
 krijgen* be enfranchised, be given the vote
**kiestoon** dialling tone
**kietelen** *kriebelen* tickle
**kieuw** gill
**Kiev** Kiev
**kieviet** pe(e)wit, 〈Northern〉 lapwing ▼ *lopen als
 een ~* run like a deer
**Kievs** Kiev
**kiezel I** *zn* [de], *steen* pebble(stone) **II** *zn* [het]
 **❶** *grind* gravel, 〈op strand〉 shingle **❷** *silicium*
 silicon
**kiezelpad** gravel(led) path
**kiezelsteen** pebble(stone)
**kiezelstrand** 〈kleine stenen〉 shingle beach,
 〈grote stenen〉 pebble beach
**kiezen I** *ov ww* **❶** *keus doen* choose, select ★ *het
 voor het ~ hebben* have one's choice **❷** *door keuze
 benoemen* vote (for), 〈parlement, e.d.〉 elect ★ *de
 nieuw gekozen president* the president-elect ▼ *het
 is ~ of delen* take it or leave it, you can't have it
 both ways **II** *on ww, keus maken* ★ *~ uit* choose
 from
**kiezer** voter, constituent ★ *de ~s* the voters, the
 electorate
**kift** envy ▼ *het is allemaal de kift!* sour grapes!
**kiften** quarrel, row
**kijf** ▼ *dat staat buiten kijf* that is beyond dispute
**kijk ❶** *het kijken* view **❷** *uitzicht* ★ *er is geen kijk op
 verbetering* there is no prospect / hope of
 improvement **❸** *inzicht* view, outlook,
 conception ★ *kijk op het leven* outlook upon life
 ★ *een juiste kijk geven op* give an accurate insight
 into ★ *ik begin er kijk op te krijgen* I am
 beginning to see / understand it **❹** *gezichtspunt*
 ▼ *te kijk lopen met iets* show (sth) off ▼ *te kijk staan*
 be shown up ▼ *iem. te kijk zetten* expose sb
**kijkcijfers** viewing figures *mv*, rating
**kijkdag** view / show / open day
**kijkdichtheid** ratings *mv*
**kijken I** *ov ww, bekijken* ★ *~ naar een schilderij*
 look at a painting ★ *~ naar de film* watch a film
 ▼ *klok ~* tell the time **II** *on ww* **❶** *de ogen
 gebruiken* look, have a look ★ *ga eens ~* go and
 have a look ★ *~ staat vrij* a cat may look at a king
 ★ *hij stond ervan te ~* it came as a surprise to him
 **❷** *eruitzien* ★ *bang ~* look frightened ▼ *verbaasd ~*
 look surprised **❸** *~ op* raadplegen ★ *kijk op
 www.prisma.nl* check www.prisma.nl ▼ *daar komt
 heel wat bij ~* that's quite a job ▼ *hij komt pas ~* he
 has just come out of the shell ▼ *kijk naar jezelf!*
 look who's talking ▼ *laat naar je ~* don't be silly /
 ridiculous ▼ *daar sta ik van te ~* that staggers me
 ▼ *laat eens ~* let me see ▼ *daar kijk ik niet op* I'm
 not particular about that
**kijker** *persoon* looker-on, spectator, 〈televisie〉
 viewer ▼ *in de ~ lopen* attract attention
**kijkgeld** T.V. licence fee
**kijkje** look, glimpse ★ *een ~ achter de schermen
 nemen* take a glimpse behind the scenes ★ *hij zal
 een ~ nemen* he will have a look
**kijkoperatie** minimal invasive surgery, keyhole

surgery

**kijkwoning** BN *modelwoning* show house / flat

**kijven** brawl, quarrel, wrangle ★ *tegen iem. ~* scold at sb

**kik** ★ *ze gaf geen kik* she didn't utter a sound

**kikken** ★ *je hoeft maar te ~* you have only to say the word ★ *zij kikte er met geen woord over* she did not breathe a word about it

**kikker** frog

**kikkerbad** wading pool, children's pool

**kikkerbilletjes** frogs' legs *mv*

**kikkerdril** frog-spawn / jelly, frog's eggs *mv*

**kikkeren** hop like a rabbit

**kikkererwt** USA garbanzo (bean), chickpea

**kikkervisje** tadpole

**kikvorsman** frogman

**kil** ❶ *fris* chilly, cold, ⟨weer⟩ wintry, ⟨weer, temperatuur⟩ shivery ★ *het voelt kil aan* it is cold to the touch ❷ *onhartelijk* chilly, frigid, cold

**kilo** kilo

**kilobyte** kilobyte

**kilocalorie** kilocalorie

**kilogram** kilogram

**kilohertz** kilohertz

**kilojoule** kilojoule

**kilometer** kilometre

**kilometerpaal** kilometre marker / stone

**kilometerteller** mileometer, milometer, USA odometer

**kilometervergoeding** mileage (allowance)

**kilowatt** kilowatt

**kilowattuur** kilowatt-hour

**kilt** kilt

**kilte** ❶ *frisheid* chilliness, chill ❷ *onhartelijkheid* chilliness, frigidity

**kim** horizon

**kimono** kimono

**kin** chin

**kind** ❶ *jeugdig persoon* child *mv: children,* inform kid, ⟨zeer jong⟩ baby ★ *van kind af aan* from an early age ★ *als kind* as a child ❷ *nakomeling* ★ *een kind verwachten* expect a baby ★ *een kind krijgen* bear / have a child ★ *geen kinderen hebben* have no children ▼ *het kind van de rekening zijn* be the victim / loser ▼ *het kind met het badwater weggooien* throw the baby out with the bathwater ▼ *kind noch kraai hebben* have no one in the world, have not a soul in the world ▼ *ik krijg er een kind van!* it's driving me mad! ▼ *je hebt geen kind aan hem* he's no trouble at all ▼ *een kind kan de was doen* it's child's play ▼ *wie zijn kind liefheeft, kastijdt het* spare the rod and spoil the child ▼ *ergens kind aan huis zijn* be one of the family, have the run of the place ▼ *een kind van zijn tijd zijn* be a child of one's time ▼ *ik mag een kind krijgen als het niet waar is* I'll eat my hat if it isn't true ▼ *daar ben ik een kind bij* that's out of my league

**kinderachtig** ❶ *als kind* childlike ❷ *flauw* childish, infantile ★ *doe niet zo ~* act your age, grow up ❸ *weinig* ★ *dat is niet ~* that's a tall order ★ *die prijs is niet ~* the price is not to be sneezed at

**kinderarbeid** child labour

**kinderarts** children's doctor, paediatrician

**kinderbescherming** child care and protection

★ *Raad voor de Kinderbescherming* Child Care and Protection Board, GB R.S.P.C.C. Royal Society for the Prevention of Cruelty to Children

**kinderbijbel** children's Bible

**kinderbijslag** child benefit

**kinderboek** children's book

**kinderboerderij** children's farm

**kinderdagverblijf** crèche, day care centre

**kindergeld** BN *kinderbijslag* child benefit

**kinderhand** ▼ *een ~ is gauw gevuld* ≈ some people are easily pleased

**kinderhoofdje** *bolle steen* cobble(stone)

**kinderjaren** childhood(years)

**kinderkaartje** children's ticket, half ticket

**kinderkamer** nursery

**kinderkleding** children's clothes *mv*

**kinderkoor** children's choir

**kinderlijk** ❶ *als (van) een kind* childlike ❷ *naïef* childlike, min childish

**kinderlokker** child molester

**kinderloos** childless ★ *~ sterven* die childless, jur die without issue

**kindermeisje** nanny

**kindermenu** children's menu

**kindermoord** child murder, ⟨baby⟩ infanticide

**kinderoppas** baby sitter, ⟨beroep⟩ childminder

**kinderopvang** child / day care (centre), (day) nursery

**kinderporno** child pornography

**kinderpostzegel** stamp sold for the benefit of children

**kinderpsychiater** child psychiatrist

**kinderrechter** jur juvenile court magistrate / judge

**kinderschoen** ▼ *nog in de ~en staan* be still in its infancy ▼ *de ~en ontgroeid zijn* be past the age of childhood

**kinderslot** childproof lock

**kinderspel** ❶ *spel voor kinderen* children's game ❷ *eenvoudige zaak* child's play, a piece of cake

**kindersterfte** child mortality

**kinderstoel** baby chair, ⟨aan tafel⟩ high chair

**kindertehuis** children's home

**kindertelefoon** *hulplijn* children's helpline

**kindertijd** childhood (days)

**kindertuin** BN *crèche* day nursery, crèche

**kinderverlamming** *oud* infantile paralysis, med poliomyelitis, inform polio

**kindervoeding** children's food, ⟨voor baby⟩ baby / infant food

**kinderwagen** inform pram

**kinderwens** *wens kinderen te krijgen* desire to have children

**kinderziekenhuis** children's hospital

**kinderziekte** ❶ *lett* ziekte children's disease ❷ *fig beginproblemen* growing pains *mv*, teething troubles *mv*

**kinderzitje** ⟨in auto⟩ child restraint, ⟨op fiets⟩ child bike seat

**kinds** doting, senile ★ *~ worden* enter one's second childhood / dotage ★ *~ zijn* be in one's dotage

**kindsbeen** ▼ *van ~ af* from childhood (on), from / since one's infancy

**kindsdeel** jur child's portion, jur statutory portion

**ki**

**kindsheid** *het kinds zijn* second childhood, dotage
**kindsoldaat** child soldier
**kindveilig** child proof ★ *~e sluiting* child safety catch
**kindveiligheid** child safety
**kindvriendelijk** child-friendly, child-safe
**kinesist** BN *fysiotherapeut* physiotherapist
**kinesitherapie**, inform **kine** BN *fysiotherapie* physiotherapy
**kinetisch** kinetic
**kingsize** king size
**kinine** quinine
**kink** ▼ *er is een kink in de kabel* there is a hitch somewhere
**kinkel** boor, lout
**kinkhoest** whooping-cough
**kinky** kinky
**kinnebak** lower jaw, jawbone
**kiosk** kiosk, ⟨kranten⟩ newspaper stand
**kip** ❶ *dier* hen, chicken ❷ *cul* ▼ *praten als een kip zonder kop* talk through a hole in one's head ▼ *de kip met de gouden eieren slachten* kill the goose that lays the golden eggs ▼ *hij was er als de kippen bij* he was quick to seize his chance
**kipfilet** chicken breast
**kiplekker** fit as a fiddle, on top of the world, as right as rain
**kippenbil** BN cul *kippenbout* chicken drumstick
**kippenborst** ❶ *vlees* chicken breast ❷ *misvorming* pigeon-breast / chest
**kippenbout** chicken drumstick
**kippeneindje** ★ *dat is een ~* that is just around the corner
**kippenfokkerij** ❶ *het fokken* chicken / poultry farming ❷ *fokbedrijf* chicken / poultry farm
**kippengaas** chicken-wire
**kippenhok** hen / chicken house
**kippenlever** chicken liver
**kippenren** chicken run, henrun, coop
**kippensoep** cul chicken soup
**kippenvel** fig goose pimples / bumps *mv* ★ *daar krijg ik ~ van* it gives me goose pimples
**kippenvlees** chicken
**kippig** short-sighted
**Kirgizië** Kirghizia
**Kirgizisch** Kyrgyz
**Kiribati** Kiribati
**kirren** ❶ *geluid maken* ⟨van duiven⟩ coo ❷ *giechelen* ⟨van mensen⟩ titter
**kissebissen** squabble, bicker ★ *het ~* squabbling, bickering
**kist** ❶ *bak / doos* packing-case, box, ⟨meubel⟩ chest, ⟨viool, boeken⟩ case ❷ *doodkist* coffin
**kisten** ❶ *van een kisting voorzien* put in form work ❷ *in de kist leggen* (lay in a) coffin ▼ *laat je niet ~* don't let them grind you down
**kistje** *kleine kist* box, case ★ *een ~ sigaren* box of cigars
**kit** *kleefmiddel* (voor gaten) cement, ⟨afdekking⟩ lute, ⟨lijm⟩ (adhesive) glue, ⟨om lucht- / waterdicht te maken⟩ sealant, ⟨voor tegels⟩ grouting
**kitchenette** kitchenette
**kitesurfen** kitesurf, kiteboard
**kits** O.K. ★ *alles kits?* everything O.K?

**kitsch** kitsch
**kitscherig** kitschy
**kittelaar** clitoris
**kitten** I *zn* [de], dierk *jong katje* kitten II *ov + on ww* glue (together), seal (tight)
**kittig** smart, spirited
**kiwi** plantk *vrucht* kiwi
**klaaglijk** piteous, plaintive
**Klaagmuur** Wailing Wall
**klaagzang** lament(ation) ★ *een ~ aanheffen* raise one's voice in complaint
**klaar** ❶ *paraat* ready ★ *~ voor de start? af!* set? go!, ready, steady, go! ❷ *afgewerkt* ready, finished ★ *met iets ~ zijn* have finished sth ★ *~ terwijl u wacht* made / done while you wait ★ *ik ben ermee ~* I have finished with it, I'm through with it ★ *ik ben ~* I am ready, I have finished ★ *ik ben nog niet ~ met hem* I'm not yet finished with him ❸ *helder* clear, lit limpid ❹ *duidelijk* clear ❺ *zuiver* ▼ *~ is Kees* and that's that, and Bob's your uncle ▼ *daar ben je (mooi) ~ mee!* that's a fine mess!
**klaarblijkelijk** evident, obvious
**klaarheid** fig *duidelijkheid* clarity, clearness ★ *iets tot ~ brengen* clear up sth ★ *~ in een zaak brengen* shrow / shed light on a matter
**klaarkomen** ❶ *gereedkomen* be finished, finish ❷ *orgasme krijgen* come
**klaarleggen** put ready, ⟨kleren⟩ lay out
**klaarlicht** → **dag**
**klaarliggen** be / lie ready
**klaarmaken** ❶ *voorbereiden* get ready, prepare, ⟨eten⟩ make, ⟨warm eten⟩ cook, ⟨warm eten⟩ make, ⟨recept⟩ make up, ⟨slaatje⟩ mix ★ *kunt u dit recept ~?* could you please fill this prescription? ❷ *tot orgasme brengen* ★ *iem. ~* make sb come ❸ *presteren* ★ *niets ~* come to nothing
**klaar-over** ⟨agent⟩ lollipop (wo)man, ⟨in Engeland: volwassenen⟩ ≈ inform member of a school (crossing) patrol
**klaarspelen** ★ *het ~* manage, pull off
**klaarstaan** *gereedstaan* stand / be ready ★ *hij staat altijd voor iedereen klaar* he is always ready to oblige ★ *zij moest altijd voor hem ~* she was at his beck and call
**klaarstomen** ★ *iem. ~ voor een examen* cram sb for an exam
**klaarwakker** wide awake
**klaarzetten** put ready / out ★ *ontbijt ~* put breakfast on the table
**klaas** ▼ *een houten ~* a dry old stick
**Klaas Vaak** the sandman
**klacht** ❶ *uiting van misnoegen* complaint ❷ *aanklacht* complaint ★ *een ~ indienen tegen iem.* file / lodge a complaint against sb ❸ *ongemak, pijn* complaint, symptom
**klachtenboek** complaint(s)book
**klachtenlijn** complaints line
**klad** I *zn* [het] ❶ *rough draft* ★ *een brief in het klad schrijven* draft a letter ★ *iets in het klad schrijven* make a rough copy of sth ❷ → **kladje** II *zn* [de] ★ *de klad erin brengen* spoil the trade ★ *de klad is in de markt gekomen* the bottom has fallen out of the market ▼ *iem. bij de kladden pakken* collar sb

**kladblaadje** piece of scrap paper
**kladblok** GB scribbling-pad, USA scratch-pad
**kladden I** *ov ww, slordig doen* doodle,
⟨schilderen⟩ daub, ⟨schrijven⟩ scribble, ⟨schrijven⟩
scrawl **II** *on ww, kliederen* be messy, make stains
★ *het papier kladt* the paper blots
**kladderen ❶** *kladden* splodge, smudge
**❷** *schilderen* daub (with paint)
**kladje** *voorlopig ontwerp* rough draught
**kladpapier** scribbling-paper, scrap paper
**kladschrijver** ≈ hack, scribbler
**klagen I** *ov ww, als klacht uiten* complain ★ *iem.*
*zijn nood ~* pour out one's heart to sb ★ *over*
*rugpijn ~* complain of a backache **II** *on ww* **❶** *een*
*klacht uiten* complain (**bij** to) (**over** about, of),
⟨weeklagen⟩ lament ★ *bij iem. over iets ~*
complain to sb about / of sth ★ *ik heb niet te ~* I
can't complain ★ *ik heb niet over je te ~* I have no
complaints to make about / of you ★ *geen reden*
*tot ~ hebben* have no cause for complaint **❷** *jur*
complain
**klager ❶** *iem. die klaagt* complainer **❷** *jur*
complainant, plaintiff
**klagerig ❶** *geneigd tot klagen* complaining
**❷** *klagend* plaintive
**klak** BN *pet* (peaked) cap
**klakkeloos I** *bnw* unthinking, ⟨zonder reden⟩
gratuitous **II** *bijw, zonder nadenken* ★ *iets ~*
*aannemen* accept sth without thinking
**klakken** clack, cluck, (make a) click ★ *met de tong*
*~* click one's tongue
**klam** clammy, damp, moist ★ *met klamme handen*
with clammy hands
**klamboe** mosquito net
**klamp** clamp
**klandizie ❶** *klanten* customers *mv* ★ *~ krijgen* get
customers [mv] **❷** *het klant zijn* custom ★ *iem. de*
*~ gunnen* give one's custom to sb, patronize sb
**klank ❶** *geluid* sound ★ *uitgesproken met een 'sh'-~*
pronounced with a 'sh' sound **❷** *wijze van*
*klinken* sound, tone ★ *een warme ~* a warm tone
**❸** *fig bijklank* ring ★ *dat woord heeft een lelijke ~*
that word has an ugly ring to it
**klankbodem** sound(ing) board
**klankbord** sound(ing) board ★ *een ~ vormen* act
as a sounding board
**klankkast** resonance-box, ⟨van snaarinstrument⟩
soundbox
**klankkleur** timbre
**klant ❶** *koper* customer, client ★ *vaste ~* regular
customer ★ *de ~ is koning* the customer is always
right **❷** *bezoeker* patron **❸** *kerel* ★ *ruwe ~* rough
customer ★ *een vrolijke ~* a cheerful sort /
customer
**klantenbinding** customer relations *mv*
**klantenkaart** loyalty card
**klantenkring** customers *mv*, clientele
**klantenservice** customer service
**klantenwerving** canvassing for customers /
clients
**klantgericht** customer-oriented
**klantvriendelijk** customer-friendly
**klap ❶** *slag* blow, slap ★ *een lelijke klap krijgen* get
a nasty knock **❷** *tegenslag* ★ *de klap te boven*
*komen* get over sth ★ *een zware klap krijgen* be
hard hit **❸** *fel geluid* bang, ⟨voornamelijk van

donder⟩ clap, ⟨van zweep⟩ crack ▼ *in één klap* all
of a sudden, at one go ▼ *de eerste klap is een*
*daalder waard* the first blow is half the battle
▼ *een klap van de molen gehad hebben* have bats
in the belfry ▼ *geen klap uitvoeren* not do a stroke
of work ▼ *ik heb er geen klap aan* it's useless to me
**klapband** blow-out, burst tyre
**klapdeur** spring-loaded door, swing / swinging
door, saloon door
**klaphekje** swing gate
**klaplong** pneumothorax
**klaplopen** sponge (on somebody), USA
freeloading
**klaploper** sponger, scrounger
**klappen ❶** *uiteenspringen* ★ *de achterband is*
*geklapt* the rear tyre has burst ★ *uit elkaar ~*
burst, explode **❷** *geluid maken* ⟨met handen⟩ clap
★ *met een zweep ~* crack a whip ★ *voor iem. ~*
applaud sb
**klapper ❶** *register* index **❷** *opbergmap* folder, file
**❸** *vuurwerk* squib, ⟨groot⟩ banger **❹** *uitschieter*
hit
**klapperen** ⟨van tanden⟩ chatter, ⟨van zeil⟩ flap
**klapperpistool** cap pistol
**klappertanden** ★ *ik stond te ~* my teeth were
chattering
**klappertje** cap
**klaproos** poppy
**klapschaats** clapskate
**klapstoel** folding chair, ⟨in theater⟩ tip-up seat
**klapstuk ❶** *vlees* rib-piece **❷** *fig* hoogtepunt
crowning piece
**klaptafel** folding / drop-leaf table
**klapwieken** clap / flap the wings
**klapzoen** smacker, smacking kiss
**klare** ★ *een glaasje oude ~* a glass of old Dutch gin
**klaren ❶** *helder maken* ★ *water ~* clarify / purify
water **❷** *in orde krijgen* ★ *hij zal het wel ~* he'll
manage
**klarinet** clarinet
**klarinettist** clarinettist
**klas ❶** onderw *groep leerlingen* class ★ *voor de klas*
*staan* teach **❷** onderw *lokaal* classroom
**❸** onderw *leerjaar* GB form, USA grade ★ *in de*
*derde klas zitten* be in third form / grade
★ *lagere / hogere klassen* junior / senior forms /
grades **❹** *rang, kwaliteit, klasse* class
**klasgenoot** onderw classmate
**klaslokaal** onderw classroom
**klasse I** *zn* [de] **❶** *maatschappelijke laag* class
**❷** *kwaliteit* premier league / division **II** *tw*
magnificent
**klasse-** *geweldig* ★ *-auto* high-quality car
**klassement** list of rankings, sport league table
★ *bovenaan in het ~* at the top of the league
**klassenavond** onderw class party
**klassenjustitie** class justice
**klassenleraar** onderw form tutor
**klassenstrijd** class-struggle
**klassenvertegenwoordiger** onderw form
captain / prefect / monitor
**klasseren** classify ★ *zich ~* qualify
**klassering** classification, placing
**klassiek ❶** *traditioneel* classic(al) ★ *~e muziek*
classical music **❷** *van duurzame waarde* classic
**❸** *de klassieke oudheid betreffend* classical

**kl**

**klassieken** classics *mv*
**klassieker ❶** *bekend werk* classic **❷** *sport wedstrijd* classic
**klassikaal I** *bnw* underw (in) class ★ *~ onderwijs* class teaching **II** *bijw* underw ★ *iets ~ behandelen* deal with sth in class
**klateren** splash
**klauteren** clamber ★ *in een boom ~* clamber up a tree
**klauw ❶** *poot van roofdier* claw, ⟨van roofvogel ook⟩ talon **❷** *hand* claw, paw ★ *in de ~en vallen van* fall into the clutches of **❸** techn haak ▼ *uit de ~en lopen* go out of hand / control
**klauwhamer** claw hammer
**klavecimbel** harpsichord
**klaver ❶** *plant* clover, ⟨embleem van Ierland⟩ shamrock **❷** *figuur in kaartspel* ⟨alleen meervoud⟩ clubs *mv*
**klaveraas** ace of clubs
**klaverblad ❶** *blad van klaver* cloverleaf **❷** *wegkruising* cloverleaf
**klaverboer** jack of clubs
**klaverheer** king of clubs
**klaverjassen** play (Klaber)jass
**klavertjevier** four-leaved / four-leaf clover
**klavervrouw** queen of clubs
**klavier ❶** *toetsenbord* keyboard **❷** *instrument* piano
**kledderen** *knoeien* slop, splash, spatter
**kleddernat** soaking / sopping (wet)
**kleden** dress, clothe ★ *zich ~* dress ★ *zich weten te ~* know how to dress, have a good dress sense ★ *zich overdadig ~* overdress
**klederdracht** traditional / national costume / dress
**kledij ❶** *kleren* clothing, clothes *mv* **❷** *manier van kleden* dress, costume
**kleding** clothes *mv*, clothing, dress, form apparel ★ *gemakkelijk zittende ~* leisure / casual wear ★ *~ naar maat* (clothing) made to measure
**kledingstuk** article of clothing, garment
**kledingzaak** clothes / dress shop
**kleed ❶** *bedekking* ⟨tafelkleed⟩ tablecloth, ⟨vloerkleed⟩ carpet, ⟨vloerkleed⟩ rug **❷** BN *jurk* dress ▼ BN *iets in een nieuw ~je steken* give sth a facelift
**kleedgeld** clothing allowance
**kleedhokje** changing cubicle
**kleedkamer** sport changing room, ⟨van acteurs, e.d.⟩ dressing room
**kleedster** dresser
**kleefpasta** adhesive paste
**kleerborstel** clothes brush
**kleerhanger** coat / clothes hanger
**kleerkast, klerenkast ❶** *kast voor kleren* wardrobe, USA closet **❷** *grote gespierde man* gorilla
**kleermaker** tailor
**kleermakerszit** ★ *in de ~ zitten* sit cross-legged
**kleerscheuren** ★ *er zonder ~ afkomen* get off without a scratch, get off scot-free
**klef ❶** *kleverig* sticky, ⟨klam⟩ sodden, ⟨klam⟩ clammy **❷** *hinderlijk aanhalig* clinging
**klei** *grond* clay
**kleiduivenschieten** skeet(-shooting), trapshooting, clay pidgeon shooting

**kleien** work / model clay
**kleigrond** clay soil
**klein I** *bnw* **❶** *niet groot* small, little, ⟨stap⟩ short ★ *heel ~* small, tiny, diminutive ★ *~ van stuk* of small build ★ *~ maar dapper* small but plucky / tough / game **❷** *jong* ★ *de ~e* the little one **❸** *benepen, min* ★ *iem. ~ houden* keep sb down **❹** *niet geheel* ★ *een ~e tien euro* a little under ten euro's **❺** *kleingeestig* ▼ *wie het ~e niet eert, is het grote niet weerd* he that cannot keep a penny shall never have many ▼ *~ en groot* great and small ▼ *in het ~ beginnen* start on a small scale **II** *bijw* ★ *~ schrijven* write small
**Klein-Azië** Asia Minor
**kleinbedrijf** small business
**kleinbehuisd** cramped (for space)
**kleinburgerlijk** petty bourgeois, ⟨bekrompen⟩ narrow minded
**kleindochter** granddaughter
**Kleinduimpje** *sprookjesfiguur* Thumbelina
**kleinerdanteken** wisk smaller than sign / symbol
**kleineren** belittle, disparage ★ *je moet je niet laten ~* don't let yourself be put down
**kleingeestig** petty, narrow-minded
**kleingeld** small change, petty cash
**kleinigheid ❶** *geschenk* little thing **❷** *bagatel* trifle
**kleinkind** grandchild
**kleinkrijgen** subdue ★ *iem. ~* bring sb to his knees
**kleinkunst** cabaret
**kleinmaken ❶** *iets klein maken* cut up, ⟨geld⟩ change **❷** *geld wisselen* change **❸** *vernederen* humble somebody
**kleinschalig** small-scale
**kleintje ❶** *klein mens of dier* little one **❷** *klein ding* small one, short one ★ *een ~ pils* a small (glass of) beer, a half beer ▼ *hij is voor geen ~ vervaard* he is not easily scared ▼ *vele ~s maken één grote* many a little makes a mickle
**kleinvee** small (live) stock
**kleinzerig ❶** *bang voor pijn* frightened of pain **❷** *lichtgeraakt* touchy, over-sensitive
**kleinzielig** petty / narrow-minded
**kleinzoon** grandson
**klem I** *zn* [de] **❶** *klemmend voorwerp* clip, ⟨val ook⟩ catch, ⟨val⟩ trap **❷** *benarde situatie* ★ *in de klem zitten / raken* be in / get into a hole, get in a scrape / jam **❸** *nadruk* emphasis, stress ★ *met klem spreken* speak with emphasis ★ *met klem op iets aandringen* urge sth strongly **II** *bnw* jammed, stuck ★ *een auto klem rijden* jam a car ▼ *je helemaal klem vreten* eat yourself sick
**klembord ❶** admin clip board **❷** comp clip board
**klemmen I** *ov ww, drukken* clasp, ⟨lippen⟩ tighten, ⟨van vinger e.d.⟩ jam ★ *de kiezen op elkaar ~* clench one's teeth **II** *on ww* **❶** *knellen* jam, ⟨van deur⟩ stick **❷** *benauwen* oppress **❸** *dwingen* be conclusive, be cogent
**klemtoon** stress
**klemvast ❶** sport well-held ★ *hij is niet erg ~* he's got butterfingers **❷** *zeer vast* jammed, wedged
**klep ❶** *sluitstuk* lid, ⟨van pomp, cilinder⟩ valve, ⟨van fluit⟩ key, ⟨van kachel⟩ damper **❷** *flap* ⟨van

kl

zak, e.d.) flap ❸ *deel van pet* peak, bill ❹ *mond* trap ❺ *kletser* chatterbox
**klepel** ⟨van klok⟩ clapper, ⟨van klok⟩ tongue
**kleppen** ❶ *klepperen* clatter, ⟨van klok⟩ toll ❷ *kletsen* chatter
**klepper** *klaphoutje* rattle
**klepperen** clapper, rattle, ⟨van ooievaar⟩ clatter
**kleptomaan** kleptomaniac
**klere** ▾ *plat krijg de ~!* drop dead!, fuck you!
**klere-** fucking, euf blooming ★ *klereweer* bloody weather
**klerelijer** rotter
**kleren** clothes *mv* ★ *mijn zondagse ~* my Sunday best ★ *iem. in de ~ steken* clothe sb ▾ *dat gaat je niet in de koude ~ zitten* that does you no good whatsoever, that takes the stuffing out of you ▾ *~ maken de man* clothes make the man
**klerenhanger** coat / clothes hanger
**klerikaal** clerical
**klerk** clerk
**klets** ❶ *geklets* twaddle, rot ❷ *klap* smack, slap
**kletsen** ❶ *babbelen* chat(ter), have a chat, ⟨zwammen⟩ gas, ⟨zwammen⟩ talk rot ★ *uit zijn nek ~* talk through one's hat ❷ *roddelen* gossip ★ *~ over iem.* talk behind sb's back, bitch about sb ❸ *klinkend klappen* splash ★ *hij kletste zich op de dijen van het lachen* he slapped his thighs with laughter
**kletskoek** rot, bilge, baloney, rubbish
**kletskous** chatterbox
**kletsnat** soaking (wet)
**kletspraat** twaddle, rot
**kletspraatje** small talk, (idle) gossip
**kletteren** clash, clang
**kleumen** shiver, freeze, chill (to the bone)
**kleur** ❶ *wat het oog ziet* colour ❷ *gelaatskleur* complexion ★ *van ~ verschieten* change colour ★ *een ~ krijgen* colour, blush ❸ *politieke tendens* persuasion ❹ *kleurstof* colour ❺ *figuur in kaartspel* suit ★ *~ bekennen* follow suit, show one's hand, come out into the open ★ *~ verzaken* revoke ▾ *iem. ~ doen bekennen* force sb into the open
**kleurboek** colouring / painting-book
**kleurdoos** paintbox
**kleurecht** colourfast
**kleuren** ❶ *ov ww* *kleur geven aan* colour ❷ *overdrijven* overstate ★ *een gekleurde versie van de gebeurtenissen* a coloured version of the events ❸ *on ww* *kleur krijgen* colour ❷ *blozen* blush ★ *~ tot achter zijn oren* blush deeply ❸ *~ bij* match ★ *die jas kleurt niet bij je broek* that jacket does not go with your trousers
**kleurenblind** colour blind
**kleurendruk** colour print(ing)
**kleurenfilm** technicolor film
**kleurenfoto** colour photo
**kleurenprinter** colour printer
**kleurenscala** range of colours
**kleurentelevisie** colour television
**kleurig** colourful, USA colorful
**kleurkrijt** coloured chalk
**kleurling** coloured person
**kleurloos** colourless
**kleurplaat** colouring picture
**kleurpotlood** coloured pencil, crayon

**kleurrijk** ❶ *met veel kleur* rich in / with colour, colourful ❷ *afwisselend* colourful
**kleurschakering** tinge, shade of colour
**kleurshampoo** colour rinse shampoo
**kleurspoeling** colour wash / rinse
**kleurstof** pigment, ⟨verf⟩ dye
**kleurtje** ❶ *potlood* (coloured) pencils *mv* ❷ *blos* colour
**kleurversteviger** colour rinse
**kleuter** tot, toddler
**kleuterdagverblijf** day centre for pre-school infants
**kleuterklas** onderw ≈ infants' class
**kleuterleidster** nursery (school) teacher
**kleuterschool** onderw infant / nursery school
**kleven** ❶ *ov ww, plakken op* stick, glue ❷ *on ww* ❶ *blijven plakken* stick / cling (to) ★ *het kleeft aan je vingers* it sticks to your fingers ★ *er kleeft bloed aan* there is blood on it, it is tainted with blood ❷ *verbonden zijn* stick ★ *er ~ nog enkele foutjes aan* it still has a few shortcomings
**kleverig** sticky
**kliederboel** mess
**kliederen** make a mess, mess about
**kliek** ❶ *etensrestjes* scraps *mv*, leftovers *mv* ❷ *groep* clique
**klier** ❶ *orgaan* gland ❷ *akelig persoon* pain in the neck, vulg pain in the ass
**klieren** be a pain in the neck, be a pest
**klieven** cleave
**klif** cliff, bluff
**klik** click
**klikken** ❶ *on ww* ❶ *geluid maken* click, snap ❷ *verklappen* tell tales ★ *over iem. ~* tell upon sb, inform grass on sb ❷ *onp ww, goed contact hebben* ★ *het klikt tussen hen* they hit it off well
**klikspaan** telltale, sneak, inform grass
**klim** climb ★ *een hele klim* a stiff climb
**klimaat** climate
**klimaatneutraal** carbon neutral
**klimaatregeling** air-conditioning
**klimaatverandering** change of climate, climatic change
**klimatologisch** climatic, climatological
**klimhal** climbing gym
**klimmen** ❶ *klauteren* climb, ⟨op paard⟩ mount ★ *in een boom ~* climb (up) a tree ❷ *toenemen* climb, rise ★ *met het ~ der jaren* with advancing years
**klimmer** climber
**klimop** ivy ★ *met ~ begroeid* ivy-grown
**klimpartij** climb
**klimplant** climbing-plant
**klimrek** climbing frame
**klimwand** climbing wall
**kling** ▾ *over de ~ jagen* put to the sword
**klingelen** tinkle, jingle
**kliniek** clinic, clinical hospital ★ *~ voor a.s. moeders* antenatal clinic
**klinisch** clinical ★ *~ dood* clinically dead
**klink** *deurkruk* (door)handle, ⟨van deel slot⟩ latch ★ *op de ~ doen* latch
**klinken** ❶ *ov ww, vastmaken* rivet ❷ *on ww* ❶ *geluid maken* sound, ring ❷ *toosten* ★ *~ op* drink to, toast ▾ *dat klinkt me vreemd in de oren* that sounds strange to me ▾ *~ als een klok* sound

**kl**

like a bell
**klinker ❶** taalk vowel **❷** baksteen clinker
**klinkklaar** sheer, rank ★ *klinkklare onzin* sheer nonsense
**klinknagel** rivet
**klip** *rots* rock, reef ★ *blinde klip* sunken reef / rock ★ *een gevaarlijke klip omzeilen* steer clear of a dangerous rock ▾ *fig een klip omzeilen* give sth a wide berth ▾ *tegen de klippen op* for all one's worth, outrageously, immoderately ▾ *hij liegt tegen de klippen op* he's lying through his teeth
**klipper** clipper
**klis ❶** *klit* bur(r) **❷** *plant* burdock
**klit ❶** *plant* bur(r) **❷** *knoop* tangle **❸** *persoon* ▾ *aan iem. hangen als een klit* stick to sb like glue / a bur
**klitten ❶** *in de war zitten* become / get entangled **❷** *erg veel samen zijn* stick / hang together ★ *die twee ~ erg aan elkaar* they are thick as thieves, those two are like leeches
**klittenband** Velcro
**klodder** clot, blob
**klodderen ❶** *knoeien* mess about / around **❷** *slecht schilderen* daub
**kloek I** *zn* [de] *dierk* mother-hen **II** *bnw* **❶** *kordaat* bold **❷** *fors, flink* sturdy, ⟨volume⟩ stout
**klojo** twit, wally, jerk
**klok ❶** *uurwerk* clock ★ *staande klok* long-case clock ★ *op de klok af* to the minute **❷** *bel* bell **❸** *meter* ▾ *biologische klok* body clock ▾ *iets aan de grote klok hangen* broadcast sth ▾ *met de klok mee* clockwise ▾ *tegen de klok in* counterclockwise, USA anticlockwise ▾ *zoals het klokje thuis tikt, tikt het nergens* home sweet home, there's no place like home ▾ *hij heeft de klok horen luiden, maar weet niet waar de klepel hangt* he has heard sth about it, but he does not know the rights of it
**klokgelui** bell-ringing, chiming
**klokhuis** core
**klokje ❶** *plantk* bellflower, campanula **❷** → **klok**
**klokken I** *ov ww, tijd opnemen* time, clock **II** *on ww* **❶** *geluid maken* chuck, ⟨van kip⟩ cluck, ⟨van kalkoen⟩ gobble, ⟨van water⟩ gurgle **❷** *tijd vastleggen* ⟨bij aankomst op werk⟩ clock in, ⟨bij vertrek⟩ clock out ★ *het ~ ergerde de arbeiders* the clockings-in-and-out irritated the workers **❸** *klokvormig zijn* ⟨van rokken⟩ flare
**klokkenluider** *fig iem. die misstanden aan kaak stelt* whistle-blower
**klokkenspel** *beiaard* chimes *mv*
**klokkentoren** bell tower
**klokkijken** tell the time
**klokradio** clock radio
**klokslag** stroke of the clock ★ *(om) ~ vier uur* on the stroke of four
**klokzeel** ▾ *BN iets aan het ~ hangen* broadcast sth
**klomp ❶** *houten schoen* wooden shoe, clog **❷** *brok* lump, slug ★ *een ~je goud* a nugget of gold ▾ *nou breekt mijn ~!* well, I never!
**klompvoet** club foot *mv: feet*
**klonen** clone
**klont** ⟨suiker⟩ lump, ⟨verf⟩ daub, ⟨aarde⟩ clod
**klonter** clot, lump
**klonteren** clot, curdle
**klonterig** clotted
**klontje ❶** *suikerklontje* sugar cube / lump

**❷** *kleine klont* lump, ⟨boter⟩ pat ▾ *zo klaar als een ~* as plain as day
**kloof ❶** *spleet* split, gap, ⟨huid⟩ chap, ⟨in rots⟩ crevice, ⟨in rots⟩ cleft, ⟨ravijn⟩ chasm **❷** *verwijdering* gulf, rift, ⟨in regering⟩ split
**klooien ❶** *stuntelen* bungle **❷** *luieren* hang about / around **❸** *donderjagen* monkey / fart about / around
**kloon** clone
**klooster** cloister, convent, ⟨mannen⟩ monastery, ⟨vrouwen⟩ nunnery
**kloosterling** ⟨man⟩ monk, ⟨vrouw⟩ nun
**kloostermop** ≈ Roman brick
**kloosterorde** monastic order
**kloot** *vulg* ball
**klootjesvolk** *het ~* the petty bourgeois, the masses
**klootzak** *schoft* bastard, son-of-a-bitch, USA mother-fucker ★ *stomme ~!* you fucking idiot / moron! ★ *vuile ~!* you mother-fucking son-of-a-bitch!
**klop** *doffe tik* knock, tap ▾ *iem. klop geven* lick sb ▾ *klop krijgen van* be licked by ▾ BN *een klop van de hamer krijgen* hit a bad patch
**klopboor** hammer drill
**klopgeest** poltergeist, rapping spirit
**klopjacht** battue
**kloppen I** *ov ww* **❶** *slaan* beat, knock, ⟨room⟩ whip, ⟨ei⟩ whisk **❷** *verslaan* beat ▾ *iem. geld uit de zak ~* put sb to great expense, make sb fork up **II** *on ww* **❶** *een klop geven* knock, tap, pat **❷** *overeenstemmen* agree ★ *ja, dat klopt* yes, that's right ★ *dat klopt met* that tallies with, fits in with
**klopper** deurklopper knocker
**klos ❶** *stukje hout* reel, spool **❷** *spoel* coil ▾ *de klos zijn* be the sucker
**klossen I** *ov ww, op klos winden* wind **II** *on ww, plomp lopen* stump
**klote** bloody awful
**klote-** fucking ★ *kloteweer* fucking weather
**klotsen** slosh, splash
**kloven I** *ov ww, klieven* cleave, split **II** *on ww, barsten* split
**klucht ❶** *blijspel* farce **❷** *fig schertsvertoning* farce
**kluchtig** farcical
**kluif ❶** *bot met vlees* knuckle, bone **❷** *fig karwei* ★ *het is een hele ~* it is a stiff job
**kluis** safe, strong-room
**kluisteren** shackle
**kluit ❶** *klont* clod, lump **❷** *groepje* bunch ▾ *hij is flink uit de ~en gewassen* he is a strapping fellow ▾ *iem. met een ~je in het riet sturen* fob sb off with fair promises
**kluiven** pick (a bone), gnaw at
**kluizenaar** hermit
**klungel** bungler, *vulg* clumsy clod
**klungelen ❶** *knoeien* bungle **❷** *rondhangen* dawdle
**klungelig** gawky, bungling, USA klutzy
**kluns** bungler, oaf
**klunzen** bungle, bumble, muff, blunder
**klunzig** clumsy
**klus** *zwaar karwei* ⟨regelmatig⟩ chore, ⟨zwaar⟩ tough job ★ *dat is een hele klus* that's a tall order ★ *een klusje* an odd job, a small job ★ *dat is een leuk klusje voor haar* that's a nice little job for

her
**klusjesman** handyman, odd-job man
**klussen ❶** *repareren* do odd jobs **❷** *zwart bijverdienen* moonlight
**kluts** ▾ *de* ~ *kwijtraken* become confused, <u>inform</u> lose the plot ▾ *de* ~ *kwijt zijn* be at a loss
**klutsen** beat, whisk
**kluwen ❶** *verward draad* tangle **❷** *verwarde opeenhoping* jumble
**klysma** enema
**km** *kilometer* km, kilometre, <u>USA</u> kilometer
**kmo** <u>BN</u> <u>econ</u> *kleine of middelgrote onderneming* SME, small and medium enterprises
**km/u** *kilometer per uur* km / h, kilometre per hour
**knaagdier** rodent
**knaap ❶** *jongen* lad, boy **❷** *kanjer* whopper
**knaapje** *kleerhanger* coat-hanger
**knabbelen** nibble
**knäckebröd** (Swedish) crisp bread
**knagen ❶** *bijten* gnaw ★ ~ *aan* gnaw at **❷** *kwellen* gnaw ★ *~de pijn* nagging pain ★ *~d verdriet* gnawing sorrow
**knak ❶** *geluid* crack, snap **❷** *knik* bend, twist **❸** *verzwakking* blow ★ *zijn gezondheid heeft een knak gekregen* his health has taken a blow ★ *een lelijke knak krijgen* receive a shattering blow ★ *het gaf mijn zelfvertrouwen een knak* it affected my self-confidence
**knakken I** *ov ww, breken* break, crack **II** *on ww* **❶** *geluid maken* crack, (vingers) snap **❷** *een knak krijgen* snap
**knakworst** <u>cul</u> frankfurter
**knal ❶** *slag* ★ *iem. een knal voor zijn kop geven* sock / clout sb in the face **❷** *geluid* crack, (van geweer ook) report, (van kurk) pop
**knal-** ★ *knalgeel* bright yellow
**knallen ❶** *een knal geven* bang, (van geweer, zweep) crack, (van kurk) pop **❷** *botsen* crash
**knaller** (smash) hit
**knalpot** silencer, <u>USA</u> muffler
**knap I** *zn* [de] crack **II** *bnw* **❶** *goed uitziend* handsome, good-looking ★ *zij werd er niet knapper op* she was losing her looks ★ **❷** *intelligent* clever ★ *knap in iets* clever at sth **III** *bijw, nogal* rather, quite, pretty
**knappen ❶** *breken* crack, (van touw) snap **❷** *geluid geven* crackle
**knapperd ❶** *mooi mens* beauty **❷** *schrander mens* clever fellow, <u>inform</u> brain
**knapperen** crackle
**knapperig** (van groente) crisp, (van koekje, e.d.) crunchy, (van brood) crusty
**knapzak** haversack, knapsack
**knarsen** *piepen* crunch, (van scharnier) creak, (van rem) grate, (van tanden) grind
**knarsetanden** gnash / grind one's teeth
**knauw ❶** *harde beet* bite ★ *een lelijke* ~ *krijgen* get badly mauled, get a nasty knock **❷** *knak* blow, set back ★ *dat gaf hem een lelijke* ~ that dealt him a sharp blow
**knauwen** gnaw (at), munch
**knecht** servant, man
**kneden ❶** <u>lett</u> knead **❷** <u>fig</u> mould
**kneedbaar ⓞ** *gemakkelijk te kneden* kneadable **❷** *handelbaar* pliable, <u>form</u> malleable

**kneedbom** plastic explosive
**kneep ❶** *het knijpen* pinch **❷** *handigheidje* dodge, trick ★ *daar zit hem de* ~ there's the sticking point ★ *hij kent de knepen van het vak* he knows the ropes
**knel I** *zn* [de] ★ <u>fig</u> *in de knel zitten* be in a scrape **II** *bnw* ★ <u>lett</u> *knel zitten tussen* be wedged between
**knellen I** *ov ww, stevig drukken* squeeze, press **II** *on ww, klemmen* squeeze, pinch
**knelpunt** bottleneck
**knerpen** (s)crunch
**knersen** creak, crunch, grind
**knetteren** crackle, (van donder) crash
**knettergek** absolutely crackers, bonkers, stark raving mad, w(h)acky ★ *ik word* ~ *van deze muziek!* this music drives me up the wall!
**kneus ❶** *gekneusde plek* bruise **❷** *mislukkeling* failure
**kneuterig** snug, cosy
**kneuzen** bruise ★ *gekneusd ei* cracked egg
**kneuzing** bruise
**knevel** moustache
**knevelen ❶** *binden, boeien* pinion, truss up **❷** <u>fig</u> *onderdrukken* muzzle, oppress ★ *de pers* ~ muzzle the press
**knibbelen** haggle
**knie ❶** *gewricht* knee ★ *tot aan de knieën* knee-deep, up to one's knees **❷** *kromming* knee, elbow ▾ *door de knieën gaan* knuckle under ▾ *iets onder de knie hebben* have mastered sth ▾ *over de knie leggen* put across one's knees ▾ *een kind over de knie leggen* take / put a child across one's knee, spank a child
**knieband ❶** *pees* hamstring **❷** *kniebeschermer* knee protector / supporter
**kniebeschermer** knee pad
**kniebuiging** *knieval* (van vrouw) curts(e)y, (in kerk) genuflection, (gymnastiek) knee bend
**kniebroek** pair of knee breeches, knee breeches *mv*, (vrouwen) pedal pushers *mv*
**knieholte** hollow of the knee
**kniekous** knee stocking
**knielen** kneel
**kniereflex** knee reflex
**knieschijf** knee-cap, <u>med</u> patella
**kniesoor** grump, grouch
**kniestuk** knee patch
**knietje ❶** *geblesseerde knie* injured knee **❷** *stoot met knie* knee ★ *iem. een* ~ *geven* knee sb
**knieval** genuflection ▾ *een* ~ *doen voor iem.* go down on one's knees for sb
**kniezen** mope, fret, worry
**knijpen ❶** pinch **❷** *beknibbelen* ▾ *'m* ~ have / get the wind up
**knijper** *instrument* (clothes-)peg
**knijpkat** dyno torch
**knijptang** pair of pincers, pincers *mv*
**knik ❶** *breuk* crack, twist, (in draad) kink **❷** *kromming* bend **❸** *hoofdbuiging* nod
**knikkebollen** nod (off)
**knikken I** *ov ww, knakken* crack, snap, bend **II** *on ww* **❶** *buigen* bend, buckle ★ *met ~de knieën* with shaky knees **❷** *hoofdbeweging maken* nod ★ *ja* ~ nod yes

**knikker** ❶ *stuiter* marble ❷ *hoofd* nut ▼ *het gaat niet om de ~s, maar om het spel* it is not a matter of pence, but of principle
**knikkeren** I *ov ww, gooien* ★ *iem. eruit ~* chuck sb out II *on ww, spelen* play (at) marbles
**knip** ❶ *knippend geluid* click, snap ❷ *geknipte opening* punch-(hole), clip ❸ *grendeltje* catch ★ *knip op de deur doen* put the door on the catch ❹ *sluiting* (tasje ook) pare, (heg) trim, (coupons) clip ❺ *portemonnee* ▼ *geen knip voor de neus waard* not worth a toss / button
**knipkaart** season ticket
**knipmes** clasp knife *mv: knives* ▼ *buigen als een ~* make a deep bow, kowtow
**knipogen** wink ★ *naar iem. ~* wink at sb
**knipoog** wink ★ *iem. een ~ geven* give sb a wink
**knippen** I *ov ww, in- / afknippen* cut, (kaartjes) punch, (nagels ook) pare, (heg) trim, (coupons) clip ★ *zich laten ~* have a hair-cut ★ *kort geknipt haar* close cropped hair II *on ww* ❶ *snijden* cut ❷ *oogbeweging maken* blink ❸ *geluid maken* snip, (met de vingers) snap
**knipperen** ❶ *aan- en uitgaan van licht* flash, blink ★ *met zijn lichten ~* flash one's lights ❷ *knippen met ogen* blink
**knipperlicht** flashing light, flasher
**knipsel** ❶ *wat uitgeknipt is* cut-out ❷ *uitgeknipt bericht* clipping, USA cutting
**knipseldienst** press-cutting agency
**knipselkrant** collection of press cuttings
**kniptang** wire-cutters *mv*, (voor gaatjes) punch
**knisperen** (van papier) rustle, (van vuur) crackle
**kno-arts** E.N.T. specialist, Ear Nose and Throat specialist
**knobbel** ❶ *verdikking* bump, lump, (hout) knob ★ *een ~tje in de borst* a lump in the breast ❷ *natuurlijke aanleg* gift, talent ★ *een talen~* a gift for languages
**knobbelig** knotty, gnarled
**knock-out** I *zn* [de] knock-out II *bnw* ★ *iem. ~ slaan* knock sb out
**knoedel** ❶ *kluwen* ball ❷ *haarknot* knot, bun
**knoei** ▼ *in de ~ zitten* be in a jam / mess, be in a sorry pickle
**knoeiboel** ❶ *smeerboel* mess ❷ *bedrog* swindle
**knoeien** ❶ *morsen* make a mess ❷ *slordig bezig zijn* bungle ★ *~ met* mess about with ❸ *bedrog plegen* swindle, fiddle (**met** with) ★ *in de boeken ~* inform cook the books
**knoeier** ❶ *morsend persoon* messy person ❷ *incompetent persoon* bungler ❸ *bedrieger* swindler
**knoeipot** messy person
**knoeiwerk** bungle, blunder
**knoert** *kanjer* whopper
**knoest** knot
**knoet** ❶ *gesel* cat-o'-nine-tails ❷ *haarknot* bun
**knoflook** cul garlic
**knoflookpers** garlic press
**knoflooksaus** cul garlic sauce
**knokig** *mager* bony
**knokkel** knuckle
**knokken** lett *vechten* scrap
**knokpartij** scuffle, tussle, fight
**knokploeg** gang of thugs / ruffians
**knol** ❶ *worteldeel* tuber ❷ *raap* turnip ❸ *paard*

**jade** ▼ *iem. knollen voor citroenen verkopen* sell sb a pup, pull the wool over sb's eyes, swindle sb
**knolgewas** tuberous plant
**knolraap** Swedish turnip, swede
**knolselderie** celeriac
**knoop** ❶ *dichtgetrokken strik* ★ *een ~ leggen* tie a knot ★ *in de ~ zitten* be full of knots, be all tangled up ★ *uit de ~ halen* unravel ★ *in de ~ maken / raken* knot, tangle up ❷ *sluiting* button ❸ *scheepv afstand* knot ▼ *de ~ doorhakken* cut the knot
**knoopbatterij** coin cell battery
**knooppunt** (van spoorw.) junction, (van lijnen) knot, (van geluidsgolven) nodal point
**knoopsgat** buttonhole ▼ BN *ik ben een zanger van het zevende ~* I'm not much cop as a singer
**knop** ❶ *schakelaar* button, (van elektr. licht) switch ★ *op de knop drukken* press the button ❷ *uitsteeksel* knob ❸ plantk bud ★ *in knop komen* (come into) bud
**knopen** ❶ *een knoop leggen* tie, knot ❷ *dichtknopen* button (up) ▼ *dat zal ik in mijn oor ~* I'll remember that
**knorren** ❶ *geluid maken* grunt ❷ *mopperen* grumble, scold ★ *op iem. mopperen* grumble at sb
**knorrepot** growler, grumbler
**knorrig** grumbling, peevish
**knot** ❶ *kluwen* (wol, e.d.) skein ❷ *haarknot* bun
**knots** *knuppel* club, bludgeon
**knotten** ❶ *van top ontdoen* top, (wilg e.d.) poll(ard), (kegel) truncate, (van takken) head ❷ *inperken* curtail
**knotwilg** pollard-willow
**knudde** totally useless, no good at all ★ *dit is ~ met een rietje* this is a total flop / washout
**knuffel** ❶ *liefkozing* hug, cuddle ❷ *speelgoedbeest* soft / cuddly toy
**knuffelbeest, knuffeldier** cuddly toy / animal
**knuffelen** cuddle, hug
**knuist** fist ★ *iem. in zijn ~en krijgen* lay / get hold of sb
**knul** chap, guy, (sul) mug, (vent) fellow
**knullig** doltish
**knuppel** ❶ *korte stok* cudgel, (stuurknuppel) joy-stick ❷ *klungel* bungler ▼ *de ~ in het hoenderhok gooien* put the cat among the pigeons, flutter the dovecotes, drop a brick
**knus** snug, (informeel) comfy
**knutselaar** handyman
**knutselen** I *ov ww, in elkaar zetten* ★ *iets in elkaar ~* put together sth, rig up sth II *on ww, uit liefhebberij maken* potter ★ *~ aan* tinker at
**knutselwerk** odd / little job(s)
**k.o.** knock-out ★ *iem. k.o. slaan* knock sb out
**koala** koala bear
**kobalt** cobalt
**koddig** droll
**koe** ❶ *dier* cow ❷ *groot exemplaar* ★ *een koe van een fout* a howler ❸ *domkop* ▼ *je moet geen oude koeien uit de sloot halen* let bygones be bygones ▼ *de koe bij de hoorns vatten* take the bull by the horns ▼ *men noemt geen koe bont, of er zit een vlekje aan* there is no smoke without fire ▼ *je weet nooit hoe een koe een haas vangt* you never can tell

**koehandel** horse trading
**koeienletter** giant letter
**koeienmelk** cow's milk
**koeienvlaai** cow pat
**koeioneren** bully, browbeat
**koek ❶** *cul gebak* ≈ cake, gingerbread **❷** →
**koekje** ▼ *alles voor zoete koek slikken* swallow
everything ▼ *iets voor zoete koek slikken* swallow
sth the whole, swallow sth hook, line and sinker,
fall for sth ▼ *het is koek en ei tussen hen* they are
as thick as thieves ▼ *dat is andere koek* that's a
different kettle of fish ▼ *dat is gesneden koek voor
jou* that is child's play for you ▼ *oude koek* ancient
history
**koekeloeren** *gluren* stare, gaze
**koekenbakker** *knoeier* bungler
**koekenpan** frying-pan
**koekhappen** game of bite-the-cake
**koekje** cul biscuit, USA cookie
**koekjestrommel, koektrommel** biscuit tin
**koekoek** *vogel* cuckoo ▼ *ik dank je de ~* thanks,
but no thanks
**koekoeksklok** cuckoo clock
**koel ❶** *fris* cool, cold, chilly, ⟨van drank⟩ chilled
★ *het wordt koeler* it's getting cooler (fresher)
**❷** *bedaard* cool, calm **❸** *niet hartelijk* cool, ⟨zeer
koeltjes⟩ chilly ★ *een koel onthaal* cool / chilly
reception ▼ *zijn hoofd koel houden* keep one's
head, keep cool
**koelbloedig I** *bnw* cold-blooded, imperturbable
**II** *bijw* cold-bloodedly, in cold blood
**koelbox** cool box
**koelcel** refrigerator, cold store
**koelelement** cooler ice pack
**koelen I** *ov ww* **❶** *koel maken* cool, ⟨met ijsblokjes
ook⟩ ice **❷** *afreageren* ★ *zijn woede ~ op* vent
one's rage on **II** *on ww* ★ BN *het zal wel ~ zonder
blazen* it'll be all right
**koeler** cooler, ⟨auto⟩ radiator
**koelhuis** cold store
**koeling** *het koelen* cooling, ⟨van levensmiddelen⟩
refrigeration
**koelkast** refrigerator, inform fridge
**koelmiddel** cooling agent
**koelruimte** cold store
**koeltas** thermos bag
**koelte** coolness
**koeltjes I** *bnw, koud* chilly **II** *bijw, onhartelijk*
coolly, ⟨erger⟩ coldly
**koelvitrine** refrigerated display (cabinet)
**koelvloeistof** coolant
**koelwater** cooling water
**koemest** cow dung
**koepel ❶** *dak* dome **❷** *tuinhuisje* summer house
**koepeltent** dome tent
**koer** BN ⟨binnenplaats⟩ court (yard), ⟨school⟩
playground
**Koerd** Kurd
**Koerdisch** Kurdish, Kurd ★ *zij is een ~e* she's a
Kurdish woman
**Koerdische** Kurdish (woman / girl) ★ *zij is een ~*
she's Kurdish
**Koerdistan** Kurdistan
**koeren** coo
**koerier** courier
**koeriersdienst** courier / messenger service

**koers ❶** *richting* course ★ *~ zetten naar* steer a
course for ★ *uit de ~ raken* be driven out of one's
course ★ *~ houden* keep (on) one's course ★ *zijn ~
bepalen* shape one's course **❷** *wisselwaarde*
⟨effecten⟩ rate, ⟨wisselkoers⟩ exchange rate
★ *tegen de ~ van* at the rate of
**❸** *snelheidswedstrijd* race ▼ *een andere ~ inslaan*
alter course, veer round
**koersdaling** fall in prices
**koersen ❶** sport race **❷** *de koers richten* steer a
course (for)
**koersfiets** BN *racefiets* racing bicycle
**koersstijging** ⟨m.b.t. wisselkoers⟩ rise in the
exchange (rate), ⟨m.b.t. economie⟩ rise in prices,
⟨plotselinge stijging⟩ boom in prices
**koeskoes** cul couscous → **couscous**
**koest I** *bnw* ★ *zich ~ houden* keep quiet / close
★ *houd je ~!* (keep) quiet! **II** *tw* quiet!
**koesteren ❶** *behoeden* cherish, foster ★ *illusies ~*
foster illusions ★ *vrijheid ~* cherish freedom
**❷** *verwarmen* nourish, warm ★ *zich in de zon ~*
bask in the sun **❸** *in zich hebben* ⟨grief⟩ nurse,
⟨liefde, hoop⟩ cherish, ⟨een mening⟩ entertain,
⟨verdenking⟩ harbour ★ *vrees ~* fear ★ *twijfel ~*
have / entertain doubts
**koeterwaals** double Dutch
**koets** coach, carriage
**koetsier** driver, coachman
**koevoet** crowbar
**Koeweit** Kuwait
**Koeweiti** Kuwaiti
**Koeweits** Kuwaiti
**Koeweitse** Kuwaiti (woman / girl)
**koffer** *reistas* (suit)case, brief case, ⟨grote koffer⟩
trunk ▼ *met iem. de ~ induiken* jump in the sack
with sb, get between the sheets with sb
**kofferbak** boot, USA trunk
**kofferruimte** boot, USA trunk
**koffie ❶** *drank* coffee ★ *slappe ~* weak coffee
★ *sterke ~* strong coffee ★ *zwarte ~* black coffee
★ *~ verkeerd* white coffee, coffee with hot milk
★ *drie ~!* three coffees! ★ *~ zetten* make coffee
**❷** *koffiebonen* coffee (beans) ★ *~ branden* roast
coffee **❸** *het koffiedrinken* ★ *na de ~* after the
coffee ▼ *dat is geen zuivere ~* it looks fishy, there's
sth fishy about it
**koffieautomaat** coffee-machine
**koffieboon** coffee bean
**koffiebroodje** cul currant bun
**koffiedik** coffee grounds *mv* ▼ *zo klaar als ~* as
clear as mud ▼ *dat is ~ kijken* that's looking (too
far) into the future, that's looking too far ahead
**koffiefilter** coffee filter, coffee percolator
**koffiehuis** cafe, coffee house
**koffiekamer** coffee room, ⟨van schouwburg⟩
foyer
**koffiekan** coffeepot
**koffieleut** coffee guzzler / freak
**koffiemelk** cul condensed / evaporated milk
**koffiemolen** coffee-mill, coffee grinder
**koffiepad** [-ped] coffee pad
**koffiepauze** coffee break
**koffiepot** coffeepot
**koffieshop** coffee shop
**koffiezetapparaat** coffee maker
**kogel ❶** *metalen bol* ball **❷** *projectiel*

**ko**

**kogellager** ⟨geweerkogel⟩ bullet, ⟨kanonskogel⟩ ball ★ *verdwaalde ~* stray bullet ★ *iem. een ~ door het hoofd jagen* blow sb's brains out ❸ *sport* ▼ *de ~ is door de kerk* the die is cast ▼ *de ~ krijgen* be shot
**kogellager** ball bearing
**kogelrond** spherical
**kogelstoten** shot-putting
**kogelvrij** bulletproof
**kok** cook ▼ *'t zijn niet allen koks, die lange messen dragen* all are not hunters that blow the horn ▼ *te veel koks bederven de brij* too many cooks spoil the broth
**koken I** *ov ww* ❶ *tot kookpunt verwarmen* boil ❷ *cul voedsel bereiden* cook **II** *on ww* ❶ *op kookpunt zijn* boil ★ *het water kookt* the kettle is boiling ❷ *cul voedsel bereiden* cook ❸ *woest zijn* seethe, fume ★ *inwendig ~* simmer, smoulder
**kokendheet** piping / boiling hot
**koker** ❶ *houder, huis* case, ⟨voor pijlen⟩ quiver ❷ *buis* tube, ⟨schacht⟩ shaft ▼ *uit wiens ~ komt dat?* whose bright idea is that?
**koket** *ijdel* coquettish
**kokhalzen** ❶ *bijna gaan braken* retch ❷ *walgen* ★ *ik moet ervan ~* it's enough to make me sick, it's enough to turn my stomach
**kokkerellen** cook fancy things
**kokkin** ⟨in restaurant⟩ (female) chef, ⟨in huis⟩ cook
**kokmeeuw** black-headed gull
**kokos** ❶ *vruchtvlees* coconut ❷ *vezel* coconut fibre
**kokosbrood** cul coconut bread
**kokosmakroon** cul coconut macaroon
**kokosmat** cocomat
**kokosmelk** cul coconut milk
**kokosnoot** coconut
**kokospalm** coconut palm
**koksmaat** galley boy
**koksmuts** chef's hat
**koksschool** onderw catering college
**kolder** *dwaasheid* giddy nonsense ▼ *de ~ in de kop hebben* be in a mad fit
**kolendamp** carbon monoxide
**kolenmijn** coalmine, GB colliery
**kolere** → **klere**
**kolf** ❶ *fles* scheik receiver ❷ *handvat van vuurwapen* butt ❸ *plantk* cob
**kolibrie** hummingbird
**koliek** colic, inform gripes *mv*
**kolk** ❶ *draaikolk* eddy, whirlpool ❷ *sluisruimte* pool, ⟨sluiskolk⟩ chamber
**kolken** eddy, swirl
**kolom** ❶ *pilaar* pillar, column ❷ *vak met tekst / cijfers* column
**kolonel** colonel
**koloniaal I** *bnw* colonial ★ *koloniale waren* colonial produce **II** *zn* [de] colonial soldier
**kolonialisme** colonialism
**kolonialistisch** colonialist
**kolonie** colony
**kolonisatie** colonization
**koloniseren** colonize
**kolonist** colonist
**kolos** colossus
**kolossaal** colossal, huge ★ *kolossale oogst* bumper crop

**kolven** *melk afnemen* express milk
**kom** ❶ *bak, schaal* bowl, ⟨voor pudding⟩ basin, ⟨waskom⟩ wash basin ❷ *deel van gemeente* centre ★ *bebouwde kom* built up area ❸ *gewrichtsholte* socket ★ *de arm is uit de kom geschoten* the arm has been dislocated
**komaan** come on!
**komaf** descent ★ *van hoge ~* high-born ▼ *BN ~ maken met iets* make short / quick work of sth
**kombuis** caboose, galley
**komediant** ❶ *acteur* comedian ❷ *aansteller* play actor, pretender
**komedie** ❶ *blijspel* comedy ❷ *schijnvertoning* ★ *het is alles ~* it is all make-believe ★ *ze speelt maar ~* she is only acting / play-acting ❸ *schouwburg* theatre, ⟨gewoonlijk met naam⟩ playhouse ★ *naar de ~ gaan* go to the theatre
**komeet** comet
**komen** ❶ *zich begeven* come ★ *kom hier zitten* come and sit here ★ *kom je nu haast?* are you coming? ★ *hoe kom ik daar?* how do I get there? ★ *ze kwamen vaak bij elkaar* they often met ★ *ik kon er net bij ~* I could just reach it ★ *ik kom direct bij u* I'll be with you in a minute ★ *door een stad ~* pass through a town ★ *naar Utrecht ~* come to Utrecht ★ *in de hoogste kringen ~* move in the highest circles ★ *~ (af)halen* call for, collect ★ *~ bezoeken* come and see ❷ *in genoemde toestand raken* ★ *hoe heeft het ooit zo ver kunnen ~?* how did things ever get to this stage? ❸ *gebeuren, beginnen* ★ *er komt sneeuw* we are going to have snow ❹ *veroorzaakt zijn* ★ *hoe komt dat?* how is that? ★ *hoe komt het dat...* how is it that... ★ *dat komt zo* well, it's like this ★ *zo komt het dat...* that is why... ❺ *~ aan aanraken* ★ *kom er niet aan* don't touch it ❻ *~ aan verkrijgen* ★ *hoe ben je hieraan ge~?* how did you come by this?, how did you get hold of this? ★ *aan een baan ~* get a job ★ *daar ben ik goedkoop aange~* I picked it up cheaply ❼ *~ achter achter de waarheid ~* find out / get at the truth ❽ *~ bij* ★ *hoe kom je erbij?* whatever makes you think that?, how do you make that out? ★ *hoe kwam hij erbij om dat te doen?* why on earth did he do that? ❾ *~ om* come for ★ *om geld moet je bij hem niet ~* he hates to be asked for money ❿ *~ op zich herinneren* ★ *ik kan er niet op ~* I can't remember it ⓫ *~ op aanroeren* ★ *op een onderwerp ~* get (round) to a subject ⓬ *~ op bedragen* ★ *het komt op 5 euro per persoon* it works out at 5 euros per person ⓭ *~ te* [+ infin.] ★ *~ te overlijden* die ★ *~ te vallen* fall ⓮ *~ tot* ★ *tot zichzelf / bezinning ~* come to one's senses ★ *ik kan er niet toe ~ om...* I cannot bring myself to... ★ *tot een vergelijk ~* come to an agreement ⓯ *~ van als uitkomst hebben* ★ *dat komt ervan* there you are ★ *als er ooit iets van de plannen komt* if the plans ever come to anything, if the plans ever materialize ★ *er komt nooit iets van ~* it never gets done ▼ *zo kom je er nooit* in this way you will never make it / succeed ▼ *met huilen kom je er niet verder* crying will get you nowhere ▼ *zijn ~ en gaan* his comings and goings
**komend** next ★ *de ~e jaren* the next few years
**komfoor** ⟨om warm te houden⟩ hot plate, ⟨om te koken⟩ gas / spirit stove

**ko**

**komiek I** *zn* [de] comedian **II** *bnw* comical
**komijn** cum(m)in
**komijnekaas** cul cum(m)in cheese
**komijnzaad** cumin seed
**komisch** comic(al)
**komkommer** cucumber
**komkommersalade** cul cucumber salad
**komkommertijd** quiet / dull / slack / silly season
**komma** comma
**kommer** distress, trouble, sorrow ▼ *~ en kwel* trouble and strife
**kompas** compass ★ *op ~ varen* steer by compass
**kompasnaald** compass needle
**kompres** compress
**komst** ❶ coming, arrival ❷ *het naderen* ▼ *de lente is op ~* spring is on the way / is coming ▼ *er is verandering op ~* a change is at hand, there's a wind of change coming
**komvormig** bowl-shaped
**konfijten** preserve
**konijn** rabbit, *inform* bunny
**konijnenhok** rabbit hutch
**konijnenhol** rabbit hole / burrow
**koning** ❶ *vorst* king ❷ *figuur* ⟨in spel⟩ ▼ *de ~ te rijk zijn* be as happy as a king
**koningin** ❶ *vorstin* queen ❷ *schaakstuk* queen ★ *een ~ halen* queen a pawn
**koningin-moeder** queen-mother
**Koninginnedag** ⟨in Nederland⟩ Queen's Birthday, ⟨in Groot-Brittannië⟩ Commonwealth Day
**koninginnenpage** dierk swallowtail
**koningsarend** king / imperial eagle
**koningsgezind** royalist
**koningshuis** royal house
**koninklijk** ❶ *van een vorstelijk persoon* royal ❷ fig regal ★ *~e pracht* regal splendour
**koninkrijk** kingdom ▼ *het Koninkrijk der Nederlanden* the kingdom of the Netherlands
**konkelen** intrigue
**kont** bottom, bum, USA ass ★ *in zijn blote kont* bare-assed ▼ *de kont tegen de krib gooien* dig one's feet / toes / heels in, be obstinate / rebellious ▼ *je kunt er je kont niet keren* there's no room to swing a cat in ▼ *iem. een kontje geven* give sb a leg up
**kontlikker** brown-nose, ass-licker
**kontzak** back pocket
**konvooi** convoy
**kooi** ❶ *dierenhok* cage, decoy, ⟨voor schapen⟩ fold, ⟨voor kippen⟩ coop, ⟨om eenden te vangen⟩ decoy ❷ *slaapplaats* scheepv berth, scheepv bunk ★ *naar kooi gaan* turn in, hit the hay / sack
**kooien** cage
**kook** ★ *aan de kook brengen / komen* bring / come to the boil ▼ *van de kook zijn* be all abroad, be quite upset
**kookboek** cookery book, cookbook
**kookcursus** cookery course, course in cooking
**kookeiland** kitchen / cooking island
**kookkunst** art of cooking
**kooknat** cooking water / liquid
**kookplaat** ⟨elektrisch⟩ hot plate, ⟨gas⟩ gas ring
**kookpunt** boiling-point
**kookwekker** kitchen timer
**kool** ❶ *groente* cabbage ★ *witte kool* white

cabbage ★ *rode kool* red cabbage ❷ *steenkool* coal, scheik carbon, ⟨houtskool⟩ charcoal ▼ *iem. een kool stoven* play sb a trick ▼ *groeien als kool* grow very fast, shoot up ▼ *de kool en de geit sparen* run with the hare and hunt with the hounds ▼ *op hete kolen zitten* be on pins and needles, have ants in one's pants
**kooldioxide** scheik carbon dioxide
**koolhydraat** carbohydrate
**koolmees** great tit
**koolmonoxide** carbon monoxide
**koolmonoxidevergiftiging** carbon monoxide poisoning
**koolraap** Swedish turnip, swede
**koolrabi** kohlrabi
**koolstof** carbon
**koolvis** pollack
**koolwaterstof** hydrocarbon
**koolwitje** cabbage-white
**koolzaad** ❶ *plant* rape ❷ *zaad* cole-seed
**koolzuur** carbonic acid
**koolzuurhoudend** carbonated
**koon** cheek
**koop** purchase, buying, ⟨overeenkomst⟩ bargain, ⟨overeenkomst⟩ deal ★ *te koop* for sale ★ *te koop aanbieden / zetten* put up for sale ★ *te koop staan / zijn* be for sale ★ *te koop gevraagd* wanted to purchase ★ *een goede koop doen* make a good bargain ▼ *een koop sluiten* strike a bargain ▼ *te koop lopen met iets* parade sth, show off sth ▼ *op de koop toe* into the bargain
**koopakte** title deed
**koopavond** (late) shopping night
**koopcontract** contract of sale
**koop-dvd** retail dvd
**koophandel** commerce, trade
**koophuis** owner-occupied property
**koopje** bargain ★ *op ~s uit zijn* be (out) bargain-hunting ▼ *op een ~* on the cheap ▼ *iem. 'n ~ leveren* sell sb a pup
**koopkracht** purchasing power, ⟨van burgers⟩ spending power
**koopkrachtig** with spending power
**kooplustig** eager to buy
**koopman** merchant, ⟨op straat⟩ seller, ⟨op straat⟩ hawker
**koopovereenkomst** purchase / sale agreement
**koopsom** purchase price
**koopsompolis** single-premium insurance policy
**koopvaardij** merchant navy, mercantile marine
**koopvaardijschip** merchant ship
**koopwaar** merchandise
**koopwoning** econ owner-occupied house
**koopziek** ★ *haar zus is ~* her sister is a compulsive buyer
**koopzondag** Sunday shopping
**koor** ⟨zangers⟩ choir, ⟨koorzang⟩ chorus ★ *gemengd koor* mixed choir
**koord** cord, string ▼ *iem. op het slappe ~ laten komen* put sb through his paces
**koorddansen** walking a tight rope
**koorddanser** tightrope walker
**koorde** chord
**koorknaap** ❶ *koorzanger* choirboy, chorister ❷ *misdienaar* altar boy
**koormuziek** choral music

**ko**

**koorts** fever ★ *gele* ~ yellow fever ★ ~ *hebben* have a fever ★ ~ *krijgen* get a fever
**koortsachtig** *zeer gejaagd* feverish
**koortsig** feverish
**koortsthermometer** clinical thermometer
**koortsuitslag** sweat rash
**koortsvrij** free of fever
**koosjer** ❶ *rel* kosher ❷ *fig in orde* kosher
**koosnaam** pet name
**kootje** phalanx
**kop** ❶ *bovenste deel* top ★ *de kop van een lucifer* matchhead ★ *kop van een golf* crest ❷ *voorste deel* head, ⟨van vliegtuig⟩ nose ❸ *hoofd* head, inform loaf, inform nut ★ *hij viel een gat in zijn kop* he split his head (open) ❹ *aanwezige* ★ *twaalf koppen aan boord* twelve hands on board ❺ *verstand* ★ *knappe kop* brainbox ❻ *kom* cup ★ *een kopje thee* a cup of tea ❼ *opschrift* heading, comp header, ⟨krant⟩ headline ★ *een pakkende kop* a gripping / arresting heading / headline ★ *in grote koppen schrijven* headline ❽ *zijde van munt* ★ *kop of munt* heads or tails ▼ *kop op!* chin up! ▼ *de verkeerde bij de kop hebben* have got hold of the wrong man ▼ *op de kop af* exactly ▼ *iem. op zijn kop geven* lick sb, give sb a dressing down ▼ *al ga je op je kop staan* whatever you may say or do ▼ *iets op de kop tikken* pick / snap up, lay hold of sth ▼ *zich niet op zijn kop laten zitten* not take any bullying ▼ *over de kop gaan* come a cropper, overturn, crash, fold (up) ▼ BN *van kop tot teen* from head to foot, from top to toe ▼ *hij schoot zich voor zijn kop* he blew his brains out ▼ *ik had me voor mijn kop kunnen slaan* I could have kicked myself ▼ *houd je kop!* shut your trap! ▼ *de kop opsteken* rear its head ▼ *iem. een kopje kleiner maken* chop sb's head off, defeat / beat sb ▼ *mijn kop eraf!* I'll eat my hat! ▼ *de kop indrukken* suppress, put down, quell ▼ *iets direct de kop indrukken* nip sth in the bud
**kopbal** header
**kopen** ❶ buy, purchase ❷ sport ▼ *wat koop ik ervoor?* what does it get me? ▼ *je koopt er niets voor* it gets you nowhere
**Kopenhaags** Copenhagen
**Kopenhagen** Copenhagen
**koper I** *zn* [de] buyer, purchaser **II** *zn* [het] muz copper, brass ★ *geel*~ brass
**koperblazer** brass player
**koperdraad** copper / brass wire
**koperen** *van koper* ⟨rood koper⟩ copper, ⟨geel koper⟩ brass ★ ~ *kandelaar* brass candlestick
**kopermijn** coppermine
**koperpoets** copper polish
**koperwerk** copperware, brassware
**kopgroep** leading group
**kopie** ❶ *duplicaat* duplicate, ⟨van kunstobject⟩ replica ❷ *fotokopie* (photo)copy
**kopieerapparaat** copying machine
**kopieermachine** photocopier, Xerox machine
**kopieerpapier** (photo)copying paper
**kopiëren** copy
**kopij** copy
**kopjeduikelen** → koppeltjeduikelen
**kopje-onder** ★ *hij ging* ~ he took a ducking ★ *iem.* ~ *duwen* push sb under, give sb a ducking, USA dunk sb

**koplamp** headlight
**koploper** leader ★ ~ *zijn* lead the field
**koppel I** *zn* [de], *riem* belt **II** *zn* [het] ❶ *paar* couple ❷ *groep* group, ⟨voorwerpen⟩ set, ⟨vlucht vogels⟩ flock, ⟨van patrijzen⟩ covey ❸ natk couple
**koppelaar** matchmaker
**koppelen** ❶ *vastmaken* couple, join ❷ *samenbrengen* couple, join
**koppeling** ❶ *het verbinden* coupling, joining ❷ *auto-onderdeel* clutch
**koppelingsplaat** clutch disk
**koppelteken** hyphen
**koppeltjeduikelen** turn / do somersaults
**koppelverkoop** conditional sale
**koppelwerkwoord** copula
**koppen** ★ *een bal* ~ head a ball
**koppensnellen** ❶ *onthoofden* headhunting ❷ *verantwoordelijken zoeken* headhunting ❸ *krantenkoppen lezen* skim the headlines
**koppensneller** ❶ *moordenaar* headhunter ❷ *krantenlezer* omschr reader skimming the headlines
**koppiekoppie** clever, good thinking
**koppig** ❶ *halsstarrig* obstinate ❷ *sterk* heady
**koppigaard** BN obstinate person, inform pigheaded person
**koppigheid** obstinacy, stubbornness
**koppijn** headache
**kopregel** headline, ⟨van een boek⟩ header, ⟨van een boek⟩ running title
**koprol** forward roll
**kops** crosscut
**kopschuw** shy ★ ~ *worden voor* shrink from
**kopspijker** tack
**kop-staartbotsing** rear-end collision
**kopstation** terminus
**kopstem** falsetto voice
**kopstoot** *stoot met het hoofd* butt (of the head)
**kopstuk** *belangrijk persoon* big man / shot, boss
**kopt** Copt
**koptelefoon** headphone(s), earphone(s)
**Koptisch** taalk *taal* Coptic
**koptisch** Coptic
**kop-van-jut** ❶ *kermisattractie* try-your-strength machine ❷ *fig zondebok* ★ *als* ~ *dienen* be a scapegoat
**kopzorg** worry
**koraal** ❶ muz choral ❷ biol coral
**koraalrif** coral reef
**koralen** coral(line)
**Koran** *heilig geschrift* Koran
**koran** *exemplaar van de Koran* Koran
**kordaat** resolute, firm
**kordon** cordon
**Korea** Korea
**Koreaans** Korean
**koren** ❶ corn ❷ *zaad* ▼ *dat is* ~ *op zijn molen* that is grist to his mill, that is his cup of tea
**korenaar** ear of corn
**korenblauw** cornflower blue
**korenbloem** cornflower
**korenschuur** granary
**korenwolf** European hamster
**korf** basket, ⟨bijenkorf⟩ hive
**korfbal** korfbal

**korfballen** (play) korfball
**Korfoe** Corfu
**korhoen** black grouse *ev en mv*, ⟨vrouwtje⟩ greyhen, ⟨mannetje⟩ blackcock
**koriander** coriander
**kornet** cornet
**kornuit** comrade, crony
**korporaal** corporal
**korps** ❶ corps ❷ *gevechtseenheid* ★ ~ *mariniers* marine corps
**korpsbeheerder** police commissioner
**korpscommandant** corps commander
**korrel** grain, pellet ★ *geen ~(tje)* not a grain ▼ *iem. op de ~ nemen* aim at sb, make a butt of sb
**korrelig** granular
**korset** corset
**korst** crust, ⟨kaas⟩ rind, ⟨op wond⟩ scab
**korstmos** lichen
**kort** I *bnw* ❶ *niet uitgestrekt van afmeting* short ★ *kort en dik* squat ★ *korte broek* shorts *mv* ★ *korter maken / worden* shorten ★ *kort geknipt* close-cropped ❷ *niet lang durend* short, brief ★ *binnen de kortste keren* in no time ★ *sinds kort* recently ★ *tot voor kort* until recently ★ *ik zal het kort maken* I'll be brief ★ *maak het kort!* make it snappy! ★ *kort geleden* a short time ago ★ *kort voor* shortly before ❸ *beknopt* brief, short, ⟨bits⟩ curt ★ *kort en bondig* short but to the point, brief and to the point ★ *om kort te gaan* to cut a long story short ★ *kort maar krachtig* short and snappy ★ *kort van stof* brief ★ *in het kort* in brief ▼ *kort en klein slaan* smash to pieces ▼ *iem. kort houden* keep a tight rein on sb, keep sb well in hand II *bijw* ★ *te kort schieten in* be deficient in ★ *er is twee euro te kort* there are two euros short ▼ *kort en bondig* briefly and to the point, succinct
**kortaangebonden** short-tempered, curt
**kortademig** short of breath, short-winded, ⟨van paard⟩ broken-winded
**kortaf** short, curt
**kortebaanwedstrijd** short-distance race
**kortegolfontvanger** shortwave radio (receiver)
**korten** ❶ *korter maken* shorten ❷ *fig verminderen* cut (down)
**kortetermijngeheugen** *psych* short-term memory
**kortetermijnplanning** short-term planning
**kortetermijnpolitiek** short-term politics
**kortharig** short-haired
**korting** ❶ *inhouding* cut (in), ⟨van loon⟩ reduction (of) ❷ *bedrag* ⟨op prijs⟩ discount, ⟨op kosten / tarieven⟩ rebate, ⟨wegens beschadiging, e.d.⟩ allowance ★ ~ *geven / krijgen* give / get a discount
**kortingkaart** ⟨vervoer⟩ reduced-fare card / pass, ⟨winkel⟩ discount card
**kortingsbon** discount card
**kortlopend** short-term
**kortom** in short, in brief
**Kortrijk** Courtrai
**Kortrijks** (from) Courtrai
**kortsluiten** short-circuit ▼ *het overleg ~* short-circuit the meeting
**kortsluiting** short-circuit ★ ~ *maken* short-circuit
**kortstondig** brief, ephemeral, short-lived ★ ~*e ziekte* short illness

**kortweg** ❶ *kort gezegd* shortly, briefly ❷ *eenvoudigweg* simply
**kortwieken** ❶ *vleugel knippen* clip the wings ❷ *beknotten* ⟨macht, vrijheid, e.d.⟩ curtail
**kortzichtig** *bijziend* short-sighted
**korvet** *mil* *oorlogschip* corvette
**korzelig** crusty, ⟨ontstemd⟩ grumpy, ⟨nijdig⟩ testy
**kosmisch** cosmic
**kosmonaut** cosmonaut
**kosmopoliet** cosmopolitan
**kosmopolitisch** cosmopolitan
**kosmos** cosmos
**Kosovaar** Kosovar
**Kosovaars** Kosovar
**Kosovaarse** ★ *zij is een* ~ she's from Kosovo, she's a Kosovar woman / girl
**Kosovo** Kosovo
**kost** ❶ *voedsel* food ★ *stevige kost* substantial fare ❷ *dagelijkse voeding* ★ *kost en inwoning* / BN *inwoon* board and lodging ★ *zij is bij X in de kost* she boards with X ★ *in de kost doen* put out to board ★ *in de kost nemen* take in as a lodger / boarder ❸ *levensonderhoud* living ★ *de kost verdienen* earn one's living ★ *werken voor de kost* work for a living ★ *aan de kost komen* make a living ❹ *uitgaven* [meestal mv] cost, ⟨uitgaven⟩ expense(s) ★ *vaste kosten* overheads ★ *de kosten van het levensonderhoud* the cost of living ★ *kosten van vervoer* cost of transportation / carriage ★ *bijkomende kosten* additional costs / charges ★ *kosten koper* buyer's costs ★ *op eigen kosten* at one's own expense ★ *het gaat op mijn kosten* I'm paying, inform it's on me ★ *op iemands kosten leven* live off sb ★ *op kosten van* at the expense of ★ *iem. op kosten jagen* put sb to a lot of expense ★ *op hoge kosten zitten* be heavily burdened ★ *tegen geringe kosten* at small cost, at little expense ★ *ten koste van* at the cost / expense of ★ *ten koste van zijn leven* at the cost of his life ★ *ten koste van mij* at my expense ★ *de kosten begroten* estimate the costs ★ *de kosten dragen* bear / cover the costs / expenses ★ *de kosten eruithalen* clear expenses, break even ★ *iemands kosten vergoeden* defray sb's expenses ★ *kosten maken* incur expenses ▼ *dat is andere kost* that's a different kettle of fish ▼ *de kost gaat voor de baat uit* outlay must precede returns ▼ *kosten noch moeite sparen* spare neither effort nor expense ▼ *zijn kostje is gekocht* ⟨op eigen kracht⟩ he has it made, ⟨door anderen⟩ he is provided for
**kostbaar** ❶ *duur* expensive ❷ *veel waard* valuable, precious
**kostbaarheden** valuables *mv*
**kostelijk** *voortreffelijk* splendid, precious, ⟨lekker⟩ exquisite ★ *die is* ~*!* that's rich!, that's a good one!
**kosteloos** I *bnw* gratis, free II *bijw* gratis, free of charge
**kosten** I *on ww* cost ★ *wat kost dat?* how much is it? ★ *dat gaat je geld* ~ that is going to cost you ★ *die* ~ *twee euro per stuk* these are two euro's each ★ *het kost een bom duiten* it runs into a lot of money, it costs a bomb ★ *het kostte haar het leven* that killed her ★ *hoeveel mag het* ~*?* what price do you have in mind? ▼ *koste wat het kost* at

any cost **II** *de mv* → **kost**

**kostenbesparing** cost savings *mv*, savings in costs / expenses *mv*

**kostendaling** cost decrease

**kostendekkend** cost-effective

**kostenstijging** cost increase, increase in cost

**koster** sexton, verger

**kostganger** boarder ★ *~s houden* take in lodgers / boarders

**kostgeld** board

**kostprijs** cost price

**kostschool** *onderw* boarding school

**kostuum** *pak* suit, (mantelpak) costume, (mantelpak) suit

**kostwinner** breadwinner, wage earner

**kot ❶** *dierenhok* (voor varkens) sty, (voor schapen) pen **❷** *krot* hovel, shack **❸** *BN (studenten)kamer* digs ★ *op kot wonen* live in digs

**kotbaas** *BN hospes* landlord

**kotelet** cutlet, chop

**koter** youngster, nipper

**kotmadam** *BN hospita* landlady

**kots** puke

**kotsen ❶** *braken* retch, puke **❷** *walgen* ★ *ik kots ervan* it makes me sick

**kotsmisselijk** sick as a dog / cat

**kotter** cutter

**kou ❶** *koude* cold ★ *een bittere kou* a sharp / bitter cold ★ *kou lijden* suffer from the cold, freeze ★ *pimpelpaars van de kou* blue with cold **❷** *verkoudheid* cold ★ *een kou oplopen* catch a cold ▼ *iem. in de kou laten staan* leave sb out in the cold ▼ *de kou is uit de lucht* nothing to worry about

**koud ❶** *niet warm* cold, chilly ★ *het koud hebben / krijgen* be / get cold ★ *laat het niet koud worden* don't let it go cold **❷** *zonder gevoel* cold ★ *dat laat me koud* it leaves me cold **❸** *dood* ★ *iem. koud maken* do sb in ▼ *ik word er koud van* it makes me go cold all over ▼ *dat valt me koud op het lijf* that gives me quite a shock

**koudbloedig** coldblooded

**koude** → **kou**

**koudegolf** cold wave, cold spell

**koudgeperst** cold-pressed ★ *~e olijfolie* cold-pressed olive oil

**koudvuur** gangrene ★ *door ~ aangetast* gangrened

**koudwatervrees** *fig ongegronde angst* fear of something new, cold feet

**koudweg ❶** *zomaar* just (like that) **❷** *bruut* cold-bloodedly

**koufront** cold front

**koukleum** somebody who feels the cold easily

**kous ❶** *kledingstuk* stocking ★ *op zijn kousen* in one's stockings **❷** *lampenpit* (olielamp) wick, (gaslamp) mantle ▼ *de kous op de kop krijgen* be given the brush off

**kousenvoet** stockinged foot *mv: feet* ★ *op ~en lopen* walk in stockinged feet ▼ *fig op ~en lopen* pussyfoot

**koutje** cold

**kouvatten** catch a cold

**kouwelijk** chilly

**Kozak** *lid van volk* Cossack

**kozijn** window frame

**kraag** collar ▼ *bij de ~ pakken* collar ▼ *hij heeft een stuk in zijn ~* he is tipsy

**kraai** *vogel* crow, carrion crow

**kraaien** crow

**kraaiennest ❶** *nest van kraai* crow's nest **❷** *scheepv uitkijkpost* crow's nest

**kraaienpootjes** crowsfeet

**kraak ❶** *gekraak* crack **❷** *inbraak* break-in ★ *een ~ zetten* do a job

**kraakbeen** cartilage, gristle

**kraakhelder** spick and span, immaculate, clean as a whistle

**kraakpand** squat

**kraal** *bolletje* bead

**kraam** *verkooptent* booth, stall ▼ *dat komt in zijn ~ te pas* that suits his purpose

**kraamafdeling** maternity ward

**kraambed** childbed

**kraambezoek** lying-in visit, visit to mother who has given birth

**kraamhulp ❶** *kraamverzorgster* maternity nurse **❷** *kraamverpleging* maternity nursing

**kraamkamer** delivery room

**kraamkliniek** obstetric / maternity clinic

**kraamverpleegster** maternity nurse, midwife

**kraamverzorgster** health visitor

**kraamvisite** maternity visit

**kraamvrouw** (bij bevalling) woman in childbed, (na bevalling) new mother

**kraamzorg** maternity care

**kraan ❶** *tap* tap, cock, *USA* faucet **❷** *hijskraan* crane, (vnl. op schip) derrick **❸** *uitblinker* dab, crack, ace ▼ *dweilen met de ~ open* getting nowhere fast

**kraandrijver** crane driver

**kraanleertje** washer

**kraanmachinist** crane driver

**kraanvogel** crane

**kraanwagen** breakdown lorry, tow truck

**kraanwater,** *BN* **kraantjeswater** tap water

**krab ❶** *schaaldier* crab **❷** *schram* scratch

**krabbel ❶** *korte notitie* thumb-nail sketch **❷** *onduidelijk schrijfsel* scrawl **❸** *schram* scratch

**krabbelen I** *ov ww, slordig schrijven* scrawl, scribble **II** *on ww, krabben* scratch

**krabben** scratch, (van paard) paw ★ *zich achter de oren ~* scratch one's head

**krabber** scraper

**krabpaal** scratching post

**kracht ❶** *fysiek vermogen* (die men bezit) strength, (die men gebruikt) force, (van motor) power ★ *in de ~ van mijn leven* in my prime ★ *met ~ verdedigen* defend strongly / stoutly ★ *met alle ~* full / flat out, with might and main ★ *met vereende ~en* with united efforts ★ *met volle ~ vooruit* full speed ahead ★ *op eigen ~en aangewezen zijn* be thrown on one's own resources ★ *op eigen ~* under one's own steam ★ *op volle ~ werken* work at full strength ★ *(weer) op ~en komen* recover one's strength ★ *een man van grote ~* a man of great strength ★ *zijn ~en beproeven aan* try one's hand at ★ *al zijn ~ geven aan iets* devote all one's strength / energy to sth **❷** *geldigheid* ★ *van ~ blijven* remain in force ★ *van ~ worden* come into force / operation, take effect ★ *van ~ zijn* be in force **❸** *medewerker*

man, hand ▾ *hij was uit zijn ~ gegroeid* he had outgrown his strength
**krachtbron** source of power
**krachtcentrale** power station
**krachtdadig** energetic
**krachtig** ❶ *kracht hebbend* strong, powerful ★ *~ gebouwd* well / soundly / strongly built ❷ *werking hebbend* powerful, effective
**krachtmeting** contest, trial of strength
**krachtpatser** bruiser
**krachtproef** test of strength
**krachtsinspanning** effort, exertion
**krachtsport** power sport
**krachtstroom** high-voltage current
**krachtterm** expletive ★ *~en* strong language
**krachttoer** feat of strength
**krachttraining** power / weight training
**krachtveld** force field, *fig* sphere of influence
**krachtvoer** concentrate(s)
**krak** crack
**Krakau** Krakow
**Krakaus** Krakow
**krakelen** wrangle, squabble
**krakeling** cracknel
**kraken** I *ov ww* ❶ *openbreken* ⟨noot, kluis, code⟩ crack ❷ *inbreken* break into, comp hack ❸ *huis bezetten* squat in ★ *een huis* ~ squat in a house II *on ww, geluid maken* crack, (s)crunch, ⟨van deur, schoenen⟩ creak, ⟨van grind⟩ crunch, ⟨van sneeuw⟩ crackle
**kraker** ❶ *huisbezetter* squatter ❷ *chiropracticus* chiropractor ❸ *inbreker* cracksman ❹ *succes* smash, hit
**krakkemikkig** rickety, shaky
**kralengordijn** bead curtain
**kralensnoer** string of beads
**kram** staple, cramp, med suture clip ▾ BN *uit zijn krammen schieten* fly off the handle, lose one's cool, sport go into action
**kramiek** BN cul currant / raisin bread / loaf
**kramp** cramp
**krampachtig** lett *in een kramp* spasmodic, convulsive
**kranig** I *bnw* ⟨houding⟩ spirited, ⟨moedig⟩ plucky II *bijw* ★ *zich ~ houden* acquit o.s. well, keep one's spirit (up)
**krankjorum** crackers, bonkers ★ *hij is volslagen ~* he is flaming bonkers
**krankzinnig** ❶ *geestesziek* insane, mad ★ *~ worden* become insane, go mad ★ *iem. ~ verklaren* certify sb ❷ *onzinnig* crazy, mad ★ *~ verhaal* crazy story
**krankzinnigengesticht** lunatic asylum, mental home
**krans** ❶ *gevlochten ring* wreath, ⟨bloemen⟩ garland ❷ *vriendenkring* circle
**kranslegging** laying of a wreath / wreaths
**kransslagader** coronary artery
**krant** (news)paper
**krantenartikel** newspaper article
**krantenbericht** newspaper report
**krantenjongen** news boy, paper boy
**krantenknipsel** press cutting
**krantenkop** (newspaper) headline ★ *schreeuwende ~pen* screaming headlines
**krantenwijk** (news)paper round

**krap** I *bnw* ❶ *nauw* narrow, tight ❷ *karig* ★ *zij hebben het krap* they are hard up II *bijw* ❶ *nauw* ★ *iets krap berekenen* cut sth very fine ★ *krap meten* measure on the short side ❷ *met een tekort* ★ *krap zitten* be hard up, be strapped
**kras** I *zn* [de], *haal* scratch II *bnw* ❶ *vitaal* strong, robust, ⟨van ouderen⟩ hale and hearty, ⟨taal⟩ strong ❷ *drastisch* drastic ★ *krasse maatregelen* severe measures ★ *dat is kras!* that's the limit! ★ *dat is wel wat al te kras* that's a bit thick ❸ *opmerkelijk* strong ★ *een kras staaltje* a glaring example III *bijw, drastisch* ★ *kras optreden (tegen)* take a strong line (with) ★ *dat is kras gesproken* that's putting it strongly
**kraslot** scratch card
**krassen** ❶ *krassen maken* scratch, scrape ❷ *geluid maken* scrape, ⟨stem⟩ grate / rasp, ⟨van uil⟩ hoot / screech, ⟨van kraai, raaf⟩ caw, ⟨op viool⟩ scrape
**krat** crate
**krater** crater
**krediet** credit, inform tick ★ *op ~ kopen* buy on credit, inform buy on tick ★ *blanco / doorlopend ~* unlimited / running credit ★ *~ geven* give / allow credit
**kredietbank** finance company / house, credit / loan bank
**kredietcrisis** credit crunch
**kredietwaardig** credit worthy, solvent
**Kreeft** *dierenriemteken* Cancer
**kreeft** *schaaldier* crawfish, ⟨rivierkreeft⟩ crayfish, ⟨zeekreeft⟩ lobster ★ *zo rood als een ~* as red as a lobster
**Kreeftskeerkring** tropic of Cancer
**kreek** creek
**kreet** ❶ *gil* cry ❷ *loze uitspraak* empty slogan
**krekel** cricket
**kreng** ❶ *rotmens* swine, inform bastard, ⟨vrouw⟩ bitch ❷ *kadaver* carrion
**krenken** *kwetsen* offend, hurt
**krenking** *belediging* hurt, offence
**krent** *druif* currant
**krentenbol** currant bun
**krentenbrood** cul currant bread
**krentenkakker** miser, USA tightwad
**krenterig** *gierig* mean, stingy, niggling
**Kreta** Crete
**Kretenzisch** Cretan
**kreukel** crease, wrinkle
**kreukelen** I *ov ww, kreukels maken* crease, (c)rumple, wrinkle II *on ww, kreukels krijgen* get / become creased / (c)rumpled
**kreukelig** creased
**kreukelzone** crush zone
**kreuken** I *ov ww, kreukels maken* crease, (c)rumple II *on ww, kreukels krijgen* crease, get / become creased / (c)rumpled ★ *linnen kreukelt verschrikkelijk* linen creases terribly
**kreukherstellend** non-iron, drip-dry
**kreukvrij** crease-resistant
**kreunen** groan, moan
**kreupel** *mank* lame (of one leg) ★ *~ lopen* limp ★ *~ worden* go limp ★ *een ~e* a cripple
**kreupelhout** thicket
**krib** ❶ *voederbak* manger ❷ *bedje van Jezus* crib, cot
**kribbig** peevish

kr

**kriebel** itch ▼ *ik kreeg er de ~s van* it gave me the creeps

**kriebelen I** *ov ww* ❶ *kietelen* tickle ❷ *klein schrijven* scribble **II** *on ww, jeuken* itch

**kriebelhoest** tickling cough

**kriebelig** ❶ *kriebelend* ticklish ❷ *klein geschreven* crabbed, ⟨van lijn⟩ squiggly ❸ *kregel* nettled ★ *ik werd er ~ van* it irritated me

**kriegel** touchy, testy ★ *het maakt me ~* it gets under my skin

**kriek** *kers* black cherry

**krieken** *aanbreken* dawn ★ *bij het ~ van de dag* at (the crack of) dawn, at daybreak

**kriel** *klein mens* midget

**krielaardappel** small potato *mv: potatoes*

**krielkip** Bantam ⟨fowl⟩

**krieltje** small potato *mv: potatoes*

**krijgen** ❶ *ontvangen* get, receive ★ *je krijgt er rillingen van* it gives you the shivers ★ *hij kreeg een jaar* he got a year ★ *hoeveel krijgt u van me?* how much do I owe you? ❷ *verkrijgen* ⟨baby⟩ have, ⟨reputatie, wetenschap⟩ acquire, ⟨recht⟩ secure, ⟨rubber⟩ obtain ★ *kan ik dhr. A. te spreken ~?* can I see Mr. A.? ★ *het is te ~ bij...* it can be obtained from... ★ *het is met geen mogelijkheid te ~* it is not to be had for love or money ★ *geld bij elkaar ~* raise money ★ *we ~ regen* we are going to have rain ❸ *getroffen worden door* ⟨schade⟩ sustain, ⟨verkoudheid⟩ catch ★ *een ongeluk ~* have an accident, form meet with an accident ★ *als je er wat aan krijgt...* if anything happens to it... ❹ *grijpen* ★ *ik zal je wel ~* I'll get you ★ *iem. te pakken ~* lay ⟨get⟩ hold of sb ❺ *in toestand komen* ★ *een kleur ~* blush ★ *het koud / warm ~* begin to feel cold / hot ★ *ruzie ~* have an argument ❻ *in toestand brengen* ★ *een vlek eruit ~* get out a stain ★ *ik kon de verf er niet af ~* I could not get the paint off ★ *ik krijg het wel gedaan / voor elkaar* I shall get it done / fixed up ▼ *hij kreeg er genoeg van* he got tired of it

**krijger** warrior

**krijgertje** *spel* ★ *~ spelen* play tag / tig

**krijgsdienst** military service

**krijgsgevangene** prisoner of war

**krijgsgevangenschap** captivity, imprisonment

**krijgshaftig** *dapper* warlike

**krijgsheer** warlord

**krijgslist** stratagem

**krijgsmacht** ⟨military⟩ force

**krijgsraad** ❶ *militaire rechtbank* court-martial ★ *voor de ~ roepen* court-martial ❷ *vergadering* council of war

**krijgszuchtig** bellicose, warlike, belligerent

**krijsen** *schel schreeuwen* scream, shriek, ⟨van dieren⟩ screech

**krijt** ❶ *kalksteen* chalk ❷ *periode* Cretaceous period ▼ *in het ~ staan* be in the red ▼ *in het ~ treden* enter the lists

**krijtje** *schrijfgerei* piece of chalk

**krijtlijn** ▼ BN *de ~ en van een plan* the broad outlines of a plan

**krijtstreep** ❶ *streep van krijt* chalk line ❷ *witte streep op donkere stof* pinstripe

**krijttekening** chalk / pastel drawing

**krijtwit** chalk-white

**krik** jack

**krill** krill

**Krim** Crimean

**krimi** whodunit

**krimp** *het krimpen* shrinkage ▼ *geen ~ geven* not give in

**krimpen** ❶ *kleiner worden* shrink, ⟨van pijn⟩ wince ❷ *draaien* ⟨van wind⟩ back

**krimpfolie** cling film ★ *in ~ verpakken* shrink-wrap

**krimpvrij** non-shrink

**kring** ❶ *cirkel* circle, ring, ⟨om hemellichaam⟩ orbit, ⟨van hemellichaam⟩ corona ★ *in een ~ gaan staan* form a circle ★ *in een ~ staan / zitten* stand / sit in a circle ❷ *sociale groep* circle ★ *de hogere ~en* in high society ★ *in besloten ~* private(ly), in private ★ *in de hoogste ~en* in the highest circles ★ *welingelichte ~en* well-informed circles ★ *in de huiselijke ~* in the family / domestic circle ❸ *omgeving* circle, sphere ★ *in brede ~ opvallen* attract wide attention ★ *in alle ~en* in all walks of life ❹ *wal onder oog* ★ *~en onder de ogen* bags under one's eyes ❺ *kringloop* ▼ *in een ~etje ronddraaien* run around in circles

**kringelen** wreathe, coil

**kringgesprek** group discussion

**kringloop** ❶ *het rondgaan* circular course, circle ❷ *cyclus* cycle

**kringlooppapier** recycled paper

**kringloopwinkel** shop ⟨specialised⟩ in recycled goods

**kringspier** sphincter muscle

**krioelen** ❶ *door elkaar bewegen* swarm, teem ❷ *~ van* teem with, bristle with, ⟨fouten⟩ be riddled with ★ *het krioelt er van ongedierte* the place is alive with vermin

**kris** creese, kris

**kriskras** criss-cross

**kristal** crystal

**kristalhelder** crystal-clear

**kristallen** crystal(line)

**kristalliseren** crystallize

**kristalsuiker** granulated sugar

**kritiek I** *zn* [de] ❶ *oordeel* criticism ★ *beneden alle ~* below criticism, beneath contempt ★ *boven alle ~ verheven zijn* be above all criticism ★ *~ uitoefenen* criticize ❷ *oordelend verslag* review **II** *bnw* ❶ *beslissend* crucial ★ *op het ~e ogenblik* at the crucial moment ❷ *hachelijk* critical

**kritisch** critical

**kritiseren** criticize, ⟨van een boek⟩ review

**Kroaat** *bewoner* Croatian, Croat

**Kroatië** Croatia

**Kroatisch I** *bnw* Croatian ★ *zij is een ~e* she's a Croatian woman, she's from Croatia **II** *zn* [het] Croatian

**Kroatische** Croatian ⟨woman / girl⟩

**krocht** crypt

**kroeg** public-house, pub

**kroegbaas** landlord, publican

**kroegentocht** pub-crawl ★ *op ~ gaan* go on a pub-crawl

**kroegloper** pub-crawler

**kroelen** cuddle, caress, *inform* canoodle

**kroep** croup

**kroepoek** prawn / shrimp crackers *mv*

**kroes I** *zn* [de] ❶ *mok* mug ❷ *smeltkroes* crucible

**II** *bnw* crisp, frizzy
**kroeshaar** frizzy / curly hair, afro
**kroeskop** curly-head
**kroezen** frizz
**krokant** crispy, crunchy
**kroket** croquette
**krokodil** crocodile
**krokus** crocus
**krokusvakantie** onderw ≈ spring half-term
**krols** in heat
**krom** ❶ *gebogen* crooked, ⟨rug⟩ bent, ⟨neus⟩ hooked, ⟨plank⟩ warped, ⟨lijn⟩ curved ❷ *gebrekkig* ★ *krom Engels* bad English ▾ *zich krom lachen* laugh one's head off ▾ *zich krom werken* work one's fingers to the bone
**kromliggen** pinch and scrape
**kromme** wisk *lijn* curve
**krommen** *krom worden* curve, bend
**kromming** bend, curve
**kromtrekken** warp
**kronen** crown
**kroniek** *jaarboek* chronicle
**kroning** coronation
**kronkel** *bocht* twist, coil, ⟨in touw, betoog⟩ kink
**kronkelen** wiggle, wind, ⟨van rivier⟩ meander
**kronkelig** winding, tortuous
**kronkeling** twist
**kroon** ❶ *hoofdbedekking* crown ❷ *munt* crown ❸ *bloemkroon* crown ▾ *dat spant de ~!* that tops everything!, inform that takes the cake! ▾ *naar de ~ steken* rival ▾ *de ~ op het werk zetten* crown it all
**kroongetuige** chief witness for the Crown
**kroonjaar** jubilee year
**kroonjuweel** crown jewel
**kroonkurk** crown cap
**kroonlijst** bouw cornice
**kroonluchter** chandelier
**kroonprins** Crown Prince
**kroonsteentje** connector
**kroos** duckweed
**kroost** issue, offspring
**kroot** beet, beetroot
**krop** ❶ *stronk groente* head ★ *krop sla* head of lettuce ❷ dierk *wijde slokdarm* ⟨van vogel⟩ crop ❸ *ziekte* goitre
**kropsla** cabbage lettuce
**krot** hovel
**krottenwijk** slum
**kruid** ❶ *plant* herb ❷ *specerij* spice ▾ *daar was geen ~ tegen gewassen* there was no cure for that
**kruiden** ❶ season, spice ❷ fig spice up
**kruidenazijn** herb vinegar
**kruidenbitter** bitters *mv*
**kruidenboter** cul herb butter
**kruidendokter** herb doctor
**kruidenier** ❶ *winkelier* grocer ❷ *winkel* grocery, grocer's (shop) ❸ *gierig, benepen mens* petit bourgeois
**kruidenierswaren** groceries *mv*
**kruidenierswinkel** grocery
**kruidenthee** cul herbal thee, infusion
**kruidentherapie** herbal medicine
**kruidentuin** herb garden, ⟨voor de keuken⟩ kitchen garden
**kruidig** spicy

**kruidje-roer-mij-niet** ❶ *plantje* touch-me-not ❷ *persoon* touchy / thin-skinned person
**kruidkoek** cul spiced gingerbread
**kruidnagel** cul clove
**kruien** **I** *ov ww, vervoeren* wheel, trundle **II** *on ww, breken van ijs* drift, break up ★ *het ijs begint te ~* the ice is beginning to break up, the ice is breaking up
**kruier** porter
**kruik** ❶ *kan* jar, stone bottle, USA pitcher ❷ *warmwaterzak* hot-water bottle ▾ *de ~ gaat zo lang te water tot ze breekt* the pitcher goes so often to the well that it comes home broken at last
**kruim** ❶ *kruimel* crumb ❷ *binnenste van brood* crumb ▾ BN *het ~ van...* the cream / pick / best of...
**kruimel** crumb
**kruimeldeeg** crumbly pastry, crumb crust
**kruimeldief** ❶ *persoon* petty thief *mv: thieves*, pilferer ❷ *handstofzuiger* dustbuster
**kruimeldiefstal** petty theft
**kruimelen** **I** *ov ww, tot kruimels maken* crumble **II** *on ww, tot kruimels worden* crumble
**kruimelvlaai** cul crumb-crust flan
**kruimelwerk** *odd jobs mv*, ⟨onbetekenend werk⟩ tinkering about
**kruimig** crumbly, floury
**kruin** ❶ *bovendeel hoofd* crown ❷ *bovendeel van boom* top, crown ❸ *bovendeel anders* ⟨van dijk⟩ crown, ⟨van heuvel⟩ summit, ⟨van golf⟩ crest
**kruipen** ❶ *zich voortbewegen* ⟨van mens, dier⟩ creep, ⟨van mens, dier⟩ crawl, ⟨van plant⟩ creep, ⟨van tijd⟩ drag, ⟨van wurm⟩ worm ★ *op handen en voeten ~* go on all fours ❷ *onderdanig zijn* grovel, ⟨angstig⟩ cringe ★ *voor iem. ~* grovel / cringe for sb
**kruiper** toady, crawler
**kruiperig** cringing, servile
**kruippakje** rompers
**kruipruimte** crawl space
**kruis** ❶ *teken / bouwsel* cross ★ *aan het ~ slaan* nail to the cross ❷ *gebaar* cross ★ *een ~ slaan* cross o.s. ❸ muz *verhogingsteken* sharp ❹ *lichaamsdeel* crotch ❺ *deel van broek* crotch ❻ *zijde van munt* ★ *~ of munt* heads or tails ❼ *beproeving* cross, affliction ▾ *het Rode Kruis* the Red Cross ▾ *zijn ~ dragen* bear one's cross ▾ BN *een ~ maken over iets* forget about sth, put paid to sth
**kruisband** wrapper
**kruisbeeld** crucifix
**kruisbes** gooseberry
**kruisbestuiving** cross-pollination, cross-fertilization
**kruisboog** ❶ *schietboog* crossbow ❷ bouw ogive
**kruiselings** crosswise
**kruisen** **I** *ov ww* ❶ *dwars voorbijgaan* cross, cut across, intersect ★ *onze brieven kruisten elkaar* our letters crossed each other ❷ biol *interbreed*, ⟨van planten⟩ cross fertilize ▾ *de degens ~ met* cross swords with **II** *on ww, laveren* cruise
**kruiser** ❶ *jacht* cruiser ❷ *oorlogsschip* cruiser
**kruisigen** crucify
**kruisiging** crucifixion

kr

**kr**

**kruising** ❶ *kruispunt* crossing ★ *ongelijkvloerse* ~ flyover ❷ *bevruchting* crossbreeding ❸ *resultaat van bevruchting* hybrid
**kruiskopschroevendraaier** crosshead screwdriver
**kruispunt** intersection, railway-junction, junction, ⟨verkeer⟩ crossing
**kruisraket** cruise missile
**kruisridder** crusader
**kruissleutel** capstan wheel nut spanner, four-way wrench, wheel brace
**kruissnelheid** cruising speed
**kruisspin** garden spider
**kruissteek** cross-stitch
**kruisteken** sign of the cross ★ *een* ~ *slaan* make the sign of the cross
**kruistocht** crusade
**kruisvaarder** crusader
**kruisvereniging** home-nursing association
**kruisverhoor** cross-examination ★ *iem. een* ~ *afnemen* cross-examine sb
**kruisweg** rel Road to Calvary, ⟨afbeeldingen⟩ Stations of the Cross *mv*
**kruiswoordpuzzel** crossword (puzzle)
**kruit** powder, gunpowder ★ *hij heeft al zijn* ~ *verschoten* he has shot his bolt ★ *zijn* ~ *verspillen* waste powder and shot
**kruitdamp** (gun)powder-smoke
**kruiwagen** ❶ *kar* (wheel)barrow ★ *achter een* ~ *lopen* trundle a wheelbarrow ❷ *nuttige relatie* connection ★ ~*s hebben* have a lot of pull
**kruk** ❶ *stoeltje* stool ❷ *klink* handle ❸ *steunstok* crutch ❹ techn crank ❺ *sukkel* bungler
**krukas** crankshaft
**krukkig** ❶ *stumperig* clumsy ❷ *sukkelend* ailing
**krul** ❶ *versiering* scroll ❷ *haarlok* curl ❸ *houtsnipper* shaving ★ *(hout)krullen* wood shavings
**krulandijvie** chicory
**krulhaar** curly hair
**krullen** I *ov ww, krullen vormen* curl II *on ww, krullen hebben / krijgen* curl
**krullenbol** curly head, inform curly wurly
**krulspeld** curler
**krultang** pair of curling tongs, curling tongs *mv*
**kso** BN onderw *kunst secundair onderwijs* secondary arts education
**kst** shoo
**kubiek** cubic ★ ~*e inhoud* solid contents
**kubus** cube
**kuch** *droge hoest* (dry) cough
**kuchen** cough
**kudde** *troep dieren* herd, ⟨schapen⟩ flock
**kuddedier** ❶ *dier* herd animal ❷ *persoon* one of the herd / mob
**kuieren** stroll, amble
**kuif** forelock, cow's lick, crest, quiff, ⟨van vogel⟩ tuft
**kuiken** ❶ *kip* chicken ❷ *persoon* ninny, simpleton
**kuil** pit, hole, ⟨in weg⟩ pot-hole, ⟨uitholling⟩ hollow ▼ *wie een kuil graaft voor een ander, valt er zelf in* be hoist with one's own petard
**kuiltje** dimple ★ ~*s in de wangen hebben* have dimpled cheeks, have dimples
**kuip** tub, ⟨vat⟩ barrel
**kuipje** tub

**kuipstoel** bucket seat
**kuis** I *bnw, zedelijk rein* chaste II *zn* [de], BN *schoonmaak* (house) cleaning, clean-up, ⟨voorjaar⟩ spring clean ★ *grote kuis* spring clean
**kuisen** ❶ *censureren* censor ❷ BN *schoonmaken* clean
**kuisheid** chastity
**kuisvrouw** BN cleaning lady / woman
**kuit** ❶ *deel van onderbeen* calf *mv: calves* ❷ *klomp viseitjes* spawn
**kuitbeen** splint-bone
**kuitschieten** spawn
**kuitspier** calf muscle
**kukeleku** cock-a-doodle-doo
**kukelen** *tuimelen* go flying, tumble ★ *naar beneden* ~ tumble down
**kul** nonsense, tomfoolery
**kumquat** kumquat, cumquat
**kunde** competence
**kundig** able ★ *hij is ter zake* ~ he is an expert
**kundigheid** *bekwaamheid* ability
**kungfu** kung fu
**kunnen** I *hww, mogelijk / wenselijk zijn* ★ *het kan waar zijn* it may be true ★ *hoe kon hij dat weten?* how was he to know? II *ov ww* [ook absoluut] *het vermogen hebben* can, be able to ★ *je kunt niets* you are no good ★ *hij kon niet meer* he was spent / all in ★ *dat kan ik ook* two can play at that game ★ *ik kon niet anders* I had no choice ★ *hij kon uren zitten dromen* he would sit dreaming for hours ★ *ik kan er niet bij* I can't reach it, it is beyond me ★ *ik kan er tegen* I can stand / take it ★ *zij kan er niet over uit* she's always on about it III *on ww, mogelijk zijn* may ★ *u kunt ervan op aan* you count / depend / rely on it ★ *je kunt van hem op aan* you can rely / count on him ★ *je kunt ervan op aan, dat...* you can depend / count on it that... ★ *het kan niet anders* there is no choice, it can't be helped ★ *het kan ermee door* it will do, it will get by ★ *dat kan zo niet langer* this can't go on ★ *dat kan morgen even goed* tomorrow is just as good ★ *zaterdag kan zij niet* Saturday is impossible for her ▼ *het kan niet op* there's more than enough IV *zn* [het] capacity, ability
**kunst** ❶ *creatieve activiteit* art ★ ~*en en wetenschappen* arts and sciences ❷ *vaardigheid* ★ *de* ~ *verstaan om* know how to ❸ *foefje* trick ★ *dat is juist de* ~! that's the whole secret! ★ *daar is geen* ~ *aan* that's no great feat ▼ *de zwarte* ~ the black art
**kunstacademie** school / academy of art(s)
**kunstboek** art book
**kunstbont** artificial / fake fur
**kunstcollectie** art collection
**kunstenaar** artist
**kunst- en vliegwerk** ★ *ergens met veel* ~ *in slagen* manage to do sth by pulling out all the stops
**kunstgebit** (a set of) false teeth, dentures *mv*
**kunstgeschiedenis** history of art
**kunstgreep** artifice
**kunsthandel** ❶ *winkel* art shop ❷ *bedrijfstak* art dealing
**kunsthars** artificial resin
**kunstig** ingenious

**kunstijsbaan** ice- / skating-rink
**kunstje** ❶ *handigheidje* knack, trick ❷ *truc* trick
★ ~ *s doen* / *vertonen* do / perform tricks
**kunstleer** imitation leather
**kunstlicht** artificial light
**kunstmaan** satellite
**kunstmatig** artificial ★ ~*e ademhaling toepassen*
apply artificial respiration ★ ~*e intelligentie*
artificial intelligence
**kunstmest** fertilizer
**kunstnijverheid** applied art
**kunstpatrimonium** BN *openbaar kunstbezit*
national heritage, public art treasures
**kunstrijden** (op schaatsen) figure-skating
**kunstschaats** figure skate
**kunstschaatsen** figure skating
**kunstschilder** painter, artist
**kunstsneeuw** artificial snow
**kunststof** I *zn* [de] plastic, synthetic material
II *bnw* synthetic, plastic
**kunststuk** ❶ *kunst* masterpiece ❷ *stunt* stunt
**kunstuitleen** art library
**kunstverlichting** artificial lighting
**kunstverzameling** art collection
**kunstvezel** synthetic fibre
**kunstwerk** work of art
**kunstzijde** artificial silk, rayon
**kunstzinnig** *artistiek* artistic
**kunstzwemmen** synchronized swimming,
inform synchro swimming
**kür** sport free exercise(s), (schaatskür) free
skating
**kuren** take a cure
**kurk** *materie* cork
**kurkdroog** bone-dry, quite dry
**kurken** I *bnw* cork II *ov ww* cork
**kurkentrekker** corkscrew
**kurkuma** turmeric
**kus** kiss
**kushand** ★ *iem. een ~ toewerpen* blow sb a kiss
**kussen** I *zn* [het] cushion, (op bed) pillow II *ov*
*ww* kiss
**kussengevecht** pillow-fight
**kussensloop** pillowcase
**kust** coast, shore ★ *aan de kust* on the coast
★ *onder de kust van Holland* off the coast of
Holland ★ *onder de kust varen* skirt / hug the
coast ▼ *te kust en te keur* spoilt for choice, galore,
in plenty ▼ *de kust is veilig* the coast is clear
**kustgebied** coastal region
**kustlijn** coastline
**kustprovincie** coastal province
**kuststreek** coastal region
**kustvaarder** *schip* coaster
**kustvaart** coasting trade
**kustwacht** coastguard
**kustwateren** coastal waters *mv*
**kut** I *zn* [de] cunt, beaver II *bnw* shit ★ *die film is*
*kut* that movie is shit ▼ *kut met peren* fucking shit
III *tw* fuck, shit
**kut-** fucking ★ *kutweer* fucking weather
**kuub** cubic metre
**kuur** ❶ *geneeswijze* cure ★ *een kuur doen* take a
cure ❷ *gril* caprice, whim, quirk ★ *hij heeft altijd*
*van die rare kuren* he's quirky, inform he's
always playing silly buggers

**kuuroord** health resort, (badplaats) spa
**kwaad** I *bnw* ❶ *boos* angry ★ ~ *worden* get angry
★ ~ *zijn* be angry (with) ★ *zich ~ maken* fly into a
rage ❷ *slecht* guilty, (kwaadaardig) malignant,
(hond) vicious, (dag, bedoelingen) evil, (persoon,
geweten) bad II *bijw* badly III *zn* [het] injury,
evil, wrong, (nadeel) harm ★ *goed en ~* good and
evil ★ *van ~ tot erger vervallen* go from bad to
worse ★ *ik bedoel geen ~* I mean no harm ★ ~
*denken van* think evil of ★ *dat kan geen ~* there's
no harm in that ★ *hij kon geen ~ bij haar doen* he
could do nothing wrong in her eyes
**kwaadaardig** ❶ *boosaardig* (van dier) vicious,
(van aard) malicious, (van aard) ill-natured
❷ med malignant, maligno
**kwaadheid** anger
**kwaadschiks** unwillingly
**kwaadspreken** talk scandal ★ ~ *van* speak ill of,
slander
**kwaadwillig** malevolent
**kwaal** ❶ *ziekte* complaint, disease, (vnl. in
samenstellingen) trouble, (vnl. in
samenstellingen) condition ❷ *gebrek* trouble,
problem
**kwab** ❶ *hersenkwab* lobe ❷ *vet* flap
**kwadraat** *tweede macht* ★ *in het ~ verheffen* (raise
to a) square
**kwadrant** quadrant
**kwajongen** naughty boy, (ventje) urchin,
(lummel) lout
**kwajongensstreek** monkey trick, practical joke,
prank
**kwak** ❶ *klodder* blob ❷ *geluid* thud ❸ *hoeveelheid*
(verf) daub, (room, lijm,e.d.) blob, (modder, brij)
dollop
**kwaken** ❶ *geluid (als) van eend maken* quack
❷ *geluid (als) van kikker maken* croak
**kwakkel** BN *vals bericht* canard, false rumour
**kwakkelen** ❶ *sukkelen* be sickly ❷ *onbestendig*
*zijn* be changeable, (winter) drag
**kwakkelweer** unsteady / changeable weather
**kwakkelwinter** fitful winter
**kwakken** I *ov ww, smijten* dump, chuck II *on ww,*
*vallen* bump, fall with a thud
**kwakzalver** quack
**kwakzalverij** quackery
**kwal** ❶ *dier* jelly-fish ❷ *engerd* ★ *een kwal van een*
*vent* a rotter
**kwalificatie** qualification
**kwalificatietoernooi** qualifying tournament
**kwalificatiewedstrijd** qualification match,
qualifying match
**kwalificeren** I *ov ww* ❶ *benoemen* characterize,
term, style ❷ *geschikt maken* qualify ★ *zich ~ als*
qualify as II *wkd ww* [*zich ~*] ★ *zich ~ voor* qualify
for
**kwalijk** ill ★ *iem. iets ~ nemen* blame sb for sth ★ ~
*nemen* take ill / amiss ★ *neem me niet ~* I beg
your pardon, excuse me
**kwalitatief** qualitative
**kwaliteit** ❶ *eigenschap* quality, characteristic
❷ *hoedanigheid* quality
**kwaliteitsbewaking** quality control
**kwaliteitscontrole** quality control
**kwaliteitsproduct** high-quality product
**kwallenbeet** jellyfish's sting

**kw**

**kwantiteit** quantity
**kwantum** *hoeveelheid* quantum, quantity
**kwantumkorting** quantity / volume discount
**kwark** cul curd cheese, cream cheese
**kwarktaart** cul cheesecake
**kwart** I *zn* [het] ❶ *vierde deel* quarter, fourth part
★ *een ~ liter* a quarter of a litre ❷ *kwartier*
quarter of an hour, fifteen minutes ★ *~ over /*
*voor vijf* a quarter past / to five II *zn* [de],
*kwartnoot* crotchet, fourth
**kwartaal** quarter
**kwartaalcijfers** quaterly figures *mv*
**kwartel** quail
**kwartet** ❶ *spel* happy families ❷ muz quartet(te)
**kwartetspel** happy families
**kwartetten** play happy families
**kwartfinale** quarter final
**kwartier** ❶ *kwart uur* quarter of an hour ★ *vrij ~*
break ❷ *maanfase* ★ *eerste ~* first / last quarter
★ *laatste ~* last quarter ❸ *wijk* quarter
❹ *huisvesting van militairen* quarters *mv* ★ *~*
*maken* prepare quarters *mv*
**kwartje** 25 cents *mv*, USA quarter ▼ *het ~ is*
*gevallen* the penny dropped
**kwartnoot** muz crotchet, USA quarter note
**kwarts** quartz
**kwartslag** quarter (of a) turn
**kwast** ❶ *verfkwast* brush ★ *nodig een ~je moeten*
*hebben* need a fresh coat of paint ❷ *franje* tassel
❸ *aansteller* (arrogant, verwaand) smart alec,
(pedant) prig ❹ *noest* knot
**kwatong** BN *lasteraar* (mondeling) slanderer,
(schriftelijk) libeller
**kwebbel** ❶ *kletskous* chatterbox ❷ *mond* trap,
face ★ *houd je ~!* shut your trap / face!
**kwebbelen** babble
**kweek** ❶ *het gekweekte* culture, growth ❷ *het*
*kweken* cultivation
**kweekbak** seed / seedling tray
**kweekreactor** breeder (reactor) ★ *snelle ~* fast
breeder reactor
**kweekvijver** ❶ lett fish-breeding pond ❷ fig
breeding ground
**kweepeer** quince
**kwekeling** pupil teacher
**kweken** ❶ *doen groeien* grow, (gewassen)
cultivate, (dieren) raise ❷ *doen ontstaan* breed,
cultivate ★ *haat ~* breed hatred
**kweker** grower, (groenten) horticulturist,
(bloemen, planten) nurseryman
**kwekerij** nursery
**kwekken** ❶ *kwebbelen* chatter, jabber ❷ *kwaken*
quack, (kikvors) croak
**kwelen** (van mens) ≈ croon, (van mens / vogel) ≈
warble
**kwellen** ❶ *pijn doen* hurt, (sterk) torment
❷ *benauwen* trouble, worry, disturb ★ *dat kwelt*
*me* inform that worries me ★ *angst kwelde haar*
she was tormented by fear ★ *gekweld door*
*geldgebrek* inform troubled by lack of money
★ *~de herinneringen* haunting memories
**kwelling** vexation, torment
**kwestie** ❶ *vraagstuk* question ★ *de ~ is...* the point
is... ★ *dat is de ~ niet* that is beside the point
❷ *aangelegenheid* issue, matter ★ *het is een ~ van*
*tijd* it's a matter of time ★ *een ~ van smaak* a
matter of taste
**kwetsbaar** vulnerable
**kwetsen** ❶ *verwonden* injure, wound ❷ *grieven*
grieve, hurt, wound, offend
**kwetteren** ❶ *kwebbelen* chatter ❷ *geluid maken*
twitter
**kwiek** spry, sprightly
**kwijl** slaver
**kwijlen** *kwijl uit de mond laten lopen* drool,
dribble, (van dier ook) slaver
**kwijnen** ❶ *verzwakken* languish / pine (away),
(van bloem) droop, (van bloem) wilt
❷ *achteruitgaan* flag ★ *~de belangstelling* flagging
interest
**kwijt** ❶ *verloren* ★ *ik ben mijn boek ~* I have lost
my book ❷ *verlost van* ★ *hij is niet meer dan hij*
*~ wou* he kept his own counsel ▼ *je bent je*
*verstand ~* you are off your head ▼ *ik ben zijn*
*naam ~* I forgot his name ▼ *zij zijn hem liever ~*
*dan zijn gezelschap* they prefer his room to his company
**kwijten** I *ov ww, voldoen* ★ *een schuld ~* pay a
debt II *wkd ww* [zich ~] *~ van* acquit oneself of
**kwijtraken**, BN **kwijtspelen** ❶ *verliezen* lose
❷ *bevrijd worden van* get rid of ❸ *verkopen* sell
**kwijtschelden** *als voldaan beschouwen* remit
**kwijtschelding** remission
**kwik** mercury
**kwikstaart** wagtail ★ *grote gele ~* grey wagtail
**kwikzilver** mercury, quicksilver
**kwintet** quintet(te)
**kwispelen** wag ★ *met de staart ~* wag the tail
**kwispelstaarten** wag the tail
**kwistig** lavish, liberal ★ *~ met iets zijn* be lavish of
sth
**kwitantie** receipt

# L

**l** *letter* l ★ *de l van Lodewijk* L as in London
**la ❶** *lade* drawer ❷ *muzieknoot* la
**laadbak** (open) container, ⟨van vrachtwagen⟩ (loading) platform ★ *bestelwagen met open ~* pick-up (truck)
**laadbrief** bill of lading, USA waybill
**laadbrug** loading bridge / ramp
**laadklep** ⟨auto⟩ tailboard, ⟨veerboot⟩ loading ramp
**laadruim** cargo hold, freight / cargo compartment
**laadvermogen** cargo carrying capacity, ⟨schip ook⟩ tonnage
**laag I** *zn* [de] ❶ *uitgespreide hoeveelheid* layer, aardk stratum *mv:* strata, ⟨dun⟩ film, ⟨kolen⟩ seam, ⟨verf⟩ coat, ⟨beschermlaag⟩ coating ❷ *sociale klasse* class, section (of the population), stratum [mv: strata] ★ *de onderste lagen van de maatschappij* the lower ranks / strata of society ★ *in brede lagen van de bevolking* in large sections of the population ❸ ★ *in alle lagen van de bevolking* in all sections of the population, in all walks of life ★ *iem. de volle laag geven* give sb the full blast ▼ *de volle laag krijgen* get the full blast **II** *bnw* ❶ *niet hoog* low ★ *bij laag water* at low tide ★ muz *de lage c* the lower C ❷ *gering* ★ *de lagere dieren en planten* the lower animals and plants ★ *zijn eisen lager stellen* lower one's demands ★ *de prijzen zijn lager* the prices are down ❸ *gemeen* mean, base ★ *een lage streek* a mean trick **III** *bijw* ★ *iem. laag behandelen* treat sb meanly
**laag-bij-de-gronds** commonplace, banal, crude
**laagbouw** low-rise (building)
**laaggeschoold** onderw semi-skilled, unskilled
**laaghartig** vile, mean
**laagland** lowland
**laagseizoen** low / slow season
**laagspanning** low tension / voltage, low voltage
**laagte ❶** *het laag zijn* lowness ❷ *laag terrein* depression, dip ★ *in de ~* down below
**laagvlakte** lowlands *mv*
**laagwater ❶** *eb* low tide, ⟨van rivier, enz.⟩ low water ★ *bij ~* when the tide is out ❷ *lage waterstand in rivier enz.* low water
**laaien** blaze ▼ *~ van verontwaardiging* blaze / burn with indignation
**laaiend ❶** *woedend* livid, hopping mad ★ *zijn moeder was ~* his mother was livid ❷ *hevig* excited, enthusiastic, wild ★ *een ~e ruzie* a blazing row ★ *~ enthousiasme* wild enthusiasm
**laakbaar** reprehensible
**laan** avenue ▼ *iem. de laan uitsturen* send sb packing, give sb the sack
**laars** (wellington) boot, inform welly ▼ *iets aan zijn ~ lappen* flout sth, ignore sth, not take the slightest notice of sth ▼ *dat lap ik aan mijn ~* (a) fat lot I care
**laat I** *bnw* ❶ *niet vroeg* late ★ *hoe laat is het?* what's the time?, what time is it? ★ *kunt u mij zeggen hoe laat het is?* can you tell me the time?

★ *op de late avond* late in the evening ★ *ik ben wat laat* I'm a bit late ★ *het wordt te laat* it's getting late ★ *de trein was een uur te laat* the train was an hour late / overdue ❷ *na bepaalde tijd* ★ *laat in de zomer* in the late summer ▼ *het is weer zo laat!* here we go again! ▼ *weten hoe laat het is* know how things stand **II** *bijw* ❶ *niet vroeg* late ★ *het laat maken* ⟨gewoonte⟩ keep late hours, ⟨speciale gelegenheid⟩ make a late night of it ★ *laat opblijven* stay up late ★ *hoe laat?* (at) what time? ★ *hoe laat heb je 't?* what time do you make it? ★ *te laat komen* be late ★ *tot laat in de nacht* till / until late in the night ❷ *na bepaalde tijd* ★ *hij kwam 3 dagen te laat* he was three days late ▼ *beter laat dan nooit* better late than never
**laatbloeier ❶** *plant* late-bloomer ❷ *persoon* late-developer
**laatdunkend** conceited, disdainful, arrogant
**laatkomer** late arrival, latecomer
**laatst I** *bnw* ❶ *achterste in tijd* latest, last ★ *de ~e trein* the last train ★ *de op een na ~e* the last but one ★ *in het ~ van november* late in November, at the end of November ❷ *achterste in reeks* last ★ *zijn ~e boek* his last book, his latest book ★ *de ~genoemde* the last named, the last mentioned, the latter ❸ *recent* latest, most recent ★ *de ~e dagen* the last few days ★ *de ~e berichten* the latest reports ★ *de ~e mode* the latest fashion ★ *het ~e nummer van de Guardian* the most recent issue of the Guardian ★ *in de ~e jaren* the last few years ▼ *de ~en zullen de eersten zijn* the last shall be the first **II** *bijw* ❶ *onlangs* lately, the other day, recently ❷ *meest laat* ★ *de ~ aangekomene* the last / latest to arrive ★ *op het ~* to the / till last ★ *ten ~e* ⟨tot slot⟩ lastly, finally ★ *op zijn ~,* BN *ten ~* ⟨uiterlijk⟩ at the (very) latest, not later than... ★ *tot het ~* till the end / last ★ *voor het ~* for the last time
**laatstejaars** final-year student
**laatstgenoemde** ⟨van twee⟩ the latter, ⟨van meer dan twee⟩ the last mentioned
**laattijdig** BN → laat
**lab** inform lab
**label ❶** *kaartje* ⟨voor adres⟩ address tag ★ *van een ~ voorzien* labelled ❷ *serienaam* label
**labelen** label
**labeur** BN labour, toil
**labiel** unstable, unbalanced
**laborant** lab(oratory) assistant
**laboratorium,** inform BN **labo** lab, laboratory
**labrador-retriever** labrador-retriever
**labyrint** labyrinth, maze
**lach** laugh, laughter, ⟨glimlach⟩ smile, ⟨brede glimlach⟩ grin, ⟨inwendig⟩ chuckle ★ *in de lach schieten* burst out laughing
**lachbui** fit of laughter
**lachebek** giggler
**lacheding** ▼ BN *dat is geen ~* that's no joking / laughing matter, that's not to be sneezed at
**lachen I** *on ww* laugh ★ *iem. aan het ~ maken* make sb laugh ★ *in zichzelf ~* laugh to o.s. ★ *~ om* laugh at ★ *dat is niet om te ~* that's no laughing matter ★ *~ tegen iem.* smile at sb ★ *in ~ uitbarsten* burst out laughing ▼ *ik moest ~* I couldn't help laughing ▼ BN *groen ~* laugh on the wrong side of one's face ▼ *zich dood (krom, slap, ziek, e.d.) ~*

la

split one's sides with laughter, double up with laughter ▼ *wie het laatst lacht, lacht het best* he who laughs last, laughs longest ▼ *laat me niet ~!* don't make me laugh! ▼ *~ is gezond* laughter is the best medicine ▼ *daar lach ik om!* it makes me laugh! ▼ BN *daar valt niet mee te ~* that's no joking / laughing matter **II** *zn* [het] ▼ *zijn ~ niet kunnen houden* can't help laughing

**lacher** ▼ *de ~s op zijn hand hebben* have the laugh on one's side

**lacherig** giggly

**lachertje ★** *iets belachelijks* laugh, joke ❷ *iets makkelijks* cinch, doddle ▼ *dat is een ~* that is a ridiculous suggestion, you must be joking

**lachfilm** comedy

**lachgas** laughing gas

**lachsalvo** burst of laughter, wave of laughter, peals of laughter *mv*

**lachspiegel** distorting mirror

**lachspier** ▼ *op de ~en werken* set sb off laughing

**lachspieren ★** *het werkte hem op de ~* it made him burst out laughing, it made him double-up with laughter

**lachstuip** fit of laughter

**lachwekkend** laughable, ridiculous, absurd

**laconiek** laconic

**lactose** lactose

**lactovegetariër** lacto-vegetarian

**lacune** gap ★ *een ~ aanvullen* fill up a gap

**ladder ❶** *klimtoestel* ladder ❷ *haal in kous* ladder, USA run ❸ ▼ *de maatschappelijke ~* the social ladder

**ladderen** ladder

**ladderwagen** ladder truck

**ladderzat** blind drunk, plat smashed, vulg pissed (as a newt)

**lade ❶** *la* drawer, ⟨geldlade⟩ till ❷ *(van geweer)* stock

**ladekast** chest of drawers, dresser

**laden ❶** *bevrachten* load ★ *iets op zich ~* take sth on ★ *~ en lossen* loading and unloading ❷ *voorzien van⟨munitie⟩* load ⟨electriciteit⟩ charge ★ *een accu ~* charge a battery, ⟨opnieuw⟩ recharge a battery

**lading ❶** *last* cargo, load ★ *gemengde ~* general cargo ★ *losse ~* bulk cargo ★ *~ innemen* take in cargo ❷ *elektrische lading* charge ❸ *munitie, explosief* charge ❹ fig *betekenis* overtone(s) ★ *de politieke ~ van zijn toespraak* the political overtones of his speech

**ladykiller** lady-killer

**ladyshave** Ladyshave

**laf ❶** *niet moedig* cowardly ❷ *zonder zout* saltless, flat ❸ *flauw* insipid

**lafaard** coward, inform chicken

**lafhartig** cowardly

**lafheid** *het laf zijn* cowardice, cowardliness

**lagedrukgebied** low pressure area, depression

**lagelonenland** low-wage country

**lager I** *zn* [de] techn bearing(s) **II** *zn* [het], *bier* lager

**Lagerhuis** Lower House / Chamber, GB House of Commons

**lagerwal** lee shore ▼ *aan ~ raken* come down in the world

**lagune** lagoon

**lak ❶** *mengsel van hars* varnish, ⟨vernislak⟩ lacquer ❷ *verf* ▼ *ik heb er lak aan* a fat lot I care

**lakei** footman, lackey, ⟨smalend⟩ flunkey

**laken I** *zn* [het] [mv: +s] *bedbedekking* sheet ▼ *de ~s uitdelen* boss / run the show **II** *zn* [het] [gmv] *stof* cloth ▼ *van hetzelfde ~ een pak krijgen* be served your own medicine, get as good as you give ▼ BN *van hetzelfde ~ een broek krijgen* be served your own medicine, get as good as you give **III** *ov ww* ❶ *berispen* rebuke, blame ❷ *afkeuren* disapprove of, condemn ★ *dat is zeer te ~* that is reprehensible

**lakken** *vernissen* lacquer, varnish, ⟨nagels⟩ polish

**lakmoes** litmus

**lakmoesproef** litmus test

**laks** *lui* lax, slack

**lakschoen** patent leather shoe

**laksheid** laxity, slackness

**lakverf** enamel paint

**lallen** slur one's words, jabber

**lam I** *zn* [het] lamb ★ *lammetje* lambkin, little lamb ★ *lammeren krijgen* lamb ▼ *zo mak als een lammetje* as meek as a lamb **II** *bnw* ❶ *verlamd* paralysed ❷ *stukgedraaid* ⟨van schroef, e.d.⟩ stripped ❸ *vervelend* awkward, annoying ▼ *iem. lam slaan* beat sb senseless, beat sb's brains out ▼ *zich lam werken* work one's fingers to the bone

**lama ❶** *dier* llama ❷ *priester* lama

**lambrisering** wainscot(ting), panelling

**lamel** layer, strip, slat

**lamenteren** lament

**lamheid** paralysis ★ *met ~ geslagen* paralyzed

**laminaat** laminate

**laminaatparket** laminated / laminboard parquet

**lamineren ❶** *met plasticfolie overtrekken* laminate ❷ *gelaagd maken* laminate

**lamleggen** paralyze, bring to a standstill ★ *het verkeer werd lamgelegd* the traffic was paralyzed

**lamlendig ❶** *lusteloos* sluggish, lazy ❷ *beroerd* wretched

**lamme** paralysed / lame person ▼ *de ~ leidt de blinde* the blind is leading the blind

**lamp ❶** *verlichtingstoestel* lamp ★ *staande lamp* standard lamp ❷ *gloeilamp* bulb ▼ *tegen de lamp lopen*, BN *tegen de lamp vliegen* get caught, get into trouble

**lampenkap** lampshade

**lampetkan** ewer, (water) jug

**lampion** Chinese lantern

**lamsbout** cul leg of lamb

**lamsvlees** lamb

**lamswol** lambswool

**lanceerbasis** launch(ing) site

**lanceren** ⟨geruchten, plan⟩ start, ⟨raket, torpedo, e.d.⟩ launch ★ *nieuwe voorstellen ~* put forward new proposals ★ *de raket is gelanceerd!* we have lift-off!

**lancet** lancet

**land ❶** *staat* country ★ *iem. uit het land zetten* expel / deport sb ★ *het Beloofde Land* the Promised Land ❷ *vaste grond* land ★ *aan land gaan* go ashore ★ *aan land komen* land ★ *aan land zetten* land, put on shore ★ *over land* by land ★ *te land en ter zee* by sea and by land ❸ *grond* land ★ *hij heeft veel land* he owns a great deal of land ❶ *akkerland* field, land ★ *op het land werken* work on the land ❷ *platteland* country ★ *een meisje van het land* a country girl ★ *op het land* in the country ▼ *het land hebben aan iets* hate sth, be fed up with sth ▼ *het land hebben over iets* be annoyed at sth ▼ *het land krijgen* get annoyed (at) ▼ *er is geen land met hem te bezeilen* he's quite unmanageable ▼ *in het land der blinden is eenoog koning* in the country of the blind, the one-eyed man is king ▼ *'s lands wijs, 's lands eer* so many countries, so many customs ▼ *een land van melk en honing* a land of milk and honey

**landbouw** agriculture
**landbouwbedrijf** farm, agriculture
**landbouwbeleid** agricultural policy
**landbouwer** farmer
**landbouwkunde** agriculture
**landbouwschool** onderw agricultural school / college
**landbouwuniversiteit** agricultural university
**landbouwwerktuig** agricultural implement
**landdier** land / terrestrial animal
**landelijk** ❶ *nationaal* national ★ *~e verkiezingen* general election ❷ *plattelands* rural
**landen** land, (van vliegtuig, raket ook) touch down
**landengte** isthmus
**landenwedstrijd** international (match)
**landerig** listless, inform down
**landerijen** (farm)lands, rural property / estates
**landgenoot** (fellow) countryman, compatriot
**landgoed** (country) estate
**landhuis** country house
**landijs** permafrost
**landing** ❶ *het landen* (van vliegtuig) landing, touchdown ❷ *ontscheping* landing, disembarkation
**landingsbaan** runway
**landingsgestel** landing gear, undercarriage
**landingsstrip** airstrip
**landingstroepen** landing / amphibious forces *mv, mv*
**landingsvaartuig** landing craft
**landinwaarts** inland ★ *ver ~* deep / far inland
**landkaart** map
**landklimaat** continental climate
**landloper** vagrant, tramp, USA bum
**landmacht** land forces, army *mv*
**landmeten** (land) surveying
**landmijn** landmine
**landnummer** international (dialling) code
**landsaard** national character
**landsbelang** national interest
**landschap** landscape
**landschildpad** (land) tortoise
**landsgrens** border, frontier
**landskampioen** national champion ★ *hij is ~ tennis* he is the national tennis champion
**landstreek** region, district
**landtong** spit (of land)
**landverhuizing** emigration, migration
**landverraad** high treason, treason against the state
**landweg** (landelijke weg) country road, (route over land) overland route

**landwind** land / offshore wind
**landwinning** land reclamation
**lang I** bnw ❶ *van bepaalde / grote lengte* long, (persoon, boom, enz.) tall ★ *de kamer is zeven meter lang* the room is seven metres long / in length ★ *de jongens zijn even lang* the boys are the same height ★ *langer maken* make longer, lengthen ❷ *van bepaalde tijd* long ★ *jarenlang* for years ★ *de tijd viel mij lang* time hung heavy on my hands ★ *een tijd lang* for a time / while ★ *vijf maanden lang* for a period of five months ★ *mijn leven lang* all my life ★ *lang van stof* long-winded ★ *sinds lang* for a long time ★ *op de lange duur* in the long run ▼ *het is zo lang als het breed is* it's six of one and half a dozen of the other ▼ *een lang gezicht zetten* pull a long face **II** bijw long ★ *je had al lang in bed moeten liggen* you should have been in bed long ago, it's way past your bedtime ★ *de trein had er al lang moeten zijn* the train is long overdue ★ *hij is lang niet gek* he's no fool, there are no flies on him ★ *het is lang niet slecht* it's not bad at all ★ *lang niet zo goed* nothing like so / as good ★ *je bent er nog lang niet* you still have a long way to go ★ *je hebt het bij lange na niet geraden* your guess is wide of the mark ★ *hij bleef lang weg* he took a long time coming ★ *hij is al lang dood* he has been dead a long time ★ *bij lange (na) niet* not nearly, not by a long chalk / shot ★ *het lang meer maken* not last much longer ★ *hoe langer hoe erger* worse and worse ▼ *lang en breed,* BN *in het lang en in het breed* at great length ▼ *'t is zo lang als het breed is* it's as broad as it's long
**langdradig** long-winded
**langdurig** (afwezigheid, verblijf) prolonged, (vriendschap) lasting, (zaak) lengthy
**langeafstandsraket** long-range missile
**langeafstandsvlucht** long-distance flight
**langetermijngeheugen** long-term memory
**langetermijnplanning** long-term planning
**langgerekt** ❶ *lang en smal* elongated ❷ *lang aangehouden* lengthy, form protracted, (onderhandelingen) long-drawn-out
**langharig** longhaired
**langlaufen** langlauf, do cross-country skiing
**langlopend** longterm
**langoustine** langoustine
**langparkeerder** long-term parker
**langs I** vz ❶ *in de lengte naast* along ★ *~ het huis* along the house ★ *~ de kust varen* sail along the coast ★ *~ de weg* along the road ★ *(ga) de kerk ~ en dan rechts* (go) past the church and then right ★ *~ de weg staan bomen* there are trees along the road ❷ *via, door* by, via ★ *~ de weg* by road ★ *~ het balkon* via the balcony ★ *~ de regenpijp omhoog* up the drainpipe ★ *~ een andere weg* by a different route ▼ *ze praten ~ elkaar heen* they're talking at cross purposes ▼ *het is ~ me heen gegaan* it has escaped my notice **II** bijw ❶ *voorbij* past ★ *de boot vaart ~* the boat sails past ❷ *in de lengte naast* along ★ *de weg loopt er ~* the road runs along it ▼ *iem. ervan ~ geven* give sb what for, let sb have it ▼ *ervan ~ krijgen* catch it, get what for
**langsgaan** *op bezoek gaan* drop by, drop in ★ *bij iem. ~* drop in on sb, call on sb

la

**langskomen** ❶ *voorbij bewegen* come by, pass by ❷ *bezoeken* drop by ★ *kom jij langs de supermarkt?* do you come past the supermarket?
**langslaper** late riser, lie-abed
**langspeelplaat** long-playing record, L.P., album
**langsrijden** ❶ *voorbij iets rijden* drive by / past ❷ *toegaan naar* ★ *rijd je even bij hem langs?* are you going his way?, are you dropping in on him?
**langst** longest ★ *het kan op zijn* ~ *een uur duren* it will take an hour at the longest / most
**langszij** alongside
**languit** (at) full length
**langverwacht** long-expected, long-awaited
**langwerpig** oblong
**langzaam I** *bnw* slow, sluggish **II** *bijw* ❶ *niet vlug* slowly ★ ~ *rijden* drive slowly ★ *langzamer gaan rijden* slow down ★ *kunt u wat langzamer spreken?* could you speak a bit slower, please? ★ ~ *maar zeker* slowly but surely ❷ *geleidelijk* gradually, bit by bit
**langzaamaan** gradually ★ ~*!* steady!, easy! ★ *het* ~ *doen* take things easy
**langzaamactie** go-slow, work-to-rule
**langzamerhand** little by little, gradually ★ *ik heb er zo* ~ *genoeg van* I'm starting to get tired of it
**lankmoedig** patient, long-suffering
**lans** lance, spear ▼ *een lans breken voor iem.* break a lance for sb
**lantaarn** lantern, ⟨fiets-, straatlantaarn⟩ lamp ▼ *die moet je met een* ~*tje zoeken* they are very rare
**lantaarnpaal** lamp post
**lanterfanten** idle, loaf (about)
**Laos** Laos
**Laotiaans, Laotisch** Laotian
**Lap** Lapp, Laplander
**lap** ❶ *stuk stof* length, ⟨op kledingstuk⟩ patch, ⟨om te wrijven⟩ cloth, ⟨afgescheurd⟩ rag ❷ *plat stuk* ⟨afgeknipt⟩ cutting, ⟨grond⟩ patch, ⟨vlees⟩ slice ★ *een lapje grond* a patch of ground ▼ *dat werkt op hem als een rode lap op een stier* to him it's like a red rag to a bull ▼ *iem. voor het lapje houden* pull sb's leg
**lapjeskat** tortoiseshell cat
**Lapland** Lapland
**Laplands** → **Laps**
**lapmiddel** makeshift / stopgap measure
**lappen** ❶ *klaarspelen* pull off, manage ★ *hij heeft het hem gelapt* he has pulled it off, he has done it ❷ *schoonmaken* clean ★ *de ramen* ~ clean the windows ❸ *herstellen* patch, mend ❹ *inform betalen* pass the hat round ▼ *iem. erbij* ~ grass on sb, blow the whistle on sb ▼ *wie heeft me dat gelapt?* who has played me that trick?
**lappendeken** ❶ *deken* patchwork quilt ❷ *fig onsamenhangend geheel* patchwork
**lappenmand** ▼ *in de* ~ *zijn* be laid up, be off colour
**Laps** Lapland
**Lapse** Lapp, Lapp (woman / girl)
**laptop** laptop, notebook
**lapwerk** ❶ *verstelwerk* repair work ❷ *knoeiwerk* makeshift (solution)
**lapzwans** berk, USA jerk
**larderen** lard

**larie** bullshit, nonsense, rubbish, USA boloney
**lariks** larch
**larve** larva, grub
**las** ❶ *ingezet stuk* joint ❷ *plaats waar gelast is* weld, seam, ⟨kunststof⟩ seal
**lasagne** lasagne
**lasapparaat** welder
**lasbril** pair of welding goggles, welding goggles *mv*
**laser** laser
**laserprinter** laser printer
**laserstraal** laser beam
**lassen** weld
**lasser** welder
**lasso** lasso, lariat ★ *met een* ~ *vangen* lasso
**last** ❶ *vracht* load, cargo ★ *bezwijken onder de last* collapse under the load, fig break down under the burden ❷ *scheepslading* cargo ❸ *hinder* trouble, nuisance ★ *last hebben van iem.* be bothered by sb ★ *last hebben van je hart* have heart trouble, ⟨langdurig⟩ have a heart condition ★ *last hebben van klachten / kiespijn* suffer from complaints / toothache ★ *ik heb last van het licht* the light is troubling me ★ *heb je last van me?* am I in the way? ★ *daar krijg je last van* that will get you into trouble ★ *iets van te last zijn, iem. last bezorgen*, BN *iem. last verkopen* be a nuisance to sb ❹ *verplichting* ★ *op hoge lasten zitten* be heavily in debt ★ *iets ten laste brengen van iem.* charge sb with sth ★ *ten laste komen van iem.* be at the expense of sb ❺ *beschuldiging* charge ★ *iem. iets ten laste leggen* charge sb with sth ❻ *bevel* order ★ *op last van* by order of
**lastdier** beast of burden
**lastenboek** BN bouw *opdrachtbeschrijving voor offerte* specifications *mv*
**lastendruk** regular costs / expenses *mv* ★ *de* ~ *neemt elk jaar toe* level of taxation rises every year, the cost of living rises every year
**lastenverlichting** reduction in the financial burden, ⟨belasting⟩ tax relief
**laster** calumny, slander, defamation (of character), smear
**lasteraar** ⟨mondeling⟩ slanderer, ⟨schriftelijk⟩ libeller
**lastercampagne** smear campaign
**lasteren** ❶ *kwaadspreken over* ⟨gesproken⟩ slander, ⟨geschreven⟩ libel, *form* defame ❷ *beledigen* insult ★ *God* ~ blaspheme
**lasterlijk** ⟨spraak⟩ slanderous, ⟨geschrift⟩ libellous, *form* defamatory, ⟨t.o.v. God⟩ blasphemous
**lasterpraat** slander(ous talk), calumny
**lastgever** principal
**lastig** ❶ *moeilijk* difficult, hard, ⟨van probleem⟩ tricky ★ ~*e leeftijd* awkward age ❷ *hinderlijk* ⟨van persoon⟩ troublesome, ⟨van kind⟩ unruly ★ *het iem.* ~ *maken* make things difficult / hard for sb ★ *iem.* ~ *vallen* worry / annoy / harass sb ★ *wat ben je* ~*!* what a nuisance you are! ❸ *ongelegen* inconvenient
**last minute** last-minute
**lastpost** nuisance
**lat** ❶ *stuk hout* slat, lath ❷ *sport* doel ★ *de bal kwam tegen de lat* the ball hit the crossbar ★ *onder de latten staan* be in the goal ❸ *mager*

*persoon* broomstick ▼ *zo mager als een lat* as thin as a rake ▼ BN *de lat gelijk leggen* give everyone even odds

**laten I** *ov ww* ❶ *toestaan* let, permit ❷ *ertoe brengen* make, have, get ★ ~ *zien* show ★ *ik zal het je ~ weten* I shall let you know ★ *hij liet mij hard werken* he made me work hard ★ *een brug ~ bouwen* have a bridge built, cause a bridge to be built ★ *iets ~ doen* have sth done ★ *ik kan het iem. anders ~ doen* I could get sb else to do it ★ *ik heb achterin gordels ~ aanbrengen* I got safety belts fitted for the rear seats ❸ *opdragen* tell, order ★ *hij liet me zijn boeken halen* he told me to get his books ❹ *nalaten* leave off, refrain from ★ *het roken ~* give up smoking, stop smoking ★ *doe wat je niet ~ kunt* do your worst ★ *laat dat!* stop it!, don't! ★ *dat zal je wel ~* you'll do nothing of the kind ★ *ik kan het niet ~* I can't help it ❺ *in toestand laten* leave ★ *ik zal het daarbij ~* I'll let it go at that, I'll leave it at that ★ *laat het maar rusten* let it pass ★ *het bij het oude ~* leave everything as it was ❻ *niet inhouden* ★ *winden ~* break wind ★ *tranen ~* shed tears ★ *het laat me koud* it leaves me cold ★ *laat maar* don't bother, never mind **II** *hww* let ★ ~ *we gaan* let us go ★ *laat hij maar oppassen* he'd better watch out

**latent** *dormant*, latent

**later I** *bnw* later **II** *bijw* later, afterwards, (naderhand) later on

**lateraal** ❶ *van terzijde* lateral ❷ BN *sport over de breedte van het veld* lateral

**latertje** ▼ *dat wordt een* ~ it's going to be a late night, we'll be late finishing

**latex** latex

**latexverf** latex / emulsion paint

**Latijn** Latin ★ *in het* ~ in Latin ▼ *aan het eind van zijn* ~ *zijn* be at the end of one's tether ▼ BN *zijn* ~ *steken in iets* go to a lot of trouble for sth

**Latijns** Latin

**Latijns-Amerika** Latin America

**Latijns-Amerikaans** *m.b.t. Latijns-Amerika* Latin-American

**latino** Latino

**latrelatie** LAT relationship, living apart together

**latrine** latrine

**latwerk** ❶ *hekwerk* lattice, (van bomen, planten) trellis ❷ *raamwerk* lathing

**laureaat** BN onderw *geslaagde* successful candidate

**laurier** laurel, bay

**laurierblad** bay leaf *mv: leaves*

**laurierboom** laurel (tree), bay (tree)

**laurierdrop** omschr bay-flavoured liquorice

**lauw** ❶ *halfwarm* tepid ❷ *fig mat* lukewarm, halfhearted

**lauweren** laurels *mv* ★ *op zijn* ~ *rusten* rest on one's laurels

**lauwerkrans** laurel wreath

**lava** lava

**lavabo** BN *wastafel* washbasin

**lavastroom** stream of lava

**laveloos** dead / blind drunk, sloshed

**laven** refresh, (dorst) quench ★ *zich* ~ *aan* refresh o.s. at

**lavendel** lavender

**laveren** ❶ scheepv tack ❷ fig *wankelend lopen*

reel, stagger (about) ❸ fig *schipperen* manoeuvre, steer a middle course

**lawaai** noise, tumult, shouting, (sterker) din, (sterker) racket

**lawaaierig** noisy, clamourous, loud

**lawaaischopper** yob, rowdy

**lawine** avalanche

**lawinegevaar** danger / risk of avalanches

**laxeermiddel** laxative

**laxeren** purge

**lay-out** layout

**lay-outen** lay out

**lazaret** military hospital

**lazarus** sloshed, USA loaded

**lazer** ▼ *iem. op zijn* ~ *geven* give sb what for, give sb a good hiding ▼ *op zijn* ~ *krijgen* get a good bawling out

**lazeren I** *ov ww, smijten* fling, sling ★ *alles door elkaar* ~ fling / sling everything about ★ *iem. eruit* ~ chuck sb out **II** *on ww* ❶ *vallen* fall ★ *van de trap* ~ fall arse over elbow / tit down the stairs ❷ *donderjagen* ≈ be a (real) nuisance / pest

**lbo** *lager beroepsonderwijs* Junior Secondary Vocational Education

**lcd-scherm** LCD screen / display

**leadzanger** lead singer

**leaseauto**, inform **leasebak** leased car

**leasen** lease

**lebberen** lap / lick (up)

**lector** (aan universiteit) lecturer [v: lectrice], (van universiteit) reader

**lectuur** *leesmaterie* reading (matter)

**ledematen** → **lidmaat**

**ledenadministratie** membership records *mv*

**ledenbestand** membership file

**ledenpas** membership card

**ledenstop** halt on recruitment of (new) members

**ledental** membership (figure)

**ledenwerving** membership recruitment (drive)

**leder** form → **leer**

**lederen** form → **leren**

**lederwaren** leather goods / articles *mv*

**ledigen** empty

**ledigheid** *nietsdoen* idleness ▼ ~ *is des duivels oorkussen* the devil finds work for idle hands

**ledikant** bedstead

**leed I** *zn* [het] grief, sorrow, (letsel) harm ★ *leed doen* harm, hurt ★ *het doet mij leed om* I'm sorry to **II** *bnw* → **oog**

**leedvermaak** gloating, malicious enjoyment

**leedwezen** regret ★ *zijn* ~ *betuigen* extend one's sympathies

**leefbaar** fit to live in, liveable, habitable ★ *een huis* ~ *maken* make a house comfortable

**leefbaarheid** liveability, quality of life

**leefgemeenschap** community, (commune) commune

**leefklimaat** social climate

**leefloon** BN ≈ social security allowance / benefit, ≈ income support

**leefmilieu** environment, surroundings *mv*

**leefnet** keepnet

**leefomstandigheden** living conditons *mv*, social circumstances *mv*

**leefregel** way of life, med regimen, (dieet) diet

**leefruimte** living space, room to move (in)

**leeftijd** age, ⟨levensduur⟩ lifetime ★ *boven / onder de ~ van* under the age of ★ *op de ~ van* at the age of ★ *op / van middelbare ~* at / in (early / late) middle age ★ *op hogere ~* at an advanced age ★ *en dat op zijn ~!* and at his age! ★ *van middelbare ~* middle-aged ★ *hij is van mijn ~* he's my age ★ media *voor alle ~en* U, universal ★ *jij ziet er jong uit voor je ~* you look young for your years ▼ *op ~ komen* get on in years ▼ *op ~ zijn* be well on in years, be elderly

**leeftijdgenoot** ★ *wij zijn leeftijdgenoten* we are contemporaries

**leeftijdsdiscriminatie** age discrimination

**leeftijdsgrens** age limit

**leeftijdsklasse** age group

**leeftocht** provisions *mv*

**leefwijze** lifestyle, way of living / life

**leeg** ❶ *zonder inhoud* empty, ⟨bladzijde⟩ blank, ⟨fietsband, accu⟩ flat ★ *met lege handen* empty-handed ★ *met een lege maag* on an empty stomach ❷ *onbezet* idle, empty ❸ *onbewoond* vacant, unoccupied ❹ *uitgeput* exhausted

**leegdrinken** empty, drink (up) ★ *in één keer ~* empty in one gulp

**leeggieten** empty (out), pour (out)

**leeggoed** BN *lege flessen, kratten enz.* empty bottles / crates, *inform* empties

**leeggooien** empty (out)

**leeghalen** *leegmaken* empty, ⟨huis, kast⟩ clear out, ⟨van zakken⟩ turn out, ⟨leegroven⟩ ransack

**leeghoofd** nitwit, airhead

**leegloop** exodus (from / to)

**leeglopen** ❶ *leegstromen* (become) empty, ⟨van fietsband, accu⟩ go flat ★ *laten ~* deflate, drain ❷ *nietsdoen* idle, loaf (about / around)

**leegloper** loafer, idler

**leegmaken** empty, ⟨broek- / jaszak⟩ turn out

**leegstaan** stand / be empty, be unoccupied

**leegstand** vacancy, lack of occupancy

**leegstromen** drain

**leegte** ❶ *leegheid* emptiness ❷ fig *leemte* void ★ *hij liet een grote ~ achter* he left a great void

**leek** ❶ *niet-vakman* layman ❷ *niet-geestelijke* layman ★ *de leken* the laity

**leem** clay, ⟨grond⟩ loam

**leemte** gap ★ *een ~ aanvullen* fill up a gap

**leen** *het lenen* ★ *te leen geven* lend ★ *te leen hebben* have (sth) on loan

**leenauto** loaner

**leenwoord** loan word

**leep** cunning

**leer** I *zn* [het], *leder* leather ▼ *van leer trekken tegen* lash out at, pitch into ▼ *leer om leer* tit for tat II *zn* [de] ❶ *les* lesson, apprenticeship ★ *in de leer zijn bij* serve one's apprenticeship with ❷ *doctrine* doctrine, theory ★ *de leer van Karl Marx* the teachings of Karl Marx

**leerboek** textbook

**leergang** ❶ *cursus* course (of instruction) ❷ *methode* (teaching / educational) method

**leergeld** tuition fees *mv* ▼ *~ betalen* learn (a lesson) the hard way

**leergierig** studious, eager to learn

**leerjaar** schoolyear, year's course, ≈ USA class ★ *leerjaren* (years of) apprenticeship

**leerkracht** teacher

**leerling** ❶ *scholier* pupil, student ❷ *medewerker in opleiding* apprentice ❸ *volgeling* follower

**leerlingenraad** student council

**leerling-verpleegster** student nurse

**leerlingwezen** modern apprenticeship

**leerlooien** tanning

**leerlooier** tanner

**leermeester** ⟨docent⟩ teacher, ⟨met volgelingen⟩ master

**leermiddelen** educational tools *mv*

**leermoment** learning moment

**leernicht** leather gay

**leerplan** curriculum

**leerplicht** compulsory education ★ *de ~ verlengen* raise the school-leaving age

**leerplichtig** of school age ★ *~e leeftijd* school age

**leerplichtwet** compulsory education law

**leerrijk** instructive

**leerschool** fig school ★ *een harde ~ moeten doorlopen* learn the hard way

**leerstelling** doctrine

**leerstoel** chair, professorship ★ *een ~ bekleden* hold a chair

**leerstof** subject matter

**leertje** piece of leather, ⟨kraan⟩ washer, ⟨schoen⟩ tongue

**leervak** (theoretical) subject

**leerweg** onderw course of study

**leerzaam** *leerrijk* instructive

**leesbaar** ❶ *wat te lezen is* legible ❷ *aangenaam om te lezen* readable

**leesblind** dyslexic, wordblind

**leesboek** ❶ *boek om te lezen* recreational / light reading ❷ *boek om te leren lezen* reader

**leesbril** pair of reading glasses, reading glasses *mv*

**leeslamp** reading lamp

**leeslint** bookmark(er)

**leesmap** portfolio of magazines

**leesonderwijs** onderw reading instruction

**leespen** light pen, bar-code reader

**leesportefeuille** magazine-club selection of magazines

**leest** *vorm voor schoen* last ▼ *op een andere ~ schoeien* cast in a different mould, model on different lines

**leesteken** punctuation mark ★ *~s plaatsen* punctuate

**leesvaardigheid** reading proficiency / skill

**leesvoer** pulp literature

**leeszaal** reading room ★ *openbare ~* public library

**Leeuw** *dierenriemteken* Leo

**leeuw** *dier* lion ▼ *iem. voor de ~en gooien* throw sb to the wolves

**Leeuwarden** Leeuwarden

**Leeuwardens** Leeuwarden

**leeuwenbek** plantk snapdragon

**leeuwendeel** lion's share

**leeuwentemmer** lion tamer

**leeuwerik** (sky)lark

**leeuwin** lioness

**lef** pluck, guts *mv*, ⟨branie⟩ swank ★ *een meid met lef* a chick with pluck ★ *daar heb je het lef niet toe* you haven't got the guts for it ▼ *heb het lef eens!*

don't you dare!
**lefgozer** show-off
**leg** laying ★ *aan de leg zijn* be laying ★ *de kip is van de leg* the hen has stopped laying
**legaal** legal
**legaat I** *zn* [de], *pauselijke bode* legate **II** *zn* [het], *erflating* legacy
**legaliseren** legalize, ⟨als echt verklaren⟩ authenticate
**legbatterij** battery (cage)
**legen** empty
**legenda** legend, key to symbols
**legendarisch** legendary
**legende** legend
**leger ❶** *mil* army, ⟨hele leger⟩ armed forces *mv* **❷** *grote menigte* host ★ *het groeiende ~ van de werklozen* the growing ranks *mv* of the unemployed **❸** *rustplaats van dier* ⟨van wild dier⟩ lair, ⟨van beer, hert⟩ den, ⟨van haas⟩ form ▼ *Leger des Heils* Salvation Army
**legerbasis** army base
**legercommandant** commander-in-chief
**legeren** *mil* *onderbrengen* encamp, ⟨in barak⟩ quarter, ⟨bij burgers⟩ billet
**legeren ❶** *samensmelten* alloy, amalgamate **❷** *legateren* bequeath
**legergroen** olive drab / green
**legering** encampment
**legering** *samensmelting* alloy, amalgam
**legerkamp** army camp
**legerleider** army commander, army leader
**legerleiding** army command / leadership
**legerplaats** camp
**leges** *jur* legal dues / charges *mv*
**leggen ❶** *plaatsen* put, place ★ *naast elkaar ~* side by side **❷** *eieren leggen* lay **❸** *maken* lay, make ★ *een nieuwe vloer ~* lay a new floor
**legging** leggings *mv*
**legio** countless, legion ★ *~ mensen* countless people ★ *hun aantal is ~* their number is legion
**legioen** legion
**legionair** legionnaire
**legionella** *med* legionnaires' disease
**legislatuur ❶** *wetgevende macht* legislative power **❷** *BN* *pol* *regeerperiode* office, government, administration
**legitiem** legitimate, rightful
**legitimatie ❶** *het (zich) legitimeren* legitimization **❷** *bewijs* identification, identity papers
**legitimatiebewijs** identity papers / card
**legitimatiepapieren** identification, identity papers
**legitimatieplicht** compulsory identification, ⟨opschrift⟩ ID required
**legitimeren I** *ov ww, wettig verklaren* legitimize **II** *wkd ww* [zich ~] *zich identificeren* identify oneself, prove one's identity
**legpuzzel** jigsaw (puzzle)
**leguaan** iguana
**lei I** *zn* [de], *schrijfbordje* slate ▼ *met een schone lei beginnen* start with a clean slate **II** *zn* [het], *leisteen* slate
**leiband** *BN* *lijn* leash ▼ *aan de ~ lopen* be tied to sb's apron strings
**Leiden** ▼ *dan is ~ in last* then there will be the devil to pay

**leiden I** *ov ww* **❶** *doen gaan* lead, bring, conduct, ⟨plant⟩ train ★ *zich laten ~ door* be led / guided / ruled by ★ *het gesprek ~ naar* steer the conversation to(wards) ★ *een gesprek ~* conduct a conversation / discussion ★ *hij leidde haar bij de hand* he took / led her by the hand ★ *de ~de gedachte* the guiding thought **❷** *aan het hoofd staan van* lead, ⟨bedrijf⟩ manage, ⟨orkest⟩ conduct, ⟨school⟩ run **❸** *doorbrengen* lead ★ *een jachtig leven ~* lead a busy life ★ *zijn eigen leven ~* do one's own thing **❹** *voorstaan* ★ *Oranje leidt met 2-1* Holland is leading 2-1 **II** *on ww, in een bepaalde richting gaan* lead ★ *waar leidt dat heen?* where does that lead (to)? ★ *tot niets ~* lead nowhere, lead to nothing
**leider ❶** *leidinggevende* leader ★ *de geestelijke ~* the spiritual leader **❷** *koploper* leader
**leiderschap** leadership
**leiderstrui** *sport* leader's jersey
**leiding ❶** *het leiden / besturen* guidance, leadership, direction ★ *~ geven aan* give guidance to, lead, manage ★ *de ~ hebben* be in charge ⟨over of⟩ ★ *onder ~ van* under the leadership of, led by, ⟨vergadering⟩ presided ⟨overby⟩ ★ *(kerk)dienst onder ~ van* service conducted by **❷** *bestuur* direction, control, ⟨bedrijf⟩ management **❸** *sport* lead ★ *de ~ hebben* be in the lead **❹** *buis, kabel* ⟨buis binnen⟩ pipe, ⟨buis buiten⟩ main, ⟨draad binnen⟩ wire, ⟨dikke draad, buiten⟩ cable
**leidinggevend** executive, managerial ★ *~e positie / functie* executive position / function
**leidinggevende** manager
**leidingwater** tap / mains water
**leidraad ❶** *richtsnoer* guide(line), guiding principle **❷** *handleiding* guide, instructions *mv*
**Leids** Leiden
**leien** slate
**leisteen** slate
**leitmotiv** leitmotif
**Lek** Lek
**lek I** *zn* [het] **❶** *gat* leak ★ *een lek krijgen* spring a leak ★ *een lek stoppen* stop a leak **❷** *verklikker* leak(age) **II** *bnw* leaky, ⟨van band⟩ punctured ★ *lek zijn* leak, make water ★ *een lekke band* a flat (tyre), a puncture ★ *zo lek als een zeef* leaking like a sieve
**lekenbroeder** lay brother
**lekkage** leak(age)
**lekken ❶** *lek zijn* leak, ⟨van schip⟩ make water, ⟨van schip⟩ leak ★ *het dak lekt* the roof is leaking ★ *een ~de kraan* a dripping tap **❷** *informatie doorspelen* leak
**lekker I** *bnw* **❶** *smakelijk* nice, good, tasty, ⟨erg lekker⟩ delicious **❷** *aangenaam* nice, pleasant ★ *~ weer* nice weather **❸** *lichamelijk gezond* well ★ *hij is niet ~* he's not feeling well **❹** *geestelijk gezond* ★ *ben jij wel helemaal ~?* are you out of your mind? ▼ *iem. ~ maken* make sb's mouth water **II** *bijw* **❶** *smakelijk* ★ *het smaakt ~* it tastes nice, it's delicious ★ *heb je ~ gegeten?* did you enjoy your meal? ★ *~ vinden* like, enjoy **❷** *aangenaam* ★ *dat ruikt ~* that smells nice ★ *rustig hier* nice and quiet here **❸** *lichamelijk gezond* ★ *ik voel me niet ~* I don't feel well, I am out of sorts ▼ *~ puh* serve(s) you right! ▼ *ik doe het ~ toch!* I'll do it

**le**

anyway!

**lekkerbek** gourmet, ⟨inform⟩ foodie
**lekkerbekje** fried fillet of haddock
**lekkernij** delicacy, treat
**lekkers** sweets *mv*, ⟨hapje⟩ titbit
**lel** ❶ *mep* clout, ⟨trap⟩ vicious kick ❷ *vel* ⟨deel van oor⟩ lobe, ⟨van haan⟩ wattle
**lelie** lily
**lelieblank** lily-white
**lelietje-van-dalen** lily of the valley
**lelijk** I *bnw* ❶ *niet aangenaam voor de zintuigen* plain, ⟨afstotend⟩ ugly ★ *zo ~ als de nacht* (as) ugly as sin ❷ *slecht* ⟨wond⟩ nasty, ⟨vergissing⟩ bad ❸ *gemeen* ⟨daad⟩ ugly II *bijw* ❶ *slecht* ★ *het ziet er ~ uit* it looks pretty bad ❷ *danig* ★ *daar zal ze nog ~ van opkijken* she is in for a very nasty surprise
**lelijkerd** ❶ *lelijk persoon* ugly person ❷ *gemeen persoon* brute, ⟨informeel⟩ ugly bastard
**lellebel** slut
**lemen** loam ★ *een ~ vloer* an earthen floor ▾ *een reus op ~ voeten* a giant on feet of clay
**lemma** *trefwoord* ⟨ingang⟩ headword, ⟨artikel⟩ entry
**lemmet** blade
**lemming** lemming
**lende** small part of the back, ⟨van dier⟩ loin, *med* lumbar region
**lendenbiefstuk** *cul* sirloin steak / fillet
**lendendoek** loincloth
**lenen** I *ov ww* ❶ *uitlenen* lend (**aan** to) ❷ *te leen krijgen* borrow (**van** from) II *wkd ww* [zich ~] *~ voor* ★ *zich ~ voor iets* lend o.s. to / for sth
**lengen** lengthen ★ *de dagen ~* the days are drawing out / lengthening
**lengte** ❶ *afmeting* length, ⟨van personen⟩ height ★ *in zijn volle ~* (at) full length ★ *ter ~ van* the length of ❷ *langste kant* length ★ *in de ~ doorsnijden* cut through lengthwise ★ *over de hele ~ van* over the entire length of ❸ *aardk* longitude ▾ *tot in ~ van dagen* for many years to come ▾ *het moet uit de ~ of uit de breedte komen* it must come from somewhere
**lengteas** longitudinal axis
**lengtecirkel** meridian
**lengtegraad** degree of longitude
**lengtemaat** linear measure(ment)
**lengterichting** longitudinal / linear direction
**lenig** lithe, supple
**lenigen** relieve, ease
**lening** loan ★ *persoonlijke ~* personal loan ★ *een ~ afsluiten* contract a loan, take out a loan ★ *een ~ plaatsen* place a loan ★ *een ~ uitgeven* issue a loan ★ *een ~ verstrekken* grant / provide a loan
**lens** I *zn* [de] ❶ *voorwerp* objective, lens ❷ *contactlens* lens ★ *harde lens* hard lens ❸ *ooglens* lens II *bnw, lam* weak ★ *iem. lens slaan* knock the stuffing out of sb
**lente** spring ▾ *de ~ in het hoofd hebben* have spring fever
**lentedag** spring day
**lentemaand** month of spring
**lente-uitje** spring onion
**lentezon** spring sun
**lenzenvloeistof** contact-lens liquid
**lepel** ❶ *stuk bestek* spoon ❷ *hoeveelheid* spoonful

★ *voeg twee ~s azijn toe* add two spoonfuls of vinegar
**lepelaar** *vogel* spoonbill
**lepelen** I *ov ww, eten, opscheppen* scoop / spoon (up), ⟨met opscheplepel⟩ ladle II *on ww* *sport* chip, scoop
**leperd** smooth / slick operator, *humor* sly old devil
**lepra** *med* leprosy
**lepralijder** leper
**leraar** teacher ★ *~ in de klassieke talen* classics teacher
**lerarenopleiding** teacher training college
**lerares** teacher ★ *zij is ~* she's a teacher
**leren** I *ov ww* ❶ *kennis verwerven* learn ★ *een vak ~* learn a trade ★ *iets uit het hoofd ~* learn by heart, commit to memory ★ *~ omgaan met iets* learn to cope with sth ★ *iem. ~ kennen* get to know sb, become acquainted with sb ❷ *onderrichten* teach ★ *iem. ~ zwemmen* teach sb to swim ★ *de praktijk leert ons* experience shows / teaches us ★ *dat zal je ~* that'll teach you III *on ww, studeren* study ★ *goed kunnen ~* he's a fast learner ★ *voor arts ~* study to be a doctor
**lering** ❶ *onderricht* instruction ❷ *wijsheid* lesson ★ *~ uit iets trekken* learn (a lesson) from sth
**les** ❶ *leerstof* lesson ★ *de les opzeggen* say one's lesson ★ *zijn les kennen* know one's work ❷ *onderricht* lesson, class ★ *les hebben bij* take lessons *mv* from ★ *les krijgen* get lessons *mv* ❸ *lesuur* ★ *les hebben van 9 tot 11* have lessons *mv* from 9 to 11, have class from 9 to 11 ❹ *fig verhelderende tegenslag* ▾ *iem. de les lezen*, *BN iem. de les spellen* lecture sb
**lesauto** learner car
**lesbevoegdheid** teaching qualification ★ *leraar met ~* qualified teacher
**lesbienne** lesbian
**lesbisch** lesbian
**lesgeld** tuition fee
**lesgeven** give lessons *mv*, teach ★ *goed les geven* be a good teacher
**lesmateriaal** teaching material
**Lesothaans** Lesotho
**Lesotho** Lesotho
**lesrooster** timetable
**lessen** *stillen* quench
**lessenaar** desk, ⟨in kerk⟩ lectern
**lest** ▾ *ten langen leste* at long last ▾ *lest best* the last is the best
**lesuur** *onderw* lesson, period
**lesvliegtuig** training plane, trainer
**leswagen** learner car
**Let** Latvian
**lethargie** lethargy
**Letland** Latvia
**Letlands** → Lets
**Lets** I *bnw* Latvian II *zn* [het] Latvian
**Letse** Latvian (woman / girl)
**letsel** injury ★ *ernstig ~ oplopen* sustain severe injuries ★ *iem. ernstig lichamelijk ~ toebrengen* inflict grievous bodily harm on sb
**letselschade** (bodily) injury
**letten** I *ov ww, beletten* ★ *wat let je?* what prevents you (from doing it)? II *on ww* *~ op* pay attention to, mind, ⟨toezien op⟩ look after ★ *gelet*

*op* considering ★ *let op mijn woorden* mark my words ★ *zonder te ~ op* heedless / regardless of ▼ *let wel* mind you, note

**letter ❶** *teken* letter, ⟨drukletter⟩ type, ⟨één letter⟩ character ★ *grote ~* capital letter, upper case ★ *kleine ~* small letter, lower case ★ *de zesentwintig ~s van het alfabet* the twenty-six characters of the alphabet ❷ *letterlijke inhoud* letter ★ *naar de ~* in letter ★ *naar de ~ van de wet* within the letter of the law ★ *zich aan de ~ houden* stick to the letter ▼ *de kleine ~tjes* the small / fine print

**letteren** ⟨taal- en letterkunde⟩ language and literature, ⟨geesteswetenschappen⟩ humanities *mv* ★ *~ studeren* study language and literature, be an arts student

**lettergreep** syllable

**letterkunde** literature

**letterkundig** literary

**letterkundige** *kenner* literary man / woman, man / woman of letters

**letterlijk I** *bnw* literal ★ *een ~e vertaling* a litteral translation ★ *de ~e tekst* the verbatim text **II** *bijw* ❶ *in woordelijke zin* literally, verbally ❷ *volkomen* ★ *er is ~ niets aan te doen* there is literally nothing you can do about it

**lettertang** device for embossing letters on a tape

**letterteken** character

**letterwoord** acronym

**Letzeburgs** taalk *Luxemburgs* Luxemburgian, Luxemburgish

**leugen** lie, falsehood ★ *een ~tje om bestwil* a white lie ★ *~s verkopen* tell lies ★ *onschuldig ~tje* white lie ★ *een regelrechte ~* a barefaced lie

**leugenaar** liar ★ *voor ~ uitmaken* give sb the lie

**leugenachtig ❶** *vaak liegend* lying ❷ *onwaar* false

**leugendetector** lie-detector

**leuk ❶** *grappig* amusing, funny ★ *iets leuk vinden* enjoy / like sth ★ *dat is niet erg leuk* that is not much fun ★ *die is leuk!* that's a good one! ❷ *aardig* nice, pleasant ★ *een leuke prijs voor iets krijgen* get a good price for sth ❸ *aantrekkelijk* nice, pretty ★ *je haar zit leuk* your hair looks pretty ★ *het staat haar leuk* it looks good on her

**leukemie** med leuk(a)emia

**leukerd** funny man / chap, wisecracker

**leukoplast** GB sticking plaster, USA bandaid

**leunen** lean (on / against) ★ *je moet niet zo op hem ~* you should not rely on him so heavily

**leuning** ⟨van trap⟩ banisters *mv*, ⟨van trap⟩ rail, ⟨rugleuning⟩ back, ⟨armleuning⟩ arm rest

**leunstoel** arm chair

**leurderskaart** BN *vergunning voor straathandel* street vendor licence

**leuren** *venten* hawk, peddle

**leurhandel** BN *straathandel* street trading / selling

**leus** slogan, catchword

**leut ❶** *pret* fun ★ *voor de leut* for fun ❷ *koffie* ★ *een bakkie leut* form a cup of coffee

**leuteren** drivel ★ *je zit te ~* you're talking a load of twaddle

**leuterkous** driveller, twaddler

**Leuven** Louvain

**Leuvenaar** inhabitant of Leuven / Louvain

**Leuvens** (from) Leuven, (from) Louvain

**Leuvense** (woman / female) inhabitant of Leuven / Louvain ★ *zij is een ~* she's from Leuven / Louvain

**leven I** zn [het] ❶ *bestaan* life *mv:* lives ★ *in ~ blijven* stay alive ★ *in ~ houden* keep alive ★ *nog in ~ zijn* be still alive ★ *om het ~ komen* lose one's life, be killed ★ *een strijd op ~ en dood* a fight to the death ★ *weer tot ~ brengen* revive ★ *zij rende alsof haar ~ ervan afhing* she ran for dear life ★ *het ~ laten* lose one's life ★ *zijn ~ laten voor* lay down one's life for ★ *het ~ schenken aan* give birth to ★ *~ voelen* feel the baby move / kick ★ *zo is het ~* that's life ❷ *werkelijkheid* life, reality ★ *naar het ~ getekend* drawn from life ★ *in het ~ roepen* set up, call into existence ❸ *levensduur* ★ *mijn ~ lang* all my life ★ *bij zijn ~* during his life ★ *voor het ~ benoemen* appoint for life ★ *hij vreest voor zijn ~* he fears for his life ★ *voor haar ~ wordt gevreesd* her condition is critical ★ *tijdens mijn ~* during my life(time) ❹ *manier van leven* ★ *een druk ~ leiden* lead a busy life ★ *een lekker / lui ~tje* a good / easy life ★ *een nieuw ~ beginnen* make a new / fresh start in life, turn over a new leaf ★ *dan heb je geen ~* then life is not worth living ❺ *lawaai* racket, row, noise ▼ *bij ~ en welzijn* if all is well ▼ *iets in het ~ roepen* call sth into being, create sth ▼ *uit het ~ gegrepen* taken from life ▼ *nooit van mijn ~* never in all my life ▼ *wel heb ik van mijn ~!* have you ever!, well, I never! ▼ *er ontstond een ~ als een oordeel* pandemonium broke out ▼ *~ in de brouwerij brengen* pep / liven things up ▼ *~ inblazen* breathe life into ▼ *je bent er je ~ niet zeker* your life is not safe there **II** zn ❶ *in leven zijn* live, be alive ★ *lang ~* live long ★ *naar iets toe ~* look forward to sth ★ *op zichzelf ~* live all by o.s., live all alone ★ *er goed van ~* do well for o.s. ★ *volgens zijn beginselen ~* live up to one's principles ❷-~ *met* ★ *met die man is niet te ~* you can't live with that man ❸-~ *van* ★ *van zijn geld ~* live on one's means ★ *daar kan ik niet van ~* I can't live on that ★ *zij heeft genoeg om van te ~* she has enough to get by ★ *van de bijstand ~* live on social security ▼ *erop los ~* lead a wild life ▼ *~ en laten ~* live and let live ▼ *leve de koningin!* long live the Queen! ▼ *stil gaan ~* retire ▼ *lang zal hij ~!* long life to him!, long may he live! ▼ *wie dan leeft, die dan zorgt* all in good time

**levend** living, ⟨predicatief⟩ alive ★ *de ~en* the living ★ *het er ~ afbrengen* escape with one's life ★ *een herinnering ~ houden* keep a memory alive

**levendig I** *bnw, vol leven* lively, ⟨kleur, beschrijving⟩ vivid, ⟨persoon⟩ vivacious ★ *~e ogen* expressive eyes ★ *een ~e discussie* an animated discussion ★ *een ~e handel* a brisk trade **II** *bijw* ★ *zich iets ~ herinneren* remember sth clearly / vividly ★ *dat kan ik me ~ voorstellen* I can well imagine that

**levenloos** lifeless

**levensbedreigend** life-threatening

**levensbehoefte** necessity of life ★ *eerste ~n* basic necessities of life ★ *~n* necessities of life

**levensbelang** vital interest

**levensbeschouwing** philosophy of life

**levensbeschrijving** biography, ⟨bij overlijden⟩

**le**

**levensboom** tree of life
**levensduur** lifespan, ⟨van apparaten ook⟩ life *mv: lives* ★ *te verwachten* ~ life expectancy
**levensecht** lifelike, true to life
**levenseinde** end of one's life
**levenservaring** experience / knowledge of life
**levensfase** stage of life
**levensgenieter** bon vivant, pleasure seeker
**levensgevaar** risk / danger of life ★ *buiten* ~ *zijn* be out of danger ★ *in* ~ *verkeren* be in danger of losing one's life ★ *met* ~ at the risk of one's life
**levensgevaarlijk** life threatening ★ *met -e snelheid* at breakneck speed ★ *een -e weg* highly / very dangerous road
**levensgezel** life partner / companion
**levensgroot** life-size, as large as life ★ *een ~ probleem* a huge problem
**levenshouding** attitude to life
**levenskunst** art of living
**levenskunstenaar** expert / master in the art of living
**levenslang** lifelong ★ ~ *krijgen* be sentenced to life (imprisonment)
**levenslicht** ★ *het* ~ *aanschouwen* see the light of day
**levenslied** tear jerker
**levensloop** course of life, ⟨loopbaan⟩ career, ⟨cv⟩ curriculum vitae
**levenslust** joie de vivre, zest for life ★ *vol* ~ *zijn* be full of high spirits
**levenslustig** high-spirited, cheerful, ⟨van oude mensen⟩ sprightly
**levensmiddelen** food(s), foodstuffs *mv*
**levensmiddelenindustrie** food industry
**levensmoe** tired / weary of life
**levensomstandigheden** living conditions *mv*
**levensonderhoud** support, ⟨kosten⟩ livelihood ★ *in zijn* ~ *voorzien* earn a living ★ *in zijn eigen* ~ *voorzien* support o.s.
**levenspad** path of life
**levensstandaard** standard of living
**levensteken** sign of life
**levensvatbaar** viable
**levensverhaal** life story
**levensverwachting** *te verwachten duur* life expectancy
**levensverzekering** life insurance ★ *een ~ afsluiten* take out a life insurance (policy)
**levensvreugde** joy of living
**levenswandel** conduct ★ *een onbesproken* ~ an irreproachable life
**levenswerk** life's work, life work
**lever** liver ▾ *iets op zijn* ~ *hebben* have sth on one's mind ▾ BN *dat ligt op mijn* ~ that sticks in my throat ▾ *fris van de* ~ off the cuff
**leverancier** purveyor, ⟨algemeen⟩ supplier, ⟨winkelier⟩ tradesman ★ *van* ~ *veranderen* take one's business elsewhere
**leverantie** delivery, supply
**leverbaar** ready for delivery, available ★ *beperkt* ~ *zijn* be in short supply
**levercirrose** cirrhosis of the liver
**leveren ❶** *afleveren* supply, deliver ★ *melk aan restaurants* ~ deliver milk to restaurants ★ *ze* ~ *alleen aan de groothandel* they only supply

wholesalers ★ *prachtig werk* ~ do splendid work **❷** *bezorgen* provide, give, furnish ★ *het bewijs* ~ furnish proof ★ *een geldelijke bijdrage* ~ give financial support ★ *commentaar* ~ give comment ★ *stof voor een verhaal* ~ provide material for a story **❸** *klaarspelen* ★ *hij zal het 'm wel* ~ he'll bring it off **❹** *aandoen* ★ *dat zal hij mij niet weer* ~ he won't try that on me again
**levering** supply, delivery
**leveringstermijn** delivery period / time
**leveringsvoorwaarde** delivery conditions *mv*, terms of delivery *mv*
**leverontsteking** inflammation of the liver, hepatitis
**leverpastei** liver paste
**levertijd** delivery period / time
**levertraan** cod-liver oil
**leverworst** cul liver sausage
**lexicograaf** lexicographer
**lexicografie** lexicography
**lexicon** lexicon
**lezen ❶** *tekst doornemen* read, ⟨vluchtig⟩ skim through ★ *dat boek laat zich goed* ~ that book is a good read ★ *over iets heen* ~ overlook / miss sth **❷** *interpreteren* ★ *angst stond op zijn gezicht te* ~ fear was written all over his face ★ *iets verkeerd* ~ misread sth
**lezer** reader ★ *dit blad telt 20.000 ~s* this magazine has a readership of 20,000
**lezing ❶** *het lezen* reading **❷** *interpretatie* version **❸** *verhandeling* lecture ★ *een* ~ *houden over* give a lecture on
**liaan** liana, liane
**Libanees** Lebanese
**Libanon** Lebanon
**libel, libelle** dragon fly
**liberaal I** *zn* [de] Liberal **II** *bnw* liberal
**liberaliseren** liberalize
**liberalisering** liberalization
**liberalisme** liberalism
**Liberia** Liberia
**Liberiaans** Liberian
**libero** sport sweeper
**libido** libido
**Libië** Libya
**Libisch** Lybian
**libretto** libretto
**licentiaat I** *zn* [de], BN onderw *persoon*, Master **II** *zn* [het], BN onderw *graad* ≈ Master's degree
**licentie** *overeenstemming* licence ★ *in* ~ *gebouwd* built under licence
**licentiehouder** licensee
**lichaam ❶** *lijf* body ★ *gezond naar* ~ *en geest* healthy / sound in body and mind **❷** *vereniging* body, corporation
**lichaamsbeweging** (physical) exercise
**lichaamsbouw** physique, build
**lichaamsdeel** part of the body
**lichaamsholte** body cavity
**lichaamskracht** physical strength
**lichaamstaal** body language
**lichaamsverzorging** personal hygiene
**lichamelijk** bodily, ⟨straf⟩ corporal ★ *-e oefening* physical exercise
**licht I** *zn* [het] **❶** *schijnsel* light ★ *tegen het* ~ *houden* hold up to the light ★ *ga uit het* ~ stand

out of the light ★ ~ *geven* give light ❷ *lichtbron* light ★ *het* ~ *aandoen* turn on the light ❸ *intelligent mens* ★ *hij is geen* ~ he's no genius ❹ *openbaarheid* ★ *iets aan het* ~ *brengen* bring sth to light ★ *aan het* ~ *komen* come to light ❺ *opheldering, inzicht* ★ *nu gaat me een ~je op!* I'm beginning to see the light!, the penny has dropped! ★ ~ *werpen op* throw / shed light on ★ ~ *werpen in een zaak* clear a matter up ❻ *invalshoek* ★ *in dit* ~ *gezien* viewed in this light ★ *iets in een nieuw* ~ *stellen* put sth in a new light ★ *in een ander* ~ *komen te staan* take on a new aspect ▼ *iem. het* ~ *in de ogen niet gunnen* hate sb's guts ▼ *zijn* ~ *bij iem. opsteken* go to sb for information ‖ *bnw* ❶ *niet donker* bright, light ★ *zo lang het* ~ *is* as long as there's daylight ❷ *weinig wegend* ★ *te* ~ *zijn* be underweight ❸ *makkelijk* light, easy ❹ *weinig belangrijk* slight ★ *~e hartaanval* mild heart attack ▼ ~ *in het hoofd* light-headed, giddy ▼ *te* ~ *bevonden* found wanting ‖ *bijw* ❶ *gemakkelijk* ★ *het is* ~ *te begrijpen* it's easy to understand ★ *dat zal niet* ~ *gebeuren* that won't easily happen, that is not likely to happen ★ *iets* ~ *opnemen* take sth lightly ★ *het leven* ~ *opvatten* take life as it comes ❷ *enigszins* slightly, easily ★ ~ *gezouten* slightly salted ★ ~ *alcoholisch* light alcoholic

**lichtbak** light box / frame, ⟨voor stropers⟩ jacklight
**lichtblauw** light blue, pale blue
**lichtblond** blond(e), fair
**lichtboei** light buoy
**lichtbron** source of light
**lichtbruin** light / pale brown
**lichtbundel** pencil / shaft / beam of light
**lichtdruk** phototype
**lichtelijk** slightly ★ ~ *verbaasd* mildly surprised
**lichten I** *ov ww* ❶ *optillen* lift, ⟨schip⟩ raise, ⟨anker⟩ weigh ❷ *ledigen* empty ★ *de brievenbus* ~ collect the letters / post, empty the postbox ‖ *on ww, licht geven* light (up), glow, ⟨van zee⟩ phosphoresce, ⟨weerlichten⟩ lighten
**lichterlaaie** ★ *(in)* ~ ablaze
**lichtflits** flash (of light)
**lichtgelovig** credulous, gullible
**lichtgeraakt** touchy
**lichtgevend** luminous
**lichtgevoelig** foto photosensitive
**lichtgevoeligheid** sensitivity to light, form photosensitivity
**lichtgewicht I** *zn* [de] ❶ *sport bokser* lightweight ❷ *incapabel persoon* lightweight ‖ *zn* [het], *sport klasse* lightweight ‖ *bnw* lightweight
**lichtgewond** slightly wounded
**lichting** ❶ *postlichting* collection ❷ *rekrutering* conscription, draft ❸ *opgeroepen soldaten* batch ★ *de* ~ *'66* the class of '66
**lichtinstallatie** lighting (installation)
**lichtjaar** light year
**lichtjes** ❶ *in geringe mate* slightly ★ ~ *beschadigd* slightly damaged ❷ *zonder drukken* lightly ★ *ergens* ~ *over heen gaan* go over sth lightly ❸ *luchtig* lightly, airily
**lichtknop** light switch
**lichtkogel** flare
**lichtkrant**

**lichtmast** lamppost, light tower
**lichtmatroos** ordinary seaman
**lichtnet** (electric) mains *mv*
**lichtpen** light pen
**lichtpunt** ❶ *lichtend punt* power point, socket ❷ *fig iets hoopgevends* bright spot
**lichtreclame** illuminated advertisement
**lichtschip** lightship
**lichtshow** light show
**lichtsignaal** light signal / flash
**lichtstad** City of Light
**lichtsterkte** brightness, intensity of light
**lichtstraal** ray of light, ⟨breed⟩ beam of light
**lichtvaardig** rash, thoughtless
**lichtval** incidence / play of light
**lichtvoetig** light-footed, nimble, fig graceful
**lichtzinnig** *zonder ernst* frivolous, ⟨positief⟩ light-hearted, ⟨van zeden⟩ loose
**lid** ❶ *persoon* member ★ *lid worden van* join ★ *lid zijn van een comité* be on a committee ★ *bedanken als lid* resign one's membership ★ *inschrijven als lid* enrol as a member ❷ *deel* part, *wisk* term ❸ *lichaamsdeel* limb, ⟨van insect⟩ segment, ⟨van insect⟩ part ★ *mannelijk lid* male member ★ *een ziekte onder de leden hebben* have a disease ★ *over al zijn leden beven* tremble in every limb ❹ *gewricht* joint ★ *uit het lid* dislocated, out of joint ★ *een arm in het lid zetten* put back a dislocated arm ❺ *paragraaf* paragraph
**lidgeld** BN *contributie* subscription (fee)
**lidkaart** BN *ledenpas* membership card
**lidmaat** ❶ *anat* ★ *ledematen* limbs ❷ *medelid* member ❸ *lid van kerkgenootschap* church member
**lidmaatschap** membership
**lidstaat** member state
**lidwoord** article
**Liechtenstein** Liechtenstein
**Liechtensteiner** Liechtensteiner
**Liechtensteins** Liechtenstein
**Liechtensteinse** Liechtenstein (woman / girl)
**lied** song, ⟨kerklied⟩ hymn
**lieden** people *mv*, folk *mv*
**liederenbundel** anthology (of songs), songbook, ⟨kerk⟩ hymn book
**liederlijk I** *bnw, losbandig* ⟨van persoon⟩ debauched, ⟨van taal⟩ obscene, ⟨van taal⟩ vulgar ‖ *bijw* ★ *zich* ~ *gedragen* behave abominably
**liedje** song, tune ▼ *het is weer het oude* ~ it's the same old storey again
**lief I** *bnw* ❶ *aardig* sweet, nice ★ *een lieve vrouw* a sweet woman ❷ *dierbaar* dear ★ *mijn lieve jongen!* my dear boy! ❸ *gewenst, graag* fond ★ *iets voor lief nemen* put up with sth ★ *mijn liefste wens* my dearest / fondest / greatest wish ★ *meer dan me lief is* more than I care for ❹ *schattig* lovely ▼ *dat gaat een lieve cent / duit kosten* that's going to cost a pretty penny, that's going to cost a fortune ‖ *bijw* ❶ *aardig* sweet, dear ★ *lief doen* be sweet ❷ *graag* ★ *ik zou het net zo lief niet doen* I'd just as soon not do it ‖ *zn* [het], *geliefd persoon* sweetheart ▼ *in lief en leed* for better or for worse ▼ *lief en leed delen* share life's joys and sorrows
**liefdadig** charitable

**liefdadigheid** charity
**liefdadigheidsinstelling** charity, charitable institution
**liefde ❶** *genegenheid* love, affection ★ *met ~* ⟨liefdevol⟩ lovingly, devotedly ★ *met ~* ⟨met plezier⟩ with pleasure ★ *iets doen uit ~* do sth for love ★ *uit ~ tot* for (the) love of **❷** *het beminnen* love ★ *onbeantwoorde ~* unrequited love ★ *ware ~* true love ★ *~ op het eerste gezicht* love at first sight ★ *~ opvatten voor iem.* fall in love with sb ★ *de ~ bedrijven* make love **❸** *geliefde* love ★ *grote ~* great love / passion **❹** *belangstelling* love, devotion ★ *muziek was zijn grote ~* music was his great love / passion ▼ *~ is blind* love is blind ▼ *oude ~ roest niet* old love never dies
**liefdeleven** love life
**liefdeloos** loveless
**liefdesaffaire** love affair
**liefdesbrief** love letter, billet-doux
**liefdesgeschiedenis ❶** *relatie* love affair **❷** *roman* love story
**liefdeslied** love song
**liefdesscène** love scene
**liefdesverdriet** the pangs of love *mv* ★ *hij heeft ~* he is feeling broken-hearted
**liefdevol** loving
**liefdewerk** work of charity, ⟨bezigheid⟩ charitable work ▼ *het is ~ oud papier* it's for love
**liefelijk** sweet, charming, lovely
**liefhebben** love
**liefhebber ❶** *enthousiasteling* lover, aficionado ★ *groot ~ van wandelen* keen walker ★ *hij is er geen ~ van* he doesn't like it **❷** BN *amateurbeoefenaar* dabbler, ⟨wielrennen⟩ amateur **❸** *gegadigde* interested party ★ *er zijn geen ~s voor de baan* the job's going begging ★ *er zijn geen ~s voor dat artikel* there are no customers for that article
**liefhebberij** hobby, pastime ★ *~ in iets hebben* love doing sth ★ *uit ~* as a hobby, for pleasure / fun
**liefje ❶** *geliefde* sweetheart, ⟨minnares⟩ mistress **❷** *aanspreekvorm* darling
**liefkozen** caress, fondle
**liefkozing** caress
**lieflijk** sweet, charming, lovely
**liefs** ▼ *veel ~* all my love, with much love
**liefst** *meest graag* preferably ★ *welke heb je het ~?* which do you prefer? ★ *~ niet* rather not
**liefste** *geliefde* sweetheart, darling
**lieftallig** sweet, pretty
**liegbeest** *jeugdt* fibber, storyteller
**liegen** lie, tell a lie ★ *~ alsof het gedrukt staat* lie through your teeth ★ *dat is gelogen* that's a lie
**lier ❶** *hijswerktuig* winch **❷** *muziekinstrument* lyre ▼ *zijn lier aan de wilgen hangen* hang up one's boots ▼ *het brandt als een lier* it burns like matchwood
**lies** groin
**liesbreuk** ⟨groin⟩ rupture, hernia
**liesje** ★ *plantk vlijtig ~* impatience, busy Lizzy
**lieslaars** wader
**lieveheersbeestje** ladybird
**lieveling ❶** *schat* darling, sweetheart **❷** *gunsteling* favourite, ⟨van de leraar⟩ pet
**lievelingseten** favourite food

**lievelingskleur** favourite colour
**liever** rather, sooner ★ *~ hebben / willen* prefer ★ *hij ~ dan ik* better him than me ★ *of ~ gezegd* or rather ★ *ik ga nog ~ dood* I'd rather / sooner die (**dan** than) ★ *ik wil niets ~* I'd like nothing better ★ *hoe meer, hoe ~* the more the better ★ *zou je nu niet ~ gaan?* hadn't you better go now? ★ *ik zou veel ~ willen dat hij bleef* I'd rather he stayed ★ *ik heb ~ thee dan koffie* I prefer tea to coffee
**lieverd** love, darling
**lieverdje** ★ *zij is geen ~* she's no angel / sweetheart
**lieverlede, lieverlee** ▼ *van ~* gradually
**lievig** insincere, ⟨woorden⟩ sugary, ⟨toon, maniertjes⟩ smooth
**liflafje** *hapje* titbit
**lift ❶** *hijstoestel* lift, elevator **❷** *het meerijden* lift, USA ride ★ *een lift vragen* hitch a lift / ride ▼ *in de lift zitten* be on the way up
**liften** hitchhike
**lifter** hitchhiker
**liftkoker** lift shaft, USA elevator shaft
**liga** league
**ligbad** bath(tub)
**ligbank** couch
**ligfiets** recumbent (bicycle), reclining bicycle
**liggeld** harbour dues *mv*
**liggen ❶** *zich bevinden* be, lie, be situated ★ *de kamer ligt op het westen* the room faces west ★ *het ligt voor je neus* it's staring you in the face ★ *aan een rivier ~* be situated on a river ★ *ik heb het geld ~* I have the money ready ★ *iets laten ~* leave sth ★ *ik heb nog een flesje wijn ~* I have a bottle of wine left **❷** *uitgestrekt rusten* lie ★ *gaan ~* lie down, ⟨om even te rusten⟩ have a lie down ★ *blijven ~* stay in bed, sleep in ★ *hij lag met griep in bed* he was laid up with the flu **❸** ~**aan** depend on ★ *aan mij zal het niet ~ als* it won't be my fault if ★ *waar ligt het aan?* what is the cause of it? ★ *het ligt aan jou* it is your fault, you are to blame ★ *dat ligt geheel aan u* that lies / rests entirely with you **❹** *zijn* ★ *dat ligt anders* things are quite different ★ *zo ~ de zaken* that's the way things are **❺** *passen* suit, agree with ★ *dat ligt mij niet* it's not in my line, it doesn't suit me ★ *zij ~ elkaar niet* they don't get on with each other ▼ *er is me veel aan gelegen* it matters a great deal to me ▼ *eruit ~* be out of favour, be in the doghouse ▼ *het werk is blijven ~* the work still has to be done
**ligging** situation, position
**light** *caloriearm* ⟨algemeen⟩ light, ⟨van producten met (veel) vet⟩ low-fat ★ *~product* low-calory food item
**lightrail** lightrail
**ligplaats** ⟨schip⟩ berth, ⟨schip⟩ mooring
**ligstoel** reclining chair
**Ligurische Zee** Ligurian Sea
**liguster** privet
**ligweide** sunbathing area
**lij** lee ★ *aan lijzijde* on the lee side
**lijdelijk I** *bnw, passief* passive **II** *bijw* ★ *~ toezien* look on passively
**lijden I** *zn [het]* suffering(s) ★ *iem. uit zijn ~ helpen* put an end to sb's suffering ★ *een dier uit zijn ~*

*verlossen* put an animal out of its misery ★ *het ~ van Christus* the Passion of Christ **II** *ov ww* ❶ *ondervinden* suffer, endure, undergo ❷ *verdragen* ⟨mens, gevoel, zaken⟩ stand, ⟨gevoel, zaken⟩ endure ★ *ik mag hem graag* – I like him ★ *ik kan hem niet* ~ I can't stand him ★ *ik mag* ~ *dat het waar is* I hope it will be true ▼ *het kan wel wat* ~*!* money is no object! **III** *on ww* ❶ *last hebben* suffer ★ *te* ~ *hebben van* suffer from ★ *veel te* ~ *hebben van iets* be hard hit by sth ★ ~ *onder iets* be affected by sth ❷ ~ *aan* suffer from

**lijdend** ❶ *last hebbend* suffering ❷ *taalk* ★ ~ *voorwerp* direct object ★ ~*e vorm* passive voice

**lijdensweg** ❶ rel Way of the Cross ❷ *fig martelgang* agony

**lijder** *zieke* patient

**lijdzaam** **I** *bnw* ❶ *passief* passive ❷ *gelaten* patient, resigned **II** *bijw, passief* ★ ~ *toezien* stand by and watch

**lijdzaamheid** patience ▼ *zijn ziel in* ~ *bezitten* possess one's soul in patience

**lijf** ❶ *lichaam* body ★ *in levenden lijve* in the flesh, in person ★ *het vege lijf redden* save one's ⟨own⟩ skin / hide / neck ❷ *deel van kledingstuk* bodice ▼ *blijf van mijn lijf!* don't touch me! ▼ *iem. te lijf gaan* go for sb ▼ *iem. van zijn lijf houden* keep sb at arm's length ▼ *dat is hem op het lijf geschreven* he's cut out for it ▼ *iem. tegen het lijf lopen* / bump into sb ★ *het heeft weinig om het lijf* there's nothing to it, it's a piece of cake ▼ *iets aan den lijve ondervinden* find out sth to one's cost ▼ *recht van lijf en leden* straight-limbed

**lijfarts** personal physician

**lijfblad** favourite paper

**lijfeigene** serf

**lijfelijk** bodily, physical

**lijfrente** life annuity

**lijfsbehoud** preservation of life ★ *uit* ~ to save one's life

**lijfspreuk** motto

**lijfstraf** corporal punishment

**lijfwacht** bodyguard

**lijk** corpse, dead body ★ *zo wit als een lijk* as white as a sheet ▼ *een levend lijk* a walking corpse ▼ *over lijken gaan* show no mercy ▼ *over mijn lijk!* over my dead body!

**lijkauto** hearse

**lijkbleek** deathly pale, ashen

**lijken** ❶ *overeenkomen* be / look like, resemble, ⟨mbt ouders⟩ take after ★ *op elkaar* ~ look like each other, resemble each other ★ *ze* ~ *helemaal niet op elkaar* they are not a bit alike ★ *zij lijkt sprekend op hem* she's his spitting image ★ *het begint er op te* ~ it's beginning to look more like it ★ *dat lijkt nergens op / naar* it looks like nothing on earth ❷ *schijnbaar zijn* seem, appear ★ *het lijkt wel alsof* it looks as if ★ *ouder / jonger* ~ look / appear / seem younger ★ *het lijkt me verstandig* it seems sensible to me ★ *je lijkt wel gek* you must be mad ★ *dat lijkt maar zo* it only seems so ❸ *dunken* ★ *dat lijkt me wel wat* that sounds like a good idea ★ *dat lijkt nergens naar* that's absolutely hopeless ★ *dat lijkt me niet de moeite waard* I don't think it's worthwhile ❹ *aanstaan* suit ★ *dat lijkt me wel wat* that suits me fine ★ *dat lijkt mij niets* I don't like it at all

**lijkenhuis** mortuary, ⟨vnl ter identificatie⟩ morgue

**lijkkist** coffin

**lijkrede** funeral oration

**lijkschennis** desecration / violation of a corpse

**lijkschouwer** pathologist, jur coroner

**lijkschouwing** autopsy, post-mortem (examination) ★ *gerechtelijke* ~ (coroner's) inquest

**lijkwade** shroud

**lijkwagen** hearse

**lijkzak** body bag

**lijm** glue

**lijmen** ❶ *lett plakken* glue ❷ *fig herstellen* patch up ❸ *overhalen* talk round ★ *iem.* ~ rope sb in

**lijmsnuiver** glue sniffer

**lijmtang** (glueing) clamp

**lijn** ❶ *touw* line, ⟨van hond⟩ lead, ⟨van hond⟩ leash ★ *de hond aan de lijn houden* keep the dog on the lead / leash ❷ *streep* line ★ *een lijntje cocaïne* a line of coke ❸ *linie* ★ *op één lijn brengen* align ★ *op één lijn met* in line with ★ *op één lijn liggen / staan met* be in line with, be on a par / a level with ★ *iem. op één lijn stellen met* rank sb with ★ *over de hele lijn* all along the line ❹ *comm verbinding* line ★ *de lijn is bezet* the line is engaged ★ *aan de lijn blijven* hold on ❺ transp *verbinding* line ★ *lijn acht* number eight ❻ *beleidslijn* line ★ *de harde lijn* the hard line ★ *dat ligt in zijn lijn* that's up his street ★ *dat ligt niet in mijn lijn* that is not in my line (of business) ★ *mensen op een lijn zien te krijgen* try to bring / get people in to line ★ *op één lijn zitten (met)* be in agreement (with) ★ *één lijn trekken* pull together ❼ *fig richting* ★ *in grote lijnen* broadly speaking ❽ *serie producten* ★ *aan de (slanke) lijn doen* be on a diet, be slimming ▼ *iem. aan het lijntje houden* keep sb dangling ▼ *kalm aan, dan breekt het lijntje niet* easy does it

**lijndienst** regular / scheduled service

**lijnen** diet, be on a diet, slim

**lijnolie** linseed oil

**lijnrecht** **I** *bnw, precies recht* (dead) straight **II** *bijw* ❶ *volkomen* flatly ★ ~ *staan tegenover* be diametrically opposed to ★ ~ *in strijd met* in flat contradiction with / to ❷ *in een rechte lijn* straight

**lijnrechter** sport linesman

**lijntoestel** airliner, scheduled plane

**lijntrekken** lie down on the job

**lijnverbinding** connection

**lijnvlucht** scheduled flight

**lijnzaad** linseed

**lijs** ❶ *slome* slowcoach ❷ *slungel* ★ *lange lijs* beanpole

**lijst** ❶ *opsomming* list, ⟨van namen⟩ register ★ *op de* ~ *zetten* put on the list ★ *iem. op de zwarte* ~ *zetten* blacklist sb ★ *zwarte* ~ blacklist ❷ *rand* frame, bouw cornice ❸ *omlijsting* frame ★ *in een* ~ *zetten* frame

**lijstaanvoerder** ❶ *lijsttrekker* ≈ party leader ❷ sport competition leader

**lijstduwer** candidate at the bottom / end of the list

**lijstenmaker** framemaker

**lijster** thrush ★ *zwarte* ~ blackbird ★ *grote* ~ mistle

**li**

thrush
**lijsterbes** ❶ *vrucht* rowan(berry) ❷ *boom* rowan, mountain ash
**lijsttrekker** ≈ party leader
**lijvig** ⟨omvangrijk⟩ bulky, ⟨gezet⟩ corpulent
**lijzig** drawling ★ ~ *spreken* drawl
**lijzijde** lee side
**lik** ❶ *het likken* lick ❷ *beetje* lick ❸ *nor* nick ▾ *lik op stuk geven* give tit for tat ▾ *iem. een lik uit de pan geven* tick sb off sharply
**likdoorn** corn
**likdoornpleister** corn plaster, corn pad
**likeur** cul liqueur
**likkebaarden** smack one's lips, lick one's lips
**likken** *met tong bewegen* lick
**likmevestje** ▾ *een kwaliteit van* ~ crappy quality ▾ *een boek van* ~ a crummy / lousy book
**lik-op-stukbeleid** tit-for-tat policy
**lila** lilac
**lillen** quiver
**lilliputter** midget
**Limburg** Limburg
**Limburger** inhabitant of Limburg ★ *hij is een* ~ he's from Limburg
**Limburgs** Limburg
**Limburgse** ⟨woman / female⟩ inhabitant of Limburg ★ *zij is een* ~ she's from Limburg
**limerick** limerick
**limiet** limit ★ *een* ~ *stellen aan* set a limit on
**limiteren** limit
**limoen** lime
**limonade** soft drink, ⟨prik⟩ fizzy drink
**limonadesiroop** squash
**limousine** limousine
**linde** lime (tree)
**lindebloesem** lime blossom
**lineair** linear, lineal ★ *~e vergelijking* linear equation
**linea recta** straight
**lingerie** lingerie, women's underwear
**lingeriewinkel** lingerie shop
**liniaal** ruler
**linie** ❶ mil line (of defences) ❷ *verwantschap* line ▾ *over de hele* ~ all along the line, on all points
**liniëren** line, rule
**link** I *zn* [de], *verband* link, connection, relationship ★ *een link leggen tussen twee gebeurtenissen* link two incidents II *bnw* ❶ *riskant* dicey ❷ *slim* sly, cunning, crafty
**linker** left, left-hand
**linkerhand** left hand ▾ *hij heeft twee ~en* he's all fingers and thumbs, he's all thumbs
**linkerkant** left(-hand) side
**linkerrijstrook** left lane
**linkervleugel** dierk left wing
**links** I *bnw* ❶ *aan de linkerkant* left, on the left ★ ~ *aanhouden* keep (to the) left ★ *verkeer van* ~ traffic from the left ❷ *linkshandig* left-handed ❸ pol left-wing, leftist II *bijw* ❶ *aan de linkerkant* to / on / at the left ★ ~ *rijden* drive on the left ★ ~ *(aan)houden* keep (to the) left ❷ pol ★ ~ *stemmen* vote for the left, vote left ▾ *iem.* ~ *laten liggen* ignore sb, cold-shoulder sb III *zn* [het] pol left
**linksaf** to the left ★ ~ *slaan* turn (to the) left
**linksback** left back
**linksbuiten** outside left, left winger

**linksdraaiend** scheik laevorotatory
**links-extremistisch** extreme left, left extremist
**linkshandig** left-handed
**linksom** left ★ mil ~ *keert!* turn... left!
**linnen** I *zn* [het], *stof* linen II *bnw* linen ★ *in* ~ *band* in cloth
**linnengoed** linen
**linnenkast** linen cupboard
**linoleum** linoleum
**linoleumsnede** linocut
**linolzuur** linole(n)ic acid
**lint** ribbon ▾ *door het lint gaan* blow one's top
**lintje** ❶ *ridderorde* decoration ★ *een* ~ *krijgen* get a decoration ❷ → **lint**
**lintjesregen** GB ≈ Queen's Birthday Honours (List)
**lintmeter** BN tape measure, measuring tape
**lintworm** tapeworm
**linze** lentil
**lip** *rand van de mond* lip ▾ *aan iemands lippen hangen* be all ears, hang on sb's every word ▾ *zich op de lippen bijten* bite one's lips ▾ *iem. op de lip zitten* sit very close to sb ▾ *er kwam geen woord over zijn lippen* not a word passed his lips ▾ *de lippen (stijf) op elkaar houden* be tight-lipped
**lipide** lipid(e)
**liplezen** read somebody's lips ★ *het* ~ lip-reading
**liposuctie** liposuction
**lippenbalsem** lip balm
**lippencrème** lipcream
**lippendienst** lip service ★ ~ *bewijzen aan* pay lip service to
**lippenpotlood** lip liner / pencil
**lippenstift** lipstick
**liquidatie** ❶ econ liquidation, winding-up, ⟨effectenbeurs⟩ settlement ❷ *moord* elimination
**liquide** liquid ★ ~ *middelen* liquid assets
**liquideren** ❶ *opheffen* liquidate, settle ❷ *vermoorden* eliminate
**liquiditeit** ❶ *liquide middelen* liquid assets *mv* ❷ *mogelijkheid tot vereffening* liquidity
**lis** iris, ⟨wilde lis⟩ flag ★ *gele lis* yellow iris
**lispelen** I *ov ww, fluisteren* lisp II *on ww, slissen* (speak with a) lisp
**Lissabon** Lisbon
**Lissabons** Lisbon
**list** trick, ⟨krijgslist⟩ stratagem ★ *list en bedrog* double crossing / dealing
**listig** cunning, crafty, ⟨sluw⟩ sly
**litanie** litany
**liter** litre ★ *een halve* ~ half a litre
**literair** literary
**literatuur** literature
**literatuurgeschiedenis** literary history
**literatuurlijst** ❶ *boeken* reading list ❷ *lijst titels* bibliography
**literatuuronderzoek** literature search
**literatuurwetenschap** literary theory ★ *algemene* ~ general literature
**literfles** litre bottle
**literprijs** price per litre
**lithium** lithium
**litho** inform *product* litho
**lithografie** lithography
**Litouwen** Lithuania
**Litouwer** Lithuanian

**Litouws** I *bnw* Lithuanian II *zn* [het] Lithuanian
**Litouwse** Lithuanian (woman / girl)
**lits-jumeaux** twin beds
**litteken** scar
**littekenweefsel** scar tissue
**liturgie** liturgy
**liturgisch** liturgical
**live** ❶ *gelijktijdig* live ❷ *voor publiek* live
**live-** ❶ *gelijktijdig* live ★ *~uitzending* live
broadcast ❷ *met publiek* live ★ *liveopname* live
recording
**living** BN *woonkamer* living room, sitting room,
lounge
**Ljubljana** Ljubljana
**lob** ❶ *biol* lobe ❷ *sport* lob
**lobbes** ❶ *hond* big good-natured dog ❷ *persoon*
good-natured fellow ★ *een goeie* ~ a good soul
**lobby** ❶ *hal* lobby, ⟨hotel ook⟩ lounge
❷ *pressiegroep* lobby
**lobbyen** lobby(ing)
**lobelia** lobelia
**locatie** ❶ *plaats* location ❷ *plaatsbepaling*
localization
**locoburgemeester** deputy mayor
**locomotief** engine, locomotive
**lodderig** drowsy
**loden** *van lood* lead, leaden
**loeder** ⟨man⟩ brute, ⟨vrouw⟩ bitch
**loef** luff ★ *iem. de loef afsteken* outwit sb
**loeien** ❶ *koeiengeluid maken* ⟨van koe⟩ low, ⟨van
stier⟩ bellow ❷ *huilen* whine, ⟨van storm⟩ howl,
⟨van sirene⟩ wail, ⟨van vlammen⟩ roar
**loeihard** ❶ *snel* full tilt / speed ❷ *oorverdovend*
★ *de stereo staat* ~ *(aan)* the stereo is blaring /
booming
**loempia** ≈ spring roll, ≈ USA egg roll
**loens** squinting, cross-eyed ★ ~ *kijken* squint
**loensen** squint
**loep** magnifying glass, loupe ▼ *onder de loep*
*nemen* scrutinize
**loepzuiver** flawless, faultless
**loer** ▼ *op de loer liggen* lie in wait (for) ▼ *iem. een*
*loer draaien* play sb a nasty trick
**loeren** ❶ *scherp uitkijken* leer (at), spy ❷ ~ *op*
⟨persoon⟩ lie in wait for, ⟨kans⟩ be on the
look-out for
**lof** I *zn* [de], *lofbetuiging* praise ★ *boven alle lof*
*verheven* above all praise ★ *met lof* with honours
★ *met lof slagen* pass with distinction ★ *iem. lof*
*toezwaaien* speak highly of sb ★ *iemands lof*
*verkondigen* sing sb's praises ★ *zijn eigen lof*
*verkondigen* blow one's own trumpet II *zn* [het],
*witlof* chicory ★ *Brussels lof* chicory
**loffelijk** laudable ★ ~ *spreken over* speak in
flattering terms of ★ ~ *streven* laudable pursuit
**loflied** hymn / song of praise
**lofrede** eulogy
**loftrompet** ▼ *de* ~ *over iem. steken* sing sb's
praises
**loftuiting** (words of) praise
**lofzang** hymn, song of praise ★ *een* ~ *op iem.*
*houden* sing sb's praises
**log** I *bnw* ⟨traag⟩ heavy, ⟨instrument⟩ unwieldy,
⟨kar⟩ lumbering II *zn* [de] log
**logaritme** logarithm
**logboek** log(book)

**loge** ❶ *zitplaats* box ❷ *portiershokje* porter's lodge
**logé** guest, visitor
**logeerbed** spare bed
**logeerkamer** guest room, spare room
**logement** lodging house
**logen** steep in lye
**logeren** stay, *inform* stop ★ *bij iem.* ~ stay with sb
★ *blijven* ~ stay the night
**logger** lugger
**logheid** unwieldiness
**logica** logic
**logies** accommodation, lodging(s), scheepv living
quarters *mv* ★ ~ *met ontbijt* bed and breakfast
**logisch** logical, rational ★ *dat is nogal* ~ that is
clear, obviously
**logischerwijs** logically
**logistiek** I *zn* [de], *bevoorrading* logistics *mv*
II *bnw* logistic
**logo** logo
**logopedie** speech therapy
**logopedist** speech therapist
**loipe** cross-country (skiing) trail
**lok** lock / strand (of hair)
**lokaal** I *zn* [het], *vertrek* room II *bnw* local
**lokaas** ❶ *aas* bait ❷ *fig lokmiddel* lure
**lokaliseren** ❶ *plaats bepalen* locate ❷ *tot plaats*
*beperken* localize
**lokaliteit** ⟨pand⟩ premises *mv*, ⟨vertrek⟩ room,
⟨vertrek⟩ hall
**loket** ❶ *informatie- / verkooppunt* ⟨van kantoor⟩
counter, ⟨van schouwburg⟩ booking / box office,
⟨in station e.d.⟩ ticket window, ⟨in station e.d.⟩
booking office ❷ *opbergvakje* pigeon hole, ⟨kluis⟩
safe deposit box
**lokettist** counter clerk, ⟨theater, enz.⟩ ticket /
booking clerk
**lokken** ❶ *aanlokken* entice, lure ★ *klanten* ~ tout
customers ❷ *bekoren* tempt, entice ▼ *in de val* ~
lure into a trap, trap
**lokkertje** bait, ⟨in winkel⟩ loss-leader
**lokroep** call note, *fig* lure
**lokvogel** decoy
**lol** fun, laugh ★ *lol hebben* have fun ★ *lol trappen*
mess about, fool around ★ *voor de lol* for fun, for
a laugh ★ *zij kan haar lol wel op* she's in for a
tough time, she's in for one hell of a mess
**lolbroek** clown, buffoon, joker
**lolletje** *pleziertje* lark, bit of fun
**lollig** funny ▼ *de ~ste thuis* the family joker
**lolly** lollipop, lolly
**lombok** red pepper, cayenne (pepper)
**lommerd** pawnshop ★ *naar de* ~ *brengen* take to
the pawnshop, pawn
**lommerrijk** ❶ *schaduwrijk* shady ❷ *bladerrijk*
leafy
**lomp** I *bnw* ❶ *plomp* ungainly, ⟨schoenen⟩ clumsy
❷ *onhandig* clumsy, awkward ❸ *onbehouwen*
rude II *zn* [de] rag, tatter
**lomperd** lout, yob
**Londen** London
**Londens** London
**lonen** be worth, pay ★ *het loont de moeite (niet)*
it's (not) worth the trouble / effort
**long** lung
**longarts** lung specialist
**longdrink** long drink

**lo**

**longemfyseem** pulmonary emphysema
**longkanker** lung cancer
**longontsteking** pneumonia
**lonken** ogle ★ *naar iem. ~ ogle* sb, to make eyes at sb
**lont** fuse ▼ *lont ruiken* smell a rat ▼ *de lont in het kruitvat werpen* put the spark to the tinder
**loochenen** deny
**lood** ❶ *metaal* lead ❷ *bouw schietlood* plummet, plumb line ★ *uit het lood staan* be out of plumb / true ▼ *het is lood om oud ijzer* it is six of one and half a dozen of the other ▼ *met lood in de schoenen* reluctantly ▼ *uit het lood geslagen zijn* be thrown off balance ▼ *uit het lood geslagen* bewildered, unbalanced
**loodgieter** plumber
**loodgietersbedrijf** plumbing business
**loodgrijs** leaden / smoky grey
**loodje** ❶ *stukje lood* lump of lead ❷ *ter verzegeling* lead seal ▼ *het ~ leggen* get the worst of it, ⟨doodgaan⟩ kick the bucket ▼ *de laatste ~s wegen het zwaarst* the last mile is the longest one
**loodlijn** ❶ plumb / lead line ❷ *wisk* perpendicular ★ *een ~ oprichten / neerlaten* erect / drop a perpendicular ❸ *dieplood* sounding line
**loodrecht** perpendicular
**loods** ❶ *persoon* pilot ❷ *keet* shed, ⟨van vliegtuig⟩ hangar
**loodsboot** pilot boat
**loodsen** ❶ *scheepv* pilot ❷ *fig leiden* pilot, guide
**loodsmannetje** viss pilot fish
**loodswezen** pilot(age) service
**loodvergiftiging** lead poisoning
**loodvrij** lead-free ★ *~e benzine* unleaded petrol
**loodzwaar** very heavy ★ *die koelkast is ~* this refrigerator weighs a ton
**loof** foliage
**loofboom** deciduous tree
**loofbos** deciduous forest
**loofhout** hardwood
**Loofhuttenfeest** Feast of Tabernacles
**loog** lye
**looien** tan
**looier** *leerbereider* tanner
**looizuur** tannin, tannic acid
**look¹** ❶ *plantengeslacht* allium ❷ BN *knoflook* garlic
**look²** [loek] *uiterlijk* look
**lookalike** *persoon* look alike
**loom** ⟨markt⟩ dull, ⟨traag⟩ heavy, ⟨futloos⟩ languid, ⟨futloos⟩ listless ★ *met lome schreden* dragging one's feet
**loon** ❶ *beloning* reward ❷ *salaris* wages *mv*, pay ★ *loon trekken* draw wages *mv* ★ *met behoud van loon* with full pay ▼ *dat is zijn verdiende loon!* it serves him right!
**loonadministratie** wages administration, wages records *mv*
**loonbelasting** tax on wages, wage tax
**loonbriefje** BN pay slip
**loondienst** paid / salaried employment ★ *in ~ zijn bij* be employed by, be on the payroll of
**looneis** pay / wage claim
**loongrens** *grens van het loonbedrag* income limit, wage limit

**loonheffing** payroll tax
**loonkosten** wage / labour costs *mv*
**loonlijst** payroll
**loonronde** pay round
**loonschaal** pay / wage scale
**loonspecificatie** pay slip
**loonstop** wage freeze
**loonstrookje** pay slip
**loonsverhoging** wage / pay rise
**loonsverlaging** wage cut
**loontrekker** wage earner
**loop¹** ❶ *het lopen* run, ⟨gang⟩ walk, ⟨gang⟩ gait ❷ *voortgang* course ★ *in de loop van de dag* in the course of the day, during the day ★ *in de loop der jaren* over / through the years, in the course of years ★ *de vrije loop laten* give free rein (to), ⟨tranen⟩ not hold back ★ *het recht moet zijn loop hebben* the law must take its course ★ *de loop der gebeurtenissen* the course / march of events ★ *de loop der gebeurtenissen afwachten* await further developments ❸ *deel van wapen* barrel ❹ *baan* ▼ *op de loop gaan* run away, bolt ▼ *op de loop zijn* be on the run
**loop²** [loep] loop
**loopafstand** walking distance ★ *op ~* within walking distance
**loopbaan** *carrière* career
**loopbaanadviseur** career coach
**loopbaanplanning** career planning
**loopbrug** ❶ *brug* footbridge ❷ *loopplank* gangway
**loopgips** walking plaster
**loopgraaf** trench
**loopgravenoorlog** trench war(fare)
**loopje** *muz* run ▼ *een ~ met iem. nemen* fool sb, poke fun at sb
**loopjongen** errand boy
**looplamp** inspection lamp
**loopneus** runny nose
**looppas** run, jog ★ *in (de) ~* at a jog, on the double
**loopplank** ⟨van schip⟩ gangway
**looprek** walking frame
**loops** in / on heat, in season
**looptijd** term
**loopvlak** tread
**loopvogel** flightless bird
**loos** ❶ *leeg* empty ❷ *onecht* false, empty ★ *loos gebaar* empty gesture ▼ *wat is er loos?* what's up?, what's going on?
**loot** ❶ *plantk* *scheut* shoot ❷ *fig* *telg* (off)shoot, *form* scion
**lopen** I *on ww* ❶ *te voet gaan* walk, go, ⟨hard⟩ run ★ *door een bos ~* walk through a forest ★ *heen en weer ~* pace / walk to and fro ★ *het is een half uur ~* it's half an hour's walk ★ *we zijn komen ~* we came on foot ❷ *zich voortbewegen* go BN *rennen* run, ⟨haastig⟩ rush, ⟨hard⟩ race ❸ *stromen* run ★ *de tranen liepen over haar wangen* tears were running / streaming down her face ★ *alles laten ~* let things slide / slip, ⟨incontinent⟩ let everything go ❹ *zich uitstrekken* run ★ *de weg liep langs de rivier* the road ran along the river ★ *deze weg loopt naar Utrecht* this road leads / goes to Utrecht ❺ *verlopen* run, go ★ *de zaak loopt gesmeerd* it goes / runs like clockwork ★ *het*

*liep anders* it turned out differently ★ *ik zal zien hoe het loopt* I'll wait and see ★ *het moet gek ~ als hij niet komt* he is sure to come ★ *het loopt verkeerd* it's going wrong ❷ *functioneren* ★ *de motor loopt op benzine* the engine runs on petrol ❸ *verbruiken, presteren* ★ *1 (liter) op 10 (km) ~* do 10 kilometres to the litre ❹ *goede resultaten geven* ★ *het boek loopt goed* the book sells well ❿ *van kracht zijn* ★ *dit project loopt over drie jaar* this project takes three years to complete ⓫ *~ te bezig zijn met* ▼ *'t kan me geen lor schelen* I running into millions ▼ *tegen de zestig ~* be getting on for sixty **II** *ov ww, te voet afleggen* walk

**lopend** ❶ *te voet gaand* on foot ❷ *voortbewegend* walking, running ★ *~e patiënt* ambulant patient ❸ *actueel* current ★ *~e zaken* current affairs ★ *het ~e jaar* the current year

**loper** ❶ *boodschapper* runner, ⟨van bank, e.d.⟩ messenger ❷ *sleutel* master key ❸ *tapijt* carpet ❹ *schaakstuk* bishop

**lor** ❶ *vod* rag ★ *een lor (v. een ding)* a dud ❷ *prul* (a piece of) junk ▼ *'t kan me geen lor schelen* I couldn't care less, <u>inform</u> I couldn't give a shit

**lorrie** lorry, trolley

**los** ❶ *niet vast* loose ★ *een losse tand* a loose tooth ★ *met de handen los rijden* ride (with) no hands ★ *honden los laten lopen* let dogs walk about freely ❷ *niet strak* loose, slack ❸ *apart* loose ★ *losse aantekeningen* loose / stray notes ★ *losse exemplaren* single copies ❹ *ongedwongen* easy, informal, ⟨zeden⟩ loose, ⟨zeden⟩ lax ★ *een losse stijl* an easy / a fluent style ▼ *hij steelt alles wat los en vast zit* he steals everything he can lay his hands on ▼ *los op je leven* live it up ▼ *erop los slaan* hit out (at) ▼ *erop los schieten* blaze away ▼ *en nu erop los!* go for it! ▼ *los van al het andere* apart from everything else ▼ *los van vooroordeel* free from prejudice

**losbandig** dissipated, ⟨jeugd⟩ wild, ⟨mbt sex⟩ fast, ⟨student⟩ riotous ★ *een ~ leven leiden* lead a wild life

**losbarsten** break out, burst (out) ★ *in lachen ~* burst out laughing

**losbladig** loose-leaf

**losbol** loose / fast liver

**losbranden** *beginnen* fire / blaze away

**losbreken** ❶ *uitbarsten* burst out ★ *het onweer brak los* the thunderstorm broke ❷ *vrijkomen* ⟨van touw, e.d.⟩ break loose, ⟨van gevangene⟩ break out

**los- en laadbedrijf** company specialized in loading and unloading

**loser** loser

**losgaan** come loose, ⟨haar⟩ come undone

**losgeld** ransom

**losgeslagen** adrift

**losgooien** loose(n), ⟨schip⟩ cast off

**losjes** ❶ *niet vast* loosely ❷ *luchthartig* airily, light-heartedly ★ *iets ~ opnemen* take matters lightly

**loskomen** ❶ *losraken* come loose / off, ⟨vliegtuig enz.⟩ get off the ground ❷ *vrijkomen* be set free ❸ *zich uiten* unbend, open up ★ *de tranen kwamen los* the tears came out

**loskopen** buy out, ransom, ⟨op borgtocht⟩ bail (out)

**loskoppelen** detach, uncouple, disconnect

**loskrijgen** ❶ *in bezit krijgen* secure, <u>inform</u> wangle ★ *geld van iem. ~* get money out of sb ❷ *los / vrij weten te krijgen* get loose / undone, ⟨gevangene⟩ get released

**loslaten I** *ov ww* ❶ *vrijlaten* let loose, set free, ⟨iem. of iets⟩ let go (of) ★ *laat los!* let go! ★ *laat me los!* let go of me! ❷ *met rust laten* ★ *de gedachte laat me niet los* the thought haunts me ❸ *mededelen* ★ *hij laat niets los* he does not give away anything **II** *on ww, losgaan* come off / unstuck ★ *de lijm heeft weer losgelaten* the glue has come unstuck again

**loslippig** loose-lipped, indiscreet

**loslopen** walk about freely, ⟨van hond⟩ run free ▼ *dat is te gek om los te lopen* that's too absurd for words ▼ *het zal wel ~* it will be all right

**losmaken** ❶ *maken dat iets / iemand los wordt* unfasten, ⟨van boeien⟩ release, ⟨van grond⟩ loosen, ⟨van knoop⟩ untie ★ *~ van* detach from ★ *zijn veters ~* untie one's shoelaces ★ *zich ~ van* break away from ★ *ik kan me niet ~ van het idee* I cannot get rid of the idea ❷ *oproepen* stir up interest

**losprijs** ransom

**losraken** get loose, come undone, ⟨van ijs⟩ break up

**losrukken** tear loose

**löss** loess

**losscheuren I** *ov ww, losmaken* tear away / loose ★ *zich ~ van* tear o.s. away from **II** *on ww, losgaan* be torn loose

**losschieten** come loose, become detached

**losschroeven** unscrew, screw off

**lossen** ❶ *uitladen* unload ❷ *afschieten* discharge, fire

**losslaan I** *on ww, losraken* fly / burst open, <u>scheepv</u> be turned adrift **II** *ov ww, losmaken* break loose

**losstaand** detached, freestanding, ⟨feit⟩ isolated

**los-vast** ❶ <u>lett</u> half-fastened ❷ <u>fig</u> informal, casual

**losweg** ❶ *losjes* casually, carelessly ❷ *zomaar* offhand

**losweken** soak off, ⟨door stoom⟩ steam open ★ *zich ~ van de oude omgeving* detach o.s. from one's old milieu

**loswerken** *met moeite losmaken* extricate, free, ⟨grond⟩ loosen ★ *iets ~* prise sth loose ★ *zich ~* disengage / free o.s.

**loszitten** be loose, ⟨knoop⟩ be coming off ★ *zijn handen zitten (nogal) los* he's free with his hands

**lot** ❶ *lotsbestemming* fate, lot ★ *iem. aan zijn lot overlaten* leave sb to fend for himself ★ *door het lot laten aanwijzen* appoint / determine by lot ★ *zijn lot verbinden aan* throw one's lot in with ★ *zijn lot was bezegeld* his fate was sealed ❷ *loterijbriefje* (lottery) ticket ★ <u>BN</u> *het groot lot* the first prize ★ *een lot uit de loterij trekken* draw a lucky number ▼ <u>fig</u> *dat is een lot uit de loterij* it's a real gem

**loten** draw lots

**loterij** lottery

**lotgenoot** partner in distress, fellow-sufferer

**lotgeval** ★ *de ~len van de wereldreiziger* the

**lo**

adventures of the globetrotter

**Lotharingen** Lorraine

**loting** drawing lots, draw ★ *bij ~ aanwijzen* appoint / assign by lot

**lotion** lotion

**lotje** ▾ *van ~ getikt zijn* be off one's rocker

**lotsbestemming** fate, destiny

**lotto** lotto, lottery

**lottoformulier** lottery form

**lotus** lotus

**louche** shady, suspicious(-looking)

**lounge** lobby, lounge, foyer

**louter I** *bnw, enkel* sheer ★ *~ onzin* sheer nonsense **II** *bijw* only, purely ★ *~ bij toeval* by mere chance

**louteren** *moreel beter maken* purify, chasten

**loutering** chastening, catharsis

**lovegame** *sport* love game

**loven** *prijzen* praise, commend ★ *iem. om iets ~* praise sb for sth

**lovenswaardig** laudable, commendable

**lover** foliage

**loverboy** omschr young pimp

**low budget** low budget

**lowbudgetfilm** low-budget film

**loyaal** loyal

**loyaliteit, BN loyauteit** loyalty

**lozen ❶** *ontdoen van* get rid of, dump ★ *iem. ~ get rid of sb* **❷** *afwateren* drain, empty

**lozing** draining, discharge, ⟨negatief⟩ dumping

**lp** LP, album

**lpg** LPG, Liquefied Petroleum Gas

**lsd** *lyserginezuurdiëthylamide* LSD

**lubberen** hang loose, slacken ★ *uitgelubberd* worn out

**lucht ❶** *atmosferisch gas* air ★ *frisse ~* fresh air **❷** *adem* air ★ *naar ~ happen* gasp for air ★ *~ krijgen* get air **❸** *geur* smell ★ *een vieze ~* a foul smell, an offensive smell **❹** *hemel* sky ★ *in de open ~* in the open air ★ *de bal uit de ~ plukken* pluck the ball from the air ▾ *gebakken ~* hot air ▾ *er hangt iets in de ~* there's sth cooking / brewing ▾ *dat hangt in de ~* that's up in the air ▾ *er hangt onweer in de ~* there is a storm brewing ▾ *in de ~ vliegen* explode ▾ *in de ~ laten vliegen* blow up ▾ *in de ~ zijn* ⟨uitzenden⟩ be on (the) air, be live ▾ *het is helemaal uit de ~ gegrepen* it's without any foundation ▾ *uit de ~ gegrepen* totally unfounded ▾ *uit de ~ komen vallen* appear out of the blue ▾ *van de ~ leven* live on air ▾ *~ geven aan* give vent to ▾ *~ krijgen van iets* get wind of sth ▾ *hij is ~ voor mij* he means nothing to me

**luchtaanval** air attack

**luchtafweer** anti-aircraft defence(s)

**luchtalarm** air-raid alarm

**luchtballon** (hot-air) balloon

**luchtbed** air bed, Lilo

**luchtbehandeling** air conditioning

**luchtbel** air bubble

**luchtbrug** *vliegtuigverbinding* airlift

**luchtcirculatie** air circulation

**luchtdicht I** *bnw* airtight **II** *bijw* hermetically

**luchtdoelgeschut** anti-aircraft artillery

**luchtdoelraket** anti-aircraft missile

**luchtdruk** ⟨m.b.t. dampkring⟩ (atmospheric)

pressure, ⟨door lucht uitgeoefend⟩ air pressure

**luchten ❶** *ventileren* air, ventilate ★ *het huis ~* air / ventilate the house **❷** *uiten* vent ▾ *ik kan jou niet ~ of zien* I can't stand you

**luchter ❶** *kroonluchter* chandelier **❷** *kandelaar* candelabrum

**luchtfilter** air filter / cleaner

**luchtfoto** aerial photograph

**luchtgekoeld** air-cooled

**luchtgevecht** aerial combat, air-to-air combat

**luchthartig** light-hearted

**luchthaven** airport

**luchthavenbelasting** airport tax

**luchthaventerminal** airport terminal

**luchtig I** *bnw* **❶** *met veel lucht* airy **❷** *licht* light, ⟨kleding ook⟩ thin ★ *~ gebak* light pastry **❸** *luchthartig* light-hearted, casual **II** *bijw*, *luchthartig* ★ *iets ~ opvatten* make light of sth

**luchtje ❶** *parfum* scent ★ *zij heeft een lekker ~ op* she is wearing a nice scent **❷** *~ lucht* ▾ *een ~ happen / scheppen* get a breath of fresh air

**luchtkasteel** castle in the air ★ *luchtkastelen bouwen* build castles in the air

**luchtkoeling** air cooling

**luchtkoker** air shaft

**luchtkussen** *kussen* air cushion

**luchtlaag** layer of air

**luchtledig** void of air ★ *een ruimte ~ maken* create a vacuum ★ *~e ruimte* vacuum

**luchtledige** ▾ *in het ~ praten* speak for deaf ears

**luchtmacht** air force

**luchtmachtbasis** air-force base

**luchtmatras** BN *luchtbed* air bed / mattress, lilo

**luchtmobiel** → **brigade**

**luchtoffensief** air offensive

**luchtpijp** windpipe, *med* trachea

**luchtpost** airmail ★ *per ~* by airmail

**luchtreclame** sky / aerial advertising

**luchtreis** air trip / voyage

**luchtruim** airspace, ⟨dampkring⟩ atmosphere ★ *het ~ schenden* violate airspace ★ *het ~ kiezen* take to the air

**luchtschip** airship

**luchtslag** air battle

**luchtspiegeling** mirage

**luchtsprong** ★ *een ~ maken van vreugde* jump (in the air) for joy

**luchtstreek** zone, region

**luchtstroom** air current

**luchttoevoer** air supply

**luchttransport** air transport

**luchtvaart** aviation, flying

**luchtvaartindustrie** aviation industry

**luchtvaartmaatschappij** airline (company)

**luchtverdediging** air defence

**luchtverfrisser** air freshener

**luchtverkeer** air traffic

**luchtverkeersleiding** air traffic control

**luchtverontreiniging** air pollution

**luchtverversing** ventilation

**luchtvochtigheid** humidity

**luchtvracht** air freight / cargo

**luchtweerstand** drag, air resistance

**luchtwegen** respiratory tract [ev]

**luchtzak** *valwind* air pocket

**luchtziek** airsick

**lucifer** match
**luciferdoosje** matchbox
**lucratief** lucrative
**ludiek** playful, frivolous ★ *een ~e actie* a light-hearted protest
**luguber** sinister, gruesome
**lui** I *zn* [de], *mensen* people *mv*, folk *mv* II *bnw* lazy, idle ▼ *hij is liever lui dan moe* he's bone idle
**luiaard** ❶ *persoon* lazybones ❷ *dier* sloth
**luid** loud ★ *spreek luider* speak up
**luiden** I *ov ww, doen klinken* ring, ⟨van doodsklok⟩ toll II *on ww* ❶ *klinken* ring, peal ❷ *behelzen* read, run ★ *het antwoord luidt nee* the answer is no ★ *het verhaal luidt als volgt* the story goes as follows
**luidkeels** at the top of one's voice, loudly
**luidruchtig** *lawaaierig* loud, noisy, ⟨levendig⟩ boisterous
**luidspreker** loudspeaker
**luier** nappy, USA diaper ★ *een schone ~ aandoen* change a nappy / diaper
**luieren** be idle / lazy, laze (about / around)
**luieruitslag** nappy rash, USA diaper rash
**luifel** porch, ⟨zonnescherm⟩ awning
**luiheid** laziness, idleness
**Luik** Liège
**luik** ❶ *opening* ⟨van ruim, e.d.⟩ hatch, ⟨voor raam⟩ shutter, ⟨in vloer⟩ trapdoor ❷ BN *onderdeel van formulier* part, section
**Luikenaar** inhabitant of Liège
**Luiks** (from) Liège
**Luikse** ★ *zij is een ~* she's from Liège
**luilak** lazybones
**Luilekkerland** land of plenty
**luim** ❶ *humeur* mood, humour ❷ *gril* caprice, whim
**luipaard** leopard
**luis** louse *mv: lice*
**luister** lustre ★ *~ bijzetten* add lustre to
**luisteraar** listener
**luisterboek** talking book
**luisterdichtheid** listening ratings *mv*
**luisteren** ❶ *toehoren* listen ★ *~ naar* listen to ★ *~ of men ook geluid hoort* listen for a sound ❷ *gehoorzamen* listen ▼ *dat luistert nauw* it requires great precision
**luisterlied** chanson
**luisterrijk** glorious, magnificent
**luistertoets** listening comprehension test
**luistervaardigheid** listening comprehension
**luistervink** eavesdropper
**luit** lute
**luitenant** lieutenant ★ *eerste ~* lieutenant, USA first lieutenant ★ *tweede ~* second lieutenant
**luitenant-generaal** lieutenant-general
**luitenant-kolonel** ⟨luchtmacht⟩ wing commander
**luitenant-ter-zee** mil lieutenant
**luiwammes** lazybones
**luizen** louse ▼ *iem. erin ~* trick sb into sth, take sb for a ride
**luizenbaan** soft / cushy job
**luizenkam** fine-toothed comb
**luizenleven** ★ *een ~tje leiden* lead an easy / a cushy life
**lukken** succeed, be successful ★ *het lukt me wel*

I'll manage ★ *dat zal wel ~* it'll be OK
**lukraak** I *bnw* random, haphazard II *bijw* haphazardly
**lul** ❶ *penis* cock, prick ★ *een stijve lul hebben* have a hard-on ❷ *persoon* ass(hole), prick, drip ▼ *de lul zijn* be for it, cop it ▼ *voor lul staan* look a real idiot
**lulkoek** bullshit, *form* hot air, *form* twaddle, rot
**lullen** *onzin praten* (talk) bullshit
**lullig** ❶ *klungelig* shitty ★ *het is een ~ gezicht* it looks stupid ❷ *onaangenaam* rotten, shitty, lousy ★ *doe niet zo ~* don't be a jerk / idiot
**lumineus** ★ *een ~ idee* a brain wave, a splendid idea
**lummel** *slap persoon* lout, oaf
**lummelen** hang / fool around / about
**lummelig** loutish, oafish
**lumpsum** lump sum
**lunch** lunch(eon)
**lunchconcert** lunch(eon) concert
**lunchen** lunch, have lunch
**lunchpakket** packed lunch
**lunchpauze** lunch break
**lunchroom** tea room / shop
**luren** ▼ *iem. in de ~ leggen* take sb in, take sb for a ride
**lurken** *sabbelen* suck noisily
**lurven** ▼ *iem. bij de ~ pakken* have sb by the short and curlies
**lus** *knoop* loop, ⟨van touw⟩ noose, ⟨in tram⟩ strap
**lust** ❶ *zin* desire ❷ *verlangen* desire, interest ★ *ik heb grote lust om* I've a great mind to ❸ *plezier* delight ★ *een lust voor de ogen* it is a feast for the eyes ★ *werken dat het een lust is* work with a will ★ *het is zijn lust en zijn leven* it's his ruling passion ★ *het beneemt me alle lust* it takes away all my pleasure ❹ *wellust* lust
**lusteloos** listless
**lusten** like, enjoy ★ *ik zou wel een appel ~* I could do with an apple ▼ *ik lust niet meer* I can't eat any more ▼ *ik lust hem rauw!* let me just get my hands on him! ▼ *ik lust hem niet* I can't bear him ▼ *hij zal ervan ~* he'll catch it ▼ *iem. ervan laten ~* take it out on sb ▼ *zo lust ik er nog wel eentje!* pull the other one!
**lusthof** ❶ *tuin* pleasure garden ❷ *paradijs* ⟨garden of⟩ Eden, paradise
**lustig** ❶ *monter* cheerful ❷ *flink* lusty ★ *zij praatte er ~ op los* she talked away lustily
**lustmoord** sex murder
**lustmoordenaar** sex murderer
**lustobject** sex object
**lustrum** ❶ *vijfjarig bestaan* fifth anniversary ❷ *viering* anniversary (celebration)
**lutheraan** rel Lutheran
**luthers, lutheraans** rel Lutheran
**luttel** little, few ★ *~e seconden later* a few seconds later ★ *voor het ~e bedrag van twaalf euro* for a paltry / measly sum of twelve euros
**luw** ❶ *uit de wind* sheltered ❷ *vrij warm* warm
**luwen** ⟨van ijver⟩ flag, ⟨van vriendschap⟩ cool down, ⟨van wind, boosheid⟩ die down
**luwte** *plaats* lee, shelter ★ *in de ~ van* in / under the lee of
**luxaflex** venetian blind(s)
**luxe** luxury

**luxeartikel** luxury article, luxury goods *mv*
**Luxemburg** *stad* Luxembourg
**Luxemburger** Luxembourger
**Luxemburgs I** *bnw, m.b.t. Luxemburg* Luxembourg **II** *zn* [het], *taal* Luxemburgian
**Luxemburgse** Luxembourger, Luxembourg (woman / girl) ★ *zij is een ~* she's a Luxembourger, she's from Luxembourg
**luxueus** sumptuous, luxurious
**Luzern** Lucerne
**L-vormig** L-shaped
**lyceïst** BN onderw ≈ grammar school student / pupil, ≈ USA high school student
**lyceum** BN onderw ≈ grammar school, ≈ USA high school
**lychee** litchi, lychee
**lycra** Lycra
**lymfe** lymph
**lymfklier** lymph node / gland
**lynchen** lynch
**lynx** lynx
**Lyon** Lyon(s)
**lyriek** lyric poetry
**lyrisch** lyric(al)

**lu**

# M

**m** m ★ *de m van Marie* M as in Mary
**MA** *Master* MA
**ma** mum, mummy, mama
**maag** stomach, inform tummy ★ *mijn maag knort* my stomach's rumbling ★ *zijn maag is van streek* his stomach is upset / unsettled ★ *op de nuchtere maag* on an empty stomach ★ *iem. iets in de maag splitsen* palm sth off on sb ★ *in de maag zitten met iets* be troubled / bothered by sth ★ *zwaar op de maag liggen* lie / sit heavy on one's stomach, fig stick in one's throat
**maagaandoening** stomach disorder
**maagbloeding** stomach bleeding
**Maagd** ❶ *dierenriemteken* Virgo ❷ *persoon* Virgin
**maagd** *persoon die nog geen geslachtsverkeer heeft gehad* virgin ★ *de Heilige Maagd* the Blessed Virgin
**maag-darmkanaal** gastrointestinal tract
**maag-darmontsteking** med gastro-enteritis
**maagdelijk** ❶ *van een maagd* virginal ❷ fig *ongerept* virgin ★ *~ gebied* virgin territory ★ *in ~e staat* in pristine condition
**maagdelijkheid** virginity
**Maagdeneilanden** Virgin Islands
**maagdenvlies** hymen
**maagklachten** stomach complaints
**maagkramp** stomach cramps *mv*
**maagkwaal** stomach disorder / complaint
**maagpatiënt** gastric patient
**maagpijn** stomach ache, inform ⟨kindertaal⟩ tummy ache
**maagsap** gastric juice
**maagwand** stomach wall
**maagzuur** gastric acid, stomach acid ★ *last van brandend ~ hebben* suffer from heartburn, suffer from an acid stomach
**maagzweer** gastric / stomach ulcer
**maaien I** *ov ww, afsnijden* mow, cut ★ *het gras ~* mow the grass / lawn **II** *ov ww, wilde beweging maken* flail ★ *hij maaide alles van tafel* he swept everything off the table
**maaier** (lawn)mower, ⟨voor de oogst⟩ harvester
**maaimachine** mower, ⟨gazon⟩ lawnmower, ⟨oogst⟩ harvester
**maaiveld** ★ *boven het ~ uitsteken* be a tall poppy ★ *je mag niet boven het ~ uitsteken* tall poppies get cut down
**maak** *het produceren* ★ *in de maak zijn* be in the making, ⟨reparatie⟩ be under repair
**maakbaar** mak(e)able, ⟨te herstellen⟩ repairable ★ *de maakbare samenleving* the manageable society
**maakloon** cost of making
**maaksel** ❶ *product* product ❷ *manier waarop iets gemaakt is* make, manufacture
**maakwerk** *op bestelling gemaakt werk* goods made to order, custom-made goods
**maal I** *zn* [de], *keer* time ★ *te enen male onmogelijk* simply / utterly impossible ★ *2 maal 2 is 4* twice two is / makes four, two times two is / makes four ★ *lengte maal breedte* length times / by width ★ *twee maal zo veel* twice as much **II** *zn*

[het], *maaltijd* meal ★ *een stevig maal* a square meal

**maalstroom ❶** *draaikolk* whirlpool, maelstrom **❷** *verrennende woeling* maelstrom, vortex

**maalteken** multiplication sign

**maaltijd** meal ★ *een lichte ~* a light meal ★ *aan de ~ zijn* be at table ★ *de~ gebruiken* have / take a meal

**maan** *hemellichaam bij aarde* moon ★ *wassende maan* waxing moon ★ *volle maan* full moon ★ *afnemende maan* waning moon ★ *nieuwe maan* new moon ★ *de maan schijnt* the moon is shining ★ *bij heldere maan* by bright moonlight ★ *loop naar de maan!* get lost!, go to hell! ★ *naar de maan zijn* (bedrijf) be wrecked, (reputatie) be ruined, (geld) have gone down the drain

**maand** month ★ *in de~ juni* in the month of June ★ *over een paar~en* in a few months, in a few months' time ★ *per ~* a / per month, monthly ★ *een dertiende ~* an annual bonus ★ *de volgende ~* the next month, (na deze maand) next month ★ *per twee~en* bimonthly ★ *een verblijf van twee ~en* a two-month stay

**maandabonnement** (trein) monthly season ticket, (krant) monthly subscription

**maandag** Monday ★ *'s~s* on Mondays, every Monday ★ *op~* on Monday ★ *een blauwe ~* a short while

**maandagavond** Monday evening

**maandagmiddag** Monday afternoon

**maandagmorgen, maandagochtend** Monday morning

**maandagnacht** Monday night

**maandags I** *bnw* Monday ★ *de~e post* the Monday mail **II** *bijw* on Mondays, every Monday

**maandblad** monthly (review / magazine)

**maandelijks I** *bnw* monthly **II** *bijw* monthly, every month, once a month

**maandenlang** for months (on end), months long

**maandgeld** monthly pay, (toelage) monthly allowance

**maandkaart** monthly (season) ticket, USA (monthly) commutation ticket

**maandloon** monthly wages *mv*, monthly pay

**maandsalaris** monthly salary

**maandverband** sanitary towel / pad, USA sanitary napkin

**maanlander** lunar module

**maanlanding** landing on the moon

**maanlicht** moonlight ★ *bij ~* by moonlight

**maansikkel** crescent of the moon

**maansverduistering** lunar eclipse, eclipse of the moon

**maanvis** dierk angelfish

**maanzaad** poppy seed

**maanzaadbrood** cul poppy-seed bread

**maar I** *vw, echter, daarentegen* but ★ *niet alleen..., maar ook...* not only... but also ★ *maar ja, wat kun je ermee doen?* but then, what can you do with it? **II** *bijw* **❶** *slechts, enkel* but, only ★ *het kost maar drie dollar* it only costs three dollars ★ *dat zijn alleen maar woorden* that's just words / talk ★ *je hoeft het maar te zeggen* just say the word ★ *zonder ook maar een enkel voorbeeld* without as much as a single example **❷** (zonder duidelijke betekenis) ★ *was het maar waar* if only that was /

were true ★ *zo snel als hij maar kon* as fast as ever he could ★ *als het maar niet regent* as long as it doesn't rain ★ *wacht maar!* just wait! ★ *wist ik het maar!* if only I knew! **III** *zn* [het] but ★ *er is één maar bij* there's one but ★ *geen maren!* no buts!

**maarschalk** marshal

**maart** March ★ *~ roert zijn staart* March brings gales

**maarts** (of) March ★ *~e buien* April showers

**Maas** Meuse

**maas** *opening in net* mesh ★ *fig door de mazen van de wet kruipen* use the loopholes in the law

**Maastricht** Maastricht

**Maastrichtenaar** inhabitant of Maastricht ★ *hij is een ~* he's from Maastricht

**Maastrichts** Maastricht

**Maastrichtse** (woman / female) inhabitant of Maastricht ★ *zij is een ~* she's from Maastricht

**maat ❶** *meeteenheid* measure ★ *maten en gewichten* weights and measures ★ *met twee maten* (BN en gewichten) *meten* apply double standards ★ *de maat is vol* that's the limit **❷** *afmeting* measure, (kleding) size, (pasmaten) measurements ★ *wat voor kledingmaat heeft u?* what size do you take? ★ *ik heb schoenmaat 43* I take (a) size 43 in shoes ★ *iem. de maat nemen* measure sb, take sb's measurements ★ *op maat gemaakt* made to size, (kleding) made to measure **❸** *hoeveelheid* ★ *in hoge mate* to a great degree / extent, considerably ★ *in meerdere of mindere mate* more or less, to a greater or lesser extent ★ *in zekere mate* to some extent ★ *in die mate dat* to the extent that ★ BN *in de mate van het mogelijke* as far as possible ★ *onder de maat zijn* not be up to scratch **❹** *gematigdheid* moderation ★ *met mate* in moderation ★ *geen maat houden* not know when to stop, not know where to draw the line **❺** *muz teleenheid* measure, time, (op muziekbalk) bar ★ *de maat slaan / aangeven* beat time ★ *in de maat lopen* walk in step ★ *op de maat van de muziek* in time to the music ★ BN *een maat voor niets* wasted effort **❻** *makker* mate ★ *zij zijn dikke maatjes* they're best mates, min they're as thick as thieves

**maatbeker** measuring cup / jug

**maatgevend** normative, indicative (voor of)

**maatgevoel** sense of rhythm

**maatglas** measuring glass / jug, scheik graduated cylinder

**maathouden ❶** keep time **❷** *zich niet te buiten gaan* know where to draw the line

**maatje** →maat

**maatjesharing** young / matie herring

**maatkleding** made-to-measure clothes *mv*, custom-made clothes *mv*

**maatkostuum** custom / tailor-made suit, made-to-measure suit

**maatregel** measure ★ *~en nemen / treffen* take measures

**maatschap** partnership

**maatschappelijk** *sociaal* social ★ *~ werk* social / welfare work ★ *~ werker* social / welfare worker

**maatschappij ❶** *samenleving* society ★ *de burgerlijke ~* the bourgois / middle-class society

**❷** *genootschap* society, *econ* company
**maatschappijkritisch** socially critical
**maatschappijleer** social science / studies
**maatstaf** standard, norm ★ *als ~ nemen* use as a standard ★ *een ~ aanleggen* apply a standard ★ *naar die ~* by that standard
**maatwerk** made-to-measure / custom-made goods / clothes *mv* ★ *~ leveren* provide personalised service ★ *het is ~* it's custom-made
**macaber** macabre
**macadam** macadam
**macaroni** macaroni
**Macedonië** Macedonia
**Macedonisch I** *bnw, m.b.t. Macedonië* Macedonian **II** *zn* [het], *taal* Macedonian
**mach** Mach ★ *mach 2 vliegen* fly at Mach 2 ★ *getal van mach* Mach (number)
**machiavellisme** Machiavell(ian)ism
**machinaal I** *bnw* **❶** *met machines* mechanical, by machine **❷** *werktuiglijk* mechanical **II** *bijw, met machines* ★ *~ gemaakt* machine-made
**machine** machine
**machinebankwerker** lathe operator
**machinegeweer** machine gun
**machinekamer** engine room
**machinepark** machinery
**machinepistool** sub-machine gun
**machinerie** **❶** *lett* machinery **❷** *fig* machine
**machinetaal** *comp* machine language / code
**machinist** engine driver, *(van trein)* driver, *(van schip)* (ship's) engineer
**macho I** *zn* [de] macho ★ *zich als een ~ gedragen* behave in a macho way **II** *bnw* macho ★ *~ gedrag* macho behaviour
**macht** **❶** *capaciteit, vermogen* power, force ★ *bij ~e zijn om* have the power to, be able to ★ *dat ligt niet in mijn ~* it is not within my power ★ *uit alle ~* with all one's strength / might **❷** *heerschappij, controle* power, control ★ *aan de ~ zijn* be in power ★ *~ hebben over* have control of / over ★ *de ~ in handen hebben* be in power ★ *de ~ over leven en dood* the power over life and death ★ *de ~ over het stuur verliezen* lose control of the car ★ *uit de ouderlijke ~ ontzetten* deprive of parental rights **❸** *gezaghebbende instantie* power, authority ★ *de wetgevende ~* the legislative power ★ *de rechterlijke ~* the judicial power ★ *de uitvoerende ~* the executive power ★ *de gewapende ~* the armed forces **❹** *wisk* power ★ *de tweede ~* the square ★ *de derde ~* the cube ★ *tot de derde ~ verheffen* raise to the 3rd power / degree, cube
**machteloos** **❶** *zonder capaciteit, vermogen* powerless **❷** *zonder heerschappij, controle* helpless ★ *machteloze woede* helpless rage
**machthebber** **❶** *persoon met macht hebbend* ruler, leader **❷** *gevolmachtigde* attorney
**machtig I** *bnw* **❶** *veel macht hebbend* powerful, mighty ★ *een ~ man* a strong / powerful man **❷** *beheersend* competent in ★ *een taal ~ zijn* be competent / fluent in a language **❸** *moeilijk te verteren* rich, filling ★ *het werd me te ~* I was overcome by my emotions **II** *bijw, in hoge mate, krachtig, zeer* *(krachtig)* powerfully, *(zeer)* tremendously ★ *~ mooi* tremendously beautiful

**machtigen** authorize
**machtiging** authorization, *jur* power of attorney ★ *~ tot betaling* authorization for making payments ★ *iem. ~ verlenen* authorize sb
**machtsevenwicht** balance of power
**machtsgreep** coup, seizure of power
**machtsmiddel** means of power *ev en mv*, *fig* weapon
**machtsmisbruik** abuse of power
**machtsovername** assumption of power
**machtspositie** position of power
**machtsstrijd** struggle for power
**machtsverheffen** raise to a higher power
**machtsverheffing** *wisk* raising to a higher power
**machtsverhouding** balance of power ★ *gewijzigde ~en* shift in balance of power(s)
**machtsvertoon** display of power
**machtswellust** tyranny, lust for power
**macramé** macramé
**macro** *comp* macro
**macro-** macro-
**macrobiotiek** macrobiotics *mv*
**macrobiotisch** macrobiotic
**macro-economie** macroeconomics *mv*
**macrokosmos** macrocosm
**Madagaskar** Madagascar
**Madagaskisch, Madagassisch** Madagascan
**madam** **❶** *vrouw* *iron* lady ★ *de ~ uithangen* act the lady **❷** *bordeelhoudster* madam
**made** maggot
**Madeira** Madeira
**madeliefje** daisy
**madera** Madeira (wine)
**madonna** madonna
**Madrid** Madrid
**madrigaal** madrigal
**Madrileens** Madrid, Madrilenian
**maf** *gek* nuts, crackers, crazy
**maffen** *inform* kip ★ *gaan ~* hit the sack / hay, turn in
**maffia** mafia, *(vnl. op Sicilië, in Italië en VS)* the Mafia
**maffioso** Mafioso
**mafkees** nut, goofball
**magazijn** **❶** *opslagplaats* storeroom **❷** *patroonruimte van geweer* magazine
**magazijnbediende**, *BN* **magazijnier** supply clerk, *(pakhuis)* warehouseman
**magazijnmeester**, *BN* **magazijnier** stock / warehouse manager
**magazine** **❶** *tijdschrift* magazine, *(weekblad)* weekly, *(maandblad)* monthly **❷** *rubriek* programme
**magenta I** *bnw* magenta **II** *zn* [het] magenta
**mager I** *bnw* **❶** *dun* thin, *(erg mager)* skinny ★ *hij is ~ geworden* he has lost weight, he has grown thin ★ *lang en ~* tall and lean **❷** *niet vet* lean, *(kaas, enz.)* low-fat, *(melk)* skimmed, *(vlees)* lean **❸** *pover* poor, *(inkomen)* meagre ★ *ik had voor mijn examen een ~ zesje* a poor result **II** *bijw* poorly ★ *~ afsteken bij* compare poorly to
**magertjes** **❶** *lett* thin, lean **❷** *fig* thin ★ *de opkomst vanavond was een beetje ~* the turnout was a bit thin tonight
**maggiblokje** stock cube

**magie** magic ★ *zwarte* ~ black magic
**magiër** ❶ *tovenaar* magician ❷ *oosterse wijze* magus
**magisch** magic(al) ★ ~ *realisme* magical realism
**magistraal** masterly
**magistraat** magistrate
**magistratuur** magistracy ★ *staande* ~ prosecution ★ *zittende* ~ court / bench
**magma** magma
**magnaat** magnate, inform tycoon
**magneet** magnet, (van motor) magneto
**magneetkaart** comp swipe card
**magneetnaald** magnetic needle
**magneetschijf** magnetic disk
**magneetstrip** magnetic strip
**magnesium** magnesium
**magnesiumcarbonaat** magnesium carbonate
**magnetisch** magnetic ★ ~ *veld* magnetic field
**magnetiseren** magnetize
**magnetiseur** magnetizer
**magnetisme** magnetism
**magnetron** microwave
**magnifiek** magnificent
**magnolia** magnolia
**mahonie** I *zn* [het], *houtsoort* mahogany II *bnw, van hout* mahogany
**mahoniehouten** mahogany
**mail** mail, e-mail
**mailbox** mailbox
**mailen** I *ov ww* mail ★ *een document aan iem.* ~ mail a document to sb II *on ww* mail
**mailing** mailing
**maillot** pair of tights, tights *mv*, USA pantyhose
**mailtje** (e)mail, e-mail
**mainframe** comp mainframe
**maïs** maize, USA corn
**maïskolf** (corn)cob
**maïskorrel** kernel of maize, USA kernel of corn
**maisonnette** maisonette, USA duplex
**maïsveld** maizefield, USA cornfield
**maîtresse** mistress
**maïzena** cornflour, USA cornstarch
**majesteit** ❶ *persoon* majesty ★ *Uwe / Hare / Zijne Majesteit* Your / Her / His Majesty ❷ *waardigheid* majesty
**majesteitsschennis** lese-majesty
**majestueus** majestic
**majeur** major ★ *in C* ~ in C major
**majoor** *hoofdofficier* major
**majoraan** marjoram
**majorette** (drum) majorette
**mak** ❶ *tam* tame ❷ *meegaand* docile, meek ★ *zo mak als een lammetje* as meek as a lamb
**makelaar** broker ★ *beëdigd* ~ sworn broker ★ ~ *in onroerend goed* (real) estate agent ★ ~ *in effecten* stockbroker
**makelaardij** ❶ *bedrijf* (in vast goed) estate / house agency ❷ *branche* brokerage
**makelaarskantoor** brokerage firm, (vast goed) (real) estate agency
**makelaarsloon** broker's commission, form brokerage, (vast goed) estate agent's fee
**makelij** make ★ *van eigen* ~ home-made ★ *van Chinese* ~ Chinese-made, of Chinese make
**maken** ❶ *doen ontstaan, tot stand brengen* make, produce ★ *van hout gemaakt* made of wood

★ *cider wordt van appels gemaakt* cider is made from apples ★ *een jas laten* ~ have a coat made ★ *een sprong* ~ do a jump ★ *een doelpunt* ~ score a goal ★ *een einde* ~ *aan* put an end to ★ *lange dagen* ~ work long hours ★ *veel geld* ~ make a lot of money ★ *het (helemaal)* ~ make it (big time), make it to the top ★ *hij heeft het ernaar gemaakt* he has only himself to blame ★ *wat moet ik hiervan* ~? what can / do I make of this? ★ *er weinig van* ~ make a bad job of sth, bungle sth ❷ *in toestand brengen* make ★ *mogelijk* ~ make possible ★ *zich gehaat* ~ make o.s. hated ★ *maakt u het zich gemakkelijk!* make yourself comfortable! ★ *iem. boos* ~ make sb angry ★ *iem. aan het lachen* ~ make sb laugh ★ *iem. tot voorzitter* ~ make / appoint sb chairman ❸ *herstellen* repair, mend ★ *zijn horloge laten* ~ have one's watch repaired ★ *het weer goed* ~ (na ruzie) make it up ★ fig *ik kan hem* ~ *of breken* I can make or break him ★ *ik weet het goed gemaakt* I'll tell you what ★ *maak dat je weg komt!* get out of here!, beat it! ★ *maak het nou!* come on!, forget it! ★ *dat kun je niet* ~! you can't do that! ★ *hij kan me niets* ~ he has nothing on me ★ *je hebt hier niets te* ~ you have no business here ★ *met iem. te* ~ *hebben / krijgen* have (got) sth to do with sb ★ *wat heeft u daarmee te* ~? what's it got to do with you? ★ *daar heb je niks mee te* ~ that's none of your business ★ *ik wil niets meer met hem te* ~ *hebben* I don't want anything to do with him ★ *dat heeft daarmee niets te* ~ that's got nothing to do with it ❹ *in toestand zijn* ★ *hoe maakt u het?* how do you do? ★ *het goed* ~ be doing well, USA be doing fine ★ *het slecht* ~ be in a bad state ★ *hij zal het niet lang meer* ~ he won't last much longer
**maker** [Hersteller] maker, producer, (kunstwerk) artist ★ *de* ~ *van het doelpunt* the scorer
**make-up** make-up ★ ~ *verwijderen* remove make-up ★ ~ *aanbrengen* put on make-up
**makkelijk** → **gemakkelijk**
**makken** ★ *niets / geen cent te* ~ *hebben* be flat broke
**makker** mate, pal
**makkie** piece of cake ★ *vandaag heb ik een* ~ I've got an easy day today ★ *een* ~ *hebben* have an easy time (of it)
**makreel** mackerel
**mal** I *zn* [de], *model* mould II *bnw, dwaas* foolish, silly ★ *ben je mal?* are you kidding?, of course not! ★ *iem. voor de mal houden* make a fool of sb
**malafide** jur mala fide, fraudulent, crooked
**malaise** ❶ *gedrukte stemming* malaise, unease ❷ *economische neergang* slump, depression
**Malakka** Malacca
**malaria** malaria
**malariamug** malaria(l) mosquito
**Malawi** Malawi
**Malawisch** Malawian
**Malediven** Maldive Islands *mv*, Maldives *mv*
**Maledivisch** Maldivian
**Maleis** I *bnw* Malayan II *zn* [het] Malay(an)
**Maleisië** Malaysia
**malen** I *ov ww* ❶ *fijnmaken* grind, (vlees) mince ★ *ge*~ *koffie* ground coffee ❷ *pompen* pump, drain II *on ww, piekeren* worry ★ *dat maalt maar*

*door mijn hoofd* it keeps running in my head ★ *ik maal er niet om* I don't care about it ★ *~de zijn* be off one's rocker

**Mali** Mali

**mali** BN *negatief saldo* deficit

**maliënkolder** coat of mail

**Malinees** Malian

**maling** *wijze van maling* ★ *iem. in de ~ nemen* make a fool of sb, pull sb's leg ★ *~ hebben aan* not give a damn about

**mallemoer** ★ *die fiets is naar zijn ~* that bicycle is wrecked ★ *het interesseert me geen ~* it doesn't interest me one damn bit

**malligheid** foolishness, nonsense, silliness

**malloot** idiot

**Mallorca** Majorca

**Mallorcaans** Majorcan

**mals** ❶ *zacht* (boter) soft, (fruit) succulent, (gras) lush, (regen) gentle, (vlees) tender ❷ *zachtzinnig* gentle ★ *de kritiek was niet mals* the criticism was harsh

**malt** ❶ *bier* malt beer, non-alcoholic beer ❷ *whisky* malt whisky

**Malta** Malta

**maltbier** cul non-alcoholic beer

**Maltees** I *bnw* Maltese II *zn* [de] Maltese

**Maltese** Maltese (woman / girl)

**maltraiteren** maltreat, mistreat, abuse

**malversatie** embezzlement, malversation

**mama, mamma** mum(my), (aanspreekvorm) Mum(my)

**mambo** mambo

**mammoet** mammoth

**mammoettanker** supertanker

**mammografie** mammography

**Man** Isle of Man

**man** ❶ *mannelijk persoon* man mv: men ★ *hij is er de man niet naar om...* he's not the sort of man to... ❷ *echtgenoot* husband ★ *man en vrouw* husband and wife ★ *aan de man komen* find a husband ★ *aan de man brengen* marry off ❸ *mens* man, person ★ *op de man af* straightforward, point-blank ★ *... per man ...* a head, ... each ★ *een gesprek van man tot man* a man-to-man talk ★ *een gevecht van man tegen man* a man-to-man combat / fight ★ *de juiste man op de juiste plaats* the right man in the right place ★ *de gewone man* the man in the street ★ *man en paard noemen* give chapter and verse ★ *een man een man, een woord een woord* an honest man's word is (as good as) his bond ★ *aan de man brengen* (van koopwaar) sell ★ *als één man* to a man, as one man ★ *met man en macht* with all one's strength ★ *met man en muis vergaan* perish with all hands ★ *er is geen man overboord* it's not the end of the world →**mannetje**

**management** ❶ *leidinggevend personeel* management (ev/mv) ❷ *het besturen* management

**managementteam** management team

**manager** ❶ *bedrijfsleider* manager ❷ *zakelijk vertegenwoordiger* (van sporter) manager, (van artiest) impresario

**manche** sport heat, (bridge, whist) game

**manchet** *mouwboord* cuff

**manchetknoop** cufflink

**manco** flaw, defect

**mand** basket ★ *door de mand vallen* be caught out ★ *zo lek als een mandje zijn* be leaking like a sieve

**mandaat** ❶ *volmacht* power of attorney ★ *onder ~ van de Verenigde Naties* under the authority of the UN ❷ *opdracht* mandate ★ *zijn ~ neerleggen* resign one's office ★ BN *~ tot aanhouding* arrest warrant ❸ BN econ *postwissel* postal / money order

**mandaatgebied** mandate, mandated territory

**Mandarijn** taalk *officieel Chinees* Mandarin

**mandarijn** ❶ *vrucht* mandarin, tangerine ❷ *Chinese ambtenaar* mandarin

**mandataris** BN *bestuursfunctionaris* functionary, official

**mandekker** sport marker

**mandekking** man-to-man marking, USA (man-on-)man coverage

**mandoline** mandolin

**manege** *rijschool* riding school

**manen** I *de mv* mane ★ *de ~ van een leeuw* a lion's mane II *ov ww* ❶ *aansporen* urge, call for ★ *iem. tot kalmte ~* calm sb down ★ *dit maant tot voorzichtigheid* this requires caution ❷ *herinneren* remind, (sterker) demand ★ *iem. om geld ~* demand payment from sb

**maneschijn** moonlight

**maneuver** BN → **manoeuvre**

**manga** manga

**mangaan** manganese

**mangat** manhole

**mangel** mangle, wringer ★ *iem. door de ~ halen* put sb through the wringer

**mangelen** mangle

**mango** mango

**mangrove** mangrove

**manhaftig** manful, brave

**maniak** maniac, (film) film buff, (gezondheid) health freak, (voetbal) football fanatic

**maniakaal** maniacal, fanatic

**manicure** ❶ *handverzorging* manicure ❷ *handverzorger* manicurist

**manicuren** manicure

**manie** (ook psych.) mania, passion

**manier** ❶ *wijze* way, manner, fashion ★ *op deze ~* in this way / manner ★ *op een of andere ~* somehow, one way or another ★ *ieder op zijn ~* everybody in his own way ★ *~ van doen* manner ★ *op alle mogelijke ~en* in every possible way ★ *dat is zo zijn ~ van doen* that's just his way ❷ *omgangsvormen* manners mv ★ *dat is geen ~ (van doen)* that's no way to behave, that's bad manners ★ *geen ~en hebben* have no manners ★ *hij heeft goede ~en* he's well mannered

**maniërisme** mannerism

**maniertje** ❶ *foefje* trick, knack ❷ *gekunsteldheid* air ★ *~s hebben* put on airs

**manifest** I *zn* [het] manifesto II *bnw* obvious, form manifest

**manifestatie** ❶ *verschijning* manifestation ★ *die daad was een ~ van zijn haat* the deed demonstrated his hatred ❷ *openbare bijeenkomst* event, happening ❸ *betoging* demonstration

**manifesteren** [zich ~] manifest oneself ★ *onvrede manifesteert zich in geweld* dissatisfaction

manifests itself in violence
**Manilla** Manila
**Manillees** Manila
**manipulatie** manipulation ★ *genetische* ~ genetic engineering
**manipulator** manipulator
**manipuleren** manipulate ★ *de publieke opinie* ~ manipulate public opinion
**manisch** manic
**manisch-depressief** manic-depressive
**manjaar** man-year
**mank** lame, crippled ★ *mank lopen* limp, walk with a limp ★ *die vergelijking gaat mank* that comparison falls short
**mankement** defect, fault ★ ~ *aan de motor* engine trouble
**manken** BN *mank lopen* limp, walk with a limp
**mankeren** ❶ *ontbreken* be missing ★ *er mankeert een euro aan* there's one euro short ★ *zonder* ~ without fail ★ *dat mankeerde er nog maar aan!* that's all we needed! ❷ *schelen* be wrong, be the matter ★ *wat mankeert je?* what's wrong with you?, what's the matter with you?, min what's your problem? ★ *mij mankeert niets* I'm all right, I'm fine
**mankracht** ❶ *menselijke kracht* manpower, (manual) labour ★ *met* ~ by hand, manually ❷ *hoeveelheid arbeidskrachten* manpower, labour
**manmoedig** manful, brave
**manna** manna
**mannelijk** ❶ *behorend tot een man* male ❷ *als van mannen* masculine, (flink) manly ★ ~ *gezicht* a masculine face ★ ~ *gedrag* manly conduct ❸ taal masculine
**mannengek** maneater, man-crazy woman / girl ★ *zij is een* ~ she's man crazy
**mannenkoor** male choir, men's choir
**mannentaal** ★ *dat is* ~! that's spoken like a man!
**mannequin** ❶ *persoon* model ❷ *etalagepop* dummy
**mannetje** ❶ *kleine man* little fellow / man ★ *zijn* ~ *staan* stick up for o.s. ★ *een* ~ *van niks* a squirt ❷ *mannelijk dier* male, (rund) bull, (knaagdier) buck, (hert) stag
**mannetjesputter** *sterk iem.* strapping man, humor he-man, strapping woman, humor she-man
**manoeuvre** manoeuvre ★ *op* ~ on manoeuvres
**manoeuvreerbaarheid** manoeuvrability
**manoeuvreren** I *ov ww* manoeuvre ★ *een auto door het verkeer* ~ manoeuvre a car through the traffic ★ *iets zo* ~ *dat...* twist things in such a way that... II *ww* manoeuvre
**manometer** pressure gauge, manometer
**mans** ★ *mans genoeg zijn om* be man enough to ★ *zij is heel wat mans* she's got a lot to offer ★ *heel wat mans zijn* be quite a man, be well up to it, (lef) have guts
**manschappen** mil men, scheepv crew, (marine) ratings
**manshoog** man-size(d), of a man's height
**mantel** *jas* coat, (zonder mouwen) cloak ★ *iem. de* ~ *uitvegen* give sb a good dressing-down ★ *iets met de* ~ *der liefde bedekken* draw a (discreet) veil over sth ★ *onder de* ~ *van* under the cover / cloak of

**mantelpak** woman's suit
**mantelzorg** ≈ informal (family / unpaid) care
**mantra** mantra
**manueel** manual ★ *manuele therapie* manual therapy
**manufacturen** drapery
**manuscript** manuscript, MS *mv* MSS
**manusje-van-alles** jack of all trades, inform dogsbody
**manuur** man-hour
**manwijf** she-man, strapping woman
**manziek** man crazy, nymphomaniac
**maoïsme** Maoism
**maoïstisch** Maoist
**map** ❶ *omslag* (voor tekeningen) portfolio, (voor papieren) folder ❷ comp *groep documenten* folder
**maquette** model
**maraboe** marabou
**marathon** marathon ★ *een* ~ *lopen* run a marathon
**marathonloper** marathon runner
**marathonzitting** marathon session
**marchanderen** bargain, haggle
**marcheren** *lopen* march
**marconist** radio operator
**marechaussee** *korps* ≈ military police *mv*, (persoon) ≈ military police(wo)man
**maren** raise objections ★ *niets te* ~! no buts!
**maretak** mistletoe
**margarine** cul margarine, inform marge
**marge** *kantlijn* margin ★ *in de* ~ in the margin ★ *gerommel in de* ~ fiddling about
**marginaal** ❶ *in de kantlijn* marginal ❷ *onbeduidend* marginal, slight ★ *marginale groep* fringe group
**marginaliseren** marginalize
**margriet** marguerite, ox-eye daisy
**Maria** Mary
**Mariabeeld** Virgin Mary statue
**Maria-Boodschap** Annunciation
**Maria-Hemelvaart** Assumption
**Mariaverering** veneration of the Virgin Mary
**marihuana** marihuana, inform grass, inform pot
**marinade** marinade
**marine** *zeemacht, oorlogsvloot* navy, (in samenstelling) naval
**marinebasis** naval base
**marineblauw** I *zn* [het] navy (blue) II *bnw* navy(-blue)
**marineren** marinate, marinade
**marinier** marine ★ *korps* ~*s* GB Royal Marines USA Marine Corps
**marionet** ❶ pop marionette, puppet ❷ *stroman* pawn
**marionettenspel** puppet show
**maritiem** maritime
**marjolein** cul (sweet) marjoram
**mark** *munt* mark
**markant** striking
**markeerstift, marker** marker
**markeren** mark ★ *een stuk tekst* ~ mark a passage
**marketing** marketing
**markies** ❶ *edelman* marquess, GB marquis ❷ *zonnescherm* awning
**markiezin** marchioness

ma

**markt ❶** *verkoopplaats* market(place) ★ *naar de ~ gaan* go to the market ★ *iets op de ~ kopen* buy sth in / at the market ★ *van alle ~en thuis zijn* be able to turn one's hand to anything ★ BN *het niet onder de ~ hebben* having a hard time (coping) **❷** *handel* market ★ *vrije ~* free / open market ★ *zwarte ~* black market ★ *de ~ bederven* spoil the market ★ *goed in de ~ liggen* be marketable, be in great demand ★ *iets op de ~ brengen* put / bring sth on the market, ⟨nieuw product⟩ launch sth on the market ★ *op de ~ komen* come onto the market ★ *uit de ~ prijzen* price out of the market **❸** *vraag* market ★ *voor dat product is wel een ~* there's a market for that product
**marktaandeel** market share
**marktanalyse** market analysis *mv: analyses*
**markteconomie** market economy ★ *vrije ~* free / open-market economy
**marktkoopman** market vendor
**marktkraam** ⟨market⟩ stall
**marktleider** market leader
**marktonderzoek** econ market research
**marktplein** market square
**marktpositie** ⟨toestand van de markt⟩ state of the market, ⟨positie op de markt⟩ market position
**marktprijs** market price / rate
**marktstrategie** market(ing) strategy
**marktverkenning** market research
**marktwaar** market goods *mv*
**marktwaarde** market value
**marktwerking** market forces / mechanism ★ *aan de ~ overlaten* leave to market forces
**marmelade** marmalade
**marmer** marble
**marmeren I** *bnw* marble **II** *ov ww* marble, grain
**marmot** marmot, ⟨cavia⟩ guinea pig ★ *slapen als een ~* sleep like a log
**Marokkaan** *bewoner* Moroccan
**Marokkaans** Moroccan
**Marokkaanse** Moroccan (woman / girl)
**Marokko** Morocco
**mars I** *zn* [de] **❶** *voettocht* march ★ *op mars gaan* go on a march **❷** muz march ▼ *veel in zijn mars hebben* have a lot to offer, ⟨pienter⟩ have brains ▼ *niet veel in zijn mars hebben* be ignorant, not have much up top **II** *tw* ★ *voorwaarts mars!* forward, march!
**Mars** Mars
**marsepein** marzipan
**Marshalleilanden** Marshall Islands
**marskramer** pedlar, hawker
**marsmannetje** Martian
**marsmuziek** march(ing) music
**marsorder** marching orders *mv*
**martelaar ❶** *gemartelde* martyr **❷** *folteraar* torturer
**martelaarschap** martyrdom
**marteldood** death through torture, *rel pol* martyr's death ★ *de ~ sterven* die through torture, *rel pol* die a martyr's death
**martelen ❶** *folteren* torture ★ *iem. dood~* torture sb to death **❷** fig *kwellen* torment, torture
**martelgang** agony
**marteling** torture, psych torment
**marteltuig** instruments of torture *mv*

**marter** *dier* marten
**martiaal** martial
**martini** Martini, vermouth
**Martinique** Martinique
**marxisme** Marxism
**marxist** Marxist
**marxistisch** Marxist
**mascara** mascara
**mascarpone** mascarpone
**mascotte** mascot
**masculien** masculine
**masker** mask, ⟨bescherming⟩ face guard ★ *het ~ afleggen* throw off one's mask
**maskerade** masquerade
**maskeren** mask
**masochisme** masochism
**masochist** masochist
**masochistisch** masochistic
**massa ❶** natk mass ★ *inerte ~* inert mass ★ *kritische ~* critical mass **❷** *grote hoeveelheid* mass, bulk ★ *in ~ verkopen* sell in bulk ★ *bij ~'s* in heaps ★ *een ~ dingen* a lot / mass of things ★ *een ~ fouten* heaps *mv* of errors ★ *een ~ geld* pots *mv* of money ★ *een ~ water* a mass of water, tons *mv* of water **❸** *volk* mass, crowd ★ *de grote ~* the masses *mv*
**massaal ❶** *een groot geheel vormend* massive ★ *een ~ gebouwencomplex* a massive building complex **❷** *met veel mensen* mass, wholesale ★ *massale aanval* mass attack ★ *een massale betoging* mass demonstration ★ *massale vernietiging* wholesale destruction
**massacommunicatie** mass communication
**massacultuur** popular / mass culture
**massage** massage
**massageolie** massage oil
**massagraf** mass grave
**massamedium** mass medium
**massamoord** mass murder
**massaontslag** massive redundancies *mv*, wholesale dismissal
**massaproductie** mass production
**massaregie** crowd direction
**massatoerisme** mass tourism
**massavernietigingswapen** weapon of mass destruction
**masseren** *lichaam kneden* massage
**masseur** masseur
**massief I** *zn* [het] massif **II** *bnw* **❶** *stevig* massive **❷** *niet hol* solid ★ *van ~ zilver* of solid silver
**mast ❶** *paal* mast, ⟨elektriciteit⟩ pylon **❷** *scheepsmast* mast ★ *de grote mast* the mainmast ★ *vóór de mast* before the mast
**master** master
**masterclass** muz masterclass
**masterdiploma** onderw master's diploma
**masteropleiding** onderw master('s) course
**masturbatie** masturbation
**masturberen** masturbate
**mat I** *zn* [de], *kleed* mat ★ *fig de groene mat* the football pitch → **matje II** *bnw* **❶** *dof* matt, ⟨licht⟩ dim, ⟨ogen, kleur⟩ dull ★ *matte verf* flat / matt paint ★ *matte huid* dull skin **❷** *vermoeid, lusteloos* flat, weary, tired ★ *matte stem* flat voice **❸** *schaakmat* ⟨check⟩mate ★ *mat in vijf zetten* checkmate in five ★ *iem. mat zetten* checkmate

ma

sb

**matador** *stierenvechter* matador

**match** match

**matchen I** *on ww, bij elkaar passen* match, go together **II** *ov ww, bij elkaar zoeken* match

**matchpoint** *sport* match point

**mate** → **maat**

**mateloos I** *bnw* excessive, immense, extravagant **II** *bijw* ★ *zich ~ vervelen* be bored stiff

**materiaal ❶** *stof* material, materials **❷** *fig* material, (gegevens) data

**materialisme** materialism

**materialist** materialist

**materialistisch** materialistic

**materie** matter

**materieel I** *zn [het]* materials *mv* ★ *rollend ~* rolling stock **II** *bnw* material

**matglas** frosted glass

**matheid ❶** *dofheid* dullness **❷** *vermoeidheid* lassitude, apathy

**mathematicus** mathematician

**mathematisch** mathematical

**matig I** *bnw* **❶** *sober* moderate, sober **❷** *middelmatig* moderate, min mediocre ★ *ik vind het maar ~* I don't think much of it **II** *bijw*, *sober* ★ *~ leven* live frugally

**matigen I** *ov ww, intomen* moderate, temper, reduce ★ *snelheid ~* reduce speed **II** *wkd ww* [zich ~] control / restrain oneself

**matiging** moderation, restraint

**matinee** matinee, matinée

**matineus** early ★ *~ zijn* be an early riser, humor be an early bird

**matje** → **mat** ★ *iem. op het ~ roepen* call sb to account ★ *op het ~ moeten komen* be / get called on the carpet

**matrak** BN *wapenstok* baton, truncheon

**matras** mattress

**matriarchaal** matriarchal

**matriarchaat** matriarchy

**matrijs** mould

**matrix** *schema* matrix [mv: matrices / -xes]

**matrone ❶** *deftige oudere dame* matron **❷** *bazige vrouw* bossy woman

**matroos** sailor

**matrozenpak** sailor suit

**matse** matzo [mv: matzos] Passover bread

**matsen** do a favour ★ *ik zal je wel ~* I'll do you a deal

**matten I** *ov ww, met matten beleggen* ★ *stoelen ~* rush chairs **II** *on ww, vechten* fight

**mattenklopper** carpet beater

**Mauretanië** Mauritania

**Mauretanisch** Mauritian

**Mauritiaans** Mauritian

**Mauritius** Mauritius

**mausoleum** mausoleum

**mauwen** mew

**mavo** *middelbaar algemeen voortgezet onderwijs* ≈ school for lower general secondary education

**m.a.w.** *met andere woorden* in other words

**maxicosi**® *stoel voor baby's* Maxi Cosi[fi] (car seat)

**maximaal I** *bnw* maximum, max ★ *de maximale belasting* the maximum load, (van installatie) the peak load **II** *bijw* at (the) most, to the maximum

**maximaliseren, maximeren** *zo groot mogelijk*

*maken* maximize, maximize (to full screen)

**maximum** maximum, max ★ *jij staat op je ~* you are on / at your maximum ★ *een ~ stellen aan* set a limit on, limit

**maximumsnelheid** (mogelijk) top speed, (toegestaan) speed limit

**maximumtemperatuur** maximum temperature

**Maya** Maya(n)

**mayonaise** cul mayonnaise, inform mayo

**mazelen** measles *ev*

**mazen** darn, (een net) mend

**mazout** BN *stookolie* fuel oil

**mazzel I** *zn* [de], *geluk* luck, (lucky) break ★ *~ hebben* have luck, have a lucky break **II** *tw* ★ *(de) ~!* (catch you) later!

**mazzelaar** lucky one / dog

**mazzelen** have luck, have a lucky break

**MB** *megabyte* MB, Mb

**MBA** *Master of Business Administration* MBA

**mbo** *middelbaar beroepsonderwijs* secondary vocational education

**MC** *muz Master of Ceremonies* MC

**ME ❶** *Mobiele Eenheid* riot police *mv* **❷** *middeleeuwen* Middle Ages **❸** *med myalgische encefalomyelitis* ME, chronic fatigue syndrome

**me** me

**meander** *rivierbocht* meander

**meanderen** *kronkelen* meander

**meao** *middelbaar economisch en administratief onderwijs* ≈ Senior Secondary Commercial Education

**mecanicien** BN mechanic

**mecenaat** patronage

**mecenas** [mètseen] Maecenas, (generous) patron

**mechanica** mechanics *mv*

**mechaniek** mechanism, works, (van geweer, piano) action

**mechanisch** mechanical

**mechaniseren** mechanize

**mechanisme** mechanism

**Mechelen** Malines, Mechelen

**Mechels** Malines

**medaille** medal

**medaillon** (juweel) medallion, (vlees) médaillon

**mede** also ★ *mede namens mijn man* also on behalf of my husband ★ *mede mogelijk gemaakt door* also sponsored by

**mede-** co-, joint ★ *medegevangene* fellow prisoner

**medeaansprakelijk** jointly responsible, jur jointly liable

**medebeslissingsrecht** jur right of consultation

**medeburger** fellow citizen

**mededeelzaam** communicative

**mededelen** → **meedelen**

**mededeling** *bericht* announcement, statement ★ *een ~ doen* make an announcement / statement

**mededelingenbord** notice board

**mededinger** rival, sport competitor

**mededinging** competition ★ *buiten ~* not for competition, hors concours

**mededogen** compassion

**medeklinker** consonant

**medeleven** sympathy ★ *~ betuigen met het overlijden van* express sympathy on the loss of ★ *ons ~ gaat uit naar* our sympathy lies with

**medelijden** pity, compassion ★ ~ *hebben met iem.* pity sb, feel sorry for sb ★ *om ~ mee te hebben* pitiable ★ *uit* ~ out of pity ★ *zonder* ~ pitiless, merciless ★ ~ *wekken* arouse pity
**medelijdend I** *bnw* compassionate **II** *bijw* with compassion
**medemens** fellow man
**medemenselijkheid** humanity, solidarity ★ *iem. uit* ~ *helpen* help sb out of solidarity
**medeplichtig** accessory (**aan** to) ★ ~ *zijn aan* be an accessory to
**medeplichtige** accomplice, *jur* accessory
**medestander** supporter, <u>pol</u> ally, <u>pol</u> political friend
**medewerker** co-worker, ⟨staflid⟩ employee, ⟨staflid⟩ staff member, ⟨aan krant⟩ contributor
**medewerking** cooperation, collaboration, ⟨hulp⟩ assistance ★ *zijn* ~ *verlenen* assist (**aan** in) ★ *met* ~ *van* with the cooperation / assistance of
**medeweten** ★ *buiten zijn* ~ without his knowledge, unknown to him ★ *met zijn* ~ with his knowledge ★ *met* ~ *van* with the knowledge of
**medezeggenschap** right of participation
**media** *communicatiemiddel* media *ev en mv* ★ *aandacht van / in de* ~ media coverage
**mediatheek** multimedia centre
**mediator** mediator
**medicament** medicine
**medicatie** medication
**medicijn** ❶ *geneesmiddel* medicine, drug ★ *~en gebruiken* take medicine ❷ *geneeskunde* ★ *~en studeren* study medicine ★ *student in de ~en* medical student ★ *doctor in de ~en* Doctor of Medicine, MD
**medicijnflesje** medicine bottle
**medicijnkastje** medicine cabinet
**medicijnman** medicine man
**medicinaal** medicinal
**medicus** *arts* doctor
**mediëvistiek** medieval studies *mv*
**medio** in the middle of, mid- ★ ~ *september* in mid-September
**medisch** *geneeskundig* medical ★ *een* ~ *onderzoek ondergaan* have a medical examination, <u>inform</u> jhave a medical / checkup ★ ~ *student* medical student ★ ~ *adviseur* medical adviser
**meditatie** meditation
**mediteren** meditate
**mediterraan** Mediterranean
**medium¹ I** *zn* [het] ❶ *communicatiemiddel* medium *mv* media/mediums ❷ *persoon* medium *mv* mediums **II** *bnw* medium
**medium²** [mie-] medium
**mee** ❶ ⟨*samen*⟩ *met* ★ *ga je met me mee?* will you join me? ★ *hij wil met ons mee* he wants to come with us ★ *dat kan nog lang / jaren mee* that will last for years ★ *daar spreekt u mee* speaking ★ *dat heeft er niets mee te maken* that's beside the point ★ *dat kan er nog net mee door* it'll just about do ★ *met de klok mee* clockwise ★ *met de stroom mee* downstream, *ook fig* with the tide ❷ *ten gunste* ★ *hij heeft zijn lengte mee* his height is an advantage ★ *de wind mee hebben* have a tail wind ★ *zij heeft alles mee* she's got everything going for her ★ *het zit ons niet mee* things aren't

going our way
**meebrengen** ❶ *meenemen* bring along (with one) ★ *een cadeau* ~ bring along a present ❷ *inherent zijn aan* involve, entail ★ *de problemen die dit met zich meebracht* the problems ensuing / resulting from this
**meedelen I** *ov ww, laten weten* inform (of / about), let know, <u>form</u> notify ★ *iem. iets voorzichtig* ~ break sth to sb gently ★ *tot onze spijt moeten wij u* ~ we regret to inform you ★ *hierbij deel ik u mee dat...* I am writing to inform you that... **II** *on ww, deel hebben* share (in), participate (in) ★ ~ *in de winst* share in the profit ★ *iem. laten* ~ *in* give sb a share of
**meedenken** think (along) with, help think
**meedingen** compete (**naar** for) ★ ~ *naar de wereldcup* compete for the World Cup
**meedoen** join (in), ⟨aan examen⟩ go in for, ⟨aan race, enz.⟩ take part (**aan** in) ★ *met iem.* ~ join in with sb ★ *niet meer* ~ opt out ★ *ik doe mee* I'm in, count me in ★ *doe je mee?* will you join us? ★ *daar doe ik niet aan mee* I won't be (a) party to that ★ *voor spek en bonen* ~ count for nothing
**meedogend** compassionate
**meedogenloos** pitiless, ruthless
**meedraaien** ❶ *samen draaien* turn (with) ❷ *meedoen* work (with) ★ *hij draait al een tijd mee* he's worked here for quite a while
**meedragen** carry
**mee-eter** ❶ *iem. die mee-eet* guest ❷ *verstopte porie* blackhead
**meegaan** ❶ *vergezellen* go along with, accompany ★ *ga je mee?* are you coming? ❷ *instemmen (met)* go along (with) ★ *ik ga met je mee* I'll go along with your views ★ *met een voorstel* ~ agree / subscribe to a proposal ❸ *bruikbaar blijven* last ★ *lang* ~ wear well, last long
**meegaand** accommodating, compliant
**meegeven I** *ov ww, geven* give, provide with ★ *iets* ~ give sth to take along **II** *on ww, geen weerstand bieden* give (way), yield ★ *niet* ~ resist ★ *de deur gaf een beetje mee* the door gave way a little
**meehelpen** help (with / in), assist (with / in), lend a hand (with)
**meekomen** ❶ *bijblijven* keep up ★ *hij kan niet* ~ he can't keep up with the others ❷ *samen komen* come (along / with)
**meekrijgen** ❶ *overhalen* win over, get on one's side ★ *wij kregen haar niet mee* we couldn't persuade her to join us ❷ *ontvangen* get, receive ★ *ik kreeg het geld mee* I was given the money ★ *fig zij heeft niets meegekregen van die cursus* she's gained nothing by / from that course
**meel** ⟨van graan⟩ flour
**meeldauw** mildew
**meeldraad** stamen
**meeleven** sympathize, feel for ★ ~ *met iem.* sympathize with sb ★ ~ *met iemands verdriet* sympathize with sb's grief
**meeliften** *op* profit from
**meelijwekkend** pitiful, pathetic, <u>form</u> pitiable
**meelokken** entice, lure
**meelopen** ❶ *meegaan* walk along ★ *met iem.* ~ accompany sb ★ *fig hij loopt hier al lang mee* he's

been around for a long time ❷ *fig meedoen* follow★ *met de grote massa* ~ follow the crowd / masses

**meeloper** follower, hanger-on

**meemaken** *beleven* experience, go through★ *dat zal hij wel niet meer* ~ he won't live to see it ★ *heb je ooit zoiets meegemaakt?* have you ever seen anything like it?★ *zij heeft veel meegemaakt* she's been / gone through a lot

**meenemen** *met zich nemen* take along / with ★ *eten om mee te nemen* food to take away★ *dat is mooi meegenomen* that is all to the good, that's an added bonus

**meepikken** ❶ *stelen* pinch, <u>inform</u> nick ❷ *iets extra doen* include, take in★ *die cursus pik ik ook nog wel even mee* I'll include / do that course as well

**meepraten** ❶ *samen praten* join in the conversation, put in a word★ *daar kan ik van* ~ I can tell you a thing or two about it ❷ *napraten* go along with★ *met iem.* ~ play up to sb

**ME'er** anti-riot policeman / -woman

**meer I** *zn* [het] lake **II** *onb telw, in grotere hoeveelheid* more★ *er kan nog veel meer bij* there's room for plenty more★ *hij wil steeds meer* he wants to have more and more★ *ik hoop je meer te zien* I hope to see more of you★ *dat heeft hij meer gedaan* he's done that before ★ *meer niet* that's it / all★ *niemand meer?* no one else?★ *wat wil je nog meer?* what else could you possibly wish for?★ *meer dan honderd* more than a hundred, over a hundred★ *meer dan eens* more than once★ *meer dan ooit* more than ever ★ *niets meer of minder dan* nothing less than ★ *geen woord meer* not another word★ *onder meer* among other things★ *zonder meer* (absoluut) that goes without saying, (onmiddellijk) without delay, (zomaar) just like that★ *een gevaar te meer* an added danger★ *te meer omdat* all the more because **III** *bijw* ❶ *in hogere mate* more★ *het is niet meer dan billijk* it's no more than fair★ *het is meer dan erg* it's too bad for words ❷ *veeleer* rather, more★ *meer dood dan levend* all but dead★ *meer verdrietig dan beledigd* sad rather than offended ❸ *verder* more ★ *ik ben geen kind meer* I'm no longer a child ★ *hij heeft niets meer* he has nothing left★ *wie nog meer?* who else?★ *hij woont hier niet meer* he doesn't live here any more★ *nooit meer* never again★ *hij is niet meer* he is no more

**meerdaags** of / for more than one day

**meerdelig** having several pieces, ⟨boeken, enz.⟩ in several parts / volumes★ *een* ~ *werk* a multi-volume work

**meerdere I** *zn* [de] superior, <u>mil</u> superior officer ★ *ik moet in hem mijn* ~ *erkennen* I have to acknowledge his superiority **II** *onb telw* several

**meerderen I** *ov ww, vermeerderen* increase, add to **II** *on ww, toenemen* increase

**meerderheid** majority★ *de* ~ *was hier tegen* the majority was / were against this★ *de zwijgende* ~ the silent majority★ *een grote / ruime* ~ a large / vast majority★ *een krappe* ~ a slim majority★ *in de* ~ *zijn* be in the majority★ *bij* ~ *van stemmen* by a majority of votes

**meerderheidsbelang** controlling interest,

majority interest

**meerderjarig** of age★ ~ *worden* come of age

**meerderjarige** adult

**meerderjarigheid** adulthood, ⟨seksueel⟩ age of consent

**meerduidig** ambiguous

**meerijden** ★ ~ *met iem.* drive / ride along with sb ★ *iem. laten* ~ give sb a lift

**meerjarenplan** long-range plan

**meerjarig** of more than one year★ ~ *e planten* perennials

**meerkamp** <u>sport</u> multi-event

**meerkeuzetoets** multiple-choice exam / test

**meerkeuzevraag** multiple-choice question

**meerkoet** coot

**meerling** multiple birth

**meermaals** several times, repeatedly, more than once

**meeroken** ★ *het* ~ passive smoking

**meeropbrengst** surplus proceeds, <u>econ</u> marginal output / return, <u>agrar</u> surplus produce

**meerpaal** mooring post

**meerpartijensysteem** multi-party system

**meerprijs** <u>econ</u> additional / extra charge★ *tegen* ~ *leverbaar* available at extra charge

**meerstemmig** for several voices, polyphonic★ ~ *gezang* part-song★ ~ *zingen* sing in parts

**meertalig** multilingual, polyglot

**meerval** <u>dierk</u> catfish, wels

**Meer van Genève** Lake Geneva

**meervoud** plural★ *in het* ~ in the plural

**meervoudig** plural★ ~ *onverzadigde vetzuren* polyunsaturated fatty acids★ ~ *kiesrecht* plural vote

**meerwaarde** surplus value

**meerwerk** <u>econ</u> <u>bouw</u> contract extras, additional / extra work

**mees** tit★ *zwarte mees* coal tit

**meesjouwen** lug along★ *een zware last* ~ carry a heavy burden, *fig* bear a heavy load

**meeslepen** ❶ *meenemen* drag along, ⟨door water⟩ sweep away★ *ik moest hem gewoon* ~ *naar het stuk* I simply had to drag him to the play ❷ *in vervoering brengen* carry away★ *laat je toch niet* ~ don't get carried away

**meeslepend** stirring, rousing

**meesleuren** sweep away / along★ *meegesleurd in een lawine* swept away in an avalanche★ *bij zijn haren meegesleurd* dragged along by his hair

**meespelen** ❶ *meedoen* join in (the game), *fig* play along (with) ❷ *van belang zijn* play a part

**meespreken** ❶ *meedoen aan gesprek* take part in a conversation★ *fig daar kan ik van* ~ I know a thing or two about that ❷ *meebeslissen* ★ *mag ik ook een woordje* ~? may I have a say in the matter? ❸ *meetellen* also count / matter★ *dat spreekt ook een woordje mee* that also counts for sth★ *ervaring begon een woordje mee te spreken* experience made itself felt

**meest I** *onb telw, de grootste hoeveelheid* most, the majority of★ *het* ~ *e geld* (the) most money ★ *de* ~ *en* most people, most of them, the majority★ *in de* ~ *e gevallen* in most cases★ *de* ~ *e mensen* most people **II** *bijw, in hoogste mate* most ★ *wat ik het* ~ *e mis* what I miss most★ *op zijn* ~ at (the) most★ *dat wens ik het* ~ that I wish most

**me**

★ *het ~ gelezen tijdschrift* the most widely read magazine ★ *het ~e houden van* like most / best
**meestal** mostly, usually
**meestbiedende** highest bidder
**meester** ❶ *baas* master ★ *zich van iets ~ maken* take possession of sth ★ *een taal ~ zijn* have a thorough command of a language ★ *zichzelf ~ zijn* be in control of o.s. ★ *zichzelf niet langer ~ zijn* lose control of o.s. ★ *zichzelf weer ~ worden* regain control of o.s. ★ *de toestand ~ zijn* be in control of the situation ★ *iets ~ worden / zijn* master sth ❷ *onderwijzer* teacher ❸ *kundig persoon* master, expert ★ *de hand van de ~* touch / hand of the master ★ *een ~ in zijn vak zijn* be an expert in one's field, *(ambacht)* be a master of one's trade ❹ *afgestudeerd jurist* Master of Laws, LLM ★ *~ in de rechten zijn* have / hold a law degree
**meesterbrein** mastermind
**meesteres** *bazin* mistress
**meesterhand** hand / touch of the master
**meester-kok** master chef
**meesterlijk** masterly, masterful ★ *een ~e zet* masterstroke
**meesterproef** masterpiece
**meesterschap** mastership, mastery
**meesterstuk** *voortreffelijk werk* masterpiece
**meesterwerk** masterwork, masterpiece
**meet** ❶ *beginpunt* start(ing line) ★ *van meet af aan* from the start / beginning ❷ BN *sport eindpunt* finish
**meetapparatuur** measuring equipment
**meetbaar** measurable
**meetellen** I *ov ww, erbij rekenen* include, count in ★ *... niet meegeteld* exclusive of... II *on ww, van belang zijn* count ★ *niet meer ~* no longer count, be out of the picture ★ *de leeftijd gaat bij hem ~* age is telling on him ★ *gaan ~* enter the picture
**meeting** meeting ★ *een ~ houden* have / hold a meeting
**meetkunde** geometry ★ *vlakke ~* plane geometry ★ *analytische / euclidische ~* analytical geometry
**meetkundig** geometric
**meetlat** measuring rod / rule
**meetlint** tape measure, measuring tape
**meetronen** coax along, entice away
**meeuw** gull, sea gull
**meevallen** *beter zijn of aflopen dan iem. verwacht had* be / prove better than expected ★ *dat valt mee!* that's not so bad!, it might have been worse! ★ *het valt niet mee* it's more difficult than expected, *inform* it's no picnic ★ *('t stuk) viel niet mee* (the play) was rather disappointing ★ *hij valt (bij nadere kennismaking) wel mee* he improves on acquaintance
**meevaller** piece / stroke of good luck ★ *een financiële ~* a windfall
**meevoelen** feel / sympathize **(met** with) ★ *hij voelde erg met ons mee* he was very sympathetic
**meewarig** pitying, compassionate
**meewerken** ❶ *samenwerken* cooperate **(aan** in / on), collaborate **(aan** on / in ❷ *bijdragen* contribute **(aan** to), assist **(aan** in ★ *het weer heeft meegewerkt* the weather helped
**meezinger** singalong song
**meezitten** be favourable ★ *het zit me niet mee*

luck is against me ★ *alles zit ons mee vandaag* we are having a lucky streak today ★ *het zit je niet mee vandaag, hè?* luck seems to be against you today, doesn't it? ★ *als alles meezit* if all goes well / smoothly
**megabioscoop** super cinema, ⟨meerdere bioscopen⟩ multiplex cinema
**megabyte** megabyte, MB
**megafoon** megaphone
**megahertz** megahertz, MHz
**megalomaan** megalomaniac
**megapixel** *audio-vis* megapixel
**megaster** megastar
**mei** May
**meid** ❶ *meisje* girl, vulg doll ❷ *dienstbode* servant girl, maid
**meidengroep** *muz* girl band / group
**meidoorn** hawthorn
**meikever** May bug, cockchafer
**meineed** perjury ★ *~ plegen* commit perjury
**meisje** ❶ *jonge vrouw* girl ❷ *vriendin, verloofde* girlfriend
**meisjesachtig** girlish, ⟨jongen⟩ sissy
**meisjesboek** girl's book
**meisjesnaam** ❶ *voornaam* girl's name ❷ *familienaam* maiden name
**mejuffrouw** *form* Miss, ⟨in schrijftaal⟩ Ms
**mekaar** *inform* → **elkaar**
**Mekka** Mecca
**mekkeren** ❶ *blaten* bleat ❷ *zaniken* ⟨tegen iem.⟩ keep / go on at somebody, ⟨over iets⟩ keep / go on about something ★ *loop niet zo te ~!* oh stop whining!
**melaats** leprous
**melaatsheid** leprosy
**melancholie** melancholy
**melancholiek** melancholy, sombre
**Melanesië** Melanesia
**Melanesisch** Melanesian
**melange** melange, ⟨koffie, thee, enz.⟩ blend
**melanoom** melanoma
**melasse** treacle, USA molasses
**melden** I *ov ww, iets laten weten* mention, report, state ★ *niets te ~* nothing to report ★ *ik zal het u ~* I shall let you know II *wkd ww* [zich ~] *aanmelden* report ★ *zich bij de politie ~* report to the police ★ *zich ziek ~* report sick, ⟨telefonisch⟩ call in sick
**melding** *vermelding* mention ★ *~ maken van* (make) mention (of)
**meldingsplicht** duty to report
**meldkamer** centre ★ *~ voor noodgevallen* emergency centre
**meldpunt** check-in (point / site), ⟨voor klachten⟩ complaints office / desk
**melig** ❶ *meelachtig* mealy ❷ *flauw en grappig* corny ★ *in een ~e stemming* in a silly mood
**melisse** (lemon) balm
**melk** milk ★ *gecondenseerde melk* evaporated / condensed milk ★ *halfvolle melk* semi-skimmed milk, low-fat milk ★ *magere melk* skimmed milk ★ *volle melk* whole milk ★ *niets in de melk te brokkelen hebben* have no say in things ★ *iets in de melk te brokkelen hebben* have a finger in the pie, have a say in the matter
**melkachtig** milky

**melkboer** milkman
**melkbrood** cul milk loaf, ⟨stofnaam⟩ milk bread
**melkchocolade, melkchocola** cul milk chocolate
**melken I** *ov ww* ❶ *van melk ontdoen* milk ❷ *fokken* ⟨duiven⟩ keep / breed ★ *fig huisjes* ~ be a slumlord **II** *on ww, zeuren* moan
**melkfabriek,** BN **melkerij** milk factory
**melkfles** milk bottle
**melkgebit** milk teeth
**melkglas** ❶ *drinkglas* milk glass ❷ *glassoort* opal glass
**melkklier** mammary gland
**melkkoe** ❶ *dier* dairy cow ❷ *fig bron van voordeel* cash / milch cow, money-spinner
**melkmachine** milking machine
**melkmuil** greenhorn, rookie, ⟨lafbek⟩ sissy
**melkpoeder** cul milk powder, dried milk
**melkproduct** milk / dairy product
**melksuiker** lactose
**melktand** milk tooth *mv: teeth*
**melkvee** dairy cattle *mv*
**melkweg** Milky Way, Galaxy
**melkzuur** lactic acid
**melodie** melody, tune
**melodieus** melodious, tuneful
**melodisch** ❶ *melodie betreffend* melodic ❷ *welluidend* melodious, sweet-sounding
**melodrama** melodrama
**melodramatisch** melodramatic
**meloen** melon
**membraan** membrane
**memo** ❶ *notitieblaadje* note paper ❷ *korte nota* memo(randum)
**memoblok** memo block / pad
**memoires** memoirs
**memorandum** ❶ *nota* memorandum ❷ *notitieboek* notebook
**memoreren** ⟨herinneren aan⟩ remind, ⟨vermelden⟩ mention
**memorie** ❶ *geheugen* memory ★ *kort van* ~ *zijn* have a short / poor memory ❷ *geschrift* memorandum, statement ★ ~ *van toelichting* explanatory memorandum ★ ~ *van antwoord* memorandum in reply
**memoriseren** memorize, learn by heart
**men** people *mv*, they *mv*, we *mv*, you, one ★ *men zegt* it is said, they / people *mv* say ★ *men zegt dat hij...* he is said to... ★ *men heeft deze brug gebouwd* this bridge has been built ★ *dat doet men niet* that's not done ★ *dat zegt men niet* you can't say such a thing ★ *men wordt verzocht* the public *mv* are requested
**menagerie** menagerie
**meneer** ⟨met naam⟩ Mr, ⟨zonder naam⟩ sir, iron his lordship ★ ~ *García* Mr Garcia ★ *ja, ~!* yes sir! ★ *een hele* ~ quite the gentleman
**menen** ❶ *denken* think ★ *ik meen van wel* I think so ★ *ik meende dat ik het haar moest zeggen* I felt I ought to tell her ★ *dat zou ik* ~ I should think so ❷ *bedoelen* mean ★ *hoe meent u dat?* how do you mean? ★ *het niet kwaad* ~ mean well ★ *dat meent u niet* you can't be serious ★ *het goed met iem.* ~ be well-intentioned towards sb ★ *het (ernstig)* ~ be in earnest ★ *hij meent het goed (met je)* he means well (by you) ★ *het was niet kwaad*

*gemeend* no offence meant ★ *daar meen je geen woord van* you don't mean a single word of it
**menens** ★ *het is* ~ it's serious ★ *het wordt* ~ it's getting serious, ⟨gevecht, ruzie⟩ the gloves are off
**mengeling** mixture, medley
**mengelmoes** jumble, inform mishmash
**mengen I** *ov ww* ❶ *door elkaar doen* mix, ⟨smaken⟩ blend ★ *kleuren* ~ mix / blend colours ❷ ~ *in betrekken bij* involve in **II** *wkd ww* [zich ~] ❶ ~ *in zich bemoeien met* interfere (in) ★ *zich ongevraagd in iets* ~ butt in on sth ★ *zich in de discussie* ~ join in the discussion ❷ *zich voegen bij* ★ *zich* ~ *onder de menigte* mingle with the crowd
**mengkleur** blended shade / colour
**mengkraan** mixer tap, USA mixing faucet
**mengpaneel** mixing console
**mengsel** mixture, ⟨ van smaken, kleuren⟩ blend, ⟨van metalen⟩ alloy
**mengsmering** mixed lubrication
**menhir** menhir
**menie** red lead
**meniën** paint with red lead
**menig** many (a) ★ *in* ~ *opzicht* in many ways ★ ~ *keer* many a time
**menigeen** many a person
**menigmaal** many a time, many times
**menigte** crowd, form multitude ★ *in de* ~ *opgaan* blend in with the crowd ★ *een bonte* ~ a colourful crowd, min a motley crowd
**mening** opinion ★ *de gevestigde* ~ the fixed / firm opinion ★ *bij* ~ *blijven* stick to one's opinion ★ *in de* ~ *dat* in the opinion / belief that ★ *naar mijn* ~ in my opinion ★ *van* ~ *verschillen met iem.* differ in opinion with sb ★ *van* ~ *zijn dat* be of the opinion that ★ *voor zijn* ~ *uitkomen* stand up for one's opinion ★ *de ~en lopen uiteen* opinions differ
**meningitis** meningitis
**meningsuiting** expression of opinion ★ *vrijheid van* ~ freedom of opinion and expression
**meningsverschil** difference of opinion, disagreement
**meniscus** meniscus [mv: menisci] ⟨blessure⟩ torn (knee) cartilage
**mennen** drive
**menopauze** menopause
**menora** rel menorah
**Menorca** Menorca
**Menorcaans** Menorcan
**mens I** *zn* [de] human being, man ★ *de mens* man, mankind ★ *mensen* people *mv*, mankind *ev* ★ *ieder mens* every person ★ *veel mensen* many people ★ *geen mens* not a soul ★ *een goed mens* a good person / man / woman ★ *door mensen gemaakt* man-made ★ *daar heb ik mijn mensen voor* I've got people for that ★ *de grote mensen* (the) grown-ups ★ *onder de mensen komen* get out and about ★ *het zag (er) zwart van de mensen* it was swarming with people ★ *zich een ander mens voelen* feel like a new person ★ *de mens wikt, God beschikt* man proposes, God disposes ★ *de inwendige mens versterken* strengthen the inner man ★ *ik ben ook maar een mens* I'm only human ▼ *alle mensen!* Goodness! **II** *zn* [het], *vrouw* thing, min woman ★ *dat mens van*

*hiernaast* that woman next door ★ *het arme mens* the poor thing / soul ★ *wie is dat mens?* who is that woman? ★ *dat mens van Smit* that Smit woman

**mensa** (university) cafeteria / restaurant
**mensaap** ape, biol anthropoid (ape)
**mensdom** mankind
**menselijk** human, (humaan) humane ★ *niets ~s is mij vreemd* I'm only human
**menselijkerwijs** humanly ★ *~ gesproken (on)mogelijk* humanly (im)possible
**menselijkheid** *menslievendheid* humanity
**menseneter** maneater
**mensengedaante** human form / shape
**mensenhater** misanthrope
**mensenheugenis** ★ *sinds ~* within living memory
**mensenkennis** knowledge of human character ★ *~ hebben* be a good judge of human·nature
**mensenleven** human life *mv: lives* ★ *er waren veel ~s te betreuren* many lives were lost ★ *verlies van ~s* loss of life
**mensenmassa** mass / crowd (of people)
**mensenrechten** *jur* human rights
**mensenrechtenactivist** human rights activist
**mensenschuw** shy, (sterk) afraid of people, min unsociable
**mensensmokkel** human trafficking
**mensenwerk** work of man ★ *het is ~* people are not infallible
**mens-erger-je-niet** ludo
**mens-erger-je-nieten** play ludo
**mensheid** ❶ *het mens-zijn* humanity ❷ *alle mensen* mankind
**mensjaar** man-year
**menslievend** humane, (weldoend) philanthropic
**mensonterend** degrading (to man)
**mensonwaardig** degrading (to man)
**menstruatie** menstruation, inform period
**menstruatiecyclus** menstrual cycle
**menstruatiepijn** menstrual / period pain
**menstrueren** menstruate, inform have one's period
**menswaardig** dignified, decent ★ *een ~ bestaan leiden* lead a dignified life / existence ★ *een ~ loon* a living wage
**menswetenschappen** social sciences*mv*
**mentaal** mental
**mentaliteit** mentality
**menthol** menthol
**mentor** *studiebegeleider* tutor
**menu** ❶ *maaltijd* menu ❷ *menukaart* menu ★ *op het menu staan* be on the menu ❸ *comp* menu
**menuet** minuet
**menukaart** menu
**mep** whack, smack▼ *de volle mep* the full whack
**meppen** whack, smack
**meranti** meranti
**merbau** merbau
**merchandising** merchandising
**Mercurius** Mercury
**merel** blackbird ★ *BN een witte ~* a rarity
**meren** scheepv moor
**merendeel** greater part, (telbaar) greater number, (telbaar) majority ★ *voor het ~* for the

most / greater part
**merendeels** for the most / greater part, (meestal) mostly
**merengue** *dans* merengue
**merg** biol (bone) marrow ★ *door merg en been gaan* set one's teeth on edge ★ *in merg en been* to the core
**mergel** marl
**mergpijp** *mergbeen* marrowbone
**meridiaan** meridian
**meringue** meringue
**merk** ❶ *herkenningsteken* mark, (op goud, enz.) hallmark ❷ *handelsmerk* brand, (auto) make, (geregistreerd) trademark
**merkartikel** branded product
**merkbaar** noticeable
**merken** ❶ *bemerken* notice, form perceive ★ *zonder iets te laten ~* without letting on, without giving anything away ★ *laten ~* make clear, show ★ *zonder iets te ~* without noticing ★ *men kan er niets meer van ~* it doesn't show ❷ *van merk voorzien* mark, (dieren) brand
**merkkleding** designer clothes *mv*
**merknaam** brand / trade name
**merkteken** mark, sign
**merkwaardig** *eigenaardig, opmerkelijk* (eigenaardig) curious, (onrustbarend) peculiar, (opmerkelijk) remarkable
**merkwaardigerwijs** oddly / strangely / curiously enough
**merkwaardigheid** curiosity, oddity, (vreemdheid) peculiarity
**merrie** mare
**mes** knife *mv: knives* ★ *iem. met een mes neersteken* knife sb ★ *een mes slijpen* sharpen a knife ★ *met het mes op tafel* aggressively, with the gloves off ★ *onder het mes gaan* go under the knife ★ *het mes snijdt aan twee kanten* it cuts both ways ★ *het mes er inzetten* make drastic cuts ★ *iem. het mes op de keel zetten* hold / put a gun to sb's head
**mesjogge** crazy, nuts
**mespunt** *hoeveelheid* ★ *een ~je zout* a pinch of salt
**mess** mess (hall)
**messcherp** razor-sharp ★ *~e kritiek* caustic criticism
**messentrekker** knife fighter
**Messias** Messiah
**messing I** *zn* [de] tongue ★ *~ en groef* tongue and groove **II** *zn* [het] brass
**messteek** stab of a knife ★ *iem. een ~ toebrengen* knife sb
**mest** ❶ dung, manure ❷ *uit andere stoffen* fertilizer, compost
**mesten** ❶ *bemesten* fertilize, manure ❷ *vetmesten* fatten
**mesthoop** dungheap / -hill
**mestkever** dung beetle
**mestvaalt** dungheap / -hill
**mestvee** beefcattle
**mestvork** dung fork
**met** ❶ *voorzien van, in gezelschap van* with ★ *een huis met een tuin* a house with a garden ★ *koffie met melk* white coffee, coffee with milk ★ *een meid met lef* a plucky girl ★ *ik ga met hem op*

*vakantie* I'm going on holiday with him ❷ *door middel van* by, with ★ *schrijven met een pen* write with a pen ★ *met de hand geschreven* handwritten ★ *met de fiets gaan* go by bike ★ *met de trein gaan* go / travel by rail / train ❸ *voor wat betreft* with ★ *stoppen met roken* give up smoking ★ *het gaat goed met het werk* the work is coming on fine ❹ ⟨tijdstip⟩ at, in, by ★ *met kerst* at Christmas ★ *met een week of twee* in a week or two ★ *met de dag* by the day, every day ★ *met de jaren* over the years ❺ ⟨getal⟩ ★ *met z'n vieren zijn* be four ★ *winnen met 3-0* win by 3 to 0

**metaal** I *zn* [het], *stof* metal ★ *oud ~* scrap metal ★ *~ gieten* cast metal II *zn* [de], *bedrijfstak* metal / steel industry

**metaalachtig** metallic

**metaalarbeider** metalworker

**metaaldetector** metal detector

**metaaldraad** I *zn* [de] wire, ⟨van lamp⟩ filament II *zn* [het] wire

**metaalindustrie, metaalnijverheid** metal / steel industry

**metaalmoeheid** metal fatigue

**metafoor** metaphor

**metaforisch** metaphorical

**metafysica** metaphysics *ev*

**metafysisch** metaphysical

**metalen** ❶ *gemaakt van metaal* metal ❷ *als van metaal* metallic

**metallic** metallic

**metamorfose** metamorphosis *mv metamorphoses* ★ *een ~ ondergaan* undergo a metamorphosis

**meteen** ❶ *tegelijk* at the same time ❷ *direct erna* at once ★ *zo ~* in a minute / moment

**meten** I *ov ww, afmeting bepalen* measure, ⟨land⟩ survey ★ *hemelsbreed ge~* measured in a straight line ★ *met de ogen ~* measure by eye ★ *iem. met zijn blik ~* size sb up II *on ww, afmeting hebben* measure III *wkd ww* [zich ~] measure oneself against ★ *hij kan zich niet met u ~* he is no match for you

**meteoor** meteor

**meteoriet** meteorite

**meteorietinslag** meteorite impact / strike

**meteorologie** meteorology

**meteorologisch** meteorological ★ *~e satelliet* weather satellite ★ *~ instituut* meteorological station, GB Met Office

**meteoroloog** meteorologist

**meter** ❶ *lengtemaat* metre, USA meter ★ *vierkante ~* square metre ★ *kubieke ~* cubic metre ★ *per strekkende / BN lopende ~* per linear metre ★ *drie ~ lang zijn* be three metres in length, be three metres long ★ *fig dat klopt voor geen ~* that doesn't make any sense ❷ *meettoestel* meter ★ *de ~ opnemen* read the meter ❸ *peettante* godmother

**meterkast** meter cupboard

**meteropnemer** meter reader

**meterstand** meter reading ★ *de ~ opnemen* read the meter, take the meter reading

**metgezel** companion, mate

**methaan** methane

**methadon** methadone

**methanol** methanol

**methode** method

**methodiek** methodology

**methodisch** methodical

**methodologie** methodology

**methodologisch** methodological

**Methusalem** Methuselah ★ *zo oud als ~* as old as Methusala

**methyl** methyl

**meting** measurement

**metonymie** metonymy

**metriek** metric ★ *het ~e stelsel* the metric system

**metrisch** metric

**metro** underground (railway), metro, <u>inform</u> tube, USA subway

**metronoom** metronome

**metropool** metropolis

**metroseksueel** metrosexual

**metrostation** underground station, ⟨informeel⟩ tube station, USA subway station

**metrum** metre

**metselaar** bricklayer, ⟨met natuursteen⟩ mason

**metselen**, BN metsen lay bricks, ⟨inmetselen⟩ brick in / up ★ *een muurtje ~* build a brick wall

**metselwerk** *gemetseld werk* brickwork, ⟨natuursteen⟩ masonry

**metten** ★ *korte ~ maken met iem.* make short work of sb

**metterdaad** actually

**mettertijd** in the course of time

**metworst** *cul* ≈ German sausage

**meubel** piece / article of furniture ★ *~s* furniture *ev* ★ *BN de ~s redden* make the best of a bad job

**meubelboulevard** furniture centre, USA furniture mall

**meubelmaker** cabinet maker

**meubelplaat** blockboard

**meubilair** furniture ★ <u>humor</u> *hij hoort bij het ~* he's part of the furniture

**meubileren** furnish

**meug** ★ *ieder zijn meug* every man to his taste

**meute** ❶ *troep honden* pack (of hounds) ❷ *troep mensen* crowd

**mevrouw** ❶ *vrouw, dame* lady ★ *er is een ~ voor u* there's a lady to see you ★ *is ~ thuis?* is the lady of the house at home? ❷ *aanspreektitel* ⟨zonder naam⟩ Madam, ⟨met naam⟩ Mrs ★ *geachte ~!* Dear Madam, ★ *geachte ~ M.* Dear Mrs M. ★ *gaat u zitten, ~* please sit down, Madam

**Mexicaan** Mexican

**Mexicaans** Mexican

**Mexicaanse** Mexican (woman / girl)

**Mexico** *land* Mexico

**Mexico-Stad** Mexico City

**mezelf** <u>inform</u> → mijzelf

**mi** ❶ *Chinese vermicelli* Chinese noodles *mv* ❷ <u>muz</u> mi

**miauw** miaou, miaow, meow

**miauwen** miaow, mew

**mica** mica

**Michiganmeer** Lake Michigan

**micro** BN → microfoon

**microbe** microbe ★ BN *gebeten zijn door de sport~* been bitten by the sport bug

**microfilm** microfilm

**microfoon** microphone ★ *verborgen ~* hidden microphone, <u>inform</u> bug ★ *een verborgen ~*

**mi**

*installeren in een kamer* bug a room
**microgolfoven** BN *magnetron* microwave
**microkosmos** microcosm
**microkrediet** econ microcredit
**Micronesië** Micronesia
**Micronesisch** Micronesian
**micro-organisme** micro-organism
**microprocessor** comp microprocessor
**microscoop** microscope
**microscopisch** microscopic
**middag ❶** *namiddag* afternoon ★ *vrije ~* free
afternoon ★ *'s ~s* in the afternoon ★ *om 4 uur 's
~s* at 4 (o'clock) in the afternoon ❷ *midden van
de dag* noon, midday ★ *tegen de ~* towards noon /
midday ★ *tussen de ~,* BN *op de ~* at noon /
midday, at lunchtime ★ *voor de ~* before noon
**middagdutje** afternoon nap, siesta ★ *een ~ doen*
take an afternoon nap
**middageten** midday meal, lunch
**middagpauze** lunch break / hour
**middaguur ❶** *12 uur 's middags* noon ❷ *de eerste
uren na 12 uur 's middags* ★ *in de middaguren* in
the early afternoon
**middel ❶** *taille* waist ★ *tot aan je ~* up to the
waistl ❷ *hulpmiddel* means *ev en mv* ★ *door ~ van*
by means of ★ *een beproefd / probaat ~* a tried
and tested means ★ *~en van vervoer* means of
transport ★ *alle ~en aanwenden* try everything
★ *het ~ is erger dan de kwaal* the remedy is worse
than the disease ❸ *scheik stof* remedy, medicine
★ *kalmerende ~en* tranquilizers ★ *verdovende ~en*
drugs, narcotics ★ *(verboden) ~en gebruiken* take
drugs ❹ econ *geldmiddelen* [in het mv] means
*mv* ★ *~en van bestaan* means of subsistence
★ *eigen ~en hebben* have private means
**middelbaar** middle, medium, (gemiddeld)
average
**middeleeuwen** (the) Middle Ages *mv* ★ *de
donkere ~* the Dark Ages
**middeleeuws ❶** *van de middeleeuwen*
medi(a)eval ❷ *achtergebleven* ★ *~e opvattingen*
antediluvian notions
**middelen I** *ov ww* ❶ *gemiddelde berekenen*
average ❷ *gelijk verdelen* split, divide **II** *de mv →*
**middel**
**middelgroot** medium-sized
**Middellandse Zee** Mediterranean Sea
**middellang** (afstand) medium-range, (krediet)
medium-term, (lengte) medium length, (tijd)
medium-long ★ *op ~e termijn* medium /
intermediate-term ★ sport *~e afstand* middle
distance
**middellijn** wisk *lijn* diameter
**middelloodlijn** wisk perpendicular bisector
**middelmaat** average ★ *boven / onder de ~*
above / below average
**middelmatig ❶** *gemiddeld* average, (van prijs)
moderate ★ *~ groot* medium large ❷ *niet
bijzonder* mediocre
**middelmatigheid** mediocrity
**Middelnederlands I** *zn* [het] Middle Dutch
**II** *bnw* Middle Dutch
**middelpunt** centre ★ *in het ~ van de
belangstelling staan* be the centre of interest, be
in the limelight
**middelpuntvliedend** centrifugal

**mi**

**middelst** middle
**middelvinger** middle finger ★ *de ~ opsteken naar
iem.* give sb the finger
**midden I** *zn* [het] ❶ *middelpunt, middelste deel*
middle, (van stad, enz.) centre ★ *iem. uit ons ~*
one of us ★ *in ons ~* in our midst ★ *te ~ van*
among, in the midst of ★ *in het ~ van de oceaan*
in mid-Ocean ★ *op het ~ van de dag* at midday
★ *in het ~ liggen tussen* be midway between
leave sth aside / open ★ fig *iets in het ~ brengen*
put sth forward ★ *het ~ houden tussen* be / stand
midway between ❷ BN *kring, milieu* [vaak mv]
social environment / background **II** *bijw* in the
middle of ★ *~ in de rivier* in the middle of the
river ★ *zij is ~ in de dertig* she's in her mid-thirties
★ *~ op de dag* in the middle of the day ★ *~ op
straat* in the middle of the street ★ *~ door het
veld* right across the field ★ *~ april* mid-April
**Midden-Amerika** Central America
**Midden-Amerikaans** Central American
**middenberm** central reservation, USA median
(strip)
**middendoor** in two ★ *~ delen* divide / split into
two
**midden- en kleinbedrijf** small and
medium-sized business sector
**middengewicht** sport *klasse* middle-weight
**middengolf** medium wave
**middenhandsbeentje** metacarpal
**middenin** in the middle / centre
**middenkader** middle management
**middenklasse** *doorsneesoort* (maat) medium
size, (prijs) medium price ★ *auto uit de ~*
medium-sized / priced car
**middenklasser** (auto) medium-sized / priced car
**middenmoot** middle bracket
**middenoor** middle ear
**middenoorontsteking** middle-ear infection
**Midden-Oosten** Middle East
**middenrif** midriff, diaphragm
**middenschip** nave
**middenschool** onderw ≈ comprehensive school
**middenstand** (klasse) middle class(es), (kleine
zelfstandigen) the self-employed
**middenstander** (kleine zelfstandige)
self-employed person, (kleine zelfstandige) small
businessman, (winkelier) shopkeeper
**middenstandsdiploma** ≈ diploma in retail
business
**middenstip** sport centre spot
**middenstreep** central white line
**middenveld ❶** *deel van sportveld* midfield,
centrefield ❷ *spelers* midfielders *mv*, linkmen *mv*
★ *het maatschappelijk ~* civil society
**middenvelder** midfielder
**middenweg** ★ *de gulden ~* the golden / happy
mean ★ *de gulden ~ bewandelen* steer a middle
course
**middernacht** midnight ★ *om ~* at midnight
**middernachtelijk** midnight ★ *het ~ uur* the
midnight hour
**midgetgolf** minigolf, USA miniature golf
**midgetgolfbaan** miniature / midget golf course
**midgetgolfen** play miniature / midget golf
**midi I** *zn* [het], *halflange mode* midi **II** *afk, musical
instrument digital interface* MIDI

**midlifecrisis** midlife crisis
**midscheeps** amidship(s)
**midvoor** centre forward
**midweek** midweek
**midweekarrangement** midweek package
**midwinter** *het midden van de winter* midwinter
**midzomer** *midden van de zomer* midsummer
**mier** ant ★ *zo arm als de mieren* stony broke
**mieren** ❶ *peuteren* fiddle, tinker ❷ *zeuren* go / keep on about, nag
**miereneter** anteater
**mierenhoop** anthill
**mierenneuker** hairsplitter, nitpicker
**mierikswortel** horseradish
**mierzoet** saccharine, cloyingly sweet
**mieter** ★ *iem. op zijn ~ geven* give sb a good bollocking ★ *geen ~* not a damn ★ *het gaat je geen ~ aan* it's none of your bloody business
**mieteren** I *ov ww, gooien* fling, chuck (out) II *on ww, zeuren* keep / go on (about), nag
**mietje** ❶ *homo* pansy, poofter ❷ *slappeling* cream puff ★ *laten we elkaar geen ~ noemen* let us call a spade a spade
**miezeren** drizzle
**miezerig** ❶ *druilerig* drizzly ❷ *nietig* measly, puny ★ *een ~ mannetje* a puny (little) man
**migraine** migraine
**migrant** migrant
**migratie** migration
**migreren** migrate
**mihoen** (thin) Chinese noodles *mv*
**mij** me, ⟨van mij⟩ (of) mine ★ *zij gaf het boek aan mij* she gave me the book, she gave the book to me ★ *dat is van mij* that's mine ★ *een vriend van mij* a friend of mine
**mijden** avoid, shun ★ *~ als de pest* avoid like the plague
**mijl** mile ★ *Engelse mijl* Englis / statute mile ★ *dat is een mijl op zeven* that's a long way round
**mijlenver** ❶ *heel ver* for miles (and miles), miles away ★ *~ in de omtrek* for miles around ★ *~ boven iets / iemand uitsteken* tower over / above sth / sb ❷ *in een vroeg stadium* ★ *ik zag dat al van ~ aankomen* I saw it coming from a mile away
**mijlpaal** ❶ *lett markeerpaal* milestone ❷ *fig belangrijk moment* landmark, milestone ★ *een ~ vormen* be a milestone
**mijmeren** muse (over on), dream (over about)
**mijmering** musing, daydreaming
**mijn** I *zn* [de] ❶ *winplaats* mine, pit ★ *open mijn* quarry ★ *in de mijn afdalen* go down into the mine ★ *bom* mine ★ *op een mijn lopen* strike a mine ★ *mijnen leggen / vegen* lay / clear mines II *bez vnw* my ★ *de / het mijne* mine ★ *het mijn en dijn* mine and thine ★ *ik en de mijnen* me and my family ★ *ik denk er het mijne van* I have my own opinion about it ★ *ik zei er het mijne van* I had my say about it ★ *ik moet er het mijne van hebben* I must get to the bottom of this ★ *mijns inziens* in my opinion
**mijnbouw** mining
**mijnenjager** minehunter
**mijnenlegger** minelayer
**mijnenveger** minesweeper
**mijnenveld** minefield
**mijnerzijds** for my part

**mijnheer** ❶ *aanspreekvorm voor een volwassen man* ⟨zonder naam⟩ sir, ⟨met naam⟩ Mr ★ *~ de voorzitter* Mr Chairman ★ *ja, ~* yes,sir ❷ *belangrijk man* ★ *fig de grote ~ uithangen* play the grand seigneur
**mijnschacht** mineshaft
**mijnstreek** mining district
**mijnwerker** miner
**mijt** ❶ *insect* mite ❷ *stapel* stack, pile
**mijter** mitre
**mijzelf** ❶ [meewerkend] myself ★ *ik dacht bij ~* I thought to myself ★ *ik heb ~ een cadeautje gegeven* I've given myself a present, I've given a present to myself ❷ [lijdend] myself ★ *op die manier straf ik ~* in that way I punish myself
**mik** brood loaf (of rye / wheat bread) *mv: loaves* ★ *het is dikke mik tussen die twee* those two are as thick as thieves
**mikado** *spel* jackstraws *ev*, spillikins *ev*
**mikken** I *ov ww, gooien* chuck, fling II *on ww* ❶ *richten* (take) aim (op at) ❷ *streven naar* aim (op for / at) ★ *hoog ~* aim high
**mikmak** lot, works *mv*, caboodle ★ *de hele ~* the whole caboodle
**mikpunt** butt ★ *het ~ van kritiek zijn* be the butt of criticism
**Milaan** Milan
**mild** ❶ *zacht* gentle, ⟨weer, enz.⟩ mild ❷ *zachtaardig, welwillend* mild, ⟨straf⟩ lenient
**milderen** BN *afzwakken* weaken, tone / play down
**mildheid** ❶ *zachtheid* mildness ❷ *welwillendheid* mildness, ⟨straf⟩ leniency, gentleness ❸ *gulheid* liberality, generosity
**milieu** ❶ *leefklimaat* environment ❷ *sociale kring* milieu, social environment / background ★ *uit een ander ~* from a different social background
**milieuactivist** ⟨mbt behoud⟩ conservationist, ⟨mbt verbetering⟩ environmentalist
**milieubeheer** ⟨nature⟩ conservation
**milieubelasting** *heffing* ⟨heffing⟩ environment(al) tax, ⟨druk op het milieu⟩ impact on the environment
**milieubescherming** environmental protection, ⟨behoud⟩ conservation of the environment
**milieubewust** ⟨persoon⟩ environment-minded, ⟨handeling⟩ ecological
**milieugroep** environmental group, environmentalists *mv*
**milieuheffing** environment(al tax)
**milieuhygiëne** ❶ *milieuzorg* environmental protection, pollution control ❷ *toestand van het milieu* state of the environment
**milieukunde** onderw environmentology
**milieumaatregel** environmental measure
**milieupark** *afvalscheidingstation* recycling station
**milieuramp** environmental disaster, ecodisaster
**milieustraat** recycling station
**milieuverontreiniging, milieuvervuiling** environmental pollution
**milieuvriendelijk** environment(ally) friendly, eco-friendly
**militair** I *zn* [de] military man / woman, soldier ★ *de ~en* the military *ev en mv*, the armed forces II *bnw* military ★ *~e dienst* military / national

service
**militant** I *bnw* militant II *zn* [de], BN actief lid
activist
**militarisme** militarism
**militaristisch** militaristic
**militie** militia
**miljard** I *telw* billion II *zn* [het] (a / one) billion
**miljardair** billionaire
**miljardste** ❶ billionth ❷ → **vierde**
**miljoen** I *telw* million II *zn* [het] (a / one) million
**miljoenennota** Budget
**miljoenenschade** damage running into
millions
**miljoenenstad** city with over a million
inhabitants
**miljoenste** ❶ millionth ❷ → **vierde**
**miljonair** millionaire
**milkshake** milkshake
**mille** duizendtal (a / one) thousand ★ *per / pro ~*
per thousand / mille ★ *hij verdient zestig ~ per
jaar* he earns / makes sixty thousand a year
**millennium** millennium [mv: millennia /
millenniums]
**millibar** millibar
**milligram** milligram(me)
**milliliter** millilitre
**millimeter** millimetre
**millimeteren** crop (close)
**milt** spleen
**miltvuur** anthrax, splenic fever
**mime** mime
**mimen** mime
**mimespeler** mime artist
**mimiek** ⟨gelaat⟩ facial expression, kunst mime
**mimosa** mimosa
**min** I *bnw* ❶ *weinig* ★ *zo min mogelijk* as little as
possible ❷ *onbeduidend* poor ★ *ben ik te min?*
aren't I good enough? ★ *dat is mij te min* that's
beneath me ❸ *gemeen* mean ★ *een minne streak* a
dirty trick II *bijw* ❶ *weinig* ★ *min of meer* more or
less ★ *hij weet het net zo min als ik* your guess is
as good as mine ❷ *geringschattend* poorly, badly
★ *daar moet je niet zo min over denken* that's not
to be sneezed at ❸ *onder nul* minus ★ *het is min
10 graden* it's minus ten degrees ★ *vijf min drie is
twee* five minus three makes two III *zn* [de],
*minteken* minus (sign) ★ *in de min staan* be in the
red
**minachten** disdain, hold in contempt
**minachtend** disdainful, contemptuous
**minachting** disdain (for), contempt (for) ★ *uit ~
voor* in contempt of
**minaret** minaret
**minarine** BN cul low-fat margarine
**minder** I *bnw, kleiner, onbelangrijker, slechter*
⟨geringer⟩ lesser, ⟨kleiner, lager⟩ minor,
⟨slechter⟩ inferior, ⟨slechter⟩ worse ★ *van ~
betekenis* of less(er) / minor importance ★ *in ~e
mate* to a lesser degree ★ *van ~e kwaliteit* of
inferior quality ★ *de zieke wordt ~* the patient is
getting worse II *bijw, in geringere mate* less ★ *hoe
~... hoe meer...* the less... the more... ★ *hoe ~ je
ervan zegt hoe beter* the least said about it the
better ★ *dat doet er ~ toe* that's of lesser
importance ★ *100 euro ~* 100 euros less III *onb
telw, een kleinere hoeveelheid* ⟨telbaar⟩ fewer,

⟨ontelbaar⟩ less ★ *~ worden* diminish, decrease
★ *steeds ~ klanten* a decreasing number of clients
★ *~ water* less water ★ *~ vrienden* fewer friends
★ *~ dan* less / fewer than ★ *~ dan honderd euro*
less than a / one hundred euros ★ *in ~ dan geen
tijd* in less than no time ★ *niemand ~ dan de
burgemeester* no less a person than the mayor
**mindere** inferior, mil private ★ *de ~n* mil the
rank and file ★ *iemands ~ zijn in* be inferior to sb
in
**minderen** I *ov ww, verminderen* diminish,
decrease ★ *vaart ~* slow down, reduce speed II *on
ww, minder worden* diminish, decrease
**minderhedenbeleid** minority / minorities
policy
**minderhedendebat** minority debate
**minderheid** *kleiner aantal* minority ★ *in de ~ zijn*
be in the minority
**minderheidsgroep** minority group
**minderheidskabinet** minority government
**minderheidsstandpunt** minority view(point)
**mindering** *het minderen* decrease ★ *in ~ brengen*
deduct ⟨op from⟩
**minderjarig** underage
**minderjarige** minor
**minderjarigheid** minority
**mindervalide** I *zn* [de] disabled person II *bnw*
disabled, euf challenged
**minderwaardig** ⟨van kwaliteit⟩ inferior,
⟨geestelijk⟩ mentally deficient ★ *~e praktijken*
shady practices
**minderwaardigheid** inferiority
**minderwaardigheidscomplex** inferiority
complex
**minderwaardigheidsgevoel** feeling / sense of
inferiority
**mineraal** I *zn* [het] mineral II *bnw* mineral
**mineraalwater** mineral water
**mineur** ❶ *muz* minor ★ *in ~* in minor ★ *in a ~* in
A minor ❷ *stemming* ★ *in ~ zijn* be depressed
**mini** mini
**miniatuur** miniature
**miniatuurformaat** miniature format
**miniatuurtrein** miniature train, model train
**miniem** I *bnw* slight, negligible II *zn* [de], BN
sport junior
**minigolf** mini-golf, USA miniature golf
**minima** minimum wages, ⟨minimumloners⟩
minimum-wage earners *mv*
**minimaal** I *bnw, zeer klein* minimum, minimal
★ *een ~ verschil* a minimal difference II *bijw,
minstens, op zijn minst* at least
**minimaliseren** minimize
**minimum** minimum ★ *tot een ~ beperken*
reduce / keep to a minimum
**minimumeis** minimum requirement
**minimuminkomen** minimum income
**minimumjeugdloon** minimum juvenile wage
**minimumleeftijd** minimum age
**minimumloon** minimum wage
**minirok** miniskirt
**miniseren** cut down on, cut back
**minister** Minister, ⟨soms⟩ GB USA Secretary
★ *eerste ~* Prime Minister ★ *~ van binnenlandse
zaken* Minister of the Interior, GB Home
Secretary USA Secretary for the Interior ★ *~ van*

*buitenlandse zaken* Minister of Foreign Affairs,
GB Foreign Secretary USA Secretary of State ★ ~
*van defensie* Minister of Defence, GB Defence
Secretary USA Secretary of Defense ★ ~ *van
economische zaken* Minister of Economic Affairs,
GB Secretary of State for Trade and Industry USA
Secretary of Commerce ★ ~ *van financiën*
Minister of Finance, GB Chancellor of the
Exchequer USA Secretary of the Treasury ★ ~ *van
justitie* Minister of Justice, GB Lord (High)
Chancellor USA Attorney General ★ ~ *van
onderwijs* Minister of Education, GB Education
Secretary USA Secretary of Education ★ ~ *van
ontwikkelingssamenwerking* Minister for Overseas
Development ★ ~ *zonder portefeuille* Minister
without portfolio ★ ~ *van staat* Minister of State
★ ~ *van verkeer* Minister of Transport, GB
Secretary of State for Transport USA Secretary of
Transportation
**ministerie** pol Ministry, Department ★ *Ministerie
van Algemene Zaken* Ministry of General Affairs
★ *Ministerie van Binnenlandse Zaken en
Koninkrijksrelaties* Ministry / Department of the
Interior, GB Home Office USA Home Department
★ *Ministerie van Buitenlandse Zaken* Ministry of
Foreign Affairs, GB Foreign Office USA State
Department ★ *Ministerie van Defensie* Ministry of
Defence, USA Department of Defense ★ *Ministerie
van Economische Zaken, Landbouw en Innovatie*
Ministry of Economic Affairs, GB Department of
Trade and Industry USA Department of
Commerce ★ *Ministerie van Financiën* Ministry of
Finance, GB Treasury USA Treasury Department
★ *Ministerie van Veiligheid en Justitie* Ministry of
Justice, USA Department of Justice ★ *Ministerie
van Onderwijs, Cultuur en Wetenschap* Ministry of
Education, Culture and Science ★ *Ministerie van
Sociale Zaken en Werkgelegenheid* Ministry of
Social Affairs and Employment ★ vroeger
*Ministerie van Verkeer en Waterstaat* Ministry of
Transport, Public Works and Water
Management ★ *Ministerie van Volksgezondheid,
Welzijn en Sport* Ministry of Health, Welfare and
Sports, GB Department of Health and Social
Security USA Department of Health and Human
Services ★ vroeger *Ministerie van
Volkshuisvesting, Ruimtelijke Ordening en
Milieubeheer* Ministry of Housing, Spatial
Planning and the Environment ▼ jur *Openbaar
Ministerie* Public Prosecutor
**ministerieel** ministerial ★ ~ *besluit* Ministerial
Order ★ *ministeriële crisis* Cabinet crisis
**minister-president** Prime Minister, media
Premier
**ministerraad** council of ministers, the Cabinet
★ *vergadering van de* ~ Cabinet meeting
**ministerspost** ministerial post ★ *een* ~ *bekleden*
hold ministerial office
**mink** I *zn* [de], *dier* mink II *zn* [het], *bont* mink
**minkukel** no-hoper
**minnaar** lover
**minnares** mistress
**minne** ★ *iets in der* ~ *schikken* settle a matter
amicably
**minnekozen** caress, inform bill and coo, inform
kiss and cuddle

**minnen** *beminnen* love
**minnetjes** ❶ *nogal zwak* poorly ❷ *verachtelijk*
mean
**minor** minor
**minpool** negative pole
**minpunt** minus point, disadvantage
**minst** I *onb telw* ❶ *de kleinste hoeveelheid* least,
slightest ★ *hij heeft de* ~*e tijd* he has the least
time ★ *bij het* ~*e of geringste* at the slightest
provocation ★ *niet het* ~*e idee hebben* not have
the slightest idea ★ *niet het* ~*e weten* not know
the first thing (about sth) ★ *het* ~*e dat je kunt
doen* the least you can do ❷ *het kleinste aantal*
fewest ★ *zij heeft de* ~*e vrienden* she has the
fewest friends II *bijw, in de kleinste mate* least
★ *niet in het* ~ not in the least, not at all, by no
means ★ *op zijn* ~ at the very least ★ *ten* ~*e* at
least ★ *ten* ~*e 100 euro* at least a / one hundred
euros
**minstens** at (the) least ★ ~ *even (lang) als* at least
as (long) as
**minstreel** minstrel
**minteken** minus sign
**mintgroen** I *bnw* mint green II *zn* [het] mint
green
**minus** minus ★ *12* ~ *4* 12 minus 4
**minuscuul** minuscule, tiny
**minuterie** BN *tijdschakelaar* time switch
**minutieus** meticulous, detailed
**minuut** minute ★ *op de* ~ *af* to the minute ★ *het is
vijf minuten voor tien* it's five to ten
**minzaam** ❶ *vriendelijk* affable ❷ *neerbuigend*
condescending
**miraculeus** miraculous
**mirakel** miracle
**mirre** myrrh
**mirte** myrtle
**mis** I *bnw* ❶ *niet raak* out ★ *het schot was mis* the
shot went wide (of the mark) ❷ *onjuist* wrong,
amiss ★ *het mis hebben* be wrong / mistaken
★ *het is mis* things have gone wrong ★ *faliekant
mis* totally wrong ★ *mis poes!* wrong! ❸ *gering*
★ *hij is lang niet mis* there are no flies on him
★ *dat is niet mis* that is not half bad II *zn* [de]
Mass ★ *gezongen mis* choral / sung Mass ★ *stille
mis* Low Mass ★ *de mis lezen* read / say Mass ★ *de
mis vieren* celebrate Mass ★ *naar de mis gaan* go
to Mass
**misantroop** misanthrope, misanthropist
**misbaar** clamour, uproar ★ ~ *maken* make a fuss
★ *veel* ~ *maken* raise an outcry
**misbaksel** ❶ *wanproduct* failure, ⟨aardewerk⟩
waster ❷ *naarling* louse, bastard
**misbruik** abuse ★ ~ *van vertrouwen* abuse /
breach of trust ★ ~ *maken van* take advantage of
★ ~ *wordt gestraft* improper use will be punished
**misbruiken** ❶ *oneerlijk gebruiken* abuse
❷ *verkrachten* abuse
**miscommunicatie** miscommunication
**misdaad** crime ★ *een* ~ *begaan* commit a crime
★ *misdaden tegen de menselijkheid* crimes against
humanity ★ ~ *loont niet* crime doesn't pay
**misdaadbestrijding** fight against crime, crime
prevention
**misdaadroman** crime novel
**misdadig** criminal ★ ~*e bedoelingen* criminal

**mi**

intent
**misdadiger** criminal
**misdeeld** deprived, underprivileged ★ *de maatschappelijk ~en* the (socially) underprivileged
**misdienaar** acolyte, ⟨jongen⟩ altar boy
**misdoen** do wrong
**misdragen [zich ~]** misbehave, behave badly
**misdrijf** criminal offence, crime, jur felony ★ *een ~ begaan* commit a criminal offence ★ *aan een ~ denken* suspect foul play ★ *de plaats van een ~* the scene of the crime, the crime scene
**misdrijven ❶** *misdoen* do wrong **❷** *een misdaad begaan* commit a crime
**misdruk** ⟨boek⟩ reject (copy), ⟨drukwerk⟩ mackle
**mise-en-scène** mise en scène, staging
**miserabel** miserable, wretched
**misère** misery ★ *in de ~ zitten* be in trouble / distress
**miserie** BN *ellende* misery, distress
**misgaan** *verkeerd gaan* go wrong, fail, ⟨huwelijk⟩ break down, ⟨schot⟩ miss
**misgreep** mistake, blunder
**misgrijpen ❶** lett miss one's hold **❷** fig fail
**misgunnen** (be)grudge
**mishagen** displease
**mishandelen** ill-treat, maltreat, ⟨echtgenote, kind⟩ batter
**mishandeling** ill-treatment, maltreatment, ⟨met letsel⟩ assault, ⟨echtgenote, kind⟩ battering
**miskennen ❶** *niet erkennen* ignore, disown **❷** *onderwaarderen* underestimate, ⟨niet goed inschatten⟩ misjudge ★ *een miskend talent* misunderstood talent
**miskenning ❶** *verloochening* denial **❷** *onderwaardering* underestimation
**miskleun** blunder, clanger
**miskleunen** (make a) blunder, drop a brick / clanger ★ *hij heeft zwaar misgekleund* he has slipped up badly
**miskoop** bad buy / investment
**miskraam** miscarriage ★ *een ~ hebben* miscarry, have a miscarriage
**misleiden** deceive, mislead
**misleidend** deceiving, misleading ★ *~e reclame* misleading advertising
**misleiding** deception
**mislopen ❶** *niet krijgen* miss (out on) ★ *zijn promotie ~* miss out on one's promotion ★ *zijn straf ~* get off scotfree **❷** *niet treffen* miss ★ *zijn roeping ~* miss one's vocation **❸** *on ww, mislukken* go wrong
**mislukkeling** failure, inform loser
**mislukken** *niet lukken* fail, miscarry, ⟨van plan, opzet⟩ fall through, ⟨van onderhandelingen⟩ break down ★ *de oogst is mislukt* the crop failed ★ *doen ~* wreck ★ *een mislukte poging* an abortive / unsuccessful attempt
**mislukking** failure, breakdown, inform flop ★ *het is op een ~ uitgelopen* it ended in a fiasco
**mismaakt** deformed, ⟨gezicht⟩ disfigured
**mismanagement** mismanagement
**mismoedig** dejected, disheartened
**misnoegd** displeased (at / with)
**misnoegen** displeasure
**misoogst** bad harvest

**mispel ❶** *vrucht* medlar ★ *rot als een ~* rotten to the core **❷** *boom* medlar (tree)
**misplaatst** misplaced ★ *~e grap* inappropriate joke ★ *~ gedrag* inappropriate behaviour ★ *~ optimisme* misplaced / mistaken optimism ★ *die opmerking is geheel ~* that remark is entirely out of place
**misprijzen I** zn [het] disdain, contempt **II** ov ww disapprove of ★ *een ~de blik* a look of disapproval
**mispunt** pain in the neck
**misrekenen [zich ~] ❶** *zich vergissen* miscalculate ★ *zich in iets ~* miscalculate sth, inform slip up on sth **❷** *teleurgesteld uitkomen* miscalculate
**misrekening ❶** *fout* miscalculation **❷** *teleurstelling* miscalculation, disappointment
**miss** Miss
**misschien** perhaps, maybe ★ *hebt u ~ een euro?* do you happen to have a euro? ★ *~ wel* possibly, perhaps ★ *zoals je ~ weet* as you may know ★ *ken je hem ~?* do you know him by any chance?
**misselijk ❶** *onpasselijk* sick ★ *zo ~ als een hond* as sick as a dog / parrot ★ *~ makende stank* sickening stench **❷** *walgelijk* disgusting, revolting, ⟨grap⟩ sick, ⟨streek⟩ nasty ★ *wat een ~ kereltje* what a nasty little shit ★ *dat is niet ~!* that's quite sth!
**misselijkheid** *onpasselijkheid* nausea, sickness
**missen I** ov ww **❶** *niet treffen* miss ★ *de aansluiting ~* miss the connection ★ *zijn roeping ~* miss one's vocation ★ *een gemiste kans* a missed / lost opportunity **❷** *ontberen* lack, ⟨afstaan⟩ spare ★ *ik kan dat niet ~* I can't do without it ★ *u kunt best een euro ~* you can easily spare a euro **❸** *gevoel missen* miss ★ *ik zal je ~* I'll miss you ★ *ik zal je heel erg ~* you will be sorely missed **II** on ww **❶** *ontbreken* miss, be missing ★ *er ~ twee bladzijden* ten pages are missing **❷** *niet treffen* miss ★ *het schot miste* the shot went wide ★ fig *dat kan niet ~* it can't fail
**misser ❶** *mislukte poging* fiasco **❷** sport miss, ⟨schot⟩ bad shot
**missie ❶** *doelstelling* mission ★ *~ volbracht* mission accomplished **❷** rel *predikende organisatie* mission
**missionaris** missionary
**misslaan** miss ★ *de bal ~* miss the ball
**misslag ❶** *niet-rake slag* miss **❷** *vergissing* error ★ *een ~ begaan* make a mistake
**misstaan ❶** *niet goed staan* be unbecoming, not suit ★ *geel misstaat je niet* yellow suits you **❷** *niet betamen* be unbecoming
**misstand** abuse
**misstap ❶** *verkeerde stap* misstep, wrong step **❷** fig *fout* misstep, blunder ★ *een ~ begaan* make a slip, slip up
**misstappen** miss one's footing
**missverkiezing** beauty (queen) contest
**mist** fog, ⟨nevel⟩ mist ★ *zware / dichte mist* thick / dense fog ★ *door de mist opgehouden worden* be fogbound ★ *de mist trekt op* the fog is lifting ★ *de mist ingaan* come to nothing, flop
**mistbank** fog bank
**misten** be foggy, ⟨nevel⟩ be misty
**misthoorn** foghorn
**mistig** foggy

**mistlamp** fog lamp / light
**mistletoe** mistletoe
**mistlicht** fog light(s)
**mistral** mistral
**mistroostig** dejected, ⟨van zaken⟩ gloomy, ⟨van zaken⟩ dismal
**misvatting** misconception, fallacy
**misverstaan** misunderstand, misinterpret ★ *in niet mis te verstane woorden* in no uncertain terms
**misverstand** misunderstanding ★ *een ~ ophelderen / rechtzetten* clear up a misunderstanding
**misvormd** deformed, ⟨ontsierd⟩ disfigured
**misvormen** deform, ⟨ontsieren⟩ disfigure
**misvorming** deformation, ⟨uiterlijk⟩ disfigurement
**miszeggen** ★ *iets ~* say sth wrong
**mitella** sling ★ *zijn arm in een ~ dragen* have one's arm in a sling
**mitrailleur** machine gun
**mits** provided (that)
**mix** mix
**mixdrank** mix drink
**mixen** mix
**mixer** mixer
**mkb** econ *midden- en kleinbedrijf* SME, small to medium-sized enterprise
**MKZ** *mond-en-klauwzeer* foot-and-mouth (disease)
**mmm** mm
**mms** *Multimedia Messaging Service* MMS
**mms'en** send an MMS
**mobiel I** zn [de], *telefoon* mobile (phone), cellphone **II** bnw mobile **III** bijw ★ *iem. ~ bellen* call sb on one's mobile ★ *~ bellen* use a mobile
**mobile** *beweeglijk sierhangsel* mobile
**mobilhome** BN *camper* camper, USA motorhome
**mobilisatie** mobilization
**mobiliseren** ❶ *mobiel maken* mobilize ❷ ⟨militair⟩ *gevechtsklaar maken* mobilize
**mobiliteit** mobility
**mobilofoon** radio-telephone
**modaal** ❶ *gemiddeld* average ★ *modale werknemer* average-wage earner ★ *een ~ inkomen hebben* earn an average income ❷ *taalkunde / muziek* modal
**modaliteit** ❶ *taalk* modality ❷ BN *voorwaarde* condition
**modder** mud ★ *onder de ~ zitten* be covered in mud ★ *met ~ gooien naar iem.* sling mud at sb ★ *door de ~ halen* drag through the mud
**modderen** ❶ *baggeren* dredge ❷ *knoeien* mess about, muddle along / through
**modderfiguur** ★ *een ~ slaan* cut a sorry figure
**moddergevecht** ❶ *gevecht in de modder* mud-wrestling ❷ *fig discussie vol roddel en beledigingen* mud-slinging
**modderig** muddy
**modderpoel** quagmire ★ *in een ~ terechtkomen* get into a mire
**modderstroom** mudslide
**moddervet** grossly fat / overweight
**mode** *publieke smaak* fashion ★ *in de mode zijn* be in fashion ★ *in de mode komen* come into fashion ★ *uit de mode raken* go out of fashion ★ *met de*

*mode meedoen* follow the fashion ★ *de mode aangeven* set the fashion ★ *naar de nieuwste mode* after / in the latest fashion
**modeartikel** fashion item
**modebewust** fashion-conscious
**modeblad** fashion magazine
**modegril** fashion fad, whim of fashion
**modehuis** fashion house
**modekleur** fashion colour
**model** ❶ *type product* model ★ *het nieuwste ~ cd-speler* the latest model in CD players ❷ *voorbeeld* ★ *~ staan voor* serve as a model for ❸ *persoon* model ★ *~ staan* sit / model (for) ❹ *ontwerp* model ★ *(weer) in ~ brengen* reshape
**modelbouw** model building / making
**modelleren** *in model brengen* model ★ *iets ~ naar...* model sth after / on...
**modelvliegtuig** model aeroplane
**modelwoning** show house / home
**modem** modem
**modeontwerper** fashion designer
**moderator** ❶ www moderator ❷ BN *gespreksleider* moderator
**modern** *hedendaags* modern
**moderniseren** modernize
**modernisme** modernism
**modeshow** fashion show / parade
**modeverschijnsel** fad, craze
**modewoord** buzz word
**modezaak** fashion shop / store
**modieus** fashionable, stylish ★ *zeer ~* highly fashionable
**modificeren** modify
**modulair** modular
**module** module
**moduleren** modulate
**modus** mode ★ *we moeten een ~ vinden om het op te lossen* we must work out a way to solve the problem
**moe I** bnw ❶ *vermoeid* tired, ⟨sterker⟩ weary ★ *moe maken* tire (out) ★ *moe in de benen* leg-weary ❷ *beu* tired / weary of ★ *iets moe zijn* be fed up with sth **II** zn [de], *inform* moeder mum, USA mom
**moed** ❶ *dapperheid* courage, ⟨lef⟩ nerve ★ *moed bijeenrapen* summon / muster (up) courage ★ *de euvele moed hebben om* have the nerve / audacity to ★ *met de moed der wanhoop* in a desperate attempt ❷ *goede hoop* courage ★ *vol goede moed* in good spirits ★ *moed geven* encourage ★ *houd moed!* cheer up! ★ *de moed erin houden* keep one's spirits up ★ *iem. moed inspreken* give sb encouragement / hope ★ *iem. de moed ontnemen (om)* discourage sb (from) ★ *moed vatten* take courage / heart ★ *de moed verliezen* lose courage / heart ★ *de moed zonk hem in de schoenen* his heart sank into his boots
**moedeloos** dejected, despondent ★ *om ~ van te worden* enough to make one despair
**moeder** mother ★ *een aanstaande ~* a mother-to-be ★ *~ de vrouw* the wife, inform the missus ★ *zo ~, zo dochter* like mother, like daughter ★ *Moeder Aarde* Mother Earth ★ *Moeder de Gans* Mother Goose ★ *niet ~s mooiste zijn* be no oil painting
**moederbedrijf** parent company

**mo**

**Moederdag** Mother's Day
**moederen** mother ★ *over iem.* ~ mother sb
**moederhuis** BN med *kraaminrichting* maternity ward
**moederinstinct** maternal instinct
**moederkoek** placenta
**moederland** motherland, ⟨van kolonie⟩ mother country
**moederlijk** motherly, maternal
**moedermelk** mother's / breast milk
**moeder-overste** Mother Superior
**moederschap** motherhood
**moederschip** mother ship, ⟨met lichters⟩ barge carrier
**moederskant** ★ *van* ~ on the mother's / maternal side
**moederskind** ❶ *lievelingskind van moeder* mother's child ❷ *kind dat veel aan moeder hangt* mother's boy / girl
**moedertaal** *van jongsaf aangeleerde taal* mother tongue, native language
**moedervlek** birthmark, ⟨klein⟩ mole
**moederziel** ★ ~ *alleen* all alone
**moedig** plucky, brave, courageous
**moedwil** ❶ ⟨baldadigheid⟩ wantonness ❷ *boze opzet* wilfulness ★ *met* ~ out of malice / spite
**moedwillig** wilful, wanton
**moeheid** ❶ *het moe zijn* tiredness, ⟨sterker⟩ weariness ❷ *materiaalmoeheid* ⟨van grond⟩ exhaustion, ⟨van metaal⟩ fatigue
**moeilijk** I *bnw* difficult, hard, trying ★ ~*e taak* difficult / arduous task ★ ~*e tijden* difficult / hard / trying times ★ *wij hebben het* ~ *gehad* we've had a rough time ★ *het is* ~ *te begrijpen / zeggen* it's difficult / hard to understand / say ★ *een* ~ *mens* a difficult character ★ *zo* ~ *is het niet* it's not that difficult II *bijw* ⟨met moeite⟩ with difficulty, ⟨bijna niet⟩ hardly ★ ~ *doen* make a fuss ★ *ik kan toch* ~ *anders* I can hardly do anything else ★ ~ *opvoedbare kinderen* problem children
**moeilijkheid** difficulty, trouble, problem ★ *moeilijkheden hebben met* have problems with ★ *moeilijkheden maken* stir up trouble ★ *iem. in moeilijkheden brengen* get sb into trouble ★ *in moeilijkheden zitten* be in trouble ★ *daar zit de* ~ there's the catch / rub
**moeite** ❶ *inspanning* effort, trouble ★ *vergeefse* ~ wasted effort ★ *het gaat in één* ~ *door* it's all in a day's work ★ *zij deed het in één* ~ *door* she took it in her stride ★ *met grote* ~ with great difficulty ★ ~ *doen* take trouble (**voor** over / with) ★ *doet u geen* ~ don't bother ★ *vergeefse* ~ *doen* try in vain (om to) ★ *zich* ~ *geven* go to the trouble (**om of**) ★ *de* ~ *nemen om* take the trouble to ★ *dat is de* ~ *niet waard* it's not worth the effort, it's a waste of time ★ *iem. heel wat* ~ *geven* cause sb a great deal of trouble ★ ~ *hebben met iets* have difficulty with sth ★ ~ *hebben om* find it difficult to
**moeiteloos** effortless
**moeizaam** I *bnw* laborious, difficult II *bijw* laboriously, with difficulty
**moer** ❶ *schroefmoer* nut ❷ *bezinksel* dregs *mv* ▾ *dat kan me geen moer schelen* I don't give a damn

**moeras** marsh, swamp
**moerasgebied** marshland, swampland
**moerassig** marshy, swampy
**moerbei** ❶ *moerbes* mulberry ❷ *boom* mulberry (tree)
**moeren** wreck
**moersleutel** spanner, wrench
**moerstaal** mother tongue, native language ★ *spreek je* ~ speak plain Dutch / English, etc.
**moes** pulp, ⟨gerecht⟩ purée ★ *iem. tot moes slaan* beat sb to a pulp
**moesappel** cooking apple
**moesson** monsoon
**moestuin** kitchen garden
**moeten** I *ov ww* ❶ *mogen, aardig vinden* like ★ *ik moet hem niet* I don't like him, I can't stand him ❷ *verlangen, willen* want ★ *hij moest en zou komen* he wanted to come at all cost ★ *wat moet je hier?* what do you want?, what's your business?, what's the idea? ★ *wat moet dat voorstellen?* what's that supposed to be? ★ *daar moet ik niets van hebben* I'll have none of it ★ *ik moet nog zien dat het gebeurt* I have yet to see it happen, that'll be the day! ❸ BN *verschuldigd zijn* owe ★ *hoeveel moet ik u?* how much do I owe you? II *on ww*, BN *hoeven* need, be necessary III *hww* ❶ *verplicht zijn, noodzakelijk zijn* ⟨noodzaak volgens de spreker zelf⟩ must, ⟨noodzaak vanwege omstandigheden⟩ have to, ⟨verplichting⟩ be obliged to, ⟨afspraak, bevel⟩ be to ★ *ik moet naar huis* I must / have to go home ★ *ik moet ervandoor* I must be off ★ *ik weet niet wat ik doen moet* I don't know what to do, I'm at a loss what to do ★ *naar de wc* ~ need to go (to the lavatory / loo) ★ *moet ik het raam dichtdoen?* shall I close the window? ★ *hij moet weggaan* he has to go ★ *wat moet ik daarmee?* what am I to do with it? ★ *het moet* it's a must ❷ *behoren* should, ought to ★ *je had het me* ~ *zeggen* you should have told me ★ *dat moest de politie eens weten* if only the police knew ★ *je moest je schamen* you should be ashamed ❸ *aannemelijk zijn* must ★ *hij moet steenrijk zijn* he must have pots of money ❹ *onvermijdelijk zijn* ★ *ik moest lachen* I couldn't help laughing ★ *het heeft zo* ~ *zijn* it was bound to happen ★ *dit plan moet wel mislukken* this plan is bound to fail ★ *ze* ~ *dit wel opmerken* they can't fail to notice this, it can't fail to attract notice ★ *ik moest wel* I had no choice ❺ BN *zullen, kunnen* ★ *moest het zo zijn, dan...* if that were / was the case, (then)...
**moetje** *huwelijk* shotgun wedding, ⟨kind⟩ shotgun baby
**Moezel** Moselle, Mosel
**moezelwijn** cul Moselle (wine)
**mof** ❶ *warm kledingstuk dat beide handen bedekt* muff ❷ *recht verbindingsstuk van buizen* (coupling) sleeve ❸ min *Duitser* Kraut, ⟨tijdens WO 1 en 2⟩ Jerry
**mogelijk** I *bnw* ❶ *te verwezenlijken* possible ★ *het is niet* ~ it's impossible ★ *hoe is het* ~*!* how on earth is it possible! ★ *zo* ~ if possible ★ *voor zover* ~ *als* make possible ★ ~ *maken* make possible ★ *alle* ~*e moeite doen* do everything possible ★ *al het* ~*e* all that is possible ★ *best* ~ quite possible, possibly ❷ *denkbaar* possible ★ *in alle* ~*e kleuren*

mo

in all possible colours ★ *bij ~e moeilijkheden* in case of difficulties ★ *op alle ~e manieren* in every possible way **II** *bijw* possibly, perhaps ★ *zo spoedig ~* as soon as possible ★ *zo goed ~* to the best of one's ability

**mogelijkerwijs** possibly, perhaps, maybe

**mogelijkheid** *het mogelijk zijn* possibility ★ *ik kan met geen ~ komen* I can't possibly come ★ *op alle mogelijkheden voorbereid zijn* be prepared for all eventualities

**mogen I** *ov ww, waarderen* like ★ *ik mag hem* ★ *ik mag hem wel* I rather like him **II** *hww* ❶ *toestemming hebben* can, be allowed to, <u>form</u> may, (verbod) must not ★ *mag ik binnenkomen?* can I come in?, <u>form</u> may I come in? ★ *mag ik de boter?* can I have the butter, please? ★ *dat mag wel* it's allowed ★ *dat mag je niet doen* you mustn't do that ★ *hij mag niet van zijn vader* his father won't let him ★ *je mag nu gaan* you can go now, <u>form</u> you may go now ❷ *wenselijk zijn* should, ought to, had better ★ *hij mag wel oppassen* he'd better be careful ★ *je had hem wel eens ~ helpen* you should have helped him ❸ *kunnen* can, may ★ *je mag erop rekenen* you can / may count on it ★ *je mag van geluk spreken* you can count yourself lucky ★ <u>fig</u> *hij mag er zijn* he's a fine specimen ❹ *veronderstellen* may, should ★ *hoe rijk hij ook zijn mag* however rich he may be ★ *mocht dit het geval zijn,...* should this be the case,..., if so,... ★ *wat er ook moge gebeuren* whatever happens, come what may

**mogendheid** power ★ *grote ~* superpower

**mohair** mohair

**Mohammed** Mohammed

**mohammedaan** Muslim

**mohammedaans** Muslim ★ *zij is een ~e* she is a Muslim

**Mohikaan** ★ *de laatste der Mohikanen* the last of the Mohicans

**mok** mug

**moker** sledge(hammer)

**mokerslag** ❶ <u>lett</u> sledgehammer blow ❷ <u>fig</u> sledgehammer blow

**mokka** *koffie* mocha

**mokkel** chick

**mokken** sulk

**mol** ❶ *dier* mole, mole ❷ <u>muz</u> *verlagingsteken* flat

**Moldavië** Moldavia

**Moldavisch** Moldovan

**moleculair** molecular

**molecule** molecule

**molen** mill, (van werphengel) reel ★ *hij heeft een tik van de ~ (gekregen)* he has a screw loose ★ *ambtelijke ~s malen langzaam* the wheels of government grind slowly ★ *het zit in de ~* it's in the pipeline

**molenaar** miller

**molensteen** millstone ★ *als een ~ om de nek* like a millstone round one's neck

**molenwiek** (windmill) sail

**molesteren** harass, (vnl. seksueel) molest

**molestverzekering** riot and civil commotion insurance

**molière** lace-up (shoe)

**mollen** ❶ *kapot maken* wreck, break, ruin ❷ *doden* do in

**mollig** plump, (wangen, handen) chubby

**molm** *vezels* (vergaan hout) mouldered wood, (vermolming in hout) wood rot, (turfmolm) peat (dust)

**molotovcocktail** Molotov cocktail

**molshoop** molehill

**Molukken** Moluccas *mv*

**Molukker** *bewoner* Moluccan

**Moluks** *m.b.t. de Molukken* Molucca(n)

**Molukse** Moluccan (woman / girl)

**mom** mask ★ *onder het mom van* under the guise of

**moment** moment ★ *een ~ alstublieft* one moment, please ★ *op dit ~* at the moment ★ *op het (aller)laatste ~* at the (very) last moment

**momenteel I** *bnw, huidig* present, current **II** *bijw, nu* at the moment, right now

**momentopname** ❶ <u>audio-vis</u> instantaneous exposure ❷ <u>fig</u> random indication / picture

**moment suprême** moment supreme

**mompelen** *binnensmonds zeggen* mutter ★ *voor zich uit ~* mutter under one's breath

**Monaco** Monaco

**Monaco-Ville** Monaco-Ville

**monarch** monarch

**monarchie** monarchy

**monarchist** monarchist

**mond** ❶ *orgaan* mouth ★ *met open mond naar iem. kijken* gape at sb ★ *niet met een volle mond praten!* don't talk with your mouth full! ★ *zijn mond staat geen ogenblik stil* he never stops talking ★ *zijn mond houden* hold one's tongue ★ *mond houden!* shut up! ★ *geen mond opendoen* never say a word ★ *een grote mond hebben* be loud-mouthed ★ *een grote mond tegen iem. opzetten* talk back to sb ★ *zij weet haar mondje te roeren* she's got the gift of the gab ★ *iem. de mond snoeren* silence sb ★ *ieder heeft er de mond vol van* it's on everybody's lips ★ *zijn mond voorbijpraten* spill the beans, shoot one's mouth off ★ *bij monde van* through, from ★ *iem. iets in de mond leggen* put words into sb's mouth ★ *met twee monden spreken* be two-faced ★ *met de mond vol tanden staan* be at a loss for words, <u>inform</u> be gobsmacked ★ *iem. naar de mond praten* play / suck up to sb ★ *(als) uit één mond* with one voice ★ *iets uit zijn mond sparen* save some of one's food (for sb else) ★ *van mond tot mond gaan* go round ★ *wat hem voor de mond komt* whatever comes into his head ★ *een aardig mondje Engels spreken* speak English fairly well ★ *mondje dicht!* mum's the word! ★ *niet op zijn mondje gevallen zijn* give as good as one gets, (rad van tong) have a way with words ❷ *riviermonding* mouth ❸ *opening* (van vuurwapen) muzzle

**mondain** fashionable

**monddood** ★ *iem. ~ maken* silence sb

**mondeling I** *bnw* oral, verbal ★ *~e afspraak* verbal agreement **II** *zn* [het] oral exam

**mond-en-klauwzeer** foot-and-mouth (disease)

**mondharmonica** mouth organ

**mondhoek** corner of the mouth

**mondholte** oral / mouth cavity

**mondhygiënist** dental hygienist

**mondiaal** global, worldwide

**mondig** ❶ *meerderjarig* of age ★ ~ *verklaren* declare of age ❷ *zelfstandig* mature, independent

**mondigheid** ⟨meerderjarigheid⟩ majority, ⟨zelfstandigheid⟩ maturity ★ *politieke* ~ political awareness

**monding** mouth

**mondjesmaat** in dribs and drabs, ⟨karig⟩ scantily ★ BN *met* ~ in dribs and drabs, ⟨karig⟩ scantily

**mond-op-mondbeademing** mouth-to-mouth resuscitation ★ ~ *geven* apply mouth-to mouth resuscitation, inform give the kiss of life

**mondstuk** ❶ *deel* ⟨van sigaret⟩ filter tip, ⟨van pijp / muziekinstrument⟩ mouthpiece ★ *sigaret zonder* ~ non-filter cigarette ❷ *bit* bit

**mond-tot-mondreclame** advertisement by word of mouth, word-of-mouth advertising

**mondverzorging** oral hygiene

**mondvol** *zoveel als in de mond gaat* mouthful

**mondvoorraad** provisions *mv*

**Monegask** *bewoner* Monégasque

**Monegaskisch** Monégasque

**Monegaskische** Monégasque (woman / girl)

**monetair** monetary

**Mongolië** Mongolia

**mongolisme** mongolism, med Down's Syndrome

**mongoloïde** mongoloid

**mongool** *zwakzinnige* person with Down's syndrome

**Mongools** Mongol

**monitor** techn monitor ★ *aan de* ~ *liggen* be on the heart monitor

**monitoraat** BN onderw ≈ coaching, ≈ tutoring

**monitoren** monitor

**monkelen** BN *gnuiven* gloat, chuckle

**monnik** monk ★ *gelijke* ~*en, gelijke kappen* (what is) sauce for the goose is sauce for the gander

**monnikenwerk** drudgery

**monnikskap** plantk monkshood, aconite

**mono** mono

**monochroom** monochrome

**monocle** monocle, eyeglass

**monofoon** monophonic

**monogaam** monogamous

**monogamie** monogamy

**monogram** monogram

**monokini** monokini

**monolithisch** monolithic

**monoloog** monologue ★ *een* ~ *houden* hold a monologue

**monomaan** monomaniacal

**monomanie** monomania

**monopolie** monopoly

**monopoliepositie** monopoly position

**monopoly** Monopoly[fi]

**monorail** monorail

**monoski** monoski

**monotheïsme** monotheism

**monotoon** monotonous

**monovolume** BN transp spacious family car

**monster** ❶ *gedrocht* monster ❷ *proefstuk* sample, specimen ★ ~*s trekken (uit)* take samples (from) ★ *op* ~ *kopen* buy from / by sample ★ ~ *zonder*

*waarde* sample of no (commercial) value

**monster-** *uitermate groot* monster, mammoth ★ *monsterscore* record score ★ *monsterzege* mammoth victory

**monsterachtig** monstrous

**monsteren** I *ov ww, keuren* inspect, examine II *on ww* scheepv sign on

**monsterlijk** monstrous, hideous

**monstrans** monstrance

**monstrueus** monstrous

**monstruositeit** monstrosity

**montage** assembly, mounting, ⟨van film⟩ editing, ⟨van film⟩ montage

**montagebouw** prefabrication

**montagefoto** jur photofit

**Montenegrijn** Montenegrin

**Montenegrijns** Montenegrin

**Montenegrijnse** Montenegrin (woman / girl)

**Montenegro** Montenegro

**monter** brisk, lively, ⟨ouderen⟩ sprightly

**monteren** assemble, ⟨film⟩ edit, ⟨film⟩ cut, ⟨foto⟩ assemble, ⟨machine, enz.⟩ install

**montessorischool** onderw Montessori school

**monteur** ⟨garage, enz.⟩ mechanic, ⟨fabriek⟩ assembler, ⟨onderhoud⟩ serviceman / -woman

**Montevideo** Montevideo

**montuur** ⟨bril⟩ frame, ⟨edelsteen⟩ setting ★ *bril met hoornen* ~ hornrimmed spectacles

**monument** monument, ⟨gedenkteken⟩ memorial ★ *een* ~ *oprichten* erect a monument

**monumentaal** monumental

**monumentenwet** ≈ Historic Buildings and Ancient Monuments Act

**monumentenzorg** preservation of monuments and historic buildings, ⟨organisatie⟩ ≈ National Trust ★ *onder* ~ *staan* be listed as a heritage building

**mooi** I *bnw* ❶ *aangenaam voor de zintuigen* beautiful, good-looking, ⟨man⟩ handsome, ⟨vrouw⟩ pretty ★ *zich mooi maken* dress up ★ *iets mooi maken* embellish sth ★ *er op zijn mooist uitzien* look one's best ❷ *goed* fine, good ★ *maar het mooiste komt nog* but the best part is still to come ★ *het mooiste (van de zaak) is dat...* the best of it all is that... ★ *te mooi om waar te zijn* too good to be true ★ iron *een mooie manier van doen* a fine way of carrying on ★ iron *mooie vrienden zijn dat* nice pack of friends they are ★ iron *wel nu nog mooier!* that's the limit! ★ iron *dat is me wat moois!* that's a nice business! ★ iron *jij bent ook een mooie!* you're a nice one! ★ iron *nu is het mooi geweest* enough is enough, that will do ★ iron *daar zijn we mooi mee!* a fat lot of good that'll do us! II *bijw* ❶ *goed* well, nicely ★ *mooi zo!* well done!, good! ❷ *flink* ★ *mooi vroeg* nice and early ★ *dat is mooi meegenomen* that's all to the good

**mooipraten** *gunstiger voorstellen* talk smooth

**mooiprater** smooth talker

**moonboot** moon boot

**Moor** Moor

**moord** murder (**op** of), ⟨sluipmoord⟩ assassination (op on) ★ *een* ~ *plegen* commit a murder ★ ~ *en brand schreeuwen* cry blue murder ★ ~ *met voorbedachten rade* premeditated murder

**moordaanslag** attempted murder ★ *een ~ plegen* attempt to murder sb
**moorddadig** ❶ *moordend* murderous ❷ *erg* terrific
**moorden** (commit) murder, kill
**moordenaar** murderer, killer, pol assassin
**moordend** ❶ *moorddadig* murderous ❷ *slopend* ★ *~e concurrentie* cut-throat competition ★ *~e hitte* scorching heat
**moordkuil** → hart
**moordpartij** massacre, slaughter
**moordwapen** murder weapon
**moorkop** ≈ chocolate éclair
**moot** slice, ⟨van vis⟩ fillet ★ *in mootjes hakken* chop up, fig make mincemeat of
**mop** joke ★ *een schuine mop* a dirty joke ★ *moppen tappen* crack jokes ★ *een mop met een baard* an old chestnut
**moppentapper** joker
**mopperaar** grumbler
**mopperen** grumble (**over/op** about / at)
**mopperkont** grumbler
**mopperpot** grumbler
**mopsneus** snub nose
**moraal** ❶ *zedenleer* morality, ethics *mv* ★ *dubbele ~* double moral standard ★ *de christelijke ~* Christian ethics *mv* ❷ *wijze les* moral
**moraalridder** moral crusader
**moraliseren** moralize
**moralisme** moralism
**moralist** moralist
**moratorium** moratorium
**morbide** morbid, ⟨grap⟩ sick
**moreel** I *zn* [het] morale ★ *het ~ hooghouden* keep up (the) morale II *bnw* moral
**morel** *kers* morello (cherry)
**mores** ★ *iem. ~ leren* teach sb a lesson
**morfine** morphine
**morfologie** morphology
**morgen** I *zn* [de] morning ★ *'s ~s* in the morning, ⟨steeds⟩ every morning ★ *de volgende ~* the next / following morning ★ *op zekere ~* one morning ★ *van de vroege ~ tot de late avond* from dawn till dusk II *bijw* tomorrow ★ *tot ~!* see you tomorrow! ★ *~ vroeg* tomorrow morning ★ *~ is het zaterdag* tomorrow is Saturday ★ *~ over acht dagen* tomorrow week ★ *vanaf ~* as from tomorrow, taking effect tomorrow ★ *~ is er weer een dag* tomorrow is another day
**morgenavond** tomorrow evening
**morgenland** the East / Orient ★ *de wijzen uit het ~* the Wise Men of the East
**morgenmiddag** tomorrow afternoon
**morgenochtend** tomorrow morning
**morgenrood** red morning-sky
**Morgenster** *planeet* the morning star
**morgenster** ❶ *plant* (blauw) salsify, (geel) goatsbeard ❷ *persoon die in vroege ochtend vuilnis doorzoekt*
**morgenstond** early morning ★ *de ~ heeft goud in de mond* the early bird catches the worm
**mormel** monster, ⟨hond⟩ mongrel
**mormoon** Mormon
**mormoons** Mormon
**morning-afterpil** morning-after pill
**morrelen** fiddle, ⟨onhandig, op de tast⟩ fumble

**morren** grumble (**over** at) ★ *zonder ~* without a murmur
**morsdood** stone dead
**morse** Morse (code) ★ *in ~ seinen* signal with Morse code
**morsen** I *ov ww, laten vallen* spill II *on ww, knoeien* mess, make a mess
**morseteken** Morse sign
**morsig** dirty, grubby, ⟨slonzig⟩ slovenly
**mortel** ⟨specie⟩ mortar, ⟨gruis⟩ grit
**mortier** mortar
**mortuarium** ❶ *lijkenkamer in ziekenhuis e.d.* mortuary ❷ *rouwcentrum* funeral parlour
**mos** moss ★ *met mos begroeid* mossy
**mosgroen** moss-green
**moskee** mosque
**Moskou** Moscow
**Moskous** Moscow
**Moskouse** Moscow (woman / girl)
**Moskoviet** *bewoner* Muscovite
**moslim** Muslim, Moslem
**moslima** Muslimah
**moslimextremisme** Islamic extremism
**mossel** mussel
**mosselbank** mussel bed / bank
**most** must
**mosterd** mustard ★ *dat is ~ na de maaltijd* it's too late of any use
**mosterdgas** mustard gas
**mosterdzaad** mustard seed
**mot** I *zn* [de] [mv: +ten] *insect* moth ★ *de mot zit erin* it is moth-eaten II *zn* [de] [gmv] *ruzie* tiff, scrap ★ *mot zoeken* look for trouble ★ *zij hebben mot* they have fallen out
**motel** motel
**motie** motion ★ *een ~ aannemen* carry a motion ★ *een ~ indienen* propose a motion ★ *~ van afkeuring* motion / vote of censure ★ *~ van wantrouwen* motion / vote of no-confidence
**motief** ❶ *beweegreden* motive ★ *motieven aanvoeren* put forward motives ❷ *patroon* motif, design
**motivatie** motivation
**motiveren** ❶ *beredeneren* explain, state reasons / motives (for) ★ *een beslissing ~* justify a decision ❷ *stimuleren* motivate, stimulate ★ *gemotiveerd zijn* be motivated
**motivering** motivation
**motor** ❶ *machine* motor, ⟨van vliegtuig, auto⟩ engine ★ *de ~ slaat aan / slaat af* the engine fires / stalls ★ *met 1 / 2 / 4 ~(en)* single- / twin- / four-engined ★ *de ~ aan- / afzetten* switch the engine on / off ❷ *motorfiets* motorbike ★ *~ met zijspan* sidecar motorcycle
**motoragent** motorcycle policeman, inform speed cop, USA motor cop
**motorblok** engine block
**motorboot** motorboat, ⟨groot⟩ launch
**motorcross** motocross, scrambling
**motorfiets** motorcycle, motorbike ★ *~ met zijspan* sidecar motorcycle
**motoriek** [Motorik] motor system, ⟨bewegingen⟩ locomotion
**motorisch** motor ★ *~ gehandicapt* motor-handicapped
**motoriseren** motorize

mo

**motorkap** bonnet, <u>USA</u> hood
**motorpech** engine trouble
**motorracen** race a motorbike
**motorrijden** ride a motorcycle
**motorrijder** motorcyclist
**motorrijtuig** motor vehicle
**motorrijtuigenbelasting** road tax
**motorsport** motorcycling, ⟨racen⟩ motorcycle racing
**motorvoertuig** motor vehicle
**motregen** drizzle
**motregenen** drizzle
**mottenbal** mothball ★ *iets uit de ~len halen* take sth out of the mothballs
**mottig ❶** *door mot beschadigd* moth-eaten ❷ *miezerig* misty, ⟨regenachtig⟩ drizzly
**motto** motto ★ *onder het ~ van* on the pretext of
**mountainbike** mountain bike
**mountainbiken** go mountainbiking
**moussaka** moussaka
**mousse** mousse
**mousseren** sparkle, effervesce
**mousserend** sparkling
**mout** malt
**mouw** *armstuk* sleeve ★ *de mouwen opstropen* <u>ook</u> fig roll up one's sleeves ★ *de handen uit de mouwen steken* put one's shoulder to the wheel ★ *iem. iets op de mouw spelden* <u>inform</u> take the mickey out of sb take sb for a ride ★ *daar is wel een mouw aan te passen* we can find a way around it ★ *iets uit de mouw schudden* toss sth off ★ *iem. aan de mouw trekken* pull sb by the sleeve ★ <u>BN</u> *dat is een ander paar mouwen* that's a different kettle of fish
**mouwlengte** sleeve length
**mouwveger** <u>BN</u> *vlieier* flatterer, <u>USA</u> sweet talker
**moven** move away ★ *~, joh!* beat it!
**mozaïek** mosaic
**Mozambikaans** Mozambican
**Mozambique** Mozambique
**mozzarella** mozzarella
**mp3** I *zn* [de], comp *bestand* MP3 II *zn* [het], comp *compressietechniek* MP3
**mp3-bestand** MP3 file
**mp3-speler** MP3 player
**mpeg** <u>comp</u> *bestand* MPEG
**MRI-scan** MRI scan
**msn** MSN
**msn'en** chat on / via MSN
**MT** *managementteam* management team
**mud** hectolitre
**mudvol** jam-packed, chock-full
**muesli** muesli, <u>USA</u> granola
**muf ❶** *onfris* ⟨geur⟩ musty, ⟨van kamer⟩ stuffy ★ *er hangt een muffe lucht* the air is stale ★ *het ruikt hier muf* it smells musty in here ❷ *saai* stuffy, dull
**mug** I *zn* [de] gnat, mosquito ★ *van een mug een olifant maken* make a mountain out of a molehill II *afk,* <u>BN</u> *mobiele urgentiegroep* Mobile Emergency Group
**muggenbeet** mosquito bite
**muggenbult** mosquito bite
**muggenolie** insect repellent
**muggenziften** split hairs
**muggenzifter** hairsplitter

**muil ❶** *bek* muzzle ★ *houd je muil!* shut your trap! ❷ *schoen* slipper
**muildier** mule
**muilezel** mule
**muilkorf** muzzle
**muilkorven ❶** *muilkorf aandoen* muzzle ❷ *monddood maken* muzzle, gag
**muilpeer** clout, box on the ear
**muiltje** → **muil**
**muis ❶** *dier* mouse *mv: mice* ★ fig *dat muisje zal nog wel een staartje hebben* it won't end here ❷ comp mouse ❸ *deel van hand* ball of the thumb
**muisarm** <u>med</u> mouse arm
**muisgrijs** mous(e)y, mouse-coloured
**muisjes** <u>cul</u> aniseed sprinkles ★ *gestampte ~* ground aniseed sprinkles
**muismat** mouse mat
**muisstil** quiet as a mouse ★ *het is ~* you can hear a pin drop
**muiten** mutiny ★ *aan het ~ slaan* start a mutiny
**muiter** mutineer
**muiterij** mutiny
**muizen** <u>comp</u> use the mouse ★ <u>BN</u> *er vanonder ~* slip / steal away, sneak off / out
**muizenis** care, worry, trouble ★ *zich ~sen in het hoofd halen* get worried about things
**muizenval** mousetrap
**mul** I *bnw* loose ★ *mul zand* loose sand II *zn* [de], *zeevis* red mullet
**mulat** mulatto
**multicultureel** multicultural
**multidisciplinair** multidisciplinary
**multifunctioneel** multifunctional
**multi-instrumentalist** multi-instrumentalist
**multimediaal** multimedia
**multimediacomputer** multimedia computer
**multimiljonair** multimillionaire
**multinational** multinational
**multipel** multiple
**multiple choice** multiple choice
**multiplechoicetest** multiple-choice test
**multiplechoicevraag** multiple-choice question
**multiple sclerose** multiple sclerosis
**multiplex** plywood
**multitasken** multitask
**multomap** ring file, ringbinder
**mum** ★ *in een mum van tijd* in no time, in a jiffy
**Mumbai** Mumbai
**mummelen** mumble
**mummie** mummy
**mummificeren** mummify
**München** Munich
**Münchens** (from) Munich
**municipaal** municipal
**munitie** ammunition, munitions *mv*
**munitiedepot** (am)munition depot
**munt ❶** *geldstuk* coin ★ *munten slaan* coin, mint coins ★ fig *munt slaan uit* cash in on, make capital out of ★ *in klinkende munt* hard cash / money ❷ *penning* token ❸ *munteenheid* currency ★ fig *iem. met gelijke munt terugbetalen* pay sb (back) in his own coin ❹ *waardestempel* mintage ❺ *muntgebouw* the (Royal) Mint ❻ <u>cul</u> *plant* mint ❼ → **muntje**
**munteenheid** currency (unit)

**munten** mint, coin ⋆ *geld* ~ coin / mint money
**muntje** BN *pepermuntje* peppermint
**muntstuk** coin
**muntthee** mint tea
**murmelen** ❶ *zachtjes, onduidelijk praten* murmur ❷ *zacht ruisen* (van beekje) babble, ⟨van beekje⟩ gurgle
**murw** ❶ *zacht, slap* tender, soft ⋆ *murw maken* soften up ❷ fig *krachteloos* ⋆ *iem. murw maken* break sb's spirit ⋆ *iem. murw slaan* beat sb to a pulp
**mus** sparrow ⋆ *het is zo heet dat de mussen van het dak vallen* it's a real scorcher ⋆ *iem. blij maken met een dode mus* get sb excited about nothing
**museum** museum, gallery
**museumstuk** museum piece
**musical** musical
**musiceren** make / play music
**musicoloog** musicologist
**musicus** musician
**muskaatnoot** BN cul *nootmuskaat* nutmeg
**musket** *geweer* musket
**musketier** musketeer
**muskiet** mosquito
**muskietennet** mosquito net
**muskietenplaag** mosquito plague
**muskus** musk
**muskusrat** muskrat
**must** must ⋆ *een echte must* an absolute must
**mutatie** ❶ *verandering* mutation, ⟨personeel⟩ turnover ❷ *biol* mutation
**muts** ❶ *hoofddeksel* beanie, ⟨met pompon⟩ bobble hat ❷ min *vrouw* frump
**mutualiteit** BN *ziekenfonds* ≈ National Health Service
**muur** wall ⋆ *dragende muur* supporting wall ⋆ *iem. tegen de muur zetten* put sb up against the wall (and shoot) ⋆ *het is alsof je tegen een muur praat* it's like talking to a brick wall ⋆ *tussen vier muren zitten* be behind bars ⋆ *uit de muur eten* eat from a vending machine ⋆ *geld uit de muur halen* get money from an ATM ⋆ *de muren hebben oren* walls have ears
**muurbloempje** wallflower
**muurkrant** wall poster
**muurschildering** wall painting, mural
**muurvast** ❶ lett immovable, solid ❷ fig deep-rooted / seated ⋆ *de onderhandelingen zitten* ~ the negotiations are deadlocked
**muurverf** wall paint
**muzak** muzak
**muze** muse
**muziek** *toonkunst* music ⋆ *lichte* ~ light music ⋆ *op* ~ *zetten* set to music ⋆ *met* ~ with the band playing, it goes with a swing, that sounds promising ⋆ fig *dat klinkt als* ~ *in de oren* it's music to my ears ⋆ fig *hij is met de* ~ *mee* he's gone with the wind
**muziekbibliotheek** music library
**muziekblad** ❶ *blad papier* sheet of music ❷ *tijdschrift* music magazine
**muziekcassette** music cassette
**muziekdoos** musical box
**muziekfestival** music festival
**muziekgezelschap** music club / society

**muziekinstrument** musical instrument
**muziekkapel** band
**muziekkorps** band
**muzieknoot** (musical) note
**muziekpapier** music paper
**muziekschool** music school, school of music
**muziekstandaard** music stand
**muziekstuk** piece of music
**muziektent** bandstand
**muziektheater** *genre* music theatre
**muziekwetenschap** musicology
**muzikaal** musical ⋆ *een* ~ *gehoor hebben* have an ear for music
**muzikant** musician
**Myanmar** Myanmar
**Myanmarees** Myanmar
**mysterie** mystery ⋆ *een* ~ *oplossen* solve a mystery
**mysterieus** mysterious
**mystiek** I *zn* [de] mysticism II *bnw* mystical
**mythe** myth
**mythisch** mythical
**mythologie** mythology
**mythologisch** mythological
**mytylschool** onderw school for physically handicapped children

**my**

# N

**n** n ★ *de n van Nico* N as in Nelly

**na I** *vz* ❶ *achter* ⟨van plaats⟩ after ★ *(ga) na de kerk rechtsaf* after the church turn right ★ *na u!* after you! ❷ *aansluitend op* ⟨van tijd⟩ after ★ *na het feest* after the party ★ *na een jaar* after a year ❸ *na* ⟨in tijdsaanduidingen⟩ after, past ★ *het is na tienen* it's after / past ten ★ *het is na een week klaar* it'll be ready in a week's time ★ *later* ★ *fruit na* ⟨als dessert⟩ fruit for dessert ❷ *na- / dichtbij* near(by), close (to) ★ *fig iem. te na komen* offend sb ★ *dat ligt me na aan het hart* it's very dear to me ❸ *behalve* apart from, except for ★ *allen op één na* all but / except one ★ *op twee na de grootste* the third biggest ★ *op mijn zuster na* apart from my sister, except for my sister

**naad** seam, ⟨van wond⟩ suture ▼ *het naadje van de kous weten* know the ins and outs

**naadloos** ❶ *zonder naad* seamless ❷ *fig* smooth, imperceptible

**naaf** hub

**naaidoos** sewing box

**naaien** ❶ *met draad vastmaken* sew, ⟨van wond⟩ stitch ❷ *plat neuken* screw ❸ *plat belazeren* screw ★ *zich genaaid voelen* feel screwed

**naaigaren** sewing thread / cotton

**naaigarnituur** sewing case / kit

**naaimachine** sewing machine

**naaister** needlewoman, ⟨beroep⟩ dressmaker

**naaiwerk** needlework, sewing

**naakt I** *bnw* ❶ *ongekleed* naked, bare, nude ★ *~ zwemmen* swim in the nude, *inform* skinny-dip ❷ *fig* ★ *de ~e waarheid* the naked truth ★ *de ~e feiten* the bare facts **II** *zn* [het] nude ★ *naar het ~ tekenen* draw from the nude

**naaktfoto** nude photo

**naaktloper** nudist, naturist

**naaktmodel** nude model

**naaktslak** slug

**naaktstrand** nudist / naturist beach

**naald** ❶ *gereedschap* needle ★ *de draad in de ~ steken* thread a needle ★ *een ~ in een hooiberg zoeken* look for a needle in a haystack ★ *heet van de ~* with the ink still wet, up-to-the-minute ★ *BN van ~je tot draadje* from beginning to end, from start to finish ❷ *wijzer* needle ❸ *van platenspeler* stylus ❹ *plantk* needle

**naaldboom** conifer, coniferous tree

**naaldbos** pine / coniferous forest

**naaldhak** stiletto (heel) ★ *schoen met ~* stiletto, high-heeled shoe

**naaldhout** softwood

**naam** ❶ *benaming* name ★ *dubbele naam* double(-barrelled) name ★ *zij voert haar eigen naam* she uses her maiden name ★ *namen noemen* mention names ★ *bij naam noemen* mention by name ★ *luisteren naar de naam X* answer to the name of X ★ *bekend staan onder de naam X* go by the name of X ★ *op naam van X* in the name of X ★ *op zijn naam gekocht* bought in his name ★ *vrij op naam* no legal charges ★ *ten name van X* in the name of X ★ *iem. van naam kennen* know sb by name ❷ *reputatie* name,

reputation ★ *een goede / slechte naam hebben* have a good / bad name ★ *een man van naam* a distinguished man ★ *naam maken* make a name (for o.s.) ▼ *dat mag geen naam hebben* it isn't worth mentioning ▼ *mijn naam is haas* I don't know the first thing about it ▼ *de dingen bij de naam noemen* call a spade a spade ▼ *in naam is hij de chef* he's nominally the boss, he's the boss in name (only) ▼ *in naam der wet* in the name of the law ▼ *met name* especially, particularly ▼ *met name noemen* mention sb's name (specifically) ▼ *met naam en toenaam* by name ▼ *iets op zijn naam hebben staan* have sth to one's name ▼ *te goeder naam en faam bekend staan* be of good standing and repute ▼ *uit mijn naam* from me, on my behalf ▼ *uit naam van* on behalf of

**naambord** nameplate

**naamdag** name day

**naamgenoot** namesake

**naamkaartje** ⟨visiting⟩ card, *econ* ⟨business⟩ card, ⟨op kleding⟩ name tag

**Naams** ⟨from⟩ Namur

**naamval** case ★ *eerste ~* nominative ★ *tweede ~* genitive ★ *derde ~* dative ★ *vierde ~* accusative

**naamwoord** noun ★ *bijvoeglijk ~* adjective ★ *zelfstandig ~* substantive, noun

**naamwoordelijk** nominal ★ *het ~ deel van het gezegde* the nominal predicate

**na-apen** ape, *humor* mimic

**naar I** *bnw* ❶ *onsympathiek* nasty, disagreeable ★ *wat een nare jongen* what a horrible boy ★ *een nare kerel* an unpleasant fellow, a nasty piece of work ❷ *onwel* sick ★ *ik word er naar van* it makes me (feel) sick ★ *hij voelt zich naar* he doesn't feel well ★ *er naar aan toe zijn* be in a bad way ❸ *akelig* unpleasant, nasty ★ *een nare geschiedenis* a nasty business ★ *naar weer* unpleasant weather **II** *vz* ❶ *in de richting van* to, ⟨ bus, trein, enz.⟩ for ★ *naar het huis* to the house ★ *naar huis lopen* walk home ★ *de trein naar Utrecht* the train for Utrecht, the Utrecht train ★ *naar Utrecht gaan* go to Utrecht ★ *naar Frankrijk vertrekken* leave for France ★ *naar zee gaan* go to the seaside, ⟨als zeeman⟩ go to sea ❷ *volgens* according to ★ *hij is er niet de man naar om...* it's not like him to..., he's not the type to... **III** *vw* ★ *naar men zegt* it is said (that)

**naargeestig** gloomy ★ *weer* dismal / gloomy weather

**naargelang** in accordance with, depending on ★ *~ je ouder wordt* as you grow older

**naarmate** as ★ *~ je ouder wordt* as you grow older

**naarstig** diligent

**naast I** *vz* ❶ *terzijde van* beside, next to ★ *het huis naast het huis* beside the house, next to the house ★ *het huis ~ het park* the house next to the park ★ *~ elkaar* side by side ❷ *in aanvulling op* besides, apart from ★ *~ frisdrank hebben we ook thee* apart from soft drinks we also have tea **II** *bnw* ❶ *dichtstbij* nearest, ⟨omgeving⟩ immediate ★ *de ~e buren* the next-door neighbours ❷ *intiemst* nearest, closest ★ *de ~e familieleden* the nearest relatives, the next of kin ▼ *ten ~e bij* approximately **III** *bijw, mis* wide, off target ★ *~ schieten* shoot wide ★ *er lelijk / ver ~ zitten* be far / way off the mark

**naaste** fellow man ★ *heb uw ~ lief* love thy neighbour

**naastenliefde** love of one's neighbour

**naastgelegen** next door, adjacent

**nabehandelen** give aftercare, give follow-up treatment

**nabehandeling** aftercare, follow-up treatment

**nabeschouwing** summing up, review, ⟨na tegenslag⟩ post-mortem ★ *een ~ houden* (hold a) review

**nabespreken** discuss afterwards

**nabespreking** (subsequent) discussion

**nabestaande** (surviving) relative ★ *de ~n* the next of kin

**nabestellen** put in a repeat order, reorder ★ *foto's ~* have copies made of photos

**nabestelling** repeat order, reorder

**nabezorging** late delivery

**nabij** I *vz* near, close to ★ *~ het huis* close to the house ★ *om en ~ de veertig* around / about forty, forty or so II *bnw* near, close ★ *de ~e toekomst* the near future ★ *de meest ~e stad* the nearest town ★ *iem. van ~ kennen* know sb intimately ★ *iets van ~ meemaken* experience sth at first hand

**nabijgelegen** nearby, neighbouring

**nabijheid** nearness, proximity ★ *in de ~ van* in the proximity of

**nablijven** be given detention ★ *laten ~* give (a) detention

**nablussen** damp down ★ *het ~ duurde tot de ochtend* it was morning before the fire was completely extinguished

**nabootsen** imitate, copy

**nabootsing** imitation

**naburig** nearby, ⟨aangrenzend⟩ neighbouring

**nacho** nacho (chip)

**nacht** *periode dat de zon onder is* night ★ *de afgelopen ~* last night ★ *komende ~* tonight ★ *'s ~s* at night, in the night, every night ★ *bij het vallen van de ~* at nightfall ★ *'s ~s reizen* travel by night ★ *gedurende / in de ~* during / in the night ★ *de ~ doorbrengen in* stay the night in / at ★ *tot diep in de ~* deep into the night ★ *in de ~ van vrijdag op zaterdag* on Friday night ★ *de hele ~ doorfeesten* make a night of it ★ *zo lelijk als de ~* as ugly as sin ★ *niet over één ~ ijs gaan* take no risks ★ *bij ~ en ontij* at ungodly hours ★ *ergens een ~je over slapen* sleep on sth

**nachtblind** night blind

**nachtbraken** ❶ *'s nachts feesten* make a night of it ❷ *'s nachts werken* burn the midnight oil

**nachtbraker** night owl, ⟨feestnummer⟩ nightclubber

**nachtbus** (late-)night bus

**nachtclub** nightclub, nightspot

**nachtcrème** night cream

**nachtdienst** ⟨van boot, e.d.⟩ night service, ⟨op fabriek⟩ night shift, ⟨van personeel⟩ night duty

**nachtdier** nocturnal animal

**nachtegaal** nightingale

**nachtelijk** nightly, *form* nocturnal ★ *een ~e aanval* a night attack

**nachtfilm** late-night movie / film

**nachthemd** nightshirt

**nachtkaars** ▾ *uitgaan als een ~* peter / fizzle out

**nachtkastje** bedside table, USA nightstand

**nachtkijker** night binoculars *mv*

**nachtkleding** nightwear

**nachtlampje** night light

**nachtleven** nightlife

**nachtmerrie** nightmare

**nachtmis** midnight Mass

**nachtploeg** night shift

**nachtpon** nightdress, *inform* nightie

**nachtportier** night porter

**nachtrust** night's rest

**nachtschade** nightshade

**nachtslot** double lock ★ ⟨de deur⟩ *op het ~ doen* double-lock

**nachtstroom** night-rate electricity

**nachttarief** night rate

**nachttrein** night train

**nachtuil** BN *nachtbraker* night owl, ⟨feestnummer⟩ nightclubber

**nachtverblijf** lodging for the night, ⟨dieren⟩ night quarters *mv*

**nachtvlinder** ❶ *dier* moth ❷ *fig mens* nightclubber

**nachtvlucht** nightflight

**nachtvorst** night frost

**Nachtwacht** ★ *de ~* ⟨van Rembrandt⟩ Night Watch

**nachtwaker** night watchman / guard

**nachtzoen** goodnight kiss

**nachtzuster** night nurse

**nacompetitie** *sport* play-offs *mv*

**nadagen** latter days / years, declining days / years ★ *in zijn ~ zijn* be past one's prime

**nadat** after

**nadeel** disadvantage, drawback ★ *ten nadele van* at the expense of, to the detriment of ★ *hij heeft er geen ~ bij* it won't do him any harm ★ *het enige ~ ervan is...* the only drawback is... ★ *in het ~ zijn* be at a disadvantage ★ *zijn leeftijd was in zijn ~* his age counted against him ★ *de voor- en nadelen* the pros and cons ★ *iem. ~ berokkenen* damage / harm sb

**nadelig** I *bnw, schadelijk* adverse, detrimental, disadvantageous ★ *~ zijn voor* be harmful / detrimental to II *bijw* ★ *~ werken op* be harmful to

**nadenken** think (**over** about), reflect (**over** upon), consider ★ *ergens goed over ~* think deeply / seriously about sth ★ *even ~!* let me think! ★ *zonder na te denken* without thinking

**nadenkend** thoughtful, ⟨zorgelijk⟩ pensive

**nader** I *bnw* ❶ *dichterbij* nearer, closer ❷ *preciezer* closer, further ★ *~e bijzonderheden* further details ★ *tot ~ order* until further orders ★ *bij ~ inzien* on second thought(s) ★ *tot ~ bericht* until further notice ★ *bij ~e beschouwing* on closer examination II *bijw* ❶ *dichterbij* closer, nearer ★ *~ tot elkaar komen* get closer to one another ❷ *uitvoeriger* ★ *~ leren kennen* get better acquainted with ★ *iets ~ bekijken* take a closer look at sth ★ *er ~ van horen* hear more of it ★ *~ op iets ingaan* go into sth in more detail ★ *~ aanduiden* specify

**naderbij** closer, nearer

**naderen** approach, draw near ★ *hij nadert de veertig* he's getting on for forty

**naderhand** afterwards, later on

**nadien** afterwards, later

**nadoen** copy, imitate, humor mimic ★ *doe dat maar eens na!* can you beat that!

**nadorst** thirst from a hangover

**nadruk ❶** *klemtoon* emphasis, stress ★ *de ~ leggen op iets* emphasize / stress sth ❷ *fig krachtige bevestiging* ★ *de ~ leggen op iets* emphasize / stress sth ★ *met ~* emphatically ❸ *herdruk* reprint ★ *~ verboden* (under) copyright, all rights reserved

**nadrukkelijk I** *bnw* emphatic, express ★ *tegen zijn ~ verbod in* against his express wishes **II** *bijw* ★ *~ aanwezig zijn* make one's presence felt

**nagaan ❶** *controleren* check (up on) ★ *wil je dat even ~?* will you check up on it? ★ *een mogelijkheid ~* examine a possibility ★ *een rekening ~* tail a criminal, check a bill ★ *voor zover we kunnen ~* as far as we can see / gather ❷ *overwegen* consider, imagine, think ★ *als ik dat alles naga* when I consider all that ★ *je kunt wel ~ dat...* you can just imagine how... ★ *ga maar bij jezelf na* work it out for yourself ▾ *kun je ~!* just imagine!

**nagalm** reverberation, echo *mv:* echoes

**nageboorte** afterbirth

**nagedachtenis** memory ★ *ter ~ van* in memory of

**nagel ❶** *v. voet of hand* nail, *(van dier)* claw ★ *op zijn ~s bijten* bite one's nails ★ *geen ~ hebben om zijn gat te krabben* be down on one's uppers ❷ *spijker* nail ★ *dat is een ~ aan mijn doodkist* that's a nail in my coffin ★ BN *de ~ op de kop slaan* hit the nail on the head

**nagelbijten** bite one's nails

**nagelen** nail ★ *als aan de grond genageld* rooted to the spot

**nagelkaas** clove cheese

**nagellak** nail polish

**nagelriem** cuticle

**nagelschaar** pair of nail scissors, nail scissors *mv*

**nageltang** nail clippers *mv*

**nagelvijl** nail file

**nagenieten** enjoy / relish the memory of

**nagenoeg** almost, nearly

**nagerecht** *cul* dessert

**nageslacht ❶** *nakomelingen* offspring ❷ *latere geslachten* posterity ★ *voor het ~ bewaard* preserved for posterity

**nageven** ★ *dat moet ik hem (tot zijn eer) ~* I'll say that (much) for him, I'll give him that

**nagloeien** glow (after extinction), *(v. vuur)* smoulder

**naheffing** additional tax assessment

**naheffingsaanslag** additional / supplementary tax assessment

**naïef** *argeloos* naive, artless

**naïeveling** innocent

**na-ijver** jealousy, envy

**naïviteit** naivety

**najaar** autumn, USA fall ★ *in het ~* in autumn

**najaarscollectie** autumn collection

**najaarsklassieker** sport autumn classic

**najaarsmode** autumn fashion

**najaarsstorm** autumn storm

**najaarszon** autumn sun(shine)

**najagen ❶** *vervolgen* chase, pursue, run after

**❷** *nastreven* pursue, *(geluk)* search for

**nakaarten** talk things over afterwards, *(na tegenslag)* hold a post-mortem

**nakend** BN *nabij* near, close

**nakie** ★ *in zijn ~* in the nude, in the altogether

**nakijken ❶** *kijken naar* watch somebody go, follow with one's eyes ★ *het ~ hebben* come off second best, whistle for sth ❷ *controleren* check, correct, *(van leerstof)* look over ★ *iets in een boek ~* look sth up in a book ★ *een proefwerk ~* mark a paper ★ *laat je ~* have your head examined

**naklinken** ring in one's ears, reverberate

**nakomeling** offspring *ev en mv,* child, descendant

**nakomen I** *ov ww, naleven (van belofte)* keep, *(van bevel)* obey, *(van contract, regel)* observe ★ *zijn verplichtingen ~* fulfil one's obligations **II** *on ww, later komen* come / arrive later, follow

**nakomertje** afterthought, late arrival

**nalaten ❶** *achterlaten* leave (behind) ★ *een nagelaten werk* a posthumous work ❷ *niet doen* refrain from, *(verzuimen)* omit, *(verplichtingen)* neglect ★ *ik kan niet ~ te denken* I can't help thinking ★ *niets ~* do everything you can

**nalatenschap** inheritance, *jur* estate

**nalatig** negligent, careless, *(bij betalingen)* in default

**nalatigheid** negligence, carelessness, *(bij betalingen)* default

**naleven** comply with, observe, *(principes)* live up to ★ *de wetten ~* comply with the law, observe the law ★ *een contract ~* fulfil a contract

**naleving** compliance, observance, fulfilment

**nalezen ❶** *overlezen* read again ❷ *nazoeken* read / go through

**nalopen ❶** *achternalopen* run after, follow ❷ *controleren* check ★ *ik kan niet alles ~* I can't check (up on) everything

**namaak** imitation, copy, *(geld, goederen)* counterfeit, *(handtekening, paspoort, enz.)* forgery ★ *dat is ~* it's imitation, inform it's a fake

**namaken ❶** *maken volgens model* imitate, copy ❷ *bedrieglijk nabootsen* fake, *(geld, goederen)* counterfeit, *(handtekening, paspoort, enz.)* forge

**name** → **naam**

**namelijk ❶** *te weten* namely ❷ *immers* ★ *ik heb ~ geen geld* the fact is, I have no money, as it happens, I have no money

**Namen** Namur

**namens** on behalf of ★ *~ alle aanwezigen* on behalf of everyone present

**nameten** measure again, check

**Namibië** Namibia

**Namibisch** Namibian

**namiddag** afternoon ★ *om 2 uur in de ~* at 2 (o'clock) in the afternoon, at 2 p.m.

**naoorlogs** post-war

**NAP** *Normaal Amsterdams Peil* Amsterdam Ordnance Datum

**nap** bowl

**Napels** Naples

**napluizen** examine closely, ferret out

**Napolitaans** Neapolitan

**nappa I** *zn* [het] nappa **II** *bnw* nappa

**napraten I** *ov ww, praten in navolging van* echo, repeat, *min* parrot **II** *on ww, na afloop blijven*

**na**

*praten* ★ *nog wat blijven* ~ stay and talk, have a chat afterwards
**napret** afterglow
**nar** fool, ⟨gesch⟩ jester
**narcis** daffodil
**narcisme** narcissism
**narcist** narcissist
**narcistisch** narcissistic
**narcolepsie** narcolepsy
**narcose** narcosis, anaesthesia ★ *onder* ~ *brengen* anaesthetize
**narcoticabrigade** drug squad
**narcoticum** narcotic
**narcotiseur** anaesthetist
**narekenen** calculate, ⟨opnieuw⟩ check
**narigheid** trouble ★ *allerlei* ~ all sorts of trouble ★ *in de narigheden zitten* be in trouble ★ *iem.* ~ *bezorgen* get sb into trouble
**naroepen** call after, ⟨najouwen⟩ jeer at
**narrig** peevish
**nasaal** nasal
**nascholing** refresher course
**naschools** onderw after-school ★ *~e opvang* after-school childcare
**naschrift** ⟨van boek⟩ epilogue, ⟨van brief⟩ postscript
**naseizoen** late season, end of season
**nasi** ★ *nasi goreng* Indonesian stir-fried rice
**nasibal** ≈ deep-fried rice ball
**naslaan** ⟨van woord⟩ look up, ⟨in naslagwerk⟩ consult ★ *er een woordenboek op* ~ consult a dictionary
**naslagwerk** reference book / work
**nasleep** aftermath
**nasmaak** aftertaste ★ *een bittere* ~ *hebben* leave a bitter taste (in the mouth)
**naspel** ❶ *stuk na afloop* muz postlude, ton afterpiece ❷ *nasleep* aftermath ❸ *liefdesspel* afterplay
**naspelen** *spelend nadoen* muz repeat, muz play after, ton act out ★ *op het gehoor* ~ repeat by ear
**naspeuren** investigate, ⟨oorzaak⟩ trace
**nasporen** investigate, ⟨oorzaak⟩ trace, ⟨spoor volgen⟩ track down
**nastaren** gaze / stare after
**nastreven** emulate, strive for (sth), pursue (sth) ★ *een doel* ~ pursue a goal
**nasynchroniseren** dub
**nat** I *bnw* ❶ *niet droog* wet, ⟨vochtig⟩ damp ★ *nat maken* wet ★ *nat worden* get wet ★ *door en door nat* wet through, soaking wet ★ *natte verf* wet paint ❷ *regenachtig* rainy, wet II *zn* [het] moisture, liquid
**natafelen** linger at table (after dinner)
**natekenen** draw, ⟨natrekken⟩ copy, ⟨overtrekken⟩ trace ★ *een model* ~ draw (from) a model
**natellen** count again, check
**natie** ❶ pol *staat* nation ★ *Verenigde Naties* United Nations ❷ BN *opslagbedrijf* ≈ warehouse company
**nationaal** *van de natie* national
**nationaalsocialisme** National Socialism, Nazism
**nationaalsocialist** National Socialist, Nazi
**nationaalsocialistisch** National Socialist, Nazi

**nationaliseren** nationalize
**nationalisme** nationalism
**nationalist** nationalist
**nationalistisch** nationalist, min nationalistic
**nationaliteit** *staatsburgerschap* nationality
**natje** ★ *zijn* ~ *en zijn droogje* his food and drink
**natmaken** wet, ⟨vochtig⟩ moisten
**natrappen** ❶ lett kick somebody when he is down ❷ fig kick somebody when he is down, add insult to injury
**natregenen** get wet / soaked with rain
**natrekken** ❶ *nagaan* check, verify ★ *een zaak* ~ investigate a matter ❷ *overtrekken* trace, copy
**natrium** sodium
**natriumcarbonaat** sodium carbonate
**nattevingerwerk** guesswork
**nattig** damp, moist, wettish
**nattigheid** *vocht* damp, dampness, moisture ★ *~ voelen* smell a rat
**natura** ▼ *in* ~ in kind
**naturalisatie** naturalization
**naturaliseren** naturalize ★ *zich laten* ~ be naturalized
**naturalisme** naturalism
**naturel** natural
**naturisme** naturism, nudism
**naturist** naturist, nudist
**naturistenstrand** naturist / nudist beach
**naturistenvereniging** naturist / nudist association
**natuur** ❶ *natuurlijke omgeving* nature, ⟨landschap⟩ scenery ★ *in de vrije* ~ in the great outdoors, in the countryside ★ *naar de* ~ *geschilderd* painted from nature ❷ *aard* nature, character ★ *van nature* by nature ★ *dat is haar tweede* ~ that is second nature to her
**natuurbad** open-air (swimming) pool
**natuurbehoud** (nature) conservation
**natuurbescherming** (nature) conservation
**natuurfilm** nature film
**natuurgebied** ⟨natuurleven⟩ nature reserve, ⟨natuurschoon⟩ scenic area
**natuurgeneeskunde** naturopathy, natural medicine
**natuurgenezer** naturopath, natural healer
**natuurgetrouw** true to nature
**natuurhistorisch** natural history
**natuurkunde** physics mv
**natuurkundig** physical ★ *~ laboratorium* physics laboratory
**natuurkundige** physicist
**natuurlijk** I *bnw* ❶ *vanzelfsprekend* natural ★ *een ~e zaak* a matter of course ❷ *van / volgens de natuur* natural ★ *een ~e dood sterven* die a natural death ❸ wisk natural II *bijw* ❶ *vanzelfsprekend* naturally, of course ❷ *van / volgens zijn natuur* naturally III *tw* naturally, of course
**natuurlijkerwijs** naturally
**natuurmonument** nature reserve ★ *Vereniging tot Behoud van Natuurmonumenten* GB National Trust
**natuurpark** nature park
**natuurproduct** natural product
**natuurramp** natural disaster
**natuurreservaat** nature reserve

**na**

**natuurschoon** scenery, natural / scenic beauty
**natuursteen** (natural) stone
**natuurtalent** natural / born talent, gift
**natuurverschijnsel** natural phenomenon *mv: phenomena*
**natuurwetenschap** science
**nautisch** nautical
**nauw I** *bnw* ❶ *krap* 〈straat, enz.〉 narrow, 〈schoenen〉 tight ★ *nauwer worden* narrow ❷ *innig* close ★ *nauwe banden* close relations **II** *bijw* ❶ *krap* ★ *nauw opeen* close together ❷ *precies* ★ *het nauw nemen* be very particular ★ *iets niet zo nauw nemen* not take sth too seriously ★ *dat luistert heel nauw* that requires a delicate touch, 〈apparaat〉 it needs fine adjustment **III** *zn* [het] ★ *iem. in het nauw drijven* corner sb ★ *in het nauw zitten* be in a fix, be in a tight spot
**nauwelijks** ❶ *bijna niet / geen* hardly, scarcely ★ *het was ~ te lezen* it was barely readable ❷ *net wel* ★ *~... of* scarcely / hardly... when, no sooner... than
**nauwgezet** painstaking, meticulous, 〈gewetensvol〉 conscientious, 〈stipt〉 punctual
**nauwkeurig I** *bnw* accurate, precise, 〈oplettend〉 close, 〈zorgvuldig〉 careful ★ *tot op de millimeter ~* to a millimetre **II** *bijw* ★ *~ overeenstemmen* agree completely / exactly
**nauwlettend I** *bnw* close, 〈gewetensvol〉 conscientious, 〈zorgvuldig〉 careful **II** *bijw* ★ *~ toezien* keep a close watch (on)
**nauwsluitend** close / tight-fitting
**Nauw van Calais** Strait(s) of Dover
**navel** anat navel, jeugdt belly button
**navelsinaasappel** navel orange
**navelstaren** navel-gaze ★ *het ~* navel-gazing
**navelstreng** umbilical cord
**naveltruitje** crop top
**navertellen** retell, repeat ★ *zij zal het niet meer ~* she won't live to repeat it
**navigatie** navigation
**navigatiesysteem** navigation system
**navigator** navigator
**navigeren** ❶ *besturen* navigate ❷ *schipperen* give and take, compromise
**NAVO** *Noord-Atlantische Verdragsorganisatie* NATO, North Atlantic Treaty Organization
**navolgen** imitate, 〈van voorbeeld〉 follow
**navolging** imitation ★ *~ vinden* be copied ★ *~ verdienen* be worth following / imitating
**navordering** additional tax assessment
**navraag** inquiry ★ *~ doen naar* make inquiries about / into ★ *bij ~...* on inquiry
**navragen** inquire (about / into)
**navullen** refill
**navulverpakking** refillable packaging
**nawee** *pijn achteraf* ★ *~ën hebben* have afterpains ★ *de ~ën van de crisis* the after-effects of the crisis, the aftermath of the crisis
**nawerken** ❶ *zijn werking doen gelden* have a lasting effect ★ *zijn invloed werkt nog na* his influence is still felt ❷ *overwerken* work overtime
**nawerking** after-effect
**nawijzen** point after / at
**nawoord** epilogue
**nazaat** descendant

**nazeggen** repeat, say after ▾ *dat kun je mij niet ~* that is more than you can say
**nazenden** send (on) after
**nazi** Nazi
**nazicht** BN *controle* check (on), supervision, med checkup, econ audit, 〈van kaartjes, kwaliteit〉 inspection
**nazi-Duitsland** Nazi Germany
**nazien** ❶ *volgen met de blik* follow with one's eyes ❷ *controlerend nagaan* check, 〈van aantekeningen〉 look through, 〈van proefwerk〉 correct, techn overhaul
**nazisme** Nazism
**nazistisch** Nazi
**nazitten** chase, pursue, 〈jagen op〉 hunt
**nazoeken** ❶ *opzoeken* look up ❷ *onderzoeken* follow up, investigate
**nazomer** late summer, 〈mooie nazomer〉 Indian summer
**nazorg** aftercare
**NB** *nota bene* NB
**neanderthaler** Neanderthal
**necrologie** obituary, 〈ook lijst gestorvenen〉 necrology
**nectar** nectar
**nectarine** nectarine
**nederig** *bescheiden* humble, modest
**nederigheid** ❶ *bescheidenheid* humility, modesty ❷ *onaanzienlijkheid* humbleness
**nederlaag** defeat, 〈tegenslag〉 setback ★ *een ~ toebrengen* defeat ★ *een ~ lijden* be defeated
**Nederland** the Netherlands *mv*
**Nederlander** *bewoner* Dutchman
**Nederlands I** *bnw, m.b.t. Nederland* Dutch **II** *zn* [het], *taal* Dutch
**Nederlandse** Dutchwoman
**Nederlandse Antillen** Netherlands Antilles *mv*
**Nederlandstalig** Dutch-speaking, Dutch (language)
**nederwiet** Dutch(-grown) cannabis / grass
**nederzetting** settlement
**nee I** *zn* [het] no ★ *nee heb je, ja kun je krijgen* nothing ventured, nothing gained ★ *daar zeg ik geen nee tegen* I won't say no to that ★ *nee verkopen* give no for an answer ★ *nee schudden* shake one's head ★ *geen nee kunnen zeggen* not be able to say no, not be able to refuse **II** *tw* no ★ *nee maar!* you don't say!, really!
**neef** ❶ *zoon van oom of tante* cousin ★ *volle neef* first cousin ★ *ze zijn neef en nicht* they are cousins ❷ *zoon van broer of zus* nephew
**neer** *naar beneden* down
**neerbuigend** condescending, patronizing
**neerdalen** come / go down, descend
**neergaan** go down, 〈van bokser〉 be knocked out ★ *in ~de lijn* downward
**neergang** decline
**neergooien** ❶ *naar beneden gooien* throw down ❷ *ophouden met* ★ *het boeltje er bij ~* chuck it, down tools
**neerhalen** ❶ *naar beneden halen* take / pull down, 〈van vlag〉 lower, 〈van zeil〉 strike ❷ *slopen* pull down ❸ *afkammen* run down ❹ *neerschieten* ★ *een vliegtuig ~* bring down a plane
**neerkijken** ❶ *naar beneden kijken* look down ❷ *~ op* look down on

na

**neerkomen ❶** *dalend terechtkomen* come down, descend, ⟨landen⟩ come down, ⟨doen⟩ ~ bring down **❷** ~ **op** *tot last komen van* ★ *alles komt op mij neer* it all falls on my shoulders **❸** ~ **op** *betekenen* ~ boil down to ★ *het komt op hetzelfde neer* it comes to the same thing ★ *daar komt het op neer* that's what it boils down to

**neerlandicus** authority on / expert in Dutch

**neerlandistiek** Dutch studies *mv.* Dutch language an literature

**neerlaten** let down, lower

**neerleggen I** *ov ww* **❶** *plaatsen* lay / put down ★ *iets naast zich* ~ ignore sth, take no notice of sth **❷** *afstand doen van* lay down ★ *het werk* ~ go on strike, down tools ★ *de wapens* ~ lay down arms ★ *zijn ambt* ~ resign one's office **❸** *neerschieten* shoot **II** *wkd ww* [zich ~]~ **bij** ★ *zich bij iets* ~ resign / reconcile o.s. to sth

**neerploffen** flop / plop down ★ *in een stoel* ~ flop down in a chair

**neerschieten I** *ov ww, schietend neerhalen* shoot / bring down, ⟨van persoon⟩ shoot (down) **II** *on ww, omlaag storten* dive / dash down, ⟨van roofvogel⟩ swoop down

**neerslaan I** *ov ww* **❶** *tegen de grond slaan* strike / knock down ★ *een opstand* ~ put down / suppress a rebellion **❷** *omlaag doen* ⟨van kraag⟩ turn down, ⟨van ogen⟩ lower, ⟨platmaken⟩ flatten **II** *on ww* **❶** *scheik* precipitate **❷** *naar beneden vallen* fall down

**neerslachtig** dejected, depressed

**neerslag ❶** *regen* rain(fall), ⟨weerkundig⟩ precipitation **❷** *resultaat* results *mv* **❸** *bezinksel* sediment, deposit, scheik precipitation ★ *radioactieve* ~ fallout

**neerslaggebied** catchment area

**neerslagmeter** rain gauge, scheik precipitation indicator

**neersteken** stab (down)

**neerstorten** crash / fall / plunge down, luchtv crash

**neerstrijken ❶** *neerdalen* land **❷** *gaan zitten* land / settle on ★ *we streken op een terrasje neer* we descended on a terrace **❸** *zich vestigen* settle (on)

**neertellen** count out, inform fork out

**neervallen** fall down, drop ★ *in een stoel* ~ flop / collapse into a chair ★ *werken tot je er bij neervalt* work o.s. to death

**neervlijen** lay down ★ *zich* ~ lie down, nestle

**neerwaarts I** *bnw* downward ★ ~*e beweging* downward movement **II** *bijw* downwards

**neerwerpen** throw down

**neerzetten ❶** *plaatsen* put / lay down, ⟨gebouw⟩ build ★ *zich* ~ sit down **❷** *uitbeelden* ton act out

**neerzien ❶** *naar beneden kijken* look down **❷** ~ **op** look down on

**neet** nit ★ *hij is zo arm als de neten* he's as poor as a churchmouse ★ *kale neet* down-and-out ★ *zo lui als de neten zijn* be as lazy as they come

**nefast** BN *funest* disastrous, fatal

**negatief I** *bnw* negative **II** *bijw* ★ ~ *beantwoorden* answer in the negative **III** *zn* [het] fotogr negative

**negen I** *telw* nine → **vier II** *zn* [de] **❶** *getal* nine **❷** onderw *schoolcijfer* ≈ A

**negende ❶** ninth **❷** → **vierde**

**negentien ❶** nineteen **❷** → **vier**

**negentiende ❶** nineteenth **❷** → **vierde**

**negentig ❶** ninety **❷** → **vier, veertig**

**negentigste ❶** ninetieth **❷** → **vierde, veertigste**

**neger** black, gesch Negro *mv: Negroes*, [v: Negress] min nigger

**negeren** bully

**negeren** ignore

**negerzoen** angel kiss

**negligé** negligee

**negroïde** Negroid

**neigen ❶** *hellen* incline **❷** *tenderen* incline, tend ★ ~ *tot* tend to / towards ★ *geneigd zijn tot* have a tendency to ★ *men is geneigd te geloven dat...* people tend to believe that...

**neiging** inclination, tendency, ⟨gezindheid⟩ leaning ★ *hij heeft de* ~ *dik te worden* he tends to gain weight ★ *ik heb geen enkele* ~ *om* I'm not at all inclined to

**nek** neck ★ *iem. de nek omdraaien* wring sb's neck ★ *iemands nek breken* break sb's neck ★ *iem. met de nek aankijken* cold-shoulder sb ▼ *iem. op zijn nek zitten* be on sb's back ▼ *uit zijn nek kletsen* talk rubbish ▼ *zijn nek uitsteken* stick one's neck out ▼ *over zijn nek gaan* puke ▼ BN *een dikke nek hebben* be too big for one's boots ▼ *dat zal hem de nek breken* that'll be the end of him, that'll finish him off

**nek-aan-nekrace** neck-and-neck race

**nekken ❶** *doden* kill **❷** fig *kapotmaken* wreck, ruin ★ *een plan* ~ wreck a plan ★ *de handel* ~ deal a deathblow to commerce ★ *dat nekte hem* that finished / ruined him

**nekkramp** meningitis

**nekslag ❶** *dodelijke slag* rabbit punch **❷** *genadeslag* deathblow, final blow

**nekvel** scruff of the neck

**nekwervel** cervical vertebra [mv: vertebrae]

**nemen ❶** *lett. en fig pakken* take (out), get ★ *iem. bij de hand* ~ take sb by the hand ★ *iets uit elkaar* ~ take sth apart ★ *alles bij elkaar genomen* all things considered ★ *een verzekering* ~ take out a(n insurance) policy ★ *een hond* ~ get a dog ★ *wat neem jij?* what will you have? ★ *iets te eten* ~ have sth to eat ★ *het er (goed) van* ~ live well ★ *een hindernis* ~ overcome an obstacle ★ *een schaakstuk* ~ take / capture a piece ★ *iets op zich* ~ take sth (up)on o.s., take sth on **❷** *aanvaarden* take ★ *dat neem ik niet* I'm not having it **❸** *beetnemen* ★ *iem. ertussen* ~ pull sb's leg, take sb for a ride ★ *zich genomen voelen* feel taken in, feel one has been had

**neoklassiek** neoclassical

**neologisme** neologism

**neon** neon

**neonazi** neo-Nazi

**neonbuis** neon tube / lamp

**neonlicht** neon light

**neonreclame** neon sign(s)

**nep** *onecht* fake

**Nepal** Nepal

**Nepalees** Nepalese

**neppen** swindle, inform ripp off, inform bamboozle ★ *ze hebben je flink genept met die auto* you've been ripped off with that car

**Neptunus** *eigennaam* Neptune
**nerd** nerd, geek
**nerf** ❶ *plantk* ⟨van blad⟩ rib ❷ *houtvezel* grain
**nergens** ❶ *op geen enkele plaats* nowhere ★ ~ *anders* nowhere else ★ *hij kan* ~ *zijn boek vinden* he can't find his book anywhere ★ *zonder woordenboek ben ik* ~ I'm lost without a dictionary ❷ *niets* nothing ★ *dat dient* ~ *toe* it serves no useful purpose, it's no use ★ *hij geeft* ~ *om* he cares for nothing ★ *dat slaat* ~ *op* that makes no sense at all ★ ~ *goed voor* good for nothing ★ *hij staat* ~ *voor* he sticks at nothing
**nering** *handel* (retail) trade
**nerts** I *zn* [de], *dier* mink II *zn* [het], *bont* mink
**nerveus** nervous
**nervositeit** nervousness
**nest** ❶ *dierk broedplaats* nest, ⟨van roofvogel⟩ eyrie ★ *zijn eigen nest bevuilen* foul one's own nest ❷ *worp* litter, ⟨van vogels⟩ brood ★ *uit een goed nest komen* come from a good family, be of good stock ❸ *inform bed* bunk, sack ★ *naar zijn nest gaan* hit the sack ❹ *nuffig meisje* madam ★ *vervelend nest* tiresome girl ★ *verwend nest* spoilt brat ❺ *schuilhol* den, lair ▼ *zich in de nesten werken* get into a fix / spot ▼ *in de nesten zitten* be in a fix / spot
**nestelen** I *on ww* nest II *wkd ww* [zich ~] nestle, settle ★ *zij nestelde zich bij het vuur* she curled up by the fire
**nestkastje** nest(ing) box
**nestor** grand old man, *pol* elder statesman
**nestwarmte** family affection / warmth
**net** I *zn* [het] ❶ *weefsel met mazen* net ★ *achter het net vissen* miss the boat ★ *iem. in zijn netten strikken* snare / trap sb ❷ *netwerk* network ★ *BN onderw het vrije net* independent school system ❸ *internet* the Net ❹ *televisiezender* channel ★ *op het eerste net* on Channel 1 ❺ *nette versie* fair copy ★ *in het net schrijven* make a fair copy II *bnw* ❶ *proper* clean, tidy ❷ *fatsoenlijk* ⟨geordend⟩ neat, ⟨kleding, enz.⟩ smart, ⟨gepast⟩ decent ★ *op een nette manier* in a decent way ★ *een nette kamer* a neat room ❷ *een nette man* a decent man ★ *nette manieren* nice manners ★ *een nette buurt* a respectable neighbourhood III *bijw* ❶ *precies* just, exactly ★ *net echt* just like the real thing ★ *net op tijd* just in time ★ *net het tegenovergestelde* the exact opposite ★ *net op dát moment* at that very moment ★ *net goed!* serves you right! ★ *net als* just like ★ *we hebben nog net tijd om dat te doen* we've just got time to do it ★ *dat is net wat voor jou* that is the very thing for you ★ *net toen ik viel* just when I fell ❷ *zojuist* just ★ *hij is net weg* he's just left
**netel** nettle
**netelig** thorny, knotty ★ ~*e kwestie* vexed question ★ ~*e toestand* delicate / tricky situation
**netelroos** nettle rash, hives *mv*
**netheid** ❶ *ordelijkheid* neatness, cleanliness ❷ *fatsoenlijkheid* respectability, decency
**netjes** I *bnw* ❶ *ordelijk* tidy, neat, clean ★ *het is er* ~ it's neat and tidy there ★ *het* ~ *houden* keep it clean ❷ *fatsoenlijk* decent, proper ★ *dat is niet* ~ that's bad manners II *bijw* ❶ *ordelijk* neatly, ⟨zindelijk⟩ cleanly ❷ *fatsoenlijk* properly ★ *zich* ~ *gedragen* behave properly ★ ~ *gezegd* neatly put

**netkous** fishnet stocking
**netnummer** dialling code, USA area code
**netspanning** mains voltage
**netto** net(t), after tax ★ ~*gewicht* net weight ★ ~*inkomen* net income
**nettoloon** net(t) wages *mv*, net(t) earnings *mv*
**netto-omzet** net(t) turnover
**nettowinst** net(t) profit
**netvlies** retina
**netvliesontsteking** retinitis
**netvoeding** mains supply
**netwerk** network
**netwerken** network
**neuken** *vrijen* fuck, screw
**Neurenberg** Nuremberg
**Neurenbergs** Nuremberg
**neuriën** hum
**neurochirurg** neurosurgeon
**neurochirurgie** neurosurgery
**neurologie** neurology
**neuroloog** neurologist ★ *naar de* ~ *gaan* see a neurologist
**neuroot** neurotic (person)
**neurose** neurosis
**neurotisch** neurotic
**neus** ❶ *reukorgaan* nose ★ *een verstopte neus* blocked nose ★ *door je neus praten* speak through your nose ★ *je neus ophalen* sniff ★ *zijn neus loopt* he's got runny nose ★ *een wassen neus* a mere formality ★ *het neusje van de zalm* the very best ★ *dat zal ik jou niet aan je neus hangen* it's none of your business ★ *iem. bij de neus nemen* pull sb's leg ★ *iem. iets door de neus boren* cheat sb (out) of sth ★ *iets langs zijn neus weg zeggen* say sth casually ★ *met zijn neus in de boter vallen* be in luck, have a windfall ★ *met zijn neus in de wind lopen* walk with one's nose in the air ★ *iem. met zijn neus op de feiten drukken* make sb face up to the facts ★ *iem. iets onder de neus wrijven* rub sb's nose in sth ★ *op zijn neus kijken* look foolish ★ *tussen neus en lippen door* in passing, casually ★ *pal voor mijn neus* right in front of me ★ *iets voor iemands neus wegkapen* take sth from under sb's nose ★ *doen alsof zijn neus bloedt* act dumb ★ *een frisse neus halen* get a breath of (fresh) air ★ *een fijne neus hebben voor iets* have a good nose for sth ★ *een lange neus maken naar iem.* cock a snook at sb ★ *zijn neus voor iets ophalen / optrekken* turn up one's nose at sth ★ *onze neuzen staan dezelfde kant op* we are on the same page ★ *overal zijn neus in steken* poke / stick one's nose into everything ★ *zijn neus stoten* fall (flat) on one's face ★ *het komt me de neus uit* I'm fed up to the back teeth (with it) ★ *dat gaat zijn neus voorbij* he can whistle for it ★ *hij kijkt niet verder dan zijn neus lang is* he can't see beyond his own nose ❷ *reukzin* nose, scent ❸ *punt* nose, ⟨van schoen⟩ toe
**neusademhaling** nose breathing
**neusamandel** adenoids *mv*
**neusbeen** nasal bone
**neusbloeding** nosebleed
**neusdruppels** nose drops
**neusgat** nostril
**neusholte** nasal cavity
**neushoorn** rhinoceros

**ne**

**neus-keelholte** nasal cavity, <u>anat</u> nasopharynx
**neus-keelholteontsteking** nasopharyngitis
**neusklank** nasal sound
**neuslengte** ★ *met een ~ voorsprong winnen* win by a nose, win by a whisker
**neuspeuteren** pick one's nose
**neusspray** nasal spray
**neustussenschot** nasal septum *mv*: septa
**neusverkouden** have a (head) cold, suffer from a (head) cold
**neusverkoudheid** cold
**neusvleugel** nostril
**neut** drop, nip
**neutraal** ❶ *niet afwijkend, gemiddeld* neutral ★ *een neutrale kleur* a neutral colour ❷ *onpartijdig* neutral, ⟨van onderwijs⟩ non-denominational ★ *een neutrale opmerking* a noncommittal remark
**neutraliseren** neutralize
**neutraliteit** neutrality
**neutron** neutron
**neutronenbom** neutron bomb
**neuzelen** ❶ *door de neus praten* talk through one's nose ❷ *onzin uitkramen* talk nonsense / rubbish
**neuzen** browse, nose around / about ★ *in iemands zaken ~* pry into sb's affairs
**nevel** *dunne mist* mist, ⟨door hitte⟩ haze ★ *zich in ~en hullen* wrap o.s. in mystery
**nevelig** ❶ *met nevel* hazy, misty ❷ *onduidelijk* misty, hazy, vague
**nevelvorming** formation of mist / haze
**nevenactiviteit** sideline
**neveneffect** side effect
**nevenfunctie** additional job / function
**nevengeschikt** coordinate
**neveninkomsten** additional income
**nevens** BN next to, beside
**nevenschikkend** coordinate, coordinating
**nevenschikking** coordination
**nevenwerkzaamheden** outside employment / activities
**newfoundlander** Newfoundland (dog)
**new wave** new wave
**New York** New York
**New Yorker** New Yorker
**New Yorks** New York
**New Yorkse** New York (woman / girl)
**Niagarawatervallen** Niagara Falls
**Nicaragua** Nicaragua
**Nicaraguaan** Nicaraguan
**Nicaraguaans** Nicaraguan
**Nicaraguaanse** Nicaraguan (woman / girl)
**niche** <u>econ</u> niche
**nicht** ❶ *dochter van oom / tante* cousin ★ *volle ~* first cousin ❷ *dochter van broer / zus* niece ❸ *mannelijke homo* gay, <u>min</u> queer
**nichterig** gay, <u>min</u> queer
**Nicosia** Nicosia
**nicotine** nicotine
**nicotinevergiftiging** nicotine poisoning
**nicotinevrij** non-nicotine, nicotine-free
**niemand** nobody, no one, none ★ *~ anders* nobody else ★ *ik heb ~ gezien* I haven't seen anyone ★ *~ minder / anders dan* none other than, no less (a person) than ★ *~ van hen* none of them

**niemandsland** no-man's-land
**niemendal** nothing at all
**niemendalletje** *onbeduidend iets* trifle, nothing
**nier** *orgaan* kidney ★ *wandelende nier* a floating kidney
**nierbekken** renal pelvis
**nierbekkenontsteking** inflammation of the renal pelvis, <u>med</u> pyelitis
**nierdialyse** dialysis, <u>med</u> haemodialysis
**niergruis** gravel
**nierpatiënt** kidney patient
**niersteen** kidney stone
**niertransplantatie** kidney transplant(ation)
**nierziekte** kidney disease / complaint
**niesbui** sneezing fit
**niesen** sneeze
**niespoeder** sneezing powder
**niesziekte** cat flu
**niet** I *bijw* not ★ *niet alleen, maar...* not only but... ★ *niet langer* no longer ★ *ook niet* not... either ★ *helemaal niet* not at all ★ *niet minder dan* no less than ★ *niet helemaal* not quite ★ *niet eens* not even ★ *niet dat ik weet* not that I know of ★ *komt hij? ik niet* is he coming? I'm not ★ *hoe vaak heb ik dat niet gezegd!* how often have I told you! ★ *was dat niet mooi!* wasn't that wonderful!, it was wonderful, wasn't it? II *onb vnw* nothing ★ *om niet spelen* play for love III *zn [het]* nothingness ★ *in het niet vallen bij* be nothing compared to
**niet-aanvalsverdrag** non-aggression pact
**nieten** staple
**nietes** 'tisn't, it doesn't!
**niet-EU-land** non-EU country
**niet-gebonden** <u>pol</u> ★ *de ~ landen* non-aligned countries
**nietig** ❶ *onbeduidend* insignificant, trivial, ⟨hoeveelheid⟩ paltry, ⟨schriel⟩ puny, ⟨van reden⟩ futile ❷ *niet van kracht* invalid, null (and void) ★ *~ verklaren* declare null and void
**nietigverklaring** nullification
**niet-ingezetene** non-resident
**nietje** staple
**niet-lid** non-member
**nietmachine** stapler
**niet-ontvankelijkverklaring** nonsuit ★ *van het beroep* refusal of appeal
**nietpistool** staple gun
**niet-roken-** no(n)-smoking ★ *niet-rokencoupé* no(n)-smoking compartment
**niet-roker** non-smoker
**niets** I *onb vnw* nothing, not anything ★ *~ te danken!* don't mention it!, it's a pleasure! ★ *alsof het ~ is* as if it's nothing ★ *daar komt ~ van in!* no way! ★ *daar is ~ aan te doen* it can't be helped ★ *~ nieuws* nothing new ★ *~ meer en ~ minder dan* no more and no less than ★ *dat geeft ~* it doesn't matter ★ *~ daarvan!* nothing of the sort! ★ *er kwam ~ van* nothing came of it ★ *verder ~?* is that all? ★ *dat is ~ vergeleken bij...* it is (as) nothing compared with... ★ *het is ~ gedaan* it's no good ★ *~ wijzer dan te voren* no wiser than before, none the wiser ★ *~ dan klachten* nothing but complaints ★ *ik heb er ~ aan* it's no good to me ★ *het is ~ voor jou om* it's not like you to ★ *niet voor ~* not for nothing ★ *om / voor ~* for

nothing ⋆ *ik zou het nog niet voor ~ willen hebben* I wouldn't have it as a gift ⋆ *een... van ~* a worthless... ⋆ *een vent van ~* a dead loss ⋆ *dat wordt ~* it won't work, it'll come to nothing ⋆ *ze doet ~ dan huilen* all she does is cry ‖ *zn* [het] nothingness, (leegte) void ⋆ *in het ~ verdwijnen / oplossen* disappear into thin air

**nietsbetekenend** insignificant, meaningless

**nietsdoen** idleness

**nietsnut** good-for-nothing

**nietsontziend** unscrupulous, ruthless

**nietsvermoedend** unsuspecting, unsuspicious

**nietszeggend** meaningless ⋆ *~e woorden / toespraak* empty words, pointless speech ⋆ *~ gezicht* blank expression

**niettegenstaande** despite, in spite of, notwithstanding

**niettemin** nevertheless, nonetheless

**nietwaar** ⋆ *hij gaat mee, ~?* he's coming, isn't he? ⋆ *zij zijn het er mee eens, ~?* they agree, don't they? ⋆ *zij hebben het ook gezien, ~?* they've also seen it, haven't they?

**nieuw** ❶ *pas ontstaan* new, recent ⋆ *de ~ste mode* the latest fashion ⋆ *met ~e moed* with fresh / renewed courage ⋆ *iets ~s* sth new ⋆ *zo goed als ~* as good as new, like new ⋆ *het ~ste van het ~ste* the latest thing (in) ❷ *volgend op iets / iemand* new, modern ⋆ *de ~e geschiedenis* modern history

**nieuwbakken** ❶ *vers* fresh, freshly baked ❷ *pas geworden* newly-... ⋆ *onze ~ directeur* our newly-appointed manager ⋆ *~ echtgenoot* newly-wed husband

**nieuwbouw** ❶ *het bouwen* building / construction of new houses / offices / etc. ❷ *nieuwe gebouwen* newly-built houses / offices / etc. ⋆ *in de ~ wonen* live on a new (housing) estate

**nieuwbouwwijk** new housing estate / development

**nieuwbouwwoning** newly-built house

**Nieuw-Caledonië** New Caledonia

**nieuweling** newcomer, (beginneling) novice

**nieuwerwets** new-fashioned, min new-fangled

**Nieuwgrieks** Modern Greek

**Nieuw-Guinea** New Guinea

**nieuwigheid** ❶ *het nieuwe* novelty ❷ *iets nieuws* innovation, new departure ⋆ *een ~ op het gebied van...* the latest thing in..., the last word in...

**Nieuwjaar** New Year ⋆ *gelukkig ~* Happy New Year

**nieuwjaarsdag** New Year's Day

**nieuwjaarskaart** New Year's card

**nieuwjaarsreceptie** New Year's reception

**nieuwjaarswens** New Year's greeting(s)

**nieuwkomer** (zonder ervaring) novice, (pas aangekomen) newcomer

**nieuwlichter** modernist

**nieuwprijs** original / purchase price

**nieuws** ❶ *berichten* news ⋆ *gemengd ~* miscellaneous news ⋆ *het laatste ~* the latest news, inform the latest ⋆ *dat is oud ~* that's ancient history ⋆ *in het ~ zijn* be in the news ⋆ *is er nog ~?* what('s the) news?, what's new? ❷ *nieuwsuitzending* news ⋆ *wil je het ~ nog zien?* do you want to watch the news?

**nieuwsagentschap** news / press agency

**nieuwsbericht** news item / bulletin

**nieuwsblad** newspaper

**nieuwsbrief** newsletter

**nieuwsdienst** news / press agency, news service

**nieuwsfeit** news item

**nieuwsgierig** curious (naar about), inquisitive, min nos(e)y ⋆ *ik ben ~ wat hij zal doen* I wonder what he will do ⋆ *~ zijn om te horen* be curious / anxious to know

**nieuwsgierigheid** curiosity (naar about), inquisitiveness

**nieuwsgroep** www newsgroup

**nieuwslezer** newsreader, newscaster

**nieuwsoverzicht** news summary

**nieuwsrubriek** news programme

**nieuwsuitzending** news broadcast, USA newscast

**nieuwtje** ❶ *nieuwigheid* novelty ⋆ *het ~ gaat er gauw af* the novelty soon wears off ❷ *actueel bericht* news (item)

**nieuwwaarde** replacement value ⋆ *iets tegen ~ verzekeren* insure for (the) replacement value

**Nieuw-Zeeland** New Zealand

**Nieuw-Zeelands** New Zealand

**Nieuw-Zuid-Wales** New South Wales

**niezen** → **niesen**

**Niger** *land* Niger

**Nigerees** Nigerian

**Nigeria** Nigeria

**Nigeriaan** Nigerian

**Nigeriaans** Nigerian

**Nigeriaanse** Nigerian (woman / girl)

**nihil** nil, zero

**nihilisme** nihilism

**nijd** ❶ *afgunst* envy, jealousy ⋆ *scheel zien van nijd* be green with envy ❷ *woede* malice, spite

**nijdig** ❶ *boos* angry, inform cross ⋆ *zich ~ maken* get angry / cross ⋆ *~ zijn op* be angry / cross with / at ❷ *venijnig* mean, nasty ⋆ *~e blik* mean look

**nijgen** *buigen* (make a) bow

**nijging** bow

**Nijl** Nile

**nijlpaard** hippopotamus [mv: hippopotami] inform hippo

**Nijmeegs** Nijmegen

**Nijmegen** Nijmegen

**nijpend** (armoede) dire, (kou) biting, (kou) bitter, (gebrek) acute

**nijptang** pair of pincers, pincers *mv*

**nijver** hard-working, industrious

**nijverheid** industry

**nikab** niqab

**nikkel** nickel

**niks** nothing ⋆ *niks daarvan!* no way! ⋆ *'n vent van niks* a dead loss ⋆ *'n ding van niks* a flimsy affair ⋆ *dat is niet niks* that's not to be sneezed at

**niksen** lie / lounge about / around

**niksnut** good-for-nothing, dead loss

**nimf** nymph

**nimmer** never

**nippel** nipple

**nippen** sip (aan at)

**nippertje** ▼ *op het ~* in the nick of time, at the very last moment ▼ *het was op het ~* it was a close

**ni**

shave
**nipt** narrow ★ *een nipte overwinning* a win by a short head
**nirwana** nirvana
**nis** niche, ⟨in muur⟩ recess
**nitraat** nitrate
**nitriet** nitrite
**nitwit** nitwit, nit
**niveau** level ★ *op departementaal ~* at ministerial level ★ *op hetzelfde ~ als* on a level with ★ *een gesprek op (hoog) ~* a high-quality discussion ★ *tennis op hoog ~* top-class / -level tennis
**niveauverschil** difference in level
**nivelleren** level (out / off)
**nobel** noble, high-minded
**Nobelprijs** Nobel Prize ★ *de ~ voor de vrede* the Nobel Peace Prize
**noch** neither...nor, not...nor ★ *noch A noch B* neither A nor B ★ *hij kan lezen noch schrijven* he can neither read nor write, he can't read nor write
**nochtans** nevertheless, nonetheless
**no-claim** no-claims bonus
**no-claimkorting** no-claims bonus
**noden** *uitnodigen* invite
**nodig** I *bnw* ❶ *noodzakelijk* necessary, needful ★ *indien / zo ~* if necessary ★ *iets ~ hebben* need / require sth ★ *ik had niet lang ~ om...* it did not take me long to... ★ *twee uur ~ hebben om...* need two hours to... ★ *~ maken* necessitate ★ *het ~ vinden om* consider it necessary to ★ *dringend ~ zijn* be urgently required ★ *er is grote moed voor ~ om...* it takes great courage to... ★ *de ~e aandacht krijgen* receive due attention ❷ iron gebruikelijk usual ★ *met de ~e ophef* with the usual fuss ‖ *bijw, dringend* necessarily ★ *~ naar het toilet moeten* have to go to the toilet in a hurry ★ *het moet ~ hersteld* it badly needs repairing ★ *dat moet jij ~ zeggen* iron look who's talking ★ *ik moet ~ weg* I really have to go
**nodigen** invite
**noedels** noodles
**noemen** ❶ *een naam geven* name, call ★ *hoe noem je dat?* what do you call that? ★ *iem. naar zijn vader ~* name sb after his father ★ *zich schilder ~* call o.s. a painter ★ *dat noem ik nog eens werken!* that's what I call working ❷ *met name vermelden* mention, name ★ *om een voorbeeld te ~* to cite / name an example
**noemenswaardig** worth mentioning, considerable ★ *het verschil is niet ~* the difference is not worth mentioning, there's no difference to speak of
**noemer** denominator ▾ *onder één ~ brengen* reduce to a common denominator
**noest** I *zn* [de] knot ‖ *bnw* diligent, industrious ★ *met ~e vlijt* with unflagging industry
**nog** ❶ *tot nu* still, so far ★ *nog niet* not yet ★ *tot nog toe* up to now ★ *dat ontbrak er nog maar aan!* that's the last straw! ★ *weet je nog?* remember? ★ *nog altijd* still ★ *hij is nog niet thuis* he isn't home yet ★ *zelfs nu nog* even now, to this day ★ *gisteren nog* only yesterday ★ *nog diezelfde dag* that very day ★ *nog wel vandaag!* today of all days! ❷ *vanaf nu* ★ *nog lang niet* not by a long shot / chalk ★ *nog één nachtje slapen* one more

night to go ★ *nog slechts twee dagen* only two more days ★ *hoe lang nog?* how much longer? ❸ *bovendien, meer* more, yet, still ★ *nog net zo een* another one like this ★ *nog eens* once more ★ *nog twee bier* another two beers ★ *nog ouder* even older ★ *nog vele jaren!* many happy returns! ★ *(wil je) nog thee?* more tea? ★ *is er nog melk?* is there any milk left? ★ *nog eens zoveel* as much / many again ★ *anders nog iets?* anything else? ★ *en wat dan nog?* so what?
**noga** nougat
**nogal** rather, <u>inform</u> pretty
**nogmaals** once more / again
**no-iron** non-iron, drip-dry
**nok** ❶ *deel van dak* ridge ★ *tot de nok toe gevuld* crammed, packed to the rafters ❷ <u>scheepv</u> yardarm
**nokken** knock off ★ *~ met werken* knock off work ★ *~!* knock it off!, pack it in!
**nomade** nomad
**nomadisch** nomadic
**nominaal** nominal ★ *nominale waarde* face value
**nominatie** ❶ *benoeming* nomination, appointment ❷ *kandidatenlijst* nomination ★ *op de ~ staan* be short-listed for, be a candidate for
**nomineren** nominate (**voor** for)
**non** nun
**non-actief** ★ *op ~ stellen* suspend, ⟨door gebrek aan werk⟩ lay off ★ *op ~ staan* be suspended, ⟨door gebrek aan werk⟩ be laid off
**non-alcoholisch** non-alcoholic
**nonchalance** *nalatigheid* carelessness
**nonchalant** *nalatig* careless
**non-conformistisch** nonconformist
**non-fictie** non-fiction
**non-food** non-food
**nonkel** BN *oom* uncle
**nonnenklooster** convent
**nonnenschool** *onderw* convent (school)
**no-nonsense** no-nonsense ★ *~ politiek* no-nonsense politics
**non-profit** non-profit ★ *een ~ organisatie* a non-profit organization
**non-proliferatieverdrag** pol non-proliferation treaty
**nonsens** nonsense, rubbish ★ *~!* rubbish!
**non-stop** non-stop
**non-stopvlucht** non-stop flight
**non-verbaal** non-verbal
**nood** ❶ *behoefte / noodzakelijkheid* necessity, need ★ *uit nood* out of need ★ *iem. uit de nood helpen* help sb out ★ *hoge nood hebben* have to go badly ★ *van de nood een deugd maken* make a virtue of necessity ★ *in nood leert men zijn vrienden kennen* a friend in need is a friend indeed ★ *nood breekt wet* necessity knows no law ★ *als de nood aan de man komt* if the worst comes to the worst ★ *als de nood het hoogst is, is de redding nabij* the darkest hour is just before dawn ★ BN *nood hebben om iets te doen* be in want / need of sth ❷ *gevaar* distress ★ *in geval van nood* in (case of) an emergency ★ *in nood verkeren* be in trouble / distress ★ *geen nood!* don't worry! ❸ BN *tekort* shortage, deficiency, econ deficit
**noodaggregaat** stand-by / emergency power unit

**no**

**noodbrug** temporary bridge
**noodgebied ❶** *rampgebied* disaster area
**❷** *noodlijdend gebied* depressed / deprived area
**noodgedwongen** out of necessity, necessary, forced
**noodgeval** (case of) emergency
**noodhulp** *hulp in geval van nood* emergency aid / relief
**noodklok** alarm (bell) ★ *de ~ luiden* sound the alarm
**noodkreet** cry of distress
**noodlanding** forced / emergency landing
**noodlijdend** *behoeftig* destitute, needy ★ *~ gebied* depressed area
**noodlot** fate, destiny
**noodlottig** fatal ★ *dat werd haar ~* that was her undoing
**noodmaatregel** emergency measure, ⟨tijdelijk⟩ stopgap measure
**noodplan** emergency / disaster plan
**noodrantsoen** emergency ration
**noodrem** emergency brake ★ *aan de ~ trekken* (in trein) pull the communication cord, fig take emergency measures
**noodsignaal** distress signal, SOS
**noodsprong** fig desperate move / measure
**noodstop** emergency stop
**noodtoestand** (state of) emergency
**nooduitgang** emergency exit
**noodverband** first-aid dressing
**noodverlichting** emergency lighting
**noodvulling** temporary filling
**noodweer I** *zn* [de], *zelfverdediging* self-defence ★ *uit ~ handelen* act in self-defence **II** *zn* [het], *onstuimig weer* heavy weather
**noodzaak** necessity ★ *uit ~* out of necessity
**noodzakelijk ❶** *beslist nodig* necessary ★ *het strikt ~e* the bare necessities / essentials **❷** *onontkoombaar* inevitable
**noodzakelijkerwijs** necessarily, inevitably
**noodzaken** compel, force ★ *zich genoodzaakt zien om* be forced to
**nooit** never ★ *~ meer* never again ★ *dat ~!* not on your life! ★ *~ ofte nimmer* never ever ★ *~ van mijn leven!* over my dead body! ★ *bijna ~* hardly ever ★ *eens, maar ~ meer* once and for all ★ *je weet maar ~* you never can tell
**Noor** Norwegian
**noor** racing / speed skate
**noord** north, ⟨wind ook⟩ northerly ★ *de wind is ~* the wind is north, there's a north(erly) wind
**Noord-Amerika** North America
**Noord-Amerikaan** North American
**Noord-Amerikaans** North American
**Noord-Amerikaanse** North American (woman / girl)
**Noord-Brabant** North Brabant
**Noord-Brabants** North Brabant
**noordelijk** *uit / van het noorden* northern, ⟨van wind⟩ north(erly) ★ *het ~ klimaat* the northern climate ★ *de wind is ~* the wind is north, there's a north(erly) wind ★ *~ van* (to the) north of
**Noordelijke IJszee** the Arctic Ocean
**noorden ❶** *windstreek* north ★ *op het ~ liggen* face north ★ *ten ~ van* (to the) north of **❷** *gebied* North ★ *het hoge ~* the extreme North ▼ BN *er het*

*~ bij verliezen* get out of one's depth, tie yourself up in knots
**noordenwind** north(erly) wind
**noorderbreedte** north(ern) latitude
**noorderbuur** northern neighbour
**noorderkeerkring** Tropic of Cancer
**noorderlicht** northern lights *mv*
**noorderling** northerner, ⟨Scandinaviër⟩ Scandinavian
**noorderzon** ▼ *met de ~ vertrekken* do a moonlight flit
**Noord-Europa** Northern Europe
**Noord-Europees** Northern European
**Noord-Holland** North Holland
**Noord-Hollands** North Holland
**Noord-Ierland** Northern Ireland
**Noord-Iers** (of / from)Northern Ireland
**Noordkaap** North Cape
**Noord-Korea** North Korea
**Noord-Koreaans** North Korean
**noordkust** north(ern) coast
**noordoost** north-east
**noordoosten** north-east
**Noordpool** North Pole
**noordpool ❶** *noordelijk uiteinde* North Pole **❷** *pluspool van magneet* north
**noordpoolcirkel** Arctic Circle
**Noordpoolexpeditie** Arctic expedition
**noordpoolgebied** Arctic (region)
**noords** ⟨gebied⟩ northern, ⟨komend uit het noorden⟩ northerly, ⟨van volkeren⟩ Nordic
**noordwaarts I** *bnw* northward **II** *bijw* northward(s)
**noordwest** north-west
**noordwesten** north-west
**Noordzee** North Sea
**Noorman** Norseman, Viking
**Noors I** *bnw, m.b.t. Noorwegen* Norwegian **II** *zn* [het], *taal* Norwegian
**Noorse** Norwegian (woman / girl)
**Noorse Zee** Norwegian Sea
**Noorwegen** Norway
**noot ❶** *nootvrucht* nut ★ *een harde noot om te kraken* a hard nut to crack **❷** *muzieknoot* note ★ *hele noot* semibreve, USA whole note ★ *halve noot* minim, USA half note ★ *achtste noot* quaver, USA eighth note ★ *valse noot* false note ★ *veel noten op zijn zang hebben* be hard to please **❸** *aantekening* note
**nootmuskaat** cul nutmeg
**nop** ⟨onder schoen⟩ stud, ⟨in weefsel⟩ burl
**nopen** *noodzaken* induce, oblige, prompt
**nopjes** ▼ *in zijn ~ zijn* be as pleased as Punch, be over the moon
**noppes** zilch, USA nix ★ *voor ~* (free, gratis and) for nothing
**nor** nick, slammer ★ *in de nor zitten* be doing time
**nordic walking** sport Nordic walking, caminata *v* nórdica
**norm** norm, standard ★ *aan de norm voldoen* come up to the standard ★ *normen en waarden* norms and values
**normaal I** *bnw* normal ★ *~ gesproken* normally ★ *doe eens ~!* behave yourself / yourselves! **II** *zn* [de] **❶** *loodlijn* normal **❷** *normale waarde*

standard, normal ★ *beneden / boven* ~ below / above normal

**normaalschool** BN onderw ≈ *pabo* teacher training college (for primary education)

**normalisatie** regulation, standardization, normalization, ⟨van rivier⟩ regulation

**normaliseren** ❶ *regelmatig maken* normalize, ⟨van rivier⟩ regulate ❷ *standaardiseren* standardize

**normaliter** normally, usually

**Normandië** Normandy

**Normandisch** Norman

**normatief** normative

**normbesef** moral sense, sense of values

**normvervaging** decline in moral standards

**nors** gruff, surly

**nostalgie** nostalgia

**nostalgisch** nostalgic

**nota** ❶ *memo, kennis* note, memo(randum) ★ *(goede) nota nemen van iets* take (due) note of sth ❷ *rekening* bill, invoice

**nota bene** if you please

**notariaat** ❶ *ambt* office of notary (public) ❷ *praktijk* notary's / solicitor's practice

**notarieel** notarial ★ *notariële volmacht* power of attorney

**notaris** notary (public)

**notariskantoor** notary's / solicitor's office

**notatie** notation

**notebook** notebook (computer)

**noten** ❶ *van notenhout* walnut ❷ *nootkleurig* nutbrown

**notenbalk** stave, USA staff

**notenboom** ⟨walnoot⟩ walnut (tree), ⟨hazelnoot⟩ hazel

**notenbrood** cul nut bread, ⟨één brood⟩ nut loaf *mv: loaves*

**notendop** *bolster* nutshell ▾ *in een* ~ in a nutshell

**notenhout** walnut

**notenhouten** walnut

**notenkraker** *knijptang* (pair of) nutcrackers

**notenleer** BN onderw general music education / instruction

**notenschrift** (musical) notation

**noteren** ❶ *aantekenen* note (down) ❷ *opgeven / vaststellen* quote, list

**notering** ❶ *het noteren* noting down ❷ *koers* quotation

**notie** ❶ *begrip, denkbeeld* idea, notion ★ *geen flauwe* ~ *hebben* not have the faintest idea / notion ❷ BN *kennis* basic knowledge, inform basics

**notitie** *aantekening* note ★ ~*s maken* make notes ★ *neem er geen* ~ *van* take no notice of it

**notitieboekje** notebook

**notoir** notorious

**notulen** minutes *mv* ★ *in de* ~ *opnemen* include in the minutes, minute ★ *de* ~ *maken* take the minutes ★ *de* ~ *goedkeuren* approve the minutes

**notuleren** I *ov ww, in notulen opnemen* minute II *on ww, notulen maken* take the minutes

**notulist** minutes secretary

**nou** I *bijw* now ★ *wat moeten we nou doen?* what do we do now? II *tw* ★ *komt ze nou?* is she coming, or not? ★ *waar was je nou?* what kept you? ★ *nou en?* so what? ★ *nou moe!* goodness

(me)! ★ *nou en of!* you bet! ★ *nou nou!* now, now!

**novelle** *korte roman* short story

**november** November

**novice** novice

**noviciaat** noviciate

**noviteit** novelty

**novum** novelty

**nozem** yob(bo)

**NT2** *Nederlands als tweede taal* Dutch as a second language

**nu** I *bijw, op het ogenblik* now, at present ★ *nu of nooit* now or never ★ *nu niet* not now ★ *nu nog niet* not yet ★ *nu pas* only now ★ *wat nu?* what next? ★ *nu eens X, dan weer Y* now X, now Y ★ *tot nu toe* so far, up till now ★ *van nu af (aan)* from now (on) ★ *nu en dan* now and then, occasionally II *vw* now that ★ *nu ik dat weet, ben ik gerust* now (that) I know that, my mind is at ease III *tw* now, well ★ *wat zeg je me nu!* you don't say! IV *zn* [het] (the) present (time)

**nuance** nuance, shade

**nuanceren** ⟨onderscheiden⟩ nuance, ⟨schakeren⟩ shade, ⟨wijzigen⟩ modify, nuance ★ *een mening* ~ modify an opinion

**nuchter** ❶ *nog niet gegeten hebbend* ★ *hij was nog* ~ he hadn't eaten yet ★ *op de* ~*e maag* on an empty stomach, on an empty stomach ❷ *niet dronken* sober ★ *hij was nog* ~ he was still sober ★ ~ *worden* sober up ❸ *realistisch* matter-of-fact, hard-headed, sober ★ *de* ~*e feiten* the hard facts ★ *de* ~*e waarheid* the plain truth

**nucleair** nuclear

**nudisme** nudism

**nudist** nudist

**nuf** prim / conceited girl

**nuffig** prim (and proper), conceited, haughty

**nuk** whim, caprice

**nukkig** whimsical, capricious

**nul** I *telw* ❶ nil, zero ★ *nul fouten* full marks ★ *twee graden onder nul* two degrees below zero ★ sport *zes-nul* six (to) nil ❷ → **vier** II *zn* [de] ❶ *cijfer* zero, ⟨teken⟩ nought, ⟨gesproken telefoon- / banknummer⟩ o ★ *je moet eerst een nul draaien* dial zero first ★ *nul komma zevenenzestig* zero / nought point six seven ★ *mijn nummer is 70446* my number is seven o double four six ★ *uit het jaar nul* from the year dot, out of the ark ❷ *onbeduidend persoon* nobody

**nulmeridiaan** prime meridian

**nulpunt** zero ★ *het absolute* ~ *bereiken* reach the absolute zero, fig reach an all-time low

**numeriek** numerical

**numerologie** numerology

**nummer** ❶ *getal* number ★ *brieven onder* ~ letters to PO box ★ *op* ~ *6 wonen* live at number 6 ❷ *telefoonnummer* number ★ *gratis* ~, BN *groen* ~ toll-free number ★ *mobiel* ~ mobile number ★ *vast* ~ fixed (telephone) number ★ *een* ~ *draaien* dial a number ❸ *programmaonderdeel* number, item, sport event, ton act ❹ *aflevering* number ★ *losse* ~*s* single copies ❺ *liedje* number, ⟨op cd⟩ track ❻ *humor persoon* character ★ *een mooi* ~ quite a character ❼ → **nummertje** ▾ *iem. op zijn* ~ *zetten* put sb in his place

**nummerbord** number plate, USA license plate

**nu**

**nummeren** number
**nummerherhaling** last number redial (facility)
**nummering** numbering
**nummertje ❶** *volgnummer* number, ticket ★ *een ~ trekken* draw / take a number **❷** *geslachtsdaad* ★ *een ~ maken* have a screw / fuck **❸** *staaltje* sample ★ *een ~ weggeven* do one's act / thing
**nummerweergave** caller identification, CID
**nuntius** nuncio
**nurks** I *zn* [de] grumbler, USA sourpuss II *bnw* surly, gruff
**nut** use(fulness), ⟨voordeel⟩ benefit ★ *zich iets ten nutte maken* make good use of sth ★ *tot nut van* for the benefit of ★ *van nut zijn* be useful, be of use / value ★ *van groot nut* of great value ★ *het heeft geen nut* it's no use ★ *ik zie er het nut niet van in* I don't see the point of it
**nutsbedrijf** public utility
**nutsvoorzieningen** (public) utilities
**nutteloos ❶** *onbruikbaar* useless, pointless **❷** *vergeefs* fruitless, futile
**nuttig** useful ★ *~ effect* useful effect ★ *zich ~ maken* make o.s. useful ★ *het ~e met het aangename verenigen* combine business with pleasure
**nuttigen** take, consume
**nv** *naamloze vennootschap* Ltd, limited liability company, PLC, public limited company, USA Inc., incorporated
**nylon** I *zn* [de] nylon II *zn* [het] nylon
**nylonkous** nylon (stocking)
**nymfomaan** nymphomaniac
**nymfomane** nymphomaniac, inform nympho

# O

**o** I *zn* [de] o ★ *de o van Otto* O as in Oliver II *tw* oh ★ *o zo!* so there! ★ *zij is o zo mooi* she is ever so beautiful ★ *o ja?* oh really? ★ *o jee!* oh dear!, dear me!
**o.a.** *onder andere(n)* among other things
**oase** oasis *mv: oases*
**obductie** med post-mortem, autopsy
**obelisk** obelisk
**O-benen** bow legs *mv* ★ *met ~* bow-legged
**ober** waiter
**obesitas** obesity
**object ❶** *voorwerp* object **❷** taalk object
**objectief** I *zn* [het] **❶** *oogmerk* objective **❷** *lenzenstelsel* objective **❸** BN *doelstelling* objective, aim II *bnw* objective
**objectiveren** rationalize
**objectiviteit** *het objectief zijn* objectivity
**obligaat** obligatory ★ *het obligate geschenkje* the necessary sweetener
**obligatie** bond, debenture (bond)
**obligatiehouder** bondholder
**obligatiekoers** bond price
**obligatielening** bond / debenture loan
**obligatoir** obligatory
**oblong** oblong
**obsceen** obscene
**obsceniteit** obscenity
**obscuur ❶** *weinig bekend* obscure **❷** *ongunstig bekend* ★ *een ~ zaakje* a shady business
**obsederen** obsess ★ *geobsedeerd zijn door* be obsessed with
**observatie** observation
**observatiepost** observation post
**observatorium** observatory
**observeren** observe, watch
**obsessie** obsession
**obsessief** obsessive
**obstakel** obstacle, fig hindrance ★ *een ~ uit de weg ruimen* remove obstacles from one's path
**obstinaat** obstinate
**obstipatie** constipation
**obstructie** obstruction ★ *~ voeren* obstruct
**occasion**, BN **occasie ❶** *tweedehands auto* used car **❷** *koopje* bargain
**occidentaal** occidental
**occult** occult
**oceaan** *wereldzee* ocean
**Oceanië** Oceania
**oceanologie** oceanology
**och** oh! ★ *och kom!* really?, oh, come on! ★ *och arme!* poor thing!
**ochtend** morning ★ *'s ~s* in the morning
**ochtendblad** morning paper
**ochtendeditie** early / morning edition
**ochtendgloren** daybreak, break of dawn ★ *bij het eerste ~* at (the) break of day / dawn
**ochtendgymnastiek** morning exercise(s)
**ochtendhumeur** morning blues / grumpiness ★ *een ~ hebben* have got out of bed on the wrong side
**ochtendjas** dressing gown, USA robe
**ochtendjournaal** morning news

**ochtendkrant** morning paper
**ochtendlicht** morning light
**ochtendmens** early bird / riser
**ochtendploeg** morning shift
**ochtendspits** morning rush (hour)
**octaaf** octave
**octaan** octane
**octaangehalte** octane content
**octet** octet
**octopus** octopus
**octrooi** patent★~ *aanvragen* apply for a patent
**octrooigemachtigde** patent agent
**octrooihouder** patentee
**oculair I** *zn* [het] eyepiece, ocular **II** *bnw* ocular
**ode** ode (**aan** to)★ *een ode brengen aan* pay tribute to
**odyssee** odyssey
**oecumene** *wereldkerk* ecumenism
**oecumenisch** ecumenical
**oedeem** oedema, USA edema
**oedipaal** Oedipal
**oedipuscomplex** Oedipus complex
**oef** phew
**oefenen ❶** *vaardig maken* practise, USA practice, ⟨voor optreden⟩ rehearse, ⟨trainen⟩ train★ *zich in iets* ~ practise sth★ *zich regelmatig* ~ keep one's hand in practice **❷** *in praktijk brengen* exercise★ *geduld* ~ exercise patience
**oefengranaat** dummy grenade
**oefening ❶** ⟨lichamelijk⟩ practice, exercise★ *lichamelijke* ~ physical education★ *~en voor arm- en beenspieren* exercises for arm and leg muscles **❷** ⟨geestelijk⟩ exercise▼ ~ *baart kunst* practice makes perfect
**oefenmateriaal ❶** *materiaal* practice / exercise material **❷** *lessen* teaching aids *mv*
**oefenmeester** trainer, coach
**oefenterrein** *mil*, military reserve
**oefenwedstrijd** practice / training match, ⟨boksen⟩ sparring match
**Oeganda** Uganda
**Oegandees** Ugandan
**oehoe** *vogel* eagle owl
**oei** ⟨schrik, verrassing⟩ oh!, ⟨pijn⟩ ouch!
**Oekraïens** Ukrainian
**Oekraïne** Ukraine
**oelewapper** nincompoop, blockhead
**oen** nerd, blockhead
**oer- ❶** *oorspronkelijk* primal, original, proto★ *oerbos* prim(a)eval forest★ *oertaal* protolanguage **❷** *zeer* extremely, ultra-★ *oersaai* dull (as ditchwater)★ *oer-Hollands* really / truly Dutch
**Oeral** Urals *mv*, Ural Mountains *mv*
**oerknal** Big Bang
**oermens** primitive man
**oeroud** ancient, prehistoric★ *~e bossen* prim(a)eval forests
**oertijd** prehistory
**oerwoud** prim(a)eval forest, ⟨tropisch⟩ jungle▼ *een* ~ *van voorschriften* a labyrinth of regulations
**OESO** *Organisatie voor Economische Samenwerking en Ontwikkeling* OECD, Organization for Economic Cooperation and Development

**oester** oyster
**oesterbank** oyster bed
**oesterkweker** oyster farmer
**oesterkwekerij** oyster farm
**oesterzwam** oyster mushroom
**oestrogeen** oestrogen, USA estrogen
**oeuvre** oeuvre, (complete) works *mv*★ *een omvangrijk / indrukwekkend* ~ a vast / impressive body of works
**oever** ⟨zee, meer⟩ shore, ⟨rivier⟩ bank★ *buiten zijn ~s treden* flood, burst its banks★ *aan de ~ van het meer* on the shores of the lake
**oeverloos** *fig* endless, interminable
**oeverplant** littoral plant
**oeververbinding** cross-river / -channel connection
**Oezbeeks** Uzbek
**Oezbekistan** Uzbekistan
**of ❶** *bij tegenstelling* or★ *goed of fout* right or wrong **❷** *ongeacht* whether★ *(ik doe het) of je het goedvindt of niet* whether you like it or not **❸** *bij twijfel* if, whether★ *ik vraag je of...* I'm asking you if / whether... **❹** *alsof* as if / though★ *hij doet net of hij gek is* he pretends to be mad **❺** *bevestigend*★ *nou en of!* rather!, not half!, you bet! **❻** *na ontkenning* but★ *nauwelijks... of* hardly / scarcely... when, no sooner... than★ *het duurde niet lang, of...* it was not long before...▼ *een minuut of twintig* some twenty minutes, twenty minutes or so
**offday** off day
**offensief I** *zn* [het] offensive★ *tot het* ~ *overgaan* take the offensive **II** *bnw* offensive
**offer ❶** *gave* offering **❷** *fig* opoffering sacrifice★ *~s brengen* make sacrifices★ *zware ~s eisen* take a heavy toll▼ *ten* ~ *vallen aan* fall victim to
**offerande ❶** *offer* offering **❷** *dankgebed* offertory
**offeren ❶** *als offer aanbieden* offer up, sacrifice **❷** *fig* opofferen sacrifice
**offergave** offering
**offerte** offer, quotation★ *een* ~ *doen* quote (for)
**official** official
**officieel ❶** *erkend* official, formal★ *officiële feestdag* public holiday **❷** *formeel* formal★ *officiële gelegenheid* official occasion
**officier** officer★ ~ *van justitie* public prosecutor★ *Officier in de Orde van...* Knight in the Order of...
**officieus** unofficial
**offreren** offer
**offset** offset
**offshore** offshore
**offside** offside
**ofschoon** (al)though
**oftewel** or, also known as, that is
**ofwel** or
**ogen** *eruitzien* look★ *goed ogen* look good / nice★ *jong ogen* look young
**ogenblik ❶** *korte tijd* moment, instant★ *een ~je alstublieft* just a / one moment, please★ *in een* ~ in a moment★ *hebt u een ~je?* do you have a minute? **❷** *tijdstip* moment★ *juist op dat* ~ at that very moment★ *op dit* ~ at the moment, just now★ *ieder* ~ any moment★ *voor het* ~ for the moment
**ogenblikkelijk I** *bnw, onmiddellijk* immediate

**og**

**ll** *bijw* immediately, at once

**ogenschijnlijk** apparent, -seeming ★ *haar ~ gebrek aan enthousiasme* her apparent lack of enthusiasm ★ *een ~ boze man* an angry-seeming man

**ogenschouw** ▼ *iets in ~ nemen* have a look at sth, ⟨inspecteren⟩ inspect sth

**ohm** ohm

**oio** *onderw onderzoeker in opleiding* PhD candidate

**oké** OK, okay

**oker** ochre

**oksel** ❶ *lichaamsdeel* armpit ❷ *plantk* axil

**okselhaar** underarm hair

**oktober** October

**Oktoberrevolutie** October Revolution

**oldtimer** *antieke auto* veteran / vintage car

**oleander** oleander

**olie** oil ★ *ruwe olie* crude (oil) ★ *olie verversen* change the oil ▼ *olie op het vuur gooien* add fuel to the flames ▼ *olie op de golven gieten* pour oil on troubled waters ▼ *hij is in de olie* he is well oiled

**oliebol** ≈ doughnut ball

**oliebollenkraam** ≈ doughnut stall / stand

**oliebron** ❶ *vindplaats* oil well ❷ *hoeveelheid* source of oil

**olieconcern** oil company

**oliecrisis** oil crisis

**oliedom** (as) thick as two short planks, (as) dumb as an ox

**olie-embargo** oil embargo *mv: embargoes*

**olie-en-azijnstel** cruet (set)

**oliefilter** oil filter

**oliejas** oilskin (coat)

**oliekachel** oil stove / heater

**oliën** oil, *form* lubricate ▼ *een goed geolied bedrijf* a well-run firm

**oliepeil** oil level ★ *het ~ controleren* check the oil(level)

**olieprijs** oil price

**olieraffinaderij** oil refinery

**oliesel** unction ★ *het heilige ~ toedienen* administer the last rites

**olietanker** oil tanker

**olieveld** oilfield

**olieverf** oil paint ★ *met ~ schilderen* paint in oils

**olievervuiling** oil pollution

**olievlek** oil stain, ⟨op zee⟩ oil slick ▼ *zich als een ~ uitbreiden* spread unchecked

**oliewinning** oil production

**olifant** elephant

**olifantshuid** elephant hide / skin ▼ *een ~ hebben* be thick-skinnned

**oligarchie** oligarchy

**olijf** ❶ *vrucht* olive ❷ *boom* olive (tree)

**olijfboom** olive (tree)

**olijfgroen** olive (green), *mil* olive drab

**olijfolie** olive oil

**olijftak** olive branch

**olijk** roguish

**olm** elm

**olympiade** Olympiad

**olympisch** *van Olympia* Olympic, ⟨mythologie⟩ Olympian ★ *de Olympische Spelen* the Olympic Games, the Olympics

**om I** *vz* ❶ *rond(om)* (a)round, about ★ *om de tafel*

about / round the table ★ *om het huis heen* (all) round the house ★ *een reis om de wereld* a trip round the world ★ *de hoek om* round the corner ❷ ~ *te* [+ infin.] to, ⟨met als doel⟩ in order to, so as to ★ *dat doet hij om op te vallen* he does that to attract attention ★ *ik heb geen tijd om je te helpen* I've no time to help you ❸ *vanwege* on account of, because of, for ★ *om die reden* for that reason ❹ ⟨van tijd⟩ at ★ *om vier uur* at four (o'clock) ❺ *afwisselend* ★ *om de (andere) dag* every other / second day ▼ *om en nabij* (a)round, about, roughly ▼ *hij is om en nabij de veertig* he's about forty **ll** *bijw* ❶ *voorbij* over, up, finished ★ *de tijd is om* time is up ★ *nog voor de week om is* before the week is out ❷ *eromheen* ★ *een sjaal om hebben* wear a scarf ❸ *van mening veranderd* ★ *hij is om* he has come round ❹ *langer* ★ *dat is zeker een uur om* that's at least an hour longer ▼ *'m om hebben* ⟨dronken zijn⟩ be sloshed / pissed ▼ *om en om* alternatively ▼ *om en om iets doen* take turns doing sth

**oma** grandma, granny

**Oman** Oman

**Omanitisch** Omani

**omarmen** ❶ *de armen slaan om* embrace, hug ❷ *graag aannemen* accept with open arms

**omblazen** blow down / over

**ombouw** surround(s), housing

**ombouwen** ⟨moderniseren⟩ reconstruct, ⟨veranderen⟩ rebuild, ⟨voor ander doel⟩ convert (tot into) ★ *zich laten ~* have a sex change (operation)

**ombrengen** *doden* kill, murder

**ombudsman** ombudsman

**ombuigen I** *ov ww* ❶ *verbuigen* bend ❷ *veranderen* adjust ★ *een politiek ~* reorganize / adjust a policy **ll** *on ww, buigen* bend (over)

**ombuiging** ❶ *het ombuigen* bending ❷ *beleidswijziging* restructuring

**omcirkelen** circle

**omdat** because

**omdoen** put on, ⟨gordel⟩ fasten

**omdopen** rename

**omdraaien I** *ov ww, van stand doen veranderen* turn ▼ *zich ~* turn round, ⟨liggend⟩ turn over **ll** *on ww* ❶ *omkeren* turn back, ⟨wind⟩ shift, ⟨wind⟩ swing / turn around ❷ *draai maken* turn ★ *de hoek ~* turn the corner

**omduwen** knock over, upset, ⟨met opzet⟩ push over

**omega** omega

**omelet** omelette ▼ *BN je kunt geen ~ bakken zonder eieren te breken* you cannot make an omelette without breaking eggs

**omfloerst** shrouded, veiled, ⟨geluid⟩ muffled ★ *met ~e blik* with misty eyes ★ *een ~e stem* a muffled voice

**omgaan** ❶ *rondgaan* go round ★ *de hoek ~* turn the corner ❷ *zich afspelen* happen ★ *dat gaat buiten mij om* I have nothing to do with it ★ *wat gaat er in hem om?* what's going on in his mind? ❸ *verhandeld worden* ★ *er gaat heel wat om in dit bedrijf* this enterprise does a lot of business ❹ *van mening veranderen* change one's mind ❺ *verstrijken* pass, go by ❻ ~ *met* handle, ⟨mensen⟩ mix / associate with ★ *vriendschappelijk* *met iem.* ~ be on friendly terms with sb ★ *zij gaan veel met elkaar om* they see each other a lot ★ *met mensen weten om te gaan* know how to get on with people, be good with people ★ *met gereedschap* ~ handle tools

**omgaand** ★ *verzoeke* ~ *bericht* please reply by return (of post)

**omgang** ❶ *sociaal verkeer* association, contact, (social / sexual) intercourse ★ ~ *hebben met* associate with ★ *aangenaam in de* ~ *zijn* pleasant company ❷ *processie* procession

**omgangsrecht** *jur* parental access rights *mv*

**omgangsregeling** parental access arrangements *mv*

**omgangstaal** everyday speech, form colloquial language

**omgangsvormen** manners *mv* ★ *goede* ~ *hebben* be well-mannered

**omgekeerd I** *bnw* ❶ *omgedraaid* turned (up), reverse ★ *in* ~*e volgorde* in reverse order ❷ *tegenovergesteld* opposite to, reverse(d) ★ *precies* ~ the other way around, just the opposite / reverse ★ *in het* ~*e geval* in the reverse / opposite case ▾ *de* ~*e wereld* the world turned upside down, a topsy-turvy world **II** *bijw,* *tegenovergesteld* ★ ~ *evenredig zijn aan* be inversely proportional to

**omgeven** surround, encircle ★ ~ *met* surrounded with ★ *zich* ~ *met* surround o.s. with

**omgeving** ❶ *omstreken* neighbourhood, vicinity ★ *in de naaste* ~ in the immediate vicinity ❷ *kring van mensen* environment, acquaintances *mv*

**omgooien** ❶ *omvergooien* overturn, upset ❷ *omdoen* throw on ★ *een das* ~ throw on a scarf ❸ *vlug draaien* shift ★ *het roer* ~ put over the helm, ook fig change tack ❹ *veranderen* change

**omhaal** ❶ *wijdlopigheid* wordiness ★ *met veel* ~ *(van woorden)* with a great show of words ★ *zonder* ~ *(van woorden)* without wasting words ❷ *nodeloze drukte* fuss, ceremony ❸ sport overhead kick

**omhakken** cut / chop down, fell

**omhalen** ❶ sport kick overhead ❷ *omvertrekken* bring / pull down ❸ *omwoelen* turn over ❹ *andersom trekken* bring round

**omhangen** *hangen om* hang (a)round

**omhangen** hang, cover ★ ~ *met lof* covered with praise

**omheen** round (about), around ★ *je kunt er niet* ~ you can't get around it ★ *ergens* ~ *draaien* talk (a)round sth, beat about the bush

**omheinen** fence off / in, enclose

**omheining** fence, enclosure

**omhelzen** embrace, hug

**omhelzing** embrace, hug

**omhoog** ❶ *naar boven* up(wards), up in the air ★ *handen* ~*!* hands up! ❷ *in de hoogte* up

**omhoogschieten** ❶ *snel omhooggaan* shoot up ❷ *snel groeien* ★ *de planten schoten omhoog* the plants shot up

**omhoogzitten** be in a fix, be stuck ★ ~ *met geld* be stuck for money ★ *ik zit erg met hen omhoog* I'm really stuck with them

**omhullen** envelop, wrap (up)

**omhulsel** covering, casing ★ *stoffelijk* ~ mortal remains

**omissie** omission

**omkadering** BN *personele bezetting* staff(ing)

**omkeerbaar** reversible

**omkeren I** *ov ww, omdraaien* turn, (hooi, kaart) turn over, (zakken) turn out ★ *zich* ~ turn (round) **II** *on ww, keren* turn back / round

**omkijken** ❶ *achter zich kijken* look back / round ❷ ~ *naar zoeken* look round / out for ❸ ~ *naar zich bekommeren om* look after, worry about ★ *daar heb je geen* ~ *naar* it doesn't need looking after ★ *niet naar de kinderen* ~ not worry about the children

**omklappen I** *on ww* turn / swing over / back **II** *ov ww* turn / swing over / back ★ *de leuning* ~ swing back the armrest

**omkleden** *andere kleren aantrekken* change (one's clothes) ★ *zich* ~ change

**omkleden** [umkleiden] *inkleden* ★ *met redenen* ~ give reasons for, motivate

**omklemmen** clasp, hug

**omkomen** ❶ *ergens omheen komen* come round ★ *de hoek* ~ come round the corner ❷ *sterven* die, be killed, (van honger) starve (to death) ★ *bij een ongeluk* ~ be killed in an accident ★ *van de kou* ~ die of cold, freeze to death ❸ *traag verstrijken* ★ *de dag kwam maar niet om* the day dragged by ever so slowly

**omkoopbaar** open to bribery, corruptible

**omkopen** bribe, corrupt

**omkoperij** bribery, corruption

**omkoping** bribery

**omlaag** ❶ *beneden* below, down ★ *van* ~ from below ★ ~ *houden* keep down ❷ *naar beneden* down(wards) ★ ~ *gaan* go down ★ *de kosten moeten* ~ we must cut / reduce costs

**omlaaghalen** ❶ *neerhalen* bring down ❷ *in aanzien doen dalen* drag down, run down ★ *het haalde zijn reputatie omlaag* it brought his reputation down

**omleggen** ❶ *anders leggen* (verkeer) divert, (verkeer) re-route, (wissel) shift, (andersom) turn over ❷ *om iets leggen* put round, (verband) bandage

**omlegging** diversion

**omleiden** divert, re-route

**omleiding** diversion

**omliggend** surrounding

**omlijnen** *afbakenen* outline ★ *scherp omlijnd* clear-cut, well-defined

**omlijsten** frame

**omlijsting** ❶ *het omlijsten* framing ❷ *kader* frame, fig setting ★ *met muzikale* ~ *van* with musical accompaniment by

**omloop** ❶ *circulatie* circulation ★ *in* ~ *brengen* (geld) circulate, (praatjes) spread ❷ *omwenteling* (om as) revolution, (in baan) orbit ★ *de* ~ *van de aarde om de zon* the earth's orbit around the sun ❸ BN sport *wielerkoers* (bi)cycle race

**omloopsnelheid** (wentelsnelheid) rotation speed, (van geld) velocity of circulation / money, (van planeten) orbital velocity

**omlopen I** *ov ww, omverlopen* knock over **II** *on ww* ❶ *omweg maken* walk / go round ★ *dat loopt om* that's a long way round ❷ *rondlopen* go round ★ *een eindje* ~ go for a walk / stroll

**om**

❸ *draaien* shift, veer round

**ommekeer** turnabout, change

**ommetje** stroll ★ *een* ~ *maken* take a stroll

**ommezien** moment ★ *in een* ~ in a second

**ommezijde** back ★ *zie* ~ (please) turn over ★ *aan* ~ <u>form</u> overleaf

**ommezwaai** about-turn / -face, reversal, <u>min</u> U-turn

**ommuren** wall (in) ★ *een ommuurde tuin* a walled garden

**omnibus** omnibus

**omniumverzekering** BN comprehensive insurance

**omnivoor** biol omnivore

**omploegen** *ploegen* plough, USA plow

**ompraten** talk / bring round ★ *zich laten* ~ give in ★ *je kunt haar niet* ~ you can't talk her out of it

**omrastering** ❶ *het omrasteren* fencing in ❷ *heining van rasterwerk* fence

**omrekenen** convert (**in** to / into)

**omrekening** conversion

**omrekeningskoers** exchange rate

**omrijden** I *ov ww, omverrijden* run / knock down II *on ww* ❶ *rondrijden* ride around, ⟨als bestuurder in auto⟩ drive around ★ *een eindje gaan* ~ go for a drive / ride ❷ *omweg maken* make a detour

**omringen** ❶ *lett* surround, enclose ❷ *fig omgeven* ★ *de gevaren die ons* ~ the dangers threatening us ★ *met zorg* ~ take good care of us

**omroep** ❶ *omroepvereniging* broadcasting corporation ❷ *het uitzenden* ⟨radio / television⟩ broadcasting ★ *commerciële / publieke* ~ commercial / national channel / station

**omroepbestel** broadcasting system

**omroepen** ❶ *oproepen* page ★ *iem. laten* ~ have sb paged ❷ *uitzenden* broadcast

**omroeper** announcer

**omroepgids** TV and radio guide

**omroeporganisatie** broadcasting corporation, <u>USA</u> network

**omroepster** announcer

**omroepvereniging** broadcasting corporation

**omroeren** *mengen* stir (up)

**omruilen** (ex)change, <u>inform</u> swap

**omschakelen** I *ov ww* ❶ <u>techn</u> change / switch over ❷ *aanpassen* readjust II *on ww, aanpassen* change (**naar** to), switch over (**naar** to)

**omschakeling** ❶ *techn* switch, changeover, shift ❷ *aanpassing* readjustment

**omscholen** retrain, re-educate ★ *waarom laat hij zich niet* ~? why doesn't he get retrained?

**omscholing** retraining, re-education

**omschrijven** ❶ *beschrijven* describe ❷ *bepalen* define

**omschrijving** ❶ *beschrijving* description ❷ *definitie* definition

**omsingelen** surround, ⟨belegeren⟩ besiege

**omslaan** I *ov ww* ❶ *omverslaan* knock down ❷ *omdraaien* ⟨pagina⟩ turn over, ⟨naar boven⟩ turn up, ⟨naar beneden⟩ turn down ❸ *omdoen van kleren* wrap round, put on ★ *een sjaal* ~ put on a scarf ❹ *verdelen* divide (**over** over / among), apportion ★ *hoofdelijk* ~ charge per head II *on ww* ❶ *om iets heen gaan* turn ★ *de hoek* ~ turn

(round) the corner ❷ *kantelen* topple over, ⟨boot⟩ capsize ★ *doen* ~ upset ❸ *veranderen* ⟨van weer⟩ break / change, ⟨stemming⟩ swing

**omslachtig** ⟨methode⟩ roundabout, ⟨spreken, schrijven⟩ long-winded, ⟨verhaal⟩ lengthy ★ ~ *systeem* cumbersome system

**omslag** I *zn* [de] ❶ *verandering* change ★ *een* ~ *van het weer* a break in the weather ❷ *gedoe* fuss, ceremony ❸ *verdeling van kosten* apportionment ★ *hoofdelijke* ~ charge per head, ⟨belasting⟩ head tax II *zn* [de/het] ❶ *omgeslagen rand* ⟨mouw⟩ cuff, ⟨broek⟩ turn-up / USA cuff ❷ *kaft* cover, ⟨los⟩ jacket ★ BN *onder* ~ in an envelope

**omslagartikel** cover story

**omslagboor** brace and bit

**omslagdoek** shawl, wrap

**omslagontwerp** jacket design

**omslagpunt** turning point

**omsluiten** ❶ *omvatten* enclose, contain ★ *omsloten ruimte* enclosed area ❷ *geheel insluiten* enclose, surround

**omsmelten** melt down

**omspannen** ❶ *lett omvatten* enclose, ⟨strak⟩ fit tightly around / over ❷ *fig behelzen* span

**omspitten** dig up

**omspoelen** ❶ *schoonspoelen* rinse (out), wash, bathe ★ *met koud water* ~ rinse with / in cold water ❷ *op andere spoel zetten* rewind

**omspoelen** [umspület] lap (a)round

**omspringen** met deal with, handle ★ *met iemand / iets weten om te springen* know how to manage sb / sth

**omstander** bystander, onlooker

**omstandig** I *bnw* detailed II *bijw* in detail

**omstandigheid** ❶ *toestand* circumstance ★ *maatschappelijke omstandigheden* social conditions ★ *in de gegeven omstandigheden* in / under the circumstances, in / under the present conditions ★ *naar omstandigheden redelijk wel* not too bad, considering the cicumstances ★ *onder de gegeven omstandigheden* in the (given) circumstances ★ *wegens omstandigheden* owing to circumstances ❷ *breedvoerigheid* elaborateness

**omstoten** knock over

**omstreden** controversial ★ ~ *stuk grond* disputed territory

**omstreeks** I *vz, ongeveer op de tijd / plaats van* about, round (about) ★ ~ *kerst* round about Christmas II *bijw, ongeveer* about, approximately ★ *een kind van* ~ *tien jaar* a child of about ten

**omstreken** environs *mv* ★ *Utrecht en* ~ Utrecht and (its) environs

**omstrengelen** ❶ *omhelzen* embrace, hug ❷ *omvatten* wind / twist about / around

**omtoveren** transform ★ *de zolder in een studeerkamer* ~ transform the loft into a study

**omtrek** ❶ *contour* outline ⟨van veelhoek⟩ perimeter, ⟨van cirkel⟩ circumference ★ *in* ~ in circumference ❸ *omgeving* vicinity, neighbourhood ★ *binnen een* ~ *van één kilometer* within a radius of one kilometre ★ *in de* ~ in the neighbourhood ★ *in de wijde* ~ for miles around

**omtrekken** ❶ *omvertrekken* pull down ❷ *natekenen* trace, outline

**omtrekkend** → **beweging**

**omtrent** ❶ *omstreeks* round (about) ★ ~ *Pasen*

**om**

round about Easter ❷ *betreffende* about, concerning ★ *een verklaring ~ het onderzoek* a statement concerning the investigation

**omturnen** change, ⟨van mening⟩ bring around

**omvallen** ❶ *vallen* fall over / down ❷ *failliet gaan* fail, go bankrupt ★ ~ *van de slaap* be dead tired ▼ ~ *van verbazing* be thunderstruck

**omvang** ❶ *omtrek* circumference, ⟨borstkas⟩ width, ⟨lichaam, boom⟩ girth ❷ *grootte* dimension, size, ⟨schade⟩ extent, ⟨stem⟩ range, ⟨groot en ernstig⟩ magnitude ★ *de ~ van de ramp* the magnitude of the disaster ★ *het had een grote ~ aangenomen* it had assumed large proportions

**omvangrijk** sizeable, ⟨uitgestrekt⟩ extensive, ⟨breed⟩ wide, ⟨groot en zwaar⟩ bulky

**omvatten** ❶ *inhouden* include, comprise ★ *alles ~d* all-embracing ❷ *omsluiten* enclose

**omver** down, over

**omverwerpen** ❶ *omgooien* topple, overturn, upset ❷ *een einde maken aan* overthrow, topple ★ *een regering ~* overthrow / topple a government / regime

**omvliegen** ❶ *om iets heen vliegen* fly round ★ *de hoek ~* tear (a)round the corner ❷ *snel verstrijken* fly (by / past) ★ *de tijd is omgevlogen* time has flown by ★ *de tijd vliegt om* time flies

**omvormen** transform, convert (into)

**omvouwen** fold / turn down

**omweg** ❶ *langere weg* roundabout way, detour ★ *dat is een ~!* that's a long way round! ❷ *omslachtiger manier* indirect way, roundabout way ★ *zonder ~en* point-blank, straight out ★ *langs een ~* fig indirectly lett by a roundabout route

**omwentelen I** *ov ww* ❶ *ronddraaien* rotate ❷ *omkeren* turn (round) **II** *on ww, om as draaien* rotate, revolve, ⟨satelliet⟩ orbit

**omwenteling** ❶ *ommekeer* revolution ★ *een ~ teweegbrengen* revolutionize, bring about a change ❷ *draaiing* revolution, rotation

**omwerken** ❶ *herzien* rewrite, ⟨wettekst e.d.⟩ redraft ❷ *omploegen* plough ❸ *omspitten / omploegen* dig up

**omwerpen** ❶ *verwoesten* destroy ❷ *omgooien* topple

**omwikkelen** wrap (around / in)

**omwille** ▼ ~ *van...* for the sake of...

**omwisselen** *tegen elkaar ruilen* (ex)change ★ *dollars ~ tegen euro's* change dollars into euros

**omwonend** neighbouring ★ ~en neighbours

**omzeggens** BN *nagenoeg* so to speak, practically, virtually

**omzeilen** ❶ *vermijden* bypass, get round ★ *de moeilijkheden ~* skirt around the problems ★ *een vraag ~* sidestep a question ❷ *zeilen om* sail round

**omzendbrief** BN circular

**omzet** ❶ *opbrengsten* turnover ★ *een jaarlijkse ~* an annual turnover ★ *veel ~ maken* make a high turnover ❷ *verkochte goederen* sales *mv*, turnover

**omzetbelasting** sales tax, ⟨indirect⟩ turnover tax, ⟨btw⟩ value added tax (VAT)

**omzetsnelheid** rate of turnover

**omzetten I** *ov ww* ❶ *veranderen* change / convert / turn (**in** into) ★ *in geld ~* convert into money ★ *woorden in daden ~* put words into action / practice ❷ *anders zetten* change, ⟨letters, muziek⟩ transpose, ⟨meubels⟩ shift ❸ *in andere stand zetten* ⟨v. hendel⟩ shift ❹ *verhandelen* turn over, sell **II** *on ww, snel om iets gaan / lopen ★ de hoek komen ~* come running / tearing round the corner

**omzichtig** cautious, wary

**omzien** ❶ *omkijken* look back ❷ *uitkijken naar* look out for ★ *naar een baan ~* look out for a job ❸ *zorgen voor* look after ★ *niet ~ naar* neglect

**omzomen** [umsäumen] hem

**omzomen** *met een zoom* omgeven border, surround ★ *omzoomd met borduursel* bordered with embroidery

**omzwaaien** ❶ *van standpunt veranderen* swing round (to) ❷ *van studie veranderen* change one's subject ★ *van Engels naar Duits ~* switch from English to German

**omzwerving** wandering, rambling

**onaandoenlijk** impassive

**onaangedaan** unmoved, untouched

**onaangediend** unannounced

**onaangekondigd** unannounced ★ ~ *bezoek* a surprise visit

**onaangenaam** unpleasant, disagreeable, distasteful

**onaangepast** maladjusted

**onaangeroerd** untouched

**onaangetast** *ongeschonden* unaffected, intact, unimpaired

**onaanvaardbaar** unacceptable

**onaanzienlijk** ❶ *zonder aanzien* modest, ⟨komaf⟩ humble ❷ *gering* insignificant ★ *niet ~* considerable

**onaardig** ❶ *onvriendelijk* unpleasant, unkind ❷ *onbeleefd* unpleasant ▼ *niet ~* not bad

**onachtzaam** *achteloos* inattentive, careless

**onaf** unfinished, not ready

**onafgebroken** *zonder onderbreking* continuous, unbroken, min incessant

**onafhankelijk** independent (**van** of) ★ *financieel ~ zijn* be financially independent

**onafhankelijkheid** independence

**onafhankelijkheidsoorlog** war of independence

**onafhankelijkheidsverklaring** declaration of independence

**onafscheidelijk** inseparable (**van** from)

**onafwendbaar** unavoidable, inevitable

**onafzienbaar** vast, immense, ⟨m.b.t. tijd⟩ endless

**onaneren** masturbate

**onbaatzuchtig** disinterested, unselfish

**onbarmhartig** *meedogenloos* merciless, cruel

**onbeantwoord** unanswered ★ ~e *liefde* unrequited love

**onbedaarlijk** uncontrollable

**onbedachtzaam** thoughtless, rash ★ ~ *handelen* act rashly ★ *een onbedachtzame opmerking* a thoughtless remark

**onbedekt** ❶ *niet bedekt* uncovered, bare ❷ *openlijk* open

**onbedoeld** unintentional

**onbedorven** ❶ *onschuldig* innocent, unspoilt ❷ *gaaf* unspoilt

**onbeduidend** ❶ *onbelangrijk* insignificant, trivial ★ *een ~ detail* a trivial detail ★ *een ~*

**on**

*mannetje* an insignificant little man ❷ *gering* ★ ~ *bedrag* trifling sum of money

**onbegaanbaar** impassable

**onbegonnen** impossible ★ *dat is* ~ *werk* it's a hopeless task

**onbegrensd** *grenzeloos* unlimited ★ ~*e mogelijkheden* unlimited opportunities

**onbegrijpelijk** ❶ *niet te begrijpen* incomprehensible ❷ *onvoorstelbaar* inconceivable

**onbegrip** incomprehension, lack of understanding

**onbehaaglijk** ❶ *onaangenaam* unpleasant ★ ~ *gevoel* uncomfortable feeling ❷ *niet op zijn gemak* ill at ease

**onbehagen** discomfort (**over** about), unease (**over** about / at) ★ *een gevoel van* ~ a feeling / sense of unease

**onbehandeld** ★ ~ *hout* untreated wood

**onbeheerd** abandoned, ⟨tijdelijk⟩ unattended

**onbeheerst** unrestrained, ⟨woede⟩ uncontrolled

**onbeholpen** awkward, clumsy

**onbehoorlijk** improper, unseemly ★ *zich* ~ *gedragen* misbehave

**onbehouwen** *lomp* coarse ★ ~ *vent* yob, lout

**onbekend** *niet bekend* unknown, unfamiliar, ⟨onwetend⟩ unacquainted, ⟨onwetend⟩ ignorant ★ *dat is mij* ~ I don't know anything about this ★ *ik ben hier* ~ I'm a stranger here ★ ~ *zijn met* be unacquainted / unfamiliar with ★ ~ *met de feiten* ignorant of the facts ★ *het was me* ~ *of...* I didn't know whether...

**onbekende** stranger, ⟨ook⟩ wisk unknown

**onbekendheid** unfamiliarity (met with), ⟨onwetendheid⟩ ignorance (met of)

**onbekommerd** *zorgeloos* carefree, unconcerned

**onbekookt** rash, ill-considered

**onbekwaam** ❶ *incompetent* incompetent, incapable ❷ *dronken* drunk and incapable

**onbelangrijk** unimportant, insignificant

**onbelast** ❶ *vrij van lasten* ⟨invoer⟩ duty-free, ⟨belasting⟩ tax-free ❷ *vrij van gewicht* unburdened, techn unloaded

**onbeleefd** impolite, rude

**onbeleefdheid** impoliteness, rudeness

**onbelemmerd** unobstructed, unimpeded ★ ~ *uitzicht hebben op* have a clear view of ★ ~ *doorgang verlenen* allow free / safe passage

**onbemand** unmanned

**onbemiddeld** without means, form /humor impecunious ★ *niet* ~ *zijn* be well off

**onbemind** unloved, unpopular ★ *zich* ~ *maken bij* make o.s. unpopular with

**onbenul** ★ *stuk* ~ dimwit, idiot

**onbenullig** ❶ *dom* inane, stupid ❷ *onbeduidend* stupid, silly

**onbepaald** ❶ *onbegrensd* indefinite ❷ *vaag* vague, uncertain ❸ taalk indefinite

**onbeperkt** ❶ *onbegrensd* unlimited, unrestricted ★ ~ *vertrouwen* implicit faith / trust ❷ *onbelemmerd* unrestricted

**onbeproefd** untried ★ *niets* ~ *laten* leave no stone unturned

**onberaden** rash, ill-advised

**onbereikbaar** ❶ *niet te bereiken* inaccessible ❷ *niet verkrijgbaar* ⟨door inspanning⟩ unattainable

**onberekenbaar** ❶ *niet te berekenen* incalculable ❷ *wisselvallig* unpredictable

**onberispelijk** perfect, ⟨gedrag⟩ irreproachable, ⟨zonder fouten⟩ faultless / flawless ★ ~ *gekleed* impeccably dressed

**onberoerd** ❶ *onaangedaan* unmoved, untouched ❷ *niet aangeraakt* untouched, undisturbed

**onbeschaafd** ❶ *zonder beschaving* uncivilized ❷ *onbeleefd* rude

**onbeschaamd** impudent, impertinent

**onbescheiden** immodest, ⟨vrijpostig⟩ indiscreet

**onbeschoft** rude, ill-mannered, ⟨brutaal⟩ insolent ★ ~ *zijn tegen iem.* be rude to sb

**onbeschreven** blank

**onbeschrijfelijk** indescribable

**onbeslist** undecided ★ *de wedstrijd eindigde* ~ the match ended in a draw

**onbespoten** unsprayed, free of pesticides

**onbesproken** ❶ *niet behandeld* undiscussed ❷ *niet gereserveerd* not reserved, unbooked ❸ *onberispelijk* irreproachable, blameless

**onbestelbaar** ★ *een onbestelbare brief* a dead letter ★ *indien* ~, *gelieve terug te zenden aan* if undelivered, please return to

**onbestemd** vague, indefinable

**onbestendig** ❶ *wispelturig* unsteady, fickle, ⟨geluk, liefde⟩ inconstant ❷ *veranderlijk* unsettled, ⟨weer ook⟩ changeable

**onbesuisd** rash, impetuous

**onbetaalbaar** ❶ *niet te betalen* prohibitive ★ ~ *zijn* cost the earth ❷ *kostelijk* priceless ★ *een onbetaalbare grap* a hilarious joke

**onbetamelijk** improper, unseemly

**onbetekenend** insignificant, unimportant

**onbetrouwbaar** unreliable, untrustworthy

**onbetuigd** ▾ *zich niet* ~ *laten* do o.s. justice, be quick to respond

**onbetwist** undisputed ★ *een* ~*e waarheid* an unquestioned truth

**onbetwistbaar** indisputable

**onbevangen** ❶ *vrijmoedig* uninhibited, frank ❷ *zonder oordeel vooraf* unprejudiced, open-minded ★ ~ *staan tegenover iets* have an open mind on sth

**onbevlekt** unstained, immaculate

**onbevoegd** unauthorized, ⟨zonder diploma⟩ unqualified ★ *verboden voor* ~*en* no admittance to unauthorized persons

**onbevooroordeeld** unprejudiced

**onbevredigd** unsatisfied

**onbevredigend** unsatisfactory, disappointing

**onbewaakt** unguarded ▾ *in een* ~ *ogenblik* in an unguarded moment

**onbeweeglijk** ❶ *roerloos* motionless ❷ *onwrikbaar* immovable

**onbewogen** ❶ *onbeweeglijk* motionless ❷ *onaangedaan* unmoved ★ *met* ~ *gezicht* straight-faced

**onbewolkt** cloudless, clear

**onbewoonbaar** uninhabitable ★ *een* ~ *verklaarde woning* a house unfit for habitation ★ ~ *verklaren* condemn

**onbewoond** uninhabited, ⟨huis ook⟩ vacant ★ ~ *eiland* desert / uninhabited island

**onbewust** ❶ *niet bewust* unconscious ★ *het* ~*e* the

unconscious ❷ *onwillekeurig* unintentional, unwitting

**onbezoldigd** unpaid ★ ~ *secretaris* honorary secretary

**onbezonnen** rash, thoughtless

**onbezorgd** ❶ *zonder zorgen* carefree ❷ *niet besteld* undelivered

**onbillijk** unjust, unfair

**onbreekbaar** unbreakable

**onbruik** ★ *in* ~ *raken* fall into disuse, taalk become obsolete

**onbruikbaar** useless, ⟨m.b.t. conditie, kwaliteit⟩ unusable ★ ~ *maken* render useless

**onbuigzaam** ❶ *niet te buigen* inflexible ❷ *koppig* unbending, uncompromising

**onchristelijk** ❶ *niet christelijk* unchristian ❷ *ergerlijk* ungodly ★ *een* ~ *tijdstip* an ungodly hour

**oncologie** oncology

**ondank** ingratitude ▼ ~ *is 's werelds loon* reward (sb) with ingratitude

**ondankbaar** *niet dankbaar* ungrateful ★ *een ondankbare taak* a thankless task

**ondanks** despite, in spite of

**ondeelbaar** ❶ *niet deelbaar* indivisible ★ ~ *getal* prime number ❷ *zeer klein* infinitesimal ★ *in een* ~ *ogenblik* in a split second

**ondefinieerbaar** indefinable

**ondenkbaar** inconceivable, unthinkable

**onder I** *vz* ❶ *lager dan* under, beneath, below, underneath ★ ~ *het huis* under the house ★ ~ *de brug door* under(neath) the bridge ★ ~ *het oppervlak* below the surface ❷ *minder dan* under ★ *kinderen* ~ *de twaalf* children under twelve ❸ *ten zuiden van* ★ *net* ~ *Utrecht* just south of Utrecht, just outside Utrecht ❹ *lager in rang* ★ *hij staat* ~ *mij* he's under me, he's under my orders ❺ *te midden van* among, amongst ★ ~ *de aanwezigen* among those present ❻ *tijdens* during ★ ~ *het praten* while talking ★ ~ *de les* in class ❼ *samen met* ★ ~ *een kopje koffie* over a cup of coffee **II** *bijw* underneath, below ★ *naar* ~ down, downwards ★ *van* ~ *naar boven* from the bottom upwards ★ *de derde regel van* ~ the third line from the bottom ★ *zij woont* ~ she lives downstairs ★ *de zon is* ~ the sun has set, the sun has gone down ★ *zie* ~ see below ▼ *ten* ~ *gaan* come to grief, be ruined ▼ ~ *aan de bladzij* at the bottom / foot of the page ★ *helemaal* ~ *zitten met...* ⟨bedekt⟩ be completely covered with...

**onderaan** at the bottom / foot of

**onderaannemer** subcontractor

**onderaanzicht** view from below

**onderaards** subterranean, underground

**onderaf** ★ *zich van* ~ *opwerken* work one's way up (from the bottom) ▼ *van* ~ *beginnen* start from the bottom up

**onderarm** forearm

**onderbeen** (lower) leg, ⟨voorkant⟩ shin, ⟨kuit⟩ calf *mv: calves*

**onderbelichten** ❶ *audio-vis* underexpose ❷ *fig* pay too little attention to

**onderbesteding** underspending

**onderbetalen** underpay

**onderbewust** subconscious

**onderbewustzijn** subconscious

**onderbezet** undermanned, understaffed

**onderbezetting** undermanning, understaffing

**onderbinden** put on, tie / fasten on

**onderbouw** ❶ *lagere klassen op school* lower forms (of a school) ❷ bouwk *basis bouwwerk* substructure

**onderbouwen** base, found, fig substantiate ★ *een goedonderbouwd opstel* a well-substantiated essay

**onderbreken** interrupt

**onderbreking** ❶ *het onderbreken* interruption ❷ *pauze* break

**onderbrengen** ❶ *onderdak verlenen* lodge, house, ⟨vluchtelingen⟩ shelter, ⟨misdadigers⟩ harbour ❷ *indelen* class (under) ★ *iets in een rubriek* ~ class sth under a heading ★ *zich nergens laten* ~ not fit in anywhere

**onderbroek** pair of briefs / underpants, briefs / underpants *mv*, ⟨slipje⟩ panties / knickers *mv*, ⟨lang⟩ (long) johns *mv*

**onderbroekenlol** ≈ toilet humour

**onderbuik** abdomen ★ *gevoel in de* ~ gut feeling ★ *~gevoelens* socially unacceptable sentiments

**onderdaan** ❶ *staatsburger* subject ❷ *been* pins [meestal mv]

**onderdak** shelter, accommodation ★ ~ *verschaffen* accommodate

**onderdanig** *nederig* submissive, min servile

**onderdeel** ❶ *deel van geheel* part, ⟨klein⟩ fraction, ⟨van programma⟩ item ★ *in een* ~ *van een seconde* in a split second ❷ *afdeling* branch, mil unit ❸ techn ⟨van machine⟩ component, ⟨als reserve⟩ spare part

**onderdeurtje** peewee, shorty

**onderdirecteur** assistant manager, onderw assistant / deputy head

**onderdoen I** *ov ww, aantrekken* put / tie on **II** *on ww, de mindere zijn* be inferior (to) ★ *voor niemand* ~ be second to none ★ *niet* ~ *voor* hold one's own with

**onderdompelen** immerse

**onderdoor** under, underneath ▼ *er* ~ *gaan* let things get the better of one, ⟨bedrijf⟩ go to the wall

**onderdoorgang** ❶ *voetgangerstunnel* subway ❷ *weg* underpass

**onderdrukken** ❶ *ondergeschikt houden* oppress ❷ *bedwingen* control, repress, ⟨geeuw, lachen⟩ stifle / smother, ⟨opstand⟩ crush, ⟨snik, tranen⟩ choke back ★ *zijn gevoelens* ~ control one's feelings ★ *niet te* ~ irrepressible

**onderdrukker** oppressor

**onderdrukking** ⟨van volk⟩ oppression, ⟨emotie, opstand⟩ suppression

**onderduiken** ❶ *duiken* dive, take a nosedive ❷ *zich schuilhouden* go underground, go to earth / ground

**onderduiker** person in hiding

**onderen** down(wards) ★ *naar* ~ down below, underneath ▼ *van* ~! timber!, watch out below!

**ondergaan** ❶ *zinken* go down, sink ❷ *dalen (van zon)* set, go down ★ *de zon gaat onder* the sun is setting ❸ *tenietgaan* perish

**ondergaan** *verduren* undergo, endure ★ *een operatie* ~ undergo an operation

**ondergang** ❶ *het ondergaan* ⟨van zon⟩ setting

❷ *het tenietgaan* (down)fall, ruin ★ *dat was zijn ~* that was his undoing ★ *de ~ van de wereld* the end of the world ★ *zijn ~ tegemoet gaan* head for disaster

**ondergeschikt** ❶ *onderworpen aan* subordinate ★ *iets ~ maken aan* subordinate sth to ❷ *van minder belang* secondary ★ *van ~ belang* of minor importance ★ *een ~e rol spelen* play second fiddle

**ondergeschikte** subordinate, min inferior

**ondergeschoven** jur *vervalst* supposi(ti)tious ▾ *een ~ kindje* a changeling

**ondergetekende** ★ *(de)* ~ the undersigned, humor yours truly

**ondergoed** underwear

**ondergraven** fig *verzwakken* undermine

**ondergrens** lower limit, minimum

**ondergrond** ❶ *onderliggende laag* sub-soil ❷ *grondslag* foundation

**ondergronds** ❶ *onder de grond* underground ❷ *clandestien* ★ *het ~e verzet* the underground resistance ★ *~ gaan* go underground

**ondergrondse** ❶ metro underground, inform tube, USA subway ❷ *verzetsbeweging* underground, resistance

**onderhand** *intussen* meanwhile, in the meantime

**onderhandelaar** negotiator

**onderhandelen** negotiate ★ *~ over de prijs* bargain about / over the price

**onderhandeling** negotiation ★ *~en aanknopen* enter into negotiations

**onderhandelingspositie** negotiating position

**onderhands** ❶ *zonder tussenpersoon* private ★ *een ~e verkoop* a private sale ❷ *niet bovenhands* underhand ❸ *geheim* secret, backstairs ★ *~e activiteiten* backstairs activities ★ *een ~ verdrag* a secret treaty

**onderhavig** ★ *het ~e geval* the present case ★ *in het ~e geval* in the case in question

**onderhemd** vest

**onderhevig** liable / subject (**aan** to) ★ *aan twijfel ~* open to question

**onderhorig** ❶ *ondergeschikt* subordinate ❷ *afhankelijk* dependent

**onderhoud** ❶ *verzorging* maintenance, upkeep ★ *achterstallig ~* overdue maintenance ★ *in een goede / slechte staat van ~* in good / bad repair ❷ *levensonderhoud* maintenance, keep ★ *in zijn eigen ~ voorzien* support o.s., be self-supporting ❸ *gesprek* interview ★ *een ~ hebben met iem.* have an interview with sb

**onderhouden** I *ov ww* ❶ *in stand houden* maintain, keep up ❷ *verzorgen* support, provide for ★ *een gezin ~* support a family ❸ *in goede staat houden* keep up, maintain ★ *zijn huis goed ~* keep one's house in a good state of repair ❹ *naleven* observe ❺ *aangenaam bezighouden* entertain ❻ *ernstig toespreken* lecture II *wkd ww* [zich ~] *spreken* converse (**met** with), talk (**met** to)

**onderhoudend** entertaining

**onderhoudsbeurt** overhaul, service

**onderhoudscontract** (maintenance and) service contract

**onderhoudsmonteur** maintenance mechanic, maintenance engineer

**onderhoudswerkzaamheden** maintenance

work

**onderhuids** ❶ med subcutaneous ★ *~e inspuiting* subcutaneous injection ❷ fig *verborgen* under the skin

**onderhuren** sublet

**onderhuur** sublet

**onderhuurder** subtenant

**onderin** at the bottom

**onderjurk** slip, ⟨met ruches⟩ petticoat

**onderkaak** lower jaw

**onderkant** bottom

**onderkennen** ❶ *beseffen* recognize, realize ❷ *herkennen* distinguish, recognize

**onderkin** double chin

**onderklasse** ❶ biol subclass ❷ soc socially inferior class

**onderkoeld** ❶ med *afgekoeld* hypothermic ❷ fig *zonder emoties* cool, unemotional

**onderkoeling** hypothermia, natk supercooling

**onderkomen** accommodation, shelter ★ *een ~ vinden* find a place to sleep

**onderkoning** viceroy

**onderkruipsel** squirt, ⟨vaak⟩ humor titch

**onderlaag** ❶ *onderste laag* bottom layer, ⟨verf⟩ undercoat ❷ *steunlaag* foundation

**onderlangs** along the bottom

**onderlegd** ★ *goed ~ zijn* be well educated ★ *goed ~ zijn in iets* have a good grounding in sth

**onderlegger** ❶ *op bed* mattress pad ❷ *op bureau* desk pad

**onderliggen** [unterliegen] be the underdog *liggen* ★ *de ~de oorzaak* the underlying cause

**onderlijf** lower part of the body

**onderling** I *bnw* mutual ★ *~e afhankelijkheid* interdependency ★ *met ~ goedvinden* with mutual consent ★ *een ~e verzekering* a mutual insurance company ★ *~e strijd* infighting II *bijw* ★ *~ beraadslagen* consult one another ★ *zij zijn ~ verdeeld* they are divided among themselves

**onderlip** lower lip

**onderlopen** be flooded / swamped ★ *laten ~* flood

**ondermaats** ❶ *te klein* undersized ❷ *van mindere kwaliteit* inferior, substandard

**ondermijnen** ❶ mil *mijn leggen onder* undermine ❷ fig *verzwakken* undermine

**ondernemen** *gaan doen* undertake ★ *een poging ~ make* an attempt ★ *stappen ~* take steps

**ondernemend** enterprising

**ondernemer** econ entrepreneur ★ *een kleine ~* a small businessman

**ondernemerschap** entrepreneurship

**onderneming** ❶ *bedrijf* business, concern ❷ *karwei* undertaking

**ondernemingsklimaat** investment climate

**ondernemingsraad** works council

**ondernemingsrecht** jur corporate law, company law

**onderofficier** NCO, non-commissioned officer

**onderonsje** ❶ *gesprek* tête-à-tête, informal chat ❷ *kleine kring* small circle, min clique

**onderontwikkeld** underdeveloped

**onderop** at the bottom

**onderpand** pledge, security ★ *in ~ geven / hebben* give / hold as security

**onderpastoor** BN rel curate, ⟨in tehuis, enz.⟩

chaplain
**onderricht** instruction ★ ~ *geven* teach, give instruction
**onderrichten** *lesgeven* teach, instruct
**onderschatten** underestimate
**onderscheid** ❶ *verschil* difference ★ ~ *maken tussen* distinguish between, make a distinction between ❷ *inzicht* discernment ★ *de jaren des* ~s the age of discretion
**onderscheiden** I *bnw, verschillend* various II *ov ww* ❶ *waarnemen* discern ❷ *als ongelijksoortig bezien* distinguish ★ *niet te* ~ *van* indistinguishable from ❸ *een onderscheiding verlenen* decorate ❹ *eervol behandelen* honour III *wkd ww* [zich ~] distinguish oneself
**onderscheiding** ❶ *het onderscheiden* distinction ❷ *ereteken* decoration ❸ *eerbewijs* distinction
**onderscheidingsteken** ❶ *ereteken* decoration, medal ❷ *herkenningsteken* distinguishing mark
**onderscheidingsvermogen** discernment, discrimination
**onderscheppen** ❶ *onderweg in handen krijgen* intercept ❷ BN *(heimelijk) vernemen* overhear, catch
**onderschikkend** subordinate
**onderschikking** subordination
**onderschrift** *wat onder iets staat* caption, legend, (van film) subtitle
**onderschrijven** *beamen* believe in, subscribe to, (in het openbaar) endorse
**ondershands** ❶ *niet openbaar* privately ❷ *in het geheim* secretly
**ondersneeuwen** ❶ *door sneeuw bedekt worden* be snowed under ❷ *uit de belangstelling geraken* be overlooked
**onderspit** ▾ *het* ~ *delven* get the worst of it
**onderst** bottom(most), lower
**onderstaan** be flooded
**onderstaand** below, hereunder
**ondersteboven** ❶ *overhoop* ★ ~ *gooien* overturn, upset ★ ~ *halen* turn upside down ❷ *op zijn kop* upside down ❸ *overstuur* upset ★ *ergens* ~ *van zijn* be upset about sth
**ondersteek** bedpan
**onderstel** *waarop het bovendeel rust* undercarriage
**ondersteunen** ❶ *steun geven* (gebouw, enz.) prop up ❷ *helpen* support, help ★ *de armen* ~ help the poor ★ *iem. financieel* ~ support sb financially ❸ *onderschrijven* support ❹ *comp een applicatie laten werken* support
**ondersteuning** ❶ *het steun geven* support ❷ *hulp* support, relief ★ *geldelijke* ~ financial relief
**onderstrepen** ❶ *streep zetten onder* underline ❷ *met nadruk zeggen* stress
**onderstroom** ❶ aardk undertow ❷ fig undercurrent
**onderstuk** lower part, base
**ondertekenaar** signer, (van verdrag e.d.) signatory
**ondertekenen** sign
**ondertekening** ❶ *het ondertekenen* signing ❷ *handtekening* signature
**ondertitel** ❶ audio-vis *vertaling* subtitle ❷ drukk *tweede titel* subheading
**ondertitelen** subtitle

**ondertiteling** *ondertitels* subtitles mv
**ondertoezichtstelling** placing in custody, placing under supervision
**ondertoon** ❶ *toon* subharmonic ❷ *bijbetekenis* overtone, undertone ★ *met een* ~ *van ergernis* with overtones / undertones of resentment
**ondertrouw** ★ *in* ~ *gaan* get a marriage license, rel have the banns read
**ondertussen** ❶ *intussen* meanwhile, in the meantime ❷ *toch* yet
**onderuit** *met de benen gestrekt* sprawling, sprawled ▾ *ergens* ~ *proberen te komen* try to get / wriggle out of sth
**onderuitgaan** ❶ *vallen* topple over, (struikelen) trip, (uitglijden) slip ❷ *falen* come a cropper, fall flat on one's face
**onderuithalen** bring / knock down, (met woorden) wipe the floor (with somebody)
**ondervangen** *wegnemen* overcome, (gevaar, moeilijkheid) remove
**onderverdelen** (sub)divide, (kosten) break down
**onderverdeling** subdivision, breakdown
**onderverhuren** sublet
**ondervertegenwoordigd** underrepresented
**ondervinden** *ervaren* experience ★ *de gevolgen* ~ suffer the effects (of) ★ *moeilijkheden* ~ meet with difficulties ★ *iets aan den lijve* ~ find to one's cost
**ondervinding** experience ★ *spreken uit* ~ speak from experience
**ondervoed** underfed, undernourished
**ondervoeding** (onvoldoende) undernourishment, ( onvoldoende en slecht) malnutrition
**ondervragen** ❶ *verhoren* question, interrogate ❷ BN onderw test
**ondervraging** ❶ *verhoor* questioning, interrogation ❷ *interview* interview
**onderwaarderen** underestimate, (bezit) undervalue
**onderwatersport** underwater sports mv
**onderweg** on / along the way ★ ~ *zijn naar* be on one's way to, head / make for
**onderwereld** underworld
**onderwerp** ❶ *wat behandeld wordt* subject, topic ★ *het* ~ *van gesprek* the subject of conversation ★ *een* ~ *aanroeren* touch on a subject ★ *een* ~ *aansnijden* bring up a subject, (heikel punt) broach a subject ★ *bij het* ~ *blijven* stick to the subject / point ❷ taalk subject
**onderwerpen** ❶ *onder gezag brengen* subject (aan to) ★ *zich* ~ *aan* submit to, (het lot) resign o.s. to ❷ ~ *aan blootstellen aan* subject to ★ *iem. aan een test* ~ put sb through a test ❸ ~ *aan voorleggen aan* submit to
**onderwijl** meanwhile
**onderwijs** onderw *education, instruction ★ BN algemeen secundair* ~ ≈ senior general secondary education, ≈ pre-university education ★ BN *beroepssecundair* ~ ≈ pre-vocational secondary education ★ *bijzonder / BN vrij* ~ (op religieuze grondslag) denominational education, (particulier) private education ★ *hoger* ~ higher education ★ *lager* ~ primary education ★ *middelbaar / voortgezet* ~ secondary education ★ *schriftelijk* ~ correspondence courses ★ ~ *geven in geschiedenis* teach History

**onderwijsbevoegdheid** onderw teaching qualification

**onderwijsinspectie** onderw schools inspectorate

**onderwijskunde** onderw (science of) Education

**onderwijsmethode** onderw teaching method

**onderwijsraad** onderw Advisory Council for Education, ACE

**onderwijsvernieuwing** onderw educational reform

**onderwijzen** onderw teach ★ ~d personeel teaching staff

**onderwijzer** onderw teacher m/v

**onderworpen** ❶ ondergeschikt subordinate ❷ onderdanig submissive ❸ ~ aan onderhevig subject to

**onderzeeboot** submarine

**onderzeebootjager** submarine hunter

**onderzeeër** submarine

**onderzetter** voorwerp ⟨voor glas, fles⟩ coaster, ⟨voor bord, schaal⟩ table mat

**onderzoek** ❶ het onderzoeken examination, investigation, ⟨officieel⟩ enquiry, onderw research ★ een gerechtelijk ~ a judicial enquiry ★ een ~ instellen naar iets investigate sth ★ wetenschappelijk ~ scientific research ★ jur een ~ instellen hold an enquiry ★ (naar into) ★ (de zaak) is in ~ (the matter) is under investigation ★ bij (nader) ~ on (closer) examination ❷ med (medical) examination, check-up

**onderzoeken** ❶ nagaan examine, investigate, look into, onderw research ★ op juistheid ~ verify ★ ~ op test for ★ ~de blik searching look ❷ med examine

**onderzoeker** investigator, onderw researcher

**onderzoeksbureau** research bureau

**onderzoeksresultaat** research / test results mv

**ondeugd** ❶ slechte eigenschap vice ❷ ondeugendheid mischief ❸ deugniet scamp, rascal

**ondeugdelijk** ❶ van slechte kwaliteit inferior, faulty ❷ gebrekkig unsound, invalid

**ondeugend** naughty, mischievous

**ondiep** shallow

**ondiepte** ondiepe plaats shallow(s)

**ondier** monster, brute

**onding** prul trash

**ondoelmatig** inefficient, ineffective

**ondoenlijk** impracticable, unfeasible

**ondoordacht** thoughtless, rash ★ een ~e opmerking an ill-considered remark ★ een ~e keuze a rash choice

**ondoordringbaar** impenetrable

**ondoorgrondelijk** inscrutable

**ondraaglijk** unbearable

**ondubbelzinnig** unambiguous

**onduidelijk** indistinct, ⟨van betekenis⟩ obscure, ⟨handschrift⟩ unreadable ★ het is ons ~ it's not clear to us

**onecht** ❶ niet echt false, not genuine ❷ onwettig ⟨van kind⟩ illegitimate

**oneens** in disagreement ★ het ~ zijn met disagree with ★ het ~ zijn met zichzelf over iets be in two minds about sth

**oneerbaar** indecent

**oneerbiedig** disrespectful

**oneerlijk** niet eerlijk dishonest, unfair ★ ~e concurrentie unfair competition ★ ~e praktijken sharp / dishonest practices

**oneffen** uneven, rough

**oneffenheid** ❶ het niet egaal zijn unevenness ❷ onvolkomenheid roughness

**oneigenlijk** ❶ onecht improper ❷ figuurlijk metaphorical

**oneindig** zonder einde infinite ★ het ~e the infinite ★ tot in het ~e indefinitely, ad infinitum

**oneindigheid** infinity

**oneliner** one-liner

**onemanshow** one-man show

**onenigheid** ❶ meningsverschil discord, disagreement ❷ ruzie argument, conflict, quarrel ★ ~ hebben have a quarrel / conflict ★ ~ krijgen fall out

**onervaren** ongeoefend inexperienced (in/met in)

**onervarenheid** inexperience

**onesthetisch** unaesthetic, USA unesthetic

**oneven** uneven, ⟨getal⟩ odd

**onevenredig** disproportionate ★ ~ zijn aan be out of (all) proportion to

**onevenwichtig** unbalanced, unstable

**onfatsoenlijk** ❶ ongemanierd ill-mannered ❷ onbetamelijk indecent, improper

**onfeilbaar** infallible, ⟨van systeem⟩ foolproof

**onfortuinlijk** unfortunate, unlucky

**onfris** ❶ niet fris ⟨oud⟩ stale, ⟨bedompt⟩ stuffy ❷ dubieus unsavoury, fishy

**ongaarne** unwillingly, reluctantly

**ongans** unwell ★ zich ~ eten gorge o.s. (aan on)

**ongeacht** irrespective / regardless of, ⟨niettegenstaande⟩ notwithstanding

**ongebonden** ❶ vrij free, ⟨zonder verplichtingen⟩ unattached ❷ niet-gebonden independent ★ de ~ landen the non-allied countries ❸ losbandig dissolute

**ongeboren** unborn

**ongebreideld** unbridled

**ongebruikelijk** unusual

**ongecompliceerd** uncomplicated, simple

**ongedaan** undone ★ ~ maken undo, cancel, ⟨fout⟩ rectify ★ een koop ~ maken cancel a sale ▼ niets ~ laten leave no stone unturned

**ongedeerd** unhurt

**ongedierte** vermin mv ★ vol ~ vermin-ridden

**ongedisciplineerd** undisciplined

**ongeduld** impatience ★ trappelen van ~ be bursting with impatience

**ongeduldig** impatient

**ongedurig** fidgety, restless

**ongedwongen** ❶ vrijwillig unconstrained ❷ losjes informal, ⟨gedrag⟩ easy(-going) ★ een ~ sfeer an easy / informal atmosphere

**ongeëvenaard** unequalled, unrivalled ★ een ~ succes an unparalleled success

**ongegeneerd** unashamed

**ongegrond** unfounded

**ongehinderd** unhindered, unhampered

**ongehoord** ❶ niet gehoord unheard ❷ vreemd strange ❸ buitensporig unheard-of, unprecedented ★ een ~ hoog bedrag an exorbitant amount

**ongehoorzaam** disobedient

**ongehoorzaamheid** disobedience ★ burgerlijke

~ civil disobedience

**ongehuwd I** *bnw* single, unmarried ★ *~e staat* celibacy, single state **II** *bijw* ★ *~ samenwonen* live together (without being married)

**ongein** unfunny stuff

**ongekend I** *bnw* unprecedented ★ *~e mogelijkheden* limitless possibilities **II** *bijw* ★ *~ hoge prijzen* unbelievably high prices

**ongekunsteld** unaffected, artless

**ongeldig** invalid ★ *~ maken / verklaren* invalidate

**ongelegen** inconvenient ★ *een ~ moment* an awkward / inconvenient moment ★ *het komt mij ~* it's inconvenient to me ★ *kom ik ~?* am I intruding?

**ongeletterd ❶** *analfabeet* illiterate **❷** *zonder onderricht* uneducated

**ongelijk I** *zn* [het] ★ *~ bekennen* admit one is wrong ★ *~ hebben* be (in the) wrong ★ *ik geef je geen ~* I can't / don't blame you ★ *~ krijgen* be put in the wrong **II** *bnw* **❶** *verschillend* unequal, ⟨niet gelijkend⟩ different (from) ★ *~e behandeling* unequal treatment ★ *~ van hoogte* unequal in height **❷** *onregelmatig* uneven, irregular **❸** *oneffen* uneven

**ongelijkbenig** wisk scalene

**ongelijkheid ❶** *het ongelijk zijn* inequality, ⟨mbt behandeling⟩ disparity ★ *de sociale ~* social inequality **❷** *oneffenheid* unevenness

**ongelijkmatig** uneven, unequal ★ *~ van humeur* moody

**ongelijkvloers** on different levels ★ *~e kruising* flyover, USA overpass

**ongelikt** → **beer**

**ongelimiteerd** unlimited

**ongelofelijk, ongelooflijk** unbelievable, incredible

**ongelood** unleaded

**ongeloof** disbelief, rel unbelief

**ongeloofwaardig** unbelievable, incredible

**ongelovig ❶** *niet religieus* unbelieving **❷** *iets niet gelovend* incredulous

**ongeluk I** *zn* [het] [gmv] *tegenspoed* misfortune ★ *het ~ wilde dat* as bad luck would have it ★ *zijn ~ tegemoet gaan* court disaster ▼ *per ~* by accident, accidentally **II** *zn* [het] [mv: +ken] **❶** *ongeval* accident ★ *een ~ krijgen* have an accident **❷** → **ongelukje** ▼ *zich een ~ eten* eat till one is fit to burst ▼ *zich een ~ werken* work one's fingers to the bone ▼ *zich een ~ lachen* fall about laughing ▼ *een ~ komt zelden alleen* it never rains but it pours ▼ *een ~ zit in een klein hoekje* accidents will happen ▼ *daar komen ~ken van* that's how accidents happen

**ongelukje ❶** *klein ongeluk* mishap, little accident **❷** *onvoorzien kind* mistake, accident

**ongelukkig ❶** *niet gelukkig* unhappy **❷** *jammerlijk* unfortunate, ⟨door pech⟩ unlucky ★ *een ~e liefde* an unhappy love affair ★ *een ~ toeval* an unfortunate coincidence **❸** *met lichaamsgebrek* handicapped

**ongelukkigerwijs** unfortunately, unhappily

**ongeluksgetal** unlucky number

**ongeluksvogel** unlucky / jinxed person, accident-prone person

**ongemak ❶** *hinder* inconvenience, ⟨lichamelijk⟩ discomfort ★ *~ bezorgen* cause inconvenience / trouble **❷** *lichamelijke kwaal* ailment

**ongemakkelijk ❶** *ongerieflijk* uneasy, uncomfortable ★ *zich ~ voelen* feel uncomfortable **❷** *lastig* difficult ★ *~ heerschap* awkward customer

**ongemanierd** *onbeleefd* ill-mannered

**ongemeen I** *bnw* **❶** *ongewoon* uncommon **❷** *buitengewoon* extraordinary **II** *bijw* ★ *~ mooi* exceptionally beautiful

**ongemerkt I** *bnw* **❶** *niet bemerkt* unnoticed **❷** *zonder merk* unmarked **II** *bijw, niet bemerkt* imperceptibly

**ongemoeid** undisturbed ★ *iem. ~ laten* leave sb alone

**ongenaakbaar** *onbenaderbaar* unapproachable

**ongenade** disgrace ★ *in ~ vallen* fall into disgrace

**ongenadig** merciless

**ongeneeslijk** incurable ★ *~e ziekte* incurable disease / illness ★ *een ~ zieke* an incurably ill person

**ongenietbaar** ⟨van eten, drinken⟩ unpalatable, ⟨van persoon⟩ disagreeable

**ongenoegen ❶** *misnoegen* displeasure ★ *iemands ~ op de hals halen* incur sb's displeasure **❷** *onenigheid* argument, ⟨met vriend, enz.⟩ tiff ★ *~ krijgen met* fall out with, have a tiff with ★ *~ hebben* be at odds (with)

**ongeoorloofd** ⟨volgens wet en conventies⟩ illicit, ⟨volgens wet⟩ unlawful

**ongepast ❶** *misplaatst* inappropriate **❷** *onbehoorlijk* improper, unbecoming ★ *~ gedrag* improper conduct

**ongepastheid ❶** *het misplaatst zijn* inappropriateness **❷** *onbehoorlijkheid* impropriety

**ongerechtigheid ❶** jur *onrechtvaardigheid* injustice, iniquity **❷** *onvolkomenheid* flaw

**ongerede** ▼ *in het ~ raken* ⟨stuk⟩ break down, ⟨stuk⟩ go wrong, ⟨kwijt⟩ get lost / mislaid

**ongeregeld ❶** *niet geregeld* irregular ★ *een ~ leven leiden* lead a free and easy life ★ *~e klanten* chance customers **❷** *niet gesorteerd* ★ *~e goederen* miscellaneous goods ★ *een zooitje* ~ a mixed bag, min a motley bunch **❸** *wanordelijk* disorderly, disorganized

**ongeregeldheden ❶** *wanordelijkheden* irregularities *mv* **❷** *oproer* riots *mv*, disturbances *mv*

**ongeremd** *zonder remming* uninhibited, form unrestrained

**ongerept ❶** *onaangeraakt* intact **❷** *onbedorven* ⟨bos, sneeuw⟩ virgin, ⟨natuur, schoonheid⟩ unspoilt

**ongerief** inconvenience

**ongerijmd** absurd

**ongerust** uneasy, worried ★ *zich ~ maken over* worry about

**ongerustheid** uneasiness, worry ★ *geen reden tot ~* no cause for concern

**ongeschikt ❶** *niet geschikt* unsuitable, incapacitated, ⟨m.b.t. gezondheid⟩ unfit ★ *~ maken voor* render unfit for ★ *iem. ~ verklaren* declare sb unfit, disqualify sb **❷** *onaardig* ★ *zij is niet ~* she is not a bad sort

**ongeschonden** undamaged

**on**

**ongeschoold** _onderw_ untrained, unskilled

**ongeslagen** _sport_ unbeaten

**ongesteld** _menstruerend_ ★ ~ _zijn_ have one's period

**ongesteldheid** _menstruatie_ menstruation, period

**ongestoord** undisturbed, _elek_ clear

**ongestraft** unpunished

**ongetrouwd** single, unmarried ★ ~ _samenwonen_ live together

**ongetwijfeld** undoubtedly, doubtless

**ongeval** accident ★ ~ _met dodelijke afloop_ a fatal accident

**ongevallenverzekering** accident insurance

**ongeveer** about, roughly, approximately ★ _zo_ ~ more or less

**ongeveinsd** unfeigned, sincere

**ongevoelig** ❶ _onaangedaan_ insensitive, callous ★ ~ _voor kritiek_ indifferent to criticism ❷ _verdoofd_ ⟨kou, pijn⟩ insensible (**voor** to)

**ongevraagd** ⟨advies⟩ uncalled-for, ⟨dingen⟩ unrequested, ⟨gast⟩ uninvited

**ongewapend** ❶ _zonder versterking_ not reinforced ❷ _zonder wapen_ unarmed

**ongewenst** undesirable ★ _een_ ~ _kind_ an unwanted child

**ongewild** ❶ _ongewenst_ unwanted ❷ _onbedoeld_ unintentional

**ongewisse** ⟨a state of⟩ uncertainty ★ _in het_ ~ _rondtasten_ grope in the dark ★ _iem. in het_ ~ _laten_ keep sb dangling / hanging

**ongewoon** ❶ _zeldzaam_ unusual, uncommon ❷ _niet gewoon_ unusual

**ongezeglijk** disobedient, unruly

**ongezellig** ⟨persoon⟩ unsociable, ⟨kamer⟩ cheerless

**ongezien** ❶ _niet gezien_ unseen, unnoticed ★ ~ _wegsluipen_ sneak away unnoticed / unobserved ❷ _zonder te zien_ unseen ★ _iets_ ~ _kopen_ buy sth sight unseen ❸ _zonder aanzien_ unrespected, unesteemed ★ _hij is niet_ ~ he is very much respected

**ongezond** ❶ _ziek_ unhealthy ❷ _slecht voor de gezondheid_ unwholesome, unhealthy ❸ _fig slecht_ unhealthy

**ongezouten** ❶ _zonder zout_ unsalted ❷ _onverbloemd_ plain, straight, blunt ★ ~ _taal_ blunt / plain language ★ _iem. de waarheid zeggen_ give it to sb straight, ⟨boos⟩ give sb a piece of one's mind

**ongrijpbaar** _lett_ elusive

**ongrondwettig** unconstitutional

**ongunstig** ❶ _ongeschikt_ unfavourable ❷ _slechte indruk gevend_ unprepossessing, unfavourable ★ _iem. in een_ ~ _daglicht stellen_ put sb in an unfavourable / adverse light ★ _zich_ ~ _over iets uitlaten_ make unfavourable comments about sth ★ ~ _bekendstaan_ have a bad reputation

**onguur** ❶ _ruw_ unsavoury, disreputable ★ ~ _weer_ nasty weather ❷ _ongunstig uitziend_ sinister

**onhandelbaar** unmanageable

**onhandig** clumsy, awkward

**onhandigheid** clumsiness, awkwardness

**onhebbelijk** rude, disagreeable

**onhebbelijkheid** rudeness

**onheil** disaster, calamity ★ ~ _stichten_ make

mischief

**onheilspellend** ominous

**onheilsprofeet** prophet of doom, doomsayer

**onherbergzaam** inhospitable

**onherkenbaar** unrecognizable

**onherroepelijk** irrevocable

**onherstelbaar** I _bnw_ irreparable II _bijw_ ★ ~ _beschadigd_ irreparably damaged

**onheuglijk** immemorial

**onheus** I _bnw_ discourteous, impolite II _bijw_ ★ ~ _bejegenen_ treat discourteously

**onhoudbaar** ❶ _niet te verdedigen_ untenable ❷ _niet te harden_ unbearable ❸ _sport_ unstoppable

**onjuist** incorrect

**onjuistheid** ❶ _fout_ error ❷ _het onjuist zijn_ incorrectness

**onkies** indiscreet, indelicate

**onklaar** _defect_ defective ★ ~ _maken_ put out of action ★ ~ _raken_ break down, _inform_ conk out

**onkosten** charges _mv_, expenses _mv_ ★ _algemene_ ~ overhead expenses, overheads

**onkostendeclaratie** expense(s) claim

**onkostenvergoeding** payment of expenses, allowance for expenses

**onkreukbaar** ❶ _niet kreukend_ uncrushable ❷ _integer_ honest, incorruptible

**onkruid** weeds _mv_ ▼ ~ _vergaat niet_ turn up like a bad penny

**onkuis** unchaste

**onkunde** ignorance

**onkundig** ignorant

**onlangs** recently, the other day

**onledig** ★ _zich_ ~ _houden met_ be engaged in

**onleesbaar** ⟨van schrift⟩ illegible, ⟨van roman⟩ unreadable

**online** on-line

**onlogisch** illogical

**onloochenbaar** undeniable

**onlosmakelijk** inextricable, inseparable ★ ~ _met iets verbonden zijn_ inextricably bound up with

**onlusten** _soc_ riots _mv_

**onmacht** ❶ _machteloosheid_ impotence ❷ _flauwte_ faint ★ _in_ ~ _vallen_ faint

**onmachtig** impotent, powerless

**onmatig** I _bnw_ immoderate II _bijw_ ★ ~ _drinken_ drink to excess

**onmens** brute

**onmenselijk** _wreed_ inhuman

**onmetelijk** I _bnw, niet te meten_ immense II _bijw_ immeasurably ★ ~ _groot_ immense

**onmiddellijk** I _bijw, meteen_ immediately, at once, straightaway ★ _ik kom_ ~ I'm coming straightaway II _bnw_ ❶ _meteen_ immediate ❷ _direct, rechtstreeks_ immediate, direct ❸ _zonder tussenruimte_ immediate, close ★ _in de_ ~_e nabijheid van_ in close proximity of

**onmin** discord ★ _in_ ~ _leven met_ be at odds / variance with

**onmisbaar** indispensable

**onmiskenbaar** unmistakable

**onmogelijk** I _bnw_ ❶ _niet mogelijk_ impossible ★ _het_ ~_e eisen_ demand the impossible ★ _een_ ~ _verhaal_ an impossible story ❷ _onverdraaglijk_ intolerable, impossible ★ _zich_ ~ _maken_ make o.s. impossible ❸ _potsierlijk_ impossible, preposterous ★ _een_ ~_e hoed_ a ridiculous hat II _bijw_ impossibly,

**onmogelijkheid** impossibility
**onmondig ❶** *niet mondig* ★ *~ houden* keep in a state of dependence / tutelage ❷ *minderjarig* under age
**onnadenkend** thoughtless ★ *iets ~ doen* do sth without thinking
**onnatuurlijk ❶** *niet natuurlijk* unnatural ❷ *gekunsteld* affected
**onnauwkeurig I** *bnw* inaccurate **II** *bijw* inaccurately
**onnavolgbaar** inimitable
**onneembaar** impregnable
**onnodig** unnecessary, needless ★ *~ op te merken dat...* needless to state that...
**onnoemelijk** *onuitsprekelijk groot of veel* infinite(ly), immense(ly)
**onnozel ❶** *argeloos* naïve, ⟨lichtgelovig⟩ gullible, ⟨onervaren⟩ green ❷ *dom* stupid, silly ★ *~e hals* sucker, mug ★ *zie je me voor ~ aan?* what kind of sucker do you think I am?
**onofficieel** unofficial
**onomkeerbaar** irreversible, irrevocable
**onomstotelijk** incontrovertible
**onomwonden** outspoken, frank
**onontbeerlijk** indispensable
**onontkoombaar** inevitable
**onontwarbaar** inextricable
**onooglijk** unsightly
**onopgemerkt** unnoticed
**onophoudelijk** unceasing, continuous
**onoplettend** inattentive
**onoplettendheid** inattention
**onoplosbaar** insoluble
**onoprecht** insincere
**onopvallend** nondescript, inconspicuous
**onopzettelijk** unintentional
**onovergankelijk** *taalk* intransitive
**onoverkomelijk** insuperable
**onovertroffen** unsurpassed
**onoverwinnelijk** invincible, unconquerable
**onoverzichtelijk** badly organized, unmethodical, ⟨stijl⟩ confused, ⟨stijl⟩ obscure, ⟨stijl⟩ not clear
**onpaar** BN oneven odd, uneven
**onpartijdig** impartial
**onpas** → pas
**onpasselijk** sick ★ *ik word daar ~ van* it makes me sick
**onpeilbaar ❶** *niet te doorgronden* inscrutable ❷ *niet te peilen* unfathomable
**onpersoonlijk** impersonal
**onplezierig** unpleasant
**onpraktisch ❶** *stuntelig* impractical, not practical ❷ *niet goed bruikbaar* impractical
**onraad** danger ★ *~ ruiken* scent danger, smell a rat
**onrecht** wrong, injustice ★ *ten ~e* wrongly ★ *iem. ~ doen* wrong sb
**onrechtmatig** *jur* unlawful, illegal, wrongful ★ *~ beschuldigd* wrongfully accused
**onrechtstreeks I** *bnw,* BN *indirect* indirect **II** *bijw,* BN *indirect* indirectly
**onrechtvaardig** *jur* unjust
**onredelijk ❶** *irrationeel* unreasonable ❷ *onbillijk*

unfair
**onregelmatig** *niet-regelmatig* irregular ★ *~e busdienst* irregular bus service
**onregelmatigheid** *het onregelmatig zijn* irregularity
**onregelmatigheidstoeslag** supplementary payment for unsocial hours
**onreglementair** irregular
**onrein** unclean
**onrendabel** uneconomic, unremunerative
**onrijp ❶** *niet rijp* unripe ❷ *onervaren* immature
**onroerend** immovable ★ *~e goederen* real estate
**onroerendezaakbelasting** property tax, ≈ GB council tax
**onrust ❶** *gemis van rust* restlessness ❷ *beroering* unrest, agitation
**onrustbarend** alarming
**onrustig ❶** *niet kalm* agitated, ⟨van slaap⟩ uneasy, ⟨van slaap⟩ fitful ❷ *ongedurig* restless
**onruststoker** troublemaker
**onrustzaaier** troublemaker
**ons I** *zn* [het] 100 grammes *mv,* hectogram **II** *pers vnw* us ★ *bij ons vind je dat niet* you won't find that where we come from ★ *onder ons* between you and me **III** *bez vnw* our ★ *dat is van ons* that's ours
**onsamenhangend** ⟨van taal⟩ incoherent, ⟨van zinnen⟩ disjointed, ⟨conversation⟩ scrappy
**onschadelijk** harmless ★ *~ maken* render harmless, eliminate, do away with sb, defuse
**onschatbaar** invaluable
**onscheidbaar** inseparable
**onschendbaar ❶** *niet te schenden* inviolable ❷ *immuun voor rechtsvervolging* immune ★ *de koning is ~* the king can do no wrong
**onschuld ❶** *het niet schuldig zijn* innocence ❷ *argeloosheid* ★ *de vermoorde ~ spelen* act the injured / innocent party
**onschuldig ❶** *niet schuldig* innocent (of) ❷ *argeloos* ★ *zo ~ als een pasgeboren kind* as innocent as a newborn babe ❸ *onschadelijk* harmless
**onsmakelijk ❶** *niet smakelijk* distasteful, unappetizing ❷ *stuitend* unsavoury, distasteful ★ *~e bijzonderheden* unsavoury / lurid details
**onsportief ❶** *geen sport beoefenend* unathletic ❷ *oneerlijk* unsporting
**onstandvastig** unstable
**onsterfelijk I** *bnw* ❶ *niet sterfelijk* immortal ❷ *fig eeuwigdurend* immortal **II** *bijw* ★ *zich ~ belachelijk maken* make an absolute fool of o.s.
**onsterfelijkheid** immortality
**onstilbaar** insatiable ★ *een onstilbare honger naar iets hebben* to have an insatiable appetite for sth
**onstuimig ❶** *woest* turbulent ❷ *hartstochtelijk* passionate, impetuous
**onstuitbaar** unstoppable, ⟨ziekten, misdaad⟩ rampant
**onsympathiek** uncongenial
**onszelf ❶** [meewerkend] ourselves ★ *vanavond koken we voor ~* tonight we're cooking for ourselves ❷ [lijdend] ourselves ★ *zo straffen wij ~* in this way we punish ourselves
**ontaard** degenerate ★ *een ~e vader* an unnatural father
**ontaarden** degenerate ★ *het feest ontaardde in*

on

*een braspartij* the party degenerated into an orgy of eating and drinking

**Ontariomeer** Lake Ontario

**ontberen** lack ★ *ik kan het niet* ~ I can't do without it

**ontbering** ❶ *gebrek* deprivation ❷ *ellende* hardship

**ontbieden** summon

**ontbijt** breakfast

**ontbijtbuffet** breakfast buffet

**ontbijten** have breakfast

**ontbijtkoek** *cul* (Dutch) spice cake

**ontbijtshow** breakfast show

**ontbijtspek** bacon

**ontbijt-tv** breakfast TV

**ontbinden** ❶ *ontleden* resolve ★ *in factoren* ~ resolve into factors ❷ *opheffen* ⟨huwelijk, parlement e.d.⟩ dissolve, ⟨leger⟩ disband

**ontbinding** ❶ *het opheffen* dissolution, ⟨van leger⟩ disbandment ❷ *ontleding* resolution ❸ *bederf* decomposition ★ *tot* ~ *overgaan* decompose

**ontbladeringsmiddel** defoliant

**ontbloot** ❶ *naakt* naked, bare ❷ ~ *van* devoid of ★ *van alle grond* ~ (utterly) unfounded, groundless

**ontbloten** ❶ *bloot maken* bare ❷ ~ *van* strip (off)

**ontboezeming** outpouring, unburdening

**ontbossen** deforest, clear

**ontbossing** deforestation

**ontbranden** ❶ *beginnen te branden* ignite, flare up ❷ *ontsteken* fire ★ *oorlog doen* ~ spark off war

**ontbreken** be absent, be missing ★ *het ontbreekt me aan geld* I don't have enough money ★ *het* ~*de* the deficiency, the balance ▼ *dat ontbrak er nog maar aan!* that's the last straw!

**ontcijferen** decipher

**ontdaan** dismayed, upset

**ontdekken** discover, ⟨van fout⟩ detect

**ontdekker** discoverer

**ontdekking** discovery ★ *een* ~ *doen* make a discovery ★ *tot de* ~ *komen dat...* find / discover that...

**ontdekkingsreis** voyage of discovery

**ontdekkingsreiziger** explorer

**ontdoen van** strip ★ *zich* ~ *van zijn jas* take off one's coat ★ *zich* ~ *van* dispose of, get rid of

**ontdooien I** *ov ww, ijsvrij maken* thaw (out), defrost ★ *de koelkast* ~ defrost the refrigerator ★ *de waterleiding* ~ thaw out the water pipes **II** *on ww* ❶ *smelten* thaw, ⟨sneeuw⟩ melt, ⟨ingevroren voedsel⟩ defrost ❷ *minder stijf worden* thaw, relax

**ontduiken** ❶ *zich onttrekken aan* evade, ⟨van belasting⟩ dodge, ⟨van plicht⟩ shirk, ⟨van wet⟩ evade ❷ *bukkend ontgaan* evade, dodge

**ontegenzeglijk** unquestionable

**onteigenen** expropriate

**onteigening** expropriation

**ontelbaar** countless, innumerable

**ontembaar** indomitable

**onterecht** unjust, ⟨straf, ongeluk⟩ undeserved

**onteren** ❶ *van eer beroven* dishonour ❷ *verkrachten* rape, violate

**onterven** disinherit

**ontevreden** discontented, dissatisfied

**ontevredenheid** discontent

**ontfermen** [zich ~] ❶ ~ *over medelijden tonen met* take pity on ❷ ~ *over humor voor zijn rekening nemen* take care of

**ontfutselen** ★ *iem. iets* ~ filch / pilfer sth from sb

**ontgaan** escape ★ *het begin / de kans ontging mij* I missed the beginning / my chance ★ *het verschil ontgaat me* I fail to see the difference

**ontgelden** ★ *het moeten* ~ have to pay for it

**ontginnen** ❶ *agrar* ⟨van bos⟩ clear, ⟨van land⟩ reclaim ❷ ⟨van mijn⟩ exploit ❸ *fig* explore

**ontginning** *exploitatie* ⟨van land⟩ reclamation, ⟨van mijn⟩ exploitation, ⟨van bos⟩ clearing

**ontglippen** ❶ *glijden uit* slip from one's hands ❷ *fig ongewild ontsnappen* escape ★ *die opmerking ontglipte me* that remark slipped out ★ *aan de aandacht* ~ slip one's attention ★ *hij ontglipte me* he gave me the slip

**ontgoocheld** disillusioned

**ontgoochelen** disillusion

**ontgoocheling** disillusionment

**ontgrendelen** unbolt, unlatch

**ontgroeien** outgrow

**ontgroenen** ≈ initiate, ≈ rag

**ontgroening** initiation

**onthaal** ❶ *ontvangst* reception ❷ BN *plaats van ontvangst* reception (desk)

**onthaalmoeder** BN baby / child minder

**onthaasten** ≈ slow down

**onthalen** ❶ *ontvangen* welcome ★ *iem. warm* ~ give sb a warm welcome ❷ ~ *op* treat to, regale with, inform do (somebody) proud

**onthand** inconvenienced

**ontharder** softener

**ontharen** remove hair, depilate

**ontharingscrème** depilatory cream

**ontheemd** ❶ *ontworteld* uprooted ★ *zich* ~ *voelen* feel uprooted / out of place ❷ *weg uit vaderland* homeless, uprooted

**ontheffen** ❶ *vrijstellen* release ★ *van een verplichting* ~ exempt from an obligation ❷ *ontslaan* discharge, dismiss ★ *iem.* ~ *uit zijn functie* relieve sb of his position

**ontheffing** ❶ *vrijstelling* exemption ★ ~ *verlenen van* grant exemption from ❷ *ontslag* discharge

**ontheiligen** desecrate, profane

**onthoofden** behead

**onthoofding** decapitation

**onthouden I** *ov ww* ❶ *niet vergeten* remember ★ *help het mij* ~ remind me (of it) ★ *iets goed kunnen* ~ have a good memory for sth ❷ *achterhouden* ★ *iem. iets* ~ deny sb sth **II** *wkd ww* [zich ~] ~ *van* ⟨activiteit⟩ refrain from, ⟨kritiek, alcohol enz.⟩ abstain from

**onthouding** ❶ *het zich onthouden* abstinence, ⟨voornamelijk van seksueel verkeer⟩ continence ❷ *pol blanco stem* abstention

**onthoudingsverschijnselen** withdrawal symptoms *mv*

**onthullen** ❶ *bekendmaken* reveal ❷ *inwijden* unveil

**onthulling** ❶ *bekendmaking* revelation ❷ *(ongewild) verraad* giveaway ❸ *inwijding* unveiling

**onthutst** bewildered, disconcerted, flustered ★ ~ *reageren (op)* be dismayed / appalled (by)

on

**ontiegelijk** immensely, terribly
**ontij** → **nacht**
**ontijdig** untimely, premature
**ontkennen** deny ★ *het valt niet te ~ dat...* there is no denying that...
**ontkennend** negative ★ *hij moest daarop ~ antwoorden* he had to answer in the negative
**ontkenning ❶** *het ontkennen* denial, <u>form</u> negation **❷** <u>taalk</u> negation
**ontketenen ❶** *doen losbreken* ⟨van aanval⟩ launch, ⟨van oorlog, reactie⟩ spark off **❷** *van ketens ontdoen* unchain, unleash
**ontkiemen** germinate, sprout
**ontkleden** undress
**ontknoping** dénouement, outcome
**ontkomen ❶** *ontsnappen aan* escape, get away from ★ *daar kun je niet aan ~* there's no getting away from it **❷** *zich onttrekken aan* elude, evade
**ontkoppelen ❶** *loskoppelen* uncouple **❷** *debrayeren* release the clutch, declutch **❸** *fig scheiden* disconnect
**ontkoppeling** *het loskoppelen* disconnection, separation
**ontkrachten** enfeeble, weaken ★ *een argument / bewering ~* weaken an argument / a claim
**ontkroezen** straighten (hair)
**ontkurken** uncork
**ontladen I** *ov ww* **❶** *van lading ontdoen* unload **❷** <u>natk</u> discharge **II** *wkd ww* [zich ~] be released
**ontlading ❶** <u>natk</u> discharge **❷** *het zich ontladen* release
**ontlasten I** *ov ww* **❶** *ontdoen van last* unburden, relieve, ⟨van onweer⟩ burst, ⟨van onweer⟩ break **❷** *verlichten* unburden, relieve **❸** *ontheffen* exempt, relieve ★ *iem. van zijn taak ~* relieve sb of his duty **II** *wkd ww* [zich ~] defecate, empty one's bowels
**ontlasting ❶** *uitwerpselen* stools *mv*, faeces *mv* ★ *~ hebben* relieve o.s. **❷** *stoelgang* motion, defecation
**ontleden ❶** <u>scheik</u> analyse **❷** <u>anat</u> dissect **❸** <u>taalk</u> ⟨redekundig⟩ analyse, (taalkundig) parse
**ontleding ❶** <u>anat</u> dissection **❷** <u>scheik</u> analysis *mv: analyses* **❸** <u>taalk</u> parsing
**ontlenen ❶** *~aan te danken hebben aan* derive from ★ *een recht ~ aan* derive a right from **❷** *~ aan overnemen uit* borrow / take from ★ *een woord aan het Nederlands ~* borrow a word from Dutch **❸** <u>BN</u> *lenen van* borrow from
**ontlokken** elicit / draw (from)
**ontlopen ❶** *mijden* avoid (somebody) **❷** *verschillen* ★ *zij ~ elkaar niet veel* there is not much difference between them
**ontluchten** ventilate, ⟨van radiator⟩ bleed
**ontluiken ❶** *uit de knop komen* open **❷** *ontstaan* bud ★ *~d talent* budding talent
**ontluisteren** tarnish, taint, sully, defile
**ontmaagden** deflower
**ontmannen** emasculate
**ontmantelen** dismantle
**ontmaskeren** unmask
**ontmijnen** <u>BN</u> *fig conflictstof wegnemen van* defuse
**ontmoedigen** discourage
**ontmoedigingsbeleid** determent policy
**ontmoeten ❶** *tegenkomen* meet, ⟨per toeval⟩

come across, ⟨per toeval⟩ run into, ⟨per toeval⟩ happen on ★ *waar zullen we elkaar ~?* where shall we meet? **❷** *ondervinden* encounter
**ontmoeting** meeting, encounter
**ontmoetingsplaats** meeting place, meeting point
**ontnemen** take (away) from, deprive of
**ontnuchteren ❶** *nuchter maken* sober up **❷** *ontgoochelen* disenchant
**ontnuchtering ❶** *het nuchter worden* sobering up **❷** *ontgoocheling* disenchantment
**ontoegankelijk** inaccessible
**ontoelaatbaar** inadmissible
**ontoereikend** inadequate
**ontoerekeningsvatbaar** not responsible (for one's actions), <u>jur</u> non compos mentis ★ *iem. ~ verklaren* declare sb to be of unsound mind
**ontplofbaar** explosive
**ontploffen** explode ★ *doen ~* explode, detonate
**ontploffing** explosion, detonation ★ *tot ~ brengen* explode, detonate
**ontploffingsgevaar** risk / danger of explosion
**ontplooien ❶** *ontvouwen* unfold, ⟨van vlag, zeilen⟩ unfurl **❷** *ontwikkelen* unfold, ⟨militair⟩ deploy, ⟨van zaak⟩ expand ★ *zich ~* open out
**ontplooiing ❶** *het ontvouwen* unfolding **❷** *ontwikkeling* development
**ontpoppen** [zich ~] **❶** <u>biol</u> emerge **❷** *blijken te zijn* turn out (to be), reveal oneself (as)
**ontraadselen** unravel, unriddle, solve
**ontrafelen** unravel, disentangle
**ontredderd** *verward* upset, shattered, broken down
**ontreddering** ⟨van situatie⟩ disorder, ⟨van situatie⟩ upheaval, ⟨van persoon⟩ desperation ★ *er heerste complete ~* there was complete chaos
**ontregelen** disorder, disrupt, disorganize
**ontrieven** inconvenience
**ontroerd** moved, touched ★ *met ~e stem* with emotion in his / her voice ★ *~ worden* get emotional
**ontroeren** move, touch
**ontroerend** moving, touching
**ontroering** emotion
**ontrollen ❶** *zich tonen* ★ *een weids panorama ontrolde zich* a broad landscape unfolded **❷** *open rollen* unroll, unfurl, open out
**ontroostbaar** inconsolable
**ontrouw I** *zn* [de] unfaithfulness **II** *bnw* **❶** *niet trouw* disloyal ★ *zijn woord ~ worden* go back on one's word **❷** *overspelig* unfaithful
**ontroven** *afnemen* rob
**ontruimen ❶** *verlaten* clear, vacate **❷** *doen verlaten* evacuate, clear
**ontruiming** ⟨het verlaten⟩ evacuation, ⟨uitzetting⟩ eviction
**ontrukken** snatch / wrest from
**ontschepen** *uit schip laten* ⟨passagiers⟩ disembark, ⟨goederen⟩ discharge, unship
**ontschieten ❶** *ontglippen* slip out **❷** *fig ongewild ontsnappen* escape ★ *het is mij ontschoten* it slipped my memory
**ontsieren** mar, disfigure
**ontslaan ❶** *ontslag geven* dismiss, <u>inform</u> fire,

**on**

**inform** sack, ⟨uit baan⟩ discharge (from), ⟨van werknemers⟩ lay off ❷ *ontheffen* ★ *iem. van een verplichting* ~ release sb from an obligation ★ *van rechtsvervolging* ~ discharge a defendant ❸ *laten gaan* ⟨uit de gevangenis⟩ release, ⟨uit het ziekenhuis⟩ discharge

**ontslag** ❶ *het ontslaan* discharge, dismissal ★ BN *naakt* ~ on-the-spot dismissal, summary dismissal ★ *iem. ~ geven* dismiss sb ★ *zijn ~ indienen* submit one's resignation, resign one's commission ★ *~ nemen* resign ❷ *het vrijlaten* ⟨uit het ziekenhuis⟩ discharge, ⟨uit de gevangenis⟩ release

**ontslagaanvraag** ⟨van werkgever⟩ application for dismissal, ⟨van werknemer⟩ letter of resignation

**ontslagbrief** ⟨v. werkgever⟩ letter of dismissal, ⟨v. werknemer⟩ letter of resignation

**ontslagprocedure** dismissal procedure

**ontslagvergoeding** severance pay

**ontslapen** pass away ★ *de ~e* the deceased

**ontsluieren** unveil, reveal

**ontsluiten** ❶ *openen* open, unlock ❷ *fig toegankelijk maken* open (up)

**ontsluiting** ❶ *het toegankelijk maken* opening up, unlocking ❷ *med bij bevalling* dilatation

**ontsluitingswee** labour pains *mv*

**ontsmetten** disinfect

**ontsmetting** disinfection

**ontsmettingsmiddel** disinfectant

**ontsnappen** ❶ *wegkomen* escape, get away ★ *aan een gevaar* ~ escape from a danger ❷ *fig ontglippen* escape, slip out ★ *dat woord is mij ontsnapt* that word just slipped out ★ *aan de aandacht* ~ escape attention

**ontsnapping** escape, getaway

**ontsnappingsclausule** escape clause

**ontsnappingsmogelijkheid** opportunity to escape

**ontspannen** I *bnw* relaxed, easy II *ov ww* ❶ *minder strak maken* unbend, ease, ⟨van veer⟩ release, ⟨van spier⟩ relax ❷ *tot rust laten komen* relax III *wkd ww* [zich ~] relax

**ontspanning** ❶ *het ontspannen* unbending, ⟨van veer⟩ release, ⟨van spier⟩ relaxation ❷ *pol* détente ❸ *verpozing* diversion, relaxation

**ontspiegeld** non-reflecting

**ontspiegelen** make non-reflective ★ *ontspiegeld glas* non-reflecting glass

**ontspinnen** [zich ~] ★ *er ontspon zich een debat / discussie* a debate / discussion arose

**ontsporen** ❶ *lett* be derailed ★ *doen* ~ derail ❷ *fig* go off the rails

**ontsporing** *lett* derailment

**ontspringen** ❶ *oorsprong hebben* rise ❷ *ontkomen* escape

**ontspruiten** ❶ *uitspruiten* sprout ❷ *afkomstig zijn (uit)* arise (from)

**ontstaan** I *zn* [het] origin II *on ww* ❶ *beginnen te bestaan* come into being, arise ★ *doen* ~ cause, bring about ★ *de brand ontstond in de garage* the fire started in the garage ❷ *voortkomen* originate (in), start ★ *~ uit* arise / stem from ★ *~ door* be caused by

**ontstaansgeschiedenis** genesis

**ontstaanswijze** method of creation / generation

**ontsteken** I *ov ww, doen ontbranden* kindle, light, *techn* ignite ★ *de lichten* ~ switch on the lights II *on ww* ❶ *ontbranden* kindle ★ *in woede* ~ fly into a rage ❷ *med* become inflamed

**ontsteking** ❶ *techn* ignition ❷ *med* inflammation

**ontstekingsmechanisme** ⟨van explosieven⟩ detonator, ⟨van vuurwapen⟩ firing mechanism

**ontsteld** alarmed, dismayed, shocked

**ontstellend** ❶ *schokkend* disconcerting ★ *een ~ bericht* shocking / alarming news ❷ *zeer erg* appalling, outrageous

**ontsteltenis** *verwarring* alarm, dismay, confusion

**ontstemd** ❶ *muz* out of tune ❷ *misnoegd* put out, annoyed

**ontstemmen** ❶ *muz* go out of tune ❷ *ergeren* displease, put out

**ontstijgen** ❶ *uitstijgen boven* rise (above), transcend ❷ *opstijgen uit* rise up

**ontstoken** inflamed

**onttrekken** I *ov ww, ontnemen* withdraw (from) ★ *aan het oog / gezicht* ~ hide from view II *wkd ww* [zich ~] *zich niet houden aan* shirk, back out of ★ *zich ~ aan zijn plicht* shirk one's duty

**onttronen** dethrone

**ontucht** vice, ⟨Bijbel⟩ fornication ★ *~ plegen* commit a sexual offence, commit a sexual abuse

**ontuchtig** lewd, lascivious

**ontvallen** ❶ *verloren gaan* ★ *zijn moeder is hem ~* he has lost his mother ❷ *ongewild gezegd worden* ★ *het ontviel me* it just slipped out

**ontvangen** ❶ *krijgen* receive ★ *in dank* ~ received with thanks ❷ *onthalen* receive, welcome ★ *het ~de land* the host country ❸ *innen* collect, ⟨salaris⟩ draw ❹ *comm* receive ★ *we kunnen radio Veronica hier niet* ~ we can't get Veronica on the radio here

**Ontvangenis** ▾ *de Onbevlekte* ~ the Immaculate Conception

**ontvanger** ❶ *iem. die ontvangt* receiver ❷ *belastingontvanger* tax collector ❸ *ontvangtoestel* receiver

**ontvangst** ❶ *het ontvangen* receipt ★ *in* ~ *nemen* receive, draw ★ *bij / na* ~ on receipt (of) ❷ *onthaal* reception, welcome ★ *commissie van* ~ reception committee ❸ *inkomsten* takings *mv* ❹ *comm* reception

**ontvangstbewijs** receipt

**ontvangstruimte** reception room

**ontvankelijk** ❶ *openstaand* ★ ~ *voor* susceptible to, open to ❷ *jur* susceptible ★ *zijn eis werd (niet)* ~ *verklaard* his claim was admitted (dismissed)

**ontvellen** graze

**ontvetten** I *ov ww, vet onttrekken aan* degrease II *on ww, fig* BN *afslanken* slim / trim down

**ontvlambaar** ❶ *brandbaar* inflammable ❷ *fig temperamentvol* fiery

**ontvlammen** ❶ *lett* inflame ❷ *fig* inflame

**ontvluchten** *ontkomen* escape ★ *het ouderlijk huis* ~ run away from home

**ontvoerder** kidnapper

**ontvoeren** carry off, kidnap

**ontvoering** abduction, kidnapping

**ontvolken** depopulate

**ontvouwen** ❶ *uitvouwen* unfold ❷ *uiteenzetten*

unfold
**ontvreemden** steal
**ontwaken ❶** *wakker worden* awake, wake up
**❷** *tot besef komen* awaken
**ontwapenen ❶** *van wapens ontdoen* disarm **❷** *fig vertederen* disarm ★ *een ~de glimlach* a disarming smile
**ontwapening** disarmament
**ontwaren** perceive, discern
**ontwarren ❶** *uit de war halen* disentangle, unravel **❷** *ophelderen* straighten out
**ontwennen** ★ *iets ~* get out of the habit
**ontwenning** withdrawal
**ontwenningskliniek** (alcohol / drug) rehabilitation centre
**ontwenningskuur** cure for addiction ★ *(een) ~ (doen)* (undergo / go into) detoxification
**ontwenningsverschijnsel** withdrawal symptoms *mv*
**ontwerp ❶** *plan* project, plan **❷** *schets* draft, (van rapport) design, (van wet) bill ★ *volgens ~* according to design
**ontwerpen ❶** *schetsen* design, draft, (van meubel, kleding) design **❷** *opstellen* devise, (document) draw up, (van wet) prepare
**ontwerper** designer
**ontwerpnota** draft document
**ontwijken** evade, avoid, (van slag, vraag) dodge, (van vraag) side-step
**ontwikkelaar** developer
**ontwikkeld ❶** *geestelijk gevormd* educated **❷** *economisch op niveau* developed
**ontwikkelen ❶** *geleidelijk vormen* develop **❷** *voortbrengen* (van kracht) put forth, (van hitte, rook) generate **❸** *uitwerken* develop, (van theorie) evolve **❹** *kennis bijbrengen* educate **❺** audio-vis develop
**ontwikkeling ❶** *groei* development ★ *tot ~ brengen / komen* develop **❷** *voortgang* development ★ *er zit helemaal geen ~ in die zaak* there's no movement whatsoever in the affair **❸** *het ontwikkeld zijn* education ★ *algemene ~* general knowledge
**ontwikkelingsgebied** *stimuleringsgebied* development area, (land) developing country
**ontwikkelingshulp** development aid
**ontwikkelingskosten** development costs *mv*
**ontwikkelingsland** developing country
**ontwikkelingspsychologie** developmental psychology
**ontwikkelingssamenwerking** development co-operation
**ontwikkelingswerk** development work
**ontwikkelingswerker** development-aid worker
**ontworstelen** wrest from ★ *zich ~ aan* break away from
**ontwortelen ❶** *met wortel uitrukken* uproot **❷** fig *ontheemd maken* uproot
**ontwrichten ❶** med dislocate **❷** *ontregelen* unsettle ★ *de economie ~* disrupt the economy
**ontwrichting ❶** med dislocation **❷** fig disruption, (van huwelijk) breakdown
**ontzag** respect, awe ★ *~ inboezemen* have authority ★ *~ hebben voor* stand in awe of
**ontzaglijk ❶** *ontzagwekkend* awesome **❷** *zeer groot* enormous

**ontzagwekkend** awe-inspiring
**ontzeggen I** *ov ww* **❶** *niet toekennen* deny ★ *gevoel voor humor kan men hem niet ~* it can't be denied that he has a sense of humour **❷** *weigeren* deny ★ *iem. de toegang ~* deny sb admission **II** *wkd ww* [zich ~] *afzien van* ★ *zich elk genoegen ~* deny o.s. all pleasure
**ontzenuwen** refute
**ontzet I** *zn* [het] relief **II** *bnw* **❶** *ontsteld* aghast, appalled **❷** *ontwricht* (uit verband) dislocated, (van metaal) buckled
**ontzetten ❶** *ontheffen* ★ *uit de ouderlijke macht ~* deprive of parental rights **❷** *bevrijden* (persoon) rescue, (stad) relieve **❸** *verbijsteren* appal, horrify **❹** *ontwrichten* dislocate, (van metaal) buckle
**ontzettend ❶** *vreselijk* dreadful, appalling, awful **❷** *geweldig* tremendous, terrific
**ontzetting ❶** *ontheffing* removal, (uit ambt) expulsion **❷** *bevrijding* (stad) relief, (persoon) rescue **❸** *verbijstering* dismay **❹** *ontwrichting* dislocation
**ontzien I** *ov ww, sparen* spare, (van persoon, rechten) respect ★ *zich ~* take care of o.s. ★ *niets ~d* ruthless **II** *wkd ww* [zich ~] *opzien tegen* ★ *zich niet ~ om* not hesitate to
**ontzuiling** removal / breaking down of traditional religious and socio-political barriers in the Netherlands
**onuitputtelijk** inexhaustible
**onuitroeibaar** ineradicable
**onuitspreekbaar** unpronounceable
**onuitsprekelijk** unspeakable, inexpressible
**onuitstaanbaar** insufferable
**onuitwisbaar** indelible
**onvast ❶** *niet vast* unsteady ★ *~e gang* unsteady gait **❷** *wankel* unsteady, insecure
**onveilig** unsafe ★ *~ sein* danger signal ▼ *~ maken* make unsafe, infest
**onveiligheid** danger, lack of safety ★ *een gevoel van ~* a sense of insecurity
**onveranderlijk I** *bnw* unchanging **II** *bijw* invariably
**onverantwoord** unwarranted, irresponsible, (zonder verklaring) unaccounted for
**onverantwoordelijk** (van gedrag) inexcusable, (van persoon) irresponsible
**onverbeterlijk ❶** *niet te verbeteren* unsurpassable **❷** *verstokt* incorrigible
**onverbiddelijk ❶** *onvermurwbaar* inexorable **❷** *onvermijdelijk* unrelenting
**onverbloemd** *recht uit het hart* frankly, in plain terms ★ *iem. ~ de waarheid zeggen* tell sb the truth in no uncertain terms, tell sb a few home truths
**onverbrekelijk I** *bnw* unbreakable, indissoluble ★ *~ met elkaar verbonden* bound by indissoluble ties **II** *bijw* indissolubly, inseparably
**onverdeeld ❶** *niet verdeeld* undivided **❷** *volledig* (van aandacht) undivided, (van goedkeuring) unqualified
**onverdienstelijk** ▼ *niet ~* not without merit
**onverdraaglijk** unbearable, intolerable
**onverdraagzaam** intolerant
**onverdund** undiluted, (sterke drank) neat
**onverenigbaar** incompatible
**onvergankelijk** everlasting, (niet vergaand)

**on**

imperishable
**onvergeeflijk** unforgivable, unpardonable
**onvergelijkbaar** incomparable, incommensurable
**onvergelijkelijk** incomparable
**onvergetelijk** unforgettable
**onverhoeds** unexpected
**onverholen I** bnw unconcealed **II** bijw candidly, openly
**onverhoopt I** bnw unexpected **II** bijw in the unlikely event that ★ mocht het ~ gaan regenen... if it should begin to rain,... ★ mocht zij ~ besluiten... if, against all expectation, she should decide...
**onverklaarbaar** inexplicable
**onverkort I** bnw ❶ niet ingekort unabridged ❷ integraal uncurtailed **II** bijw ★ zijn standpunt ~ handhaven refuse to compromise
**onverkwikkelijk** distasteful, unpalatable, ⟨onderwerp⟩ unsavoury
**onvermijdelijk** inevitable
**onverminderd I** bnw undiminished ★ met ~ enthousiasme with unabated / unflagging enthusiasm **II** bijw ★ de regel is ~ van kracht the rule is still in full force
**onvermoeibaar** indefatigable
**onvermogen** ❶ onmacht impotence, incapacity, ⟨om te handelen⟩ inability ❷ insolventie insolvency
**onvermurwbaar** inexorable
**onverricht** → zaak
**onversaagd** undaunted
**onverschillig** ❶ geen verschil uitmakend ★ ~ wie no matter who ★ het is mij ~ it's all the same to me ❷ ongeïnteresseerd indifferent (to), careless ★ op een ~e manier in a careless manner
**onverschilligheid** indifference
**onverschrokken** fearless, undaunted
**onverslijtbaar** indestructible, durable
**onversneden** ⟨van vloeistof⟩ undiluted, ⟨van vaste stoffen⟩ unadulterated
**onverstaanbaar** unintelligible
**onverstandig** unwise
**onverstoorbaar** niet te storen imperturbable
**onverteerbaar** indigestible, fig unacceptable, fig hard to take
**onvertogen** improper ★ er is geen ~ woord gevallen the matter was handled with great delicacy
**onvervaard** undaunted, fearless
**onvervalst** pure, unadulterated, unalloyed
**onvervreemdbaar** inalienable
**onverwacht** unexpected
**onverwachts** suddenly, unexpectedly ★ die brief kwam niet ~ this letter did not come as a surprise
**onverwoestbaar** indestructible, ⟨humeur⟩ irrepressible, ⟨vloerbedekking⟩ durable
**onverzadigbaar** insatiable
**onverzadigd** ❶ niet voldaan not satiated, unsatisfied ❷ scheik unsaturated ★ meervoudig ~ polyunsaturated
**onverzettelijk** inflexible, immovable
**onverzoenlijk** implacable, ⟨van vijand⟩ irreconcilable, ⟨niet tot compromis bereid⟩ intransigent

**onverzorgd** ❶ zonder verzorging ★ ~ achterblijven be left unprovided for ❷ slordig unkempt, ⟨niet verzorgd⟩ untidy, ⟨niet verzorgd⟩ slovenly
**onvindbaar** untraceable, not to be found
**onvoldaan** ❶ onbevredigd unsatisfied ❷ niet betaald unpaid, ⟨schulden⟩ outstanding
**onvoldoende I** bnw insufficient(ly), unsatisfactory / unsatisfactorily ★ ~ betaald underpaid ★ ~ zijn fall short, be below standard **II** zn [de] unsatisfactory mark, fail ★ een ~ voor biologie halen fail / flunk biology, get an unsatisfactory mark in biology
**onvolkomen** ❶ onvolledig incomplete ❷ onvolmaakt imperfect
**onvolkomenheid** ❶ gebrek imperfection ❷ tekortkoming inadequacy, deficiency
**onvolledig I** bnw, niet compleet incomplete ★ ~e baan part-time job ★ ~ gezin single-parent family **II** bijw incompletely
**onvolprezen** one and only, unsurpassed, unparalleled
**onvoltooid** taalk unfinished
**onvolwaardig** niet volwaardig imperfect
**onvolwassen** immature
**onvoorspelbaar** unpredictable
**onvoorstelbaar** inconceivable, unimaginable
**onvoorwaardelijk** ⟨van overgave⟩ unconditional, ⟨van vertrouwen⟩ implicit, ⟨gezag⟩ absolute
**onvoorzichtig** careless, imprudent
**onvoorzichtigheid** carelessness, imprudence
**onvoorzien** onvoorspelbaar unforeseen
**onvrede** ❶ onbehagen dissatisfaction (with), discontent(ment) ❷ ruzie discord, strife ★ in ~ leven met be at variance with, be at loggerheads with
**onvriendelijk** unkind, ⟨optreden⟩ unfriendly
**onvrijwillig** involuntary
**onvruchtbaar** steriel infertile, barren ★ ~ maken sterilize
**onvruchtbaarheid** infertility
**onwaar** niet waar untrue, false
**onwaarachtig** ❶ niet echt untruthful ❷ onoprecht insincere
**onwaardig** ❶ iets niet waard zijnd unworthy ❷ verachtelijk undignified
**onwaarheid** ❶ het onwaar zijn untruthfulness ❷ leugen lie, untruth
**onwaarschijnlijk** improbable, unlikely ★ ik acht het hoogst ~ I consider it highly unlikely ★ haar verklaring lijkt erg ~ her explanation seems highly improbable
**onwankelbaar** unshak(e)able, ⟨toewijding⟩ unfaltering, ⟨geloof⟩ firm
**onweer** (thunder)storm ★ er zit ~ in de lucht there is a storm brewing
**onweerlegbaar** irrefutable, unanswerable
**onweersbui** thundery rain
**onweerstaanbaar** irresistible
**onweersvliegje** thrips mv
**onweerswolk** thundercloud
**onwel** unwell
**onwelkom** ★ ~ zijn be unwelcome, ⟨van geschenk⟩ be unwanted ★ een kop koffie zou niet ~ zijn a cup of coffee wouldn't come amiss
**onwelwillend** unkind, unsympathetic (towards),

⟨houding⟩ disobliging

**onwennig** unaccustomed ★ *zich nog wat ~ voelen* still feel a bit strange

**onweren** thunder ★ *het onweerde* there was a thunderstorm

**onwerkelijk** unreal

**onwetend** ❶ *iets niet wetend* ignorant ❷ *onbewust* unknowing

**onwetendheid** ignorance

**onwettig** *in strijd met de wet* illegal, unlawful, ⟨van kind⟩ illegitimate

**onwezenlijk** unreal, ethereal, imaginary

**onwijs** I *bnw, dwaas* unwise, foolish II *bijw, in hoge mate* extremely ★ *~ gaaf* brill, great

**onwil** unwillingness

**onwillekeurig** I *bnw* involuntary II *bijw* in spite of oneself, inadvertently ★ *in het ~e verkeren* be in the dark / uncertain ★ *iem. in het ~e laten* leave sb in doubt ❷ *onvast* shaky, unsteady ❸ *niet zelfverzekerd* uncertain, insecure

**onwillig** unwilling

**onwrikbaar** *onomstotelijk* irrefutable, indisputable

**onyx** onyx

**onzacht** rough, rude

**onzalig** ❶ *rampzalig* unholy ❷ *ongelukkig* unhappy

**onzedelijk** ❶ *immoreel* immoral ❷ *onzedig* indecent, obscene

**onzedig** immodest

**onzeker** ❶ *niet zeker* uncertain, ⟨van bestaan⟩ precarious, ⟨van weer⟩ unsettled ★ *in het ~e verkeren* be in the dark / uncertain ★ *iem. in het ~e laten* leave sb in doubt ❷ *onvast* shaky, unsteady ❸ *niet zelfverzekerd* uncertain, insecure

**onzekerheid** ❶ *twijfel* uncertainty ★ *iem. in ~ laten* leave sb in a state of suspense ❷ *onzekere zaak* uncertainty, insecurity ❸ *onvastheid* unsteadiness

**onzelfzuchtig** unselfish

**Onze-Lieve-Heer** Our Lord ▼ *~ heeft rare kostgangers* it takes all sorts to make a world

**Onze-Lieve-Heer-Hemelvaart** BN Ascension Day

**onzerzijds** on our part

**Onzevader** Our Father, Lord's Prayer

**onzichtbaar** invisible

**onzijdig** ❶ *neutraal* neutral ❷ taalk neuter

**onzin** ❶ *dwaasheid* nonsense, folly ❷ *dwaze taal* nonsense ★ *~ uitkramen* talk nonsense

**onzindelijk** ❶ *vies* ⟨van dier⟩ not housetrained, ⟨van kind⟩ not toilet-trained, ⟨vuil⟩ unclean ❷ *niet ethisch* offensive

**onzinnig** absurd

**onzorgvuldig** careless, inaccurate

**onzuiver** ❶ *gemengd* impure ❷ *onoprecht* false ❸ muz *vals* out of key / tune ❹ *onnauwkeurig* inaccurate, ⟨beeld⟩ false, ⟨van meting⟩ not true ★ *~e waarneming* inaccurate observation ★ *deze weegschaal is ~* these scales give a false reading ❺ *bruto* gross

**oog** ❶ *gezichtsorgaan* eye ★ *blauw oog* black eye ★ *iem. een blauw oog slaan* give sb a black eye ★ *lui oog* lazy eye ★ *blind aan één oog* blind in one eye ★ *met mijn eigen ogen* with my very own eyes ★ *met het blote oog* with the naked eye ★ *de ogen neerslaan* lower one's eyes ★ *zich de ogen uitwrijven* rub one's eyes ★ *zij kon haar ogen niet*

*geloven* she couldn't believe her eyes ★ *goede / slechte ogen hebben* have good / bad eyes / eyesight ★ *kijk uit je ogen!* look where you are going! ★ *zover het oog reikt* as far as the eye can see ❷ *blik* ★ *in het oog krijgen* catch sight of, spot ★ *in het oog houden* keep an eye on, fig bear in mind ★ *in het oog vallend* striking, conspicuous ★ *iem. iets onder het oog brengen* point out sth to sb ★ *gevaar onder ogen zien* face danger ★ *hij durft mij niet onder de ogen te komen* he daren't face me ★ *op het oog* outwardly, on the face of it ★ *het oog op iets laten vallen* ⟨keuze⟩ spot sth ★ *het oog op de toekomst gericht houden* look to the future ★ *ga uit mijn ogen!* get out of my sight! ★ *uit het oog verliezen* lose sight of ❸ *gat* eye ★ *haken en ogen* hooks and eyes ❹ *stip op dobbelsteen* spot ▼ *door het oog van de naald kruipen* have a narrow escape ▼ *oog in oog met* eye to eye with ▼ *iets in het oog houden* keep an eye on sth ▼ *recht in de ogen kijken* look in the eyes / face ▼ *in het oog krijgen* catch sight of ▼ *in het oog lopend* conspicuous ▼ *in het oog springen / vallen* strike the eye ▼ *met het oog op* in view of, with a view to ▼ *oog om oog, tand om tand* an eye for an eye, a tooth for a tooth ▼ *onder vier ogen* face to face, privately ▼ *onderhoud onder vier ogen* private interview ▼ *onder ogen zien* face (up to) ▼ *uit het oog, uit het hart* out of sigh out of mind ▼ *iets uit het oog verliezen* lose sight of sth ▼ *met dit doel voor ogen* with this end in view, to that end ▼ *met de dood voor ogen* with death staring one in the face ▼ *iets voor ogen houden* bear sth in mind ▼ *tracht je dit eens voor ogen te stellen* try to visualize this ▼ *zijn ogen de kost geven* keep one's eyes peeled ▼ *geen oog hebben voor* have no eye for, be blind to ▼ *de ogen sluiten voor* shut one's eyes to ▼ *iem. de ogen openen* open sb's eyes (to) ▼ *geen oog dichtdoen* not sleep a wink ▼ *hij heeft zijn ogen niet in zijn zak* he is wide awake ▼ *een en al oog zijn* be all eyes ▼ *schele ogen geven* stir up jealousy ▼ *een oogje dichtdoen* turn a blind eye to ▼ *een oogje hebben op* have one's eyes on, ⟨man, vrouw⟩ have designs on ▼ *een oogje in het zeil houden* keep an eye on ▼ *een oogje op iets houden* keep an eye on sth ▼ *zonder met zijn ogen te knipperen* without batting an eyelid

**oogappel** ❶ *deel van oog* iris, pupil ❷ *lieveling* apple of one's eye ★ *zij is mijn ~* she is the apple of my eye, she is my pride and joy

**oogarts** eye-specialist, ophthalmic surgeon

**oogbal** eyeball

**oogcontact** eye contact

**oogdruppels** eye drops *mv*

**ooggetuige** eyewitness

**ooggetuigenverslag** eyewitness account, sport running commentary

**oogheelkunde** ophthalmology

**oogheelkundig** ophthalmic

**ooghoek** corner of the eye

**oogholte** eye socket, orbit

**ooghoogte** ★ *op ~* at eye level

**oogje** → **oog**

**oogkas** eye socket

**oogklep** blinker

**ooglens** lens

**ooglid** eyelid

**oo**

**ooglijderskliniek** eye clinic
**oogluikend** ▼ *iets ~ toelaten* turn a blind eye to sth
**oogmerk** intention, design ★ *met het ~ om...* with a view to..., jur with intent to...
**oogmeting** med eye test
**oogontsteking** med inflammation of the eye
**oogopslag** look, glance ★ *bij de eerste ~* at a glance
**oogpotlood** eyeliner pencil
**oogpunt** point of view, angle ★ *uit het ~ van* from the point of view of ★ *uit verschillende ~en bekijken* view from different angles
**oogschaduw** eyeshadow
**oogst** ❶ *het oogsten* harvest ❷ *opbrengst* harvest, yield ❸ *het geoogste* harvest, crop(s)
**oogsten** ❶ *binnenhalen* reap, harvest ❷ *verwerven* ⟨van eer, beloning⟩ reap, ⟨van dank⟩ earn, ⟨v. bijval⟩ win ★ *ondank ~* get little thanks
**oogstmaand** harvest time
**oogstmachine** harvester
**oogstrelend** delightful to the eye
**oogverblindend** dazzling
**oogwenk** *ogenblikje* twinkling (of an eye), moment, instant
**oogwit** ★ *het ~* the white of the eye
**oogzenuw** optic nerve
**ooi** ewe
**ooievaar** (white) stork ▼ *de ~ heeft het gebracht* the stork brought it
**ooievaarsnest** stork's nest
**ooit** ever, at any time ▼ *wel heb je ooit!* have you ever!, well, I never!
**ook** ❶ *eveneens* also, as well, too ★ *zij dacht er niet aan en ik trouwens ook niet* she forgot about it and so did I for that matter ★ *volgende week kan ook nog wel* next week will do as well ❷ *zelfs* even ★ *ook de armsten* even the poorest people ❸ *misschien* perhaps, by any chance ★ *hebt u ook eieren?* have you any eggs? ❹ ⟨als versterking⟩ again, whatever ★ *wie dan ook* whoever ★ *jij bent ook een mooie!* you are a one! ❺ *immers* thus, therefore ★ *hij is ook zo jong niet meer* he is none too young either ★ *het valt dan ook niet te verwonderen* there's nothing amazing in that ❻ ⟨zonder betekenis⟩ ★ *hoe heet je ook al weer?* what is your name again?
**oom** uncle ▼ *een hoge ome* a big shot, a bigwig
**oor** ❶ *gehoororgaan* ear ❷ *oorschelp* ear ❸ *handvat* handle ▼ *dat klinkt me bekend in de oren* that has a familiar ring (to it) ▼ *met een half oor luisteren* listen with half an ear ▼ *iem. om zijn oren slaan* box sb's ears ▼ BN *op (zijn) beide oren slapen* rest easy ▼ *het is op een oor na gevild* it is almost finished ▼ *het is mij ter ore gekomen* it has come to my attention ▼ *tot over de oren verliefd* head over heels in love ▼ *iem. een oor aannaaien* make a fool of sb ▼ *dat gaat het ene oor in en het andere oor uit* it goes in one ear and out the other ▼ *iem. de oren van het hoofd kletsen*, BN *iem. de oren van het hoofd zagen* bore sb to tears / death ▼ *iem. de oren van het hoofd eten* eat sb out of house and home ▼ *de oren spitsen* prick up one's ears ▼ *een en al oor zijn* be all ears ▼ *er wel oren naar hebben* rather like the idea ▼ *geen oor hebben voor talen* have no ear for languages ▼ *een*

*open oor hebben voor iets* have an ear open for sth ▼ *zijn oor te luisteren leggen* keep one's ear to the ground ▼ *het oor lenen aan* lend (an) ear to
**oorarts** ear specialist
**oorbel** earring
**oord** *plaats, streek* region, place, ⟨verblijf⟩ residence
**oordeel** ❶ *mening* judgment, opinion ★ *van ~ zijn dat* be of (the) opinion that ★ *zijn ~ opschorten* reserve one's opinion ★ *naar / volgens mijn ~* in my judgment / opinion ❷ *beoordelingsvermogen* ★ *een helder ~* a clear judgement ❸ *vonnis* judgment, sentence ★ *een ~ vellen* pass / pronounce judgment on ★ rel *het laatste Oordeel* the last judgment
**oordelen** judge ★ *te ~ naar* judging from ★ *naar de schijn ~* judge by appearances
**oordopje** earplug
**oordruppels** ear drops *mv*
**oorhanger** dangling earring
**oorkonde** document, charter
**oorlel** earlobe
**oorlog** war ★ *de Tachtigjarige Oorlog* the Dutch Rebellion / Revolt ▼ *~ voeren met* wage war against / on ▼ *de ~ verklaren* declare war on ★ *in staat van ~* in a state of war ★ *ten ~ trekken tegen 'n land* go to war with a country ▼ *de koude ~* the cold war
**oorlogsbodem** warship
**oorlogscorrespondent** war correspondent
**oorlogseconomie** war economy
**oorlogsfilm** war film
**oorlogsheld** war hero *mv: heroes*
**oorlogsindustrie** war industry
**oorlogsinvalide** war invalid
**oorlogsmisdadiger** war criminal
**oorlogsmonument** war memorial
**oorlogspad** ▼ *op het ~ zijn* be on the warpath
**oorlogsschip** warship, gesch man-of-war
**oorlogsslachtoffer** war victim
**oorlogsverklaring** declaration of war
**oorlogszuchtig** warlike
**oorlogvoering** warfare, conduct of war
**oormerk** earmark
**oorontsteking** inflammation of the ear
**oorpijn** earache
**oorschelp** outer ear
**oorsmeer** earwax, cerumen
**oorsprong** ❶ *begin* origin, source ★ *zijn ~ vinden in* have its origins in ❷ *afkomst* origin ❸ *rivierbron* source
**oorspronkelijk** ❶ *aanvankelijk* original ★ *~e bewoners* original inhabitants, indigenous people, Aborigines ❷ *origineel* innovative ★ *in het ~e lezen* read in the original (version)
**oorstrelend** ★ *~ zijn* be a feast / treat for the ears
**oortelefoon** earphone
**oorverdovend** deafening
**oorvijg** box / cuff / clip on the ear(s)
**oorwurm** earwig ▼ *een gezicht als een ~ zetten* have a long face
**oorzaak** cause, origin ★ *~ en gevolg* cause and effect ★ *kleine oorzaken hebben grote gevolgen* little strokes fell great oaks
**oorzakelijk** causal ★ *~ verband* causal relationship

**Oost** (the) East

**oost I** *bnw* east, ⟨wind ook⟩ easterly ★ *de wind is oost* the wind is east, there's an east(erly) wind **II** *zn* [de] the East / Orient, gesch Dutch East Indies ▼ *oost west, thuis best* east west, home's best

**Oostblok** gesch Eastern bloc ★ *de voormalige ~landen* the former communist countries of eastern Europe

**Oost-Duits** gesch East German

**Oost-Duitse** gesch East German (woman / girl) ★ *zij is een ~* she's from East Germany

**Oost-Duitser** gesch East German

**Oost-Duitsland** gesch East Germany, German Democratic Republic

**oostelijk** *uit / van het oosten* eastern, ⟨van wind⟩ east(erly) ★ *~ van* (to the) east of ★ *de wind is ~* the wind is east, there's an east(erly) wind ★ *naar het oosten* easterly

**oosten ❶** *windstreek* east ★ *op het ~ liggen* face east ★ *ten ~ van* (to the) east of ❷ *gebied* East ★ *het Nabije Oosten* the Near East

**Oostende** Ostend

**Oostenrijk** Austria

**Oostenrijker** *bewoner* Austrian

**Oostenrijks** Austrian

**Oostenrijkse** Austrian (woman / girl)

**oosterbuur** eastern neighbour

**oosterlengte** eastern longitude, longitude east ★ *op 5 graden ~* at 5 degrees longitude east

**oosterling** Oriental

**oosters** eastern, oriental ★ *~e talen* oriental languages

**Oost-Europa** Eastern Europe

**Oost-Europeaan** East European

**Oost-Europees** Eastern European

**Oost-Europese** East European (woman / girl) ★ *zij is een ~* she's from Eastern Europe

**Oost-Indisch** ▼ *~ doof zijn* play deaf

**oostkust** east(ern) coast

**Oost-Vlaams** East Flemish

**Oost-Vlaamse** East-Flemish (woman / girl) ★ *zij is een ~* she's East Flemish, she's from East Flanders

**Oost-Vlaanderen** East Flanders

**Oost-Vlaming** East Fleming

**oostwaarts** eastward(s)

**Oostzee** Baltic Sea

**ootje** ▼ *iem. in het ~ nemen* make fun of sb, have a dig at sb

**ootmoedig** humble

**op I** *vz* ❶ *boven(op) zijnd* on, in ★ *op het dak zitten* sit on the roof ★ *op de fiets* on the bike ★ *op zee* at sea ❷ *in* in, on ★ *op straat* in the street ★ *op zijn kamer* in his room ★ *op een eiland* on an island ❸ *bovenop komend* ★ *op het dak klimmen* climb on / onto the roof ❹ *tegen* ★ *op het raam tikken* knock on the window ❺ *verwijderd van* at ★ *op drie kilometer afstand* at three kilometers' distance ❻ *tijdens* on, at, in ★ *op dat moment* at that moment ★ *op maandag* on Monday ★ *op zekere dag* one day ★ *op 1 augustus* ón the first of August, on August 1 ★ *later op de dag* later in the day ❼ *volgens een bepaalde manier* ★ *op z'n Frans* in the French way ❽ *uitgezonderd* ★ *op één euro*

*na* less one euro ★ *de laatste op een na* the last but one ★ *allen op één na* all but one ★ *op twee na de grootste* the third biggest ❾ *met* on, at ★ *op gas koken* cook with gas ★ *op waterstof lopen* run on hydrogen ❿ *gericht naar* on, at ★ *op het noorden* facing north ▼ *één op de tien* one in ten ▼ *op z'n laatst* at the latest ▼ *op de minuut af* to the minute ▼ *Maria is op de buurjongen* ⟨verliefd⟩ Mary has a crush on the boy next door **II** *bijw* ❶ *omhoog* up ★ *op en neer* up and down ❷ *verbruikt* used up, at an end ★ *het water is op* we've run out of water ★ *mijn geduld is op* my patience has run out ★ *op is op* finished means finished ★ fig *het kan niet op!* there's no end to it! ❸ *uitgeput* worn out, all in ★ *hij was helemaal op* he was deadbeat ❹ *uit bed* up, out of bed, ⟨i.h.b. na ziekte, enz.⟩ up and about ★ *ben je al op?* are you up yet? ▼ *tegen iem. op kunnen* be a match for sb

**opa** grandpa, gran(d)dad

**opaal** opal

**opart** op(tical) art

**opbakken** refry, recook

**opbaren** lay out ★ *opgebaard liggen* lie in state

**opbellen** call / phone / ring up, give (somebody) a ring

**opbergen** put away, ⟨in pakhuis⟩ store (away), ⟨aantekeningen⟩ file

**opbergsysteem** filing system

**opbeuren** ❶ *optillen* lift up ❷ *opvrolijken* cheer (up)

**opbiechten** confess, own up ★ *zijn fouten ~* own up to one's mistakes

**opbieden** ★ *~ tegen* outbid, bid against

**opbinden** bind / tie up ★ *het haar ~* do one's hair up

**opblaasbaar** inflatable ★ *een opblaasbare boot* an inflatable dinghy

**opblaaspop** inflatable / blow-up doll

**opblazen** ❶ *doen zwellen* blow up, ⟨van wangen⟩ puff out ❷ *doen ontploffen* blow up ★ *een huis / brug ~* blow up a house / bridge ❸ *aandikken* exaggerate

**opblijven** stay up

**opbloei** flourishing, revival

**opbloeien** flourish, prosper, revive

**opbod** *het opbieden* ★ *bij ~ verkopen* sell by auction

**opboksen** fight / compete against

**opborrelen** bubble up

**opbouw** ❶ *het opbouwen* building, construction ❷ *samenstelling* structure ❸ *bouw erbovenop* superstructure

**opbouwen** ❶ *bouwen* build up, construct ★ *weer ~* reconstruct, rebuild ❷ *tot stand brengen* set / build up ★ *een nieuw bestaan ~* build a new life

**opbouwend** ★ *~e kritiek* constructive criticism

**opbouwwerk** community work

**opbranden I** *ov ww, branden* burn up **II** *on ww, verbranden* be burnt up / down

**opbreken I** *ov ww* ❶ *openbreken* dig up, ⟨van straat⟩ break up ❷ *demonteren* break up, take down ❸ *beëindigen* ★ *het kamp ~* strike / break camp ❹ *slecht bekomen* ★ *dat zal hem ~* he'll rue the day, he'll regret the day **II** *on ww* ❶ *vertrekken* leave ❷ *oprispen* come up

**op**

**opbrengen** ❶ *opleveren* bring in, yield ★ *een goede prijs* ~ fetch a good price ❷ *betalen* pay ★ *dat kan ik niet* ~ I can't afford that ★ *onkosten* ~ defray the cost ❸ *hebben* ★ *begrip* ~ show understanding ★ *moed* ~ muster courage ❹ *aanbrengen* put on, apply ★ *de verf met een kwast* ~ apply the paint with a brush ❺ *als overtreder meevoeren* run / take in

**opbrengst** ❶ *rendement* yield, proceeds *mv*, ⟨van belasting⟩ net revenue ★ *de* ~ *van de tentoonstelling* the proceeds *mv* of the show / exhibition ❷ *oogst* yield, produce, crop

**opdagen** turn up

**opdat** so that, in order that ★ ~ *niet* <u>form</u> lest

**opdienen** serve (up)

**opdiepen** ❶ *opsporen* dig up, unearth ❷ *omhoog halen* dig up

**opdirken** dress up

**opdissen** *vertellen* dish up

**opdoeken** I *ov ww, opheffen* do away with, ⟨zaak⟩ shut up shop II *on ww, weggaan* clear out

**opdoemen** loom (up)

**opdoen** ❶ *aanbrengen* ★ *parfum* ~ put on perfume ❷ *opzetten* put on ❸ *verkrijgen* acquire, ⟨van ervaring⟩ gain ❹ *oplopen* catch, contract ★ *waar heb je je Engels opgedaan?* where did you pick up your English?

**opdoffen** doll up ★ *zich* ~ doll o.s. up

**opdoffer** ★ *iem. een* ~ *geven* give sb a punch / knuckle sandwich, belt sb

**opdonder** ❶ *stomp* punch, sock ❷ *tegenslag* setback

**opdonderen** ★ *donder op!* beat it!, scram!, get lost!

**opdondertje** *klein persoon* squirt

**opdraaien** I *ov ww, opwinden* wind up II *on ww* ~ *voor* ★ *ergens voor* ~ suffer for it ★ *hij liet mij ervoor* ~ I was left holding the baby

**opdracht** ❶ *taak* assignment, task, order, instruction ★ ~ *geven* instruct / order ★ ~ *hebben...* be instructed / ordered to... ★ *in* ~ *handelen* act under orders ★ *in* ~ *van* by order of, commissioned by ★ *zij zag het als haar* ~ she saw it as her duty / mission ❷ *opdracht in boek* dedication

**opdrachtgever** <u>jur</u> principal, ⟨van aannemer enz.⟩ client, ⟨van aannemer enz.⟩ customer

**opdragen** ❶ *opdracht geven tot* charge, instruct, commission ★ *iem. de zorg voor iets* ~ put sb in charge of sth ★ *iem. werk* ~ give sb a task ❷ ~ **aan** *aanbieden aan* dedicate to ★ *een boek* ~ *aan iem.* dedicate a book to sb

**opdraven** ❶ *dravend gaan* trot up (to) ❷ *op bevel komen* present oneself, put in an appearance

**opdreunen** rattle off, ⟨van rijtjes⟩ drill, ⟨van tekst⟩ recite

**opdrijven** ❶ *voortdrijven* drive ❷ *doen stijgen* force up ★ *de prijs* ~ force up the price

**opdringen** I *ov ww,* ~ **aan** *opleggen aan,* ★ *iem. iets* ~ force sth on sb, ram sth down sb's throat II *wkd ww* [**zich** ~] ❶ *iem. lastigvallen* force / inflict oneself (**aan** on) ❷ <u>BN</u> *dringend nodig zijn* be badly / urgently needed III *on ww, naar voren dringen* press forward

**opdringerig** obtrusive, intrusive

**opdrinken** empty, drink (up), finish

**opdrogen** I *ov ww, droogmaken* dry II *on ww, droog worden* dry (up)

**opdruk** print ★ *postzegel met* ~ overprint

**opdrukken** I *ov ww* ❶ *omhoog- / voortdrukken* press up ❷ *erop drukken* impress on II *wkd ww* [zich ~] *sport* do press-ups, do push-ups

**opduikelen** dig / pick up, unearth

**opduiken** I *ov ww* ❶ *naar boven halen* dive for ❷ *vinden* unearth II *on ww* ❶ *boven water komen* emerge, ⟨van onderzeeboot⟩ surface ❷ *tevoorschijn komen* turn up

**opduvel** ❶ wallop, punch, blow ★ *iem. een* ~ *geven* to smack sb in the face, to give a blow to sb ★ *hij heeft een* ~ *gekregen* he has taken a punch ❷ *elektrische schok* (electric) shock ★ *hij heeft een* ~ *gehad* he is struck by an electric shock

**opduvelen** push off, get lost ★ *duvel op, man!* scram!

**OPEC** *Organisatie van olie-exporterende landen* Organisation of Petroleum Exporting Countries, O.P.E.C.

**opeen** together, ⟨boven op elkaar⟩ one on top of another

**opeenhoping** ⟨van verkeer⟩ congestion, ⟨van werk⟩ accumulation, ⟨van mensen⟩ crowd, ⟨van mensen⟩ mass, ⟨van sneeuw⟩ snowdrift

**opeens** all at once, suddenly

**opeenstapeling** accumulation

**opeenvolgend** successive

**opeenvolging** succession

**opeisen** claim, demand

**open** ❶ *niet afgesloten* open, ⟨van kraan⟩ on, ⟨niet op slot⟩ unlocked ★ *wijd open* wide open ★ *de deur wil niet open* the door won't open ★ ~ *toegankelijk* ★ *open tot vijf uur* open till five ❸ *niet bedekt* ★ *een open plek in een bos* a clearing in the woods ❹ *niet bezet* vacant, open ★ *de betrekking is nog open* the job is still open / vacant ❺ *openhartig* open, frank ❻ *niet ingevuld* open ▼ *open en bloot* openly

**openbaar** ❶ *voor ieder toegankelijk* ★ *openbare weg* public road ★ *in het* ~ in public ❷ *voor ieder geldend* public ★ *voor ieder bekend* public ★ ~ *maken* make public, disclose

**openbaarheid** publicity

**openbaren** I *ov ww, ruchtbaar maken* reveal, disclose II *wkd ww* [zich ~] *aan het licht komen* reveal / manifest itself

**openbaring** ❶ *het openbaren* disclosure ❷ *het geopenbaarde* revelation ★ *de Openbaring van Johannes* the Revelation of St. John

**openblijven** remain / stay open ★ *tot hoe laat blijft u open?* until what time do you stay open?

**openbreken** I *ov ww* ❶ *openen* break / force open, ⟨van slot⟩ break, ⟨van deksel⟩ prize off ❷ *wijzigen* ★ *een contract* ~ lay a contract on the table II *on ww, zich openen* burst open

**opendeurdag** <u>BN</u> open day, <u>USA</u> open house

**opendoen** ★ *de deur* ~ answer the door

**openen** I *ov ww* ❶ *openmaken* open, ⟨kraan⟩ turn on, ⟨deksel⟩ unscrew ❷ *tentoonstelling* open (up) ★ *een tentoonstelling* ~ open an exhibition ❸ *fig beginnen* open, start ★ *een zaak* ~ start / open a business ★ *het vuur* ~ *op* open fire on II *on ww, opengaan* open, begin ★ *hij opent om negen uur*

⟨winkel⟩ he starts business at nine
**opener** opener
**opengaan** open
**openhartig** outspoken, frank
**openhartoperatie** open-heart surgery
**openheid** openness, frankness
**openhouden** ❶ *niet dicht laten gaan* keep open ★ *zij hield de deur voor me open* she held the door for me ❷ *vrijhouden* keep open, reserve ★ *een baantje voor iem.* ~ keep a job open for sb
**opening** ❶ *het openen* opening ★ ~ *van zaken geven* disclose the state of affairs ★ *feestelijke* ~ official opening ❷ *gat* opening, ⟨in 'n heg⟩ gap ❸ *begin* beginning, opening ❹ *toenadering* opening
**openingsbod** opening bid
**openingskoers** econ opening price
**openingsplechtigheid** opening ceremony
**openingstijd** opening hours *mv*
**openingstijden** opening hours *mv* ★ *wat zijn de* ~ *van de supermarkt?* what are the opening hours of the supermarket?
**openingswedstrijd** opening match, first-round match
**openingszet** opening move
**openlaten** ❶ *geopend laten* leave open, ⟨van kraan⟩ leave on ❷ *niet af- / uitsluiten* leave open ★ *de mogelijkheid* ~ leave the option open ❸ *fig niet invullen* leave blank ★ *steeds een regel* ~ write on alternate lines
**openleggen** ❶ *open neerleggen* lay open ❷ *toegankelijk maken* lay open ❸ *uiteenzetten* lay open, disclose
**openlijk** open, ⟨in het openbaar⟩ public
**openluchtbad** open-air (swimming) pool
**openluchtconcert** open-air concert
**openluchtmuseum** open-air museum
**openmaken** *openen* ⟨van deur⟩ open, ⟨van deur⟩ unlock, ⟨van pakje⟩ undo
**op-en-neer** up and down
**openslaan** *openmaken* open ★ *een boek* ~ open a book
**openslaand** ★ ~*e deuren* French windows, USA French doors
**opensperren** open wide
**openspringen** burst (open), ⟨van huid / lippen⟩ chap
**openstaan** ❶ *geopend zijn* be open ❷ *nog te betalen* be unpaid, outstanding ❸ *vacant zijn* be open / vacant ★ *die betrekking is nog open* that job is still vacant ❹ ~ **voor** *welwillend zijn jegens* be open to ★ ~ *voor nieuwe ideeën* be open / receptive to new ideas
**openstellen** open ★ *voor het publiek* ~ (throw) open to the public
**op-en-top** ★ *hij is* ~ *een heer* he's every inch a gentleman
**openvallen** ❶ *opengaan* fall open ❷ *vacant raken* fall vacant
**openzetten** open
**opera** opera
**operabel** operable
**operateur** operator
**operatie** ❶ *med* operations *mv*, surgery ❷ *econ* operation ❸ *mil* operation
**operatief** operative ★ ~ *ingrijpen* perform an operation
**operatiekamer** (operating) theatre
**operatietafel** operating table
**operatiezuster** theatre sister / nurse
**operationaliseren** make operational, put into operation
**operationeel** operational
**operator** ❶ *persoon* operator ❷ wisk operator
**operazangeres** opera singer
**opereren** work, operate ★ *op een bepaald gebied* ~ operate in a particular field ★ *iem.* ~ operate on sb ★ *zij is geopereerd aan de blindedarm* she has had an operation for an appendicitis
**operette** operetta, musical comedy
**opeten** ❶ *eten* eat (up), finish ❷ *verkwisten* eat (up), consume
**opfleuren** *vrolijker maken* brighten (up), cheer up
**opflikkeren** ❶ *helderder flikkeren* flare up, blaze up ❷ *opduvelen* piss off
**opfokken** ❶ *grootbrengen* breed, rear ❷ *boos maken* work up ★ *laat je toch niet* ~ don't get worked up
**opfrissen** I *ov ww* ❶ *lett fris maken* refresh ★ *zich* ~ have a wash and brush-up ❷ fig *activeren* refresh, brush up II *on ww, fris worden* freshen (up) ★ *daar zul je van* ~ that will refresh you, that'll make you sit up
**opgaan** ❶ *omhooggaan* ⟨van trap, heuvel⟩ go up, go up, ⟨van trap, heuvel⟩ climb, ⟨van zon⟩ rise ❷ *gaan naar* ★ *we gaan allen dezelfde kant op* we all go the same way ★ *ze gaan de verkeerde kant op* they go wrong, they go the wrong way ❸ *geheel op raken* be finished ★ *de wijn was helemaal opgegaan* the wine was all gone ❹ *juist zijn* hold good ★ *dat argument gaat niet op* that argument is irrelevant, that argument won't hold ★ *dat gaat niet altijd op* that doesn't always follow ❺ *examen doen* sit for ❻ ~ **in** be absorbed in ★ *geheel in zijn werk* ~ be wholly absorbed in one's work ★ *beide banken zijn in elkaar opgegaan* the two banks have merged
**opgang** ❶ *het opgaan* rise ❷ *trap* staircase ★ *vrije* ~ separate entrance, private access ▼ ~ *maken* become popular, be a success
**opgave, opgaaf** ❶ *vraagstuk* exercise, assignment, ⟨examenvraag⟩ question ★ *schriftelijke* ~ written assignment ❷ *taak* task, ⟨bij examen⟩ paper ★ *het was een hele* ~ it was a tall order, it was quite a task ❸ *vermelding* statement ★ *zonder* ~ *van redenen* without stating reasons, without reason given
**opgeblazen** ❶ *gezwollen* puffy, swollen ❷ *verwaand* puffed up, conceited
**opgefokt** *opgewonden* het up, pent up, stressed
**opgeilen** turn on
**opgelaten** embarrassed, ill at ease, awkward
**opgeld** ❶ agio, premium ❷ *bijbetaling op koopprijs (bij veiling)* ▼ ~ *doen* be in vogue, be highly successful
**opgelucht** relieved ★ ~ *ademhalen* heave a sigh of relief
**opgeruimd** ❶ *netjes* tidy, neat ❷ *vrolijk* cheerful, bright
**opgeschoten** lanky, gangling ★ ~ *jongen* lanky youth

**op**

**opgeschroefd** inflated ★ *~e verwachtingen* unrealistic expectations

**opgesmukt** *versierd* gaudy

**opgetogen** elated, delighted

**opgeven** I *ov ww* ❶ *prijsgeven* give up, ⟨van hoop⟩ abandon, ⟨bij schaken⟩ abandon (a game) ★ *zwart geeft het op* black resigns ★ *zij heeft het roken op moeten geven* she's had to give up smoking ❷ *melden* give, state, ⟨van inkomen⟩ return, ⟨van inkomen⟩ declare ★ *als reden ~* state as one's reason ❸ *aanmelden* enter ★ *zich ~ als lid* apply for membership ★ *zich ~ voor...* enrol for..., enter one's name for... ❹ *opdragen* give, set, ⟨van taak⟩ set, ⟨van raadsel⟩ ask ❺ *braken* spit, bring up, vomit II *on ww* ▼ *hoog ~ van* speak highly of, make much of

**opgewassen** ▼ *~ zijn tegen* be a match for, be equal to ▼ *ik ben er niet tegen* ~ I can't cope with it

**opgewekt** cheerful

**opgewonden** excited, worked up, ⟨boos⟩ in a state, ⟨zenuwachtig⟩ agitated ★ *een ~ discussie* a heated argument

**opgooien** ❶ *gooien* toss / throw (up) ❷ *tossen* toss (up)

**opgraven** dig up, unearth, ⟨van lijk⟩ exhume, ⟨van oudheden⟩ excavate

**opgraving** excavation, ⟨van lijk⟩ exhumation, ⟨plaats⟩ excavation (site)

**opgroeien** grow up ★ *~ tot* grow up into

**ophaalbrug** drawbridge

**ophalen** ❶ *omhooghalen* draw up, pull up, ⟨van anker⟩ weigh, ⟨van brug⟩ draw up, ⟨van neus⟩ sniff, ⟨van sokken, rolgordijn⟩ pull up ❷ *inzamelen* collect ★ *huisvuil ~* collect refuse ❸ *afhalen* collect, fetch ★ *iem. ~* call for sb ★ *kom me bij het station ~* meet me at the station ★ *ik kom je met de auto ~* I'll come and collect you in my car ❹ *verbeteren* pick up ★ *ik wil mijn wiskunde ~* I want to pick up my maths

**ophanden** at hand ★ *~ zijn* be at hand ★ *het ~ zijnde feest* the party at hand

**ophangen** I *ov ww* ❶ *erop / eraan hangen* hang (up), ⟨aan plafond⟩ suspend (from) ★ *een schilderij ~* put up a picture ❷ *aan de galg hangen* hang ❸ *opdissen* ★ *een verhaal ~* spin a yarn ★ *een somber verhaal ~ van* paint a gloomy picture of ❹ *~ aan* ★ *iem. aan zijn woorden ~* make sb answer for his words, keep sb to his words II *on ww, telefoongesprek beëindigen* hang up, ring off

**ophanging** ❶ *straf* hanging ❷ <u>techn</u> suspension

**ophebben** ❶ *dragen* wear, have on ❷ *genuttigd hebben* ⟨van drank⟩ have drunk, ⟨van eten⟩ have eaten ★ *hij had te veel op* he had had a drop too much ❸ *~ met* ★ *veel ~ met iem.* be fond of sb

**ophef** fuss, song and dance ★ *veel ~ over iets maken* make a lot of fuss over sth

**opheffen** ❶ *optillen* lift (up), raise ❷ *beëindigen* discontinue, ⟨van partij, zaak⟩ liquidate, ⟨van school⟩ close, ⟨van staking⟩ call off, ⟨van wet⟩ abolish ★ *een verbod ~* lift a ban ❸ *tenietdoen* ★ *die dingen heffen elkaar op* these things cancel each other out

**opheffing** <u>rel</u> cancellation, ⟨van praktijken, verbod, wet⟩ abolition, ⟨van dienst, zaak⟩ removal, ⟨van sancties⟩ lifting ★ *uitverkoop*

*wegens ~* closing-down sale

**opheffingsuitverkoop** closing-down sale, <u>USA</u> close out

**ophefmakend** <u>BN</u> *geruchtmakend* sensational

**ophelderen** I *ov ww, toelichten* clear up, explain, clarify II *on ww, weer helder worden* clear (up), ⟨van gelaat, lucht⟩ brighten

**opheldering** ❶ *opklaring* brightening ❷ *uitleg* explanation

**ophemelen** extol ★ *zichzelf ~* blow one's own trumpet

**ophijsen** hoist / pull up ★ *zijn broek ~* hitch up one's trousers

**ophitsen** incite, stir up ★ *~ de woorden* provocative words ★ *een hond ~* set a dog on ★ *mensen tegen elkaar ~* set people at one another's throats

**ophoepelen** get lost ★ *hoepel op!* hop it!, get lost!, scram!

**ophoesten** ❶ *spuwen* cough up ★ *slijm ~* cough up phlegm ❷ *tevoorschijn toveren* turn out, <u>inform</u> cough up ★ *jaartallen ~* cough up dates

**ophogen** raise

**ophokken** put in a stable, ⟨pluimvee⟩ coop up

**ophopen** heap / pile up, accumulate

**ophouden** I *ov ww* ❶ *omhoog houden* hold up ★ *zijn hand ~* hold up one's hand ❷ *hooghouden* uphold ★ *zijn eer ~* uphold one's honour ★ *de schijn ~* keep up appearances ❸ *op het lichaam houden* keep on ❹ *tegenhouden* hold up ★ *het werk ~* hold up work ★ *zij werd opgehouden* she was delayed II *on ww, stoppen* stop, come to an end ★ *zonder ~* without stopping, continuously ★ *houd op!* stop (it)! ★ *van geen ~ weten* never know when to stop ★ *daar houdt alles mee op* there's nothing more to be said III *wkd ww* [zich ~] ❶ *zijn* stay, ⟨rondhangen⟩ hang around ★ *waar houdt hij zich op?* where is he staying? ❷ *~ met zich bezighouden met* ★ *zich ~ met slecht gezelschap* keep bad company

**opiaat** opiate

**opinie** *opinion* ★ *publieke ~* public opinion ★ *naar mijn ~* in my opinion

**opinieblad** newsmagazine

**opinieonderzoek** opinion poll

**opium** opium

**opjagen** ❶ *voortjagen* ⟨van persoon⟩ hunt, ⟨van persoon⟩ chase, ⟨stof, e.d.⟩ blow up, ⟨stof, e.d.⟩ raise, ⟨van wild⟩ put / beat up ❷ *opdrijven* force up ❸ *tot haast aanzetten* rush ★ *jaag me niet zo op* stop hassling me, don't rush me

**opjutten** egg on, incite

**opkalefateren** patch up

**opkijken** ❶ *omhoogkijken* look up (at) ★ *zonder op of om te kijken* oblivious to everything ❷ *verbaasd zijn* surprise ★ *daar zal hij van ~* that will be a surprise for him, that will make him sit up ❸ *~ tegen* ★ *tegen iets ~* not look forward to sth ★ *tegen iem. ~* look up to sb

**opkikkeren** I *ov ww, doen opfleuren* buck / cheer up ★ *van een kop koffie zal je ~* a cup of coffee will do you good II *on ww, opfleuren* perk up

**opkikkertje** ❶ *iets dat opkikkert* boost ★ *een ~ nodig hebben* need a bit of cheering up ❷ *borrel* pepper-upper, pick-me-up

**opklapbaar** ⟨bed⟩ foldaway, ⟨tafel⟩ drop leaf,

⟨stoel⟩ tip-up

**opklapbed** foldaway bed

**opklappen** fold up

**opklaren** *helderder worden* clear / brighten up ★ *de lucht klaart op* the sky's clearing up

**opklaring** bright interval / period

**opklimmen** ❶ *omhoog klimmen* climb (up), mount ★ ~ *tegen* climb up ❷ *in rang stijgen* rise ★ *van onderaf aan* ~ rise from the ranks

**opkloppen** ❶ *doen rijzen* beat, fluff up ★ *het eiwit* ~ *met een vork* fluff up / beat the egg-white with a fork ❷ *overdrijven* exaggerate, inform blow up ★ *een opgeklopt verhaal* a tall story

**opknapbeurt** redecoration, ⟨informeel⟩ touch up ★ *het huis een* ~ *geven* redecorate the house

**opknappen I** *ov ww* ❶ *netjes maken* smarten up, ⟨opruimen⟩ tidy up, ⟨renoveren⟩ refurbish, ⟨schilderen, behangen⟩ redecorate ★ *zich* ~ smarten / do o.s. up ❷ *verrichten* fix, carry out ★ *dat zal hij wel* ~ he'll see to it, he'll deal with it ★ *een karweitje* ~ fix a job **II** *ww, beter worden* improve, ⟨van weer ook⟩ brighten up, ⟨van patiënt⟩ be on the mend ★ *je zult ervan* ~ it'll do you good, it'll make you feel better

**opknopen** ❶ *omhoog knopen* tie up ❷ *ophangen* string up ★ *zich* ~ hang o.s.

**opkomen** ❶ *ontstaan* ⟨van onweer⟩ come on, ⟨van pokken⟩ come out, ⟨van wind⟩ rise, ⟨van koorts⟩ set in ❷ *omhoogkomen* rise, ⟨getij⟩ come in, ⟨van plant⟩ come up ❸ *verschijnen* turn / show up ★ *slechts twaalf leden waren opgekomen* only twelve members had turned up ❹ *in gedachten komen* occur, ⟨vraag⟩ arise, ⟨vraag⟩ crop up ★ *de gedachte kwam bij mij op* the idea crossed my mind, it occurred to me ★ *dat zou nooit bij haar opgekomen zijn* she would never have thought of such a thing, it would never have occurred to her ❺ *op toneel komen* come on (stage) ❻ *mil* join up ❼ *op raken* run out ★ *de drank zal wel* ~ we'll get through the drink ❽ ~ **tegen** stand up against ★ *tegen iets* ~ protest against sth, object to sth ❾ ~ **voor** stand up for ★ *voor zichzelf* ~ stand up for o.s. ★ *voor een zaak* ~ plead a cause ★ *voor elkaar* ~ stick together ▼ *kom maar op!* come on!

**opkomst** ❶ *beweging omhoog* rise ❷ *ontwikkeling* rise ★ *in* ~ under development ❸ *komst na oproep* ⟨bij vergadering⟩ attendance, ⟨bij verkiezingen⟩ turnout ❹ *mil* enlistment

**opkomstplicht** compulsory attendance

**opkopen** buy up, buyout

**opkoper** wholesale buyer, ⟨van oude rommel⟩ junk dealer

**opkrabbelen** ❶ *krabbelend opstaan* scramble to one's feet ❷ *zich herstellen* recover, pick up

**opkrassen** beat it

**opkrikken** ❶ *krikken* jack up ❷ *fig opvijzelen* pep up

**opkroppen** bottle up ★ *opgekropte woede* pent-up rage

**oplaadbaar** rechargeable ★ *oplaadbare batterijen* rechargeable batteries

**oplaaien** *feller gaan branden* flare / blaze up

**opladen** ❶ *laden* load (up) ❷ *elektrisch laden* charge ❸ ▼ *zich* ~ get up steam

**oplader** elek charger

**oplage** circulation

**oplappen** ❶ patch up ❷ *herstellen* restore

**oplaten** *laten stijgen* fly ★ *een vlieger* ~ fly a kite

**oplawaai** clout, thump

**oplazeren** bugger / sod / piss off

**opleggen** ❶ *op iets leggen* lay on ❷ *belasten met* ⟨van belastingen, boete⟩ impose, ⟨van straf⟩ inflict ★ *zijn wil aan iem.* ~ impose one's will on sb ❸ scheepv lay up ▼ *er een euro* ~ raise the price by one euro

**oplegger** trailer, ⟨voor tanks, auto's⟩ transporter ★ *truck met* ~ articulated lorry, USA trailer truck

**opleiden** train, educate, school ★ *voor een examen* ~ coach for an examination

**opleiding** ❶ *het opleiden* training, education ❷ *cursus* training course ★ *een* ~ *tot vertaler* training course for translators

**opleidingscentrum** training centre

**opleidingsinstituut** education / training institute, education / training college, college of education

**oplepelen** ❶ *opeten* spoon up / out, ladle up ★ *zijn soep* ~ spoon up one's soup ❷ *vlot opzeggen* dish out

**opletten** pay attention, attend (to) ★ *opgelet!* attention, please!

**oplettend** attentive

**opleuken** jazz up, ⟨iets saais⟩ make sexy

**opleven** revive ★ *doen* ~ revive

**opleveren** ❶ *voortbrengen* furnish, produce ★ *niets ~d* futile, getting nowhere ❷ *opbrengen* yield, bring in ★ *verlies* ~ cause a loss ★ *niets* ~ be unprofitable ★ *schrijven levert weinig op* writing doesn't bring in much ❸ *afleveren* deliver

**oplevering** ⟨van werk⟩ delivery, ⟨van huis⟩ completion

**opleving** revival, econ recovery

**oplichten I** *ov ww* ❶ *optillen* lift (up), raise ❷ *bedriegen* swindle **II** *on ww, helder worden* lighten

**oplichter** fraud, swindler, con (wo)man / artist

**oplichterij** swindle

**oplichting** ❶ *het optillen* lifting ❷ *bedrog* fraud, inform rip-off ★ *beschuldigd van* ~ charged with fraud

**oploop** crowd ★ *er was een* ~ a crowd had gathered

**oplopen I** *ov ww, ongewild krijgen* ⟨van schade⟩ sustain, ⟨van straf⟩ incur, ⟨van verkoudheid ook⟩ catch, ⟨van verkoudheid ook⟩ get **II** *on ww* ❶ *naar boven lopen* go / walk up, ⟨trap⟩ mount ❷ *naar boven gaan* rise, ⟨schuin⟩ slope up ❸ *gaan* ★ *met iem.* ~ walk part of the way with sb ★ *tegen iem.* ~ bump / run into sb ❹ *toenemen* rise, ⟨prijzen⟩ increase, ⟨van spanning⟩ mount ★ *de ruzie loopt hoog op* the quarrel is running high ▼ BN *hoog* ~ *met iem.* think the world of sb

**oplosbaar** ❶ *in iets op te lossen* soluble ❷ *op te helderen* solvable

**oploskoffie** instant coffee

**oplosmiddel** solvent

**oplossen I** *ov ww* ❶ scheik dissolve ❷ *de uitkomst vinden* solve, ⟨van probleem⟩ (re)solve ★ *een vergelijking* ~ solve an equation **II** *on ww* ❶ scheik dissolve ❷ *verdwijnen* ★ *zich* ~ dissolve

**oplossing** ❶ *uitkomst* solution, answer ❷ scheik

solution

**opluchten** *verlichten* relieve

**opluchting** relief

**opluisteren** grace, add lustre to ★ *met zijn aanwezigheid* ~ grace / honour with one's presence

**opmaak ❶** *lay-out* layout ❷ *cosmetica* make-up

**opmaat ❶** *muz* upbeat ❷ *begin* overture

**opmaken ❶** *verbruiken* consume, ⟨van voedsel⟩ eat, ⟨van voorraad⟩ use up, ⟨van geld⟩ spend ❷ *in orde maken* ⟨van bed⟩ make, ⟨van haar⟩ dress, ⟨van schotel⟩ garnish ★ *zich ~ voor een reis* get ready for a journey ❸ *concluderen* gather ★ *ik maak hieruit op dat...* from this I gather... ★ *je kunt er niet veel uit ~* there's not a lot to go by / on ❹ *cosmetica opdoen ~ zich ~* put on one's make-up ❺ *typografisch indelen* lay out ❻ *opstellen* ⟨van contract, plan⟩ draw up, ⟨van rekening⟩ make out

**opmars ❶** *het opmarcheren* march, advance ❷ *vooruitgang* advance

**opmerkelijk** striking

**opmerken ❶** *waarnemen* note, notice ★ *iem. iets doen ~* point out sth to sb ★ *niet opgemerkt worden* pass unnoticed ❷ *aandacht vestigen op* note, notice ❸ *opmerking maken* observe, remark ★ *terloops ~* mention in passing

**opmerking** *uiting* observation, remark, comment ★ *aanleiding geven tot ~en* call for comment

**opmerkingsgave** power of perception

**opmerkzaam** attentive, observant ★ *iem. ~ maken op iets* draw sb's attention to sth

**opmeten** measure, ⟨van land⟩ survey

**opmonteren** cheer up

**opnaaien ❶** *vastnaaien* sew on ❷ *opjutten* needle ★ *laat je niet ~* keep your shirt on, don't let them take the mickey out of you

**opname ❶** *het opnemen* admission ❷ *registratie* recording, ⟨met fototoestel⟩ exposure

**opnemen ❶** *lett oppakken* lift (up) ★ *de pen ~* take up the pen ❷ *fig opvatten* take up ❸ *telefoon beantwoorden* answer ❹ *van tegoed halen* withdraw ❺ *aanvaarden* ★ *iets goed ~* take sth well ★ *iets hoog ~* take sth very seriously ★ *je neemt het nogal kalm / makkelijk op* you are taking it calmly, you are taking it rather lightly ❻ *een plaats geven* ⟨van artikel⟩ insert, ⟨van gasten⟩ take in, ⟨van patiënt⟩ admit ★ *als compagnon ~* take into partnership ★ *iem. in de regering ~* bring sb into the government ❼ *absorberen* absorb ★ *het neemt geen warmte op* it does not absorb heat ❽ *bekijken* size up, survey ★ *iets goed in zich ~* have a good look at sth, take sth in ❾ *audio-vis vastleggen* record, ⟨van beeld⟩ shoot ❿ *noteren* ⟨opschrijven⟩ take down, ⟨van bestelling⟩ take, ⟨van stemmen⟩ collect ⓫ *meten* ⟨van land⟩ survey, ⟨van temperatuur⟩ take ⓬ *schoonvegen* mop up, wipe up ▼ *ik kan het tegen jou niet ~* I'm no match for you ▼ *hij nam het voor mij op* he took my part

**opnieuw ❶** *nog eens* again, once more ❷ *van voren af aan* again

**opnoemen** name, mention ▼ *... (en) noem maar op ...* and all that, ... you name it

**opoe ❶** *oma* gran(ny) ❷ *oud vrouwtje* granny

**opofferen** sacrifice

**opoffering** sacrifice ★ *met ~ van* at the sacrifice of

**opofferingsgezind** self-sacrificing

**oponthoud ❶** *vertraging* delay ★ *zonder ~* without delay ★ *~ hebben* be delayed ❷ *verblijf* stay ★ *plaats van ~* whereabouts

**oppakken ❶** *optillen* take / pick up ❷ *arresteren* run in

**oppas** *oppasser* baby-sitter

**oppassen ❶** *opletten* be careful, look out ★ *pas op!* watch / look out! ★ *~ voor* guard against ★ *pas goed op je zelf* take care ★ *pas op voor de hond* beware of the dog ❷ *zorgen voor* nurse ❸ *babysitten* babysit ❹ *zich gedragen* behave ★ *goed ~* behave well

**oppasser ❶** *toezichthouder* caretaker ❷ *verzorger* ⟨in dierentuin⟩ keeper

**oppeppen** pep up

**oppepper** boost, <u>inform</u> pick-me-up

**opperbest** excellent

**opperbevel** supreme command

**opperbevelhebber** commander-in-chief

**opperen** propose, suggest ★ *bezwaren ~* raise objections

**oppergezag** supreme authority

**opperhoofd** chief(tain)

**opperhuid** epidermis

**oppermachtig** supreme

**opperrabbijn** Chief Rabbi

**opperst ❶** *hoogst, grootst, meest* utmost, top ★ *~e wanhoop* ultimate despair ★ *~e verwarring* utter / complete confusion ❷ *machtigst* supreme, superior ★ *de ~e macht* supreme power

**oppervlak** surface

**oppervlakkig** superficial ★ *~ beschouwd* on the face of it

**oppervlakte ❶** *bovenkant* surface ❷ *uitgestrektheid* ⟨gebied⟩ area, ⟨afmeting⟩ surface area

**oppervlaktemaat** (measured) surface area, area measure

**oppervlaktewater** surface water

**Opperwezen** supreme being, divinity

**oppeuzelen** munch

**oppiepen** beep up

**oppikken ❶** *met snavel pakken* peck / pick at ❷ *meenemen* pick up ❸ *leren* pick up, catch on to

**oppleuren** piss / fuck / sod off

**oppoetsen ❶** *lett* polish ★ *iets een beetje ~* give sth a rub ❷ *fig* brush up

**oppompen ❶** *omhoog pompen* pump (up) ❷ *vol lucht pompen* pump up, inflate

**opponent** opponent

**opponeren I** *ov ww, plaatsen tegenover* oppose (to) **II** *on ww, zich verzetten* oppose, raise objections

**opporren ❶** *oprakelen* stir / poke up ❷ *aansporen* rouse, prod

**opportunisme** opportunism

**opportunist** opportunist

**opportunistisch** opportunist

**opportuun** opportune

**oppositie** opposition

**oppositieleider** leader of the opposition

**oppositiepartij** opposition party

**oppotten** *sparen* hoard, salt away
**oprakelen** ❶ *vuur opstoken* rake / stir up ❷ *ophalen* drag / rake up
**opraken** give out
**oprapen** pick up ▼ *'t geld ligt niet voor het ~* money does not grow on trees
**oprecht** *eerlijk* sincere
**oprechtheid** sincerity
**oprichten** ❶ *overeind zetten* set up (right), raise (up) ★ *zich ~* draw o.s. up, sit up ❷ *bouwen* erect ❸ *stichten* ~ establish, (van club) start
**oprichter** founder
**oprichting** ❶ *stichting* foundation, (van zaak) establishment ❷ *bouw* erection
**oprijden tegen** (met auto) drive up, (met fiets, paard) ride up ★ *het trottoir ~* mount the pavement
**oprijlaan** drive, sweep
**oprijzen** ❶ *omhoogkomen* rise ★ *hoog ~d boven* towering over / above ❷ *zich voordoen* arise
**oprisping** ❶ belch ❷ *plotseling idee* whim, impulse
**oprit** *toegangsweg* (van dijk) ramp, (oprijlaan) drive, (van snelweg) access, (van brug) approach
**oproep** (van politie, e.d.) summons *mv*, (per telefoon) call, (om hulp) call, (om hulp) appeal, (voor betrekking) notice ★ *een ~ doen tot het volk* make an appeal to the nation
**oproepen** ❶ *tevoorschijn roepen* call up, (van geesten) conjure up, (van herinnering) evoke, (van herinnering) recall ❷ *ontbieden* summon, (van getuige, soldaat) call up ❸ *opwekken tot* exhort, incite
**oproepkracht** stand-by employee
**oproer** ❶ *opstand* rebellion, revolt ❷ *heftige beroering* tumult
**oproerkraaier** agitator, rioter
**oproerpolitie** riot police *mv*
**oprollen** ❶ *in elkaar rollen* roll up ❷ *onschadelijk maken* round up
**oprotpremie** (bij ontslag) form severance pay, (bij remigratie) form repatriation bonus
**oprotten** absquatulate, inform piss / sod / fuck off ★ *~!* bugger off!
**opruien** incite, stir up
**opruimen** ❶ *netjes maken* (van kast) clear, (rommel) clear away ❷ *wegdoen* get rid of ❸ *uitverkopen* sell out, clear ❹ *vermoorden* kill, assassinate, (inf.) ice
**opruiming** ❶ *het opruimen* clearing away / up ★ *~ houden onder* make a clean sweep of ❷ *uitverkoop* clearance (sale) ★ *~ houden* hold a clearance sale
**opruimingsuitverkoop** (stock-)clearance sale
**oprukken** advance (on), progress
**opscharrelen** *vinden* pick up, hunt out
**opschepen met** ★ *iem. met iets ~* saddle sb with sth, inflict sth on sb
**opscheplepel** tablespoon, serving spoon
**opscheppen** I *ov ww* ❶ *scheppend opdoen* ladle out, dish out II *on ww, pochen* brag, show off
**opschepper** show off
**opschepperig** boastful
**opschepperij** boasting
**opschieten** ❶ *zich haasten* hurry up ★ *schiet op!* hurry up!, hop it! ❷ *groeien* shoot up ❸ *vorderen*

make progress ★ *goed / flink ~* make good progress ★ *daar schiet ik niets mee op* that gets me nowhere ❹ *~ met* omgaan met get on / along with ★ *goed met elkaar kunnen ~* get on / along (well) together
**opschik** adornment
**opschikken** I *ov ww* ❶ *in orde brengen* arrange ❷ *versieren* dress up II *on ww, opschuiven* move up
**opschonen** clear (out)
**opschorten** (van beslissing) postpone, (van vergadering) adjourn
**opschrift** ❶ *tekst ergens op* (gebouw, standbeeld) inscription, (van munt) legend ❷ *titel* (van artikel) heading, (van krantenbericht) headline
**opschrijven** note / write down, (bij spel) score ★ *kun je het voor me ~?* can you write it down for me?, can you put it on my account?
**opschrikken** I *ov ww, doen schrikken* startle II *on ww, van schrik opspringen* start
**opschroeven** ❶ *iets ergens op schroeven* screw up ❷ fig *verhogen* drive up, force up, inflate ★ *de prijs ~* force up the price
**opschrokken** *onbeheerst opeten* wolf down
**opschudden** *schuddend ordenen* shake, stir
**opschudding** commotion, stir ★ *in ~ brengen* cause a commotion ★ *~ veroorzaken* cause a sensation
**opschuiven** I *ov ww* ❶ *opzij schuiven* shift, push up ❷ *uitstellen* put off II *on ww, opschikken* move up / over
**opslaan** I *ov ww* ❶ *omhoog slaan* (van kraag) turn up, (van mouwen) roll back, (van ogen) raise ❷ *openslaan* (van bladzijde) turn up, (van boek) open ❸ *verhogen* raise ★ *de lonen ~* increase wages ❹ *bergen* store, lay in / up ❺ *opzetten* (kamp) pitch, (tent) put up ❻ sport serve ❼ comp save (**als** as) II *on ww, duurder worden* go up ★ *de melk is opgeslagen* milk has gone up
**opslag** ❶ *loonsverhoging* rise ★ *iem. ~ geven* give sb a rise ❷ *berging* (plaats) warehouse, (plaats) depot, (van goederen) storage ❸ sport service
**opslagcapaciteit** storage capacity
**opslagmedium** comp data carrier
**opslagplaats** warehouse, store
**opslagruimte** storage space
**opslagtank** storage tank
**opslobberen** lap up
**opslokken** swallow
**opslorpen** ❶ *in beslag nemen* absorb ★ *door je bezigheden opgeslorpt worden* be absorbed in one's work ❷ *slurpend opdrinken* lap up
**opsluiten** lock / shut up, (van misdadiger) lock up, (van dier) cage ★ *in 'n kleine ruimte ~* confine to a small space ★ *opgesloten zitten in huis* be cooped up in one's house ▼ *dat ligt erin opgesloten* that is implied in it
**opsluiting** confinement ★ *eenzame ~* solitary confinement
**opsmuk** ❶ *versiering* finery ❷ *poespas* ★ *zonder ~* plain, unadorned
**opsmukken** adorn, embellish
**opsnijden** I *ov ww, snijden* cut up II *on ww, opscheppen* boast
**opsnorren** hunt out

**op**

**op**

**opsnuiven** inhale, sniff
**opsodemieteren** piss / fuck / bugger off
**opsommen** sum up, enumerate
**opsomming** enumeration, summing up
**opsparen** *bijeen sparen* save up
**opspelden** pin on
**opspelen** *tekeergaan* kick up a row
**opsporen** trace, find out, track (down), (van vermisten) locate, (van misdadigers) run to earth
**opsporing** tracing, location ★ ~ *verzocht van...* the police are anxious to establish / trace the whereabouts of...
**opsporingsambtenaar** (criminal) investigator
**opsporingsbericht** police notice / announcement, (misdadiger) wanted notice, (vermiste) missing person notice
**opsporingsbevel** jur ≈ APB
**opsporingsbevoegdheid** powers of (criminal) investigation
**opsporingsdienst** investigation department / service, GB CID, Criminal Investigation Department, USA FBI, Federal Bureau of Investigation
**opspraak** scandal ★ *in ~ brengen* compromise ★ *in ~ komen* compromise o.s. ★ *~ verwekken* cause a scandal
**opspringen** *in de hoogte springen* jump up, (van bal) bounce
**opspuiten** ❶ *lett opwerpen* raise (with sand-in-water slurry) ❷ *fig met botox bewerken* (lippen) Botox
**opstaan** ❶ *gaan staan* get up, stand up, rise ★ *van tafel ~* get up from the table ★ *doen ~* raise ❷ *uit bed komen* get up ★ *altijd vroeg ~* be an early bird / riser ❸ *verschijnen* arise ❹ *verrijzen* ★ *uit de dood ~* rise from the dead ❺ *in opstand komen* rise, rebel ❻ *op het vuur staan* ★ *het eten staat op* dinner is cooking
**opstal** building, erection
**opstalverzekering** bricks and mortar insurance, (exclusief inboedel) building insurance, (privé) house insurance
**opstand** *verzet* (up)rising, rebellion, revolt ★ *in ~ komen tegen* revolt against, revolt at ★ *in ~ zijn* be in revolt
**opstandeling** rebel, insurgent
**opstandig** rebellious
**opstanding** resurrection
**opstapelen** pile up, (van borden) stack ★ *zich ~* pile up
**opstapje** ❶ *trede* step ★ *denk om het ~!* mind the step! ❷ *fig middel om hogerop te komen* leg up
**opstappen** ❶ *weggaan* go away, push off ★ *ik moet nu ~* I must be off now ❷ *ontslag nemen* resign ❸ *op iets stappen* (treden) walk up, (op fiets) get on, (de weg) walk into ★ *op de bus stappen* get on the bus ★ *op de fiets stappen* get on the bicycle ❹ *bn meelopen in een betoging* demonstrate, march
**opstapplaats** pick-up point
**opstarten** start up
**opsteken** I *ov ww* ❶ *omhoogsteken* (van hand) put up, (haar) pin up ❷ *aansteken* light (up) ❸ *te weten komen* learn, pick up ★ *weinig ~ van iets* not learn much from sth II *on ww, gaan waaien* rise, get up ★ *de wind steekt op* the wind is rising

**opsteker** *meevaller* windfall
**opstel** *schooloefening* essay, paper ★ *een ~ maken* write an essay
**opstellen** I *ov ww* ❶ *plaatsen* (kanon) mount, (materiaal) set up, (troepen) line up, (raketten, leger) deploy ★ *zich ~* take up a position, (in formatie) line up ❷ *ontwerpen* draw up, draft ★ *een plan ~* draw up a plan II *wkd ww* [*zich ~*] *standpunt innemen* adopt an attitude ★ *zich keihard ~* take a hard line
**opstelling** ❶ *plaatsing* placing, mil deployment, mil formation, sport line-up ❷ *houding* attitude
**opstijgen** ❶ *omhoogstijgen* rise, ascend, (van vliegtuig) take off, (van raket) lift off ★ *te paard klimmen* mount
**opstijven** I *ov ww* ❶ *opnieuw stijven van kleding* starch ❷ *bouw* strengthen, reinforce II *on ww* ❶ *toenemen van de wind* stiffen ❷ *stijf worden* (v. cement) set, solidify, (v. gelei, pudding, enz.) stiffen
**opstoken** ❶ *harder stoken* stir / poke (up) ❷ *verbranden* burn (up) ❸ *ophitsen* incite ★ *kinderen tegen elkaar ~* set children against each other
**opstootje** disturbance
**opstopping** stoppage, (van verkeer) traffic jam, (van verkeer) congestion
**opstropen** tuck up
**opsturen** send, post
**optakelen** ❶ *met takels ophijsen* hoist up ❷ *optuigen* rig up ❸ *opdirken* tart up
**optater** wallop, punch
**optekenen** record, note down
**optellen** add (up)
**optelling** addition
**optelsom** addition sum
**opteren voor** opt for
**opticien** ❶ *persoon* optician ❷ *winkel* optician's
**optie** ❶ *keuzemogelijkheid* option ❷ *econ* option ❸ BN onderw *vakkenpakket* GB subjects chosen for 'O' level or 'A' level *mv*
**optiebeurs** options exchange
**optiek** *zienswijze* point of view ★ *vanuit deze ~* from this point of view
**optillen** lift up
**optimaal** optimum
**optimaliseren** optimize
**optimisme** optimism
**optimist** optimist
**optimistisch** optimistic
**optioneel** optional
**optisch** optical ★ *~ bedrog* optical illusion
**optocht** procession, *gesch* pageant
**optometrie** optometry
**optornen tegen** cope / battle with
**optreden** I *zn* [*het*] ❶ *handelwijze* action ❷ *houding* attitude, manner ❸ *opvoering* appearance II *on ww* ❶ *handelen* ★ *als verdediger ~* jur appear for the defendant ★ *flink ~ tegen* take strong action against ★ *gewapend ~ tegen* take armed action against ★ *voor iem. ~* act on behalf of sb, deputize for sb ❷ *zich voordoen* appear ★ *er trad een verbetering op in zijn toestand* his condition improved ❸ *een rol spelen*

appear, make one's appearance ★ *voor de eerste maal* ~ make one's first appearance ★ *in 'n film* ~ appear in a film

**optrekje** (holiday) cottage

**optrekken I** *ov ww* ❶ *omhoogtrekken* pull up, raise, ⟨van schouders⟩ shrug, ⟨van wenkbrauwen⟩ raise, ⟨van wenkbrauwen⟩ lift ❷ *verhogen* raise ★ *de lonen* ~ raise wages ❸ *opbouwen* put up ★ *een muur* ~ put up a wall **II** *on ww* ❶ *opstijgen* lift ★ *de mist trekt op* the fog is lifting ❷ *oprukken* advance ❸ *accelereren* pick up speed, ⟨van motor⟩ accelerate ★ *omgaan met* ★ *ik heb heel wat met hem opgetrokken* we've been around together a great deal

**optrommelen** get together

**optuigen** ❶ *van tuig voorzien* ⟨van paard⟩ harness, ⟨van schip⟩ rig ❷ *versieren* ★ *de kerstboom* ~ decorate the Christmas tree

**optutten** *inform* doll / tart up

**opus** opus [mv: opuses, opera]

**opvallen** attract attention, strike ★ *het valt mij op dat* it strikes me that ★ *doen* ~ make conspicuous ★ *het valt niet op* it doesn't show

**opvallend** *in het oog lopend* striking, marked

**opvang** emergency measures *mv*, ⟨bij noodgevallen, rampen⟩ relief

**opvangcentrum, opvanghuis** shelter, ⟨van daklozen⟩ centre for the homeless, ⟨hulpverlening⟩ crisis centre, ⟨van vluchtelingen⟩ reception / refugee centre

**opvangen** ❶ *vangen* catch ❷ *vergaren* catch, collect ★ *water* ~ catch water ❸ *waarnemen* pick up, catch, ⟨van gesprek⟩ overhear ★ *een blik van iem.* ~ catch sb's eye ❹ *ondervangen* receive, ⟨schok⟩ absorb, ⟨slag⟩ intercept, ⟨verlies⟩ meet, ⟨botsing⟩ cushion ★ *een stoot* ~ receive a blow ❺ *helpen* take care of ★ *vluchtelingen* ~ receive refugees

**opvangkamp** reception camp, ⟨v. vluchtelingen⟩ refugee camp

**opvarende** person on board, ⟨passagier⟩ passenger, ⟨bemanningslid⟩ crew member

**opvatten** ❶ *opnemen* take up ★ *de draad van het verhaal weer* ~ take up the thread of the story ★ *zijn taak weer* ~ resume one's task ❷ *gaan koesteren* conceive ★ *haat* ~ *voor iem.* develop a hatred for sb ❸ *beschouwen* understand, conceive ★ *iets verkeerd* ~ misunderstand sth ★ *iets te licht / te somber* ~ take too light / too gloomy a view of sth

**opvatting** *mening* opinion, notion, idea ★ *achterhaalde* ~*en* outmoded views ★ *ruim van* ~ broadminded

**opvijzelen** ❶ *opkrikken* jack up ❷ *verbeteren* boost ★ *zijn zelfvertrouwen wat* ~ boost / bolster one's self-confidence

**opvissen** ❶ *uit water halen* dredge up, <u>inform</u> fish up ❷ <u>fig</u> *opdiepen* dig / fish up, hunt out

**opvlammen** *branden* flame / flare up

**opvliegen** ❶ *omhoogvliegen* fly up ★ *de trap* ~ dash up the stairs ❷ *driftig worden* flare up

**opvliegend** short-tempered

**opvlieger** (hot) flush

**opvoeden** ❶ *grootbrengen* bring up, raise ❷ *vormen* educate ★ *goed / slecht opgevoed* well / badly brought up

**opvoeder** ❶ *iem. die een kind onderhoudt* person who raises a child ❷ BN *begeleider in kindertehuis of internaat* counsellor

**opvoeding** ❶ *het grootbrengen* upbringing ❷ *vorming* education ★ *lichamelijke* ~ physical education, P.E. ★ *iem. met een goede* ~ well-educated person, well-brought up person

**opvoedingsgesticht** borstal, approved school

**opvoedkunde** pedagogy

**opvoedkundig** pedagogic(al)

**opvoeren** ❶ *vertonen* perform, present ★ *een stuk* ~ put on a play ❷ *groter / krachtiger maken* raise, ⟨van productie⟩ increase, ⟨van productie⟩ step up, ⟨van motor⟩ tune up ★ *de capaciteit* ~ increase the capacity ★ *het peil* ~ raise the standard

**opvoering** ❶ *vertoning* performance ❷ *vermeerdering* increase, ⟨van snelheid⟩ acceleration

**opvolgen I** *ov ww, gevolg geven aan* ⟨van advies⟩ follow, ⟨van bevel⟩ obey, ⟨van regels⟩ observe **II** *on ww, volgen op* succeed ★ *zijn vader* ~ succeed one's father

**opvolger** successor

**opvolging** *het volgen op / na* succession

**opvouwbaar** folding, ⟨van bed⟩ collapsible

**opvouwen** fold up

**opvragen** claim, ask for, reclaim, ⟨van geld van rekening⟩ withdraw, ⟨van hypotheek⟩ recall, ⟨gegevens⟩ retrieve

**opvreten I** *ov ww, opeten* eat up, devour ▾ *hij wordt opgevreten van de zenuwen* he is a nervous wreck **II** *wkd ww* [zich ~] *verteerd worden* ★ *zich* ~ *van afgunst* be consumed with jealousy

**opvrijen** ❶ *vleien* butter somebody up ❷ *seksueel prikkelen* arouse somebody

**opvrolijken** cheer (up), enliven

**opvullen** fill up, ⟨van kleren⟩ pad, ⟨van kussen, kalkoen⟩ stuff

**opwaaien I** *ov ww, omhoog brengen* blow up **II** *on ww, omhoog gaan* be / get blown up

**opwaarderen** *hoger waarderen* upgrade, revalue

**opwaarts** upward(s) ★ *~e druk* upward pressure, buoyancy

**opwachten** wait for, ⟨met vijandige bedoeling⟩ waylay

**opwachting** ★ *zijn* ~ *maken bij* pay one's respect to, <u>lit</u> wait on

**opwarmen I** *ov ww, (opnieuw) verwarmen* heat / warm up **II** *on ww, warm worden* heat up **III** *wkd ww* [zich ~] <u>sport</u> warm up

**opwegen tegen** be equal to ★ *~ tegen* (counter)balance, offset ★ *hij weegt niet tegen haar op* he is no match for her

**opwekken** ❶ *doen ontstaan* arouse, ⟨energie⟩ generate, ⟨van eetlust⟩ stimulate, ⟨gevoelens⟩ evoke ❷ *aansporen* urge on, stimulate ❸ *doen herleven* revive

**opwekkend** ❶ *opvrolijkend* cheerful, heartening ❷ *stimulerend* stimulating ★ *~ middel* tonic, stimulant

**opwellen** well up ★ *~de tranen* gathering tears

**opwelling** ⟨jaloezie⟩ stab, fit, ⟨van enthousiasme⟩ burst, ⟨van woede⟩ surge, ⟨van woede⟩ fit ★ *in een* ~ *van drift* in a fit of temper ★ *in de eerste* ~ on the first impulse ★ *in een* ~ *handelen* act on

**op**

impulse

**opwerken I** *ov ww* ❶ *bijwerken* touch up ❷ *naar boven brengen* work up **II** *wkd ww* [zich ~] *opklimmen* work one's way up

**opwerkingsfabriek** nuclear fuel (re)processing plant

**opwerpen I** *ov ww* ❶ *omhoog werpen* throw / toss up ❷ *aanleggen* erect ❸ *opperen* raise ★ *een idee ~* put forward / suggest an idea **II** *wkd ww* [zich ~] *zich ~ als* set o.s. up as

**opwinden I** *ov ww* ❶ *optrekken* winch up, reel in / up ❷ *oprollen* wind ❸ *draaiend spannen* wind (up) ❹ *heftige gevoelens veroorzaken* excite, (seksueel) arouse, (van woede) get enraged (at) **II** *wkd ww* [zich ~] *kwaad worden* get excited ★ *zich ~ over* get enraged about ★ *zich hevig ~* work o.s. into a lather

**opwindend** exciting

**opwinding** excitement, arousal

**opzadelen** ❶ *zadel opdoen* saddle up ❷ *opschepen* saddle, burden ★ *iem. met iets ~* saddle sb with sth

**opzeg** ▾ BN *zijn ~ krijgen* be dismissed

**opzeggen** ❶ *voordragen* read out, (van gedicht, les) recite ❷ *beëindigen* (van contract) terminate, (van abonnement) withdraw, (betrekking) resign ★ *een abonnement ~* discontinue a subscription ★ *lidmaatschap ~* resign ▾ *zeg op!* speak out!

**opzegtermijn** (period / term of) notice

**opzet I** *zn* [de], *plan* planning, idea, plan ★ *de ~ was om...* the idea was... **II** *zn* [het], *bedoeling* intention, purpose ★ *boos ~* jur criminal intent ★ *met ~* on purpose, wilfully ★ *met het ~ om* with intent to ★ *zonder ~* unintentionally

**opzettelijk** deliberate, intentional, (verwaarlozing) wilful, (belediging) calculated

**opzetten I** *ov ww* ❶ *overeind zetten* set up, put up, (recht overeind) stand up, (van kraag) turn up, (van paraplu) put up ★ *een tent ~* to pitch up a tent ❷ *plaatsen op* put on ❸ *verwarmen* put on ★ *water ~* put the kettle on ❹ *beginnen* set up, start ★ *een zaak ~* start a business ❺ *prepareren* stuff ★ *een opgezette uil* a stuffed / mounted owl ❻ *opstoken* set on ★ *mensen tegen elkaar ~* set people against each other **II** *on ww* ❶ *opkomen* get up ★ *komen ~* come on, set in ★ *de wind komt ~* the wind is getting up ❷ *zwellen* swell (up)

**opzicht** ❶ *toezicht* supervision ❷ *aspect* ★ *in dit ~* in this respect ★ *ten ~e van* with regard to ★ *in zeker ~* in a way

**opzichter** *toezichthouder* overseer, supervisor, (van park) keeper

**opzichtig** (van kleren) flamboyant, (van kleuren) loud, (van kleren) showy

**opzichzelfstaand** individual, isolated ★ *iets ~s* a one-off, a thing apart

**opzien I** *on ww* ❶ *omhoog kijken* look up ❷ ~ *tegen vrezen* not be able to face ★ ~ *tegen de kosten* shrink from the costs ★ *ik zie er tegen op om het hem te zeggen* I'm not looking forward to telling him ❸ ~ *tegen bewonderen* look up to **II** *zn* [het] ▾ ~ *baren* cause a sensation, make a splash

**opzienbarend** sensational

**opziener** inspector

**opzij** ❶ *naar de zijkant* aside, out of the way ★ ~*!* out of the way! ★ ~ *zetten* put on one side ❷ *terzijde* at / on one side ★ *een foto van ~* a side view ★ *met zijn hoofd een beetje ~* with his head a little on one side ★ ~ *van de weg* set back from the road

**opzijleggen** put / set aside ★ *geld ~* lay aside money, put money by

**opzitten** ❶ *overeind zitten* sit up, (van hond) sit up (and beg) ❷ *opblijven* stay up ▾ *er zal wat voor hem ~* he'll catch it

**opzoeken** ❶ *zoeken* look for, (een woord) look up ❷ *bezoeken* look up, call on ★ *kom me eens ~* come and see me some time

**opzouten I** *on ww, opdonderen* piss / fuck / bugger off **II** *ov ww, in het zout leggen* salt (down), pickle

**opzuigen** ❶ *absorberen* absorb ❷ *naar boven zuigen* suck in / up, (met stofzuiger) hoover

**opzwellen** swell (up) ★ *doen ~* swell

**opzwepen** ❶ *aanvuren* whip / stir up ❷ *voortdrijven* whip on

**OR** *ondernemingsraad* works council

**oraal I** *bnw, mondeling* oral, verbal ★ *orale geschiedenis* oral history **II** *bijw, door de mond* orally ★ *medicijnen ~ toedienen* give medicine orally

**orakel** oracle

**orang-oetang** orang-utan

**Oranje** ❶ *vorstenhuis* the house of Orange ❷ *nationale sportploeg* the Dutch team

**oranje I** *bnw* orange **II** *zn* [het], *kleur* orange, (van verkeerslichten) amber

**oranjebitter** orange bitters *mv*

**Oranjehuis** House of Orange

**Oranjeteam** the Dutch (national) team

**oratie** *redevoering* oration

**oratorium** *cantate* oratorio

**orchidee** orchid

**orde** ❶ *geregelde toestand* order ★ *in orde!* all right! ★ *in orde zijn* be in order, be alright ★ *het is in orde* that's that ★ *er is iets niet in orde* there is sth wrong ★ *op orde zijn* be settled, be sorted out ★ *iem. tot de orde roepen* call sb to order, bring sb into line ★ *orde houden* keep order ★ *orde op zaken stellen* put one's affairs in order ★ *de openbare orde verstoren* disturb the peace ❷ *klasse* order ★ *in die orde van grootte* in that order of magnitude ❸ *genootschap* order ❹ biol order ❺ *volgorde* ▾ *aan de orde komen* come up for discussion ▾ *een kwestie aan de orde stellen* raise a matter ▾ *dat is aan de orde van de dag* that is the order of the day ▾ *ik ben weer helemaal in orde* (gezond) I'm quite all right again ▾ *voor de goede orde* for the sake of order

**ordedienst** (body of) officials responsible for order

**ordelievend** orderly, law-abiding

**ordelijk I** *bnw* orderly **II** *bijw, geregeld* in good order

**ordenen** ❶ *rangschikken* put something in order ★ *zijn gedachten ~* collect one's thoughts ❷ *regelen* order, arrange ★ *geordende economie* planned economy

**ordening** ❶ *het rangschikken* arrangement ❷ *het regelen* planning, regulation ★ *ruimtelijke ~* regional planning

op

**ordentelijk** ❶ *fatsoenlijk* decent ❷ *billijk* fair, reasonable

**order** ❶ *bevel* order, command ★ *tot nader ~* until further notice ❷ *bestelling* order ★ *lopende ~s* standing orders

**orderportefeuille** order portfolio

**ordeverstoorder** disturber of the peace, agitator, ⟨informeel⟩ hooligan

**ordinair** ❶ *gewoon* common, ordinary ❷ *onbeschaafd* common, vulgar

**ordner** file

**oregano** cul oregano

**oreren** ❶ *redevoering houden* deliver a speech ❷ *hoogdravend praten* declaim, hold forth

**orgaan** ❶ *lichaamsdeel* organ ❷ *afdeling, instelling* organ ★ *een ambtelijk ~* an official body ❸ *tijdschrift* organ

**orgaandonatie** organ donation

**orgaanhandel** trade in organs

**organisatie** ❶ *het organiseren* organization ❷ *georganiseerd verband* organization

**organisatieadviseur** organization / planning advisor

**organisator** organizer

**organisatorisch** organizational ★ *~e fout* flaw in the organization

**organisch** organic

**organiseren** organize

**organisme** organism

**organist** organist, organ-player

**organizer** organizer

**organogram** *organisatieschema* organization chart

**orgasme** orgasm

**orgel** ❶ *toetsinstrument* organ ❷ *draaiorgel* (barrel) organ ★ *een ~ draaien* grind an organ

**orgelbouwer** organ builder

**orgelconcert** organ concert

**orgelman** organ-grinder

**orgelpijp** organ pipe

**orgelpunt** BN fig *hoogtepunt* peak, climax

**orgie** orgy

**Oriënt** the Orient

**oriëntaals** oriental

**oriëntalist** orientalist

**oriëntatie** orientation

**oriëntatievermogen** sense of direction

**oriënteren** [zich ~] *informeren* get one's bearings, orient / orientate oneself

**oriënteringsvermogen** sense of direction

**originaliteit** originality

**origine** origin

**origineel** I *bnw* ❶ *oorspronkelijk* original ❷ *apart* strange, original II *zn* [het] original

**orka** orca, killer whale

**orkaan** hurricane

**orkaankracht** hurricane force

**Orkaden** → Orkneyeilanden

**orkest** orchestra

**orkestbak** (orchestra) pit

**orkestraal** orchestral

**orkestratie** orchestration

**Orkneyeilanden** Orkney Islands *mv*

**ornaat** ★ *in vol ~* in state, in full vestments

**ornament** ornament

**ornithologie** ornithology

**ornitholoog** ornithologist

**orthodontie** orthodontics *mv*

**orthodontist** orthodontist

**orthodox** orthodox

**orthopedagogiek** remedial education (studies)

**orthopedie** orthopaedy

**orthopedisch** orthopaedic

**orthopedist** orthopaedic specialist

**OS** comp *Operating System* OS

**os** ox [mv: oxen] ▼ *slapen als een os* sleep like a log ▼ BN *van de os op de ezel springen* go / fly off at a tangent

**Oslo** Oslo

**Osloos** Oslo

**osmose** osmosis

**ossenhaas** fillet of beef

**ossenstaartsoep** cul oxtail soup

**osteoporose** osteoporosis

**otter** otter

**oubollig** corny

**oud** ❶ *van zekere leeftijd* old ❷ *allang bestaand* old, ⟨van brood⟩ stale ❸ *bejaard* ★ *oud maken* age ★ *oud worden* grow old, age ❹ *voormalig* former, ex- ❺ *als / van vroeger* old, former ❻ *uit klassieke oudheid* ancient ★ *oude talen* the classical languages ▼ *oud en nieuw vieren* see the new year in

**oud-** *voormalig* former ★ *oud-leerling* former pupil

**oudbakken** ❶ *niet vers* stale ❷ *ouderwets* stale, trite

**oudedagsvoorziening** pension scheme, provisions for old age, old age pension / benefit

**oudejaarsavond** New Year's Eve

**oudejaarsnacht** New Year's Eve

**ouder** parent ★ *mijn ~s* my parents ★ *van ~ tot / op ~ overgaan* be handed down from generation to generation

**ouderavond**, BN **oudercontact** onderw parent evening

**oudercommissie** ≈ parents' committee

**oudercontact** BN onderw *ouderavond* parent evening

**ouderdom** ❶ *leeftijd* age ★ *een hoge ~ bereiken* live to a great age ❷ *hoge leeftijd* old age

**ouderdomsdeken** BN *nestor* grand old man, pol elder statesman

**ouderdomskwaal** infirmity of old age

**ouderdomspensioen** old-age pension, retirement pension / pay

**ouderdomsverschijnsel** sign of old age

**oudere** elderly person ★ *~n* the elderly, elderly people

**ouderejaars** onderw senior student, 2nd / 3rd / (etc.)-year student

**ouderlijk** parental ★ *~ gezag* parental authority

**ouderling** elder

**ouderraad** parents' council

**ouderschap** parenthood

**ouderschapsverlof** maternity / parental leave

**ouderwets** I *bnw* ❶ *uit de mode* old-fashioned, out of date ★ *het was weer ~* it was just like the old days ❷ *degelijk* proper II *bijw* in an old-fashioned way

**oudgediende** ❶ *ex-militair* veteran, ex-serviceman ❷ *oude rot* old hand, inform

**ou**

old-timer
**Oudgrieks I** *zn* [het], *taal* Ancient Greek **II** *bnw*, *m.b.t. taal* Ancient Greek
**oudheid** *ver verleden* antiquity
**oudheidkunde** archaeology
**oudheidkundig** archaeological, <u>USA</u> archeological
**oudheidkundige** archeologist
**oud-Hollands** old Dutch
**oudjaar** New Year's Eve, ⟨in Schotland⟩ Hogmanay
**oudje** old man / woman ★ *de ~s* the old folks
**oudoom** great uncle
**oudroze I** *znw* old rose **II** *bnw* old-rose
**oudsher** ▾ *van ~* of old, from time immemorial
**oudste** oldest, eldest, ⟨in rang⟩ (most) senior ★ *wie is de ~ van jullie tweeën* which of you is older / the elder ★ *hij is de ~ van de twee* he is the elder of the two
**oudtante** great-aunt
**oudtestamentisch** Old Testament
**outcast** outcast
**outfit** outfit
**outlet** outlet
**outplacement** outplacement
**output** output
**outsider** *buitenstaander* outsider
**ouverture ❶** <u>muz</u> *eerste deel* overture **❷** <u>fig</u> *begin* prelude, introduction
**ouvreuse** usherette
**ouwehoer** windbag, gasbag
**ouwehoeren** bullshit, <u>GB</u> waffle on
**ouwel** *baksel* wafer
**ouwelijk** oldish, elderly
**ouwelui** ▾ <u>inform</u> *mijn ~* my old folks
**ovaal I** *zn* [het] oval **II** *bnw* oval
**ovatie** ovation ★ *iem. een ~ brengen* give sb an ovation
**oven** oven, ⟨steenoven⟩ kiln, ⟨hoogoven⟩ furnace
**ovenschaal** ovenware
**ovenschotel** <u>cul</u> oven dish
**ovenstand** oven setting, ⟨gasoven⟩ gasmark
**ovenvast** heat-resistant, oven-proof
**ovenwant** oven glove
**over I** *vz* **❶** *bovenlangs* across, over ★ *over de muur* over the wall **❷** *op en erlangs* over, across ★ *over de brug rijden* drive over / across the bridge ★ *over de brug* over the bridge ★ *zij liep de gang over* she walked down the corridor ★ *dwars over* straight across ★ *een jas over iets heen aantrekken* put a coat over sth **❸** *aan de andere kant van* across, over ★ *over de zee* across the sea ★ *over de grens* over / across the border **❹** *via* by way of, via ★ *ik rijd over Utrecht* I'm driving via Utrecht ★ *over land en zee* by land and by sea **❺** *na* in, after, past ★ *over een week* in a week ★ *over enige tijd* after some time ★ *het is vijf over tien* it's five past ten ★ *het is over tienen* it's past ten **❻** *meer / langer dan* over, past ★ *het is over de 40 graden* it's over 40 degrees ★ *hij is over de dertig* he's over thirty **❼** *betreffende* on, about, concerning ★ *een film over Elvis* a movie / film about Elvis ▾ *hij heeft iets vreemds over zich* there's sth odd about him **II** *bijw* **❶** *aan de overkant* ★ *we zijn over* we are across **❷** *bevorderd* ★ *ik ben over naar de volgende klas* I've moved up **❸** *voorbij,*

*afgelopen* over, finished ★ *de voorstelling is over* the show / performance is over ★ *en nu is het over!* and now stop it!, that's enough! **❹** *resterend* left ★ *hoeveel is er nog over?* how much is there left? **❺** <u>sport</u> *boven het doel* ▾ *over en weer* back and forth, to and fro ▾ *beschuldigingen over en weer* mutual recriminations ▾ *bewijzen te over* plenty of evidence
**overal ❶** *op alle plaatsen* everywhere, <u>inform</u> all over the place ★ *~ waar* wherever **❷** *alles* ★ *hij weet ~ van* he knows all about it
**overall** overall, overalls *mv*, coveralls *mv*
**overbekend** widely known ★ *die naam is ~* it's a household name
**overbelasten** overburden, ⟨van machine⟩ overload, ⟨teveel eisen⟩ overtax
**overbelasting** overloading, overburdening, ⟨teveel eisen⟩ overtaxing
**overbelichten ❶** <u>audio-vis</u> overexpose **❷** *te sterk benadrukken* overdo, overplay
**overbemesting** over-fertilisation
**overbesteding** overspending
**overbevissing** overfishing
**overbevolking** overpopulation
**overbevolkt** overpopulated, ⟨buurt⟩ overcrowded
**overbezet** overcrowded
**overblijflokaal** room in which children eat their packed lunch
**overblijfmoeder** mother acting as schoollunchtime supervisor
**overblijfsel** *het overgeblevene* remnant, ⟨afval, restanten⟩ remains [*mv*], ⟨voornamelijk etensresten⟩ left-overs *mv*, ⟨na brand e.d.⟩ debris, ⟨na brand e.d.⟩ wreckage
**overblijven ❶** *resteren* be left, remain ★ *er blijft niets anders over dan te gaan* there is nothing for it but to go ★ *het ~de* the remainder / rest, the balance **❷** *op school blijven* stay for / over the lunch break
**overbluffen ❶** *overdonderen* confound **❷** *verwarren* dumbfound
**overbodig** superfluous
**overboeken ❶** *op andere lijst plaatsen* transfer **❷** *op andere rekening zetten* transfer ★ *geld ~ op* transfer money to
**overboeken** *te vol boeken* overbook
**overboeking** transfer (*naar* into, to)
**overboord** overboard ★ *~ slaan* fall overboard ★ *de plannen ~ gooien* throw the plans overboard ★ *~ gooien* throw overboard ▾ *er is nog geen man ~* it's not the end of the wordl
**overbrengen ❶** *verplaatsen* bring, take, move, ⟨van goederen⟩ transport ★ *iem. naar het hospitaal brengen* take sb to hospital **❷** *overboeken* transfer **❸** *overdragen* carry, <u>techn</u> transmit ★ *iets op iem. ~* pass sth on to sb **❹** *doorgeven* ⟨boodschap⟩ take, ⟨groeten⟩ give, ⟨opmerkingen⟩ pass on, ⟨opmerkingen⟩ report **❺** *vertalen* translate, render
**overbrenging ❶** *het overbrengen* transport, transfer, removal **❷** <u>techn</u> transmission
**overbrieven** tell, repeat, <u>inform</u> blab
**overbruggen ❶** *met brug overspannen* bridge **❷** *fig ondervangen* ⟨m.b.t. tijd⟩ tide over, ⟨verschil, e.d.⟩ bridge

**ou**

**overbrugging ❶** *het overbruggen* bridging ★ *ter ~...* to tide over... **❷** *middel* bridging (of), bridge (over)

**overbruggingsregeling** transitional arrangement

**overbuur** opposite neighbour

**overcapaciteit** overcapacity

**overcompleet** surplus

**overdaad** excess ★ *~ schaadt* enough is as good as a feast, everything over a mouthful is waisted

**overdadig** *onmatig* excessive, ⟨m.b.t. eten en drinken⟩ lavish

**overdag** during the day, in the daytime

**overdekken** cover (over)

**overdekt** covered, ⟨zwembad⟩ indoor

**overdenken** reflect on, consider

**overdenking** reflection, consideration

**overdoen ❶** *opnieuw doen* do (something) over again, ⟨examen⟩ resit **❷** *verkopen* sell (off) **❸** *overgieten* transfer

**overdonderen** browbeat

**overdosis** overdose

**overdraagbaar ❶** *over te dragen* transferable **❷** med contagious, ⟨seksueel⟩ transmittable

**overdraagbaarheid** med contagiousness, transmittability

**overdracht** ⟨van gezag⟩ devolution, ⟨van bezit, wissel⟩ transfer, ⟨van eigendom⟩ conveyance, ⟨van gezag⟩ delegation

**overdrachtelijk** metaphorical ★ *in ~e zin* in a metaphorical sense

**overdrachtsbelasting** ⟨van onroerend goed⟩ conveyance tax, ⟨van waardepapieren⟩ stamp duty

**overdrachtskosten** conveyancing costs *mv*

**overdragen ❶** *overbrengen* pass on, transmit ★ *kennis ~* pass on knowledge **❷** *~ aan overgeven aan* hand over, ⟨taak⟩ delegate to, ⟨taak⟩ assign to ★ *aan de politie ~* hand over to the police **❸** *overboeken* transfer

**overdreven** exaggerated, excessive ★ *~ nauwgezet* meticulous ★ *~ edelmoedig* generous to a fault

**overdrijven** blow over

**overdrijven ❶** *geen maat houden* overdo something, go too far ★ *iets overdreven voorstellen* exaggerate ★ *overdrijf niet zo!* don't pile it on ★ *dat is overdreven!* that's out of proportion!, inform that's a bit thick!

**overdrijving** exaggeration

**overdrive** overdrive

**overdruk ❶** *extra afdruk* offprint **❷** *overgedrukte tekst* overprint, ⟨postzegel⟩ overprint **❸** natk overpressure

**overdrukken ❶** *opnieuw drukken* reprint **❷** *ergens overheen drukken* overprint

**overduidelijk** manifest, obvious

**overdwars** across, crosswise

**overeenkomen I** *ov ww, afspreken* agree (on) **II** *on ww* **❶** *gelijk zijn* correspond (to) ★ *~ met de verklaringen* be consistent with the statements **❷** *bij elkaar passen* go together, match **❸** *~ met* BN *het goed kunnen vinden met* get on (well) with

**overeenkomst ❶** *gelijkheid* match **❷** *gelijkenis* similarity, correspondence, resemblance ★ *~*

*vertonen* resemble ★ *geen enkele ~ vertonen* show not the slightest similarity / resemblance **❸** *afspraak* agreement, ⟨verdrag⟩ treaty, ⟨verdrag⟩ pact ★ *een ~ treffen* enter into an agreement

**overeenkomstig I** *bnw, gelijk* similar, corresponding ★ *~e cijfers* corresponding figures ★ *in een ~ geval* in a similar case **II** *vz, in overeenstemming met* in accordance with, consistent with ★ *~ de feiten* in accordance / keeping with the facts ★ *~ zijn wens* in accordance / compliance with his wish ★ *~ onze afspraak* consistent with our agreement

**overeenstemmen ❶** *gelijkenis vertonen* correspond (met to) ★ *~ met* fit in with **❷** *hetzelfde zijn* agree (met with)

**overeenstemming ❶** *gelijkenis* similarity, consistency ★ *in ~ brengen met* bring into line with ★ *niet in ~ met de feiten zijn* be not consistent with the facts ★ *volkomen in ~ zijn met* be in complete agreement with **❷** *eensgezindheid, harmonie* agreement ★ *tot ~ komen* come to terms, reach an understanding ★ *stilzwijgende ~* tacit understanding

**overeind ❶** *rechtop* upright, on end ★ *~ komen* get up ★ *~ gaan zitten* sit up (straight) **❷** *van kracht* ★ *van zijn beweringen bleef niets ~* his arguments did not stand up ▼ *dat houdt hem ~* that keeps him on his feet

**overerven I** *ov ww, meekrijgen* inherit **II** *on ww, overgaan op* pass down, be handed down

**overgaan ❶** *oversteken* cross **❷** *zich voegen bij* change over ★ *tot een godsdienst ~* embrace a religion **❸** *bevorderd worden* move up ★ *ga jij dit jaar over?* will you move up this year? ★ *naar de vierde ~* move up to the fourth grade, USA move up to the fourth grade **❹** *van bezitter veranderen* transfer, pass ★ *in andere handen ~* change hands / ownership **❺** *voorbijgaan* pass off / away, ⟨van bui⟩ blow over, ⟨van gevoelens ook⟩ wear off **❻** *veranderen* ★ *~ in* pass into ★ *geleidelijk in elkaar ~* blend into one another **❼** *beginnen* ★ *~ tot* proceed to ★ *tot de aanval ~* start an attack **❽** *rinkelen* ring **❾** *~ op* go on to, pass to ★ *op een ander onderwerp ~* move / pass to the next topic

**overgang ❶** *het overgaan* ⟨op school⟩ promotion **❷** *tussenfase* link, ⟨van toestand⟩ transition, ⟨van toestand⟩ changeover **❸** *menopauze* menopause, inform change of life **❹** *oversteekplaats* ⟨van rivier⟩ crossing, ⟨spoorlijn⟩ (level)crossing

**overgangsfase** transitional / interim phase / stage

**overgangsmaatregel** interim / transitional measure

**overgangsperiode** transition(al) period

**overgankelijk** taalk transitive

**overgave ❶** *capitulatie* surrender **❷** *toewijding* devotion, dedication

**overgeven I** *ov ww* **❶** *overhandigen* hand (over), pass, ⟨van stad⟩ surrender **❷** *toevertrouwen* entrust **II** *on ww, braken* vomit, throw up ★ *moeten ~* be sick **III** *wkd ww* [zich ~] **❶** *capituleren* surrender **❷** *~ aan zich wijden aan* dedicate oneself to **❸** *~ aan onbeheerst omgaan met* take to, indulge in ★ *zich ~ aan de drank* indulge in drink

OV

**overgevoelig ❶** *allergisch* allergic **❷** *zeer gevoelig* oversensitive, hypersensitive

**overgewicht** overweight, excess weight

**overgieten** *opnieuw gieten* recast

**overgieten** *gietend bedekken* dowse ★ *overgoten met water* dowsed with water

**overgooier** pinafore (dress)

**overgordijn** curtain

**overgrootmoeder** great-grandmother

**overgrootvader** great-grandfather

**overhaast** rash, hurried ★ *een ~e beslissing* a rash decision

**overhaasten** hurry ★ *zich ~* hurry

**overhalen ❶** *trekken aan* pull ★ *de trekker ~* pull the trigger **❷** *overreden* persuade, talk (somebody) into ★ *zich laten ~* be persuaded

**overhand ▼** *de ~ hebben* have the upper hand, prevail

**overhandigen** hand (over), deliver

**overhangen** hang over

**overheadkosten** overheads *mv*, fixed costs *mv*

**overheadprojector** overhead projector

**overhebben ❶** *overhouden* have (something) left ★ *een kamer ~* have a spare room **❷** *willen missen* ★ *dat heb ik er wel voor over* I don't mind, it's worth it ★ *ik heb er geen cent voor over* I'm not spending any money on it ★ *hij heeft niets voor je over* he won't do anything for you

**overheen ❶** *over iets* over, across, on top ★ *ergens ~ stappen* step over sth, pass over ★ *voorbij* ★ *ik liet er geen tijd ~ gaan* I lost no time (in) ★ *daar kunnen nog jaren ~ gaan* it may take years **▼** *zich ergens ~ zetten* get over sth **▼** *daar ben ik ~* I've got over it ★ *ik kan er niet ~ (komen)* I can't get over it **▼** *ik zal er maar ~ stappen* I'll let it go at that

**overheersen ❶** *heersen over* rule over **❷** *domineren* dominate ★ *een ~de factor* a predominant factor

**overheersing ❶** *heerschappij* rule, oppression **❷** *dominantie* dominance

**overheid** government ★ *plaatselijke ~ local authorities *mv*

**overheidsbedrijf** public enterprise

**overheidsdienst** ★ *in ~ zijn* work in the civil service

**overheidssubsidie** government grant

**overhellen ❶** *hellen* lean over, ⟨van schip⟩ list, ⟨van vliegtuig⟩ bank **❷** *neigen* incline ★ *~ naar / tot ~* lean / gravitate towards

**overhemd** shirt

**overhevelen ❶** *met hevel* siphon into **❷** *overbrengen* transfer

**overhoop ❶** *lett* in de war in disorder **❷** *fig verstoord* at odds

**overhoopgooien** upset

**overhoophalen** *lett door de war halen* mix up, turn upside down

**overhoopliggen ❶** *in de war liggen* be in disorder, be in a mess **❷** *onenigheid hebben* ★ *~ met iem.* be at loggerheads / odds with sb

**overhoopschieten** shoot down, inform blow away

**overhoopsteken** stab

**overhoren** onderw test

**overhoring** test ★ *schriftelijke ~* written test ★ *mondelinge ~* oral test

**overhouden ❶** *als overschot hebben* have left, be left with **❷** *in leven houden* keep ★ *aardappelen de winter ~* keep potatoes through the winter

**overig ❶** *overblijvend* remaining ★ *voor het ~e* for the rest ★ *de ~e dagen* the remaining days **❷** *ander* ★ *de ~e mensen* the other people

**overigens ❶** *voor het overige* for the rest ★ *~ een goed man* an otherwise good man **❷** *trouwens* for that matter, indeed

**overijld** rash, hasty, hurried

**Overijssel** Overijssel

**Overijssels** Overijssel

**overijverig** ★ *~ zijn* be overzealous

**overjaars** BN *verouderd* old-fashioned

**overjarig ❶** *meer dan één jaar oud* over a year old **❷** *winterhard* perennial

**overjas** overcoat

**overkant** other / opposite / far side ★ *aan de ~ van de rivier* on the other side of the river ★ *hij woont aan de ~* he lives opposite ★ *naar de ~ zwemmen* swim across ★ *de jongen van de ~* the boy (from) across the street

**overkapping** covering, roof

**overkill** overkill

**overkoepelen ❶** *fig* coordinate ★ *~de organisatie* umbrella organisation **❷** *bouw* cover

**overkoken** boil over

**overkomelijk** surmountable

**overkomen ❶** *bovenlangs komen* get / come over **❷** *van elders komen* come over ★ *met kerst komt mijn moeder over* my mother's coming over for Christmas **❸** *begrepen worden* come / get across ★ *hoe kwam het bij hem over?* how did he take it? ★ *luid en duidelijk ~* come through loud and clear ★ *de boodschap is niet goed overgekomen* the message didn't come / get across **❹** *indruk wekken* come across (as) ★ *onzeker ~* come across as insecure ★ *hij komt vriendelijk bij mij over* to me he comes over as a kind person

**overkomen** happen to ★ *dat overkomt mij nou nooit* it could never happen to me

**overladen** transfer

**overladen ❶** *te vol laden* overload ★ *een wagen ~* overload a car **❷** *overstelpen* shower, heap on ★ *~ met geschenken* shower with gifts

**overlangs I** *bnw* lengthwise, ⟨in wetenschap⟩ longitudinal **II** *bijw* lengthwise

**overlappen** overlap

**overlast** annoyance, nuisance ★ *iem. ~ bezorgen* cause sb inconvenience

**overlaten ❶** *doen overblijven* leave **❷** *toevertrouwen* leave ★ *laat dat maar aan mij over!* leave that to me! **❸** *erover laten gaan* let go over

**overleden** dead, deceased ★ *de ~e* the deceased

**overledene** deceased

**overleg ❶** *beraadslaging* deliberation, ⟨bespreking⟩ consultation ★ *in ~ met* in consultation with ★ *in onderling ~* by mutual agreement ★ *~ plegen over iets* confer on sth **❷** *bedachtzaamheid* discretion, judgement ★ *met ~ te werk gaan* act with discretion **▼** *~ is het halve werk* look before you leap

**overleggen** *tonen* produce, submit

**overleggen** *beraadslagen* confer ★ *iets met iem. ~* confer with sb about sth

**overlegorgaan** consultative body
**overleven** ❶ *blijven leven* survive ❷ *langer leven* outlive
**overlevende** survivor
**overleveren** ❶ *doorgeven* hand down ❷ *fig overdragen* hand over ★ *overgeleverd zijn aan* be at the mercy of
**overlevering** *fig het doorgeven* tradition
**overlevingskans** chance of survival
**overlevingstocht** survival trek / trip
**overlezen** ❶ *opnieuw lezen* reread ★ *lees die zin nog eens over* read that sentence again ❷ *doorlezen* read over / through
**overlijden I** *on ww* die, pass away ★ *aan kanker ~ die* of cancer **II** *zn* [het] death, *form* decease
**overlijdensadvertentie** death announcement
**overlijdensakte** death certificate
**overlijdensbericht** obituary notice, death announcement ★ *de ~en lezen* read the obituaries
**overlijdensverzekering** life insurance
**overloop** ❶ *het overstromen* flooding ❷ *bovenportaal* landing ❸ *overloopbuis* overflow
**overlopen** ❶ *overstromen* run over ★ *de gootsteen loopt over* the sink is running over ❷ *lopen over* walk across, cross ★ *een brug ~* cross a bridge ❸ *naar andere partij gaan* defect, desert ★ *~ naar de vijand* go over to the enemy ❹ *BN vluchtig bekijken* glance through, (boek) skim ❺ **~ van** *fig (te) veel hebben van* brim over with ★ *~ van enthousiasme* brim over with enthusiasm
**overloper** deserter, defector, turncoat
**overmaat** excess ▾ *tot ~ van ramp* to crown it all, on top of all that
**overmacht** ❶ *grotere macht* superior forces / numbers *mv* ❷ *jur* circumstances beyond one's control *mv*, an Act of God
**overmaken** ❶ *opnieuw maken* redo, do over again ❷ *overschrijven* ⟨van geld⟩ transfer, ⟨van geld⟩ remit
**overmannen** overpower
**overmatig** *buitensporig* excessive ★ *~ drinken* drink to excess
**overmeesteren** overcome, overpower
**overmoed** recklessness
**overmoedig** reckless
**overmorgen** the day after tomorrow
**overnaads** clinker-built
**overnachten** stay the night
**overnachting** night('s stay) ★ *~ met ontbijt* bed and breakfast ★ *het aantal ~en* the number of nights (spent)
**overname** taking over, takeover purchase ★ *ter ~ aangeboden* (offered) for sale ★ *ter ~ gevraagd* wanted ★ *een vijandige ~* a hostile take-over
**overnamekosten** take-over price, take-over costs *mv*
**overnemen** ❶ *lett in handen nemen* take over ❷ *fig ontnemen* ★ *de leiding ~* sport take over the lead ❸ *kopen* buy ❹ *navolgen* adopt ★ *een amendement ~* adopt an amendment ❺ *kopiëren* copy
**overnieuw** again, (all) over again
**overpad** → recht
**overpeinzen** ponder (on), meditate
**overpeinzing** meditation, ⟨het overdachte⟩ reflection
**overplaatsen** transfer
**overplaatsing** transfer
**overproductie** over production
**overreden** persuade
**overredingskracht** power of persuasion
**overrijden** ❶ *overheen rijden* drive / ride over ❷ *naar andere kant rijden* drive / ride across
**overrijden** *rijden over* drive over, inform knock down
**overrompelen** *overmeesteren* (take by) surprise
**overrulen** *autoritair terzijde schuiven* overrule
**overschaduwen** ❶ *lett schaduw werpen op* overshadow ❷ *fig overtreffen* eclipse
**overschakelen** ❶ *techn andere verbinding maken* switch over ❷ *in andere versnelling gaan* change gear ★ *naar de hoogste versnelling ~* change into top gear ❸ *fig veranderen* switch over (op to) ★ *~ op gas* convert to gas
**overschatten** overrate
**overschieten I** *ov ww sport* pass ★ *de bal ~ naar...* pass the ball to... **II** *on ww* ❶ *resteren* remain, be left ❷ *snel gaan over* dash across / over ★ *de jongen schoot de weg over* the boy darted / dashed across the road
**overschoen** galosh
**overschot** ❶ *teveel* surplus ❷ *restant* remainder, ⟨aan geld⟩ balance ★ *het stoffelijk ~* the (mortal) remains *mv*
**overschreeuwen** ★ *iem. ~* shout sb down
**overschrijden** ❶ *stappen over* cross ❷ *te buiten gaan* exceed ★ *zijn verlof ~* overstay one's leave
**overschrijven** ❶ *naschrijven* copy (out), make a fair copy of ❷ *op andere naam zetten* transfer
**overschrijven** comp overwrite
**overschrijving** ❶ *het opnieuw schrijven* transcription ❷ *het op andere naam zetten* transfer ❸ *overgeboekt bedrag* remittance
**oversized** oversized
**overslaan I** *ov ww* ❶ *laten voorbijgaan* omit, miss (out), ⟨bij uitdeling⟩ pass over, ⟨verzuimen⟩ miss ★ *je hebt één woord overgeslagen* you've missed out one word ❷ *overladen* transfer **II** *on ww* ❶ *op iets anders overgaan* jump over, spread to ★ *de vlammen sloegen over op de schuur* the flames spread to the barn ❷ *snel veranderen* swing round ❸ *uitschieten* ⟨van stem⟩ break, ⟨van stem⟩ catch
**overslag** ❶ *omgeslagen rand* ⟨van enveloppe⟩ flap, ⟨van jas⟩ overlap, ⟨rand, omslag⟩ turnover ❷ *het overslaan van goederen* transfer
**overslagbedrijf** trans(s)hipment company
**overslaghaven** container port, port of tran(s)shipment
**overspannen I** *bnw* ❶ *te gespannen* overstrained ★ *~ verwachtingen* unrealistic expectations ★ *~ arbeidsmarkt* overstrained labour market ❷ *overwerkt* overwrought **II** *ov ww* ❶ *te sterk spannen* overstrain ★ *zich ~* drive o.s. too far ❷ *overdekken* span ★ *een rivier ~* span a river
**overspanning** ❶ *spanning* over-exertion ❷ *stress* nervous exhaustion
**overspel** adultery ★ *~ plegen* commit adultery
**overspelen** ❶ *opnieuw spelen* replay ❷ *sport afspelen* pass
**overspelen** ❶ *overtreffen* outplay, outclass ❷ *in*

**OV**

*kaartspel* overplay
**overspelig** adulterous
**overspoelen** flood, swamp, wash over ▾ *met vragen overspoeld worden* be flooded with questions
**overspringen** *overgaan* jump / leap over ★ *hij sprong op een nieuw onderwerp over* he leapt on to a new subject
**overstaan** ▾ *ten ~* in the presence of, before
**overstag** ★ *lett ~ gaan* tack, change tack ★ *fig ~ gaan* tack, change tack
**overstappen** ❶ *van vervoermiddel wisselen* change ★ *reizigers voor Utrecht hier ~* change here for Utrecht ❷ *fig wisselen* change over ★ *op iets anders ~* move on to sth else
**overste** ❶ mil lieutenant-colonel ❷ rel prior [v: prioress]
**oversteek** crossing ▾ *de grote ~ maken* cross the Atlantic
**oversteekplaats** crossing ★ *~ voor voetgangers* pedestrian crossing
**oversteken** I *ov ww, ruilen* exchange ★ *gelijk ~!* make an equal exchange, hand over simultaneously II *on ww, naar overkant gaan* cross ★ *naar Engeland ~* cross over to England
**overstelpen** ❶ *bedelven* shower, heap, swamp ★ *overstelpt met werk* snowed under with work ❷ *overweldigen* overwhelm, overcome
**overstemmen** *opnieuw stemmen* vote again
**overstemmen** ❶ *meer geluid maken* drown out ❷ *door meer stemmen verslaan* outvote
**overstromen** *overlopen* overflow
**overstromen** ❶ *onder water zetten* flood, inundate ❷ *overstelpen* flood
**overstroming** flood
**overstuur** oversteer
**overstuur** *van streek* upset ★ *~ maken* upset
**overtekenen** ❶ *natekenen* copy ❷ *opnieuw tekenen* draw again
**overtekenen** oversubscribe
**overtocht** passage, crossing
**overtollig** superfluous
**overtreden** break, infringe, form offend against
**overtreder** offender, trespasser
**overtreding** violation, offense (jur.), foul (sp.)
**overtreffen** exceed, surpass, outstrip ★ *zichzelf ~* surpass o.s. ★ *~de trap* superlative ★ *dat overtreft alles* that beats everything ★ *in aantal ~* outnumber
**overtrek** cover
**overtrekken** I *ov ww* ❶ *overtekenen* trace ★ *met inkt ~* trace in ink ❷ *oversteken* cross II *on ww, voorbijgaan* pass (over), blow over ★ *een ~de storm* a passing storm
**overtrekken** ❶ *bekleden / bedekken* cover, ⟨v. meubel⟩ upholster ❷ *overdrijven* exaggerate, blow up ❸ BN *betrekken van de lucht* become overcast / cloudy
**overtrekpapier** tracing paper
**overtroeven** *een hogere troef spelen* overtrump
**overtroeven** outdo, outwit
**overtrokken** ❶ *bekleed / bedekt* covered, ⟨meubels⟩ upholstered ❷ *opgenomen boven saldo* overdrawn ❸ *overdreven* exaggerated, blown up
**overtuigen** convince (van of), satisfy (van with) ★ *iem. ~ van iets* convince sb of sth ★ *iem. ervan ~*

*dat...* convince sb that... ★ *zich ~ van...* convince o.s. of... ★ *overtuigd christen* confirmed Christian ★ *een overtuigd voorstander van* a firm believer in
**overtuigend** convincing ★ *wettig en ~ bewijs* legal proof
**overtuiging** *mening* conviction ★ *in de ~ dat* in the conviction that ★ *naar mijn ~...* it's my conviction that... ★ *uit ~* from conviction
**overtuigingskracht** persuasiveness, power of persuasion
**overtypen** ❶ *opnieuw typen* retype ❷ *uittypen* type out
**overuur** overtime, extra hour ★ *overuren maken* put in extra hours, put in overtime, work overtime
**overvaart** crossing, passage
**overval** surprise attack, ⟨persoon⟩ assault, ⟨van politie⟩ raid ★ *een ~ plegen op een bank* rob a bank
**overvalcommando** police assault squad
**overvallen** ❶ *aanvallen* ⟨van personen⟩ assault, ⟨beroven⟩ hold up, ⟨van vijand⟩ surprise ❷ *verrassen* ⟨van emoties⟩ come over, ⟨storm⟩ overtake ★ *iem. ~ met een vraag* spring a question upon sb ★ *door een storm ~ worden* be caught in a storm
**overvaller** raider, ⟨vnl. van persoon⟩ attacker
**overvalwagen** police van
**overvaren** ❶ *varend brengen* ferry / take / put across ❷ *varend oversteken* cross (over), sail (across)
**overvaren** *varend gaan over* run down
**oververhit** ❶ *te veel verhit* overheated, natk superheated ❷ *te fel, gespannen* overheated ▾ *de gemoederen raakten ~* feelings ran high
**oververmoeid** overtired, run down
**oververtegenwoordigd** overrepresented
**overvleugelen** outstrip
**overvliegen** *vliegen over* fly over
**overvloed** abundance, plenty, profusion ★ *tijd in ~* plenty of time ★ *in ~ voorkomen* abound ★ *misschien ten ~e...* (it is) perhaps unnecessary (to say)...
**overvloedig** abundant, plentiful, copious
**overvloeien** ❶ *overstromen* overflow ❷ *in elkaar overlopen* flow over ❸ *~ van* brim with
**overvoeren** ❶ *te veel voeren* overfeed ❷ *overstelpen* glut, oversupply
**overvol** crowded, overcrowded, crammed (with)
**overwaaien** ❶ *overtrekken* blow over ★ *de regenbui zal wel ~* the shower will blow over ❷ fig *voorbijgaan* pass, blow over ★ *zijn sombere bui zal wel ~* his gloomy mood will blow over
**overwaarderen** ❶ econ overvalue ❷ fig overvalue, overrate
**overweg** level crossing ★ *onbewaakte ~* unguarded level crossing ★ *bewaakte ~* guarded level crossing
**overweg** ▾ *~ kunnen met iets* know how to handle sth ▾ *goed ~ kunnen met iem.* get along fine with sb
**overwegbeveiliging** safety installations at level crossings mv
**overwegen** I *ov ww, nadenken* consider, weigh ★ *alles wel overwogen* all things considered ★ *ik*

**OV**

*overweeg een huis te kopen* I'm thinking of buying a house **||** *on ww, het belangrijkst zijn* prevail, preponderate

**overwegend I** *bnw, doorslaggevend* paramount ★ *van ~ belang is* all-important is **||** *bijw* predominantly, mainly

**overweging** *overdenking* consideration ★ *iem. iets in ~ geven* suggest sth to sb ★ *in ~ nemen* take into consideration

**overweldigen ❶** *overmeesteren* ⟨persoon⟩ overpower, ⟨land⟩ conquer **❷** *overstelpen* overwhelm

**overweldigend** ⟨meerderheid⟩ overwhelming, ⟨schouwspel⟩ thrilling

**overwerk** overtime (work)

**overwerken** work overtime

**overwerken** [zich ~] overwork oneself

**overwerkt** overworked

**overwicht ❶** *overgewicht* overweight **❷** *macht* preponderance ★ *een natuurlijk ~ hebben op* have a natural authority over ★ *zedelijk ~* prestige, form moral ascendancy

**overwinnaar** victor, conqueror

**overwinnen I** *ov ww, verslaan* gain the victory, conquer **||** *on ww* overcome

**overwinning** victory, sport win

**overwinningsroes** flush of victory

**overwinteren** lett *winterslaap houden* winter, hibernate

**overwintering** overwintering

**overwoekeren** overgrow, overrun

**overzees** overseas

**overzetten ❶** *naar overkant brengen* take across, ⟨met veer⟩ ferry (across) **❷** *vertalen* translate

**overzicht ❶** *het overzien* survey **❷** *samenvatting* summary

**overzichtelijk** well-organized, clear ★ *~ gerangschikt* conveniently arranged

**overzichtstentoonstelling** retrospective exhibition

**overzien** look over, check

**overzien ❶** *in zijn geheel zien* ★ *met één blik ~* take in at a glance **❷** *voorstellen* ★ *een situatie overzien* take stock of a situation ★ *de gevolgen zijn niet te ~* the consequences are incalculable

**ov-jaarkaart** *openbaarvervoerkaart* year public transportation card

**OVSE** *Organisatie voor Veiligheid en Samenwerking in Europa* OSCE, Organisation for Security and Cooperation in Europe

**ovulatie** ovulation

**ovuleren** ovulate

**oxidatie** oxidation

**oxide** scheik oxide

**oxideren** *roesten* oxidize

**ozon** ozone

**ozonlaag** ozone layer

# P

**p** p ★ *de p van Pieter* P as in Peter

**P2P** econ *Peer to Peer* P2P, peer-to-peer

**pa** pa, dad

**paaien I** *ov ww, voor zich winnen* win somebody over, jolly somebody along **||** *on ww, paren* spawn

**paaitijd** spawning season

**paal ❶** *lang voorwerp* post **❷** *stijve penis* hard-on ▾*paal en perk stellen aan iets* put a check on sth ▾*dat staat als een paal boven water* that is indisputable ▾*voor paal staan* look a complete fool

**paalsteek** bowline (knot)

**paar I** zn [het] **❶** *koppel zaken* couple, pair ★ *een paar sokken* a pair of socks **❷** *koppel mensen* couple ★ *het jonge paar* the young couple ★ *een vrijend paartje* two lovers **❸** *klein aantal* couple ★ *een paar dagen* a couple of days ▾BN *dat is een ander paar mouwen* that's a different kettle of fish **||** *bnw,* BN even even

**paard ❶** *dier* horse ★ *te ~* on horseback ★ *te ~ springen* vault into the saddle ★ *van het ~ stijgen* dismount **❷** *schaakstuk* knight **❸** *turntoestel* ⟨vaulting⟩ horse **❹** *schraag* ▾*het ~ achter de wagen spannen* put the cart before the horse ▾*op het verkeerde ~ wedden* back the wrong horse ▾*hij is over het ~ getild* he is swollen-headed, they have made too much of him ▾*het beste ~ struikelt wel eens* it's a good horse that never stumbles ▾*een gegeven ~ moet men niet in de bek kijken* do not look a gift horse in the mouth

**paardenbloem** dandelion

**paardendressuur** ⟨beginfase⟩ horse-braking, ⟨vergevorderd niveau⟩ dressage

**paardenkracht** horsepower

**paardenliefhebber** horse lover / enthusiast

**paardenmiddel** drastic / desperate remedy

**paardenrennen** horse racing

**paardensport** equestrian / hippic sport

**paardensprong ❶** ⟨schaakterm⟩ knight's move **❷** ⟨bij turnen⟩ vault

**paardenstaart ❶** *staart van paard* horsetail **❷** *haardracht* ponytail

**paardenstal** stable ▾*het lijkt hier wel een ~* this place looks like a pigsty

**paardenvijg** (ball of) horse-dung ★ *~en* horse-droppings

**paardenvlees** horsemeat, econ horseflesh

**paardjerijden** jeugd ride on someone's knee

**paardrijden** ride (horseback), USA go horseback riding

**paardrijkunst** horsemanship, equestrianism

**paarlemoer** → **parelmoer**

**paars** purple

**paarsblauw** violet

**paarsgewijs** in pairs

**paarsrood** purple

**paartijd** mating season, ⟨van vogels⟩ pairing time

**paasbest** Sunday best ▾*op zijn ~ zijn* be all dressed up

**paasbrood** cul simnel (-cake / bread)

pa

**paasdag** Easter Day ★ *eerste* ~ Easter Sunday ★ *tweede* ~ Easter Monday
**paasei** Easter egg
**Paaseiland** Easter Island
**paasfeest** Easter, ⟨joods⟩ Passover
**paashaas** Easter bunny
**paasmaandag** Easter Monday
**paasvakantie** onderw Easter holidays *mv*
**paaszaterdag** Easter Eve
**paaszondag** Easter Sunday
**pabo** *Pedagogische Academie voor het Basisonderwijs* Teacher training college (for primary education)
**pacemaker** pacemaker
**pacht ❶** *huurovereenkomst* lease ★ *in* ~ *geven* let out on lease ★ *in* ~ *hebben* have on lease, rent **❷** *pachtgeld* rent ★ *vrij van* ~ free of rent
**pachten** huren rent ▼ *de visserij van een landgoed* ~ rent out the fishing on an estate, rent the fishing on an estate
**pachter** leaseholder, lessee, ⟨van boerderij⟩ tenant
**pachtgrond** leasehold, jur tenement
**pachtovereenkomst** lease
**pacificatie** pacification
**pacifisme** pacifism
**pacifist** pacifist
**pacifistisch** pacifist
**pact** pact, treaty
**pad¹ I** *zn* [de], *dier* toad ▼ BN *een pad in iemands korf zetten* put a spoke in sb's wheel **II** *zn* [het], *weg* path, ⟨van tuin ook⟩ walk, ⟨niet aangelegd⟩ track ★ *op pad zijn* be on one's way ★ *het verkeerde pad opgaan* go astray, go off the straight and narrow ▼ *op het rechte pad blijven* keep to the straight and narrow
**pad²** [ped] *dosis* coffee pod / pad
**paddenstoel ❶** *zwam* fungus, ⟨eetbaar⟩ mushroom, ⟨altijd giftig⟩ toadstool **❷** *wegwijzer* road marker
**paddentrek** toads' (spring) migration
**paddo** magic mushroom
**padvinder** ⟨jongen⟩ (boy) scout, ⟨meisje⟩ girl guide, ⟨meisje⟩ USA girl scout
**padvinderij** (boy) scout movement
**paella** paella
**paf** ▼ *ik sta paf!* I'm baffled! ▼ *hij stond er paf van* it made him gasp
**paffen ❶** *roken* puff **❷** *schieten* pop
**pafferig** puffy, ⟨dik⟩ flabby
**pagaai** paddle
**page** *ridderdienaar* page
**pagina** page, p *mv*: pp
**paginagroot** full-page
**pagineren** page
**paginering** pagination
**pagode** pagoda
**pais** ▼ *alles is weer pais en vree* peace reigns again, the dust has settled
**pak ❶** *pakket* package, ⟨klein⟩ parcel, ⟨klein⟩ packet, ⟨baal⟩ bale, ⟨baal⟩ bundle ★ *een pak appelsap* a carton of apple juice **❷** *kostuum* suit ★ *een nat pak oplopen* get a wetting **❸** → **pakje** ▼ *een pak rammel / ransel / slaag* a good hiding ▼ *iem. een stevig pak slaag geven* give sb a good hiding / beating ▼ *bij de pakken neerzitten* throw

in the towel ▼ *niet bij de pakken neerzitten* never say die ▼ BN *met pak en zak* with bag and baggage ▼ *er viel een pak van mijn hart* a load was lifted off my mind
**pakbon** packing slip, packer's number
**pakezel** *lastdier* pack mule
**pakhuis** warehouse
**pakijs** pack (ice)
**Pakistaan** Pakistani
**Pakistaans** Pakistani
**Pakistaanse** Pakistani (woman / girl)
**Pakistan** Pakistan
**pakje ❶** *verpakking* parcel ★ ~ *sigaretten* pack of cigarettes **❷** *pakket* packet
**pakjesavond** evening of December 5, on which gifts are exchanged within the family
**pakkans** chance / risk of being caught / arrested
**pakken I** *ov ww* **❶** *beetpakken* catch, ⟨omhelzen⟩ hug ★ *hij pakte me bij de arm* he grabbed my arm **❷** *tevoorschijn halen* get, fetch, take ★ *even mijn pen* ~ just let met get my pen ★ *een schone handdoek uit de kast* ~ get a clean towel from the cupboard ★ *te* ~ *krijgen* get hold of **❸** *betrappen* catch, seize ★ *de verkeerde te* ~ *hebben* have got hold of the wrong person, have the wrong sow by the ear **❹** *inpakken* pack, do up ★ *zijn boeltje* ~ pack up **❺** *boeien* grip, hold ★ *zij heeft het lelijk te* ~ *van hem* she is head over heels in love with him ▼ *iem. te* ~ *nemen* pull sb's leg **II** *on ww*, *houvast vinden* ⟨van sleutel⟩ bite, ⟨van sneeuw⟩ ball, ⟨van verf⟩ take, ⟨van rem⟩ grip
**pakkend** ⟨reclame, krantenkop⟩ arresting, ⟨reclame⟩ catching, ⟨melodie⟩ catchy, ⟨titel⟩ snappy, ⟨verhaal⟩ thrilling
**pakkerd** hug, kiss, smack
**pakket** parcel, packet ★ *een* ~ *maatregelen* package of measures
**pakketpost ❶** *pakket* parcel post **❷** *postafdeling* parcel post office
**pakking** packing, gasket
**pakmateriaal** packing material(s), packaging material(s)
**pakpapier** wrapping paper
**paksoi** Chinese cabbage, pak-choi cabbage
**pakweg** roughly ★ ~ *duizend euro* about / around a thousand euro's
**pal I** *zn* [de] catch **II** *bijw* **❶** *precies* directly ★ *pal voor de vakantie* immediately / right before the holidays ★ *pal noord* due north **❷** *onwrikbaar* firmly ★ *pal staan* stand firm
**Palau** Palau
**paleis** palace ▼ jur ~ *van justitie* court of justice, court of law
**paleoceen** Palaeocene
**paleografie** paleography
**paleontologie** palaeontology
**Palestijn** Palestinian
**Palestijns** Palestinian
**Palestijnse** Palestinian (woman / girl)
**Palestina** Palestine
**palet ❶** kunst *mengbord* palette **❷** BN sport *bat* bat
**palindroom** palindrome
**paling** eel ★ *gestoofde* ~ eel stew ★ ~ *in het groen* stewed eel in chervil sauce ▼ *zo glad als een* ~ *in een emmer snot* (as) slippery as an eel

**palissade** palisade, stockade
**palissander** rosewood
**pallet** pallet
**palm ❶** *handpalm* palm **❷** *boom* palm ▼ *de palm wegdragen* carry off the palm
**palmboom** palm (tree)
**palmenstrand** palm beach
**palmolie** palm oil
**Palmpasen** Palm Sunday
**palmtak** palm branch, fig palm
**palmtop** comp palmtop
**palmzondag** Palm Sunday
**pamflet** pamphlet, ⟨schotschrift⟩ lampoon
**pampa** pampas
**pampus** ▼ *voor ~ liggen* be dead to the world, be out for the count, be out cold
**pan ❶** *kookpan* pan **❷** *dakpan* tile ▼ *onder de pannen zijn* be out of harm's way, have a roof over one's head ▼ *de pan uit rijzen* shoot up ▼ *het swingt de pan uit* it's cool / hot ▼ BN *de pannen van het dak spelen* play out of this world
**panacee** panacea
**Panama** Panama
**Panamakanaal** Panama Canal
**Panamees I** *bnw* Panamanian **II** *zn* [de] Panamanian
**pan-Amerikaans** Pan-American
**Panamese** Panamanian (woman / girl)
**pancreas** pancreas
**pand ❶** *gebouw* property, building, ⟨bedrijf⟩ premises *mv* **❷** *onderpand* pledge, security, forfeit **❸** *slip van jas* panel, ⟨van rokkostuum⟩ tail **❹** *onderdeel van kleding* panel
**panda** panda
**pandbrief** mortgage bond
**pandemonium** uproar, pandemonium
**pandverbeuren** game of forfeits
**paneel** panel
**paneermeel** breadcrumbs *mv*
**panel** panel
**paneldiscussie** panel discussion
**panellid** panel member, member of a / the panel
**paneren** coat with breadcrumbs
**panfluit** panpipes *mv*
**paniek** panic, scare ★ *in ~ raken* panic ★ *door ~ bevangen* panic-stricken
**paniekerig** panicky
**paniekreactie** panic / alarm reaction
**paniekvoetbal** *gedrag* panic measures *mv*
**paniekzaaier** alarmist, scaremonger
**panikeren** BN *in paniek raken* panic
**panisch I** *bnw* panic, frantic ★ *~ zijn voor iets* be terrified of sth **II** *bijw* ★ *~ reageren* panic
**panklaar ❶** *gereed voor de pan* ready for cooking, oven-ready **❷** *direct toepasbaar* ready-made ★ *geen panklare oplossing hebben* have no instant solution
**panne** breakdown ★ *~ hebben* have engine trouble, have a breakdown
**pannendak** tiled roof
**pannenkoek** cul pancake
**pannenkoekmix** cul pancake mix
**pannenlap** oven cloth
**pannenlikker** *keukengerei* scraper
**pannenset** set of (pots and) pans
**pannenspons** scouring pad, wire wool, Brillo

pad
**panorama** panorama
**pantalon** pair of trousers, trousers *mv*, USA pants *mv*
**panter** panther
**pantheïsme** pantheism
**pantoffel** slipper ★ *op ~s* in slippers
**pantoffeldiertje** biol paramecium
**pantoffelheld ❶** *angsthaas* coward **❷** *man onder de plak* henpecked husband
**pantomime** dumb show, mime
**pantser ❶** *stalen bescherming* armour-plating, ⟨voor borst en rug⟩ cuirass **❷** *huidlaag* armour, ⟨van schaaldier⟩ shell
**pantseren** armour, steel ▼ *zich ~ tegen* guard against
**pantserglas** bulletproof glass
**pantsertroepen** armoured troops *mv*
**pantservoertuig** armoured car, armoured vehicle
**panty** pair of tights, tights *mv*, USA pantyhose
**pap ❶** *voedsel* porridge **❷** *mengsel* ⟨geneesmiddel⟩ poultice, ⟨van sneeuw⟩ slush **❸** *papa* ▼ BN *iets zo beu zijn als koude pap* be fed to the back teeth with sth, be sick and tired of sth ▼ BN *niets in de pap te brokken hebben* have no say in the matter ▼ BN *iets in de pap te brokken hebben* have a finger in the pie, have a say in the matter ▼ BN *veel in de pap te brokken hebben* have a great deal of influence ▼ *ik kan geen pap meer zeggen* I'm all in
**papa** dad(dy)
**papadum** cul poppadom
**papaja** papaya
**paparazzo** paparazzo [mv: paparazzi]
**papaver** poppy
**papegaai** parrot
**paper** paper
**paperassen** papers *mv*
**paperback** paperback
**paperclip** paperclip
**papeterie ❶** *waren* (gift) stationery **❷** *winkel* stationer's, card shop
**Papiamento** Papiamento
**papier I** *zn* [het] [gmv] *materiaal* paper ★ *houthoudend ~* paper made from wood pulp ★ *op ~ zetten* put on paper **II** *zn* [het] [mv: +en] *document* paper [meestal *mv*] ▼ *dat loopt in de ~en* that runs into a lot of money ▼ BN *in slechte ~en zitten* be in a tight spot / corner, ⟨vnl. financieel⟩ be in dire straits ▼ *goede ~en hebben* have good testimonials
**papieren ❶** *van papier* paper ★ *~ servetten* paper napkins **❷** *in theorie* paper ★ *~ maatregelen* paper measures
**papierformaat** paper size, size of paper
**papiergeld** paper money, banknotes *mv*
**papier-maché** papier-mâché
**papierversnipperaar** (paper) shredder
**papierwinkel ❶** *winkel* stationer's (shop) **❷** form *bureaucratische rompslomp* paperwork
**papil** papilla [mv: papillae]
**papillot** curl(ing) paper ★ *~ten zetten* put one's hair in curling papers
**papkind** spoilt child
**paplepel** ▼ *dat is haar met de ~ ingegoten* she was

**pa**

brought up on it
**Papoea-Nieuw-Guinea** Papua New Guinea
**pappa** papa, dad(dy)
**pappen** med poultice, ⟨van stoffen⟩ dress ▼ ~ *en nathouden* stick it out
**pappenheimer** ▼ *ik ken mijn ~s* I know who I'm dealing with
**papperig** ❶ *week als pap* mushy, pulpy ❷ *dik* flabby, puffy
**paprika** ❶ *vrucht* pepper, paprika ❷ *plant* paprika
**paprikapoeder** cul paprika
**papyrus** papyrus
**papyrusrol** papyrus
**papzak** fatty
**para** mil paratrooper
**paraaf** initials *mv*
**paraat** ready, prepared ★ *parate kennis* ready knowledge ★ *parate troepen* troops on stand-by, troops at the ready
**parabel** parable
**parabool** parabola
**paracetamol** paracetamol
**parachute** parachute
**parachuteren** ❶ *aan parachute neerlaten* parachute ❷ *buitenstaander aanstellen* appoint unexpectedly
**parachutespringen** (make a) parachute jump, skydiving
**parachutist** parachutist, ⟨militair⟩ paratrooper
**parade** *defilé* review, parade ★ ~ *houden* hold a parade ★ ~ *afnemen* take the salute
**paradepaard** showpiece
**paraderen** ❶ *parade houden* parade ❷ *pronken* show off, make a show of
**paradijs** paradise
**paradijselijk** paradisical
**paradijsvogel** bird of paradise
**paradox** paradox
**paradoxaal** paradoxical
**paraferen** initial
**parafernalia** paraphernalia
**paraffine** paraffin
**paraffineolie** ❶ med liquid paraffin, medicinal oil ❷ *kerosine* paraffin (oil), USA kerosine ❸ *grondstof voor smeermiddelen / cosmetica* white oil
**parafrase** paraphrase
**parafraseren** paraphrase
**paragnost** psychic, medium
**paragraaf** section
**paragraafteken** paragraph
**Paraguay** Paraguay
**Paraguayaan** Paraguayan
**Paraguayaans** Paraguayan
**parallel** I *zn* [de] ❶ wisk parallel ❷ aardk parallel ❸ fig *vergelijking* parallel II *bnw, evenwijdig* parallel ★ ~ *lopen (aan)* run parallel (to / with)
**parallellie** parallelism
**parallellogram** parallelogram
**parallelweg** parallel road
**Paralympics** Paralympics *mv*
**paramedisch** paramedical ★ *~e beroepen* paramedical professions
**parameter** parameter
**paramilitair** paramilitary

**paranimf** omschr assistant to a candidate presenting his / her doctoral thesis
**paranoia** paranoia
**paranoïde** paranoid
**paranoot** Brazil nut
**paranormaal** paranormal, supernatural
**parapenten** paraglide
**paraplu** umbrella
**paraplubak** umbrella stand
**parapsychologie** parapsychology
**parasiet** ❶ biol parasite ❷ fig *nietsnut* sponger
**parasiteren** parasitize ▼ *op iem.* ~ sponge on / off sb
**parasol** parasol, sunshade
**parastatale** BN *semioverheidsinstelling* semi-governmental institution
**paratroepen** paratroops *mv*
**paratyfus** paratyphoid (fever)
**parcours** course, circuit
**pardon** I *zn* [het], *vergeving* pardon ★ *zonder* ~ ruthlessly, without mercy ★ *geen* ~ *geven* give no quarter II *tw* pardon me!, (I beg your) pardon!
**parel** ❶ *kraal* pearl ❷ *kostbaar iets, iem.* jewel ▼ *~s voor de zwijnen werpen* cast pearls before swine
**parelduiker** ❶ *persoon* pearl diver ❷ *vogel* black-throated diver
**parelen** *druppels vormen* pearl, bead ★ *het zweet parelde mij op het voorhoofd* beads of perspiration stood on my brow, my brow was beaded with sweat
**parelhoen** guinea fowl [v: guinea hen]
**parelmoer** (mother-of-)pearl
**parelmoeren** mother-of-pearl
**pareloester** pearl oyster
**parelsnoer** pearl necklace, string of pearls
**parelwit** pearly white
**paren** I *ov ww, koppelen* couple (**aan** with), combine (**aan** with) ★ *gepaard gaan met* go hand in hand with II *on ww, copuleren* mate with, copulate
**pareren** parry, ward off
**parfum** *reukwater* perfume, ⟨geur⟩ scent
**parfumeren** scent, perfume
**parfumerie** perfumery
**pari** I *zn* [het] econ par ★ *beneden pari* below par, at a discount ★ *tegen pari uitgeven* issue at face value ★ *boven pari* above par, at a premium II *bijw* econ par ★ *a pari* at par
**paria** pariah
**parig** two-line
**Parijs** *stad* Paris
**paring** mating, copulation
**paringsdrift** reproductive drive
**pariteit** parity
**park** *grote tuin* park ★ *nationaal park* national park
**parka** anorak, USA parka
**parkeerautomaat** ticket machine in a car park
**parkeerbon** parking ticket
**parkeergarage** multistorey / underground car park
**parkeergelegenheid** ❶ *parkeerplaats* parking space ❷ *parkeerterrein* parking facilities *mv*
**parkeerhaven** lay-by
**parkeerklem** wheel clamp
**parkeerlicht** parking light

pa

**parkeermeter** parking meter
**parkeerontheffing** (special) parking license
**parkeerplaats ❶** *vak voor één voertuig* parking place / spot, ⟨langs weg⟩ lay-by **❷** *terrein voor meer voertuigen* car park, USA parking lot
**parkeerpolitie** traffic warden(s)
**parkeerschijf** parking disc
**parkeerstrook** parking lane
**parkeerterrein** car park, USA parking lot
**parkeervak** parking bay
**parkeerverbod** ★ *er geldt hier een ~* there's no parking here
**parkeervergunning** parking permit
**parkeerwachter** car-park attendant
**parkeerzone** (controlled) parking zone
**parkeren I** *ov ww, laten staan* park **II** *on ww* ★ *verboden te ~* no parking
**parket ❶** *houten vloer* parquet floor **❷** *jur Openbaar Ministerie* office of the Public Prosecutor **❸** *rang in theater* parquet **❹** *jur ▾ in een lastig ~ zitten* be in an awkward predicament
**parketvloer** parquet floor
**parketwacht** *jur* court police officer
**parkiet** parakeet, budgerigar
**parkietenzaad** budgerigar seed
**parking** BN *parkeerplaats* parking place
**parkinson** Parkinson's disease
**parkoers** track ★ *een foutloos ~* a clear round
**parkwachter** park keeper
**parlement** parliament
**parlementair ❶** *m.b.t. parlement* parliamentary ★ *~e vlag* white flag **❷** *beleefd* parliamentary, civil
**parlementariër** parliamentarian, member of parliament, MP
**parlementsgebouw** parliamentary building
**parlementslid** Member of Parliament, MP
**parlementsverkiezingen** parliamentary elections *mv*
**parmantig** jaunty
**Parmezaans** ★ *~e kaas* Parmesan cheese
**parochiaal** parochial
**parochiaan** parishioner
**parochie** parish ▾ *voor eigen ~ preken* preach to the converted
**parodie** parody ★ *een ~ op* a parody on / of
**parodiëren** parody
**parool ❶** *wachtwoord* password **❷** *leus* slogan
**part** *deel* part, share ▾ *voor mijn part* for all I care ▾ *part noch deel hebben aan* have nothing to do with
**parterre ❶** *begane grond* ground floor, first floor **❷** *rang in schouwburg* pit
**participant** participant
**participatie** participation
**participeren** participate
**particulier I** *zn* [de] private person **II** *bnw* personal, ⟨aangeklaagde⟩ private ★ *in ~ bezit* privately owned
**partieel** partial
**partij ❶** *groep* party ★ *politieke ~* political party ★ *boven de ~en staan* be above party ★ *iemands ~ kiezen* take sb's side **❷** *jur procesvoerder* ⟨eisende⟩ plaintiff, ⟨aangeklaagde⟩ defendant ★ *zich (BN burgerlijk) ~ stellen* begin a procedure in civil law **❸** *huwelijkspartner* match ★ *een goede ~ zijn*

make a good / desirable match **❹** *hoeveelheid* set, bunch, ⟨van goederen⟩ parcel, ⟨van goederen⟩ lot, ⟨een zending⟩ shipment ★ *bij ~en verkopen* sell in lots **❺** *afgeronde actie* game ★ *een ~tje vechten* a bout of fighting **❻** *feest* party **❼** *muz* part ★ *zijn ~ spelen* play one's part, pull one's weight ▾ *~ trekken van* take advantage of ▾ *zijn ~ vinden* find one's match ▾ *goed ~ geven* play well ▾ *van de ~ zijn* be a member of the party, be in on it
**partijbestuur** party executive (committee)
**partijbijeenkomst** party meeting
**partijbons** party boss
**partijdig** partial, bias(s)ed
**partijganger** party follower, party stalwart
**partijgenoot** party-member
**partijkader** party officials *mv*
**partijleider** party leader
**partijlid** party member
**partijpolitiek I** *zn* [de] party politics *mv* ★ *de officiële ~* the party line **II** *bnw* party-political
**partijraad** party council
**partijtop** party leaders / leadership
**partikel** particle
**partituur** score
**partizaan** partisan
**partner ❶** *deelgenoot* partner **❷** *levensgezel* partner
**partnerregistratie** registration of (civil) partnership
**partnerschap** *samenlevingsvorm* (co-)partnership
**parttime** part-time
**parttimebaan** part-time job
**parttimer** part-timer
**partydrug** party drug
**partytent** party tent
**pas I** *zn* [de] **❶** *stap* step, pace ★ *in de pas lopen* march in step ★ *iem. de pas afsnijden* head sb off, forestall sb ★ *zijn pas versnellen* quicken one's step ★ *pas op de plaats maken* ook fig mark time ★ *er flink de pas in zetten* set off at a brisk pace ★ *in de pas blijven* keep in step (with) ★ *uit de pas lopen* be out of step (with) **❷** *paspoort* passport **❸** *ander legitimatiebewijs* ⟨ook pasje⟩ pass, ⟨ook pasje⟩ identity / I.D. card ★ *pas 65* senior citizen card **❹** *weg door gebergte* pass ▾ *de pas erin houden* keep up a steady pace ▾ *de pas erin zetten* set off at a brisk pace **II** *zn* [het] ▾ *dat komt niet van pas* be inconvenient ▾ *goed van pas komen* come in very useful / handy, *humor* just what the doctor ordered ▾ *de politie kwam eraan te pas* the police intervened ▾ *dat geeft geen pas* that won't do ▾ *je komt juist van pas* you are the very man I want ▾ *te pas en te onpas* all the time ▾ *het kwam zo in het gesprek te pas* it cropped up in the course of the conversation ▾ *er komt meer bij te pas* there's more to it ▾ *er niet aan te pas komen* not get a chance **III** *bijw* **❶** *waterpas* level **IV** *bijw* **❶** *nog maar net* (only) just ★ *pas geverfd* freshly painted, ⟨waarschuwing⟩ wet paint ★ *ik ben pas aangekomen* I've just arrived ★ *pas geplukt* freshly picked ★ *ik begin pas* I'm just beginning, I've only just started ★ *zo pas* only a minute ago, just now ★ *pas was hij thuis of* he'd only just come in when **❷** *niet meer / eerder / verder dan* just ★ *zij komt pas om 6 uur*

she won't / doesn't come until six ★ *pas twee jaar oud* only two years old ★ *pas toen hij wegging* not until he left ★ *nu / dan pas* only now / then ❸ *in hoge mate* ★ *dat is pas leuk* now that's what I call fun

**pascal** pascal

**Pascha** *rel* Passover

**pascontrole** passport control

**Pasen** Easter, ⟨joods⟩ Passover ★ *Beloken ~* Low Sunday

**pasfoto** passport photo

**pasgeboren** newborn

**pasgetrouwd** just married ★ *~ stel* newly weds

**pasje** → pas

**pasjessysteem** electronic pass / card system

**paskamer** fitting room

**pasklaar** *zo gemaakt dat het past* made to measure ★ *iets ~ maken voor* adapt sth to ★ *een pasklare oplossing* a cut and dried solution

**pasmunt** change

**paspoort** passport, ⟨militair⟩ pass

**paspoortcontrole** passport control

**paspoortnummer** passport number

**paspop** tailor's dummy

**pass** pass

**passaat** trade wind

**passaatwind** trade wind

**passage** ❶ *doorgang* passage ❷ *overtocht* passage ★ *~ bespreken* book a passage ❸ *winkelgalerij* arcade, mall ❹ *deel van tekst* passage

**passagier** passenger, ⟨in taxi⟩ fare ★ *een blinde ~* stowaway

**passagieren** go on / take shore leave

**passagierslijst** passenger list

**passagiersschip** passenger liner / ship

**passagiersvliegtuig** passenger plane

**passant** *voorbijganger* passer-by

**passé** outmoded, passé

**passen¹ I** *ov ww* ❶ *juist plaatsen* ★ *aan / in elkaar ~* fit together / in ❷ *juiste maat proberen* try on, fit ❸ *afpassen* fit ❹ *exact betalen* pay the exact sum **II** *on ww* ❶ *op maat zijn* fit ★ *dat past precies* it fits like a glove ★ *op een slot ~* fit a lock ❷ *gelegen komen* suit ❸ *fatsoenlijk zijn* become ★ *het past niet om* it isn't proper to ❹ *beurt overslaan* pass ★ *ik pas* pass ❺ *~ bij* fit, match, suit, become ★ *dat past er niet bij* that does not match ★ *goed bij elkaar ~* be suited to each other ❻ *~ op* mind, look after ★ *pas op het opstappen* mind the steps ★ *op de baby ~* take care of the baby ▼ *ik pas er voor om...* I refuse to...

**passen²** [pàssen] *sport een pass geven* pass

**passend** ❶ *gepast* proper, appropriate ❷ *erbij passend* fit, suitable ★ *'n erbij ~e das* a tie to match ★ *~e uitdrukking* appropriate term ★ *~e arbeid* suitable work

**passe-partout** ❶ *toegangskaart* pass ❷ *omlijsting* passe-partout

**passer** compass, pair of compasses, compasses [mv]

**passerdoos** box of compasses

**passeren I** *ov ww* ❶ *gaan langs* pass (by) ★ *mag ik even ~?* would you excuse me, please ❷ *inhalen* overtake ❸ *gaan door / over* pass through, cross ★ *hij is de 60 gepasseerd* he is over 60 years of age ❹ *overslaan* pass over ★ *zich gepasseerd voelen*

feel passed over ❺ *jur bekrachtigen* execute **II** *on ww, gebeuren* pass

**passie** ❶ *hartstocht* passion ❷ *het lijden van Christus* Passion

**passiebloem** passion-flower

**passief I** *bnw* ❶ *niet actief* passive ❷ *taalk* passive ❸ *econ* adverse **II** *zn* [het] ❶ *taalk* passive ❷ *econ* ★ *het actief en ~* the assets and liabilities

**passievrucht** passion fruit

**passiva** *econ* liabilities *mv*

**passiviteit** passivity

**passpiegel** full-length mirror

**password** password

**pasta I** *zn* [de] [mv: +'s] *mengsel* paste ★ *zaaddodende ~* spermicidal cream **II** *zn* [de] [mv: paste] *cul Italiaanse deegwaar* pasta

**pastei** pie

**pastel** ❶ *kleurstof* pastel ❷ *pasteltekening* pastel

**pasteltint** pastel colour

**pasteuriseren** pasteurize

**pastiche** pastiche

**pastille** pastille

**pastinaak** parsnip

**pastoor** *rel* priest ★ *meneer ~* Father

**pastor** *rel* pastor

**pastoraal** ❶ *rel* pastoral ★ *~ werk* pastoral work ❷ *herderlijk* pastoral, rustic

**pastoraat** ❶ *pastoorschap* priesthood ❷ *zielzorg* pastoral care

**pastorale** pastoral (piece / song / poem / play), pastorale

**pastorie** ⟨protestants⟩ parsonage, ⟨protestants⟩ vicarage, ⟨rooms-katholiek⟩ presbytery

**pasvorm** fit

**paswoord** *BN wachtwoord* password

**pat** *schaakterm* stalemate ★ *pat zetten* stalemate

**Patagonië** Patagonia

**patat** ❶ *soortnaam* chips *mv*, USA French fries *mv* ❷ *portie* portion of chips / French fries ★ *~ met (mayonaise)* chips with mayonnaise

**patatkraam** chip shop, ≈ fish and chips stand

**patchwork** patchwork

**paté** pâté

**patent I** *zn* [het] ⟨voor uitvinding⟩ (letters) patent, ⟨voor bedrijf⟩ licence ★ *~ aanvragen* apply for a patent ▼ *daar heeft hij het ~ op* that's his trademark **II** *bnw* excellent, first-rate ★ *er ~ uitzien* look very fit, look great

**patentbloem** patent flour

**patenteren** patent

**pater** father

**paternalisme** paternalism

**paternalistisch** paternalistic

**paternoster I** *zn* [de], *rozenkrans* rosary **II** *zn* [het], *gebed* paternoster, Lord's Prayer

**pathetisch** pathetic

**pathologie** pathology

**pathologisch** pathological

**patholoog-anatoom** pathologist, USA medical examiner

**pathos** pathos

**patience** patience

**patiënt** patient

**patiëntenorganisatie** patients' association

**patiëntenplatform** patients' support group

**patio** patio

**patisserie** pastry / cake shop, patisserie
**patjepeeër** boor
**patriarch** patriarch
**patriarchaal** patriarchal
**patriarchaat** ⟨waardigheid, gebied⟩ patriarchate, ⟨rechtstoestand⟩ patriarchy
**patriciër** patrician
**patrijs** *vogel* ⟨grey⟩ partridge
**patrijspoort** porthole
**patriot** patriot
**patriottisch** patriotic
**patriottisme** patriotism
**patronaal** BN *van de werkgevers* employers'
**patronaat** ❶ *beschermheerschap* patronage ❷ BN *de gezamenlijke werkgevers* employers
**patroon I** *zn* [de] ❶ *beschermheer* patron ❷ *beschermheilige* patron saint ❸ BN *baas* employer, boss ❹ *huls met lading* cartridge ★ *losse ~* blank cartridge ★ *scherpe ~* live cartridge **II** *zn* [het] ❶ *model* pattern ❷ *dessin* pattern, design
**patroonheilige** patron saint
**patroonhuls** cartridge (case)
**patrouille** patrol
**patrouilleauto** patrol / squad car
**patrouilleboot** patrol boat
**patrouilledienst** patrol duty
**patrouilleren** patrol
**pats** wham
**patser** bounder
**patstelling** ❶ *stelling in schaakspel* stalemate ❷ *impasse* stalemate, deadlock
**pauk** kettledrum ★ *de pauk(en) slaan* play the kettledrum(s)
**paukenist** kettledrummer
**paus** *geestelijk leider* pope ▾ *roomser dan de paus zijn* have a holier-than-thou attitude
**pauselijk** papal, pontifical
**pausmobiel** Popemobile
**pauw** peacock [v: peahen] ▾ *zo trots als een pauw* as proud as a peacock
**pauze** pause, ⟨in schouwburg, e.d.⟩ interval, ⟨op school⟩ break, ⟨in wedstrijd⟩ half-time, ⟨in schouwburg, e.d.⟩ USA intermission
**pauzefilm** intermission (film)
**pauzeren** pause, stop, have a break
**pauzetoets** pause button / key
**paviljoen** pavilion
**pc** *personal computer* pc, personal computer
**PCB** *polychloorbifenyl* PCB
**pda** comp *Personal Digital Assistant* PDA
**pecannoot** pecan(-nut)
**pech** ❶ *tegenspoed* bad luck ❷ *panne* trouble, breakdown
**pechlamp** breakdown lamp
**pechvogel** unlucky person
**pectine** pectin
**pedaal** pedal ▾ BN *de pedalen verliezen* get confused / muddled
**pedaalemmer** pedal bin
**pedagogie** pedagogy
**pedagogiek** pedagogics
**pedagogisch** pedagogic(al), ⟨opvoedend⟩ educational ★ *~e academie* teacher(s') training college
**pedagoog** *opvoedkundige* ⟨onderwijzer⟩

pedagogue, ⟨opvoedkundige⟩ educationalist
**pedant** pedantic
**pedanterie** pedantry
**peddel** paddle
**peddelen** ❶ *roeien* paddle ❷ *fietsen* pedal
**pedel** registrar, beadle
**pediatrie** paediatrics *mv*
**pedicure** ❶ *persoon* chiropodist ❷ *behandeling* pedicure
**pedofiel** paedophile
**pedofilie** paedophilia
**pedologie** *kinderpsychiatrie* paedology
**pee** ▾ *de pee aan iem. hebben* hate sb ▾ *(er) de pee in hebben* be in a huff
**peeling** ⟨cosmetic⟩ peeling ⟨of epidermis⟩
**peen** carrot ★ *witte peen* parsnip
**peepshow** peep show
**peer** ❶ *vrucht* pear ❷ *boom* pear (tree) ❸ *lamp* bulb ❹ *vent* guy, bloke ▾ *met de gebakken peren zitten* be left holding the baby
**peervormig** pear shaped
**pees** *deel van spier* tendon, sinew
**peeskamertje** form bedroom in a brothel
**peesontsteking** tendinitis
**peetmoeder** godmother
**peetoom** godfather
**peettante** godmother
**peetvader** ❶ *peter* godfather ❷ *geestelijke vader* spiritual father
**pegel** *ijskegel* icicle
**peignoir** peignoir, dressing gown
**peil** ❶ *lett gemeten stand* level, mark, ⟨van water⟩ watermark ★ *beneden peil* not up to the mark, below the usual level ★ *op peil* up to the mark ❷ *fig geestelijk, moreel niveau* level, standard ★ *op hoger peil brengen* raise to a higher level ▾ *er is geen peil op te trekken* that is quite unpredictable
**peildatum** set date / day, reference date
**peilen** ❶ *bepalen* ⟨van diepte⟩ sound, ⟨van diepte⟩ fathom, ⟨van gehalte, inhoud⟩ gauge, ⟨van plaats⟩ take (one's) bearings ❷ *fig doorgronden* ⟨van gedachten⟩ fathom, ⟨van gedachten⟩ probe, ⟨van gedachten⟩ sound out, ⟨van kennis⟩ test, ⟨van kennis⟩ gauge
**peilglas** gauge, gauge-glass
**peiling** ⟨van gehalte⟩ gauging, ⟨van hoogte, diepte⟩ sounding, ⟨van plaats⟩ bearing ★ *~en doen* take soundings, take bearings ▾ *ik heb je in de ~* I've got you taped
**peillood** plumb line
**peilloos** unfathomable
**peilstok** dipstick, ⟨voor wijn⟩ gauging-rod, ⟨voor water⟩ sounding rod
**peinzen** ponder, meditate, muse (**over** on), ⟨somber peinzen⟩ brood ▾ *ik peins er niet over!* no way!
**pek** pitch
**pekel** ❶ *oplossing* brine, pickle ❷ *strooizout* salt
**pekelen** ❶ *in pekel inleggen* pickle ❷ *bestrooien* salt
**pekelvlees** salt(ed) meat
**pekinees** Pekinese
**Peking** Beijing, gesch Peking
**pekingeend** Peking duck
**Pekings** → **Pekinees**
**pelgrim** pilgrim

**pelgrimage** pilgrimage
**pelgrimsoord** place / site of pilgrimage
**pelikaan** pelican
**pellen** peel, ⟨van noten⟩ shell, ⟨van rijst⟩ husk
**peloton ❶** mil platoon **❷** sport pack
**pels ❶** vacht pelt **❷** bont fur
**pelsdier** furred animal
**pelsjager** trapper
**pen ❶** pin **❷** schrijfpen pen ★ de pen opnemen take pen in hand **❸** breipen knitting needle **❹** vogelveer feather, ⟨slagpen⟩ pinion ▼ een werk in de pen hebben have a work in hand ▼ in de pen klimmen put pen to paper ▼ het zit in de pen it is on the stocks, it's at / in the planning stage ▼ een vlotte pen hebben wield a facile pen, wield a ready hand ▼ heel wat pennen in beweging brengen arouse a good deal of controversy
**penalty** penalty ⟨kick / shot⟩
**penaltystip** penalty spot
**penarie** ▼ in de ~ zitten be in the soup, be in a terrible mess
**pendant** pendant, counterpart, opposite number
**pendel ❶** hanglamp hanging lamp **❷** het pendelen commuting, shuttling
**pendelaar** commuter
**pendelbus** shuttle bus ⟨service⟩
**pendeldienst** shuttle service
**pendelen** commute
**pendule** clock, form timepiece
**penetrant** penetrating
**penetratie** penetration
**penetreren** penetrate
**penibel** awkward
**penicilline** penicillin
**penis** penis
**penitentiair** penitentiary ★ ~e inrichting penitentiary
**penitentie** penance
**pennen** schrijven pen, scribble, jot down
**pennenbak** pen tray
**pennenstreek** penstroke, stroke of the pen
**pennenstrijd** controversy
**pennenvrucht** product of one's pen
**pennenzak** BN etui case
**penning ❶** geld penny **❷** muntstuk penny **❸** medaille medal, ⟨van politieagent⟩ badge, ⟨van koffieautomaat, e.d.⟩ token ▼ hij is erg op de ~ he is very tight-fisted ▼ 's lands ~en the public funds
**penningmeester** treasurer
**penopauze** penopause
**penoze** underworld, world of crime
**pens ❶** buik paunch **❷** voormaag paunch, ⟨voor consumptie⟩ tripe **❸** BN cul bloedworst black pudding
**penseel** brush
**penseelstreek** brushstroke
**pensioen** retirement pension / pay, pension ★ aanvullend ~ supplementary pension ★ vervroegd ~ early retirement ★ met ~ gaan retire ⟨on pension⟩ ★ met ~ zijn be retired
**pensioenbreuk** ⟨wegens verandering van baan⟩ non-transferability of pension rights
**pensioenfonds** pension fund
**pensioengat** ≈ pension loss
**pensioengerechtigd** jur pensionable ★ ~e leeftijd pensionable / superannuation age

**pensioenopbouw** pension build-up
**pensioenpremie** pension contributions mv
**pension ❶** kosthuis boarding house **❷** verzorging board ★ in ~ zijn bij board with
**pensionaat** boarding school
**pensioneren** pension off, place on the retired list
**pensionering** retirement
**pensionhouder** landlord
**pentagram** pentagram
**pentatleet** pentathlete
**pentatlon** pentathlon
**penthouse** penthouse
**penvriend** pen-friend, inform pen-pal
**pep ❶** fut pep, energy **❷** pepmiddel pep pill, med amphetamine
**peper** cul specerij pepper ★ Spaanse ~ red pepper
**peperbus** pepper pot
**peperduur** very expensive
**peperen** pepper
**peper-en-zoutkleurig** salt-and-pepper, ⟨van haar ook⟩ grizzled
**peper-en-zoutstel** salt cellar and pepper pot, cruet stand, salt and pepper pots mv
**peperkoek** BN cul ontbijtkoek ≈ gingerbread
**peperkorrel** peppercorn
**pepermolen** pepper-mill
**pepermunt ❶** plant peppermint **❷** cul snoepgoed peppermint **❸** → **pepermuntje**
**pepermuntje** cul snoepje peppermint
**pepernoot** cul ≈ gingernut
**pepmiddel** pep pill
**pepperspray** pepper spray
**peppil** pep pill
**peptalk** pep talk
**per ❶** vanaf as of ★ per 1 augustus as from / of August 1, as from the first of August ★ per maandag aanstaande as from next Monday **❷** door middel van by ★ per fiets / boot / trein / vliegtuig by bike / boat / train / plane ★ iets per vliegtuig versturen send sth by air / plane **❸** bij een hoeveelheid van per, by ★ honderd kilometer per uur one hundred kilometres an hour ★ per vierkante meter per square metre ★ per stuk apiece, each ★ per kilo by the kilo ★ per dag a day, per day
**perceel ❶** stuk land parcel, plot, ⟨kaveling⟩ lot **❷** pand property
**percent** → **procent**
**percentage** percentage
**percentsgewijs** percentagewise, in terms of percentage
**perceptie** perception
**perceptief** perceptive
**percolator** percolator
**percussie** percussion
**percussionist** percussionist, percussion player
**perenboom** pear tree
**perensap** cul pear juice
**perfect** perfect
**perfectie** perfection ★ in de ~ perfectly, to perfection
**perfectioneren** perfect, bring to perfection
**perfectionist** perfectionist, stickler for perfection
**perforatie** perforation

**perforator** perforator, punch
**perforeren** perforate
**pergola** pergola
**perifeer** peripheral ★ *het perifere zenuwstelsel* the peripheral nervous system
**periferie** periphery, perimeter ★ *aan de ~ van de stad* on the periphery / outskirts of the town
**perikel** ❶ *gevaar* ★ *~en* perils ❷ *lastig voorval* ★ *~en* adventures
**periode** period
**periodiek** I *zn* [de/het] ❶ *tijdschrift* periodical ❷ *salarisverhoging* increment II *bnw* periodical ★ *~e onthouding* rhythm method ★ *~e overschrijving* payment by standing order
**periodiseren** divide into periods / phases / stages
**periscoop** periscope
**peristaltisch** peristaltic ★ *~e beweging* peristalsis
**perk** ❶ *bloembed* bed, flowerbed ❷ fig *begrenzing* bound, limit
**perkament** parchment, ⟨van boeken⟩ vellum
**perm** Permian
**permafrost** permafrost
**permanent** I *zn* [het] permanent (wave) ★ *een ~ laten zetten* have one's hair permed II *bnw* permanent
**permanenten** give a permanent wave, inform perm
**permeabel** permeable
**permissie** permission, leave ★ *met ~* by your leave
**permissief** permissive
**permitteren** allow, permit ★ *zich de vrijheid ~ om* take the liberty to ★ *ik kan me die weelde niet ~* I can't afford that luxury
**peroxide** peroxide
**perpetuum mobile** muz perpetuum mobile, techn perpetual motion machine
**perplex** perplexed, baffled ★ *iem. ~ doen staan* perplex sb
**perron** platform
**Pers** Persian
**pers** ❶ *toestel om te persen* press ❷ *drukpers* (printing) press ★ *ter perse gaan* go to press ❸ *nieuwsbladen en journalisten* press ★ *een goede pers hebben* have a good press ★ *iem. van de pers* newspaper man ❹ *tapijt* Persian carpet / rug
**persagentschap** press / news agency
**persbericht** ❶ *bericht aan de pers* press release ❷ *bericht in de pers* press / newspaper report
**persbureau** news agency
**perschef** press officer
**persconferentie** press conference
**per se** at any price, definitely ★ *dat hoeft niet ~ waar te zijn* this is not necessarily true
**persen** I *ov ww* ❶ *krachtig drukken* ⟨staal, papier,⟩ press, ⟨hooi, spaanders⟩ compress ❷ *uitpersen* ⟨olijf, druif⟩ press, ⟨citrusvruchten⟩ squeeze ★ *zich ergens doorheen ~* squeeze o.s. through sth ❸ *gladstrijken* press II *on ww, drukken* push
**persfotograaf** press photographer
**persiflage** persiflage
**persifleren** caricature, satirize
**perskaart** press pass
**persklaar** ready to go to press, ready for the press

**persmuskiet** press hound
**personage** ❶ *rol, figuur* personage, character ❷ *persoon* person
**personal computer** personal computer
**personalia** personal particulars / details *mv*, ⟨rubriek in krant⟩ personal column
**personaliteit** BN *vip* VIP, celeb
**personeel** I *zn* [het] personnel, staff, ⟨werknemers⟩ employees *mv* ★ *te weinig / te veel ~ hebben* be understaffed / overstaffed II *bnw*, *persoonlijk* personal ★ *personele belasting* property tax, GB local rate
**personeelsadvertentie** recruitment ad(vertisement)
**personeelsafdeling** personnel department
**personeelsbeleid** personnel management, staff policy
**personeelschef** personnel / staff mananger
**personeelslid** member of staff
**personeelsstop** freeze on personnel / staff recruitment
**personeelstekort** shortage of staff, shortage of personnel
**personeelszaken** ❶ *aangelegenheden* staff matters *mv* ❷ *afdeling* personnel department
**personenauto** passenger car
**personenlift** passenger lift
**personenregister** register of births, marriages and deaths
**personentrein** passenger train
**personenvervoer** ❶ *vervoeren van personen* transport of passengers ❷ *aantal vervoerde personen* passenger traffic
**personificatie** personification
**personifiëren** personify
**persoon** ❶ *individu* person ★ *in eigen ~* in person, personally ★ *de gierigheid in ~* avarice personified ★ *per ~* a head, each ❷ taalk *person* ★ *eerste ~ enkelvoud* first person singular
**persoonlijk** I *bnw* ❶ *m.b.t. individu* personal, private ★ *strikt ~* (strictly) private ❷ *in eigen persoon* personal ❸ *met eigen karakter* personal, individual ❹ taalk *person* ★ *~ voornaamwoord* personal pronoun II *bijw* personally ★ *iem. ~ kennen* know sb personally
**persoonlijkheid** ❶ *aard* personality, character ❷ *persoon* personality
**persoonsbewijs** identity card, ID
**persoonsgebonden** personal, individual
**persoonsregister** register of births, marriages, and deaths
**persoonsregistratie** registration of personal data
**persoonsverheerlijking** personality cult
**persoonsvorm** finite form / verb
**perspectief** I *zn* [het] ❶ *gezichtspunt* perspective, point of view ❷ *vooruitzicht* perspective, prospect ❸ *context* perspective, context ★ *dingen in het juiste ~ zien* look at things in their proper perspective / context ★ *iets in ~ plaatsen* put sth into perspective II *zn* [de], *uitbeelding in plat vlak* perspective ★ *in ~ tekenen* draw in perspective
**perspectivisch** perspective
**perspex** (made of) perspex, USA (made of) plexiglass
**perssinaasappel** juicing orange

**pe**

**perstribune** press / reporters' gallery
**persvoorlichter** press officer, public relations officer
**persvrijheid** freedom of the press
**perswee** contraction
**pertinent** ❶ *beslist* positive, definite ★ *dat is ~ gelogen* that's a definite / downright lie ★ *ik weet het ~ zeker* I am positive ❷ *ter zake dienend* pertinent, relevant
**Peru** Peru
**Peruaan** Peruvian
**Peruaans** Peruvian
**Peruaanse** Peruvian (woman / girl)
**pervers** perverse
**perversie** perversion, degeneration
**Perzië** Persia
**perzik** ❶ *vrucht* peach ❷ *boom* peach (tree)
**perzikhuid** soft / peachy / creamy skin
**Perzisch** Persian
**Perzische** Persian (woman / girl)
**Perzische Golf** Persian Gulf
**Pesach** rel Passover
**pessarium** pessary, diaphragm
**pessimisme** pessimism
**pessimist** pessimist
**pessimistisch** pessimistic
**pest** ❶ *ziekte* plague ❷ *iets schadelijks* pest, blight ▾ *de pest hebben aan iets* hate sth like poison ▾ *dat is de pest voor...* it plays hell with..., it plays the devil with...
**pest-** bloody, stupid ★ *pestweer* bloody weather
**pestbui** rotten mood / temper
**pesten** bully, badger, pester
**pestepidemie** epidemic of plague
**pesterij** pestering, harassment
**pesthekel** loathing ★ *een ~ hebben / krijgen aan* hate like poison
**pesthumeur** lousy / bad mood
**pesticide** pesticide
**pestkop** bully, tormentor
**pesto** cul pesto
**pet** I *zn* [de] (peaked) cap ★ *dat gaat boven mijn pet* that is beyond me ★ *gooi het maar in mijn pet* search me ★ *zijn pet staat verkeerd* he's in a bad mood ★ *met de pet rondgaan* pass the hat round II *bnw* lousy ★ *dat is pet* that's awful
**petekind** godchild
**petemoei** godmother
**peter** godfather
**peterschap** BN *financiële ondersteuning* sponsoring
**peterselie** cul parsley
**petfles** PET-bottle
**petieterig** tiny ★ *een ~ kamertje* a poky room
**petitfour** petit four
**petitie** petition
**petrochemie** petrochemistry
**petrochemisch** petrochemical
**petroleum** (ruw) petroleum, (gezuiverd) paraffin, (gezuiverd) USA kerosene
**petroleumlamp** paraffin lamp, USA kerosine lamp
**petroleumtanker** oil tanker, oiler
**pets** cuff, whack
**petticoat** petticoat
**petunia** petunia

**peuk** ❶ *stompje sigaret* butt, stub ❷ *inform sigaret* fag
**peul** ❶ *peulvrucht* legume ❷ *soort erwt* mangetout
**peulenschil** ❶ *schil van peul* pea pod ❷ *kleinigheid* trifle ★ *dat is een ~ voor hem* that is a mere trifle for him ★ *dat is geen ~* no kidding, that is not to be sneezed at
**peulvrucht** ❶ *erwt, boon* legume ❷ *plant* leguminous plant
**peut** ❶ *petroleum* oil, paraffin ❷ *terpentine* turps
**peuter** toddler
**peuteren** ❶ *pulken* pick ★ *in je neus / tanden ~* pick one's nose / teeth ❷ *friemelen* fumble, fiddle, tamper (with)
**peuterig** ❶ *pietepeuterig* finicky ❷ *klein* tiny, diminutive ❸ *prutserig* slapdash
**peuterleidster** nursery school / kindergarten teacher
**peuterspeelzaal**, BN **peutertuin** ≈ playgroup
**peuzelen** munch, nibble
**pezen** ❶ *hard werken* slog (away at) ❷ *hard rijden* speed, put one's foot down ❸ *tippelen* hustle, USA turn tricks ❹ *neuken* screw, fuck
**pezig** ❶ *taai* wiry, tough ❷ *met krachtige pezen* sinewy
**pfeiffer** glandular fever, inform kissing disease
**pH** pH
**photoshoppen** photoshop, use photoshop
**pH-waarde** pH value
**pi** pi
**pianissimo** pianissimo
**pianist** pianist, piano player
**piano** piano
**pianoconcert** ❶ *muziekstuk* piano concerto *mv: concertos* ❷ *uitvoering* piano recital / performance
**pianoles** piano lesson
**pianostemmer** piano tuner
**pias** clown, buffoon, fool, (trekpop) jumping jack ★ *de pias uithangen* clown about
**piccalilly** piccalilli
**piccolo** ❶ *fluit* piccolo ❷ *bediende* bellboy, USA bellhop ❸ BN cul *hard puntbroodje* ≈ roll
**picknick** picnic
**picknicken** (go for a) picnic
**picknickmand** hamper, picnic basket
**pick-up** ❶ *kleine open vrachtauto* pick-up (truck) ❷ *platenspeler* record player, turn-table
**pico bello** splendid, outstanding
**pictogram** pictogram, pictograph
**picture** ▾ *in de ~ komen* come to the fore
**pied-à-terre** pied-à-terre
**piëdestal** pedestal
**pief** type, sort ★ *een hoge pief* a nob, a big cheese
**piek** ❶ *spits* peak, summit ❷ *hoogtepunt* summit, peak, zenith ❸ *haarlok* wisp
**pieken** ❶ *goed presteren* peak ❷ *van haar* be straggly / spiky, be in rat's tails
**piekeraar** puzzle-head, worrier
**piekeren** puzzle over, brood, worry, fret ★ *zich suf ~* puzzle one's head off
**piekfijn** ❶ *erg goed* A1, first class ★ *~ in orde* in tip-top order / shape ❷ *keurig* (van uiterlijk) spruce, (van uiterlijk) natty
**piekhaar** spiky hair

**piekuur** peak hour, ⟨voornamelijk van drukte⟩ rush hour

**pielen** *aanrommelen* fiddle, play about

**piemel** willy, peter, <u>USA</u> pecker

**pienter** bright, clever, smart

**piep I** *bnw* very young **II** *tw* peep, ⟨muizen⟩ squeak, ⟨vogels⟩ chirp

**piepen ❶** *geluid maken* ⟨van adem⟩ wheeze, ⟨van muizen⟩ squeak, ⟨van scharnier⟩ creak ❷ *klagen* whine, peep **(naar** at) ▾ *dadelijk piep je wel anders* soon you'll change your tune

**pieper ❶** *aardappel* spud ❷ *apparaatje* bleeper

**piepjong** extremely young

**piepklein** tiny

**piepkuiken** spring chicken

**piepschuim** polystyrene foam

**pieptoon** bleep

**piepzak** ▾ *in de ~ zitten* be in a blue funk

**pier ❶** *worm* earthworm ❷ *wandeldam* pier, ⟨golfbreker⟩ jetty ❸ *loopbrug* pier ▾ *zo dood als een pier* as dead as a doornail ▾ *ik ben altijd de kwaaie pier* I always get the blame

**piercing** piercing

**pierenbad** paddling pool

**pierewaaien** be on a spree

**pies** pee, piss

**piesen** pee, piss

**Piet** ▾ *voor Piet Snot staan* look silly, look like a fool ▾ *Zwarte Piet* Black Jack, Black Peter

**piet ❶** *vent* chap ★ *een saaie piet* a dry old stick, a dull dog, a terrible bore ★ *zich een hele piet voelen* fancy o.s. ❷ *vogel* canary

**piëteit** piety

**pietepeuterig ❶** *klein* minute, diminutive ❷ *pietluttig* finicky, punctilious

**piëtisme** pietism

**pietje-precies** ★ *hij is een ~* he's a stickler for detail

**pietlut** niggler

**pietluttig** niggling, petty

**pigment** pigment

**pigmentvlek** mole, ⟨sproet⟩ freckle, ⟨moedervlek⟩ birthmark

**pij** ⟨monk's⟩ habit

**pijl ❶** *projectiel* arrow, ⟨klein⟩ dart ★ *pijl en boog* bow and arrow(s) ▾ *als een pijl uit de boog* like a rocket / shot ▾ *meer pijlen op zijn boog hebben* have more strings to one's bow

**pijler** pillar, column, ⟨van brug⟩ pier

**pijlinktvis** squid, sea arrow

**pijlkruid** arrowhead

**pijlsnel** (as) swift as an arrow

**pijltjestoets** scroll arrow

**pijlvormig** arrow shaped

**pijn ❶** *lichamelijk lijden* ⟨plotseling⟩ pang, ache, pain ★ *stekende pijn* stabbing / sharp pain ★ *pijn lijden* be in pain ★ *mijn been doet pijn* my leg hurts / aches ★ *pijn in de keel hebben* have a sore throat ❷ *verdriet* distress, pain ★ *iem. pijn doen* hurt sb ❸ *moeite* pains *mv*, effort

**pijnappel** pinecone, ⟨van spar⟩ fir cone

**pijnappelklier** pineal gland

**pijnbank** rack ▾ *iem. op de ~ leggen* put sb on the rack

**pijnbestrijding** pain control, measures to alleviate pain *mv*

**pijnboom** pine (tree)

**pijnboompit** pine nut

**pijndrempel** pain threshold

**pijngrens** pain threshold / level

**pijnigen** <u>lett</u> torment

**pijnlijk ❶** *pijn doend* painful ★ *~e keel / voeten* sore throat / feet ❷ *onaangenaam* awkward ★ *een ~e situatie* an embarrassing situation ❸ *nauwgezet* painstaking ★ *met ~e zorg* with meticulous care

**pijnloos** painless

**pijnprikkel** pain stimulus

**pijnpunt ❶** *pijnlijke plek* painful area ❷ <u>fig</u> *discussiepunt* painful subject

**pijnscheut** stab (of pain), twinge, shooting pain

**pijnstillend** soothing ★ *~ middel* sedative

**pijnstiller** painkiller, <u>med</u> analgesic

**pijp ❶** *buis* tube, ⟨van orgel⟩ pipe, ⟨van brandslang⟩ nozzle ❷ *schoorsteenpijp* chimney pot, ⟨schip⟩ funnel ❸ *broekspijp* leg ❹ *rookgerei* pipe ★ *aan zijn pijp trekken* puff on one's pipe ❺ *staafje* stick ★ *een pijp kaneel* a stick of cinnamon ❻ → **pijpje** ▾ *een zware pijp roken* have a hard time of it ▾ *de pijp uitgaan* kick the bucket ▾ *de pijp aan Maarten geven* opt out

**pijpen** *fellatio bedrijven* suck off, blow, give a blowjob ▾ *naar iemands ~ dansen* dance to sb's tune

**pijpenkrul** corkscrew curl

**pijpenla** <u>fig</u> *smal gebouw* long (and) narrow room / house

**pijpensteel** stem of a pipe ▾ *het regent pijpenstelen* it's raining cats and dogs

**pijpfitter** pipe fitter

**pijpfitting** pipe fitting

**pijpje** *pilsflesje* small beer bottle

**pijpleiding** pipeline

**pijpsleutel** *gereedschap* tubular (box) spanner

**pik ❶** *penis* prick, cock ❷ *houweel* pick(axe) ▾ *de pik op iem. hebben* have it in for sb ▾ *op zijn pik getrapt zijn* be insulted, be in a huff

**pikant ❶** *scherp* piquant, savoury ❷ *gewaagd* titillating, risqué ★ *~ verhaal* racy story ★ *~e bijzonderheden* juicy details

**pikdonker I** *zn* [het] pitch darkness **II** *bnw* pitch-dark

**pikeren** *beledigen* nettle, pique

**piket** picket

**pikeur** horseman

**pikhouweel** pickaxe

**pikkedonker I** *zn* [het] pitch-darkness **II** *bnw* pitch-dark, pitch-black

**pikken ❶** *stelen* pinch, nick ❷ *pakken* grab ❸ *prikken, steken* prick, pick, ⟨met snavel⟩ peck ❹ *dulden* take, put up with ★ *dat zou ik niet ~* I wouldn't take / swallow it

**pikorde** pecking order

**pikzwart** pitch-black

**pil ❶** *geneesmiddel* pill ★ *pillen draaien* roll pills ❷ *anticonceptiepil* the Pill / pill ★ *de pil slikken* take the pill, be on the pill ❸ *iets diks* ⟨boek⟩ tome, ⟨boterham⟩ chunk (of bread)

**pilaar** pillar, column

**pilav** pilau, pilaff, pilaw

**pillendoos** pillbox

**piloot** pilot ★ *tweede ~* co-pilot

**pi**

**pilotstudie** pilot study

**pils I** *zn* [de] ★ *een pilsje graag* a glass / pint of lager, please **II** *zn* [het] (Pilsener) beer, lager

**pimpelen** booze, tipple

**pimpelmees** blue tit

**pimpelpaars** purple

**pimpen** pimp

**pin I** *zn* [de] ❶ *staafje* peg, pin ❷ *pinnig mens* shrew ▼ BN *met iets voor de pinnen komen* come out / up with sth **II** *afk, persoonlijk identificatienummer* PIN, personal identification number

**pinapparaat** PIN code reader

**pinautomaat** *betaalautomaat* cash dispenser / machine, cashpoint, ATM, automated teller machine

**pincet** pair of tweezers, tweezers *mv*

**pincode** PIN

**pinda** peanut

**pindakaas** cul peanut butter

**pindasaus** cul peanut sauce

**pineut** ▼ *de ~ zijn* be the dupe

**pingelaar** haggler

**pingelen** ❶ *tingelen* strum ❷ *afdingen* haggle (about), chaffer, dicker (over) ❸ sport dribble ❹ *tikken van motor* pink

**pingpongbal** ping-pong ball, table tennis ball

**pingpongen** play ping-pong

**pingpongtafel** ping-pong table

**pinguïn** penguin

**pink** ❶ *vinger* little finger ❷ *kalf* yearling ▼ *bij de pinken zijn* be all there

**pinken** BN *knipogen* wink

**pinksterbloem** (veldkers) cuckoo flower, (gele iris) yellow iris, (koekoeksbloem) campion

**Pinksteren** Whitsun(tide), (zondag) Pentecost

**pinkstermaandag** Whit Monday

**pinkstervakantie** onderw Whitsun(day), Whit

**pinnen** ❶ *betalen* pay with a bank / credit card ❷ *geld opnemen* withdraw cash from a cash dispenser

**pinnig** ❶ *vinnig* sharp, tart ❷ *gierig* stingy, mingy

**pinpas** bank / credit card

**pint** BN pint

**pin-up** pin-up

**pioen** peony ▼ *een hoofd als een ~* blushing scarlet / as red as a rose

**pioenroos** peony

**pion** *speelfiguurtje* (bij schaken) pawn, counter

**pionier** pioneer

**pionieren** pioneer

**pioniersgeest** pioneer(ing) spirit

**pionierswerk** pioneering ▼ *~ verrichten* be in the vanguard

**pipet** pipette

**pips** off colour

**piraat** ❶ *zeerover* pirate ❷ *zender* pirate (station)

**piramide** pyramid

**piramidevormig** pyramid-shaped, pyramidic(al)

**piranha** piranha

**pirateneditie** pirate edition

**piratenschip** ❶ *zeeroversschip* pirate ship ❷ *illegaal radioschip* pirate radio ship

**piratenzender** pirate (radio station)

**piraterij** piracy

**pirouette** pirouette

**pis** piss

**pisang** ❶ *banaan* banana ❷ *persoon* ▼ *de ~ zijn* be the dupe

**pisbak** urinal

**pisnijdig** livid, hopping mad, pissed-off

**pispaal** butt

**pispot** piss-pot

**pissebed** woodlouse [mv: woodlice] USA pill bug

**pissen** piss, form make water

**pissig** pissed-off (at), form angry (with)

**pistache** *noot* pistachio (nut)

**pistachenoot** pistachio (nut)

**piste** (van circus) ring, (skipiste) (ski) run, (wielerbaan) track

**pistolet** bread roll, hard roll

**piston** ❶ *muziekinstrument* cornet ❷ techn *zuiger* piston

**pistool** pistol ★ *hij zette mij het ~ op de borst* he put a pistol to my breast

**pistoolschot** pistol-shot

**pit** ❶ *kern van vrucht* (van appel) pip, (eetbaar) kernel, (van kers, perzik, e.d.) stone ❷ *elan* spirit ★ *hij heeft pit* he is full of (get-up-and-)go ❸ *brander* burner ★ *gasstel met 3 pitten* gascooker with three rings ★ *de centrale verwarming op een laag pitje zetten* keep the central heating ticking over ❹ *lont* (van kaars, olielamp) wick ▼ *iets op een laag pitje zetten* give sth a low profile

**pitabroodje** cul pi(t)ta bread

**pitbull** pitbull (terrier)

**pitcher** sport pitcher

**pitje** → pit

**pitloos** (v. sinaasappel e.d.) pipless, (v. pruim, perzik enz.) stoneless, (v. druif) seedless

**pitriet** pulp cane

**pits** sport *reparatieplaats* pit

**pitsstop** sport pit stop

**pitten** **I** *ov ww, van pit ontdoen* stone **II** *on ww, slapen* sleep, inform snooze ★ *ik ga ~* I'm turning in

**pittig** ❶ *energiek* lively, (van taal) racy, (van persoon, toespraak) spirited, (van stijl) pithy ★ *een ~ gesprek* a meaty discussion ❷ *pikant* spicy, (van sigaar, wijn) full-flavoured

**pittoresk** picturesque, scenic

**pixel** comp pixel

**pizza** pizza

**pizzakoerier** pizza deliverer

**pizzeria** pizzeria

**plaag** ❶ *bezoeking* plague, curse, pest ❷ *ziekte* plague

**plaaggeest** *demon* tease(r)

**plaagstoot** ❶ fig dig, tease ★ *een ~je uitdelen* deal a teasing blow, dig at sb ❷ lett playful blow

**plaagziek** teasing

**plaaster** BN *gips* plaster

**plaat** ❶ *plat, hard stuk* (van beton, marmer) slab, (van glas, metaal) plate, (van ijzer) sheet ❷ *prent* picture, plate ❸ *grammofoonplaat* record ❹ *zandbank* sandbank, shallow(s) ❺ → **plaatje** ▼ *de ~ poetsen* sling one's hook, bolt, clear out

**plaatijzer** sheet iron

**plaatje** ❶ *tandprothese* (dental) plate ❷ *afbeelding* picture ★ *~s schieten* take snapshots ❸ *iets moois* picture

**plaatopname** recording session

**plaats ❶** *ruimte waar iemand / iets zich bevindt* place, position ★ *de* ~ *van de misdaad* the scene of the crime ★ *de* ~ *van het handeling* the scene of action ★ ~ *bepalen* locate, scheepv fix the position ★ *op de* ~ *rust!* stand easy! ★ *ter* ~*e* on the spot **❷** *ruimte die iemand / iets inneemt* room, space, ⟨zitplaats⟩ seat ★ *tot de laatste* ~ *bezet* absolutely packed, filled to capacity **❸** *woonplaats* town, ⟨dorp⟩ village ★ *hier ter* ~*e* in our town **❹** *functie* post, place ★ *een* ~ *in het bestuur* a seat on the board **❺** *positie* position ★ *de* ~ *van iem.* innemen take sb's place, deputize for sb ★ *zijn* ~ *innemen* take up one's position ▼ *in de eerste* ~ in the first place, first of all, primarily ▼ *in* ~ *van* instead of ▼ *in de* ~ *stellen van* substitute for ▼ *iem. op zijn* ~ *zetten* put sb in his place ▼ *op zijn* ~ *zijn* be out of place, be uncalled for ▼ BN *ter* ~*e trappelen* mark time
**plaatsbepaling** location
**plaatsbespreking** booking
**plaatsbewijs** ticket
**plaatselijk I** *bnw, ter plaatse* local ★ ~ *bestuur* local government, local authority ★ ~*e verordening* by(e)-law **II** *bijw* **❶** *ter plaatse* locally ★ ~ *bekend als...* locally known as... **❷** *hier en daar* in some places ★ ~ *regen* local showers
**plaatsen I** *ov ww* **❶** *een plaats geven* place, put, sport rank, ⟨stationeren⟩ post, ⟨stationeren⟩ station ★ *een advertentie* ~ insert / put an ad in the paper ★ *hij is als eerste geplaatst* he is ranked first **❷** *beleggen* ⟨van kapitaal⟩ invest, ⟨van orders, lening⟩ place **❸** *in dienst nemen* appoint (to) ★ *een officier bij een regiment* ~ attach an officer to a regiment **II** *wkd ww* [**zich** ~] sport qualify (for) ▼ *dit kan ik niet* ~ I can't place this
**plaatsgebrek** lack of space
**plaatshebben** take place
**plaatsing ❶** *het plaatsen* placing, ⟨stationering⟩ attachment **❷** *aanstelling* posting, appointment **❸** *belegging* investment **❹** *klassering* ranking
**plaatsmaken** make room (**voor** for), give way (**voor** to)
**plaatsnaam** place-name
**plaatsnemen** take a seat
**plaatsruimte** room, accommodation
**plaatsvervangend** substitute ★ ~ *lid* deputy member ★ ~ *chef* acting manager
**plaatsvervanger** replacement, substitute, deputy, ⟨van acteur⟩ understudy, ⟨van dokter⟩ locum (tenens)
**plaatsvinden** take place, happen
**plaatwerk ❶** *boek* illustrated work **❷** *plaatmetaal* plating
**placebo** placebo
**placebo-effect** placebo effect
**placemat** place mat
**placenta** placenta
**pladijs** BN *schol* plaice *mv: id.*
**plafond ❶** *kamerplafond* ceiling **❷** fig *bovengrens* ceiling, limit ★ *hij heeft zijn* ~ *bereikt* he has reached his limits
**plafonneren** BN *aan een maximum koppelen* limit
**plafonnière** ceiling light
**plag** sod (of grass / peat), (piece of) turf
**plagen ❶** *pesten* tease, humor chaff ★ ~ *met chaff*

about ★ *ik plaag maar wat* I'm just teasing **❷** *hinderen* trouble, worry, bother ★ *door muggen geplaagd* tormented by mosquitoes ★ *door schuldgevoel geplaagd* troubled by one's conscience ▼ inform *mag ik u even* ~? excuse me
**plagerig** teasing
**plagerij** teasing, chaff, banter(ing)
**plagiaat** plagiarism, plagiary ★ ~ *plegen* plagiarize, pirate
**plagiëren** plagiarise, pirate
**plaid** plaid
**plak ❶** *schijf* slice, ⟨van chocola⟩ slab, ⟨van spek⟩ rasher **❷** *medaille* medal **❸** *tandaanslag* (dental) plaque ▼ *onder de plak zitten* be henpecked
**plakband** adhesive, sticky tape
**plakboek** scrapbook
**plakkaat ❶** *aanplakbiljet* placard, poster **❷** *vlek, klodder* blob, blotch
**plakkaatverf** poster colour / paint
**plakken I** *ov ww, lijmen* paste (on / to), stick (on / to), glue (on / to) **II** *on ww* **❶** *kleven* stick ★ *het plakt niet* it won't stick **❷** *lang blijven* stay on, stick around ★ *zij blijft altijd* ~ she never knows when to go
**plakker ❶** *sticker* sticker **❷** *aanplakker* paster, ⟨van aanplakbiljetten⟩ (bill)sticker **❸** *iem. die lang blijft* sticker, lingerer
**plakkerig** sticky, tacky
**plakletter** self-adhesive letter
**plakplaatje** sticker
**plakplastic** adhesive plastic
**plaksel** adhesive, glue, ⟨van behang⟩ paste
**plakstift** Pritt stick
**plamuren** fill
**plamuur** filler
**plamuurmes** filling knife *mv: knives*
**plan ❶** *voornemen, bedoeling* design, plan ★ *met het plan om...* with the intention of... ★ *van plan zijn om...* plan to... ★ *ik ben niet van plan om...* I am not going to... **❷** *ontwerp, uitgewerkt idee* plan, design, scheme, project ★ *een plan maken* make a plan ★ *volgens plan* according to plan **❸** *plattegrond* ⟨van gebouw⟩ ground plan, ⟨van stad⟩ map **❹** *niveau* plane ★ *van het eerste plan* first-rate ★ *van het tweede plan* second-rate
**planbureau** planning office
**planeconomie** planned economy
**planeet** planet
**planeetbaan** orbit (of a planet)
**planetarium** planetarium
**planetenstelsel** planetary system
**planetoïde** planetoid
**plank** *stuk hout* plank, ⟨dun⟩ board, ⟨in kast⟩ shelf *mv: shelves* ★ *op de bovenste / onderste* ~ on the top / bottom shelf ▼ *op de* ~*en brengen* put on the stage ▼ *op de* ~*en staan* be on the stage ▼ *van de bovenste* ~ first-rate ▼ BN *de* ~ *maken* float on one's back ▼ *de* ~ *misslaan* be beside the mark, be wide off the mark, be way off
**plankenkoorts** stage fright
**plankgas** ★ ~ *rijden* drive flat out ★ ~ *geven* step on the gas
**plankier** platform
**plankton** plankton
**plankzeilen** windsurfing
**planmatig** systematic

**pl**

**plannen** plan
**planning** plan(ning) ★ *~ op lange termijn* long-term planning
**planologie** town and country planning
**planologisch** planning ★ *~ bureau* planning bureau
**planoloog** (town) planner
**plant** plant ★ *vaste ~* perennial plant
**plantaardig** vegetable
**plantage** plantation, estate
**planten** plant
**plantenbak** flower box
**planteneter** herbivore
**plantengroei** vegetation
**plantenrijk** vegetable kingdom
**planter** ❶ *iem. die plant* planter ❷ *eigenaar van plantage* planter
**plantkunde** botany
**plantkundig** botanical
**plantsoen** public garden(s)
**plantsoenendienst** ≈ Parks and Public Gardens Department
**plaque** plaque
**plaquette** plaque(tte)
**plas** ❶ *plens* puddle ❷ *regenplas* pool, puddle ❸ *watervlakte* (meer) lake ❹ *urine* ★ *een plas doen* go to the bathroom / toilet, inform go to the loo, inform take a leak ▾ *de grote / zilte plas* the briny
**plasma** plasma
**plasmacel** plasma cell
**plasmascherm** plasma screen / display
**plaspauze** toilet break
**plaspil** form diuretic
**plassen** ❶ *spatten* splash ★ *met water ~* splash water ❷ *urineren* make / pass water ★ *in bed ~* wet the bed
**plassengebied** area of small lakes, lake area
**plasser** willie
**plastic** I *zn* [het] plastic II *bnw* plastic ★ *~ zak* polythene bag, plastic bag
**plastiek** I *zn* [de] ❶ *kunst* plastic art(s), (beeldhouwen) sculpture ❷ *voorwerp* (geboetseerd) model, (gebeeldhouwd) sculpture II *zn* [het], BN *plastic* plastic
**plastieken** BN plastic
**plastificeren** plasticize
**plastisch** *vormgevend* plastic
**plat** I *bnw* ❶ *vlak, ondiep* flat, low, shallow, (horizontaal) flat, (horizontaal) level ★ *plat drukken* crush ★ *zo plat als een dubbeltje* as flat as a pancake ★ *plat maken / rijden / worden* flatten ★ *plat bord* dinner plate ❷ *platvloers* coarse, vulgar ❸ *niet in bedrijf* closed, shut down II *bijw, dialectisch* ★ *plat praten* speak with a broad dialect / accent III *zn* [het] ❶ *plat vlak* plateau, shelf *mv: shelves*, flat ★ *continentaal plat* shelf ★ *vals regular* deceptive gradient ❷ *plat dak* sun roof, terrace(roof)
**plataan** plane (tree)
**platbodem** flat(-bottomed) boat
**platbranden** burn to the ground
**platdrukken** flatten, squash
**plateau** ❶ *hoogvlakte* plateau, tableland ❷ *presenteerblad* tray, form plateau, (voor kaas) platter
**plateauzool** platform sole / shoe

**platenbon** record voucher
**platencontract** record deal, recording contract
**platenlabel** record label
**platenmaatschappij** record(ing) company
**platenspeler** record player
**platenzaak** record shop
**plateservice** plate service
**platform** platform, (op vliegveld) apron
**platgaan** *gaan slapen* hit the sack, turn in
**platina** platinum
**platinablond** platinum blonde
**platje** *luis* crab louse *mv: lice*
**platleggen** ❶ *plat neerleggen* lay flat ★ *iem. ~* knock sb flat ❷ *stilleggen* bring to a standstill
**platliggen** ❶ *ziek op bed liggen* be / lie flat on one's back ❷ *stilliggen door staking* be strikebound, be at a standstill
**platonisch** Platonic
**platslaan** beat flat / down
**platspuiten** (heavily) sedate
**plattegrond** *kaart* (van stad, straten) street plan / map, (van gebouw) floor / ground plan
**plattekaas** BN cul *kwark* curd cheese, cream cheese
**platteland** country(side) ★ *op het ~ wonen* live in the country
**plattelander** countryman / woman
**plattelandsbevolking** rural / country population
**plattelandsgemeente** rural district
**platvis** flatfish [mv: flatfish(es)]
**platvloers** coarse, vulgar
**platvoet** flat foot *mv: feet*
**platwalsen** ❶ *pletten* flatten ❷ *overbluffen* flatten, steamroller, bulldoze
**platweg** *ronduit* bluntly, straight out ★ *~ weigeren* flatly refuse
**platzak** broke
**plausibel** plausible
**plaveien** pave
**plaveisel** pavement
**plavuis** tile, (van steen) flag(stone)
**playback** playback
**playbacken** lip-sync(h), mime
**playbackshow** playback show
**playboy** playboy
**play-off** sport play-off
**plecht** *verhoogd dek* deck
**plechtig** solemn, stately, ceremonious ★ *~ openen* open in state ★ *~ verklaren* solemnly declare
**plechtigheid** ❶ *ceremonie* solemnity, ceremony ❷ *stemmigheid* solemnity
**plechtstatig** solemn, stately
**plectrum** plectrum
**plee** loo ★ *hij is op de plee* he's in the loo
**pleeggezin** foster home / family
**pleegkind** foster child
**pleegmoeder** foster mother
**pleegouders** foster parents *mv*
**pleegvader** foster father
**pleepapier** loo paper
**plegen** I *ov ww, uitvoeren* do, perform, commit, (iets ongeoorloofds ook) perpetrate ★ *verzet ~* resist ★ *zelfmoord ~* commit suicide II *on ww* *te* be in the habit of, be used to, tend to ★ *hij pleegt vroeg te komen* he tends to be early

**pleidooi** plea(ding) ★ *een ~ houden (voor)* make a plea (for)
**plein** square
**pleinvrees** agoraphobia
**pleister I** *zn* [de], *verband* (sticking) plaster, USA Band-Aid[fn] ▼ *een ~ op de wond leggen* soften the blow ▼ BN *dat is een ~ op een houten been* it's a waste of time / effort **II** *zn* [het], *kalkmengsel* plaster
**pleisteren** *plamuren* plaster
**pleisterplaats** stopping place
**pleisterwerk** plaster work, stucco
**pleistoceen** Pleistocene
**pleit ❶** *geschil* dispute, argument ★ *het ~ winnen* carry one's point, carry the day ★ *het ~ is beslecht* that's settled ★ *het ~ is beslist* it's all over ❷ *pleidooi* (pleitend betoog) plea, (verdedigend betoog) defence
**pleitbezorger** advocate
**pleiten I** *ov ww, bepleiten* plead, argue **II** *ov ww* ❶ *lett een pleidooi houden* plead ★ *~ voor iets* argue in favour of sth ❷ *fig positief getuigen* ★ *dat pleit voor je* that is to your credit
**pleiter** *advocaat* counsel, (voorstander) supporter
**plek ❶** *plaats* spot, place ★ *blauwe plek* bruise ★ *zwakke plek* soft spot ★ *ter plekke* on site, in situ ❷ *vlek* stain
**plenair** plenary ★ *~e vergadering* plenary (meeting)
**plens** splash, gush
**plensbui** downpour
**plensregen** pouring rain, downpour
**plenzen I** *ov ww, uitstorten* gush, splash **II** *on ww, gutsen* pour, gush **III** *onp ww, regenen* pour, bucket down
**pleonasme** pleonasm
**pletten** flatten, (fruit) squash, (metaal) roll, (koolzaad, druiven e.d.) crush
**pletter** ▼ *te ~ slaan* smash
**pleuren** chuck, fling
**pleuris** pleurisy ▼ *zich de ~ schrikken* be scared stiff
**plexiglas** plexiglass
**plezant** BN *plezierig, aangenaam* pleasant, agreeable
**plezier** pleasure, joy, delight, fun ★ *~ hebben / maken* have fun ★ *~ hebben in* take pleasure in ★ *dat doet me ~* that gives me joy ★ *met (alle) ~* with pleasure ★ *iem. een ~ doen* do s.b. a favour ★ *veel ~!* enjoy yourself / yourselves!, have fun!
**plezieren** please
**plezierig** *aangenaam* pleasant
**plezierjacht** pleasure yacht
**plezierreis** pleasure trip
**pleziervaartuig** pleasure craft / boat
**plicht** duty, obligation ★ *~ zijn ~ doen* do one's duty ★ *het is niet meer dan je ~...* om you are in duty bound to ★ *uit ~ tegenover...* in duty to...
**plichtmatig** dutiful ★ *louter ~* perfunctory
**plichtpleging** ceremony, compliment ★ *zonder verdere ~en* without ceremony
**plichtsbesef** sense of duty
**plichtsbetrachting** devotion to duty
**plichtsgetrouw,** BN **plichtsbewust** dutiful, conscientious
**plichtsverzuim** neglect of duty

**plint ❶** *sierlat* skirting board ❷ BN *sport gymnastiektoestel* vaulting horse
**plissé** plissé
**plisseren** pleat
**PLO** *Palestinian Liberation Organization* PLO
**ploeg ❶** *landbouwwerktuig* plough ❷ *groep* team, mil squad, (arbeiders ook) gang, (in ploegendienst) shift, (in ploegendienst) relay ❸ *sport* team, side
**ploegbaas** foreman, overseer
**ploegen I** *ov ww, met ploeg omwerken* plough **II** *on ww, voortzwoegen* plough, plod ★ *door het zand ~* plod through the sand
**ploegendienst** shift work ★ *in de ~ werken / zitten* be on shifts / shift work
**ploegenstelsel** shift / rota / roster system
**ploegentijdrit** team time-trial
**ploeggenoot** team-mate
**ploert** *schoft* cad, bastard
**ploertendoder** bludgeon, USA blackjack
**ploertenstreek** dirty trick
**ploeteraar** plodder, min drudge
**ploeteren** *zwoegen* toil, plod ★ *~ aan* slave away at, peg away at
**plof** thud, flop
**ploffen I** *ov ww, doen vallen* dump, chuck **II** *on ww* ❶ *vallen* thud, flop ★ *neer~* plump down ★ *in het water ~* plop (into the water) ❷ *geluid geven* pop, bang ❸ *ontploffen* explode, burst
**plomberen** fill
**plomp I** *zn* [de], *water* ditch **II** *bnw* plump
**plompverloren** bluntly
**plons** *geluid* splash
**plonzen** splash
**plooi ❶** *vouw* (in stof) fold, (in stof) pleat, (in broek) crease ★ *valse ~* ruck ❷ *rimpel* wrinkle, line ▼ *hij komt nooit uit de ~* he never unbends
**plooibaar** *soepel* pliable
**plooien ❶** *plooien maken* (in stof) fold, (in stof) pleat, (kreuken) crease, (m.b.t. gezicht) wrinkle, (m.b.t. gezicht) crease ❷ BN *vouwen* fold ❸ *fig schikken* arrange ★ *het zo weten te ~ dat...* arrange matters in such a way that...
**plooirok** pleated skirt
**plot** plot, storyline
**plots** suddenly, all of a sudden
**plotseling I** *bnw* sudden, unexpected, abrupt ★ *een ~e dood* a sudden death **II** *bijw* suddenly, all of a sudden
**plotsklaps** all of a sudden, suddenly
**plotter** plotter
**plu** umbrella
**pluche** plush
**plug ❶** *stop* plug, (in vat) bung ❷ *stekkertje* plug ❸ *schroefbout* screw plug
**pluggen** promoten plug, promote
**plugger** plugger / promotor
**plug-in** comp plug-in
**pluim ❶** *vogelveer* feather, plume ❷ *pluimbos* plume, (klein) tuft ▼ *~ (van zijn) ~en laten* lose (a bit of) face, get a black eye ▼ *iem. een ~ geven* stick a feather in sb's cap ▼ *dat is een ~ op je hoed* that is a feather in your cap
**pluimage** → **vogel**
**pluimen** inform BN *beroven* plunder, fleece
**pluimgewicht** BN *sport bokser* featherweight

pl

**pl**

**pluimvee** poultry
**pluimveehouderij** ❶ *het fokken* poultry farming ❷ *bedrijf* poultry farm
**pluis I** *zn* [de] fluff **II** *bnw* ▼ *het is niet* ~ there is sth fishy about it
**pluishaar** fuzzy hair
**pluizen I** *ov ww, uitrafelen* fluff ★ *touw* ~ pick oakum **II** *on ww, gaan rafelen* become fluffy, fluff up
**pluizig** fluffy
**pluk** ❶ *oogst* pickings *mv*, crop ❷ *bosje* tuft
**plukken I** *ov ww* ❶ *oogsten* gather, pick ❷ *grijpen* pluck ❸ *van veren ontdoen* pluck ❹ *bezit afpakken* plunder, fleece ★ *kaal* ~ clean out, strip bare **II** *on ww, peuteren* pull (at), pick / pluck (at)
**plumeau** feather duster
**plumpudding** plum pudding
**plunderaar** plunderer
**plunderen** plunder, loot ★ *een stad* ~ sack a town
**plundering** plundering, looting
**plunje** duds *mv*, togs *mv*, ⟨bagage⟩ kit, ⟨bagage⟩ gear ★ *zijn beste* ~ his Sunday best
**plunjezak** kit bag
**pluralis** plural ★ ~ *majestatis* the royal 'we'
**pluriform** multiform
**plus I** *zn* [de/het] ❶ *plusteken* plus ❷ *waardering* plus(point) **II** *bijw, boven nul* plus, over **III** *vw* plus ★ *twee plus drie is vijf* two plus / and three makes five
**plusminus** approximately, about
**pluspool** positive / plus pole
**pluspunt** advantage
**plusteken** plus sign
**Pluto** sterrenk Pluto
**plutonium** plutonium
**PMS** *Premenstrueel Syndroom* PMS, Premenstrual Syndrome, PMT, Premenstrual Tension
**pneumatisch** pneumatic
**pneumonitis** pneumonitis
**po** chamber pot, inform po, ⟨voor kinderen⟩ potty
**pochen** boast, brag
**pocheren** poach
**pochet** breast-pocket handkerchief
**pocket** ❶ *boek* paperback, pocket edition ★ *als* ~ *verkrijgbaar* available in paperback ❷ *zak in biljarttafel* pocket
**pocketboek** pocket edition
**pocketcamera** pocket camera
**podcast** media www podcast
**podcasten** media www podcast
**podium** platform, dais, ⟨van toneel⟩ stage
**podoloog** podologist
**poedel** *hond* poodle
**poedelen** *baden* bath, wash ★ *zich* ~ have a wash
**poedelnaakt** stark naked
**poedelprijs** booby prize
**poeder I** *zn* [de/het]*, stof, gruis* powder ★ *tot* ~ *maken* grind to powder, pulverize **II** *zn* [de] med powder
**poederblusser** powder extinguisher, dry-chemical extinguisher
**poederdoos** (powder) compact
**poederen** powder ★ *de neus* ~ powder ones nose
**poederkoffie** granulated coffee
**poedermelk** cul powdered milk
**poedersneeuw** powder snow

**poedersuiker** powdered sugar, icing sugar
**poef** *zitkussen* hassock
**poeha** fuss
**poel** ❶ *plas* pool, ⟨op straat⟩ puddle ❷ *broeiplaats* cesspool ★ *een poel van verderf* a cesspool / cesspit of vice
**poelet** soup meat
**poelier** poulterer
**poema** puma
**poen** dough, bread
**poenig** flashy
**poep** ❶ *uitwerpselen* poo, ⟨van hond, e.d.⟩ mess, ⟨van koe⟩ dung ❷ *wind* fart ▼ *iem. een poepje laten ruiken* show sb a trick or two
**poepen** (have a) crap / shit, form relieve oneself, ⟨kind⟩ do a jobby
**poeperd** bottom, behind
**poepluier** poo diaper
**Poerim** rel Purim
**poes** *kat* (pussy)cat ★ *poes!, poes!* puss!, puss! ❷ *mooie meid* pussycat ❸ *vagina* pussy ▼ *mis poes!* wrong! ▼ *dat is niet voor de poes* that is not to be sneezed at, that's no kids' stuff ▼ *hij is niet voor de poes* he is not to be trifled with
**poesiealbum** album (of verses)
**poeslief** smooth, ⟨woorden⟩ honeyed, ⟨glimlach, woorden⟩ sugary
**poespas** fuss, song and dance
**poesta** puszta
**poet** *geldbuit* loot, swag ▼ *de poet is binnen* we've got the loot / swag
**poëtisch** poetic(al)
**poets** *grap* trick, prank ★ *iem. een* ~ *bakken* play a trick on sb ★ BN ~ *wederom* ~ ≈ those who play at bowls must look (out) for rubs
**poetsdoek** cleaning cloth, cleaning rag
**poetsen** ❶ *glimmend wrijven* polish, ⟨schoenen ook⟩ shine ❷ *reinigen* clean, ⟨van tanden⟩ brush
**poetskatoen** waste cotton
**poetsvrouw** BN cleaning lady / woman
**poezenluik** cat door, cat flap
**poëzie** poetry
**poëziealbum** album of verse
**poëziebundel** volume / collection of poetry / verse
**pof** ▼ *op de pof kopen* buy on tick
**pofbroek** pair of knickerbockers, knickerbockers *mv*
**poffen I** *ov ww, in schil gaar stoven* roast, ⟨maïs⟩ pop ★ *gepofte aardappels* jacket potatoes **II** *on ww* ❶ *op de pof kopen* buy on credit / tick ❷ *op de pof verkopen* sell on credit
**poffertje** ≈ tiny puff-pancakes *mv*
**poffertjeskraam** 'poffertjes' stand / stall
**poffertjespan** 'poffertjes' griddle
**pofmouw** puff sleeve
**pogen** endeavour, try, attempt
**poging** attempt, ⟨met inspanning⟩ effort ★ *een* ~ *wagen* have a try, have a go
**pogoën** pogo, pogo-dance
**pogrom** pogrom
**pointer** pointer
**pok** *litteken* pock (mark)
**pokdalig** pock marked ★ *een* ~ *gezicht* a pockmarked face
**poken** poke ★ *in het vuur* ~ poke the fire

**poker** poker
**pokeren** play poker
**pokerface** poker face
**pokken** med smallpox, variola ★ *inenting tegen de* ~ smallpox vaccination ▼ *krijg de* ~! drop dead! ▼ *zich de* ~ *werken* work one's butt / ass off
**pokken-** ★ *pokkenweer* fucking weather
**pokkenprik** smallpox vaccination / injection
**pokkenweer** foul / nasty / lousy weather
**pol** clump, tussock
**polair** polar
**polarisatie** polarization
**polariseren** polarize
**polariteit** polarity
**polder** polder
**polderlandschap** polder landscape
**poldermodel** polder model
**polemiek** polemic(s), controversy
**polemisch** polemic(al), controversial
**polemiseren** carry on a controversy
**Polen** Poland
**poliep** ❶ *dier* polyp ❷ med polyp
**polijsten** ❶ *glad maken* polish, ⟨met schuurpapier⟩ sand(paper) ❷ *verfijnen* polish, refine
**polijstwerk** polishing work / job
**polikliniek** polyclinic, out-patients' clinic
**poliklinisch** ★ *ze wordt* ~ *behandeld* she is being treated as an outpatient
**polio** polio
**poliovaccin** polio vaccine
**polis** policy ★ *een* ~ *sluiten* take out a policy ★ *voorlopige* ~ cover note
**polisvoorwaarden** terms / conditions of a(n insurance) policy
**politbureau** politburo
**politicologie** political science
**politicoloog** political scientist
**politicus** politician
**politie** police *mv* ★ *bereden* ~ mounted police ★ *geheime* ~ secret police ★ *hij is bij de* ~ he is in the police (force)
**politieagent** policeman, constable ★ *vrouwelijke* ~ policewoman
**politieauto** police car
**politiebericht** police announcement
**politiebureau** police station
**politiek** I *zn* [de] ❶ *officieel beleid* politics *mv* ★ *in de* ~ *gaan* go into politics ❷ *tactiek* policy ★ *een* ~ *voeren* pursue a policy II *bnw* ❶ *met betrekking tot overheidsbeleid* political ❷ *tactisch* politic, diplomatic
**politiemacht** police force ★ *er was een grote* ~ *op de been* the police were there in force
**politieman** police officer, policeman
**politieoptreden** police action
**politiepenning** police identification (badge)
**politierechter** jur magistrate
**politiestaat** police state
**politieverordening** police regulation, by-law
**politiseren** politicize
**polka** polka
**pollen** pollen
**pollepel** *platte houten lepel* ladle
**polo** I *zn* [het], *balspel voor ruiters* polo II *zn* [de], *shirt* sports shirt

**polohemd** polo shirt, sports shirt
**polonaise** *optocht* conga ▼ *aan mijn lijf geen* ~ I'm not having any
**poloshirt** polo shirt
**pols** ❶ *polsgewricht* wrist ❷ *polsslag* pulse ★ *iem. de pols voelen* feel / take sb's pulse ★ *een snelle pols* a rapid pulse ★ *zijn pols jaagt* his pulse is racing ▼ *uit de losse pols* off the cuff, straight out of one's head
**polsen** ★ *iem. (over iets)* ~ sound sb out (about sth)
**polsgewricht** wrist (joint)
**polshorloge** wristwatch
**polsslag** pulse ★ *de* ~ *meten* measure the pulse rate
**polsstok** jumping / vaulting pole
**polsstokhoogspringen** pole vaulting
**polsstokhoogspringer** pole-vaulter
**polyamide** polyamide
**polyester** polyester
**polyetheen** polyethene
**polyether** polyether
**polyfoon** polyphonic
**polygaam** polygamous
**polygamie** polygamy
**polygoon** polygon
**polymeer** I *zn* [het] polymer II *bnw* polymeric
**Polynesië** Polynesia
**Polynesisch** Polynesian
**polytheïsme** polytheism
**pomp** ❶ *werktuig* pump ❷ *tankstation* petrol station, ⟨voornamelijk langs autoweg⟩ service station ▼ *loop naar de pomp!* go to hell!
**pompaf** BN *bekaf* done in, dog-tired, knackered
**pompbediende** petrol / service station attendant
**pompelmoes** *vrucht* grapefruit
**pompen** pump ▼ ~ *of verzuipen* sink or swim
**pompeus** pompous, inform stuffed
**pomphouder** petrol station owner, USA gasoline station owner
**pompoen** pumpkin
**pompon** pom-pom
**pompstation** ❶ *tankstation* filling / service station ❷ *gebouw voor oppompen van water* pumping-station ❸ BN *gemaal* pumping station, ⟨machine⟩ pumping engine
**poncho** poncho
**pond** ❶ *munteenheid* pound ★ *pond sterling* pound sterling ❷ *gewichtseenheid* pound ▼ *het volle pond betalen* pay the full price ▼ *het volle pond eisen* exact one's pound of flesh
**ponem** ❶ *gezicht* mug ❷ *neus* conk
**poneren** postulate, put forward
**ponsen** punch
**ponskaart** punch(ed) card
**pont** ferryboat
**pontificaal** ❶ *pauselijk* pontifical ❷ fig *pompeus* pontifical
**ponton** pontoon
**pony** ❶ *dier* pony ❷ *haardracht* fringe, bang
**pooier** pimp
**pook** ❶ *vuurpook* poker ❷ *versnellingshendel* (gear)stick
**Pool** *bewoner* Pole
**pool¹** ❶ *uiteinde* pole ❷ *vezeluiteinde* pile

po

**pool²** [poel] *samenwerkingsvorm* pool
**poolbeer** polar bear
**poolcirkel** polar circle
**poolen I** *ov ww* ❶ *in één pot doen* pool
❷ *gemeenschappelijk inleggen* pool (resources)
**II** *on ww* ❶ *carpoolen* operate a carpool
❷ *poolbiljarten* play pool
**poolexpeditie** polar expedition
**poolgebied** polar region
**poolhond** husky
**poolkap** polar cap
**poolklimaat** arctic climate
**poolreiziger** arctic explorer
**Pools I** *bnw, m.b.t. Polen* Polish **II** *zn* [het], *taal* Polish
**Poolse** Polish (woman / girl)
**poolshoogte** latitude ▼ ~ *nemen* see how the land lies
**Poolster** polar star
**poolstreek** polar region
**poolzee** polar sea
**poon** gurnard
**poort** ❶ *ingang* gate ❷ *doorgang* gate(way), ⟨nauw⟩ alley(way) ★ *zijn ~en sluiten (voor)* shut / close your doors (to)
**poortwachter** gatekeeper
**poos** while, time ★ *een hele poos* a good while, quite a while
**poot** ❶ *ledemaat van dier* leg, ⟨van dier⟩ paw, ⟨van dier⟩ foot *mv: feet* ★ *een poot geven* give a paw ❷ *inform* been leg ❸ *inform* hand paw ★ *blijf er met je poten van af!* keep your paws off! ❹ *steunsel* leg ❺ *plat homo* fag, queer, poof ▼ *op zijn pootjes terechtkomen* turn out all right (in the end) ▼ *iets op poten zetten* set up / start sth ▼ *zijn poot stijf houden* refuse to give in ▼ *iem. een poot uitdraaien* fleece / screw sb ▼ *geen poot uitsteken* not lift a finger
**pootaardappel** seed potato *mv: potatoes*
**pootgoed** seeds *mv*
**pootjebaden** paddling
**pootjehaken** ❶ *lett* trip up ❷ *fig* trip up
**pootmachine** (potato) planter
**pop I** *zn* [de] [mv: +pen] ❶ *speelgoed* doll ❷ *marionet* puppet ❸ *larve* pupa ▼ *toen had je de poppen aan het dansen* then the fat was in the fire **II** *zn* [de] [gmv] *popmuziek* pop
**popart** pop art
**popartiest** pop artist
**popblad** pop magazine
**popconcert** pop / rock concert
**popcorn** popcorn
**popcultuur** pop culture
**popelen** be anxious to ★ *zij ~ om aan de slag te gaan* they are itching to get down to work
**popfestival** pop festival
**popgroep** popgroup
**popidool** pop idol
**popmuziek** popmusic
**poppenhuis** doll's house
**poppenkast** ❶ *poppenspel* Punch and Judy show, puppet show, ⟨kast⟩ puppet theatre ❷ *overdreven gedoe* (tom)foolery
**poppenkleren** doll's clothes *mv*
**poppenspel** puppet show
**poppenspeler** puppeteer

**poppentheater** ❶ *spelers en poppen* puppet theatre ❷ *voorstelling* puppet show
**poppenwagen** doll's pram
**popperig** *als van een pop* doll-like
**popprogramma** pop music programme
**popsong** pop song
**popster** pop star
**populair** ❶ *geliefd* popular ❷ *begrijpelijk* popular
**populairwetenschappelijk** non-specialist
**populariseren** popularize
**populariteit** popularity
**populariteitspoll** popularity poll
**populatie** population
**populier** poplar
**populist** populist
**populistisch** populist
**pop-upvenster** comp pop-up window
**popzender** pop (music) (radio) station
**por** prod, poke, ⟨met mes⟩ stab
**poreus** porous
**porie** pore
**porno** porno, porn
**pornoblad** porn / porno magazine
**pornofilm** porn / porno / sex movie
**pornografie** pornography
**pornografisch** pornographic
**porren I** *ov ww* ❶ *duwen* prod, poke, ⟨met mes⟩ stab ❷ *aanzetten* prod, push ▼ *daar ben ik altijd voor te ~* I won't take much persuading **II** *on ww, poken* poke
**porselein** china, porcelain
**porseleinen** china, porcelain ★ *~ servies* china / porcelain service
**port I** *zn* [de], *drank* port(-wine) **II** *zn* [het], *porto* postage
**portaal** ❶ *hal* porch, hall, ⟨van kerk⟩ portal ❷ *overloop* landing
**portable** ⟨tv, computer⟩ portable
**portal** GB inform portal
**portee** purport, import
**portefeuille** ❶ *portemonnee* wallet ❷ *opbergmap* portfolio ★ *in ~ houden* keep in portfolio ❸ *taak* portfolio ★ *minister zonder ~* minister without portfolio
**portemonnee** purse
**portfolio** portfolio
**portie** portion, ⟨aandeel⟩ share, ⟨van eten aan tafel⟩ helping ★ *een ~ ijs* an ice ▼ *geef mijn ~ maar aan Fikkie* count me out
**portiek** *open buitenportaal* portico, porch
**portier I** *zn* [de], *persoon* doorkeeper, gatekeeper, ⟨hotel⟩ porter **II** *zn* [het], *deur* door
**portiersloge** (porter's) lodge
**porto** ❶ *frankeerbedrag* postage ❷ BN cul *portwijn* port(-wine)
**portofoon** walkie-talkie, walky-talky
**Porto Ricaan** Puerto Rican
**Porto Ricaans** Puerto Rican
**Porto Ricaanse** Puerto Rican (woman / girl)
**Porto Rico** Puerto Rico
**portret** ❶ *afbeelding* portrait, photo(graph) ★ *zijn ~ laten maken* have one's photo taken, have one's portrait painted ❷ *beschrijving* portrait ❸ *raar mens* ▼ *een lastig ~* a handful
**portretfotografie** portrait photography
**portretschilder** portrait painter, portraitist

**portrettengalerij** portrait gallery
**portretteren** portray ★ *iem.* ~ paint sb's portrait
**Portugal** Portugal
**Portugees I** *bnw, m.b.t. Portugal* Portuguese **II** *zn* [de], *bewoner* Portuguese **III** *zn* [het], *taal* Portuguese
**Portugese** Portuguese (woman / girl)
**portvrij** postage free, USA postpaid
**pose** pose, attitude
**poseren** sit (for one's portrait), pose ★ ~ *als* pose / masquerade (as)
**positie ❶** *houding* position, posture ★ ~ *kiezen / nemen tegen* make a stand against ❷ *ligging* position ❸ *toestand* situation ❹ *maatschappelijke stand* position ★ *zijn ~ verbeteren* better o.s. ❺ *betrekking* position, post
**positief I** *bnw* ❶ *niet negatief* positive ★ *positieve pool* positive pole ❷ *bevestigend* positive, ⟨antwoord⟩ affirmative, ⟨stellig⟩ definite ❸ *opbouwend* positive, favourable ★ *positieve discriminatie* positive discrimination **II** *zn* [het], *fotoafdruk* positive
**positiejurk** maternity dress
**positiekleding** maternity clothes *mv*
**positiespel** sport positional play
**positieven** ▾ *weer bij zijn ~ komen* regain consciousness ▾ *ze heeft haar ~ goed bij elkaar* she has all her wits about her
**positioneren** econ position, promote
**positionering** positioning, placing
**positivist** positivist
**positivo** positive thinker
**post I** *zn* [de] [gmv] ❶ *poststukken* post, mail ★ *is er post?* is there any post? ❷ *postdienst* postal services *mv*, post ★ *met de post verzenden* send by post ★ *een brief op de post doen* post a letter ★ *per kerende post* by return of post **II** *zn* [de] [mv: +en] ❶ *deur- / raamstijl* post ❷ *standplaats* station, post ★ *op post staan* stand sentry, be stationed ★ *zijn post verlaten* desert one's post ❸ *bedrag* item, entry ★ *een post boeken* make an entry ❹ *betrekking* post, position, place
**postadres** postal address
**postagentschap** sub post office
**postbeambte** post office / postal worker
**postbestelling** postal delivery
**postbode** postman
**postbus** post(office) box
**postbusnummer** PO box
**postcode** postcode, USA zip code
**postdoctoraal** postgraduate
**postduif** carrier / homing pigeon
**postelein** purslane
**posten I** *ov ww, op de post doen* post **II** *on ww* ❶ *op wacht staan* stand guard ❷ *als staker actief zijn* picket
**poster**[1] *postend persoon* picket(er)
**poster**[2] [pooster] *affiche* poster, bill
**posteren** post, station ★ *zich ~ bij* take up one's position at
**poste restante** poste restante
**posterformaat** poster format / size
**posterijen** postal services *mv*, the Post Office
**postgiro** post office giro, national giro
**postkaart** BN *ansichtkaart* picture postcard
**postkamer** post room

**postkantoor** post office
**postmerk** post mark
**postnummer** BN *postcode* postcode, USA zip code
**postorderbedrijf** mail order firm / business
**postpakket** postal parcel ★ *als ~ verzenden* send by parcel post
**postpapier** stationery, writing paper
**postrekening** BN *girorekening* giro account
**postscriptum** postscript
**poststempel** postmark
**poststuk** postal packet / parcel
**posttrein** mail train
**postuum** posthumous
**postuur** figure, build
**postvak ❶** *open postbak* pigeon hole ❷ comp *postbus* box ★ ~ *IN* inbox ★ ~ *UIT* outbox
**postvatten** station oneself, take one's stand
**postvliegtuig** mail plane
**postwissel** postal / money order
**postzegel** (postage) stamp
**postzegelautomaat** stamp (vending) machine
**pot ❶** *bak, kan* pot, ⟨van glas⟩ jar ❷ *po* (chamber) pot ❸ *kookpot* saucepan, cooking pot ❹ *maaltijd* ★ *de gewone pot* plain cooking ★ *zijn eigen potje koken* do one's own cooking, fend for o.s. ❺ *spelinzet* pool, stakes ❻ *lesbienne* dike, dyke ❼ → *potje* ▾ *het is één pot nat* it's six of one and half a dozen of the other ▾ BN *met de gebroken potten zitten* be left holding the baby ▾ BN *rond de pot draaien* beat about the bush ▾ BN *tussen pot en pint* in a relaxed / pleasant atmosphere ▾ *eten wat de pot schaft* take potluck ▾ *de pot verteren* squander money ▾ *je kan de pot op* you can get stuffed ▾ *ben je helemaal van de pot gerukt?* are you totally out of your mind? ▾ BN *niet veel potten gebroken hebben* not have been up to much
**potaarde** potting compost
**potdicht** locked, sealed, hermetically closed, ⟨eigenschap van iem.⟩ as closed as an oyster
**poten ❶** *planten* plant, set ❷ *neerzetten* clap down
**potenrammen** queer-bashing
**potenrammer** queer-basher
**potent** potent
**potentaat** potentate
**potentie ❶** *macht* potency, power ❷ *seksueel vermogen* potency, virility
**potentieel I** *zn* [het] potential, capacity **II** *bnw* potential ★ *potentiële klanten* prospective customers
**potgrond** potting compost
**potig** burly, robust, husky
**potje ❶** *spaarpotje* nest egg ★ *het geld in 'n ~ doen* pool the money ❷ *partijtje* game ★ *een ~ voetballen* have a game of football ▾ *kleine ~s hebben grote oren* little pitchers have long ears ▾ *hij kan een ~ bij me breken* he is one of my favourites ▾ BN *het ~ gedekt houden* hush / cover sth up
**potjeslatijn** dog Latin
**potkachel** potbelly stove
**potlood** *schrijfgerei* pencil
**potloodventer** flasher
**potplant** pot plant

po

**potpourri** *geur* potpourri
**potsierlijk** clownish, grotesque
**potten** ❶ *sparen* hoard ❷ *in potten doen* pot
**pottenbakker** potter
**pottenbakkerij** pottery
**pottenbakkersschijf** potter's wheel
**pottenkijker** nosy parker, snooper
**potverteren** squander money
**potvis** sperm whale
**poule** *ingedeelde groep* group
**pousseren** ❶ *vooruithelpen* push ❷ *onder de aandacht brengen* promote
**pover** (resultaat) poor, (kleren) shabby ★ *een ~ figuur slaan* cut a sorry figure
**povertjes** poor, indifferent
**poweryoga** power yoga
**p.p.p.d.** *per persoon per dag* per person per day
**p.p.p.n.** *per persoon per nacht* per person per night
**pr** *public relations* PR, public relations
**Praag** Prague
**Praags** Prague
**praal** pomp, splendour
**praalwagen** float
**praam** barge, ≈ flatboat
**praat** ❶ *wat gezegd wordt* talk ❷ *het spreken* talk ★ *iem. aan de ~ krijgen* get sb to talk ★ *aan de ~ raken met iem.* get talking to sb ❸ → **praatje** ▼ *veel ~s hebben* talk big ▼ *je krijgt te veel ~s* you are getting too big for your boots ▼ *iets aan de ~ krijgen* get sth going
**praatbarak** BN *humor theekransje* tea party
**praatgraag** talkative
**praatgroep** discussion group
**praatje** ❶ *gesprekje* talk, chat ★ *een ~ met iem. maken*, BN *slaan* have a chat with sb ❷ *voordracht* talk ★ *een ~ houden over...* give a talk on... ❸ *gerucht* rumour, story ❹ *kletspraatje* ★ *mooie ~s* fine talk ▼ *... en geen ~s!* ... and no backchat! ▼ *~s vullen geen gaatjes* talk is cheap
**praatjesmaker** gasbag, boaster
**praatpaal** ❶ *telefoon* emergency telephone ❷ *persoon* confidant
**praatprogramma** chat show
**praatstoel** ▼ *op zijn ~ zitten* be in the vein for talking
**praatziek** talkative, chatty
**pracht** ❶ *schoonheid* splendour, magnificence ❷ *prachtig exemplaar* beauty
**prachtexemplaar** beauty
**prachtig** splendid, magnificent, fine, wonderful ★ *een ~e gelegenheid* a marvellous opportunity
**practical joke** practical joke
**practicum** (werk) practical work, (ruimte) lab(oratory)
**pragmaticus** pragmatist
**pragmatisch** pragmatic, practical
**prairie** prairie
**prairiehond** prairie dog
**prak** hash, mash ▼ *een auto in de prak rijden* smash up a car
**prakken** mash ★ *geprakte aardappels* mashed potatoes
**prakkiseren** ❶ *denken* muse ❷ *piekeren* brood ★ *ik prakkiseer me suf* I'm thinking until I can't see straight ▼ *ik prakkiseer er niet over* I won't

even consider it
**praktijk** ❶ *toepassing* practice ★ *in ~ brengen* put into practice ★ *de ~ is heel anders* in practice it's quite different ❷ *beroepswerkzaamheid* practice ❸ *manier van doen* practice ★ *kwade ~en* evil practices
**praktijkervaring** hands-on experience, practical experience
**praktijkgericht** practically-oriented
**praktijkjaar** practical year
**praktijkvoorbeeld** practical example
**praktisch** I *bnw, (als) in de praktijk* practical II *bijw, vrijwel* practically, almost
**praktiseren** practise ★ *~d geneesheer* medical practitioner
**pralen** parade, flaunt ★ *met zijn kennis ~* show off one's knowledge, parade one's knowledge
**praline** chocolate truffle
**pramen** BN *aansporen* urge on, stimulate, spur (on) ▼ BN *zich niet laten ~* need no prodding, need no telling twice
**prat** ▼ *prat gaan op iets* pride o.s. on sth, glory in sth
**praten** talk ★ *~ over* talk of / about ★ *daar is al heel wat over gepraat* there has been a great deal of talk about it ★ *iem. iets uit het hoofd ~* talk sb out of sth ★ *langs elkaar heen ~* be / talk at cross-purposes ★ *met hem valt niet te ~* he won't listen to reason ★ *om de zaak heen ~* beat about the bush, prevaricate ★ *daar valt (niet) over te ~* that admits of (no) discussion, that's not a matter for discussion ★ *praat me niet van...* don't talk to me of... ▼ *langs elkaar heen ~* be / talk at cross-purposes ▼ *~ als Brugman* have the gift of the gab ▼ *jij hebt mooi / makkelijk ~* it's all very well for you, it's easy for you to say
**prater** talker, form conversationalist
**pr-bureau** PR agency
**pre** (voordeel) advantag, (voorkeur) preference
**precair** precarious
**precedent** jur precedent ★ *dit zou een ~ scheppen* this would create / set (up) a precedent
**precederen** precede
**precies** ❶ *juist* precise, exact ★ *hij is ~ zijn broer* he is just like his brother ❷ *nauwgezet* precise, meticulous ★ *~ in het midden* right smack in the middle ★ *om tien uur ~* at ten precisely / sharp
**preciseren** define, state precisely, specify
**precisie** precision, accuracy ★ *met de uiterste ~* with clockwork precision
**precisiebom** precision bomb
**precisie-instrument** precision instrument
**predestinatie** predestination
**predicaat** taalk designation, predicate
**predicatief** taalk predicative ★ *in de zin "die man is slim" is "slim" ~ gebruikt* in the sentence "that man is clever", "clever" is used predicatively
**predikant** (protestant) clergyman, (anglicaans) vicar, (rooms-katholiek) preacher
**prediken** preach
**Prediker** *Bijbelboek* Ecclesiastes
**prediker** *predikant* preacher
**prednison** prednisone
**preek** sermon, (vermaning) lecture ★ *een ~ houden* deliver a sermon, iron preachify ★ *iem. een ~ geven* give sb a lecture, read sb the Riot

Act
**preekstoel** pulpit
**prefab** prefab ★ ~ *huizen* prefabs, prefab houses
**prefect ❶** pol *hoofd van een departement* prefect
**❷** BN onderw *rector* headmaster
**preferent** preferred, preferential ★ *~e aandelen* preference shares / stock
**preferentie** preference
**prefereren** prefer
**pregnant** pregnant, succinct
**prehistorie** prehistory
**prehistorisch** prehistoric
**prei** leek
**preken ❶** rel preach **❷** fig preach, give a sermon
**prelaat** prelate
**prelude** prelude
**prematuur** premature
**premetro** BN transp *soort metro* pre metro
**premie ❶** *beloning* premium, bonus
**❷** *verzekeringspremie* premium, (m.b.t. sociale verzekering) contribution ★ *sociale ~* social security / insurance contribution
**premiejager ❶** econ venture capitalist, stag
**❷** gesch bounty hunter
**premiekoopwoning** ≈ state-subsidized private house
**premier** premier, prime minister
**première** first night, premiere, (van toneelstuk) opening night
**premierschap** premiership, office of Prime Minister
**premiestelsel ❶** *wijze van verzekeren* premium system **❷** *stelsel van aanmoediging via premies* incentive pay scheme
**premiewoning** subsidized (private) house / flat
**prenataal** antenatal, USA prenatal
**prent ❶** *afbeelding* print, picture **❷** *pootafdruk* track, trail
**prentbriefkaart** picture postcard
**prenten** impress, fix ★ *iets in het geheugen ~* impress sth on the memory / mind, fix sth in the memory / mind
**prentenboek** picture book
**preoccupatie** preoccupation
**prepaid** comm prepaid ★ *~ kaart* top-up card
**preparaat** preparation
**preparatie** *het prepareren* preparation
**prepareren ❶** *voorbereiden* prepare ★ *zich ~ voor / op* prepare o.s. for **❷** *duurzaam maken* prepare, (van huiden) dress **❸** *dieren opzetten* stuff
**prepay** → prepaid
**prepensioen** early retirement pension
**prepositie** preposition
**prepuberteit** pre-adolescence
**prescriptie** prescription
**present I** zn [het] present **II** bnw present ★ *~!* here!
**presentabel** presentable, respectable
**presentatie** presentation ★ *de ~ was in handen van...* the show was presented / hosted by...
**presentator** anchor man, (van nieuws) presenter, (van tv) host [v: hostess]
**presenteerblad** salver, tray ▾ *iets op een presenteerblaadje geven* hand sth on a silver platter

**presenteren ❶** *voorstellen* present, introduce ★ *zich ~* present o.s. **❷** *aanbieden* present, (van voedsel e.d.) offer ★ *het geweer ~* present arms **❸** *als presentator begeleiden* host
**presentexemplaar** (als geschenk) presentation copy, (extra) free copy
**presentie** presence
**presentielijst** attendance list / record / sheet, (school) (attendance) register
**preses** chairman, president
**president ❶** *staatshoofd* President **❷** *voorzitter* president, chairman
**president-commissaris** chairman of the board (of directors)
**president-directeur** chairman (of the board)
**presidentieel** presidential
**presidentschap** presidency
**presidentskandidaat** presidential candidate
**presidentsverkiezing** presidential elections *mv*
**presideren** preside (over), chair (a meeting)
**presidium ❶** *dagelijks bestuur* (presiding) committee **❷** *voorzitterschap* presidency **❸** gesch presidium
**pressen** press
**presse-papier** paperweight
**pressie** pressure ★ *~ uitoefenen op* exert / put pressure on ★ *onder ~ staan van* be under pressure from
**pressiegroep** pressure group
**pressiemiddel** means of putting pressure on, coercive measure
**prestatie** achievement, performance
**prestatiedwang** pressure to perform / achieve
**prestatiegericht** achievement oriented
**prestatievermogen** (operating) capacity
**presteren** achieve, perform
**prestige** prestige ★ *zijn ~ ophouden* maintain one's prestige ★ *~ verliezen* lose face
**prestigekwestie** question / matter of prestige
**prestigeobject** prestige object
**prestigieus** prestigious
**pret ❶** fun, pleasure ★ *pret maken* have a great time ★ *dat mag de pret niet drukken* never mind ★ *pret hebben om / over* be amused at ★ *het is uit met de pret* the fun is over ★ *zomaar voor de pret* just for fun **❷** → pretje
**prêt-à-porter** ready-to-wear
**pretendent** pretender
**pretenderen** pretend (to be)
**pretentie** pretension, (aanspraak) claim ★ *zonder ~s* without pretentious
**pretentieloos** unpretentious
**pretentieus** pretentious
**pretje** bit of fun ★ *hij houdt wel van een ~* he likes a bit of fun ▾ *dat is (bepaald) geen ~* that's no picnic
**pretogen** twinkling / laughing eyes
**pretpakket** inform onderw ≈ combination of easy examination subjects
**pretpark** amusement park, funfair
**prettig** pleasant, nice ★ *iets ~ vinden* like sth, find sth pleasant
**preuts** prudish, prim
**prevaleren** prevail
**prevelen** mutter
**preventie** prevention

**pr**

**preventief** preven(ta)tive, precautionary
**preview** preview
**prieel** summerhouse, gazebo
**priegelen** do fine / delicate / detailed work
**priegelwerk** delicate / fiddly work
**priem** awl, bodkin
**priemen** pierce
**priemgetal** prime number
**priester** priest [v: priestess] ★ ~ *worden* take (holy) orders, enter the Church
**priesterschap** priesthood
**priesterwijding** ordination ★ *de ~ ontvangen* be ordained
**prietpraat** twaddle, hot air, poppycock
**prijken** figure ★ ~ *met* parade, show off ★ *op het menu ~* appear on the menu
**prijs ❶** *koopsom* price, ⟨prijskaartje⟩ price (tag) ★ *vaste ~* fixed / set price ★ *onder de ~* under the price ★ *onder de ~ verkopen* sell below the price, undersell ★ *tegen de ~ van* at the price of ★ *tot elke ~* at any price, at all costs ★ *van lage ~* low-priced ★ *voor de volle ~* at the full price ★ *voor een zacht ~je* at a bargain, at a low price ★ *voor geen ~* not at any price **❷** *beloning* prize, award, ⟨uitgeloofd⟩ reward ★ *in de prijzen vallen* be one of the winners ★ *de eerste ~* the first prize ★ *een ~ op iemands hoofd zetten* set / put a price on sb's head ★ *de Nobel ~ voor natuurkunde* the Nobel prize for / in physics **❸** *buit* price ▼ *ik zou het zeer op ~ stellen* I would greatly appreciate it ▼ *iets op ~ stellen* appreciate sth, set great store by / on sth
**prijsbewust** cost-conscious
**prijscompensatie** indexation, index-linking
**prijsgeven** abandon, give up, ⟨geheimen⟩ divulge ★ *terrein ~* concede ground
**prijskaartje** price tag ▼ *er hangt wel een ~ aan* there is a price to it, there is a price tag on it
**prijsklasse** price-class, price range / bracket
**prijslijst** price list
**prijsmaatregel** price control measure
**prijsopdrijving** forcing up of prices
**prijsopgave** ⟨schatting⟩ estimate, ⟨offerte⟩ quotation ★ ~ *vragen voor* make inquiries for, request a quotation ★ ~ *doen* make / give a quotation, quote a price
**prijspeil** price level
**prijsstijging** rise in prices
**prijsstop** price freeze
**prijsuitreiking** prize-giving
**prijsvechter ❶** *vechtsporter* prizefighter **❷** *bedrijf dat met lage prijzen concurreert* price cutter
**prijsvraag** prize contest, competition ★ *een ~ uitschrijven* offer a prize, open a competition
**prijzen I** *ov ww* [o.v.t.: prees; volt. deelw.: geprezen] *loven* praise, commend ★ *zich gelukkig ~* consider o.s. fortunate **II** *ov ww* [o.v.t.: prijsde; volt. deelw.: geprijsd] *van prijs voorzien* price, ticket
**prijzengeld** prize money, purse
**prijzenoorlog** price war
**prijzenslag** price war
**prijzenswaardig** praiseworthy, commendable, laudable
**prijzig** expensive, inform pricey
**prik ❶** *steek* prick, stab **❷** *injectie* injection

**❸** *limonade* pop, fizz
**prikactie** lightning strike
**prikbord** pin-board, notice board
**prikje** → **prik** ▼ *iets voor een ~ kopen* buy sth dirt cheap, buy sth for next to / practically nothing
**prikkel ❶** *stekel* prickle **❷** *aansporing* incentive, stimulus, spur **❸** *prikkeling* tingle, biol stimulus
**prikkelbaar** irritable, touchy, ⟨kinderachtig⟩ petulant
**prikkeldraad** barbed wire
**prikkelen ❶** *prikkelend gevoel geven* prickle ★ *brandnetels ~* nettles sting **❷** *stimuleren* stimulate, encourage, ⟨woede, verzet⟩ provoke ★ *iem. ~ tot* stimulate sb to, provoke sb into ★ *iemands nieuwsgierigheid ~* arouse sb's curiosity **❸** *ergeren* irritate, nettle
**prikkeling** *stimulans* stimulation, arousal
**prikken I** *ov ww* **❶** *steken* prick ★ *een foto op de deur ~* stick / pin a photo to the door **❷** *injectie geven* inject **❸** *vaststellen* set, fix ★ *een datum ~ set* / fix a date **II** *on ww, prikkelen* tingle
**prikkertje** cocktail stick
**prikklok** time clock
**prikpil** contraceptive injection
**pril** early, tender ★ *in haar prille jeugd* in her early youth ★ *het prille groen* the tender green
**prima I** *bnw, uitstekend* excellent, great, first-rate ★ *het loopt* ~ it goes / works like a dream ★ *van ~ kwaliteit* of high / top quality, inform top-notch ★ *het is* ~ it's fine ★ *ik vind het* ~ it's fine by me ★ *een ~ idee* an excellent idea **II** *tw* great!, fine!
**primaat** *zn* [de] **❶** *geestelijke* primate **❷** *zoogdier* primate **II** *zn* [het], *oppergezag* primacy
**prima ballerina** prima ballerina
**prima donna** prima donna
**primair ❶** *eerst* primary **❷** *voornaamst* primary **❸** *niet herleidbaar* primary
**prime ❶** *grondtoon* prime **❷** *interval* prime
**primetime** prime time
**primeur** something new, media scoop ★ *de ~ van iets hebben* be the first to use / see / etc. sth
**primitief** primitive, ⟨tijdelijk, gebrekkig⟩ makeshift
**primordiaal** BN *doorslaggevend* decisive
**primula** primrose, primula
**primus** *kooktoestel* primus (stove)
**principe** *leefregel* principle ★ *uit ~* on principle, as a matter of principle ★ *in ~* in principle
**principeakkoord** agreement in principle, basic agreement
**principebesluit** ≈ basic decision
**principieel** essential, fundamental ★ *een principiële beslissing* a principled decision ★ *~ onderscheid* fundamental difference ★ *~ tegenstander* opponent on principle ★ *om principiële redenen* on principle
**prins** prince ▼ *van de ~ geen kwaad weten* be as innocent as a new-born baby ▼ *de ~ op het witte paard* Prince Charming, the knight in shining armour
**prinselijk** princely ★ *het ~ paar* the royal couple
**prinses** princess
**prinsessenboon** French bean
**prins-gemaal** prince consort
**prinsheerlijk** like a lord, sumptuous
**Prinsjesdag** ≈ day of the Queen's speech

**print ❶** *computeruitdraai* print(-)out, hard copy **❷** *afdruk* print
**printen** print
**printer** printer
**prior** prior
**prioriteit** priority
**prisma** prism
**privaat** private
**privaatrecht** jur private law
**privacy** privacy
**privatiseren** privatize, denationalize
**privé** private, personal
**privéaangelegenheid** private matter
**privéadres** private / home address
**privérekening** private account
**privésfeer** ★ *uitgaven in de ~* personal expenditure, private expenditures
**privéstrand** private beach
**privilege** privilege
**prk** BN *postrekening* giro account
**pro** pro ★ *de pro's en contra's* the pros and cons
**pro-** pro- ★ *pro-Amerikaans* pro-American
**proactief** proactive
**probaat** approved, effective ★ *een ~ geneesmiddel* a sovereign remedy
**probatie** BN jur *proeftijd* probation
**probeersel** experiment
**proberen ❶** *een poging doen* try, attempt ★ *~ (om) te* try to ★ *laat mij het eens ~* let me have a try / go / bash (at it) **❷** *uitproberen* test, try (out), ⟨van wijn⟩ sample
**probleem** *moeilijkheid* problem, issue ★ *het ~ met haar is...* the trouble with her is... ★ *we maken er geen ~ van* we won't make a point of it
**probleemgeval** problematical case, problem
**probleemgezin** problem family
**probleemkind** problem child
**probleemloos** trouble-free, uncomplicated
**probleemstelling** formulation / definition of the / a problem
**probleemwijk** urban problem area / district
**problematiek** problem(s), question at hand
**problematisch** problematic(al)
**procedé** process
**procederen** take legal action, litigate ★ *gaan ~* go to court
**procedure ❶** *werkwijze* procedure **❷** jur *proces* suit, lawsuit, action
**procedureel** procedural
**procedurefout** procedural mistake
**procent** per cent, USA percent ★ *vijf ~* five per cent, USA five percent ★ *tegen acht ~ uitstaan* be put out at eight per cent ★ *voor de volle honderd ~* one hundred per cent ★ *voor de volle honderd ~ zeker* dead certain ★ *ik ben er honderd ~ zeker van* I am a hundred percent sure / positive (of it)
**procentueel** in terms of percentage
**proces ❶** *wijze waarop iets verloopt* process **❷** *rechtszaak* action, ⟨strafrecht⟩ (law)suit, ⟨strafrecht⟩ trial ★ *in een ~ gewikkeld zijn* be involved in a lawsuit ★ *iem. een ~ aandoen* bring an action against sb ★ *een ~ voeren* conduct a case, prosecute an action
**procesgang** progress (of a (production) process)
**procesoperator** operator
**processie** procession

**processor** microprocessor, central processing unit
**proces-verbaal ❶** *bekeuring* ticket, charge ★ *een ~ krijgen* be booked **❷** *verslag* official report, ⟨van rechtzitting⟩ minutes *mv*
**procesvoering** conduct of a case
**proclamatie ❶** *bekendmaking* proclamation **❷** BN sport *bekendmaking van de uitslag* public announcement of the results
**proclameren** proclaim
**procuratiehouder** deputy manager
**procureur** jur solicitor, attorney ★ BN *Procureur des Konings* ≈ public prosecutor, ≈ counsel for the prosecution
**procureur-generaal** attorney general
**pro Deo** free (of charge), gratis
**pro-Deoadvocaat** legal aid counsel
**producent** producer
**producer** producer
**produceren** *voortbrengen* produce, ⟨warmte, e.d.⟩ generate
**product** *voortbrengsel* product
**productaansprakelijkheid** manufacturer's liability, product liability
**productie** production, ⟨opbrengst⟩ output
**productiecapaciteit** productive capacity
**productief** productive, ⟨schrijver⟩ prolific ★ *zijn kennis ~ maken* turn one's knowledge to account
**productiekosten** production cost(s), manufacturing cost(s)
**productielijn** production (line)
**productiemiddel** production means *ev en mv*
**productieproces** production process
**productiviteit** productivity
**productmanager** product manager
**productschap** ≈ Commodity Board
**proef ❶** *onderzoek* test ★ *de ~ doorstaan* stand the test ★ *de ~ op de som nemen* put to the test ★ *op ~* on trial, on probation **❷** *experiment* test, experiment ★ *proeven nemen* experiment, carry out experiments ★ *een ~ ermee nemen* give it a trial / try-out **❸** *bewijs* test, proof ★ *dat is de ~ op de som* that settles it ★ *een proeve van bekwaamheid afleggen* take a proficiency test ▼ *de ~ op de som nemen* put to the test
**proefabonnement** trial subscription
**proefballon ❶** aardk *ballon* pilot balloon **❷** fig *stemmingspeiling* (trial) kite ★ *een ~ oplaten* fly a kite, put out a feeler
**proefboring** test / trial drill
**proefdier** laboratory animal
**proefdraaien** (give a) trial / test run
**proefdruk** proof
**proefkonijn ❶** lett *proefdier* laboratory rabbit **❷** fig guinea pig
**proefneming** experiment
**proefnummer** specimen copy
**proefondervindelijk ❶** *empirisch* empirical **❷** *experimenteel* experimental
**proefperiode** trial period
**proefpersoon** (experimental / test) subject
**proefrit** trial run, test drive
**proefschrift** thesis *mv: theses* ★ *'n ~ verdedigen* uphold / defend a thesis
**proefstuk** ▼ BN *niet aan zijn ~ toe zijn* be dyed in the wool

**pr**

**proefterrein** proving ground, ⟨van wapens⟩ test range

**proeftijd** ❶ *uitprobeertijd* probation ★ *iem. aanstellen met een ~ van één jaar* appoint sb on one year's probation ❷ *jur* probation

**proefverlof** *jur* parole

**proefvertaling** ⟨op school⟩ translation test, ⟨voor uitgever⟩ sample / test translation

**proefvlucht** test flight

**proefwerk** test paper

**proesten** ❶ *niezen* sneeze ❷ *snuiven* snort ❸ *lachen* snort, splutter ★ *~ van het lachen* explode / snort with laughter

**proeve** *form* → **proef**

**proeven** ❶ *op smaak keuren* taste, sample ❷ *bespeuren* sense ★ *ik proef afkeuring in je woorden* I sense disapproval in your words

**prof** ❶ *hoogleraar* prof ❷ *professional* pro

**profaan** profane

**profclub** professional club

**profeet** prophet [v: prophetess]

**professie** *beroep* profession, trade ★ *van ~ by profession

**professional** professional, ⟨sport⟩ *inform* pro

**professionalisering** professionalization

**professioneel** *vakkundig* professional

**professor** professor ★ *een verstrooide ~* an absent-minded professor

**profetie** *voorspelling* prophecy

**profetisch** prophetic

**proficiat** congratulations

**profiel** ❶ *zijaanzicht* profile ❷ *typering* profile ❸ *diepteverschil* ⟨op band, zool⟩ tread

**profielband** tyre with moulded treads

**profielschets** profile

**profieltekening** profile (drawing)

**profielzool** grip sole

**profijt** profit, gain ★ *~ trekken van* benefit from

**profijtbeginsel** direct benefit principle

**profijtelijk** profitable

**profileren** ❶ *karakteriseren* characterize, make known ★ *zich ~ als* present o.s. as ❷ *profiel aanbrengen* profile, mould

**profiteren** profit (by / from), benefit (by / from), avail oneself of, take advantage (of) ★ *zoveel mogelijk van onze tijd ~* make the most of our time

**profiteur** profiteer

**profspeler** pro(fessional)

**profvoetballer** pro(fessional) soccer / football player

**prognose** prognosis

**program** programme, *pol* platform

**programma** ❶ *geheel van activiteiten* programme ★ *een druk ~ hebben* have a busy schedule ★ *op het ~ staan* be on the schedule / programme ❷ *comp* program(me) ❸ *pol* programme, platform ❹ *uitzending* programme, broadcast

**programmablad** *USA* TV Guide, ⟨BBC⟩ Radio Times

**programmaboekje** programme

**programmakiezer** *techn* channel selection, ⟨v. wasmachine e.d.⟩ cycle selection

**programmamaker** programme maker / producer

**programmatuur** software

**programmeertaal** computer language, machine code

**programmeren** ❶ *(in een) programma opstellen* program, schedule ❷ *comp* program

**programmering** programming

**programmeur** programmer

**progressie** ❶ *vooruitgang* progress ❷ *toename* progression

**progressief** ❶ *voortgaand* progressive ❷ *vooruitstrevend* progressive, liberal

**prohibitie** prohibition

**project** project

**projectbureau** property developer

**projecteren** project

**projectie** projection

**projectiel** missile, projectile ★ *geleide ~en* guided missiles

**projectiescherm** screen

**projectleider** project manager

**projectmanager** project manager

**projectmatig** project based, thematic ★ *~ onderwijs* project-based teaching

**projectontwikkelaar** *bouw* property developer, real estate developer

**projector** projector, ⟨van dia's⟩ slide projector

**proleet** vulgarian, plebeian

**proletariaat** proletariat

**proletariër** proletarian

**proletarisch** proletarian

**prolongatie** extension, ⟨van film⟩ continuation

**prolongeren** prolong, extend, ⟨film⟩ continue, ⟨van lening⟩ renew

**proloog** prologue

**promenade** ⟨winkelstraat⟩ shopping precinct, ⟨weg⟩ promenade

**promenadedek** promenade deck

**promesse** *econ* promissory note

**promillage** permillage

**promille** per mille

**prominent** prominent

**promiscue** promiscuous

**promiscuïteit** promiscuity

**promoten** promote, push

**promotie** ❶ *bevordering* promotion, rise ★ *~ maken* get promotion ❷ *BN verkoopbevordering* promotion ★ *in ~ zijn* be on sale, be on special offer ❸ *behalen van doctorsgraad* taking one's Ph.D., taking one's doctor's degree ❹ *sport* promotion ▼ *BN sociale ~* ≈ refresher course, ≈ continuing education

**promotiekans** chance of promotion / advancement

**promotiewedstrijd** promotion match

**promotor** ❶ *belangenbehartiger* promoter ❷ *hoogleraar* ≈ supervisor of a Ph.D. student ❸ *BN bouw projectontwikkelaar* property developer, real estate developer

**promovendus** doctoral student, Ph.D. student

**promoveren** I *on ww* ❶ *sport* be promoted ❷ *onderw doctorstitel verwerven* take a doctor's degree II *ov ww* ❶ *bevorderen naar een hogere functie* promote ❷ *doctorstitel verlenen* doctor, confer a degree of doctor on

**prompt** I *bnw* ❶ *vlot* prompt, quick ❷ *stipt* punctual, prompt ★ *iets ~ kennen* have it pat II *bijw* promptly, at once

**pronken** *zich trots vertonen* show (oneself / something) off, flaunt (oneself / something)
**pronkjuweel ❶** *kleinood* jewel ❷ *persoon* jewel, gem
**pronkstuk** showpiece
**prooi** prey ★ *ten ~ zijn aan* be prey to
**proost** inform bottoms up, ⟨bij drinken⟩ cheers, ⟨bij niezen⟩ bless you
**proosten** toast
**prop ❶** *samengedrukte bol* ball, wad, ⟨klein⟩ pellet, ⟨in de mond⟩ gag ❷ *persoon* [vooral verkleinwoord] pudge ▼ *een prop in de keel hebben* have a lump in one's throat ▼ *met iets op de proppen komen* come out with sth
**propaan** propane
**propaangas** propane gas
**propaganda** propaganda
**propagandafilm** propaganda film
**propagandamateriaal** propaganda material
**propageren** propagate
**propedeuse** foundation course
**propeller** propeller
**propellervliegtuig** propeller aeroplane, USA propeller airplane
**proper** clean, ⟨netjes⟩ neat
**proportie** proportion, dimension
**proportioneel** proportional
**propositie ❶** *voorstel* proposition ❷ *stelling* postulate
**proppen** *schrokken* stuff, cram ★ *zijn eten naar binnen ~* stuff one's food into one's mouth
**propvol** chock-full, packed, chock-a-block ★ *de trein was ~* the train was packed (to capacity)
**prosecutie** persecution
**prosodie** prosody
**prospectie** BN econ *marktonderzoek* market research
**prospectus** prospectus
**prostaat** prostate (gland)
**prostituee** prostitute, ⟨op straat⟩ streetwalker
**prostitueren** *aan prostitutie overgeven* prostitute ★ *zich ~* prostitute o.s.
**prostitutie** prostitution
**protectie** *bescherming* protection, ⟨steun⟩ influence
**protectiegeld** protection (money)
**protectionisme** protectionism
**protectoraat** protectorate
**protegé** protégé [v: protégée]
**proteïne** protein
**protest** *uiting van bezwaar* protest ★ *~ aantekenen tegen* lodge a protest against ★ *een ~ laten horen* raise a protest ★ *onder ~* under protest ★ *uit ~* in protest
**protestactie** demonstration, protest (action)
**protestant I** zn [de] Protestant **II** bnw Protestant
**protestantisme** Protestantism
**protestants** Protestant
**protestbeweging** protest movement
**protesteren** protest ★ *zonder ~* without protest
**protestmars** protest march
**protestsong** protest song
**proteststaking** protest strike
**protestzanger** protest singer
**prothese** prosthesis, ⟨van ledemaat⟩ artificial limb, ⟨van tanden⟩ dentures *mv*, ⟨van tanden⟩

false teeth *mv*
**protocol ❶** *etiquette* protocol ❷ *verslag* protocol, record
**protocollair** formal, according to protocol, ceremonial
**proton** natk proton
**protonkaart** BN econ *elektronische portemonnee* chip / smart card (for small amounts)
**protoplasma** protoplasm
**prototype** prototype
**protserig** showy, flashy, gaudy
**Provençaals** Provençal
**Provence** Provence
**proviand** provisions [meervoud], victuals [meervoud]
**provider** www provider
**provinciaal I** bnw ❶ *van de provincie* provincial ❷ *kleinsteeds* parochial, provincial **II** zn [de], *bewoner* provincial
**provincie** province ★ *iem. uit de ~* sb from the country
**provinciebestuur** ≈ County Council, ≈ USA County Board
**provinciehuis** ≈ provincial government building, County Hall, ≈ USA State Hall
**provincieraad** BN pol *provinciaal bestuur* ≈ County Council, ≈ USA County Board
**provisie ❶** *commissieloon* commission, ⟨makelaar⟩ brokerage ❷ *voorraad* provisions *mv*, stock of food
**provisiekast** pantry, larder
**provisorisch** provisional
**provitamine** provitamin
**provo** young person out to provoke the authorities
**provocateur** agent provocateur
**provocatie** provocation
**provoceren** provoke
**provoost ❶** *persoon* provost marshal / sergeant ❷ *soldatengevangenis* detention room ❸ *militaire straf* close arrest
**prowesters** pro-Western
**proza** prose
**prozac** Prozac[fl]
**prozaïsch** prosaic
**pruik ❶** *haardos* mop of hair ❷ *vals haar* wig
**pruikentijd** the Regency period
**pruilen** pout, sulk
**pruillip** pouting mouth, pout ★ *een ~ trekken* pout
**pruim ❶** *vrucht* plum ★ *gedroogde ~en* prunes ❷ *boom* plum (tree)
**pruimen ❶** *tabak kauwen* chew tobacco ❷ *verdragen* ★ *ik kan die man niet ~* I can't stand that man
**pruimenboom,** BN **pruimelaar** plumtree
**pruimenmond** pursed lips *mv* ★ *een ~je trekken* purse one's lips
**pruimenpit ❶** plum stone, USA plum pit ❷ *van een gedroogde pruim* prune stone, USA prune pit
**pruimtabak** chewing tobacco
**Pruisen** Prussia
**Pruisisch** *m.b.t. Pruisen* Prussian
**prul ❶** *ding* trash, gimcrack, ⟨van krant⟩ rag ★ *een prul van 'n ding* a piece of junk ❷ *mens* nonentity

**prullaria** rubbish
**prullenbak** wastepaper basket, <u>USA</u> waste-basket
**prullenmand** wastepaper basket, <u>USA</u> waste-basket
**prulschrijver** scribbler
**prut** I *zn* [de] ❶ *drab* mud, mire ❷ *bezinksel* ⟨van koffie⟩ grounds *mv* II *bnw, slecht* rotten
**prutje** *cul* mash, stew
**prutsen** ❶ *knutselen* tinker (about / with), mess about with ★ *in elkaar* ~ put together, fix, rig (up) ★ *er tussen* ~ fiddle with sth until it fits ❷ *klungelen* bungle
**prutser** ❶ *klungelaar* bungler ❷ *knutselaar* tinker(er)
**prutswerk** ❶ *knoeiwerk* shoddy work, botch(-up) ❷ *peuterwerk* finicky work
**pruttelen** ❶ *koken* simmer, ⟨koffie⟩ percolate ❷ *mopperen* grumble
**PS** *Post Scriptum* PS
**psalm** psalm
**psalmboek** psalm book
**psalmbundel** psalter
**pseudo-** pseudo- ★ *pseudowetenschappelijk* pseudo-scientific
**pseudoniem** pseudonym
**psoriasis** psoriasis
**pst** pst
**p.st.** *per stuk* ea., each
**psyche** psyche
**psychedelisch** hallucinogenic, psychedelic
**psychiater** psychiatrist, ⟨ironisch⟩ shrink
**psychiatrie** psychiatry
**psychiatrisch** psychiatric
**psychisch** psychic, psychical
**psychoanalyse** psychoanalysis
**psycholinguïstiek** psycholinguistics *mv*
**psychologie** psychology
**psychologisch** psychological
**psycholoog** psychologist
**psychoot** psychotic
**psychopaat** psychopath
**psychose** psychosis
**psychosomatisch** psychosomatic
**psychotherapie** psychotherapy
**psychotisch** psychotic
**pub** pub
**puber** adolescent
**puberaal** adolescent, juvenile
**puberen** reach puberty
**puberteit** puberty
**publicatie** publication
**publicatieverbod** publication ban
**publiceren** *openbaar maken* publish
**publicist** publicist, writer on current affairs, journalist
**publicitair** ⟨m.b.t. reclame⟩ publicity, ⟨m.b.t. media⟩ advertising
**publiciteit** ❶ *openbare kennis* publicity ★ ~ *geven aan* give publicity to, advertise ★ *in de* ~ *brengen* bring to public notice ❷ *BN reclame* advertising, publicity
**publiciteitscampagne** publicity campaign
**publiciteitsgeil** hot on publicity
**publiciteitsstunt** publicity stunt
**public relations** public relations
**publiek** I *zn* [het] public, *sport* crowd, ⟨culturele gebeurtenis⟩ audience ★ *het grote* ~ the general public II *bnw, openbaar* public
**publiekelijk** openly, publicly, in public
**publieksfilm** popular film
**publieksgericht** aimed at an audience
**publiekstrekker** crowd puller, (box-office) draw / attraction
**puck** *sport* puck
**pudding** pudding
**puddingbroodje** *cul* custard bun
**puddingvorm** pudding / jelly mould
**Puerto Ricaan** → **Porto Ricaan**
**Puerto Ricaans** → **Porto Ricaans**
**Puerto Ricaanse** → **Porto Ricaanse**
**Puerto Rico** → **Porto Rico**
**puf** energy ★ *ik heb er geen puf in* I don't feel up to it, I can't be bothered (with it)
**puffen** puff, pant ★ ~ *van de hitte* pant with the heat
**pui** *gevel* front, ⟨van winkel⟩ shopfront
**puikje** pick (of the bunch) ★ *het* ~ *van...* the pick of...
**puilen** bulge ★ *de ogen puilden hem uit het hoofd* his eyes popped out (of) their sockets
**puin** *losse stenen* rubble, debris ★ *in puin vallen* fall into ruin ★ *puin ruimen* clear up the rubble / debris, *fig* pick up the pieces ★ *onder het puin bedolven* buried under the rubble ★ *puin storten* dump rubble ★ *in puin liggen* lie in ruins ▼ *zijn auto in puin rijden* smash up one's car
**puinhoop** ❶ *hoop puin* heap of rubble / rubbish ❷ *warboel* mess
**puist** pimple, <u>inform</u> zit, spot, <u>med</u> pustule
**puistenkop** ❶ *persoon met puisten* pimple-face ❷ *scheldwoord* rotter
**puk** mite, tiny tot
**pukkel** ❶ *puist* pimple, spot, <u>inform</u> zit ❷ *tas* satchel
**pul** tankard
**pulken** pick ★ *in de neus* ~ pick one's nose
**pulli** turtleneck
**pullover** pullover
**pulp** ❶ *brij* pulp ❷ *slecht product* pulp, ⟨m.b.t. boeken⟩ junk reading
**pulseren** pulsate, throb
**pulver** powder
**pummel** lout
**pump** court shoe
**punaise** drawing pin, <u>USA</u> thumbtack
**punch** punch
**punctie** puncture
**punctueel** punctual
**punk** ❶ *subcultuur* punk ❷ *punker* punk rocker
**punker** punk
**punkkapsel** punk hair style, ⟨vrouw ook⟩ punk hairdo
**punniken** ❶ *frunniken* fiddle ❷ *breien* French knitting
**punt** I *zn* [de] ❶ *uiteinde* ⟨van zakdoek, tafel⟩ corner, tip, point ❷ *stip* dot, ⟨leesteken⟩ full stop, ⟨leesteken⟩ <u>USA</u> period, ⟨decimaalpunt⟩ decimal (point) ★ *dubbele punt* colon ★ *punten en strepen* dots and dashes ★ *... punt com* ... dot com ❸ → *puntje* ▼ *BN iets op punt stellen* put in order, settle, ⟨dossier⟩ bring up to date, ⟨machine⟩ adjust, ⟨plan⟩ work out ▼ *BN op punt staan* be

shipshape, be perfect **II** *zn* [het] ❶ *plaats* point
❷ *onderdeel, kwestie* point, item, ⟨van
dagvaarding⟩ count ★ *een punt van belang* an
important point ★ *een punt van bespreking*
subject for discussion ★ *een punt van overweging*
a subject for consideration, a point to be
considered ★ *punt voor punt* point by point
❸ *moment* point ★ *het dode punt* the dead-lock
★ *op het punt staan om iets te doen* be on the
point of doing sth, be about to do sth
❹ *waarderingseenheid* point, mark ★ *op punten
winnen* win on points
**puntbaard** pointed beard
**puntbroodje** *cul* ≈ (soft) roll
**puntdak** gabled / peaked roof
**puntdicht** epigram
**punten** ❶ *een punt maken aan* point, sharpen
❷ *bijpunten* trim
**puntenrijbewijs** penalty points driving licence
**puntenslijper** pencil sharpener
**punter** ❶ *boot* punt ❷ *sport* toe-kick / -shot
**puntgaaf** flawless, perfect ★ *een ~ exemplaar* a
perfect specimen, a specimen in mint condition
**punthoofd** ▾ *ik krijg er een ~ van* it drives me up
the wall
**puntig** ❶ *spits* pointed, sharp ❷ *kernachtig*
pointed
**puntje** ⟨broodje⟩ roll ▾ *als ~ bij paaltje komt* when
it comes to the point ▾ *de ~s op de i zetten* dot the
i's and cross the t's ▾ *iets tot in de ~s kennen* know
sth to perfection ▾ *tot in de ~s verzorgd* highly
groomed, highly finished ▾ *er in de ~s uitzien* look
spick and span ▾ *daar kun je een ~ aan zuigen* that
takes the shine out of you ▾ *het ligt op het ~ van
mijn tong* it's on the tip of my tongue
**puntkomma** semicolon
**puntmuts** pointed cap / hat
**puntschoen** pointed shoe, inform winkle-picker
**puntsgewijs** point by point
**puntzak** cone(-shaped bag)
**pupil** ❶ *oogpupil* pupil ❷ *leerling* pupil, student
❸ *kind* pupil, ward ❹ sport junior
**puppy** pup(py)
**puree** purée ★ *aardappel~* mashed potatoes ▾ *in
de ~ zitten* be in trouble
**pureren** purée
**purgeermiddel** purgative, laxative
**purgeren** take a laxative
**purisme** purism
**purist** purist
**puritein** puritan, ⟨in Engeland⟩ Puritan
**puriteins** puritanical
**purper** purple
**purperrood** purplish-red, crimson
**purschuim** pur foam
**purser** purser
**pus** pus
**pushen** ❶ *aanzetten* push / urge (on), drive (on),
push ❷ *promoten* push, back
**push-up** sport push-up, GB press-up
**push-up-bh** push-up bra
**put** *gat* ⟨van water, gas, olie⟩ well, ⟨kuil⟩ pit ★ BN
*septische put* septic tank ★ *een put graven* sink a
well ▾ *in de put zitten* be down-hearted ▾ *je geld in
een bodemloze put gooien* pour / throw your
money down the drain ▾ BN *in het putje van de*

*winter* in the dead of winter
**putsch** putsch, coup (d'état)
**putten** ❶ *water ophalen* draw (uit from) ❷ ~ **uit**
fig *ontlenen aan* draw from / on ★ *uit eigen
ervaring ~* draw from one's own experience
**puur** *zuiver* pure, ⟨van nonsens⟩ sheer, ⟨van
alcoholische dranken⟩ straight, ⟨van chocola⟩
plain
**puzzel** ❶ *legpuzzel* puzzle, jigsaw (puzzle)
❷ *probleem* puzzle, riddle
**puzzelaar** puzzler
**puzzelen** ❶ *puzzels oplossen* solve / do
(crossword / jigsaw etc.) puzzles ❷ *diep nadenken*
puzzle
**puzzelrit** ⟨per fiets en voet⟩ treasure hunt, ⟨per
auto⟩ treasure rally
**puzzelwoordenboek** crossword dictionary
**pvc** PVC
**pygmee** pygmy
**pyjama** pair of pyjamas / USA pajamas, pyjamas
*mv*, pajamas *mv*
**pyjamabroek** pair of pyjama trousers, pyjama
trousers *mv*
**pyjamajas** pyjama top
**pylon** (traffic) cone
**Pyreneeën** (the) Pyrenees
**pyromaan** pyromaniac
**pyrrusoverwinning** Pyrrhic victory
**python** python

**py**

# Q

**q** q ★ *de q van Quotiënt* Q as in Queen
**Qatar** Qatar
**qua** qua, as for
**quad** *vierwielig motorrijtuig* quad bike
**quarantaine** quarantine
**quartair I** *bnw* quaternary ★ *~ gesteente* Quaternary formation ★ *de ~e sector* public sector **II** *zn [het], periode* Quaternary
**quasi ❶** *zogenaamd* quasi **❷** BN *bijna, vrijwel* almost, practically, nearly
**quasi-** quasi- ★ *quasiwetenschappelijk* quasi-scientific
**quatre-mains I** *zn [het]* piano piece for four hands **II** *bnw ★ (à) ~* for four hands
**querulant** querulous person, inform grumbler
**questionnaire** questionnaire
**quiche** quiche
**quickscan** quick scan
**quickstep** quickstep
**quitte** quits ★ *we zijn ~* we are quits ★ *~ spelen* break even
**qui-vive** ▼ *op zijn ~ zijn* be on the alert
**quiz** quiz *mv: quizzes*
**quizmaster** quizmaster
**quota** quota, contingent, share
**quote ❶** *quota* quota **❷** *citaat* quote
**quoteren** *limiteren* quote
**quotiënt** quotient
**quotum** quotum, quota

# R

**r** r ★ *de r van Rudolf* R as in Robert
**ra** yard ★ *grote ra* main yard
**raad ❶** *advies* counsel, advice ★ *met raad en daad bijstaan* assist in word and deed ★ *luister naar mijn raad* listen to my advice ★ *op raad van* on the advice of ★ *te rade gaan bij iem.* consult sb ★ *iem. raad geven* advise / counsel sb **❷** *uitweg* ★ *daar weet ik wel raad mee* I can manage that ★ *hij weet altijd raad* he is never at a loss **❸** *adviserend college* council, ⟨vnl. in besloten organisatie⟩ board ★ *de Raad van State* Council of State, ≈ USA National Security Council GB Privy Council ★ *Raad van Arbeid* Labour Council ★ *Raad van Beheer / Commissarissen* Board of Directors ★ *raad van commissarissen* board of commissioners ★ *Raad van Europa* Council of Europe ★ *Raad van Toezicht* Supervisory Board ▼ *ten einde raad* at one's wits' end ▼ *goede raad was duur* here was a dilemma
**raadgever** adviser
**raadgeving** *advies* advice, ⟨officieel⟩ notification
**raadhuis** town hall, ⟨van stad⟩ city hall
**raadplegen** consult, seek advice ★ *een arts ~* see a doctor
**raadsbesluit** council decision, ⟨van gemeenteraad⟩ ordinance
**raadscommissie** council committee
**raadsel ❶** *iets onbegrijpelijks* mystery, puzzle, enigma ★ *het is voor mij een ~* it is a mystery to me **❷** *opgave* riddle
**raadselachtig** enigmatic, mysterious ★ *een ~ persoon* an enigmatic person ★ *een ~ toeval* an odd coincidence
**raadsheer ❶** *rechter* councillor **❷** *schaakstuk* bishop
**raadslid** councillor
**raadsman ❶** *raadgever* adviser, jur counsel **❷** *advocaat* counsel
**raadszitting** sitting / session of the (town / city) council
**raadzaal** council chamber
**raadzaam** advisable, wise ★ *het is ~ om* it would be wise to
**raaf** raven
**raak I** *bnw* **❶** *doel treffend* ★ *die klap was raak* that blow went home **❷** *fig gevat* to the point ★ *een raak antwoord* a quick retort **II** *bijw* **❶** *doel treffend* ★ *raak schieten* hit the mark **❷** *fig gevat* ▼ *maar wat raak praten* talk at random, talk away
**raaklijn** tangent
**raakpunt** point of contact, juncture
**raakvlak ❶** wisk tangent plane **❷** *gemeenschappelijk gebied* interface
**raam ❶** *venster* window ★ *dubbel raam* double-glazed window, ⟨met voorzetraam⟩ storm window ★ *uit het raam kijken* look out of the window ★ *voor het raam zitten* sit in the window ★ *voor het raam staan* stand at the window **❷** *lijst* frame **❸** *kader* context, frame ▼ *achter het raam zitten* be on the game
**raamadvertentie** window card
**raamkozijn** window frame

**raamprostitutie** window prostitution
**raamsponning** groove in frame of sash window, sash rabbet
**raamvertelling** frame story
**raamwerk** ❶ *houtwerk* frame ❷ *fig globale opzet* outline, framework
**raamwet** skeleton law, legislative framework
**raap** ❶ *eetbare knol* turnip ❷ *inform hoofd, lichaam* ▼ *recht voor zijn raap* straightforward
**raapstelen** turnip tops / greens *mv*
**raar** ❶ *vreemd* strange, odd, weird ★ *een raar mens* a queer fish ❷ *onwel* ★ *zich raar voelen* feel strange, feel out of sorts
**raaskallen** rave, talk gibberish
**raat** honeycomb
**rabarber** rhubarb
**Rabat** Rabat
**rabat** *korting* discount, rebate
**rabbijn** rabbi
**rabiës** rabies
**race** race ▼ *race tegen de klok* race against time
**racebaan** race track, USA racecourse, ⟨autosport ook⟩ circuit, ⟨voornamelijk motorsport⟩ speedway
**racefiets** racing bicycle
**racen** ❶ *aan een race deelnemen* race ❷ *fig zeer snel gaan* speed
**racewagen** racing car
**raciaal** racial, ethnic ★ *raciale onlusten* race riots
**racisme** racism
**racist** racist
**racistisch** racist
**racket** racket
**raclette** raclette
**rad** wheel ★ *rad van avontuur* wheel of fortune ▼ *iem. een rad voor ogen draaien* throw dust in sb's eyes
**radar** radar
**radarantenne** scanner
**radarinstallatie** radar installation / unit
**radarscherm** radar screen
**radarsignaal** radar signal
**radarvliegtuig** early-warning aircraft
**radbraken** ❶ *martelen* break upon the wheel ❷ *verhaspelen* mutilate / ruin a language ▼ *ik was geradbraakt* I was exhausted, I was dead beat
**raddraaier** ringleader
**radeermesje** erasing knife *mv: knives*
**radeloos** desperate
**radeloosheid** despair, desperation
**raden** ❶ *gissen* guess ~ *goed* ~ guess right ★ *mis* ~ guess wrong ★ ~ *naar* guess at ★ *ik geef je te* ~ *wie* guess who ★ *BN het* ~ *hebben naar iets* be anybody's guess ❷ *raad geven* advise, counsel ★ *dat is je ge~ ook!* you'd better! ★ *het is je ge~ ermee op te houden* you'd better be advised to stop doing that
**raderboot** paddle-boat
**raderen** *overtrekken* trace
**raderen** ❶ *graveren* engrave, etch ❷ *afkrabben* erase, scratch off
**radertje** cog(wheel)
**raderwerk** wheels *mv*, ⟨van klok⟩ clockwork
**radiaal** I *zn* [de] radian II *bnw* radial
**radiaalband** radial tyre
**radiateur** radiator

**radiator** radiator
**radicaal** I *zn* [de] radical II *zn* [het] scheik radical III *bnw* radical, drastic
**radicalisme** radicalism
**radicchio** radicchio
**radijs** radish
**radio** ❶ *toestel* radio ❷ *uitzending* radio ★ *op de* ~ on the radio
**radioactief** radioactive ★ *radioactieve neerslag* fallout
**radioactiviteit** radioactivity
**radiobesturing** radio control
**radiocassetterecorder** radio-cassette-recorder
**radiografie** radiography
**radiografisch** radiographic
**radiojournaal** radio news
**radiologie** radiology
**radioloog** radiologist
**radionieuwsdienst** ❶ *uitzending* radio news (broadcast) ❷ *dienst* radio news service
**radio-omroep** broadcasting service
**radioprogramma** radio programme
**radioscopie** radioscopy
**radiostation** radio station
**radiotherapie** radiotherapy
**radiotoespraak** broadcast / radio speech
**radiotoestel** radio (set)
**radio-uitzending** radio broadcast
**radioverslaggever** radio reporter
**radiowekker** clock-radio
**radiozender** radio transmitter
**radium** radium
**radius** radius
**radslag** cartwheel ★ *een* ~ *maken* turn a cartwheel
**rafel** frayed end, loose end ★ *knip de* ~*s er af* cut off the loose threads
**rafelen** I *ov ww, losmaken* unravel II *on ww, losraken* fray
**rafelig** frayed, unravelled
**raffia** raffia
**raffinaderij** refinery
**raffinement** refinement, ⟨geraffineerdheid⟩ subtlety
**raffineren** refine
**raften** *sport* rafting
**rag** cobweb
**rage** craze, rage, trend
**ragebol** ❶ *borstel* broom ❷ *haardos* mop of hair
**ragfijn** filmy, gossamer ★ *het was* ~ it was filmy
**raggen** *wild bewegen* horse about / around, mess about / around
**ragout** ragout
**ragtime** ragtime
**rai** *muz* rai
**rail** ❶ *roede* rail ❷ *spoorstaaf* rail ★ *uit de rails lopen* be derailed, come off the rails ▼ *de zaken op de rails zetten* put things back on the rails
**railvervoer** rail(road) transport(ation)
**rakelings** closely, narrowly ★ *iemand / iets* ~ *voorbijgaan* brush past sb / sth
**raken** I *ov ww* ❶ *aanraken* touch ❷ *treffen* hit ★ *de schijf / het doel* ~ hit the target ❸ *ontroeren* move, touch ★ *het heeft mij diep geraakt* it touched me deeply, it moved me ❹ *betreffen* concern, affect II *ww, geraken* ★ *aan de praat*

~ begin a conversation ★ *in moeilijkheden* ~ get into difficulties, fall on hard times
**raket** ❶ *projectiel* rocket, missile ❷ *plant* hedge mustard
**raketaanval** missile / rocket attack
**raketbasis** missile / rocket base
**raketbeschieting** missile / rocket bombardment / strike
**raketinstallatie** missile / rocket installation
**raketsla** rocket, arugula
**raketwerper** rocket launcher
**rakker** rascal, scamp
**rally** *wedstrijd* rally
**RAM** comp RAM, random access memory
**Ram** *dierenriemteken* Aries
**ram** ❶ *mannetjesschaap* ram ❷ *stormram* battering ram
**ramadan** Ramadan
**rambam** ▼ *krijg de ~!* go to hell! ▼ *zich het ~ werken* work one's ass off, work one's fingers to the bone, flog one's guts out
**ramen** estimate ★ *de kosten werden geraamd op* the costs were estimated at
**raming** estimate
**ramkraak** ram-raid
**rammel** → *pak*
**rammelaar** ❶ *speelgoed* rattle ❷ *mannetjeskonijn* buck rabbit
**rammelen** I *ov ww, door elkaar schudden* shake II *on ww* ❶ *geluid maken* rattle, (van geld) jingle ❷ *gebrekkig in elkaar zitten* be ramshackle, be shaky ▼ *ik rammel van de honger* I am famished
**rammeling** BN *pak rammel* hiding
**rammelkast** ❶ *piano* ramshackle old piano ❷ *voertuig* (auto) banger
**rammen** ram
**rammenas** winter radish
**ramp** catastrophe, disaster
**rampbestrijding** emergency measures *mv*
**rampenplan** contingency plan
**rampgebied** disaster area, distressed area
**rampjaar** year of disaster
**rampspoed** adversity, misfortune
**ramptoerisme** disaster tourism
**ramptoerist** thrill seeker, sensation seeker
**rampzalig** disastrous ★ *~ jaar* disastrous year
**ramsj** *handel* trade in second-hand / remaindered stock ★ *een boek in de ~ gooien* remainder a book
**ranch** ranch
**rancune** rancour ★ *sans* ~ no ill feeling, without rancour
**rancuneus** rancorous, spiteful
**rand** ❶ *grensvlak* (v. bloemen, gras) border, (v. bos, tafel, water) edge, (v. hoed) brim, (v. kopje, glas) brim, (richel) ledge ★ *aan de rand van de stad* on the outskirts / periphery of the town ★ *aan de rand van het water* at the edge of the water ❷ *lett grenslijn* edge, verge, (van afgrond) brink ★ *tot de rand (gevuld)* filled to the brim, brimful ❸ *fig grenslijn* brink, verge ★ *aan de rand van de afgrond staan* be on the brink of ruin
**randaarde** techn ground
**randapparatuur** peripheral equipment
**randfiguur** background / minor figure
**randgebied** ❶ *aardk* outlying area ❷ *fig* fringes *mv*

**randgemeente** ≈ satellite town
**randgroep** (m.b.t. welvaartsniveau) subsistence level group, (m.b.t. samenleving) fringe group
**randgroepjongere** drop-out
**randschrift** legend
**Randstad** Randstad, the urban conglomeration of Western Holland
**randstad** urban agglomeration
**randstedelijk** of / in the urban agglomeration
**randverschijnsel** marginal / peripheral phenomenon *mv: phenomena*
**randvoorwaarde** essential precondition, prerequisite constraint
**rang** ❶ *plaats in hiërarchie* rank, position ★ *van de eerste rang* first-class ★ *in rang boven / onder iem. staan* rank above / below sb ★ *de hoogste officier in rang die aanwezig is* the ranking officer ❷ *maatschappelijke stand* rank ★ *mensen van alle rangen en standen* people of all ranks and classes ❸ *plaats in schouwburg* ★ *eerste rang* dress circle
**rangeerder** shunter
**rangeerterrein** marshalling yard
**rangeren** shunt
**ranglijst** list
**rangnummer** serial number
**rangorde** order of rank, hierarchy
**rangschikken** ❶ *ordenen* order, arrange ❷ *indelen* range, (in categorie) class, (m.b.t. rangorde) classify ★ *~ onder* classify under
**rangschikking** ❶ *ordening* arrangement ❷ *indeling* classification
**rangtelwoord** ordinal
**rank** I *zn* [de] tendril II *bnw* slender
**ranken** I *ov ww, ontdoen van uitlopers* remove tendrils, remove runners II *on ww, uitlopers vormen* twine, climb
**ranonkel** ranunculus
**ransel** *knapzak* knapsack
**ranselen** thrash, flog, beat
**ransuil** long-eared owl
**rantsoen** ration ★ *op ~ stellen* ration
**rantsoeneren** ration
**ranzig** *bedorven* rancid
**rap**[1] *snel* quick, agile, (van beweging, verstand) nimble
**rap**[2] [rep] muz rap
**rapen** pick up
**rapgroep** muz rap group
**rapmuziek** muz rap music
**rappen** muz rap
**rapper** muz rapper
**rapport** *verslag* report ★ *~ maken van* report
**rapportage** report(age)
**rapportcijfer** mark, USA grade
**rapporteren** *melden* report
**rapsodie** rhapsody
**rariteit** curiosity
**rariteitenkabinet** collection of curiosities
**ras** I *zn* [het] (van mensen) race, (van dieren) breed, (van planten) variety II *bnw, snel* quick, swift ★ *met rasse schreden* swiftly
**rasartiest** born artist
**rasecht** ❶ *raszuiver* thoroughbred ❷ *echt* born ★ *een ~e toneelspeler* a born actor
**rasegoïst** arch egoist
**rashond** pedigree dog

**rasp** *keukengereedschap* grater
**raspen** grate
**rassendiscriminatie** racial discrimination
**rassenhaat** racial hatred
**rassenintegratie** racial integration
**rassenkwestie** race / racial problem
**rassenonlusten** race / racial riots *mv*
**rassenscheiding** racial segregation
**rasta** *persoon* rasta, rastafarian
**rastafari** Rastafarian
**rastakapsel** dreadlocks *mv*, Rasta(farian) hairstyle
**raster** I *zn* [het], *netwerk* screen II *zn* [de], *hekwerk* fence, (van hout) picket fence
**rasteren** *drukk* print in halftone
**rasterwerk** ❶ *omheining* fencing ❷ *rooster* lattice(work), (metaal) grill
**raszuiver** thoroughbred
**rat** rat
**rataplan** ▼ *de hele ~* the whole caboodle
**ratatouille** ratatouille
**ratel** ❶ *instrument* rattle ❷ *mond* chatterbox, min blabbermouth ★ *zijn ~ staat geen ogenblik stil* his tongue is always wagging ★ *hou je ~!* shut your trap!
**ratelaar** ❶ *boom* aspen, trembling poplar ❷ *plant* (yellow) rattle ❸ *nachtzwaluw* nightjar ❹ *babbelaar* rattle(r)
**ratelen** ❶ *geluid maken* rattle, (van donder) crash ❷ *druk praten* chatter
**ratelslang** rattlesnake
**ratificatie** ratification
**ratificeren** ratify
**ratio** *rede* reason
**rationaliseren** rationalize
**rationalisme** rationalism
**rationalistisch** rationalist(ic)
**rationeel** *doordacht* rational
**ratjetoe** ❶ *stamppot* hotch-potch ❷ *allegaartje* hash, hotch-potch ★ *een ~ van stijlen* a medley of styles
**rato** ▼ *naar rato*, BN *a rato* in proportion ▼ *naar rato van*, BN *a rato van* in proportion to
**rats** ▼ *in de rats zitten* be in a blue funk, have one's heart in one's mouth, be panic stricken
**rattengif** rat poison
**rauw** ❶ *cul ongekookt* raw, (van vlees) rare ❷ *schor* raucous ❸ *ontveld* open, (van wond) raw ❹ *grof* rough
**rauwkost** raw / uncooked food, raw vegetables *mv*, (salade) vegetable salad
**rauwmelks** *cul* (made) of non-pasteurized milk
**ravage** havoc, devastation
**ravenzwart** raven
**ravigotesaus** *cul* ravigote
**ravijn** *afgrond* ravine, gorge
**ravioli** ravioli
**ravotten** romp
**rayon** I *zn* [het], *werkgebied* area II *zn* [het], *kunstzijde* rayon
**rayonchef** area supervisor
**razen** ❶ *tekeergaan* rage, rave ❷ *snel bewegen* race
**razend** I *bnw* ❶ *wild, dol* ★ *het is om ~ te worden* it's enough to drive you mad / crazy ❷ *woedend, boos* furious ★ *iem. ~ maken* drive sb mad,

infuriate sb ❸ *hevig* ★ *~e honger* ravenous appetite II *bijw* ★ *~ verliefd* madly in love
**razendsnel** rapid, quickly, like a flash / shot
**razernij** *woede* frenzy, rage, (krankzinnigheid) madness
**razzia** raid, round-up, *gesch* razzia
**re** re
**reactie** ❶ *tegenactie* reaction ★ *in ~ op* in response to ❷ *scheik* reaction
**reactiesnelheid** reaction rate
**reactievermogen** reactions, response, ability to react
**reactionair** I *zn* [de] reactionary II *bnw* reactionary
**reactor** reactor
**reactorcentrale** nuclear power plant
**reactorvat** reactor / reaction vessel
**reader** *bundel* reader
**reageerbuis** test tube
**reageerbuisbaby** test-tube baby
**reageerbuisbevruchting** in vitro fertilization
**reageren** *reactie vertonen* react (op to)
**realisatie** realization
**realiseerbaar** realizable, feasible, practicable
**realiseren** I *ov ww* realize II *wkd ww* [zich ~] realize
**realisering** ❶ *verwezenlijking* realization, execution, completion ❷ *besef* realization, awareness
**realisme** realism
**realist** realist
**realistisch** realistic
**realiteit** reality
**realiteitszin** sense of reality
**reality-tv** reality TV
**reanimatie** resuscitation, reanimation, bringing to
**reanimeren** resuscitate, reanimate
**rebel** rebel
**rebellenleger** rebel army
**rebellenleider** rebel leader
**rebelleren** rebel
**rebellie** ❶ *opstand* rebellion ❷ *opstandigheid* rebelliousness
**rebels** rebellious
**rebound** *sport* rebound
**rebus** rebus
**recalcitrant** recalcitrant
**recapituleren** recapitulate
**recensent** reviewer, critic
**recenseren** review, (beknopt) notice
**recensie** review, criticism ★ *goede ~s* rave reviews
**recensie-exemplaar** review copy
**recent** recent
**recentelijk** recently, of late, lately ★ *ik heb hem ~ gezien* I saw him recently
**recept** ❶ *keukenrecept* recipe ❷ *doktersrecept* prescription
**receptie** ❶ *ontvangst* reception ★ *staande ~* stand-up reception ★ *een ~ houden* give a reception ❷ *plaats van ontvangst* reception (desk)
**receptief** receptive, susceptible
**receptionist** receptionist
**reces** recess ★ *op ~ gaan* go into recess
**recessie** recession
**rechaud** hot plate

**re**

**recherche** *politieafdeling* detective force, Criminal Investigation Department, CID

**recherchebijstandsteam** special investigating team

**rechercheur** detective

**recht I** *zn* [het] ❶ *jur* *overheidsvoorschriften* law ★ *burgerlijk* ~ civil law ★ *civiel* ~ civil law ❷ *jur* *rechtsgeleerdheid* inform law, form jurisprudence ❸ *jur* *rechtspleging* ★ *iem. in* ~*e aanspreken* take sb to court, sue sb ❹ *jur* *gerechtigheid* right, justice ★ *zich* ~ *verschaffen* procure justice ★ *het* ~ *in eigen hand nemen* take the law into one's own hands ★ *in zijn* ~ *zijn* be within one's rights ★ *je hebt het volste* ~ *om...* you have a perfect right to... ❺ *jur* *bevoegdheid, aanspraak* right ★ ~ *hebben op* have a right to ★ *op zijn* ~ *staan* stand on one's right ★ ~ *geven op* entitle to ★ ~ *van vereniging en vergadering* right of free assembly ★ *het* ~ *van de sterkste* the law of the jungle ★ ~ *van beroep* right of appeal ★ ~ *van overpad* right of way ★ ~ *van veto* right of veto ★ *zich het* ~ *voorbehouden om* reserve the right to ❻ *belasting* duty, ⟨te betalen⟩ duties *mv*, ⟨op documenten⟩ fee ★ *vrij van* ~*en* duty-free ★ *ingaande* ~*en* import duties ▼ ~ *doen* do justice ▼ ~ *van spreken hebben* have a say in the matter **II** *bnw* ❶ *niet gebogen* straight ★ ~ *zetten* adjust, put straight, rectify ★ *het bij het* ~ *eind hebben* be right, have the right end of the stick ★ *de vraag blijft* ~ *overeind staan* the question remains unsolved ❷ *loodrecht* ★ ~*e hoek* right angle ❸ *juist, goed* ▼ *ik weet er het* ~*e niet van* I don't know the rights of it **III** *bijw* ❶ *niet gebogen* straight ★ ~ *afgaan op* make straight for, make a beeline for ❷ BN *rechtop, loodrecht* upright ❸ *precies* ★ *iem.* ~ *in het gezicht kijken* look sb full in the face ❹ *geheel* quite, straight, right

**rechtbank** ❶ *jur* *college van rechters* law court, court of justice ★ BN *correctionele* ~ ≈ magistrates' court, USA ≈ district court ★ BN ~ *van eerste aanleg* ⟨civiel⟩ ≈ county court, ⟨strafrechtelijk⟩ ≈ crown court, USA ≈ district court ❷ *jur* *gerechtsgebouw* court

**rechtbreien** *fig* *weer in orde maken* put right

**rechtdoor** straight on / ahead

**rechtdoorzee** candid, straightforward

**rechteloos** *jur* without rights, gesch outlawed

**rechten** bend straight, straighten ⟨out⟩ ★ *zijn rug* ~ straighten one's back

**rechtens** *jur* by right(s)

**rechtenstudie** *jur* ⟨study of⟩ law

**rechter I** *zn* [de] *jur* judge ★ ~ *van instructie* examining magistrate ▼ *eigen* ~ *spelen* take the law into one's own hands **II** *bnw* right(-hand) ★ *de* ~ *voet* the right foot

**rechter-commissaris** *jur* examining judge / magistrate

**rechterhand** ❶ *hand van de rechterarm* right hand ★ *aan uw* ~ on your right ❷ *voornaamste helper* ▼ *zij heeft twee* ~*en* she is very good with her hands

**rechterkant** right(-hand) side ★ *auto met stuur aan* ~ right-hand drive car ★ *aan de* ~ on the right(-hand) side, GB on the offside

**rechterlijk** *jur* judicial ★ *de* ~*e macht* judiciary ★ ~*e uitspraak* legal judgement, verdict

**rechtervleugel** ❶ *dierk* right wing ❷ *pol* right wing, conservatives *mv*

**rechtgeaard** *fig* *overtuigd* right-minded

**rechthebbende** *jur* (rightful) claimant

**rechthoek** rectangle

**rechthoekig** ❶ *wisk* met rechte hoeken right angled ★ ~ *staan op* be at right angles to ❷ *met rechthoekige vorm* rectangular

**rechtlijnig** wisk rectilinear

**rechtmatig** *jur* rightful, legitimate ★ *de* ~*e erfgenaam* the legitimate heir

**rechtop** upright, erect ★ ~ *gaan zitten* sit up ★ ~ *zitten* sit straight

**rechtopstaand** vertical, erect, upright, on end

**rechts I** *bnw* ❶ *aan de rechterkant* on / to / at the right ★ ~ *inhalen* pass / overtake on the nearside ★ *goed* ~ *rijden* drive well on the right, inform hug the curb / right ★ *met het stuur* ~ with right-hand drive ❷ *rechtshandig* right-handed ❸ *pol* right-wing **II** *zn* [het] pol ★ *op* ~ *stemmen* cast one's vote with the right

**rechtsaf** to the right

**rechtsback** sport right back

**rechtsbeginsel** *jur* legal principle

**rechtsbekwaam** *jur* legally qualified

**rechtsbevoegdheid** *jur* entitlement to rights

**rechtsbijstand** *jur* legal aid

**rechtsbuiten** sport right-winger

**rechtschapen** righteous, honest

**rechtsdraaiend** scheik dextrorotatory

**rechtsgang** *jur* court procedure, judicial process

**rechtsgebied** ❶ *jur* *rechterlijke macht* jurisdiction ❷ *jur* *arrondissement* jurisdiction

**rechtsgeding** *jur* lawsuit

**rechtsgeldig** *jur* legal, valid ★ *een* ~ *contract* a valid contract ★ *een* ~ *argument* a legal argument

**rechtsgeleerde** *jur* jurist, inform lawyer

**rechtsgeleerdheid** *jur* jurisprudence

**rechtsgelijkheid** *jur* equality before the law

**rechtsgevoel** *jur* sense of justice

**rechtsgrond** *jur* legal ground

**rechtshandeling** *jur* act of law, legal act / transaction

**rechtshandig** right-handed

**rechtshulp** *jur* legal aid / assistance

**rechtskracht** *jur* legal force, force of law

**rechtsom** to the right

**rechtsomkeert** ▼ ~ *maken* do an about-face / about-turn, turn on one's heel

**rechtsorde** *jur* legal system

**rechtspersoon** *jur* legal body, legal entity, ⟨vereniging e.d.⟩ corporation, ⟨gemeente e.d.⟩ corporate body ★ *als* ~ *erkend worden* be incorporated

**rechtspleging** *jur* administration of justice

**rechtspositie** *jur* legal status, legal position

**rechtspraak** ❶ *jur* *rechtspleging* jurisdiction ❷ *jur* *jurisprudentie* jurisprudence

**rechtspreken** *jur* *rechtspraak uitoefenen* administer justice

**rechts-radicaal** right-wing radical

**rechtsstaat** *jur* pol constitutional state

**rechtsstelsel** *jur* legal system, system of law

**rechtstaan** inform BN *opstaan* get up, get to one's feet

**rechtstandig** perpendicular
**rechtstreeks** ❶ *zonder omwegen* direct ⋆ *zij ging ~ naar de kroeg* she went straight to the pub ❷ *live* ⋆ *~e uitzending* live broadcast
**rechtsvervolging** jur prosecution ⋆ *iem. van ~ ontslaan* dismiss the case against sb
**rechtsvordering** ❶ jur *vordering* legal action ⋆ *een ~ tegen iem. instellen* take legal action against sb ❷ jur *procesrecht* procedural law
**rechtswetenschap** jur jurisprudence
**rechtswinkel** jur law centre
**rechtszaak** jur lawsuit
**rechtszaal** jur courtroom
**rechtszekerheid** jur form legal protection, inform legal cover ⋆ *hebben wij ~?* are we legally covered?
**rechtszitting** jur session in court, court case
**rechttoe** ▼ *~, rechtaan* straightforward, outright
**rechtuit** ❶ *rechtdoor* straight on ❷ *ronduit* outright
**rechtvaardig** jur just, ⟨van persoon, actie⟩ righteous
**rechtvaardigen** justify, warrant ⋆ *niet te ~* unjustifiable ⋆ *gerechtvaardigd* justifiable, legitimate
**rechtvaardigheid** justice, ⟨van persoon, actie⟩ righteousness
**rechtzetten** ❶ *overeind zetten* set / put up, ⟨in goede stand⟩ adjust ❷ *corrigeren* rectify
**rechtzinnig** orthodox
**recidive** ❶ ⟨bij misdaad⟩ recidivism ❷ ⟨bij ziekte⟩ relapse
**recidivist** recidivist, backslider, ⟨m.b.t. misdrijf⟩ hardened offender
**recital** recital
**reciteren** recite, ⟨met passie⟩ declaim
**reclame** ❶ *publiciteit* advertising, publicity ⋆ *~ maken voor* promote ❷ *middel, voorwerp* neon sign, ⟨advertentie⟩ advertisement, ⟨radio, tv⟩ spot ❸ *bezwaar* protest, ⟨tegen belasting⟩ appeal ▼ *in de ~ zijn* be on sale, be on special offer
**reclameblok** commercial break
**reclameboodschap** commercial
**reclamebord** hoarding, billboard
**reclamebureau** advertising agency
**reclamecampagne** advertising campaign
**reclame-inkomsten** advertising revenues *mv*, advertising income
**reclameren** ❶ *terugvorderen* reclaim, claim back ⋆ *betaling ~* request a refund ⋆ *~ bij afzender* demand remittance ❷ *bezwaar indienen* protest, complain (about)
**reclamespot** advertisement
**reclamestunt** publicity stunt
**reclamevliegtuig** advertising plane
**reclamezendtijd** commercial broadcasting time
**reclamezuil** advertising column
**reclasseren** rehabilitate
**reclassering** rehabilitation of discharged prisoners, GB probation and after-care services *mv*
**reclasseringsambtenaar** probation officer
**reconstructie** reconstruction
**reconstrueren** ❶ *herstellen* reconstruct ❷ *opnieuw voorstellen* reconstitute
**reconversie** BN *herstructurering* restructuring,
reorganization
**record**¹ [rekòr] record ⋆ *een ~ breken* beat / break a record
**record**² [rèkòrd] comp record
**recordaantal** record number
**recordbedrag** record figure(s)
**recorder** recorder
**recordhouder** record-holder
**recordpoging** record attempt
**recordtijd** record time
**recordvangst** record catch
**recreant** holiday-maker
**recreatie** recreation
**recreatief** recreational
**recreatiegebied** recreation area
**recreatiepark** recreation ground / park
**recreatiesport** (leisure) sport
**recreatiezaal** recreation room
**recreëren** *zich vermaken* recreate
**rectificatie** rectification
**rectificeren** rectify
**rector** ❶ onderw *voorzitter van universiteit* rector ❷ onderw *hoofd van school* headmaster
**rectrix** headmistress, principal
**reçu** receipt, ⟨van aangetekende postzending⟩ proof of posting, ⟨van niet-aangetekende postzending⟩ certificate of posting, ⟨van bagage, kleding⟩ USA check
**recuperatie** BN *recycling* recycling
**recupereren** I *ov ww*, BN *recyclen* recycle II *on ww, zich herstellen* recuperate, recover
**recyclebaar** recyclable
**recyclen**, BN **recycleren** recycle, reuse
**recycling** recycling
**redacteur** editor
**redactie** ❶ *het redigeren* editorship ❷ *de redacteuren* editorial office
**redactiebureau** editorial office
**redactielid** member of the editorial staff
**redactioneel** editorial
**reddeloos** irretrievable, beyond repair ⋆ *~ verloren* irretrievably lost
**redden** I *ov ww* ❶ *in veiligheid brengen* save, rescue ⋆ *~ wat er te ~ valt* make the best of a bad job ⋆ *niet meer te ~* past saving ⋆ *iem. uit een moeilijkheid ~* get sb out of difficulty ❷ *voor elkaar krijgen* manage II *wkd ww* ⟨zich ~⟩ ⋆ *ik kan me met 10 euro ~* ten euro will help me out, I can manage with ten euros ⋆ *hij zal zich wel weten te ~* he'll manage ⋆ *hij redt zichzelf* he can look after himself
**redder** ❶ *iem. die redt* rescuer ⋆ *~ in nood* lifesaver ❷ rel *verlosser* saviour
**redderen** put in order, arrange
**redding** ❶ *het redden* rescue ❷ rel *verlossing* deliverance, salvation
**reddingsactie** rescue operation
**reddingsboei** lifebuoy
**reddingsboot** lifeboat
**reddingsbrigade** rescue-party, rescue-team
**reddingsoperatie** rescue operation
**reddingsvest** life jacket
**reddingswerk** rescue work, rescue operations *mv*
**reddingswerker** rescue worker
**reddingswerkzaamheden** rescue operations

re

*mv*

**reddingswezen** rescue work
**rede** ❶ *het spreken* ★ *iem. in de rede vallen* interrupt sb ❷ *toespraak* speech ❸ *verstand* reason, sense ★ *iem. tot rede brengen* bring sb to his senses ★ *naar rede luisteren* listen to reason ❹ *ankerplaats* roadstead [mv: roads]
**redekundig** taalk ★ *~e ontleding* sentence analysis
**redelijk I** *bnw* ❶ *met verstand* ⟨verstandig⟩ sensible, rational ❷ *billijk* reasonable, fair ★ *wees ~* be reasonable ❸ *vrij goed* passable, tolerable **II** *bijw, tamelijk* rather ★ *het is ~ ver* it is rather far
**redelijkerwijs** ❶ *logisch beschouwd* reasonably ❷ *volgens billijkheid* in fairness
**redelijkheid** ❶ *verstandigheid* reasonableness ❷ *billijkheid* fairness
**reden** ❶ *beweegreden* reason, motive ★ *met ~* with (good) reason ★ *een besluit met ~en omkleden* state reasons / grounds for a decision ★ *de ~ waarom* the reason why ★ *~ te meer* all the more reason ★ *zonder geldige ~* without valid / good reason ❷ *aanleiding* ground, cause ★ *het geeft ~ tot praatjes* it gives rise to gossip ★ *er is alle ~ om...* there is every reason to... ★ *~ tot dankbaarheid hebben* have reason to be thankful ★ *~ geven voor ongerustheid* give cause for alarm
**redenaar** orator
**redenatie** argument
**redeneren** reason, argue ★ *daar is niet tegen te ~* there's no arguing with that
**redenering** ❶ *gedachtegang* reasoning, argument ❷ *betoog* argument, form discourse ★ *zijn ~ was...* his point was...
**reder** ship owner
**rederij** *onderneming* shipping company, ⟨van passagiersvervoer⟩ shipping line, ⟨van goederenvervoer⟩ merchant shipper
**redetwist** dispute
**redetwisten** dispute
**redevoering** speech ★ *eerste ~* maiden speech
**redigeren** edit
**redmiddel** remedy ★ *laatste ~* last resort
**reduceren** *verminderen* reduce ★ *tegen gereduceerd tarief* at cut / reduced rate
**reductie** reduction
**reductieprijs** reduced / bargain price
**redundant** redundant, superfluous
**redzaam** able to manage, able to look after oneself
**ree** *dierk* roe(-deer), ⟨vrouwelijk⟩ doe
**reebruin** fawn(-coloured)
**reeds** already
**reëel** ❶ *werkelijk* real ❷ *realistisch* realistic
**reehert** roe (deer)
**reeks** ❶ *serie* row, series, ⟨woorden, cijfers⟩ string ★ *een ~ huizen* a row of houses ★ *een ~ bergen* a range of mountains ❷ *wisk* progression
**reep** ❶ *strook* strip ❷ *lekkernij* bar
**reet** ❶ *spleet* crack, chink, fissure ❷ *achterwerk* arse ★ *lik mijn reet!* bugger off!, kiss my ass!
**referaat** ❶ *voordracht* lecture ❷ *verslag* report
**referendaris** senior government official
**referendum** referendum
**referent** ❶ *verslaggever* reporter, reviewer ❷ *spreker* speaker
**referentie** ❶ *verwijzing* reference, taalk referent ❷ *opgave van personen* reference, referee
**referentiekader** frame of reference
**referentiepunt** point of reference, benchmark
**refereren** ❶ *~ aan verwijzen naar* refer to ❷ *verslag uitbrengen* report
**referte** ★ *onder ~ aan* referring to
**reflectant** prospective buyer, ⟨sollicitant⟩ applicant
**reflecteren I** *ov ww, weerkaatsen* reflect **II** *on ww, ~ op reageren* answer
**reflectie** *weerkaatsing* reflection
**reflector** reflector
**reflex** *reactie* reflex
**reflexief** ❶ taalk reflexive ★ *~ voornaamwoord* reflexive pronoun ❷ *bespiegelend* reflective, contemplative
**reformatie** ❶ *hervorming* reformation ❷ rel *hervorming* Reformation
**reformatorisch** reformational
**reformeren** reform
**reformisme** reformism
**reformvoeding** health food, wholefood
**reformwinkel** health food shop
**refrein** refrain, chorus
**refter** ❶ rel refectory ❷ BN *eetzaal* canteen, dining hall / room
**regatta** regatta
**regeerakkoord** coalition agreement
**regeerperiode** office, government, administration
**regel** ❶ *tekstregel* line, l *mv:* ll ❷ *voorschrift* rule, ⟨van spel⟩ law ★ *zich tot ~ stellen* make it a rule (to) ❸ *gewoonte* rule, habit ★ *in de ~* as a rule ▾ *volgens de ~en der kunst* according to the rules ▾ *tussen de ~s door lezen* read between the lines
**regelaar** ❶ *organisator* organizer ❷ *deel van werktuig* regulator
**regelafstand** line spacing
**regelbaar** adjustable ★ *regelbare verwarming* adjustable heating
**regelen** ❶ *in orde brengen* order, arrange, techn regulate, ⟨klok⟩ adjust, ⟨verkeer⟩ regulate, ⟨verkeer⟩ control ★ *zich ~ naar* conform to, inform fall in line with ★ *zijn zaken ~* sort out / order one's affairs ❷ *bepalen* regulate, lay down rules ★ *geregeld bij de wet* provided for by the law
**regelgeving** *stellen van regels* issuing / giving of rules
**regeling** ❶ *het regelen* arrangement, regulation, ⟨van apparaat⟩ adjustment ❷ *geheel van regels* regulation, control ❸ *schikking* settlement, arrangement ★ *~en treffen* make arrangements
**regelkamer** control room
**regelmaat** regularity
**regelmatig** regular
**regelneef** busybody
**regelrecht I** *bnw* ❶ *rechtstreeks* straight ★ *~ naar huis komen* come straight home ❷ *ronduit* ★ *een ~e leugen* a downright lie **II** *bijw* straight
**regen** ❶ *neerslag* rain ★ *zure ~* acid rain ❷ *grote hoeveelheid* rain, shower ★ *een ~ van kogels* a hail of bullets ▾ *van de ~ in de drup komen* leap out of the frying pan into the fire, get from bad to

worse ▼ *na ~ komt zonneschijn* every cloud has a silver lining
**regenachtig** rainy
**regenboog** rainbow
**regenboogtrui** rainbow-coloured jersey
**regenboogvlies** iris
**regenbroek** pair of waterproof / showerproof trousers, waterproof / showerproof trousers *mv*
**regenbui** shower ▼ *het regent dat het giet* it's pelting down, it's pouring (with rain)
**regendans** rain dance
**regendruppel** raindrop
**regenen** ❶ *vallen van regen* rain ★ *het regent dat het giet* it's pouring ★ *het regent* it rains ❷ *veel voorkomen* ★ *het regent klachten* complaints pour in
**regenereren** regenerate
**regenfront** (weather)front, warm front, cold front
**regenjas** raincoat, mackintosh, waterproof
**regenkleding** showerproof clothing
**regenmeter** rain gauge
**regenpak** waterproof outfit
**regenpijp** drainpipe
**regenseizoen** rainy season
**regent** ❶ *bestuurder* dictator ❷ *waarnemend vorst* regent
**regentijd** rainy season
**regenton** water butt
**regenval** rainfall
**regenvlaag** squall
**regenwater** rainwater
**regenworm** earthworm
**regenwoud** rain-forest
**regenzone** rain belt
**regeren** ❶ *besturen* rule, ⟨van vorst⟩ reign (over), ⟨van ministers⟩ govern ❷ *beheersen* rule, control
**regering** ❶ *het regeren* government, ⟨van vorst⟩ reign, administration ★ *aan de ~ komen* come to the throne, come into power ★ *onder de ~ van* in / under the rule / reign of ❷ *landsbestuur* government, administration
**regeringsbesluit** government decision
**regeringscoalitie** government coalition
**regeringsdelegatie** government delegation
**regeringsfunctionaris** government official
**regeringskringen** government circles *mv*
**regeringsleger** government forces / army
**regeringsleider** head of the government
**regeringspartij** party in power, government party
**regeringstroepen** government troops *mv*
**regeringsverklaring** government statement
**regeringsvorm** form of government
**reggae** reggae (music)
**regie** direction, production
**regieassistent** assistant to the director / producer
**regiekamer** direction room
**regime** ❶ *staatsbestel* regime ❷ *leefregels* regimen
**regiment** regiment
**regio** ❶ *gebied* region, area, district ❷ *sfeer* ★ *in hogere ~nen* in higher spheres, on cloud nine
**regiogebonden** regional, local
**regiokorps** regional police force
**regionaal** regional

**regisseren** direct ★ *een stuk ~* direct a play
**regisseur** director
**register** ❶ *lijst* register ❷ *inhoudsopgave* index ❸ *orgelpijpen* (organ) stop ▼ *alle ~s opentrekken* pull out all the stops
**registeraccountant** ⟨in Nederland⟩ officially recognized public accountant, ⟨in Groot-Britannië⟩ chartered public accountant
**registratie** registration
**registratiebewijs** registration certificate
**registratienummer** *in register genoteerd nummer* registration number
**registratieplicht** legal obligation to register
**registratierecht** *jur* registration fee
**registratiewet** Registration Act
**registreren** ❶ *vastleggen* register ❷ *inschrijven* register ❸ *waarnemen* register, notice
**reglement** regulations *mv*, rules *mv* ★ *~ van orde* code of order
**reglementair** ❶ *prescribed* ★ *~e bepaling* stipulations of the rules ❷ *as prescribed in the rules / regulations*, as laid down in the rules / regulations, according to the regulations / rules ★ *~ voorgeschreven verlichting* regulation lights
**reglementeren** regulate
**regressie** regression
**regressief** regressive
**reguleren** regulate, ⟨klok, machinerie⟩ adjust
**regulering** regularization
**regulier** regular
**rehabilitatie** rehabilitation
**rehabiliteren** rehabilitate
**rei** *koor(zang)* chorus
**reiger** heron ★ *blauwe ~* grey heron ★ *purper~* purple heron
**reiken I** *ov ww, aanreiken* pass ★ *elkaar de hand ~* hold out a hand to each other **II** *on ww* ❶ *zover komen* reach, ⟨van macht⟩ extend, ⟨van stem⟩ carry ★ *zo ver het oog reikt* as far as the eye can see ❷ *hand uitstrekken* reach ★ *~ naar* reach (out) for
**reikhalzen** ★ *~ naar iets* long for sth ★ *ergens ~d naar uitzien* eagerly look forward to sth
**reikwijdte** ❶ *lett bereik* range, reach ★ *binnen ~* within range ★ *buiten ~* out of reach ❷ *fig implicatie* implication
**reilen** ▼ *het ~ en zeilen* the ins and outs (of) ▼ *zoals het reilt en zeilt* lock, stock and barrel
**rein** ❶ *schoon* clean, spotless ❷ *zuiver* pure, sheer ★ *je reinste dwaasheid* sheer / utter folly
**reïncarnatie** reincarnation
**reïncarneren** be reincarnated, reincarnate
**reinigen** clean, ⟨wond⟩ cleanse ★ *chemisch ~* dry-clean
**reiniging** cleaning, ⟨wond⟩ cleansing
**reinigingscrème** cleansing cream
**reinigingsdienst** sanitation department
**reinigingsheffing** standing charge for refuse / garbage collection
**reinigingsrecht** *jur* refuse collection rate(s) *mv*, USA garbage collection rate(s) *mv*
**re-integratie** reintegration
**re-interpreteren** reinterpret
**reis** journey, ⟨rondreis⟩ tour, ⟨kort⟩ trip, ⟨op zee⟩ voyage, ⟨lang⟩ travel ★ *goede reis!* have a pleasant journey / trip! ★ *op reis gaan* go on a journey

**re**

★ *een reis om de wereld maken* take a trip around the world ▼ *enkele reis* one-way ticket ▼ BN *van een kale reis thuiskomen* come back / down to earth with a bang / bump

**reisbeschrijving** travel story, ⟨film, lezing⟩ travelogue

**reisbureau** tourist office, travel bureau / agency

**reisgenoot** travelling companion

**reisgezelschap** party (of travellers)

**reisgids ❶** *boek* guide book, (travel) guide ❷ *persoon* guide

**reiskosten** travelling expenses / costs *mv*

**reiskostenvergoeding** travel allowance

**reisleider** tour guide

**reislustig** fond of / keen on travelling

**reisorganisatie** travel organisation

**reistijd** travelling time

**reisverslag** travel report, ⟨in dagboekvorm⟩ holiday diary

**reisverzekering** travel insurance

**reiswekker** travelling alarm (clock)

**reiswieg** carrycot

**reisziekte** travel sickness

**reizen** *een reis maken* travel, journey, ⟨op zee⟩ make a voyage ★ *vrij ~ hebben* get a free trip

**reiziger** *iem. die reist* traveller

**rek I** *zn* [de] ❶ *elasticiteit* elasticity ★ *er zit geen rek in* it does not stretch ❷ *fig mogelijkheid tot verruiming* flexibility ★ *de rek is eruit* the options are limited **II** *zn* [het] ❶ *opbergrek* ⟨van bagage, e.d.⟩ rack, ⟨van kleren⟩ clothes-horse, ⟨van handdoek⟩ towel-horse ❷ *gymrek* climbing frame

**rekbaar** elastic

**rekbaarheid** elasticity

**rekel ❶** *deugniet* ★ *kleine ~* little rascal ❷ *mannetjesdier* male dog / fox / wolf / badger

**rekenaar** calculator, arithmetician

**rekenen I** *ov ww* ❶ *tellen* count ★ *bij elkaar ~* add up ★ *het pond ~ op* calculate the pound at ❷ *als betaling vragen* charge ★ *er niets voor ~* make no charge for it ★ *iem. te veel ~* overcharge sb ❸ *in aanmerking nemen* ★ *je moet ~ dat...* you must take into account that... ❹ *achten* consider ❺ *~ onder meetellen met* count among ▼ *reken maar!* you bet! **II** *on ww* ❶ *cijferen* calculate, reckon, ⟨sommen maken⟩ do sums ★ *uit het hoofd ~* work it out in one's head ★ *goed / slecht in ~* good / bad at figures, have a / no head for figures ❷ *~ op* depend / count (on) ★ *reken er maar niet op* don't bank / count on it ★ *reken niet op hem* count him out

**rekenfout** miscalculation

**Rekenhof** BN National / State Audit Office

**rekening ❶** *econ nota* account, bill ★ *in ~ brengen* charge ★ *om de ~ vragen* ask for the bill ★ *voor ~ van* to the account of ★ *~en maken* run up bills ★ *~en schrijven* make out accounts ★ *op ~ kopen* buy on credit ★ *volgens ~* as per account ❷ *bankrekening* account ★ *lopende ~* current account ★ *een ~ hebben / openen bij een bank* have / open an account with a bank ★ *een bedrag op iemands ~ schrijven* pay an amount into sb's account ★ *het is voor gezamenlijke ~* on joint account ❸ *fig verantwoording* ★ *iets op iemands ~ schrijven* put down sth to sb, chalk up sth to sb

★ *deze uitlating blijft voor zijn ~* he must account for his remark ★ *dat neem ik voor mijn ~* I'll take charge of that ❹ *fig geschil* ★ *een oude ~ vereffenen* settle an old score ▼ *~ houden met* consider, take into account ▼ *~ houden met iemands leeftijd* make allowance for sb's age

**rekeningafschrift** bank statement, statement of account

**rekening-courant** current account

**rekeninghouder** account holder

**rekeningnummer** account number

**rekeningrijden** ≈ road pricing

**rekeninguittreksel** BN bank statement (of account)

**Rekenkamer** National / State Audit Office

**rekenkunde** arithmetic

**rekenkundig** arithmetical

**rekenles** arithmetic lesson / class

**rekenliniaal** slide rule

**rekenmachine** calculator

**rekenschap** account ★ *zich ~ geven van* realize, appreciate ★ *~ afleggen van* give an explanation of ★ *iem. ~ vragen* ask sb to explain himself

**rekensom** sum, arithmetical problem

**rekest** petition ★ *een ~ opstellen / indienen* present / file / submit a petition ▼ *nul op het ~ krijgen* meet with a refusal, be turned down, be told off

**rekken I** *ov ww* ❶ *langer maken* draw out, ⟨linnen, nek⟩ stretch ★ *zich ~* stretch o.s. ❷ *lang aanhouden* prolong, spin out, protract **II** *on ww, langer worden* stretch

**rekruteren** recruit

**rekruut** recruit, USA draftee

**rekstok** horizontal bar

**rekverband** elastic bandage

**rekwireren** requisition, *jur* demand

**rekwisiet** stage property, prop

**rel** *ordeverstoring* riot, row, ⟨over een kleinigheid⟩ hullabaloo ★ *relletje* row, disturbance

**relaas** story

**relais ❶** *elek techn* relay ❷ BN *media herhaalde uitzending* rerun, repeat, ⟨televisie⟩ replay

**relateren** relate (to)

**relatie ❶** *onderlinge betrekking* relationship, connection ❷ *liefdesverhouding* relationship, (love) affair ❸ *bekend persoon* business acquaintance / contact

**relatief** relative

**relatiegeschenk** business gift / present

**relatietherapie** relational therapy

**relationeel** relational

**relativeren** relativize, put in perspective

**relativeringsvermogen** sense of perspective, ability to put things in perspective

**relativiteit** relativity

**relativiteitstheorie** theory of relativity

**relaxed ❶** *ontspannen* relaxed ❷ *aangenaam* cool

**relaxen** relax, take it easy

**relevant** relevant

**relevantie** relevance

**reliëf** relief ★ *en ~* in relief ★ *~ geven aan* emphasize, throw into relief ★ *in ~ brengen* raise

**reliek** relic

**religie** religion

**religieus** religious

**relikwie** relic
**reling** rail(ing)
**relschopper** rioter, troublemaker
**rem** ❶ *lett toestel om te remmen* brake ★ *aan de rem trekken* apply the brakes ★ BN *de remmen dichtgooien* slam on the brakes ❷ *rapid eye movement* REM ▼ *alle remmen losgooien* shake off all restraints ▼ *als een rem werken op* act as a brake on
**remafstand** braking / stopping distance
**rembekrachtiging** power brakes *mv*
**remblok** brake block, shoe
**rembours** *betaling bij aflevering* ★ *iets onder ~ zenden* send sth C.O.D., send sth cash on delivery
**remedial teacher** remedial teacher
**remedie** remedy
**remgeld** BN *eigen risico* co-payment
**remigrant** remigrant
**remigratie** remigration
**remigreren** remigrate
**remilitariseren** remilitarize
**remise** ❶ *loods* depot ❷ *onbesliste partij* draw ★ *~ spelen* (come to a) tie, come to a draw
**remissie** ❶ *gratie* remission ❷ *korting* reduction
**remix** remix
**remixen** remix
**remkabel** techn transp brake cable
**remleiding** brake circuit ★ *uitgerust met gescheiden ~en* equipped with twin independent brake circuits / systems
**remlicht** stoplight, brake light
**remmen** I *ov ww, belemmeren* inhibit, check, hinder ★ *ontwikkelingen ~* be a drag on further developments, impede developments ★ *te geremd om er over te praten* too inhibited to talk about it ★ *een ~de factor* a restraining factor ★ *het belemmert mij* it's holding me back II *on ww, afremmen* put on the brake(s), brake ★ *uit alle macht ~* slam on the brakes, inform stand on the brakes
**remmer** brakesman
**remming** restraint, inhibition
**remonstrants** remonstrant
**remouladesaus** cul rémoulade
**rempedaal** brake pedal
**remproef** *test van de remmen* brake test
**remschijf** brake disc
**remslaap** REM sleep
**remspoor** skid marks *mv*
**remvloeistof** brake fluid
**remvoering** brake lining
**remweg** braking distance
**ren** ❶ *wedren* race ❷ *snelle loop* run, race ❸ *kippenren* chicken-run
**renaissance** gesch *periode* renaissance
**renbaan** race track, (voornamelijk motorsport) speedway, (autosport ook) circuit, (paardensport) racecourse
**rendabel** paying, profitable ★ *'n zaak ~ maken* make a business pay
**rendement** ❶ *nuttig effect* (van machine) output, (van motor) performance ❷ *opbrengst* return, yield
**renderen** pay (its way)
**rendez-vous** rendez-vous
**rendier** reindeer

**rennen** run, (met haast) rush, (hard) race
**renner** (coureur) racing driver, (te voet) runner
**rennersveld** sport field
**renovatie** renovation
**renoveren** renovate, (van gebouw, wijk) redevelop, (van gebouw, wijk) renovate
**renpaard** racehorse
**rensport** racing
**renstal** racing stable
**rentabiliteit** earning capacity, econ return
**rente** interest ★ *op ~ zetten* put out at interest ★ *een behoorlijke ~ maken van je geld* obtain a fair return on your capital
**renteaftrek** deduction of interest
**rentedaling** fall in interest rate(s)
**rentedragend** ❶ *rente opleverend* profitable ❷ *waar rente op geheven wordt* interest-bearing
**rentegevend** interest-bearing
**renteloos** *rentevrij* interest-free ★ *~ voorschot* interest-free advance ★ *~ kapitaal* idle capital
**rentenier** person living off of his / her own investments
**rentenieren** live off one's investments ★ *gaan ~* retire and lead a life of leisure
**rentepercentage** interest rate
**rentestijging** rise in the interest rate
**renteverhoging** rise / increase in interest rate(s)
**renteverlaging** lowering / reduction of interest rate(s)
**rentevoet** interest rate
**rentmeester** ❶ *financieel beheerder* manager ❷ *landgoedbeheerder* steward, estate agent
**rentree** comeback, re-entry ★ *zijn ~ maken* make his comeback
**renvooieren** ❶ *doorzenden* deliver ★ *stukken ~* deliver documents ❷ jur refer (to a judge)
**reorganisatie** reorganization
**reorganiseren** reorganize
**rep** ▼ *in rep en roer brengen* cause a commotion, throw into confusion
**reparateur** repairman
**reparatie** repair(s) ★ *in ~* under repair
**reparatiekosten** cost(s) of repair
**repareren** fix, mend, repair ★ *een auto ~* fix / repair a car
**repatriant** repatriate, repatriated person
**repatriëren** repatriate
**repatriëring** repatriation
**repercussie** repercussion
**repertoire** repertoire, repertory
**repeteergeweer** repeating rifle, repeater
**repeteerwekker** repeating alarm (clock)
**repeteren** I *ov ww* ❶ *herhalen* rehearse ❷ *instuderen* ★ *een toneelstuk ~* rehearse a play II *on ww, zich herhalen* repeat ★ *~de breuk* recurring decimal
**repetitie** ❶ *herhaling* repetition ❷ *proefwerk* test ❸ *proefuitvoering* rehearsal ★ *generale ~* dress rehearsal
**repetitor** coach, private tutor
**replay** sport replay
**replica** replica, reproduction
**repliceren** reply
**repliek** ❶ *weerwoord* retort ★ *iem. van ~ dienen* come right back at sb, put sb in his place ❷ jur reply, replication

re

**reply** reply
**replyen** ★ *een e-mail* ~ reply to an e-mail
**reportage** report, commentary ★ *rechtstreekse ~* live / running commentary
**reportagewagen** mobile broadcasting unit
**reporter** reporter
**reppen I** *on ww, spreken* mention ★ *hij rept er niet over* he daren't breathe a word about it **II** *wkd ww* [zich ~] *zich haasten* hurry
**represaille** reprisal, retaliation ★ ~*s nemen tegen* retaliate against, take reprisals against
**represaillemaatregel** reprisal, retaliatory measure
**representant** representative
**representatie** representation
**representatief** representative (of) ★ ~ *voor zijn oeuvre* typical of his work
**representatiekosten** entertainment expenses *mv*
**representeren** represent
**repressie** repression
**repressief** repressive
**repressiepolitiek** policy of repression
**reprise** repeat performance, revival, ⟨toneel⟩ rerun
**repro** repro
**reproduceren** reproduce
**reproductie** reproduction
**reproductievermogen** reproductive / procreative power, fertility
**reptiel** reptile
**republiek** republic
**republikein** republican
**republikeins** republican ★ *de ~e partij* the Republican party ★ *de ~e kalender* the Revolutionary Calendar
**reputatie** reputation ★ *zijn ~ waarmaken* live up to one's reputation
**requiem** Requiem (mass)
**requisitoir** *vordering* indictment, ⟨van openbare aanklager⟩ closing speech
**research** research
**researchafdeling** research department
**resem** BN *serie* row, series
**reservaat** reserve ★ *indianen~* Indian reservation
**reserve** ❶ *voorbehoud* reservation ★ *zonder ~* without reserve / reservations ★ *onder ~ aannemen* accept with reservations ❷ *noodvoorraad* reserve ★ *in ~ houden* hold in reserve ❸ *plaatsvervanger* standby, substitute, sport reserve / substitute (player) ❹ *aanvullingstroepen* ★ *bij de ~ zijn* be with the military reserve force
**reserve-** spare, back up
**reserveband** spare tyre
**reservebank** reserve('s) bench
**reservekopie** comp backup
**reserveonderdeel** spare part
**reserveren** ❶ *bespreken* book, make a reservation ❷ *in reserve houden* reserve, set aside
**reservering** reservation
**reservespeler** reserve / substitute (player)
**reservewiel** spare wheel
**reservist** *militair* reservist
**reservoir** reservoir, tank
**reset** comp reset

**resetten** reset
**resident** resident
**residentie** (royal) residence
**residentieel** ❶ lett residential ❷ fig BN *exclusief* fashionable, select
**resideren** reside
**residu** residue, scheik residuum
**resigneren I** *on ww, ambt neerleggen* resign **II** *wkd ww* [zich ~] *berusten* resign oneself to, submit to
**resistent** resistent (to)
**resistentie** resistance
**resolutie** *besluit* resolution
**resoluut** resolute
**resonantie** resonance
**resoneren** *klinken* resonate, reverberate
**resort** *vakantieverblijf* resort
**respect** respect, regard ★ *uit ~ voor* out of respect / consideration for
**respectabel** ❶ *eerbiedwaardig* respectable ❷ *aanmerkelijk* considerable ★ *een ~ aantal* a considerable number
**respecteren** ❶ *achten* respect ❷ *naleven* observe
**respectievelijk** respectively
**respectvol** respectful
**respijt** *uitstel* respite, delay ★ *een paar dagen ~* a few days' grace ★ *zonder ~* without respite, without a break
**respondent** *geënquêteerde* respondent
**respons** response, reply, reaction
**ressort** *ambtsgebied* jurisdiction
**ressorteren onder** come under ★ *dat ressorteert niet onder ons* that's outside our province
**rest** ❶ ⟨restant⟩ rest, ⟨het overblijvende⟩ remainder ★ *voor de rest doet het er niet toe* for the rest, it makes no difference ❷ → **restje**
**restafval** refuse remaining after separation of recyclable elements
**restant** remainder, remnant ★ *uitverkoop van ~en* remnant sale
**restaurant** restaurant
**restaurateur** ❶ *hersteller* restorer ❷ *restauranthouder* restaurateur
**restauratie** ❶ *het herstellen* restoration ❷ *eetgelegenheid* restaurant, ⟨trein, station, luchthaven⟩ buffet
**restauratiewagon** dining car
**restaureren** restore
**resten** remain, be left ★ *er restte hem niets anders dan te gaan* he had no choice but to go
**resteren** remain, be left, ⟨van geld⟩ remain ★ *het ~de bedrag* the outstanding amount, the balance ★ *het ~de* the remainder, the balance
**restitueren** ⟨geld⟩ refund, ⟨geld⟩ repay, ⟨goederen⟩ return
**restitutie** ⟨teruggave⟩ restitution, ⟨terugbetaling⟩ refund
**restje** leftovers *mv*
**restrictie** restriction
**restwaarde** scrap value, econ residual value
**restylen** restyle
**restzetel** residual seat
**resultaat** *gevolg* result ★ *als / tot ~ hebben* result in
**resulteren** ❶ ~ *uit* result from ❷ ~ *in* lead up to, result in

re

**resumé** résumé, summary, ⟨van rechter⟩ summing-up
**resumeren** sum up
**resusaap** rhesus monkey
**resusfactor** rhesus factor
**resusnegatief** Rhesus negative
**resuspositief** Rhesus positive
**retorica** *welsprekendheid* rhetoric
**retoriek** *retorica* rhetoric
**retorisch** rhetorical
**retort** retort
**retoucheren** ❶ *bijwerken* retouch, touch up ❷ BN ⟨kleding⟩ *verstellen* alter, remake
**retour** I *bijw* ★ ~ *afzender* return to sender II *zn* [de/het], *kaartje* return ⟨ticket⟩ ★ ~ *tweede klas Utrecht* second class return to Utrecht ▼ *op zijn ~ zijn* be past one's prime, be on the way down
**retourbiljet** return ticket
**retourenvelop** stamped-addressed / self-addressed envelope, sae
**retourneren** return
**retourticket** return ticket
**retourtje** → **retour**
**retourvlucht** return flight
**retourvracht** ❶ *retourlading* return cargo / freight ❷ *prijs* return charges *mv*
**retraite** *afzondering* retreat ★ *in ~ gaan* go into retreat ★ *in ~ zijn* be in retreat
**retriever** retriever ★ *golden ~* golden retriever
**retro** retro
**retrospectie** retrospection
**retrospectief** I *zn* [het] retrospective ★ *in ~* in retrospect II *bnw* retrospective
**retrostijl** retro style
**return** ❶ *wedstrijd* return match ❷ comp return ★ *harde / zachte ~* hard / soft return
**returnwedstrijd** return match
**reu** (he-)dog
**reuk** ❶ *geur* scent, smell, odour, ⟨van lichaam⟩ odour ❷ *zintuig* smell, ⟨van dier⟩ smell, ⟨van dier⟩ scent ▼ *in een kwade reuk staan* be in bad odour (with), be in disrepute
**reukloos** ⟨gas⟩ odourless, ⟨bloem⟩ scentless
**reukorgaan** olfactory / nasal organ
**reukzin** ⟨sense of⟩ smell, olfactory sense
**reukzintuig** sense of smell
**reuma** rheumatism
**reumatiek** rheumatism
**reumatisch** rheumatic
**reumatologie** rheumatology
**reumatoloog** rheumatologist
**reünie** reunion
**reünist** reunion participant
**reus** giant
**reusachtig** I *bnw, zeer groot* gigantic, huge II *bijw* immensely, enormously
**reut** caboodle ★ *de hele reut* the whole caboodle
**reutelen** rattle
**reuze** great
**reuze-** [als deel van bijw] *in hoge mate* enormously, immensely, awfully ★ *reuzeleuk* awfully nice
**reuzel** lard
**reuzen-** *zeer groot* giant ★ *reuzenhonger* raging hunger
**reuzenrad** big wheel, USA ferris wheel

**reuzenschildpad** giant tortoise / turtle
**revalidatie** rehabilitation
**revalidatiearts** rehabilatation specialist
**revalidatiecentrum** rehabilitation centre
**revalideren** I *ov ww, weer valide maken* rehabilitate II *on ww, weer valide worden* recover, convalesce
**revanche** revenge ★ ~ *nemen op* get even with, take revenge on
**revancheren** [zich ~] revenge oneself upon somebody
**revanchewedstrijd** return match
**reveille** mil *weksignaal* reveille
**reven** reef, take in a reef
**revers** *omslag van jasje* lapel
**reviseren** overhaul
**revisie** ❶ *herziening* revision ❷ *controlebeurt* overhaul
**revisor** BN *bedrijfsrevisor* auditor
**revitalisatie** revitalization
**revival** revival
**revolutie** revolution
**revolutionair** ❶ *van / als een revolutie* revolutionary ❷ *opzienbarend* revolutionary
**revolver** revolver
**revolverheld** gunslinger
**revolvertang** revolving punch
**revue** revue ▼ *iets de ~ laten passeren* review sth
**revueartiest** artiste
**Reykjavik** Reykjavik
**Reykjaviks** Reykjavik
**riant** *prachtig* delightful, ⟨ruim⟩ ample ★ *een huis met een ~ uitzicht* a house with a splendid view ★ *een ~e woonkamer* a spacious living-room
**rib** ❶ *bot* rib ★ *iem. een por tussen de ribben geven* poke sb in the ribs ❷ *balk* joist ❸ wisk ▼ *dat is een rib uit mijn lijf* that makes a hole in my pocket ▼ *je kunt zijn ribben tellen* he is a bag of bones
**ribbel** rib, ⟨verhoging⟩ ridge
**ribbenkast** ribcage
**ribbroek** pair of corduroys, corduroys *mv*, USA corduroy pants *mv*
**ribes** Ribes
**ribfluweel** cord(uroy)
**ribkarbonade** rib chop
**riblap** *vlees* rib
**ribstof** cord(uroy)
**richel** ❶ *rand* ledge, ⟨opstekend rand⟩ ridge ❷ *lat* lath
**richten** I *ov ww* ❶ *in richting doen gaan* direct ★ *zijn schreden ~ naar* direct one's steps towards ❷ *sturen* direct, address ★ *kritiek ~ op* level criticism at ★ *een vraag ~ tot iem.* direct a question to sb ❸ *instellen op een doel* ⟨van camera⟩ point (at), ⟨van kijker⟩ train (on), ⟨van wapen⟩ aim, ⟨van wapen⟩ level (at) ★ *het oog ~ op* fix one's eye upon II *wkd ww* [zich ~] ❶ ~ *tot zich wenden tot* address ★ *zich ~ tot iem.* address sb, appeal to sb ❷ ~ *naar afstemmen op* conform to, be guided by ★ *zich ~ naar iemands wensen* conform to sb's wishes
**richtgetal** target (figure)
**richting** ❶ *bepaalde kant* direction, ⟨gesprek⟩ trend ★ BN *enkele ~* one-way traffic ★ ~ *aangeven* signal, indicate direction ❷ *gezindheid* school, ⟨geloof, politiek⟩ creed, ⟨geloof, politiek⟩

**ri**

persuasion ★ *de moderne ~ in de muziek* the modern school of music
**richtingaanwijzer** indicator
**richtingbord** signpost
**richtinggevoel** sense of direction
**richtlijn** ❶ *lijn voor grond- en bouwwerk* ⟨verticaal⟩ plumb line, ⟨verticaal⟩ line ❷ *voorschrift* guideline ★ *~en geven* give directions, provide guidelines ❸ **wisk** directrix
**richtprijs** recommended retail price
**richtpunt** target
**richtsnoer** guide ★ *tot ~ dienen* serve as a guide ★ *een ~ geven* give a lead
**ridder** *lid van de ridderstand* knight ★ *iem. tot ~ slaan* knight sb ★ *~ in de Orde van de Kousenband* Knight of the Garter ▼ *dolende ~* knight errant
**ridderen** ❶ *tot ridder slaan* knight, confer knighthood on ❷ *decoreren* ★ *geridderd worden* receive a knighthood
**ridderepos** chivalric epic
**ridderlijk** ❶ *galant* chivalrous ❷ *van een ridder* knightly
**ridderorde** ❶ *onderscheiding* decoration ❷ *groep ridders* knighthood
**ridderslag** accolade
**ridderspoor** delphinium, larkspur
**ridderstand** knighthood
**riddertijd** age of chivalry
**ridderzaal** ⟨great⟩ hall, Knights Hall
**ridicuul** ridiculous
**riedel** tune, jingle
**riek** ⟨three- / four-pronged⟩ fork
**rieken** ❶ *geur afgeven* reek ❷ *~ naar* smack / smell of ★ *dat riekt naar ketterij* that smacks / reeks of heresy
**riem** ❶ *band* strap, ⟨van hond⟩ lead, ⟨van hond⟩ leash, ⟨van fototoestel, geweer, e.d.⟩ sling, ⟨van zweep⟩ thong, ⟨om middel⟩ belt, ⟨om middel⟩ girdle ❷ *drijfriem* ⟨transmission⟩ belt ❸ *roeispaan* oar ❹ *hoeveelheid papier* ream ▼ *je moet roeien met de riemen die je hebt* one must make do with what one has got
**riet** ❶ *grassoort* reed, ⟨suikerriet⟩ ⟨sugar⟩ cane ❷ *stengel* reed, ⟨dik⟩ cane ❸ **muz** reed
**rietdekker** thatcher
**rieten** reed ★ *~ stoel* cane / wicker chair ★ *~ dak* thatched roof ★ *~ mat* rush mat
**rietgors** reed bunting
**rietje** *limonaderietje* straw
**rietkraag** reed border
**rietstengel** reed stem
**rietsuiker** cane sugar
**rif** reef
**Riga** Riga
**Rigaas** Riga
**rigide** rigid
**rigoureus** rigorous
**rij** ❶ *reeks* ⟨van getallen naast elkaar⟩ row, ⟨van getallen naast elkaar⟩ series, ⟨van getallen onder elkaar⟩ column ❷ *volgorde* ★ *op de rij af* in order, in sequence ❸ *reeks in rechte lijn* ⟨voornamelijk naast elkaar⟩ row, ⟨voornamelijk achter elkaar⟩ line, ⟨mensen achter elkaar ook⟩ file, ⟨achter elkaar wachtend⟩ queue ★ *rij aan rij* row upon row, in rows ★ *het rijtje afgaan* do things one by one, go round the class ★ *de rijen sluiten* bring

up the rear ★ *in een rij* in a row ★ *in de rij gaan staan* queue up, **USA** stand in line ▼ *hij heeft ze niet allemaal op een rijtje* he's not all there, he has a screw loose ▼ *alles op een rijtje zetten* list all the points
**rijbaan** roadway, ⟨rijstrook⟩ lane ★ *weg met gescheiden rijbanen* dual carriageway
**rijbevoegdheid** driving licence, driver's license
**rijbewijs** ⟨driving⟩ licence, **USA** driver's license ★ *~ halen* pass one's driving test ★ *een ~ (tijdelijk) intrekken* suspend a driving licence
**rijbroek** pair of ⟨riding⟩ breeches, ⟨riding⟩ breeches *mv*
**rijden** I *ov ww* ❶ *besturen* ⟨auto, bus, e.d.⟩ drive, ⟨van fiets, paard⟩ ride ★ *door rood licht ~* go through a red light, jump the lights, pass the halt / stop signal ★ *iem. klem ~* force sb off the road ❷ *vervoeren* drive II *on ww* ❶ *zich voortbewegen* ride, taxi ★ *de bussen ~ vaak* the buses run frequently ★ *gaan ~* go out for a ride / drive ★ *met de bus / trein ~* go by bus / train ★ *op benzine ~* run on petrol ❷ *schaatsen* skate ❸ *op en neer bewegen* ★ *zitten te ~* fidget (about)
**rijdier** mount
**rijervaring** driving / road experience
**rijexamen** driving test
**rijgedrag** performance, ⟨van auto⟩ handling, ⟨van bestuurder⟩ way of driving
**rijgen** ❶ *aan een snoer doen* thread, string ❷ *dichtmaken* lace ❸ *naaien* baste, tack ▼ *iem. aan de degen ~* run sb through with one's sword
**rijglaars** lace-up boot
**rijgnaald** bodkin
**rijgsnoer** string
**rijinstructeur** driving instructor
**rijk** I *zn* [het] ❶ *staat* state, estado *m* ★ *het Britse rijk* the British Empire ❷ **fig** *gebied* ★ *het rijk der verbeelding* the realm of fancy, fantasy world ★ *iets naar het rijk der fabelen verwijzen* dismiss as a myth ★ *het rijk der letteren* the republic of letters ★ *het rijk alleen hebben* have the place to o.s. II *bnw* ❶ *financieel vermogend* rich, wealthy, well-to-do, well off ★ *stinkend rijk zijn* be filthy rich ❷ *overvloedig* abundant, rich, ⟨van maaltijd⟩ lavish, ⟨van maaltijd⟩ sumptuous ★ *rijke oogst* a bumper crop ★ *rijk aan vitaminen* rich in vitamins
**rijkaard** rich / wealthy person
**rijkdom** I *zn* [de] [gmv] ❶ *het rijk zijn* affluence, wealth ❷ *overvloed* abundance, richness, wealth II *zn* [de] [mv: +men] *kostbaar bezit* riches *mv* ★ *natuurlijke ~men* natural resources
**rijke** rich man / woman ★ *de ~n* the rich
**rijkelijk** I *bnw* ❶ *overvloedig* abundant ❷ *kwistig* lavish, unsparing, profuse II *bijw* ❶ *overvloedig* rich(ly) ★ *~ gezegend* richly blessed ★ *~ belonen* reward amply / handsomely ❷ *in ruime mate* excessive, ample ★ *hij heeft zichzelf ~ voorzien* he helped himself to an excessive amount
**rijkelui** rich / wealthy people
**rijkeluiskind** rich kid
**rijksacademie** state / national academy
**rijksambtenaar** public servant, government official
**rijksarchief** Public Record(s) Office
**rijksbegroting** national budget, ⟨voorlopige⟩

ri

government estimates *mv*
**rijksbijdrage** government contribution / grant
**rijksdeel** territory (overseas), ⟨autonoom⟩ dominion
**rijksdienst** public service
**rijksgenoot** fellow citizen
**rijksinstituut** national / state / government institution
**rijksluchtvaartdienst** Netherlands Department of Civil Aviation
**rijksmunt** *instelling* Royal Mint
**rijksmuseum** national museum
**rijksoverheid** central / national government
**rijkspolitie** national / state police *mv*, USA Federal Police *mv*
**rijksuniversiteit** state university
**rijksvoorlichtingsdienst** Netherlands Information Service
**rijkswacht** BN state police *mv*, gendarmerie
**rijkswachter** BN state policeman, gendarme
**Rijkswaterstaat** Directorate-General for public works and water management
**rijksweg** national trunkroad, USA state highway, jur national highway
**rijkunst** horsemanship
**rijlaars** riding boot
**rijles** ⟨auto⟩ driving lesson, ⟨te paard⟩ riding lesson
**rijm** ❶ *het rijmen* rhyme ★ *op rijm zetten* put into verse ❷ *versregel* verse
**rijmelaar** poetaster, rhymester, versifier
**rijmelarij** doggerel (verse)
**rijmen** I *ov ww, in overeenstemming brengen* reconcile ★ *hoe valt dit te ~ met...?* how can you reconcile this with...? II *on ww* ❶ *rijmen maken* rhyme ❷ *rijm hebben* rhyme ★ *~ op* rhyme with ❸ *overeenstemmen (met)* be in accordance (with), be consistent (with)
**rijmpje** rhyme
**rijmschema** rhyme scheme
**rijmwoordenboek** rhyming dictionary
**Rijn** Rhine
**rijnaak** Rhine barge
**Rijnland** Rheinland
**Rijnlands** Rheinland
**rijnwijn** cul Rhine wine
**rijopleiding** ❶ *onderricht* driving instruction ❷ *instituut* driving school
**rijp** I *bnw* ❶ *volwassen* mature, adult ❷ *eetbaar* ⟨gewassen, vruchten⟩ ripe, ⟨voornamelijk sappig⟩ mellow, ⟨kaas, wijn⟩ mature ★ *rijp worden / maken* mature, ripen ❸ *goed overdacht* ★ *na rijp beraad* after due consideration ❹ ~ *voor* fit / ready / ripe for ★ *de tijd is rijp voor actie* the time is ripe for action II *zn* [de] (white) frost, hoarfrost ★ *het is wit van de rijp* it is white with frost
**rijpaard** mount, (riding) horse
**rijpen** I *on ww, rijp worden* ⟨personen, zaken⟩ mature, ⟨vruchten⟩ ripen ★ *mijn plan is aan het ~* my plan is developing / maturing II *onp ww, rijp vertonen* ★ *het heeft gerijpt* there has been a (hoar)frost
**rijpheid** maturity, ripeness
**rijping** ripening, maturing
**rijpingsproces** maturation, ripening process
**rijproef** driving test

**rijrichting** direction of (the) traffic (flow)
**rijs** ❶ *rijshout* brushwood ❷ *twijg* sprig, twig
**rijschool** ❶ *autorijschool* driving school ❷ *manege* riding school
**rijschoolhouder** ⟨exploitant van autorijschool⟩ owner of a driving-school, ⟨exploitant van manege⟩ owner of a riding-school
**Rijsel** Lille
**Rijsels** (from) Lille
**rijshout** brushwood, ⟨van wilgen⟩ osier
**rijst** rice ★ *gepelde ~* polished rice
**rijstbouw** cultivation of rice
**rijstebrij** rice pudding
**rijstepap** rice pudding
**rijstevlaai** cul rice flan / tart
**rijstijl** style of driving
**rijstpapier** rice paper
**rijstrook** transp lane
**rijsttafel** (Indonesian) rice table
**rijstveld** rice field
**rijten** rip, tear
**rijtijdenbesluit** Driving Hours Act
**rijtjeshuis** terraced house, USA row house
**rijtoer** drive ★ *een ~ maken* go for a drive
**rijtuig** ❶ *koets* carriage ❷ *treinstel* carriage
**rijvaardigheid** driving proficiency
**rijvak** BN transp *rijstrook* lane
**rijverbod** driving ban
**rijvlak** tread
**rijweg** carriageway, road(way)
**rijwiel** bicycle
**rijwielhandel** bicycle shop
**rijwielpad** bicycle path, cycle track
**rijwielstalling** (bi)cycle racks *mv*, inform bike / cycle shed, ⟨binnen⟩ cycle lock-up
**rijzen** ❶ *omhoogkomen* rise ❷ *ontstaan* arise, occur ★ *de vraag rijst of...* the question arises whether... ▼ *de kosten ~ de pan uit* costs are soaring
**rijzig** tall
**rijzweep** (riding) crop, riding whip
**riksja** rickshaw
**rillen** shiver, ⟨van angst ook⟩ shudder
**rillerig** shivery
**rilling** shiver, ⟨van angst ook⟩ shudder ★ *ik kreeg er koude ~en van* it sent shivers down my spine
**rimboe** ❶ *wildernis* jungle ❷ *afgelegen gebied* back of beyond, wilds *mv*
**rimpel** ❶ *plooi* wrinkle, ⟨diep⟩ furrow ❷ *golving op water* ripple
**rimpelen** I *ov ww, rimpels doen krijgen* wrinkle II *on ww* ❶ *rimpels doen krijgen* ⟨van gezicht⟩ wrinkle ❷ *doen golven* ripple, ruffle
**rimpelig** ⟨van gezicht⟩ lined, ⟨van gezicht⟩ wrinkled, ⟨gekreukeld⟩ creased
**rimpeling** rippling, ⟨het rimpelen⟩ wrinkling, ⟨golfje⟩ ripple
**rimpelloos** smooth, calm, untroubled
**ring** ❶ *voorwerp* ring, band, circle(t), ⟨op vat⟩ hoop ★ *ringetje* washer ❷ *sieraad* ring ❸ *ringweg* bypass, orbital, ring road ❹ *boksring* boxing ring
**ringbaard** fringe of beard
**ringband** ring binder
**ringdijk** ring / encircling dike
**ringeloren** *op de kop zitten* bully ★ *ik laat me door hem niet ~* I won't allow myself to be

**ri**

bullied by him, I won't allow myself to be pushed around by him
**ringen** ring
**ringlijn** circle / circular line
**ringslang** grass snake
**ringsleutel** ring spanner
**ringsteken** tilt at the ring
**ringtoon** ringtone
**ringvaart** ring canal
**ringvinger** ring finger
**ringweg** bypass, orbital, ring road
**ringwerpen** playing quoits
**ringworm ❶** *biol* annelid **❷** *med* ringworm
**rinkelen** jingle, tinkle, (van bel, telefoon) ring, (glas, metaal) rattle
**rins** sourish
**Rio de Janeiro** Rio de Janeiro
**riolering** *riolenstelsel* sewerage, sewer system
**rioleringssysteem** sewer system
**riool** sewer, (vanaf huis) drain ★ *open* ~ open drain / sewer
**rioolbelasting** sewerage charges *mv*
**riooljournalistiek** gutter journalism
**rippen** *comp* rip
**ris ❶** *hoeveelheid* bunch **❷** *aaneengeregen voorwerpen* string, rope ★ *een ris uien* a string of onions
**risee** laughing stock, butt
**risico** risk ★ *eigen* ~ (verzekering) policy excess ★ *de* ~'s *van het vak* the hazards of the trade ★ *op eigen* ~ at one's own risk ★ *voor* ~ *van* at the risk of ★ ~ *lopen* run a risk ★ *geen* ~ *nemen* take no chances
**risicoclub** *sport* high-risk (football) club
**risicodekking** risk cover
**risicodragend** risk bearing
**risicofactor** risk factor
**risicogroep** high-risk group
**risicowedstrijd** *sport* high-risk contest / fight / match
**riskant** risky
**riskeren** *wagen* risk ★ *zijn leven* ~ risk one's neck / life ▼BN *het riskeert te regenen* it looks like rain
**risotto** risotto
**rit ❶** *tocht* run, ride, drive ★ *een ritje maken* go for a ride / drive **❷** *sport etappe* stage, leg
**rite** rite, ritual
**ritme** rhythm
**ritmebox** rhythm box
**ritmeester** troop captain
**ritmesectie** rhythm section
**ritmisch** rhythmic(al)
**rits ❶** *ritssluiting* zip, USA zipper ★ *kun je mijn rits even dichtdoen?* could you zip me up? **❷** *reeks* bunch, string
**ritselaar** fixer
**ritselen I** *ov ww, regelen* fix, wangle **II** *on ww, geluid maken* rustle
**ritsen I** *ov ww, inkepen* score **II** *ww, invoegen* get in lane
**ritssluiting** zip, USA zipper
**ritueel I** *zn* [het] ritual **II** *bnw* ritual
**ritus** *rite* rite
**ritzege** stage victory ★ *een* ~ *behalen* win a stage
**rivaal** rival

**rivaliseren** vie / contend / compete with somebody
**rivaliteit** rivalry
**rivier** river ★ *aan de* ~ on the river ★ *de* ~ *op* / *af varen* go up / down the river ★ *de* ~ *de Rijn* the River Rhine
**Rivièra** (in Frankrijk) Riviera
**rivierafzetting** fluvial deposit(s) *mv*, fluvial silt
**rivierbedding** riverbed
**rivierdelta** delta
**rivierklei** river clay
**rivierkreeft** crayfish
**rivierlandschap** river scenery / landscape
**riviermond** river mouth, mouth of the river, (breed) estuary
**rivierpolitie** river police *mv*
**rivierslib** river silt
**riviertak** branch of a river
**roadie** roadie
**roadmovie** road movie
**rob** *zeehond* seal
**robbedoes** (jongetje) wild boy, (meisje) hoyden, (meisje) tomboy
**robijn** ruby
**robot** robot
**robotfoto** BN *jur montagefoto* photofit (picture)
**robotica** robotics *mv*
**robuust** robust, (van gestalte) sturdy
**ROC** *Regionaal Opleidingscentrum* ≈ regional institution for adult and vocational training
**rochel ❶** *fluim* spit, phlegm, vulg gob **❷** *reutel* rasp, (van stervende) rattle
**rochelen ❶** *fluim opgeven* spit, hawk, cough, clear one's throat **❷** *reutelen* rasp, (van stervende) rattle
**rock** rock
**rockabilly** rockabilly
**rockband** rock band
**rockgroep** rock group
**rockmuziek** rock music
**rock-'n-roll** rock and roll, rock 'n roll
**rockopera** rock opera
**rococo** rococo
**rococostijl** rococo
**roddel** gossip, rumour ★ ~ *en achterklap* malicious gossip
**roddelaar** backbiter, gossip
**roddelblad** gossip magazine, rag
**roddelcircuit** grapevine
**roddelen** gossip, backbite
**roddelpers** gossip press
**roddelpraat** idle talk, gossip
**roddelrubriek** gossip column
**rodehond** German measles *mv*, rubella
**rodelbaan** toboggan run, *sport* luge run
**rodelen** toboggan
**rodeo** rodeo
**Rode Zee** Red Sea
**rododendron** rhododendron
**roebel** rouble
**roede ❶** *gard* (birch) rod ★ *met de* ~ *krijgen* be caned **❷** *staaf* rod
**roedel** herd, (van wolven / honden) pack
**roeiboot** rowing boat
**roeien** row, sport scull ★ *gaan* ~ go for a row ★ *goed* / *slecht* ~ pull a good / bad oar

**roeier** oarsman [v: oarswoman], rower
**roeiriem** oar, ⟨licht en ook voor gebruik achter⟩ scull
**roeispaan** oar
**roeivereniging** rowing club
**roeiwedstrijd** boat race, rowing race, ⟨grote opzet⟩ regatta
**roek** rook
**roekeloos** reckless, rash
**roekoeën** coo
**roem** ❶ *eer* fame, glory ★ *roem vergaren* reap fame ❷ *kaartencombinatie* meld
**Roemeen** *bewoner* Romanian
**Roemeens** I *bnw, m.b.t. Roemenië* Romanian II *zn* [het], *taal* Romanian
**Roemeense** Romanian (woman / girl)
**roemen** I *ov ww, prijzen* praise, speak highly of II *on ww* ~ **op** boast of
**Roemenië** Romania
**roemer** rummer
**roemloos** inglorious
**roemrijk** glorious
**roemrucht** illustrious, renowned, famous
**roep** ❶ *het roepen* call, ⟨vogel⟩ cry, ⟨vogel⟩ call ❷ *dringend verzoek* demand
**roepen** I *ov ww* ❶ ⟨iets⟩ *schreeuwen* shout ❷ ⟨iemand⟩ *ontbieden* call ★ *er een vakman bij* ~ call in an expert ★ *een dokter* ~ send for a doctor ▼ *zich ge-* ~ *voelen om* feel called upon to II *on ww* ❶ *schreeuwen* call (out), cry (out), shout ❷ ~ **om** call for
**roepia** rupee
**roeping** *voorbestemming* call(ing), vocation, ⟨levenstaak⟩ mission ★ *hij heeft zijn* ~ *gemist* he has missed his vocation
**roepnaam** first name, name by which somebody is generally known
**roer** *stuurmiddel* helm ★ *het roer in handen nemen* take the helm, take control ★ *naar het roer luisteren* respond to the helm ★ *het roer omgooien* put over the helm, change tack ▼ *aan het roer komen* come into power ▼ *hou je roer recht!* steady!
**roerbakken** stir-fry
**roerdomp** (great) bittern
**roerei** scrambled eggs *mv*
**roeren** I *ov ww* ❶ *mengen* stir, mix ❷ *in beweging brengen* stir, move ❸ *ontroeren* move, touch ★ *tot tranen geroerd* moved to tears II *on ww, draaiend bewegen* stir ★ *goed* ~ stir well III *wkd ww* [zich ~] ❶ *in beweging komen* move, stir ❷ *fig in verzet komen* rise
**roerend** ❶ *niet vast* ★ ~*e goederen* movables, personal property ❷ *ontroerend* moving, touching ▼ *ik ben het* ~ *met je eens* I couldn't agree with you more
**Roergebied** Ruhr Area
**roerig** ❶ *beweeglijk* lively, restless ❷ *oproerig* turbulent, ⟨massa⟩ riotous
**roerloos** *onbeweeglijk* motionless
**roersel** *drijfveer* motive
**roerstaafje** stirrer
**roes** ❶ *bedwelming* intoxication, ⟨van drank, drugs⟩ high ★ *zijn roes uitslapen* sleep it off ❷ *opgewondenheid* ★ *de roes van de overwinning* the flush of victory

**roest** *gevolg van oxidatie* rust ★ *oud* ~ scrap iron
**roestbestendig** rustproof
**roestbruin** rust-coloured
**roesten** rust
**roestig** rusty
**roestkleurig** rust-coloured
**roestvrij** rustproof ★ ~ *staal* stainless steel
**roestwerend** anti-corrosive
**roet** soot ▼ *je moet geen roet in het eten gooien* don't be a spoilsport, don't throw a spanner in the works
**roetaanslag** soot deposit, built-up of soot
**roetfilter** soot filter
**roetsjen** slide, coast
**roetzwart** black as soot
**roezemoezen** *dof gonzen* buzz
**roffel** *reeks slagen* roll ★ *'n* ~ *slaan* beat / give a roll
**roffelen** *een roffel slaan* roll ★ *op een trommel* ~ give a roll on the drum
**rog** ray
**rogge** rye
**roggebrood** *cul* rye bread
**rok** ❶ *dameskleding* skirt ❷ *herenkostuum* dress coat, *inform* tails *mv* ★ *in rok* in evening dress
**rokade** castling
**roken** I *ov + on ww, tabak gebruiken* smoke II *ov ww, cul in de rook hangen* smoke, cure
**roker** smoker
**rokeren** castle
**rokerig** *met rook* smoky
**rokershoest** smoker's cough
**rokkenjager** womanizer, lady-killer
**rol** ❶ *opgerold iets* ⟨perkament⟩ scroll, roll, ⟨touw⟩ coil ❷ *cilindervormig voorwerp* cylinder, ⟨van deeg⟩ rolling pin, ⟨onder stoelpoot e.d.⟩ castor ★ *rolletje* (small) roll, ⟨verpakking⟩ packet, ⟨fotorol⟩ roll, ⟨onder meubel⟩ castor ❸ *register* list, roll, *jur* cause list ★ *jur een zaak op de rol plaatsen* set a case down for hearing ❹ *toneelrol* part, role ★ *in zijn rol blijven* keep in character ★ *een rol bezetten* act a part ★ *uit zijn rol vallen* act out of character ❺ *fig eigen aandeel* part ★ *de rollen zijn omgekeerd* the tables are turned ★ *een rol spelen* play a part ★ *geld speelt geen rol* money is no object ▼ *aan de rol zijn* be on the razzle, *inform* be out on the town
**rolberoerte** fit ★ *we lachten ons een* ~ we nearly split our sides laughing
**rolbevestigend** role-reinforcing
**rolbezetting** cast
**rolconflict** conflict of roles
**roldoorbrekend** breaking social conventions / set patterns, unconventional
**rolgordijn** (roller) blind, USA (window) shade
**rollade** meat roll
**rollator** rollator
**rollebollen** ❶ *over de kop rollen* turn head over heals ❷ *wild stoeien* play around, lark about, romp, USA horse around ❸ *vrijerig stoeien* have a romp / roll, tumble
**rollen** I *ov ww* ❶ *voortbewegen* roll ❷ *met een rol pletten* roll ❸ *oprollen* roll ★ *een sjekkie* ~ roll a cigarette ❹ *bestelen* ★ *iemands zakken* ~ pick sb's pocket II *on ww* ❶ *zich voortbewegen* roll, ⟨van vliegtuig⟩ taxi ❷ *vallen* tumble, fall ★ *van z'n fiets*

**ro**

~ fall / tumble off one's bicycle ❸ *roffelend geluid maken* roll ★ ~*de donder* rolling thunder ❹ *rollend klinken* ▼ *de zaak aan het* ~ *brengen* get the ball rolling
**rollenspel** role-playing, role play
**roller** ❶ *golf* roller ❷ *rollend geluid* trill
**rolluik** roll-down shutter
**rolmaat** flexible steel rule
**rolmops** ≈ collared and pickled herring
**rolpatroon** role pattern
**rolprent** film
**rolschaats** roller skate
**rolschaatsen** roller-skate
**rolstoel** wheelchair
**rolstoelsport** wheelchair games / sports *mv*
**roltrap** escalator
**rolverdeling** cast
**rolwisseling** exchange / swapping of roles, ⟨tussen man en vrouw⟩ role reversal
**ROM** ROM, read only memory
**Romaans** taal Romance ★ ~*e talen* Romance languages
**romaans** bouw kunst Romanesque
**roman** novel
**romance** romance
**romanpersonage** character in a novel
**romanticus** romantic
**romantiek** ❶ kunst *stroming* Romanticism ❷ *sfeer* romance
**romantisch** ❶ *m.b.t. stroming* romantic ❷ *m.b.t. gevoel* romantic
**romantiseren** romanticize
**Rome** Rome ★ *het oude Rome* ancient Rome
**Romein** *bewoner van stad* Roman
**Romeins** *m.b.t. stad* Roman
**Romeinse** *bewoner van stad* Roman (woman / girl)
**römertopf** römertopf
**romig** creamy
**rommel** ❶ *wanorde* mess, ⟨achtergelaten rommel⟩ litter ★ ~ *maken* make a mess ❷ *waardeloze prullen* rubbish, junk ★ *oude* ~ old junk ▼ *de hele* ~ the whole lot / caboodle
**rommelen** ❶ *dof rollend klinken* rumble, roll ❷ *ordeloos zoeken* rummage ❸ *sjacheren* wangle, fix up ❹ *prutsen* mess / fart about / around
**rommelig** messy, untidy
**rommelkamer** lumber / junk room
**rommelmarkt** jumble sale, USA rummage sale
**rommelzolder** attic (used as a junk room)
**romp** ❶ *lijf* trunk ❷ *casco* body, ⟨van schip⟩ hull, ⟨van vliegtuig⟩ fuselage
**rompslomp** bother, fuss
**rond** I *bnw* ❶ *bol- / cirkelvormig* round, ⟨cirkel⟩ circular, humor rotund ★ *ronde vormen* round(ed) shapes ★ *rond maken* round ❷ *voltooid* ★ *de zaak is rond* the matter is settled, it's all fixed (up) II *vz* ❶ *om(heen)* (a)round ★ *rond het huis* around the house ❷ *ongeveer op de tijd / plaats van* around ★ *rond zes uur* roundabout six (o'clock) ★ *rond het jaar 2000* around the year 2000 ★ *rond Utrecht* (a)round Utrecht, in the vicinity of Utrecht III *bijw, ongeveer* about, approximately, roughly ★ *rond de twintig mensen* about / some twenty people ★ *rond de 3 weken*

about three weeks ★ *hij is rond de veertig* he's around forty ▼ *hij kwam er rond voor uit* he told me straight out IV *zn* [het] ❶ globe, round ★ *in het rond draaien* turn (a)round ★ *in het rond kijken* look (a)round ❷ → **rondje**
**rondbazuinen** trumpet, noise abroad, broadcast
**rondborstig** *openhartig* candid, frank
**rondbrengen** deliver
**rondcirkelen** circle (a)round
**ronddelen** hand / pass round
**ronddolen** wander about / around
**ronddraaien** I *ov ww, draaien* turn round, rotate, ⟨snel⟩ spin (round) II *on ww* ❶ *draaiend rondgaan* turn round, ⟨snel⟩ spin (round) ❷ *zich bewegen* rondom move round ▼ ~*de beweging* rotary motion
**ronddwalen** wander about
**ronde** ❶ *rondgang* ⟨van agent⟩ beat, ⟨van patrouille⟩ round ★ *de* ~ *doen* make one's round ❷ *wedstrijdtraject* lap ❸ *deel van wedstrijd* round ❹ *wielerwedstrijd* tour ▼ *de* ~ *doen* go round
**rondedans** round dance
**ronden** *omvaren* round
**rondetafelconferentie** round-table conference
**rondgaan** I *on ww, bewegen* move round ★ *het gerucht ging rond* rumour had it ★ ~ *laten* ~ pass round II *ov ww, langsgaan* go round ★ *zij ging de kring rond* she went around the circle (of guests)
**rondgang** tour ★ *een* ~ *maken door de fabriek* make a tour of the factory
**rondhangen** hang around, stand about
**rondhout** spar
**ronding** curve, rounding
**rondje** ❶ *rondgang* round ❷ *drankje* round ★ *een* ~ *geven* stand a round, buy a round of drinks ★ *een* ~ *van het huis!* drinks are on the house!
**rondkijken** look about ★ ⟨in winkel⟩ *ik kijk even wat rond* just browsing
**rondkomen** make ends meet, manage ★ *we moeten ermee* ~ we must make do
**rondleiden** lead round ★ *iem.* ~ show sb round
**rondleiding** guided / conducted tour
**rondlopen** ❶ lett *lopen* walk about ★ *de misdadiger loopt vrij rond* the criminal is at large ❷ ~ *met* fig *bezig zijn met* ★ *met een plan* ~ hatch a plan
**rondneuzen** nose about / around
**rondo** rondo
**rondom** I *vz* ❶ *om... heen* (a)round ★ ~ *het vuur* around the fire ❷ *in de buurt van* (a)round, about ★ ~ *het centrum van de stad* around the town centre II *bijw, eromheen* on all sides ★ *een tafel met stoelen* ~ a table with chairs around it
**rondpunt** BN *rotonde* roundabout, traffic circle
**rondreis** tour, round trip ★ *'n* ~ *maken door Canada* tour Canada, make a tour of Canada
**rondreizen** travel (a)round / about
**rondrijden** ❶ *toeren* go for a drive / ride ❷ *in een cirkel rijden* drive / ride round
**rondrit** tour
**rondscharrelen** ❶ *rondlopen* ⟨doelloos lopen⟩ saunter about ❷ *rommelen* fiddle about, ⟨bezig zijn met iets⟩ potter about
**rondschrijven** circular (letter)
**rondslingeren** *slordig liggen* lie about, knock about / around ★ *zijn gereedschap laten* ~ leave

one's tools lying about

**rondsnuffelen** ❶ *doorzoeken* nose about / around ★ *in iemands kamer* ~ snoop around sb's room ❷ *speurend rondlopen* nose about

**rondstrooien** ❶ *om zich heen strooien* scatter around / about ❷ *verspreiden* spread (about) ★ *een gerucht* ~ spread a rumour

**rondte** ❶ *rondheid* roundness ❷ *kring* circle ★ *kilometers in de* ~ miles around ★ *in de* ~ *draaien* rotate, turn round, revolve

**rondtrekken** travel around, ⟨te voet⟩ wander about

**ronduit** frankly, plainly, straightforward ★ ~ *gezegd* frankly speaking ★ ~ *weigeren* refuse flatly

**rondvaart** canal ride / cruise, round trip (by boat), ⟨lange afstand⟩ cruise ★ *een* ~ *door de grachten* a tour of the canals

**rondvaartboot** sightseeing boat

**rondvertellen** spread (about)

**rondvliegen** ❶ *in kring vliegen* fly round, circle ❷ *alle kanten opvliegen* fly about / around

**rondvlucht** round trip by plane / helicopter, aerial tour

**rondvraag** matters arising *mv*, ⟨als punt op agenda⟩ any other business ★ *iets voor de* ~ *hebben* have a point to raise at the end of the meeting, bring up a matter for discussion

**rondwandelen** walk around

**rondweg** bypass, orbital, ring road

**rondzingen** feedback

**rondzwerven** ❶ *zwerven* wander about ❷ *rondslingeren* lie around / about

**ronken** ❶ *ronkend geluid maken* ⟨van motor⟩ throb, ⟨van vliegtuig⟩ roar ❷ *snurken* snore

**ronselaar** press gang *mv*, ⟨hedendaags⟩ recruitment officer

**ronselen** press-gang, recruit

**röntgenfoto** X-ray ★ *een* ~ *maken* take an X-ray

**röntgenstralen** X-rays *mv*

**rood** ❶ *kleur* red ★ *rood aanlopen* flush ★ *rood worden* blush, redden ★ *het licht sprong op rood* the light changed to red ❷ pol ▼ *rood staan* be in the red

**roodbaars** ⟨rode zeebaars⟩ bergylt, ⟨zeebrasem⟩ sea bream

**roodbont** red and white, ⟨van stof⟩ red-and-white checked, ⟨paard⟩ skewbald

**roodborstje** robin (redbreast)

**roodbruin** reddish-brown

**roodgloeiend** red-hot

**roodharig** ginger, red-haired

**roodhuid** redskin

**Roodkapje** Little Red Ridinghood

**roodvonk** scarlet fever

**roof** I *zn* [de] [gmv] *diefstal* robbery ★ *op roof uitgaan* go out plundering II *zn* [de] [mv: roven] *wondkorstje* scab

**roofbouw** ❶ *overdadige landbouw* overcropping ❷ *uitputtend gebruik* exhaustion, overuse ★ ~ *plegen op zijn gezondheid* ruin one's health

**roofdier** beast of prey, predator

**roofmoord** robbery with murder

**roofoverval** hold-up, armed robbery

**rooftocht** foray, raid ★ *op* ~ *gaan* go on the prowl

**roofvis** predatory fish

**roofvogel** bird of prey

**roofzucht** rapacity

**rooibos** rooibos / redbush (tea)

**rooien** ❶ *uitgraven* uproot, ⟨van aardappels⟩ dig (up), ⟨van aardappels⟩ lift, ⟨van bos⟩ clear ❷ *klaarspelen* manage ★ *het met iem. kunnen* ~ get on with sb ★ *hij zal het wel* ~ he'll manage all right

**rook** smoke ▼ *in rook opgaan* vanish into thin air

**rookbom** smoke bomb

**rookcoupé** smoking compartment

**rookdetector** smoke detector

**rookglas** smoked glass

**rookgordijn** smoke screen

**rookhol** smoke-filled room

**rookmelder** smoke detector / alarm

**rookpluim** plume of smoke, whisp of smoke

**rookschade** smoke damage

**rooksignaal** smoke signal

**rookverbod** smoking ban

**rookverslaving** addiction to smoking

**rookvlees** smoke-dried meat

**rookvrij** ❶ *vrij van tabaksrook* non-smoking ❷ *geen rook producerend* smokeless

**rookwolk** cloud / pall of smoke

**rookworst** cul smoked sausage

**rookzone** smoking area

**room** cream ★ *geklopte room* whipped cream

**roomboter** cul (full-cream) butter

**roomijs** ice cream

**roomkaas** cul cream cheese

**roomkleurig** cream(-coloured)

**roomklopper** whisk

**roomkwark** cul cream curds *mv*

**rooms** *katholiek* Roman Catholic

**roomservice** room service

**rooms-katholiek** *m.b.t. het geloof* Roman Catholic

**roomsoes** cream puff

**roomwit** cream, off-white

**roos** I *zn* [de] [mv: rozen] ❶ *bloem* rose ❷ sport *middelpunt van schietschijf* bull's eye ★ *in de roos schieten* score a bull's eye, hit the mark ★ *midden in de roos* dead on target, bull's eye ❸ *deel van kompas* rose, card ▼ *slapen als een roos*, BN *op rozen slapen* sleep like a log ▼ *geen roos zonder doornen* no rose without a thorn II *zn* [de] [gmv] med *huidschilfers* dandruff

**rooskleurig** rosy, form roseate ★ *de toekomst ziet er* ~ *voor haar uit* she has a bright future ahead of her

**rooster** ❶ *raster* grid, grating, ⟨kachelrooster⟩ grate ❷ *braadrooster* grill ❸ *broodrooster* toaster ❹ *schema* ⟨lesrooster⟩ timetable, ⟨werkrooster⟩ roster, ⟨werkrooster⟩ rota ▼ BN *iem. op de* ~ *leggen* make things hot for sb, grill sb

**roosteren** *op / met een rooster blakeren* roast, ⟨van vlees⟩ broil, ⟨van vlees⟩ grill ★ *geroosterd brood* toast

**roots** roots *mv*

**roquefort** Roquefort (cheese)

**ros** I *zn* [het] steed II *bnw* ▼ *de rosse buurt* the red-light district

**rosbief** roast beef

**rosé** cul rosé

**ro**

**roskammen** curry, groom
**rossen I** *ov ww, roskammen* groom **II** *on ww, wild rijden* career, ride recklessly
**rossig** ginger, reddish, sandy-haired
**rösti** grated roast potatoes *mv*
**rot I** *bnw* ❶ *aangetast* rotten, putrid ★ *rotte tand* decayed / bad tooth ❷ *ellendig* rotten **II** *zn* [de] ★ *een oude rot* an old hand **III** *zn* [het] ❶ *rotting* rot, decay ❷ *troep* min *gang, ⟨rij manschappen⟩* file ❸ *vier geweren tegen elkaar* ★ *de geweren in rotten zetten* stack the rifles
**rot-** *ellendig* bloody, stupid ★ *rotweer* bloody weather
**rotan** *plant* (rattan) cane
**Rotary** Rotary
**rotatie** rotation
**rotatiepers** rotary press
**rotding** damn / bloody thing
**roteren** rotate
**rotgang** breakneck speed
**rotgans** brent(-goose), USA brant
**rothumeur** lousy / rotten mood
**roti** Surinam roti
**rotisserie** rotisserie
**rotje** (fire) cracker, squib
**rotjoch** brat, little pest / menace
**rotonde** *verkeersplein* roundabout
**rotor** rotor
**rots** rock, ⟨steil⟩ crag, ⟨aan zee⟩ cliff
**rotsachtig** rocky
**rotsblok** boulder
**rotspartij** *groep rotsblokken* mass of rocks
**rotstreek** mean / dirty / rotten trick
**rotstuin** rock garden, rockery
**Rots van Gibraltar** Rock of Gibraltar
**rotsvast** *fig onwankelbaar* solid as a rock
**rotswand** rock face, ⟨steil⟩ precipice
**rotswol** BN *steenwol* mineral / rock wool
**rotten** decay, go bad, rot
**Rotterdam** Rotterdam
**Rotterdammer** inhabitant of Rotterdam ★ *hij is een ~* he's from Rotterdam
**Rotterdams** Rotterdam
**Rotterdamse** (woman / female) inhabitant of Rotterdam ★ *zij is een ~* she's from Rotterdam
**rottig** ❶ *ietwat rot* rotten, decaying ❷ *ellendig* horrible, rotten
**rottigheid** *narigheid* misery, ugliness
**rotting** ❶ *bederf* rot, decay ❷ *stok* cane
**rottweiler** Rottweiler
**rotweer** awful weather
**rotzooi** ❶ *waardeloze rommel* junk, rubbish ❷ *wanorde* mess
**rotzooien** ❶ *knoeien* make a mess ❷ *scharrelen* flirt
**rouge** rouge, blusher
**roulatie** circulation
**roulatiesysteem** rotation system
**rouleren** ❶ *in omloop zijn* circulate ❷ *afwisselen* take turns, ⟨m.b.t. ploegendienst⟩ work in shifts
**roulette** roulette ★ *Russische ~* Russian roulette
**route** route, way
**routebeschrijving** itinerary, directions *mv*
**routekaart** ❶ *kaart met route* route map ❷ *lijst van adressen* delivery list / sheet
**routeplanner** comp route planner

**router** comp router
**routine** ❶ *geoefendheid* practice ❷ *sleur* routine ★ *de dagelijkse ~* the daily grind
**routineklus** routine job
**routinematig** routinely
**routineonderzoek** routine check
**routineus** routine
**routinier** ❶ *ervaren persoon* old hand ❷ *gewoontemens* creature of habit
**rouw** mourning ★ *lichte rouw* half mourning ★ *zware rouw* deep mourning ★ *in de rouw gaan* go into mourning ★ *in de rouw zijn* be in mourning ★ *rouw dragen* mourn (for)
**rouwadvertentie** obituary / death notice
**rouwband** mourning band, crape
**rouwbeklag** condolence
**rouwbrief** letter announcing someone's death
**rouwcentrum** funeral parlour / home
**rouwdienst** memorial service
**rouwen** ❶ *treuren* grieve, mourn ❷ *rouwkleding dragen* be in mourning
**rouwig** ★ *ik ben er niet ~ om* I don't regret it, I'm not sorry about it
**rouwkaart** mourning card
**rouwkamer** funeral parlour, mortuary
**rouwmis** requiem mass
**rouwproces** mourning
**rouwrand** ❶ *rand rond rouwbrief* black border ❷ *vuile nagelrand* ★ *je hebt ~en aan je nagels* your fingernails are black
**rouwstoet** funeral procession
**rouwverwerking** dealing with grief
**roux** roux
**roven** *ontnemen* rob, ⟨van kinderen⟩ kidnap
**rover** robber
**roversbende** gang / band of robbers
**rovershol** thieves' den
**royaal** ❶ *gul* generous ★ *~ zijn* be lavish ★ *te ~ leven* live beyond one's means ★ *een royale man* an open-handed man ❷ *ruim* ample ★ *een ~ inkomen* an ample income ❸ *ruim van opvatting* broadminded, liberal
**royalist** royalist
**royalty I** *zn* [de] [mv: +'s] *percentage* royalties *mv* **II** *zn* [de] [gmv] *geheel van koninklijke personen* royalty
**royeren** ⟨als lid⟩ expel (from)
**roze I** *bnw* pink **II** *zn* [het] pink
**rozemarijn** rosemary
**rozenbed** rose bed
**rozenblad** rose leaf *mv: leaves*
**rozenbottel** rosehip
**rozengeur** scent of roses ▼ *'t leven is niet alleen ~ en maneschijn* life is not a bed of roses
**rozenkrans** *gebed / bidsnoer* rosary
**rozenstruik** rose bush
**rozet** *versiering* rosette
**rozig** ❶ *rooskleurig* rosy ❷ *slaperig* languid
**rozijn** raisin
**RSI** *repetitive strain injury* RSI, Repetitive Strain Injury
**rubber I** *zn* [de/het] [gmv] *stof* rubber **II** *zn* [de/het] [mv: +s] *condoom* condom, inform rubber
**rubberboom** rubber tree
**rubberboot** inflatable (rubber) dinghy / boat

**rubberlaars** rubber / gum boot, GB wellington, GB inform wellies *mv*
**rubberplantage** rubber plantation
**rubberzool** rubber sole
**rubriceren** *indelen* classify
**rubriek ❶** *categorie* category **❷** *opschrift* heading **❸** *vast stuk in krant* column
**ruche** ruche, frill
**ruchtbaar** known, public ★ ~ *worden* become known, (it) transpire(s) ★ ~ *maken* make known
**ruchtbaarheid** public knowledge, publicity ★ ~ *aan iets geven* divulge sth, spread sth (abroad)
**rücksichtslos** unscrupulous, unsparing
**rucola** rocket, arugula
**rudiment** rudiment
**rudimentair** rudimentary
**rug ❶** *lichaamsdeel* back ★ *in de rug aanvallen* attack from behind, stab in the back **❷** *rugstuk bij kleding* back **❸** *achterzijde* backside ▾ *dat is achter de rug* that's all over (and done with) ▾ *vulg je kunt mijn rug op!* you can kiss my arse / USA ass ▾ *iem. de rug toekeren* turn one's back on sb
**rugby** rugby (football), inform rugger
**rugbyen** play rugby / rugger
**rugbyspeler** sport rugby player
**rugcrawl** sport backstroke, back crawl
**rugdekking** backing ★ *iem. ~ geven* back sb (up), cover sb
**ruggelings ❶** *achterwaarts* backwards ★ ~ *vallen* fall over backwards **❷** *rug aan rug* back to back **❸** *op de rug* on the back
**ruggengraat ❶** *wervelkolom* backbone, spine, spinal / vertebral column **❷** *wilskracht* backbone, determination
**ruggenmerg** spinal cord
**ruggenprik** lumbar puncture, ⟨verdoving⟩ epidural
**ruggensteun** *hulp* backing, support
**ruggenwervel** dorsal vertebra
**ruggespraak** consultation ★ ~ *houden met iem.* consult (with) sb
**rugklachten** back complaints / trouble(s) *mv*
**rugletsel** back injury
**rugleuning** back rest
**rugnummer** (player's) number
**rugpijn** backache
**rugslag** sport backstroke
**rugsluiting** back fastening ★ *met ~* fastened at the back
**rugtitel** spine lettering, spine title
**rugvin** dorsal fin
**rugzak** backpack, ⟨klein, van dagtocht⟩ rucksack
**rugzijde** back
**rui** moulting ★ *in de rui* in moult
**ruien** moult
**ruif** rack
**ruig ❶** *wild begroeid* shaggy **❷** *borstelig* ⟨baard⟩ bushy
**ruigharig** rough haired, ⟨hond, pony⟩ shaggy, ⟨pony ook⟩ rough-coated
**ruiken I** *ov ww* **❶** *met reukzin waarnemen* smell, ⟨van wild⟩ scent **❷** *bespeuren* ★ *dat kon ik ook niet ~* I could not possibly know that **II** *on ww, geuren* smell **(naar of)** ★ *uit zijn mond ~* have bad breath
**ruiker** bouquet, ⟨klein⟩ nosegay

**ruil** exchange, inform swop
**ruilbeurs** exchange mart, USA swap-meet
**ruilen** *inwisselen* exchange, inform swop ★ *van plaats ~* change places
**ruilhandel** barter
**ruilhart** donor heart
**ruilmiddel** medium of exchange
**ruilverkaveling** legal re-division and re-allotment of land
**ruilvoet** exchange rate, terms of exchange
**ruilwaarde** exchange value, ⟨van effecten⟩ market value
**ruim I** *bnw* **❶** *wijd* wide, roomy **❷** *veel ruimte biedend* large, spacious **❸** *open* free **❹** *veelomvattend* extensive ★ *een ruime keuze* a wide / large choice ★ *op ruime schaal* on a large scale, on an extensive scale ★ *een ruim gebruik maken van* make ample use of **❺** *onbekrompen* broad ★ *ruim van opvatting* broadminded ★ *ruime blik* broad view **❻** *rijkelijk* ★ *een ruim inkomen* a comfortable / liberal income **❼** *uitgebreid* ▾ *het niet ruim hebben* not be well off **II** *bijw* **❶** *op ruime wijze* ★ *ruim meten* give good measure **❷** *meer dan* ★ *ruim zestig* more than sixty, (well) over sixty, a good sixty (years of age) **III** *zn* [het] scheepv hold
**ruimdenkend** broad- / open-minded, liberal
**ruimen I** *ov ww* **❶** *opruimen* clear out **❷** *leegmaken* empty **II** *on ww, draaien van de wind* veer
**ruimhartig** generous, warm-hearted
**ruiming** ⟨plaatsmaken⟩ emptying, ⟨weghalen⟩ clearing (away)
**ruimschoots** abundantly, amply ★ ~ *de tijd hebben* have plenty of time ★ ~ *gelegenheid* ample opportunity
**ruimte ❶** *plaats* room, space, ⟨speling⟩ clearance ★ ~ *bieden aan* accommodate ★ ~ *innemen / beslaan* take up room ★ ~ *maken* make room ★ *gebrek aan ~* lack of space ★ *geen ~ voor iets hebben* have no room for sth **❷** *heelal* space **❸** fig *speelruimte* ★ *iem. de ~ geven* give sb elbow room, give sb leeway
**ruimtecapsule** space capsule
**ruimtegebrek** lack of space
**ruimtelaboratorium** space laboratory
**ruimtelijk** *de ruimte betreffend* spatial ★ ~e *ordening* town and country planning
**ruimtereis** space flight / travel, journey into space
**ruimteschip** spaceship
**ruimtestation** space station
**ruimtevaarder** astronaut
**ruimtevaart** space travel
**ruimtevaarttechniek** (aero)space technology
**ruimtevaartuig** spacecraft
**ruimteveer** space shuttle
**ruimtevlucht** space flight
**ruimtevrees** agoraphobia, fear of open spaces
**ruimtewagen** *ruime auto* space wagon
**ruin** gelding
**ruïne** ⟨resten⟩ ruins *mv*, ⟨vervallen bouwwerk⟩ ruin
**ruïneren** ruin ★ *zij heeft haar gezondheid geruïneerd* she has ruined her health
**ruis ❶** *storing* noise **❷** med murmur

**ru**

**ruisen** ⟨van wind, bladeren, kleren⟩ rustle, ⟨van water⟩ murmur

**ruit** ❶ *vensterglas* pane, ⟨van deur⟩ glass panel ❷ *motief* ⟨van stof⟩ check, ⟨van speelbord⟩ square ★ *Schotse ruit* tartan ❸ wisk rhombus ▼ *zijn eigen ruiten ingooien* be one's own worst enemy

**ruiten** diamonds *mv*

**ruitenaas** ace of diamonds

**ruitenboer** jack of diamonds

**ruitenheer** king of diamonds

**ruitensproeier** windscreen washer, USA windshield washer

**ruitenvrouw** queen of diamonds

**ruitenwisser** windscreen wiper, USA windshield wiper

**ruiter** horseman, rider

**ruiterij** cavalry

**ruiterlijk** frank

**ruiterpad** bridle path

**ruitjespapier** graph paper, squared paper

**ruitjesstof** check(ed) fabric / cloth, squared fabric / cloth

**ruk** ❶ *beweging* jerk, pull, tug ★ *de auto kwam met een ruk tot stilstand* the car stopped with a jerk ❷ *lange tijd* period ★ *in één ruk* at a stretch ★ *het was een hele ruk* it was a long haul

**rukken** I *ov ww, met een ruk trekken* snatch ★ *iets aan flarden ~* tear sth to shreds ▼ *uit zijn verband ~* take out of context II *on ww, hard trekken* jerk, pull, tug

**rukwind** squall

**rul** loose, sandy

**rum** rum

**rumba** rumba

**rumboon** cul rum flavoured bonbon / chocolate

**rum-cola** rum and coke

**rummikub** Rummikub

**rumoer** ❶ *lawaai* noise ❷ *ophef* commotion, uproar

**rumoerig** ❶ *lawaaiig* noisy ❷ *onstuimig* boisterous

**run** *loop* run

**rund** ❶ *dier* ⟨koe⟩ cow, ⟨os⟩ ox [mv: oxen] ⟨stier⟩ bull ❷ *stommeling* idiot ▼ *bloeden als een rund* bleed like a stuck pig

**rundergehakt** minced beef

**runderlapje** braising steak

**rundvee** ⟨horned⟩ cattle *mv*

**rundvet** beef dripping / fat

**rundvlees** beef

**rune** rune

**runenteken** rune, runic character

**runnen** run, manage

**rups** caterpillar

**rupsband** caterpillar track ★ *met ~en* tracked

**rupsvoertuig** caterpillar / tracked vehicle

**Rus** Russian

**rush** ❶ *stormloop* rush, run ❷ *film* rushes *mv*

**Rusland** Russia

**Russin** Russian, Russian (woman / girl)

**Russisch** I *bnw* Russian II *zn* [het] Russian

**rust** ❶ *ontspanning* rest ★ *rust nemen* take a rest ★ *in rust* at rest ❷ *kalmte* calm, quiet ★ *met rust laten* leave in peace, leave alone ★ *tot rust brengen* set at rest ★ *tot rust komen* settle down ★ *alles was in diepe rust* all was quiet ★ *geen*

*ogenblik rust hebben* have not a moment's peace ★ *hij herstelde de rust* he restored the peace ❸ *nachtrust* repose ★ *zich ter ruste begeven* go to bed, retire for the night ❹ muz rest ❺ sport half-time, interval ▼ *rust roest* idleness rusts the mind

**rustdag** day of rest, holiday

**rusteloos** ❶ *ongedurig* restless, itchy ★ *~ heen en weer lopen* pace up and down restlessly ❷ *steeds bezig* restless, unremitting

**rusten** ❶ *uitrusten* rest, repose ★ *ik ga wat ~* I'm going to have a rest ★ *hier begraven liggen* ★ *hier rust... here* lies... ❸ *ongemoeid blijven* ★ *iets laten ~* inform drop a subject ❹ *steunen* rest (upon) ❺ fig *tot last zijn* ★ *er rust een zware verantwoordelijkheid op hem* he carries a heavy responsibility ❻ *gericht zijn* ★ *zijn blik bleef ~ op* his gaze came to rest on, his gaze lingered on

**rustgevend** restful

**rusthuis** rest home

**rustiek** ❶ *landelijk* rural ❷ *als in natuurtoestand* rustic

**rustig** I *bnw* ❶ *bedaard* calm ★ *zich ~ houden* keep quiet ❷ *zonder beweging* peaceful, quiet ❸ *ongestoord* peaceful, tranquil ★ *een ~ plekje opzoeken* look for a quiet spot II *bijw* ★ *~ optreden* act calmly ★ *~ aan* ⟨geleidelijk⟩ steadily ★ *~ aan!* ⟨doe kalm!⟩ calm / settle down!, USA cool it!

**rustoord** ❶ *instelling* rest home, ⟨voor herstel⟩ convalescent home ❷ *plaats of streek* place where you can rest

**rustpensioen** BN retirement pension / pay

**rustplaats** ❶ *pleisterplaats* halting place ❷ *graf* resting place ★ *de laatste ~* the last resting place

**rustpunt** ❶ *moment van rust* pause, rest ❷ *steunpunt* support

**rustsignaal** half-time signal / whistle

**ruststand** sport half-time score

**rustverstoorder** ⟨herrieschopper⟩ hooligan, ⟨ordeverstoorder⟩ rioter

**ruw** ❶ *oneffen* rough, ⟨grof⟩ rough, ⟨huid⟩ coarse ❷ *onbewerkt* crude, raw ★ *ruwe olie* crude oil ★ *ruwe katoen / suiker* raw cotton / sugar ❸ *onbeschaafd* coarse, rough, rude ★ *ruw gedrag* rude behaviour ★ *ruw in de mond* rough-spoken ★ *ruwe klant* rough customer ❹ *wild* rough, boisterous ★ *ruwe zee* rough / choppy sea ★ *iets ruw behandelen* handle sth roughly ❺ *globaal* ★ *ruw geschat* roughly ★ *een ruwe schets* a rough draft ★ *ruwe score* original score

**ruwharig** shaggy, rough haired

**ruwweg** roughly

**ruzie** row, quarrel ★ *met iem. ~ hebben over iets* quarrel with sb about sth ★ *~ krijgen* fall out

**ruzieachtig** *twistziek* quarrelsome

**ruziemaken** fight, quarrel, argue

**ruziemaker** troublemaker

**ruziën** argue, quarrel

**ruziezoeken, ruzieschoppen** pick a fight / quarrel

**ruziezoeker, ruzieschopper** troublemaker, form quarrelsome person

**RVD** *Rijksvoorlichtingsdienst* (Dutch) Government Information Service

**rvs** ❶ *roestvrij staal* [als zn] stainless steel

❷ *roestvrij stalen* stainless steel
**Rwanda** Rwanda
**Rwandees** Rwandan, Rwandese
**RWW** *Rijksgroepsregeling Werkloze Werknemers* ≈
Unemployment Benefit Act

# S

**s** s ★ *de s van Simon* S as in Samuel
**saai** tedious, boring, dull, slow
**saaiheid** dullness, tedium ★ *de ~ van het
alledaagse leven* the tedium of everyday life
**saamhorigheid** solidarity
**Saba** Saba
**Sabaans** Saban
**sabbat** sabbath
**sabbatsjaar** ❶ rel *zevende (rust)jaar* sabbatical
(year) ❷ *verlofperiode* sabbatical (year / leave)
**sabbelen** suck ★ *~ op* suck
**sabel** I *zn* [de], *slagwapen* sword II *zn* [het], *bont*
sable
**sabelbont** sable
**sabotage** sabotage ★ *~ plegen* commit sabotage
**saboteren** sabotage
**saboteur** saboteur
**sacharine** saccharine
**sachertaart, sachertorte** cul Sachertorte
**sacraal** sacral
**sacrament** sacrament ★ *de laatste ~en* the last
sacraments
**sacristie** sacristy, vestry
**sadisme** sadism
**sadist** sadist
**sadistisch** sadistic
**sadomasochisme** sadomasochism
**sadomasochist** sadomasochist
**sadomasochistisch** sadomasochistic
**safari** safari ★ *op ~ gaan* go on safari
**safaripark** safari park
**safe** I *zn* [de] safe, safe deposit box II *bnw* safe
★ *denk je dat dat safe is?* do you think it's all
right / safe?
**safe sex** safe sex ★ *aan ~ doen* practice safe sex
**saffier** sapphire
**saffierblauw** sapphire (blue)
**saffraan** saffron
**saffraangeel** saffron yellow
**sage** saga
**Sahara** Sahara
**Sahel** Sahel
**saillant** salient, striking
**sake** *rijstwijn* sake
**sakkeren** BN *mopperen* grumble (**over** about /
at)
**Saksen** Saxony
**Saksisch** Saxon
**salade** cul salad ★ *gemengde ~* mixed salad
**salamander** salamander
**salami** salami
**salamitactiek** salami tactics *mv*
**salariëren** pay
**salariëring** pay
**salaris** salary, pay
**salarisadministratie** salary records *mv*
**salarisschaal** salary scale
**saldo** balance ★ *batig ~* credit balance, surplus
★ *nadelig ~* debit balance, deficit ★ *met een
nadelig ~ sluiten* leave a deficit ★ *per ~* on
balance
**saldotekort** deficit, ⟨op bankrekening enz.⟩

**sa**

overdraft
**salesmanager** sales manager
**salespromotie** sales promotion
**salie** <u>cul</u> sage
**salmiak** sal ammoniac
**salmiakdrop** acid drop
**salmonella** salmonella
**Salomonseilanden** Solomon Islands *mv*
**salomonsoordeel** Judgement of Solomon
**salon** ❶ *kamer* drawing room ❷ <u>BN</u> *meubels* three-piece suite, lounge suite ❸ <u>BN</u> *woonkamer* living room, sitting room, lounge
**salonboot** (saloon) steamer
**salonfähig** presentable, ⟨v. gedrag⟩ respectable ⋆ *niet ~* risqué
**salontafel** coffee table
**saloondeuren** saloon doors [mv]
**salpeter** saltpetre, potassium nitrate
**salpeterzuur** nitric acid
**salsa** salsa
**salto** somersault ⋆ *~ mortale* salto mortale, death-defying leap
**salueren** salute
**saluut** salutation, salute
**saluutschot** salute ⋆ *er klonken tien ~en* there was a ten gun salute, ten salutes rang out
**Salvadoriaan** Salvadorean
**Salvadoriaans** Salvadorean
**Salvadoriaanse** Salvadorian (woman / girl)
**salvo** ❶ *serie schoten* salvo, volley ❷ <u>fig</u> *stortvloed* volley
**Samaritaan** Samaritan ⋆ *de barmhartige ~* the Good Samaritan
**samba** samba
**sambabal** maraca
**sambal** sambal
**samen** ❶ *met elkaar* together ⋆ *~ met* together with ⋆ *zij hebben ~ een woning* they share an apartment ❷ *bijeen* together ❸ *bij elkaar gerekend* in all, altogether ⋆ *~ verdienen ze net genoeg* between them they earn just enough ▾ *~ uit, ~ thuis* we are in this together
**samendrukken** press together, compress
**samengaan** ❶ *gepaard gaan* go together ⋆ *doen ~* combine ❷ *fuseren* amalgamate, merge ❸ *bij elkaar passen* ⋆ *~ met* go together with ⋆ *dat gaat niet samen met* that is incompatible with
**samengesteld** compound, complex
**samenhang** *verband* connection
**samenhangen** *in verband tot elkaar staan* be connected ⋆ *~d* cohesive
**samenkomen** ❶ *bijeenkomen* come together ❷ ⟨als groep⟩ assemble, meet, gather round ❸ <u>natk</u> ⟨in een punt⟩ converge
**samenkomst** meeting
**samenleven** live together, cohabit ⋆ *~ met iem.* cohabit with sb
**samenleving** ❶ *maatschappij* society ❷ *het samenleven* living together
**samenlevingscontract** partnership contract, living together contract
**samenloop** ❶ *plaats van vereniging* convergence, ⟨van rivieren⟩ confluence ❷ *gelijktijdigheid* concurrence, ⟨van mensen⟩ concourse ⋆ *~ van omstandigheden* coincidence
**samenpakken** [zich ~] gather ⋆ *zwarte wolken*

*pakten zich samen* black clouds were gathering
**samenraapsel** jumble, hotchpotch ⋆ *~ van leugens* pack of lies, tissue of lies
**samenscholen** assemble
**samenscholing** ❶ *het samenscholen* gathering ❷ *oploop* assembly, gathering
**samensmelten** I *on ww* ❶ *versmelten* fuse (together) ❷ *fuseren* amalgamate, merge II *ov ww, doen samengaan* melt / fuse together
**samenspannen** plot, conspire
**samenspel** ❶ <u>sport</u> teamwork ❷ <u>muz</u> ensemble
**samenspraak** dialogue
**samenstel** ❶ *geheel* composition ❷ *bouw* structure
**samenstellen** put together, make up, ⟨tekst⟩ compose, ⟨lijst⟩ compile
**samensteller** ❶ *maker* compiler, assembler, composer ❷ *redacteur* compiler, editor
**samenstelling** ❶ *geheel van ingrediënten* composition ❷ *het samenstellen* compilation ❸ *manier van samenstellen* ⟨van programma⟩ arrangement ❹ <u>taalk</u> *meerledig woord* compound
**samenstromen** ❶ *samenkomen* assemble ❷ *samenvloeien* flow together
**samentrekken** I *ov ww* ❶ *samenvoegen* contract, ⟨troepen⟩ concentrate ⋆ *zich ~* contract ❷ <u>taalk</u> contract II *on ww, ineenkrimpen* draw together, contract
**samentrekking** *het ineenkrimpen* contraction
**samenvallen** ❶ *tegelijk gebeuren* coincide ❷ *één worden* converge
**samenvatten** summarize, sum up
**samenvatting** summary
**samenvloeien** flow together, merge, ⟨kleuren⟩ blend
**samenvoegen** join, combine, unite
**samenwerken** work together, co-operate, collaborate
**samenwerking** cooperation, collaboration ⋆ *in ~ met* in collaboration with
**samenwerkingsverband** collaboration, cooperation
**samenwerkingsverdrag** treaty of cooperation
**samenwonen** live together
**samenzang** community singing
**samenzijn** gathering, meeting
**samenzweerder** conspirator
**samenzweren** plot, conspire
**samenzwering** conspiracy, plot
**samenzweringstheorie** conspiracy theory
**Samoa** Samoa
**Samoaans** Samoan
**samoerai** samurai
**sample** sample
**samplen** sample
**sampler** <u>muz</u> sampler
**samsam** ▾ *~ doen* go fifty-fifty
**sanatorium** sanatorium
**sanctie** sanction
**sanctioneren** *goedkeuren* sanction
**sandaal** sandal
**sandelhout** sandalwood
**sandwich** ❶ <u>cul</u> *dubbele, belegde boterham* sandwich ❷ <u>BN</u> <u>cul</u> *zoet, zacht broodje* ≈ (soft) roll
**saneren** ❶ *herstellen* ⟨stadsdeel⟩ redevelop, ⟨wijk⟩

clean up ❷ _econ_ reorganize ❸ _med_ ⟨gebit⟩ put in order

**sanering** ❶ _herstel_ ⟨van stadsdeel⟩ redevelopment, ⟨van wijk⟩ clean up ❷ _econ_ ⟨van bedrijf⟩ reorganization

**San Francisco** San Francisco

**sanitair I** _zn_ [het] sanitary fittings _mv_, bathroom fixtures _mv_ **II** _bnw_ sanitary

**sanitatie** sanitation

**San Marinees** San Marinese

**San Marinese** San Marinese (woman / girl)

**San Marino** San Marino

**sanseveria** sansevieria, snake plant

**Sanskriet** Sanskrit

**sant** ▼ _BN_ _niemand is sant in eigen land_ a prophet has no honour in his own country

**santé** your health!, here's to you!, ⟨bij niezen⟩ bless you!

**santenkraam** ▼ _de hele_ ~ the whole caboodle

**Saoedi-Arabië** Saudi Arabia

**Saoedisch** _m.b.t. Saoedi-Arabië_ Saudi

**sap** ❶ _plantk_ _cul_ juice ❷ _plantk_ _ondrinkbaar vocht van planten_ sap

**sapcentrifuge** liquidizer, _USA_ juicer

**sapje** glass of fruit juice

**sappelen** slave (away), drudge, toil

**sappig** ❶ _vol sap_ (plant) sappy, ⟨fruit⟩ juicy, ⟨vlees⟩ succulent, ⟨vlees⟩ tender ❷ _fig_ _smeuïg_ juicy, vivid ★ _een_ ~ _verhaal_ a juicy story

**Saraceen** Saracen

**Sarajevo** Sarajevo

**sarcasme** sarcasm

**sarcast** sarcastic person

**sarcastisch** sarcastic

**sarcofaag** sarcophagus

**Sardijns** Sardinian

**sardine** sardine

**Sardinië** Sardinia

**sardonisch** sardonic, derisive ★ _een_ ~ _lachje_ a sardonic chuckle

**sarong** sarong

**sarren** nag, bait, tease

**sas** ▼ _in zijn sas zijn_ be in high spirits

**Satan** _rel_ Satan

**satanisch** satanic

**saté** satay, saté

**satelliet** ❶ _hemellichaam_ satellite ❷ _kunstmaan_ satellite

**satellietfoto** satellite photo(graph)

**satellietstaat** satellite state, satellite country

**satellietverbinding** satellite link(-up)

**sater** satyr

**satéstokje** skewer

**satijn** satin

**satire** satire

**satirisch** satiric(al)

**Saturnus** Saturn

**saucijs** sausage

**saucijzenbroodje** _cul_ sausage roll

**sauna** sauna

**saus** _cul_ sauce, ⟨jus⟩ gravy, ⟨sla⟩ dressing

**sausen** _verven_ ⟨met latex, e.d.⟩ distemper, ⟨met witkalk⟩ whitewash

**sauteren** sauté ★ _gesauteerde aardappelen_ sautéed potatoes

**savanne** savanna(h)

**saven** _comp_ save ★ _iets op een harde schijf opslaan_ save sth to hard disk

**savooiekool** savoy

**saxofonist** saxophonist

**saxofoon**, _inform_ sax saxophone

**S-bocht** S-bend

**scala** scale, range ★ _een breed_ ~ _van artikelen_ a wide range of articles

**scalp** scalp

**scalpel** scalpel

**scalperen** scalp

**scampi** _cul_ scampi

**scan** scan

**scanderen** chant

**Scandinavië** Scandinavia

**Scandinaviër** Scandinavian

**Scandinavisch** Scandinavian

**Scandinavische** Scandinavian (woman / girl) ★ _zij is een_ ~ she's from Scandinavia

**scannen** scan

**scanner** scanner

**scarabee** scarab

**scartaansluiting** scart connector

**scenario** ❶ _audio-vis media_ _draaiboek_ scenario, film script, script ❷ _plan_ scenario

**scenarioschrijver** scriptwriter, scenarist

**scene** _sociale groep_ scene

**scène** ❶ _ton_ _tafereel_ scene ❷ _ophef_ scene ★ _een_ ~ _maken met_ make a scene with sb

**scepsis** scepsis, _USA_ skepsis

**scepter** sceptre

**scepticisme** scepticism

**scepticus** sceptic

**sceptisch** sceptical ★ ~ _staan tegenover_ be sceptical of

**schaaf** ❶ _gereedschap_ plane ❷ _keukengerei_ slicer

**schaafsel** shavings _mv_

**schaafwond** graze

**schaak** ❶ _zn_ [het] chess ★ _partij_ ~ game of chess ★ ~ _spelen_ play chess **II** _bijw_ check ★ ~ _zetten_ check ★ ~ _staan_ be in check **III** _tw_ check!

**schaakbord** chessboard

**schaakcomputer** chess computer

**schaakklok** chess clock

**schaakmat** checkmate ★ ~ _zetten_ mate, checkmate

**schaakspel** ❶ _spel_ (game of) chess ❷ _bord met stukken_ chess set

**schaakstuk** chessman, piece

**schaaktoernooi** chess tournament

**schaal** ❶ _schotel_ dish, ⟨bloemschaal⟩ bowl, ⟨collecteschaal⟩ plate ❷ _omhulsel_ shell ❸ _bekken van weegschaal_ scale ❹ _weegschaal_ scales _mv_ ❺ _grootteverhouding_ scale ★ _op grote_ ~ on a large scale ★ _operaties op grote_ ~ big scale operations ★ _op_ ~ _tekenen_ draw to scale ★ _op_ ~ _vergroten / verkleinen_ scale up / down ❻ _oplopende getallenreeks_ scale ❼ _schaalverdeling_ scale ★ _de_ ~ _van Richter_ the Richter scale ❽ _toonladder_ ▼ _dat doet de_ ~ _doorslaan_ that settles the matter, that turns the scales

**schaaldier** crustacean

**schaalmodel** scale model

**schaalverdeling** scale division

**schaalvergroting** scale up, increase in scale / size, expansion

**schaalverkleining ❶** *verkleining op schaal* scaling down, decrease in scale **❷** *kleinschaliger worden* scaling down

**schaambeen** pubic bone

**schaamdeel** genitals *mv*, private parts *mv*

**schaamhaar** pubic hair, *inform* pubes *mv*

**schaamlip** ★ *grote ~pen* labia *mv* majora ★ *kleine ~pen* labia *mv* minora

**schaamluis** crab louse *mv*: lice, *inform* crabs *mv*

**schaamrood** *lett fig* blush ★ *het ~ steeg hem naar de kaken* he blushed with embarrassment

**schaamstreek** pubic region

**schaamte** shame

**schaamtegevoel** sense of shame

**schaamteloos** ⟨persoon⟩ shameless, ⟨gedrag⟩ unashamed

**schaap ❶** *dier* sheep [mv: id.] **❷** *fig persoon* ★ *arm ~!* poor thing! ★ *het zwarte ~* the black sheep ▼ *als er één ~ over de dam is, volgen er meer* one sheep follows another, it only takes one to start, and the others will follow ▼ *een ~ met vijf poten zoeken* seek the impossible ▼ *zijn ~jes op het droge hebben* live on easy street, live high on the hog, be home and dry, have made one's pile ▼ *ze heeft haar ~jes op het droge* she lives on easy street, she's got it made

**schaapachtig** sheepish

**schaapherder** shepherd

**schaapskooi** sheepfold

**schaar ❶** *knipwerktuig* pair of scissors, scissors *mv* **❷** *ploegschaar* ⟨plough⟩share **❸** *grijporgaan schaaldier* pair of pincers, pincers *mv*

**schaarbeweging ❶** *beweging als van schaar* scissor movement **❷** *sport schijnbeweging* feint, scissors kick ★ *een ~ maken* make a feint

**schaars I** *bnw* scarce, rare, scanty **II** *bijw* ⟨nauwelijks⟩ scarcely, ⟨zelden⟩ rarely ★ *~ verlicht* dimly lit

**schaarste** scarcity, scantiness, famine, ⟨eten, water, kolen⟩ dearth

**schaats** skate ▼ *een scheve ~ rijden* step over the mark, get out of line

**schaatsbaan** ⟨ice-⟩skating rink

**schaatsen** skate

**schaatser** skater

**schaatswedstrijd** skating contest

**schacht ❶** *steel* ⟨van lans⟩ shaft, ⟨van veer⟩ quill **❷** *koker* shaft **❸** *beenstuk van laars* leg **❹** *BN onderw eerstejaars* first-year student, *GB* ⟨universiteit⟩ freshman

**schade ❶** *beschadiging* damage, ⟨persoon ook⟩ injury, ⟨persoon ook⟩ harm ★ *materiële ~, BN stoffelijke ~* material damage **❷** *nadeel* loss ★ *tot ~ van* to the detriment of ★ *tot zijn ~ ondervinden* learned to one's cost ★ *~ aanrichten* do damage ★ *~ lijden* suffer a loss, sustain damage, learn by ⟨bitter⟩ experience, make up for the loss, make up for lost ground

**schadeclaim** insurance claim ★ *een ~ indienen* submit an insurance claim

**schade-expert** loss / claims assessor

**schadeformulier** insurance claim / form

**schadelijk** harmful

**schadeloos** undamaged

**schadeloosstellen** indemnify (from / against), compensate (for)

**schadeloosstelling** compensation

**schaden** damage, harm, hurt

**schadeplichtig** liable for damages

**schadepost** loss ★ *dat levert mij een grote ~ op* that leaves me with a big loss

**schaderapport** damage report, ⟨ongeluk⟩ accident report

**schadevergoeding** compensation, indemnification ★ *van iem. eisen* claim damages from sb

**schadeverzekering** indemnity insurance, property insurance

**schadevrij** accident-free

**schaduw** *donkere* ⟨geen omtrek⟩ shade, ⟨vaste omtrek⟩ shadow ★ *in de ~* in the shade ▼ *hij kan niet in zijn ~ staan* he cannot hold a candle to him ▼ *in de ~ stellen* overshadow, dwarf ▼ *een ~ op iets werpen* cast a shadow over sth

**schaduwbeeld ❶** *silhouet* silhouette **❷** *schaduw* shadow

**schaduwen ❶** *volgen* shadow **❷** *schaduw aanbrengen* shade

**schaduwrijk** shady, shadowy

**schaduwzijde ❶** *zijde zonder licht* shady side **❷** *fig nadeel* drawback

**schaft** pause, break

**schaften** take time off (for a meal)

**schafttijd** ⟨lunch / dinner⟩ break

**schakel ❶** *lett* link **❷** *fig verbindend onderdeel* link ★ *ontbrekende ~* missing link

**schakelaar** switch

**schakelarmband** chain bracelet

**schakelbord** switchboard

**schakelen I** *ov ww* **❶** *tot keten maken* link up, ⟨techniek⟩ couple **❷** *elektrisch verbinden* connect **II** *on ww, in versnelling zetten* change gear ★ *van een naar twee ~* shift from first into second gear

**schakeling** *wijze van schakelen* ⟨elektriciteit⟩ connection, ⟨elektriciteit⟩ circuit ★ *geïntegreerde ~* integrated circuit

**schakelkast** switch box

**schakelklas** *onderw* preparatory class

**schakelklok** timer

**schakelwoning** type of semi-detached house, *USA* duplex

**schaken I** *on ww, schaak spelen* play chess **II** *ov ww, ontvoeren* abduct

**schaker ❶** *schaakspeler* chess player **❷** *ontvoerder* abductor

**schakeren ❶** *kleuren schikken* variegate **❷** *afwisselen* pattern

**schakering ❶** *kleurnuance* shade **❷** *verscheidenheid* gradation, variegation

**schaking** elopement, abduction

**schalks** roguish

**schallen** sound, resound

**schamel** poor

**schamen** [zich ~] be / feel ashamed ★ *schaam je!* shame on you! ★ *je moest je* ⟨de ogen uit het hoofd⟩ *~* you ought to be ⟨thoroughly⟩ ashamed of yourself

**schampen** graze

**schamper** condescending

**schamperen** say scornfully

**schampschot** graze ★ *hij kreeg een ~ in zijn arm* a bullet grazed his arm

**schandaal** scandal, outrage ★ *wat een ~!* what a disgrace!

**schandaalblad** scandal sheet, rag

**schandaalpers** gutter press

**schandalig** scandalous, shameful, outrageous

**schanddaad** outrage

**schande** *oneer* shame, disgrace, ignominy ★ *~ aandoen / te ~ maken* disgrace ★ *~ spreken van iets* call sth a disgrace, cry out against sth

**schandelijk** disgraceful, shameful, ignominious ★ *er ~ uitzien* look disgraceful

**schandknaap** male prostitute

**schandpaal** ▼*iem. aan de ~ nagelen* pillory sb, expose sb to public scorn

**schandvlek** stain, blemish, stigma

**schans ❶** *mil bolwerk* entrenchment **❷** *sport skischans* ski jump

**schansspringen** ski jumping

**schap** shelf *mv: shelves* ★ *de ~pen vullen* stock the shelves

**schapenbout** *cul* leg of mutton

**schapendoes** (Dutch) sheepdog

**schapenfokkerij ❶** *het fokken* sheep breeding **❷** *bedrijf* sheep farm

**schapenkaas** *cul* sheep's cheese

**schapenscheerder** shearer

**schapenvacht** (alleen de wol) fleece, (huid en wol) sheepskin

**schapenvlees** mutton

**schapenwolken** fleecy clouds

**schappelijk** *billijk* fair, reasonable, (clement) lenient

**schar** dab, flounder

**schare** multitude, (legerschare) host

**scharen I** *ov ww, groeperen* range, draw up ★ *zich achter iem. ~* side with sb ★ *zich ~ aan de zijde van* range o.s. on the side of, side with ★ *zich ~ om* gather round, rally round **II** *on ww, bewegen als een schaar* (turnen) perform scissors, (van voertuig) jackknife

**scharminkel** scrawny person / animal, bag of bones, skeleton

**scharnier** hinge

**scharnieren** hinge

**scharniergewricht** hinge-joint

**scharrel ❶** *het scharrelen* flirtation ★ *aan de ~ zijn* fool around **❷** *persoon* flirt, pick-up

**scharrelaar ❶** *iem. zonder vast beroep* jack of all trades, odd jobber **❷** *sjacheraar* junk dealer **❸** *versierder* flirt, *form* philanderer

**scharreldier** free-range animal

**scharrelei** free-range egg

**scharrelen I** *ov ww, bijeenbrengen* scrape together **II** *on ww* ❶ *rommelen* rummage / grub (about), (in tweedehands auto's, e.d.) deal in ★ *laat hem maar ~* let him muddle / struggle along **❷** *flirten* ★ *met meisjes ~* play around with girls

**scharrelkip** free-range chicken

**scharrelvarken** free-range pig

**scharrelvlees** free-range meat

**schat ❶** *kostbaar bezit* treasure **❷** *lief persoon* love, dear, darling **❸** *overvloed* treasure, wealth ★ *een ~ aan inlichtingen* a wealth of information

**schatbewaarder** *BN penningmeester* treasurer

**schateren** roar with laughter

**schaterlach** burst of laughter

**schaterlachen** roar with laughter

**schatgraven** dig for treasure

**schatgraver** treasure digger / hunter / seeker

**schatkamer ❶** *lett* treasury **❷** *fig* storehouse

**schatkist ❶** *staatskas* exchequer, treasury **❷** *geldkist* treasure chest

**schatplichtig** tributary, (voor belasting) taxable

**schatrijk** wealthy

**schattebout** baby, sweetie pie, honey

**schatten ❶** *taxeren* (ramen, begroten) estimate, value, appraise, (ramen, begroten) assess ★ *iets op de juiste waarde weten te ~* rightly estimate the value of sth ★ *te hoog ~* overrate ★ *te laag ~* underrate ★ *~ op* value at ★ *hoe oud schat je hem?* how old do you think he is? ★ *afstanden ~* judge distance ★ *verkeerd ~* misjudge **❷** *achten* consider ★ *iem. niet hoog ~* have a poor opinion of sb

**schattig** sweet

**schatting ❶** *taxatie* estimation ★ *naar ruwe ~* at a rough estimate **❷** *belasting* tribute ★ *'n ~ opleggen* exact a tribute from

**schaven ❶** *glad maken* plane **❷** *verfijnen* polish **❸** *snijden* slice **❹** *verwonden* graze

**schavot** scaffold

**schavuit** rascal

**schede ❶** *omhulsel* sheath ★ *in de ~ steken* sheathe (the sword) **❷** *vagina* vagina

**schedel ❶** *hersenpan* skull **❷** *doodshoofd* death's head, skull

**schedelbasisfractuur** fracture of the base of the skull

**schedelbeen** cranial bone

**scheef I** *bnw* ❶ *niet recht* (lijn) oblique, (hoek) oblique, crooked, (hellend) slanting, (hellend) sloping, (lijn) slanting ★ *een scheve rug* a crooked back ★ *de scheve toren van Pisa* the leaning tower of Pisa **❷** *verkeerd* wrong ★ *scheve verhouding* false position **II** *bijw* ❶ *niet recht* ★ *iets ~ houden* hold sth tilting to one side **❷** *verkeerd* ★ *iets ~ voorstellen* misrepresent sth

**scheefgroeien** grow crooked / askew

**scheefhangen** (van schip) list ★ *de foto hangt scheef* the picture's not (hanging) straight, the picture is crooked

**scheeflopen** *fig* go wrong

**scheefslaan** *BN stelen* pinch, lift

**scheefstaan** be crooked, (van toren, muur, enz) lean ★ *je bril staat scheef* your glasses are on crooked ★ *de tafel staat scheef* the table is slanting, the table is not level

**scheeftrekken I** *ov ww* ❶ *lett* distort, warp **❷** *fig foutgaan* go wrong **II** *on ww lett* become warped, warp

**scheefzitten** sit sideways ★ *je das zit scheef* your tie is crooked ★ *je muts zit scheef* your beanie is askew

**scheel** cross-eyed ★ *hij is ~* he's cross-eyed ▼*~ worden van jaloezie* turn green with envy

**scheelzien** be cross-eyed, squint ▼*~ van de honger* be faint with hunger

**scheen** shin ▼*iem. tegen de schenen schoppen* tread on sb's toes

**scheenbeen** shinbone

**scheenbeschermer** shin pad

**scheep** ▼*lett ~ gaan* go aboard, embark ▼*fig BN ~*

*gaan met iem.* throw in one's lot with sb
**scheepsarts** ship's doctor
**scheepsbeschuit** ships biscuit, hardtack
**scheepsbouw** shipbuilding
**scheepsbouwindustrie** shipbuilding industry
**scheepshelling** slips *mv*, slipway
**scheepshuid** shell plating
**scheepshut** cabin, berth
**scheepsjongen** cabin boy
**scheepsjournaal** log, logbook
**scheepslading** shipload
**scheepsramp** shipping disaster
**scheepsrecht** jur maritime law▼ *driemaal is ~* third time lucky
**scheepsruim** (ship's) hold
**scheepswerf** shipyard
**scheepvaart** navigation
**scheepvaartbericht** shipping news / report
**scheepvaartroute** shipping route, ⟨op zee ook⟩ ocean lane
**scheepvaartverkeer** shipping
**scheerapparaat** electric shaver
**scheercrème** shaving cream
**scheerkop** shaving / shaver head
**scheerkwast** shaving brush
**scheerlijn** tension wire / rope, ⟨m.b.t. tent⟩ guy, ⟨m.b.t. schip⟩ painter
**scheermes** razor
**scheermesje** razor blade
**scheerschuim** shaving foam
**scheerspiegel** shaving mirror
**scheerwol** virgin wool ★ *zuiver ~* pure (new) wool
**scheerzeep** shaving cream
**scheet** ❶ *wind* fart ★ *een ~ laten* fart ❷ *koosnaam* cutie (pie), ducky ★ *ah, wat een ~je!* oh, isn't (s)he cute!
**scheidbaar** separable, detachable
**scheiden** I *ov ww* ❶ *eenheid verbreken* ⟨'t haar⟩ part, part, separate ★ *het hoofd van de romp ~* sever the head from the body ❷ *onderscheiden* separate, distinguish II *on ww* ❶ *uiteengaan* part, separate ★ *hij kan niet van z'n geld ~* he cannot part with his money ❷ *weggaan* depart ❸ *huwelijk ontbinden* divorce, ⟨van tafel en bed⟩ separate ★ *zij gaan ~* they are getting a divorce ★ *zij wil zich laten ~ van haar man* she wants to divorce her husband
**scheiding** ❶ *splitsing* separation, division ★ *~ van kerk en staat* separation of Church and State ❷ *grens* boundary ❸ *lijn in haar* parting ❹ *tussenschot* partition ❺ *echtscheiding* divorce
**scheidslijn** dividing line, borderline
**scheidsmuur** ❶ lett partition wall ❷ fig barrier
**scheidsrechter** sport arbiter, ⟨tennis⟩ umpire, ⟨voetbal⟩ referee
**scheikunde** chemistry
**scheikundeles** onderw chemistry class / lesson
**scheikundig** chemical
**schel** ❶ *scherp* ⟨geluid⟩ shrill, ⟨geluid⟩ piercing ❷ *helder* ⟨licht⟩ glaring, ⟨kleur⟩ loud
**Schelde** Scheldt
**schelden** curse, swear, use abusive language ★ *~ gaan* become verbally abusive▼ *~ doet geen zeer* hard words break no bones
**scheldkanonnade** torrent / barrage of verbal abuse

**scheldnaam** term of abuse, nickname
**scheldpartij** slanging match, swearing
**scheldwoord** term of abuse, ⟨schunnige taal⟩ obscenity
**schelen** ❶ *onderling verschillen* make a difference, differ ★ *zij ~ niet veel in leeftijd* they don't differ much in age ❷ *uitmaken* make a difference, matter ★ *het kan mij niet ~* I don't care, I don't mind ★ *het kan niet ~* never mind ❸ *ontbreken* ★ *dat scheelt veel* that makes a big difference ★ *dat scheelde niet veel!* that was a close call! ★ *het scheelde weinig / maar 'n haar of zij hadden gewonnen* they came within an ace of winning, they lost by a hair ❹ *mankeren* be the matter ★ *wat scheelt eraan?* what's the matter?
**schelm** ❶ *deugniet* rascal ❷ *schurk* scoundrel, crook
**schelp** *schaal van weekdier* shell▼ BN *in zijn ~ kruipen* draw in one's horns, retreat into one's shell▼ BN *uit zijn ~ komen* come out of one's shell
**schelpdier** shellfish, crustacean
**schelvis** haddock
**schema** ❶ *model* outline ❷ *tijdsplanning* schedule ★ *we liggen precies op ~* we're right on schedule ❸ *tekening* diagram
**schematisch** schematic
**schemer** twilight, dusk
**schemerdonker** twilight
**schemerduister** twilight, dusk
**schemeren** I *on ww* ❶ *in de schemer zitten* be in the twilight ❷ *vaag te zien zijn* be dimly visible, glimmer ★ *er schemert mij zoiets voor de geest* I remember it vaguely II *onp ww, schemerig zijn* ⟨'s morgens⟩ dawn, ⟨'s avonds⟩ grow dark
**schemerig** *halfduister* dusky, dim, twilit
**schemering** *schemer* twilight, ⟨donkerder⟩ dusk
**schemerlamp** floor / table lamp
**schemertoestand** twilight state
**schenden** ❶ *beschadigen* damage ❷ *onteren* ⟨vrouw⟩ violate, ⟨eer, goede naam⟩ sully, ⟨eer, goede naam⟩ defile, ⟨graf,⟩ desecrate ❸ *overtreden* ⟨verdrag, mensenrechten⟩ violate, ⟨rechten, wet⟩ infringe, ⟨belofte⟩ break
**schending** ⟨ontering⟩ violation, ⟨ontheiliging⟩ desecration, ⟨overtreding⟩ transgression, ⟨beschadiging⟩ mutilation
**schenkel** ❶ *been van dier* shank, hock ❷ *been van mens* shank, femur
**schenken** ❶ *geven* grant, give, make a present of ★ *de rest schenk ik je* you may keep the rest ❷ *verlenen* grant, give ★ *aandacht ~* pay attention (to) ★ *geloof ~* give credence (to) ❸ *gieten* pour ❹ *serveren* serve
**schenking** gift, donation ★ BN *~ onder levenden* gift during the lifetime (of the giver)
**schenkingsrecht** jur gift tax
**schennis** rel violation, desecration
**schep** ❶ *gereedschap* scoop, shovel ❷ *een schep vol* shovelful, ⟨lepel⟩ spoonful ★ *een ~je suiker* a (tea)spoonful of sugar ❸ *grote hoeveelheid* ★ *een ~ geld* a lot of money
**schepen** BN *wethouder* chairman of the... executive (committee), gesch alderman ★ *wethouder van onderwijs* chairman of the

education executive (committee)
**schepencollege** BN town council, mayor and aldermen
**scheper** BN sheepdog
**schepijs** ice-cream
**schepnet** landing net, scoop net
**scheppen ❶** *opscheppen* scoop, ⟨sneeuw, kolen⟩ shovel, ⟨eten⟩ ladle **❷** *putten ★ behagen ~ in* take pleasure in ★ *moed ~* take / muster / pluck up courage **❸** *omverrijden* knock down **❹** *creëren* create ★ *orde ~ in...* bring order into...
**schepper** creator
**schepping** creation
**scheppingsverhaal** story of the Creation
**scheprad** paddle wheel
**schepsel** creature
**scheren I** *ov ww, kort afsnijden* ⟨van haar⟩ shave, ⟨van dieren⟩ shear ★ *zich ~* shave ★ *zich laten ~* have a shave **II** *on ww* **❶** *rakelings gaan langs* skim over / along **❷** *snel bewegen* skim
**scherf** splinter, potsherd, ⟨van glas, granaat⟩ fragment
**schering** warp ▾ *dat is ~ en inslag* that is a common occurrence, that is customary
**scherm ❶** *afscheiding* screen, ⟨zonnescherm⟩ awning **❷** *toneelgordijn* curtain **❸** *beeldscherm* screen, ⟨comp. ook⟩ display **❹** plantk umbel ▾ *achter de ~en kijken* look behind the scenes
**schermen ❶** sport fence **❷** *druk zwaaien* ⟨met stok⟩ brandish, ⟨met armen⟩ wave **❸** *ophef maken* ⟨met woorden⟩ talk big, ⟨connecties, daden⟩ brag (about)
**schermkunst** (art of) fencing
**schermles** fencing lesson(s)
**schermutseling** *klein gevecht* skirmish
**scherp I** *bnw* **❶** *puntig* sharp **❷** *goed snijdend* sharp(-edged), keen **❸** *hoekig* sharp ★ *~e hoek* sharp corner, wisk acute angle ★ *~e bocht* sharp turn ★ *~e trekken* sharply defined features **❹** *vinnig* sharp, harsh ★ *~ gesteld* strongly worded (letter) ★ *~e opmerking* tart remark **❺** *scherpzinnig* sharp, ⟨verstand⟩ keen, ⟨oordeel⟩ acute **❻** *met fijn onderscheidingsvermogen* sharp, ⟨gezichtsvermogen⟩ keen ★ *~e ogen hebben* have sharp eyes ★ *~ gehoor hebben* have sharp / quick ears **❼** *streng* ⟨opmerking, artikel⟩ severe ★ *~e controle* close control **❽** *duidelijk uitkomend* sharp, clear-cut ★ *~ stellen* focus ★ *~ besneden trekken* clean-cut features ★ *~ contrast* sharp contrast ★ *een ~ beeld geven* give excellent definition **❾** *pijnlijk* sharp, (geur) pungent, ⟨wind⟩ cutting, ⟨kou, wind⟩ biting, ⟨licht⟩ glaring **❿** *heet* sharp, spicy, hot **⓫** *weinig marge latend* sharp, severe ★ *een ~ e prijsdaling* a sharp / steep drop in prices **II** *zn* [het] **❶** *scherpe kant* edge **❷** *munitie* ★ *met ~ schieten* use live ammunition
**scherpen** lett *scherper maken* sharpen
**scherpomlijnd** clear- / clean-cut, well-marked / -defined
**scherprechter** executioner, hangman
**scherpschutter** sharpshooter, ⟨sluipschutter⟩ sniper
**scherpslijper** bigot, literalist
**scherpte ❶** *puntigheid* sharpness, ⟨van hoek⟩ acuteness **❷** *duidelijkheid* sharpness, ⟨van beeld ook⟩ definition **❸** *fijn onderscheidingsvermogen*

sharpness, keenness, judgement **❹** *bitsheid* harshness, sharpness **❺** *strengheid* strictness, severity
**scherpzinnig** acute, keen witted, shrewd
**scherts** joke, fun ★ *als ~ opvatten* treat as a joke
**schertsen** jest, joke ★ *het was maar scherts* I (etc.) was only joking
**schertsend I** *bnw* joking, jesting ★ *~ woord* word in jest **II** *bijw* jokingly, in jest
**schertsfiguur** joke, nonentity
**schertsvertoning** joke
**schets ❶** *tekening* sketch **❷** *korte beschrijving* outline **❸** *kort verhaal* sketch
**schetsblok** sketch pad
**schetsboek** sketchbook
**schetsen ❶** *tekenen* sketch **❷** *beschrijven* outline
**schetsmatig** sketchy
**schetteren** blare
**scheur ❶** *spleet* crack, ⟨in kleding⟩ tear **❷** *mond* ★ *je ~ opentrekken* open your big mouth
**scheurbuik** scurvy
**scheuren I** *ov ww, scheuren maken* ⟨verscheuren⟩ tear up, ⟨per ongeluk⟩ tear ★ *in stukken ~* tear to pieces **II** *on ww* **❶** *een scheur krijgen* tear, ⟨van ijs, e.d.⟩ crack **❷** *hard rijden* speed
**scheuring ❶** *het scheuren* tearing, rupture **❷** *splitsing* rupture, split, ⟨kerkelijk⟩ schism
**scheurkalender** block-calendar
**scheut ❶** *hoeveelheid vloeistof* dash **❷** *steek* twinge, stab (of pain) **❸** *loot* shoot, sprout
**scheutig** liberal, generous ▾ BN *niet ~ zijn op* not be keen / hot on
**schicht** *bliksemflits* flash (of lightning)
**schichtig** shy, skittish ★ *~ worden* jib, shy (at), shy away from
**schielijk ❶** *snel* quick **❷** *plotseling* sudden
**schiereiland** peninsula
**schietbaan** rifle range
**schieten I** *ov ww* **❶** ⟨een projectiel⟩ *afvuren* shoot, fire ★ *~ op* fire at / on **❷** *treffen* shoot ★ *zich voor het hoofd ~* blow one's brains out **❸** plantk *uitlopen* shoot ★ *knop ~* bud ★ *loten ~* put forth shoots ★ *zaad ~* go to seed **II** *on ww* **❶** *vuren* shoot ★ *gaan ~* open fire **❷** *snel bewegen* dart, rush ★ *een touw laten ~* release a rope, pay / run out a rope ★ *in de kleren ~* slip into one's clothes ★ *in de hoogte ~* shoot up ★ *voorover ~* pitch forward **❸** *snel groeien* sprout, shoot up **❹** sport shoot ★ *naast ~* miss ▾ *het schiet me weer te binnen* it's coming back to me ▾ *iets laten ~* let sth go
**schietgat** loophole
**schietgebed** quick / short prayer
**schietgraag** trigger-happy
**schietlood** plummet
**schietpartij** shooting
**schietschijf** target
**schietstoel** ejector seat
**schiettent** shooting gallery
**schiften I** *ov ww, sorteren* sift, sort (out), sort through **II** *on ww, klonteren* curdle
**schifting** *selectie* sifting, sorting, selection
**schijf ❶** *platrond voorwerp* disc **❷** *draaibord* disc **❸** *plak* slice **❹** *schietschijf* target **❺** *damschijf* man, piece **❻** *belastingschijf* bracket **❼** comp disk
**schijfrem** disc brake

**schijn** ❶ *(valse) indruk* appearance, semblance ★ *voor de* ~ for the show, for the sake of appearances ★ *in* ~ seemingly ★ ~ *bedriegt* appearances are deceptive ★ *hij heeft de* ~ *tegen zich* appearances are against him ★ *de* ~ *wekken dat...* give the appearance that... ❷ *waarschijnlijkheid* appearance ★ *naar alle* ~ to all appearance(s) ❸ *schijnsel* shine, glimmer ▼ *geen* ~ *van kans hebben* not have the ghost of a chance, not have a dog's chance

**schijnaanval** *mil* feint, sham attack

**schijnbaar** I *bnw, niet werkelijk* seeming, apparent II *bijw, blijkbaar* evidently, apparently

**schijnbeweging** feint

**schijndood** I *zn* [de] apparent death, suspended animation II *bnw* apparently dead, seemingly in a state of suspended animation

**schijnen** ❶ *stralen* shine ❷ *lijken* seem ★ *naar het schijnt* apparently

**schijngestalte** phase

**schijnheilig** hypocritical

**schijnhuwelijk** marriage of convenience

**schijnproces** show trial

**schijnsel** shine, radiance, glimmer

**schijntje** ★ *het kost maar een* ~ it costs next to nothing, it's dirt cheap

**schijnvertoning** sham, farce, mockery

**schijnwerper** floodlight, ⟨toneel⟩ spotlight, ⟨zoeklicht⟩ searchlight ▼ *in de* ~*s staan* be in the limelight

**schijnzwanger** ★ ~ *zijn* have a phantom pregnancy

**schijt** shit ▼ *ergens* ~ *aan hebben* don't give a damn about

**schijten** shit

**schijterig** timorous, chicken(-hearted) | (-livered)

**schijthuis** ❶ *toiletgebouw* shithouse ❷ *lafaard* chicken

**schijtlijster** chicken, *jeugdt* scaredy-cat

**schijtluis** funk, chicken, coward

**schik** ❶ *tevredenheid* ★ *hij was er erg mee in zijn* ~ he was very pleased with it ❷ *plezier* fun

**schikgodin** Fate, goddess of destiny ★ *de drie* ~*nen* the three Fates

**schikken** I *ov ww* ❶ *goed plaatsen* arrange, order ★ *bloemen* ~ make a flower arrangement ❷ *regelen* settle II *on ww, gelegen komen* suit, be convenient ★ *zodra het u schikt* at your earliest convenience III *wkd ww* [zich ~] ❶ *berusten* resign oneself, reconcile oneself ★ *zich* ~ *in zijn lot* resign o.s. to one's fate ❷ *voegen naar* go along with ★ *zich zo goed mogelijk in iets* ~ make the best of sth ★ *zich naar iemands wensen* ~ comply with sb's wishes

**schikking** ❶ *ordening* arrangement ❷ *overeenkomst* agreement, arrangement, settlement ★ *tot 'n* ~ *komen* come to an agreement, reach a settlement ★ *'n* ~ *treffen* make an agreement

**schil** ⟨meloen, sinaasappel⟩ rind, ⟨banaan, sinaasappel⟩ peel, ⟨van bessen, druiven, bananen⟩ skin, ⟨van ei⟩ shell

**schild** ❶ *mil beschermingsplaat* shield ❷ *dierk dekschild* ⟨van schildpad, kreeft⟩ shell, ⟨van schildpad⟩ carapace, ⟨van insecten⟩ wing case ❸ *wapenschild* ▼ *wat voert hij in zijn* ~? what is he up to?

**schilder** ❶ *huisschilder* (house) painter, (house) decorator ❷ *kunstschilder* painter

**schilderachtig** *pittoresk* picturesque

**schilderen** ❶ *verven* paint, decorate ❷ *afbeelden* paint ❸ *beschrijven* paint, picture

**schilderij** picture, painting

**schildering** ❶ *schilderij* picture ❷ *beschrijving* depiction

**schilderkunst** (art of) painting

**schildersbedrijf** *vak* painting business

**schildersezel** easel

**schildertechniek** painting technique

**schilderwerk** ❶ *het geschilderde* paintwork ❷ *te schilderen werk* paint job

**schildklier** thyroid gland

**schildknaap** shield bearer

**schildpad** tortoise, ⟨zeeschildpad⟩ turtle

**schildwacht** sentry, guard

**schilfer** flake, scale

**schilferen** peel off, flake

**schilferig** scaly, flaky

**schillen** *van schil ontdoen* peel

**schilmesje** *mes om mee te schillen* peeler

**schim** ❶ *schaduwbeeld* silhouette ❷ *vage gedaante* shadow, shade ❸ *geest* shade, ghost

**schimmel** ❶ *paard* grey ❷ *zwam* fungus ❸ *uitslag* mould, mildew

**schimmelen** become / get mouldy

**schimmelig** ❶ *beschimmeld* mouldy ❷ *schimmelachtig* fungoid

**schimmelinfectie** yeast infection

**schimmelkaas** *cul* blue cheese

**schimmelvorming** formation of mould / mildew

**schimmenrijk** spirit world

**schimmenspel** shadow play

**schimmig** shadowy

**schimp** taunt, abuse

**schimpen** ★ ~ *op* gibe at

**schimpscheut** gibe

**schip** ❶ *vaartuig* ship, vessel ❷ *beuk van kerk* nave ▼ *schoon* ~ *maken* make a clean sweep ▼ *het* ~ *ingaan* suffer a financial setback ▼ *een* ~ *op het strand, een baken in zee* one man's fault is another man's lesson

**schipbreuk** shipwreck ★ ~ *lijden* be shipwrecked, *fig* fail ▼ ~ *doen lijden* wreck, torpedo

**schipbreukeling** shipwrecked person

**schipper** master, skipper, ⟨van binnenvaartuig⟩ bargeman, ⟨van kleine boot⟩ boatman

**schipperen** *compromissen doen* give and take, compromise

**schipperstrui** seaman's pullover / jersey

**schisma** schism

**schitteren** ❶ *fel schijnen* shine, ⟨van ogen, diamanten, e.d.⟩ glitter, ⟨van ogen, diamanten, e.d.⟩ sparkle ❷ *uitblinken* shine, excel

**schitterend** ❶ *glinsterend* glittering, sparkling ❷ *prachtig* brilliant, splendid

**schittering** ❶ *het schitteren* brilliance ❷ *pracht* lustre, splendour

**schizofreen** schizophrenic

**schizofrenie** schizophrenia

**schlager** hit

**schlemiel** ❶ *sul* wally, USA sap ❷ *pechvogel* loser,

**SC**

underdog

**schmink** paint, make up

**schminken** make up

**schnabbel** job on the side, muz gig

**schnabbelen** have a job on the side, muz have / play a gig, 〈vooral 's avonds〉 moonlight

**schnitzel** veal escalope / cutlet, schnitzel ★ *wiener*~ Wiener / Vienna schnitzel

**schoeien ❶** *van schoeisel voorzien* shoe **❷** *beschoeien* timber

**schoeiing ❶** *het beschermen* timbering, 〈van waterkanten〉 campshedding **❷** *beschoeiing* campshedding, campshot

**schoeisel** footwear

**schoen** *schoeisel* 〈hoge schoen〉 boot, shoe ▼*iem. iets in de ~en schuiven* pin sth on sb ▼*ik zou niet graag in zijn ~en staan* I wouldn't like to be in his shoes ▼BN *recht in zijn ~en staan* stand firm ▼*stevig in zijn ~en staan* be sure of one's ground, stand firm ▼BN *in nauwe ~tjes zitten* be in a tight spot / corner, be hard pressed ▼*naast zijn ~en lopen* be too big for one's boots ▼*daar wringt de ~* that's where the shoe pinches ▼*wie de ~ past, trekke hem aan* if the shoe fits, wear it

**schoenborstel** shoe brush

**schoencrème** shoe polish

**schoenendoos** shoe box

**schoenenwinkel** shoe shop

**schoener** schooner

**schoenlepel** shoehorn

**schoenmaat** shoe size

**schoenmaker** shoemaker ▼~, *blijf bij je leest* every man to his trade

**schoenpoetser** shoeblack, shoeshine boy, shoeshine machine

**schoensmeer** shoepolish

**schoenveter** shoelace, USA shoestring

**schoenzool** sole

**schoep** *schepbord op waterrad* paddle, 〈van turbine〉 blade

**schoffel** hoe

**schoffelen ❶** *bewerken met schoffel* hoe **❷** sport chop

**schofferen** *beledigen* treat with contempt

**schoffie** rascal, imp

**schoft ❶** *schurk* scoundrel, bastard **❷** *schouder van dier* withers mv

**schoftenstreek** rotten / dirty trick

**schofterig** beastly, villainous

**schok ❶** *stoot* jerk, 〈van auto, e.d.〉 jolt, 〈bij botsing〉 impact, 〈aardschok〉 earthquake, 〈aardschok〉 tremor ▼~ *absorberend* 〈v. auto, e.d.〉 shock absorbing **❷** *stroomstoot* shock **❸** *emotionele gebeurtenis* shock

**schokabsorberend** shock-absorbing

**schokbestendig** shockproof

**schokbeton** vibrated concrete

**schokbreker** shock absorber

**schokdemper** shock absorber

**schokeffect** impact, shock

**schokgolf** shock wave

**schokken I** *ov ww* **❶** *heftig beroeren* shake, 〈emotioneel〉 shock ★ *het heeft mij zeer geschokt* it has given me a great shock **❷** *betalen* cough up **II** *on ww, schudden* shake, jerk

**schokkend** shocking ★ ~ *nieuws* startling news

**schokschouderen** shrug one's shoulders

**schoksgewijs** with sudden starts and stops, jerkily, by fits and starts

**schol ❶** *vis* plaice *mv: id.* **❷** *ijsschots* floe **❸** geol 〈fault〉 block

**scholekster** oystercatcher

**scholen I** *ov ww, opleiden* school, teach **II** *on ww, samenscholen* flock together

**scholengemeenschap** comprehensive school, combined school

**scholier** pupil, 〈AE〉 student

**scholing** schooling

**schommel ❶** *speeltuig* swing **❷** *dik mens* fat person, fatty

**schommelen ❶** *heen en weer bewegen* 〈van trein, in stoel〉 rock, 〈van boot〉 roll, 〈van prijs〉 fluctuate, 〈van slinger〉 swing **❷** *waggelen* waddle

**schommeling** swing, fluctuation

**schommelstoel** rocking chair

**schoof** sheaf *mv: sheaves*

**schooien** beg

**schooier ❶** *zwerver* beggar, bum, tramp **❷** *schoft* bastard

**school ❶** onderw *onderwijsinstelling* school, academy, private school, 〈grote kostschool〉 boarding school ★ *lagere* ~ elementary school, USA grade school ★ *middelbare* ~ secondary school, secondary school, USA junior high and high school ★ *openbare* ~ state school ★ BN *sociale* ~ social academy ★ *naar* ~ *gaan* go to school **❷** onderw *lessen* school ★ *op* ~ at school ★ *de* ~ *is uit* school is over **❸** onderw *schoolgebouw* school **❹** *kunst richting* school **❺** *groep vissen* shoal ▼*uit de* ~ *klappen* spill the beans, let the cat out of the bag ▼*iem. van de oude* ~ sb of the old school

**schoolagenda** onderw school diary

**schoolarts** onderw med school doctor

**schoolbank** desk ★ *ik heb met haar in de ~en gezeten* we went to school together

**schoolbezoek** 〈door leerlingen〉 (school) attendance, 〈door inspecteur〉 visit from the inspector

**schoolblijven** be kept in, stay in ★ *iem. laten* ~ have sb in detention

**schoolboek** schoolbook, textbook

**schoolbord** blackboard

**schoolbus** school bus

**schooldag** school day

**schooldecaan** careers master / mistress, vocational adviser

**schoolengels** school(book) English

**schoolfeest** school party

**schoolgaand** school-going

**schoolgeld** tuition

**schoolhoofd** principal, headmaster, headmistress

**schooljaar** school year ★ *een* ~ *over doen* repeat (the year)

**schooljeugd** schoolchildren

**schooljuffrouw** schoolmistress, schoolteacher

**schoolkeuze** choice of school

**schoolklas** onderw 〈groep〉 class, 〈leerjaar〉 form

**schoolkrant** school (news)paper

**schoolkrijt** chalk

**schoollokaal** classroom

**sc**

**schoolmeester** ❶ *leerkracht* schoolmaster ❷ *schoolmeesterachtig type* pedant
**schoolonderzoek** (internal) exam(ination)
**schoolplein** schoolyard, playground
**schoolpsycholoog** school psychologist
**schoolreis** school excursion, class trip
**schools** ❶ *zoals op school* schoolish ❷ fig *niet zelfstandig* (idee, stijl, e.d.) bookish
**schoolslag** sport breaststroke
**schooltas** schoolbag, (over schouder) satchel, (op rug) backpack
**schooltelevisie** educational television
**schooltijd** ❶ *lestijd* school hours *mv*, school time ★ *buiten* ~ after school ❷ *schooljaren* schooldays *mv*, schoolyears *mv*
**schooluitval** onderw school dropout
**schoolvakantie** onderw school holidays *mv*, USA school vacation
**schoolvereniging** ❶ *scholierenvereniging* students' union ❷ *vereniging die school opricht* school association
**schoolverlater** onderw recent graduate ★ *vroegtijdige* ~ drop-out
**schoolverzuim** (algemeen) school absenteeism, (concreet) absence from school
**schoolvoorbeeld** classic example
**schoolziek** faking illness to get out of going to school
**schoolzwemmen** school swimming
**schoon I** *bnw* ❶ *niet vuil* clean ★ *schone sokken* clean socks, change of socks ❷ BN *mooi* fine, (vrouw) pretty, (man) handsome ❸ *netto* clear **II** *bijw, helemaal* ★ *het is* ~ *op* it's clean gone **III** *zn* [het] beauty
**schoonbroer** BN brother-in-law
**schoondochter** daughter-in-law
**schoonfamilie** in-laws *mv*, one's wife's / husband's family
**schoonheid** beauty ★ *een* ~ a beauty ▼ BN *in* ~ *eindigen* end in dignity
**schoonheidsfout** flaw, (cosmetic) defect
**schoonheidsideaal** aesthetic ideal
**schoonheidskoningin** beauty queen
**schoonheidssalon** beauty parlour
**schoonheidsslaapje** beauty sleep
**schoonheidsspecialiste** beautician, beauty specialist
**schoonheidsvlekje** beauty spot
**schoonheidswedstrijd** beauty contest
**schoonhouden** keep clean
**schoonmaak** ❶ *lett* (house) cleaning, clean-up, (voorjaar) spring clean ★ *aan de grote* ~ *zijn* be spring-cleaning ❷ fig clean-up
**schoonmaakbedrijf** *bedrijf* cleaning firm
**schoonmaakbeurt** ❶ *keer dat schoongemaakt wordt* cleaning, cleanup ❷ *beurt om schoon te maken* turn to do the cleaning
**schoonmaakdoek** cleaning cloth, cleaning rag
**schoonmaakster** cleaning lady / woman
**schoonmaakwoede** fit of cleaning
**schoonmaken** ❶ *reinigen* clean ❷ cul *het niet-eetbare wegnemen* (vis) gut
**schoonmaker** cleaner
**schoonmoeder** mother-in-law
**schoonouders** in-laws *mv*, parents-in-law *mv*
**schoonrijden** figure skating

**schoonschrift** calligraphy
**schoonschrijven** calligraph
**schoonspringen** diving
**schoonvader** father-in-law
**schoonzoon** son-in-law
**schoonzuster, inform schoonzus** sister-in-law
**schoorsteen** chimney, (van stoomboot) funnel, (van kachel) flue, (van fabriek) exhaust pipe ▼ *daarvan kan de* ~ *niet roken* that won't keep the pot boiling
**schoorsteenmantel** mantelpiece
**schoorsteenveger** chimney sweep
**schoorvoetend** reluctant
**schoot** ❶ *bovendijen* lap ❷ *deel kledingstuk* skirt ❸ *scheepv* sheet ❹ fig *binnenste* bosom ★ *in de* ~ *der aarde* in the bowels of the earth ▼ *het hoofd in de* ~ *leggen* give in
**schoothondje** lap dog
**schootsafstand** range
**schootsveld** field of fire
**schop** ❶ *trap* kick ★ sport *vrije* ~ free kick ❷ *spade* shovel, spade
**schoppen I** *ov ww, schop geven* kick (at) **II** *zn* [de] spades *mv*
**schoppenaas** ace of spades
**schoppenboer** jack of spades
**schoppenheer** king of spades
**schoppenvrouw** queen of spades
**schopstoel** ▼ *hij zit op de* ~ he may be fired at any moment, he's next in line
**schor** hoarse
**schorem** riffraff, scum
**schoren** underpin, prop up, shore up
**Schorpioen** *dierenriemteken* Scorpio
**schorpioen** *dier* scorpion
**schors** bark, rind
**schorsen** ❶ *buiten dienst stellen* suspend ❷ *tijdelijk opheffen* adjourn
**schorseneer** black salsify
**schorsing** ❶ *tijdelijke uitsluiting* suspension ❷ *uitstel* adjournment
**schort** apron, (overgooier) pinafore
**schorten I** *ov ww, opschorten* hold over **II** *on ww, haperen* ★ *wat schort er aan?* what is wrong?
**Schot** Scot, Scotsman
**schot** ❶ *het schieten* shot, crack, (knal) report ★ *een* ~ *lossen* fire a shot ★ *onder* ~ *houden* keep covered ❷ sport shot ❸ *vaart* ★ *er zit geen* ~ *in* it's going nowhere ★ ~ *brengen in de zaak* get things going ★ *er komt* ~ *in* things are beginning to move ❹ *tussenschot* partition, (in schip) bulkhead ▼ *buiten* ~ *blijven* keep out of range, keep out of harm's way
**schotel** ❶ *schaal* saucer ❷ cul *gerecht* dish ▼ *vliegende* ~ flying saucer
**schotelantenne** GB dish aerial, USA dish antenna
**schoteldoek** BN *vaatdoek* dishcloth
**schotelvod** BN *vaatdoek* dishcloth
**schotenwisseling** exchange of fire / shots
**Schotland** Scotland
**Schots** Scottish
**schots I** *zn* [de] (ice) floe **II** *bijw* ▼ ~ *en scheef door elkaar* higgledy-piggledy
**schotschrift** lampoon, squib, slander
**Schotse** Scotswoman

**schotwond** shot wound, bullet wound
**schouder** shoulder ★ *de ~s ophalen* shrug one's shoulders ★ *~ aan ~ staan* stand shoulder to shoulder, show a united front ▼ *de ~s eronder zetten* put one's shoulder to the wheel
**schouderband ❶** *band aan kledingstuk* shoulder strap **❷** *draagband* sling, strap
**schouderblad** shoulder blade
**schoudergewricht** shoulder joint
**schouderhoogte** shoulder height / level
**schouderkarbonade** chuck chop
**schouderklopje** pat on the back ★ *iem. een ~ geven* pat sb on the back
**schouderophalen** shrug
**schoudertas** shoulder bag
**schoudervulling** shoulder pad(s)
**schout** *gesch* bailiff, sheriff
**schout-bij-nacht** rear admiral
**schouw ❶** *stookplaats* fireplace **❷** BN *schoorsteen* chimney
**schouwburg** theatre
**schouwen ❶** *inspecteren* inspect, survey **❷** *aanschouwen* contemplate
**schouwspel** spectacle, scene
**schraag** trestle
**schraal ❶** *mager* lean, thin **❷** *karig* scant(y), ⟨inkomen⟩ slender, ⟨maaltijd⟩ poor ★ *een schrale troost* a cold comfort **❸** *uitgedroogd* ⟨van huid⟩ dry, ⟨van huid⟩ rough **❹** *onvruchtbaar* poor, arid **❺** *guur* bleak
**schraalhans** miser ▼ *~ is keukenmeester* their cupboard is always bare
**schraapzucht** stinginess
**schragen** prop up, support
**schram** *wondje* scratch
**schrammen** scratch
**schrander** clever, smart, bright
**schransen** stuff, gorge ★ *hij kan geweldig ~* he's a big eater
**schrap I** *zn* [de] **❶** *kras* scratch **❷** *doorhaling* line ★ *een ~ halen door iets* cross sth off **II** *bijw* ★ *zich ~ zetten* brace o.s.
**schrapen ❶** *afkrabben* scrape ★ *zijn keel ~* clear one's throat **❷** *verzamelen* scrape together
**schraper ❶** *schraapijzer* scraper **❷** *persoon* miser
**schrappen ❶** *schrapen* ⟨aardappels⟩ scrape, ⟨vis⟩ scale **❷** *doorhalen* cancel, ⟨naam⟩ strike out / off, ⟨woord, clausule⟩ delete ★ *hij werd van de lijst geschrapt* he was crossed off the list, he was scraped from the list ★ BN *~ wat niet past* delete where not applicable
**schrede** *pas* step, pace ★ *met rasse ~n* with rapid strides ▼ *op zijn ~n terugkeren* retrace one's steps
**schreef** *druk* dwarsstreepje serif ▼ *over de ~ gaan* overstep the mark, go too far
**schreeuw** shout, cry ★ *een ~ geven* give a cry, scream
**schreeuwen I** *ov ww, iets hard roepen* shout (out), cry (out), yell (out) **II** *on ww* **❶** *hard roepen* shout (out), cry (out), yell (out) **❷** *huilen* bawl, ⟨van varken⟩ squeal, ⟨van uil⟩ hoot **❸** *~ om* cry out for
**schreeuwend I** *bnw* loud **II** *bijw* ★ *~ duur* outrageously expensive
**schreeuwerig ❶** *schreeuwend* noisy, screaming **❷** *opzichtig* screaming, loud, garish

**schreeuwlelijk** bawler, big mouth, ⟨kind⟩ crybaby
**schreien** weep, cry
**schriel ❶** *mager* ★ *een ~ mannetje* a skinny little man **❷** *gierig* mean, stingy
**schrielhannes** pincher
**Schrift** ▼ *de Heilige ~* the Holy Writ, the Holy Scripture
**schrift ❶** *cahier* notebook **❷** *het schrijven* writing **❸** *handschrift* handwriting, script
**schriftelijk I** *bnw* written ★ *~e cursus* correspondence course ★ *~ werk* written work **II** *bijw* in writing
**Schriftgeleerde** scribe
**schrijden** stride, stalk
**schrijfbehoeften** stationery, writing materials
**schrijfbenodigdheden** stationery
**schrijfblok** notepad, writing pad
**schrijffout** slip of the pen, writing error
**schrijfkop** *comp* writing head
**schrijfmachine** typewriter
**schrijfmap** writing case
**schrijfpapier** writing paper
**schrijfster** writer, author
**schrijfstijl** style (of writing)
**schrijftaal** written language
**schrijfvaardigheid** penmanship, writing skill
**schrijfwerk** writing, paper work
**schrijfwijze ❶** *spelling* spelling, ⟨van getallen⟩ notation **❷** *handschrift* handwriting
**schrijlings** astride ★ *~ zitten op* straddle
**schrijnen** smart
**schrijnend** harrowing, distressing ★ *~e armoede* grinding poverty ★ *~ leed* poignant sorrow ★ *~ tekort* acute / desperate shortage ★ *een ~ verhaal* a harrowing story
**schrijnwerker ❶** *meubelmaker* cabinetmaker **❷** BN *timmerman* carpenter, ⟨kozijnen, enz.⟩ joiner
**schrijven I** *ov ww* **❶** *tekst noteren* write ★ *iets voluit ~* write sth in full **❷** *spellen* spell ★ *een woord fout ~* misspell a word **II** *on ww* **❶** *tekst noteren* write ★ *op een advertentie ~* answer an advertisement ★ *iem. ~* write to sb ★ *~ over* write on / about ★ *zij schreven dat het huis verkocht was* they wrote that the house had been sold ★ *met inkt ~* write in ink **❷** *letters aanbrengen* write **III** *zn* [het], *brief* letter
**schrijver** *iem. die schrijft* writer, author
**schrijverschap** authorship
**schrik ❶** *plotseling angstgevoel* terror, dread, fright ★ *iem. ~ aanjagen* frighten sb ★ *iem. de ~ op het lijf jagen* give sb a fright ★ *met de ~ vrijkomen* have a lucky escape ★ *de ~ van zijn leven krijgen* get the fright of one's life ★ *de ~ sloeg hem om het hart* he was seized with fear **❷** *angstaanjagend iets / iemand* ★ *hij is de ~ van iedereen* he is a holy terror
**schrikaanjagend** terrifying
**schrikachtig** jumpy, easily frightened, nervous, ⟨paard⟩ shy
**schrikbarend** terrifying, frightful
**schrikbeeld** spectre, bogey
**schrikbewind** reign of terror
**schrikdraad** electric wire, electric fence
**schrikkeldag** leap day, intercalary day

SC

**schrikkeljaar** leap year
**schrikkelmaand** February
**schrikken I** *ov ww, plotseling afkoelen* plunge from hot to cold **II** *on ww, schrik krijgen* be frightened, ⟨opschrikken⟩ start ★ *hij schrok zich dood* he was frightened to death ★ *doen ~* startle, frighten
**schrikreactie** shock reaction
**schril ❶** *schel* shrill **❷** *scherp afstekend* ⟨contrast⟩ sharp, ⟨kleuren⟩ glaring
**schrobben** scrub
**schrobber** scrubbing brush
**schrobbering** scolding, dressing down ★ *iem. een ~ geven* scold sb, give sb a talking-to
**schroef ❶** *pin met schroefdraad* screw **❷** *propeller* propeller **❸** *bankschroef* vice **❹** *spiraalvormige beweging* ▼ *alles staat op losse schroeven* everything is unsettled / in the air
**schroefas** propeller shaft
**schroefdeksel** screw-top lid
**schroefdop** screw-top
**schroefdraad** thread
**schroeien I** *ov ww, oppervlak verbranden* singe, ⟨haar⟩ scorch, ⟨wond⟩ cauterize **II** *on ww, aan oppervlakte branden* singe, burn
**schroeiplek** scorch ⟨mark⟩
**schroeven** screw
**schroevendraaier** screwdriver
**schrokken** gorge, gobble
**schrokop** gobbler, guzzler
**schromelijk** gross ★ *op ~e wijze* grossly ★ *zich ~ vergissen* be greatly mistaken
**schromen ❶** *aarzelen* hesitate **❷** *duchten* fear
**schrompelen** shrivel (up), wither
**schroom ❶** *verlegenheid* diffidence **❷** *vrees* fearfulness, ⟨bezorgdheid⟩ anxiety
**schroot I** *zn* [het] **❶** *metaalafval* scrap iron **❷** *schietlading* grapeshot, pellets *mv* **II** *zn* [de], *dunne lat* lath
**schroothandel** scrap / junkyard
**schroothoop** scrapheap
**schub** scale
**schubachtig** scaly, biol squamous
**schubdier** pangolin
**schuchter** shy
**schuddebuiken** ★ *~ van het lachen* rock / shake with laughter
**schudden I** *ov ww, bewegen* shake, ⟨kaarten⟩ shuffle ★ *elkaar de hand ~* shake hands ★ *het hoofd ~* shake one's head ★ *iem. door elkaar ~* shake sb ▼ *dat kun je wel ~!* forget it! **II** *on ww, bewogen worden* shake, rock ★ *doen ~* shake, rock
**schuier** brush
**schuif ❶** *grendel* bolt **❷** *klep* slide, ⟨van machine⟩ valve, ⟨van kachel⟩ damper ▼ BN *in de bovenste ~ liggen bij iem.* be in sb's good books
**schuifdak** sliding roof, ⟨van auto⟩ sunroof
**schuifdeur** sliding door
**schuifelen ❶** *voortbewegen* shuffle **❷** *dansen* smooch
**schuifladder** extension ladder
**schuifmaat** sliding calipers *mv*
**schuifpui** GB sliding French window, USA sliding / patio door
**schuifraam** sliding window

**schuiftrombone** slide trombone
**schuiftrompet** slide trumpet
**schuifwand** sliding wall
**schuiladres** secret address
**schuilen ❶** *beschutting zoeken* take shelter **❷** *zich verbergen* hide **❸** *te vinden zijn* lie, be found ★ *daar schuilt wat achter* there is more to it than meets the eye ★ *daar schuilt geen gevaar in* it carries no risks
**schuilgaan ❶** *zich verbergen* hide **❷** *verscholen zijn* ★ *~ achter* be hidden behind
**schuilhok** BN *bus- / tramhokje* bus / tram shelter
**schuilhouden** [zich ~] lie low
**schuilhut** GB hide, USA blind
**schuilkelder** air-raid shelter
**schuilnaam** pen name, pseudonym
**schuilplaats ❶** *verborgen plek* hiding place **❷** *veilige plek* shelter, refuge ★ *bomvrije ~* air-raid shelter
**schuim ❶** *blaasjes* foam, ⟨op bier, e.d.⟩ froth, ⟨van zeep⟩ lather, ⟨op vuil water e.d.⟩ scum **❷** *speeksel* foam, froth **❸** *gespuis* scum **❹** *gebak* meringue
**schuimbad** bubble bath
**schuimbekken** foam at the mouth
**schuimblusser** foam extinguisher
**schuimen I** *ov ww, afschuimen* skim **II** *on ww* **❶** *schuim vormen* foam, ⟨van bier⟩ froth, ⟨van zeep⟩ lather, ⟨van wijn⟩ sparkle **❷** *schuimbekken* foam
**schuimgebakje** meringue
**schuimig** foamy, frothy
**schuimkop** crest
**schuimkraag** head
**schuimlaag** layer of foam
**schuimpje** meringue
**schuimplastic I** *zn* [het] plastic foam **II** *bnw* foam (plastic)
**schuimrubber** foam rubber
**schuimspaan** skimmer
**schuin I** *bnw* **❶** *scheef* slanting, sloping **❷** *dubbelzinnig* smutty, dirty **II** *bijw, scheef* obliquely, awry ★ *~ afsnijden* cut slantwise ★ *~ aflopen* slope ★ *~ houden* slope, tilt ★ *~ tegenover* nearly opposite
**schuins I** *bnw, schuin* askew, askance **II** *bijw* **❶** *schuin* ★ *~ toelopen* taper, take a conical form **❷** *fig* ★ *iem. ~ aankijken* throw / give sb a sidelong glance
**schuinschrift** handwriting
**schuinsmarcheerder** libertine, debauchee
**schuinte ❶** *schuine richting* bias **❷** *helling* slope
**schuit** *boot* boat, barge, min (old) tub
**schuitje** ▼ *in hetzelfde ~ zitten* be in the same boat
**schuiven I** *ov ww* **❶** *duwen* push, shove **❷** *dokken* ▼ *iets / iemand terzijde ~* brush aside sth / sb **II** *on ww* **❶** *schuivend bewegen* slide ★ *onrustig heen en weer ~* fidget **❷** *dokken* shell out ▼ *laat hem maar ~* he knows what's what, there are no flies on him
**schuiver** *valpartij* ★ *een ~ maken* give a lurch, skid
**schuld ❶** *fout* guilt, fault ★ *buiten mijn ~* through no fault of mine ★ *~ bekennen* admit / confess one's guilt, plead guilty **❷** *verantwoordelijkheid* blame ★ *het is allemaal jouw ~* you are to blame for everything, it's all your fault ★ *de ~ krijgen*

get the blame ❸ *verplichting* debt ★ *~en maken* contract / run up debts ★ *bij iem. in de ~ staan* be in sb's debt ★ *lopende ~en* running debts ▼ *waar twee kijven, hebben twee ~* it takes two to make / pick a quarrel, when two quarrel both are in the wrong

**schuldbekentenis** ❶ *bekennen van schuld* confession of guilt ❷ *promesse* IOU, bond
**schuldbesef** sense of guilt
**schuldbewust** guilty
**schuldcomplex** guilt complex
**schuldeiser** creditor
**schuldenaar** debtor
**schuldenlast** burden of debt
**schuldgevoel** feeling of guilt
**schuldig** ❶ *schuld hebbend* guilty, culpable ★ *~ zijn* be guilty ★ *iem. ~ verklaren* convict sb ❷ *verschuldigd* owing ★ *hoeveel ben ik u ~?* how much do I owe you? ★ *~ zijn* owe (money) ★ *het antwoord ~ moeten blijven* have nothing to say, have no answer
**schuldige** culprit, guilty person
**schuldvereffening** payment / balancing of debts
**schuldvraag** question of guilt ★ *de ~ uitmaken* fix / apportion the blame
**schulp** ▼ *in zijn ~ kruipen* draw in one's horns, *inform* climb down
**schunnig** ❶ *armzalig* shabby ❷ *gemeen* shabby, dirty ❸ *obsceen* dirty, filthy
**schuren** I *ov ww* ❶ *glad maken* ⟨hout, metaal⟩ sand(paper), ⟨pan, vloer⟩ scour ❷ *BN schrobben* scrub II *on ww, schuiven* grate
**schurft** scabies, ⟨van dieren⟩ mange ▼ *de ~ aan iem. hebben* hate sb's guts
**schurftig** ❶ *aan schurft lijdend* scabby, ⟨dieren⟩ mangy ❷ *smerig* despicable, *inform* scabby
**schurk** scoundrel, villain
**schurkachtig** villainous
**schurkenstaat** rogue state
**schurkenstreek** (piece of) villainy
**schut** ❶ *waterkering* weir, ⟨schutsluis⟩ lock ❷ *bescherming* shelter, cover ▼ *voor ~ lopen* look a sight ▼ *voor ~ staan* look silly, look a (right) fool
**schutblad** ❶ *plantk* bract ❷ *blad in boek* endpaper, flyleaf
**schutkleur** camouflage
**schutsluis** (lift-)lock
**schutspatroon** patron saint ★ *schutspatrones* patron saint
**schutten** *sluizen* pass through a lock
**schutter** ❶ *iem. die schiet* marksman, shot ★ *zij is een uitstekend ~* she is a crack shot ❷ *snoeshaan* ★ *een vreemde ~* a queer fish / customer
**schutteren** fumble, ⟨m.b.t. spreken⟩ falter
**schutterig** awkward, clumsy
**schutterij** shooting club
**schuttersput** foxhole
**schutting** fence
**schuttingtaal** foul / obscene / dirty language
**schuttingwoord** four-letter word, obscenity
**schuur** barn, ⟨kleine schuur⟩ shed
**schuurmachine** sander, sanding machine
**schuurmiddel** abrasive
**schuurpapier** sandpaper
**schuurpoeder** scouring powder

**schuurspons** GB scourer, USA scouring pad
**schuw** shy, timid
**schuwen** shun, shrink (from), *form* eschew
**schuwheid** shyness
**schwalbe** *sport* dive ★ *een ~ maken* take a dive, do a Klinsmann
**schwung** verve, dash, spirit
**sciencefiction** science fiction, *inform* sci-fi
**sclerose** sclerosis
**scoliose** scoliosis
**scoop** scoop
**scooter** scooter
**scootmobiel** ≈ scooter (for elderly or disabled)
**score** score
**scorebord** scoreboard
**scoren** I *ov ww* ❶ *sport doelpunt maken* score ❷ *bemachtigen* score II *on ww, drugs bemachtigen* score
**scoreverloop** (progress of the) score
**scout** ❶ *padvinder* boy scout ❷ *talentenjager* talent scout
**scouting** ❶ *padvinderij* Scouts *mv* ❷ *zoeken naar talenten* scout for talent
**scrabbelen** play Scrabble
**scrabble** scrabble
**scratchen** scratch
**screenen** screen
**screensaver** *comp* screensaver
**screentest** screen test
**script** script
**scriptie** *onderw* thesis *mv: theses*, term paper
**scriptiebegeleider** ≈ thesis supervisor
**scrollbar** *comp* scroll bar
**scrollen** *comp* scroll
**scrotum** scrotum
**scrupule** scruple
**scrupuleus** scrupulous
**sculptuur** sculpture
**seance** séance
**sec** I *bnw* dry II *bijw* only, alone, ⟨in kaartspel⟩ unguarded
**secundair** → **secundair**
**secondant** second
**seconde** *1 / 60 van een minuut* second
**secondelijm** instant / super glue
**seconderen** *bijstaan* assist, support, second
**secondewijzer** second hand
**secreet** *gemeen persoon* swine, sod, ⟨vrouw⟩ bitch
**secretaire** escritoire, secretaire, writing-desk with drawers
**secretaresse** secretary
**secretariaat** secretariat, secretary's office
**secretarie** town clerk's office
**secretaris** ❶ *admin* secretary, ⟨van rechtbank⟩ secretary clerk ❷ *ambtenaar* ≈ town clerk
**secretaris-generaal** *hoofd van organisatie* Secretary-General
**sectair** *BN sektarisch* sectarian
**sectie** ❶ *afdeling* section, *mil* platoon, ⟨van school, e.d.⟩ department ❷ *autopsie* dissection, ⟨op lijk⟩ autopsy, ⟨op lijk⟩ post-mortem ★ *~ verrichten* carry out a post-mortem
**sector** sector
**secularisatie** secularization
**seculier** secular
**secundair** secondary ★ *dat is van ~ belang* that is

**se**

of secondary / minor importance ★ *de ~e sector* the industrial / secondary sector ★ *~e arbeidsvoorwaarden* fringe benefits ★ *~e wegen* minor roads
**secuur ❶** *zorgvuldig* accurate, precise **❷** *veilig* safe, secure
**sedert** ⟨m.b.t. tijdstip⟩ since, ⟨m.b.t. periode⟩ for ★ *~ een week* for a week ★ *~ haar vertrek* since her departure
**sedertdien** ever since (that time), since then
**sediment** sediment
**sedimentatie** sedimentation
**seffens** BN *dadelijk* later, soon, presently
**segment** segment
**segmentatie** segmentation
**segregatie ❶** *afzondering* segregation **❷** *rassenscheiding* segregation, ⟨m.b.t. Zuid-Afrika⟩ apartheid
**sein ❶** *teken* sign, signal ★ *seinen geven* signal ★ *sein van vertrek* departure-signal ★ *geef me een seintje als je klaar bent* let me know when you are ready **❷** *waarschuwing, hint* tip, hint ★ *dat was voor ons het sein om op te stappen* that was the sign / signal for us to leave, that was our cue to leave **❸** *voorwerp waarmee men seint* signal
**seinen I** *ov ww, telegraferen* radio, flash **II** *on ww, een sein geven* signal
**seinpaal** semaphore
**seinsleutel** (telegraph) key
**seismisch** seismic
**seismograaf** seismograph
**seismografisch** seismographic
**seismologisch** seismologic
**seismoloog** seismologist
**seizoen ❶** *jaargetijde* season **❷** *deel van het jaar* season ★ *midden in het ~* at the height of the season ★ *buiten het ~* in the off-season
**seizoenarbeid** seasonal work / employment
**seizoenarbeider** seasonal worker
**seizoenopruiming** end-of-season sale(s)
**seizoenscorrectie** seasonal correction
**seizoenskaart** season ticket
**seizoenswerk** seasonal work / employment
**seizoenwerkloosheid** seasonal unemployment
**seks** sex ★ *seks hebben met iem.* have sex with sb
**seksbioscoop** sex cinema
**seksbom** sexbomb, sexpot
**sekse** sex
**seksen** *seks hebben* have sex
**seksisme** sexism
**seksist** sexist, male chauvinist (pig)
**seksistisch** sexist
**seksleven** sex life
**sekslijn** chatline (for sex)
**seksmaniak** sex maniac / fiend
**seksshop** sex shop
**sekssymbool** sex symbol
**seksualiteit** sexuality
**seksueel** sexual, sex
**seksuologie** sexology
**seksuoloog** sexologist
**sektarisch** sectarian
**sekte** sect
**sekteleider** leader of a sect
**sektelid** member of a sect
**selderij, selderie , BN selder** celery

**select** select, exclusive, choice ★ *een ~ gezelschap* a select gathering / company
**selecteren** select, pick (out)
**selectie ❶** *het uitkiezen* selection ★ *een scherpe ~ toepassen* make a careful selection **❷** *sport* ★ *nationale ~* national team
**selectiecriterium** selection criterion *mv: criteria*
**selectief** selective
**selectiewedstrijd** selection match
**semafoon** ≈ radio (tele)phone
**semantiek** semantics *mv*
**semester** term of six months, USA semester
**semi-** semi-
**semiautomatisch** semi-automatic
**Semiet** *lid van volk* Semite
**seminaar** seminar
**seminar** seminar
**seminarie ❶** *rel* seminary **❷** BN *seminar* seminar
**seminarium** seminary
**semioverheidsbedrijf** semi-state controlled / owned company
**semipermeabel** semipermeable
**semiprof** semipro
**Semitisch** *m.b.t. volk* Semitic
**senaat** senate
**senator** *pol* senator ★ *tot ~ gekozen worden* be elected senator
**Senegal** Senegal
**Senegalees** Senegalese
**seniel** senile ★ *~e aftakeling* senile decay
**senior I** *zn* [de] senior citizen **II** *bnw* senior
**seniorenelftal** senior team (of veteran players)
**seniorenflat** apartment for senior citizens
**seniorenkaart** senior citizen's pass, GB old-age pensioner's pass
**seniorenpas** senior citizen's pass, pensioner's ticket / pass
**sensatie ❶** *opschudding* thrill, sensation ★ *op ~ uitzijn* be looking for sensation **❷** *gewaarwording* sensation
**sensatieblad** sensational paper
**sensatiepers** yellow / gutter press
**sensatiezucht** sensationalism
**sensationeel** sensational, spectacular ★ *sensationele onthullingen* sensational disclosures
**sensibel ❶** *betrekking hebbend op gevoel* sensory **❷** *vatbaar voor indrukken* sensitive (to) **❸** *waarneembaar* perceptible
**sensibiliseren** BN make aware (of something)
**sensibiliteit** sensibility
**sensitief** sensitive
**sensitiviteit** sensitivity
**sensor** sensor
**sensualiteit** sensuality
**sensueel** sensual
**sentiment** sentiment, emotion ★ *goedkoop ~* cheap / sloppy sentiment ★ *vals ~* mawkishness
**sentimentaliteit** sentimentality
**sentimenteel** sentimental, maudlin, inform sloppy
**separaat** separate
**separatisme** separatism
**separatist** separatist
**separatistisch** separatist(ic)
**sepia** sepia

**seponeren** dismiss ★ *een zaak* ~ dismiss / drop a case
**september** September
**septet** septet
**septic tank** septic tank
**septisch** septic
**sequentie** sequence
**SER** *Sociaal-Economische Raad* Socio-Economic Council, National Economic Development Office
**sereen** serene, clear, ⟨kalm⟩ tranquil
**serenade** serenade ★ *iem. een* ~ *brengen* serenade sb
**sergeant** sergeant
**sergeant-majoor** sergeant-major
**serie** ❶ *reeks* series [mv: series] ⟨biljart⟩ break ❷ *groot aantal* set, series ❸ *sport* heat
**serieel** serial
**seriemoordenaar** serial killer
**serienummer** serial number
**serieproductie** serial production
**serieus** serious
**sering** lilac
**seropositief** HIV-positive
**serotonine** med serotonin
**serpent** ❶ min *persoon* shrew, bitch ❷ *slang* serpent
**serpentine** (paper) streamer
**serre** ❶ *broeikas* conservatory ❷ *glazen veranda* sun lounge / room
**serum** serum
**SERV** BN *Sociaal-Economische Raad voor Vlaanderen* Socio-Economic Council of Flanders
**serveerster** waitress, ⟨in bar⟩ barmaid
**server** comp server
**serveren** ❶ *opdienen* serve ❷ *sport* serve
**servet** (table) napkin, serviette ▾ *tussen* ~ *en tafellaken* at the awkward age
**servetring** serviette ring
**service** ❶ *diensten* service ★ ~ *niet inbegrepen* service charge not included ❷ *sport* service
**servicebeurt** service ★ *een auto een* ~ *geven* have one's car serviced
**servicedienst** service(s) department
**serviceflat** service flat
**servicekosten** service charge(s)
**servicestation** service station
**Servië** Serbia
**serviel** servile, slavish
**Serviër** *bewoner* Serb
**servies** dinner-service, ⟨theeservies⟩ tea-set
**serviesgoed** dinner service
**servieskast** cupboard
**Servisch** *m.b.t. Servië* Serbian
**Servische** Serbian (woman / girl)
**Servo-Kroatisch** Serbo-Croat(ian)
**sesam** ❶ *gewas* sesame ❷ *sesamzaad* sesame seed ▾ *Sesam open u!* open Sesame!
**sesamzaad** sesame seed(s)
**sessie** session, sitting, muz jam session
**sessiemuzikant** session musician
**set** set
**setpoint** set point
**settelen** [zich ~] settle
**setter** setter ★ *een Ierse* ~ an Irish setter
**setting** setting
**set-up** sport set-up

**Sevilla** Seville
**sexappeal** sex appeal
**sexshop** sex shop
**sextant** sextant
**sextet** muz sextet
**sexy** sexy
**Seychellen** Seychelles
**SF** *sciencefiction* SF, science fiction
**sfeer** ❶ *stemming* atmosphere, ⟨m.b.t. plaats⟩ ambience ❷ *domein* sphere, field, province ▾ *in hoger sferen zijn* have one's head in the clouds
**sfeerverlichting** atmospheric lighting
**sfeervol** having character / style
**sfinx** sphinx
**'s-Gravenhage** → Den Haag
**shag** fine-cut tobacco ★ *shag roken* smoke roll-your-owns
**shampoo** shampoo
**shampooën** shampoo
**Shanghai** → Sjanghai
**shareware** comp shareware
**shawl** → sjaal
**sheet** ⟨voor overhead projector⟩ transparancy
**sheriff** USA sheriff
**sherpa** sherpa
**sherry** sherry
**'s-Hertogenbosch** → Den Bosch
**Shetlandeilanden** Shetland Islands
**shifttoets** shift key
**shiitake** shiitake
**shirt** shirt, ⟨vrouw⟩ blouse
**shirtreclame** advertisement(s) on a shirt worn while playing a sport mv
**shirtsponsoring** shirt sponsoring
**shish kebab** cul shish kebab
**shit** shit
**shoarma** ★ *een broodje* ~ pittah bread sandwich filled with roast lamb
**shock** shock ★ *in een* ~ *zijn* be in shock
**shockproof** shockproof
**shocktherapie** shock therapy / treatment
**shocktoestand** state of shock
**shoppen** shop, ⟨om te vergelijken⟩ shop around
**shortcut** comp short cut
**shorts** pair of shorts, shorts mv
**shorttrack** short track
**shorttrackschaatsen, shorttracken** sport short-track (speed) skating
**shot** ❶ *filmopname* shot ❷ *injectie* injection, shot
**shotten** BN *voetballen* play football / soccer, ⟨schieten⟩ shoot
**shovel** shovel (loader)
**show** ❶ *voorstelling* show ★ *dat is alleen maar show* that is just show ❷ *vertoning* show, display
**showbink** show-off
**showbusiness** show business
**showen** show, display
**showroom** showroom
**shuttle** ❶ *sport* shuttle(cock) ❷ *ruimteveer* space shuttle
**si** si, ti
**siamees** *kat* Siamese
**Siberië** Siberia
**Siberisch** *m.b.t. Siberië* Siberian
**siberisch** ▾ *het laat me* ~ it leaves me cold
**sic** sic

**si**

**Siciliaans** Sicilian
**Sicilië** Sicily
**sickbuildingsyndroom** sick building syndrome
**sidderaal** electric eel
**sidderen** tremble, shake
**siddering** shudder
**sidderrog** electric ray
**SI-eenheid** SI Unit
**sier** show ▼ *goede sier maken* show off
**sieraad ❶** *juweel* jewel, (piece of)jewellery
**❷** *opschik* ornament ▼ *hij is een ~ voor onze vereniging* he is a credit to our club
**sieren ❶** *tooien* decorate **❷** *tot eer strekken* ★ *dat siert haar* it is to her credit ★ *dat gedrag siert hem niet* that conduct is unworthy of him
**siergewas** ornamental plant
**sierheester** ornamental shrub / bush
**sierlijk** graceful
**sierplant** ornamental plant
**Sierra Leone** Sierra Leone
**Sierra Leoons** Sierra Leonean
**sierspeld** brooch, USA pin
**sierstrip** trim
**siervuurwerk** display fireworks *mv*
**siësta** siesta ★ *~ houden* have a siesta
**sifon ❶** *spuitfles* siphon **❷** *afvoerbuis* trap
**sigaar** cigar ▼ *de ~ zijn* be in for it, be left holding the baby
**sigarenroker** cigar-smoker
**sigarenwinkel** tabacconist's
**sigaret** cigarette
**sigarettenautomaat** cigarette (vending) machine
**sightseeën** go sightseeing
**signaal** *sein* signal, (op hoorn) call
**signalement** description
**signaleren ❶** *attenderen op* point out, draw attention to **❷** *opmerken* observe
**signalisatie** BN *bewegwijzering* signposting
**signatuur ❶** *handtekening* signature **❷** *kenmerk* nature, character
**signeren** sign, autograph ★ *door Rembrandt gesigneerd* bearing Rembrandt's signature ★ *een gesigneerd exemplaar* a signed / autographed copy
**significant** important, (statistiek) significant
**sijpelen** seep, ooze, trickle, filter
**sijs** siskin, aberdevine
**sik ❶** *baard* goatee **❷** *geit* goat ▼ *ik krijg er een sik van!* I'm sick and tired of it
**sikh** Sikh
**sikkel ❶** *mes* reaping hook, sickle **❷** *maangestalte* crescent, sickle
**sikkelvormig** sickle-shaped
**sikkeneurig** peevish, grouchy, grumpy ★ *~ kijken* give (sb) a black look ★ *ik werd er ~ van* it really put me out of sorts
**silhouet** silhouette
**silicon** silicon
**siliconenkit** silicon / fiber-glass paste
**silo** silo
**sim** comp *subscriber identity module* sim
**simkaart** simcard
**simlock** simlock
**simpel ❶** *eenvoudig* simple **❷** *onnozel* silly, simple
**simpelweg** simply

**simplificeren** *vereenvoudigen* simplify, reduce to essentials, (te zeer) oversimplify
**simplistisch** simplistic
**simsalabim** abracadabra, mumbo jumbo
**simulant** simulator, (m.b.t. ziekte) malingerer
**simulatie** simulation, (m.b.t. ziekte) malingering
**simulator** simulator
**simuleren I** *ov ww, nabootsen* simulate, imitate **II** *on ww, voorwenden* feign, (m.b.t. ziekte) malinger
**simultaan** simultaneous
**sinaasappel** orange
**sinaasappelhuid** cellulite
**sinaasappelkistje** orange box / crate
**sinaasappelsap** cul orange juice
**sinaasappelschil** orange peel / rind
**Sinaï** (schiereiland, woestijn) Sinai
**sinas** orange soda, GB orangeade
**sinds I** *vz* (m.b.t. tijdstip) since, (m.b.t. periode) for ★ *~ een week* for a week ★ *~ haar vertrek* since her departure **II** *vw* since ★ *~ zij weg is...* (ever) since she has left
**sindsdien** since
**sinecure** ▼ *dat is geen ~* that is no picnic
**Singapore** Singapore
**singel ❶** *stadsgracht* moat **❷** *weg* boulevard
**single I** *zn* [de] **❶** *muz geluidsdrager met korte speeltijd* single **❷** *alleenstaande* single **❸** *sport enkelspel* (tennis) single(s), (cricket) single **II** *bnw, alleenstaand* single
**singlet** vest, USA undershirt
**sinister** sinister
**sinoloog** Sinologist
**sint** saint
**sint-bernardshond, sint-bernard** St Bernard
**sintel** cinder
**sintelbaan** cinder-track, (voornamelijk van motoren) dirt-track
**sint-elmsvuur** Saint Elmo's fire
**Sinterklaas** *heilige* St Nicholas
**sinterklaas** *feest* feast of St Nicholas
**sinterklaasavond** St. Nicholas' Eve
**sinterklaasfeest** feast of St Nicholas on 5th December at which presents are exchanged
**sinterklaasgedicht** verse / doggerel written for the feast of St Nicholas
**Sint-Eustatius** St Eustatius
**sint-janskruid** St John's wort
**sint-juttemis** ▼ *met ~* when pigs fly, when hell freezes over, never in a month of Sundays
**Sint-Maarten ❶** *feestdag* Martinmas **❷** *heilige* Saint Martin
**Sint-Nicolaas** *heilige* St Nicholas
**Sint-Petersburg** aardk Saint Petersburg
**Sint-Petersburgs** Saint Petersburg
**sinus** sine
**sinusoïde** sinusoid
**sip** glum, crestfallen ★ *sip kijken* look down in the mouth
**sirene** siren ★ *loeiende ~* wailing sirens
**sirocco** sirocco
**siroop** treacle, syrup
**sisal** sisal
**sissen I** *ov ww, sissend zeggen* hiss **II** *on ww, sissend geluid maken* sizzle
**sisser** squib ▼ *met een ~ aflopen* blow over

**sitar** sitar
**sitcom** sitcom
**site** comp *locatie op internet* site
**situatie** situation ★ *de ~ meester zijn* be in control of the situation
**situatieschets** plan, layout
**situatietekening** plan, lay-out
**situeren** place, locate, situate
**sit-up** sit-up
**sixtijns** Sistine ★ *Sixtijnse Kapel* Sistine chapel
**sjaal** scarf, ⟨omslagdoek⟩ shawl
**sjabloon ❶** *mal* stencil (plate) **❷** *cliché* cliché, stereotype
**sjacheraar** haggler, barterer
**sjacheren** haggle, barter
**sjah** shah
**sjalom** shalom
**sjalot** shallot
**sjamaan** shaman
**Sjanghai** Shanghai
**sjans** ▾ *~ hebben* make a hit with sb, be given the come on
**sjansen** flirt
**sjasliek** cul shashlik, shaslik
**sjees** *rijtuig* gig
**sjeik** sheik(h)
**sjekkie** fag
**sjerp** sash
**sjezen ❶** *hard gaan* tear **❷** *niet slagen* flunk, drop out ★ *een gesjeesde student* a drop out
**sjiiet** Shiite
**sjiitisch** Shiitic
**sjilpen** chirp, cheep
**sjirpen** cheep, chirp
**sjoege** ▾ *ergens geen ~ van hebben* not have the vaguest idea, not know a thing about sth
**sjoelbak** ≈ shovelboard, ≈ shuffleboard
**sjoelen** ≈ play shuffleboard / shovelboard
**sjoemelen ❶** *knoeien* cook the books, fiddle **❷** *vals spelen* cheat
**sjofel** shabby, shoddy
**sjokken** trudge
**sjorren ❶** *vastbinden* lash (down) **❷** *trekken* lug
**sjotten** BN *inform voetballen* play soccer, ⟨niet in USA⟩ play (foot)ball
**sjouw** grind, sweat ★ *een (hele) ~* a tough job, a grind
**sjouwen I** *ov ww, dragen* carry, lug, ⟨sleuren⟩ drag **II** *on ww* **❶** *zwoegen* toil, slave (away), fag **❷** *rondlopen* traipse, trudge
**ska** ska
**Skagerrak** Skagerrak
**skai** imitation leather, leatherette
**skateboard** skateboard
**skateboarden** skateboard
**skaten** rollerblade, in-line skate
**skater** skater
**skeeler** skeeler
**skeeleren** rollerblade, in-line skate
**skelet** *geraamte* skeleton
**skeletbouw** structural steelwork
**skelter** (go-)kart
**sketch** sketch
**ski** ski
**skibox** skibox
**skibril** pair of ski / snow goggles, ski / snow goggles *mv*

**skibroek** pair of ski pants, ski pants *mv*
**skiën I** *zn* [het] skiing **II** *on ww* ski
**skiër** skier
**skiester** skier
**skiff** skiff
**ski-jack** ski jacket
**skileraar** ski(ing) instructor
**skiles** skiing lessons [mv: mv]
**skilift** ski lift
**skinhead** skinhead
**skipak** ski suit
**skipas** lift pas
**skipiste** ski run
**skippybal** skippy / kangeroo ball (hopper)
**skischans** ski jump
**skischoen** ski boot
**skispringen** ski-jumping
**skistok** ski stick, USA ski pole
**skivakantie** skiing holiday
**Skopje** Skopje
**skybox** (corporate) box, USA sky box
**skyline** skyline
**skypen** comm comp skype
**sla ❶** *groente* lettuce ★ *'n krop sla* a (head of) lettuce **❷** cul *gerecht* salad ★ *sla aanmaken* dress a salad
**slaaf** slave
**slaafs** slavish, servile
**slaag** ▾ *iem. ~ geven* beat sb up ▾ *~ krijgen* get a hiding / thrashing
**slaags** ▾ *~ raken met de politie* clash with the police ▾ *~ raken met iem.* come to blows with sb
**slaan I** *ov ww* **❶** *slagen geven* hit, ⟨met platte hand⟩ smack, ⟨hard⟩ whack, strike, ⟨met stok, zweep⟩ thrash, ⟨herhaaldelijk⟩ beat, ⟨met platte hand⟩ slap ★ *iem. tegen de grond ~* knock sb down ★ *iem. bont en blauw ~* beat sb black and blue ★ *iem. bewusteloos ~* knock sb cold **❷** *in een toestand of positie brengen* ⟨de armen / benen over elkaar⟩ cross one's arms / legs ★ *zijn arm om iem. ~* put one's arm around sb **❸** *van het speelbord nemen* take, capture **❹** *vervaardigen* ★ *een brug ~* build a bridge ★ *munten ~* strike coins ▾ *dat slaat alles* that beats everything ▾ *wij zullen ons er wel doorheen ~* we'll pull / win through ▾ *ergens geld uit ~* make money out of sth ▾ *naar binnen ~* flash back, knock back, toss down, bolt (down), polish off **II** *on ww* **❶** *een slaande beweging maken* hit out, strike out, ⟨van paard⟩ kick ★ *erop los ~* lay about o.s. ★ *de golven sloegen over het dek* the waves swept the deck ★ *tegen elkaar ~* knock together ★ *met de deur ~* slam the door ★ *om zich heen ~* strike out left and right **❷** *kloppen* beat **❸** *geluid maken* strike ★ *het sloeg 10 uur* it struck ten **❹** *in een toestand komen* ★ *de vlammen sloegen uit het dak* the flames leapt from the roof **❺** *~ op* refer to
**slaand** beating, ⟨van klok⟩ striking ★ *een ~e klok* a striking clock ★ *~e ruzie krijgen met iem.* have a blazing row with sb ▾ *met vliegende vaandels en ~e trom* with drums beating and colours flying
**slaap ❶** *rust* sleep ▾ *in ~ sukkelen* drop off (to sleep) ★ *iem. in ~ sussen* lull sb asleep ★ *in ~ vallen* fall asleep ★ *iem. uit de ~ houden* keep sb awake **❷** *neiging tot slapen* sleepiness ★ *~ krijgen*

**sl**

get sleepy ★ *hij valt om van de ~* he's asleep on his feet, he can't keep his eyes open ❸ *oogvuil* sleep ❹ *zijkant van hoofd* temple

**slaapbank** sofa bed

**slaapcoupé** sleeping compartment

**slaapdrank** sleeping draught

**slaapdronken** half asleep, drowsy

**slaapgebrek** want / lack of sleep

**slaapgelegenheid** sleeping accommodation

**slaapkamer** bedroom

**slaapkamergeheimen** bedroom secrets

**slaapkleed** BN *inform nachthemd* nightgown, nightdress, inform nightie

**slaapkop** ❶ *langslaper* sleepyhead ❷ *sukkel* dope

**slaapliedje** lullaby

**slaapmatje** sleeping mat

**slaapmiddel** sedative, sleeping pill, med opiate

**slaapmutsje** nightcap

**slaapogen** ⟨slaperige ogen⟩ sleepy eyes

**slaappil** sleeping pill

**slaapplaats** place to sleep, bed, ⟨op schip, in trein⟩ berth

**slaapstad** dormitory town

**slaapster** ▾ *de schone ~* (the) Sleeping Beauty

**slaapstoornis** sleep disorder

**slaaptrein** sleeper

**slaapverwekkend** ❶ *slaperig makend* sleep inducing ❷ *saai* soporific ★ *een ~ boek* a boring book, a drag

**slaapwandelaar** sleepwalker

**slaapwandelen** I *zn* [het] sleepwalking II *on ww* sleepwalk

**slaapzaal** dormitory, inform dorm

**slaapzak** sleeping bag

**slaatje** cul salad ▾ *ergens een ~ uit slaan* cash in on sth

**slabbetje** bib

**slablad** lettuce leaf *mv:* leaves

**slaboon** French bean, USA green bean

**slacht** *het slachten* slaughter(ing)

**slachtbank** ▾ *naar de ~ geleid worden* be brought to the slaughter

**slachten** ❶ *doden van vee* slaughter, kill ❷ *vermoorden* butcher, massacre

**slachter** slaughterer

**slachthuis** slaughterhouse

**slachting** ❶ *het slachten* slaughtering ❷ *bloedbad* slaughter ★ *een ~ aanrichten* massacre, slaughter, butcher

**slachtoffer** victim ★ *het ~ worden van* fall a victim / prey to ★ *tot ~ maken* victimize

**slachtofferhulp** help / aid to victims

**slachtpartij** slaughter, massacre

**slachtvee** beef cattle *mv*, cattle for slaughter *mv*

**slag** I *zn* [de] ❶ *klap* stroke, ⟨met hand⟩ blow, ⟨om de oren⟩ box, ⟨met vlakke hand⟩ slap, ⟨met zweep⟩ lash ★ *met één slag* at one / a blow ★ *zonder slag of stoot* without a blow ❷ *geluid* ⟨van donder⟩ clap, ⟨plof⟩ thud ❸ *keer dat iets slaat* ⟨van hart, pols⟩ beat, ⟨van klok, zuiger⟩ stroke ★ *op slag van twaalven* on the stroke of twelve ❹ *tegenslag* blow ★ *een slag toebrengen* deal a blow ❺ *veldslag* battle ★ *slag leveren* give battle ❻ *golving* wave ★ *een slag in je haar* wave in one's hair ❼ *handigheid* knack ★ *de slag van iets te pakken krijgen* get the knack of sth, get the

hang of sth ❽ *ronde van kaartspel* trick ❾ *haal, streek* stroke ★ *slag houden* keep stroke ❿ *roeier* stroke ▾ *aan de slag gaan* get going ▾ *iets met de Franse slag doen* scamp / skimp one's work ▾ *op slag dood zijn* die on the spot ▾ BN *zich goed uit de slag trekken* know how to cope ▾ *van slag zijn* be off one's stroke, be striking wrong ▾ *een slag om de arm houden* sit on the fence, keep one's options open ▾ *zijn slag slaan* seize the / an opportunity ▾ BN *zijn slag thuishalen* win, succeed ▾ *een slag slaan naar iets* make a guess at sth, have a stab / shot at sth ▾ *een slag in de lucht* / BN *een slag in het water* a shot / stab in the dark II *zn* [het], *soort* sort, kind

**slagader** ook fig artery

**slagbal** rounders

**slagboom** *afsluitboom* barrier

**slagen** ❶ *succes hebben* succeed ★ *er niet in ~ te / om...* fail to ❷ *goede uitslag behalen* pass, ⟨voor bevoegdheid⟩ qualify ★ *hij is geslaagd voor Engels* he has passed his English

**slagenwisseling** sport rally

**slager** butcher

**slagerij** butcher's (shop)

**slaggitaar** rhythm guitar

**slaghoedje** percussion cap

**slaghout** sport bat

**slaginstrument** percussion instrument

**slagkracht** clout, techn impact

**slaglinie** line of battle

**slagorde** battle array

**slagpen** dierk *vleugelveer* quill-feather

**slagpin** fring pin

**slagregen** downpour

**slagroom** ⟨voor het kloppen⟩ whipping cream, ⟨na het kloppen⟩ whipped cream

**slagroompunt** cream cake

**slagroomtaart** cul cream cake

**slagschip** battleship

**slagtand** ⟨van hond, wolf⟩ fang, ⟨van olifant⟩ tusk

**slagvaardig** ❶ *strijdvaardig* ready for battle ❷ *doortastend* decisive

**slagveld** battlefield

**slagwerk** ❶ muz percussion instruments, ⟨deel van orkest⟩ percussion section ❷ *deel uurwerk* striking-mechanism

**slagwerker** muz percussionist, drummer

**slagzij** list, heel (over), ⟨m.b.t. vliegtuig⟩ bank ★ *~ maken* heel, bank

**slagzin** slogan

**slak** ❶ *weekdier* ⟨zonder huis⟩ slug, ⟨met huis⟩ snail ❷ *sintel* slag ▾ *op alle slakken zout leggen* find fault with everything, nitpick

**slaken** *uiten* give, utter ★ *een kreet ~* give a cry

**slakkengang** snail's pace

**slakkenhuis** ❶ *huis van slak* snail's shell ❷ *gehoorgang* cochlea

**slalom** slalom

**slampamper** good-for-nothing

**slang¹** ❶ *dier* snake, form serpent ❷ *buis* ⟨flexibel⟩ hose, ⟨klein⟩ tube

**slang²** [sleng] taalk *groepstaal* slang

**slangenbeet** snake bite

**slangenbezweerder** snake charmer

**slangengif** snake poison, venom

**slangenleer** snakeskin

**slangenmens** contortionist
**slank** slender, slim ★ *aan de ~e lijn doen* be slimming
**slaolie** salad oil
**slap I** *bnw* ❶ *niet stijf* ⟨van boord, hoed⟩ soft, ⟨lusteloos, slap hangend⟩ limp ★ *niet strak* ⟨van fietsband⟩ flat, ⟨van touw⟩ slack ❸ *zwak, niet sterk* weak, ⟨van spieren⟩ flabby ★ *zich slap voelen* feel limp / weak ❹ *niet pittig* weak, ⟨van discipline⟩ lax, ⟨van bier⟩ thin ❺ *niet doortastend* lax, ⟨van pers⟩ weak ★ *te slap zijn tegen iem.* give sb too much rope ❻ *inhoudsloos* empty ★ *slap geklets* empty talk ★ *een slap excuus* a lame excuse ❼ *niet druk* slack **II** *bijw* ▾ *ik lachte mij slap* I was weak with laughter
**slapeloos** sleepless, wakeful
**slapeloosheid** sleeplessness, insomnia
**slapen** ❶ *in slaap zijn* sleep ★ *gaan ~* go to sleep, inform turn in ★ *~ als een roos* sleep like a log ★ *ergens niet van kunnen ~* lie awake over sth ❷ *fig* suffen be asleep ★ *hij zat te ~* he was miles away ❸ *tintelen* ⟨van ledematen⟩ ★ *mijn been slaapt* my leg has gone to sleep, I've got pins and needles in my leg ❹ *~ met* vrijen met sleep with
**slaper** ❶ *iem. die slaapt* sleeper ★ *een slechte ~* a poor sleeper ❷ *gast* guest (for the night)
**slaperig** ❶ *slaap hebbend* sleepy, drowsy ❷ *suf* drowsy
**slapie** ≈ roommate, bedfellow
**slapjanus** weed, wimp
**slapjes** *niet fit* weak, feeble
**slappeling** weakling, softie, wimp
**slapstick** slapstick
**slapte** slackness
**slasaus** *cul* salad dressing
**slash** *typ* slash
**slavenarbeid** ❶ *werk van slaven* slavery, slave labour ❷ *zwaar werk* ⟨thuis⟩ drudgery, ⟨op het werk⟩ slave labour
**slavenarmband** slave bangle
**slavendrijver** slave driver
**slavenhandel** slave trade
**slavenhandelaar** slave trader
**slavernij** ❶ *onderworpenheid* bondage, slavery ❷ *het stelsel* slavery ★ *afschaffing van de ~* abolition of slavery
**slavin** (female) slave
**slavink** ≈ meat ball rolled up with a slice of bacon
**Slavisch** Slavonic
**slavist** Slavist, Slavicist
**slavistiek** Slavonic studies *mv*
**slecht I** *bnw* ❶ *van geringe kwaliteit* bad ❷ *ongunstig* bad ★ *een ~ jaar* a bad year ❸ *moreel slecht* evil, wicked **II** *bijw* ❶ *ongunstig* badly, ill, hardly ★ *hij eet ~* he is a poor eater ★ *het gaat ~ met hem* he is doing badly ❷ *moreel laag* ★ *zich ~ gedragen* misbehave, behave badly ★ *~ bekend staan* have a bad reputation ❸ *weinig* ★ *ik ben ~ te spreken over hem* I can hardly say a word in his favour
**slechten** ❶ *slopen* demolish, level / raze (to the ground) ❷ *effen maken* level
**slechterik** bad-guy, scoundrel
**slechtgezind** BN bad-tempered

**slechtheid** badness, wickedness
**slechthorend** hard of hearing
**slechtnieuwsgesprek** bad news interview
**slechts** only, merely, just ★ *het is ~ een kwestie van tijd* it's only a matter of time ★ *het is ~ een kleinigheid* a mere nothing
**slechtvalk** peregrine (falcon)
**slechtziend** partially sighted, ⟨bijziend⟩ myopic
**slede** → **slee**
**sledehond** husky, sledge-dog
**slee** ❶ *glijdend voertuig* sledge ❷ *onderstel* carriage ❸ *grote auto* big car, limo(usine)
**sleedoorn** sloe
**sleeën** sleigh, sledge
**sleehak** wedge
**sleep** ❶ *het slepen* ★ *met een schuit op ~* with a barge on tow ❷ *deel van gewaad* train ❸ *gevolg* train, retinue ❹ *vaar- / voertuig* tow, ⟨schepen⟩ train, ⟨opschrift⟩ on tow ▾ *iem. op ~ nemen* give sb a tow
**sleepboot** tug, tug boat
**sleepdienst** towing-service
**sleep-in** cheap (student) hostel
**sleepkabel** *transp* ⟨schip⟩ (towing-)hawser, ⟨auto⟩ towrope
**sleepketting** tow-chain
**sleeplift** ski tow
**sleepnet** dragnet
**sleeptouw** towrope ★ *op ~ hebben / nemen* have / take in tow
**sleepvaart** tug / towing-service
**sleepwagen** breakdown truck, USA tow truck
**Sleeswijk-Holstein** Schleswig Holstein
**sleets** versleten worn
**slempen** *zuipen* glut oneself, ⟨eten⟩ gorge / stuff oneself, ⟨drinken⟩ carouse
**slenk** channel, ravine
**slenteren** saunter, stroll
**slentergang** *gang* stroll
**slepen I** *ov ww, voortslepen* drag, haul, ⟨m.b.t. vaar- / voertuigen⟩ tow ★ *gesleept worden* be on tow ▾ *iem. voor de rechter ~* take sb to court **II** *on ww* ❶ *over de grond gaan* drag ❷ *traag verlopen* drag on ★ *een zaak ~de houden* let a thing drag on ★ *~de ziekte* lingering disease
**sleper** ⟨sleepboot⟩ tug boat
**slet** slut, trollop
**sleuf** ❶ *groef* groove ❷ *opening* slot, ⟨lang⟩ slit
**sleur** routine, rut ★ *de dagelijkse ~* the everyday routine, the daily grind
**sleuren** I *ov ww, voortslepen* drag, haul ★ *iem. uit zijn bed ~* drag sb from his bed **II** *on ww, traag voortgaan* drag on
**sleutel** ❶ *werktuig dat slot opent* key ❷ *gereedschap* wrench, spanner ★ *Engelse ~* adjustable spanner ❸ *fig* middel tot oplossing key, clue, secret ❹ *muz* clef
**sleutelbeen** collarbone
**sleutelbloem** primula, primrose
**sleutelbos** bunch of keys
**sleutelen** ❶ *lett* repareren work (aan on), do repair jobs ❷ *fig* klooien tinker at / with, doctor
**sleutelfiguur** key figure
**sleutelfunctie** key position
**sleutelgat** keyhole
**sleutelgeld** key money

**sl**

**sleutelhanger** key ring
**sleutelkind** latchkey child
**sleutelpositie** key position
**sleutelring** key ring
**sleutelrol** key / central role / part
**sleutelwoord** key (word)
**slib** ❶ *bezinksel* sludge, slurry ❷ *slijk* silt, sediment
**slibberig** slippery
**sliding** ❶ *glijbeweging* sliding-tackle, slide, ⟨honkbal⟩ dive ❷ *roeibankje* sliding seat
**sliert** ❶ *lange rij* string, chain ❷ *heleboel* bunch, pack ❸ *neerhangend iets* wisp, tendril, string ❹ *lange slungel* beanpole
**slijk** dirt, mud, mire ▼*het ~ der aarde* filthy lucre
**slijm** ❶ *mondvocht* phlegm ❷ *huidvocht* slime
**slijmafscheiding** mucous secretion
**slijmbal** bootlicker, toady, USA slimeball
**slijmbeurs** bursa
**slijmen** ❶ *aanpappen* butter somebody up, lick somebody's boots ❷ *slijm opgeven* cough up phlegm
**slijmerd** ❶ *inform hielenlikker* toady, bootlicker ❷ *bangerd* chicken
**slijmerig** ❶ *slijmachtig* slimy ❷ *vleierig* grovelling, slimy
**slijmjurk** toady, bootlicker
**slijmlaag** mucous layer
**slijmvlies** mucous membrane
**slijmvliesontsteking** infection of the mucous
**slijpen** I *ov ww* ❶ *scherp maken* grind, sharpen ❷ *polijsten* polish, ⟨edelstenen ook⟩ cut ❸ *graveren* cut II *on ww, dansen* dance cheek to cheek
**slijper** ❶ *persoon* grinder, polisher, ⟨van glas, edelstenen⟩ cutter ❷ *toestel* sharpener, grindstone
**slijpsteen** whetstone, ⟨roterend⟩ grindstone
**slijtage** wear and tear
**slijtageslag** war of attrition
**slijten** I *ov ww* ❶ *verslijten* wear out ❷ *tijd doorbrengen* pass, spend ❸ *verkopen* sell II *on ww* ❶ *achteruitgaan* wear out ❷ *overgaan* wear off / away
**slijter** *drankverkoper* licensed victualler
**slijterij** off-licence, USA liquor store
**slijtplek** worn patch, scuff (floor)
**slijtvast** wear-resistant
**slik** ❶ *slijk* silt ❷ *aangeslibde grond* mud flat
**slikken** ❶ *doorslikken* swallow ❷ *aanvaarden* put up with, stomach, swallow
**slikreflex** swallowing reflex
**slim** *vindingrijk* cunning, clever, min sly ★ *hij was mij te slim af* he was one too many for me ★ *wie niet sterk is, moet slim zijn* you must use your brain if you can't use your brawn
**slimheid** astuteness
**slimmerd** smart cookie, a sly one
**slimmerik** smart number, whiz-kid
**slinger** ❶ *het slingeren* swing ❷ *zwengel* handle ❸ *deel van klok* pendulum ❹ *versiering* festoon, paper chain, ⟨van bloemen⟩ garland ❺ *werptuig* sling(-shot)
**slingeraap** spider monkey
**slingeren** I *ov ww* ❶ *werpen* fling, hurl, ⟨over de schouder⟩ sling ❷ *winden om* wind, wrap ▼*tussen hoop en vrees heen en weer geslingerd worden*

hover / waver between hope and fear II *on ww* ❶ *zwaaien* swing, oscillate ❷ *waggelen* lurch, reel ❸ *kronkelen* wind ★ *een ~d pad* a twisting path ❹ *scheep* roll, lurch ❺ *ordeloos liggen* lie about ★ *laten ~* leave lying about III *wkd ww* [zich ~] *zich kronkelen* meander, wind
**slingerplant** creeper
**slingerweg** winding / twisting road
**slinken** run low, shrink, ⟨door koken⟩ boil down, ⟨van voorraad⟩ dwindle
**slinks** cunning, devious
**slip** ❶ *afhangend deel* (coat-)tail, flap ❷ *onderbroek* pair of briefs, briefs *mv*, underpants *mv*, ⟨vrouw ook⟩ knickers *mv* ❸ *glijpartij* ★ *in een slip raken* go into a skid
**slipcursus** anti-skid course
**slipgevaar** danger of skidding, ⟨als waarschuwing⟩ slippery road
**slip-over** slipover
**slippen** ❶ *doorschieten* slip ★ *~de koppeling* slipping clutch ❷ *uitglijden* skid ★ *leren ~* practise skid-control
**slipper** mule, flip-flop, USA thong
**slippertje** ★ *een ~ maken* go off on the sly
**slipstream** slipstream
**slissen** (speak with a) lisp
**slobberen** I *ov ww, slurpen* eat / drink noisily, slobber, slurp II *on ww, flodderig zitten* bag, sag
**slobbertrui** baggy / sloppy sweater, baggy sweater
**sloddervos** slob, grub
**sloeber** *stakker* wretch, poor devil / beggar / wretch
**sloef** ▼*onder de ~ liggen* be henpecked
**sloep** ❶ *kleine boot* boat, smack ❷ *reddingsboot* sloop
**sloerie** slut
**slof** ❶ *pantoffel* slipper ❷ *pak sigaretten* carton ▼*uit zijn slof schieten* fly off the handle, flare up
**sloffen** shuffle, shamble ▼*de zaken laten ~* let things slide
**slogan** slogan
**slok** ❶ *het slikken* swallow, ⟨grote teug⟩ gulp, pull, ⟨kleine teug⟩ sip, nip, ⟨teug⟩ inform swig ❷ *borreltje* drop, dram
**slokdarm** gullet, med oesophagus
**slokken** swallow, gulp, ⟨gulzig⟩ guzzle
**slokop** glutton
**slome** slowcoach
**slons** frump
**slonzig** dowdy, slovenly, ⟨van vrouw⟩ slatternly
**sloof** drudge
**sloom** slow, listless
**sloop** I *zn* [de] ❶ *het slopen* demolition ❷ *sloperij* scrapyard II *zn* [het] *hoofdkussen* pillowcase
**sloopauto** scrap car, wreck
**sloopkogel** demolition ball
**slooppand** demolition site
**sloopwerken** demolition works
**sloot** ❶ *waterloop* ditch ❷ *hoeveelheid* gallons *mv*
**slootjespringen** leaping ditches, pole-vaulting over ditches
**slootwater** ❶ *water in sloot* ditchwater ❷ *slap drankje* dishwater
**slop** ❶ *impasse* ★ *in het slop raken* come to a dead end ★ *uit het slop halen* pull sth / sb out off the

fire ❷ *steegje* alley, ⟨doodlopend⟩ blind alley
**slopen** ❶ *afbreken* demolish, ⟨huis⟩ pull down, ⟨van schip⟩ break up, ⟨installatie⟩ dismantle ❷ *uitputten* sap, drain
**sloper** demolisher, ⟨van schepen⟩ breaker
**sloperij** ⟨m.b.t. gebouwen⟩ demolition firm, ⟨m.b.t. auto's⟩ scrapyard, ⟨m.b.t. schepen⟩ breaker's yard
**slopersbedrijf** demolition firm
**sloppenwijk** slums *mv*, trench town
**slordig** I *bnw* ❶ *onverzorgd* slovenly, careless, untidy, ⟨taal, werk⟩ slipshod ❷ *onnauwkeurig* careless, sloppy ❸ *ruim* cool ★ *het kost een ~e 2 miljoen* it costs a cool two million II *bijw* ★ ~ *schrijven* write sloppily
**slordigheid** ❶ *het slordig-zijn* slovenliness, sloppiness ❷ *iets slordigs* careless / sloppy work
**slot** ❶ *sluiting* ⟨van deur⟩ lock, ⟨van boek⟩ clasp, ⟨van halssnoer⟩ fastening ★ *op slot doen* lock ❷ *einde* end, conclusion ★ *tot slot* in conclusion ★ *ten slotte* finally, lastly, eventually, at last ❸ *kasteel* castle ▼ *iem. achter slot en grendel zetten* put sb behind bars ▼ *per slot van rekening* after all
**slotakkoord** *muz* final chord
**slotakte** ❶ *ton laatste akte* last act ❷ *resultaat van conferentie* final act
**slotbijeenkomst** final / last meeting
**slotenmaker** locksmith
**slotfase** final / last stage
**slotgracht** castle moat
**slotkoers** ⟨m.b.t. effecten⟩ closing price, ⟨m.b.t. wisselkoers⟩ closing rate
**slotopmerking** final / closing / concluding remark
**slotsom** result, upshot ★ *tot de ~ komen* come to the conclusion
**slotverklaring** final / closing statement
**slotwoord** ❶ *afsluitende woorden* closing / last word ❷ *epiloog* epilogue
**slotzin** closing / final / concluding sentence
**Sloveen** *bewoner* Slovene
**Sloveens** *m.b.t. Slovenië* Slovenian
**Sloveense** Slovene (woman / girl)
**sloven** drudge, toil
**Slovenië** Slovenia
**Slowaak** *bewoner* Slovak
**Slowaaks** I *bnw, m.b.t. Slowakije* Slovak II *zn* [het], *taal* Slovak
**Slowaakse** Slovak (woman / girl)
**Slowakije** Slovakia
**slow motion** slow motion
**sluier** veil
**sluierbewolking** cirrus clouds *mv*
**sluieren** veil
**sluik** lank
**sluikhandel** ⟨illegal⟩ illicit trade, ⟨smokkel⟩ smuggling
**sluikreclame** clandestine advertising
**sluikstorten** BN *clandestien afval lozen* dump illegally
**sluimer** slumber
**sluimeren** ❶ *licht slapen* slumber ❷ *fig (nog) niet actief zijn* lie dormant, ⟨m.b.t. iets negatiefs⟩ smoulder
**sluimering** slumber
**sluipen** ❶ *stil lopen* ⟨jacht⟩ stalk, sneak, steal

★ *naar boven* ~ sneak upstairs ❷ *fig ongemerkt opkomen* creep ★ *er is een foutje in geslopen* a small mistake has crept in
**sluipmoord** assassination
**sluipmoordenaar** assassin
**sluiproute** ≈ short cut
**sluipschutter** sniper
**sluipverkeer** rat-run traffic
**sluipweg** ❶ *stille weg* secret route / path ❷ *oneerlijk middel* ★ *langs allerlei ~getjes* surreptitiously
**sluis** *waterkering* ⟨uitwateringssluis⟩ sluice, ⟨schutsluis⟩ lock
**sluisdeur** lock gate
**sluisgeld** lockage
**sluiswachter** lock keeper
**sluiten** I *ov ww* ❶ *dichtdoen* shut, close, ⟨op slot doen⟩ lock, ⟨voorgoed sluiten⟩ close down, ⟨gordijnen⟩ pull ★ *iem. buiten de deur* ~ lock sb out ❷ *opbergen* lock up / away ★ *iem. in de armen* ~ embrace ❸ *aaneensluiten* close ★ *de gelederen* ~ close the ranks ❹ *beëindigen* ⟨van zaak⟩ *de rij* ~ make up the rear ★ *de zaak / kwestie* ~ settle the matter ❺ *opmaken* ★ *de boeken* ~ close / balance the books ❻ *aangaan* conclude ★ *een koop* ~ close a deal, conclude a transaction ★ *een lening* ~ contract a loan ★ *vriendschap* ~ *met* make friends with ▼ *in zich* ~ imply II *on ww* ❶ *dichtgaan* shut, close ❷ *aansluiten* close, ⟨van kleding⟩ fit ❸ *ten einde lopen* close ❹ *kloppen* ★ *de begroting sluit* the budget balances ★ *de redenering sluit niet* the argument does not hold water
**sluiter** *foto* shutter
**sluitertijd** shutter speed
**sluiting** ❶ *het dichtdoen* closing, shutting ❷ *het beëindigen* ⟨van zaak⟩ closure, ⟨van zaak, debat, vrede⟩ conclusion, ⟨opheffing⟩ closing-down ❸ *iets dat afsluit* fastening, clasp, lock
**sluitingsdatum** closing date
**sluitingstijd** closing time
**sluitpost** *econ afsluitende post* closing entry, balancing item
**sluitspier** sphincter
**sluitstuk** ❶ *voorwerp* ⟨van kanon⟩ breech-block ❷ *slotstuk* final / tail piece
**sluizen** ❶ *scheepv* lock in / out / up ❷ *overbrengen* channel
**slungel** beanpole, ⟨lomp⟩ lout
**slungelig** lanky, gangling
**slurf** ❶ *lange snuit* ⟨van insect⟩ proboscis, ⟨van olifant⟩ trunk ❷ *flexibele buis* hose, ⟨op vliegveld⟩ passenger bridge
**slurpen** ❶ *hoorbaar drinken* slurp ❷ *opnemen* absorb
**sluw** sly, cunning, sneaky
**sluwheid** ❶ *hoedanigheid* slyness ❷ *handeling* (sly / cunning) trick
**SM** *sadomasochisme* SM, sadomasochism
**smaad** defamation, slander ★ *jur proces wegens* ~ libel suit
**smaak** ❶ *wat men proeft* taste, flavour ★ *zonder* ~ tasteless ❷ *zintuig* taste ❸ *schoonheidszin* taste ★ *getuigen van goede / slechte* ~ be in good / bad taste ★ *geen* ~ *hebben* have no taste ❹ *voorkeur* taste ★ *in de* ~ *vallen bij* be appreciated by ★ *naar mijn* ~ to my taste / liking ★ *over* ~ *valt niet te*

*twisten* there is no accounting for tastes ★ *smaken verschillen* tastes differ ❺ *graagte, genoegen* taste, relish ★ *met ~ eten* eat with relish ★ *de ~ van iets te pakken krijgen* acquire a taste for sth

**smaakje** ❶ *bijsmaak* taste, smack ★ *er zit een ~ aan* it tastes slightly off, it has a funny taste ❷ *smaakstof* flavour ★ *kauwgom met een frambozen~* raspberry-flavoured chewing gum

**smaakmaker** ❶ *smaakstof* seasoning, flavouring ❷ *trendsetter* trendsetter

**smaakpapil** taste bud

**smaakstof** flavouring

**smaakvol** tasteful, in good taste

**smaakzin** (sense of) taste

**smachten** ❶ *verlangen* yearn / long (for) ★ *~ naar vriendschap* yearn for friendship ❷ *kwijnen* languish ★ *~ van de dorst* die of thirst

**smachtend** *verlangend* languishing, longing

**smadelijk** humiliating, ⟨beledigend⟩ insulting ★ *een ~e nederlaag* an ignominious defeat ★ *een ~e term* an insulting / opprobrious term

**smak** ❶ *klap* thud, crash ❷ *val* fall ❸ *smakkend geluid* smack(ing) ❹ *grote hoeveelheid* heap ★ *een smak geld* a pile / packet

**smakelijk I** *bnw, lekker* savoury, tasty **II** *bijw, lekker* ★ *~ eten!* enjoy your meal!

**smakeloos** ❶ *lett* tasteless ❷ *fig* in bad taste, tasteless

**smaken I** *ov ww, genieten* ★ *het genoegen ~ om* have the pleasure of **II** *on ww* ❶ *smaak hebben* taste ★ *het heeft goed gesmaakt* it was very enjoyable ★ *zij liet zich de wijn / het eten goed ~* she drank the wine / ate the food with relish ❷ *naar de zin zijn* ★ *smaakt het?* do you like it? ★ *het smaakt mij niet* I have no relish for it ❸ *~ naar* taste of ★ *dat smaakt naar meer* that's very morish

**smakken I** *ov ww, smijten* fling, dash ★ *hij werd op de grond gesmakt* he was flung to the ground **II** *on ww* ❶ *vallen* crash ❷ *hoorbaar eten* smack one's lips

**smal** narrow ★ *smaller worden* narrow ★ *smal gezicht* peaked face ★ *smal toelopend* taper(ing)

**smaldeel** squadron

**smalen** scoff (at), revile

**smalend** scornful

**smaragd** emerald

**smart** ❶ *leed* sorrow, grief, affliction ❷ *verlangen* yearning ★ *met ~ verwachten* await anxiously ▼ *gedeelde ~ is halve ~* a sorrow shared is a sorrow halved

**smartcard** smart card

**smartdrug** smart drug

**smartelijk** painful, smarting

**smartengeld** smart money, compensation

**smartlap** tear-jerker, weepy

**smash** *sport* smash

**smashen** *sport* smash

**smeden** ❶ *bewerken* forge, ⟨aan elkaar⟩ weld, ⟨van hoef⟩ hammer out ❷ *uitdenken* hatch

**smederij** smithy, forge

**smeedijzer** wrought iron

**smeedwerk** wrought ironwork

**smeekbede** appeal, plea

**smeer** ❶ *smeersel* grease, fat, ⟨schoenen⟩ polish

❷ *vuil* smear

**smeerbaar** spreadable

**smeerboel** mess

**smeergeld** hush money, bribe

**smeerkaas** *cul* cheese spread

**smeerlap** ❶ *viezerik* slob, ⟨moreel⟩ pervert ❷ *gemeen persoon* swine, bastard

**smeerlapperij** ❶ *viezigheid* filth ❷ *gemeenheid* dirty tricks *mv*

**smeerolie** lubricating oil

**smeerpijp** ❶ *afvoerpijp* sewer, drain (pipe) ❷ *smeerpoets* pig, slob

**smeerpoets** dirty person, slob, scruff

**smeersel** ❶ *zalf* ointment, ⟨vloeibaar⟩ liniment ❷ *beleg* (sandwich) spread

**smeken** beg, entreat, implore

**smeltbaar** meltable

**smelten I** *ov ww, vloeibaar maken* melt **II** *on ww* ❶ *vloeibaar worden* melt, ⟨hoge temperatuur⟩ fuse, ⟨erts⟩ smelt ★ *daar zul je niet van ~* it won't hurt you ❷ *weemoedig worden* melt

**smeltkroes** *kroes* melting pot

**smeltpunt** fusing point, melting point

**smeltsneeuw** melting snow

**smeltwater** meltwater

**smeren** ❶ *uitstrijken* smear, ⟨met boter⟩ butter ★ *crème op de huid ~* rub cream on one's skin ❷ *invetten* grease, ⟨met olie⟩ oil, ⟨met olie⟩ lubricate ❸ *besmeren* ▼ *het gaat / loopt gesmeerd* it goes swimmingly

**smerig** ❶ *vuil* dirty, filthy, ⟨van weer⟩ foul, ⟨van weer⟩ filthy ❷ *schunnig* smutty, dirty, filthy ★ *~e taal gebruiken* talk smut ❸ *gemeen* dirty ★ *een ~e streek* a dirty trick

**smeris** cop(per)

**smet** ❶ *vlek* spot, stain ❷ *schandvlek* blot, blemish ★ *een smet op iemands naam werpen* cast a slur on sb

**smetteloos** ❶ *lett* spotless ❷ *fig* immaculate

**smetvrees** nosophobia

**smeuïg** ❶ *zacht* smooth, ⟨soep⟩ thick ❷ *smakelijk* savoury ❸ *vermakelijk* juicy, vivid

**smeulen** ❶ *gloeien* smoulder ❷ *fig broeien* smoulder, simmer ★ *~de haat / woede* smouldering hatred / anger ★ *er smeult een opstand* a riot is brewing

**smid** blacksmith

**smidse** smithy

**smiecht** ❶ *gemenerik* rascal ❷ *slimmerik* smartaleck

**smiezen** ▼ *iem. in de ~ houden* keep an eye on sb, watch sb closely ▼ *iem. in de ~ krijgen* spot sb

**smijten** fling, throw, dash ★ *iem. eruit ~* throw sb out ▼ *met geld ~* chuck one's money about

**smikkelen** relish ★ *~ van iets* tuck into sth

**smiley** smiley

**smoel** ❶ *gezicht* mug ❷ *mond* ★ *hou je ~* shut your trap

**smoes** excuse ★ *je moet niet met ~jes komen* tell me another

**smoezelig** dingy, grubby

**smoezen** whisper

**smog** smog

**smogalarm** smog alert

**smoking** dinner jacket, USA tuxedo

**smokkel** smuggling

**smokkelaar** smuggler
**smokkelarij** smuggling
**smokkelen I** *ov ww, heimelijk vervoeren* smuggle
  **II** *on ww, regels ontduiken* cheat, dodge
**smokkelhandel** smuggling
**smokkelroute** smuggling route
**smokkelwaar** contraband
**smoor** ▼ *er de ~ in hebben* be peeved, USA be sore
**smoorheet** sweltering, broiling hot
**smoorverliefd** ★ ~ *worden op* fall head over
  heels in love with ★ ~ *zijn op iem.* be madly in
  love with sb, be head over heels in love with sb,
  have a crush on sb
**smoothie** cul smoothie
**smoren I** *ov ww* ❶ *verstikken* smother, strangle
  ★ *met gesmoorde stem* in a strangled voice
  ❷ *gaar laten worden* braise **II** *on ww, stikken*
  suffocate, ⟨van hitte⟩ stifle, ⟨van hitte⟩ choke
**smoushond** affenpinscher
**smoutbol** BN *oliebol* ≈ doughnut ball
**sms-bericht** text message
**sms'en** send a text message
**sms'je** text message
**smullen** ❶ *heerlijk eten* tuck in, feast ⟨**van** upon⟩
  ❷ fig *genieten* revel in, lap up
**smulpaap** gourmet
**smurf** smurf
**smurrie** gunk, USA glop, ⟨van modder⟩ sludge
**snaaien** pilfer, snitch
**snaar** *dun koord* string, ⟨van harp⟩ chord, ⟨van
  tennisracket⟩ string, ⟨van trommel⟩ snare ▼ *een
  gevoelige ~ raken* touch a sensitive chord, touch a
  tender spot
**snaarinstrument** stringed instrument
**snack** snack
**snackbar** snack bar
**snacken** snack, nosh
**snakken naar** die for, yearn for ★ *ik snak naar een
  kop koffie* I'm dying for a cup of coffee
**snappen** ❶ *begrijpen* get, inform twig ★ *snap je?*
  got it?, see? ❷ *betrappen* catch out, nab
**snars** ▼ *het gaat je geen ~ aan* it's none of your
  business ▼ *het kan me geen ~ schelen* I couldn't
  care less, I don't give a toss
**snater** gob, trap ★ *hou je ~!* shut your gob / trap!
**snateren** ❶ *kwaken* chatter, ⟨van gans⟩ gaggle
  ❷ *kwebbelen* chatter
**snauw** snarl
**snauwen** *bits spreken* snap (at), snarl (at)
**snauwerig** snappy, ⟨humeurig⟩ gruff
**snavel** ❶ *vogelbek* bill, ⟨krom⟩ beak ❷ *mond*
  mouth ★ *houd je ~!* shut your trap!
**snede** → **snee**
**snee** ❶ *het snijden* cut ❷ *insnijding* incision, cut,
  ⟨snijwond⟩ cut, ⟨diep⟩ gash ❸ *plak* ⟨brood⟩ slice,
  ⟨dik⟩ slab, ⟨bacon⟩ rasher ★ *een sneetje brood* a
  slice of bread ❹ *scherpe kant* ⟨cutting⟩ edge
  ❺ *snijvlak* edge ★ *goud op snee* gilt-edged
**sneer** sneer, taunt
**sneeren** sneer / gibe at
**sneeuw** *neerslag* snow ★ *eeuwige ~* perpetual
  snow ★ *natte ~* sleet ★ *opgewaaide ~* snowdrift,
  drifted snow ▼ *verdwijnen als ~ voor de zon*
  disappear like snow in summer, vanish into thin
  air ▼ BN *zwarte ~ zien* be down and out
**sneeuwbal** snowball

**sneeuwbaleffect** snowball effect
**sneeuwballengevecht** snowball fight
**sneeuwblind** snow-blind
**sneeuwbril** pair of snow goggles, snow goggles
  *mv*
**sneeuwbui** snow shower
**sneeuwen** snow
**sneeuwgrens** snowline
**sneeuwjacht** snowstorm, blizzard
**sneeuwkanon** snow gun / cannon
**sneeuwketting** snow chain
**sneeuwklokje** snowdrop
**sneeuwlandschap** ❶ *landschap* snowy / wintry
  landscape ❷ *schilderij enz.* winter landscape
**sneeuwman** snowman
**sneeuwploeg** *machine* snow plough, USA
  snowplow
**sneeuwpop** snowman
**sneeuwruimen** clear / shovel snow
**sneeuwschuiver** ❶ *schop* snow push / shover
  ❷ *auto* snow plough
**sneeuwstorm** blizzard, snowstorm
**sneeuwuil** snowy owl
**sneeuwvakantie** ≈ skiing holiday
**sneeuwval** ❶ *neerslag* snowfall, ⟨licht⟩ snowflurry
  ❷ *lawine* snowslide, ⟨zwaar⟩ avalanche
**sneeuwvlok** snowflake
**sneeuwvrij** clear of snow
**sneeuwwit** snow-white
**Sneeuwwitje** Snow White
**sneeuwzeker** with a guarantee of snow
**snel I** *bnw* ❶ *vlug* swift, quick, fast, rapid ★ *iem. te
  snel af zijn* be too quick for sb ❷ *modern* trendy
  ★ *een snelle jongen* a trendy person, a swinger
  **II** *bijw* ❶ *vlug* rapidly, swiftly, quickly ★ *snel
  achteruitgaan* decline rapidly, sink fast ★ *de auto
  trekt snel op* the car has a good acceleration
  ❷ *spoedig* soon
**snelbinder** carrier straps *mv*
**snelbuffet** quick-service buffet
**snelbus** express bus
**snelfiltermaling** extra-fine grind
**snelheid** ❶ *het snel gaan* quickness, fastness,
  rapidity ❷ *vaart* pace, rate, ⟨van licht, geluid⟩
  velocity, ⟨van trein, e.d.⟩ speed ★ *met een ~ van*
  at a speed of, at the rate of ★ ~ *verminderen*
  reduce speed
**snelheidsbegrenzer** speed limiter
**snelheidsbeperking** speed limit
**snelheidscontrole** speed check
**snelheidsduivel** speed merchant, USA speed
  demon
**snelheidslimiet** speed limit
**snelheidsovertreding** (incident of) speeding,
  exceeding the speed-limit
**snelkoker** pressure cooker
**snelkookpan** pressure cooker
**snelkookrijst** instant / minute rice
**snelkoppeling** comp shortcut
**snellekweekreactor** fast-breeder reactor
**snellen** rush, hurry
**snelrecht** jur summary justice, summary
  proceedings *mv*
**snelschaken** playing a game of lightning chess,
  USA rapid transit
**sneltoets** comp soft key

**sn**

**sneltram** express tram
**sneltrein** fast train
**sneltreinvaart** tearing rush, full speed
**snelverband** emergency bandage
**snelverkeer** fast traffic
**snelvuur** quick / rapid fire / firing
**snelvuurwapen** rapid-fire weapon
**snelwandelen** speed walking
**snelweg** motorway, USA freeway
**snerpen** ❶ *schril klinken* shriek, shrill ❷ *striemen* cut, bite ★ *~de kou* piercing cold
**snert** ❶ *erwtensoep* pea soup ❷ *troep* trash, tripe ★ *~weer* beastly weather
**snert-** ★ *snertweer* bloody weather
**sneu** disappointing, hard ★ *dat is sneu voor haar* that is hard on her
**sneuvelen** ❶ *omkomen* fall in battle, be killed ❷ *stukgaan* break
**snibbig** snappish
**sniffen** ❶ *ademhalen met verstopte neus* sniff(le) ❷ *zacht huilen* snivel, whimper
**snijbloem** cut flower
**snijboon** ❶ *groente* French bean ❷ *inform persoon* ★ *een rare ~* a queer fish
**snijbrander** oxyacetylene torch, cutting torch
**snijdbaar** sliceable
**snijden** I *ov ww* ❶ *af- / uitsnijden* cut, ⟨in plakken⟩ slice, ⟨aan stukken⟩ cut up, ⟨hout, vlees⟩ carve ❷ *een snijpunt hebben* cross, intersect ★ *a snijdt b in c* line a and b intersect in point c ❸ *opzijdringen* cut in II *on ww* ❶ *kerven* cut, bite ❷ *pijn veroorzaken* cut, bite
**snijdend** *doordringend* sharp ★ *een ~e kou* a biting cold ★ *een ~e stem* a shrill / cutting voice ★ *een ~e wind* a cutting wind
**snijmachine** cutting / slicing machine?
**snijplank** chopping / carving board, ⟨voor kleding⟩ cutting board
**snijpunt** intersection
**snijroos** cut rose
**snijtafel** dissecting table
**snijtand** incisor
**snijvlak** ❶ *snijdend deel* blade, cutting face ❷ *doorsnede* section
**snijwerk** *kunstwerk* sculpture, carving(s)
**snijwond** cut, ⟨diep⟩ gash
**snik** gasp, ⟨bij huilen⟩ sob ▼ *de laatste snik geven* breathe one's last ▼ *tot zijn laatste snik* to his last gasp
**snikheet** stifling hot, sweltering
**snikken** sob
**snip** ❶ *vogel* snipe ❷ *briefje van honderd* one-hundred guilder note
**snipper** *reepje* shred ★ *geen ~tje* not a scrap
**snipperdag** day off
**snipperen** cut up, shred
**snipverkouden** ★ *~ zijn* have got a bad cold, inform have got the sniffles
**snit** cut
**snob** snob
**snobisme** snobbishness, snobbery
**snobistisch** snobbish
**snoeien** ❶ *afknippen* prune, ⟨struik, haag⟩ trim, ⟨struik, haag⟩ clip ❷ *inkorten* cut (back) ★ *~ in een begroting* trim / prune a budget ★ *in de uitgaven ~* cut back on expenses

**snoeimes** pruning knife *mv:* knives
**snoeischaar** pair of pruning shears, pruning shears *mv*
**snoek** *vis* pike
**snoekbaars** pike-perch
**snoekduik** header, headlong dive / dash
**snoep** ❶ sweets *mv*, USA candy ❷ → **snoepje**
**snoepautomaat** sweet / candy machine, USA vending machine (for candy)
**snoepen** I *ov ww, iets lekkers eten* eat sweets / candy II *on ww, heimelijk eten* (have a) nibble ★ *wie heeft er van de honing gesnoept?* who's been at the honey?
**snoeper** ❶ *iem. die snoept* somebody with a sweet tooth, glutton ❷ *flirt* womanizer ★ *ouwe ~* old lecher
**snoepgoed** sweets *mv*, USA candy
**snoepje** *snoepgoed* sweet, USA candy ★ *wil je een ~?* have a sweet?
**snoeplust** fondness for sweets
**snoepreisje** jaunt, ⟨afkeurend⟩ junket
**snoer** ❶ *koord* rope, cord, string, ⟨vissnoer⟩ line ★ *elektrisch ~* mains lead, ⟨van lamp e.d.⟩ flex ❷ *streng* string
**snoeren** ⟨kralen, e.d.⟩ string, ⟨vast rijgen⟩ lace
**snoerloos** cordless
**snoes** darling, pet, peach
**snoeshaan** weirdo, oddball ★ *een vreemde ~* a strange character
**snoet** face, inform mug, ⟨van dier⟩ snout ★ *een lief ~je* a cute little face
**snoeven** boast, brag
**snoever** boaster
**snoezig** sweet, lovely
**snol** tart
**snood** malicious, wicked ★ *snode plannen hebben* be scheming
**snoodaard** villain
**snooker** snooker
**snookeren** *spel* play snooker
**snor** moustache, ⟨van dieren⟩ whiskers *mv* ▼ *dat zit wel snor* that's fine / all right
**snorder** plying taxi
**snorfiets** moped
**snorhaar** ❶ *haar van snor* hair of a moustache ❷ *tasthaar bij zoogdieren* whisker
**snorkel** snorkel
**snorkelen** snorkeling
**snorren** buzz, hum, ⟨van kat⟩ purr, ⟨van machine, e.d.⟩ whirr, ⟨zacht⟩ hum
**snot** ❶ *neusslijm* (nasal) mucus / discharge, inform snot ❷ *ziekte* ▼ *iem. voor Piet Snot zetten* make sb look silly
**snotaap** *kwajongen* brat
**snotneus** ❶ *loopneus* runny nose, vulg snotty nose ❷ *snotaap* (arrogant) youngster, brat
**snottebel** snot
**snotteren** ❶ *neus ophalen* sniffle ❷ *huilen* snivel, blubber
**snotverkouden** have a very bad cold ★ *ik ben ~* my nose is bunged up with a cold
**snowboard** snowboard
**snowboarden** snowboarding
**snuffelaar** pry, inform Nosy Parker
**snuffelen** ❶ *ruiken* sniff (at) ❷ *speuren* nose (about), ⟨in boek⟩ browse

**snuffelpaal** air pollution detector
**snuffen** sniff, sniffle
**snufferd** ❶ *neus* conk, GB hooter ★ *het staat vlak voor je ~!* it's right in front of your hooter! ❷ *gezicht* conk, snout, snoot
**snufje** ❶ *klein beetje* pinch, touch ★ *een ~ zout* a pinch of salt ❷ *nieuwigheidje* ⟨nieuw⟩ novelty, ⟨techniek⟩ gadget ★ *het nieuwste ~* the latest novelty / thing
**snugger** smart, bright, inform clever
**snuifje** *klein beetje* pinch
**snuisteren** BN *nieuwsgierig doorkijken* rummage ⟨through⟩, nose around / about
**snuisterij** trinket, knick-knack, bauble
**snuit** ❶ *deel van kop* snout, muzzle, ⟨van olifant⟩ trunk, ⟨van insect⟩ proboscis ❷ *gezicht* face, inform mug
**snuiten** blow one's nose
**snuiter** *kwibus* chap, guy
**snuiven** I *ov ww, tabak / cocaïne gebruiken* ⟨drugs⟩ sniff / snort, ⟨tabak⟩ take snuff II *on ww* ❶ *ademen* sniff, ⟨van woede⟩ snort, ⟨van paard⟩ snort ❷ *de neus ophalen* sniff
**snurken** ❶ *knorrend ademhalen* snore ★ *~ als een os* snore stertorously ❷ *slapen* kip, doss
**s.o.** onderw *schriftelijke overhoring* written exam
**soa** *seksueel overdraagbare aandoening* STD, sexually transmissible disease
**soap** ⟨televisie⟩ soap
**soapserie** soap opera
**sober** *eenvoudig* sober, frugal
**sociaal** ❶ *in groepsverband levend* social ❷ *maatschappelijk* social, social ★ *sociale lasten* social security charges, ≈ GB National Insurance contributions ★ *sociale uitkeringen* social security benefits ★ *sociale verzekering* social security, GB National insurance ★ *sociale voorzieningen* social services ★ *sociale wetgeving* social legislation ❸ *welwillend* social, socially minded ★ *je ~ opstellen* show a sense of social awareness
**sociaalcultureel** socio-cultural
**sociaaldemocraat** social democrat
**sociaaldemocratisch** social democratic, social-democratic
**sociaaleconomisch** socio-economic
**socialezekerheidsstelsel** social security system
**socialisatie** socialization
**socialiseren** socialize
**socialisme** socialism
**socialist** socialist
**socialistisch** socialist(ic)
**sociëteit** ❶ *genootschap* society ❷ *vereniging* association, club ❸ *verenigingsgebouw* clubhouse
**society** society ⟨circles⟩, inform uppercrust
**sociologie** sociology
**sociologisch** sociological
**socioloog** sociologist
**soda** ❶ *natriumcarbonaat* soda ❷ *sodawater* soda ⟨water⟩
**sodawater** soda water
**sodemieter** ▾ *als de ~* like hell / blazes, lickety-split ▾ *geen ~* no shit / hell ▾ *iem. op zijn ~ geven* beat the hell out of sb
**sodemieteren** I *ov ww, gooien* chuck, sling II *on ww* ❶ *vallen* tumble, plunge ★ *van de trap ~* fall arse over elbow / head down the stairs

❷ *donderjagen* be a pain in the arse
**sodomie** sodomy
**soebatten** implore, keep on at, coax
**Soedan** Sudan
**Soedanees** Sudanese
**soelaas** solace, consolation, comfort ★ *~ bieden* (give) comfort (to) sb, succour sb
**soenniet** Sunnite
**soep** cul soup ▾ *in de soep rijden* smash up ▾ *in de soep zitten* be in the soup ▾ BN *tussen de soep en de patatten* in too much of a hurry ▾ *dat is linke soep* that's a risky / dicey business ▾ *het is niet veel soeps* it is not much good
**soepballetje** cul forcemeat ball
**soepbord** soup plate / bowl
**soepel** ❶ *buigzaam* pliable, ⟨lenig⟩ supple ❷ *niet stroef bewegend* smooth ❸ fig *niet koppig* flexible, compliant, pliable
**soepgroente** vegetables for soup *mv*
**soepjurk** tent dress, sack
**soepkip** boiling hen
**soepkom** soup cup / bowl
**soeplepel** ❶ *opscheplepel* soup ladle ❷ BN *eetlepel* table-spoon
**soeps** → **soep**
**soepstengel** cul bread stick
**soes** *gebakje* choux pastry
**soesa** bother ★ *daar krijg je ~ mee* that will get you into trouble ★ *een hoop ~* a lot of fuss
**soeverein** I *zn* [de] sovereign, ruler II *bnw* sovereign
**soevereiniteit** sovereignty
**soezen** *dommelen* doze
**soezerig** drowsy
**sof** flop, washout
**sofa** sofa, couch
**Sofia** Sofia
**sofinummer** National Insurance Number, USA Social Security Number
**soft** ⟨zacht⟩ soft, ⟨halfzacht⟩ weak, ⟨halfzacht⟩ wishy-washy
**softbal** sport softball
**softballen** sport play softball
**softdrug** soft drug
**softijs** soft ice-cream
**software** software
**softwareontwikkelaar** software developer
**softwarepakket** software package
**softwareprogramma** software programme
**soja** soy sauce
**sojaboon** soya bean
**sojamelk** soya milk
**sojaplant** soya plant
**sojasaus** cul soy(a) sauce
**sok** ❶ *kous* sock ❷ *onderdeel van een buis* ▾ *er de sokken in zetten* spurt ▾ *iem. van de sokken rijden* knock sb over
**sokkel** pedestal
**sol** *muzieknoot* sol, G
**solair** solar
**solarium** solarium
**soldaat** soldier, private (soldier) ★ *~ 1e klas* ≈ lance corporal ★ *gewoon ~* private (soldier)
**soldatenuniform** soldier's uniform
**soldeer** solder
**soldeerbout** soldering bolt

**soldeerdraad** soldering-wire
**soldeersel** solder
**solden** BN *uitverkoop* (clearance / bargain) sale
**solderen** solder
**soldij** pay
**soleren** perform a solo, give a solo performance, fig act alone
**solidair** sympathetic ★ *zich ~ verklaren met* declare one's solidarity with
**solidariteit** solidarity ★ *uit ~ (met)* in sympathy (with)
**solidariteitsbeginsel** principle of solidarity
**solidariteitsgevoel** feeling of solidarity
**solide** ❶ *vast* solid, stable, sturdy ❷ fig *betrouwbaar* solid, ⟨van fonds⟩ sound
**soliditeit** ⟨stevigheid⟩ solidity, ⟨degelijkheid⟩ steadiness
**solist** ❶ muz soloist ❷ fig *individualist* solo performer
**solitair** I zn [de], *persoon* ⟨dier⟩ rogue, ⟨mens⟩ loner, ⟨mens⟩ lone wolf II bnw solitary
**sollen** *met* ★ ~ *met iem.* trifle with sb ★ *ik laat niet met me ~* I'm not to be trifled with
**sollicitant** applicant, candidate ★ *~en oproepen voor* invite applications for
**sollicitatie** application
**sollicitatiebrief** letter of application
**sollicitatiecommissie** selection committee
**sollicitatiegesprek** job interview, interview for a position
**sollicitatieplicht** job-search requirement
**sollicitatieprocedure** selection procedure
**solliciteren** ❶ *naar dingen* apply (**naar** for) ❷ *~* **naar** fig *vragen om* ★ *~ naar moeilijkheden* look for trouble
**solo** I zn [de] mv: *solos* II bijw solo
**solocarrière** muz solo career
**Solomoneilanden** Solomon Islands mv
**solopartij** solo part
**soloplaat** solo disk
**solotoer** ▼ *op de ~ gaan* go it alone, act on one's own
**solovlucht** solo flight
**solozanger** soloist
**solutie** *contactlijm* rubber solution
**solvabel** solvent, sound
**solvabiliteit** solvency, solvability
**som** ❶ *uitkomst* sum ❷ *bedrag* sum, amount ❸ wisk ★ *een som maken* do a sum
**Somalië** Somalia
**Somalisch** Somali
**somatisch** somatic
**somber** ❶ *donker* dark, gloomy, ⟨van kleur⟩ sombre ❷ *bedrukt* gloomy, dejected
**sommeren** *bevelen* summon
**sommige** some, certain
**soms** ❶ *nu en dan* now and then, sometimes ❷ *misschien* perhaps ★ *als je Jan soms ziet...* if you happen to see Jan..., if, by any chance, you see Jan...
**sonar** sonar
**sonarapparatuur** sonar equipment
**sonate** sonata
**sonde** ❶ *peilstift* probe ❷ *meettoestel* probe ❸ *katheter* catheter
**sondevoeding** tube / catheter feeding

**song** song
**songtekst** lyric(s)
**sonisch** sonic
**sonnet** sonnet
**sonoor** sonorous
**soort** ❶ *groep* sort, kind ★ *in zijn ~* in his way ★ *het beste boek in zijn ~* the best book of its kind ★ *het is in zijn ~ geen slechte auto* it is not a bad car, as cars go ★ *mensen van allerlei ~* all sorts and conditions of men ★ *hij is van het ~ dat...* he is of the stuff that... ❷ biol species ❸ *iets dat lijkt op het genoemde* sort, kind ★ *een ~ ei* a sort of egg ▼ *~ zoekt ~* birds of a feather flock together
**soortelijk** specific ★ *het ~ gewicht* specific gravity
**soortement** a sort / kind of
**soortgelijk** similar
**soortgenoot** one of the same kind
**soortnaam** class / generic name
**soos** club ★ *op de soos* at the club
**sop** (soap)suds mv ▼ *het ruime sop kiezen* set / stand out to sea ▼ *'t sop is de kool niet waard* the game is not worth the candle ▼ *iem. in zijn eigen sop laten gaar koken* let sb stew in his own juice ▼ *het ruime sop* the open sea
**soppen** ❶ *reinigen* wash ❷ *indopen* dunk
**sopraan** *stem* soprano mv: *sopranos*
**sorbet** ice-cream soda, ⟨met vruchten⟩ knickerbocker glory
**sorbitol** sorbitol
**sores** ★ *ik heb al genoeg ~ aan mijn hoofd* I have enough worries as it is
**sorry** pardon / excuse me
**sorteermachine** sorting machine
**sorteren** sort ▼ *(geen) effect ~* be (in)effective
**sortering** ❶ *het sorteren* sorting ❷ *verscheidenheid* assortment, selection
**SOS** Save Our Souls S.O.S. ★ *SOS-signaal* S.O.S. signal, distress call ★ *een SOS uitzenden* send (out) an S.O.S. / mayday signal
**soufflé** soufflé
**souffleren** prompt
**souffleur** prompter
**soul** soul
**soundtrack** soundtrack
**souper** supper
**souperen** take / have supper
**souplesse** flexibility, suppleness
**sousafoon** sousaphone
**souschef** deputy head / manager
**souteneur** pimp
**souterrain** basement
**souvenir** souvenir
**souvenirwinkel** souvenir shop
**sovjet** soviet
**Sovjet-Unie** Soviet Union
**sowieso** in any case, anyhow
**spa** ❶ *fl* *mineraalwater* mineral water ❷ *spade* spade
**spaak** I zn [de] spoke ▼ *een ~ in het wiel steken* throw a spanner in the works, put a spoke in the wheel II bijw ▼ *~ lopen* go wrong
**spaakbeen** radius
**spaan** ❶ *spaander* chip ❷ *schuimspaan* skimmer ▼ *er bleef geen ~ van heel* it was smashed to pieces
**spaander** chip ▼ *waar gehakt wordt, vallen ~s* you cannot make an omelette without breaking eggs

**spaanplaat** chipboard
**Spaans I** *bnw, m.b.t. Spanje* Spanish **II** *zn* [het], *taal* Spanish
**Spaanse** Spanish (woman / girl)
**Spaanstalig** Spanish speaking
**spaaractie** savings campaign
**spaarbank** savings bank
**spaarbankboekje** savings account / deposit book
**spaarbekken** reservoir
**spaarbrander** energy-saving burner, low-flame
**spaarbrief** savings certificate / bond
**spaarcenten** inform savings *mv*
**spaardeposito** savings deposit
**spaarder** saver
**spaarfonds** savings fund
**spaargeld** savings *mv*
**spaarlamp** energy-saving lamp
**spaarpot ❶** *busje* money box **❷** *spaargeld* savings *mv* ★ *een ~je aanleggen* put / lay by some money, save for a rainy day
**spaarrekening** savings account
**spaarvarken** piggy bank
**spaarzaam** *zuinig* thrifty, sparing, economical ★ *hij is ~ met woorden* he doesn't waste words
**spaarzegel** ⟨van bank⟩ savings stamp, ⟨van winkel⟩ trading stamp
**spacecake** space cake
**spaceshuttle** space-shuttle
**spade** spade
**spagaat** splits *mv*, USA split ★ *een ~ maken* do the splits, USA do a split
**spaghetti** spaghetti, pasta
**spalk** splint
**spalken ❶** *verbinden* splint, put in splints **❷** *splijten* prop open
**spam** comp e-mail spam
**span ❶** *trekdieren* team (of horses) **❷** *fig stel* ★ *een aardig span* a nice couple
**spanband** ratchet lashing
**spandoek** banner
**spandraad** guy
**spaniël** spaniel
**Spanjaard** *bewoner* Spaniard
**Spanje** Spain
**spankracht ❶** *veerkracht* elasticity **❷** *kracht* tension
**spannen I** *ov ww* **❶** *strak trekken* tighten, stretch, ⟨van net⟩ spread, ⟨van spieren⟩ strain **❷** *aanspannen* ★ *de paarden voor het rijtuig ~* harness the horses to the carriage **❸** *uitrekken* stretch **II** *on ww, te strak zitten* be tight **III** *onp ww, kritiek zijn* ★ *het zal erom ~* it will be close
**spannend ❶** exciting, thrilling, ⟨van moment⟩ tense **❷** BN *strak, nauw* ⟨van kleding⟩ tight(-fitting)
**spanning ❶** *het strak getrokken zijn* tension, strain **❷** *druk* tension, stress, natk pressure **❸** elek *potentiaalverschil* tension, voltage ★ *een ~ van 220 Volt* a 220 Volts charge **❹** psych *onrust* tension, ⟨onzekerheid⟩ suspense ★ *~ op de arbeidsmarkt* strain on the labour market ★ *met ~ verwachten* await eagerly
**spanningsboog** voltage / current curve
**spanningscoëfficiënt** coefficient of pressure
**spanningshaard** trouble spot, ⟨sociaal / politiek⟩

area of dispute
**spanningsveld** fig area / field of tension
**spanningzoeker** test lamp, tester
**spanwijdte ❶** *afstand tussen twee steunpunten* span **❷** *vleugelbreedte* ⟨van vogel⟩ wingspread, ⟨van vliegtuig⟩ wingspan
**spar** *boom* spruce ★ *fijne spar* fir
**sparappel** fir cone
**sparen ❶** *besparen* save (up) **❷** *verzamelen* collect **❸** *ontzien* spare, save ★ *iemands leven ~* spare sb's life
**sparren** sport spar
**sparringpartner** sparring-partner
**Spartaans** *streng* Spartan
**spartelen** thrash, struggle, flounder
**sparteling** floundering, thrashing
**spasme** spasm, med paroxysm
**spastisch ❶** *verkrampt* spastic **❷** fig *moeilijk doend* spastic ★ *doe niet zo ~!* stop acting like a spastic!
**spat** ⟨spetter⟩ drop, speck, spot, ⟨spetter⟩ splash ▼ *hij heeft geen spat uitgevoerd* he hasn't done a stroke of work ▼ *spatjes hebben* make a fuss / trouble, put on airs
**spatader** med varicose vein
**spatbord** mudguard, ⟨van auto⟩ wing
**spatel** spatula
**spatie** space
**spatiebalk** comp space bar
**spatiëren** space
**spatiëring** spacing
**spatietoets** space bar / key
**spatlap** mudflap
**spatten I** *ov ww, bespatten* splatter, splash **II** *on ww, spetteren* splash, splutter ★ *uit elkaar ~* burst
**spawater**® mineral water
**speaker ❶** *luidspreker* loudspeaker **❷** *commentator* speaker
**specerij** spice
**specht** woodpecker
**speciaal I** *bnw* special, particular **II** *bijw* in particular
**speciaalzaak** specialist shop
**special** special
**specialisatie** specialization, special(i)ty
**specialisatiejaar** BN onderw ≈ year of post-certificate training
**specialiseren** [zich ~] specialize
**specialisme** specialty, speciality
**specialist** *deskundige* specialist, expert
**specialistisch** specialist
**specialiteit** speciality, specialty
**specie** *mortel* mortar, cement
**specificatie** specification
**specificeren** specify, itemize
**specifiek I** *bnw, typisch* specific **II** *bijw, kenmerkend* specifically, particularly
**specimen** specimen, sample
**spectaculair** spectacular, sensational
**spectraal** spectral
**spectrum ❶** natk spectrum **❷** *gevarieerde reeks* spectrum, variety
**speculaas** omschr type of spiced biscuit ★ *gevulde ~* ≈ cake filled with almond paste
**speculaasje** cul omschr spiced biscuit / cookie
**speculaaspop** ≈ gingerbread man

**sp**

**sp**

**speculant** speculator
**speculatie** speculation
**speculatief** speculative
**speculeren** ❶ *gissingen doen* speculate, conjecture ❷ econ speculate ❸ ~ *op rekenen op* speculate on, ⟨ongunstig⟩ take advantage of, ⟨ongunstig⟩ trade on
**speech** speech ★ *een ~ houden* make / give a speech
**speechen** deliver / make a speech
**speed** speed, pep pill
**speedboot** speedboat, motorboat
**speeddaten** speed dating
**speeksel** saliva, spit(tle)
**speekselklier** salivary gland
**speelautomaat** slot / gambling machine
**speelbal** ❶ *bal* player's / playing ball, ⟨biljart⟩ cue ball ❷ *slachtoffer* toy, plaything ★ *een ~ van de golven zijn* be at the mercy of the waves
**speelbank** gaming / gambling house
**speelbord** games' board
**speeldoos** music(al) box
**speelduur** *lengte* ⟨van cd, dvd enz.⟩ playing time
**speelfilm** (feature) film
**speelgoed** toy(s)
**speelgoedafdeling** toy department
**speelgoedautootje** toy car
**speelgoedbeer** teddy / toy bear
**speelgoedbeest** toy animal
**speelgoedwinkel** toy shop
**speelhal** amusement arcade, USA arcade
**speelhelft** ❶ *helft van veld* end ❷ *helft speelduur* half
**speelhol** gambling den
**speelkaart** playing card
**speelkameraad** playmate
**speelkwartier** break, ⟨jonge kinderen⟩ playtime
**speelplaats** playground
**speelplein** BN *speelplaats* playground
**speelruimte** ❶ *handelingsvrijheid* elbow-room, latitude ★ *niet veel ~ hebben* have little room to manoeuvre ❷ *speling* play
**speels** ❶ *dartel* playful, ⟨van dier⟩ frisky ❷ *luchtig* playful, light
**speelschuld** gambling debt
**speeltafel** gambling table
**speelterrein** playground
**speeltijd** BN *speelkwartier* break, ⟨jonge kinderen⟩ playtime
**speeltje** toy, plaything
**speeltoestel**, BN **speeltuig** *klimtoestel* climbing frame
**speeltuin** playground, recreation area
**speelvogel** BN *speels kind* playful child
**speelzaal** ❶ *speelvertrek voor kinderen* playroom, ⟨voor kinderopvang⟩ nursery ❷ *zaal voor kansspelen* gambling room / hall
**speen** I *zn* [de] ❶ *fopspeen* dummy ❷ *tepel* teat II *zn* [het], BN *aambeien* haemorrhoids *mv*, piles *mv*
**speenkruid** lesser celandine, pilewort
**speenvarken** sucking pig
**speer** ❶ *lans* spear ❷ sport javelin
**speerpunt** ❶ *punt van speer* spearhead ❷ *belangrijke zaak* spearhead
**speerwerpen** javelin throwing

**speerwerper** javelin thrower
**spek** cul bacon, ⟨vers⟩ pork ▼ *er voor spek en bonen bijzitten* sit by doing nothing ▼ BN *het spek aan zijn benen hebben* be left holding the baby ▼ *dat is geen spekje voor jouw bekje* that's not for (the likes of) you
**spekglad** very slippery, as slippery as ice
**spekken** fig fatten
**spekkie** cul ≈ marshmallow
**speklap** slice / rasher of bacon
**spektakel** ❶ *schouwspel* spectacle, show ❷ *drukte* uproar, hubbub ❸ *lawaai* racket
**spekvet** bacon fat
**spekzool** crepe sole
**spel** ❶ *bezigheid ter ontspanning* game ❷ *speelbenodigdheden* game, ⟨van schaken⟩ set ★ *een spel kaarten* a deck / pack of cards ❸ *wedstrijd* game, match ★ *het spel gewonnen geven* admit defeat, throw in the towel ★ *het is een verloren spel* it's a lost game, the game is up, it's a lost cause ❹ *toneelstuk* play ❺ sport *speelwijze* performance ❻ ton *speelwijze* performance, acting ❼ muz *speelwijze* playing, performance ❽ → **spelletje** ▼ *op het spel staan* be at stake ▼ *vrij spel hebben* have free play ▼ *op het spel zetten* risk, hazard, stake ▼ *gevaarlijk spel spelen* play a dangerous game
**spelbederf** unsporting conduct (during a match)
**spelbepaler** key player
**spelbreker** spoilsport
**spelcomputer** games computer
**speld** ❶ *naaigerei* pin ❷ *haarspeld* hairpin, hair clasp ❸ *broche* brooch, ⟨vnl klein⟩ pin ❹ → **speldje** ▼ *er is geen ~ tussen te krijgen* this is water tight, you can't get a word in edgeways ▼ *een ~ in een hooiberg zoeken* look for a needle in a haystack
**spelden** pin
**speldenknop** pinhead
**speldenkussen** pincushion
**speldenprik** ❶ *prik met speld* pinprick ❷ *hatelijkheid* ★ *~ken uitdelen* needle (sb)
**speldje** button pin, badge, button
**spelelement** creative play, play-element
**spelen** I *ov ww* ❶ *zich vermaken (met)* play, have a game (of...) ★ *buiten ~* play outside ★ *een spel ~* play a game ❷ *wedstrijd aangaan* ★ *een wedstrijd ~* play a game / match ❸ muz *speelwijze* ★ *vals ~* play out of tune ★ *viool ~* play the violin ★ *iets van blad ~* sight-read sth ❹ *verplaatsen* ★ *de bal ~* play / hit the ball ★ *een kaart ~* play a card ❺ ton *als acteur uitvoeren* play, act ★ *de rol ~ van...* play the part of... ★ *de hoofdrol ~* play the leading part ❻ *opvoeren* perform, enact ★ *de toneelvereniging speelt Hamlet* the drama society performs / enacts Hamlet ❼ *zich voordoen als* ★ *de baas ~ over iem.* boss (sb) about, lord it over sb ❽ *aanpakken* play ★ *het slim ~* play one's cards right II *on ww* ❶ *luchtig bewegen* ★ *die gedachte blijft me door het hoofd ~* that thought keeps running in my head ❷ *zich afspelen* be set (in), take place (in) ★ *de film speelt in een grote stad* the movie is set in a big city ❸ ~ *om kansspel spelen met als inzet* ★ *om geld ~* play for money ❹ ~ *met luchtig behandelen* trifle with, toy with ★ *met een idee ~* toy with an idea ★ *~ met*

*iemands gevoelens* trifle with sb's feelings ★ *zij laten niet met zich ~* they are not to be trifled with ❺~ *op* gamble, speculate on ❻~ *tegen sport wedstrijd aangaan tegen* play

**spelenderwijs** without effort ★ *~ leren* learn as you go along, learn without effort

**speleoloog** speleologist, potholer

**speler** player, ⟨toneel⟩ actor [v: actress], ⟨gokker⟩ gambler

**spelersbank** players' / team bench

**spelersgroep** group of players

**spelevaren** ★ *gaan ~* go (out) boating

**spelfout** spelling mistake

**speling** ❶ *tussenruimte* play ❷ *marge* margin, leeway ★ *enige ~ laten* give some leeway ❸ *gril* ★ *een ~ van de natuur* a freak of nature

**spelleider** instructor, games / quiz master

**spellen** ❶ *correct schrijven* spell ★ *een woord verkeerd ~* misspell a word ❷ *aandachtig lezen* study closely

**spelletje** game

**spelling** *schrijfwijze* spelling

**spellingchecker** spell-checker

**spellinggids** spelling guide

**spellingshervorming** spelling reform

**spelmaker** key player

**spelonderbreking** interruption of play

**spelonk** cave, cavern

**spelregel** *regel van een spel* rule of the game ★ *zich aan de ~s houden* stick to the rules of the game

**spelverdeler** play-maker, key player

**spencer** spencer

**spenderen** spend (on)

**spenen** wean ▼ *geheel van humor gespeend* lacking all sense of humour

**sperma** sperm

**spermabank** sperm bank

**spermadonor** sperm donor

**spermatozoïde** spermatazoid

**spertijd** curfew

**spervuur** barrage

**sperwer** sparrowhawk

**sperzieboon** French bean, USA green bean

**spetter** ❶ *spat* splatter ❷ *inf mooi persoon* looker, dish

**spetteren** *spatten* splatter, sp(l)utter, ⟨met water⟩ splash

**speurder** detective, private eye, *inform* (private) dick

**speuren** I *ov ww, bespeuren* detect, sense II *on ww* ❶ *opsporen* investigate, track ❷ *onderzoeken* investigate ★ *~ naar iets* hunt for sth

**speurhond** tracker (dog)

**speurneus** ❶ *fijne neus* keen nose ❷ *persoon* sleuth

**speurtocht** search, quest

**speurwerk** *nasporingen* investigation, detective work

**speurzin** (keen) nose

**spichtig** lanky, weedy, ⟨van schrift⟩ spidery

**spie** ❶ *wig* wedge ❷ *pen* pin

**spieden** spy

**spiegel** ❶ *spiegelend voorwerp* mirror, looking-glass ★ *in de ~ kijken* look (at o.s.) in the mirror ★ *holle / bolle ~* concave / convex mirror

❷ *niveau* mirror ❸ *med* level ▼ *iem. een ~ voorhouden* hold up a mirror to sb

**spiegelbeeld** ❶ *weerkaatsing* reflection ❷ *omgekeerd beeld* (mirror) image

**spiegelei** *gebakken ei* fried egg, USA egg sunny-side up

**spiegelen** I *on ww* mirror, reflect II *wkd ww* [zich ~] ❶ *weerkaatst worden* be reflected ❷ *~ aan* take example / warning from

**spiegelglad** as smooth as a mirror, ⟨weg⟩ slippery, ⟨weg⟩ icy

**spiegeling** ❶ *het spiegelen* reflection ❷ *spiegelbeeld* mirror image

**spiegelreflexcamera** single-lens reflex camera, SLR camera

**spiegelruit** plate-glass window

**spiegelschrift** mirror writing

**spiekbriefje** crib (note), USA cheat sheet

**spieken** crib, copy

**spielmacher** *sport* playmaker

**spier** muscle ★ *geen ~ vertrekken* not move a muscle

**spieractiviteit** muscle activity

**spieratrofie** muscular atrophy

**spierbal** muscle

**spierbundel** bundle of muscles

**spiercontractie** muscle contraction

**spierdystrofie** muscular dystrophy

**spiering** smelt ▼ *een ~ uitwerpen om een kabeljauw te vangen* set a sprat to catch a mackerel

**spierkracht** muscular strength

**spiernaakt** stark naked

**spierpijn** muscular pain, aching muscles *mv*

**spierverrekking** strained / wrenched muscle

**spierverslappend** muscle relaxing

**spierweefsel** muscular tissue

**spierwit** as white as a sheet

**spies** ❶ *speer* spear, lance ❷ *grillpen* skewer

**spietsen** spear, impale, ⟨van vlees⟩ skewer

**spijbelaar** truant

**spijbelen** skip / cut school, play truant, USA play hook(e)y, bunk off, skive

**spijker** nail ★ *de ~ op de kop slaan* hit the nail on the head ▼ *~s op laag water zoeken* split straws, cavil

**spijkerbroek** pair of jeans, jeans *mv*

**spijkeren** nail

**spijkerhard** ❶ *lett* hard as a rock ❷ *fig* tough as nails

**spijkerjasje, spijkerjack** denim jacket, jean(s) jacket

**spijkerschrift** cuneiform writing

**spijkerstof** denim

**spijl** ⟨van hek, kooi⟩ bar, ⟨van hek⟩ rail, ⟨van stoel⟩ rung, ⟨van trapleuning⟩ baluster

**spijs** ❶ *gerecht* food ❷ *vulling* paste

**spijskaart** menu

**spijsvertering** digestion ★ *slechte ~* indigestion

**spijsverteringskanaal** alimentary canal

**spijsverteringsorganen** digestive organs *mv*

**spijsverteringssysteem** digestive system

**spijswet** dietary law

**spijt** regret, remorse ★ *~ hebben van iets* be sorry about sth, regret sth ★ *tot ~ van X* to the regret of X ★ *tot mijn ~ kan ik niet komen* I regret to say I cannot come, I am sorry I cannot come ★ *~*

**sp**

*voelen over iets* feel sorry for sth, regret sth ▼ BN *tot ~ van wie het benijdt* to the regret of the losing party

**spijten** regret, be sorry ★ *het spijt me* I'm sorry ★ *het spijt me te moeten zeggen* I'm sorry to say, I regret to say

**spijtig** regrettable, unfortunate ★ *dat is erg ~* that's a great pity

**spijtoptant** someone who bitterly regrets a decision / choice made

**spijts** BN *ondanks* despite, in spite of

**spijzen** BN fig *spekken* fatten

**spikes** ❶ *schoenen* spikes *mv* ❷ *haardracht* spikes *mv*

**spikkel** fleck, speck

**spiksplinternieuw** brand new

**spil** ❶ techn *as* pivot, axis *mv: axes* ❷ *middelpunt* pivot, key figure, sport centre-half ★ *dat is de spil waar alles om draait* that is the pivot on which everything hinges

**spilkoers** central (exchange) rate

**spillebeen I** *zn* [de], *persoon* spindle-legs **II** *zn* [het], *been* spindle-leg

**spilziek** wasteful

**spin** ❶ *dier* spider ❷ *snelbinder* spinbinder ❸ sport ▼ *zo nijdig als een spin* as cross as two sticks

**spinazie** spinach

**spindoctor** spindoctor

**spinet** spinet

**spinnaker** spinnaker

**spinnen** ❶ *tot garen maken* spin ❷ *snorren* purr

**spinnenweb** cobweb

**spinnerij** spinning mill

**spinnewiel** spinning wheel

**spinnijdig** furious

**spin-off** econ spin-off

**spinrag** cobweb

**spint I** *zn* [de], *mijt* red spider (mite) **II** *zn* [het], *spinsel* web

**spion** spy

**spionage** espionage

**spionagesatelliet** spy satellite

**spioneren** spy

**spiraal** ❶ *schroeflijn* spiral ❷ *voorwerp* coil ❸ fig *escalatie* spiral

**spiraalmatras** (spiral) spring mattress

**spiraaltje** I.U.(C.) D., Intra-Uterine (Contraceptive) Device, inform coil

**spiraalvormig** spiral(-shaped)

**spirit** spirit, guts *mv*, spunk

**spiritisme** spiritualism

**spiritualiën** spirits *mv*

**spiritueel** spiritual

**spiritus** (methylated) spirit(s)

**spiritusbrander** methylated spirit burner, inform meths burner

**spiritusstel** spirit / meths burner

**spit** ❶ *braadpen* spit ❷ med lumbago

**spits I** *zn* [de] ❶ *top* point, (van toren) spire, (van berg) peak, (van berg) top ❷ sport forward line, (speler) striker, (speler) forward ❸ *voorhoede* vanguard ★ *aan de ~ staan* be at the head of, be in the vanguard of ❹ *spitsuur* rush hour ▼ *de zaak op de ~ drijven* force the issue **II** *zn* [het] ▼ *het ~ afbijten* bear the brunt (of the battle) **III** *bnw* ❶ *puntig* pointed, sharp, (spits toelopend)

*tapering* ★ *~ maken* point ❷ *slim* sharp

**Spitsbergen** Spitsbergen

**spitsen** *puntig maken* ★ *de oren ~* prick up one's ears ▼ *gespitst zijn op* be eager about

**spitsheffing** ≈ rush-hour fee / charge

**spitsheid** sharpness

**spitskool** oxheart / conical cabbage

**spitsmuis** shrew

**spitsstrook** ≈ rush-hour lane, ≈ hard shoulder used at peak times

**spitsuur** peak hour, (voornamelijk van drukte) rush hour

**spitsvignet** ≈ rush-hour sticker

**spitsvondig** smart, clever, ingenious, sophisticated

**spitten** ❶ *graven* dig ❷ fig *zoeken* delve, dig

**spitzen** point / ballet shoes *mv*

**spleet** chink, crack, crevice

**spleetoog I** *zn* [de], min *persoon* Chink **II** *zn* [het], *oog* slit- / slant-eye

**splijten I** *ov ww*, *klieven* split, cleave **II** *on ww*, *een scheur krijgen* split, crack

**splijting** *het splijten* splitting, (van atoomkern) fission ★ *de ~ in de... partij* the split in the... party

**splijtstof** fissionable material, USA fissile material

**splijtzwam** *oorzaak van verdeeldheid* disrupting influence, divisive element

**splinter** splinter, (voornamelijk van glas) sliver ★ *aan ~s slaan* smash to smithereens

**splinteren** *tot splinters breken* splinter

**splintergroep** splinter group

**splinternieuw** brand new

**split** slit

**spliterwt** split pea

**splitpen** split / cotter pin

**splitrok** skirt with a slit

**splitsen** *delen* split, divide, (van touw) splice ★ *de weg splitste zich* the road branched off

**splitsing** ❶ *scheuring* (godsdienst, partij) schism, (partij, organisatie) split ❷ *plaats van splitsing* branch(ing)

**spoed** *haast* haste, speed ★ *iem. tot ~ aanzetten* hurry sb up ★ *met de meeste ~* with the greatest speed, with all possible speed ▼ *haastige ~ is zelden goed* more haste, less speed, haste makes waste

**spoedarts** A&E doctor, accident and emergency doctor

**spoedbehandeling** med emergency treatment, (van zaak) speedy dispatch

**spoedbestelling** *bezorging* express delivery

**spoedcursus** crash / intensive course

**spoedeisend** urgent

**spoeden** [zich ~] rush, speed, hasten

**spoedgeval** ❶ *spoedeisende kwestie* emergency (case) ❷ med *~ BN* (dienst) ~*len* casualty / emergency ward / department ★ *afdeling voor ~len* casualty / emergency ward / department

**spoedig I** *bnw* speedy ★ *een ~ antwoord* an early reply ★ *een ~e levering* a prompt delivery ★ *zo ~ mogelijk (z.s.m.)* as soon as possible (ASAP) **II** *bijw* soon, speedily ★ *ten ~ste* as soon as possible

**spoedoperatie** emergency operation

**spoedopname** emergency admission

**spoedoverleg** urgent / emergency talks *mv*

**spoel** spool, ⟨van film, tape⟩ reel
**spoelbak** ⟨in keuken⟩ sink, washbasin
**spoelen I** *ov ww* ❶ *reinigen* wash, rinse
  ❷ *opwinden* reel **II** *on ww, meegevoerd worden*
  wash
**spoeling** *het spoelen* rinse, ⟨van wc⟩ flush
**spoelkeuken** dishwashing / washing-up kitchen
**spoelwater** rinse water
**spoelworm** round-worm
**spoiler** spoiler
**spoken I** *on ww* haunt, ⟨rondlopen⟩ prowl
  (about) ★ *jij bent al vroeg aan het ~* you are
  stirring early **II** *onp ww* ❶ *door spoken bezocht*
  *worden* ★ *het spookt daar* the house is haunted
  ❷ *stormen* ★ *het kan op dat meer erg ~* that lake
  can be very rough
**sponde** *bed* couch, bedside
**sponning** rabbet, ⟨van raam⟩ runway
**spons** *voorwerp* sponge▼ BN *de* ~ *halen over iets*
  call it quits, let bygones be bygones
**sponsen** sponge
**sponsor** sponsor
**sponsorcontract** sponsoring contract
**sponsoren** (be) sponsor (for)
**sponsoring** sponsoring
**sponsorloop** charity walk
**sponszwam** sponge fungus
**spontaan** spontaneous
**spontaniteit** spontaneity
**sponzig** spongy
**spook** ❶ *geest* ghost, phantom ★ *spoken zien op*
  *klaarlichte dag* see ghosts in broad daylight ❷ *fig*
  *schrikbeeld* spectre ★ *het~ van de honger* the
  spectre of starvation ❸ *akelig mens* horror
**spookachtig** ❶ *als (van) een spook* ghost-like
  ❷ *griezelig* ghostly, eerie, spooky
**spookbeeld** spectre, phantom
**spookhuis** ❶ *huis* haunted house
  ❷ *kermisattractie* haunted house
**spookrijder** ghost driver, phantom driver
**spookschip** phantom ship
**spookstad** ghost town
**spookverhaal** ghost story
**spookwoord** ghost word
**spoor I** *zn* [het] ❶ *zintuiglijk waarneembaar*
  *overblijfsel* track, trace, ⟨geurspoor⟩ scent, ⟨van*
  voet⟩ footprint, ⟨van wagen⟩ rut ★ *sporen*
  *achterlaten* leave traces ★ *geen ~ achterlaten*
  leave no marks behind ★ *zonder een ~ achter te*
  *laten* without (leaving) a trace ★ *iem. op het ~*
  *komen* track sb down ★ *'n ~ volgen* follow a
  track, follow up a clue ★ *het ~ bijster zijn* be off
  the scent ★ *zijn sporen uitwissen* cover (up) one's
  tracks ★ *de politie vond 'n ~* the police found a
  clue ❷ *overblijfsel* sign, vestige, trace ★ *sporen*
  *van het verleden* vestiges of the past ❸ *fig teken*
  trace, mark ★ *de sporen dragen van* bear the
  marks of ★ *sporen van geweld* marks of violence
  ❹ *spoorweg* rail(s), track ★ *enkel / dubbel ~*
  single / double track ❺ *spoorbedrijf* railway
  company, USA railroad (company) ★ *per ~* by rail
  ❻ *geluidsstrook* track▼ *de zaak in het rechte ~*
  *brengen* straighten things out▼ *op dood ~ komen*
  come to a deadlock **II** *zn* [de] ❶ *uitsteeksel rijlaars*
  spur ★ *'n paard de sporen geven* spur (on) a horse
  ❷ plantk ⟨van bloem⟩ spur, ⟨spore⟩ spore

❸ *hoornige uitwas* spur▼ *zijn sporen verdiend*
  *hebben* have won one's spurs
**spoorbaan** railway
**spoorbiels** sleeper
**spoorboekje** rail(way) guide, timetable
**spoorboom** level-crossing barrier(s)
**spoorbrug** railway bridge
**spoorlijn** railway line
**spoorloos** without a trace, trackless ★ ~
  *verdwijnen* vanish into space / thin air
**spoorslags** at full speed
**spoortrein** railway train
**spoorweg** railway
**spoorwegmaatschappij** railway company, USA
  railroad (company)
**spoorwegnet** railway system
**spoorwegovergang** level crossing
**spoorwegpersoneel** railway personnel, railway
  employees *mv*
**spoorwegpolitie** railway police *mv*
**spoorwegstaking** railway strike
**spoorwegverbinding** railway connection
**spoorzoeken** tracking
**spoorzoekertje** recr treasure hunt (game)
**sporadisch** sporadic
**spore** spore
**sporen** ❶ *met de trein reizen* go by rail ★ *een uur*
  ~ an hour by rail / train ❷ *overeenkomen* agree,
  tally ★ *dat spoort niet met mijn plannen* that
  doesn't agree with my plans, that doesn't fit in
  with my plans
**sporenelement** trace element
**sporenplant** cryptogam
**sport** ❶ *lichaamsoefening* sport ★ *aan ~ doen*
  practise a sport, go in for sports ❷ *trede* rung
  ❸ *stoelspaak* rung, crossbar
**sportacademie** sports academy
**sportaccommodatie** sport sports facilities /
  centre
**sportauto** sport(s)car
**sportblessure** sport med sports injury
**sportbond** sport sports association / federation
**sportbril** sport pair of sports goggles / glasses,
  sports goggles / glasses *mv*
**sportclub** sport sporting / sports club
**sportdag** sport sports day
**sportduiken** sport scuba diving
**sportduiker** sport scuba diver
**sporten** exercise, play / practice a sport
**sporter** sport sportsman, sportswoman
**sportevenement** sport sporting / sports event
**sportfiets** sport (racing) bike
**sportfondsenbad** sport swimming pool
  financed by a sports club
**sporthal** sport sports hall / centre
**sportief** ❶ sport *sport betreffend* sporty
  ❷ *sportlievend* fond of sports ❸ *eerlijk*
  sportsmanlike ★ *hij nam het erg ~ op* he took it
  quite well
**sportieveling** sport sports freak
**sportiviteit** sport sportsmanship
**sportjournalist** sport sports journalist /
  correspondent
**sportkeuring** sport sports physical
**sportkleding** sport sportswear, sports clothing
**sportman** sportsman

**sp**

**sportnieuws** sport sport's / sporting news

**sportpagina** sport sports page

**sportpark** sports park

**sportschool ❶** fitnesscentrum fitness centre, gym, health club ❷ school voor vechtsport school for martial arts, school / institute for the martial arts

**sportuitzending** sport sports broadcast, sports news

**sportveld** sport playing field

**sportvissen** sport fishing

**sportvisser** angler, amateur fisherman

**sportvisserij** angling

**sportvliegen** sport flying

**sportvlieger** private / amateur pilot

**sportvliegtuig** pleasure / private aircraft

**sportvrouw** sport sportswoman

**sportwagen** sport(s)car

**sportwedstrijd** sport sport(ing) event

**sportzaak** sport sports shop, USA sporting goods store

**sportzaal** sport sport(s) / fitness centre

**spot ❶** het spotten mockery, ridicule, derision ★ de spot drijven met mock, poke fun at ❷ reclame commercial ❸ lamp spotlight

**spotgoedkoop** dirt cheap

**spotlight** spotlight

**spotnaam** nickname

**spotprent** caricature, (political) cartoon

**spotprijs** bargain / basement price ★ voor 'n ~ for a mere song

**spotten ❶** schertsen joke ❷ ~ met belachelijk maken mock at, deride ★ hij laat niet met zich ~ he is not to be trifled with, he stands no nonsense ▾ daar valt niet mee te ~ it's no joking / laughing matter, ❸ ~ met tarten defy ★ het spot met alle regels it defies all rules

**spottenderwijs** mockingly

**spotter** bespotter mocker

**spotvogel ❶** vogel icterine warbler ❷ persoon mocker

**spouw** cavity

**spouwmuur** hollow / cavity wall

**spraak ❶** vermogen om te spreken speech ❷ manier van spreken language ★ iets ter sprake brengen bring sth up, raise sth ★ ter sprake komen come up ★ het kwam zo ter sprake it cropped up ★ er is sprake van there is (some) talk of ★ hier is sprake van diefstal this is a matter / question of theft ★ geen sprake van! no way!, not a bit of it! ★ daar kan geen sprake van zijn that is out of the question

**spraakcentrum** speech centre

**spraakgebrek** speech impediment

**spraakgebruik** usage ★ in het gewone ~ in common parlance

**spraakherkenning** comp speech recognition

**spraakkunst** grammar

**spraakles ❶** les voice / speech training, (voor voordracht) elocution ❷ logopedische behandeling speech therapy

**spraakmakend** ophef makend much discussed, much talked about

**spraakstoornis** speech impediment

**spraakvermogen** power of speech

**spraakverwarring** confusion of tongues ▾ een

Babylonische ~ a confusion of tongues

**spraakwaterval** chatterbox, inform windbag

**spraakzaam** talkative, inform chatty

**sprake →** spraak

**sprakeloos** speechless, dumb ★ ~ staan be dumbfounded, be struck dumb

**sprankelen** sparkle

**sprankje** spark ★ geen ~ hoop not a spark / glimmer of hope

**spray** spray

**sprayen I** ww ov spray **II** ww onov spray

**spreadsheet** comp spreadsheet

**spreekbeurt** speaking engagement, lecture, (op school) talk

**spreekbuis** vertolker mouthpiece

**spreekgestoelte** platform, rostrum [mv: rostrums, rostra] (in kerk) pulpit

**spreekkamer** consulting room

**spreekkoor** chorus

**spreekstalmeester** ringmaster

**spreektaal** spoken language, vernacular

**spreektijd** speaking time

**spreekuur** med consulting hour(s) mv, (van huisarts) surgery hours mv, (van advocaat, e.d.) USA office hours mv

**spreekvaardigheid** fluency

**spreekverbod** ban on public speaking

**spreekwoord** proverb

**spreekwoordelijk** proverbial

**spreeuw** starling

**sprei** bedspread, counterpane

**spreiden ❶** uitspreiden spread ❷ verdelen over ★ risico ~ spread the risk

**spreiding ❶** het spreiden spreading ❷ verdeling distribution, (vakantie, werk) spreading

**spreidlicht** floodlight

**spreidsprong** leg spread

**spreidstand** straddle

**spreidzit** (the) splits mv

**spreken I** ov ww ❶ zeggen speak, tell ★ de waarheid ~ tell the truth ❷ gesprek hebben met speak to / with, talk to / with ★ kan ik mijnheer A. ~? can I see Mr A, please? ★ ik moet je eens even ~ I want a word with you ★ zij is voor niemand te ~ she isn't in / home for anyone ★ mag ik Nederlands ~ speak Dutch **II** on ww ❶ praten speak, talk ★ met wie spreek ik? who is that speaking? ★ u spreekt met Z. (this is) Z. speaking ★ ~ over iets speak about sth ★ over politiek ~ talk politics ★ spreek er met niemand over don't mention it to anyone ★ ~ tegen / tot iem. speak to sb ★ ze ~ niet tegen elkaar they are not on speaking terms ★ uit ervaring ~ speak from experience ★ goed / kwaad ~ van speak well / ill of ★ van tennis gesproken speaking of tennis ★ van zich doen ~ be in the news, make one's mark ❷ duidelijk worden ❸ taal beheersen ★ daaruit spreekt zijn onkunde that reveals his ignorance ★ dat spreekt vanzelf, dat spreekt voor zich that speaks for itself, that goes without saying ★ de feiten ~ voor zichzelf the facts speak for themselves ▾ de goeden niet te na gesproken the good ones excepted ▾ ik ben slecht te ~ over hem I'm annoyed with him

**sprekend I** bnw ❶ met spraak speaking, talking ★ ~e film talking picture ❷ veelzeggend clear ★ ~e cijfers telling figures ❸ treffend ★ ~ voorbeeld striking example **||** *bijw* ★ *hij lijkt ~ op zijn vader* he is the spitting image of his father, he looks exactly like his father

**spreker** ❶ *woordvoerder* speaker ❷ *redenaar* speaker, form orator

**sprenkelen** *uitgieten* sprinkle

**spreuk** motto, aphorism, ⟨spreekwoord⟩ proverb

**spriet** *halm* blade ⟨of grass⟩ ❷ *voelhoorn* antenna [mv: antennae] feeler ❸ *dun meisje* beanpole

**sprietig** ❶ *lang en mager* lanky ❷ *met sprieten* ⟨haar⟩ wispy, straggly

**springbak** *sport* jumping pit

**springbok** *antilope* springbok

**springbox** box mattress

**springconcours** show jumping contest

**springen** ❶ *zich in de lucht verheffen* spring, jump, leap, ⟨met polsstok⟩ vault ★ *over een sloot ~* leap / clear a ditch ★ *op de fiets ~* jump on the bike ❷ *barsten* burst, ⟨van band, ketel⟩ burst, ⟨van huid, lippen⟩ chap, ⟨van snaren⟩ snap ★ *het glas is gesprongen* the glass has cracked ★ *een rotsblok laten ~* blast a rock ★ *ontploffen* explode, ⟨van ketel⟩ blow out ★ *een mijn laten ~* detonate a mine ❹ *bankroet gaan* break ★ *op ~ staan* be on the verge of bankruptcy ▼ *uitsteken* ▼ *ze staan er om te ~* they are crying out for it ▼ *om uit je vel te ~* enough to blow your top

**springerig** jumpy, jittery ★ *~ haar* wiry hair

**spring-in-'t-veld** madcap, madhead

**springlading** explosive charge

**springlevend** alive and kicking, very much alive

**springmatras** spring mattress

**springnet** jumping net, ⟨bij brand⟩ jumping sheet

**springpaard** ❶ *dier* jumper ❷ *turntoestel* long / vaulting horse

**springplank** springboard

**springschans** ski jump

**springstof** explosive

**springstok** ⟨vaulting⟩ pole

**springtij** spring tide

**springtouw** skipping rope

**springuur** BN *onderw* free period

**springveer** ⟨van slot⟩ spring, ⟨van matras, e.d.⟩ box spring ★ *springveren matras* sprung mattress

**springvloed** spring tide

**sprinkhaan** *dier* locust, grasshopper

**sprinkhanenplaag** plague of locusts

**sprinkler** sprinkler

**sprinklerinstallatie** sprinkler system

**sprinklersysteem** sprinkler system

**sprint** sprint

**sprinten** sprint, put on a spurt

**sprinter** ❶ *persoon* short distance runner, sprinter ❷ *trein* kind of fast train

**sproeiapparaat** sprinkler

**sproeien** *besproeien* water, sprinkle, ⟨tegen ongedierte⟩ spray

**sproeier** ❶ *sproeitoestel* sprinkler, sprayer, ⟨op fles⟩ spray nozzle ❷ *techn* nozzle

**sproei-installatie** sprinkler unit

**sproeikop** sprinkler nozzle

**sproeimiddel** spray

**sproeivliegtuig** spray plane, ⟨gewassen⟩ crop sprayer / duster

**sproet** freckle

**sprokkelen** ❶ *hout verzamelen* gather wood ❷ *fig* collect, glean

**sprokkelhout** dead wood

**sprong** *het springen* jump, leap ★ *een ~ maken* make / take a leap, take a jump ★ *met een ~* at a bound ▼ *met ~en* by leaps and bounds ▼ *een ~ in het duister doen* take a leap in(to) the dark ▼ *de ~ wagen* take the plunge

**sprongsgewijs** abrupt

**sprookje** *vertelling* fairy tale ★ *een ~ van Moeder de Gans* a tale from Mother Goose

**sprookjesachtig** fairy-tale like

**sprookjesboek** book of fairy tales

**sprookjesfiguur** fairy-tale character

**sprookjesprins** fairy-tale prince

**sprookjesprinses** fairy-tale princess

**sprookjeswereld** fairyland, wonderland

**sprot** sprat

**spruit** ❶ *groente* Brussels sprout ★ *~jes* (Brussels) sprouts *mv* ❷ *uitloper* sprout, shoot ❸ *kind* sprig, sprout

**spruiten** ❶ *ontspruiten* spring / descend from ❷ *loten krijgen* sprout, shoot

**spruitstuk** branch pipe

**spruw** *med* thrush

**spugen** ❶ *speeksel uitspugen* spit ❷ *braken* throw up, vomit, be sick, inform spew ★ *alles onder ~ be* sick all over the place

**spuien** ❶ *lozen* sluice, drain (off) ❷ *uiten* unload, spout, get (something) off one's chest

**spuigat** scupper(hole) ▼ *dat loopt de ~en uit* it passes all bounds

**spuit** ❶ *werktuig* squirt ❷ *brandspuit* fire engine ❸ *injectiespuit* needle, syringe ❹ *injectie* injection ★ *de hond een ~je laten geven* have the dog put to sleep

**spuitbus** spray (can)

**spuiten** **I** *ov ww* ❶ *naar buiten persen* spout, spurt, squirt ❷ *bespuiten* spray, ⟨verf⟩ spray(-paint) ❸ *injecteren* inject, ⟨van drugs⟩ shoot **II** *on ww* ❶ *tevoorschijn komen* spurt, squirt ❷ *drugs gebruiken* shoot, be an addict, (informeel) be on drugs

**spuiter** ❶ *spuitende opening of bron* spouter, gusher ❷ *iem. die gewassen bespuit* sprayer ❸ *druggebruiker* hype, junkie

**spuitfles** siphon

**spuitgast** hoseman

**spul** ❶ *goedje* stuff ★ *raar spul* strange stuff ❷ *benodigdheden* gear, things *mv*, ⟨kleren⟩ gear, ⟨kleren⟩ togs *mv*

**spurt** spurt

**spurten** sprint, spurt

**sputteren** ❶ *pruttelen, spetteren* sp(l)utter ❷ *morren* mutter ★ *~ tegen iem.* grumble at sb ❸ BN *econ stagneren* stagnate

**sputum** sputum

**spuug** spittle, saliva

**spuuglelijk** ugly as sin / hell

**spuugzat** ▼ *iets ~ zijn* be sick to death of sth, be sick and tired of sth

**spuwen** ❶ *spugen* spit, spew ❷ *uitbraken* vomit, spew

**spyware** comp spyware

**squadron** squadron

sq

**squash** squash
**squashbaan** squash court
**squashen** play squash
**squasher** squash player
**Sri Lanka** Sri Lanka
**Sri Lankaans** Sri Lancan
**sst** (s)hush, ssh
**staaf** rod, ⟨als afsluiting, e.d.⟩ bar
**staafbatterij** torch battery
**staafdiagram** histogram
**staaflantaarn** torch, USA flashlight
**staafmixer** hand blender
**staak ❶** stok stake, pole **❷** persoon beanpole
**staakt-het-vuren** ceasefire ★ een ~ afkondigen declare a ceasefire
**staal I** zn [het] [gmv] materiaal steel **II** zn [het] [mv: stalen] **❶** monster pattern, sample **❷** voorbeeldige daad ★ een sterk ~tje an impressive example
**staalarbeider** steelworker
**staalblauw** steel / sky blue
**staalborstel** wire brush
**staalconstructie** steel construction
**staaldraad** steel wire
**staalindustrie** steel industry
**staalkaart ❶** kaart met stalen pattern card **❷** fig divers geheel sampling
**staalkabel** steel cable
**staalpil** iron pill
**staalwol** steel wool
**staan ❶** rechtop staan stand ★ gaan ~ stand up ★ naast elkaar gaan ~ stand side by side, line up ★ ~ te kijken stand / be looking **❷** stilstaan ★ blijf ~ stop ★ tot ~ brengen bring to a stand(still), arrest, halt **❸** opgetekend zijn ★ wat staat er in de brief? what does the letter say? **❹** passen look, suit ★ die kleur staat er niet bij this colour clashes ★ dat staat hier heel goed bij that goes very well with this **❺** aanwijzen read, show ★ de teller stond op 100 the speedometer read 100 **❻** zijn ★ hoe staat het ermee? how do matters stand?, how's life? ★ er slecht voor~ be in a bad position / way ★ zijn snor laten ~ grow a moustache ★ de oogst stond er goed bij the crop looked promising ★ je moet weten waar je staat you must know your place ★ sterk ~ be in a strong position ★ nu de zaken zo ~ in the present state of affairs ★ laat dat ~ leave it alone ★ hij liet zijn eten ~ he did not touch / finish his meal ★ boven iem. ~ be above sb ★ daar ~ zij buiten that has nothing to do with them ★ hoe staat het met Jan? how about Jan? ★ dit geval staat op zichzelf this is an isolated case ★ zeggen waar het op staat speak plainly ★ de zaak staat er goed voor things are looking well ★ voor iets / iemand ~ stand by sth / sb **❼** verdedigen ★ voor zijn overtuiging ~ stick to one's principles **❽** betekenen stand for ★ m staat voor mannelijk m stands for masculine ★ F staat voor Fahrenheit F. stands for Fahrenheit **❾** ~ tot ★ 2 staat tot 4 als 5 tot 10 2 is to 4 as 5 is to 10 **❿** bezig zijn ★ zij staat te lachen she's laughing ★ we ~ hier al een uur te wachten we've been waiting here for an hour ★ hij stond ervan te kijken he was flabbergasted **⓫** op het punt staan om be about / ready to ★ de brug staat op instorten the bridge is about to collapse ★ hij

staat op springen he desperately needs to go **⓬** ~ op eisen insist on ★ wij ~ erop dat je komt we insist on your coming ★ zij stond erop te betalen she insisted on paying ★ ik sta op mijn recht I stand / insist on my right ★ hij staat erg op... he is a great stickler for... ★ dat komt te ~ op 5 euro that works out at five euro's ★ er staat boete / straf op it is liable to a fine / punishment ★ er staat een gevangenisstraf op it carries a jail sentence **⓭** ~ voor geconfronteerd worden met ★ hij staat voor niets he'll stop at nothing ★ ik sta er alleen voor I am all on my own ★ voor een moeilijke opgave ~ be faced with a difficult problem **⓮** ~ voor ★ laat ~ dat let alone this▼ hij staat voor niets he stops at nothing ▼ fig achter iem. ~ stand behind sb, back sb up▼ je staat me zeer na you are very dear to me▼ wat staat ons te doen? what do we do now?
**staand** ▼ iem. ~e houden stop sb▼ zich ~e houden keep one's foothold, stand one's ground▼ iets ~e houden maintain
**staander** steunpaal standard
**staanplaats ❶** plaats waar men moet staan ⟨op tribune e.d.⟩ standing room ★ geen ~en no standing ★ ~en 10 euro standing 10 euro's **❷** standplaats ⟨op markt⟩ stand, ⟨van taxi⟩ taxi rank
**staar** cataract ★ grauwe ~ cataract
**staart ❶** biol tail **❷** haarstreng pigtail **❸** uiteinde tail(end) **❹** nasleep aftermath **❺** restantje ★ met de ~ tussen de benen afdruipen slink off with the tail between one's legs
**staartbeen** tail bone
**staartdeling** long division
**staartklok** longcase wall clock
**staartstuk** achterstuk tailpiece, ⟨vliegtuig⟩ tail
**staartvin** tail fin, ⟨van een walvis⟩ fluke
**staat ❶** toestand condition, state ★ burgerlijke ~ marital status ★ echtelijke / huwelijkse ~ married state, matrimony ★ ~ van beleg martial law ★ in goede ~ zijn be in good condition ★ iem. in ~ van beschuldiging stellen indict sb **❷** rijk state, jur Crown ★ Gedeputeerde Staten ≈ County Council ★ Provinciale Staten Provincial States, ≈ County Council ★ de Verenigde Staten van Amerika the United States of America **❸** gelegenheid ★ in ~ stellen om enable to ★ in ~ zijn om / te be able to ★ niet in ~ zijn om / te be unable to ★ tot alles in ~ zijn be capable of anything **❹** lijst list ★ ~ van dienst record (of service)▼ ~ maken op rely on
**staatkunde** wetenschap politics mv
**staatkundig** political
**staatsaanklager** public / Crown prosecutor
**staatsbedrijf** government undertaking
**staatsbelang** state / national interest
**staatsbestel ❶** bestuur government **❷** inrichting constitution (of the state)
**staatsbezoek** state visit
**Staatsblad** ≈ Government Gazette ★ in het ~ opnemen publish in the Government Gazette
**Staatsbosbeheer** Forestry Commission
**staatsburger** citizen
**staatsburgerschap** citizenship
**Staatscourant** ≈ Government Gazette ★ in de ~ opnemen publish in the Government Gazette
**staatsdienst** public service ★ in ~ zijn hold office

under the Government
**staatsdomein** national domain
**staatsdrukkerij** State printing office, <u>GB</u> Her Majesty's Stationary Office
**staatsexamen** onderw state examination, ⟨voor universiteit⟩ matriculation ★ ~ doen sit for a state exam, sit for a university entrance examination
**staatsgeheim** state secret
**staatsgreep** coup d'état
**staatshoofd** head of state
**staatsie** state, pomp, ceremony
**staatsieportret** official portrait
**staatsinrichting ❶** staatsbestuur form of government, constitution ❷ leervak civics mv
**staatskas** treasury, <u>GB</u> Public Exchequer
**staatslening** state / government loan
**staatsloterij** state / national lottery
**staatsman** statesman
**staatsorgaan** state organization, public body
**staatspapier** government paper / stock, government securities mv
**staatsprijs** official / state / national prize
**staatsrecht** jur constitutional law
**staatsrechtelijk** jur constitutional
**staatsschuld** national debt
**staatssecretaris** State Secretary
**staatsvorm** constitution, polity, form of government
**stabiel** stable
**stabilisatie** stabilization
**stabilisator** stabilizer
**stabiliseren** stabilize
**stabiliteit** stability
**stacaravan** site caravan
**stad ❶** woonplaats town, ⟨grote stad⟩ city ★ de stad in gaan go into town ★ buiten de stad in the country ❷ stadsbevolking town ★ de hele stad weet 't it's the talk of the town ▼ stad en land aflopen voor iets search / scour the highways and byways for sth, look for sth high and low
**stadgenoot** fellow townsman [v: fellow townswoman]
**stadhouder** stadtholder
**stadhuis** town hall
**stadion** stadium [mv: stadiums]
**stadium** stage, phase
**stads** urban, town, city ★ ~e manieren city ways
**stadsbeeld** townscape
**stadsbestuur** city / town council
**stadsbus** local / town / city bus
**stadsgezicht** uitzicht city / townscape
**stadskern** town / city centre, <u>USA</u> downtown
**stadskind** city / urban child, <u>USA</u> city boy / girl
**stadslicht** parking light, side<u>light</u>
**stadsmens** townsman / -woman, <u>inform</u> urbanite, <u>min</u> city slicker
**stadsmuur** town / city wall
**stadsplattegrond** city plan
**stadsrecht** jur (each of the) rights and privileges of a municipal corporation
**stadsreiniging** sanitation department
**stadsschouwburg** municipal theatre
**stadsvernieuwing** urban renewal
**stadsvervoer** urban transport
**stadsverwarming** district heating
**stadswacht** ≈ (Police) Community Support Officer, (P)CSO

**staf ❶** stok staff, ⟨toverstaf⟩ wand, ⟨van bisschop⟩ crosier ❷ leiding staff, ⟨wetenschappelijke staf⟩ faculty ★ generale staf the general staff ▼ de staf breken over iets / iemand condemn sth / sb
**stafchef** chief of staff
**staffunctie** staff management post / position
**stafkaart** ordnance (survey) map
**staflid** staff member, member of staff
**stafylokok** staphylococcus
**stag** stay
**stage** work placement, ⟨school⟩ teaching practice
**stagebegeleider** (on-the-job) trainee supervisor
**stagediven** stage dive
**stageld** stallage
**stageplaats** trainee post
**stagiair** trainee, apprentice
**stagnatie** stagnation
**stagneren** stagnate
**stahoogte** headroom
**sta-in-de-weg** obstacle
**staken I** ov ww, ophouden met stop, cease, ⟨voor korte tijd⟩ suspend ★ staakt het vuren! cease fire! **II** on ww ❶ werk neerleggen go on strike ❷ gelijkstaan ★ de stemmen ~ the votes are equally divided
**staker** striker
**staking ❶** het ophouden met iets suspension ❷ werkstaking stoppage (of work), strike ★ in ~ zijn be out (on strike) ★ tot ~ oproepen call out (on strike)
**stakingsbreker** strike breaker, <u>min</u> blackleg
**stakingsgolf** wave of strikes
**stakingsleider** strike leader
**stakingsrecht** jur right to strike
**stakingsverbod** ban on strikes, prohibition of strikes
**stakker** poor devil / soul
**stal ❶** hok voor vee stable, ⟨van koeien⟩ cowshed, ⟨van schapen⟩ (sheep) fold, ⟨van varkens⟩ pigsty ★ op stal zetten stable, put in the stable ❷ → stalletje ▼ iets van stal halen dig sth up again, reinstate
**stalactiet** stalactite
**stalagmiet** stalagmite
**stalen ❶** van staal steel ❷ zeer sterk ⟨van geheugen⟩ tenacious ★ ~ zenuwen nerves of steel ★ met een ~ gezicht (as) cool as a cucumber, stony-faced
**stalinisme** Stalinism
**stalinist** Stalinist
**stalinistisch** Stalinist
**staljongen** stable-boy
**stalken** stalk
**stalker** stalker
**stalknecht** groom
**stallen** ⟨van auto⟩ garage ★ zijn fiets ~ put away one's bicycle
**stalles** stalls mv
**stalletje** kraampje stall, stand
**stalling** bewaarplaats ⟨van auto's⟩ garage, ⟨fiets⟩ shelter, ⟨buiten⟩ bicycle racks mv
**stam ❶** boomstam stem, ⟨van boom⟩ trunk ❷ geslacht stock ❸ volksstam tribe ❹ taalk stem
**stamboek** ⟨van paarden⟩ stud book, ⟨van persoon⟩ genealogical register, ⟨van vee⟩ herd

**st**

book
**stamboekvee** pedigree cattle *mv*
**stamboom** genealogical / family tree, pedigree
**stamboomonderzoek** genealogical research
**stamcafé** local, joint, USA hangout
**stamcel** biol stem cell
**stamelen** I *ov ww, hakkelend zeggen* stammer
  II *on ww, gebrekkig spreken* falter, stammer
**stamgast** regular (customer)
**stamhoofd** tribal chief
**stamhouder** son and heir, family heir
**stamkaart** *kaart met persoonlijke gegevens*
  〈zakelijke gegevens〉 index / data /
  documentation card, 〈persoonlijke gegevens〉
  registration card
**stamkroeg** local, joint, USA hangout
**stammen** ❶ *~ van voortkomen uit* stem from
  ❷ *~ uit dateren van* date from ★ *dit stamt uit de*
  *dertiende eeuw* this dates from the thirteenth
  century
**stammenoorlog** (inter)tribal war
**stampei, stampij** uproar, din, hubbub ★ *~ over*
  *iets maken* raise hell, kick up a row
**stampen** I *ov ww* ❶ *fijnmaken* pound, 〈van
  aardappels〉 mash ❷ *instampen* ▼ *in elkaar ~*
  knock together ▼ *iets uit de grond ~* knock up sth
  ▼ *een les erin ~* cram up a lesson II *on ww*
  ❶ *dreunend stoten* 〈van machine〉 thump, 〈van
  schip〉 pitch ❷ *stampvoeten* stamp
**stamper** ❶ techn *werktuig* stamper, pounder,
  〈van vijzel〉 pestle, 〈voor puree〉 masher ❷ plantk
  pistil
**stamppot** cul hotchpotch
**stampvoeten** stamp one's foot / feet
**stampvol** crowded, packed (full)
**stamroos** standard rose
**stamtafel** table for regulars
**stamvader** ancestor
**stamverwant** I *zn* [de] kinsman / -woman II *bnw*
  cognate
**stand¹** ❶ *houding* posture, bearing, 〈van maan〉
  phase, 〈gymnastiek〉 position ❷ *maatschappelijke*
  *rang* rank, station, standing ★ *de hogere ~en* the
  upper classes ★ *de lagere ~en* the lower classes
  ★ *beneden zijn ~ trouwen* marry beneath one
  ★ *boven zijn ~ leven* live beyond one's means
  ★ *boven zijn ~ trouwen* marry above one ★ *boven*
  *zijn ~ trouwen beyond one's means* ★ *op ~ wonen* live in
  good position / neighbourhood ★ *zijn ~*
  *ophouden* keep up one's position ❸ *bestaan* ★ *in*
  *~ blijven* survive, endure ★ *in ~ houden* maintain
  ★ *tot ~ brengen* bring about, achieve ❹ *toestand*
  state ★ *~ van zaken* state of affairs ❺ *hoogte,*
  *meterstand* 〈van water, barometer〉 height
  ❻ *uitkomst* score ★ *de ~ is 2-0 voor Utrecht*
  Utrecht is leading 2-0 ❼ → **standje** ▼ *burgerlijke ~*
  registry office, registrar's office, Registry of
  Births, Deaths and Marriages
**stand²** [stend] *kraam* stand
**standaard** ❶ *houder* stand ❷ *vaandel* standard,
  banner ❸ *maatstaf* standard, norm ❹ *vastgestelde*
  *eenheid* standard ❺ *muntstandaard* standard ★ *de*
  *gouden ~* the golden standard
**standaardafwijking** standard deviation
**standaardformaat** standard size
**standaardisatie** standardization

**standaardiseren** standardize
**standaarduitrusting** standard equipment / gear
  ★ *(persoonlijke)* ~ standard issue
**standaardwerk** standard work / book
**standalone** techn stand-alone
**standbeeld** statue
**stand-by** standby
**standhouden** ❶ *niet wijken* make a stand, hold
  out, stand firm, 〈overeind〉 stand up ❷ *blijven*
  *bestaan* persist, last
**stand-in** stand-in
**standing** standing
**standje** ❶ *berisping* scolding, talking to ★ *iem. een*
  *~ geven* rebuke sb, give sb a talking-to ❷ *houding*
  position ▼ *een opgewonden ~* a short-tempered
  person
**standlicht** BN *stadslicht* parking light, sidelight
**standplaats** ❶ *vaste plaats* stand, 〈taxi〉 taxi rank,
  〈op markt〉 stall ❷ *vestigingsplaats* 〈van
  ambtenaar〉 station, 〈van ambtenaar〉 post
**standpunt** *opvatting* standpoint, point of view
  ★ *een ~ innemen* take a view / position
**standrecht** jur summary justice
**stand-upcomedian** stand-up comedian
**stand-upcomedy** stand-up comedy
**standvastig** ❶ *onveranderlijk* constant
  ❷ *volhardend* firm, steadfast
**standwerker** hawker
**stang** *staaf* rod, bar, 〈van fiets〉 crossbar
**stangen** needle, rile
**stank** stench, bad / foul smell
**stankoverlast** odour nuisance
**stanleymes** Stanley^fi knife *mv: knives*
**stansen** punch
**stap** ❶ *pas* step, footstep ★ *bij iedere stap* at every
  step ★ *stap voor stap* step by step, little by little
  ★ *een stap doen* take a step ❷ *actie, maatregel*
  step, measure ★ *een stap in de goede richting doen*
  take a step in the right direction, take a step
  forward ★ *stappen ondernemen tegen iem.* take
  steps / action against sb ▼BN *op zijn stappen*
  *terugkeren* retrace one's steps
**stapel** I *zn* [de] ❶ *hoop* pile, stack, heap
  ❷ scheepv *stellage* ★ *een schip van ~ doen lopen*
  launch a ship ★ *een schip op ~ zetten* lay down a
  ship ❸ *balk op snaarinstrument* ▼ *op ~ staan* be on
  the stocks ▼ *een project op ~ zetten* launch a
  project ▼ *alles liep vlot van ~* everything passed
  off without a hitch II *bnw* crazy ★ *ben je ~?* are
  you crazy? ★ *~ zijn op* be crazy about
**stapelbed** bunk bed
**stapelen** pile (up), stack, heap
**stapelgek** ❶ *krankzinnig* stark raving mad,
  bonkers ★ *het is om ~ van te worden* it's enough
  to drive you mad ❷ *~ op verzot op* ★ *~ op iem.*
  *zijn* to be madly in love (with sb)
**stapelwolk** cumulus
**stappen** ❶ *lopen* step, walk ❷ *uitgaan* go out for
  a drink ★ *gaan ~* go out on the town ▼ *ergens*
  *overheen ~* let sth pass
**stappenteller** pedometer
**stapsgewijs** step by step, gradually, bit by bit
**stapvoets** at walking pace ★ *~ rijden* (drive) dead
  slow
**star** ❶ *stijf* stiff, frozen ❷ fig *rigide* rigid, 〈van blik〉
  fixed

st

**staren** stare, ⟨nadenkend staren⟩ gaze
**start** ❶ *moment van aanvang* start, salida *v* ★ *van ~ gaan* be off ❷ *plaats van vertrek* start, starting point
**startbaan** runway
**startbewijs** sport starting permit
**startblok** starting block
**starten** I *ov ww, in gang zetten* start II *on ww* ❶ *op gang komen* start ❷ *vertrekken* start, sport be off, ⟨van vliegtuig⟩ take off
**starter** starter
**startgeld** participation fee
**startkabel** techn transp jump lead, USA jumper cable
**startkapitaal** starting capital, seed / initial capital
**startklaar** ready to start, ⟨vliegtuig⟩ ready for take-off
**startmotor** starter (motor)
**startnummer** number
**startonderbreker** immobiliser
**startpagina** comp portal
**startschot** starting shot
**startsein** starting signal, go ahead
**startverbod** ban (from the race)
**Statenbijbel** ≈ (Dutch) Authorized Version
**statenbond** confederation
**Staten-Generaal** States General
**statie** *afbeelding uit de kruisweg* station of the Cross
**statief** stand, tripod
**statiegeld** deposit
**statig** ❶ *waardig* stately ❷ *plechtig* solemn
**station** *spoorweghalte* railwaystation
**stationair** *stilstaand* stationary ★ *~ draaien* tick over, idle
**stationcar** estate car, USA station car / wagon
**stationeren** I *ov ww, plaatsen* station II *on ww,* BN *kort parkeren* ★ *kort ~* short parking
**stationschef** station master
**stationshal** (main) concourse, station hall
**stationsplein** station square
**stationsrestauratie** station buffet
**statisch** static
**statisticus** statistician
**statistiek** ❶ *wetenschap* statistics *mv* ❷ *tabel* statistics *mv*, ⟨officieel⟩ returns *mv*
**statistisch** statistical
**status** ❶ *staat* status ❷ med case history ❸ *sociale positie* social status
**statusbalk** comp status bar
**status-quo** status quo
**statussymbool** status symbol
**statutair** statutory ★ *~ vastgesteld* in accordance with the articles of association
**statutenwijziging** amendment to the articles of association, USA amendment to the bye-laws
**statuut** statute, charter ★ *statuten* articles of association, regulations
**stavast** ▼ *een man van ~* a resolute man, a plucky man
**staven** ❶ *bewijzen* substantiate ★ *met bewijzen ~* substantiate / document sth ❷ *bekrachtigen* support, corroborate, confirm
**staving** substantiation
**stayer** ⟨wielrenner⟩ stayer, ⟨atleet⟩ long-distance

runner
**steak** steak
**stedelijk** ❶ *van de stad* municipal ❷ *stads* urban
**stedeling** city / town dweller, townsman / woman
**stedenbouw** urban development
**stedenbouwkunde** urban development, town planning
**steeds** I *bijw* ❶ *telkens* again and again ★ *~ later* later and later ★ *de pijn komt ~ terug* the pain returns again and again ★ *ze probeerde het ~ opnieuw* she kept trying all over again ❷ *altijd* always, all the time, continually ★ *~ de uwe* ever yours ❸ *bij voortduring* increasingly ★ *nog ~* still ★ *~ moeilijker* more and more / increasingly difficult ★ *~ toenemend* ever increasing II *bnw, van de stad* townish
**steeg** alley(way), lane
**steek** ❶ *stoot met iets scherps* ⟨van mes, dolk⟩ stab, ⟨van insect⟩ sting, ⟨van zwaard⟩ thrust ❷ *hatelijkheid* dig, thrust ❸ *pijnscheut* pang, ⟨in de zij⟩ stitch ❹ *lus, maas* stitch ★ *een ~ laten vallen* drop a stitch ❺ *hoed* three-cornered hat, cocked hat ❻ *platte po* bedpan ❼ *spitdiepte* spit ▼ *geen ~ uitvoeren* not do a stroke of work ▼ *in de ~ laten* abandon ▼ *iem. in de ~ laten* run out on sb ▼ *~ onder water* sly dig ▼ *iem. een ~ in de rug geven* stab sb in the back ▼ *hij liet ons in de ~* he left us in the lurch, he let us down ▼ *die auto liet hem nooit in de ~* that car never failed him
**steekhoudend** sound, valid
**steekpartij** knifing
**steekpenningen** bribes [meestal mv], kickbacks *mv*, payoff ★ *~ aannemen* take a bribe
**steekproef** test random / spot check, ⟨sociaalwetenschappelijk⟩ random sample survey
**steeksleutel** ⟨voor moer, e.d.⟩ open-end spanner, ⟨voor slot⟩ picklock
**steekspel** ❶ *riddertoernooi* joust ❷ fig *strijd* sparring match ★ *politiek ~* political fencing / sparring
**steekvlam** tongue / jet of flame
**steekwapen** pointed weapon
**steekwond** stab wound
**steekwoord** catchword
**steekzak** slit-pocket
**steel** ❶ *stengel* stem ❷ *handvat* handle
**steelband** [stielbend] steel band
**steeldrum** steel drum
**steelguitar** steelguitar, Hawaiian guitar
**steelpan** skillet, saucepan
**steels** stealthy
**steen** I *zn* [de] ❶ *stuk steen* stone ❷ *bouwsteen* ⟨baksteen⟩ brick, ⟨natuursteen⟩ stone ★ *de eerste ~ leggen* lay the first stone ❸ *speelstuk* ⟨dobbelsteen⟩ die [mv: dice] ⟨damsteen⟩ piece, ⟨dominosteen⟩ domino ▼ *de ~ der wijzen* the philosopher's stone ▼ *de ~ des aanstoots* the stumbling block ▼ *~ en been klagen* complain bitterly, inform bellyache ▼ *al zou de onderste ~ boven komen* come what may ▼ BN *het vriest stenen uit de grond* there is a sharp frost, inform it's brass monkey weather II *zn* [het], *gesteente* stone
**steenarend** golden eagle

**Steenbok** *dierenriemteken* Capricorne

**steenbok** *dier* ibex

**Steenbokskeerkring** tropic of Capricorn

**steenboor** ❶ *boor voor gaten in steen* masonry drill / bit ❷ *boor voor bodemonderzoek* stone / rock drill

**steendruk** *lithografie* lithography

**steengoed** I *zn* [het] stoneware II *bnw* fantastic, great, super

**steengrillen** cul stone grilling, cooking on heated stones

**steengroeve** quarry

**steenhard** *niet week* rock hard, as hard as nails

**steenhouwer** ❶ *bewerker* stonemason ❷ *arbeider* stonecutter

**steenkool** coal

**steenkoolengels** broken English

**steenkoolindustrie** coal industry

**steenkoolmijn** coal mine / pit

**steenkoolproductie** coal production

**steenkoud** ❶ *zeer koud* stone / freezingcold ❷ fig *ongevoelig* stony, ice-cold

**steenmarter** stone marten

**steenpuist** boil

**steenrijk** immensely rich / wealthy, ⟨informeel⟩ filthy rich

**steenslag** ❶ *wegmateriaal* roadmetal ❷ *vallend gesteente* broken stones *mv*, rubble

**steentijd** Stone Age

**steenuil** little owl

**steenweg** (paved) road

**steenwol** bouw mineral / rock wool

**steenworp** ▼ *op een ~ afstand van* at / within a stone's throw from

**steeplechase** steeplechase

**steevast** regular

**steg** →heg

**steiger** ❶ *werkstellage* scaffolding ★ *in de ~s staan* be in scaffolding ❷ *aanlegplaats* landing stage

**steigeren** ❶ *op achterste benen gaan staan* rear ❷ fig *protesteren* get up on one's hind legs

**steil** ❶ *sterk hellend* steep, ⟨erg steil⟩ precipitous ❷ *star* rigid, uncompromising

**steilschrift** upright writing

**steilte** ❶ *het steil zijn* steepness ❷ *helling* precipice

**stek** ❶ *plantendeel* cutting ❷ *vaste plek* hangout, niche

**stekeblind** stone-blind

**stekel** prickle, ⟨van egel⟩ quill

**stekelbaars** stickleback

**stekelhaar** crew cut

**stekelig** ❶ *met stekels* prickly ❷ *bits* caustic, sharp ★ *~ doen* be sarcastic

**stekelvarken** porcupine

**steken** I *ov ww* ❶ *treffen* ⟨met mes⟩ stab, ⟨van insect⟩ sting, ⟨met naald⟩ prick ★ *iem. een mes tussen de ribben ~* put a knife between sb's ribs ❷ *grieven* sting ★ *dat steekt me* that stings me ❸ *in bepaalde plaats / toestand brengen* ★ *zich in de schulden ~* incur debts ★ *hij stak het bij zich / in zijn zak* he put it in his pocket ★ *de stekker in het stopcontact ~* put the plug into the socket, plug in ❹ *uitspitten* dig ★ *zoden ~* cut sods II *on ww* ❶ *pijnlijk zijn* ⟨van likdoorn⟩ shoot, ⟨wond⟩ sting, ⟨van zon⟩ burn ❷ *vastzitten* ★ *daar steekt*

geen kwaad in there is no harm in it ★ *blijven ~ in...* get stuck in..., get bogged down in... ★ *in zijn woorden blijven ~* be stuck for words ❸ *zitten (in)* ▼ *daar steekt iets achter* there is sth behind it

**stekken** slip

**stekker** elek plug

**stekkerdoos** elek multiple socket

**stel** I *zn* [het] ❶ *aantal* couple, lot ★ *een heel stel klanten* quite a few customers ★ *dat is (ook) een mooi stel* a fine lot they are ❷ *set* set ★ *een goed stel hersens* a good brain ★ *stel kleren* set of clothes ❸ *paar geliefden* couple ★ *'n aardig stel* a nice couple II *zn* [de]▼ *op stel en sprong* off-hand, right away, immediately, then and there

**stelen** steal▼ *een kind om te ~* a duck of a child ▼ *hij kan me gestolen worden* I'm better off without him, I prefer his room to his company ▼ *~ als de raven* have sticky fingers

**stellage** ❶ *steiger* scaffolding ❷ *opbergruimte* rack

**stellen** ❶ *zetten, plaatsen* place, put, ⟨van machine⟩ erect ★ *~ boven...* put before... ★ *iem. in het gelijk / ongelijk ~* put sb in the right / wrong ★ *iem. voor een feit ~* confront sb with a fact ❷ *in toestand / positie brengen* ★ *zich een doel ~* set o.s. an objective / a goal ❸ *doen* ★ *het zonder iets ~* dispense with sth, go / do without sth ★ *ze had wat met hem te ~* he gave her no end of trouble ★ *je zult het ermee moeten ~* you will have to make do with it ❹ *veronderstellen* suppose ★ *stel dat hij komt* supposing he comes, suppose he will come ❺ *formuleren* ⟨van vraag, probleem⟩ put, ⟨van vraag, probleem⟩ pose, ⟨van brief⟩ compose, ⟨van brief⟩ write ❻ *vaststellen* ★ *de prijs ~ op* fix the price at ★ *een diagnose ~* make a diagnosis

**stellig** I *bnw* positive II *bijw, zeker* ★ *ten ~ste* positively ★ *hij komt ~* he is sure to come

**stelligheid** positiveness

**stelling** ❶ *positie* position ★ *~ nemen tegen* make a stand against ★ *de ~en betrekken* take up position ❷ *steiger* scaffolding ❸ *stellage* rack ❹ *bewering* ⟨van proefschrift⟩ thesis *mv: theses*, ⟨wiskunde, logica⟩ proposition

**stellingname** position, stand

**stelpen** staunch, stem, stop

**stelplaats** BN depot

**stelpost** memorandum item, estimate

**stelregel** principle, maxim

**stelschroef** adjusting screw

**stelsel** system

**stelselmatig** systematic(al)

**stelt** ❶ *lang nepbeen* stilt ❷ *lang echt been* pin▼ *de hele zaal stond op ~en* the entire room was in an uproar

**steltlopen** walking on stilts

**steltloper** *waadvogel* stilt (bird)

**stem** ❶ *stemgeluid* voice ★ *met luide stem* in a loud voice ★ *goed bij stem zijn* be in good voice ★ *zijn stem verheffen* raise one's voice ★ *zijn stem tegen iem. verheffen* speak out against sb ★ *met gedempte stem spreken* speak in an undertone ❷ *keuze bij stemming* vote ★ *blanco stem* abstention ★ *zijn stem uitbrengen* record / register one's vote ★ *met algemene stemmen* unanimously ★ *met 5 stemmen voor en 3 tegen* by five votes in favour and three against ★ *het*

*aantal uitgebrachte stemmen* the number of votes cast, the poll ★ *de meeste stemmen gelden* most votes carry the day ❸ muz part, voice ★ *de tweede stem zingen* sing second ▼ *een stem in het kapittel hebben* have a say / voice in the matter
**stemadvies** advice on how to vote
**stemband** vocal cord
**stembiljet** ballot(paper)
**stembuiging** inflection / modulation of the voice
**stembureau** polling station
**stembus** ballot box
**stemgedrag** voting behaviour
**stemgeluid** voice, tone of voice
**stemgerechtigd** jur (van lid) entitled to vote, (van burgers) enfranchised ★ *~e leeftijd* voting age
**stemhebbend** taalk voiced
**stemhokje** voting / polling booth
**stemlokaal** polling station
**stemloos** taalk voiceless
**stemmen I** *ov ww* ❶ *in zekere stemming brengen* ★ *gunstig ~* placate ★ *vrolijk ~* put in a cheerful mood ★ *dankbaar gestemd zijn* be grateful ★ *optimistisch gestemd zijn* be in an optimistic mood ★ *het stemt tot tevredenheid* it is a cause for satisfaction ★ *tot nadenken ~* provide food for thought ★ *tot ongerustheid ~* give rise to anxiety ❷ muz tune, (van orkest) tune up **II** *on ww, stem uitbrengen* vote, (go to the) poll ★ *~ op* vote for ★ *~ over* vote (up)on ▼ *de ~ staken* the votes are equally divided
**stemmenwinst** electoral gain
**stemmer** ❶ *kiezer* voter ❷ muz tuner
**stemmig** *ingetogen* (van persoon) grave, (van zaken) sober, (inrichting) quiet
**stemming** ❶ *het stemmen* vote, (schriftelijk) ballot, (in parlement) division ★ *in ~ brengen* put to the vote ★ *tot ~ overgaan* proceed to the vote ★ *zich van ~ onthouden* abstain (from voting) ★ *een ~ houden* take a vote ★ *bij ~ aangenomen* carried on a division ★ *bij eerste ~ gekozen* elected at / on the first ballot ★ *een geheime ~ a* secret ballot ❷ *gemoedstoestand* mood, frame of mind, (v.h. publiek) feeling ★ *~ maken voor / tegen* rouse public feeling for / against ❸ *sfeer* (van de markt) tone ★ *ik ben er niet voor in de ~* I am not in the mood for it ❹ muz tuning
**stemmingmakerij** rousing of public sentiment
**stempel** ❶ *werktuig om afdruk te maken* stamp, (van munten e.d.) die ❷ *afdruk* stamp, (op goud) hallmark, (van post) postmark ❸ *voorwerp met afdruk* seal ❹ fig *invloed* stamp ★ *ergens zijn ~ op drukken* put one's stamp upon sth, leave one's mark on sth ❺ plantk stigma
**stempelautomaat** stamping machine
**stempeldoos** box with stamp and inking pad
**stempelen** ❶ *een stempel drukken* (van post) postmark, stamp ❷ *kenmerken* ★ *dit stempelt hem tot...* this stamps / marks him as...
**stempelkussen** ink pad
**stemplicht** compulsory voting
**stemrecht** jur right to vote, pol franchise, pol (right to) vote, pol suffrage, (van leden) right to vote ★ *algemeen ~* universal suffrage ★ *~ hebben* have the vote

**stemvee** voting mob
**stemverheffing** ★ *met ~ spreken* raise one's voice ★ *zonder ~ spreken* speak in a level voice
**stemvork** tuning fork
**stencil** stencil
**stencilen** duplicate, stencil
**stencilmachine** duplicator
**stenen** stone, (van baksteen) brick, (van natuursteen) stone ▼ *het ~ tijdperk* the Stone Age
**stengel** plantk stalk, stem
**stengun** sten gun
**stenigen** stone
**stennis** commotion, row ▼ *~ maken* kick up a row, cause a commotion
**steno** stenography
**stenograferen** write / take down in shorthand
**stenografie** shorthand, stenography
**stenografisch** shorthand, stenographic
**step** ❶ *autoped* scooter ❷ *voetsteun* footrest
**steppe** steppe
**steppehond** ❶ *hyenahond* hyena ❷ *prairiehond* prairie dog
**steppen** *step rijden* ride a scooter
**STER** *Stichting Etherreclame* ≈ Dutch radio and television advertising authority
**ster** ❶ *hemellichaam* star ★ *vallende ster* shooting / falling star ★ *met sterren bezaaid* star-spangled ❷ *figuur* star ❸ *beroemdheid* star ❹ → **sterretje** ▼ BN *tegen de sterren op* for all one's worth, outrageously ▼ *zijn ster rijst* his star is rising
**sterallures** starlike airs *mv*
**stereo I** *zn* [de] ❶ *geluidsinstallatie* stereo ❷ *ruimtelijke weergave* stereo ★ *in ~* in stereo **II** *bnw* stereo
**stereoapparatuur** stereo equipment
**stereofonisch** stereophonic
**stereo-installatie** stereo set
**stereometrie** solid geometry
**stereotiep** stereotyped, (van opmerking) stock
**stereotoren** music centre, USA stereo
**stereotype** stereotype
**sterfbed** deathbed
**sterfdag** dying day, day of death
**sterfelijk** mortal
**sterfgeval** death
**sterfhuis** house of mourning
**sterfhuisconstructie** leveraged die-out
**sterfte** *totaal aantal sterfgevallen* mortality
**sterftecijfer** death / mortality rate
**sterfteoverschot** death surplus
**steriel** ❶ biol *onvruchtbaar* barren ❷ med *vrij van ziektekiemen* sterile ❸ fig *doods* sterile, unimaginative
**sterilisatie** sterilization
**steriliseren** ❶ *van ziektekiemen ontdoen* sterilize ❷ med *onvruchtbaar maken* sterilize ❸ BN *conserveren* preserve, (in blik) can
**sterk I** *bnw* ❶ *krachtig* strong, powerful ★ *~ geheugen* strong / tenacious memory ❷ *stevig* strong, sturdy ★ *echt ~e schoenen* real hard-wearing shoes ★ *een ~ gestel* a strong constitution ❸ *hevig* sharp, strong ★ *~e daling / toename* sharp fall / increase ❹ *bekwaam* ★ *~ in geschiedenis* good at history ★ *dat is niet haar ~e kant* that is not her strong side ❺ *geconcentreerd* strong ★ *~e koffie* strong coffee ❻ *moeilijk te*

*geloven* ★*een ~ verhaal* a tall story ★*~ stukje* quite a feat ★*een ~ staaltje van* an amazing example of ★*dat is* ~ that's a bit thick ❼ *talrijk* ★*twintig man ~* twenty strong ❽ *alcoholisch* ★*~e drank* spirits, liquor ❾ taalk ★*~e werkwoorden* irregular verbs ▾*ik maak me ~ dat...* I am pretty sure that ▾*wie niet ~ is moet slim zijn* necessity is the mother of invention ▾*hij staat ~* he has a strong case ‖ *bijw* much, strongly, highly ★*dat is ~ gezegd* that is putting it strongly ★*~ verschillend* widely different ★*hij was er ~ voor* he was strongly in favour of it ★*ik vraag me ~ af of...* I very much doubt whether...

**sterkedrank** cul strong drink, (hard) liquor
**sterken** lett *sterker maken* fortify, strengthen
**sterkers** garden cress
**sterkte** ❶ *kracht* strength, power ❷ *stevigheid* strength ❸ *geestkracht* fortitude, courage ❹ *intensiteit* intensity, (geluid) intensity, (geluid) volume ❺ *geconcentreerdheid* strength, concentration
**stern** *vogel* tern
**steroïden** steroids *mv* ★*anabole ~* anabolic steroids
**sterrenbeeld** ❶ *groep sterren* constellation ❷ *astrologisch teken* sign of the zodiac
**sterrenhemel** starry sky
**sterrenkijker** ❶ *instrument* telescope ❷ *persoon* stargazer
**sterrenkunde** astronomy
**sterrenregen** star shower, meteoric shower
**sterrenstelsel** star system, galaxy
**sterrenwacht** observatory
**sterrenwichelaar** astrologer
**sterrenwichelarij** astrology
**sterretje** ❶ *klein hemellichaam* little star ❷ *teken* asterisk ❸ *vuurwerk* sparkler ▾*~s* zien see stars
**sterveling** mortal ★*geen ~ in de buurt* not a living soul to be seen
**sterven** I *on ww* ❶ *doodgaan* die, expire ★*op ~ liggen* be dying, be on one's deathbed ★*~ aan* die from ❷ *creperen* ★*~ van de kou* be freezing ★*~ van de honger* be starving ‖ *onp ww, wemelen* be swarming with ★*het sterft er van het ongedierte* the place is crawling with vermin
**stervensbegeleiding** terminal care
**stervenskoud** freezing cold
**stethoscoop** stethoscope
**steun** I *stut* support, prop ❷ *hulp* help, support ★*hij is mijn ~ en toeverlaat* he is my help and stay ★*~ verlenen* lend support ★*bij iem. ~ zoeken* turn to sb for support ❸ *uitkering* unemployment benefit ★*~ trekken* be on the dole
**steunbalk** techn girder
**steunbeer** buttress
**steunbetuiging** expression of support / sympathy
**steunen** I *ov ww* ❶ *ondersteunen* support, prop (up) ❷ *helpen* support, back (up), countenance ★*'n motie ~* second / support a motion ‖ *on ww* ❶ *leunen* lean / rest (on) ★*op iets ~* lean on sth ❷ *zich verlaten op* ★*hij steunt geheel op zijn vader* he relies entirely on his father ❸ *kreunen* moan, groan
**steunfonds** relief fund

**steunfraude** social security fraud
**steunkous** support hose
**steunmuur** retaining / supporting wall
**steunpilaar** ❶ *pilaar* pillar ❷ *persoon* pillar, mainstay
**steunpunt** ❶ *punt waarop iets steunt* point of support ❷ *plaats waar men hulp verleent* base
**steuntrekker** somebody on the dole
**steunzender** relay station
**steunzool** arch support
**steur** sturgeon
**steven** ⟨voorzijde⟩ stem, ⟨voorzijde⟩ prow, ⟨achterzijde⟩ stern ▾*de ~ wenden naar* head / steer for
**stevenen** ❶ *koers zetten* set sail for ❷ *stappen naar* head for
**stevig** ❶ *solide* (van meubels) solid, (van persoon) sturdy, (van schoen, tafel, touw) stout, (van schoen, tafel, touw) strong, (van vlees, weefsel) firm ★*~ gebouwd* sturdily built ❷ *krachtig* (van maal) hearty, (van maal) substantial, (van wind) stiff ★*~ drinken* drink hard ★*iem. ~ onderhanden nemen* give sb a good talking to, read sb the riot act ★*houd me ~ vast* hold me tight ★*~ aanstappen* step out briskly
**steward** flight attendant, steward
**stewardess** (female) flight attendant
**stichtelijk** ❶ *verheffend* edifying ❷ *vroom* pious
**stichten** ❶ *oprichten* found ❷ *verheffen* edify ❸ *aanrichten* ★*vrede ~* make peace ★*kwaad ~* do evil
**stichter** ❶ *oprichter* founder ❷ *aanstichter* instigator
**stichting** ❶ *het stichten* establishment ❷ *organisatie* corporation, foundation
**stick** *hockeystick* hockey stick
**sticker** sticker
**stickie** joint, reefer
**stiefbroer** stepbrother
**stiefdochter** stepdaughter
**stiefkind** step child
**stiefmoeder** stepmother
**stiefmoederlijk** ▾*~ behandeld* treated harshly / unfeelingly
**stiefouder** stepparent
**stiefvader** stepfather
**stiefzoon** stepson
**stiefzuster**, inform **stiefzus** stepsister
**stiekem** I *bnw* ❶ *heimelijk* furtive, underhand, sly ❷ *achterbaks* underhand, devious, inform dodgy ‖ *bijw, heimelijk* on the sly ★*er ~ vandoor gaan* sneak off
**stiekemerd** sneak
**stiel** BN *beroep* occupation, job, (hoger opgeleid) profession, (ambacht) trade, (zaak) business ▾BN *twaalf ~en, dertien ongelukken* (he is a) Jack-of-all-trades and master of none
**Stier** *dierenriemteken* Taurus
**stier** *dier* bull
**stierengevecht** bullfight
**stierennek** *nek van stier* bull's neck
**stierenvechten** bullfighting
**stierenvechter** bullfighter
**stierlijk** ★*~ het land hebben* be properly riled ★*~ vervelend* deadly tedious
**stift** ❶ *staafje* peg, pin ❷ *viltstift* felt-tip

**stiften** sport chip

**stifttand** crowned tooth *mv: teeth*

**stigma** *merkteken* stigma

**stigmatiseren** stigmatize

**stijf ❶** *niet soepel* stiff, rigid, ⟨na zware training⟩ muscle-bound ★ ~ *van de kou* numb / stiff with cold ★ ~ *als een plank* stiff as a board **❷** *stevig* ★ *de pudding wordt* ~ the pudding is setting **❸** *niet spontaan* formal, stiff, starchy **❹** *houterig* awkward, wooden ★ *een stijve hark* a stick-in-the-mud **❺** *koppig* stubborn ★ ~ *en strak staande houden* stoutly maintain ▼ ~ *staan van de fouten* be riddled with mistakes ▼ *een stijve hebben* have a hard-on

**stijfjes** stiff, formal, chilly

**stijfkop** obstinate person, inform pigheaded person

**stijfkoppig** pigheaded

**stijfsel** starch, ⟨plaksel⟩ paste

**stijgbeugel** stirrup

**stijgen ❶** *omhooggaan* rise, ⟨van vliegtuig⟩ climb ★ *te paard* ~ mount **❷** *toenemen* rise ★ *snel* ~ rise sharply ★ *doen* ~ send up, raise, increase ★ *in achting* ~ rise in esteem

**stijging ❶** *het omhooggaan* rise, climb, ascent **❷** *toename* rise, increase ★ *een scherpe* ~ *van de lonen* a sharp increase in wages

**stijl ❶** *vormgeving* style, tradition ★ *een stuk in de* ~ *van Hamlet* a play in the tradition of Hamlet **❷** *schrijfstijl* style **❸** *handelwijze* style ★ *dat is geen* ~ it's a downright shame, it's disgraceful ★ *hij heeft een geheel eigen* ~ he has a style of his own **❹** *deur- / raampost* post

**stijlbreuk** ⟨sudden⟩ change in / of style

**stijldansen** ballroom dancing

**stijlfiguur** figure of speech

**stijlkamer** period room

**stijlloos ❶** *zonder (goede) stijl* tasteless, lacking in style **❷** *ongepast* ill-mannered ★ ~ *gedrag* improper behaviour

**stijlperiode** period

**stijlvol** stylish

**stijven ❶** *sterken* stiffen, strengthen ★ *iem.* ~ *in zijn vooroordeel* strengthen sb in his prejudice **❷** *met stijfsel behandelen* starch

**stikdonker I** *zn* [het] pitch darkness **II** *bnw* pitch-dark

**stikheet** sweltering, suffocating, stifling (hot)

**stikken I** *ov ww, naaien* stitch **II** *on ww* **❶** *het benauwd krijgen* suffocate, be stifled ★ ~ *van het lachen* choke with laughter ★ ~ *van woede* choke with fury **❷** *sterven* suffocate, choke **❸** *fig doodvallen* drop dead, go to hell ★ *stik!* drop dead! ★ *je kunt* ~ go to hell **❹** *in overvloed hebben* be bursting with ★ ~ *van het werk* be swamped with work ★ *zij stikt van het geld* she's loaded with money **❺** *onp ww, wemelen* ⟨toeristen, ongedierte⟩ swarm with, ⟨ongedierte⟩ crawl (with)

**stiksel** stitching

**stikstof** nitrogen

**stikstofdioxide** nitrogen dioxide

**stil ❶** *zonder geluid* silent ★ *stil!* quiet! ★ *alles werd stil* everything fell silent **❷** *zonder beweging* still ★ *stil zitten* sit still **❸** *rustig* quiet, ⟨van zaken⟩ slack, ⟨van markt⟩ quiet, ⟨van markt⟩ dull ★ *stil*

---

*gaan leven* retire from business **❹** *verborgen* silent ★ *een stille drinker* a secret drinker ★ *stille vennoot* sleeping partner ★ *een stille hoop koesteren* be quietly confident ★ *een stil verlangen* a secret wish ▼ *stil maar!* there, there!

**stilaan** gradually, step by step

**stileren** compose, stylize

**stiletto** stiletto

**stilhouden I** *ov ww* **❶** *verzwijgen* keep quiet, hush up ★ *feiten* ~ withhold facts ★ *een schandaal* ~ hush up a scandal **❷** *rustig houden* keep quiet **II** *on ww, stoppen* stop, ⟨van trein, auto⟩ stop, ⟨van trein, auto⟩ pull up

**stilist** stylist

**stilistisch** stylistic

**stille ❶** *zwijgzaam persoon* taciturn person **❷** *rechercheur* plain-clothes police officer

**stilleggen** ⟨van verkeer⟩ stop, ⟨van fabriek⟩ close / shut down, ⟨van fabriek⟩ shut up shop

**stillen ❶** *tot kalmte brengen* calm, ⟨van geweten⟩ quiet(en) **❷** *doen verminderen* ⟨van dorst⟩ quench, ⟨van honger⟩ satisfy, ⟨van honger⟩ appease, ⟨van pijn, vrees⟩ alley

**Stille Oceaan, Stille Zuidzee** Pacific

**stilletjes ❶** *zachtjes* quietly **❷** *ongestoord* in peace **❸** *heimelijk* secretly

**stilleven** still life *mv: lifes*

**stilliggen ❶** *niet bewegen* lie still **❷** *buiten werking zijn* be / lie idle ★ *de fabriek lag een jaar stil* the factory lay idle for a year

**stilstaan ❶** *niet bewegen* stand still ★ *de wekker is stil blijven staan* the alarm has stopped ★ *zijn mond staat geen ogenblik stil* his tongue is continuously wagging **❷** *stagneren* stagnate, stand still ★ *blijven / laten* ~ stop **❸** *niet functioneren* be / lie idle, ⟨van zaken⟩ be at a standstill **❹** ~ *bij* dwell on ★ ~ *bij 'n feit* dwell on a fact ★ *zij heeft er nooit bij stilgestaan dat...* it has never occurred to her that...

**stilstand ❶** *bewegingloosheid* standstill, stoppage **❷** *fig stagnatie* stagnation, standstill

**stilte ❶** *geluidloosheid* silence, quiet, stillness ★ *ademloze / doodse / diepe* ~ profound silence ★ *in* ~ quietly, in private **❷** *rust* calm, tranquillity **❸** *beslotenheid* quiet, secrecy ▼ *de* ~ *voor de storm* the lull / calm before the storm

**stilton** Stilton (cheese)

**stilvallen ❶** *tot stilstand komen* come to a stop / halt **❷** *geen geluid maken* fall silent

**stilzetten** stop

**stilzitten ❶** *rustig zitten* sit still ★ *hij kan niet* ~ he can't sit still, he can't stop fidgeting **❷** *niet bedrijvig zijn* sit / stand still, do nothing ★ *zijn vijand had ook niet stilgezeten* his enemy had not been idle either

**stilzwijgen I** *zn* [het] silence ★ *het* ~ *bewaren* keep silence, be silent **II** *on ww* keep silent

**stilzwijgend ❶** *zwijgend* silent, tacit **❷** *fig impliciet* tacit ★ *iets* ~ *aannemen* take sth for granted

**stimulans** stimulus, ⟨middel⟩ stimulant

**stimuleren** stimulate, encourage

**stimuleringsmaatregel** measure meant to stimulate

**stinkbom** stink bomb

**stinkdier** skunk

**stinken** *vies ruiken* stink, smell ★ ~ *naar* stink of ▼ *ergens in* ~ fall for sth, be caught in the act

**stinkvoeten** smelly feet

**stip** ❶ *punt* dot, point, *sport* penalty spot, ⟨op kleding⟩ polka dot ❷ *vlekje* speck

**stipendium** ❶ *toelage* grant, ⟨voornamelijk van geestelijke⟩ stipend ❷ *beurs* scholarship

**stippel** dot, speck

**stippelen** *uit stippels samenstellen* dot, speckle

**stippellijn** dotted line

**stipt** I *bnw* precise, ⟨m.b.t. tijd⟩ punctual, ⟨m.b.t. regels⟩ strict II *bijw* ★ ~ *op tijd (komend)* right on time

**stiptheidsactie** work-to-rule action

**stock** BN *voorraad* stock, supply, store ★ *in* ~ *hebben* have in stock, have on hand

**stockcar** stock car

**stockeren** BN *als voorraad aanleggen* store, lay in / up

**Stockholm** Stockholm

**Stockholms** Stockholm

**stoefen** BN boast, brag

**stoeien** ❶ *ravotten* romp ❷ *speels omgaan* play with ★ ~ *met een idee* play with an idea

**stoeipartij** romp

**stoel** *zitmeubel* chair, seat ★ *luie* ~ easy chair ★ *neem een* ~ take a seat ★ *elektrische* ~ electric chair ▼ *de Heilige Stoel* the Holy See, See of Rome ▼ *iets niet onder ~en of banken steken* make no secret of sth ▼ *van zijn* ~ *vallen van verbazing* fall off one's chair in surprise ▼ *voor ~en en banken praten* speak to empty seats

**stoelen op** be based on, rest on

**stoelendans** musical chairs

**stoelgang** bowel movement, defecation

**stoelleuning** ❶ *armleuning* chair-arm ❷ *rugleuning* chair-back

**stoelpoot** chairleg, leg of a chair

**stoeltjeslift** chairlift

**stoemp** BN *cul* mash, hotchpotch

**stoep** ❶ *trottoir* pavement, USA sidewalk ❷ *stenen opstapje* doorstep

**stoeprand** kerb (stone), USA curb (stone)

**stoepranden** ≈ stoop ball

**stoeptegel** paving stone

**stoer** ❶ *flink* ★ ~ *doen* show off, act tough ❷ *fors* sturdy, stalwart

**stoet** *optocht* procession, parade, ⟨van begrafenis⟩ cortege

**stoeterij** stud farm

**stoethaspel** ⟨onhandig⟩ (clumsy) oaf ★ *een rare* ~ a queer fish / customer, an oddball

**stof** I *zn* [de] ❶ *materie* matter ❷ *weefsel* material, stuff ❸ *onderwerp* subject matter ★ *kort van stof* short-tempered ★ *lang van stof* long-winded II *zn* [het] dust ★ *stof afnemen* dust (a room) ★ *tot stof vergaan* crumble into dust, disintegrate ▼ *stof opjagen* raise dust ▼ *in het stof bijten* bite the dust

**stofbril** pair of dust goggles, dust goggles *mv*

**stofdoek** duster

**stoffeerder** upholsterer

**stoffelijk** material, ⟨tastbaar⟩ tangible ★ *het* ~ *overschot* mortal remains

**stoffen** I *bnw* fabric II *ov ww, stof afnemen* dust

**stoffer** brush ★ ~ *en blik* dustpan and brush

**stofferen** ❶ *bekleden* upholster ❷ *inrichten* decorate, furnish with carpets, etc.

**stoffering** ❶ *meubelbekleding* upholstery ❷ *tapijt, gordijnen* furnishings *mv*

**stoffig** ❶ *vol stof* dusty ❷ *saai* stuffy

**stofjas** dustcoat, duster

**stoflong** ⟨kolenstof⟩ black lung, ⟨steenstof⟩ silicosis

**stofmasker** dust mask

**stofnaam** ❶ *naam van stof* name of a substance ❷ *taalk* material noun

**stofnest** dust-trap

**stofregen** *vallend stof* rain of dust

**stofvrij** ❶ *zonder stof* dust-free ❷ *beschermd tegen stof* dust-proof

**stofwisseling** metabolism

**stofwisselingsziekte** metabolic disease / disorder

**stofwolk** dust-cloud

**stofzuigen** vacuum, GB hoover

**stofzuiger** vacuum cleaner, hoover

**stoïcijns** *onaangedaan* stoic(al)

**stok** ❶ *stuk hout* stick, ⟨van vlag⟩ pole ❷ *stel kaarten* pack / deck of cards ❸ *kippenstok* perch ★ *op stok gaan* go to roost ▼ *het met iem. aan de stok krijgen* fall foul of / fall out with sb ▼ *hij is met geen stok naar binnen te krijgen* wild horses won't drag him in ▼ BN *stokken in de wielen steken* put a spoke in the wheel, throw a spanner in the works

**stokbrood** *cul* baguette, French bread

**stokdoof** stone deaf

**stoken** I *ov ww* ❶ *doen branden* stoke ❷ *distilleren* distil ❸ *aanwakkeren* stir up, foment ★ *ruzie* ~ stir up a quarrel, foment a quarrel ❹ *reinigen* ~ *zijn tanden* ~ pick one's teeth II *on ww, opruien* make trouble, stir things up ★ ~ *in een goed huwelijk* set people by the ears

**stoker** ❶ *machinestoker* stoker, fireman ❷ *distilleerder* distiller ❸ *opruier* firebrand, agitator

**stokerij** distillery

**stokken** ⟨van spreker⟩ break down, ⟨van motor⟩ stall ★ *het gesprek stokte* the conversation flagged ★ *zijn adem stokte* his breath caught, he gasped

**stokoud** aged, ancient

**stokpaard** *lievelingsonderwerp* hobby, pet subject / topic, passion ▼ *zijn ~je berijden* ride / pursue one's hobby

**stokroos** ❶ *plant* hollyhock ❷ *stamroos* standard rose

**stokstijf** ❶ *roerloos* stock-still ★ ~ *blijven staan* stop dead in one's tracks ❷ *halsstarrig* stubborn ★ ~ *beweren* maintain obstinately

**stokvis** *cul* stockfish

**stol** Christmas / Easter stollen

**stola** stole

**stollen** coagulate, congeal, ⟨van jus, gelei⟩ set, ⟨van bloed⟩ clot

**stollingsgesteente** igneous rock

**stollingspunt** coagulation / solidification temperature

**stollingstijd** ⟨bloed vooral⟩ clotting time, ⟨jam, lijm, enz⟩ setting time, ⟨andere stoffen vnl.⟩ solidification time

**stolp** glass cover, bell glass

**stolpboerderij** ≈ traditional four-square Dutch

farmhouse with pyramid-shaped roof

**stolsel** coagulum, congelation, ⟨m.b.t. bloed⟩ clot

**stom ❶** *zonder spraakvermogen* dumb, mute **❷** *zonder geluid* ★ *stomme film* silent film **❸** *dom* stupid ★ *het is je eigen stomme schuld* it's your own stupid fault **❹** *vervelend* stupid, tedious **❺** *zielig* ★ *dat stomme dier* the poor brute! **❻** *toevallig* ★ *stom geluk* a mere fluke

**stoma** <u>med</u> stoma

**stomdronken** dead / blind drunk

**stomen I** *ov ww* **❶** *gaar maken* steam **❷** *reinigen* dry-clean **❸** *losweken* steam off **II** *on ww* **❶** *dampen* steam **❷** *varen* steam, sail

**stomerij** dry cleaner's

**stomheid ❶** *het niet kunnen spreken* dumbness **❷** *stommiteit* stupidity ▾ *met ~ geslagen* dumbfounded

**stomkop** blockhead

**stommelen** clatter (about) ★ *de trap op ~* stumble up the stairs

**stommeling** *stommerik* idiot, blockhead

**stommetje** ▾ *~ spelen* sit mum

**stommiteit ❶** *het stom zijn* stupidity **❷** *stomme daad* blunder

**stomp I** *zn [de]* **❶** *vuistslag* punch **❷** *overblijfsel* stump, stub ★ *een ~je potlood* a stub of a pencil **II** *bnw* **❶** *niet scherp* blunt, <u>form</u> dull **❷** *niet puntig* ⟨van hoek⟩ obtuse, ⟨van neus⟩ flat, ⟨van neus⟩ snub

**stompen** thump, punch

**stompzinnig** dull, dense, obtuse

**stomverbaasd** amazed, flabbergasted, perplexed

**stomvervelend** *heel saai* deadly dull ★ *een ~e vent* a crashing bore

**stomweg** simply, just

**stoned** stoned, high, ⟨informeel⟩ freaked / spaced out, <u>USA</u> jeugdt zonked

**stoofappel** cooking apple

**stoofkarbonade** <u>BN</u> <u>cul</u> *gestoofd rundvleesgerecht* ≈ stew, ≈ casserole

**stoofpeer** cooking pear

**stoofpot** stewing pot, casserole

**stoofschotel** <u>cul</u> stew, casserole

**stookolie** fuel <u>oil</u>

**stoom** steam ★ *~ afblazen* let off steam ★ *~ maken* get up steam

**stoombad** steam-bath

**stoomboot** steamer, steamship

**stoomcursus** crash / intensive course

**stoomketel** (steam) boiler

**stoomlocomotief** steam engine / locomotive

**stoommachine** steam engine

**stoompan** steamer

**stoomschip** steamer, steamship

**stoomstrijkijzer** steam iron

**stoornis ❶** *verstoring* disturbance **❷** <u>med</u> *gebrek* disorder

**stoorzender ❶** *zender* jamming station **❷** <u>fig</u> *persoon* nuisance, hindrance

**stoot ❶** *plotse beweging* jerk, jolt **❷** *duw* push, thrust, ⟨met vuist⟩ punch **❸** ⟨biljart⟩ shot ★ *een mooie ~* a good shot **❹** *flinke hoeveelheid* lots, pack ★ *er was een hele ~ mensen* there were loads of people **❺** *knappe meid* <u>vulg</u> (bit of) crumpet ▾ *de ~ geven tot* initiate

**stootblok** buffer

**stootkussen ❶** *buffer* buffer **❷** <u>scheepv</u> buffer

**stoottroepen** storm / shock troops *mv*

**stootvast** chip-proof

**stop I** *zn [de]* **❶** *oponthoud* stop, break ★ *sanitaire stop* convenience stop **❷** *stopzetting* freeze **❸** *iets dat afsluit* ⟨van fles⟩ stopper, ⟨van vat⟩ bung, ⟨van bad⟩ plug **❹** *zekering* fuse ★ *de stop is doorgeslagen* the fuse has blown ★ <u>fig</u> *de stoppen zijn bij hem doorgeslagen* he blew a fuse / his top **❺** *verstelde plek* darn **II** *tw* **❶** *houd op* stop!, hold it! **❷** *sta stil* stop

**stopbord** stop sign

**stopcontact** (plug-)socket, power-point

**stopfles** (glass) jar

**stoplap ❶** *lap* patch **❷** *loos woord* stopgap

**stoplicht ❶** *verkeerslicht* traffic light **❷** *remlicht* brake light / lamp

**stopnaald** darning-needle

**stoppel ❶** *baardhaar* stubble, bristle **❷** *halm* stubble

**stoppelbaard** stubble, stubbly beard, <u>inform</u> five o'clock shadow

**stoppelhaar** bristly hair

**stoppen I** *ov ww* **❶** *tot stilstand brengen* stop ★ *het verkeer ~* stop the traffic ★ *zij was gewoon niet te ~* she just couldn't be stopped **❷** *dichtmaken* fill, stop, ⟨gat, lek⟩ plug, ⟨gat, pijp⟩ fill, ⟨gat in kous, e.d.⟩ darn **❸** *induwen* put ★ *de vingers in de oren ~* stuff one's fingers into one's ears ★ *iem. in bed ~* pack sb off to bed **II** *on ww* **❶** *ophouden* stop ★ *~ met werk* stop working **❷** *halt houden* stop, ⟨auto, bus⟩ draw / pull up

**stopplaats** stop

**stopstreep** halt-line

**stopteken** stop sign

**stoptrein** stop(ping) train, slow / local train

**stopverbod** stopping prohibition, ⟨op bord⟩ no stopping

**stopverf** putty

**stopwatch** stopwatch

**stopwoord** stopgap, filler

**stopzetten** stop, ⟨fabriek, e.d.⟩ close down, ⟨voor korte tijd⟩ suspend

**storen I** *ov ww, hinderen* ⟨afleiden⟩ disturb, ⟨onderbreken⟩ interrupt, ⟨van radio⟩ jam ★ *de lijn is gestoord* there is a breakdown on the line ★ *stoor ik u?* am I intruding? **II** *wkd ww* [zich ~] *zich ergeren* ★ *stoor je niet aan hem* don't mind him, don't bother about him

**storend** disturbing, perturbing, ⟨van drukfout, enz.⟩ annoying

**storing ❶** *ongewenste onderbreking* disturbance, ⟨telefoon, spoorverkeer⟩ interruption, ⟨atmosferisch⟩ atmospherics *mv*, ⟨van radio⟩ interference, ⟨van radio⟩ jamming, ⟨defect⟩ trouble ★ *technische ~* technical malfunction / trouble **❷** *meteorologische depressie* (weather) depression ★ *atmosferische ~* static interference

**storm ❶** *harde wind* storm, gale, ⟨literair⟩ tempest **❷** <u>fig</u> *opwinding* storm ★ *een ~ van protest* a storm of protest ▾ *een ~ in een glas water* a storm in a tea cup

**stormachtig ❶** *met storm* stormy **❷** <u>fig</u> *onstuimig* tempestuous, tumultuous

**stormbaan** assault course

st

**stormbal** storm warning signal, storm cone
**stormdepressie** (storm) depression
**stormen** I *on ww, voorwaarts snellen* storm, tear, rush ★*naar voren* ~ rush forward ★*de kinderen stormden de kamer binnen* the children burst into the room II *onp ww, zeer hard waaien* ★*het gaat* ~ *het* it is blowing up a gale ★*het stormt* there is a gale
**stormenderhand** ★~ *innemen* take by storm
**stormlamp** hurricane lamp
**stormloop** ❶ *aanval* assault ❷ *fig* run ⟨op kaartjes⟩ rush, ⟨op winkels⟩ run
**stormlopen** I *on ww, aanval doen* ★~ *op* storm, rush II *onp ww, toestromen* ★*het loopt storm* there's a regular run / rush on it
**stormram** battering ram
**stormschade** storm / gale damage
**stormvloed** storm tide / flood
**stormvloedkering** flood barrier
**stormvogel** storm petrel ★*Noordse* ~ fulmar
**stortbad** BN shower
**stortbak** cistern
**stortbeton** poured concrete
**stortbui** downpour
**storten** I *ov ww* ❶ *doen vallen* dump, ⟨van tranen⟩ shed ★*radioactief afval in zee* ~ dump nuclear waste in the sea ★*een land in oorlog* ~ plunge a country into war ❷ *geld overmaken* pay II *on ww, vallen* fall, plunge III *wkd ww* [zich ~] ❶ *doen vallen* ★*zich op zijn prooi* ~ pounce upon one's prey ❷ *fig zich volledig wijden* ★*zich op iem.* ~ fall upon sb ★*zich in iemands armen* ~ fling o.s. into sb's arms ★*zich in de strijd* ~ rush into the fray
**storting** ❶ *het doen vallen* throwing, ⟨van afval⟩ dumping, ⟨tranen⟩ shedding ❷ *het overmaken* payment
**stortingsbewijs** voucher, receipt
**stortkoker** (garbage) chute / shoot
**stortplaats** dumping ground, dump
**stortregen** downpour, pelting rain
**stortregenen** pour
**stortvloed** *vloedstroom* torrent
**stortzee** surge
**stoten** I *ov ww* ❶ *krachtig duwen* push, ⟨aanstoten⟩ nudge, ⟨met de horens⟩ butt, ⟨met zwaard⟩ thrust ★*zijn hoofd* ~ bump one's head ★*zijn teen* ~ stub one's toe ★*zich* ~ *aan* bump against ❷ *verwijderen* ★*uit de partij* ~ expel from the party II *on ww* ❶ *botsen* ★*lek* ~ spring a leak ❷ *schokken* jolt
**stotteraar** stutterer, stammerer
**stotteren** *hortend spreken* stutter, stammer ★*zonder* ~ without a stutter
**stottertherapie** (anti-)stuttering therapy
**stout** I *bnw* ❶ *ondeugend* naughty ❷ *stoutmoedig* bold II *zn* [de/het], *bier* stout
**stouterd** naughty-naughty
**stoutmoedig** bold, audacious
**stouwen** ❶ *bergen* stow ❷ *verorberen* stuff
**stoven** stew, simmer
**stoverij** BN *cul gestoofd rundvleesgerecht* ≈ stew, ≈ casserole
**straal** I *zn* [de] ❶ *stroom vloeistof* stream, jet ★~ *tje* trickle ❷ *lichtbundel* ray ❸ *natk* beam, ray ❹ *wisk* radius II *bijw, volkomen* dead, clean

★*iem.* ~ *negeren* cut sb dead ★*hij heeft het* ~ *vergeten* he has clean forgotten
**straalaandrijving** jet propulsion
**straalbezopen** blind / dead drunk, pissed, USA jeugdt zonked
**straaljager** fighter jet
**straalkachel** electric heater, electric radiator
**straalmotor** jet engine
**straalverbinding** radio link
**straalvliegtuig** jet
**straat** ❶ *weg* street ★*-je* alley, lane ★*doodlopende* ~ dead-end street ★*op* ~ in the street ★*een* *-je omlopen* go / walk around the block ❷ *zee-engte* strait(s) ★*de Straat van Gibraltar* Strait of Gibraltar ❸ *recr kaartcombinatie* ★*kleine* ~ straight ★*grote* ~ straight flush ▼BN *zo oud zijn als de* ~ be as old as the hills ▼*dat past (precies) in mijn* ~*je* that is just up my alley ▼*op* ~ *staan* be turned out, be thrown out (of work) ▼*iem. op* ~ *zetten* turn sb into the street ▼BN *het is een* ~*je zonder eind* it's a dead end
**straatarm** penniless ★*een* ~ *gebied* a poverty stricken area
**straatartiest** ❶ *tekenaar* pavement artist ❷ *acrobaat* street artist, street entertainer
**straatbeeld** (street) scene
**straatgevecht** street fight, riot
**straatgeweld** street violence
**straathandel** street trade
**straathond** ❶ *zwerfhond* stray dog ❷ *niet-rashond* mongrel, cur
**straatjongen** street urchin
**straatlantaarn** streetlamp
**straatmeubilair** street furniture
**straatmuzikant** street musician
**straatnaam** street name
**straatprostitutie** streetwalking
**straatroof** robbery
**Straatsburg** Strasbourg
**Straatsburgs** Strasbourg
**straatsteen** paving-stone / -brick ▼*iets aan de straatstenen niet kwijt kunnen* be stuck with sth
**straattoneel** road show
**Straat van Dover** Straits *mv* of Dover
**Straat van Gibraltar** Strait(s) of Gibraltar
**straatveger** road-sweeper, street orderly
**straatventer** vendor, hawker
**straatverbod** (court) injunction forbidding somebody to appear in a certain street / area, restriction order
**straatverlichting** streetlighting
**straatvoetbal** street football, USA street soccer
**straatvrees** agoraphobia
**straatvuil** (street) litter
**straatwaarde** street value
**straatweg** highroad
**Stradivarius** Stradivari(us)
**straf** I *zn* [de] punishment, ⟨boete, e.d.⟩ penalty ★~ *krijgen* be punished ★*iem. zijn* ~ *doen ondergaan* bring sb to justice II *bnw* ❶ *sterk* ⟨wind⟩ stiff ❷ *streng* severe ★*-fe maatregelen* hard measures
**strafbaar** punishable ★*een* ~ *feit* a punishable offence
**strafbal** penalty (shot)
**strafbepaling** determining the punishment,

⟨clausule⟩ penalty clause
**strafblad** crime-sheet, police / criminal record
**strafexpeditie** punitive expedition
**straffen** punish, ⟨bij wedstrijd⟩ penalize
**strafgevangenis** ⟨convict⟩ prison
**strafhof** jur ★ *Internationaal Strafhof* International Court of Justice
**strafinrichting** penitentiary
**strafkamer** criminal division (of a High Court of Justice)
**strafkamp** penal colony, prison camp
**strafkolonie** penal colony
**strafkorting** ⟨van uitkering⟩ docking, ⟨van toelage enz.⟩ capping, reduced rate of benefit
**strafmaat** sentence, penalty
**strafmaatregel** punitive measure, sanction
**strafoplegging** imposition (of a punishment)
**strafpleiter** criminal lawyer
**strafport** surcharge
**strafproces** trial, criminal case, criminal proceedings *mv*
**strafpunt** penalty point, loss of mark ★ *~en krijgen* lose marks, be given penalty points
**strafrecht** jur criminal law
**strafrechtelijk** jur criminal, penal ★ *iem. ~ vervolgen* prosecute sb
**strafrechter** jur criminal judge
**strafregel** line
**strafregister** criminal record, crime sheet, <u>mil</u> defaulters' book ★ *'n blanco ~ hebben* have a clean record / sheet
**strafschop** penalty (kick)
**strafschopgebied** penalty area
**strafverordening** penal regulation
**strafvervolging** ⟨criminal⟩ prosecution, criminal proceedings *mv* ★ *tot ~ overgaan* prosecute
**strafwerk** imposition ★ *~ maken* do lines / impositions / impots
**strafwet** penal law
**strafworp** penalty / foul shot
**strafzaak** criminal case
**straighten** stretch, tighten, pull tight
**strak** I *bnw* ❶ *nauwsluitend* ⟨van kleding⟩ tight(-fitting) ❷ *aangespannen* ⟨touw⟩ taut ❸ *psych star, stug* ⟨onverzettelijk⟩ rigid, ⟨van gezicht⟩ stony ★ *een ~ke blik* a stony stare ❹ *sober* ⟨architectuur⟩ austere ▾*iem. ~ houden* keep sb on a tight rein II *bijw* ❶ *aangespannen* ★ *~aanhalen* tighten ❷ *psych stug* ★ *iem. ~ aankijken* look / stare hard at sb
**strakblauw** clear / sheer blue, cloudless
**straks** ❶ *dadelijk* later, soon, presently ★ *tot ~ see* you later / soon ❷ *zo-even* just now, a little while ago
**straktrekken** stretch, tighten, pull tight
**stralen** ❶ *stralen uitzenden* beam, radiate ❷ *er blij uitzien* shine, beam
**stralend** radiant, beaming, ⟨verblindend⟩ dazzling ★ *~ van vreugde* radiant / beaming with joy
**stralenkrans** aureole, halo
**straling** radiation
**stralingsdosis** dose of radiation
**stralingswarmte** radiant heat
**stralingsziekte** radiation sickness
**stram** ❶ *stijf* stiff, rigid ❷ *fier* ramrod

**stramien** ❶ fig sjabloon ★ *op hetzelfde ~ voortborduren* go on in the same vein ❷ <u>lett</u> weefsel canvas
**strand** beach, seaside ★ *naar het ~ gaan* go to the beach
**strandbal** beach ball
**stranden** ❶ *aanspoelen* be washed ashore, ⟨van schip⟩ run ashore / aground ❷ fig *blijven steken* be stranded
**strandhuisje** beach cabin
**strandjutter** beachcomber
**strandpaal** ≈ tall, numbered post on the beach
**strandpaviljoen** beach pavilion
**strandstoel** beach-chair, beehive chair
**strandwandeling** walk along the beach
**strandweer** nice weather for the beach, nice beach weather
**strapless** strapless
**strateeg** strategist
**strategie** strategy
**strategisch** strategic(al)
**stratenboek** street atlas
**stratengids** town / city map, street plan
**stratenmaker** roadworker
**stratenplan** *plattegrond* city map, ⟨in boekvorm⟩ street directory
**stratosfeer** stratosphere
**streber** careerist, (social) climber
**streefcijfer** target (figure)
**streefdatum** target date
**streefgetal** target number / figure
**streefgewicht** target weight
**streek** ❶ *daad* trick ★ *streken uithalen* play tricks ❷ *beweging* stroke ❸ muz *beweging met strijkstok* bow ❹ *gebied* region, district, part of the country ❺ *kompasrichting* point ▾*op ~ zijn* be settled ▾*van ~ (gebracht) zijn* be upset, be put out, be out of order, be out of sorts ▾*iem. op ~ helpen* put sb right
**streekbus** regional bus
**streekgebonden** local, regional
**streekgenoot** person from the same area / region
**streekroman** regional novel
**streektaal** dialect
**streekvervoer** regional / local transport
**streep** ❶ *lijn* line, mark ★ *een ~ halen door iets* strike out sth ❷ *strook* ⟨smal⟩ stripe, ⟨van licht⟩ streak, ⟨breed⟩ band ★ *met strepen* striped ❸ *onderscheidingsteken* stripe ▾*dat is een ~ door de rekening* that has upset the plans / calculations ▾*een ~ halen door iets* cancel sth ▾*laten we er voor vandaag een ~ onder zetten* let's call it a day ▾*op zijn strepen staan* throw one's weight about ▾*iem. over de ~ trekken* win sb over
**streepjescode** bar-code
**streepjespak** pin-stripe suit
**strekken** I *ov ww, uitrekken* stretch, extend II *on ww* ❶ *reiken* extend, reach ❷ *~ tot* serve, tend to ★ *dat strekt u tot eer* that does you credit
**strekkend** → **meter**
**strekking** *bedoeling* ⟨van betoog⟩ purpose, ⟨van betoog⟩ tenor, ⟨van maatregel⟩ scope, ⟨van verhaal⟩ drift, ⟨van woord⟩ meaning
**strekspier** extensor (muscle)
**strelen** ❶ *aaien* caress, stroke ❷ *aangenaam*

**st**

*aandoen* flatter, gratify ★ *het streelde zijn ijdelheid* it tickled his vanity ★ *zich met de gedachte ~* flatter o.s.

**streling** ❶ *aai* caress ❷ *fig iets aangenaams* gratification

**stremmen** I *ov ww* ❶ *stijf maken* coagulate, (van melk) curdle ❷ *belemmeren* obstruct, hold up II *on ww, stijf worden* curdle, coagulate

**stremming** ❶ *het stremmen* curdling ❷ *stagnatie* obstruction

**stremsel** coagulant

**streng** I *bnw* ❶ *strikt* severe, strict, (blik, eis) stern ★ *~e leraar* strict teacher ❷ *onverbiddelijk* severe, hard, (regel) rigid ★ *zeer ~e straf* harsh punishment ❸ *koud* severe ★ *een ~e winter* a severe / hard winter ★ *~e vorst* hard / severe / sharp frost II *bijw* ❶ *strikt* ★ *~ verboden toegang* strictly private, trespassers will be prosecuted ★ *zich ~ aan de voorschriften houden* adhere / stick rigidly to the regulations ❷ *onverbiddelijk* ★ *~ optreden* take firm / severe action III *zn* [de] ❶ *bundel* twine, (garen, wol) skein, (touw) strand ❷ *koord, snoer* string

**strepen** stripe, streak

**streptokok** *med* streptococcus [mv: streptococci]

**stress** stress, strain

**stressbestendig** immune to stress

**stressen** stress out, (werken onder druk) work under stress / pressure

**stresssituatie** stress situation

**stretch** stretch fabric

**stretcher** stretcher

**streven** I *zn* [het] ❶ *doel* pursuit, ambition ★ *een loffelijk ~* a noble ambition ❷ *inspanning* striving, endeavour, pursuit II *on ww ~ naar* strive after / for, aim at ★ *naar de macht ~* struggle for power ★ *naar onafhankelijkheid ~* seek independence

**striae** *med* striae, stretch marks

**striem** weal, welt

**striemen** ❶ *striemen toebrengen* slash, welt ❷ *gevoelig treffen* lash ★ *~de regen* streaming / lashing rain

**strijd** ❶ *gevecht* struggle, fight ★ *~ om het bestaan* struggle for life ★ *uit de ~ komen als overwinnaar* come out on top, emerge victorious ★ *de ~ met iem. aanbinden* engage sb (in battle) ★ *de ~ aanbinden met* join battle with ★ *~ voeren tegen* wage war against ❷ *wedstrijd* match, contest ❸ *tegenspraak* ★ *in ~ zijn met* run counter to, clash with ★ *in ~ met* contrary to, in violation of ▼ *in het heetst van de ~* in the thick of the fighting

**strijdbaar** warlike, militant

**strijdbijl** battle-axe, hatchet ▼ *de ~ begraven* bury the hatchet

**strijden** ❶ *vechten* fight, struggle ★ *~ om / voor* fight for ❷ *wedijveren* compete, contend ❸ *twisten* dispute ❹ *strijdig zijn* conflict ★ *~ met* clash with

**strijder** ❶ *krijgsman* combatant, warrior ❷ *voorvechter* fighter, champion

**strijdgewoel** tumult / confusion of battle

**strijdig** ❶ *in strijd* contrary (to) ❷ *tegenstrijdig* conflicting ★ *~e belangen* conflicting interests

**strijdkrachten** armed (military) forces *mv*

**strijdkreet** battle / war-cry

**strijdlust** pugnacity, fighting spirit

**strijdlustig** pugnacious, (m.b.t. ideaal) militant, (m.b.t. oorlog) bellicose

**strijdmacht** armed force

**strijdperk** ❶ *arena* arena ★ *in het ~ treden* enter the lists ❷ *slagveld* battleground

**strijdtoneel** scene of battle / action

**strijdvaardig** ready to fight, game

**strijkbout** iron

**strijken** I *ov ww* ❶ *aanraken* stroke, brush ❷ *uitsmeren* spread, smooth ❸ *gladmaken* iron ❹ *in bepaalde toestand brengen* ★ *zich het haar uit het gezicht ~* push one's hair out of one's face ❺ *neerhalen* (van boot, vlag, zeil) lower, (van mast, zeil) strike ★ *de riemen ~* lower the oars ❻ *muz* bow II *on ww* ❶ *gaan langs* brush, (over water) skim ★ *~ langs / over* brush past ❷ *ervandoor gaan* ★ *met de winst gaan ~* pocket the gain

**strijker** *bespeler van strijkinstrument* string-player

**strijkijzer** iron

**strijkinstrument** stringed instrument

**strijkje** string band

**strijkkwartet** string quartet

**strijklicht** skimming light, floodlight

**strijkorkest** string orchestra

**strijkplank** ironing board

**strijkstok** bow ▼ *er blijft te veel aan de ~ hangen* too much sticks to the fingers, there's a considerable rake off

**strik** ❶ *knoop* knot, (met schuifknoop) noose ❷ *gestrikt lint* bow ❸ *valstrik* snare ★ *~ken zetten* lay snares ★ *iem. een ~ spannen* set a trap for sb

**strikje** *vlinderdasje* bow tie

**strikken** ❶ *knopen* tie ★ *een das ~* knot a tie ★ *zijn veters ~* tie one's shoelaces ❷ *vangen* snare ❸ *overhalen* ensnare ★ *iem. ~ voor een werkje* rope sb in for a job

**strikt** I *bnw* strict II *bijw* ★ *~ verboden* strictly forbidden ★ *~ genomen* strictly speaking

**strikvraag** trick / catch question

**string** G-string

**stringent** strict, stringent ★ *~e bewijsvoering* tight argumentation

**strip** ❶ *strook* strip ❷ *stripverhaal* comic strip, cartoon ❸ *verpakking* blister pack, strip

**stripblad** comic (book), cartoon

**stripboek** comic (book), cartoon

**stripfiguur** comic (strip) character, cartoon character

**stripheld** comic-strip hero, cartoon hero *mv: heroes*

**strippen** I *on ww, een striptease uitvoeren* strip II *ov ww, ontdoen van het overtollige* strip

**strippenkaart** ≈ bus and tram ticket

**stripper** *persoon die striptease uitvoert* stripper

**striptease** striptease

**stripteasedanseres** striptease dancer

**striptekenaar** comic artist, cartoonist

**stripverhaal** comic, strip (cartoon)

**stro** straw

**strobloem** immortelle

**strobreed** ▼ *ik heb hem nooit een ~ in de weg gelegd* I have never thwarted him in any way

**stroef** ❶ *niet glad* rough, uneven ❷ *niet soepel*

stiff ❸ *stug* stiff, ⟨van gelaat⟩ harsh, ⟨van gelaat⟩ stern ❹ *moeizaam* difficult, awkward ★ *de besprekingen verlopen nogal ~* the negotiations are proceeding with great difficulty

**strofe** strophe

**strohalm** ⟨blade of⟩ straw▼ *zich aan een ~ vastklampen* clutch at a straw

**strohoed** straw hat

**strokarton** straw-board

**stroken** *overeenkomen* agree (with) ★ *~ met* be in keeping / accordance with ★ *dat strookt niet met de feiten* that doesn't fit the facts

**stroman** figurehead

**stromen** flow, stream, pour ★ *~d water* running water ★ *de mensen stroomden erheen* people were flocking to it ★ *~ over* flow over

**stroming** ❶ *het stromen* flowing ❷ *stroom* current ★ *er staat een sterke ~ in de rivier* there is a strong current in the river ❸ *denkwijze* tendency, trend ★ *er bestaat een sterke ~ tegen...* there is a strong movement against...

**strompelen** stumble, stagger, hobble

**stronk** ⟨van boom⟩ stump, ⟨van koolplant⟩ stalk

**stront** ❶ *poep* shit, muck, filth ❷ *ruzie, gedoe* ★ *~ krijgen met iem.* have a bust up with sb▼ *in de ~ zitten* have landed in the shit▼ *er is ~ aan de knikker* the shit has hit the fan

**stronteigenwijs** pig-headed, GB bloody-minded

**strontium** strontium

**strontje** stye

**strontvervelend** form terribly / very annoying, irritating

**strooibiljet** handbill, folder

**strooien I** *bnw* straw ★ *~ hoed* straw hat, boater **II** *ov ww* scatter, strew, ⟨zout, enz.⟩ sprinkle ★ *zand ~ op gladde wegen* grit icy / slippery roads

**strooisel** ⟨op de boterham⟩ grated chocolate, ⟨in stal⟩ litter, ⟨op weg⟩ sand, ⟨op weg⟩ grit

**strooiveld** garden of rest

**strooiwagen** brine sprinkler, sand distributor

**strooiweide** BN *strooiveld* garden of rest

**strooizout** salt (to be spread on ice-covered roads)

**strook** ⟨van kant⟩ frill, ⟨van land⟩ strip, ⟨van papier⟩ strip, ⟨van papier⟩ slip, ⟨controlestrook⟩ counterfoil, ⟨van stof⟩ flounce

**stroom** ❶ *bewegende vloeistof* stream, flow ★ *de regen viel bij / in stromen neer* the rain came down in torrents ★ *een ~ van tranen* a flood of tears ❷ *rivier* stream ❸ *fig bewegende massa* stream, flood, ⟨van mensen⟩ stream, ⟨van woorden⟩ flood ❹ *elektriciteit* current ★ *de ~ is uitgevallen* there is a power failure ★ *'n draad onder ~* a live wire

**stroomafwaarts** downriver, downstream

**stroombesparing** electricity saving(s)

**stroomdiagram** flow diagram, flow chart

**stroomdraad** live wire, contact wire

**stroomgebied** (river / catchment-)basin

**stroomlijn** streamline

**stroomlijnen** techn streamline

**stroomnet** mains *mv*, power network

**stroomopwaarts** upstream, upriver

**stroomsterkte** ⟨elektriciteit⟩ strength of the current, ⟨water⟩ force of the current

**stroomstoot** current surge

**stroomstoring** electricity / power failure

**stroomverbruik** electricity consumption

**stroomversnelling** ❶ *versnelling van stroom* rapid(s) ❷ *versnelling van ontwikkeling* acceleration ★ *in een ~ raken* gain momentum

**stroomvoorziening** electricity / power supply

**stroop** cul syrup, treacle▼ *iem. ~ om de mond smeren*, BN *iem. ~ aan de baard smeren* butter sb up

**strooplikken** butter up, softsoap

**strooplikker** toady, lickspittle

**strooptocht** raid

**stroopwafel** cul treacle waffle

**strop** ❶ *lus* halter ❷ *tegenvaller* bad bargain, bad / tough luck, ⟨verlies⟩ loss ★ *hij heeft een lelijke ~ gehad* he has had a serious financial setback ❸ BN *val(strik)* trap, snare

**stropdas** (neck)tie

**stropen** ❶ *jagen* poach ❷ *villen* skin ❸ *omhoogrollen* roll up

**stroper** poacher

**stroperig** ❶ *als stroop* syrupy, sugary ❷ *kruiperig* smooth-talking, smarmy ★ *~e woorden* smooth talk

**stroperij** poaching

**strot** ❶ *keel* throat ★ *iem. naar de ~ vliegen* fly at sb's throat ❷ *strottenhoofd* larynx▼ *het komt me de ~ uit* I'm sick and tired of it▼ *ik kan het niet door de ~ krijgen* it makes me want to throw up, I can't stomach it

**strottenhoofd** larynx

**strubbelen** bicker, squabble

**strubbeling** ❶ *moeilijkheid* difficulty, trouble ❷ *onenigheid* squabble, bickering

**structureel** structural

**structureren** structure

**structuur** structure

**structuurverf** textured paint

**struif** *inhoud van ei* (contents of an) egg

**struik** ❶ *plant* bush, shrub ❷ *krop* bunch, ⟨andijvie⟩ head

**struikelblok** stumbling block

**struikelen** ❶ *lett bijna vallen* trip / stumble (over over) ❷ *fig positie verliezen* falter, founder ★ *het kabinet is gestruikeld over de WAO* the cabinet foundered on the DIA ❸ *fig veel aantreffen* ★ *je struikelt over de toeristen* you can't move for tourists

**struikelsteen** BN *struikelblok* stumbling block

**struikgewas** brushwood, shrubs *mv*

**struikrover** highwayman

**struis** sturdy, robust

**struisvogel** ostrich

**struisvogelpolitiek** head-in-the-sand politics *mv*

**struma** struma, goitre

**strychnine** strychnine

**stuc** stucco, plaster

**stucwerk** stucco(work)

**studeerkamer** study

**student** student, ⟨van universiteit⟩ undergraduate ★ *~ Engels* student of English

**studentencorps** ≈ students' guild / association, USA ⟨mannen⟩ fraternity, USA ⟨vrouwen⟩ sorority

**studentendecaan** student adviser, (student) counsellor

**studentenflat** (block of) student flats, flats for

**st**

students *mv*
**studentenhaver** nuts and raisins mix, gorp
**studentenhuis** students lodgings *mv*, student hostel, ⟨deel van universiteit⟩ hall of residence
**studentenstad** university / college town
**studentenstop** (student) quota
**studententijd** college / student days *mv*
**studentenvereniging** students'union
**studentikoos** student-like
**studeren** I *ov ww* ❶ *studie volgen* ⟨universiteit⟩ go to college / university, study ★ *medicijnen / rechten* ~ study medicine / law ★ *verder* ~ continue one's studies ★ *zij heeft gestudeerd* she's been to university ❷ *zich oefenen in* practise II *on ww* ❶ *leren* study ★ *voor een examen* ~ study / read for an examination ❷ ~ **op** think (hard) about, think over, study
**studie** ❶ *bestudering* study ★ *een voorstel in* ~ *nemen* study / consider a proposal ★ *een* ~ *maken van iets* make a study of sth ❷ *onderzoeksverslag* study, paper ❸ *opleiding* study ❹ kunst *schets* study, sketch
**studieachterstand** backlog in studies
**studieadviseur** student counsellor, USA student / guidance counselor
**studiebegeleiding** onderw ≈ coaching, ≈ tutoring
**studiebeurs** ⟨van regering⟩ student grant, ⟨als beloning⟩ scholarship
**studieboek** textbook
**studiebureau** BN *adviesbureau* firm of consultants, consultancy
**studiefinanciering** student grant(s) *mv*
**studiegenoot** fellow student
**studiegids** prospectus, USA catalog
**studiehoofd** ⟨aanleg⟩ good head for study, ⟨persoon⟩ great student / scholar ★ *hij is geen* ~ he is not much of a student / scholar
**studiehuis** onderw upper years of secondary school
**studiejaar** ❶ *cursusjaar* academic / school year ❷ *lichting* ★ *hij is van mijn* ~ he's in my year
**studiepunt** ≈ credit
**studiereis** study trip, field trip
**studierichting** subject, discipline
**studieschuld** student loan
**studietijd** college / student days *mv*
**studietoelage** scholarship, student grant
**studieverlof** study leave, ⟨lange periode⟩ sabbatical (leave)
**studiezaal** reading room
**studio** *opnameruimte voor radio, tv, film* studio
**stuff** dope, drugs *mv*
**stug** ❶ *onbuigzaam* stiff, tough ❷ *stuurs* surly, dour ❸ *volhardend* firm ★ *stug doorwerken* slave away ❹ *ongeloofwaardig* ★ *dat is een stug verhaal* a cock and bull story, a tall story ★ *dat is stug* that's steep
**stuifmeel** pollen
**stuifsneeuw** powdery snow, ⟨vlaag⟩ snow flurry
**stuifzand** drifting sand
**stuip** *krampaanval* convulsion, spasm ▼ *iem. de ~en op het lijf jagen* scare sb silly ▼ *zich een ~ lachen* be convulsed with laughter
**stuiptrekken** twitch, be convulsed
**stuiptrekking** *krampachtige beweging*

convulsion, spasm, ⟨licht⟩ twitch
**stuit** ❶ *staartbeen* tailbone, coccyx ★ *op je -je vallen* fall on your tailbone ❷ *het terugstuiten* bounce, (re)bound
**stuitbeen** tail bone, coccyx
**stuiten** I *ov ww, tegenhouden* arrest, stop, stem ★ *zijn vaart* ~ check one's speed II *on ww* ❶ *kaatsen* bounce ❷ ~ **op** encounter, chance, happen upon, meet (up) with ★ *op tegenstand* ~ run into / encounter opposition
**stuitend** shocking, repulsive
**stuiter** big marble
**stuiteren** bounce
**stuitje** → stuit
**stuitligging** breech presentation
**stuiven** I *on ww* ❶ *opwaaien* blow, fly about ❷ *snel gaan* dash, rush ★ *ik stoof het huis uit* I rushed out of the house ★ *het stuift hier* it is dusty here ▼ BN *het zal er* ~ *sparks will be flying*
**stuiver** ❶ *muntstuk* five cent piece ❷ *geld* ★ *daar valt geen* ~ *in te verdienen* it won't earn you a penny
**stuivertje-wisselen** ❶ *kinderspel* playing (at) puss in the corner ❷ *elkaars plaats innemen* trading / changing places
**stuk** I *zn* [het] ❶ *gedeelte* part, piece, fragment, ⟨op broek, mouw⟩ patch ★ *stukken en beetjes* bits and pieces, odds and ends ★ *een stuk zeep* piece / cake of soap ★ *een stuk stof* a length of material ★ *ingezet stuk* patch ★ *stuk grond* plot (of land), USA lot ★ *aan stukken slaan* smash (in)to pieces ★ *in stukken snijden* cut up, cut to pieces ★ *een stuk zetten in* ⟨kleding⟩ patch, ⟨kleding⟩ mend ★ *uit één stuk* of one piece ★ *het is uit één stuk* it is all of a piece ★ *stukje* (little) bit, small piece ❷ *hoeveelheid* quite a lot, inform quite a bit ★ *dat is een heel stuk beter* that is quite a bit better ★ *stukken duurder* much more expensive ★ *'n heel stuk over de 30* well over 30 ❸ *exemplaar* piece ★ *een goed stuk werk* a fine piece of work ★ *een stuk gereedschap* a piece of equipment ★ *tien stuks vee* ten head of cattle ★ *een stuk huisraad* a piece of furniture ★ *stuk geschut* piece of ordnance, gun ★ *een stuk of zes* five or six ★ *een stuk of 20* about twenty ★ *100 euro per stuk* 100 euros each ★ *prijs per stuk* price per / a piece ★ *per stuk kopen / verkopen* buy / sell by the piece ★ *stuk voor stuk* one by one ❹ *geschrift* document, ⟨in tijdschrift⟩ article ★ *ingezonden stuk* letter to the editor ★ *stukje* short piece ❺ *kunstwerk* muz piece of music, ⟨schilderij⟩ work, ⟨schilderij⟩ picture, ⟨toneel⟩ play, ⟨toneel⟩ piece ❻ *poststuk* postal item ★ *een aangetekend stuk* registered letter ❼ *schaakstuk* piece ❽ *aandeel* share, security ❾ *postuur* build, stature ★ *klein van stuk* of short stature ❿ *standpunt* ★ *op zijn stuk blijven staan* stick to one's guns ★ *iem. van zijn stuk brengen* upset sb ★ *van zijn stuk raken* become upset, lose one's head ▼ *lekker stuk* ⟨man⟩ hunk *m*, piece *v* ▼ *stuk ongeluk* pain in the neck ▼ *stuk onbenul* imbecile, fool ▼ *lui stuk vreten* a good-for-nothing ▼ *een stout stukje* a bold feat ▼ *aan één stuk door* without stopping, non-stop ▼ *uren aan één stuk* for hours on end ▼ *dat de stukken eraf vliegen* with a vengeance ▼ *in*

*één stuk door* right through ▼*een stuk in zijn kraag hebben* be sloshed / plastered ▼*op geen stukken na* not nearly, not by a long shot ▼*uit één stuk* sound ▼*een man uit één stuk* the salt of the earth ▼BN *zeker zijn van zijn stuk* be sure of one's ground ▼*de kritiek liet geen stuk van hem heel* the critics tore him to pieces / shreds ▼*stukje bij beetje* bit by bit ▼BN *dat kost stukken van mensen* that makes a hole in my pocket ▼BN *een stuk in de nacht* deep into the night ‖ *bnw* broken, (defect) out of order

**stukadoor** plasterer
**stukadoren** ❶ *bepleisteren* plaster ❷ *witten* whitewash
**stuken** plaster
**stukgoed** (mixed) cargo, packed goods *mv*
**stukje** → **stuk**
**stukloon** piecework payment ★ *op ~ werken* be on / do piecework
**stuklopen** I *ov ww, slijten* wear down / out ‖ *on ww, mislukken* break down, fail ★ *een stukgelopen huwelijk* a broken marriage
**stukmaken** wreck
**stukslaan** I *ov ww, stukmaken* smash ▼*geld ~* squander money ‖ *on ww, stukgaan* dash / smash to pieces
**stukwerk** piecework
**stulp** ❶ *stolp* glass bell ❷ *huisje* hut, hovel
**stumper** ❶ *sukkel* bungler ❷ *stakker* wretch ★ *'n arme ~* a poor devil, poor thing
**stumperen** fumble, bungle
**stunt** *spectaculaire actie* stunt ★ *een ~ uithalen* perform a stunt
**stuntel** fumbler, inform butterfingers
**stuntelen** bungle
**stuntelig** clumsy, bungling, awkward
**stunten** stunt
**stuntman** stunt man
**stuntprijs** price breaker, special (price)
**stuntteam** stuntteam
**stuntvliegen** stunt flying
**stuntvrouw** stuntwoman
**stuntwerk** stuntwork
**stupide** stupid, thick, USA dumb
**sturen** I *ov ww* ❶ *zenden* (van brief) send, (van brief) post ★ *om iets ~* send for sth ❷ *besturen* steer, (auto) drive ❸ *bedienen* operate ‖ *on ww, naar het stuur luisteren* steer ★ *mijn vriend stuurde* my friend was at the wheel ★ *hij stuurt slecht* he is a poor driver
**sturing** ❶ *het sturen* steering ❷ *besturing* control
**stut** ❶ *balk* buttress, strut ❷ fig *steun* prop, stay, support
**stutten** prop, buttress, support
**stuur** (van auto) wheel, (van fiets) handlebar, (van schip) helm, (van vliegtuig) controls *mv* ★ *hij verloor de macht over het ~* he lost control over his car
**stuurbekrachtiging** power steering
**stuurboord** starboard
**stuurgroep** steering committee
**stuurhuis** wheelhouse, pilot house
**stuurhut** (vliegtuig) cockpit, (vliegtuig) flight deck, (schip) wheelhouse
**stuurknuppel** control column, inform joystick
**stuurloos** ❶ lett ★ *~ ronddrijven* be adrift ❷ fig

out of control
**stuurman** ❶ *roerganger* helmsman, (van reddingsboot) cox ❷ *scheepsofficier* chief / first mate ▼*de beste stuurlui staan aan wal* it's easy to be a backseat driver
**stuurmanskunst** ❶ scheepv steersmanship ❷ *omzichtig beleid* management
**stuurs** surly
**stuurslot** steering wheel / column lock
**stuurstang** (van fiets) handle-bar(s), (van vliegtuig) control stick
**stuurwiel** (van auto) steering wheel, (van schip) helm
**stuw** dam, barrage, (lage dam) weir
**stuwdam** dam, weir
**stuwen** ❶ *voortduwen* drive, propel ❷ *stouwen* stow ❸ *water keren* dam (up)
**stuwing** ❶ *het stuwen* stowage ❷ *stuwkracht* force, drive, techn thrust, (persoon) driving force
**stuwkracht** ❶ techn propulsion, techn thrust, (van raket) lift ❷ fig driving-force
**stuwmeer** reservoir
**stuwraket** take-off rocket, (versnelling) booster rocket
**stylen** style
**stylo** BN *vulpen* fountain pen
**subcultuur** subculture
**subdirectory** comp subdirectory
**subiet** ❶ *dadelijk* right away, at once ❷ *plots* suddenly, all at once ❸ *beslist* certainly
**subject** subject
**subjectief** subjective
**subjectiviteit** subjectivity
**subliem** *groots* sublime
**subsidie** subsidy
**subsidieaanvraag** application for subsidy
**subsidiëren** subsidize ★ *door het rijk gesubsidieerd* state-subsidized / aided
**substantie** substance
**substantieel** ❶ *wezenlijk* substantial ❷ *voedzaam* substantial, filling
**substantief** noun
**substantiëren** substantiate
**substitueren** substitute
**substitutie** substitution
**substituut** I *zn* [de], *plaatsvervanger* substitute ‖ *zn* [het], *vervangmiddel* substitute
**subtiel** subtle, delicate
**subtop** second rank
**subtropisch** subtropical
**succes** *gunstig resultaat* success, luck ★ *~!* good luck (to you)! ★ *met ~* successfully ★ *zonder ~* unsuccessfully ★ *~ hebben* have success, be successful ★ *een groot ~ zijn* be a great success
**succesnummer** hit, winner
**successie** ❶ *erfenis* succession ❷ *erfopvolging* succession ❸ *opeenvolging* succession
**successierecht** jur inheritance tax, USA estate tax
**successievelijk** successively
**succesvol** successful
**sudden death** sport sudden death
**sudderen** simmer
**sudderlap** braising steak
**sudoku** sudoku
**suède** suede

**Suezkanaal** Suez Canal
**suf ❶** *duf* drowsy, ⟨door drugs⟩ dopey, ⟨van zwakte⟩ groggy ❷ *onnadenkend* slow-witted, thick-headed
**suffen ❶** *soezen* doze, drowse ★ *zit niet te ~!* pay attention! ❷ *gedachteloos zijn* (day)dream
**sufferd** fathead, nerd
**suffig** sleepy, woozy
**suffix** suffix
**sufkop** dope, pin-head, fat-head
**suggereren** suggest
**suggestie ❶** *voorstel* suggestion ❷ *gewekte indruk* suggestion, ⟨niet uitgesproken⟩ implication ★ *de ~ wekken dat* suggest, imply
**suggestief** *suggestie inhoudend* suggestive ★ *een suggestieve vraag* a leading question
**suïcidaal** suicidal
**suïcide** suicide
**suiker ❶** *zoetstof* sugar ❷ *suikerziekte* diabetes
**suikerbiet** sugar beet
**suikerboon** BN sugared almonds given on the occasion of baptism
**suikerbrood** cul ≈ cinnamon bread
**Suikerfeest** Sugar Feast
**suikergoed** confectionery, sweetmeats *mv*
**suikerklontje** cube / lump of sugar
**suikermeloen** honey-dew melon
**suikeroom** rich uncle
**suikerpatiënt** diabetic
**suikerpot** sugar bowl
**suikerraffinaderij** sugar refinery
**suikerriet** sugar cane
**suikerspin** candy floss, USA cotton candy
**suikertante** rich aunt
**suikervrij** sugarless, sugar-free
**suikerzakje** sugar bag
**suikerziekte** diabetes
**suikerzoet** sugary
**suite ❶** *kamers* suite ❷ *muz* suite
**suizebollen** be giddy, stagger ★ *het deed hem ~* it made him reel, it knocked him silly
**suizen ❶** *geluid maken* ⟨van regen⟩ rustle, ⟨van wind⟩ sigh, ⟨van oren⟩ sing, ⟨van oren⟩ ring ❷ *snel bewegen* whizz
**sujet** fellow ★ *een onbetrouwbaar ~* a shady character
**sukade** candied peel
**sukkel** *dom persoon* mug, dope, geek
**sukkeldrafje** jog / dog (trot)
**sukkelen ❶** *sjokken* jog, trudge, ⟨op een drafje⟩ trot ❷ *ziekelijk zijn* be ailing ★ *mijn vader begint te ~* my father's health is beginning to fail
**sukkelgangetje** jogtrot
**sukkelstraatje ▾** BN *in een ~ verzeild zijn geraakt* be in hot water, ⟨ziek⟩ be ailing
**sul ❶** *sukkel* mug, dope ❷ *goedzak* softy, Goody Two-Shoes
**sulfaat** sulphate
**sulfiet** sulphite
**sullig ❶** *dom* dopey, goofy ❷ *goeiig* soft
**sultan** sultan
**summier ❶** *gering* summary, scanty ❷ *bondig* brief, concise, summary
**summum** height, maximum, ⟨ambitie, succes⟩ top, ⟨voornamelijk negatief⟩ limit ★ *dat is het ~!* that is the absolute / giddy limit!, that's the pits!

★ *het ~ van dwaasheid* the height of folly
**sumoworstelaar** sumo wrestler
**sumoworstelen** ★ *het sumo worstelen* sumo wrestling
**super I** *bnw, geweldig* super, excellent, first class **II** *zn* [de] super (petrol), ⟨winkel⟩ supermarket
**super-** super-
**superbenzine** super (petrol), 4 star (petrol), USA high octane gas(oline)
**supercup** *sport* supercup
**supergeleider** superconductor
**superieur I** *bnw, hoger geplaatst, meerwaardig* superior **II** *zn* [de] superior
**superioriteit** superiority
**supermacht** superpower
**supermarkt** supermarket
**supermens** superman / superwoman
**supersonisch** supersonic
**supertanker** supertanker
**supervisie** supervision
**supervisor** supervisor
**supplement** *wisk* supplement
**suppoost** ⟨in museum⟩ attendant
**supporter** supporter
**supporterslegioen** host of supporters
**supporterstrein** supporters' special train
**surfen I** *on ww* ❶ *sport* over golven glijden* surf, go surfing ❷ *sport* windsurfen* go windsurfing **II** *zn* [het] surfing
**surfer** surfer, ⟨met surfplank⟩ windsurfer
**surfpak** wet-suit
**surfplank** surfboard, ⟨met zeil⟩ windsurfer
**Surinaams** Surinamese
**Surinaamse** Surinamese (woman / girl)
**Suriname** Surinam
**Surinamer** *bewoner* Surinamer, Surinamese
**surplus** surplus
**surprise** surprise
**surpriseparty** surprise party
**surrealisme** surrealism
**surrealistisch** surreal(istic)
**surrogaat** surrogate, substitute
**surseance** ★ *~ van betaling* moratorium [mv: moratoriums, moratoria] suspension of payment
**surveillance** surveillance, ⟨bij examen⟩ invigilation, ⟨op school⟩ supervision, ⟨school, politie⟩ duty
**surveillancewagen** patrol car, USA squad / prowl car
**surveillant** surveillant, ⟨op school⟩ duty-master, ⟨bij examen⟩ invigilator
**surveilleren** supervise, ⟨bij examen⟩ invigilate, ⟨leraar, politieman⟩ be on duty, ⟨politiewagen⟩ patrol, ⟨agent te voet⟩ be on the beat
**survival** survival training ★ *op ~ gaan* go on a survival (training) course
**sushi** sushi
**suspense** suspense
**sussen** ⟨ontevredenheid⟩ appease, ⟨ruzie⟩ hush up, ⟨kind⟩ soothe
**SUV** *transp* SUV, Sport Utility Vehicle
**s.v.p.** *s'il vous plaît* svp, please
**Swahili** Swahili
**swastika** swastika
**Swaziland** Swaziland

**su**

**sweater** sweater
**sweatshirt** sweatshirt
**swingen** ❶ *dansen* swing ❷ fig *bruisend zijn* swing
**switchen** ❶ *van plaats wisselen* change / trade places with ❷ *overgaan op iets anders* change / swap over ★ *zij switchte naar een andere studie* she changed over to another subject
**Sydney** Sydney
**syfilis** syphilis
**syllabe** syllable
**syllabus** syllabus
**symbiose** symbiosis
**symboliek** ❶ *het symbolische* symbolism ❷ *leer van de symbolen* symbolics *mv*
**symbolisch** symbolic(al), token ★ *een ~ bedrag* a token payment
**symboliseren** symbolize
**symbool** symbol
**symfonie** symphony
**symfonieorkest** symphony-orchestra
**symmetrie** symmetry
**symmetrisch** symmetric(al)
**sympathie** sympathy ★ *~ën en antipathieën* likes and dislikes
**sympathiek** sympathetic, ⟨van gezicht⟩ likeable, ⟨van omgeving⟩ congenial, ⟨van plan⟩ attractive, ⟨van persoon⟩ nice ★ *hij is mij ~* I like him
**sympathisant** sympathizer
**sympathiseren** sympathize
**symposium** symposium, conference
**symptomatisch** symptomatic
**symptoom** symptom
**symptoombestrijding** symptomatic treatment
**synagoge** synagogue
**synchroniseren** synchronize
**synchroon** synchronic, synchronous
**syndicaal** BN *vakbonds* trade union, USA labor union
**syndicaat** *kartel* syndicate
**syndroom** med syndrome
**synergie** synergism
**synode** synod
**synoniem I** *zn* [het] synonym **II** *bnw* synonymous
**synopsis** synopsis *mv: synopses*
**syntaxis** syntax
**synthese** synthesis
**synthesizer** synthesizer
**synthetisch** synthetic
**Syrië** Syria
**Syrisch** Syrian
**systeem** *geordend geheel* system ★ *daar zit geen ~ in* there is no method in it
**systeemanalist** systems analyst
**systeembeheerder** system manager
**systeembouw** prefabrication, system building
**systeemeisen** comp system requirements *mv*
**systeemkaart** card
**systeemontwerper** system designer
**systematiek** ❶ *ordening* system ❷ *leer van de systemen* systematics *mv*, taxonomy
**systematisch** systematic
**systematiseren** systematize, methodize
**SZW** *Ministerie van Sociale Zaken en Werkgelegenheid* Ministry of Social Affairs and Employment

# T

**t** t ★ *de t van Teunis* T as in Tommy
**Taag** Tagus
**taai** ❶ *stevig en buigzaam* tough, ⟨vlees ook⟩ leathery ❷ *dikvloeibaar* sticky, ⟨modder, toffee⟩ viscous ❸ *volhardend* tough, hardy, tenacious, dogged ★ *een taaie rakker* a tough customer ★ *houd je taai!* keep your pecker up!, never say die! ❹ *vervelend, moeilijk* dull, ⟨informeel⟩ tedious
**taaie** *borrel* slug
**taaiheid** ❶ *stevigheid* toughness, hardiness ❷ *stroperigheid* viscosity, toughness ❸ *saaiheid* tediousness, dullness
**taaislijmziekte** cystic fibrosis
**taaitaai** ≈ gingerbread
**taak** task, inform job, ⟨officieel toegekend⟩ assignment ★ *voor zijn taak berekend* equal to the occasion, well-equipped for the job ★ *op mij rust de taak om...* it is my task / duty to... ★ *dat behoort tot de taak van de regering* that is the government's responsibility ★ *hij stelt zich tot taak om...* he takes it on himself to...
**taakbalk** comp task bar
**taakomschrijving** job description, ⟨commissie⟩ (terms of) reference
**taakstraf** community service / punishment
**taakverdeling** job allocation, allocation / assignment of work / duties, division of labour
**taal** ❶ *communicatiesysteem* language, ⟨gesproken⟩ speech ★ *dode taal* dead language ★ *levende talen* modern languages ★ *tweede taal* second language ★ *vreemde taal* foreign language ★ *de taal van het lichaam* body language ★ *hij zwijgt in alle talen* he maintains a stony silence ★ *hij gaf taal noch teken* he gave neither word nor sign ★ *duidelijke taal spreken* speak plainly ❷ *taalgebruik* language, way of speaking ★ *vuile taal uitslaan* use bad language ★ *alledaagse taal* colloquial language
**taalachterstand** language deficiency ★ *een ~ hebben* lag behind in language development
**taalbarrière** language barrier
**taalbeheersing** *taalvaardigheid* language proficiency, command / mastery of (a) language
**taaleigen** idiom
**taalfamilie** family of languages
**taalfout** grammatical error / mistake
**taalgebied** ❶ *regio* ★ *het Nederlandse ~* the Dutch-speaking regions ❷ *onderwerp* field of language ★ *onderzoek op ~* research in the field of language
**taalgebruik** usage
**taalgeschiedenis** historical linguistics *mv*
**taalgevoel** feel for language
**taalgrens** language boundary
**taalkamp** BN language learning camp
**taalkunde** linguistics *mv*
**taalkundig** linguistic
**taalkundige** linguist
**taallab, taallabo** BN *talenpracticum* language laboratory
**taalles** language lesson / class

ta

**taalonderwijs** onderw language teaching
**taalstrijd** linguistic struggle
**taalvaardigheid** language proficiency, ⟨spreken, schrijven⟩ fluency
**taalverarming** linguistic impoverishment
**taalverwerving** language aquisition
**taalwetenschap** linguistics mv
**taart** ❶ cul gebak cake, tart, USA pie ★ een stuk ~ a wedge / slice of cake ❷ min vrouw frump
**taartbodem** pie shell
**taartje** cul (fancy) cake, pastry, tart(let)
**taartpunt** stuk gebak wedge of cake
**taartschep** cake-slice / -server
**taartvorkje** cake-fork
**taartvorm** cake mould / tin
**tab** tabulator tab
**tabak** tobacco ★ ik heb er ~ van I'm sick of it
**tabaksaccijns** tobacco duty / excise
**tabaksdoos** tobacco tin
**tabaksindustrie** tobacco industry
**tabaksplant** tobacco plant
**tabasco** cul Tabasco
**tabbaard** official gown / robe
**tabblad** ❶ admin divider sheet ❷ comp tab
**tabee** bye, see you
**tabel** table, chart
**tabernakel** tabernacle
**tableau** ❶ schilderij, tafereel tableau, picture ❷ schaal tray
**tablet** ❶ plak tablet, ⟨van chocola⟩ bar ❷ pil tablet, ⟨zuigtablet⟩ lozenge
**tabletvorm** med tablet form
**tabloid** tabloid
**taboe** I zn [het] taboo ★ een ~ doorbreken break down a taboo ★ iets ~ verklaren taboo sth ★ er rust een ~ op there's a taboo on II bnw taboo
**taboesfeer** taboo
**tabouleh** tabouleh
**tabulator** tab(ulator)
**tachograaf** tachograph
**tachtig** ❶ eighty ❷ → vier, veertig
**tachtiger** I zn [de] octogenarian, an eighty-year-old ▼ de Tachtigers the Eighties Movement II bnw ★ in de ~ jaren in the eighties
**tachtigjarig** tachtig jaar oud ★ een ~e man / vrouw an eighty-year-old man / woman
**tachtigste** ❶ eightieth ❷ → vierde, veertigste
**tachymeter** tachometer
**tackelen** tackle
**tackle** tackle
**taco** cul taco
**tact** tact
**tacticus** tactician
**tactiek** tactics mv
**tactisch** tactical
**tactloos** tactless
**tactvol** tactful
**Tadzjikistan** Tadzjikistan
**taekwondo** taekwondo
**tafel** ❶ meubel table ★ het avondeten staat op ~ dinner is served / on the table ★ aan ~ gaan sit down to dinner, inform sit down and eat ★ aan ~ zitten be at the table ★ aan ~ gaan zitten enter into negotiations, inform sit down and talk ★ een voorstel onder ~ vegen dismiss a proposal ★ iem. onder de ~ drinken drink sb under the table ★ ter

~ brengen bring up (for discussion), table ❷ wisk tabel table ★ de ~ van vijf the five times table ★ ~ van vermenigvuldiging multiplication table
**tafelblad** table-top
**tafeldame** partner (at dinner)
**tafelen** dine, be at (the) table
**tafelheer** partner (at dinner)
**tafelkleed** tablecloth
**tafelklem** C-clamp
**tafellaken** tablecloth
**tafellinnen** table linen
**tafelmanieren** table manners mv
**tafelpoot** leg of a table
**tafelrede** speech at dinner, ⟨na diner⟩ after-dinner speech
**tafelschikking** table arrangement, seating plan
**tafeltennis** table tennis
**tafeltennissen** play table tennis
**tafeltje-dek-je** organisatie die maaltijden aan huis brengt meals-on-wheels
**tafelvoetbal** table football
**tafelwijn** cul table wine
**tafelzilver** silverware, silver cutlery
**tafereel** wisk scene, picture
**tagliatelle** tagliatelle
**Tahiti** Tahiti
**Tahitiaans** Tahitian
**tahoe** tofu, bean curd
**taille** waist
**tailleren** cut in
**Taiwan** Taiwan
**Taiwanees** Taiwanese
**tajine** cul gerecht tagine, tajine
**tak** ❶ loot branch, ⟨zware tak⟩ bough, ⟨klein⟩ twig ❷ vertakking branch, fork ❸ afdeling branch ★ tak van dienst department
**takel** tackle, pulley block
**takelen** ❶ ophijsen hoist (up) ❷ optuigen rig
**takelwagen** breakdown lorry, USA tow truck
**takenpakket** range of duties
**take-off** luchtv take-off
**takke-** fucking ★ takkeweer fucking weather
**takkenbos** bunch of kindling
**takkeweer** foul / filthy / rotten weather
**takkewijf** bitch, cow
**taks** ❶ hoeveelheid portion, share ★ aan zijn taks zijn have had enough ❷ dashond dachshund, basset ❸ BN belasting taxation, ⟨rijk⟩ tax(es), ⟨gemeente⟩ rates mv
**taksvrij** BN belastingvrij tax-free, ⟨douane⟩ duty-free
**tal** ❶ aantal number ❷ grote hoeveelheid ★ tal van a (great) number of, numerous
**talen** verlangen naar ★ zij taalt niet naar luxe she doesn't care for luxury
**talenkennis** knowledge / command of languages
**talenknobbel** flair for language, a head for languages
**talenpracticum** language laboratory
**talenstudie** language course
**talent** begaafdheid talent ★ een vrouw van / met veel ~en a woman of great talent, a very talented / highly gifted woman ★ miskend ~ a talent manqué
**talentenjacht** talent hunt

**talentvol** talented, <u>form</u> accomplished
**talg** ❶ *huidsmeer* skin fat ❷ *dierlijk vet* tallow
**talgklier** sebaceous gland
**talisman** talisman, amulet
**talk** ❶ *delfstof* talc ❷ *vet* skin fat, (dierlijk) tallow
**talkpoeder** talcum / powder, talc
**talkshow** talk show, (informeel) chat show
**Tallinn** Tallin
**Tallinns** Tallinn
**talloos** countless, innumerable
**Talmoed** Talmud
**talrijk** numerous
**talud** slope
**tam** ❶ *niet wild* (van dieren) tame, (van dieren) domesticated ❷ *gekweekt* (van planten) cultivated ❸ *saai* tame, dull ⋆ *het was een tamme boel* it was dull
**tamarinde** tamarind
**tamboer** drummer
**tamboerijn** tambourine
**tamelijk** fairly, rather, pretty
**Tamil** Tamil
**tampon** tampon
**tamtam** ❶ *getrommel* tomtom ❷ <u>fig</u> *ophef* fuss, to-do
**tand** ❶ *gebitselement* tooth *mv: teeth* ⋆ *tanden krijgen* teethe ⋆ *de tand des tijds* the ravages of time ⋆ *iem. aan de tand voelen* put sb through the mill, interrogate sb ⋆ *met lange tanden eten* toy with one's food ⋆ *op zijn tanden bijten* grit one's teeth, grin and bear it ⋆ *tot de tanden gewapend* armed to the teeth ⋆ *zijn tanden op iets stukbijten* bite off more than one can chew ⋆ *zijn tanden zetten in iets* get one's teeth into sth ⋆ *zijn tanden laten zien* show one's teeth ❷ *puntig uitsteeksel* (van zaag, tandrad, e.d.) tooth, (van wiel, van vork) prong ⋆ *een tandje bijzetten*, <u>BN</u> *een tandje bijsteken* put (a bit) more effort into it
**tandarts** dentist
**tandartsassistente** dentist's assistant, dental nurse
**tandbederf** tooth decay, caries
**tandbeen** dentine
**tandem** tandem
**tandenborstel** toothbrush
**tandenknarsen** grind / gnash one's teeth
**tandenstoker** toothpick
**tandglazuur** (dental) enamel
**tandheelkunde** dental surgery
**tandpasta** toothpaste
**tandplaque** plaque
**tandrad** gear-wheel, cog
**tandsteen** scale ⋆ *van ~ ontdoen* scale
**tandtechnicus** dental technician
**tandvlees** gum(s)
**tandvleesontsteking** inflammation of the gums, <u>med</u> gingivitis
**tandwiel** cog(wheel)
**tandzijde** dental floss
**tanen** I *ov ww, vaalgeel kleuren* tan II *on ww* ❶ *vaal worden* wane, fade ❷ *afnemen* be on the wane, fade ⋆ *dit heeft zijn reputatie doen ~* this has tarnished his reputation
**tang** ❶ *gereedschap* pair of tongs, tongs *mv*, (van chirurg) forceps *mv* ⋆ *dat slaat als een tang op*

*een varken* that's neither here nor there ❷ *vrouw* ⋆ *ouwe tang* old hag
**tanga** tanga
**tangens** tangent
**Tanger** Tangier
**tango** tango
**tanig** tawny
**tank** ❶ *reservoir* tank, container ⋆ *een volle tank* a fill of petrol / <u>USA</u> gas ❷ *pantservoertuig* tank
**tankauto** tanker
**tankbataljon** tank battalion
**tanken** *brandstof innemen* (re)fuel
**tanker** tanker
**tankschip** (oil) tanker
**tankstation** petrol station
**tannine** tannin, tannic acid
**tantaluskwelling** torment of Tantalus
**tante** ❶ *familielid* aunt ⋆ *je ~!* my foot! ❷ *vrouw* ⋆ *een lastige ~* a handful
**tantième** bonus, royalty
**Tanzania** Tanzania
**Tanzaniaans** Tanzanian
**tap** ❶ *pin, bout* bung, plug ❷ *kraan* tap ❸ *bar* bar
**tapas** <u>cul</u> tapas
**tapbier** <u>cul</u> draught beer
**tapdansen** tap dance
**tape** ❶ *plakband* (adhesive) tape ❷ *magneetband* (magnetic) tape
**tapenade** tapenade
**tapijt** ❶ *vloerkleed* carpet ❷ *wandkleed* tapestry
**tapijtreiniger** carpet cleaner
**tapioca** tapioca
**tapkast** bar
**tappen¹** *uit vat schenken* tap ⋆ *bier ~* draw / pull beer ⋆ <u>fig</u> *moppen ~* crack jokes
**tappen²** [teppen] *tapdansen* tap
**tapperij** pub
**taps** tapering ⋆ *taps toelopen* taper
**taptoe** ❶ *signaal* last post ❷ *parade* tattoo
**tapverbod** ban on alcohol, ban on alcoholic beverages
**tapvergunning** licence to sell alcohol ⋆ *clubhuis met ~* licensed clubhouse
**tarantula** <u>biol</u> tarantula
**tarbot** turbot
**tarief** ❶ *prijs* tariff, rate, (notaris, e.d.) fee, (van vervoer) fare ⋆ *billijk ~* moderate terms ⋆ *het volle ~ berekenen* charge the full amount ❷ *invoerrechten* tariff (rates)
**tariefgroep** tax coding
**tarievenoorlog** tariff war
**tarot** tarot
**tarotkaart** tarot (card)
**tarra** tare (weight)
**tartaar** *vlees* (raw) mince, <u>USA</u> (raw) ground beef
**tarten** ❶ *trotseren, uitdagen* defy, brave, challenge, dare ⋆ *het lot ~* tempt fate ❷ *overtreffen* defy, baffle ⋆ *dat tart elke beschrijving* that beggars / baffles (all) description
**tarwe** wheat
**tarwebloem** wheat flour
**tarwebrood** <u>cul</u> wheat bread
**tarwemeel** wheatmeal
**tas** *draagzak met hengsels* bag, (aktetas) briefcase, (handtas) (hand)bag, (schooltas) satchel

**tasjesdief** USA purse snatcher, bag snatcher
**tasjesroof** purse snatching
**Tasmaans** Tasmanian
**Tasmanië** Tasmania
**tast** ⟨het voelen⟩ touch, ⟨het voelen⟩ feeling, ⟨met hand⟩ groping, ⟨met hand⟩ feeling ★ *blinden moeten alles op de tast doen* the blind have to do everything by touch ★ *op de tast zijn weg zoeken* feel / grope one's way
**tastbaar ❶** *voelbaar* tangible, palpable **❷** *duidelijk* ★ *~ bewijs* concrete / tangible proof
**tasten I** *ov ww, treffen* ★ *iem. in zijn eer ~* hurt sb's pride **II** *on ww, zoekend bewegen* ⟨met hand⟩ grope, ⟨met hand⟩ fumble for ★ *zij heeft diep in de buidel getast* she has paid a lot for it, she has been very generous ★ *in het duister ~* grope in the dark ★ *om zich heen ~* spread
**tastzin** sense of touch
**tateren** BN *kwebbelen* chatter
**tatoeage** tattoo
**tatoeëren** tattoo
**taugé** tauge, bean-sprouts *mv*
**taupe** taupe
**tautologie** tautology
**t.a.v. ❶** *ten aanzien van* with respect / regard to **❷** *ter attentie van* attn., for the attention of
**taveerne** inn, GB pub(lic house)
**taxateur** assessor, valuer, ⟨van huis⟩ surveyor
**taxatie** valuation, appraisal, assessment ★ *een ~ laten uitvoeren* have an assessment carried out
**taxatierapport** valuation report
**taxeren** *waarde schatten* value, ⟨van huis⟩ survey, estimate, assess ★ *te hoog ~* overrate
**taxfree** duty-free
**taxfreewinkel** duty-free shop
**taxi** taxi(cab)
**taxicentrale** taix base / centre
**taxichauffeur** taxi driver
**taxidermie** taxidermy
**taxiën** taxi
**taximeter** (taxi-)meter, *inform* clock
**taxionderneming** taxi firm / company
**taxistandplaats** taxi / cab rank
**taxonomie** taxonomy
**taxus** yew (tree), taxus
**tbc** *tuberculose* TB
**T-biljet** tax reclaim form
**tbr** *jur terbeschikkingstelling aan de regering* → **terbeschikkingstelling**
**tbs** *jur terbeschikkingstelling (aan de regering)* → **terbeschikkingstelling**
**t.b.v. ❶** *ten bate van* for the benefit of, in aid of **❷** *ten behoeve van* on behalf of
**te I** *vz* **❶** *in, op* at, in ★ *te Utrecht* in Utrecht **❷** [+ inf.] ★ *iets te zeggen hebben* have sth to say ★ *het is moeilijk te verstaan* it's difficult to understand ★ *zonder iets te zeggen* without saying anything ★ *ik ben blij je te zien* I'm glad to see you **II** *bijw, meer... dan wenselijk enz.* too ★ *te veel* too many / much ★ *te groot* too big / large
**teak** *hout* teak
**teakhout** teak
**teakolie** teak oil
**team** team
**teambuilding** teambuilding
**teamgeest** team spirit

**teamspeler** team player
**teamsport** team sport
**teamverband** team ★ *in ~ werken* work in a team
**teamwork** teamwork
**techneut** ≈ person with technical skill(s)
**technicus** technician
**techniek ❶** *vaardigheid, methode* technique, skill ★ *de ~ van een violist* the technique of a violinist **❷** *bewerking* technique
**technisch** technical ★ *mts* senior secondary technical school ★ *hts* college / university of technology ★ *lts* secondary technical school
**techno** *muz* techno
**technocratie** technocracy
**technologie** technology, applied sciences *mv* ★ *geavanceerde ~* high tech(nology) ★ *fysische / chemische ~* physical / chemical engineering
**technologisch** technological
**teckel** dachshund
**tectyl** underseal, undercoat to prevent rust
**tectyleren** underseal, rustproof, USA undercoat
**teddy I** *zn* [de] teddy **II** *zn* [het] ≈ imitation fur, ≈ plush
**teddybeer** teddy (bear)
**teder** tender
**tederheid** ⟨innigheid⟩ tenderness, ⟨broosheid / gevoeligheid⟩ delicacy
**teef ❶** *dier* bitch, ⟨vos⟩ vixen **❷** *min vrouw* bitch, cow
**teek** tick
**teelaarde** *humusrijke aarde* earth, soil
**teelbal** testicle
**teelt ❶** *het telen* culture, cultivation, ⟨van vee⟩ breeding ★ *aardappel~* cultivation of potatoes ★ *hij weet veel van bijen~* he's an expert on bee culture **❷** *het geteelde* ★ *eigen ~* home-grown
**teen ❶** *deel van voet* toe ★ *kleine teen* little toe ★ *op zijn tenen lopen* walk on tiptoe ★ *hij is gauw op zijn tenen getrapt* he's touchy, he is easily offended **❷** *twijg* willow shoot
**teenager** teenager
**teenkootje** *anat* phalanx of the toe
**teenslipper** flip-flop
**teer I** *zn* [de/het] tar **II** *bnw* **❶** *broos* delicate, fragile, delicate, fragile ★ *een teer poppetje* a delicate little thing ★ *een tere huid* a delicate skin **❷** *fig gevoelig* tender, delicate
**teergevoelig** (over-)sensitive, easily hurt, tender
**teerling** BN *dobbelsteen* die [mv: dice] ★ *fig de ~ is geworpen* the die is cast
**teflon** teflon
**tegel** tile
**tegelijk** at the same time, at once ★ *allemaal ~* all together ★ *een ~* one at a time ★ *~ met* along / simultaneously with
**tegelijkertijd** at the same time, simultaneously
**tegellijm** tile cement
**tegelvloer** tiled floor
**tegelwerk ❶** *de tegels* tiles *mv* **❷** *het tegelen* tiling
**tegelzetter** tiler
**tegemoet** to meet, towards ★ *aan (iemands) wensen ~ komen* meet / cater to sb's wishes ★ *iets met spanning ~ zien* anxiously wait / look forward ★ *de ondergang ~ gaan* head for disaster
**tegemoetkoming ❶** *bijdrage* subsidy,

compensation, ⟨in de kosten⟩ indemnification ❷ *concessie* accommodation, concession

**tegemoettreden ❶** *iem. tegemoet lopen* go to meet somebody ❷ *aan iemands wensen tegemoet komen* meet s.b.'s wishes

**tegen I** *vz* ❶ *in aanraking met* against ★ *het staat ~ de muur* it's against the wall ★ ~ *de muur rijden* drive into the wall ❷ *in tegengestelde richting* against ★ ~ *het verkeer in* against the traffic ❸ *ter bestrijding van* against ★ *een vaccin ~ aids* a vaccine against AIDS ❹ *ongunstig gezind jegens* against, opposed to ★ *iets~ iem. hebben* have sth against sb, have a grudge against sb ★ *niets hebben ~...* have nothing against..., have no objections to... ★ *fel ~ iets zijn* be dead against sth ❺ *in strijd met* against, contrary to ★ ~ *de regels* against the rules, *form* in defiance of the rules ★ ~ *mijn principes* against my principles ❻ *gericht aan* to ★ *dat moet je niet ~ hem zeggen!* you shouldn't say that to him! ❼ *ten opzichte van* to(wards), with ★ *hij doet altijd erg aardig ~ mij* he's always very kind to me ❽ *bijna* towards, by ★ ~ *middernacht* by midnight ★ *hij is ~ de vijftig* he's getting on for fifty ❾ *in ruil voor* against, for, at ★ *een appel ruilen ~ een peer* trade apples for pears, *inform* swap apples for pears ★ ~ *10 % rente* at 10% interest ★ ~ *kunnen* be able to stand / take sth ▼ *ik kan er niet meer ~* I can't take it any more ▼ *tien ~ één dat...* ten to one that... **II** *bijw, afkeurend* against ★ *~ zijn* be, be opposed to ★ *ik heb er niets (op) ~* I have no objection to it **III** *zn* [het] contra, con(tra), disadvantage

**tegenaan** against

**tegenaanval** counter-attack

**tegenactie** counteraction

**tegenargument** counter-argument

**tegenbeeld ❶** *tegenstelling* opposite, contrast ❷ *tegenhanger* counterpart

**tegenbericht** message to the contrary ★ *zonder uw ~* unless we hear from you to the contrary

**tegenbeweging** *tegengestelde beweging* countermovement

**tegenbezoek** return-visit

**tegenbod** counterbid, counteroffer

**tegencultuur** counter-culture

**tegendeel** contrary, opposite, reverse ★ *het ~ is waar* the contrary / reverse is true

**tegendraads** *in de contramine* contrary, recalcitrant

**tegendruk ❶** *weerstand* counter-pressure ❷ *afdruk* backing, perfecting

**tegengaan** prevent, fight, discourage

**tegengas** ★ ~ *geven* resist, put up a fight

**tegengesteld** opposite, contrary

**tegengestelde** contrary, opposite

**tegengif** antidote

**tegenhanger** counterpart

**tegenhebben** have (working) against you, be opposed by ★ *ze heeft haar leeftijd tegen* her age is working against her ★ *een aantal collega's ~* be opposed by some co-workers

**tegenhouden ❶** *beletten voort te gaan* check, arrest, stop ❷ *verhinderen* prevent, stop

**tegenin** opposed to, against ★ *hij ging er recht ~* he fought it tooth and nail

**tegenkandidaat** rival candidate, opponent ★ *zonder ~ gekozen worden* be elected / returned unopposed

**tegenkanting** BN *tegenwerking* opposition, resistance

**tegenkomen** meet, come across

**tegenlicht** backlight, contre jour

**tegenligger** oncoming traffic, ⟨auto⟩ oncoming car

**tegenlopen** go wrong ★ *alles liep hem tegen* everything went wrong for him, he was out of luck

**tegennatuurlijk** unnatural

**tegenoffensief** counteroffensive

**tegenop** ★ *daar kan zij niet ~* that's too much for her, she can't match that

**tegenover ❶** *aan de overkant van* across from, facing, opposite ★ ~ *het station* across from the station, opposite the station ❷ *in tegenstelling tot* against, as opposed to, as distinct from ★ *licht ~ donker* light as opposed to dark ★ *daar staat ~, dat...* on the other hand... ★ *fig zij staan lijnrecht ~ elkaar* they're diametrically opposed to each other ❸ *ten opzichte van* against, as opposed to ★ *hoe sta jij daar ~ ?* how do you feel about that? ❹ *als compensatie* ★ *wat staat er ~ ?* what's in it (for me, us, etc.)? ★ *er staat wel wat ~* there are compensations

**tegenovergesteld** *juist andersom* opposite

**tegenoverstellen ❶** *vergelijken* set against ❷ *compenseren* offer in exchange

**tegenpartij** opposite side, ⟨tegenstander⟩ opponent

**tegenpool** opposite

**tegenprestatie** quid pro quo, compensation

**tegenslag** reverse, set back, hitch ★ *de enige ~ die we hadden was het weer* the only fly in the ointment was the weather

**tegenspartelen ❶** *spartelend verzetten* struggle, fight, resist ❷ *tegenstribbelen* grumble over / about, protest ★ *zonder ~* without protest

**tegenspel** defence, response ★ ~ *bieden* offer resistance ★ ~ *leveren* put up a fight, reply, *inform* give sb a run for their money

**tegenspeler ❶** *acteur* partner, ⟨in film⟩ co-star ❷ *opposite* number, opponent

**tegenspoed** adversity

**tegenspraak ❶** *ontkenning* denial ❷ *tegenstrijdigheid* contradiction ★ *in ~ zijn met iets* be contradictory to sth, be inconsistent with sth ★ *geen ~ duldend* peremptory

**tegensprekelijk** BN *tegenstrijdig* contradictory, conflicting

**tegenspreken ❶** *verzet uiten* object, protest ★ *iem. ~* disagree with sb, contradict sb ❷ *bestrijden* deny, contradict ★ *iets categorisch ~* deny categorically ❸ *tegenstrijdig zijn* contradict, conflict with, be inconsistent with ★ *elkaar ~ de verklaringen* conflicting statements

**tegensputteren** object, protest, *form* demur

**tegenstaan** put off, pall on ★ *zijn gedrag staat me tegen* I can't stand his behaviour ★ *het eten / idee staat mij tegen* the food / idea puts me off ★ *alles stond hem tegen* he was sick and tired of everything ★ *zoiets gaat je ~* that sort of thing palls on you

**tegenstand** opposition, resistance ★ ~ *bieden aan* offer resistance to, resist ★ ~ *ondervinden* meet with opposition

**tegenstander** opponent, adversary

**tegensteken** BN *tegenstaan* annoy, put off

**tegenstelling** antithesis, contrast ★ *in* ~ *met / tot* in contrast with / to, unlike, as distinct from ★ *~en binnen het kabinet* differences of opinion within the cabinet

**tegenstemmen** vote against

**tegenstribbelen** resist ★ *zonder* ~ without demur

**tegenstrijdig** contradictory, conflicting

**tegenstrijdigheid** *het tegenstrijdig zijn* inconsistency, contradiction

**tegenvallen** be disappointing

**tegenvaller** disappointment, bit of bad luck

**tegenvoeter** ❶ *persoon* antipodean ❷ *tegenpool* opposite, antipode

**tegenvoorbeeld** example as counter argument

**tegenvoorstel** counter-proposal, counter-suggestion

**tegenwaarde** counter-value

**tegenwerken** cross, ⟨iemand⟩ work against, ⟨van plannen⟩ thwart

**tegenwerking** opposition

**tegenwerpen** object

**tegenwerping** objection

**tegenwicht** ❶ *gewicht* counterpoise ❷ fig *compensatie* ★ *een* ~ *vormen tegen* counterbalance, offset

**tegenwind** headwind, form adverse wind

**tegenwoordig** I *bnw* ❶ *huidig* present-day, current ❷ *aanwezig* present II *bijw* at present, nowadays

**tegenwoordigheid** presence ★ ~ *van geest* presence of mind

**tegenzet** counter-move

**tegenzin** dislike (of), aversion (to) ★ *met* ~ reluctantly, with (a) bad grace

**tegenzitten** be / go against ★ *alles zit hem tegen* everything is going against him ★ *het weer zat een beetje tegen* the weather was not helping much

**tegoed** balance, credit

**tegoedbon** credit note

**Teheraans** Tehran

**Teheran** Teh(e)ran

**tehuis** *instelling* home ★ ~ *voor ouden van dagen* old people's home ★ ~ *voor militairen* servicemen's club ★ ~ *voor daklozen* shelter / refuge for the homeless

**teil** ⟨teiltje⟩ bowl, ⟨wasteil⟩ washtub

**teint** complexion ★ *een frisse* ~ a fresh complexion

**teisteren** *ernstig schaden* afflict, ravage, harass, sweep ★ *het geteisterde gebied* the stricken / disaster area

**teistering** ravaging

**tekeergaan** carry on, rant and rave ★ *tegen iem.* ~ come down on sb

**teken** ❶ *aanduiding, symbool* sign, token, indication, ⟨signaal⟩ signal ❷ *blijk, kenmerk* symptom ★ *de ~en des tijds* the signs of the times ★ *~en van ongeduld* signs of impatience ★ *ten* ~ *van* in token of ★ *op een* ~ *van* at a sign / signal

from ❸ *voorteken* ★ *het is een veeg* ~ it's a bad sign ★ *het is een* ~ *aan de wand* the writing is on the wall

**tekenaar** artist, draughtsman

**tekenbevoegdheid** econ power of attorney

**tekendoos** box for drawing instruments

**tekenen** ❶ *afbeelden* draw, sketch ★ *naar de natuur* ~ draw from life / nature ❷ *ondertekenen* sign ★ *voor gezien* ~ endorse ★ ⟨iets⟩ *met zijn naam* ~ sign one's name to ★ *daar zou ik zo voor ~!* I wouldn't say no to that! ❸ *kenschetsen* stamp, characterize ★ *dat gedrag tekent de man* that behaviour is typical of the man ★ *hij is een getekend man* all this worry is telling on him ★ *zijn zorgen* ~ *hem* all this worry is telling on him

**tekenend** characteristic (of)

**tekenfilm** cartoon

**tekening** ❶ *afbeelding* drawing, sketch ★ *in* ~ *brengen* make a sketch of ❷ *ondertekening* signing ★ *ter* ~ *voor signature* ❸ *patroon* ★ fig *er begint* ~ *in te komen* a picture is beginning to emerge

**tekenkunst** draughtsmanship

**tekenles** drawing-lesson

**tekenpapier** drawing paper

**tekentafel** drawing board

**tekort** ❶ *gebrek* shortage, deficiency, deficit ★ ~ *aan arbeidskrachten* labour shortage ★ *een* ~ *aan personeel hebben* be short of staff, be short-staffed ★ ~ *aan slaap* lack of sleep ★ *een nijpend* ~ *aan* an acute shortage of ★ *een* ~ *dekken* make up a deficit ❷ *karakterfout* shortcoming

**tekortdoen** ★ *iem.* ~ wrong sb

**tekortkomen** ★ *ik kom vijf euro tekort* I'm five euros short ★ *geld / slaap* ~ lack money / sleep ★ *we komen nog één man tekort* we are one man short ★ *hij zorgt wel dat hij niets tekortkomt* he has an eye to the main chance, he makes sure that he won't lose out

**tekortkoming** shortcoming(s), failure

**tekst** text, ⟨bij muziek⟩ lyrics *mv*, ⟨bij muziek⟩ words *mv* ★ ~ *en uitleg geven* give chapter and verse

**tekstanalyse** textual analysis *mv: analyses*

**tekstballon** balloon

**tekstbericht** text message, SMS

**teksteditie** (original) text edition

**tekshaak** square bracket

**tekstschrijver** ⟨v. reclame⟩ copywriter, ⟨v. tv enz.⟩ scriptwriter

**tekstuitgave** text edition

**tekstverklaring** exposition

**tekstverwerken** ★ *het* ~ word processing

**tekstverwerker** ❶ *computer* word processor ❷ *programma* word processing programme

**tel** ❶ *het tellen* count ★ *de tel kwijtraken* lose count ★ *op je tellen passen* be on your guard, watch out ❷ *moment* moment, second ❸ *aanzien* ★ *niet in tel zijn* be of no account ★ BN *van geen tel zijn* be of little account

**Tel Aviv** Tel Aviv

**telebankieren** telebanking, computerized banking

**telecard** BN *telefoonkaart* phone card

**telecommunicatie** telecommunication

**telefoneren** *bellen* telephone, phone ⋆ *automatisch ~ met Nederland* make a dialled call to Holland

**telefonie ❶** *elektrische overbrenging van geluid* telephony **❷** *telefoonwezen* telephone service / system

**telefonisch** by telephone

**telefonist** telephonist, (switchboard) operator

**telefoon ❶** *toestel* telephone, *inform* phone ⋆ *de ~ aannemen* answer the (tele)phone ⋆ *de ~ opnemen* pick up the phone ⋆ *de ~ neerleggen* put the receiver / phone down, *form* replace the receiver ⋆ *aan de ~ blijven* hold the line, hold / hang on ⋆ *per ~* over the telephone, by telephone ⋆ *er is iem. aan de ~ voor u* there is sb on the (tele)phone for you **❷** → **telefoontje**

**telefoonboek** telephone directory

**telefoonbotje** *inform* funny bone

**telefooncel** (tele)phone booth, call box

**telefooncentrale** exchange, switchboard

**telefoondistrict** telephone district

**telefoongesprek** telephone conversation / call ⋆ *mobiel ~* roaming call ⋆ *~ voor rekening van de opgeroepene* reversed charge call, USA collect call

**telefoonkaart** phone card

**telefoonklapper** telephone-index

**telefoonnet** telephone-system

**telefoonnummer** telephone number ⋆ *een ~ draaien* dial a number ⋆ *kosteloos ~* toll-free number

**telefoontik** (metered) telephone unit / tick

**telefoontje** *telefoongesprek* ⋆ *ik geef je wel een ~* I'll give you a ring / buzz / tinkle

**telefoontoestel** telephone (set), *inform* phone

**telefoonverkeer** telephone traffic, telephone communications *mv*

**telegraaf** telegraph ⋆ *per ~* by wire

**telegraferen** wire, telegraph

**telegram** telegram, wire

**telegramstijl** telegram style

**telekinese** telekinesis

**telelens** tele-lens

**telemarketing** telemarketing

**telen** *kweken* grow, cultivate

**telepathie** telepathy

**telepathisch** telepathic

**telescoop** telescope

**teleshoppen** teleshopping

**teletekst** teletext

**teleurstellen** disappoint ⋆ *teleurgesteld in / over* disappointed (in / with sb / sth), disappointed (at / by sth)

**teleurstellend** disappointing, discouraging

**teleurstelling** disappointment, let-down

**televisie ❶** *toestel* television set, *inform* telly, *inform* TV, *inform* box **❷** *het uitzenden per televisie* television, TV

**televisiebewerking** television adaptation

**televisiedominee** TV evangelist

**televisiedrama** TV drama

**televisiefilm** telefilm, television film / movie

**televisiejournaal** television news

**televisieomroep** television company

**televisieopname** television recording

**televisieprogramma** television programme

**televisiereclame** television commercial / advertisement

**televisiereportage** television report

**televisiescherm** television screen

**televisieserie** television series

**televisiespel ❶** *spel op de televisie* television game / quiz (show) **❷** *toneelstuk* teleplay, television play **❸** *elektronisch spel*

**televisiestation** television channel, USA television station

**televisietoestel** television (set)

**televisie-uitzending** television / TV broadcast, telecast

**telewerk** teleworking

**telewerken** teleworking

**telewinkelen** teleshopping

**telexbericht** telex (message)

**telfout** counting / calculating error

**telg** descendant, *lit* scion

**telgang** ambling gait ⋆ *in ~ lopen* amble

**telkens** again and again ⋆ *~ als...* every time (that)...

**tellen I** *ov ww* **❶** *aantal bepalen* count ⋆ *neuzen ~* count heads **❷** *aantal hebben* have, number ⋆ *het land telt 40 miljoen inwoners* The country has 45 million inhabitants ⋆ *zij telt 18 lentes* she is 18 years old ⋆ *de club telt 500 leden* the club consists of / has 500 members **❸** *rekenen tot* ⋆ *ik tel hem onder mijn vrienden* I count him among my friends **II** *on ww* **❶** *getallen noemen* count ⋆ *hij keek of hij niet tot tien kon ~* he didn't look very bright **❷** *van belang zijn, gelden* count, matter ⋆ *dat telt niet* that doesn't count ⋆ *niet zwaar bij iem. ~* carr little weight with sb

**teller ❶** *apparaat* counter **❷** *wisk* numerator

**telling** count(ing)

**teloorgaan** become lost

**teloorgang** loss

**telraam** abacus

**telwoord** numeral

**temeer** all the more ⋆ *~ omdat* the more so as / because

**temen** *lijzig spreken* drawl

**temmen ❶** *mak maken* tame, domesticate **❷** *africhten* tame, ⟨van paard⟩ break

**tempé** tempeh

**tempel** temple

**temperament ❶** *karakter* temperament, temper **❷** *vurige aard* ⋆ *iem. met ~* a high-spirited person

**temperamentvol** (high-)spirited

**temperaturen** take someone's temperature

**temperatuur** temperature ⋆ *op ~ komen* warm up

**temperatuurdaling** drop in temperature, temperature drop

**temperatuurschommeling** fluctuation in temperature

**temperatuurstijging** rise / increase in temperature

**temperatuurverschil** difference in temperature

**temperen** *matigen* temper, ⟨m.b.t. geestdrift⟩ damp, ⟨m.b.t. pijn⟩ ease, ⟨m.b.t. geluid, kleur⟩ soften, ⟨m.b.t. geluid⟩ subdue, dim

**tempo ❶** *muz snelheid* tempo, time **❷** *fig vaart* tempo, pace, speed ⋆ *het ~ aangeven* set the pace ⋆ *het ~ opvoeren* speed up

**te**

**tempobeurs** scholarship / bursary / grant the amount of which depends on the student's progress

**tempowisseling** sport change of pace, muz change in tempo

**tempura** cul tempura

**ten** →te

**tenaamstellen** register under the name...

**tenaamstelling** ascription

**tendens** tendency

**tendentieus** tendentious, bias(s)ed

**teneinde** in order to, with the purpose of

**tenenkaas** toe jam

**teneur** drift, tenor

**tengel** ❶ *vinger* paw, mitt ★ *blijf met je ~s van die bloemen af* keep your paws off those flowers ❷ *lat* lath, batten

**tenger** slight, slender

**tengevolge** ★ *~ van* owing to

**tenhemelschreiend** woeful, pitiful, lamentable

**tenietdoen** (een afspraak) cancel, (een huwelijk) annul, (een wet) nullify

**tenlastelegging** *het ten laste leggen* charge, indictment

**tenminste** (althans) at least

**ten minste** (minimaal), →minst

**tennis** tennis, lawn-tennis

**tennisarm** tennis elbow

**tennisbaan** tennis-court

**tennisbal** tennis ball

**tennisracket** tennis racket

**tennisschoen** tennis shoe

**tennissen** play tennis

**tennisser** tennis player

**tennisspeelster** tennis player

**tennisspeler** tennis player

**tenor** tenor

**tenorsaxofoon** tenor saxophone

**tensiemeter** med sphygmomanometer, blood pressure meter

**tenslotte** (welbeschouwd) after all ★ *hij kon het ~ niet weten* after all he couldn't know

**ten slotte** uiteindelijk, →slot

**tent** ❶ *onderdak van doek* tent, (grote tent) marquee ★ *tent voor vier personen* four-person tent ★ *in een tent* in a tent, under canvas ★ *zich niet uit zijn tent laten lokken* refuse to be drawn out ❷ *openbare gelegenheid* ★ *een leuk tentje om te eten* a nice little place for a meal ★ *het publiek brak de tent af* the audience tore the place apart ★ *de tent sluiten* shut / close up shop

**tentakel** tentacle

**tentamen** onderw exam

**tentamenperiode** onderw exam period

**tentamineren** test (for knowledge of a particular subject)

**tentdoek** canvas

**tentenkamp** encampment

**tentharing** tent peg / pin

**tentoonspreiden** display

**tentoonstellen** exhibit, display

**tentoonstelling** exhibition, show, (industrieel) fair

**tentstok** tent pole

**tentzeil** *linnen* canvas

**tenue** dress, uniform ★ *groot ~* full dress ★ *klein ~* undress

**tenuitvoerlegging** execution

**tenzij** unless

**tepel** nipple, (voornamelijk dieren) teat

**tepelkloven** cracked nipple

**tequila** tequil(l)a

**ter** →te

**teraardebestelling** *begrafenis* interment, funeral

**terabyte** TB, terabyte

**terbeschikkingstelling** jur entrustment order, ≈ imprisonment for public protection

**terdege** thoroughly

**terecht** I *bnw* correct, appropriate ★ *een ~e vraag* a pertinent question ★ *~e kritiek* justified criticism ★ *zeer ~* quite right II *bijw* ❶ *met recht* justly, rightly ★ *~ of ten onrechte* rightly or wrongly ★ *en ~!* and rightly so! ❷ *teruggevonden* found, back ★ *mijn fiets is ~* my bicycle has been found ❸ *op de juiste plaats* ★ *je kunt daar nu niet ~* it's closed now ★ *met Engels kun je overal ~* you can get by anywhere with English

**terechtbrengen** *in orde brengen* put to rights, arrange ★ *hij bracht er niet veel van terecht* he put up a pretty poor show

**terechtkomen** ❶ *belanden* fall, land, end up / in / at ★ *in de sloot* ~ land in a ditch ❷ *teruggevonden worden* turn up ★ *niet* ~ go astray / missing ❸ *in orde komen* turn out all right ★ *dat komt wel terecht* it will sort itself out ★ *er komt niets van hem terecht* he will come to no good

**terechtstaan** jur stand trial, be put on trial

**terechtstellen** jur execute

**terechtstelling** jur execution

**terechtwijzen** put / set right, reprimand

**terechtwijzing** reprimand

**terechtzitting** jur court session ★ *ter ~ verschijnen* appear in court

**teren** I *ov ww, met teer insmeren* tar II *ww~ op* live on / off ★ *hij teert op haar kosten* he lives / sponges on her ★ *hij teert nog steeds op zijn eerste succes* he is still living off his first success

**tergen** uitdagen provoke

**tergend** provocative, vexing

**tering** ▼ *de~ naar de nering zetten* cut one's coat according to one's cloth

**tering-** fucking ★ *teringweer* fucking weather

**terloops** I *bnw* casual, incidental II *bijw* ★ *~ iets opmerken* mention sth in passing ★ *iets ~ aanroeren* touch on sth in passing, make a passing reference to

**term** ❶ *begrip, woord* term ★ *in bedekte termen* in veiled terms ★ *in algemene termen spreken* speak in general / broad terms ★ *niet in de termen vallen* not be liable (for) ❷ *reden* ground ★ *er zijn termen aanwezig om* there are grounds for ❸ wisk term

**termiet** termite

**termijn** ❶ *tijdvak, tijdslimiet* term, deadline ★ *binnen de ~* before expiration / the end of the term ★ *binnen de gestelde ~* within the set time, within the time stipulated (in the contract) ★ *op korte ~* at short notice ★ *een ~ stellen* set a deadline / time-limit ★ *lening op korte / lange ~* short-term / long-term loan ★ *op ~ (goud) kopen* /

*te*

*verkopen* buy / sell (gold) futures ❷ *deel van schuld* ★ *in ~en betalen* pay by / in instalments
**termijnbetaling** payment by instalments
**termijnhandel** business in futures
**termijnmarkt** ❶ *plaats* forward market, futures exchange ❷ *geldwezen* forward / futures market
**terminaal** terminal ★ *terminale patiënt* terminal patient
**terminal** ❶ *aankomst-, vertrekpunt* terminal ❷ *computer* terminal
**terminologie** terminology
**ternauwernood** hardly, scarcely
**terneergeslagen** depressed, dispirited, crestfallen ★ *een ~ indruk maken* seem down (in the mouth)
**terp** mound
**terpentijn** turpentine
**terpentine** white spirit
**terracotta** *materiaal* terracotta
**terrarium** terrarium
**terras** *zitgelegenheid buiten café* terrace
**terrein** ❶ *grond* ground, ⟨ommuurd bij gebouw, e.d.⟩ precinct, ⟨van sportclub⟩ home-ground, ⟨bouwterrein⟩ (building-)site, ⟨landschap⟩ terrain, ⟨om huis als tuin, e.d.⟩ grounds *mv* ★ *afgesloten ~* enclosure ★ *eigen ~* private property, private ★ *het ~ verkennen* reconnoitre, see how the land lies ❷ *gebied, sfeer* ground, province, field ★ *verboden ~* out of bounds ★ *~ winnen / verliezen* gain / lose ground ★ *dat valt buiten mijn ~* it's outside my territory ★ *zich op gevaarlijk ~ bevinden* skate / tread on thin ice ★ *onbekend ~* unknown territory / ground
**terreinfiets** all terrain bike, ATB
**terreinwagen** cross-country vehicle, land rover
**terreinwinst** territorial gain ★ *~ boeken* gain ground
**terreur** terror
**terreuraanslag** terrorist attack
**terreurdaad** act of terrorism, terrorist act / attack
**terreurorganisatie** terrorist organization / group
**terriër** terrier
**terrine** tureen
**territoriaal** territorial ★ *territoriale wateren* territorial waters
**territorium** territory
**territoriumdrift** territorial instinct
**terroriseren** terrorize
**terrorisme** terrorism
**terrorist** terrorist
**terroristisch** terrorist ★ *een ~e aanslag* a terrorist attack
**tersluiks** stealthily, by stealth
**terstond** at once, forthwith
**tertiair I** *bnw* tertiary **II** *zn* [het], *periode* Tertiary
**terts** third ★ *kleine ~* minor third ★ *grote ~* major third
**terug** ❶ *naar vorige plaats* back ★ *ik ben zo dadelijk ~* I won't / shan't be a minute, I'll be right back ★ *heen en ~* there and back ❷ *achteruit* back ★ *een stap ~* a step backward(s) ❸ *weer ~* fig *daar had hij niet van ~* that shut him up, that was too much for him ❹ *geleden* back ★ *drie jaar ~* three years ago / back ❺ BN

*nog eens* again, once more
**terugbellen** call / phone / ring back
**terugbetalen** pay back, refund ★ *ik betaal het je morgen terug* I will pay you back tomorrow
**terugblik** retrospect ★ *een ~ op de laatste tien jaar* looking back on the last ten years
**terugblikken** look back on ★ *~d* in retrospect
**terugbrengen** ❶ *weer op zijn plaats brengen* bring / take back, return ❷ *weer in toestand brengen* restore, bring back ★ *in de oude / oorspronkelijke staat ~* restore to its original / former conditions ❸ *reduceren* reduce (**tot** to)
**terugdeinzen** *terugschrikken* shrink back ★ *voor niets ~* stick at nothing ★ *~ voor iets* shrink / recoil from sth
**terugdenken aan** think back to ★ *dat doet mij ~ aan...* that reminds me of...
**terugdoen** ❶ *doen als reactie* do in return ★ *je mag er wel eens iets voor ~* you might do sth in return ★ *als je hem slaat, doet hij niets terug* when you hit him, he won't get back at you ★ *doe je de groeten terug?* will you please return my greetings? ❷ *terugzetten* put back
**terugdraaien** ❶ *achteruitdraaien* turn back ❷ *ongedaan maken* undo, cancel ★ *een maatregel ~* reverse a measure
**terugdringen** ❶ *achteruitduwen* push / drive back ★ *tranen ~* force back the tears ❷ fig *verminderen* push / drive back
**terugfluiten** fig *tot de orde roepen* ★ *de directie heeft hem teruggefloten* the board of directors has blown the whistle on him
**teruggaan** go back, return, go back, date back to ★ *~ in de tijd* go back in time
**teruggang** *verval* decline, decrease ★ *economische ~* economic recession
**teruggave** restoration, restitution ★ *~ van de belasting* tax refund
**teruggetrokken** retiring ★ *een ~ leven leiden* lead a retired life
**teruggeven** give back, restore, return ★ *kunt u van 100 euro ~?* could you change a hundred-euro note
**teruggooien** throw / toss back
**teruggrijpen** fall back (on), revert (to)
**terughalen** ❶ *terugnemen* fetch back ❷ *terugtrekken* withdraw, call back ★ *hij haalde zijn troepen terug* he withdrew his troops ❸ *herinneren* recall
**terughoudend** reserved, reticent, aloof ★ *zij is wat ~ tegenover mannen* she's a bit reserved with men ★ *~ zijn over* be reticent about
**terugkeer** return
**terugkeren** ❶ *teruggaan* return, turn (back) ❷ *gebeuren* ★ *steeds ~d* ever-recurring
**terugkomen** ❶ *terugkeren* come back, return ❷ *~ op* ★ *~ op een onderwerp* go back / return to a subject ★ *daar komen we later op terug* this will be discussed later ❸ *~ van* ★ *~ van een besluit* go back on a decision, change a decision
**terugkomst** return ★ *bij haar ~* on her return
**terugkoppelen** *voorleggen voor overleg* feed back, provide feedback
**terugkoppeling** *(van informatie)* feedback
**terugkrabbelen** back out (of it), <u>inform</u> opt out, ⟨belofte⟩ go back on

**te**

**terugkrijgen** recover, get back ~ *een klap* ~get a blow in return ★ *te weinig geld* ~ be short-changed

**terugleggen** ❶ *op oude plaats leggen* put back, replace ❷ sport ★ *de bal op iem.* ~ pass the ball back to sb

**terugloop** *achteruitgang* fall(ing off), decrease

**teruglopen** ❶ *lopen* walk back, ⟨van kanon⟩ recoil ❷ *verminderen* fall, drop ★ *de temperatuur loopt terug* the temperature is dropping

**terugnemen** ❶ *weer nemen* take back ❷ *intrekken* take back, ⟨verklaring, opmerking⟩ withdraw

**terugreis** return-journey

**terugroepen** ❶ *terug laten komen* recall, call back ❷ *antwoorden* call / shout back / in response ★ *de ambassadeur* ~ recall the ambassador

**terugronde** BN sport *tweede helft van de competitie* second half of the competition

**terugschrikken** recoil, start, ⟨van ezel, paard⟩ shy ★ ~ *voor iets* shrink back / recoil from sth ★ *nergens voor* ~ stick at nothing

**terugschroeven** ❶ *reduceren* scale down, reduce ❷ *ongedaan maken* reverse, change back

**terugslaan** I *ov ww* ❶ *naar zender slaan* hit / strike back, ⟨bal⟩ return ❷ *terugdrijven* repel ❸ *omslaan* ~ *de deken* ~ turn back the blanket II *on ww* ❶ *slaag beantwoorden* hit / strike back ❷ fig *tegenaanval doen* riposte ❸ ~ op refer to

**terugslag** ❶ *terugstoot* ⟨van wapen⟩ recoil ❷ *nadelig gevolg* repercussion, reaction, ⟨achteruitgang⟩ set back

**terugspelen** ❶ sport play back ❷ *retourneren* return ★ *zij speelde de vraag terug* she returned the question ❸ *nog eens afspelen* replay ★ *kun je die band nog eens* ~? can you replay that tape once more?

**terugspoelen** rewind

**terugsturen** send back, return

**terugtocht** ❶ *aftocht* retreat ❷ *reis terug* journey home / back, trip home, return journey

**terugtrappen** I *on ww*, ⟨op fiets⟩ back-pedal II *ov ww, een trap beantwoorden* kick back

**terugtraprem** back-pedal brake

**terugtreden** ❶ *zich terugtrekken* withdraw from, draw back from ❷ *aftreden* withdraw, stand down

**terugtrekken** I *ov ww* ❶ *achteruit doen gaan* withdraw, pull / draw back ❷ *intrekken* withdraw, recall ★ *een belofte* ~ recall a promise II *on ww, achteruitgaan* retreat, fall back III *wkd ww* [zich ~] ❶ *zich afzonderen* retreat ★ *zich in zichzelf* ~ shrink into o.s. ★ *zich in zijn kamer* ~ retire to one's room ❷ *zijn positie opgeven* retire, withdraw (from), ⟨uit zaken,⟩ retire, ⟨bij verkiezing, enz.⟩ stand down, ⟨bij examen⟩ withdraw

**terugval** backsliding, relapse

**terugvallen** ❶ *minder presteren* sport lose ground ❷ ~ in *weer vervallen in* revert to, (re)lapse into ❸ ~ op fall back on

**terugverdienen** earn (enough) to repay / recover the cost of something

**terugverlangen** I *ov ww, terugvragen* want / ask back II *on ww, verlangen* recall longingly ★ ~ *naar iets* long to go back to sth, long to see sth back

**terugvinden** ❶ *vinden* find again ❷ *tegenkomen* find again

**terugvoeren** ❶ *terugleiden* ⟨naar vroegere tijd⟩ carry / take back, ⟨plaats van herkomst⟩ lead back ★ *dat voert ons terug naar de jaren zestig* that takes us back to the sixties ❷ *als oorzaak aanwijzen* trace back (tot to) ★ *dit is terug te voeren op verkeerd beleid* this has its origins in mismanagement

**terugvorderen** reclaim, ⟨bij bank⟩ withdraw

**terugweg** way back

**terugwerkend** retroactive, retrospective ★ *met* ~e *kracht* retroactively

**terugwinnen** ❶ *weer in bezit krijgen* win back, regain ❷ *recyclen* reclaim, recover

**terugzakken** ❶ *naar beneden zakken* sink down ❷ *dalen in niveau* fall back to

**terugzien** I *ov ww, weerzien* see again ★ *volgende week zien we elkaar terug* we'll see each other again next week II *on ww, terugblikken* look back ★ ~ *op een vruchtbare dag* look back on a successful day

**terwijl** ❶ *gedurende* as, while ★ *zij huilde* ~ *zij het verhaal voorlas* she wept as / while she read the story ❷ *waarbij ook* whereas

**terzijde** *naar / aan de zijkant, naar opzij* aside, at the side ★ *van* ~ sidelong, sideways, askance ★ ~ *laten* leave aside ★ *je trots* ~ *zetten* swallow your pride ★ *iem.* ~ *staan* help / assist sb, stand by sb

**test** test ★ *iem. een test afnemen* test sb

**Testament** *Bijbeldeel* Testament

**testament** *laatste wil* (last) will ★ *zijn* ~ *maken* make one's will ★ *iets bij* ~ *aan iem. vermaken* will sth to sb

**testamentair** testamentary

**testauto** test car

**testbaan** test circuit

**testbeeld** test card

**testcase** ❶ *proef* test (case), experiment ❷ *proefproces* test case

**testen** test ★ *iem.* ~ *op doping* drug test sb

**testikel** testicle, testis [mv: testes]

**testimonium** reference

**testosteron** testosterone

**testpiloot** test pilot

**testrijder** test driver

**testvlucht** test flight

**tetanus** tetanus

**tetanusprik** tetanus injection

**tête-à-tête** tete-a-tete

**tetteren** ❶ *toeteren* blare, trumpet ❷ *zuipen* booze

**teug** draught ★ *hij dronk het glas in één teug leeg* he emptied the glass in one draught ★ *met grote teugen drinken* drink deep, gulp (down) ★ *met volle teugen genieten* enjoy o.s. thoroughly

**teugel** rein, ⟨met hoofdstel⟩ bridle ★ *met losse* ~ with a loose rein ★ *de* ~*s vieren* slacken the reins ★ *iem. de* ~*s uit handen nemen* take the reins from sb ★ *iem. de vrije* ~ *laten* give free rein / hand to sb ★ *de* ~ *strak houden* keep a tight rein

**teut** I *zn* [de], *treuzelaar* slowcoach II *bnw* sloshed, tight

**teuten** *treuzelen* dawdle

te

**Teutoons** Teutonic

**teveel** ❶ surplus ❷→ **veel**

**tevens** ❶ *ook* also, besides ❷ *tegelijkertijd* at the same time

**tevergeefs** in vain, vainly

**tevoorschijn** ★ ~ *halen* take / bring out, produce ★ ~ *komen* show / turn up, emerge ★ ~ *schieten* dart out

**tevoren** before, previously ★ *van* ~ before(hand), in advance ★ ~ *betalen* pay in advance

**tevreden** ⟨tevreden over iets⟩ satisfied, ⟨alleen pred.⟩ content, ⟨van aard⟩ contented ★ ~ *met zichzelf* self-satisfied ★ *zij zijn snel* ~ they're easy to please

**tevredenheid** satisfaction ★ *tot ieders* ~ to everyone's satisfaction

**tevredenstellen** satisfy, content, please

**tewaterlating** launching

**teweegbrengen** bring about, cause, ⟨een ziekte⟩ bring on

**tewerkstellen** ❶ *aan het werk zetten* put / set to work, employ ❷ BN *in dienst nemen* engage

**tewerkstelling** BN *werkgelegenheid* employment

**textiel** ⟨stof⟩ textile, ⟨textielwaren⟩ textiles *mv*, ⟨industrie⟩ textile industry ★ *hij zit in de* ~ he works in textiles

**textielarbeider** textile worker

**textielindustrie** textile industry

**textielnijverheid** textile industry

**textielverf** fabric / textile dye

**textuur** texture

**tezamen** together ★ *alles* ~ *(genomen)* all in all

**tft-scherm** TFT screen / display

**tgv** *train à grande vitesse* TGV, high-speed train

**t.g.v.** ❶ *ten gevolge van* as a result of ❷ *ter gelegenheid van* on the occasion of ❸ *ten gunste van* in favour of

**Thai, Thailander** Thai

**Thailand** Thailand

**Thais** Thai

**Thaise,** *nu* Thai Thai (woman / girl)

**thans** ❶ *nu* at present, now ❷ *tegenwoordig* nowadays, at present

**theater** *gebouw* theatre

**theaterbezoek** theatregoing, ⟨één bezoek⟩ visit to a / the theatre

**theatercriticus** theatre critic

**theatersport** theatre sport

**theatervoorstelling** theatre performance

**theatraal** *het toneel betreffend* theatrical, stag(e)y

**thee** cul tea

**theeblad** ❶ *theeblaadje* tea leaf *mv: leaves* ❷ *dienblad* tea tray

**theedoek** tea-towel, USA dish towel

**thee-ei** tea ball

**theeglas** tea-glass

**theelepel** ❶ *lepeltje* teaspoon ❷ *hoeveelheid* teaspoon(ful) of

**theelichtje** tea warmer

**Theems** Thames

**theemuts** tea cosy

**theepauze** tea break

**theepot** teapot

**theeservies** tea set

**theevisite** tea (party)

**theewater** water ★ *het* ~ *opzetten* put the kettle

on (for tea) ★ *boven zijn* ~ *zijn* be in one's cups

**theezakje** tea bag

**theezeefje** tea strainer

**theïne** theine

**thema** ❶ *onderwerp* theme, subject (matter) ❷ *oefening* translation exercise ❸ muz theme

**themanummer** special issue

**themapark** theme park

**thematiek** theme(s), subject matter

**thematisch** thematic ★ ~ *geordend* arranged by subject

**theologie** theology

**theologisch** theological

**theoloog** ❶ *godgeleerde* theologian ❷ *theologiestudent* theological student

**theoreticus** theorist

**theoretisch** theoretical

**theoretiseren** theorize

**theorie** theory

**theorie-examen** written examination, theory examination

**theorievorming** formulation of a theory

**therapeut** therapist

**therapeutisch** therapeutic

**therapie** therapy

**thermen** thermal baths, thermae

**thermiek** thermal, current

**thermisch** thermal

**thermodynamica** thermodynamics *mv*

**thermometer** thermometer

**thermosfles** thermos (flask)

**thermoskan** thermos (jug)

**thermostaat** thermostat

**thesaurus** *woordenlijst* thesaurus

**these** thesis *mv: theses*, proposition

**thinner** scheik thinner

**Thora** *heilig geschrift* Torah

**thora** *exemplaar van de Thora* Torah

**thriller** thriller

**thuis** I *bijw* ❶ *in huis* at home ★ *doe of je* ~ *bent* make yourself at home ★ *niet* ~ *geven* he won't hear of it ❷ *op de hoogte* be well read in, be well up in ★ *goed* ~ *zijn in iets* be well up in sth II *zn* [het] home

**thuisadres** home address

**thuisbankieren** home banking

**thuisbasis** home base

**thuisbezorgen** deliver to the house

**thuisblijven** stay at home, stay in

**thuisblijver** person who stays at home

**thuisbrengen** ❶ *naar huis brengen* bring / see home, ⟨naar eigen huis⟩ take home ❷ *plaatsen* place ★ *ik kan hem niet* ~ I can't place him

**thuisclub** home side

**thuisfront** *de mensen thuis* home front

**thuishaven** ❶ lett home port ❷ fig home base

**thuishoren** belong ★ *dat hoort hier niet thuis* that doesn't belong here

**thuishulp** home help

**thuiskomen** lett come / get home

**thuiskomst** homecoming

**thuisland** homeland

**thuismarkt** domestic / home market

**thuismatch** BN sport home match

**thuisreis** homeward journey, ⟨per boot⟩ homeward voyage

**th**

**thuisspelen** sport play at home
**thuisvoordeel** sport advantage of playing at home
**thuiswedstrijd** sport home match
**thuiswerker** home worker
**thuiswonend** living at home
**thuiszorg** domiciliary / home care
**ti** muz te
**tiara** tiara
**Tibet** T(h)ibet
**Tibetaan** Tibetan
**Tibetaans** Tibetan
**Tibetaanse** Tibetan (woman / girl) ★ *zij is een ~* she's from Tibet
**tic** ❶ *zenuwtrek* tic, nervous tremor ❷ *aanwensel* trick, quirk ❸ *scheutje sterke drank* shot
**ticket** ticket
**tiebreak** sport tiebreak
**tien** I *telw* ten ★ *fig niet tot tien kunnen tellen* → **vier, veertig** II *zn* [de] ten ★ *een tien halen voor Engels* get an A for English, (slagen) pass with an A for English
**tiende** ❶ tenth ❷ → **vierde**
**tienduizend** ❶ ten thousand ❷ → **vier**
**tienduizendste** → **vierde**
**tiener** teenager, teen
**tieneridool** teen-age idol
**tienkamp** decathlon
**tienrittenkaart** ten-ride ticket / pass
**tiental** ten ★ *een ~ jaren* a decade ★ *een ~ jaren* a decade ★ *~len mensen* dozens of people
**tientallen** → **tiental**
**tientje** *bankbiljet* ten-euro note, GB inform tenner
**tieren** ❶ *tekeergaan* rage ❷ *gedijen* thrive, flourish, (ongunstig) be rife
**tierig** *goed gedijend* thriving
**tiet** tit, (groot) inf hooter
**tig** umpteen, zillions *mv*
**tigste** umpteenth
**tij** tide
**tijd** ❶ *tijdsduur* time ★ *een aardig tijdje* quite a while ★ *geruime tijd* a / some considerable time ★ *de hele tijd* all the time, the whole time ★ *een hele tijd* quite some time ★ *binnen afzienbare tijd* in the near future ★ *in minder dan geen tijd* in less than no time ★ *in een jaar tijds* in a year ★ *met de tijd* in the course of time ★ *voor onbepaalde tijd* indefinitely, permanently ★ *geen tijd verliezen met* waste no time in ★ *dit heeft de langste tijd geduurd* this can't last / go on much longer ★ *ik geef u nog één week de tijd* I'll give you one more week ★ *je moet je de tijd ervoor gunnen* you must allow yourself the time for it ★ *we hebben alle tijd* we have all the time in the world, we are in no hurry ★ *dat heeft de tijd* there's no hurry, it can wait ★ *ik heb er gewoon de tijd niet voor* I just / simply cannot spare / find the time for it ★ *zijn tijd verdoen* waste one's time ★ *tijd vrijmaken voor iets* make time for sth ★ *de tijd begint op te schieten* time is running short ★ *de tijd vliegt* time flies ★ *in geen tijden* not for ages ★ *ik heb je in geen tijden gezien* I haven't seen you for quite a while ★ *sinds onheuglijke tijden* from time immemorial ★ *tot voor korte tijd* until recently ★ *hij heeft zijn (beste) tijd gehad* he's had his day ★ *alles heeft zijn tijd* there is a time for everything ★ *vrije tijd* spare time, leisure ★ *de tijd heugt me dat...* I remember the time when... ★ *iemands tijd opnemen* time sb ★ jur *zijn tijd uitzitten* form serve one's term of imprisonment serve one's sentence, inform serve / do time ★ *de tijd doden* kill time ★ *de tijd dringt* time presses ★ *het zal mijn tijd wel duren* that will last my time ★ *de tijd heelt alle wonden* time is the great healer ★ *de tijd zal het leren* (only) time will tell ❷ *tijdvak, periode* time, period, season ★ *de goede oude tijd* the good old days ★ *de laatste tijd* of late, recently ★ *slappe tijd* slack season ★ *dat is verleden tijd* that is over and done with, that's all water under the bridge ★ *voorbije tijden* bygone times ★ *woelige tijden* eventful / turbulent / troubled times ★ *in mijn tijd* in my day ★ *in deze tijd* these days ★ *in deze tijd van het jaar* at this time of year ★ *in tijden van drukte* in times of pressure ★ *in lang vervlogen tijden* in far-off days, in days long gone (past), in ancient times ★ *in vroeger tijden* in former times, in former days ★ *in die tijd* within that time ★ *ten tijde van* at the time of ★ *vóór zijn tijd* before his time ★ *hij heeft betere tijden gekend* he has seen better days ★ *de tijden zijn veranderd* times have changed ★ *zijn tijd ver vooruit zijn* be ahead of one's time ★ *dat was nog eens een tijd* those were the days ★ *met zijn tijd meegaan* keep up with the times, move with the times ★ *uit de tijd zijn* be obsolete, be out of date ★ *bij de tijd zijn* be up-to-date ❸ *tijdstip* time ★ *plaatselijke tijd* local time, off and on ★ *bij tijden* at times ★ *op tijd* on time ★ *precies op tijd* right on time, punctual ★ *alles op zijn tijd* all in good time ★ *op zijn tijd* in due course, in due time ★ *op alle tijden* at all hours ★ *goed / slecht op tijd* in good / bad time ★ *op vaste / gezette tijden* at set times ★ *op ongeregelde tijden* at odd times ★ *op tijd zijn* be in time ★ *hij is meestal niet op tijd* he is usually late, he is rarely on time ★ *hij is nooit op tijd* he is always late, he is never on time ★ *te allen tijde* at all times ★ *te gelegener tijd* in due time ★ *tegen die tijd* by that time ★ *van tijd tot tijd* from time to time ★ *vanaf die tijd* ever since, from that time onward / forward ★ *heeft u de (juiste) tijd?* have you got the (right) time ★ *het wordt mijn tijd* I must be off now ★ *het is hoog tijd dat...* it is high time that... ★ *zij is over tijd* she has missed her period ★ BN *op tijd en stond* at the right time ❹ taalk *tense* ★ *onvoltooid verleden tijd* simple past tense, imperfect ★ *toekomende tijd* future tense ★ *verleden tijd* past tense
**tijdbom** time bomb
**tijdelijk** ❶ *voorlopig* temporary ★ *~ personeel* temporary staff ❷ *aan tijd gebonden* form temporal ★ *het ~e met het eeuwige verwisselen* go on one's last journey
**tijdens** during ★ *~ de les* during the lesson
**tijdgebonden** ★ *~ zijn* be a product of the age / time
**tijdgebrek** lack of time
**tijdgeest** spirit of the age
**tijdgenoot** contemporary
**tijdig** I *bnw* timely II *bijw* in good time

**tijding** news, tidings *mv* ★ *goede ~en brengen* bring good / glad tidings
**tijdloos** timeless, ageless
**tijdmechanisme** timer, timing device
**tijdmelding** speaking / talking clock (service)
**tijdnood** pressure of time ★ *in ~ komen* be pressed for time
**tijdperk** period, *gesch* age ★ *het stenen ~* the Stone Age ★ *het victoriaanse ~* the Victorian Age
**tijdrekening** chronology, era
**tijdrekken** play for time
**tijdrit** time trial
**tijdrovend** time-consuming ★ *het is erg ~* it takes a long time
**tijdsbeeld** ⟨aard⟩ character of an age / era, ⟨beeld⟩ portrait of an age
**tijdsbestek** space of time
**tijdschakelaar** time switch
**tijdschema** schedule, timetable ★ *we zitten precies op het ~* we're running to schedule, we are on schedule
**tijdschrift** periodical, magazine
**tijdsduur** time span, space of time
**tijdsein** time signal
**tijdslimiet** time limit, deadline
**tijdslot** time lock
**tijdspanne** (time) span
**tijdstip** (point in) time
**tijdsverloop** interval, space of time, period
**tijdvak** period, *gesch* age, *gesch* era
**tijdverdrijf** pastime
**tijdverlies** time lost / wasted, ⟨door onzorgvuldigheid⟩ waste of time
**tijdverspilling** waste of time
**tijdzone** time-zone
**tijger** tiger
**tijgerbrood** *cul* ≈ bloomer
**tijgeren** crawl
**tijgerhaai** tiger shark
**tijgerin** tigress
**tijgervel** tiger-skin
**tijk** ⟨stof⟩ ticking, ⟨matrasovertrek⟩ mattress cover, ⟨kussenovertrek⟩ pillow slip
**tijm** *cul* thyme
**tik** ❶ *lichte klap* tap, ⟨met zweep⟩ flick, ⟨harde tik⟩ rap ★ *tik om de oren* box on the ears ❷ *geluid→* **tikje, tikkeltje**
**tikfout** typing error / mistake
**tikje** *beetje* a touch ★ *'n ~ beter* a little better ★ *'n ~ donkerder* a shade darker
**tikkeltje** touch, shade, bit ★ *een ~ mosterd* a touch / dab of mustard ★ *een ~ te zout* just a little too salty ★ *een ~ te groot* a shade large
**tikken I** *ov ww* ❶ *kloppen* ⟨tegen ruit, deur⟩ tap ❷ ⟨bij tikkertje⟩ *aanraken* touch ❸ *typen* type **II** *on ww, geluid geven* ⟨klok, enz.⟩ tick, ⟨breinaalden⟩ click
**tikkertje** ★ *~ spelen* play tag
**til** ❶ *duiventil* dovecot(e) ❷ *het tillen* ▼ *er is iets op til* there is sth in the air
**tilde** tilde
**tillen** ❶ *omhoog heffen* lift, raise ★ *ergens zwaar aan ~* make a fuss over sth ★ *zich ergens een breuk aan ~* rupture o.s. lifting sth ❷ *afzetten* swindle, do ★ *iem. voor honderd euro ~* swindle / do sb out of a hundred euro's

**tilt** tilt ★ *op tilt slaan* tilt, hit the roof, blow one's top
**timbaal** timbal
**timbre** timbre
**timen** ❶ *klokken* time ❷ *op geschikt moment doen* time ★ *goed getimed* well-timed ★ *slecht getimed* badly-timed
**time-out** time out
**timer** timer
**timesharing** timesharing
**timide** timid, shy
**timing** timing
**timmeren** ❶ *met hout werken* hammer ❷ *slaan* hit out
**timmergereedschap** carpenter's tools
**timmerhout** timber
**timmerman** carpenter, ⟨kozijnen, enz.⟩ joiner
**timmerwerf** carpenter's yard
**timmerwerk** ❶ *resultaat* piece of carpentry, woodwork ❷ *handeling* carpentry, woodwork
**tin** tin, ⟨legering⟩ pewter
**tinctuur** tincture
**tinerts** tin ore
**tingelen** *klingelen* jingle, tinkle
**tinkelen** tinkle, jingle
**tinnen** tin, ⟨legering⟩ pewter
**tint** *kleur* tint, hue, tinge
**tintelen** ❶ *prikkelen* tingle, prickle ★ *~ van de kou* tingle with cold ❷ *twinkelen* twinkle, sparkle
**tinteling** ❶ *prikkelend gevoel* tingle, tingling ❷ *fonkeling* twinkle, twinkling
**tip** ❶ *uiterste punt* tip, ⟨van zakdoek⟩ corner ★ *een tipje van de sluier oplichten* unveil ❷ *hint* tip, hint, pointer ❸ *fooi* tip
**tipgeld** tip-off money
**tipgever** (police) informant, <u>inform</u> <u>min</u> grass, ⟨m.b.t. paardenraces⟩ tipster
**tippelaarster** streetwalker, <u>USA</u> hustler, <u>USA</u> hooker
**tippelen** ❶ *lopen* tramp, walk ❷ *prostitutie bedrijven* walk the streets, solicit
**tippelverbod** ban on streetwalking
**tippelzone** streetwalkers' district
**tippen I** *ov ww* ❶ *hint geven* tip (off) ❷ *aanduiden* tip (as) **II** *on ww, even aanraken* touch ★ *fig niet aan iets, iem. kunnen ~* it can't be touched
**tipsy** tipsy, tight
**tiptoets** touch control
**tirade** tirade
**tiramisu** *cul* tiramisu
**tiran** tyrant
**Tirana** Tirana
**tirannie** tyranny
**tiranniek** tyrannical
**tiranniseren** tyrannize (over), bully
**Tirol** Tyrol, Tirol
**Tirools** Tyrolean
**tissue** *zakdoekje* tissue
**titan** titan
**titanenstrijd** titanic struggle
**titanium** titanium
**titel** ❶ *benaming* title ❷ *waardigheid* title ★ *een ~ voeren* bear a title ★ <u>BN</u> *ten ~ van* by way of, in a manner of
**titelblad** title page
**titelgevecht** title fight

**titelhouder** title holder
**titelkandidaat** competitor for a title
**titelrol** *hoofdrol* title role
**titelsong** title song / track
**titelverdediger** defender of a title, title-holder
**titularis ❶** BN onderw *klassenleraar* form tutor **❷** BN sport *vaste speler* regular player **❸** BN *rekeninghouder* account holder
**titulatuur** titles *mv*, forms of address *mv*
**tja** well
**tjalk** tjalk (Dutch sailing boat with spritsail)
**tjaptjoi** cul chop suey
**tjee** gosh, wow, inform crikey
**tjilpen** chirp, twitter
**tjokvol** inform chock-full
**t.k.a.** *te koop aangeboden* for sale
**T-kruising** T-junction
**tl-buis** fluorescent lamp, strip light
**t.n.v.** *ten name van* in the name of
**t.o.** *tegenover* opp, opposite
**toast** *brood* piece of toast
**toasten** *brood roosteren* toast
**toaster** toaster
**toastje** piece of (melba) toast
**tobbe** tub
**tobben ❶** *piekeren* worry (**over** about) **❷** *sukkelen* ★ *met zijn gezondheid ~* suffer from bad health **❸** *zwoegen* slave
**tobber** ⟨piekeraar⟩ worrier, ⟨stakker⟩ wretch
**tobberig** worrying, worrisome
**toch ❶** *desondanks* yet, still, for all that, all the same ★ *hij heeft veel succes en toch is hij niet gelukkig* he is very successful, yet he is still not happy **❷** *bij vraag om bevestiging* ★ *je hebt het hem toch gezegd?* you did tell him, didn't you? ★ *je gaat toch?* you will go, won't you? **❸** *immers* after all ★ *je kunt niets krijgen, de winkels zijn toch dicht* you can't buy anything, after all the shops are closed **❹** *als nadruk* ★ *wees toch stil* do be quiet ★ *wat bedoel je toch?* whatever do you mean? ★ *het is toch al erg genoeg* it is bad enough as it is **❺** *als wens* ★ *het kan misschien toch wel waar zijn* it may be true after all
**tocht ❶** *luchtstroom* draught ★ *op de ~ zitten* sit in a draught ★ *fig op de ~ staan* be / lie / hang in the balance **❷** *reis* journey, trip, expedition
**tochtband** draught strip
**tochtdeur** swing door
**tochten** ★ *het tocht* there is a draught
**tochtgat ❶** *gat waardoor het tocht* blowhole **❷** *plaats, ruimte* draughty place / spot, air hole **❸** *aangebracht trekgat* vent **❹** *wak* air hole
**tochtig ❶** *met veel tocht* draughty **❷** *bronstig* on heat
**tochtlat** *tochtwerende lat* weather strip
**tochtstrip** ⟨buitenkant⟩ weather-strip, ⟨binnen en buiten⟩ draught-excluder
**tochtwerend** draught excluding
**toe I** bijw **❶** *heen* ★ *waar ga je naar toe?* where are you going? ★ *naar het oosten toe* towards the east ★ *dat is tot daaraan toe, maar...* there's no harm in it, but... **❷** *erbij* ★ *wat hebben we toe?* what do we have for afters? **❸** *dicht* shut, closed ★ *aan toe* ★ *ik ben er niet aan toe gekomen* I didn't get round to it ★ *daar ben ik nog niet aan toe* I haven't got that far yet ★ *zij is er slecht aan toe* she's in a bad way **II** tw ★ *toe maar!* go ahead, goodness!, heavens! ★ *toe ga nu* do go now

**toebedelen** ⟨bij splitsing schenken⟩ apportion, ⟨toewijzen⟩ allot
**toebehoren I** zn [het] ⟨een auto, kleding⟩ accessories *mv*, ⟨een mixer, stofzuiger⟩ attachments *mv* **II** on ww belong to
**toebereiden** prepare
**toebrengen** ⟨schade⟩ do, ⟨letsel, nederlaag⟩ inflict, ⟨slag⟩ deal
**toeclip** toeclip
**toedekken** cover up, ⟨in bed⟩ tuck in
**toedeloe** bye-bye
**toedichten** ★ *iem. iets ~* impute sth to sb
**toedienen** *geven* administer, ⟨een dreun⟩ deal
**toedoen I** zn [het] doing ★ *zonder uw ~* but for you ★ *buiten mijn ~* through no fault of mine / my own **II** on ww **❶** *dichtdoen* close, shut, ⟨de gordijnen⟩ draw **❷** *bijdragen* ★ *dat doet er niet toe* it doesn't matter, it isn't relevant ★ *dat doet aan de zaak niets toe of af* it makes no difference, one way or the other
**toedracht** facts *mv* ★ *de ~ van de zaak* the facts of the matter
**toedragen I** ov ww ★ *achting ~* esteem ★ *iem. een goed hart ~* wish sb well **II** wkd ww [zich ~] happen, come about ★ *hoe heeft zich dat toegedragen?* how did that come about?
**toe-eigenen** [zich ~] appropriate, annex
**toef** ★ *een toef haar* a tuft of hair ★ *een toef slagroom* a blob / dab of whipped cream
**toegaan** *gebeuren* happen ★ *het ging er vreemd toe* there were strange goings-on there
**toegang ❶** *mogelijkheid tot toegang* access, admittance, admission ★ ⟨opschrift⟩ *verboden ~* private, no entrance ★ *vrije ~* admission free ★ *iem. ~ verlenen tot* form admit sb to ★ *~ verkrijgen* gain admission ★ *zich ~ verschaffen* gain access (**tot** to) **❷** *ingang* entrance, entry, access
**toegangsbewijs** entry ticket
**toegangscode** access code
**toegangsexamen** BN onderw *toelatingsexamen* entrance examination
**toegangsprijs** admission (fee / price), entrance fee
**toegangsweg** access (road), approach
**toegankelijk ❶** *te bereiken, opengesteld* accessible ★ *~ voor publiek* open to the public **❷** fig *open* open, accessible ★ *~ voor nieuwe ideeën* open to new ideas
**toegedaan ❶** *aanhangend* dedicated ★ *een mening ~ zijn* hold an opinion / view **❷** *gunstig gezind* ★ *iem. ~ zijn* be devoted to sb
**toegeeflijk** indulgent ★ *~ zijn tegenover kinderen* indulge children
**toegenegen** affectionate
**toegepast** applied
**toegeven I** ov ww **❶** *extra geven* throw in, add ★ *iets op de koop* ~ give sth into the bargain **❷** *erkennen* admit, form own ★ *ik moet ~ dat zij erg mooi is* she's very pretty, I've got to hand it to her **II** on ww **❶** *inschikkelijk zijn* indulge, humour, ⟨te veel⟩ pamper, ⟨te veel⟩ spoil ★ *over en weer wat ~* meet each other halfway, compromise **❷** *geen weerstand bieden* give in,

yield ★ *aan smart* ~ give way to sorrow
**toegevend** taalk indulgent
**toegevendheid** indulgence
**toegewijd** dedicated, devoted, committed
**toegift** ⟨na uitvoering⟩ encore, ⟨extraatje⟩ bonus
**toehappen** ❶ *happen* bite ❷ fig *ingaan op* rise to the bait
**toehoorder** *luisteraar* listener ★ *de* ~s the audience
**toejuichen** *juichend begroeten* applaud, cheer
**toekan** toucan
**toekennen** ❶ *verlenen* award, grant, ⟨van vergoeding⟩ allow ❷ *erkennen* assign, allow ★ *macht* ~ *aan* assign authority to
**toekijken** look on ★ *ik mocht* ~ I was left out in the cold
**toeknikken** nod to
**toekomen** ❶ *toezenden* ★ *bijgaand doen wij u onze documentatie* ~ enclosed, we are sending you our documentation ❷ ~ **aan** *toebehoren* belong to ★ *het geld komt mij toe* the money is due to me ❸ ~ **aan** *tijd vinden voor* ★ *ergens aan* ~ get round to sth ❹ ~ **met** get by ★ *met dat geld moeten we* ~ we'll have to make ends meet
**toekomst** future ★ *de naaste* ~ the very near future ★ *in de nabije* ~ in the near future ★ *in de* ~ *zien* look into the future, look ahead ★ *de* ~ *voorspellen* tell fortunes ★ *deze fabriek heeft geen* ~ this factory has no prospects
**toekomstig** ⟨te verwachten⟩ prospective, ⟨m.b.t. wat komende is⟩ future, ⟨aanstaande⟩ intended ★ *de* ~*e koper van het huis* the prospective buyer / owner of the house
**toekomstmuziek** castles in the air ★ *dat is* ~ that's still in the future
**toekomstperspectief** perspective
**toekomstvisie** vision of the future
**toelaatbaar** acceptable, ⟨van bewijs(stuk)⟩ admissible, ⟨te dulden⟩ tolerable
**toelachen** ❶ *lachen tegen* smile at ❷ fig *gunstig gezind zijn* smile (up)on, ⟨van fortuin⟩ smile on
**toelage** ❶ *toeslag* bonus, allowance ❷ *geldelijke uitkering* allowance, ⟨alimentatie⟩ maintenance, ⟨beurs⟩ grant ❸ BN *subsidie* subsidy
**toelaten** ❶ *binnenlaten* admit ★ *we werden niet tot de zieke toegelaten* we were not admitted to the patient ★ *het aantal toegelatenen* the number of passes ❷ *accepteren* pass ❸ *goedvinden* permit, allow, tolerate ★ *als het weer het toelaat* weather permitting ❹ BN *in staat stellen* enable
**toelating** ❶ *het goedvinden* permission ❷ *het accepteren* admission
**toelatingseis** entry requirement
**toelatingsexamen** onderw entrance examination
**toelatingsnorm** entry / admission requirement
**toelatingsprocedure** entry / admission procedure
**toeleggen** I *ov ww,* ~ **op** *bijbetalen* ★ *ik moet er geld op* ~ I am the poorer / out of pocket for / after it II *wkd ww* [*zich* ~] ~ **op** *zich wijden aan,* ⟨een taak⟩ apply oneself to, ⟨een vak⟩ form engage in ★ *zich speciaal* ~ *op* specialize in
**toeleverancier** supplier
**toeleveren** supply
**toelichten** explain, form elucidate, ⟨met

voorbeelden⟩ illustrate
**toelichting** comment, explanation, illustration
**toeloop** ⟨van nieuwe leden⟩ influx, ⟨drukte⟩ rush
**toelopen** ❶ *komen aanlopen* walk up to, come up to ❷ *uitlopen* ★ *spits* ~ taper
**toemaatje** BN bonus, extra, free gift
**toen** I *bijw* ❶ *vervolgens* then, next ❷ *in die tijd* then, at the time II *vw* when, as
**toenadering** approach
**toenaderingspoging** advance, overture
**toename** increase, ⟨van bevolking⟩ growth, ⟨van druk⟩ build-up
**toendra** tundra
**toenemen** increase, grow, build up, ⟨van wind⟩ freshen ★ *in kracht / snelheid* ~ gather strength / speed ★ *in* ~*de mate* increasingly
**toenmaals** then, at the time
**toenmalig** of that time, of the day ★ *de* ~*e minister* the then minister
**toepasbaar** applicable, suitable, ⟨te gebruiken⟩ usable
**toepasselijk** *passend* appropriate, suitable
**toepassen** ⟨regel⟩ apply, ⟨regel⟩ practise, ⟨wet⟩ enforce ★ *verkeerd* ~ misapply
**toepassing** application ★ *in* ~ *brengen* practise ★ *van* ~ *zijn op* apply to ★ *doorhalen wat niet van* ~ *is* delete where not applicable ★ *niet van* ~ not applicable
**toer** ❶ *omwenteling* turn, revolution ★ *een motor op toeren laten komen* run up an engine ★ *over zijn toeren zijn* be upset, be on edge ❷ *reis* trip, ⟨lang⟩ tour, ⟨auto ook⟩ drive, ⟨auto, fiets, paard⟩ ride ❸ *kunstje* feat, stunt ★ *dat is een hele toer* that's quite a job ❹ *reeks breisteken* row
**toerbeurt** turn ★ *bij* ~ in turns
**toereikend** adequate, sufficient ★ ~ *zijn* suffice
**toerekeningsvatbaar** accountable, responsible ★ *iem. niet* ~ *verklaren* declare sb non compos mentis ★ *verminderd* ~ diminished responsibility
**toeren** take a trip / ride ★ *gaan* ~ go for a drive
**toerental** number of revolutions, inform revs *mv*
**toerenteller** rev counter
**toerfiets** touring bicycle
**toerisme** tourism
**toerist** tourist
**toeristenbelasting** tourist tax
**toeristenkaart** ❶ *reisdocument* tourist card ❷ *plattegrond* tourist map
**toeristenklasse** tourist / economy class
**toeristenmenu** tourist menu
**toeristensector** tourist sector / industry
**toeristisch** tourist, commercial ★ *een* ~*e route* a tourist route ★ *een* ~*e rondreis* a sightseeing tour
**toermalijn** tourmaline
**toernooi** tournament
**toeroepen** call (out) to
**toertocht** tour, pleasure trip
**toerusten** equip, fit out
**toeschietelijk** accommodating, forthcoming ★ *weinig* ~ rather reserved
**toeschieten** rush forward, rush at, ⟨op prooi⟩ pounce on
**toeschijnen** seem to, appear to
**toeschouwer** onlooker, spectator
**toeslaan** I *ov ww, dichtslaan* bang, ⟨boek⟩ shut, ⟨deur⟩ slam II *on ww, zijn slag slaan* strike

**to**

**to**

**toeslag** allowance, ⟨op rekening⟩ additional charge, ⟨op treinkaartje⟩ excess fare, ⟨op loon⟩ addition

**toesnellen** rush (up) to

**toespelen** lett pass (on to), slip (to)

**toespeling** allusion ★ *bedekte* ~ covert allusion

**toespitsen ❶** *concentreren op* concentrate, specialize (in) **❷** *op de spits drijven* intensify, aggravate ★ *zich* ~ become acute

**toespraak** speech, form address ★ *een* ~ *houden* make a speech

**toespreken** speak to, address ★ *ik zal hen ernstig* ~ I'll give them a good telling off

**toestaan ❶** *goedvinden* allow, permit **❷** *toewijzen* grant, form concede

**toestand ❶** *situatie* state, ⟨leef-, werksituatie⟩ condition, ⟨v.h. ogenblik⟩ position, ⟨v.h. ogenblik⟩ situation ★ *een gespannen* ~ a tense situation ★ *in een goede / slechte* ~ in a good / poor condition ★ *in een* ~ *van wanhoop* in a state of despair **❷** *gedoe* ★ *wat een* ~! what a muddle!

**toesteken I** *ov ww, aanreiken* hold out, extend **II** *on ww, steken* stab

**toestel ❶** *apparaat* apparatus, ⟨radio, tv⟩ set **❷** *vliegtuig* plane, machine

**toestemmen** agree / consent (in to)

**toestemming** consent ★ *met* ~ *van* by courtesy of, by permission of ★ *zonder mijn* ~ without my consent

**toestoppen ❶** *geven* slip ★ *zij stopte hem tien euro toe* she slipped him ten euro's **❷** *toedekken* tuck in

**toestromen** pour / flood in

**toet ❶** *gezicht* face **❷** *knoet* knot, ⟨in nek⟩ bun

**toetakelen ❶** *ruw aanpakken* knock about, beat up, ⟨vrouw, kind⟩ batter **❷** *opdirken* dress up ★ *zij had zich raar toegetakeld* she was very oddly rigged out

**toetasten** *zich bedienen* fall to ★ *tast toe* help yourself / selves, dig in

**toeten** toot▾ *hij weet van* ~ *noch blazen* he doesn't know a thing, inform he doesn't know his arse from his elbow

**toeter I** *zn* [de] **❶** *blaasinstrument* tooter **❷** *claxon* hooter, horn **II** *bnw* pissed ou of one's mind, smashed

**toeteren ❶** *op een toeter blazen* hoot, toot **❷** *claxonneren* toot / honk (the horn)

**toetje** *dessert* sweet, dessert, inform afters *mv*

**toetreden** *tot* enter into, join

**toetreding** joining, entry

**toets ❶** *test* test ★ *de* ~ *der kritiek kunnen doorstaan* stand up under scrutiny **❷** *druktoets* key ★ *een* ~ *aanslaan* strike a key

**toetsen** *op de proef stellen, nagaan* test ★ *aan de praktijk* ~ try out

**toetsenbord** keyboard

**toetsenist** keyboard player

**toetsing** test(ing), check(ing), jur examination ★ ~ *aan de grondwet* test(ing) against the constitution

**toetssteen** touchstone

**toeval ❶** *omstandigheid* accident, chance ★ *een gelukkig* ~ a lucky chance / coincidence ★ *niets aan het* ~ *overlaten* leave nothing to chance ★ *bij* ~ by chance / accident, accidentally ★ *door een*

*ongelukkig* ~ by a stroke of bad luck, form by mischance ★ *het* ~ *wil dat* it so happens that **❷** med an epileptic fit / seizure ★ *aan* ~*len lijden* be epileptic

**toevallen ❶** *dichtvallen* fall shut **❷** *ten deel vallen* devolve to / on, fall to

**toevallig I** *bnw* accidental, fortuitous ★ *een* ~*e samenloop van omstandigheden* a coincidence **II** *bijw* **❶** *bij toeval* by chance / accident ★ ~ *zag ik hem* I happened to see him **❷** *misschien* ★ *ken je hem* ~? do you happen to know him?

**toevalstreffer ❶** lett chance hit **❷** fig stroke of luck, fluke

**toeven** stay ★ *het is hier goed* ~ it's a nice place to be

**toeverlaat** refuge, support

**toevertrouwen ❶** *in vertrouwen overlaten aan* (en)trust ★ *iem. iets* ~ (en)trust sb with sth ★ *dat kun je hem wel* ~ leave that to him **❷** *in vertrouwen zeggen* confide ★ *iem. een geheim* ~ confide a secret to sb

**toevloed** influx

**toevlucht** refuge, resort ★ *(je)* ~ *nemen tot* resort to ★ *(je)* ~ *zoeken bij* take refuge with ★ *zijn laatste* ~ his last resort

**toevluchtsoord** refuge

**toevoegen ❶** *erbij doen* add, join ★ ~ *aan* add to **❷** *zeggen tegen* ★ *iem. een belediging* ~ to fling / hurl an insult at sb, snap a rude remark at sb

**toevoeging ❶** *het toevoegen* addition, adding **❷** *toevoegsel* addition, ⟨aan document⟩ rider

**toevoer** supply

**toevoeren** supply, feed

**toevoerkanaal** supply / feed(er) channel, supply / feed(er) duct

**toewensen** wish

**toewijding ❶** *zorg* devotion, dedication **❷** *vroomheid* devotion

**toewijzen** *toekennen* ⟨van deel⟩ allot, ⟨van geld⟩ allocate, ⟨van prijs⟩ award, ⟨van taak⟩ assign

**toezeggen** promise

**toezegging** promise

**toezenden** send, forward

**toezicht** supervision, inspection, ⟨bij examen⟩ invigilation ★ ~ *houden op* supervise ★ ~ *houden* invigilate

**toezien ❶** *toekijken* look on **❷** *toezicht houden* take care, see (to) ★ ~*d voogd* joint guardian

**tof** *leuk* great, topping ★ *een toffe jongen* a great guy, iron a bit of a lad

**toffee** toffee

**tofoe** bean curd, tofu

**toga ❶** *Romeins kledingstuk* toga **❷** *ambtsgewaad* gown

**Togo** Togo

**Togolees** Togolese

**toilet ❶** *wc* lavatory, toilet, USA bathroom ★ *chemisch* ~ chemical toilet **❷** *kleding* dress, outfit **❸** *het zich optutten* toilet ★ ~ *maken* make one's toilet, wash and dress

**toiletartikelen** toilet requisites *mv*, toiletries *mv*

**toiletjuffrouw** lavatory attendant

**toiletpapier** toilet paper

**toiletpot** lavatory pan / bowl

**toiletreiniger** toilet cleaner, GB lavatory cleaner

**toiletrol** toilet paper / roll

**toilettafel** dressing table
**toilettas** toilet bag / kit
**toiletverfrisser** toilet freshener, <u>GB</u> lavatory freshener
**toiletzeep** (toilet) soap
**toitoitoi** break a leg, good luck, go get 'em!
**tok** cluck
**Tokio** Tokyo
**Tokioos** Tokyo
**tokkelen** *bespelen* strum, ⟨op snaren⟩ pluck ⋆ *hij begon zachtjes te* ~ he started strumming softly
**tokkelinstrument** plucked / strummed instrument
**toko** Indonesian shop
**tol ❶** *speelgoed* top ❷ *tolgeld* toll ⋆ *tol betalen* pay a toll ⋆ *de oorlog eist zijn tol* the war is taking its toll ❸ *tolhokje* tollbooth
**tolerant** tolerant, broad-minded
**tolerantie** *verdraagzaamheid* tolerance, toleration
**tolereren** tolerate
**tolgeld** toll
**tolheffing** levying / charging of toll, toll collection
**tolhuis** toll house
**tolk** interpreter
**tolken** interpret, translate
**tolk-vertaler** interpreter-translator
**tollen ❶** *met een tol spelen* spin a top ❷ *ronddraaien* spin round
**toltunnel** toll tunnel
**tolvrij** toll-free
**tolweg** toll road, <u>USA</u> (turn)pike
**tomaat ❶** *vrucht* tomato *mv: tomatoes* ❷ *plant* tomato *mv: tomatoes*
**tomahawk** tomahawk
**tomatenketchup** (tomato) ketchup
**tomatenpuree** tomato purée
**tomatensap** <u>cul</u> tomato juice
**tomatensoep** <u>cul</u> tomato soup
**tombe** tomb
**tompoes** millefeuille
**ton ❶** *vat* cask, barrel ❷ *boei* buoy ❸ *inhoudsmaat* (register) ton ❹ *gewicht* ton ❺ *hoeveelheid geld* a hundred thousand euro's
**tondeuse** pair of clippers / trimmers, clippers / trimmers *mv*, <u>USA</u> taper
**toneel ❶** *dramatische kunst* drama, ⟨aanstellerij⟩ ⋆ *bij het* ~ *gaan* go on the stage ❷ *deel van bedrijf* scene ❸ *podium* stage, ⟨plaats van handeling⟩ scene, ⟨plaats van handeling⟩ ⟨film⟩ set ⋆ *een stuk ten tonele brengen* produce / stage a play ❹ *tafereel* scene, spectacle
**toneelgezelschap** theatre / theatrical company
**toneelgroep** theatre group
**toneelkijker** opera glass [meestal mv]
**toneelknecht** stagehand
**toneelmeester** stage manager
**toneelschool** <u>onderw</u> drama school / college
**toneelschrijver** playwright, dramatist
**toneelspel ❶** *het spelen* acting ❷ *stuk* play
**toneelspelen ❶** *acteren* act, play ❷ *zich aanstellen* play-act
**toneelspeler ❶** *acteur* actor ❷ *aansteller* play-actor
**toneelstuk** play

**toneelvereniging** drama society
**tonen I** *ov ww, laten zien* show, ⟨uitstallen⟩ display, prove, demonstrate **II** *on ww, eruitzien* look ⋆ *het toont meer dan het is* it looks better than it is **III** *wkd ww* [zich ~] *betonen* ⋆ *zich ergens toe in staat* ~ show / prove o.s. capable of sth
**toner** <u>comp</u> toner
**tong ❶** *anat* tongue ⋆ *zijn tong uitsteken tegen iem.* stick out one's tongue at sb ⋆ *boze tongen beweren* it is rumoured ⋆ *een scherpe tong hebben* have a sharp tongue ⋆ *een gladde tong hebben* have an oily tongue ⋆ *met een dubbele / dikke tong spreken* speak thickly, slur one's words ⋆ *haar tong hing haar op de schoenen* she was dog-tired ⋆ *het ligt me op de tong* it is on the tip of my tongue ⋆ *hij gaat over de tong* his name is on everybody's tongue ⋆ *rad / rap van tong zijn* have the gift of the gab ⋆ <u>BN</u> *zijn tong ingeslikt hebben* have gone back on one's word ⋆ *dat maakte de tongen los* it set tongues wagging ⋆ *zijn tong verliezen* lose your tongue ❷ *vis* sole
**tongen** ⋆ ~ *met iem.* French kiss with sb
**tongfilet** fillet of plaice
**tongriem** ⋆ *goed van de* ~ *gesneden zijn* have the gift of the gab
**tongval ❶** *accent* accent ❷ *dialect* dialect
**tongzoen** French kiss ⋆ *iem. een* ~ *geven* give a French kiss to sb
**tongzoenen** French kiss
**tonic** tonic
**tonicum** tonic
**tonijn** tuna (fish), <u>GB</u> tunny
**tonisch** tonic
**tonnage** *inhoud, grootte van een schip* tonnage
**tonnetjerond** rotund, portly, fat as a barrel
**tonsuur** tonsure
**tonus** (muscle) tone
**toog ❶** *priestertoga* cassock ❷ *tapkast* bar ❸ <u>BN</u> *balie* counter, desk
**tooi** decoration, ornament, ⟨van vogel⟩ plumage, ⟨opschik⟩ finery
**tooien** decorate, ⟨met slingers, e.d.⟩ deck, ⟨met slingers, e.d.⟩ festoon
**toom** bridle ⋆ *in toom houden* keep in check
**toon ❶** *klank* sound, tone, note ⋆ *toon houden* stay / keep in tune ⋆ *de toon aangeven* give the key, set the tone / mode / fashion ❷ *klankkleur* tone, timbre, ⟨toonhoogte⟩ pitch ❸ *stembuiging* tone, note ⋆ *op zachte toon* in a soft voice ⋆ *op gedempte toon* in a low voice ⋆ *op bitse toon* in a harsh voice ⋆ *op fluisterende toon* in a whisper ⋆ *een hoge toon aanslaan* adopt a high tone, be / get on one's high horse ⋆ *iem. een toontje lager laten zingen* take sb down a peg or two
**toonaangevend** leading
**toonaard** key
**toonbaar** presentable, fit to be seen
**toonbank** counter
**toonbeeld** model, paragon
**toonder** bearer ⋆ *betaalbaar aan* ~ payable to the bearer
**toonhoogte** pitch
**toonkunst** music
**toonladder** scale
**toonloos ❶** *taalk* unaccented ❷ *zonder veel klank*

**to**

toneless, monotonous
**toonsoort** key
**toonvast** keeping in tune ★ ~ *zijn* stay / keep in tune
**toonzaal** showroom
**toorn** wrath, rage ★ *in ~ ontsteken* fly into a rage
**toorts** *fakkel* torch
**toost** *heildronk* toast ★ *een toast uitbrengen op* drink a toast to
**toosten** (drink a) toast to
**top I** *zn* [de] ❶ *lett (hoogste) punt* top, (van berg) summit, (van berg) top, (van driehoek) apex, (van golf) crest, (van neus, vinger) tip ★ *van top tot teen* from head to foot, from top to toe ❷ *fig hoogtepunt* top ★ *aan de top staan* be at the top ★ *de geestdrift steeg ten top* enthusiasm came to a head ★ *iets ten top voeren* carry sth to extremes ★ *de top bereiken* reach the top ★ BN *hoge toppen scheren* be very successful ❸ *de besten; hoogste leiding* top, top ★ *de top 10* the top 10 ★ *de top van de Labourpartij* the Labour-party top ❹ *topconferentie* summit ★ *een EU-top* → **topje** **II** *tw* great
**topaas** topaz
**topambtenaar** top / senior man, top / senior executive
**topberaad** top-level talks *mv*, pol summit talks *mv*
**topclub** top- / first-class club
**topconditie** top condition / form
**topconferentie** summit meeting / conference
**top-down** top-down
**topdrukte** rush hour, extremely busy
**topfunctie** top / leading position, inform top-notch job
**topfunctionaris** top / senior man, top / senior executive
**tophit** smash / big hit
**topjaar** great year, top year, peak year
**topje** *kledingstuk* top ▼ *het ~ van de ijsberg* the tip of the iceberg
**topklasse** top class
**topless** topless
**topman** top / senior executive
**topniveau** top level
**topografie** topography
**topografisch** topographical ★ ~*e dienst* ≈ ordnance survey
**topontmoeting** summit meeting
**topoverleg** top-level talks *mv*, pol summit talks *mv*
**topper** (boek, lied, plaat) hit, (boek) bestseller, top, high point, top(-class) match ★ *de ~ van het seizoen* the attraction of the season
**topprestatie** a record / top-notch performance / achievement
**toppunt** ❶ *hoogste punt* top, highest point, (meetkunde) apex ❷ *fig uiterste* top, height, climax, (carrière) height ★ *dat is het ~!* that's the limit!, that's the last straw! ★ *op het ~ van zijn macht staan* be at the height of one's power ★ *het ~ van dwaasheid* the height of folly
**topscore** top score
**topscorer** top scorer
**topsnelheid** top speed
**topspin** topspin

**topsport** top-class sport
**top tien** top ten
**topvorm** top form ★ *in ~ zijn* be in top form
**topzwaar** lett top-heavy
**tor** beetle
**toren** ❶ *bouwwerk* tower, (met spits) steeple ★ *de ~ van Babel* the Tower of Babel ★ *hoog van de ~ blazen* be demanding, blow one's own trumpet ❷ *schaakstuk* castle, rook
**torenflat** tower block (of flats), high-rise flats *mv*
**torenhaan** weathercock
**torenhoog** towering, (golf) mountainous ★ ~ *uitsteken boven* tower above
**torenklok** ❶ *uurwerk* church / tower clock ❷ *luiklok* church bell
**torenspits** spire
**torenvalk** kestrel
**tornado** tornado
**tornen** I *ov ww, losmaken* unstitch II *ww* ~ **aan** meddle with ★ *daar valt niet aan te ~* it can't be altered
**torpederen** ❶ *lett mil* torpedo ❷ *fig* torpedo, sabotage
**torpedo** torpedo *mv: torpedoes*
**torpedoboot** torpedo boat
**torpedojager** destroyer
**torsen** bear, carry
**torsie** torsion
**torso** *romp* torso
**tortelduif** turtle dove
**tortilla** tortilla
**Toscaans** Tuscan
**Toscane** Tuscany
**toss** toss
**tossen** toss (up / for)
**tosti** toasted ham and cheese sandwich
**tosti-ijzer** sandwich toaster
**tot I** *vz* ❶ *een grens aanduidend* to, till, until, to, as far as ★ *tot 1 mei* till May 1 ★ *tot en met maandag* up to and including Monday ★ *van uur tot uur* by the hour, from hour to hour ★ *de bus gaat tot Utrecht* the bus goes as far as Utrecht ★ *tot hier* so far, up to here ★ *tot daar* up to there, up to that point ★ *tot tien tellen* count (up) to ten ★ *tot driemaal toe* up to three times ★ *tot en met bladzijde 80* up to and including page 80 ★ *dat is (nog) tot daar aan toe* that's one thing ★ *tot morgen!* see you tomorrow!, till tomorrow! ❷ *gericht naar* to ★ *hij sprak tot de menigte* he spoke to the crowd ❸ *als / voor* to, for ★ *hij volgt een opleiding tot arts* he is training to be a doctor ★ *hij werd tot chef benoemd* he was appointed head / manager ❹ *met als resultaat of doel* ★ *tot mijn verbazing* to my surprise ★ *tot beter begrip* towards a better understanding II *vw, totdat* until ★ *ik wachtte tot het donker werd* I waited until it got dark
**totaal I** *bnw* ★ *totale oorlog* total / all-out war II *bijw* total ★ *iets ~ vergeten* completely forget sth III *zn* [het] total, (sum) total ★ *in ~* in all ★ *in ~ bedragen* total
**totaalbedrag** total (amount)
**totaalbeeld** overall / total picture
**totaalvoetbal** total soccer, GB total football
**totaalweigeraar** hard-line objector
**totalisator** totalizator, inform tote

**totalitair** totalitarian
**totaliteit** totality
**total loss** total loss, ⟨voornamelijk auto, e.d.⟩ write off ★ *een auto ~ rijden* wreck a car
**totdat** till, until
**totempaal** totem pole
**toto** ⟨paardensport⟩ totalizator, ⟨voetbal⟩ football-pools *mv*
**totstandkoming** coming about, realization
**touchdown** touchdown
**touché** ⟨schermen⟩ touch(é), ⟨worstelen⟩ fall
**toucheren** ❶ *(aan)raken* touch ❷ *inform ontvangen* ⟨rente⟩ receive, ⟨salaris⟩ draw ❸ *med inwendig onderzoeken* perform an internal examination on
**touperen** backcomb
**toupet** hairpiece, toupee
**touringcar** coach
**tournedos** tournedos
**tournee** tour
**tourniquet** ❶ *draaiende toegang* ⟨draaihek⟩ turnstile, ⟨draaideur⟩ revolving door(s) ❷ *med knelband* tourniquet
**touroperator** tour operator
**touw** ⟨vrij dik⟩ cord, ⟨dik⟩ rope, ⟨dun⟩ string ★ *touwtje* bit / piece of string ★ *de touwtjes in handen hebben* pull the strings ★ *daar is geen touw aan vast te knopen* it doesn't make sense ★ *ik kan er geen touw aan vastknopen* I can't make head or tail of it ▼ *in touw zijn* be busy, be in harness ▼ *iets op touw zetten* organize / plan sth
**touwklimmen** rope-climbing
**touwladder** rope ladder
**touwtje** → touw
**touwtjespringen** skip
**touwtrekken** ❶ sport tug-of-war ❷ fig tug of war, struggle for power
**touwtrekkerij** *machtsstrijd* struggle (for power)
**touwwerk** scheepv rigging, ⟨touw⟩ ropes *mv*, ⟨tuigage⟩ cordage
**t.o.v.** ❶ *ten opzichte van* with respect / regard to ❷ *ten overstaan van* before, in the presence of
**tovenaar** magician
**tovenarij** magic
**toverdrank** (magic) potion
**toveren** I *ov ww, met magische kracht bewerken* conjure (up) II *on ww, magische kracht gebruiken* work magic
**toverformule** incantation, (magic) spell / charm
**toverheks** witch
**toverij** magic
**toverkracht** magic (power)
**toverkunst** magic
**toverslag** ★ *als bij ~* as if by magic
**toverspreuk** incantation, (magic) spell / charm
**toverstaf** magic wand
**toxicologie** toxicology
**toxicoloog** toxicologist
**toxine** toxin
**toxisch** toxic
**traag** ❶ *langzaam* sluggish, slow, slow, sluggish, lazy, slow(-witted) ❷ natk inert
**traagheid** ❶ *het langzaam zijn* slowness, slow-wittedness, obtuseness ❷ natk inertia
**traan** ❶ *oogvocht* tear ★ *in tranen uitbarsten* burst

into tears ★ *tot tranen geroerd* moved to tears ★ *de tranen sprongen in haar ogen* her eyes filled with tears ★ *een ~ wegpinken* brush away a tear ★ *ik zal er geen ~ om laten* I won't shed any tears over it ❷ *olie* whale oil
**traanbuis** tear duct
**traangas** tear gas
**traangasgranaat** tear-gass grenade
**traanklier** tear gland
**traanvocht** tears *mv*
**tracé** traced road (section)
**traceren** ❶ *nasporen* trace ❷ *aftekenen* trace (out)
**trachten** attempt, try, form endeavour
**track** track
**tractie** traction
**tractor** tractor
**traditie** tradition ★ *~ getrouw* true to tradition ★ *volgens de ~* by tradition
**traditiegetrouw** traditional, true to tradition
**traditioneel** traditional
**trafiek** BN *smokkel*, [in samenstellingen] traffic, trafficking
**trafo** inform elek transformer
**tragedie** ❶ *treurspel* tragedy ❷ *gebeurtenis* tragedy
**tragiek** *het tragische* tragedy
**tragikomedie** tragicomedy
**tragikomisch** tragicomic
**tragisch** tragic ★ *dat is het ~e ervan* that is the tragedy of it
**trailer** *aanhangwagen* trailer
**trainen** I *ov ww, coachen* train, ⟨elftal ook⟩ coach II *on ww, zich oefenen* work out
**trainer** trainer, coach
**traineren** *vertragen* delay, stall
**training** ★ *in ~* in training
**trainingsbroek** pair of jogging pants, jogging pants *mv*
**trainingspak** tracksuit
**traiteur** domestic caterer
**traject** ⟨van weg, spoorlijn⟩ section, ⟨route⟩ route
**traktaat** tract
**traktatie** treat
**trakteren** I *ov ww, onthalen op* treat (to), ⟨drankje, maaltijd⟩ stand ★ *ik trakteer je op een biertje* I'll stand / buy you a beer II *on ww, rondje geven* ★ *ik trakteer* this one's on me
**tralie** bar ★ *achter de ~s* behind bars, under lock and key
**traliehek** ⟨om huis⟩ railings *mv*, ⟨voor raam, e.d.⟩ grille
**tram** tram (car)
**trambestuurder** tramdriver, USA streetcar driver
**tramhalte** tram stop
**tramkaartje** tram(way) ticket, USA streetcar ticket
**trammelant** trouble, rumpus ★ *~ maken / schoppen* make trouble, kick up a row
**trampoline** trampoline
**trampolinespringen** trampolining
**tramrail** tram line / rail, USA streetcar line / rail
**trance¹** [traNs] *vervoering* trance ★ *in ~ brengen* put in a trance ★ *in ~ geraken* go into a trance
**trance²** [trèns] muz *soort house* trance
**tranen** water

**tr**

**tranendal** vale of tears
**tranquillizer** tranquillizer
**trans** pinnacle
**transactie** *handelsovereenkomst* transaction, deal
**trans-Atlantisch** transatlantic
**transcendent** transcendent
**transcendentaal** transcendental
**transcontinentaal** transcontinental
**transcriberen** transcribe
**transcriptie** transcription, transliteration
**transfer ❶** *overdracht* transfer ❷ sport transfer
**transferium** park-and-ride
**transfermarkt** transfer market
**transformatie** transformation
**transformator** transformer
**transformatorhuisje** transformer kiosk
**transformeren** transform
**transfusie** transfusion
**transgeen** transgenetic
**transistor** elek transistor
**transit** transit
**transitief** transitive
**transito** transit
**transitohaven** transit port
**transitorium** temporary accommodation
**transitvisum** transit visa
**transmissie** transmission
**transmitter** med transmitter
**transparant I** *zn* [het] transparency **II** *bnw* transparent
**transpiratie ❶** *het zweten* perspiration ❷ *zweet* perpiration, inform sweat
**transpireren** perspire
**transplantatie** transplant(ation)
**transplanteren** transplant
**transponder** transponder
**transport ❶** *vervoer* transport ★ ~ *van gevangenen* convoy of prisoners ❷ *overdracht* transfer ❸ admin amount carried forward
**transportband** conveyer / conveyor belt
**transportbedrijf** transport company, ⟨vervoer⟩ haulage business
**transporteren** *vervoeren* transport, ⟨m.b.t. boekhouding⟩ carry forward
**transportkosten** transport cost(s), carriage
**transportonderneming** transport company
**transseksueel I** *zn* [de] transsexual **II** *bnw* transsexual
**Transsylvanië** Transylvania
**Transvaal** (the) Transvaal
**trant** style, manner ★ *iets in die* ~ sth of the sort, sth to that effect
**trap ❶** *beweging met been* kick ★ sport *vrije trap* free kick ★ *een trap na geven* give a parting shot ❷ *constructie met treden* stairs *mv*, flight of stairs, ⟨steen⟩ steps, ⟨steen⟩ flight of steps, staircase ★ *de trap op- / aflopen* go up / down the stairs ★ *bovenaan / onderaan de trap* at the top / bottom of the stairs ★ *van de trap vallen* fall down the stairs ★ *open trap* open staircase ❸ *graad* level, taalk degree ★ *trappen van vergelijking* degrees of comparison ★ *vergrotende trap* comparative ★ *overtreffende trap* superlative ★ *een hoge trap van ontwikkeling* a high level / degree of civilization
**trapeze** trapeze

**trapezewerker** trapeze artist
**trapezium** trapezium
**trapezoïde** trapezoid, USA trapezium
**trapgat** (stair)well
**trapgevel** step gable
**trapleuning** banisters *mv*
**traplift** stairlift
**traploper** stair carpet
**trappelen** trample ★ *ze trappelt van ongeduld* she's straining at the leash
**trappelzak** infant's sleeping bag, USA bunting
**trappen I** *ov ww, schoppen* kick ★ *iem. eruit* ~ give sb the boot / sack, kick sb out **II** *on ww* ❶ *voet neerzetten, drukken* tread / step on ★ fig *erin* ~ fall for it, buy it ❷ *fietsen* pedal
**trappenhuis** (stair) well
**trapper ❶** *pedaal* pedal ★ *op de* ~*s gaan staan* stand on the pedals ❷ *schoen* form shoe
**trappist** Trappist
**trapportaal** landing
**trapsgewijs** step-by-step, gradual ★ *een trapsgewijze toename* a gradual increase
**traptrede** step
**trauma** trauma
**traumahelikopter** med air ambulance, emergency helicopter
**traumateam** trauma team, medical emergency team
**traumatisch** traumatic
**traumatologie** traumatology
**traumatoloog** traumatologist
**travellercheque** traveller's cheque, USA traveler's check
**traverse ❶** *dwarsverbinding* crossbeam ❷ *zijwaartse sprong* traverse
**travestie** travesty
**travestiet** transvestite
**trawler** trawler
**tray** tray
**trechter** funnel, ⟨door granaatinslag⟩ crater
**tred** step, pace ★ *gelijke tred houden met iets* keep in step with sth, keep pace with sth ★ *met lichte tred* light-footed
**trede** *deel van trap* ⟨van ladder⟩ rung, ⟨van trap⟩ step
**treden** *stappen* step, tread ★ *in iemands voetstappen* ~ follow / tread in sb's steps
**tredmolen** sleur treadmill
**tree** → trede
**treeplank** footboard, running board
**treffen** *ov ww* ❶ *raken* hit, ⟨bliksem⟩ strike ★ *doel* ~ hit the mark, strike home ❷ *overkómen* ★ *de getroffen gebieden* the stricken areas ❸ *ontroeren* touch, move ❹ *aantreffen* meet, come across ★ *iem. thuis* ~ find sb (at) home / in ❺ *opvallen* strike ❻ *tot stand brengen* make, ⟨maatregelen⟩ take ★ *maatregelen* ~ take measures ★ *een overeenkomst* ~ make an agreement ❼ *uitkomen* ★ *het slecht* ~ be unlucky ★ *het goed* ~ be lucky ❽ *aangaan* ★ *hem treft geen schuld* he's not to blame **II** *zn* [het] ❶ *gevecht* encounter ❷ *confrontatie* engagement
**treffend** *opvallend* striking
**treffer** *raak schot* hit
**trefpunt** *ontmoetingspunt* meeting point
**trefwoord** *zoekwoord in naslagwerk* entry

**trefzeker** *doelgericht* accurate, well-aimed, ⟨m.b.t. woorden⟩ well-spoken

**trein** *spoortrein* train ★ *de ~ van tien uur* the ten o'clock train ★ *in de ~* on the train ★ *met de ~ gaan* go by train ★ *iem. naar de ~ brengen* see sb to the station ★ *iem. op de ~ zetten naar* put sb on the train for ★ *de ~ halen* catch the train ★ *de ~ missen* miss the train ★ *lopen als een ~* go like a bomb

**treinkaartje** train ticket, GB railway ticket

**treinongeluk** train / railway accident

**treinreis** train / rail journey

**treinreiziger** train / rail passenger, train / rail traveller

**treinstaking** train / rail strike

**treinstation** ⟨railway⟩ station

**treinstel** train

**treintaxi** train-taxi

**treinverbinding** train / rail connection

**treinverkeer** railroad traffic, train, rail

**treiteraar** tormentor

**treiteren** torment, nag

**trek** ❶ *het trekken* pull, haul, tug, ⟨aan pijp⟩ pull ❷ *luchtstroom* draught ★ *er zit geen trek in de schoorsteen* the chimney doesn't draw ❸ *verhuizing* ⟨van vogels⟩ migration ❹ *karaktertrek, gelaatstrek* trait, feature, feature ★ *dat is een naar trekje van hem* that is a nasty trait of his ★ *trekken om zijn mond* lines around his mouth ❺ *lijn* ★ *iets in grote trekken vertellen* give a broad outline of sth ❻ *zin (in eten)* mind, inclination, appetite ★ *trek hebben* be hungry, inform be peckish ★ *daar heb ik nu echt geen trek in* I don't feel like it at all ★ *aan zijn trekken komen* get one's share of the cake ★ *in trek komen* become popular ★ *zeer in trek zijn* be the fad / craze, form be in great demand ▼ *zijn trekken thuiskrijgen* have the tables turned on one, have one's chickens come home to roost

**trekdier** draught animal

**trekhaak** tow bar

**trekharmonica** accordion

**trekken I** *ov ww* ❶ *naar zich toehalen* draw, pull ★ *iem. aan zijn mouw ~* pull / pluck sb by the sleeve ❷ *uittrekken* ★ *een kies ~* pull out a tooth ❸ *slepen* pull, draw, ⟨van schip, auto⟩ tow ❹ *aantrekken* attract, ⟨van publiek, klanten⟩ draw ★ *de aandacht ~* attract attention ❺ *aftreksel maken* ▼ *ik trek dit niet!* I can't deal with this! **II** *on ww* ❶ *naar zich toehalen* draw, pull ★ *~ aan* pull at / on ★ *aan de bel ~* pull the bell, sound the alarm ❷ *gaan* travel, move, ⟨te voet⟩ hike ★ *door de straten ~* pass / march through the streets ★ *over een rivier ~* cross a stream ★ *eropuit ~* set out ❸ *gaan wonen* ★ *in een nieuw huis ~* move into a new house ❹ *beweging maken* twitch ★ *met zijn been ~* drag one's leg ❺ *luchtstroom doorlaten* draw

**trekker** ❶ *tractor* tractor ❷ *onderdeel van vuurwapen* trigger ★ *de ~ overhalen* pull the trigger ❸ *reiziger* hiker, ⟨met rugzak⟩ backpacker

**trekking** *uitloting* draw

**trekkingslijst** list of winning numbers

**trekkracht** traction, pull

**trekpleister** ❶ med ≈ blister-plaster ❷ *attractie* attraction, inform draw

**trektocht** hike, hiking tour / trip

**trekvogel** *dier* migratory bird, bird of passage

**trekzalf** salve

**trema** diaeresis

**trend** ❶ *ontwikkeling* trend ❷ *mode* trend, fashion

**trendgevoelig** subject to trends, subject to changing fashion(s)

**trendsetter** trendsetter

**trendvolger** ❶ *iem. met een bepaald loon* employee whose salary is linked to civil service scales ❷ *iem. die de mode volgt* follower of fashion / trends, USA slave to fashion

**trendwatcher** trendwatcher

**trendy** trendy

**treuren** *treurig zijn* mourn, grieve ★ *~ over / om* mourn for / over

**treurig** ❶ *verdrietig* sad, mournful, regretful ❷ *bedroevend* XXXXXXXX, ⟨erbarmelijk⟩ pathetic, ⟨erbarmelijk⟩ appalling, XXXXXXXXXX

**treurmars** funeral march

**treurmuziek** funeral music, dirge

**treurspel** tragedy

**treurwilg** weeping willow

**treuzelaar** dawdler, laggard

**treuzelen** dawdle (over)

**triade** triad

**triangel** triangle

**triatleet** triathlete

**triatlon** sport triathlon

**tribunaal** tribunal

**tribune** sport stand, ⟨met afgezonderde plaatsen⟩ gallery, ⟨publieke⟩ public gallery

**triceps** triceps

**tricot** ❶ *materiaal* tricot ❷ *kleding* leotard

**triest** sad, dejected

**trigonometrie** trigonometry

**triljoen** trillion

**trillen** ❶ nat *heen en weer gaand bewegen* vibrate, tremble, quiver ❷ *beven* tremble

**triller** muz trill

**trilling** ❶ *het beven* trembling, quiver(ing), ⟨v. aarde⟩ tremor ❷ nat *heen- en weergaande beweging* vibration

**trilogie** trilogy

**trimaran** trimaran

**trimbaan** training circuit

**trimester** quarter, USA trimester, ⟨van scholen⟩ term

**trimestrieel** BN *driemaandelijks* quarterly ★ *trimestriële examens* end-of-term examinations

**trimmen I** *ov ww, haar knippen* trim **II** *on ww, zich fit houden* ⟨buitenshuis⟩ jog

**trimmer** sport jogger

**trimsalon** ⟨dog⟩ grooming parlour

**trimschoen** jogging / gym shoe

**trimster** female trimmer / jogger

**Trinidad en Tobago** Trinidad and Tobago

**trio** trio

**triomf** triumph

**triomfantelijk** triumphant

**triomfboog** triumphal arch

**triomferen** triumph

**triomfkreet** shout of triumph

**triomfpoort** triumphal arch

**triomftocht** triumphal procession

**triool** muz triplet
**trioseks** trio sex
**trip** ❶ *uitstapje* outing, trip ❷ *effect van drugs* trip
**triplex** plywood
**Tripoli** Tripoli
**trippelen** patter, scurry
**trippen** ❶ *trippelen* trip ❷ *onder invloed van drugs zijn* trip (out)
**triviaal** ❶ *platvloers* vulgar, coarse ❷ *alledaags* trite, trivial
**troebel** muddy, murky, cloudy
**troef** ❶ *kaart* trump ★ *hij heeft alle troeven in handen* he holds all the trumps ★ *~ bekennen* follow suit ★ *hij speelde zijn hoogste ~ uit* he played his trump / master card ❷ *fig sterk argument* trump card
**troefkaart** trump card
**troela** cow, (waarderend) sweet thing
**troep** ❶ *rommel* mess ❷ *groep* troop, band, (honden) pack, (mensen) crowd, (mensen, dieren ook) troop, (mensen, dieren ook) pack, (schapen, ganzen) herd ❸ → **troepen**
**troepen** mil troops mv
**troepenconcentratie** concentration of troops
**troepenmacht** military forces mv
**troeteldier** cuddly toy
**troetelkind** spoilt child, (his, her, etc.) pet
**troetelnaam** pet name
**troeven** (play) trump
**trofee** trophy
**troffel** trowel
**trog** aardk trough
**Trojaans** Trojan
**Troje** Troy
**trol** troll
**trolleybus** trolley bus
**trom** drum ★ *met stille trom vertrekken* do a (moonlight) flit
**trombocyt** thrombocyte
**trombone** trombone
**trombonist** trombonist
**trombose** thrombosis
**trombosedienst** intensive care for thrombotic patients
**tromgeroffel** drum roll
**trommel** ❶ *doos* box, tin ❷ *trom* drum ★ *de ~ slaan* beat the drums ❸ *cilinder* drum, barrel
**trommelaar** drummer
**trommeldroger** tumbler, tumble drier
**trommelen** I *ov ww, optrommelen* drum up II *on ww* ❶ *op de trom slaan* drum, beat the drum ❷ *geluid maken* drum
**trommelrem** drum brake
**trommelvlies** eardrum
**trommelwasmachine** tumbler washing machine
**trompet** *blaasinstrument* trumpet
**trompetgeschal** sound of trumpets, lit flourish of trumpets
**trompetten** *geluid maken* trumpet
**trompetteren** I *ww ov* trumpet II *ww onov* trumpet
**trompettist** trumpet player
**tronen** I *ov ww, meetronen* ★ *iem. ergens heen ~* allure s.b. to II *on ww, heersen* throne, sit enthroned

**tronie** mug
**troon** throne ★ *op de ~ komen* come to the throne ★ *van de ~ stoten* drive from the throne
**troonopvolger** heir to the throne
**troonopvolging** succession (to the throne)
**troonrede** speech from the throne, king's / queen's speech
**troonsafstand** abdication
**troonsbestijging** accession (to the throne)
**troonzaal** throne room
**troost** comfort, consolation ★ *een schrale ~* cold comfort
**troosteloos** (streek) disconsolate, (streek) desolate, (landschap, watervlakte) dreary
**troosten** comfort, console
**troostfinale** BN troosting sport *wedstrijd om derde of vierde plaats* consolation game, bronze medal game
**troostprijs** consolation prize
**tropen** tropics mv
**tropenhelm** pith helmet, topee
**tropenjaren** years spent in the tropics mv
**tropenklimaat** tropical climate
**tropenkolder** tropical frenzy
**tropenpak** lightweight suit
**tropenrooster** work schedule adjusted for a tropical climate
**tropisch** tropical
**tros** ❶ scheepv *kabel* hawser ★ *de trossen losgooien* cast off ❷ *bloeiwijze* plantk raceme, (bananen, druiven) bunch, (bessen) string
**trots** I zn [de] ❶ *tevredenheid* pride ★ *misplaatste ~* false pride ❷ *hoogmoed* pride ★ *gekrenkte ~* hurt pride ❸ *dat waarover men tevreden is* pride ★ *de ~ zijn van...* be the pride / boast of... II *bnw* ❶ *tevreden* proud ★ *~ zijn op iets* be proud of sth ★ *~ zijn op iem.* be proud of sb ❷ *hoogmoedig* proud, haughty ❸ *indrukwekkend, statig* proud
**trotseren** ❶ *weerstaan* stand up (to) ❷ *fig het hoofd bieden* defy, brave
**trottoir** pavement, USA sidewalk
**trottoirband** kerb
**troubadour** troubadour
**trouw** I zn [de] ❶ *het trouw zijn* fidelity, loyalty, (aan land / partij) allegiance ★ *~ zweren aan iem.* swear an oath of allegiance to sb ★ *te goeder ~* bona fide, in good faith ★ *te kwader ~* mala fide, in bad faith ❷ BN *bruiloft* wedding II *bnw* ❶ *getrouw* faithful, loyal, true ★ *zijn vrienden ~ blijven* remain loyal to one's friends ❷ *geregeld* ★ *een ~e klant* a regular customer III *bijw, getrouw* ★ *zij volgde de instructies ~ op* she followed the instructions conscientiously
**trouwakte** marriage certificate
**trouwboekje** ≈ marriage certificate
**trouwdag** ❶ *bruiloftsdag* wedding day ❷ *verjaardag* wedding anniversary
**trouwen** I *ov ww* ❶ *tot echtgenoot nemen* marry ★ *hij trouwde haar* he married her ❷ *in de echt verbinden* marry, join in marriage II *on ww, huwen* get married ★ *voor de wet ~* get married in / at a registry office ★ *ik ben niet het type om te ~* I am not the marrying sort
**trouwens** for that matter, by the way, mind you
**trouwerij** marriage, wedding
**trouwfoto** wedding photo

**trouwjurk** wedding gown / dress
**trouwkaart** wedding invitation
**trouwpartij** wedding party
**trouwplannen** wedding plans *mv* ★ ~ *hebben* be planning to get married
**trouwplechtigheid** wedding ceremony
**trouwring** wedding ring
**truc** trick
**trucage** trickery, gimmicks *mv*, special effects *mv*
**trucfilm** special effects film
**truck** truck
**trucker** trucker
**truffel** *zwam* truffle
**trui** sweater, jumper, jersey
**trukendoos** box of tricks ★ *zijn* ~ *opentrekken* open up one's box of tricks
**trust** trust, syndicate
**trustee** trustee
**trut** frump, cow
**truttig** *stijf* frumpy, frumpish, dowdy
**truweel** BN *troffel* trowel
**try-out** try-out, preview
**tsaar** tsar, czar
**tsarina** tsarina
**tseetseevlieg** tsetse fly
**T-shirt** T-shirt, inform tee
**Tsjaad** Chad
**Tsjech** Czech
**Tsjechië** Czech Republic
**Tsjechisch I** *bnw, m.b.t. Tsjechië* Czech (woman / girl) **II** *zn* [het], *taal* Czech
**Tsjechische** Czech (woman / girl)
**Tsjecho-Slowaaks** *m.b.t. Tsjecho-Slowakije* Czechoslovak
**Tsjecho-Slowakije** Czechoslovakia
**tsjilpen** chirp, cheep
**tsjirpen** cheep, chirp
**tso** BN onderw *technisch secundair onderwijs* ≈ secondary vocational education
**tsunami** aardk tsunami, tidal wave
**TU** *Technische Universiteit* University of Technology
**tuba** tuba
**tube¹** *verpakking* tube ★ *een tube verf* a tube of paint
**tube²** [tjoeb] *fietsband* tube
**tuberculeus** tuberculous
**tuberculose** tuberculosis
**tucht** discipline ★ *de* ~ *handhaven* keep discipline
**tuchtcollege** disciplinary tribunal
**tuchtcommissie** disciplinary committee / board
**tuchtigen** chastise
**tuchtmaatregel** disciplinary measure
**tuchtraad** disciplinary committee
**tuchtrecht** jur disciplinary jurisdiction
**tuchtschool** borstal, institution / prison for young offenders
**tuffen** ★ *een eindje* ~ go for a drive / ride
**tuig ❶** *touwwerk* (van schip) rigging ❷ *gespuis* scum, rabble
**tuigage** rigging
**tuigje** safety harness
**tuil** *ruiker* bunch of flowers, (klein) posy
**tuimelaar** *speelgoed* tumbler
**tuimelen** *vallen* fall, tumble, topple
**tuimeling** tumble, somersault, (van paard,

motor, fiets) spill ★ *een* ~ *maken* have / take a tumble
**tuimelraam** pivot window
**tuin** garden ★ *iem. om de tuin leiden* lead sb up the garden path, lead sb around the bush
**tuinaarde** garden mould / soil
**tuinarchitect** landscape gardener
**tuinboon** broad bean
**tuinbouw** horticulture
**tuinbouwgebied** market-gardening district / area
**tuinbouwschool** onderw horticultural college / school
**tuinbroek** pair of dungarees, dungarees *mv*, overalls *mv*
**tuincentrum** garden centre
**tuinder** market gardener
**tuinderij ❶** *tuinbouwbedrijf* (bloemen, tomaten, e.d.) market gardening, (fruit) fruit farming ❷ *bedrijf van een kweker* market garden, (fruit) fruit farm, (bomen, planten, struiken) nursery
**tuindorp** garden village
**tuinfeest** garden party
**tuingereedschap** garden(ing) tools *mv*
**tuinhek** (toegang) garden gate, (omheining) garden fence
**tuinhuis** summerhouse
**tuinier** gardener
**tuinieren** garden
**tuinkabouter** garden gnome
**tuinkers** (water)cress
**tuinkruid** cul herb
**tuinman** gardener
**tuinmeubel** garden furniture
**tuinpad** garden path
**tuinslang** (garden) hose
**tuinstoel** garden chair
**tuit** *schenktuit* (om te schenken) spout, (van slang, buis) nozzle
**tuiten I** *ov ww, tot tuit maken* ★ *de lippen* ~ purse one's lips **II** *on ww, suizen* tingle ★ *mijn oren* ~ my ears are ringing
**tuk op** keen on ▼*iem. tuk hebben* pull sb's leg
**tukje** ★ *een* ~ *doen* take a nap / snooze
**tulband ❶** *hoofddeksel* turban ❷ *cake* fruitcake
**tule** tulle
**tulp** tulip
**tulpenbol** tulip bulb
**tumor** tumour ★ *goedaardige / kwaadaardige* ~ benign / malignant tumour
**tumult** tumult
**tumultueus** tumultuous
**tune** signature tune, (wijsje) tune
**tuner** tuner
**tuner-versterker** tuner and amplifier
**Tunesië** Tunisia
**Tunesisch** Tunisian
**tuniek ❶** *bloes* tunic ❷ *uniformjas* tunic
**Tunis** Tunis
**tunnel** tunnel ★ *een* ~ *graven* digging a tunnel
**tunneltent** tunneltent
**turbine** turbine
**turbo ❶** *krachtversterker* turbo(charger) ❷ *auto* automobile with a turbo(charger)
**turbo-** turbo-
**turbulent** turbulent, agitated

**tu**

**turbulentie ❶** *luchtwerveling* turbulence ★ *het vliegtuig had last van ~* the aircraft passed through some turbulence ❷ *fig onrust* turbulence, agitation

**tureluurs** ★ *het is om ~ van te worden* it's enough to drive you insane

**turen** *zoekend kijken* peer (at) ★ *in de verte ~* gaze into the distance

**turf ❶** *veen* peat ★ *turf steken* cut peat ★ *een turf a lump of peat* ❷ *dik boek* ★ *ik was toen drie turven hoog* I was knee-high (to a grasshopper)

**turfaarde** peat

**turfmolm** peat dust

**Turijn** Turin

**Turk** *bewoner* Turk

**turk** ★ BN *jonge turk* young turk, young up-and-comer

**Turkije** Turkey

**Turkmenistan** Turkmenistan

**turkoois** turquoise

**Turks** I *bnw, m.b.t. Turkije* Turkish II *zn* [het], *taal* Turkish

**Turkse** Turk, Turkish (woman / girl)

**turnen** *oefeningen doen* practise / do gymnastics

**turner** gymnast

**turnster** *sport* (woman / girl) gymnast

**turnvereniging** gym / gymnastic club

**turnzaal** BN *sport* gym(nasium)

**turquoise** turquoise

**turven** score, keep a tally

**tussen ❶** *begrensd door, beperkt tot* between ★ *~ Utrecht en Amsterdam* between Utrecht and Amsterdam ★ *~ de auto's door* between the cars ★ *~ nu en 6 uur* between now and 6 o'clock ★ *een contract ~ twee partijen* a contract between two parties ★ *~ ons* between you and me, between ourselves ★ *dit moet ~ ons blijven* this is between you and me, ⟨meerdere personen⟩ don't let it go any further ★ *er van ~ gaan* clear out / off ★ *iem. er ~ nemen* pull sb's leg ★ *hij werd er ~ genomen* he was made a fool of ★ *er is iets ~ gekomen* sth cropped up ❷ *te midden van* among ★ *~ de omstanders* among the bystanders

**tussenbalans** mid-term review

**tussenbeide** *tussen ~ komen* intervene, step in ★ *als er niets ~ komt* if all goes well

**tussendeur** communicating door

**tussendoor** ⟨m.b.t. plaats⟩ through it / them, ⟨m.b.t. tijd⟩ in between, ⟨m.b.t. tijd⟩ between times ★ *dat kan ik er wel ~ doen* I can do it in between

**tussendoortje** *hapje* snack, bite to eat

**tussenfase** intermediate phase

**tussengelegen** intermediate

**tussengerecht** cul entremets

**tussenhandel** intermediate / distributive trade

**tussenin** in between

**tussenkomen ❶** BN *financieel bijdragen* contribute (to) ❷ BN *bemiddelen* intervene

**tussenkomst ❶** *interventie* intervention ★ *door ~ van* through, through the agency of ❷ BN *financiële bijdrage* contribution ❸ BN pol *interruptie* interruption

**tussenlanding** stop(over)

**tussenmuur** partition wall

**tussenpersoon** ⟨handel⟩ middleman,

⟨bemiddelaar⟩ intermediary, ⟨bij geschil⟩ mediator

**tussenpoos** interval ★ *bij tussenpozen* at intervals

**tussenruimte** space, ⟨van tijd⟩ interval

**tussenschot** partition

**tussensprint** (sudden) spurt

**tussenstand** score so far, ⟨na eerste helft⟩ half-time score

**tussenstation ❶** *station* intermediate station ❷ *fase* intermediate / transitional stage

**tussenstop** intermediate stop, ⟨vooral voor de nacht⟩ stop-over

**tussentijd** form interim ★ *in de ~* in the meantime

**tussentijds I** *bnw* ★ *~e vakantie* half-term holiday ★ *~e vacature* casual vacancy ★ *~e verkiezing* by-election **II** *bijw* between times

**tussenuit** ★ *er ~ gaan / knijpen* make off, do a bunk ★ *er een dagje ~ gaan* take a day off

**tussenuur** onderw free period

**tussenvoegen** insert, put in

**tussenwand** partition

**tussenweg** middle course

**tussenwerpsel** interjection

**tut** drip, ⟨qua kleding⟩ frump, ⟨preuts⟩ prude

**tutoyeren** be on first-name terms ★ *laten we elkaar ~* let's get on first name terms

**tutten** niggle, fuss

**tuttifrutti** tutti-frutti

**tuttig** fussy, form dull and uninteresting

**tuttut** now, now

**tuurlijk** sure

**tv** TV

**tv-gids** TV guide

**tv-omroep** TV broadcasting company

**tv-presentator** TV presenter / host(ess)

**tv-programma** TV programme

**tv-uitzending** TV broadcast / programme

**twaalf** twelve ★ *om ~ uur 's middags* at twelve noon, at midday ★ *om ~ uur 's nachts* at midnight

**twaalfde ❶** twelfth ❷ → **vierde**

**twaalftal** dozen

**twaalfuurtje** midday meal / snack, lunch

**twee I** *telw* two ★ *iets in tweeën breken* → **vier** **II** *zn* [de], *getal* two, onderw ≈ F, onderw Failure

**tweebaansweg** dual carriageway

**tweecomponentenlijm** epoxy (resin)

**tweed I** *zn* [het] tweed **II** *bnw* tweed

**tweede** second ★ *ten ~* second, secondly ★ *er is geen ~ zoals hij* you won't find another one like him / it, he / it's a one-off → **vierde**

**tweedegraads** second-degree

**tweedehands** secondhand

**tweedejaars** second-year student

**Tweede Kamerlid** member of the Lower Chamber / House

**Tweede Kamerverkiezingen** ≈ Lower Chamber / House elections *mv*

**tweedekansonderwijs** BN onderw ≈ adult education

**tweedelig** bipartite, ⟨van kostuum⟩ two-piece

**tweedelijns** specialized, med intramural ★ *~ gezondheidszorg* intramural / specialized health care

tu

**tweedeling** split ★ *sociale* ~ social divide
**tweederangs** second-rate
**tweedracht** discord ★ ~ *zaaien* sow discord
**tweeduizend** ❶ two thousand ❷ →**vier**
**twee-eiig** binovular
**tweeërlei** twofold, of two kinds
**tweegevecht** duel
**tweehonderd** ❶ two hundred ❷ →**vier**
**tweehoog** on the second floor, USA on the third floor
**tweekamerflat** two-room flat / apartment
**tweeklank** diphthong
**tweekwartsmaat** two-four time
**tweeledig** ❶ *uit twee delen / leden bestaand* twofold, double ❷ *dubbelzinnig* ambiguous
**tweeling** ❶ *twee kinderen* pair of twins, twins *mv* ★ *eeneiige* ~ identical twins ★ *twee-eiige* ~ non-identical / fraternal twins ❷ *één van tweeling* twin
**tweelingbroer** twin brother
**Tweelingen** *dierenriemteken* Gemini *mv*
**tweelingzuster**, inform tweelingzus twin sister
**tweemaal** twice
**tweemaster** two-master
**twee-onder-een-kapwoning** semi-detached house
**tweepartijenstelsel** two-party system
**tweepersoonsbed** double bed
**tweepits** twin-burner ★ *een* ~ *gastoestel* a twin-burner
**tweerichtingsverkeer** two-way traffic
**tweeslachtig** ❶ *hermafrodiet* hermaphrodite, ⟨*van planten*⟩ androgynous ❷ *amfibisch* amphibious ❸ *ambivalent* ambiguous, ambivalent
**tweespalt** discord
**tweespraak** tete-a-tete, dialogue
**tweesprong** cross-roads *mv*
**tweestemmig** for / in two voices
**tweestrijd** internal conflict ★ *in* ~ *staan* be in two minds
**tweetal** pair, two
**tweetalig** bilingual
**tweeverdieners** double-income couple, two-earner household
**tweevoud** double ★ *in* ~ in duplicate
**tweewieler** two-wheeler, ⟨*fiets*⟩ bicycle
**tweezijdig** two / double-sided
**tweezitsbank** two-seater settee / sofa / couch
**twijfel** doubt ★ *dat is aan* ~ *onderhevig* it's doubtful, it's open to doubt ★ *aan alle* ~ *een einde maken* put sth beyond doubt ★ *boven alle* ~ *verheven* beyond all doubt ★ *iets in* ~ *trekken* question sth ★ *zonder* ~ without a doubt, doubtless ★ ~ *koesteren* feel doubt ★ *dat lijdt geen* ~ there is no doubt about it, it is beyond / without (a shadow of a) doubt ★ ~ *opperen omtrent* throw doubt on, challenge
**twijfelaar** ❶ *iem. die twijfelt* doubter, sceptic ❷ *bed* three-quarter bed
**twijfelachtig** ❶ *onzeker* doubtful, uncertain ❷ *verdacht* dubious, suspect
**twijfelen** ❶ *onzeker zijn* doubt, be doubtful ❷ ~ *aan* doubt, question ★ *ik twijfel aan zijn talent* I have doubts about his talent ★ *ik twijfel eraan* I doubt it ★ *daar valt niet aan te* ~ that's

beyond doubt, there's no question about it
**twijfelgeval** doubtful case
**twijg** twig
**twinkelen** twinkle, sparkle
**twinkeling** twinkling, sparkling
**twintig** ❶ twenty ❷ →**vier, veertig**
**twintiger** person in his / her twenties
**twintigje** ❶ *briefje van twintig* twenty-euro note ❷ *muntje van twintig (cent)* twenty-cent piece
**twintigste** ❶ twentieth ❷ →**vierde, veertigste**
**twist** ❶ *onenigheid, ruzie* quarrel, dispute ★ ~ *zaaien* stir up discord, sow discord ★ ~ *zoeken met* pick a quarrel with ❷ *dans* twist
**twistappel** bone of contention
**twisten** ❶ *redetwisten, ruziën* dispute, quarrel ★ *daar kan men over* ~ it's a matter for argument, it's debatable ❷ *dansen* twist
**twistgesprek** argument, dispute
**twistpunt** point of contention, (point at) issue
**twistziek** quarrelsome
**t.w.v.** *ter waarde van* to the value of
**tycoon** tycoon
**tyfoon** typhoon
**tyfus** typhoid fever
**type** ❶ *soort* type ❷ *persoon* type, figure ★ *jij bent mijn type niet* you're not my kind ★ *jij bent een raar type* you're a character
**typediploma** typing diploma
**typefout** typing error
**typemachine** typewriter
**typen** type(write) ★ *getypt schrift* typescript
**typeren** typify
**typerend** typical (of)
**typesnelheid** typing speed
**typevaardigheid** typing skill
**typisch** ❶ *typerend* typical (of) ❷ *eigenaardig* curious
**typist** typist
**typografie** typography
**typologie** typology
**tyrannosaurus** tyrannosaur(us)
**Tyrrheense Zee** Thyrrhenian Sea
**t.z.t.** *te zijner tijd* in due time / course

tz

# U

**u I** *zn* [de] u ★ *de u van Utrecht* U as in Uncle **II** *pers vnw* ❶ form you, ⟨onderwerp⟩ form thou, ⟨voorwerp⟩ lit thee ★ *als ik u was* if I were you ★ *een honger waar je u tegen zegt* a voracious appetite ★ *daar zeg je u tegen* that's really sth, like nothing on earth ❷ BN jij you ❸ BN jou you

**überhaupt** at all, anyway

**U-bocht** u-turn

**UEFA** UEFA, Union of European Football Associations

**UEFA-cup** UEFA Cup

**ufo** *unidentified flying object* UFO, Unidentified Flying Object

**ui** onion

**uienbrood** cul onion-bread

**uiensoep** cul onion soup

**uier** udder

**uierzalf** udder ointment

**uil** ❶ *nachtvogel* owl ❷ *sukkel* fool

**uilenbal** pellet

**uilskuiken** *domoor* nincompoop, silly fool, inform idiot

**uiltje** *nachtvlinder* ▼ *een ~ knappen* take a nap

**uit I** *bijw* ❶ *(naar) buiten* ★ *de stad uit gaan* go out of the town, leave the town ★ *ik kom er wel uit* I can find my way out ❷ *beëindigd* out, finished ★ *het verhaal is uit* the story is over / finished ★ *het is uit tussen hen* it's all over between them ★ *de school is uit* school is over ★ *ik heb mijn boek uit* I have finished my book ★ *het is uit met hem* it's over with him ★ *nu is het uit!* enough's enough!, this has got to stop! ★ *en daarmee uit!* and that's that! ❸ *niet populair meer* out ★ *hoge hakken zijn uit* high-heeled shoes are out ❹ *niet brandend* out ★ *de kaars is uit* the candle is out ❺ *gepubliceerd* out ★ *haar boek is uit* her book is out ❻ *buiten de deur* out ★ *FC Utrecht speelt uit* play away (from home) ★ *hij is met haar uit geweest* he's gone out with her ★ *uit en thuis* there and back ★ *er even uit moeten* need some fresh air, ⟨als afwisseling⟩ need a change of air ❼ *sport buiten de lijnen* ★ *de bal is uit* the ball is out ❽ BN *leeg* empty ▼ *uit zijn op iets* be bent on sth ▼ *ik kan er niet over uit* I can't get over it, I can't believe it **II** *vz* ❶ *weg van, buiten* out (of) ★ *iets uit het raam gooien* throw sth out of the window ★ *het hotel ligt een kilometer uit het centrum* the hotel lies one kilometer out of the centre ❷ *vanuit, afkomstig van* from ★ *ik kom uit Nederland* I'm from the Netherlands ★ *het vliegtuig uit Ghana* the plane from Ghana ★ *uit welk boek heb je dat?* what book did you get it from?, ⟨bij beperkte keuze⟩ which book did you get it from? ❸ *door, om* out of, from ★ *uit jaloezie* out of jealousy

**uitademen ❶** *adem uitblazen* breathe out, exhale ❷ *uitwasemen* exhale

**uitbaggeren** dredge

**uitbakken** fry until crisp, crisp

**uitbalanceren** *in evenwicht brengen* balance

**uitbannen ❶** *verbannen* banish ❷ *uitdrijven* drive away, ⟨van geesten⟩ exorcize

**uitbarsten ❶** *exploderen* burst out, explode, ⟨van vulkanen⟩ erupt ❷ *fig zich fel uiten* explode, burst out, ⟨van twist⟩ flare up ★ *in tranen ~* burst into tears ★ *in lachen ~* burst out laughing

**uitbarsting ❶** *het uitbarsten* outburst, ⟨van oproer, e.d.⟩ outbreak, ⟨van vulkaan⟩ eruption ❷ *uiting* ⟨van gevoelens, gelach⟩ burst, ⟨gelach⟩ eruption, ⟨woede⟩ explosion

**uitbaten ❶** *exploiteren, beheren* run ❷ *uitbuiten* make the most of

**uitbater** manager / manageress

**uitbeelden** portray, depict, ⟨rol⟩ render

**uitbeelding ❶** *afbeelding, beschrijving, enz.* portrayal ❷ *vertolking in een rol* performance

**uitbenen ❶** *van botten ontdoen* bone (meat) ❷ *fig exploiteren* exploit

**uitbesteden ❶** *aan anderen overdragen* contract out ★ *loodgieterswerk ~* contract out the plumbing ❷ *in de kost doen* board out ★ *de kinderen ~* board the children out

**uitbesteding ❶** *aan anderen overdragen* farming out ❷ *het elders in de kost doen* boarding out

**uitbetalen** ⟨loon, e.d.⟩ pay, ⟨van cheque⟩ cash

**uitbetaling** payment, ⟨via bankoverschrijving⟩ transfer

**uitbijten** corrode / eat away

**uitblazen I** *ov ww, doven* blow out **II** *on ww, op adem komen* ★ *even ~* take a breather

**uitblijven** *niet gebeuren* stay out / away, ⟨van regen, e.d.⟩ hold off, ⟨achterwege blijven⟩ fail to occur ★ *dat kan niet ~* that is bound to happen ★ *hulp / het antwoord bleef uit* no help / answer came ★ *de resultaten bleven uit* results failed to materialize

**uitblinken** shine, excel ★ *~ boven* outshine

**uitblinker** ace, crack

**uitbloeien ❶** *uitgebloeid zijn* be out of flower ★ *uitgebloeide rozen* overblown roses

**uitbollen ❶** BN *vaart verminderen, uitrijden* slow down ❷ BN *afbouwen, verminderen* slow down

**uitbotten** bud, lit bud (forth), ⟨van tak⟩ sprout

**uitbouw ❶** *het uitbreiden* extension, expansion ❷ *aangebouwd deel* annex(e), ⟨vleugel⟩ wing, ⟨bijgebouwd stuk⟩ addition

**uitbouwen ❶** *uitbreiden* enlarge, ⟨gebouw, pand ook⟩ extend ❷ *verder ontwikkelen* develop, ⟨instantie, redenering⟩ expand

**uitbraak** escape (from prison)

**uitbraakpoging** attempted escape

**uitbraken ❶** *door braken uitspuwen* vomit, form be sick, ⟨rook⟩ belch forth ❷ *uitslaan* pour out

**uitbranden I** *on ww, door vuur verwoest worden* be burnt out, be gutted **II** *ov ww, een wond reinigen* cauterize

**uitbrander** dressing-down, telling-off, scolding ★ *iem. een ~ geven* give sb a talking-to, give sb a rap over the knuckles, reprimand sb

**uitbreiden I** *ov ww, vergroten* expand, extend, ⟨zaak⟩ enlarge **II** *wkd ww* [zich ~] *zich uitstrekken* expand, ⟨van brand, ziekte, gerucht, e.d.⟩ spread, ⟨van oppervlakte, lichaam⟩ extend

**uitbreiding ❶** *het uitbreiden* ⟨vergroting⟩ enlargement, ⟨met betrekking tot oppervlakte, tijd⟩ extension, ⟨groei⟩ expansion, ⟨ziekte, e.d.⟩ spread(ing) ★ *voor ~ vatbaar* suitable for expansion ❷ *toegevoegd deel* ⟨van gebouw,

contract) extension, ⟨woonwijk⟩ addition
**uitbreidingsplan** development scheme
**uitbreken I** *ov ww, breken losmaken* break
out / away **II** *on ww* ❶ *ontsnappen* break out,
escape ❷ *uitbarsten* break out
**uitbrengen** ❶ *uiten* say, utter ❷ *kenbaar maken*
⟨rapport⟩ deliver, ⟨verslag⟩ give, ⟨geheim⟩ reveal
❸ *op de markt brengen* launch, bring out, ⟨film,
muziek⟩ release
**uitbroeden** ❶ *eieren doen uitkomen* hatch (out)
❷ *beramen* hatch ★ *een plan* ~ hatch a scheme
**uitbuiten** ❶ *misbruiken* exploit, ⟨arbeiders⟩ sweat
❷ *ten volle benutten* ★ *iets* ~ make the most of sth,
make play with sth
**uitbuiter** exploiter, ⟨uitzuiger⟩ leech
**uitbuiting** exploitation
**uitbundig I** *bnw* exuberant, ⟨van vreugde⟩
exuberant, ⟨applaus, gejuich⟩ enthusiastic **II** *bijw*
★ *iem.* ~ *prijzen* praise sb to the skies
**uitbundigheid** exuberance, enthusiasm
**uitchecken** check out
**uitdagen** challenge, ⟨tarten⟩ defy
**uitdagend I** *bnw* defiant, challenging **II** *bijw*
★ *zich* ~ *kleden* dress provocatively
**uitdager** challenger
**uitdaging** challenge ★ *de* ~ *aannemen* accept /
take up the challenge
**uitdelen** distribute, deal (out), hand out
★ *klappen* ~ deal blows ★ *kaarten* ~ deal cards
**uitdenken** devise, contrive, invent ★ *een plan* ~
devise a plan ★ *een goed uitgedacht plan* a well /
carefully thought-out plan
**uitdeuken** ⟨auto⟩ panel-beat, ⟨metaal⟩ beat out
**uitdienen** serve out ▼ *dat heeft uitgediend* that is
played out
**uitdiepen** ❶ *dieper maken* deepen ❷ *fig grondig
uitwerken* study in depth ★ *een kwestie* ~ do an
in-depth study of a matter
**uitdijen** expand, ⟨zwellen⟩ swell
**uitdoen** ❶ *uittrekken* take off ❷ *uitdoven* turn off,
switch off, ⟨lamp⟩ put out, ⟨kaars⟩ extinguish, put
out ★ *je kunt hier je sigaret* ~ you can put out
your cigarette here
**uitdokteren** work out, figure out
**uitdossen** dress up, deck out, ⟨overdreven⟩ dress
to kill
**uitdraai** print-out
**uitdraaien I** *ov ww* ❶ *uitdoen* turn off, switch off,
⟨licht⟩ turn out, ⟨licht⟩ put out, ⟨van schroef⟩
unscrew ❷ *printen* print (out), run off **II** *on ww*
~ *op* ★ *op niets* ~ come to nothing ★ *op een
mislukking* ~ end in failure ★ *waar zal dat op* ~?
where is this going to end?
**uitdragen** *verbreiden* ⟨ambtelijk⟩ proclaim,
⟨informatie, kennis⟩ disseminate, ⟨nieuws,
boodschap⟩ spread, ⟨standpunt⟩ propagate
**uitdrager** second-hand dealer
**uitdragerij** second-hand shop, _inform_ junk shop
**uitdrijven** drive / cast out, ⟨duivel ook⟩ exorcise
**uitdrogen** *droog maken* dry out, ⟨bron, rivier⟩ dry
up, ⟨aarde, mond⟩ parch, ⟨medisch⟩ dehydrate,
⟨medisch⟩ become dehydrated
**uitdroging** dehydration
**uitdrukkelijk** express, explicit, emphatic ★ *zij
heeft* ~ *gezegd, dat...* she stated explicitly that...
**uitdrukken** ❶ *uiten* express ★ *zacht uitgedrukt*

★ *om het zacht uit te drukken* to put it mildly
❷ *door drukken leegmaken, uitdoven* squeeze
(out), ⟨sigaret⟩ stub out ★ *een puistje* ~ pop /
squeeze a pimple
**uitdrukking** ❶ *uiting* expression ★ ~ *geven aan*
voice, give expression to ★ *tot* ~ *komen in* find
expression in ❷ *gelaatsuitdrukking* expression,
look ❸ *zegswijze* phrase ★ *vaste* ~ set / stock
phrase, saying
**uitduiden** point out, indicate, show
**uitdunnen** *dunner maken* thin (out)
**uiteen** apart, *lit* asunder
**uiteenbarsten** burst, split
**uiteendrijven** scatter, disperse, ⟨menigte ook⟩
break up
**uiteengaan** separate, part, ⟨in alle richtingen⟩
disperse, ⟨van vergadering, e.d.⟩ break up, ⟨van
parlement⟩ rise
**uiteenlopen** ❶ *niet dezelfde kant uitlopen* diverge
❷ *verschillen* differ, vary, diverge ★ *de meningen
liepen sterk uiteen* opinions were sharply divided
**uiteenvallen** fall apart
**uiteenzetten** *uitleggen* explain, ⟨standpunt⟩ set
forth
**uiteenzetting** explanation, exposition,
description, statement ★ *een duidelijke* ~ *van het
probleem* a clear exposition of the problem
**uiteinde** *uiterste einde* extremity, ⟨far⟩ end
**uiteindelijk I** *bnw* ultimate, final, ⟨doel⟩ eventual
**II** *bijw* eventually, ultimately, in the long run
**uiten I** *ov ww, uitdrukken* express, voice,
⟨klanken, woorden⟩ utter **II** *wkd ww* [zich ~] *tot
uitdrukking komen* ★ *dit uit zich in...* this
expresses / manifests itself in...
**uitentreuren** over and over again, continually,
⟨tot vervelens toe⟩ ad nauseam ★ ~ *dezelfde grap
vertellen* flog a joke to death
**uiteraard** naturally, of course
**uiterlijk I** *bnw, van buiten* external, outward
**II** *bijw* ❶ *van buiten* outwardly ★ ~ *was zij rustig*
outwardly she was calm ❷ *op zijn laatst* at the
latest **III** *zn* [het], *voorkomen* ⟨outward⟩
appearance, looks *mv*, exterior ★ *naar zijn* ~ *te
oordelen* by the look of him
**uitermate** exceedingly, extremely
**uiterst I** *bnw* ❶ *het meest verwijderd* farthest,
out(er)most, extreme ★ *het* ~*e noorden van het
land* the extreme north of the country ❷ *grootst,
hoogst* greatest, highest, utmost ★ *zijn* ~*e best
doen* do one's utmost, do one's level best ❸ *laatst*
final, last ★ *een* ~*e poging* final attempt ❹ *laagst*
lowest, rock-bottom ★ *de* ~*e prijs* the outside
price **II** *bijw* extremely, exceedingly
**uiterste** *extreem* extreme, limit ★ *de* ~*n raken
elkaar* the extremes meet ★ *in* ~*n vervallen* go to
extremes ★ *van het ene* ~ *in het andere vallen* go
from one extreme to the other ★ *tot het* ~ to the
utmost
**uiterwaard** washland
**uitfluiten** hiss (at)
**uitgaan** ❶ *weggaan* go out, ⟨met betrekking tot
ruimte⟩ leave ★ *de kamer* ~ leave the room
❷ *gaan stappen* ★ *met een meisje* ~ take a girl out
★ *een avondje* ~ have a night out ❸ *leegstromen*
★ *de school gaat om 12 uur uit* school is over at
12 ❹ *doven* go out ❺ ~ *op eindigen op* end in

★ *op een klinker* ~ end in a vowel ❻ ~ *van komen van* ★ *er gaat niets van hem uit* he has no initiative ★ *deze bevelen gaan van hem uit* these orders were issued by him ❼ ~ *van als uitgangspunt nemen* ★ *ik ga uit van het standpunt dat...* I take the view that... ★ ~ *van de veronderstelling dat* base o.s. on the assumption that

**uitgaansavond** (regular) night out
**uitgaanscentrum** entertainment district
**uitgaansgelegenheid** place of entertainment
**uitgaanskleding** evening wear / dress
**uitgaansleven** nightlife
**uitgaansverbod** curfew ★ *een* ~ *afkondigen* impose a curfew
**uitgang** ❶ *doorgang* exit, way out ❷ taalk ending
**uitgangspositie** point of departure, starting point
**uitgangspunt** starting point, point of departure
**uitgave** ❶ *besteding* ⟨betaald bedrag⟩ expenditure, ⟨kosten⟩ expense ❷ *publicatie* publication, ⟨druk⟩ editio ❸ BN *editie, keer dat iets georganiseerd wordt* edition
**uitgebalanceerd** balanced
**uitgeblust** fig washed out
**uitgebreid** I *bnw, ruim, groot* exten, extensive, comprehensive, detailed, elaborate ★ *een* ~*e kennis van iets hebben* have an extensive knowledge of sth II *bijw* ★ *iets* ~ *behandelen* discuss sth in great detail
**uitgehongerd** famished, starved
**uitgekiend** cunning, sophisticated
**uitgekookt** sly, shrewd, cunning
**uitgelaten** elated, exuberant
**uitgeleefd** worn out, decrepit
**uitgeleide** ★ *iem.* ~ *doen* show sb out, see sb off
**uitgelezen** choice, select
**uitgemaakt** ★ *dat is een* ~*e zaak* that is a foregone conclusion
**uitgemergeld** haggard (looking), emaciated
**uitgeput** *doodmoe* exhausted, worn out, ⟨door ziekte⟩ wasted, ⟨door woede⟩ spent
**uitgerekend** I *bnw* ❶ *berekenend* calculating ❷ *zwangerschap* due ★ *wanneer ben je* ~? when is your baby due? II *bijw, juist (nu)* ★ ~ *vandaag* today of all days
**uitgeslapen** ❶ *uitgerust* refreshed, rested ❷ *pienter* shrewd, smart
**uitgesloten** out of the question, impossible ★ *van deelneming* ~ barred from participation
**uitgesproken** decided, pronounced, marked ★ *een* ~ *voordeel* a distinct advantage ★ *een* ~ *mening hebben* hold strong views
**uitgestorven** ❶ *niet meer bestaand* extinct ❷ fig *verlaten* deserted
**uitgestreken** unperturbed ★ *met een* ~ *gezicht* straight-faced
**uitgestrekt** extensive, vast
**uitgestrektheid** *omvang* extensiveness
**uitgeteerd** emaciated
**uitgeteld** ❶ *verloren hebbend bij boksen* knocked out, KO ❷ *uitgeput* exhausted, dead beat
**uitgeven** I *ov ww* ❶ *besteden* spend ★ *geld* ~ *aan cd's* spend money on CDs ❷ *publiceren* publish ★ *een tijdschrift* ~ publish a magazine ❸ *in omloop brengen* emit, ⟨aandelen, geld⟩ issue

II *wkd ww* [zich ~]~ *voor* pass oneself off as, pose as
**uitgever** *iem. die boeken uitgeeft* publisher
**uitgeverij** firm of publishers, publishing house
**uitgewerkt** ❶ *niet meer werkend* no longer active, ⟨accu⟩ flat, ⟨accu⟩ dead, no longer effective ★ *een* ~*e vulkaan* an extinct volcano ★ *de verdoving is* ~ the anaesthetic has worn off ❷ *vervolledigd* worked out, elaborated ★ *een* ~ *plan* a detailed plan
**uitgewoond** dilapidated
**uitgezakt** bulged (out), sagged (out) ★ *een* ~ *lijf* a sagging body
**uitgezocht** choice, select, ⟨schitterend⟩ exquisite
**uitgezonderd** apart from, except for, form save ★ *niemand* ~ no one excepted, with no exceptions ★ *iedereen was er,* ~ *zij* everyone was there, except for her
**uitgifte** *het uitgeven* issue
**uitgiftekoers** issue price
**uitglijden** *door glijden vallen* slip, lose one's footing
**uitglijder** blunder, slip-up
**uitgooien** ❶ sport throw (out), ⟨cricket⟩ bowl out ❷ *werpen uit* cast / throw out
**uitgraven** *opgraven* dig out, excavate
**uitgroeien** ❶ *uitkomen boven* outgrow ❷ ~ *tot* grow / develop into
**uitgummen** erase, rub out
**uithaal** ❶ *beweging* swipe, ⟨van arm, been⟩ swing, ⟨hard schot⟩ hard-hit ball ❷ *langgerekte toon* sustained note
**uithalen** I *ov ww* ❶ *uitnemen, weghalen* take / pull out, ⟨zak⟩ turn out, ⟨schoonmaken⟩ clean out ★ *breiwerk* ~ unpick knitting ★ *er* ~ *wat erin zit* make the most of it ★ *je haalt hem er onmiddellijk uit* you can spot him at once ★ *het haalt niets uit* it won't do any good, it's no use ★ *dat zou niets (niet veel)* ~ that would be no good, that would serve no useful purpose ❷ *uitspoken* ~ *streken* ~ play tricks ★ *wat heb je nu weer uitgehaald?* whatever have you been up to now? ★ *dat moet je met mij niet* ~ don't try that game on me II *on ww* ❶ *arm / been uitslaan* kick / lash out, let fly ❷ fig *uitvaren* let fly (tegen at), lash out (tegen at)
**uithangbord** signboard
**uithangen** I *ov ww* ❶ *buiten ophangen* hang out ❷ *zich gedragen als* play ★ *de grote meneer* ~ put on airs, play the big shot II *on ww* ❶ *breeduit hangen* hang out ❷ *verblijven* be, hang out ★ *waar zou zij* ~? where should she be hanging out?
**uitheems** foreign, exotic
**uithoek** remote / out-of-the-way place ★ *tot in de verste* ~*en* to the farthest corners
**uithollen** ❶ *hol maken* excavate, hollow out ❷ *ontkrachten* undermine, erode
**uitholling** excavation, hollow, fig undermining ★ ~ *overdwars* ramp ahead
**uithongeren** starve (out)
**uithoren** ❶ *tot einde luisteren* hear out, hear to the end ❷ *uitvragen* question, interrogate ★ *iem.* ~ pump sb, draw sb out
**uithouden** *volhouden* stick it out, hold out, stand ★ *hij kon het niet meer* ~ he couldn't stand it any

longer
**uithoudingsvermogen** ⟨lichamelijk⟩ staying-power, ⟨lichamelijk⟩ stamina, ⟨mentaal⟩ endurance
**uithuilen** cry one's heart out, have a good cry
**uithuizig** rarely at home, always out
**uithuwelijken** marry off, give somebody in marriage
**uiting** ❶ *het uiten* utterance, expression ★ ~ *geven aan zijn gevoelens* express / vent one's feelings ❷ *wat geuit wordt* utterance, expression, ⟨van kracht, onbehagen⟩ manifestation
**uitje** *uitstapje* outing
**uitjouwen** hoot (at), boo, jeer (at)
**uitkafferen** bawl at
**uitkammen** *uit de knoop kammen* comb (out)
**uitkeren** pay, remit, ⟨subsidie⟩ grant
**uitkering** ❶ *het uitkeren* payment ❷ *geldsom* ⟨door instantie⟩ social security, ⟨door instantie⟩ benefit, ⟨bij staking⟩ strike-pay ★ *eenmalige ~* lump sum
**uitkeringsfraude** social security fraud
**uitkeringsgerechtigd** jur entitled to social security allowance / benefit
**uitkeringsgerechtigde** jur person entitled to a benifit
**uitkeringstrekker** person drawing benefit(s), person on relief
**uitkienen** puzzle out, ⟨een plan⟩ think out ★ *hij kiende het zo uit, dat hij de beste plaats kreeg* he contrived to get the best seat
**uitkiezen** choose, select ★ *met zorg ~* handpick
**uitkijk** ❶ *uitkijkpost* lookout, mil observation post ★ *op de ~ staan* be on the lookout (for) ❷ *persoon* lookout
**uitkijken** ❶ *uitzicht geven op* look out over, overlook ★ *deze kamer kijkt uit op de tuin* this room overlooks the garden ❷ *oppassen* watch, mind ★ *kijk uit!* watch it!, (be) careful! ★ *~ bij het oversteken!* take care crossing the street! ★ *ik kijk wel uit!* I know better (than that)! ❸ *zoeken* ★ *naar een baan ~* look out for a job ❹ *verlangen naar* look forward to (+ing) ❺ *klaar zijn met kijken* ★ *ik ben erop uitgekeken* I'm tired of it ★ *hij raakte er niet op uitgekeken* he never tired of looking at it ▼ *zich de ogen ~* feast one's eyes
**uitkijkpost** observation post
**uitkijktoren** watchtower
**uitklapbaar** folding, collapsible, convertible
**uitklappen** I *ov ww, naar buiten opendoen* fold out II *on ww, naar buiten opengaan* fold out
**uitklaren** clear
**uitklaring** econ clearance
**uitkleden** ❶ *ontkleden* undress, ⟨naakt uitkleden⟩ strip ★ *zich ~* undress, strip ❷ *arm maken* rob
**uitkloppen** *kloppend schoonmaken* ⟨kleed⟩ beat, ⟨pijp⟩ knock out
**uitknijpen** squeeze (out)
**uitknippen** ❶ *uitschakelen* switch off ❷ *met schaar uitnemen* clip / cut out
**uitkomen** ❶ *tevoorschijn komen* come out, appear ★ *de plantjes komen uit* the plants are coming out ★ *de eitjes komen uit* the eggs are hatching ★ *wanneer komt haar roman uit?* when is her novel coming out? ★ *de kleuren kwamen goed uit* the colours showed up well ★ *mijn stem

*kwam niet boven het lawaai uit* I couldn't make myself heard above the noise ★ *voor zijn mening ~* be candid, speak one's mind ★ *er rond voor ~ dat...* admit openly that... ❷ *terechtkomen* end up, ⟨toegang geven tot⟩ lead (to) ★ *we kwamen uit in het centrum* we ended up in the centre ★ *de straat komt uit op een drukke weg* the street leads to a busy road, the street joins a busy road ★ *deze deur komt uit op het balkon* this door opens onto the balcony ❸ *(als) resultaat hebben* turn / work out, ⟨van droom⟩ come true ★ *het kwam heel anders uit* it turned out quite differently ★ *mijn wens kwam uit* my wish came true ★ *de berekening komt uit* the calculation is correct ★ *~ tegen FC Utrecht* play (against) FC Utrecht ★ *ik kom er niet uit* I can't figure it out ★ *hij komt niet uit met zijn salaris* he can't make ends meet on his salary ❹ *gelegen komen* suit ★ *dat komt goed uit* that suits (me / us) fine ★ *dat komt me niet goed uit* that's not convenient for me
**uitkomst** ❶ *resultaat* result ❷ *oplossing* way out, relief ★ *een ware ~* a perfect godsend
**uitkopen** *afkopen* buy off
**uitkotsen** throw up, puke (up)
**uitkramen** talk, ⟨geleerdheid⟩ parade ★ *onzin ~* talk nonsense
**uitkristalliseren** *kristalliseren* crystallize
**uitlaat** ❶ *opening* ⟨v. (uitlaat)gassen⟩ exhaust (pipe), ⟨vloeistof⟩ outlet ❷ *uitingsmogelijkheid* outlet
**uitlaatgas** ★ *~sen* exhaust fumes
**uitlaatklep** ❶ techn exhaust valve ❷ fig outlet
**uitlachen** laugh at
**uitladen** unload, ⟨vanaf schip⟩ land
**uitlaten** I *ov ww, naar buiten laten gaan* take out, show out ★ *de hond ~* walk the dog II *wkd ww* [zich ~] ~ **over** give one's opinion ★ *zich prijzend ~ over* speak highly of ★ *daar wil ik mij niet over ~* I won't venture an opinion on that point
**uitlating** utterance, ⟨inhoud⟩ statement
**uitleentermijn** lending period
**uitleg** ❶ *verklaring* explanation, interpretation ❷ *interpretatie* ★ *dit is voor tweeërlei ~ vatbaar* open to misinterpretation ★ *een verkeerde ~* a misinterpretation
**uitlegbaar** explicable
**uitleggen** ❶ *verklaren* explain, interpret, expound ❷ *uitspreiden* spread out
**uitlekken** ❶ *bekend worden* leak out, form transpire ★ *nieuws laten ~* leak the news ❷ *uitdruipen* leak (out)
**uitlenen** lend (out), loan
**uitleven** [zich ~] let oneself go ★ *zich (vrij) ~* live one's life to the full ★ *zich in zijn werk ~* realize o.s. in one's work
**uitleveren** hand over, ⟨aan ander land⟩ extradite
**uitlevering** ⟨personen⟩ extradition, ⟨zaken⟩ surrender
**uitleveringsverdrag** extradition treaty
**uitleveringsverzoek** request for extradition
**uitlezen** ❶ *tot aan het eind lezen* read from cover to cover, finish (reading), read to the end ❷ comp read out
**uitlichten** ❶ audio-vis spotlight ❷ *optillen uit* lift out from

**ui**

**uitlijnen** align, line up, ⟨van tekst⟩ justify
**uitloggen** <u>comp</u> log out / off
**uitlokken** ❶ *verlokken tot* tempt ❷ *provoceren* provoke ★ *kritiek* ~ provoke / invite criticism
**uitlokking** provocation, ⟨v. reactie e.d.⟩ elicitation
**uitloop** *monding* (river) mouth
**uitlopen** ❶ *lopend uitgaan* run out, walk out ★ *zij liep de straat uit* she walked down the street ★ *zij liep de kamer uit* she went out of the room ★ *de keeper liep uit* the goal keeper left his goal ★ *het hele dorp liep uit* the whole village turned out ❷ *uitkomen* end in, lead to, join ★ *in een punt* ~ end in a point, taper ❸ <u>plantk</u> *uitgroeien* bud, ⟨aardappelen, takje⟩ sprout ❹ *vlekkerig worden* run / flow out ★ *de inkt is uitgelopen* the ink has run (out) ❺ *voorsprong nemen* draw ahead (**op** of), increase one's lead ★ *hij liep tot vijf minuten uit* he increased his lead to five minutes ❻ *langer duren* overrun, last longer ★ *de vergadering liep een uur uit* the meeting overran by an hour ❼ ~ **op** *leiden tot* result / end in ★ *het liep op niets uit* it came to nothing ★ *ik weet niet waarop dat moet* ~ I don't know how that is going to end
**uitloper** ❶ *uitgroeisel* offshoot, runner ❷ *randgebergte* foothill(s)
**uitloten** ❶ *lotnummer trekken* draw (out) ★ *deze nummers zijn uitgeloot* these numbers have been drawn ❷ *uitsluiten door loting* eliminate by lottery ★ *hij is uitgeloot voor medicijnen* he failed to win a place in the medical school, he failed to get into medical school
**uitloting** drawing by lot
**uitloven** offer ★ *een beloning* ~ put up a reward
**uitluiden** ring out ★ *het oude jaar* ~ usher out the old year, ring out the old (year), bring in the new
**uitmaken** ❶ *vormen* form, constitute ❷ *betekenen* matter, be of importance ★ *dat maakt niets uit* that does not matter ❸ *doven* put out ★ *wil je het licht even* ~? would you mind putting out the light, please? ❹ *doen ophouden* finish, ⟨relatie⟩ break off ★ *het* ~ *met iem.* break up with sb ❺ ~ **voor** *iem. voor leugenaar* ~ call sb a liar
**uitmelken** ❶ *leegmelken* milk dry / out ❷ fig *eindeloos behandelen* milk out ★ *een onderwerp* ~ flog a subject to death, squeeze a subject dry ❸ fig *armer maken* bleed white / dry
**uitmesten** clean / muck out, ⟨van rommel⟩ clean up, ⟨van rommel⟩ turn out
**uitmeten** ❶ *afmeten* measure (out) ❷ *uitvoerig noemen* ★ *breed* ~ enlarge on
**uitmonden** discharge into, flow into
**uitmonsteren** ❶ *uitrusten* equip ❷ *uitdossen* dress up, ⟨informeel⟩ doll up
**uitmoorden** massacre, slaughter
**uitmunten** excel, stand out ★ ~ *boven* excel
**uitmuntend** excellent, outstanding
**uitneembaar** removable, collapsible
**uitnemend** excellent
**uitnodigen** *vragen te komen, mee te gaan* invite
**uitnodiging** invitation ★ *op* ~ *van* at the invitation of
**uitoefenen** ❶ *bedrijven* ⟨ambt⟩ hold, ⟨ambt⟩ occupy, ⟨ambacht, beroep⟩ practise ❷ *doen gelden* exercise ★ *druk op iets* ~ bring pressure to

bear on sth ★ *kritiek* ~ criticize ★ *macht* ~ wield power
**uitpakken** I *ov ww, uit verpakking halen* unpack, unwrap II *on ww* ❶ *aflopen* finish, turn out ★ *dat zaakje pakte niet goed uit* it did not pan / turn out well ❷ *gul zijn* entertain lavishly, spare no expense ❸ *tekeergaan* lash out (at), let fly (at) ★ ~ *tegen iem.* lash out at sb
**uitpersen** ❶ *leegpersen* ⟨citrusvruchten⟩ squeeze, ⟨druiven⟩ crush ❷ *uitbuiten* bleed white, fleece
**uitpluizen** fig *uitzoeken* ⟨gegevens⟩ sift (out), ⟨raadsel⟩ unravel ★ *de zaak grondig* ~ sift / probe the affair to the bottom
**uitpraten** I *ov ww, oplossen* talk out / over ★ *laten we de zaak eens* ~ let's talk it over II *on ww, ten einde praten* have one's say ★ *laat me* ~ let me finish ★ *we waren al gauw uitgepraat* we had soon exhausted the conversation ★ *hij raakte er nooit over uitgepraat* he never tired of the subject
**uitprinten** print (out)
**uitproberen** try (out), test
**uitpuffen** catch one's breath
**uitpuilen** bulge, ⟨van ogen⟩ protrude
**uitputten** ❶ *moe maken* exhaust, wear out ❷ *opmaken* exhaust, deplete ★ *mogelijkheden* ~ exhaust the possibilities ▼ *zich* ~ *in verontschuldigingen* apologize profusely
**uitputting** *het moe maken* / *zijn* exhaustion
**uitputtingsslag** mil *gevecht* battle of attrition, fight to the finish
**uitpuzzelen** puzzle / figure out
**uitrangeren** shunt
**uitrazen** spend one's fury, calm down ★ *laat hem maar even* ~ let him blow off steam ★ *tegen de ochtend was de storm uitgeraasd* by morning, the storm had blown itself out
**uitreiken** distribute, ⟨paspoort⟩ issue, ⟨prijs⟩ present
**uitreiking** ⟨prijs, e.d.⟩ presentation, ⟨voedsel⟩ distribution
**uitreisvisum** exit visa
**uitrekenen** figure out, calculate
**uitrekken** stretch (out), ⟨van nek⟩ crane
**uitrichten** do, accomplish
**uitrijden** I *ov ww, tot het einde toe rijden* drive / ride to the finish II *on ww, rijdend uitgaan* ⟨auto⟩ drive to the end, ⟨fiets, e.d.⟩ ride to the end ★ *de straat* ~ *en dan links af* drive / ride to the end of the street and then turn left ★ *de trein reed het station uit* the train pulled out of the station
**uitrijstrook** deceleration lane
**uitrijverbod** ban on manure spreading
**uitrijzen** rise above, tower above
**uitrit** exit
**uitroeien** ⟨corruptie⟩ root out, ⟨stad, bevolking⟩ wipe out, ⟨mens, dier⟩ exterminate, ⟨slechte gewoonte, oppositie⟩ stamp out
**uitroeiing** extermination
**uitroep** exclamation
**uitroepen** ❶ *roepend zeggen* exclaim ❷ *afkondigen* announce, ⟨staking⟩ declare, ⟨staking⟩ call ★ *tot koning* ~ proclaim king
**uitroepteken** exclamation mark
**uitroken** ❶ *met rook reinigen* fumigate ❷ *verdrijven* smoke out

ui

**uitruimen** clear / tidy out
**uitrukken** I *ov ww, los trekken* pull / pluck out
II *on ww, erop uitgaan* march (out), ⟨brandweer⟩ turn out ★ *uitgerukt!* clear out!
**uitrusten** I *ov ww, toerusten* equip, fit out II *on ww, rusten* (have a) rest
**uitrusting** equipment, ⟨van reiziger⟩ outfit ★ *in volle ~* in full kit
**uitschakelen** ❶ *buiten werking stellen* switch off, disconnect ❷ *elimineren* eliminate, rule out ★ *een tegenstander ~* cut out an opponent
**uitschakeling** ❶ *het buiten werking stellen* switching off, disconnection ❷ *het elimineren* elimination
**uitscheiden** I *ov ww, afscheiden* secrete II *on ww, ophouden* stop, leave off [+ inf.] ★ *schei daarmee uit!* stop it!
**uitscheiding** excretion
**uitscheidingsorgaan** excretory organ
**uitschelden** call (somebody) names, swear at somebody, abuse ★ *iem. voor leugenaar ~* call sb a liar
**uitschieten** I *ov ww* ❶ *haastig uittrekken* slip / throw off ❷ *snel verlaten* ★ *de kamer ~* shoot out of the room II *on ww* ❶ *onbeheerst bewegen* ★ *zijn mes schoot uit* his knife slipped ❷ *uitspruiten* shoot, sprout ❸ *heftig uitvallen* lash out ★ *tegen iem. ~* lash out at sb, let fly at sb
**uitschieter** ⟨naar boven⟩ peak, ⟨naar beneden⟩ dip
**uitschijnen** ▾ BN *iem. iets laten ~* hint at sth to sb
**uitschot** scum, riff-raff
**uitschrijven** ❶ *uitwerken* write out ★ *dictaat ~* write out (lecture) notes ❷ *invullen, ondertekenen* make out ★ *een cheque ~* make out a cheque ❸ *afkondigen* ⟨verkiezingen, vergadering⟩ call, ⟨wedstrijd⟩ organize ★ *een lening ~* issue a loan ★ *verkiezingen ~* call elections ❹ *schrappen* strike off ★ *als lid uitgeschreven worden* be struck off the membership list
**uitschudden** ❶ *schoonschudden* shake out ❷ *plukken* clean out, fleece ★ *iem. ~* clean sb out
**uitschuifbaar** extending
**uitschuifladder** extension ladder
**uitschuiven** ❶ *naar buiten schuiven* push out ❷ *vergroten* pull out, extend, ⟨tafel, e.d.⟩ draw out
**uitschuiver** BN blunder, slip-up
**uitserveren** ❶ *opdienen* serve (up), dish out / up ❷ sport serve out
**uitslaan** I *ov ww* ❶ *uitkloppen* beat / shake out ★ *een stofdoek ~* shake out a duster ❷ *wegslaan* knock out ❸ *naar buiten bewegen* ⟨van armen, benen⟩ throw out, ⟨van kaart⟩ put out, ⟨van klauwen⟩ put out, ⟨van vleugels⟩ spread ❹ *uitkramen* talk ★ *onzin ~* talk rot II *on ww* ❶ *naar buiten komen* break out ★ *~de brand* blaze, form conflagration ❷ *uitslag krijgen* ⟨brood, enz.⟩ go mouldy, ⟨muur⟩ sweat ★ *de muur was groen uitgeslagen* the wall was green with mould
**uitslaapkamer** med recovery room
**uitslag** ❶ *plek* ⟨op huid⟩ rash, ⟨op huid⟩ eruption, ⟨op muur⟩ moisture, ⟨op muur⟩ damp, ⟨op eten⟩ mildew ❷ *afloop* result ★ *de ~ van de verkiezing bekendmaken* declare the poll / result

**uitslapen** sleep in
**uitsloven** [zich ~] put oneself out, lean over backwards
**uitslover** show-off, toady, creep
**uitsluiten** ❶ *buitensluiten* shut out, ⟨werknemers⟩ lock out ❷ *uitzonderen* exclude, ⟨mogelijkheid⟩ rule out, ⟨van recht⟩ debar ★ *volstrekt uitgesloten* absolutely impossible ★ *van verdere deelname uitgesloten* disqualified
**uitsluitend** only, exclusively
**uitsluiting** exclusion ★ *met ~ van* exclusive of, to the exclusion of
**uitsluitsel** *beslissend antwoord* definite / decisive answer
**uitsmeren** ❶ *smerend uitspreiden* spread (out) ❷ *verdelen* spread ★ *de kosten ~* spread the costs
**uitsmijter** ❶ *persoon* bouncer ❷ *gerecht* omschr fried bacon and eggs on a slice of bread
**uitsnijden** ❶ *wegsnijden* cut out, med excise ❷ *door snijden vormen* carve
**uitspannen** ❶ *uitstrekken* spread, extend, stretch ❷ *uit gareel losmaken* unharness
**uitspanning** *herberg* inn, pub, ⟨openlucht⟩ tea-garden
**uitspansel** firmament
**uitsparen** ❶ *open laten* leave open ❷ *besparen* save
**uitsparing** ❶ *besparing* saving ❷ *opengelaten plek* blank / free space
**uitspatting** excess
**uitspelen** ❶ *tot het eind spelen* play out, ⟨spel⟩ finish ★ *zijn rol is uitgespeeld* his role is played out ❷ *in het spel brengen* lead ❸ *manipuleren* play off (against), use (against) ★ *hij wil jou tegen mij ~* he wants to play you off against me
**uitsplitsen** ❶ *selecteren* categorize ★ *naar leeftijd ~* categorize according to age ❷ *ontleden* itemize, break down (into)
**uitspoelen** rinse out, wash out
**uitspoken** ★ *wat spook jij uit?* what are you up to?
**uitspraak** ❶ *wijze van uitspreken* ⟨van woord⟩ pronunciation, ⟨van persoon⟩ accent ❷ *bewering, mening* pronouncement, statement ❸ jur judgment, sentence, ⟨van jury⟩ verdict ★ *~ doen in een zaak* pass judgment / sentence in a case
**uitspreiden** spread (out)
**uitspreken** I *ov ww* ❶ *sprekend uiten* express, utter ❷ *articuleren* pronounce, ⟨duidelijk⟩ articulate ❸ *bekendmaken* declare, ⟨vonnis⟩ pronounce II *on ww, ten einde spreken* ★ *laat mij ~* let me finish III *wkd ww* [zich ~] speak out, give one's opinion ★ *zich ~ over* give one's opinion (up)on ★ *zich ~ voor / tegen* declare o.s. in favour of / against
**uitspringen** ❶ *uitsteken* project, stick uit ❷ *opvallen* stand out
**uitspugen** spit out
**uitspuiten** ⟨van oren⟩ syringe ★ *ik heb net mijn oren laten ~* I've just had my ears syringed
**uitspuwen** spit out
**uitstaan** I *ov ww, dulden* stand, endure, bear ★ *ik kan hem niet ~* I can't stand him / it II *on ww* ❶ *uitsteken* stand / stick out, ⟨van zakken⟩ bulge, ⟨van oren⟩ stick out ❷ *uitgeleend zijn* econ be put out at interest ★ *~de rekeningen* outstanding

ui

accounts ❸ *te maken hebben* ★ *ik heb niets met je uit te staan* I have nothing to do with you ★ BN *geen ~s hebben met* have nothing to do with
**uitstalkast** showcase, display
**uitstallen** display, show
**uitstalling** display, ⟨etalage⟩ shop window display
**uitstalraam** BN shop / show window, display window
**uitstapje** *pleziertochtje* excursion, trip, outing
**uitstappen** *form* alight, ⟨van auto⟩ get off / out ★ *allen ~!* all change ⟨here⟩! ★ *uit de auto stappen* get out of the car▾ *er ~* quit
**uitsteeksel** projection, protuberance
**uitstek** ▾ *bij~* pre-eminently▾ *bij ~ geschikt om* exceptionally suited for
**uitsteken** I *ov ww* ❶ *naar buiten, naar voren steken* hold out, ⟨vlag⟩ put out, ⟨reiken met hand, voet⟩ stretch out ★ *zijn hand ~ naar iem.* extend one's hand to sb ❷ *eruit steken* ★ *iem. de ogen ~* put / gouge sb's eyes out, *fig* make sb green with envy II *on ww* ❶ *naar buiten / vooruit steken* jut / stick out, protrude ★ *~de jukbeenderen* prominent cheekbones ❷ *zichtbaar zijn* rise above ★ *hoog ~ boven* ook *fig* tower (high) over / above ★ *met kop en schouders boven iemand / iets ~ be* / stand head and shoulders above sb / sth
**uitstekend** *naar buiten stekend* projecting, protruding
**uitstekend** *heel goed* excellent
**uitstel** postponement, delay ★ *~ van betaling* postponement / extension of payment ★ *~ van executie* stay of execution, reprieve ★ *~ verlenen* grant a delay▾ *van ~ komt afstel* delays are dangerous
**uitstellen** ⟨verschuiven⟩ postpone, ⟨verschuiven⟩ put off, ⟨opschorten⟩ delay
**uitsterven** die out, become extinct
**uitstijgen** ❶ *uitstappen* get out, descend ❷ *~ boven* surpass, rise above
**uitstippelen** outline, map out, work out ★ *route ~* map out a route
**uitstoot** *wat wordt uitgestoten* emission
**uitstorten** ❶ *legen* pour out ★ *zich ~ in* discharge itself into ❷ *uiten*▾ *zijn hart ~* pour out one's heart
**uitstoten** ❶ *uiten* utter ❷ *verstoten* push out ❸ *lozen* (gas) emit
**uitstralen** *als stralen uitzenden* radiate
**uitstraling** *natk* radiation
**uitstrekken** I *ov ww* ❶ *voluit strekken* stretch (out) ❷ *doen gelden* extend ★ *zijn invloed verder ~* extend one's influence II *wkd ww* [zich ~] ❶ *bepaalde oppervlakte innemen* stretch (out) ❷ *languit gaan liggen* ★ *zich op de grond ~* stretch out on the ground
**uitstrijken** ❶ *uitsmeren* spread, smear ❷ *verdelen* spread
**uitstrijkje** *med* smear, swab
**uitstromen** ❶ *naar buiten stromen* stream / pour / gush out ❷ *uitmonden* flow / empty into
**uitstroming** outpouring, streaming / pouring / gushing out
**uitstrooien** ❶ *strooien* strew, scatter ❷ *overal vertellen* broadcast, spread
**uitstulping** bulge

**uitsturen** send out ★ *iem. ergens op ~* send sb for sth
**uittekenen** draw▾ *ik kan deze plek wel ~* I know this place like the back of my hand
**uittesten** test, try out
**uittikken** type (up)
**uittocht** exodus
**uittrap** *sport* goal kick
**uittreden** *ophouden lid / werknemer te zijn* ⟨functie, lidmaatschap⟩ resign (from), ⟨m.b.t. pensionering⟩ retire (from) ★ *vervroegd ~* go into early retirement ★ *~ uit een ambt* resign from office ★ *~ uit dienst* retire from service
**uittreding** resignation, retirement
**uittrekken** I *ov ww* ❶ *uitdoen* take off ❷ *verwijderen* pull out, extract, ⟨kies⟩ draw, ⟨kies⟩ extract ❸ *uittreksel maken* make an excerpt ❹ *bestemmen* assign (to), ⟨bedrag, geld⟩ set aside (for) II *on ww, weggaan* march out ★ *erop ~ om...* set out to...
**uittreksel** ❶ *certificaat* ★ *~ uit het geboorteregister* birth certificate ❷ *samenvatting* extract ❸ BN *dagafschrift* daily statement (of account)
**uittypen** type (up)
**uitvaagsel** scum, riff-raff
**uitvaardigen** issue, *jur* enact
**uitvaart** funeral
**uitvaartcentrum** funeral parlour, mortuary
**uitvaartdienst** funeral / burial service
**uitvaartstoet** funeral procession
**uitvaartverzekering** funeral insurance
**uitval** ❶ *boze uiting* outburst, diatribe ★ *wat een ~!* what an outburst! ❷ *sport* ⟨schermen⟩ pass, ⟨schermen⟩ lunge ❸ *mil* sally, sortie
**uitvallen** ❶ *wegvallen* fall out, *sport* drop out, ⟨van trein⟩ be cancelled, ⟨verbinding⟩ break down ★ *de stroom is uitgevallen* there's a power failure ❷ *boos spreken* fly (tegen at), let fly (tegen at) ❸ *sport* ⟨schermen⟩ lunge (at), ⟨schermen⟩ make a pass ❹ *mil* make a sortie ❺ *als resultaat hebben* turn / work out ★ *hoe het ook uitvalt* however things turn out ★ *hij is niet erg scheutig uitgevallen* he is none too generous
**uitvalsbasis** ❶ *uitgangspunt* operating base ❷ *mil* base of operation
**uitvalsweg** exit road
**uitvaren** ❶ *naar buiten varen* sail (out), put to sea ❷ *boos uitvallen* fly at
**uitvechten** fight out ★ *laat ze dat maar onderling ~* let them fight / have it out by themselves
**uitvegen** ❶ *schoonvegen* sweep out ❷ *uitwissen* rub out
**uitvergroten** enlarge
**uitvergroting** enlargement, inform blow-up
**uitverkocht** ❶ *niet meer te koop* sold out, ⟨van boek⟩ out of print ❷ *vol* fully booked, sold out ★ *~ e zaal* full house
**uitverkoop** (clearance / bargain) sale ★ *het is ~* the sales are on ★ *in de ~* in the sales
**uitverkoren** chosen, elect
**uitverkorene** chosen one, favourite
**uitvinden** ❶ *uitdenken* invent ❷ *te weten komen* find out, discover
**uitvinder** inventor
**uitvinding** invention
**uitvissen** fish out, dig / ferret out

**uitvlakken** rub out▾ *dat moet je niet* ~ that's not to be sneezed at, don't underestimate it
**uitvliegen** BN *tekeergaan* carry on, rant and rave
**uitvloeisel** result, consequence
**uitvlooien** dig / ferret out
**uitvlucht** pretext, evasion, subterfuge ★ ~*en zoeken* prevaricate, seek a pretext
**uitvoegen** move to deceleration lane
**uitvoegstrook** deceleration lane
**uitvoer** ❶ *uitvoering* ★ *ten* ~ *brengen* carry out, execute ❷ *export* export ❸ *comp* output
**uitvoerbaar** practicable, feasible
**uitvoerbelasting** export tax / duty
**uitvoerder** executor, ⟨m.b.t. voordracht⟩ performer
**uitvoerdocumenten** export documents *mv*
**uitvoeren** ❶ *exporteren* export ❷ *volbrengen* implement, jur execute, ⟨belofte⟩ fulfil, ⟨besluit, instructies, plan⟩ carry out, ⟨functie, plicht, taak⟩ perform ⟨vervaardigen (power)⟩ ❸ *vervaardigen* ★ *een goed uitgevoerd boek* a well-produced volume ❹ *vertonen* perform, execute ❺ *verrichten* do
**uitvoerig I** *bnw* full, ⟨in details⟩ detailed, ⟨volledig⟩ comprehensive ★ ~ *verslag* detailed / full report **II** *bijw* in detail, comprehensively, fully ★ ~ *ingaan op* dwell at length on, cover in detail
**uitvoering** ❶ *het uitvoeren* carrying out, ⟨van taak⟩ execution, ⟨van wet⟩ enforcement ★ ~ *geven aan een plan* carry a plan into effect, carry out a plan ❷ *vervaardigingsvorm* ⟨m.b.t. afwerking⟩ finish, ⟨model⟩ design, ⟨model⟩ style, ⟨m.b.t. kwaliteit⟩ workmanship ❸ *voordracht* performance, execution
**uitvoeroverschot** export surplus
**uitvoerrecht** duty on exports, export duty
**uitvoervergunning** export licence
**uitvogelen** dig / ferret out
**uitvouwbaar** folding, collapsible, convertible
**uitvouwen** fold out, spread out
**uitvragen** *uithoren* question, inform pump
**uitvreten** *uitspoken* be up to something ★ *wat is hij aan het* ~*?* what is he up to?
**uitvreter** sponger, scrounger
**uitwaaien** ❶ *doven* be blown out ❷ *frisse neus halen* get a breath of fresh air
**uitwas** ❶ *uitgroeisel* outgrowth ❷ *exces* excess
**uitwassen** wash (out)
**uitwedstrijd** away game
**uitweg** ❶ *uitkomst* way out ❷ *uitgang* outlet
**uitweiden** ⟨lang spreken⟩ dwell (on), ⟨afdwalen⟩ digress (on)
**uitweiding** digression
**uitwendig** outward, external ★ *voor* ~ *gebruik* for external use ★ *het* ~*e* appearance(s)
**uitwerken I** *ov ww* ❶ *vervolledigen* ⟨plan⟩ work out, ⟨plan⟩ devise, ⟨punt⟩ elaborate, ⟨theorie⟩ develop ★ *aantekeningen* ~ work up notes ❷ *oplossen* work out, compute ★ *sommen* ~ work out sums **II** *on ww*, effect *verliezen* ★ *uitgewerkt zijn* have spent its force, be exhausted ★ *de verdoving is uitgewerkt* the anaesthetic has worn off
**uitwerking** ❶ *het vervolledigen* working out (of a plan) ❷ *effect* effect, result ★ *zijn* ~ *missen* be ineffective ★ *deze woorden misten hun* ~ *niet*

these words struck home, these words had a marked effect ★ *geen* ~ *hebben* be ineffective
**uitwerpen** throw out
**uitwerpselen** excrements *mv*, ⟨van dier⟩ droppings *mv*
**uitwijkeling** BN *emigrant* emigrant
**uitwijken** ❶ *opzij gaan* turn / step aside, get out of the way, scheepv give way, ⟨voertuig⟩ swerve ❷ *vluchten* flee, leave one's country ❸ BN *emigreren* emigrate (naar to)
**uitwijking** *manoeuvre* swerve
**uitwijkmanoeuvre** swerve, fig evasive manoeuvre
**uitwijkmogelijkheid** ❶ *mogelijkheid om iets te voorkomen* chance of escape ❷ *alternatief* alternative
**uitwijzen** ❶ *aantonen* show, prove ❷ *verdrijven* expel, form extradite, ⟨van vreemdeling⟩ deport
**uitwijzing** expulsion, form extradition
**uitwisbaar** erasable
**uitwisselen** exchange ★ *gegevens* ~ compare notes
**uitwisseling** exchange, ⟨ideeën enz.⟩ interchange
**uitwisselingsproject** exchange project / programme
**uitwisselingsverdrag** jur exchange treaty / agreement
**uitwissen** *verwijderen* wipe out ★ *een opname* ~ erase a recording ★ *sporen* ~ cover up one's tracks
**uitwonen** ★ *hij heeft het huis helemaal uitgewoond* he's let the house run down
**uitwonend** *niet thuiswonend* (living) away from home, non-resident
**uitworp** ❶ *uitstoot* emission, discharge ❷ sport throw
**uitwrijven** ❶ *schoonwissen* rub, wipe clean ❷ *door wrijven verspreiden* polish (up), buff (up) ▾ *zijn ogen* ~ rub one's eyes
**uitwringen** wring out
**uitwuiven** wave somebody goodbye, see somebody off
**uitzaaien I** *ov ww, verspreiden* sow **II** *wkd ww* [zich ~] med metastasize, inform spread
**uitzaaiing** med dissemination, secondary tumour, metastasis
**uitzakken** *naar beneden zakken* ⟨v. lichaam⟩ sag
**uitzendbureau** (temporary) employment agency, inform temp agency
**uitzenden** ❶ media broadcast, transmit ★ *uitgezonden door de televisie* televised ❷ *met opdracht wegsturen* send out, ⟨naar buitenland⟩ post abroad
**uitzending** *radio- / tv-programma* broadcast, transmission
**uitzendkracht** temporary employee
**uitzendwerk** temporary work / employment
**uitzet** outfit, ⟨van bruid⟩ trousseau, ⟨van baby⟩ layette
**uitzetten I** *ov ww* ❶ *buiten werking stellen* turn / switch off ❷ *wegsturen* expel, set, ⟨van vis⟩ plant, ⟨van schildwacht⟩ post ★ *iem. uit de partij zetten* expel sb from the party ❸ *plaatsen* put out, place ★ *geld* ~ put out money **II** *on ww, toenemen in omvang* expand, swell

**ui**

**uitzetting ❶** *lengte- / volumetoename* ⟨in lengte⟩ extension, ⟨in volume⟩ expansion ★ *de ~ van het heelal* the expansion of the universe **❷** *verwijdering* expulsion, ⟨uit huis⟩ eviction ★ *~ leidde tot dakloosheid* eviction led to homelessness ★ *~ uit het land* expulsion from the country

**uitzicht ❶** *het uitzien* view ★ *je beneemt mij het ~* you are obstructing my view ★ *~ hebben op* overlook, look out over **❷** *vergezicht* view, outlook, panorama **❸** *vooruitzicht* outlook, prospect ★ *~ bieden op een interessante loopbaan* hold out prospects of an interesting career

**uitzichtloos** hopeless

**uitzichtloosheid** hopelessness

**uitzichtspunt** scenic view

**uitzichttoren** observation tower, belvedere

**uitzieken ▼** *dat moet eerst ~* that must first run its course

**uitzien ❶** *~ naar op zoek gaan naar* look out for ★ *naar een baan ~* be looking for a job **❷** *~ naar verlangen naar* look forward to, await anxiously **❸** *~ op zicht geven op* overlook, look out over, look (out) on

**uitzingen** ★ *ik kan het nog wel even ~* I can hold out for a while, USA I can swing it

**uitzinnig** mad, frantic, delirious ★ *~ van vreugde* wild / ecstatic with joy

**uitzinnigheid** frenzy, ⟨vreugde⟩ ecstasy

**uitzitten** sit out

**uitzoeken ❶** *kiezen* select, pick out ★ *je hebt het voor het ~* you can have your pick **❷** *sorteren* sort (out) **❸** *te weten komen* ★ *een zaak ~* investigate a matter, sift a matter out ★ *zoek het zelf maar uit* find out for yourself ★ *ze zoeken het maar uit* that's their worry / problem, let them sort it out for themselves

**uitzonderen** exclude, ⟨van lijst weglaten⟩ except ★ *niemand uitgezonderd!* no one excluded!

**uitzondering** exception ★ *bij ~* by way of exception, occasionally ★ *bij hoge ~* very rarely ★ *met ~ van* with the exception of ★ *op enkele ~en na* with a few exceptions ★ *zonder ~* without exception ★ *~ van personen* exclusion of persons ▼ *de ~ bevestigt de regel* the exception proves the rule

**uitzonderingsgeval** exceptional case

**uitzonderingspositie** unique / exceptional position

**uitzonderlijk I** *bnw, bijzonder* exceptional **II** *bijw,* BN *bij uitzondering* by way of exception, occasionally

**uitzoomen** zoom out

**uitzuigen ❶** *leegzuigen* suck (out) **❷** *uitbuiten* bleed white / dry, ⟨werkgever⟩ sweat

**uitzuiger** bloodsucker, form extortioner

**uitzwaaien** send off, wave good-bye to

**uitzwermen** swarm

**uitzweten** *uitdrijven* sweat out ★ *de muren zweten vocht uit* the walls are sweating

**uk** tiny tot, kiddy, toddler

**ukelele** ukelele

**ukkepuk** (little) toddler, (little) kiddie

**ultiem** ultimate, last-minute

**ultimatum** ultimatum

**ultra-** ★ *ultramodern* ultramodern ★ *ultrarechts*

extreme right

**ultraviolet** ultraviolet

**umlaut** umlaut

**unaniem** unanimous

**undercover** undercover

**undercoveragent** undercover agent

**underdog** underdog

**understatement** understatement

**Unesco** United Nations Educational, Scientific and Cultural Organisation, UNESCO

**unfair** unfair

**UNHCR** *Hoog Commissariaat van de Verenigde Naties voor Vluchtelingen* UNHCR, United Nations High Commissioner for Refugees

**uni** unicoloured

**Unicef** UNICEF, United Nations Children's Emergency Fund

**unicum** unique event / thing

**unie** union ★ *monetaire unie* monetary union, currency union ▼ *personele unie* personal union ▼ *Unie van Utrecht* Union of Utrecht

**unief** BN *inform onderw* university

**uniek** unique, ⟨geweldig⟩ marvellous

**uniform I** *zn [het] uniform* **II** *bnw* uniform

**uniformeren** make uniform

**uniformiteit** *eenvormigheid* uniformity

**unilateraal** unilateral

**uniseks** unisex

**unisono** unisono(us)

**unit ❶** *(maat)eenheid* unit **❷** *afdeling* unit ★ *kantoorunit* office unit / section

**unitair** BN *eenheids* ★ *het ~e België* unitary Belgium

**universeel** universal ★ *~ erfgenaam* sole heir

**universitair** university, academic

**universiteit** university ★ *naar de ~ gaan* go to university, USA go to college

**universiteitsbibliotheek** university library

**universiteitsgebouw** university building

**universiteitsraad** university council

**universiteitsstad** university town, USA college town

**universum** universe

**unzippen** comp unzip

**update** comp update

**updaten** update

**upgrade** comp upgrade

**upgraden** comp upgrade

**uploaden** www upload

**uppercut** uppercut

**uppie ▼** *in mijn ~* all by myself

**ups en downs** ups and downs *mv*

**up-to-date** up-to-date

**uranium** uranium

**Uranus** *sterrenk* Uranus

**urban** *levensstijl* urban

**urbanisatie** urbanization

**urbaniseren** urbanize

**ure → uur**

**urenlang** for hours (on end) ★ *~e discussies* discussions that go on for hours

**urgent** urgent, pressing

**urgentie** urgency

**urgentieverklaring** certificate of urgency

**urinaal** urinal

**urine** urine

**urinebuis** med urethra
**urineleider** med ureter
**urineonderzoek** urine analysis *mv: analyses*, med urinalysis
**urineren** urinate, pass water
**urinewegen** anat urinary tract
**urinoir** urinal
**URL** www *uniform resource locator* URL, Uniform Resource Locator
**urn** urn
**urologie** urology
**uroloog** urologist
**uroscopie** uroscopy
**Uruguay** Uruguay
**Uruguayaan** Uruguayan
**Uruguayaans** Uruguayan
**Uruguayaanse** Uruguayan (woman / girl)
**USA** *United States of America*, → **VS, VSA**
**USB** comp *Universal Serial Bus* USB
**usb-stick** comp USB stick
**user** comp user
**userinterface** comp user interface
**USSR** *Unie van Socialistische Sovjetrepublieken* USSR, Union of Soviet Socialist Republics
**Utopia** Utopia
**utopie** utopia
**utopisch** utopian
**Utrecht ❶** *stad* Utrecht **❷** *provincie* Utrecht
**Utrechter** inhabitant of Utrecht ★ *hij is een* ~ he's from Utrecht
**Utrechts** Utrecht
**Utrechtse** (woman / female) inhabitant of Utrecht ★ *zij is een* ~ she's from Utrecht
**uur ❶** *tijdmaat* hour ★ *de vroege / kleine uurtjes* the small hours (of the night) ★ *anderhalf uur* an hour and a half, one and a half hours ★ *het is tien uur* it's ten (o'clock) ★ *uren en uren* for hours ★ *binnen een uur* within an hour ★ *in een verloren uurtje* in a spare hour ★ *om één uur* at one o'clock ★ *om twaalf uur 's nachts* at midnight ★ *om het uur* every hour ★ *op dit uur* at this hour ★ *over een uur* in an hour ★ *van uur tot uur* from hour to hour, hourly **❷** onderw *lesuur* lesson, period ▾BN *uur op uur* continuously ▾ *te elfder ure* at the eleventh hour ▾ *zijn laatste uur heeft geslagen* his final hour has come ▾ *een uur in de wind stinken* stink to high heaven
**uurloon** hourly wage(s)
**uurrooster ❶** BN *dienstregeling* timetable, USA schedule **❷** BN *les-, werkrooster* (werkverdeling) roster / rota, timetable, USA schedule
**uurwerk ❶** *klok* timepiece **❷** *mechaniek* movement, clockwork
**uurwijzer** hour hand
**uv** *ultraviolet* UV
**uv-licht** UV light, ultraviolet light
**U-vormig** U-shaped
**uw** your ★ *het uwe* yours
**uwerzijds** on your part
**UWV** econ *Uitvoeringsinstituut Werknemersverzekeringen* Employees' Insurance Administration Agency
**uzi** Uzi

# V

**v** v ★ *de v van Victor* V as in Victor
**V ❶** *Volt* V **❷** *Vanadium* V
**vaag ❶** *niet scherp omlijnd* vague, hazy, dim **❷** fig *onduidelijk* vague
**vaak** often, frequently
**vaal** ⟨gezicht⟩ sallow, ⟨kleur⟩ faded, ⟨licht⟩ pale ★ *vaal bestaan* drab life
**vaalbleek** sallow, pallid
**vaandel ❶** colours *mv*, standard, banner **❷** *veldteken* ▾ *met vliegende* ~s with flying colours
**vaandrig** ensign, ⟨van cavalerie⟩ cornet
**vaantje ❶** *vlaggetje* pennon **❷** *windwijzer* weathercock, weather vane ▾ BN *naar de* ~s *gaan* go down the drain
**vaar** ▾ BN *vaar noch vrees kennen* know no fear
**vaarbewijs** navigation licence
**vaarboom** punting-pole
**vaardiepte** navigable depth
**vaardig** skilled, skilful, proficient ★ ~ *zijn met de pen* have a ready pen ★ ~ *in het Spaans* proficient in Spanish
**vaardigheid ❶** *kunde* skill, skilfulness, ⟨in talen⟩ proficiency ★ *mondelinge* ~ oral fluency / proficiency ★ *sociale vaardigheden* social skills **❷** *vlugheid* cleverness, quickness
**vaargeul** channel, fairway
**vaarroute** navigation course
**vaars** heifer
**vaart ❶** *snelheid* speed ★ ~ *krijgen* gather speed, make headway ★ ~ *minderen* reduce / slacken speed, slow down ★ *in volle* ~ (at) full speed ★ *in vliegende* ~ at a tearing pace, at full tilt ★ *met een* ~ *van...* at a speed of... ★ fig *achter iets zetten* speed sth up **❷** *het varen* navigation ★ *de grote* ~ the ocean-going trade ★ *de wilde* ~ tramp shipping ★ *in de* ~ *brengen* bring into service, commission **❸** *kanaal* canal ▾ *het zal zo'n* ~ *niet lopen* it won't be as bad as that
**vaartuig** vessel, craft
**vaarverbod** suspension of a navigation licence
**vaarwater** *waterweg* waterway ▾ *in iemands* ~ *zitten* thwart sb
**vaarwel I** *tw* farewell **II** *zn* [het] farewell ★ ⟨personen⟩ ~ *zeggen* say goodbye (to), bid farewell, say / wave goodbye (to), kiss goodbye ▾ fig *iets* ~ *zeggen* give up sth, drop sth
**vaas** vase
**vaat** washing-up ★ *de vaat doen* do the washing-up, do the dishes
**vaatbundel** vascular bundle
**vaatdoek** dishcloth
**vaatje** → *vat*
**vaatwasmachine, vaatwasser** dishwasher
**vaatwerk** *keukenvaatwerk* plates and dishes *mv*
**vaatziekte** vascular disease
**vacant** *leeg* ★ ~ *worden* fall vacant ★ *een* ~*e plaats* a vacancy
**vacature** vacancy ★ *een* ~ *vervullen* fill a vacancy
**vacaturebank** job bank, job information centre
**vacaturestop** halt on (advertising) vacancies ★ *een* ~ *instellen* call a halt to the filling of vacancies

**vaccin** vaccine, inoculum
**vaccinatie** vaccination
**vaccineren** vaccinate
**vacht** fur, ⟨van hond⟩ coat, ⟨van schaap⟩ fleece
**vacuüm ❶** *luchtledige ruimte* vacuum ★ ~ *verpakt* vacuum packed ❷ *fig leemte* void
**vacuümpomp** vacuum pump
**vacuümverpakking** vacuum packaging
**vadem** fathom
**vademecum** handbook
**vader ❶** *ouder* father, inform dad ★ *van ~ op zoon* from father to son ★ *zo ~, zo zoon* like father, like son ❷ *vaderfiguur* father ★ *de Heilige Vader* the Holy Father ❸ *grondlegger* father ★ *geestelijke ~* spiritual father, architect, author
**Vaderdag** Father's Day, Dad's Day
**vaderfiguur** father figure
**vaderland** (native) country, homeland
**vaderlands ❶** *van het vaderland* ★ *~e liederen / geschiedenis* national songs / history ★ *~e bodem* native soil ❷ *patriottisch* ★ *~ gevoel* patriotic feeling
**vaderlandsgezind** patriotic
**vaderlandsliefde** patriotism
**vaderlandslievend** patriotic
**vaderlijk** paternal, fatherly
**vaderschap** paternity, fatherhood
**vaderskant** ▼ *van* ~ father's side, paternal side
**vadsig** indolent, lazy
**Vaduz** Vaduz
**vagebond** vagabond, tramp
**vagelijk** vaguely, faintly ★ *ik kan me ~ herinneren...* I can vaguely remember...
**vagevuur** purgatory
**vagina** vagina [mv: vaginae, vaginas]
**vaginaal** vaginal
**vak ❶** *deel van vlak* section, space, mil sector, ⟨van begraafplaats⟩ plot, ⟨van plafond, deur⟩ panel, ⟨van weg, spoorlijn⟩ section ❷ *hokje* ⟨van kast, e.d.⟩ compartment, ⟨postvakje, e.d.⟩ pigeon-hole ❸ *beroep* ⟨hoger beroep⟩ profession, ⟨lager beroep⟩ trade ★ *dat is mijn vak niet* that's not my line of business ★ *het over het vak hebben* talk shop ❹ *leervak* subject
**vakantie** onderw holiday(s), USA vacation ★ *de grote ~* the summer holidays ★ *met / op ~ gaan* go on holiday ★ *met / op ~ zijn* be on holiday
**vakantieadres** holiday address, USA vacation address
**vakantiebestemming** holiday destination, USA vacation destination
**vakantieboerderij** holiday farm, USA dude ranch
**vakantiedag** holiday
**vakantiedrukte** holiday rush, USA vacation rush
**vakantieganger** holidaymaker, tourist
**vakantiegeld** holiday pay, USA vacation bonus
**vakantiehuis** holiday cottage / flat / bungalow / etc.
**vakantiekolonie** holiday-camp
**vakantieland** (popular) holiday spot, USA (popular) vacation spot
**vakantieoord** holiday resort
**vakantieperiode** holiday period
**vakantiespreiding** staggering of holidays, staggered holidays

**vakantiestemming** holiday mood / spirit
**vakantietijd** holiday period
**vakantiewerk** holiday work / job
**vakbekwaam** skilled
**vakbeurs** specialized fair for a particular profession
**vakbeweging ❶** *vakbonden* trade unions *mv*, USA labor unions *mv* ❷ *streven v.d. vakbonden* trade unionism
**vakblad** trade journal, ⟨van hoger opgeleiden⟩ professional journal
**vakbond** trade(s) union
**vakbondsleider** (trade) union leader
**vakcentrale** federation of trade unions
**vakdiploma** professional diploma, certificate of proficiency
**vakdocent** specialist / subject teacher
**vakgebied** speciality, field (of study)
**vakgenoot** colleague
**vakgroep** ⟨van vakvereniging⟩ union branch, ⟨van universiteit⟩ department
**vakidioot** blinkered specialist, history / math, e.d. freak
**vakjargon** (technical) jargon
**vakjury** specialist jury
**vakkennis** professional knowledge
**vakkenpakket** examination subjects (chosen)
**vakkenvullen** fill / stack shelves
**vakkenvuller** shelf filler / stacker, USA stock boy / girl
**vakkring** professional circles *mv*
**vakkundig** skilled, professional
**vakliteratuur** professional literature
**vakman** expert, specialist, professional, ⟨arbeider⟩ skilled worker, ⟨in ambacht⟩ craftsman
**vakmanschap** craftsmanship, (professional) skill
**vakonderwijs** onderw vocational instruction
**vakopleiding** vocational training, ⟨hoger beroepen⟩ professional training
**vakorganisatie** trade(s) union
**vakpers** trade press, specialist publications *mv*
**vaktaal** technical language / terminology
**vaktechnisch** technical
**vakterm** technical term, specialist term
**vakvereniging** trade(s) union, ⟨van werkgevers⟩ employer's association
**vakvrouw** expert, specialist, professional, ⟨arbeidster⟩ skilled worker, craftswoman
**vakwerk ❶** *werk van een vakman* professional job ❷ *wandconstructie* ★ *~ huizen* half-timbered houses
**vakwerkbouw** timber-framed construction
**val ❶** *het vallen* fall, ⟨van vliegtuig⟩ crash ★ *een lelijke val maken* have a bad fall ❷ fig *daling* fall, (sterk) slump ★ *de val van de euro* the fall of the euro ❸ *ondergang* (down)fall ★ *ten val brengen* overthrow, bring down ❹ *vangtoestel, hinderlaag* trap ★ *iem. in de val lokken* (en)trap / frame sb ★ *in de val lopen* get caught in a trap, fall into a trap
**valavond** BN *zonsondergang* sunset ★ *bij / tegen ~* at / by sunset / nightfall
**Valentijnsdag** (St) Valentine's Day
**valentijnskaart** valentine (card)
**valeriaan** valerian

**Valetta** Valetta
**valhelm** crash helmet
**valide ❶** *geldig* valid **❷** *gezond* fit
**validiteit** *geldigheid* validity
**valies** BN suitcase, ⟨reistas⟩ travelling bag
**valium** valium
**valk** falcon
**valkenier** falconer
**valkenjacht** falconry ⋆ *op ~ gaan* go hawking
**valkuil** pitfall
**vallei** valley, ⟨nauw⟩ glen
**vallen ❶** *neervallen* fall, drop ⋆ *iets laten ~* drop
sth ⋆ *iem. doen ~* make sb fall ⋆ *ik kwam te ~*
*over...* I stumbled over... **❷** *neerhangen* hang ⋆ *je*
*mantel valt goed* your cloak fits well **❸** *fig ten val*
*komen* fall ⋆ *het kabinet is ge~* the cabinet has
fallen **❹** *sneuvelen* fall **❺** *plaatsvinden* ⋆ *er viel een*
*stilte* there was a hush ⋆ *de avond valt* night falls
⋆ *bij het ~ van de avond* at (night)fall **❻** *fig in*
*toestand raken, terechtkomen* fall **❼** *gewaardeerd*
*worden* ⋆ *het werk viel hem zwaar* he found it
hard work ⋆ *het zou mij makkelijk ~ om* it would
be easy for me to ⋆ *de tijd viel mij lang* time
hung heavy on my hands ⋆ *de opmerking viel*
*verkeerd* the comment didn't go down well
**❽** *mogelijk zijn* ⋆ *dat valt nog niet te zeggen* that
can't be said yet ⋆ *er valt met jou niet te praten*
you are unreasonable **❾** *behoren* ⋆ *in een*
*categorie ~* fall in a category ⋆ *~ onder* fall / come
under **❿** *~ op* *leuk vinden* fancy, take to
**⓫** *~ over* fig moeilijk doen ⋆ *over kleinigheden ~*
make a fuss about details, quibble over the small
print ⋆ *over een paar euro ~* stick at a few euros
▼ *hij kwam er met ~ en opstaan* he muddled
through
**vallicht** skylight
**valluik** trapdoor
**valoriseren** BN *benutten* make use of, utilize
**valpartij** fall, tumble, spill
**valreep ❶** gangway, gangplank **❷** *touwladder*
▼ *glaasje op de ~* one for the road
**vals I** *bnw* **❶** *onzuiver van toon* out of tune,
off-key, false **❷** *onecht* false, humor bogus ⋆ *valse*
*tanden* false teeth ⋆ *een valse naam* a false /
assumed name **❸** *bedrieglijk* false ⋆ *valse*
*handtekening* forged signature ⋆ *vals paspoort*
faked passport ⋆ *vals geld* counterfeit money
⋆ *valse eed* false oath ⋆ *valse dobbelstenen* loaded
dice ⋆ *vals spel* foul play **❹** *verkeerd* false ⋆ *een*
*valse start* a false start **❺** *boosaardig* vicious,
nasty, savage **II** *bijw* **❶** *onzuiver van toon* out of
tune / key **❷** *bedrieglijk* falsely ⋆ *vals spelen* cheat,
cheat **❸** *boosaardig* ⋆ *iem. vals aankijken* give sb a
mean look
**valsaard** false / treacherous / two-faced person
**valscherm** parachute
**valselijk** falsely
**valsmunter** forger, counterfeiter, coiner
**valserik** cheat, trickster
**valsheid ❶** *het onecht zijn* falsity, falseness **❷** *het*
*vervalsen* forgery ⋆ *~ in geschrifte plegen* commit
forgery **❸** *boosaardigheid* viciousness
**valstrik** trap, snare ⋆ *een ~ voor iem. spannen* set
a trap for sb
**valuta** *betaalmiddel* currency ⋆ *harde / zachte ~*
hard / soft currency ⋆ *vreemde ~* foreign

currency
**valutahandel** exchange dealings *mv*
**valutakoers** exchange rate, rate of exchange
**valutamarkt** foreign exchange market
**valwind** fall wind
**vamp** vamp
**vampier** vampire
**van ❶** *vanaf, uit* ⟨plaats⟩ from ⋆ *de appel valt van*
*de boom* the apple falls from the tree
⋆ *vertrekken van het station* leave from the
station ⋆ *van het platteland komen* be / come
from the country ⋆ *van boven* ⟨enz.⟩ **→ boven**
⟨enz.⟩ **❷** *begonnen op / in* ⟨vroeger⟩ from ⋆ *van*
*1914 tot 1918* from 1914 till 1918 ⋆ *in de nacht*
*van 9 op 10 juni* in the night from June 9 to June
10, in the night from the ninth to the tenth of
June ⋆ *de trein van 6 over 9* the 9.06 train ⋆ *van*
*uur tot uur* from hour to hour ⋆ *van de week*
*hadden we een vrije dag* this week we had a day
off **❸** *beginnend op / in* ⟨toekomst⟩ ⋆ *van de week*
*krijgen we een overhoring* this week we'll have a
test **❹** *in bezit van, behorend bij* of ⋆ *de fiets van*
*mijn zus* my sister's bike ⋆ *de fiets is van mijn zus*
the bike belongs to my sister ⋆ *van wie is die*
*fiets?* whose bike is that?, who does that bike
belong to? ⋆ *een vriend van mij* a friend of mine
⋆ *twee van mijn vrienden* two of my friends
⋆ *van de politie zijn* be from the police
**❺** *gemaakt door* by ⋆ *een opera van Mozart* an
opera by Mozart, a Mozart opera **❻** *afkomstig*
*van* from, of ⋆ *ik heb een brief van hem gekregen* I
got a letter from him **❼** *bestaande uit* of ⋆ *van*
*goud* of gold **❽** *als gevolg van* ⋆ *beven van schrik*
tremble with fear **❾** *door, middels, via* by, from
⋆ *dat heb ik van mijn leraar gehoord* I heard it
from my teacher ⋆ *hij werd er rijk van* it made
him rich ⋆ *daar word je sterk van* that will make
you strong ⋆ *leven van de visvangst* fish for a
living ⋆ *leven van de bijstand* live on social
security, be on the dole, USA live on welfare
**❿** *gebeurend met / aan of* ⋆ *het dorsen van graan*
the threshing of grain **⓫** *uit het geheel* from, of
⋆ *zij nam er wat van* she took some of it **⓬** *wat*
*betreft* of ⋆ *dokter van beroep* a doctor by
profession ⋆ *klein van postuur* of small build ▼ *dat*
*zijn van die moeilijke vragen* these are some of
those nagging questions ▼ *een briefje van 100* a
hundred-euro note ▼ *dat is lief van je* that's
sweet / nice of you ▼ *ik geloof van wel* I think so
▼ *hij zegt van niet* he says no ▼ *negen van de tien*
*keer* nine times out of ten
**vanadium** vanadium
**vanaf ❶** *daarvandaan* from ⋆ *~ het dak* from the
roof **❷** *met ingang van* from, as from, since ⋆ *~*
*vandaag* as from today ⋆ *~ daar wordt het*
*moeilijk* from there it's going to be difficult
**vanavond** tonight, this evening
**vanbinnen** (on the) inside
**vanboven** from above
**vanbuiten ❶** *van de buitenzijde af* from the
outside **❷** *aan de buitenzijde* on the outside **❸** *uit*
*het hoofd geleerd* by heart ⋆ *iets ~ kennen* know
sth by heart ⋆ *iets ~ leren* learn sth by heart
**vandaag** today ⋆ *wat is het ~?* what day of the
week is it? ⋆ *~ over een week* a week today ▼ *~ of*
*morgen* sooner or later

**vandaal** vandal
**vandaan ❶** *van weg* away from, from ★ *blijf er ~* stay away from it ★ *het is hier niet ver ~* it's not far from here ❷ *van uit* out of ❸ *van afkomstig* from, out of ★ *waar kom je ~?* where are you from? ★ *ik kom er juist ~* I just came from there
**vandaar ❶** *daarvandaan* from there ❷ *daarom* that's why, form hence
**vandalisme** vandalism
**vandoen** BN *nodig* necessarily, needfully ★ *iets ~ hebben* need / require sth
**vangarm** tentacle
**vangbal** catch
**vangen ❶** *opvangen* catch ❷ *grijpen* capture ★ *een vis* ~ land a fish ❸ *verdienen* make, pick up ★ *veel poen* ~ make a lot of dough ❹ *vervatten* capture ★ *twee zaken onder één noemer* ~ catch two senses in one word
**vangnet ❶** *net om dieren te vangen* trap net ❷ *veiligheidsnet* safety net
**vangrail** crash barrier, USA guard rail
**vangst ❶** *het vangen* catch ❷ *het gevangene* catch ★ *een goede ~ doen* make a good catch ❸ fig *opbrengst* catch, (buit) haul
**vangzeil** jumping sheet
**vanille** vanilla
**vanille-extract** vanilla extract
**vanille-ijs** vanilla ice cream
**vanillesmaak** vanilla flavour
**vanillestokje** vanilla pod
**vanillesuiker** vanilla sugar
**vanillevla** cul ≈ GB vanilla custard, ≈ USA vanilla pudding
**vanjewelste** ▼ *een herrie* ~ an awful noise
**vanmiddag** this afternoon
**vanmorgen** this morning
**vannacht** ⟨afgelopen nacht⟩ last night, ⟨komende nacht⟩ tonight
**vanochtend** this morning
**vanouds** of old ★ *als* ~ as of old
**vanuit ❶** *uit a naar b* from, out of ❷ *op grond van* starting / proceeding from ★ *~ dit perspectief* taking it / going from this perspective
**vanwaar ❶** *waarvandaan* from where, form whence ❷ *waarom* why
**vanwege** because of, on account of ★ *~ het slechte weer* because of the bad weather
**vanzelf ❶** *uit eigen beweging* of itself [mv: of themselves] automatically ★ *de rest ging* ~ the rest was plain sailing ❷ *vanzelfsprekend* naturally
**vanzelfsprekend** I *bnw* self-evident II *bijw* as a matter of course ★ *iets als ~ aannemen* take sth for granted
**vanzelfsprekendheid** matter of fact / course ★ *de ~ waarmee hij dat deed* the casualness with which he did it
**varaan** varan, monitor (lizard)
**varen** I *ov ww* ❶ *per vaartuig gaan* sail, ⟨navigeren⟩ navigate ★ *langs de kust ~* hug the coast ★ *om een kaap ~* round / double a cape ❷ *in zekere staat zijn* ★ *er wel bij ~* do well out of it, profit by it ★ *hij vaart er wel bij* it does him a world of good ▼ *iets laten* ~ abandon sth II *zn* [de] fern, ⟨heidevaren⟩ bracken
**varia** miscellany
**variabel** variable ★ *~e werktijden* flexitime, USA

flextime
**variabele** variable
**variant** variant
**variatie ❶** *afwisseling* variation ★ *voor de ~* for a change ❷ *verscheidenheid* variety
**variëren** I *ov ww, afwisselen* diversify II *on ww, onderling verschillen* vary, differ
**variëteit** *verscheidenheid* variety
**varken ❶** *dier* pig, ⟨gecastreerd⟩ hog ★ *wild ~* boar ❷ min *persoon* swine ★ *lui ~* lazy pig ▼ *dat ~tje zullen we wel even wassen* we'll handle that ▼ *vele ~s maken de spoeling dun* where the hogs are many, the wash is poor
**varkensmesterij** *bedrijf* pig farm
**varkenspest** swine-fever
**varkensvlees** pork
**varkensvoer ❶** *smerig eten* slops *mv* ❷ *voer voor varkens* pig feed
**vaseline** vaseline
**vast** I *bnw* ❶ *niet beweegbaar* fast, fixed ★ *vast worden harden*, settle ❷ *stevig* firm, ⟨niet vloeibaar⟩ solid ★ *vast worden* set, congeal ❸ *onveranderlijk* permanent ★ *vaste datum* fixed date ★ *vaste halte* compulsory stop ★ *vast personeel* permanent staff ★ *vaste benoeming* permanent appointment ★ *vast werk* regular work ❹ *stabiel* steady ★ *vast in slaap* sound asleep ★ *vast omlijnd* clear-cut ❺ *stellig* firm ★ *vast besluit* firm determination ★ *vast in de leer* sound in the faith II *bijw* ❶ *stevig* ★ *vast slapen* sleep soundly ❷ *zeker* ★ *vast en zeker* definitely, absolutely ❸ *stellig* ★ *vast beloven* promise positively ❹ *alvast* ★ *ik ga maar vast* I'll go then, I'll be off, then
**vastberaden** determined, resolute, resolved
**vastberadenheid, vastbeslotenheid** determination, resolution
**vastbesloten** determined, resolute, resolved ★ *~ om* determined to
**vastbijten** [zich ~] in fasten / sink / get one's teeth into
**vastbinden** fasten, tie up
**vasteland ❶** *vaste wal* mainland ❷ *continent* continent
**vasten** I *on ww* fast ★ *het ~* fast(ing) II *zn* [de], *vastentijd* lent ★ *de ~ onderhouden* observe / keep the fast
**Vastenavond** Shrove Tuesday
**vastenmaand** Lent, ⟨islamitisch⟩ ramadan
**vastentijd** Lent
**vastgoed** real estate / property ★ *makelaars in ~* real estate agents, USA realtors
**vastgrijpen** grip, catch hold of, clutch
**vastgroeien** grow together
**vasthechten** attach, fasten
**vastheid ❶** *stevigheid* stability, ⟨van stem, hand, blik⟩ firmness, ⟨m.b.t. compactheid⟩ solidity ❷ *zekerheid* ⟨van geloof⟩ strength
**vasthouden** I *ov ww* ❶ *niet loslaten* hold (fast), ⟨in arrest⟩ detain ★ *zich ~ aan* hold on to, cling to ❷ *bewaren* retain, ⟨van goederen⟩ hold up II *on ww ~ aan* stick to, hold on to ★ *~ aan een mening* stick to an opinion
**vasthoudend** tenacious
**vastigheid** certainty
**vastketenen** fetter

**vastklampen** [zich ~] **aan** cling to
**vastklemmen I** *ov ww, vastzetten* clench, ⟨met klemmetje⟩ clip (on) **II** *wkd ww* [zich ~] *zich vasthouden* cling (to), hang on to
**vastkleven I** *ov ww, klevend vasthechten* glue **II** *on ww, kleven* stick (to)
**vastknopen ❶** *met knopen vast / dichtmaken* button (up) **❷** *met knopen verbinden* knot, tie ★ *ik kan er geen touw aan ~* I can't make head nor tail of it
**vastleggen ❶** *vastmaken* fix, fasten, ⟨van boot⟩ moor, ⟨van hond⟩ tie up **❷** *bepalen* lay down ★ *in het contract ~ dat...* state in the contract that... **❸** *registreren* record ★ *iets op de band ~* register on tape ★ *het is in de notulen vastgelegd* it has been placed on record **❹** *econ* *beleggen* tie up
**vastliggen ❶** *vastgebonden zijn* be (firmly) fixed, be fastened, ⟨van schip⟩ be moored **❷** *vastgesteld zijn* be laid down ★ *de datum ligt vast* the date has been fixed
**vastlopen ❶** *vastraken* ⟨van machine⟩ jam, ⟨van machine⟩ seize up, ⟨van schip⟩ run aground, ⟨van verkeer⟩ jam **❷** *in impasse raken* get stuck, ⟨van onderhandelingen⟩ reach a deadlock
**vastmaken ❶** *bevestigen* fasten ★ *zijn jas ~* button up one's coat ★ *zijn veters ~* tie one's shoelaces **❷** BN *op slot doen* lock
**vastomlijnd** well-defined, clear-cut
**vastpakken** grip, grasp
**vastpinnen** fig pin / peg down ▼ *iem. op iets ~* pin / peg sb down to sth
**vastplakken** stick
**vastpraten I** *ov ww* corner **II** *wkd ww* [zich ~] be caught in one's own words
**vastprikken** pin (up)
**vastraken** get stuck / caught / jammed, ⟨van schip⟩ run aground
**vastrecht** *jur* standing charge
**vastroesten ❶** *lett* rust **❷** *fig* ★ *vastgeroeste vooroordelen* deep-rooted prejudices
**vastschroeven** screw down
**vastspelden** pin (down)
**vaststaan ❶** *zeker zijn* be certain ★ *zoveel staat vast dat...* so much is certain that... ★ *dat stond reeds van tevoren vast* that was a foregone conclusion **❷** *onveranderlijk zijn* be fixed ★ *de prijs staat vast* the price has been settled, the price is fixed ★ *~d feit* established fact ★ *de datum staat nog niet vast* the date has not yet been fixed / settled
**vaststaand** *zeker* certain, indisputable ★ *een ~ feit* a certainty, an established / a recognized fact
**vaststellen ❶** *bepalen* determine, fix ★ *de prijzen ~* fix the prices ★ *een regel ~* lay down a rule ★ *de schade ~* assess damages ★ *een tijdstip ~* fix / appoint a time ★ *bij de wet vastgesteld* laid down by the law **❷** *constateren* conclude
**vastvriezen** freeze (fast / in)
**vastzetten ❶** *doen vastzitten* fix, fasten, stop, ⟨van wiel⟩ chock **❷** *gevangenzetten* put in prison **❸** *beleggen* tie up ★ *geld ~ op* settle money on **❹** *klem praten* corner
**vastzitten ❶** *bevestigd zijn* stick **❷** *gebonden zijn* be tied down ★ *dan zit je eraan vast* then you are committed to it ★ *daar zit meer aan vast* there is

more to it **❸** *klem zitten* be stuck, ⟨van deur, stuur⟩ be jammed, ⟨van schip⟩ be aground **❹** *gevangenzitten* be in prison
**vat I** *zn* [de], *greep* hold, grip ★ *vat hebben op iem.* have a hold over / on sb ★ *niets heeft vat op hem* it's all lost on him **II** *zn* [het] **❶** *ton* barrel, ⟨fust⟩ cask, ⟨van ijzer⟩ drum ★ *bier van het vat* beer on draught ★ *communicerende vaten* communicating vessels **❷** *anat* *bloedvat* vessel ▼ *holle vaten klinken het hardst* empty vessels make the most noise ▼ *uit een ander vaatje tappen* sing a different tune ▼ *een vat vol tegenstrijdigheden* a walking contradiction ▼ *wat in een goed vat zit, verzuurt niet* forbearance is no acquittance
**vatbaar ❶** *ontvankelijk* susceptible ★ *voor rede ~ zijn* be open to reason ★ *voor verbetering ~* capable of improvement **❷** *zwak van gestel* liable, susceptible ★ *~ voor een ziekte* susceptible to a disease
**Vaticaan** the Vatican
**Vaticaans** Vatican
**Vaticaanstad** Vatican City
**vatten ❶** *grijpen* catch, seize **❷** *in iets zetten* embed, ⟨in goud, lijst⟩ mount, ⟨van juweel⟩ set **❸** *begrijpen* get ★ *vat je 't?* (you) get it? **❹** BN *jur* *aanhangig maken* bring before a court
**vazal** vassal
**vazalstaat** satellite state
**vbo** *voorbereidend beroepsonderwijs* ≈ pre-vocational education
**vechten** *strijden* fight ★ *~ om* fight for
**vechter** fighter
**vechtersbaas** hoodlum, hooligan
**vechtfilm** action film
**vechtjas** hoodlum, hooligan
**vechtlust** fighting spirit, combativeness, eagerness to fight, *form* pugnacity ★ *~ tonen* show fight
**vechtmachine** fighting machine
**vechtpartij** scuffle, scrap
**vechtsport** martial arts *mv*, combat sport
**vector** vector
**vedergewicht I** *zn* [de], *sport* bokser featherweight **II** *zn* [het], *sport* klasse featherweight
**vederlicht** feathery, airy
**vedette** celebrity, star
**vee** cattle *mv* ★ *100 stuks vee* a hundred head of cattle
**veearts** veterinary surgeon, *inform* vet
**veedrijver** cattle driver
**veefokker** cattle breeder
**veefokkerij** cattle breeding, ⟨bedrijf⟩ cattle farm
**veeg I** *zn* [de] **❶** *het vegen* wipe **❷** *oorveeg* box **II** *bnw* → **lijf, teken**
**veegmachine** (op straat) road sweeper
**veehandel** cattle trade
**veehandelaar** cattle dealer
**veehouder** cattle breeder / farmer
**veehouderij ❶** *het houden van vee* cattle farming **❷** *bedrijf dat vee houdt* cattle / stock farm
**veejay** veejay
**veel I** *bijw* **❶** *in ruime mate* much, a lot ★ *veel ouder* far / much older **❷** *vaak* much, a lot ★ *heel veel reizen* travel widely / a lot **II** *onb telw* ⟨va

**ve**

of, much [vóór enkelvoud], many [vóór meervoud] ★ **velen** ⟨veel mensen⟩ many (people) ★ **veel regen** a lot of rain, much rain ★ **veel boeken** a lot of books, many books ★ **heel / zeer veel** a great deal of, very much / many, a great many ★ **te veel** too much / many ★ **veel te veel rijst** far too much rice ★ **het heeft er veel van weg** it looks very much like it ★ **zij hebben veel van elkaar** *(weg)* they are very similar

**veelal** mostly
**veelbeduidend** significant
**veelbelovend** promising
**veelbesproken** much discussed
**veelbetekenend** significant ★ **iem. ~ aankijken** give sb a meaningful look
**veelbewogen** stirring
**veeleer** rather, sooner
**veeleisend** exacting, demanding
**veelgevraagd** much sought-after, in great demand
**veelheid ❶** *groot aantal* multitude, abundance **❷** *het veelvoudig zijn* complexity, ⟨veelsoortigheid⟩ diversity
**veelhoek** polygon
**veelkleurig** multi-coloured
**veelomvattend** comprehensive
**veelpleger** *jur* persistent offender
**veelsoortig** varied, *form* manifold
**veelstemmig** *muz* polyphonic
**veeltalig** multilingual
**veelvlak** polyhedron
**veelvormig** multifarious, ⟨wetenschappelijk⟩ polymorphic
**veelvoud** multiple ★ **het kleinste gemene ~** (least) common multiple
**veelvoudig ❶** *meermaals voorkomend* multiple, frequent **❷** *meerledig* manifold
**veelvraat** glutton
**veelvuldig** *meermaals voorkomend* multiple, frequent
**veelzeggend** significant
**veelzijdig ❶** *met veel zijden* many-sided **❷** *fig gevarieerd* versatile
**veemarkt** cattle market
**veen ❶** *grondsoort* peat **❷** *turfland* ⟨hoogliggend⟩ peat moor, ⟨laagliggend⟩ peat bog
**veenbes** cranberry
**veengrond** *grondsoort* peat
**veer I** *zn* [de] **❶** *dierk vleugelpen* feather **❷** *techn spiraalvormig voorwerp* spring ▼ **met andermans veren pronken** strut in borrowed plumes, be dressed in borrowed plumes ▼ **iem. een veer op de hoed steken** stick a feather in sb's cap **II** *zn* [het] **❶** *veerboot* ferry **❷** *overzetplaats* ferry
**veerboot** ferryboat, ⟨voor auto's⟩ car ferry
**veerdienst** ferry service
**veerkracht ❶** *elasticiteit* elasticity **❷** *wilskracht* buoyancy
**veerkrachtig ❶** *elastisch* elastic **❷** *wilskrachtig* buoyant
**veerman** ferryman
**veerpont** ferryboat
**veertien ❶** fourteen ★ **over ~ dagen** in a fortnight **❷** → **vier**
**veertiende ❶** fourteenth **❷** → **vierde**
**veertig ❶** forty ★ **de jaren ~** the forties ★ **in de ~**

*zijn* be in one's forties **❷** → **vier**
**veertiger** man / woman of forty
**veertigste ❶** fortieth **❷** → **vierde**
**veestapel** livestock
**veeteelt** cattle / stock breeding
**veevoeder** feed, fodder
**veewagen** cattle truck
**vega** *inform* *vegetarisch* vegan
**veganisme** veganism
**veganist** vegan
**veganistisch** vegan
**vegen** *vegend reinigen* ⟨van kleed⟩ brush, ⟨van vloer⟩ sweep, ⟨voeten⟩ wipe ★ **zijn voeten ~** wipe one's feet
**veger ❶** *borstel* brush **❷** *persoon* sweeper
**vegetariër** vegetarian
**vegetarisch** vegetarian
**vegetarisme** vegetarianism
**vegetatie** vegetation
**vegetatief** vegetative
**vegeteren ❶** *leven als een plant* vegetate, lead a vegetable life **❷ ~ op** *parasiteren op* sponge on
**vehikel** vehicle
**veilen** put up for auction
**veilig** *vrij van gevaar* safe, out of danger ★ **het signaal stond op ~** the signal was at green ★ **de ~ste partij kiezen** keep on the safe side
**veiligheid** safety ★ **zich in ~ stellen** reach safety ★ **in ~ brengen** bring to safety
**veiligheidsbril** pair of safety / protective goggles, safety / protective goggles *mv*
**veiligheidsdienst** security services *mv*
**veiligheidseis** safety requirement
**veiligheidsglas** safety glass
**veiligheidsgordel** safety belt ★ **~ met rolautomaat** inertia reel seat belt ★ **~ vastmaken** fasten the seat belt
**veiligheidshalve** for safety('s sake)
**veiligheidsklep** safety-valve
**veiligheidsoverweging** security reason
**Veiligheidsraad** Security Council
**veiligheidsriem** safety belt
**veiligheidsslot** safety lock
**veiligheidsspeld** safety pin
**veiligheidstroepen** security forces
**veiligheidszone** safe area
**veiligstellen** secure, safeguard
**veiling** auction, public sale
**veilinggebouw** auction room(s)
**veilinghal** auction hall
**veilingklok** auction clock / indicator
**veilingmeester** auctioneer
**veinzen** simulate, feign ★ **verbazing ~** pretend to be surprised
**vel ❶** *huid* skin, ⟨van dier / afgestroopt⟩ hide **❷** *vlies* skin **❸** *blad papier* sheet ▼ **iem. het vel over de oren halen** fleece sb ▼ **vel over been** all skin and bone ▼ **hij sprong bijna uit zijn vel van kwaadheid** he nearly exploded with anger ▼ **het is om uit je vel te springen** it is enough to provoke a saint / to drive you up the wall
**veld ❶** *vlakte* field ★ **in het open veld** out in the open, in the open field **❷** *slagveld* battle field ★ **veld winnen** gain ground ★ **te velde trekken tegen** fight, combat **❸** *speelterrein* ground, field ★ **in het veld komen** come into the field ★ **van het**

**ve**

*veld sturen* order off the field ❹ *vakje* ⟨van schaak- / dambord⟩ square ❺ *vakgebied* field ★ *magnetisch veld* magnetic field ▾ *het veld ruimen* abandon the field ▾ *uit het veld geslagen* disconcerted, put out
**veldbed** camp-bed, USA cot
**veldbloem** wildflower
**veldboeket** bouquet of wild flowers
**veldfles** flask, mil canteen
**veldheer** general
**veldhospitaal** field hospital
**veldloop** cross-country race
**veldmaarschalk** field marshal
**veldmuis** fieldmouse
**veldonderzoek** fieldwork
**veldsla** corn salad
**veldslag** battle
**veldsport** field / outdoor sports *mv*
**veldtocht** campaign
**veldwerk** onderw fieldwork
**velen** *verdragen* stand, endure ★ *hij kan niets ~* he is very touchy
**velerlei** many, various, of all sorts
**velg** rim
**velglint** rim tape
**velgrem** rim-brake
**vellen** ❶ *doen vallen* fell, cut down ❷ *uitspreken* ★ *'n vonnis ~* pass / pronounce a sentence
**velo** BN inform *fiets* bike
**velours** velour
**ven** fen
**vendetta** vendetta, blood feud
**Venetiaans** Venetian
**Venetië** Venice
**Venezolaan** Venezuelan
**Venezolaans** Venezuelan
**Venezolaanse** Venezuelan (woman / girl)
**Venezuela** Venezuela
**venijn** venom
**venijnig** *gemeen* venomous, vicious ★ *een ~e schop* a nasty kick
**venkel** fennel
**vennoot** partner ★ *stille ~* sleeping partner ★ *commanditaire ~* limited partner ★ *iem. als ~ opnemen* take sb into partnership
**vennootschap** partnership ★ *~ onder firma* partnership under a common firm ★ *besloten ~* private limited liability company ★ *commanditaire ~* limited partnership ★ *naamloze ~* limited (liability) company (Ltd) ★ *een ~ aangaan* enter into partnership
**vennootschapsbelasting** corporation tax
**venster** window
**vensterbank** window-sill
**vensterenvelop** window envelope
**vensterglas** window glass
**vent** fellow, guy, inform bloke, inform chap
**venten** hawk, peddle
**venter** hawker, huckster, ⟨van groente, fruit⟩ coster(monger)
**ventiel** valve
**ventieldop** valve cap
**ventielklep** valve
**ventielslang** valve-tubing
**ventilatie** ventilation
**ventilator** ventilator, fan ★ *~riem* fan belt

**ventileren** ❶ *lucht verversen* ventilate ❷ *uiten* ★ *zijn woede ~* give vent to one's anger
**ventweg** service road, USA frontage road
**Venus** *planeet* Venus
**venusheuvel** mount of Venus, mons Veneris
**ver** I *bnw* distant, far, far away, ⟨van tijd⟩ remote ★ *een ver familielid* a distant relative ★ *het verre verleden* the remote / distant past II *bijw* ❶ *afgelegen* ⟨van ver⟩ from afar ★ *ver weg* far away, far off ❷ *gevorderd, in hoge mate* ★ *ben je zo ver?* are you ready? ★ *hoe ver ben je?* how far have you got? ★ *zo ver zijn we nog niet* that's a far cry yet ★ *zij heeft het ver gebracht* she has come a long way ★ *daar kom je niet ver mee* that won't get you very far ★ *tot ver in de achttiende eeuw* far into the eighteenth century ▾ *het ver brengen / schoppen* go a long way ▾ *verre van dat* far from it ▾ *verre van gemakkelijk* far from easy ▾ *verre van gelukkig* none too happy, far from happy ▾ *zich verre houden van* hold aloof from
**veraangenamen** make pleasant
**verabsoluteren** convert into an absolute, make absolute
**verachtelijk** ❶ *verachting verdienend* despicable, contemptible ★ *~ gedrag* contemptible conduct ❷ *verachting tonend* disdainful ★ *~e blik* contemptuous look
**verachten** ❶ *minachten* despise, scorn ❷ *versmaden* scorn
**verachting** contempt, scorn
**verademing** relief
**veraf** far (away)
**verafgelegen** remote, distant
**verafgoden** idolize
**verafschuwen** detest, form abhor
**veralgemenen** generalize
**veralgemeniseren** generalize, treat in a general way
**veramerikanisering** Americanization
**veranda** veranda(h), USA porch
**veranderen** I *ov ww, wijzigen* change, alter ★ *iets ~ aan* alter sth ★ *daar is niets meer aan te ~* it cannot be helped now II *on ww, anders worden* ★ *~ in* change / turn into ★ *van mening ~* change one's mind ★ *van onderwerp ~* change the subject
**verandering** ❶ *het anders worden* change ★ *~ ten goede / kwade* change for the better / worse ★ *voor de ~* for a change ❷ *wijziging* alteration ▾ *alle ~ is geen verbetering* let well alone ▾ *~ van spijs doet eten* variety is the spice of life
**veranderlijk** variable, ⟨wispelturig⟩ fickle ★ *~ weer* variable / unsettled weather ★ *~e wind* variable winds
**verankeren** ❶ *lett* ⟨van schip⟩ anchor / moor, ⟨van muur⟩ cramp ❷ *fig* root ★ *stevig verankerde beginselen* firmly-rooted principles
**verankering** anchorage, ⟨handeling⟩ anchoring
**verantwoord** ❶ *verdedigbaar* safe, sound ❷ *weloverwogen* sound, well-considered / -balanced, sensible ★ *een ~e keuze* a well-considered / solid choice
**verantwoordelijk** responsible ★ *~ stellen voor* hold / make responsible for
**verantwoordelijke** BN *leidinggevende* head, manager

**ve**

**verantwoordelijkheid** responsibility ★ *de ~ op zich nemen* take / shoulder the responsibility ★ *op eigen ~* on one's own responsibility

**verantwoordelijkheidsgevoel** sense of responsibility

**verantwoorden** I *ov ww* answer / account for II *wkd ww* [zich ~] justify oneself

**verantwoording** ❶ *rechtvaardiging* account ★ *ter ~ roepen* call to account ★ *~ verschuldigd zijn aan iem.* be responsible / answerable to sb ❷ *verantwoordelijkheid* responsibility

**verarmen** I *ov ww armer maken* impoverish II *on ww* ❶ *in kwaliteit achteruitgaan* become impoverished, deteriorate ★ *een verarmde streek* a depressed area ❷ *armer worden* become impoverished

**verarming** impoverishment

**verassen** cremate

**verbaal** I *zn* [het] booking, ⟨bekeuring⟩ ticket II *bnw* verbal, oral ★ *~ geweld* verbal assualt, verbal agression ★ *~ begaafd zijn* be very articulate, be very eloquent

**verbaasd** astonished, surprised ★ *~ zijn over iets* be astonished at sth

**verbaliseren** *proces-verbaal opmaken tegen* take somebody's name and address

**verband** ❶ *samenhang* connection, ⟨taalk⟩ context, ⟨betrekking⟩ relation ★ *in ~ met* in connection with ★ *in ~ hiermee* in this connection ★ *in ~ met de huidige stand van zaken* in view of the present state of affairs ★ *in ~ brengen met* connect / associate with ★ *de zaken met elkaar in ~ brengen* put things together ★ *~ houden met* be connected with, be relevant to, bear upon ❷ *zwachtel* ★ *een ~ aanleggen* apply a bandage ❸ *maandverband* sanitary towel

**verbanddoos** first-aid box / kit

**verbandgaas** aseptic gauze

**verbandtrommel** first-aid box / kit

**verbannen** ❶ *uitwijzen* exile ❷ *uitbannen* banish ★ *uit zijn gedachten ~* banish from one's thoughts

**verbanning** exile, banishment

**verbanningsoord** place of exile

**verbasteren** *vervormen* corrupt

**verbastering** corruption

**verbazen** astonish, surprise ★ *zich ~ over iets* be surprised at sth

**verbazend** surprising, astonishing

**verbazing** astonishment, surprise

**verbazingwekkend** astonishing

**verbeelden** I *ov ww, uitbeelden* represent ★ *dat moet een auto ~* that's supposed to be a car II *wkd ww, zich inbeelden* fancy, imagine ★ *verbeeld je!* fancy (that)! ★ *hij verbeeldt zich heel wat* he fancies himself a great deal ★ *wat verbeeld jij je wel?* who do you think you are?

**verbeelding** ❶ *inbeelding* imagination ❷ *fantasie* imagination, fancy ❸ *verwaandheid* (self-)conceit ★ *heel wat ~ hebben* fancy o.s.

**verbeeldingskracht** imagination

**verbergen** hide, conceal ★ *iets voor iem. ~* hide sth from sb ★ *een misdaad ~* cover up a crime

**verbeten** ❶ *fel* grim ★ *een ~ strijd* a grim struggle ❷ *vertrokken* grim ★ *met een ~ trek op haar gezicht* with a grim look on her face

❸ *ingehouden* tight-lipped, ⟨woede⟩ pent-up

**verbeteren** I *ov ww* ❶ *beter maken* (make) better, improve, ⟨zedelijk⟩ reform ★ *zich ~* mend one's ways ★ *zijn positie ~* better o.s. ❷ *herstellen* ⟨van wet⟩ amend, ⟨uitgave⟩ revise, ⟨tekst, drukproef⟩ correct ❸ *overtreffen* beat, improve ★ *een record ~* break a record II *on ww, beter worden* improve

**verbetering** ❶ *het beter maken* improvement, betterment, ⟨zedelijk⟩ reform ❷ *correctie* correction, ⟨van tekst⟩ emendation

**verbeurd** ▾ *~ verklaren* confiscate

**verbeurdverklaring** seizure, confiscation

**verbeuren** forfeit ★ *een recht ~* forfeit a right

**verbieden** forbid, prohibit, ⟨film⟩ ban ★ *verboden te roken* no smoking

**verbijsterd** bewildered, amazed, baffled, perplexed

**verbijsteren** bewilder, amaze, baffle, perplex

**verbijsterend** bewildering, amazing, baffling, perplexing

**verbijstering** bewilderment, amazement, bafflement, perplexity

**verbijten** I *ov ww* stifle, suppress ★ *pijn ~* fight off pain II *wkd ww* [zich ~] ★ *zich ~ van woede* rage / burn inwardly, steam with anger

**verbinden** ❶ *koppelen* link up, join, connect ★ *zich ~* ally o.s. ★ *verbonden aan* attached to ★ *aan een krant verbonden zijn* be on a paper ❷ *telefonisch aansluiten* connect (with), put through (to) ★ *ik ben verkeerd verbonden* I have the wrong number ❸ *verplichten* commit oneself ★ *zich tot iets ~* commit o.s. to sth ❹ *omzwachtelen* bandage, dress ❺ ⟨scheik⟩ combine

**verbinding** ❶ *samenvoeging* connection, link ❷ *aansluiting* ⟨elektriciteit⟩ connection ★ *directe ~* direct connection, through train ★ *met elkaar in ~ staan* communicate with ❸ *contact* connection, contact, communication ★ *~ krijgen* get through ★ *zich in ~ stellen met* communicate / get in touch with, contact ★ *met iem. in ~ staan* be in touch with sb ❹ ⟨scheik⟩ compound, ⟨proces⟩ combination

**verbindingsdienst** ⟨mil⟩ signal service

**verbindingskanaal** connecting canal / duct

**verbindingsstreepje** hyphen

**verbindingsstuk** connector, connecting piece

**verbindingsteken** hyphen

**verbindingstroepen** signal corps

**verbindingsweg** connecting road

**verbintenis** ❶ *contract* agreement, engagement ★ *een ~ aangaan* enter into an engagement / agreement ❷ *verplichting* obligation

**verbitterd** ❶ *vol wrok* embittered ❷ *grimmig* bitter, fierce ★ *~e gevechten* fierce fighting

**verbitteren** embitter

**verbleken** ❶ *bleek worden* ⟨van gezicht⟩ (grow) pale, ⟨van kleuren⟩ fade ❷ *vervagen* ▾ *~ naast* pale before

**verblijden** gladden, cheer ★ *zich ~ over* rejoice at

**verblijf** ❶ *het verblijven* stay ★ *~ houden in* be resident in ❷ *verblijfplaats* residence, ⟨jur⟩ domicile ★ *BN tweede ~* second home

**verblijfkosten** costs of accommodation

**verblijfplaats** residence, ⟨form⟩ abode ★ *geen vaste ~ hebben* have no fixed abode

ve

**verblijfsduur** length of stay
**verblijfstitel** legal residency
**verblijfsvergunning** residence permit
**verblijven** stay, remain
**verblinden** ❶ *blind maken* blind, dazzle ❷ *fig begoochelen* infatuate, dazzle
**verbloemen** ❶ *in bedekte termen aanduiden* disguise, cover up ★ *iemands tekortkomingen ~* cover up sb's shortcomings ❷ *verzwijgen* disguise, camouflage, veil ★ *de waarheid ~* disguise the truth
**verbluffen** stagger, bewilder
**verbluffend** staggering, bewildering ★ *met ~ gemak* with astounding ease
**verbluft** staggered, flabbergasted
**verbod** ban, prohibition, ⟨handel ook⟩ embargo *mv: embargoes* ★ *een ~ uitvaardigen / opheffen* impose / lift a ban
**verboden** forbidden ★ *~ te kamperen* no camping ★ *zich op ~ terrein begeven* trespass
**verbodsbepaling** prohibitive regulation
**verbodsbord** prohibitory sign
**verbolgen** incensed
**verbond** ❶ *verenigde groep* league, ⟨van politieke machten⟩ alliance ❷ *verdrag* pact, treaty
**verbondenheid** solidarity, alliance with
**verborgen** ❶ *aan het gezicht onttrokken* hidden, concealed ❷ *niet openbaar, niet algemeen bekend* hidden, ⟨talent⟩ latent, dormant, ⟨betekenis⟩ secret
**verbouwen** ❶ *veranderen* renovate, ⟨voor andere functie⟩ convert ★ *een huis ~* renovate house ❷ *telen* grow, cultivate
**verbouwereerd** perplexed, bewildered
**verbouwing** ❶ *het telen* cultivation, growth ❷ *het veranderen* renovation
**verbranden** I *ov ww, aantasten* burn, ⟨van huis⟩ burn down, ⟨van afval⟩ incinerate II *on ww* ❶ *aangetast worden* be burnt, ⟨van huis⟩ be burnt down ❷ *rood worden* get sunburnt ★ *hij was lelijk verbrand* he was badly sunburnt, he was badly burnt
**verbranding** ❶ *het verbranden* burning, ⟨van afval⟩ incineration, ⟨wond⟩ burn, ⟨v. lijk⟩ cremation ❷ *scheik* combustion ❸ *voedselvertering* metabolism
**verbrandingsmotor** internal combustion engine
**verbrandingsoven** incinerator
**verbrassen** dissipate, squander
**verbreden** widen ★ *zich ~* widen
**verbreding** widening
**verbreiden** *verspreiden* spread
**verbreiding** spread(ing)
**verbreken** ❶ *niet nakomen* ⟨van belofte / woord⟩ break, ⟨van eed⟩ violate ❷ *af- / stukbreken* break off, ⟨van relaties⟩ sever, ⟨van stilte⟩ break, ⟨van stroom⟩ cut off ★ *een verloving ~* break off an engagement ★ *de* ⟨telefonische⟩ *verbinding is verbroken* I have been cut off, we were disconnected
**verbreking** breaking
**verbrijzelen** smash, shatter
**verbrijzeling** smashing, shattering
**verbroederen** I *ov ww, verenigen* bring together II *on ww, verenigd worden* fraternize (**met** with)

**verbroedering** fraternization
**verbrokkelen** I *ov ww, in stukjes splitsen* crumble, break up, ⟨van tijd⟩ fritter away II *on ww, in stukjes uiteenvallen* crumble
**verbrokkeling** crumbling
**verbruien** spoil, bungle ★ *je hebt het bij mij verbruid* I wash my hands of you now, I'm through with you
**verbruik** ⟨van energie⟩ expenditure, ⟨van voedsel⟩ consumption
**verbruiken** ⟨van kracht⟩ use, ⟨van voedsel⟩ consume
**verbruiksartikel** consumable
**verbruiksbelasting** consumer tax
**verbruikscoöperatie** (consumers') cooperation society
**verbruiksgoederen** consumer goods *mv*
**verbruikszaal, verbruikzaal** BN *eetzaal* ≈ dining hall
**verbuigen** ❶ *ombuigen* bend, twist, buckle ❷ *taalk* decline
**verbuiging** ❶ *ombuiging* bending ❷ *taalk* declension
**verchromen** chrome, chromium-plate
**vercommercialiseren** I *ov ww, commercieel maken* commercialize II *on ww, commercieel worden* become commercialized
**verdacht** ❶ *verdenking wekkend* suspicious, ⟨dubieus⟩ suspect ★ *een ~ persoon* a shady character ★ *het komt mij ~ voor* it looks suspicious / fishy to me ❷ *onder verdenking* suspected ★ *iem. ~ maken* cast suspicion on sb ★ *de ~e* the suspect, jur the accused ❸ *~ op* prepared for ★ *vóór je erop ~ bent* before you are aware of it
**verdachte** suspect, jur accused, jur defendant
**verdachtenbank** dock, witness stand
**verdachtmaking** insinuation
**verdagen** adjourn
**verdampen** *tot damp worden* evaporate, vaporize
**verdamping** evaporation, vaporization
**verdedigbaar** ❶ *te verdedigen* defensible, defendable ❷ *te rechtvaardigen* defensible
**verdedigen** ❶ *verweren* defend ❷ *pleiten voor* ★ *iemands zaak ~* plead sb's cause ❸ *rechtvaardigen* defend, justify ★ *niet te ~ gedrag* indefensible conduct
**verdediger** ❶ *beschermer* defender ❷ jur counsel (for the defence) ❸ sport defender, back
**verdediging** ❶ *het verdedigen* defence ★ *ter ~ van* in defence of ★ *in ~ brengen* put in a state of defence ❷ jur defence ❸ sport defence
**verdedigingslinie** line of defence
**verdeelcentrum** ❶ *distributiecentrum* distribution centre ❷ *groothandel* wholesale store
**verdeeld** divided
**verdeeldheid** *onenigheid* discord
**verdeelsleutel** distribution code
**verdeelstekker** elek adapter
**verdekt** mil under cover ★ *zich ~ opstellen* take cover
**verdelen** ❶ *splitsen* divide, ⟨van een land⟩ partition ★ *zich ~* divide, split ★ *~ in* divide into ❷ *uitdelen* ★ *~ onder* divide / distribute among

**ve**

★ ~ *over* spread over ❸ *tweedracht zaaien* divide
★ *verdeel en heers* divide and rule
**verdeler** BN *dealer* dealer
**verdelgen** exterminate, ⟨van dier⟩ destroy
**verdelgingsmiddel** ⟨tegen onkruid⟩ herbicide, ⟨tegen dieren⟩ pesticide, ⟨tegen insecten⟩ insecticide
**verdeling** ❶ *splitsing* division, ⟨van een land⟩ partition ❷ *het uitdelen* distribution
**verdenken** suspect ★ *iem. van moord* ~ suspect sb of murder
**verdenking** suspicion ★ *aan* ~ *onderhevig* open to suspicion ★ *onder* ~ *staan* be under suspicion ★ *onder* ~ *van* on suspicion of ★ *de* ~ *op zich laden* incriminate o.s. ★ *de* ~ *doen vallen op* fasten suspicion on
**verder** I *bnw* ❶ *voor de rest* ★ *zijn* ~*e leven* the rest of his life ❷ *nader* further ★ ~*e bijzonderheden* further details II *bijw* ❶ *verderop* farther, further ★ *dit brengt ons niets* ~ this isn't getting us any further ★ ~ *op* further on ❷ *overigens* for the rest ★ ~ *nog iets?* anything else? ★ *het* ~*e* the rest ❸ *voorts* further, again, farther ★ *wie* ~*?* who else? ★ ~ *eten / lezen / rijden enz.* eat / read / drive on ★ *ik moet eens* ~ I must be getting on ★ *ik kan niet* ~ I can't go any further ★ *ga* ~*!* go on!, proceed! ▼ *daarmee kom je niet* ~ that won't get you any further
**verderf** ruin, destruction ★ *iem. in het* ~ *storten* ruin sb
**verderfelijk** pernicious, noxious
**verderop** further / farther on / down / up ★ *een stukje* ~ a bit further / farther down the road
**verdichten** ❶ *condenseren* condense ★ *zich* ~ condense ❷ *verzinnen* invent
**verdichting** ❶ *verzinsel* invention ❷ *condensatie* condensation
**verdichtsel** fiction, invention
**verdienen** ❶ *waard zijn* deserve, merit ★ *waar heb ik dit aan verdiend?* what did I do to deserve this? ❷ *als loon / winst krijgen* earn, make ★ *een salaris* ~ earn a salary ★ *op iets* ~ make a profit on sth ★ *wat aan iem.* ~ make some money out of sb ★ *daar is niets aan te* ~ there is no money in it
**verdienste** ❶ *loon* wages *mv*, earnings *mv* ❷ *winst* profit, gain ❸ *verdienstelijkheid* merit, desert(s) *mv*
**verdienstelijk** deserving, meritorious ★ *zich* ~ *maken* make o.s. useful ★ *een* ~ *stuk werk* a worthwhile / valuable piece of work
**verdiepen** I *ov ww, dieper maken* deepen II *wkd ww* [zich ~] *bestuderen* go into, lose oneself in ★ *verdiept zijn in* be lost / absorbed / engrossed in
**verdieping** *etage* floor, GB storey, USA story ★ *tweede* ~ second floor, USA third floor / story ★ *bovenste* ~ top floor
**verdikking** thickening, ⟨rond⟩ bulge
**verdikkingsmiddel** thickening agent, thickener
**verdisconteren** *incalculeren* discount, allow for
**verdoemen** damn
**verdoemenis** damnation
**verdoen** ⟨van middelen⟩ squander, ⟨van tijd⟩ waste
**verdoezelen** *verbloemen* obscure, disguise, ⟨van tekortkomingen⟩ gloss over
**verdomd** I *bnw* damned II *tw* damn!
**verdomhoekje** ▼ *in het* ~ *zitten* be in sb's bad books, not be able to do a thing right
**verdomme** damn(ed)
**verdommen** ❶ *vertikken* ★ *ik verdom het* (I'm) damned if I do / will ❷ *schelen* ★ *het kan me niks* ~ I couldn't care less
**verdonkeremanen** ⟨van geld⟩ embezzle
**verdoofd** stunned, stupefied, ⟨door kou, van geest⟩ numb
**verdorie** darned, blast, shoot
**verdorren** *dor worden* wither
**verdorven** depraved, wicked
**verdoven** *gevoelloos maken* ⟨door kou⟩ benumb, ⟨voor operatie⟩ anaesthetize, ⟨door een slag⟩ stun, ⟨door een slag⟩ stupefy ★ *het werd plaatselijk verdoofd* they used a local anaesthetic ★ ~*d middel* narcotic, drug, *inform* dope *med* anaesthetic
**verdoving** ❶ *gevoelloosheid* stupor ❷ *med* anaesthesia
**verdovingsmiddel** drug, ⟨bij operatie⟩ anaesthetic
**verdraagzaam** tolerant
**verdraagzaamheid** tolerance, ⟨negatief⟩ permissiveness
**verdraaid** I *bnw, vervelend* damn, blasted II *bijw* ★ *het is* ~ *moeilijk* it's damned hard III *tw* ★ *wel* ~*!* damn it!
**verdraaien** ❶ *anders draaien* twist, ⟨vervormen⟩ distort ❷ *fout weergeven* distort, ⟨van feit⟩ twist, ⟨van handschrift⟩ disguise
**verdraaiing** ❶ *het verdraaien* turning / moving (round) ❷ *foute weergave* distortion
**verdrag** treaty, pact ★ *een* ~ *sluiten* conclude / make a treaty
**verdragen** ❶ *dulden / doorstaan* bear, suffer, ⟨verduren⟩ endure ★ *hij kan een grapje* ~ he can take a joke ★ *elkaar* ~ put up with each other ❷ *uithouden* bear, stand, take ❸ *gebruiken zonder er last van te hebben* digest, tolerate ★ *ik kan geen zout* ~ salt does not agree with me
**verdragsbepaling** provision of a treaty / pact
**verdriet** sorrow, distress, grief
**verdrietig** *bedroefd* sorrowful, sad, mournful
**verdrievoudigen** I *ww ov* triple, treble II *ww onov* triple, treble
**verdrijven** ❶ *verjagen* chase / drive away, ⟨van twijfel⟩ dispel, ⟨van vijand⟩ dislodge ❷ *doen voorbijgaan* pass away
**verdringen** I *ov ww* ❶ *wegduwen* push aside ★ *elkaar* ~ jostle each other ❷ *plaats innemen* oust, supersede, drive out ❸ *onderdrukken* shut out, ⟨onbewust⟩ repress, ⟨bewust⟩ suppress II *wkd ww* [zich ~] *samendrommen* crowd (round)
**verdringing** displacement, repression, ⟨bewust⟩ suppression
**verdrinken** I *ov ww* ❶ *doen omkomen* drown ❷ *verdrinken* ⟨geld⟩ drink away, ⟨zorgen⟩ drown II *on ww* ❶ *omkomen* be drowned, drown ❷ ~ *in* drown in
**verdrinking** ★ *dood door* ~ death by drowning
**verdrinkingsdood** death by drowning
**verdrogen** *droog worden* dry up
**verdroging** drying up / out

**ve**

**verdrukken** oppress, repress
**verdrukking** ❶ *knel* ★ *in de ~ komen* be hard pressed, get into a tight corner ❷ *onderdrukking* oppression ★ *tegen de ~ in groeien* grow / flourish under oppression
**verdubbelen** I *ov ww, tweemaal zo groot maken* double ★ *zijn inspanningen ~* redouble one's efforts II *on ww, tweemaal zo groot worden* double
**verdubbeling** doubling
**verduidelijken** explain, illustrate
**verduidelijking** explanation, clarification
**verduisteren** I *ov ww* ❶ *donker maken* darken, ⟨bij luchtaanval⟩ black out ❷ *stelen* embezzle ▼*alcohol verduistert de geest* alcohol clouds the mind II *on ww, donker worden* darken, grow dark, ⟨van zon, maan⟩ eclipse
**verduistering** ❶ *het donker maken* darkening, ⟨in de oorlog⟩ black-out ❷ *eclips* ⟨van zon, maan⟩ eclipse ❸ *het stelen* embezzlement
**verdunnen** ⟨van drank⟩ dilute, ⟨van lucht⟩ rarefy
**verdunner** thinner
**verdunning** thinning, ⟨van gas⟩ rarefaction, ⟨van vloeistof⟩ dilution
**verduren** *doorstaan* endure, bear ★ *het hard / zwaar te ~ hebben* be hard pressed, have a rough time
**verduurzamen** preserve, ⟨inblikken⟩ tin
**verdwaasd** dazed, foolish ★ *~ om zich heen kijken* look around in a daze
**verdwalen** lose one's way, get lost
**verdwijnen** disappear, ⟨langzaam⟩ fade away, ⟨snel, geheel⟩ vanish ★ *verdwijn!* be off! ★ *uit het oog ~* disappear from sight
**verdwijning** disappearance
**verdwijnpunt** vanishing point
**veredelen** ❶ *agrar* indus ennoble, ⟨van vee, fruit⟩ improve ★ *veredelde rassen* upgraded species ❷ *fig* glorify
**vereenvoudigen** simplify ★ *een breuk ~* reduce a fraction
**vereenvoudiging** simplification
**vereenzaamd** lonely, isolated
**vereenzamen** become lonely
**vereenzaming** loneliness, isolation
**vereenzelvigen** identify
**vereenzelviging** identification
**vereeuwigen** *portretteren* immortalize
**vereffenen** ❶ *betalen* settle ★ *een oude rekening ~* pay off an old score ❷ *bijleggen* settle
**vereisen** require, demand
**vereiste** requirement, requisite ★ *aan alle ~n voldoen* meet all the requirements ★ *eerste ~* prerequisite
**veren** I *on ww* be elastic / springy ★ *goed ~d* well sprung, springy II *bnw* feather
**verend** springy
**verenigbaar** consistent, compatible ★ *niet ~ met* not compatible / incompatible with
**verenigd** united
**Verenigde Arabische Emiraten** United Arab Emirates
**Verenigde Naties** United Nations
**Verenigde Staten van Amerika** United States of America
**Verenigd Koninkrijk** United Kingdom

**verenigen** ❶ *samenvoegen* combine, join, unite ★ *zich ~* unite, join forces ★ *~ tot* unite into ★ *het nuttige met het aangename ~* combine business with pleasure ❷ *overeenbrengen* ★ *zich met een voorstel ~* agree to a proposal ★ *dit is niet te ~ met* this is incompatible with
**vereniging** ❶ *samenvoeging* union, combination ❷ *club* society, club, association
**verenigingsleven** club life
**vereren** ❶ *eer bewijzen* honour (with) ❷ *aanbidden* worship
**verergeren** I *ov ww, erger maken* aggravate, worsen II *on ww, erger worden* grow worse, worsen ★ *de toestand verergert met de dag* the situation grows worse every day
**verergering** worsening
**verering** worship
**verf** ❶ paint, ⟨voor textiel⟩ dye ❷ → **verfje** ▼fig BN *iets in de verf zetten* stress sth ▼*dat kwam niet uit de verf* that didn't live up to its promise, that did not turn out as expected
**verfbad** dye-bath
**verfbom** paint bomb
**verfdoos** paintbox
**verfijnd** refined
**verfijnen** refine
**verfijning** refinement
**verfilmen** film
**verfilming** ❶ *het verfilmen* filming ❷ *verfilmde versie* film version
**verfje** ★ *een ~ nodig hebben* be in need of a coat of paint
**verfkwast** paintbrush
**verflauwen** ⟨van geluid, kleur, licht⟩ fade, ⟨van wind⟩ abate, ⟨van ijver, markt⟩ flag
**verfoeien** detest, abominate
**verfoeilijk** detestable, abominable
**verfomfaaien** *uit model brengen* crumple, dishevel ★ *er verfomfaaid uitzien* look dishevelled
**verfraaien** embellish, beautify
**verfraaiing** beautification, embellishment
**verfrissen** *opfrissen* refresh
**verfrissend** refreshing
**verfrissing** refreshment
**verfroller** paint roller
**verfrommelen** crumple up
**verfspuit** paint sprayer, spray-gun, airbrush
**verfstof** ❶ *verf* paint ❷ *grondstof* ⟨voor schilderij⟩ colour, ⟨voor textiel⟩ dye, pigment
**verftube** tube of paint
**verfverdunner** (paint) thinner
**verfwinkel** paint shop
**vergaan** ❶ *ten onder gaan* perish, ⟨van schip⟩ founder, ⟨van schip⟩ be wrecked ★ *~ van de kou / honger* perish with cold / hunger ★ *ik verga van de honger / kou* I'm starving / freezing ★ *~ van angst* be consumed with fear ❷ *verteren* decay ❸ *eindigen* fare ★ *het verging haar slecht* she fared badly ★ *hoe is het hun ~?* what has become of them?
**vergaand** far-reaching, extreme ★ *~e maatregelen* drastic / far-reaching measures
**vergaarbak** fig *verzamelplaats* repository
**vergaderen** I *ov ww, verzamelen* gather, collect II *on ww, bijeenkomen* meet, assemble
**vergadering** meeting ★ *algemene ~* general

**ve**

meeting

**vergaderzaal** meeting-room

**vergallen** ⟨van leven⟩ embitter, ⟨van pret⟩ spoil

**vergaloppreren** [zich ~] put one's foot in it

**vergankelijk** transitory

**vergankelijkheid** transitoriness

**vergapen** [zich ~] gape ⟨aan at⟩, goggle

**vergaren** gather, collect

**vergassen** ❶ *in gas omzetten* gasify ❷ *met gas doden* gas

**vergasten** treat (to), regale (with)★ *zich ~ aan* feast upon

**vergeeflijk** ❶ *te vergeven* forgivable, form pardonable ❷ *vergevingsgezind* forgiving

**vergeefs** I *bnw* idle, vain, futile★ *~e inspanning* vain / wasted effort★ *~e arbeid* futile / pointless labour II *bijw* in vain, vainly

**vergeeld** turned yellow

**vergeetachtig** forgetful

**vergeetboek** ▼ *in het ~ raken* fall into oblivion

**vergeethoek** ▼ *BN in de ~ raken* fall into oblivion

**vergeet-mij-niet** plantk forget-me-not, myosotis

**vergelden** revenge★ *goed met kwaad ~* repay good with evil★ *iem. iets ~* requite sb for sth

**vergelding** revenge

**vergeldingsmaatregel** retaliatory measure, reprisal

**vergelen** become yellow

**vergelijk** compromise, agreement★ *tot een ~ komen* reach a settlement

**vergelijkbaar** comparable, similar

**vergelijken** compare (with / to), liken (to)★ *vergelijk blz. 8* see / cf. p.8

**vergelijkenderwijs** comparatively

**vergelijking** ❶ *het vergelijken* comparison★ *in ~ met* in comparison with★ *ter ~* by way of comparison★ *de ~ kunnen doorstaan met* bear comparison with ❷ wisk equation★ *een ~ met twee onbekenden* an equation with two unknowns

**vergemakkelijken** make easier, form facilitate

**vergen** ask, require, demand★ *te veel ~ van* overstrain★ *het vergt veel van...* it is a great strain on...

**vergenoegd** pleased

**vergenoegen** content, satisfy

**vergetelheid** oblivion★ *aan de ~ prijsgeven* relegate / consign to oblivion★ *in ~ geraken* fall into oblivion

**vergeten** forget★ *en A. niet te ~* not forgetting A.

**vergeven** ❶ *vergiffenis schenken* form pardon, forgive★ *iem. iets ~* forgive sb sth★ *~ en vergeten* forgive and forget ❷ *weggeven* give away★ *de baan was al~* the job had already been taken▼ *~ zijn van* be crawling with

**vergevensgezind** forgiving

**vergeving** *het vergiffenis schenken* forgiveness, form pardon, ⟨van zonden⟩ remission★ *iem. om ~ vragen* ask sb's forgiveness

**vergevorderd** (far) advanced

**vergewissen** [zich ~] make sure (van of), ascertain★ *zich ervan ~ dat...* make sure that...

**vergezellen** *begeleiden* ⟨van gelijken⟩ accompany, ⟨van meerderen⟩ attend★ *iets vergezeld doen gaan van* accompany sth with

**vergezicht** prospect, ⟨doorkijk⟩ vista

**vergezocht** far-fetched

**vergiet** colander

**vergif** poison, ⟨dierlijk⟩ venom★ *dodelijk~* lethal / deadly poison▼ *daar kun je ~ op innemen* you can bet your life on that

**vergiffenis** forgiveness, form pardon★ *~ vragen* ask forgiveness, beg pardon

**vergiftig** poisonous, ⟨van dieren⟩ venomous

**vergiftigen** poison

**vergiftiging** poisoning

**vergissen** [zich ~] make a mistake, be mistaken★ *als ik me niet vergis* if I am not mistaken★ *~ is menselijk* to err is human★ *ik had me in het adres vergist* I had the address wrong▼ *~ is menselijk* to err is human

**vergissing** mistake, error, slip★ *bij~* by / in mistake

**vergoeden** ❶ *goedmaken* compensate, ⟨betalen⟩ remunerate★ *de (werk)uren ~* pay for the hours worked★ *dat vergoedt veel* that makes up for a lot ❷ *terugbetalen* refund, compensate for, ⟨van verlies, kosten⟩ make good★ *ik zal het u ~* I'll compensate you for it

**vergoeding** ❶ *het vergoeden* compensation, ⟨voor onrecht, e.d.⟩ amends *mv* ❷ *schadeloosstelling* compensation, ⟨van onkosten⟩ expenses *mv*, ⟨geëist⟩ damages *mv*★ *~ voor reiskosten* travelling allowance★ *tegen een ~ van...* at / for a reward of... ❸ *beloning* payment, fee★ *tegen een kleine ~* for a small consideration / fee

**vergoelijken** ⟨van fouten⟩ smooth / gloss over, ⟨van gedrag⟩ excuse, ⟨van misdaad⟩ extenuate

**vergokken** gamble away

**vergooien** throw away

**vergrendelen** bolt, double-lock

**vergrijp** offence, delinquency

**vergrijpen** [zich ~]★ *aan (seksueel) geweld aandoen* assault

**vergrijzen** ★ *de bevolking vergrijst* the population is ageing

**vergrijzing** ageing of the population

**vergroeien** ❶ *krom groeien* become crooked, ⟨van mens⟩ become deformed ❷ *aaneengroeien* grow together, merge

**vergrootglas** magnifying glass

**vergroten** ❶ *groter maken* enlarge★ *sterk ~* blow up★ *het huis / de tuin ~* extend the house / garden ❷ *vermeerderen* increase★ *de moeilijkheden ~* add to the difficulties

**vergroting** ❶ *het groter maken* enlargement ❷ *vermeerdering* increase ❸ *foto* blow-up

**vergruizen** *verbrijzelen* pulverize

**vergruizer** pulverizer

**vergruizing** pulverization

**verguizen** abuse, form vilify

**verguld** ❶ *bedekt met bladgoud* gilt, gilded ❷ *blij* pleased, content★ *hij is er reuze~ mee* he is awfully bucked / pleased with it

**vergulden** ❶ *bedekken met bladgoud* gild ❷ *blij maken* please, delight

**vergunnen** permit, allow, grant★ *het was hem niet vergund te...* he didn't live to...

**vergunning** *machtiging* permission, ⟨machtiging⟩ permit, ⟨machtiging voor vuurwapen, drank⟩ licence

**verhaal ❶** *vertelling* story, tale, narrative, ⟨verslag⟩ account★ *verward*~ rigmarole★ *dat is het bekende*~ that's the same old story **❷** *vergoeding* redress, remedy▼ *op*~ *komen* recover▼ *om een lang*~ *kort te maken* to cut a long story short
**verhaallijn** story line
**verhalen ❶** *vertellen* tell, relate, narrate **❷** *verhaal halen* recover, recoup★ *de schade op iem.* ~ recover the damage from sb
**verhalend** narrative
**verhandelen** *handelen in* deal in, sell
**verhandeling** *opstel* treatise, essay, ⟨mondeling⟩ lecture
**verhangen I** *ov ww* hang elsewhere / differently **II** *wkd ww* [zich ~] hang oneself
**verhapstukken** settle, finish
**verhard ❶** *hard geworden* hard **❷** *ongevoelig* hardened, callous
**verharden I** *ov ww* **❶** *hard maken* harden, ⟨van weg⟩ metal **❷** *ongevoelig maken* harden **II** *on ww* **❶** *hard worden* set, ⟨van cement, lijm, e.d.⟩ dry **❷** *ongevoelig worden* harden, grow / become hard
**verharen** ⟨van dier⟩ moult, ⟨van vacht⟩ shed hair
**verhaspelen ❶** *verkeerd uitspreken* garble **❷** *verknoeien* botch, spoil
**verheerlijken** *loven* glorify
**verheerlijking** glorification
**verheffen I** *ov ww* **❶** *bevorderen* elevate, raise, ⟨van hart, geest⟩ lift★ *iem. in de adelstand*~ raise sb to the peerage★ *tot regel*~ make into a rule **❷** *wisk* raise★ *tot de tweede macht*~ square **II** *wkd ww* [zich ~] *verrijzen* rise
**verheffing** elevation★ *met*~ *van stem* raising one's voice
**verhelderen I** *ov ww, helder maken* clarify **II** *on ww, helder worden* brighten, clear up
**verhelen** conceal, hide★ *ik verheel niet dat* I'm fully aware...
**verhelpen** remedy, set to rights
**verhemelte** *gehemelte* palate
**verheugd** glad, pleased, happy
**verheugen I** *ov ww, blij maken* delight, gladden ★ *het verheugt me te zien...* I am glad to see... **II** *wkd ww* [zich ~] *zich verblijden* be pleased / happy, be glad★ *zich in een goede gezondheid*~ enjoy good health★ *zich* ~ *op iets* look forward to sth★ *zich*~ *over iets* be glad about sth
**verheugend** welcome, gratifying★ ~ *nieuws* joyful news
**verheven** elevated, exalted
**verhevigen I** *ov ww, heviger maken* intensify, heighten **II** *on ww, heviger worden* intensify, build up
**verheviging** intensification
**verhinderen** prevent★ *ik ben verhinderd (te komen)* I am unable to come
**verhindering ❶** *het verhinderen* prevention, hindrance **❷** *het verhinderd zijn* absence★ *bericht van*~ notice of absence★ ~ *wegens ziekte* absence through illness
**verhit ❶** *verwarmd* hot, ⟨van gezicht⟩ flushed **❷** *fig opgewonden* ⟨van discussie⟩ heated★ ~ *raken* run high
**verhitten** *heet maken* heat

**verhitting** heating
**verhoeden** prevent★ *God verhoede...* God forbid
**verhogen ❶** *hoger maken* raise, ⟨van rang⟩ promote **❷** *versterken* heighten★ *het effect*~ heighten the effect★ *verhoogde bloeddruk* high blood pressure **❸** *vermeerderen* increase, ⟨van prijs, loon⟩ raise
**verhoging ❶** *het ophogen* heightening, raising **❷** *vermeerdering* ⟨van prijs, salaris, e.d.⟩ increase, ⟨van prijs, salaris, e.d.⟩ rise★ *periodieke*~ *en* increments **❸** *verhoogde plaats* ⟨in terrein⟩ rise, ⟨podium⟩ platform **❹** *lichte koorts* temperature ★ ~ *hebben* have a temperature
**verholen** *verborgen* concealed, secret★ *met nauw* ~ *woede* with barely suppressed anger★ ~ *blikken* stealthy glances
**verhongeren I** *ov ww, uithongeren* make / have somebody starve **II** *on ww, omkomen* starve (to death)
**verhongering** starvation
**verhoogd ❶** *hoger geworden / gemaakt* increased, ⟨prijs, platform, enz.⟩ raise, ⟨trambaan⟩ elevated **❷** *intenser* heightened
**verhoor** questioning, interrogation, trial★ *iem. een*~ *afnemen* question / hear / examine sb
**verhoren ❶** *ondervragen* interrogate, (cross-)examine, ⟨van getuige⟩ hear **❷** *inwilligen* ⟨van gebed⟩ hear, ⟨van wens⟩ grant
**verhouden** [zich ~]★ *zich*~ *als X tot Y* be in the proportion of X to Y
**verhouding ❶** *relatie* relation(s)★ *gespannen*~ strained relations **❷** *liefdesrelatie* (love) affair ★ *een*~ *met iem. hebben* have an affair with sb **❸** *evenredigheid* proportion, ratio★ *buiten alle*~ out of all proportion★ *naar*~ *erg goedkoop* comparatively cheap
**verhoudingsgewijs** comparatively, relatively
**verhuiskaart** change of address (card)
**verhuiskosten** moving expenses *mv*
**verhuisonderneming** removal firm, removalist
**verhuiswagen** furniture / moving van
**verhuizen I** *ov ww, inboedel overbrengen* move **II** *on ww, elders gaan wonen* move, ⟨verplaatst worden⟩ be moved
**verhuizer** remover
**verhuizing** removal
**verhullen** veil, conceal (from)
**verhuren** let out (for hire), hire out★ *kamers*~ let out rooms★ *zich*~ *als* hire o.s. out as
**verhuur** letting (out), hiring (out), rental
**verhuurbedrijf** leasing company, rental service
**verhuurder** letter, ⟨van huis⟩ landlord, ⟨op huurcontract⟩ lessor
**verificatie** verification
**verifiëren** verify, check, ⟨van testament⟩ prove
**verijdelen** frustrate, defeat, foil
**verijzen** ice (up / over)
**vering ❶** *het veren* spring action **❷** *verend gestel* springs *mv*, ⟨van auto⟩ suspension (system)
**verjaardag** birthday, ⟨van gebeurtenis⟩ anniversary
**verjaardagkalender** birthday calendar
**verjaardagscadeau** birthday gift / present
**verjaardagsfeest** birthday party
**verjaardagskaart** birthday card
**verjagen** drive / chase away, expel★ *angsten* /

zorgen ~ dispel fears / worries
**verjaging** driving / chasing away
**verjaren ❶** jur ongeldig worden become out of date, ⟨van recht, vordering⟩ become barred by lapse of time ★ oorlogsmisdaden ~ niet there can be no moratorium on war crimes ❷ jarig zijn celebrate one's birthday
**verjaring** het ongeldig worden prescription, ⟨vordering⟩ limitation
**verjaringstermijn** term of limitation
**verjongen** jonger maken rejuvenate
**verjonging** rejuvenation
**verkalken** kalkachtig worden calcify, ⟨van bloedvaten⟩ harden
**verkalking** calcification, hardening
**verkapt** disguised, veiled
**verkassen** move house
**verkavelen** parcel out
**verkaveling** allotment
**verkeer ❶** voertuigen, personen traffic ★ doorgaand ~ through traffic ★ geen doorgaand ~ no through road ❷ sociale omgang ⟨maatschappelijk, seksueel⟩ intercourse ▼ Veilig Verkeer Nederland ≈ Safety First Association
**verkeerd I** bnw ❶ niet goed wrong, bad, false ★ de ~e weg nemen go in the wrong direction ★ de ~e gevolgtrekking ~ je hebt de ~e voor you've mistaken your man, you've come to the wrong shop ★ iets ~ aanpakken go about sth the wrong way ❷ omgekeerd ★ met de ~e kant naar buiten wrong side out ★ je trui zit ~ om you've got your sweater on backwards **II** bijw, niet juist wrong, wrongly ★ ~ aflopen come to a bad end ★ iets ~ opnemen take sth amiss ★ ~ begrijpen misunderstand ★ alles liep ~ everything went wrong
**verkeersader** traffic-artery, artery
**verkeersagent** traffic policeman
**verkeersbelasting** BN wegenbelasting road tax
**verkeersbord** road / traffic sign
**verkeerscentrale** traffic control centre
**verkeersdiploma** road safety certificate
**verkeersdrempel** sleeping policeman, speed hump, USA speed bump
**verkeersheuvel** traffic island
**verkeersinformatie** centrale travel news, motoring information
**verkeersknooppunt** (traffic) junction
**verkeersleider** air-traffic controller
**verkeerslicht** traffic light
**verkeersongeval** road accident, ⟨auto-ongeluk⟩ (car) crash
**verkeersopstopping** traffic jam
**verkeersovertreder** traffic offender
**verkeersovertreding** traffic offence
**verkeersplein** roundabout
**verkeerspolitie** traffic police mv
**verkeersregel** rule of the road, traffic rule
**verkeersreglement** traffic regulations, GB Highway Code
**verkeersslachtoffer** road casualty
**verkeerstoren** control tower
**verkeersveiligheid** road safety
**verkeersvlieger** (air)line pilot
**verkeersvliegtuig** passenger plane
**verkeersweg** thoroughfare, highway, ⟨groot⟩

arterial road
**verkeerszuil** bollard
**verkennen** survey, explore, mil reconnoitre
**verkenner ❶** verspieder scout ❷ padvinder (Boy) Scout [v: Girl Scout]
**verkenning** reconnoitring ★ op ~ uitgaan make a reconnaissance
**verkenningstocht** reconnaissance expedition
**verkenningsvliegtuig** reconnaissance plane
**verkeren ❶** zich bevinden be (in) ★ aan het hof ~ move in court circles ★ in gevaar ~ be in danger ❷ ~ met associate with
**verkering** courtship ★ ~ hebben met iem. go out with sb, go steady with sb, date sb, be in a relationship with sb
**verkerven** BN verbruien spoil, bungle ★ je hebt het bij mij verkorven I wash my hands of you
**verkiesbaar** eligible ★ zich ~ stellen (voor) consent to stand (for), USA run (for)
**verkieslijk** preferable
**verkiezen ❶** prefereren prefer ★ X boven Y ~ prefer X to Y ❷ kiezen elect, choose ★ iem. tot lid van de Tweede Kamer ~ return sb to Parliament ❸ willen choose ★ doe zoals je verkiest do as you like, please yourself
**verkiezing ❶** het stemmen election ★ tussentijdse ~en by-elections ❷ keuze choice, preference ★ naar ~ at choice / will ★ uit eigen ~ of one's own free will
**verkiezingscampagne** election campaign
**verkiezingsstrijd** election contest
**verkiezingsuitslag** election result
**verkijken I** ov ww, voorbij laten gaan give away ★ zijn kans is verkeken his chance is lost ★ nu is alle kans verkeken that's torn it **II** wkd ww [ zich ~] verkeerd beoordelen misjudge, (bij aflezen) misread ★ zich ~ op iets / iemand be mistaken in sth / sb
**verkikkerd** ▼ ~ zijn op iets be keen on sth ▼ ~ zijn op iem. crazy about sb, sweet on sb
**verklaarbaar** explicable
**verklappen** blab, let out ★ de boel ~ give the show away ★ verklap het aan niemand don't tell anyone
**verklaren ❶** kenbaar maken state, declare, jur depose, (officieel) certify ★ hierbij verklaar ik dat... this is to certify / state that... ★ onder ede ~ state / declare on / under oath ★ zich voor / tegen iets ~ declare in favour of / against sth ★ iedereen verklaarde hem voor gek everyone said he was crazy ❷ uitleggen make clear, (van moeilijkheid / gedrag) explain, (van handelwijze) account for ★ verklaar u nader explain yourself
**verklaring ❶** uitleg explanation ❷ mededeling declaration, statement ★ een ~ afleggen make a statement ❸ jur getuigenis testimony ★ beëdigde ~ sworn statement, affidavit
**verkleden ❶** omkleden dress, change ★ zich ~ change ★ zich voor het eten ~ dress for dinner ❷ vermommen disguise, dress up
**verkleinen ❶** kleiner maken (van schaal, afmeting) reduce, (jas) make smaller ❷ verminderen reduce, diminish, (van gevaar) minimize ★ zijn schuld ~ extenuate one's guilt
**verkleining ❶** het kleiner maken reduction

**❷ taalk** diminutive-formation **❸** *kleinering* belittlement
**verkleinvorm** taalk diminutive (form)
**verkleinwoord** diminutive
**verkleumd** benumbed, numb
**verkleumen** get numb with cold
**verkleuren ❶** *van kleur veranderen* colour ★ *zij verkleurde toen hij dat zei* she blushed when he said that **❷** *kleur verliezen* lose colour, fade
**verkleuring ❶** *kleurverandering* discoloration **❷** *verbleking* fading
**verklikken** squeal on somebody
**verklikker ❶** *toestel* telltale, detector **❷** *verrader* telltale, ⟨politiespion⟩ informer, ⟨politiespion⟩ grass
**verkloten** fuck up, bugger up
**verknallen** blow, botch / cock up
**verkneukelen** [zich ~] revel (in), ⟨ongunstig⟩ gloat (over)
**verknippen** *verkeerd knippen* cut to waste
**verknipt** batty, nuts, crackers, ⟨seksueel⟩ kinky
**verknocht** devoted, attached
**verknoeien ❶** *verspillen* waste (away) **❷** *bederven* spoil, ruin, ⟨van schoonheid⟩ spoil, ⟨van werk⟩ bungle ★ *de zaak bederven* make a mess of things
**verkoelen ❶** *ov ww, koel maken* cool **II** *on ww, koel worden* cool (down)
**verkoeling ❶** *lett* cooling **❷** *fig* chill
**verkoeverkamer** med recovery room
**verkolen** *tot kool maken* char, techn carbonize
**verkommeren** lapse into misery, languish
**verkondigen ❶** *aankondigen* proclaim **❷** *rel* preach ★ *het evangelie* ~ preach the gospel
**verkondiging** rel proclamation
**verkoop** sale
**verkoopbaar ❶** *te verkopen* saleable **❷** *aannemelijk* acceptable
**verkoopcijfers** sales figure
**verkoopleider** sales manager
**verkooporganisatie** sales organization
**verkooppraatje** sales pitch
**verkoopprijs** selling price
**verkooppunt** outlet
**verkoopster** saleswoman
**verkooptruc** sales stunt / trick
**verkopen ❶** *tegen betaling leveren* sell, ⟨van drugs⟩ push ★ *met verlies* ~ sell at a loss ★ *publiek* ~ sell by auction **❷** *aannemelijk maken* sell ★ *dat plan is niet te* ~ you won't be able to sell them on that plan **❸** *opdissen* ★ *leugens* ~ lie ★ *grappen* ~ crack jokes **❹** *toedienen* ★ *iem. een klap* ~ deal sb a blow ▼ *hij was gelijk verkocht* he was immediately sold (on the idea)
**verkoper** seller, vendor, ⟨in winkel⟩ salesman, ⟨huis aan huis⟩ door-to-door salesman
**verkoping** sale, auction
**verkorten** ⟨van boek⟩ abridge, ⟨van leven⟩ shorten, ⟨van verlof / bezoek⟩ curtail
**verkorting** shortening
**verkouden** ★ ~ *worden* catch (a) cold ★ ~ *zijn* have a cold
**verkoudheid** cold ★ *'n* ~ *opdoen* catch (a) cold
**verkrachten ❶** *iem.* rape, ⟨sexually⟩ assault **❷** *iets* violate ★ *een recht / wet* ~ violate a right / law ★ *de taal* ~ mutilate / abuse / rape the language
**verkrachter** rapist, raper

**verkrachting** *van iem.* rape, sexual assault
**verkrampen** tense up
**verkrampt** contorted, cramped
**verkreukelen** *in elkaar frommelen* wrinkle, crumple (up)
**verkrijgbaar** obtainable ★ *overal* ~ on sale everywhere, on general sale ★ *dat boek is niet langer* ~ that book is out of print ★ *kaarten alleen voor leden* ~ tickets available for members only
**verkrijgen** get, acquire, obtain
**verkromming** med curvature
**verkroppen** stomach, swallow ★ *ik kan dat niet* ~ that sticks in my throat
**verkruimelen** *tot kruimels maken* crumble
**verkwanselen** barter away
**verkwikken** *fit maken* refresh
**verkwikkend** refreshing, invigorating
**verkwisten** squander, waste ★ ~ *aan* waste on
**verkwistend** wasteful, form prodigal
**verkwisting** waste, wastefulness, squandering ★ *een pure* ~ a complete and utter waste
**verlagen ❶** *lager maken* ⟨van aantal, druk, kosten⟩ reduce, ⟨van plafond, prijzen, lonen⟩ lower **❷** *vernederen* lower, debase ★ *zich* ~ *(tot)* stoop (to), lower / demean o.s. (to)
**verlaging ❶** *vernedering* degradation **❷** *het lager maken* lowering
**verlakken ❶** *lakken* lacquer **❷** *bedriegen* bamboozle
**verlakker** swindler, con man
**verlakkerij** swindle, con
**verlamd** paralysed ★ *een ~e* a paralytic ★ ~ *raken* become paralysed
**verlammen ❶** *med lam maken* paralyse **❷** *fig stilleggen* ⟨van handel, macht⟩ cripple
**verlamming ❶** *het verlammen* crippling **❷** *lamheid* paralysis
**verlangen I** *ov ww* **❶** *willen* desire, want **❷** *eisen* demand **II** *on ww* ~ *naar* long for, look forward to **III** *zn* [het] desire, longing, ⟨sterk⟩ craving, ⟨eis⟩ demand ★ *op* ~ *van* at / by the desire of
**verlanglijst** ≈ wish-list
**verlaten I** *bnw* **❶** *in de steek gelaten* abandoned, deserted **❷** *afgelegen* deserted, lonely **II** *ov ww* **❶** *weggaan* leave ★ *de school* ~ leave school **❷** *in de steek laten* abandon, desert **III** *wkd ww* [zich ~] **❶** *te laat komen* delay, postpone **❷** ~ *op vertrouwen op* rely on, put one's trust in
**verlatenheid** loneliness, desolation
**verlating** abandonment, desertion
**verlatingsangst** separation anxiety
**verleden I** *zn* [het] **❶** *tijd van vroeger* past ★ *het verre* ~ distant past ★ *in een grijs* ~ in the dim past **❷** *persoonlijke achtergrond* ★ *een ongunstig* ~ a bad record **II** *bnw, vorig* past ★ ~ *week* last week
**verlegen ❶** *schuchter* shy, bashful ★ ~ *tegenover* shy with **❷** *geen raad wetend* embarrassed (with) ★ *ik ben er 'n beetje* ~ *mee* I am at a loss what to do with / about it **❸** ~ *om* in want of, in need of ★ *ik zit niet om geld* ~ I'm not pressed for money
**verlegenheid ❶** *het verlegen zijn* shyness, bashfulness **❷** *moeilijkheid* embarrassment ★ *in* ~ *brengen* embarrass, get into trouble ★ *iem. uit de* ~ *helpen* help sb out
**verleggen** shift, move, ⟨van grenzen⟩ push back

**verleidelijk** tempting, alluring, seductive
**verleiden ❶** *verlokken* tempt, (tot iets slechts) lead astray ❷ *tot geslachtsgemeenschap brengen* seduce
**verleider** tempter, (ook seksueel) seducer
**verleiding** seduction, temptation
**verlekkerd I** *bnw* keen (on) **II** *bijw* ★ ~ *naar iets kijken* leer at sth
**verlekkeren** [zich ~] whet one's appetite
**verlenen** *geven* (van gunst) grant, (van toestemming) give, (van hulp) render / lend ★ *iem. een titel* ~ confer a title (up)on sb
**verlengde** extension ★ *straat A ligt in het* ~ *van straat B* A street is a continuation of B Street
**verlengen ❶** *langer maken* lengthen, extend ❷ *langer laten duren* (van termijn) extend, (van verblijf) prolong, (van paspoort) renew ❸ BN (film enz.) *prolongeren* prolong
**verlenging ❶** *het verlengen* extension, (van voorstelling, verblijf) prolongation, (van geldigheidsduur) renewal ❷ sport *extra speeltijd* GB extra time, USA overtime
**verlengsnoer** extension cord / lead
**verlengstuk** lett extension piece, continuation
**verlept** withered, (bloem, groente) wilted, (kleur, schoonheid) faded ★ ~*e bloemen* withered / wilted flowers
**verleren** forget (how to) ★ *ik heb het verleerd* my hand is out, I'm out of practice
**verlet ❶** *beletsel* delay ❷ *tijdverlies* time loss / lost
**verlevendigen** *levendig maken* revive, enliven
**verlichten ❶** *beschijnen* light (up) ❷ *minder zwaar maken* lighten ★ *een last* ~ lighten a load ★ *pijn* ~ relieve / ease pain ❸ *kennis bijbrengen* enlighten
**verlichting ❶** *iets dat licht geeft* lighting ❷ *vermindering* (van iets vervelends, pijnlijks) lightening ❸ *opluchting* relief, ease ❹ gesch onderw enlightenment
**verlichtingspaal** BN *lantaarnpaal* lamp post
**verliefd** *liefde voelend* in love (op with), enamoured (op of, with) ★ ~ *worden op* fall in love with ★ *ik ben* ~ *op je* I'm in love with you ★ *een* ~ *paartje* a loving couple, a pair of lovers ★ ~*e blikken* amorous looks ★ *zwaar* ~ *zijn* be madly in love
**verliefdheid** being in love
**verlies ❶** *het verliezen* loss ★ *een* ~ *lijden* sustain / suffer a loss ★ *goed tegen zijn* ~ *kunnen* be a good loser ❷ *het verlorene* met ~ *verkopen* sell at a loss ★ *het* ~ *aan mensenlevens* the loss of life
**verliesgevend** loss-making ★ *een* ~*e zaak* a loss-maker, loss-making business
**verliespost** econ loss-making sector
**verliezen I** *ov ww* ❶ *niet winnen* lose ★ *de wedstrijd* ~ lose the game ★ *ik heb verloren* I've lost ❷ *kwijtraken* lose, (van rechten) forfeit ★ *niets te* ~ *hebben* have nothing to lose ❸ *nadeel lijden* lose ★ ~ *op* lose on **II** *wkd ww* [zich ~ ]~ *in* lose oneself in ★ *zich in details* ~ lose o.s. in details
**verliezer** loser
**verlinken** grass / fink on, nark
**verloederen** deteriorate, inform go to the dogs
**verloedering** corruption, degeneration
**verlof ❶** *vrijstelling* leave, (wegens ziekte) sick leave ★ *betaald* ~ paid leave ★ *onbetaald* ~, BN ~

*zonder wedde* unpaid leave ★ BN *penitentiair* ~ parole ★ *met* ~ *gaan* go on leave ★ *met groot* ~ *zijn* be on long furlough ❷ *vergunning* permission, (tapvergunning) licence for the sale of beer ★ *iem.* ~ *geven iets te doen* give sb permission to do sth
**verlofdag** day off
**verlokken** tempt, allure
**verlokking** temptation
**verloochenen** renounce, repudiate ★ *zich* ~ belie one's nature, deny o.s.
**verloochening** repudiation, (geloof, afkomst) renouncement, (onbaatzuchtig) denial
**verloofd** engaged
**verloofde** fiancé [v: fiancée]
**verloop ❶** *ontwikkeling* development, (van ziekte, e.d.) course ★ *het had een vlot* ~ it went off smoothly ★ *een gunstig* ~ *nemen* take a favourable turn ❷ *het verstrijken* course, lapse ★ *na* ~ *van tijd* in course of time ★ *na* ~ *van* after (a lapse of) ❸ *het komen en gaan* turnover, (van personeel) wastage ★ *natuurlijk* ~ natural attrition, USA natural wastage
**verloopdatum** day of expiry
**verloopstekker** elek adapter
**verloopstuk** adapter, reducer
**verlopen I** *bnw* ❶ *ongeldig* expired ❷ *verloederd* shabby, seedy, (van zaak) run-down **II** *on ww* ❶ *voorbijgaan* pass (away), elapse ❷ *zich ontwikkelen* pass off, work out ★ *alles verliep rustig* everything passed off quietly ❸ *ongeldig worden* expire ★ *dit paspoort is* ~ this passport has expired ❹ fig *achteruitgaan* drop off, decline
**verloren ❶** *kwijt* lost ★ ~ *gaan* get lost ❷ *reddeloos* lost ★ *een* ~ *zaak* a lost cause ❸ *nutteloos* lost ★ *in een* ~ *uurtje* in a spare moment ★ ~ *moeite* wasted effort ▼ BN ~ *lopen* lose one's way, get lost
**verloskamer** delivery room
**verloskunde** obstetrics mv, (van vroedvrouw) midwifery
**verloskundige** (arts) obstetrician, (vroedvrouw) midwife
**verlossen ❶** *bevrijden* deliver / release (from), rel redeem ★ *het* ~ *de woord spreken* save the situation (by saying) ❷ *helpen bevallen* deliver
**Verlosser** *Christus* Redeemer, Saviour
**verlosser** *bevrijder* saviour
**verlossing ❶** *bevrijding* deliverance ❷ *bevalling* delivery ❸ rel redemption
**verloten** raffle
**verloting ❶** *handeling* raffling ❷ *gelegenheid* raffle, lottery
**verloven** [zich ~ ] become / get engaged (to)
**verloving** engagement, form betrothal
**verlovingsring** engagement ring
**verluiden** ▼ *naar verluidt* reputedly, rumour has it (that)
**verlustigen** [zich ~ ] *aan/in* delight in, gloat over
**vermaak** entertainment, pleasure, amusement ★ ~ *scheppen in* take (a) pleasure in
**vermaard** famous, form renowned
**vermageren** *magerder worden* become thin, lose weight
**vermagering** slimming
**vermageringskuur** slimming-cure

ve

**vermakelijk** amusing, entertaining
**vermaken** ❶ *amuseren* amuse, entertain★ *zich~* enjoy o.s. ❷ *nalaten* bequeath ❸ *veranderen* alter
**vermalen** grind, crush
**vermanen** admonish, warn
**vermaning** admonition, warning
**vermannen** [*zich ~*] pull oneself together
**vermeend** supposed, alleged★ *~e vader* putative father
**vermeerderen** *doen toenemen* increase, grow
**vermeerdering** increase
**vermelden** mention, report
**vermelding** mention★ *eervolle~* honourable mention★ *onder~ van* stating
**vermengen** mix, ⟨van thee, koffie⟩ blend, ⟨van metaal⟩ alloy★ *zich~* mix, mingle
**vermenging** mixing, mixture, blending
**vermenigvuldigen** ❶ *verveelvoudigen* duplicate ❷ wisk multiply★ *~ met* multiply by
**vermenigvuldiging** multiplication, ⟨van leven⟩ reproduction
**vermetel** audacious
**vermicelli** vermicelli
**vermijdbaar** avoidable
**vermijden** ❶ *uit de weg gaan* avoid, keep away from, ⟨sterker⟩ shun ❷ *voorkomen* avoid, prevent ★ *dat is niet te~* it's just one of those things
**vermiljoen** vermilion, vermillion
**verminderen** I *ov ww, minder maken* lessen, diminish, ⟨van aantallen, salaris⟩ decrease, ⟨van prijs, vaart⟩ reduce, ⟨van vaart⟩ slacken★ *het gevaar van infectie~* lessen the risk of infection II *on ww, minder worden* decrease, ⟨van gezondheid⟩ decline, ⟨van storm⟩ abate
**vermindering** ❶ *het minder worden of maken* decrease ❷ BN econ *reductie* discount, ⟨studenten, enz.⟩ concession
**verminken** lett *lichamelijk schenden* mutilate
**verminking** mutilation
**vermissen** miss
**vermissing** loss
**vermiste** missing person
**vermits** BN because, since
**vermoedelijk** presumable, probable★ *de~e dader* the suspected offender
**vermoeden** I *zn* [het] ❶ *veronderstelling* assumption, form supposition, ⟨gissing⟩ conjecture ❷ *voorgevoel* suspicion★ *bang~ misgiving★ geen flauw~ hebben* have not the faintest idea ❸ *verdenking* suspicion★ *ons~ was juist* our suspicion proved / was correct II *ov ww* ❶ *veronderstellen* suspect, suppose ❷ *bedacht zijn op* suspect★ *niets~d* unwary
**vermoeid** tired, weary, form fatigued
**vermoeidheid** tiredness, weariness, form fatigue
**vermoeidheidsverschijnsel** fatigue symptom
**vermoeien** tire, weary, form fatigue
**vermoeiend** tiring, ⟨vervelend⟩ tiresome
**vermogen** I *zn* [het] ❶ *capaciteit van zaken* power, capacity ❷ *capaciteit van mensen* ability ★ *verstandelijke~s* intellectual faculties★ *naar mijn beste~* to the best of my ability ❸ *macht* power★ *dat ligt buiten mijn~* that lies beyond my power ❹ *bezit* property, ⟨van geld⟩ fortune II *ov ww, in staat zijn* be in a position to★ *veel~*

be able to do much★ *niets~ tegen* be powerless against
**vermogend** ❶ *rijk* wealthy ❷ *invloedrijk* influential
**vermogensaanwas** capital gain★ *belasting op de~* capital gains tax
**vermogensbelasting** wealth tax
**vermogensmarkt** capital market
**vermolmd** decayed, mouldered, rotten
**vermommen** *verkleden* disguise
**vermomming** disguise
**vermoorden** *doden* murder★ *de vermoorde* the murder victim
**vermorzelen** crush, pulverize
**vermorzeling** crushing, pulverization
**vermout** cul vermouth
**vermurwen** soften, mollify★ *niet te~* inexorable
**vernachelen** ❶ inform *bedriegen* diddle, take for a ride ❷ inform *stukmaken* wreck, spoil
**vernauwen** narrow
**vernauwing** ❶ *nauwe plaats* narrowing, contraction ❷ med stricture
**vernederen** humiliate, humble★ *daar wil ik mij niet toe~* I won't stoop to that
**vernederend** humiliating, degrading
**vernedering** humiliation
**vernederlandsen** *een Nederlands karakter geven* make Dutch, min dutchify
**vernemen** hear, learn, understand★ *naar wij~* it is reported (that)
**vernielen** destroy, smash (up)
**vernieling** ❶ *het vernielen* destruction ❷ *wat vernield is*▾ *in de~ zitten* be at the end of one's tether
**vernielzucht** destructiveness
**vernietigen** ❶ *verwoesten* destroy, ⟨wegvagen⟩ annihilate, ⟨van hoop⟩ wreck, ⟨van vijand⟩ wipe out ❷ *nietig verklaren* annul, ⟨van vonnis⟩ quash
**vernietigend** destructive, ⟨van blik⟩ withering, ⟨van nederlaag, antwoord⟩ crushing, ⟨van kritiek⟩ slashing
**vernietiging** ❶ *het verwoesten* destruction, ⟨totaal ook⟩ annihilation ❷ *nietigverklaring* annulment, nullification
**vernietigingskamp** extermination camp
**vernieuwen** ❶ *opknappen* renovate ❷ *vervangen* renew
**vernieuwend** ❶ *modern makend* renovation ❷ *vervangend* renewing
**vernikkelen** I *ov ww, met nikkel bedekken* nickel(plate) II *on ww, verkleumen* perish with cold, freeze
**vernis** ❶ *blanke lak* varnish ❷ fig veneer
**vernissen** varnish
**vernoemen** ❶ *als naam geven* name / call after ★ *ik ben vernoemd naar mijn oma* I have been named after my grandmother ❷ BN *vermelden* mention, report
**vernuft** genius, ingenuity★ *het menselijk~* human ingenuity
**vernuftig** ❶ *scherpzinnig* ingenious ❷ *ingenieus* ingenious
**veronachtzamen** *verwaarlozen* omit (to do), ⟨van plicht⟩ neglect
**veronderstellen** assume, (pre)suppose★ *ik veronderstel van wel* I suppose so

**ve**

**veronderstelling** supposition, assumption ★*zij verkeert in de ~ dat* she is under the impression that

**verongelijkt** aggrieved, injured

**verongelukken** *een ongeluk krijgen* ⟨van persoon⟩ meet with an accident, ⟨van persoon⟩ perish, ⟨van auto, schip, vliegtuig⟩ be wrecked, ⟨van vliegtuig, auto⟩ crash ★*hij is in de bergen verongelukt* he lost his life in the mountains ★*doen ~* wreck

**verontreinigen** pollute, ⟨van hand, doek⟩ soil, ⟨van hand, doek⟩ dirty

**verontreiniging** pollution, dirtying, defilement

**verontrusten** alarm, disquiet, disturb

**verontrustend** alarming, disturbing, ⟨ongelukkig makend⟩ distressing

**verontrusting** anxiety, worry, unease

**verontschuldigen** I *ov ww* excuse ★*zich laten ~* ask to be excused ▼BN *verontschuldigd zijn* ⟨afwezig met kennisgeving⟩ be absent with notice II *wkd ww* [zich ~] apologize ★*zich ~ voor* apologize for

**verontschuldiging** apology, excuse ★*zijn ~en aanbieden* offer one's apologies, apologize

**verontwaardigd** indignant

**verontwaardigen** fill with indignation ★*zich ~ (over iets / iemand)* be indignant (at sth / with sb)

**verontwaardiging** indignation

**veroordeelde** condemned person, jur convict

**veroordelen** ❶ *afkeuren* condemn ❷ *vonnissen* condemn ★*iem. ~ tot een jaar gevangenisstraf* sentence sb to a year of imprisonment ★*iem. in de kosten ~* condemn sb to pay the costs

**veroordeling** ❶ *afkeuring* condemnation ❷ *vonnis* sentence, jur conviction

**veroorloven** allow, permit ★*is het geoorloofd om* am I allowed to ★*ik kan mij geen auto ~* I can't afford a car

**veroorzaken** cause, bring about, form occasion

**verorberen** dispatch, dispose of

**verordenen** *gelasten* rule, decree, ordain

**verordening** regulation

**verouderen** I *on ww* ❶ *ouder worden* grow old, age ❷ *in onbruik raken* become obsolete, go out of date II *ov ww*, *ouder maken* age ★*dit heeft haar sterk verouderd* this has aged her a lot

**veroudering** ❶ ⟨van mensen⟩ *het ouder worden* ageing, getting old ❷ ⟨van dingen⟩ *het in onbruik raken* obsolescence, getting out of date, becoming old-fashioned

**veroveraar** conqueror

**veroveren** conquer ★*~ op* capture from

**verovering** conquest

**verpachten** lease (out)

**verpakken** lett pack / wrap (up)

**verpakking** ❶ *het verpakken* packing ❷ *materiaal* packing

**verpakkingsmateriaal** packing / packaging material(s)

**verpanden** *belenen* pawn, ⟨van onroerend goed⟩ mortgage

**verpatsen** flog

**verpauperen** pauperize, be reduced to poverty

**verpersoonlijken** personify

**verpersoonlijking** personification

**verpesten** infect, ⟨van eten, kind, plezier, e.d.⟩ spoil, ⟨van gedachte, relatie, e.d.⟩ poison

**verpieteren** ❶ *te lang koken* overcook, cook to pulp ❷ *verkommeren* waste away, go downhill

**verpinken** BN *knipperen met de ogen* blink ▼BN *zonder ~* without batting an eyelid, coolly

**verplaatsen** I *ov ww*, *elders plaatsen* ⟨van zaken, mensen⟩ move, ⟨van zaken⟩ shift, ⟨van een zaak, beambten⟩ transfer II *wkd ww* [zich ~] ❶ *zich voortbewegen* move, shift ❷~ *in* ★*zich in iem. ~* put o.s. in sb's place ★*zich in gedachten ~ naar* transport o.s. mentally to

**verplaatsing** ❶ *het verplaatsen* movement, shift(ing), transfer, ⟨van goederen, enz⟩ removal, ⟨van water door schip⟩ displacement ❷ BN *dienstreis* official trip / journey

**verplaatsingskosten** ❶ BN *reiskosten* travelling expenses / costs *mv* ❷ BN *voorrijkosten* call-out charge

**verplanten** transplant, plant out

**verpleegdag** ⟨in verpleeghuis⟩ a day of nursing care, ⟨in ziekenhuis⟩ a day of hospitalisation

**verpleeghuis** nursing / convalescence home

**verpleeghulp** nurse's aide

**verpleegkundige** (male / female) nurse ★*gediplomeerd(e) ~* trained / qualified nurse

**verpleegster** nurse

**verplegen** tend, nurse

**verpleger** (male) nurse, mil orderly

**verpleging** nursing

**verpletteren** ❶ *vermorzelen* crush, smash ❷ *overweldigen* shatter

**verplettering** crushing, smashing, shattering

**verplicht** ❶ *voorgeschreven* obligatory, ⟨van dienst⟩ compulsory ★*~ stellen* make obligatory ★*een ~ vak* an obligatory subject ★*~ zijn te...* be obliged to..., have to... ❷ *verschuldigd* obliged ★*ik ben u zeer ~* I am much obliged to you ★*dat ben je hem ~* you owe it to him

**verplichten** *plicht opleggen* oblige ★*het verplicht u tot niets* it commits you to nothing ★*hij verplichtte zich om...* he undertook / engaged to...

**verplichting** obligation, commitment ★*zijn ~en nakomen* meet one's liabilities / obligations ★*zonder enige ~* without any obligation ★*een ~ aangaan* enter into obligation, commit o.s. ★*ik wil geen ~ aan hem hebben* I want to be under no obligations to him

**verpoppen** [zich ~] pupate

**verpoten** transplant

**verpotten** repot

**verpozen** [zich ~] relax, take a rest

**verprutsen** ⟨van tijd⟩ waste, ⟨van werk⟩ spoil

**verpulveren** I *ov ww* ❶ *tot pulver maken* pulverise ❷ *vernietigend verslaan* pulverize, crush ★*team a heeft team b compleet verslagen* team A has crushed team B II *on ww*, *tot pulver worden* pulverise

**verraad** treason, treachery, betrayal ★*~ plegen* commit treason

**verraden** ❶ *openbaar maken* betray ★*de zaak ~* give the show away ❷ *niet trouw zijn aan* commit treason, betray, rat (on), ⟨aan politie⟩ squeal, ⟨aan politie⟩ rat (on) ❸ fig *kenbaar maken* ★*zich ~* give o.s. away, betray o.s.

**verrader** traitor, betrayer

**verraderlijk ❶** *iets verradend* telltale **❷** *als verrader* treacherous **❸** *gevaarlijk* tricky, treacherous

**verramsjen** sell at a knock-down price

**verrassen ❶** *verbazen* take by surprise ★*onaangenaam verrast* taken aback ★*we werden door een onweer verrast* we were caught in a thunderstorm **❷** *verblijden* surprise (pleasantly) ★*zijn vrienden met het nieuws ~* spring the news on one's friends **❸** *betrappen* take by surprise

**verrassend** surprising

**verrassing ❶** *het verrassen* surprise ★*tot mijn grote ~* much to my surprise **❷** *iets dat verbaast* surprise

**verrassingsaanval** surprise attack

**verrassingspakket** surprise package

**verre** → ver

**verregaand** far-reaching, extreme, ⟨van onwetendheid, verwaarlozing⟩ gross

**verregenen** spoil by rain, ⟨stopgezet vanwege de regen⟩ rain off, ⟨kletsnat worden⟩ bedraggle

**verreikend** far-reaching

**verrek** damn, holy cow, golly ★ ~ *zeg!* I'll be damned!

**verrekenen I** *ov ww* settle **II** *wkd ww* [zich ~] lett miscalculate

**verrekening ❶** *het verrekenen* settlement **❷** *misrekening* miscalculation

**verrekijker** binoculars *mv*, field glasses *mv*, ⟨met één lens⟩ telescope

**verrekken I** *ov ww, te ver rekken* strain, ⟨verstuiken⟩ sprain ★*een spier ~* pull a muscle ★*zich ~* strain o.s. **II** *on ww, creperen* perish ★ ~ *van de honger* starve to death ★*verrek toch!* fuck off! ▼*het kan me niet ~* I don't give a damn

**verrekking ❶** *het verrekken* straining **❷** *ontwrichting* sprain(ing), twisting

**Verre Oosten** Far East

**verreweg** by far, far and away

**verrichten** perform, do ★*arrestaties ~* make arrests

**verrichting ❶** *handeling* action, activity, ⟨zakelijk⟩ transaction **❷** *uitvoering* performance

**verrijden ❶** *rijdend verplaatsen* move, shift **❷** *aan rijden besteden* spend on travel(ling) **❸** *sport* ★*een wedstrijd ~* compete / ride in a competition

**verrijken** *rijker doen worden* enrich

**verrijking** enrichment

**verrijzen ❶** *oprijzen* arise, ⟨van industrie, stad⟩ spring up **❷** *opstaan* rise ★*uit de dood ~* rise from the dead

**verrijzenis** resurrection

**verroeren** stir, move, budge

**verroest I** *bnw* rusty **II** *tw* inform what the devil

**verroesten** rust, get rusty

**verrot ❶** *rot geworden* rotten ★*hij schopte hem ~* he kicked the living daylights out of him **❷** *vervloekt* damned ★*die ~te auto* that rotten / lousy car

**verrotten** rot

**verrotting** rot(ting) decay

**verruilen** exchange / swap (for)

**verruimen ❶** lett widen **❷** fig broaden, extend ★*zijn blik ~* widen / broaden one's outlook ★*mogelijkheden ~* extend the possibilities

**verruiming ❶** lett widening **❷** fig broadening,

extension

**verrukkelijk** delightful, enchanting, ⟨van smaak⟩ delicious

**verrukken** delight, enchant

**verrukking** delight, enchantment, rapture

**vers I** *bnw* **❶** *nieuw, fris* fresh, ⟨van brood⟩ new, ⟨v. eieren⟩ fresh, ⟨v. eieren⟩ new-laid **❷** fig *net ontstaan* fresh, new ★*een vers spoor* fresh tracks **II** *bijw* ▼*het ligt mij nog vers in het geheugen* it is still fresh in my memory **III** *zn* [het] **❶** *dichtregel* verse **❷** *strofe* stanza **❸** *gedicht* poem **❹** *passage in Bijbel* ▼*dat is vers twee* that's quite a different subject

**versagen** lose heart, falter

**verschaffen** provide / supply (with) ★*zich toegang ~ tot* gain access to ★*zich ~* procure, get

**verschaffing** provision

**verschalen** go flat / stale ★*verschaald bier* flat / stale beer

**verschalken ❶** *verorberen* polish off, dispose of **❷** *te slim af zijn* outwit, outmanoeuvre, get round

**verschansen** [ zich ~] entrench oneself, take cover ★*zich ~ achter iets* take cover behind sth

**verschansing ❶** *bolwerk* entrenchment **❷** *reling* railing, bulwarks

**verscheiden I** *bnw, verschillend* various, diverse **II** *onb vnw, meer* several

**verscheidenheid ❶** *verschil* variety, diversity **❷** *variatie* range ★*een grote ~ aan voorstellen* a multiplicity of proposals

**verschepen ❶** *per schip verzenden* ship **❷** *overladen* transship

**verscheping ❶** *het overladen* reshipment **❷** *het per schip verzenden* shipping

**verscherpen ❶** *aanscherpen* sharpen, ⟨van bepaling⟩ tighten (up) **❷** *verergeren* ⟨van conflict⟩ aggravate, ⟨van oorlog⟩ intensify

**verscherping ❶** *het aanscherpen* sharpening, tightening up **❷** *verergering* aggravation, intensification

**verscheuren ❶** *scheuren* tear (apart / up), tear to pieces **❷** *in verdeeldheid brengen* tear (apart) **❸** *verslinden* maul

**verscheurend** ⟨dier⟩ carnivorous

**verschiet ❶** *verte* distance **❷** *toekomst* offing, prospect ★*in het ~* in the offing, ahead

**verschieten I** *ov ww, verbruiken* shoot, use up **II** *on ww* ⟨van kleur⟩ verbleken fade **❷** ⟨van persoon⟩ *van gelaatskleur veranderen* change colour

**verschijnen ❶** *zich vertonen* appear, make one's appearance **❷** *komen opdagen* appear, turn up **❸** *gepubliceerd worden* come out, be published ★*juist verschenen* just been published

**verschijning ❶** *het verschijnen* appearance, ⟨van boek⟩ publication, ⟨van boek⟩ appearance, ⟨van termijn⟩ expiration **❷** *persoon* figure, person ★*een aardige ~* a pleasant personality ★*een indrukwekkende ~* a commanding / imposing personality **❸** *geestverschijning* ghost, apparition

**verschijnsel ❶** *fenomeen* phenomenon *mv: phenomena* **❷** *symptoom* symptom ★*dat is een dagelijks ~* that happens daily

**verschikken** *anders schikken* rearrange, move about / around

**verschil ❶** *onderscheid* difference, distinction★ *~ van mening* difference of opinion★ *een wereld van~* poles apart ❷ *wisk* difference★ *het~ delen* split the difference

**verschillen** differ (from)

**verschillend ❶** *anders* different (from) ❷ *meer* ⟨dan één⟩ several, various★ *~e mensen hebben het gezien* several people have seen it

**verschilpunt** point of difference

**verschimmelen** go / become mouldy, ⟨papier, leer enz.⟩ become mildewed

**verscholen** hidden, tucked (away)

**verschonen ❶** *schone luier aandoen*change a nappy / diaper★ *de baby~* change the baby's nappy / diaper ❷ *schoon beddengoed aanbrengen*★ *het bed~* change the sheets ❸ *vrijwaren* spare★ *verschoond blijven van iets* be spared sth

**verschoning ❶** *schone (onder)kleding* change (of linen) ❷ *verontschuldiging* excuse★ *(om)~ vragen* apologize

**verschoppeling** outcast, pariah

**verschralen** attenuate, shrivel, ⟨van wind⟩ get bleak / cold, ⟨van huid⟩ get chapped

**verschrijven** [zich ~] make a mistake (in writing)

**verschrijving** slip of the pen

**verschrikkelijk** *schrikbarend* terrible, dreadful

**verschrikking** terror, horror

**verschroeien** *schroeien* scorch, ⟨door gebrek aan water⟩ parch

**verschrompelen ❶** *ineenschrompelen* shrink ❷ *rimpelig worden* shrivel (up)

**verschrompeling** shrinking, shrinkage

**verschuilen** [zich ~] hide, conceal

**verschuiven I** *ov ww* ❶ *verplaatsen* shift, move, ⟨opzij⟩ shove (away) ❷ *uitstellen* postpone★ *een afspraak~* put off / postpone an appointment **II** *on ww, zich verplaatsen* shift

**verschuiving ❶** *verplaatsing* shifting★ *~ naar links* swing to the left ❷ *uitstel* postponement

**verschuldigd ❶** *te betalen* due (to), indebted★ *het~e (bedrag)* the amount due★ *hoeveel ben ik je~?* how much do I owe you? ❷ *verplicht* due★ *iem. dank~ zijn* owe sb thanks, be indebted to sb★ *dat ben je aan jezelf~* you owe it to yourself

**versgebakken** freshly baked

**versheid** freshness

**versie** version

**versierder** *verleider* lady-killer, womanizer, flirt

**versieren ❶** *verfraaien* decorate, deck out, ⟨van kerstboom⟩ decorate, ⟨van verhaal⟩ adorn ❷ *voor elkaar krijgen* fix, manage ❸ *verleiden* pick up★ *iem.~* chat up sb, hit on sb

**versiering ❶** *het versieren* adornment, decoration ❷ *decoratie* decoration

**versiertoer** *op de~ gaan* go cruising

**versimpelen** simplify

**versjacheren** flog

**versjouwen** drag away

**versjteren** *inform* wreck, spoil

**verslaafd** addicted (**aan** to), *inform* hooked (**aan** on)

**verslaafde** addict, ⟨aan verdovende middelen⟩ drug addict

**verslaan ❶** *overwinnen* defeat, ⟨sport ook⟩ beat ❷ *verslag geven* cover★ *een wedstrijd~* cover a match

**verslag ❶** *rapport* report, account★ *woordelijk~* verbatim report★ *voorlopig / tussentijds~* interim report ❷ *journalistiek bericht, reportage* commentary★ *rechtstreeks~* running commentary★ *~ uitbrengen over* deliver a report on, report on

**verslagen ❶** *overwonnen* defeated ❷ *terneergeslagen* dismayed

**verslaggever** reporter, ⟨voor de radio⟩ commentator

**verslaggeving** reporting, coverage

**verslapen I** *ov ww, slapend doorbrengen* sleep away **II** *wkd ww* [zich ~] *te lang slapen* oversleep

**verslappen ❶** *minder sterk worden* relax, slacken ❷ *minder intensief worden* weaken, slacken★ *de aandacht verslapte* attention waned

**verslapping ❶** *het slap worden* relaxation ❷ *het minder intensief worden* slackening

**verslavend** addictive, habit-forming

**verslaving** addiction

**verslavingszorg** *med omschr* care and treatment of drug addicts

**verslechteren** *slechter worden* get worse

**verslechtering** worsening (of / in)

**verslepen ❶** *lett* tow away, drag off ❷ *comp* ⟨op beeldscherm⟩ drag

**versleten ❶** *afgeleefd* worn out, ⟨van mens⟩ burnt-out ❷ *afgesleten* worn (out), ⟨van stof⟩ threadbare★ *tot op de draad~* worn to a thread

**versleutelen** encrypt

**verslijten I** *ov ww* ❶ *doen slijten* wear out ❷ *~voor* take for★ *waar verslijt je me voor?* what do you take me for?★ *hij hield me voor een ander* he (mis)took me for sb else **II** *on ww, slijten* wear away / out

**verslikken** [zich ~] *fout slikken*★ *zich~ in iets* choke on sth

**verslinden** devour▾ *dat verslindt geld* that is like eating money, that is a great drain on my purse

**verslingerd aan** mad / crazy about

**verslingeren** [zich ~] **aan** throw oneself away on

**versloffen** make a mess of, neglect★ *hij heeft zijn werk laten~* he has neglected his work

**verslonzen** allow to go to pot, neglect

**versmachten** die (of), languish★ *~ van de dorst* be dying of thirst

**versmaden** despise, disdain, scorn★ *geenszins te~* by no means to be sneezed at

**versmallen** narrow

**versmalling ❶** *handeling* narrowing ❷ *plaats* constriction, ⟨van stroom, zee⟩ narrow(s)

**versmelten I** *ov ww* ❶ *natk* doen samensmelten fuse ❷ *indus* omsmelten ⟨van metaal⟩ melt, ⟨van erts⟩ smelt ❸ *fig* ⟨van kleuren⟩ blend, ⟨van bedrijven⟩ amalgamate **II** *on ww* ❶ *natk* wegsmelten melt (away) ❷ *fig* samensmelten blend, merge

**versmelting** fusion

**versnapering** titbit, snack, ⟨snoep⟩ sweets *mv*★ *er werden~en aangeboden* refreshments were served

**versnellen** *de snelheid verhogen van* accelerate, speed up

**versnelling ❶** *het versnellen* acceleration ❷ *mechanisme* gear★ *hoogste / laagste~* top / bottom gear★ *in een hoge~ zetten* change up

**ve**

★ *een fiets met drie~en* a three-speed bike★ *naar een lagere~ terugschakelen* change down

**versnellingsbak** gearbox

**versnijden** ❶ *aanlengen* ⟨verdunnen⟩ dilute, ⟨mengen⟩ adulterate ❷ *in stukken snijden* cut up

**versnipperen** ❶ *in snippers snijden* cut into bits ❷ *te klein verdelen* ⟨van tijd, geld⟩ fritter away, ⟨van stemmen⟩ split

**versnippering** ❶ *het te klein verdelen* fragmentation ❷ *het in snippers snijden* shredding

**versoberen** I *on ww, soberder worden* economize, sober down II *ov ww, soberder inrichten* economize

**versobering** economization

**versoepelen** I *ov ww, soepeler maken* relax, make more supple / flexible II *on ww, soepeler worden* relax, become more supple / flexible ★ *de regels zijn versoepeld* the rules have been relaxed / made less rigid

**versoepeling** relaxation, ⟨van regels, wetten enz.⟩ liberalization

**versomberen** darken, make / become gloomy ★ *haar gezicht versomberde* her face darkened

**verspelen** ❶ *spelend verliezen* gamble away ❷ *kwijtraken* ⟨van recht, leven⟩ lose, ⟨door schuld⟩ forfeit, ⟨van kans⟩ <u>inform</u> blow

**verspenen** plant out

**versperren** ⟨van weg⟩ block, ⟨van weg⟩ bar, ⟨opzettelijk⟩ barricade

**versperring** ❶ *het versperren* blocking (up), obstruction ❷ *barricade* barrier, ⟨van prikkeldraad⟩ entanglement, ⟨in rivier⟩ boom

**verspillen** squander, waste

**verspilling** waste

**versplinteren** I *ov ww, tot splinters maken* splinter, sliver, smash (up) into matchwood II *on ww, tot splinters worden* splinter, shatter

**versplintering** smashing, *ook fig* fragmentation

**verspreid** ★ ~ *staande hutjes* scattered cottages ★ ~*e buien* scattered showers

**verspreiden** ❶ *uiteen doen gaan* ⟨van menigte⟩ disperse★ *zich* ~ spread out, disperse ❷ *fig verbreiden* ⟨van ziekte, nieuws⟩ spread, ⟨van gerucht⟩ circulate, ⟨van geur⟩ give out, ⟨van warmte⟩ diffuse★ *het evangelie* ~ propagate the gospel

**verspreiding** *het uiteen doen gaan* distribution

**verspreken** [zich ~] ❶ *iets verklappen* let the cat out of the bag ❷ *iets verkeerd zeggen* make a slip, ⟨bij uitspreken⟩ mispronounce

**verspreking** mispronunciation, slip (of the tongue)

**verspringen** ★ *het* ~ long jumping, USA broad jumping

**verspringen** ❶ *van plaats veranderen* jump, be left out, skip ❷ *van andere dag vallen* move, change date ❸ *niet in één lijn liggen* stagger ★ ~*de naden* staggered seams

**versregel** line (of poetry)

**verstaan** I *ov ww* ❶ *horen* hear★ *ik verstond niet wat hij zei* I didn't catch what he said ❷ *begrijpen* understand★ *te~ geven* give to understand★ *iets verkeerd* ~ misunderstand sth★ *wel te* ~ that is to say ❸ *beheersen* ★ *hij verstaat zijn vak* he knows his job ❹ ~ *onder* mean by★ *wat versta je daar*

*onder?* what do you mean by it? II *wkd ww* [zich ~] *overleggen* come to an understanding (met with)

**verstaanbaar** ❶ *duidelijk hoorbaar* audible ❷ *begrijpelijk* understandable

**verstaander** ▼ *een goede* ~ *heeft maar een half woord nodig* a nod is as good as a wink

**verstand** ❶ *intellect, begrip* mind, intellect, intelligence★ *een goed* ~ a good brain, a good head on one's shoulders★ *gezond* ~ common sense★ *iem. iets aan het* ~ *brengen* make sb understand sth★ *bij zijn volle* ~ *zijn* be in full possession of one's faculties★ *je bent niet bij je* ~ you are out of your mind★ *daar kan ik met mijn* ~ *niet bij* it's beyond my comprehension, it's beyond me, it beats me★ *dat gaat mijn* ~ *te boven* that's beyond me★ *ik kan mijn* ~ *er niet bij houden* I can't concentrate, I can't keep my mind on my work★ *gebruik je* ~ use your brains, listen to reason★ *het* ~ *komt met de jaren* wisdom comes with age★ *waar zit je* ~ *toch?* where's your sense? ❷ *kennis van zaken* judgement, understanding, ⟨kennis⟩ knowledge★ *met* ~ *te werk gaan* proceed judiciously★ *geen* ~ *hebben van* know nothing about★ *daar heeft hij helemaal geen* ~ *van* he doesn't know the first thing about it▼ *met dien* ~*e, dat...* on the understanding that, provided that

**verstandelijk** intellectual★ ~*e vermogens* intellectual faculties

**verstandhouding** understanding, relations *mv* ★ *in goede* ~ *staan tot* be on good terms with

**verstandig** ❶ *met verstand* intelligent, reasonable ★ *men kan geen* ~ *woord uit hem krijgen* one cannot get any sense out of him ❷ *doordacht* sensible★ *wees* ~ be sensible★ *hij was zo* ~ *om...* he had the (good) sense to...

**verstandshuwelijk** marriage of convenience

**verstandskies** wisdom tooth *mv: teeth*

**verstandsverbijstering** mental derangement, insanity★ *een vlaag van* ~ a momentary lapse of reason

**verstappen** [zich ~] stumble

**verstarren** become rigid★ ~*d werken op* have a paralysing effect on★ *zij verstarde* she froze

**verstarring** ⟨v. lichaam(sdelen)⟩ stiffening, *fig* petrifaction

**verstedelijken** urbanize

**verstedelijking** urbanisation

**verstek** ❶ *jur* default★ *bij* ~ *veroordeeld worden* be sentenced by default ❷ *techn* mitre★ *in* ~ *zagen* mitre sth▼ ~ *laten gaan* make default, fail to appear

**verstekbak** mitre box

**verstekeling** stowaway

**verstelbaar** adjustable, adaptable

**versteld** ★ ~ *staan* be dumbfounded★ ~ *doen staan* stupefy sb

**verstellen** ❶ *anders stellen* adjust ❷ *herstellen* mend, patch

**verstelwerk** mending

**verstenen** I *ov ww* ❶ *tot steen maken* petrify ❷ *ongevoelig maken* turn to stone II *on ww, ongevoelig worden*▼ *versteend van de kou* numb with cold

**versterken** ❶ *sterker maken* strengthen, ⟨van

geluid) amplify, (van licht, geluid) intensify ❷ *aanvullen* reinforce, add to ❸ *fortificeren* fortify

**versterker** audio-vis amplifier

**versterking** ❶ *het sterker maken* strengthening, (van licht) intensification, (van geluid) amplification ❷ *aanvulling* (troepen) reinforcements *mv* ❸ *fortificatie* fortification

**verstevigen** (van positie) consolidate, (van vriendschapsband) strengthen, (van muur, e.d.) prop up, (van muur) brace

**versteviging** strengthening, stiffening

**verstijven** I *ov ww, stijf maken* stiffen II *on ww, stijf worden* stiffen

**verstikken** suffocate, choke, stifle

**verstikking** suffocation, choking

**verstikkingsdood** death by suffocation

**verstild** tranquil

**verstillen** (grow) still, quiet down

**verstoken** I *bnw* ★ ~ *van* devoid of II *ov ww, opbranden* burn up

**verstokt** hardened, obdurate ★ *een ~e roker* an inveterate smoker, a confirmed smoker

**verstommen** *sprakeloos worden* fall silent, die down

**verstomming** ▾BN *met ~ geslagen* dumbfounded

**verstoord** annoyed

**verstoppen** ❶ *verbergen* hide, conceal ❷ *dichtstoppen* (van buis) choke (up), (van buis) stop up, (van buis) clog, (van doorgang) obstruct / block ★ *verstopte neus* stuffy nose, stuffed up nose

**verstoppertje** ★ ~ *spelen* play hide-and-seek

**verstopping** ❶ *het verstopt zijn* stoppage, blockage ❷ *constipatie* constipation ❸ *verkeersopstopping* traffic jam

**verstoren** *onderbreken* (van rust) disturb, (van evenwicht, plannen) upset, (van openbare orde) breach

**verstoring** disturbance

**verstoten** cast off / away, (v. vrouw) repudiate ★ *een kind ~* disown a child

**verstoting** repudiation

**verstouwen** ❶ *eten* put away ❷ *fig verduren* take, stomach

**verstrakken** *strakker worden* tighten, (van gezicht) set ★ *zijn gezicht verstrakte* his expression hardened, his face set

**verstrekken** provide / supply with, mil issue

**verstrekkend** far-reaching

**verstrekking** ❶ *het verstrekken* provision, distribution ❷ *het verstrekte* supply, ration

**verstrijken** (verlopen) pass (by), (verlopen) go by, (eindigen) expire ★ *de termijn is verstreken* the term has expired

**verstrikken** fig entangle, snare, trap ★ *in zijn eigen leugens verstrikt raken* get caught in one's own lies

**verstrooid** *geestelijk afgeleid* absent-minded

**verstrooien** ❶ *verspreiden* scatter, (van troepen) disperse ❷ *afleiding bezorgen* entertain

**verstrooiing** ❶ *verspreiding* dispersion ❷ *geestelijke afleiding* entertainment, diversion

**verstuiken** sprain, wrench ★ *zijn enkel ~* sprain one's ankle

**verstuiking** sprain, wrench

**verstuiven** I *ov ww, doen vervliegen* vaporize, spray II *on ww, vervliegen* be blown away

**verstuiver** (air) spray, atomizer

**verstuiving** ❶ *het verstuiven* atomization, spraying ❷ *terrein* sand-drift

**versturen** send (off), dispatch

**versuffen** I *ov ww, suf maken* have a numbing effect (on), make dull II *on ww, suf worden* grow dull, (door schok) become dazed / stunned

**versuft** dizzy, stunned, (schok) dazed ★ *hij zat ~ te kijken* he sat there in a daze ★ ~ *door het lawaai* dazed by the noise

**versuftheid** daze

**versukkeling** ▾ *in de ~ raken* fall into (a) decline

**versus** versus, against

**versvoet** metrical foot *mv:* feet

**vertaalbureau** translation bureau

**vertaalcomputer** computer translator

**vertaalwoordenboek** bilingual dictionary, multilingual dictionary

**vertakken** [ zich ~] branch off (into)

**vertakking** *het vertakken* branching, ook fig ramification

**vertalen** ❶ *in andere taal weergeven* translate, render ★ *het laat zich moeilijk ~* it does not translate well ★ *letterlijk* ~ translate word for word ❷ *anders weergeven* translate ★ *theorie in praktijk* ~ translate theory into practice

**vertaler** translator ★ *beëdigd* ~ sworn translator

**vertaling** translation

**verte** distance ▾ *in de ~ verwant* remotely related ▾ *in de verste ~ niet zo goed* not anything like as good

**vertederen** *teder maken* move, soften

**vertederend** endearing, moving ★ *een ~ tafereel* a moving scene

**vertedering** softening, mollification

**verteerbaar** lett digestible ★ *licht ~ easily* digestible

**vertegenwoordigen** ❶ *waarde hebben van* stand for, represent ❷ *handelen namens* represent, act for

**vertegenwoordiger** ❶ *afgevaardigde* representative ❷ *handelsagent* (sales) representative

**vertegenwoordiging** ❶ *vertegenwoordigers* representative(s), (groep) delegation ❷ *het vertegenwoordigen* representation, (in de handel) agency

**vertekenen** *vervormen* distort, misrepresent

**vertellen** I *ov ww* ❶ *verhalen* tell, narrate, relate ★ *hij kan goed ~* he is a good story-teller ❷ *meedelen* ▾ *hij heeft hier niets te ~* he has nothing to say here ▾ *dat moet je mij ~!* you are telling me! II *wkd ww* [ zich ~] *verkeerd tellen* miscount

**verteller** story-teller, narrator

**vertelling** *verhaal* story, tale

**vertelwijze** narrative style

**verteren** I *ov ww* ❶ *doen vergaan* corrode, eat away ★ *verteerd worden door de vlammen* be consumed by fire ❷ *voedsel afbreken* digest ❸ *verbruiken* spend ❹ *verkroppen* digest, take ▾ *verteerd worden van verlangen* be consumed with desire II *on ww, afgebroken worden* decay, (van voedsel) digest, (wegteren) waste (away)

**vertering** ❶ *spijsvertering* digestion ❷ *consumptie* food, drinks *mv*, ⟨uitgave⟩ expenses *mv*

**verticaal** vertical

**vertier** ❶ *afleiding* entertainment, amusement ❷ *bedrijvigheid* ∗ *er is hier niet veel* ~ there is not a lot to do / going on

**vertikken** *weigeren* refuse flatly ∗ *ik vertik het om te gaan* I am dashed if I'll go ∗ *de auto vertikt het* the car won't go

**vertillen** [ zich ~] ❶ *te zwaar tillen* strain oneself (in) lifting ❷ *fig te hoog grijpen* bite off more than you can chew

**vertoeven** stay, ⟨tijdelijk⟩ sojourn, ⟨voor langere tijd⟩ dwell

**vertolken** ❶ *spelen* render, play, interpret ❷ *weergeven* voice, express ∗ *iemands gevoelens* ~ voice the feelings of sb

**vertolking** ❶ *het spelen* interpretation, ⟨muziek.⟩ rendering ❷ *het weergeven* voicing

**vertonen** ❶ *laten zien / blijken* show, exhibit, display ∗ *gelijkenis* ~ bear resemblance to ∗ *tekenen* ~ *van slijtage* show signs of wear ∗ *hij vertoonde zich niet* he didn't show up ❷ *opvoeren* show, present

**vertoning** ❶ *het vertonen* show(ing), presentation ❷ *voorstelling* show, performance ❸ *schouwspel* spectacle ∗ *het was een hele* ~ it was quite a spectacle / display

**vertoon** ❶ *het vertonen* showing, producing ∗ *op* ~ *van een identiteitsbewijs* on presentation / production of an identity card ❷ *tentoonspreiding* demonstration, manifestation ∗ *uiterlijk* ~ show ∗ *met veel* ~ with a lot of showing off

**vertoornd** incensed, enraged, irate

**vertragen** ❶ *trager maken* slow down, ⟨van ontwikkeling⟩ retard, ⟨van snelheid⟩ slacken ∗ *vertraagde filmopname* slow-motion film scene ❷ *uitstellen* delay

**vertraging** ❶ *het vertragen* deceleration ❷ *oponthoud* delay ∗ ~ *ondervinden* be delayed ∗ *de trein had twintig minuten* ~ the train was twenty minutes late

**vertrappen** *stuk-, doodtrappen* tread / trample on / down

**vertrek** ❶ *het vertrekken* departure, ⟨uit gemeente, e.d.⟩ leaving ∗ *plaats van* ~ place of departure ❷ *kamer* room

**vertrekhal** departure hall

**vertrekken** I *on ww, weggaan* leave, ⟨van boot⟩ sail, ⟨van vliegtuig⟩ take off II *ov ww, anders trekken* twitch ∗ *hij vertrok geen spier* he didn't flicker / flinch, he didn't bat an eyelid

**vertrekpunt** ook fig start(ing) point

**vertreksein** signal for departure

**vertrektijd** time of departure

**vertroebelen** ❶ *lett* make turbid, make muddy ❷ *fig* confuse, obscure ∗ *de sfeer* ~ poison the atmosphere ∗ *deze cijfers* ~ *de zaak* these figures cloud / obscure the issue

**vertroetelen** baby, pamper, min (molly)coddle

**vertroosting** consolation, solace, comfort

**vertrouwd** ❶ *op de hoogte* familiar (with) ∗ ~ *raken met iets* become familiar with sth ❷ *bekend* familiar ∗ *in zijn* ~*e omgeving* in his familiar surroundings ❸ *betrouwbaar* reliable, trustworthy, trusted

**vertrouwelijk** ❶ *familiair* intimate, familiar ∗ *ze gaan* ~ *met elkaar om* they are very close / intimate with each other ❷ *in geheim* confidential

**vertrouweling** confidant [v: confidante]

**vertrouwen** I *zn* [het] trust, confidence, faith ∗ *op goed* ~ on trust § ~ *hebben in* have / put confidence in sb § ~ *in iem. stellen* confide in sb ∗ *zijn* ~ *vestigen op God* / *het socialisme* put one's trust in God / pin one's faith on socialism ∗ ~ *wekken* inspire confidence II *ov ww, betrouwbaar achten* trust III *on ww* ~ **op** trust (in), rely on ∗ *op God* ~ trust God ∗ *vertrouw er maar niet op* don't bank on it

**vertrouwensarts** medical confidant

**vertrouwenskwestie** issue / matter of confidence ∗ *de* ~ *stellen* ask for a vote of confidence

**vertrouwensman** agent

**vertrouwenspositie** position of trust / confidence

**vertwijfeld** desperate, despairing

**vertwijfeling** despair, desperation

**veruit** by far ∗ ~ *de beste zijn* surpass sb by a long chalk / shot

**vervaard** afraid (of) ▾ *voor geen kleintje* ~ not easily alarmed

**vervaardigen** inform make, manufacture

**vervaardiging** making, manufacture

**vervaarlijk** tremendous, awful ∗ *een* ~ *gekrijs* frightful screams

**vervagen** *vaag worden* fade (out / away), become blurred

**verval** ❶ *achteruitgang* decline, deterioration, decay ∗ *zedelijk* ~ deterioration of morals ∗ *het gebouw raakt in* ~ the building is falling into disrepair ❷ *ongeldigheid* ⟨van recht⟩ lapsing, ⟨van wissel⟩ maturity ❸ *hoogteverschil* drop, fall

**vervaldatum** due date, ⟨van geldigheid⟩ expiry date

**vervallen** I *on ww* ❶ *achteruitgaan* decay, decline ❷ *bouwvallig worden* fall into disrepair ❸ *niet meer gelden* expire, ⟨van polis⟩ lapse ∗ *daarmee vervalt uw argument* that disposes of your argument ❹ *niet meer doorgaan* be cancelled ❺ ~ **aan** *in eigendom overgaan* fall to ∗ *dit vervalt aan de Kroon* this falls / reverts to the Crown ❻ *geraken, komen* ∗ *in oude fouten* ~ fall back into old mistakes / habits ∗ *tot armoede* ~ be reduced to poverty ∗ *in herhalingen* ~ repeat o.s. ∗ *tot / in uitersten* ~ go to extremes II *bnw* ❶ *bouwvallig* dilapidated, ramshackle ❷ *in slechte conditie* ravaged, wasted ∗ *een* ~ *gezicht* a ravaged face ❸ *niet meer geldig* expired, ⟨van wissel⟩ due ∗ *een* ~ *termijn* an expired period ∗ *een* ~ *recht* a lapsed right

**vervalsen** ❶ *namaken* forge, counterfeit ❷ *veranderen* doctor, tamper with ∗ *de rekeningen* ~ tamper with the accounts, inform cook the books

**vervalser** forger, counterfeiter

**vervalsing** ❶ *het vervalsen* forging, counterfeiting ❷ *het vervalste* forgery, counterfeit, inform fake

**vervangbaar** replaceable

**vervangen** ❶ *in plaats stellen van* replace ∗ *ik*

*vervang deze gloeilamp door een nieuwe* I replace this bulb with a new one★ *niet te~* irreplaceable ❷ *in plaats komen van* replace, substitute, (bij veroudering) supersede★ *~d werk aanbieden* offer alternative employment

**vervanger** replacement, substitute, ⟨van acteur⟩ understudy, ⟨van acteur⟩ stand-in

**vervanging** replacement, substitution★ *ter~ van* instead of

**vervangingsinkomen** BN ≈ *uitkering* payment, ⟨door instantie⟩ social security, ⟨door instantie⟩ benefit

**vervangstuk** BN *reserveonderdeel* spare part

**vervatten** couch, contain★ *in deze woorden vervat* worded in this way

**verve** ▼ *met~* with verve / gusto

**verveeld** I *bnw* bored, blasé, weary II *bijw*▼ BN *~ zitten met iets* not know what to do about sth

**vervelen** I *ov ww* ❶ *niet boeien* bore★ *tot~s toe* ad nauseam, over and over again★ *dat verveelt gauw* that'll soon grow old ❷ *hinderen* annoy II *wkd ww* [zich ~] *verveling voelen* be / feel bored★ *zich stierlijk~* be bored stiff

**vervelend** ❶ *onaangenaam* annoying, unpleasant★ *wat een~e vent!* what a disagreeable man!★ *wat~!* how annoying!, what a nuisance!★ *doe toch niet zo~* don't be such a nuisance ❷ *saai* boring, dull, tedious, tiresome★ *een~ iemand / iets* a bore

**verveling** boredom, *form* tedium★ *uit pure~* out of complete / sheer / *form* utter boredom

**vervellen** peel, ⟨van slangen⟩ slough★ *mijn neus is aan het~* my nose is peeling

**verveloos** paintless

**verven** ❶ *schilderen* paint ❷ *kleuren* dye

**verversen** ❶ *vervangen* change★ *olie~* change the oil ❷ BN *schone luier aandoen* change a nappy, USA change a diaper★ *de baby~* change the baby's nappy / diaper

**verversing** ❶ *het verversen* replacement ❷ *eten of drinken* refreshment

**verviervoudigen** quadruple

**vervilten** become matted

**vervlaamsen** turn / become Flemish

**vervlakken** ❶ *vlak maken* make smooth / even ❷ *verflauwen* wane, ⟨van kleuren⟩ fade (away)

**vervliegen** ❶ *vervluchtigen* evaporate ❷ *verdwijnen* vanish

**vervloeken** curse, damn, *form* rel anathematize

**vervloeking** curse, *form* anathema

**vervlogen** bygone, departed

**vervluchtigen** evaporate

**vervoegen** I *ov ww* taalk conjugate II *wkd ww* [zich ~] *zich melden* (m.b.t. plaats) apply (at), ⟨bij een persoon⟩ report to★ *vervoegt u zich op het kantoor van...* you are to apply at the office of...

**vervoeging** taalk conjugation

**vervoer** transport, (het vervoeren) transportation★ *~ door de lucht* airtransport★ *~ te water* water-carriage★ *openbaar~* public transport, USA mass transit

**vervoerbewijs** (travel) ticket, travel warrant

**vervoerder** transporter

**vervoeren** ❶ *transporteren* carry, transport ❷ *fig meeslepen* carry away

**vervoering** ecstasy, rapture, *lit* transport★ *in~*

*brengen* throw into ecstasies

**vervoermiddel** means of transport *ev en mv*

**vervolg** *voortzetting* continuation★ *~ op een boek / film* sequel to a book / film, with reference to, in continuation of▼ *in het~* in future

**vervolgblad** next page, following page

**vervolgen** ❶ *voortzetten* continue★ *zijn weg~* pursue one's way ❷ *achtervolgen* pursue, ⟨wegens geloof, politiek⟩ persecute ❸ jur prosecute, ⟨om schadevergoeding⟩ sue for★ *iem. gerechtelijk~* take legal action against sb

**vervolgens** further, next

**vervolging** ❶ *het voortzetten* continuation, pursuit ❷ *het opgejaagd worden* persecution ❸ *rechtsvervolging* prosecution★ *een~ instellen tegen* file charges against, bring an action against

**vervolgonderwijs** onderw secondary education

**vervolgverhaal** serial (story)

**vervolmaken** I *ov ww, perfectioneren* perfect II *wkd vnw,* BN *zich laten bijscholen* take a refresher course

**vervolmaking** ❶ *perfectionering* perfection, completion ❷ BN *bijscholing* extra training, ⟨in werktijd⟩ in-service training

**vervormen** ❶ *een andere vorm geven* ⟨van vorm veranderen⟩ transform, ⟨misvormen⟩ deform ❷ *anders doen klinken* distort★ *het geluid was vervormd* the sound was distorted

**vervorming** ❶ *het anders gevormd worden* transformation ❷ *het anders klinken* distortion

**vervreemden** I *ov ww, vreemd maken* alienate II *on ww, geestelijk verwijderen* drift apart, lose touch★ *van elkaar~* drift apart

**vervreemding** alienation, estrangement

**vervroegen** bring / move / put forward, advance, ⟨betalingen, e.d.⟩ accelerate★ *vervroegde uittreding* early retirement

**vervuilen** I *ov ww, vuilmaken* pollute, ⟨van voedsel / water⟩ contaminate II *on ww, vuil worden* become filthy

**vervuiler** polluter, contaminator★ *de~ betaalt* the polluter pays

**vervuiling** pollution, ⟨voornamelijk van voedsel, water⟩ contamination, ⟨toestand⟩ filthiness★ *de~ van het milieu* environmental pollution

**vervullen** ❶ *doordringen* fill★ *vervuld van één gedachte* possessed by one thought★ *vervuld van het goede nieuws* full of the good news★ *~ met afgrijzen* fill with horror ❷ *verwezenlijken* fulfil, realize ❸ *bezetten* fill

**vervulling** *verwezenlijking* fulfilment, accomplishment, ⟨van taak⟩ performance, ⟨van droom, wens⟩ realization★ *in~ gaan* be realized / fulfilled

**verwaand** conceited, cocky★ *een~e kwast* an arrogant prig

**verwaardigen** condescend★ *zij verwaardigde mij met geen blik* she didn't condescend to look at me

**verwaarlozen** neglect★ *een te~ factor* a negligible factor★ *de tuin~* let the garden go

**verwaarlozing** ⟨toestand⟩ negligence, ⟨gebouwen⟩ dereliction

**verwachten** ❶ *rekenen op* expect, ⟨van gebeurtenis⟩ anticipate★ *hij verwachtte half en* *half dat zij zou komen* he half expected her to come ❷ *zwanger zijn van* ★ *een baby* ~ expect a baby

**verwachting** expectation ★ *aan de* ~ *en beantwoorden* live / come up to expectations ★ *beneden* ~ be / fall short of expectations ★ *boven* ~ beyond expectation ★ *in* ~ expecting, expectant ★ *in gespannen* ~ with great expectations ★ *onder de* ~ *en* not up to expectations ★ *tegen alle* ~ *in* contrary to expectations ★ *vol* ~ *toezien* look on expectantly ▼ *in (blijde)* ~ *zijn* to be in the family way, be expecting

**verwachtingspatroon** (pattern of) expectations

**verwant I** *zn* [de] relative ★ *de naaste* ~ *en* next of kin **II** *bnw* ❶ *familie zijnd* related ★ ~ *zijn met* be related to, be akin to ❷ *overeenkomend* kindred ★ ~ *zijn aan* allied / related to, related issues ★ ~ *e zielen* kindred spirits

**verwantschap** ❶ *het verwant zijn* relation(ship), kinship ❷ *overeenkomst* relationship, affinity

**verward** ❶ *onordelijk* ⟨haar⟩ tousled, ⟨van draden⟩ tangled (up) ❷ *onduidelijk* confused, ⟨van situatie, ideeën⟩ confused, ⟨van feiten⟩ entangled, ⟨van denkbeelden⟩ muddled ★ ~ *raken in* get entangled in ★ ~ *spreken* talk incoherently ❸ *van streek* confused

**verwarmen** heat, warm

**verwarming** ❶ *het verwarmen* heating, warming ❷ *installatie* heating (system), heater ★ *centrale* ~ central heating ★ *achterruit* ~ rearwindow / screen demister

**verwarmingsbron** heat source, heater

**verwarmingsbuis** heating pipe

**verwarmingselement** (heating) element

**verwarmingsketel** boiler

**verwarren** ❶ *lett* ⟨iets⟩ *in de war brengen* confuse, ⟨van draden⟩ tangle (up) ★ *verward raken in iets* get entangled in sth ❷ *fig* ⟨iemand⟩ *in verlegenheid brengen* embarrass, confuse ❸ ~ *met* confuse, mix up ★ *ze* ~ *haar altijd met haar zuster* people always mistake her for her sister

**verwarring** confusion ★ *in* ~ *brengen* throw into disorder, embarrass ★ *iem. in* ~ *brengen* throw sb into confusion

**verwateren** ❶ *waterig worden* become diluted ❷ *verflauwen* become diluted, lose vigour ★ *de vriendschap was aan het* ~ the friendship was disintegrating

**verwedden** *inzetten bij wedden* bet, gamble ★ *ik verwed er mijn hoofd om* I'll bet my bottom dollar / my shirt on it

**verweer** defence, *jur* plea ★ *zij voerde als / tot haar* ~ *aan* she pleaded in defence

**verweerd** weather-beaten, weathered

**verweerschrift** (written) defence, ⟨literair⟩ apology

**verweken** soften, weaken ★ *zijn hersenen* ~ his brain is softening

**verwekken** ❶ *door bevruchting doen ontstaan* father ❷ *veroorzaken* create, cause, ⟨van gelach, ziekte⟩ cause, ⟨van toorn⟩ rouse, ⟨van hoop⟩ inspire ★ *opschudding* ~ cause a commotion

**verwekker** ❶ *vader* father ❷ *veroorzaker* cause

**verwelken** ❶ *plantk* wither, wilt ★ *verwelkte rozen* wilted roses ❷ *fig* fade ★ *verwelkte*

*schoonheid* faded beauty

**verwelkomen** welcome

**verwelkoming** welcome, greeting

**verwend** spoilt, overindulged ★ ~ *nest!* spoilt brat!

**verwennen** ❶ *bederven* spoil ❷ *vertroetelen* spoil, pamper, indulge ★ *zichzelf* ~ indulge o.s.

**verwennerij** pampering, coddling

**verwensen** curse

**verwensing** curse

**verweren I** *on ww, aangetast worden* aardk erode, ⟨in grote mate⟩ disintegrate, ⟨van steen ook⟩ weather **II** *wkd ww* [zich ~] *verdedigen* defend oneself, ⟨met woorden⟩ speak up for oneself

**verwerkelijken** *tot werkelijkheid maken* realize

**verwerken** ❶ *maken tot iets* process, convert, turn into ❷ *bij bewerken opnemen* incorporate, ⟨van feiten⟩ assimilate ★ *grapjes in een lezing* ~ work jokes into a lecture ❸ *psych omgaan met* cope with ★ *zij kan het verlies van haar broer niet* ~ she cannot come to terms with her brother's death, she cannot cope / deal with the loss of her brother

**verwerking** ❶ *verbruik van grondstof* ⟨gegevens⟩ handling, processing ❷ *opname bij bewerking* incorporation ❸ *psych omgang* dealing / coping ★ ~ *van een trauma* dealing / coping with a trauma

**verwerkingseenheid** processing unit ★ *centrale* ~ main-processor

**verwerpelijk** reprehensible, objectionable ★ ~ *e methodes toepassen* revert to / apply disreputable methods

**verwerpen** ❶ *afwijzen* reject, turn down, dismiss ★ *een voorstel* ~ turn down a proposal ❷ *afkeuren* reject, condemn, ⟨bij stemming⟩ reject, ⟨bij stemming⟩ vote down, ⟨motie⟩ defeat

**verwerping** rejection, *jur* dismissal

**verwerven** obtain, acquire, ⟨van eer⟩ win ★ *kennis* ~ acquire knowledge

**verwerving** acquisition

**verwesteren** westernize, become westernized

**verweven** ❶ *fig doen samenhangen* interweave ★ *de feiten zijn nauw met elkaar* ~ the facts are closely interwoven ❷ *wevend verwerken* interweave, intertwine

**verwezenlijken** realize, ⟨van droom⟩ come true, ⟨van hoop, wens⟩ fulfil

**verwezenlijking** realization, fulfil(l)ment

**verwijden** widen ★ *zich* ~ *(tot)* widen (into), dilate

**verwijderd** remote, distant, far off ★ *ver* ~ *e dorpjes* remote villages, out-of-the-way villages

**verwijderen I** *ov ww* ❶ *wegnemen* remove ★ *vlekken* ~ remove stains ❷ *wegsturen* remove, ⟨van school⟩ expel, ⟨van sportveld⟩ send off, ⟨uit huis⟩ evict ★ *je hebt hem van je verwijderd* you have alienated him (from yourself) **II** *wkd ww* [zich ~] *weggaan* withdraw, leave, ⟨van geluid⟩ recede

**verwijdering** ❶ *het verwijderen* removal, ⟨van school / universiteit⟩ expulsion ❷ *bekoeling* estrangement, alienation

**verwijding** widening, med dilatation

**verwijfd** effeminate, womanish, sissy

ve

**verwijlinterest** BN *econ rente* moratory interest
**verwijsbriefje** (doctor's) referral
**verwijskaart** *verwijsbriefje* referral slip
**verwijt** reproach, blame, *form* reproof ★*iem. een ~ maken over iets* reproach sb with sth, blame sb for sth
**verwijten** blame, reproach ★*in dat geval hebben wij elkaar niets te ~* in that case we're quits ★*die hebben elkaar niets te ~* they are tarred with the same brush ★*dat ~ze mij nog steeds* they still hold that against me ★*ik heb mezelf niets te ~* my conscience is clear ★*haar valt niets te ~* she is blameless
**verwijzen** refer (to), *min* relegate ★*hij verwees mij naar de 2e etage* he directed me to the 2nd floor ★*een zaak naar een andere rechtbank ~* remit a case to another court
**verwijzing** *het verwijzen* reference, (van arts) referral (onder ~ naar) with reference to, referring to
**verwikkelen** involve, mix up, entangle ★*in iets verwikkeld raken / worden* become entangled in sth
**verwikkeling** ❶*moeilijkheid* complication ❷*plot* plot, intrigue ❸BN *med complicatie* complication
**verwilderd** ❶*wild geworden* wild, gone / run wild, neglected ★*een ~e kat / tuin* a wild cat / garden, a cat / garden gone wild ❷*woest* wild, mad ★*met een ~e blik* with a wild look in one's eyes ❸*fig uit zijn fatsoen* (van uiterlijk) wild, (van uiterlijk) unkempt ★*er ~ uitzien* look wild
**verwilderen** ❶*wild worden* run wild,, (van plant, dier) go wild ❷*bandeloos worden* go to ruin, go wild
**verwisselbaar** exchangeable, (over en weer) interchangeable
**verwisselen** ❶*verruilen* exchange ★*van plaats ~* change seats ★*van eigenaar ~* change hands ★*~ tegen* exchange for ❷*verwarren* confuse, mistake ★*het is moeilijk die twee niet te ~* it's hard not to confuse the two
**verwisseling** exchange
**verwittigen** ❶BN *op de hoogte brengen* notify, advise, inform ❷BN *waarschuwen* warn (**tegen** against / about)
**verwoed** ❶*hevig* furious, fierce ❷*gepassioneerd* ardent, passionate ★*een ~e poging wagen* make a frantic / an all-out attempt
**verwoesten** destroy, devastate, ruin, *lit* lay waste (to) ★*iemands leven ~* destroy / ruin sb's life
**verwoesting** destruction, devastation ★*~en aanrichten onder* devastate, play havoc with
**verwonden** injure, hurt, (voornamelijk opzet) wound
**verwonderen** I *ov ww* surprise, (in grote mate) astonish, (in grote mate) amaze ★*dat verwondert me* I am surprised at it ★*is het te ~ dat... ?* is it any wonder that... ? II *wkd ww* [*zich ~*] be surprised (at)
**verwondering** surprise, wonder, (in grote mate) astonishment, (in grote mate) amazement ★*tot zijn ~...* to his surprise...
**verwonderlijk** ❶*verbazend* surprising, astonishing ❷*merkwaardig* strange
**verwonding** ❶*het verwonden* injury ❷*wond*

injury, wound, (psychisch) hurt ★*zware ~en oplopen* suffer severe injuries, sustain serious injuries
**verwonen** *uitgeven aan wonen* pay for rent
**verwoorden** put into words, phrase, express ★*iets treffend ~* put sth aptly
**verworden** ❶*anders worden* change ❷*ontaarden* decay, degenerate
**verworvenheid** achievement, (grootse daad) feat
**verwringen** distort, twist ★*een verwrongen beeld van iets geven* give a distorted view of sth, (grossly) misrepresent sth
**verwurging** strangulation, *sport* stranglehold
**verzachten** (van bepaling) relax, (van bewoordingen) tone down, (van klap, pijn) soften, (van pijn) ease, (van vonnis) mitigate ★*~de omstandigheden* extenuating circumstances
**verzachting** ❶*het zachter maken* softening ❷*leniging* mitigation, *med* soothing
**verzadigen** ❶*volop bevredigen* satisfy ★*niet te ~ ambitie* insatiable ambition ❷*scheik* saturate
**verzadiging** ❶*bevrediging* satisfaction ❷*scheik* saturation
**verzadigingspunt** saturation point
**verzaken** *niet nakomen* neglect
**verzakken** *lager zakken* bulge, sag, (van bodem) subside ★*de vloer is aan het ~* the floor is sagging
**verzakking** ❶*het lager zakken* sag(ging) ❷*med* prolapse
**verzamelaar** collector
**verzamelband** binder
**verzamel-cd** collection (album)
**verzamelen** ❶*bijeenbrengen* collect, (van fortuin, honing, inlichtingen) gather ★*zich ~* gather, assemble, rally round ❷*verzameling aanleggen* collect
**verzameling** ❶*het verzamelen* collection, (samenkomst) gathering ❷*collectie* collection ❸*wisk* set
**verzamelnaam** collective noun
**verzamelplaats** meeting place, rallying point
**verzamelpunt** meeting place, rallying point, (heimelijk) rendezvous
**verzamelstaat** summary (table)
**verzanden** ❶*vol zand raken* silt up ❷*fig vastlopen* be / get bogged down
**verzegelen** seal (up)
**verzegeling** seal(ing) (up)
**verzeilen** *terechtkomen* ★*hoe kom jij hier verzeild?* what brings you here? ▼? *in slecht gezelschap verzeild raken* fall into bad company
**verzekeraar** *assuradeur* insurer, *scheepv* underwriter, (van levensverzekering ook) assurer
**verzekerd** ❶*overtuigd* sure, assured ★*daar ben ik van ~* I am sure of that ❷*gedekt* insured ★*verplicht ~* compulsarily insured ★*vrijwillig ~* privately insured
**verzekerde** insured person, insurant, insured
**verzekeren** ❶*veilig stellen* ★*zich ~ van iets* secure o.s. of sth ❷*overtuiging geven* guarantee, (betuigen) assure ★*dat verzeker ik je!* that I assure you! ★*zich ~ van iets* ensure o.s. of sth

ve

★*zich ervan ~ dat...* make sure that... ❸ *assureren* insure, ⟨van leven ook⟩ assure ★*zich ~ tegen brand* insure o.s. against fire

**verzekering** ❶ *assurantie* insurance, ⟨van leven ook⟩ assurance ★**BN** *familiale ~* third-party insurance ★*sociale ~* social insurance, **GB** national insurance ★*een ~ afsluiten* take out a policy / an insurance ❷ *garantie* guarantee, assurance

**verzekeringsagent** insurance agent

**verzekeringsinspecteur** (insurance) inspector

**verzekeringsmaatschappij** insurance company, assurance company

**verzekeringspapieren** insurance documents *mv*

**verzekeringsplichtig** required to pay insurance, required to be insured

**verzekeringspolis** (insurance) policy

**verzekeringspremie** insurance premium

**verzelfstandiging** emancipation, the gaining of independence, ⟨van overheidsbedrijf⟩ privatization

**verzenden** send, dispatch, ⟨per post⟩ mail, ⟨voornamelijk naar nieuw adres⟩ forward, ⟨van geld⟩ remit

**verzending** *het verzenden* sending, ⟨per post⟩ mailing

**verzendkosten** mailing costs *mv*, ≈ p and p

**verzengen** scorch, ⟨voornamelijk haar, stoffen⟩ singe ★*de ~de hitte van de zon* the sweltering / blistering heat of the sun

**verzet** ❶ *tegenstand* resistance, opposition, ⟨opstand⟩ revolt ★*in ~ komen tegen* offer resistance to, rebel against ★*~ aantekenen tegen* appeal against ★*~ is zinloos!* resistance is futile! ❷ *verzetsbeweging* resistance

**verzetje** diversion, break ★*ik heb wel zin in een ~* I could really do with a break, I quite fancy a break

**verzetsbeweging** resistance (movement)

**verzetshaard** pocket of resistance, hotbed

**verzetsstrijder** member of the resistance, resistance fighter

**verzetten** I *ov ww* ❶ *van plaats veranderen* move(around), ⟨beetje⟩ shift ★*zijn horloge ~ put one's watch forward / back ★*ik kan geen stap meer ~* I can't walk another step ❷ *uitstellen* ⟨van vergadering⟩ put off ❸ *verrichten* get through ❹ *afleiding geven* divert II *wkd ww* [ zich ~] *weerstand bieden* resist ★*zich tegen iets ~* resist / oppose sth, offer resistance

**verzieken** spoil, ruin ★*de sfeer ~* ruin the atmosphere

**verziend** long-sighted, far-sighted

**verziendheid** long-sightedness, far-sightedness

**verzilveren** ❶ *met zilver bedekken* (coat / plate with) silver ❷ *innen* cash, ⟨van aandelen e.d.⟩ sell, ⟨van aandelen e.d.⟩ cash

**verzinken** I *ov ww* ❶ *diep inslaan* countersink ❷ *galvaniseren* galvanize II *on ww, verdiept raken* be sunk / lost ★*in gedachten verzonken* lost in thought

**verzinnen** ❶ *fantaseren* make up, dream up, contrive ★*hoe verzin je iets dergelijks?* how did you come up with such a thing? ❷ *als oplossing bedenken* invent, devise, think up ★*ik zal er iets*

*op moeten* ~ I'll have to work out a way, I'll have to think / cook up sth

**verzinsel** invention, ⟨van drankjes⟩ concoction ★*het was maar een ~ van haar* it was just sth she made up

**verzitten** *anders gaan zitten* change position, shift one's position

**verzoek** ❶ *vraag* request, appeal ★*op ~ van* at the request of ★*een ~ doen* make a request ★*een ~ om prijsopgave doen* send in a request for an estimate quotation, make a request for an estimate quotation ❷ *verzoekschrift* appeal, *form* petition

**verzoeken** ❶ *vragen* request, beg, ask, ⟨formeel⟩ petition ★*iem. om iets ~* ask / request sb for sth ★*~ om een echtscheiding* petition for a divorce ★*mag ik u om stilte ~?* may I have silence, please? ❷ *uitnodigen* invite

**verzoeking** temptation ★*iem. in ~ brengen* tempt sb

**verzoeknummer** request

**verzoekprogramma** request programme

**verzoekschrift** petition, appeal ★*een ~ indienen* file a petition / an appeal

**verzoendag** ▼*Grote Verzoendag* Day of Atonement, Yom Kippur

**verzoenen** ❶ *goedmaken* reconcile ★*zich met iem. ~* be / become reconciled with sb ❷ *vrede doen hebben* reconcile, appease ★*met zijn lot verzoend* resigned to one's fate ★*daar kan ik me wel mee ~* I can live with that

**verzoening** reconciliation

**verzolen** resole

**verzorgd** ⟨van boek⟩ carefully edited, ⟨van kleding⟩ well-groomed, ⟨van maaltijd⟩ excellent, ⟨van taalgebruik⟩ polished, ⟨van tuin⟩ well-kept ★*slecht ~* neglected, ill-kept, ill-groomed, looked after

**verzorgen** *zorg dragen voor* look after, take care of, ⟨van dier, zieke⟩ tend, ⟨met geld en voedsel⟩ provide for, ⟨van programma⟩ be in charge of

**verzorger** ❶ *helper* attendant ❷ *van dieren* caretaker

**verzorging** care, maintenance

**verzorgingsflat** service flat / accommodation, ⟨voor bejaarden⟩ sheltered housing / accommodation

**verzorgingsstaat** welfare state

**verzorgingstehuis** home for the elderly, rest home

**verzot** crazy / mad / wild (about), smitten (with), ⟨verliefd⟩ infatuated with

**verzuchten** sigh

**verzuchting** sigh, ⟨klacht⟩ lamentation ★*een ~ slaken* heave a sigh

**verzuiling** ≈ compartmentalization along socio-religious lines, ≈ sectarianism

**verzuim** ❶ *nalatigheid* neglect, oversight ❷ *het wegblijven* absence, ⟨op school⟩ non-attendance, ⟨op het werk⟩ absenteeism

**verzuimen** ❶ *nalaten* omit, ⟨kans⟩ miss, ⟨plicht⟩ neglect ★*~ een rekening te betalen* fail to pay a bill ❷ *niet opdagen* be absent ★*school ~* be absent from school

**verzuimpercentage** absence rate

**verzuipen** I *ov ww* ❶ *doen verdrinken* drown

ve

**❷** techn flood★ *de motor*~ flood the engine
**❸** *uitgeven aan drank* form squander one's money on drink II *on ww, verdrinken* drown, be drowned★ *in het werk*~ fig be up to one's neck in work★ *zij verzuipt in die jurk* fig she's lost in that dress
**verzuren** I *ov ww* **❶** scheik *zuur maken* sour, turn / make sour **❷** fig *vergallen*★ *iemands leven* ~ make life a burden to sb II *on ww* **❶** scheik *zuur worden* turn (sour), go off, sour **❷** fig *chagrijnig worden* sour
**verzuring** acidification, souring
**verzwakken** I *ov ww, zwakker maken* weaken, enfeeble II *on ww, zwakker worden* weaken, grow weak
**verzwakking** weakening
**verzwaren** **❶** *zwaarder maken* make heavier ★ *met lood verzwaard* weighted with lead **❷** *vergroten* make heavier, increase, strengthen, ⟨van vonnis⟩ increase, ⟨van vonnis⟩ enhance ★ ~ *de omstandigheden* aggravating circumstances★ *de dijken* ~ strengthen the dykes ★ *de lasten* ~ increase the tax burden
**verzwaring** weigthing, ⟨versteviging⟩ reinforcement, ⟨moeilijker maken⟩ complication
**verzwelgen** swallow up, devour, ⟨van eten⟩ gobble, ⟨van drank⟩ guzzle
**verzwijgen** keep silent, ⟨verbergen⟩ conceal, ⟨achterhouden⟩ suppress★ *iets voor iem.* ~ keep sth from sb
**verzwikken** sprain, twist★ *zijn enkel*~ twist one's ankle
**vesper** **❶** *gebed* vespers, evensong **❷** *avonddienst* evensong
**vest** **❶** *trui* cardigan **❷** *deel van pak* waistcoat, USA vest **❸** BN *colbert* jacket
**vestibule** ⟨entrance-⟩hall, form vestibule, ⟨in hotel, e.d.⟩ lobby
**vestigen** **❶** *richten* focus★ *de aandacht op iets*~ draw / call attention to sth★ *zijn hoop*~ *op* place / set one's hope(s) on★ *zijn blik*~ *op* fix one's eyes upon **❷** *tot stand brengen* set up★ *een bedrijf*~ establish a business★ *een nieuw record*~ set up a new record **❸** *vastleggen*★ *zijn naam*~ make a name for o.s.★ *'n verkeerde indruk*~ make a wrong impression **❹** *nederzetten* establish, set up, inform settle (down)★ *gevestigd zijn te...* living ⟨residing⟩ at..., have its seat at... ★ *zich ergens* ~ settle (down), establish o.s.★ *zich* ~ *als ⟨huis⟩arts* set up (general) practice
**vestiging** **❶** *het vestigen* establishment **❷** *nederzetting* settlement **❸** *filiaal* establishment, branch
**vestigingsvergunning** ⟨van bedrijf⟩ licence to open a new business, ⟨van beroep⟩ licence to set up as a doctor, ⟨m.b.t. wonen⟩ residence permit
**vesting** fortress, stronghold
**vestingstad** fortified city / town
**vestingwerk** fortification
**vet** I *zn* [het] ⟨smeer⟩ grease, ⟨vetweefsel⟩ fat▼ *iem. zijn vet geven* take sb to task, give sb a good talking-to▼ *iem. in zijn eigen vet laten gaar koken* let sb stew in his own juice II *bnw* **❶** *met veel vet* fat, ⟨van melk⟩ creamy, ⟨van melk⟩ full-cream **❷** *bevuild met vet* greasy **❸** *dik* fat **❹** *vruchtbaar* rich★ *vette grond* rich soil **❺** drukk bold★ *vet*

**gedrukt** in bold / heavy type **❻** inform *geweldig* cool, awesome★ *een vette ringtoon* an awesome ringtone III *tw, geweldig* cool, awesome
**vetarm** low-fat
**vetbult** hump
**vete** feud
**veter** lace, ⟨van laars⟩ boot-lace, ⟨van schoen⟩ shoelace
**veteraan** veteran
**veteranenziekte** med legionnaire's disease
**veterinair** dierk veterinary surgeon, inform vet
**vetgehalte** fat content
**vetjes** BN drukk *vet gedrukt* in bold / heavy type
**vetkuif** **❶** *haardracht* quiff **❷** *persoon* greaser
**vetkussen** roll of fat, inform spare tyre
**vetmesten** fatten (up)
**veto** veto *mv: vetoes*★ *zijn veto over iets uitspreken* veto sth
**vetoogje** fat globule
**vetorecht** jur (power / right of) veto
**vetplant** succulent
**vetpot** ▼ *het is geen* ~ there are no great riches
**vetpuistje** blackhead
**vetrand** fat, line of grease ⟨in pan⟩
**vetrijk** fatty, ⟨van voedsel⟩ rich, ⟨op etenswaar⟩ high-fat ⟨diet⟩
**vetrol** roll of fat, humor ⟨rond heup⟩ love handle
**vettig** ⟨m.b.t. vetweefsel⟩ fatty, ⟨met vet bedekt⟩ greasy, ⟨van haar⟩ oily, ⟨van haar⟩ greasy
**vettigheid** greasiness, oiliness, ⟨vetgehalte⟩ fat content
**vetvlek** grease spot / stain
**vetvrij** **❶** *geen vet opnemend* greaseproof **❷** *geen vet bevattend* fat-free
**vetzak** fatty, USA fatso
**vetzucht** fatty degeneration
**vetzuur** fatty acid★ *enkel- / meervoudig onverzadigde vetzuren* mono- / polyunsaturated fatty acids
**veulen** foal, ⟨hengst⟩ colt, ⟨merrie⟩ filly
**vezel** fibre, thread, filament
**vezelig** fibrous
**V-hals** V-neck★ *een trui met*~ a V-neck sweater
**via** **❶** *over, langs* via, through★ *via de tuin* through the garden★ *hij vliegt via Londen* he flies through / via London **❷** *door bemiddeling van* via, through★ *via mijn oom* via / through my uncle▼ *via via* on the grapevine, indirectly
**viaduct** ⟨bij elkaar kruisend wegen⟩ flyover, ⟨voor weg of spoor⟩ viaduct
**viagra**® Viagra^fi
**vibrafoon** vibraphone
**vibratie** vibration, oscillation
**vibrato** vibrato
**vibrator** vibrator
**vibreren** *trillen* vibrate
**vicaris** vicar
**vice-** vice-, deputy-
**vice versa** vice versa
**vicieus** vicious★ *een vicieuze cirkel* a vicious circle
**Victoriameer** Lake Victoria
**Victoriawatervallen** Victoria Falls *mv*
**victorie** victory▼ ~ *kraaien over iem.* crow over sb
**video** **❶** *videoband* video (cassette) **❷** *videorecorder* video (cassette recorder)★ *de*~ *instellen* preset

the video
**videoband** videotape
**videobewaking** closed-circuit television, CCTV
**videocamera** video camera, USA camcorder
**videocassette** video cassette
**videoclip** video clip, music video
**videogame** video game
**video-opname** video recording
**videorecorder** video recorder, VCR, video casette recorder
**videospel** video game
**videotheek** videotheque
**vief** lively, smart, dapper
**vier I** *telw* four★ *het is half vier* it's half past three, inform it's half three★ *het is kwart voor vier* it's a quarter to four★ *het is bij / tegen vieren* it's getting on for four (o'clock)★ *het is vier uur* it's four o'clock★ *om vier uur* at four o'clock★ *na vieren* after four★ *het is na / over vieren* it's past four★ *het is kwart over vier* it's a quarter past four★ *vier mei* the fourth of May, May 4th★ *op vier december* on the fourth of December★ *vier jaar zijn* be four years old★ *een dag of vier* some / about four days★ *iets in vieren delen* divide sth in four, quarter sth★ *we zijn met z'n vieren* we're four, there are four of us★ *om de vier dagen* every four days★ *de kans is vier tegen een* chances are four to one★ *vierurige werkdag* four-hour day★ *vier aan vier* in fours **II** *znw* ❶ *getal four* ❷ onderw *schoolcijfer* ≈ F, Failure ★ *een vier halen voor wiskunde* get (an) F in / for maths▼ *met veel vieren en vijven* with much humming and hawing
**vierbaansweg** four-lane motorway
**vierdaagse** recr Annual Four-Day Walking Event
**vierde** ❶ fourth★ *de~ mei* the fourth of May ★ *het is vandaag de~* today is the fourth, it's the fourth today★ *op zijn~* ⟨levensjaar⟩ at (the age of) four★ *ten~* fourthly, in the fourth place★ *de ~ verdieping* the fourth floor, USA the fifth floor ★ *een~ (deel)* a quarter★ *drie~ (deel)* three quarters, three fourths ❷ →achtste
**vierdelig** four-part, ⟨boekwerk⟩ four-volume
**vieren** ❶ *gedenken* celebrate, ⟨feest-, gedenkdag, e.d.⟩ observe★ *dat moeten we~* that calls for a celebration ❷ *vereren* celebrate, honour ❸ *laten schieten* pay out, ⟨van boot⟩ lower★ *het touw~* pay out rope▼ fig BN *iem.~* fête sb
**vierendelen** draw and quarter
**vierhoek** quadrangle
**viering** *het vieren* ⟨gebeurtenis⟩ observance, celebration★ *ter~ van* in celebration of
**vierkant I** *zn* [het], *figuur* square **II** *bnw* ❶ *met vier kanten* vierkant ❷ *in het kwadraat*★ *vijf~e meter* five metres square ❸ *hoekig*★ *een~e kerel* a squarely-built fellow **III** *bijw, volkomen, faliekant* squarely★ *iem.~ uitlachen* laugh outright at sb★ *~ weigeren* refuse flatly★ *daar ben ik~ tegen* I am dead against it it doesn't run smoothly
**vierkantsvergelijking** wisk quadratic equation
**vierkantswortel** wisk square root★ *de~ trekken* extract the square
**vierkwartsmaat** quadruple time, four four (time)
**vierling** ❶ *vier kinderen samen* quadruplets *mv,*

quads *mv* ❷ *één kind* quadruplet
**viermotorig** four-engined
**viersprong** crossroads *mv*
**viertal** four, ⟨van mensen⟩ four, ⟨van mensen⟩ foursome
**viervoeter** quadruped, four-footed animal
**viervoud** *viermaal zo groot* quadruple★ *in~* in quadruplicate★ *het~ van een getal nemen* multiply a number by four
**vierwielaandrijving** four-wheel drive
**Vierwoudstedenmeer** Lake (of) Lucerne
**vies** ❶ *vuil* dirty, grubby, ⟨erg vies⟩ filthy ❷ *onsmakelijk* foul, filthy, ⟨spul, smaak⟩ nasty ❸ *afkeer wekkend* nasty, revolting ❹ *afkerig* fastidious, particular★ *ik ben daar niet vies van* I'm not averse to it★ *een vies gezicht trekken* pull a wry face ❺ *onfatsoenlijk* obscene, filthy★ *een vieze mop* a dirty joke★ *vieze taal uitslaan* talk smut ❻ *slecht* foul, filthy
**viespeuk** ❶ *onhygiënisch persoon* pig, slob ❷ min *iem. die vies doet* ⟨seksueel⟩ pervert
**Vietnam** Vietnam
**Vietnamees I** *bnw, m.b.t. Vietnam* Vietnamese **II** *zn* [de], *bewoner* Vietnamese
**Vietnamese** Vietnamese (woman / girl)
**viezerik, viezerd** ❶ *onhygiënisch persoon* pig, slob ❷ min *iem. die vies doet* ⟨seksueel⟩ pervert
**viezigheid** ⟨toestand⟩ dirtiness, ⟨toestand⟩ squalor, ⟨troep⟩ dirt, ⟨troep⟩ filth
**vignet** *merkteken* device, logo
**vijand** enemy★ *iem. tot~ maken* make an enemy of sb
**vijandelijk** hostile, enemy
**vijandelijkheid** hostility
**vijandig** ⟨van daad, houding⟩ hostile, ⟨behorend tot de vijand⟩ enemy★ *iem.~ gezind zijn* be hostile to sb★ *~e vliegtuigen* enemy aircraft
**vijandigheid** ❶ *het vijandig zijn* hostility ❷ *vijandige daad* hostility
**vijandschap** hostility, enmity
**vijf I** *telw* ❶ five▼ *na veel vijven en zessen* after a great deal of shilly-shallying ❷ →vier **II** *zn* [de] ❶ *getal* five ❷ onderw *schoolcijfer* ≈ F, Failure ▼ *geef me de vijf!* slap me five!, give me five!, give me all fives!
**vijfde** ❶ fifth ❷ →vierde
**vijfenzestigpluskaart** senior citizen pass
**vijfenzestigplusser** pensioner, senior citizen
**vijfhoek** pentagon
**vijfjarenplan** Five-Year Plan
**vijfje** *bankbiljet* fiver
**vijfkamp** pentathlon
**vijfling** ❶ *vijf kinderen samen* quintuplets *mv* ❷ *één kind* quintuplet
**vijftien** ❶ fifteen ❷ →vier
**vijftiende** ❶ fifteenth ❷ →vierde
**vijftig** ❶ fifty ❷ →vier, veertig
**vijftiger** man / woman of fifty, man / woman in his / her fifties
**vijftigje** ❶ *briefje van vijftig* fifty-euro note ❷ *muntje van vijftig (cent)* fifty-cent piece
**vijftigste** ❶ fiftieth ❷ →vierde, veertigste
**vijfvlak** pentahedron
**vijfvoud** quintuple
**vijg** *vrucht* fig▼ BN *het zijn vijgen na Pasen* come too late in the day▼ BN *zo plat als een vijg* as flat as

**vi**

as a pancake
**vijgenblad** *blad van vijgenboom* fig leaf *mv: leaves*
**vijgenboom** fig tree
**vijl** file
**vijlen** file
**vijlsel** filings *mv*
**vijver** pond
**vijzel** ❶ *vat* mortar ❷ *krik* jack(screw)
**vijzelen** screw up, jack (up)
**Viking** viking
**villa** villa
**villadorp** villadom
**villapark** garden suburb
**villawijk** ⟨exclusief⟩ residential area / neighbourhood
**villen** *huid afstropen* skin, flay ▼*ik zou hem wel kunnen ~* I could strangle him
**Vilnius** Vilnius
**vilt** felt
**vilten** felt
**viltje** *bierviltje* beer mat, coaster
**viltstift** felt-tip (pen)
**vin** *zwemorgaan* fin, ⟨van zeehond⟩ flipper ▼*ik kan geen vin verroeren* I can't move a finger
**vinaigrette** vinaigrette
**vinden** ❶ *aantreffen* find, discover, ⟨toevallig⟩ come across, ⟨toevallig⟩ happen / chance upon ★*het moet ergens te ~ zijn* it must be around somewhere ❷ *van mening zijn* find, think ★*ik vind het goed / best / prima* that's fine by me, it's all right with me ★*iem. aardig ~* like sb, take to sb ★*ik vind er niets aan* I don't like it at all ★*dat vind ik niet aardig van haar* I don't think that is nice of her ★*ik begrijp niet wat ze aan hem vindt* I don't understand what she sees in him ★*wat vind je van een wandeling?* how about going for a walk? ★*wat vind je ervan?* what do you think of it? ★*wat vind je van hem?* what do you think of him?, what do you make of him? ★*hoe vind je het?* what do you think of it? ★*zou je het erg ~ als...?* would you mind if...? ▼*het (goed) met iem. kunnen ~* get on (well) together ▼*daar ben ik wel voor te ~* I'm in for it, I'm game
**vindersloon** finder's reward
**vinding** ❶ *het vinden* finding ❷ *uitvinding* invention, discovery
**vindingrijk** inventive, resourceful
**vindplaats** place where something is found, ⟨bij opgraving⟩ site of find / discovery
**Vinex-locatie** new urban development site
**Vinex-wijk** new urban development
**vinger** finger ★*zijn ~ opsteken* put up / raise one's hand ▼*ik kan er aan elke ~ wel een krijgen* I can get as many as I like ▼*iets door de ~s zien* overlook sth, turn a blind eye to sth ▼*zich in de ~s snijden* burn one's fingers ▼*iem. met de ~ nawijzen* point at sb ▼BN *iem. met de ~ wijzen* point a / the finger at sb ▼*hij is met een natte ~ te lijmen* he doesn't have to be asked twice ▼BN *met zijn ~s draaien* twiddle one's thumbs ▼*zij kan hem om haar ~ winden* she can twist him round her (little) finger ▼*dat kon je op je ~s natellen* that was a foregone conclusion, you should have known this ▼*iem. op de ~s kijken* watch sb closely ▼*iem. op de ~s tikken* rap sb's knuckles, rap sb

over the knuckles ▼*het is om je ~s bij af te likken* it's mouthwatering ▼*als je hem een ~ geeft, neemt hij de hele hand* give him an inch and he will take an ell ▼*groene ~s hebben* have green fingers ▼*lange ~s hebben* have sticky fingers ▼*de ~ aan de pols houden* keep a finger on the pulse ▼*de ~ op de zere plek leggen* put one's finger on the spot
**vingerafdruk** fingerprint
**vingerdoekje** napkin
**vingeren** finger
**vingerhoed** thimble
**vingerhoedskruid** foxglove
**vingerkootje** phalanx
**vingeroefening** ❶ *training* finger exercise ❷ *fig vaardigheidsoefening* finger exercise
**vingertop** fingertip ★*iets tot in je ~pen voelen* feel sth right down to your fingertips
**vingervlug** ❶ *handig* nimble-fingered ❷ *diefachtig* sticky-fingered
**vingerwijzing** hint, clue
**vingerzetting** fingering
**vink** ❶ *vogel* chaffinch ❷ *vleeslapje* ★*blinde vinken* veal / beef olives
**vinkenslag** ▼BN *op ~ zitten* lie in wait
**vinkentouw** ▼*op het ~ zitten* lie in wait
**vinnig** ❶ *hevig* ⟨van gevecht⟩ fierce, ⟨van kou / wind⟩ bitter, ⟨van kou / wind⟩ biting, ⟨van kou / wind⟩ cutting ❷ *bits* sharp, snappy ★*een ~ debat* heated debate
**vinvis** fin whale ★*blauwe ~* rorqual
**vinyl** vinyl
**violet** violet
**violist** violinist
**viool** ❶ muz violin ★*eerste ~* first violin ❷→ **viooltje** ▼*de eerste ~ spelen* play first fiddle ▼BN *de violen stemmen* try to reach agreement
**vioolconcert** violin concerto *mv: concertos*, ⟨uitvoering⟩ violin recital
**vioolkist** violin case
**vioolsleutel** *muzieksleutel* G / treble clef
**viooltje** violet, ⟨driekleurig⟩ pansy ★*Kaaps ~* African violet
**vip** VIP, celeb
**viproom** VIP lounge / room
**viriel** virile, manly
**virtual reality** comp virtual reality
**virtueel** virtual
**virtuoos** virtuoso
**virtuositeit** virtuosity
**virus** virus
**virusdrager** carrier of a virus
**virusziekte** viral disease
**vis** *waterdier* fish ▼*zo gezond zijn als een vis* be as fit as a fiddle ▼*zich als een vis op het droge voelen* feel like a fish out of water ▼*iem. voor rotte vis uitmaken* call sb every name in the book
**visafslag** fish auction, fish market
**visagie** cosmetology
**visagist** cosmetician
**visakte** fishing licence
**visarend** osprey
**visboer** ❶ *persoon* fish dealer, fishmonger ❷ *winkel* fishmonger's
**visburger** fishburger
**viscose** viscose
**viscositeit** viscosity

**viseren** BN *het gemunt hebben op* have it in for, be after

**visgraat** ❶ *skeletdeel* fish bone ❷ *motief in textiel* herringbone

**vishaak** (fish) hook

**visie** ❶ *zienswijze* vision, ⟨gezichtspunt⟩ (point of) view ★ *hij is een man met ~* he is a man of vision ★ *hij heeft een andere ~ op de zaak* he has a different view of the matter ❷ *inzage* inspection

**visioen** vision

**visionair** visionary

**visioneren** BN *keuren* ⟨bv. films, voor leeftijd⟩ censor

**visitatie** *onderzoek* search, ⟨kerkelijk⟩ visitation

**visite** ❶ *bezoek* visit, ⟨kort⟩ call ★ *op ~ gaan bij iem.* pay sb a visit, call on sb ❷ *bezoekers* visitors *mv*, guests *mv* ★ *~ krijgen* have visitors coming

**visitekaartje** business / calling card ★ *zijn ~ achterlaten* leave one's business / calling card

**visiteren** ⟨van persoon⟩ search, ⟨van bagage⟩ examine, ⟨van bagage⟩ inspect

**vismarkt** fish market

**visrestaurant** seafood restaurant

**visrijk** abounding in fish, rich in fish

**visschotel** ❶ cul *gerecht* fish dish ❷ *schaal* fish dish / platter

**visseizoen** fishing season

**Vissen** *dierenriemteken* Pisces

**vissen** ❶ *vis vangen* sport go fishing, sport go angling ★ *uit ~ gaan* go out fishing ★ *op haring ~* fish for herring ❷ *trachten te krijgen* fish / angle for ★ *naar een complimentje ~* fish / angle for a compliment

**vissenkom** fish bowl

**visser** sport angler, sport fisherman, ⟨beroepsvisser⟩ fisherman

**visserij** fishery

**vissersboot** fishing boat

**visserslatijn** fisherman's yarn(s)

**vissersvloot** fishing fleet

**vissnoer** fishing line

**visstand** fish stock

**visstick** fish finger, USA fish stick

**visstoeltje** lightweight foldaway chair for anglers

**vistuig** fishing tackle / gear

**visualisatie** visualization

**visualiseren** *veraanschouwelijken* visualize

**visueel** visual ★ *hij is ~ aangelegd* he belongs to the visual type

**visum** *doorreisvergunning* visa

**visumplicht** visa requirement

**visvangst** fishing

**visvergunning** fishing licence

**visvijver** fishpond

**viswater** fishing water

**viswijf** fishwife

**vitaal** ❶ *wezenlijk* vital ❷ *levenskrachtig* vital, vigorous ★ *zij is nog erg ~ voor haar leeftijd* she's still full of vitality considering her age

**vitaliteit** vitality, energy

**vitamine** vitamin

**vitaminegebrek** vitamin deficiency

**vitaminepreparaat** vitamin preparation

**vitaminerijk** rich in vitamins

**vitrage** ❶ *gordijn* net (curtain) ❷ *stof* net

**vitrine** ❶ *etalage* shop window ❷ *glazen kast* (glass) showcase

**vitten** find fault (with), carp / cavil (at)

**vivisectie** vivisection

**vizier** ❶ *kijkspleet in helm* visor ❷ *richtmiddel* sight ▼ *iem. in het ~ krijgen* catch sight of sb ▼ *met open ~ strijden* come out into the open

**vizierlijn** line of sight

**vj** *videojockey* VJ, video jockey

**vla** ❶ cul *nagerecht* ≈ custard ❷ cul *vlaai* flan

**vlaag** ❶ *windstoot* gust, squall, ⟨regen, e.d.⟩ shower ❷ *uitbarsting* fit, burst ★ *bij vlagen* by fits and starts ★ *in een ~ van verstandsverbijstering* in a frenzy, in a fit of insanity

**vlaai** ❶ *taart* flan ❷ *plak koeienpoep* cowpat

**Vlaams** I *bnw, m.b.t. Vlaanderen* Flemish II *zn* [het], *taal* Flemish

**Vlaams-Brabant** Flemish Brabant

**Vlaams-Brabants** (from) Flemish Brabant

**Vlaamse** Flemish (woman / girl)

**Vlaanderen** Flanders

**vlag** flag, colours *mv* ★ *onder goedkope vlag varen* sail under a flag of convenience ★ *onder valse vlag varen* sail under false colours ★ *de vlag strijken* strike one's flag ★ *de vlag uitsteken* put out the flag ▼ *dat staat als een vlag op een modderschuit* it's quite out of place ▼ *met vlag en wimpel* with flying colours

**vlaggen** ❶ sport raise the flag ❷ *de vlag uithangen* hang / put out the flag(s) ▼ *je vlagt* your slip is showing

**vlaggenmast** flag pole

**vlaggenschip** flagship

**vlaggenstok** flagstaff / pole

**vlagvertoon** showing the flag

**vlak** I *zn* [het] ❶ *platte zijde* surface, ⟨van hand, zwaard⟩ flat ❷ *wisk* plane ❸ *gebied* field, ⟨niveau⟩ level ★ *dat ligt op een heel ander vlak* that's a different field altogether II *bnw* ❶ *plat* flat, level ★ *vlak maken* level ★ *met de vlakke hand* with the flat of the hand ★ *vlakke meetkunde* plane geometry ❷ *zonder nuance* flat ★ *vlak van toon* flat in tone III *bijw, recht* right ★ *vlak achter je auto* right / close behind your car ★ *vlak bij de deur* close by the door ★ *tot vlak bij het huis* right up to house ★ *vlak boven* right over ★ *vlak in het begin* right at the beginning ★ *vlak om de hoek* just round the corner ★ *vlak voor ons* right in front of us ★ *vlak tegenover* directly opposite, right across ★ *iem. vlak aankijken* look sb straight in the face

**vlakaf** BN *onverbloemd* frankly, in plain terms

**vlakbij** nearby, close by

**vlakgom** eraser, rubber

**vlakte** plain, ⟨van ijs, water⟩ sheet ▼ *zich op de ~ houden* be non-committal ▼ *iem. tegen de ~ slaan* knock sb down

**vlaktemaat** square measure, surface measurement

**vlakverdeling** division of a plane into congruent polygons

**vlam** ❶ *vuur* flame ★ *in vlammen opgaan* go up in flames ★ *vlam vatten* catch fire, burst into flames ❷ *geliefde* flame ★ *een oude vlam* an old flame ❸ *tekening in hout* grain ▼ *de vlam sloeg in de pan* the fat was in the fire

**Vlaming** Fleming
**vlammen** ❶ *vlammen vertonen* flame, blaze (up) ❷ *fonkelen* blaze, flame★ *haar ogen vlamden van woede* her eyes blazed with anger★ *met∼de ogen kijken naar iem.* glare at sb
**vlammenwerper** flame-thrower
**vlammenzee** sea of flames
**vlamverdeler** flame tamer
**vlas** flax
**vlasblond** flaxen(-haired), tow-coloured
**vlassen I** *bnw, van vlas* flaxen **II** *on ww* **op** ★ ∼ *op iets* look forward to sth, be eager for sth
**vlecht** plait, braid
**vlechten** ❶ *door elkaar winden* plait, braid ❷ *vlechtend vervaardigen* braid, plait, (van krans) wreathe, (van manden) make, (van matten) weave
**vlechtwerk** (van mand) basket-work, (van mand) wicker-work, (fröbelwerk) mat-plaiting
**vleermuis** bat
**vlees** ❶ *weefsel* flesh★ *diep in het∼ snijden* cut to the quick / bone★ *wild∼* proud flesh ❷ *cul* meat ▼ *mijn eigen∼ en bloed* my own flesh and blood ▼ ∼ *noch vis* neither flesh nor fish▼ *het gaat hem naar den vleze* he's doing well, he is prospering ▼ *iem. van∼ en bloed* a man of flesh and blood ▼ *weten wat voor∼ je in de kuip hebt* know sb for what she / he is▼ *ik weet wat voor∼ ik in de kuip heb* I know whom I am dealing with
**vleesboom** fleshy growth, med fibroid (tumour), med myoma
**vleesetend** carnivorous
**vleeseter** biol carnivore
**vleesgerecht** cul meat course
**vleeshaak** meat hook
**vleeskleurig** flesh-coloured★ ∼*e panty's* flesh-coloured tights
**vleesmes** carving knife *mv: knives*
**vleesmolen** mincer
**vleestomaat** beefsteak tomato *mv: tomatoes*
**vleesvervanger** cul meat substitute
**vleesvork** carving fork
**vleeswaren** meat-products, meats *mv*★ *fijne∼* assorted sliced meat
**vleeswound** flesh-wound
**vleet** *haringnet* herring net▼ *meisjes bij de∼* girls galore
**vlegel** ❶ *lomperd* lout, yob ❷ *kwajongen* brat
**vleien** ❶ *overdreven prijzen* flatter ❷ ∼ *met hoopvol stemmen* met flatter, inform softsoap, (vnl. overreden) coax, (vnl. overreden) wheedle ★ *zich∼ met* flatter o.s. with
**vleiend** flattering
**vleier** flatterer, USA sweet talker
**vleierij** flattery
**vlek** ❶ *vuile plek* stain, spot ❷ *anders gekleurde plek* spot, stain, (van koorts) blotch
**vlekkeloos** ❶ *zonder vlek* spotless, immaculate, (vnl. bestand tegen vlekken) stainless ❷ *foutloos* perfect
**vlekken** stain, soil
**vlekkenmiddel** spot / stain remover
**vlekkerig I** *bnw* spotty, stained **II** *bijw* full of spots
**vlektyfus** typhus, spotted fever
**vlekvrij** ❶ *zonder vlekken* spot-free, spotless

❷ *beschermd tegen vlekken* stainless, (textiel) stain resistant
**vlerk** ❶ *vleugel* wing ❷ *vlegel* lout, yob
**vleselijk** ❶ *lichamelijk* physical ❷ fig *zinnelijk* carnal★ ∼*e lusten* carnal / animal lusts
**vleug** ❶ ★ *tegen de∼ instrijken* go against the grain ❷ →**vleugje**
**vleugel** ❶ *vliegorgaan* wing★ *met de∼s slaan* beat its wings★ *de∼s uitslaan* spread one's wings ❷ *deel van vliegtuig* wing ❸ *deel van gebouw* wing ❹ *zijlinie* wing★ *politieke∼* political wing ❺ *piano* grand piano★ *iem. onder zijn∼s nemen* take sb under one's wing
**vleugellam** lett broken-winged★ *iem.∼ maken* clip sb's wings
**vleugelmoer** wing / butterfly nut
**vleugelspeler** winger
**vleugelverdediger** winger, wing
**vleugje** flicker, (van wind) breath, (van hoop) ray, (van leven) spark★ *een∼ parfum* a whiff of perfume★ *een∼ geel* a touch of yellow
**vlezig** fleshy, meaty, plump
**vlieg** fly▼ *iem. een∼ afvangen* steal a march on sb, score off sb▼ *twee∼en in één klap slaan* kill two birds with one stone▼ *hij doet geen∼ kwaad* he won't harm a fly
**vliegangst** fear of flying
**vliegas** fly ash
**vliegbasis** air base
**vliegbrevet** pilot's licence
**vliegdekschip** aircraft carrier
**vliegen I** *ov ww* ❶ *besturen* fly ❷ *vervoeren* fly **II** *on ww* ❶ *door de lucht bewegen* fly ❷ *met het vliegtuig gaan* fly★ *blind∼* fly blind★ *over de Atlantische Oceaan∼* fly the Atlantic ❸ *snellen* tear, rush, dart★ *over de weg∼* tear along★ *hij vliegt voor me* he is at my beck and call▼ *hij ziet ze∼* he's got a screw loose
**vliegengaas** (window / door) screen(ing)
**vliegengordijn** (bamboo / bead) curtain
**vliegenier** pilot, flyer, oud aviator
**vliegenmepper** fly swatter
**vliegenraam** BN (insect) screen
**vliegensvlug** like (greased) lightening
**vliegenzwam** fly agaric
**vlieger** ❶ *speelgoed* kite★ *een∼ oplaten* fly a kite, see how the land lies, put out a feeler ❷ *piloot* pilot, airman, flyer★ *die∼ gaat niet op* that won't do, it's just not on
**vliegeren** fly kites / a kite
**vlieggewicht** sport *klasse* flyweight
**vliegramp** air disaster, plane crash
**vliegshow** air show
**vliegtechniek** flying technique
**vliegtuig** airplane, aircraft
**vliegtuigbouw** aircraft construction
**vliegtuigkaper** hijacker, skyjacker
**vliegtuigkaping** hijacking
**vliegtuigmoederschip** aircraft carrier
**vlieguur** flight hour
**vliegvakantie** holiday by air
**vliegveld** airfield, (groot) airport, (klein) airstrip
**vliegverbinding** flight connection
**vliegverkeer** air traffic
**vliegwiel** flywheel
**vlier** elder

**vlierbes** elderberry
**vliering** attic, loft
**vlies** ❶ *dun laagje* (op vloeistof) film, (op melk enz.) skin ❷ *velletje* skin ❸ *biol* membrane
**vlijen** (van zaken) lay down, (van zaken) arrange, (van persoon) lay★ *hij vlijde zich dicht tegen haar aan* he snuggled close to her
**vlijmscherp** ❶ *goed snijdend* razor sharp ❷ *fig* ★ *een~e tong* a sharp tongue
**vlijt** diligence, industry
**vlijtig** diligent, industrious
**vlinder** ❶ butterfly ❷ *onbestendig persoon*▾ *~s in zijn buik* butterflies in one's stomach
**vlinderdas** bow tie
**vlindernet** butterfly net
**vlinderslag** *sport* butterfly stroke
**Vlissingen** Flushing
**vlizotrap** folding attic steps
**vlo** flea★ *onder de vlooien* flea-ridden
**vloed** ❶ *hoogtij* flood, (high) tide★ *bij~* at high tide ❷ *overweldigende massa* flood, (van tranen) rush, (van (scheld)woorden) torrent, (van tranen) flood ❸ *med* flow, discharge
**vloedgolf** ❶ *grote golf* (gevolg van vloed) ground swell, (gevolg van natuurramp) tidal wave ❷ *grote hoeveelheid* tide
**vloedlijn** high water line, floodmark
**vloei** ❶ *sigarettenpapier* cigarette paper ❷ *absorberend papier* tissue paper, blotting paper ❸ →**vloeitje**
**vloeibaar** liquid, fluid★ *~ voedsel* liquid food★ *~ maken* liquefy
**vloeiblad** ❶ *vloeipapier* (piece of) blotting paper, blotter ❷ *onderlegger* deskmat, blotter
**vloeien** ❶ *stromen* flow ❷ *vaginaal bloeden* flow, (in grote mate) flood
**vloeiend I** *bnw* flowing, (van stijl) smooth★ *in één~e beweging* in one flowing move★ *~ in elkaar overgaan* (beelden) morph★ *~ Frans spreken* speak fluent French, speak French fluently **II** *bijw*, vlot fluently
**vloeipapier** ❶ *absorberend papier* blotting-paper ❷ *dun papier* tissue paper ❸ *papier voor shag* cigarette paper
**vloeistof** liquid
**vloeitje** *sigarettenpapier* cigarette paper
**vloek** ❶ *verwensing* curse★ *er rust een~ op dit huis* a curse rests on this house ❷ *krachtterm* oath, curse▾ *in een~ en een zucht* in a jiffy
**vloeken** ❶ *krachttermen uiten* swear (at), curse (at), use bad language★ *~ als een ketter* swear like a trooper ❷ *schril afsteken* clash (with)★ *deze kleuren~ met elkaar* these colours clash with each other
**vloekwoord** swearword
**vloer** floor▾ *zij komt hier veel over de~* she is in and out of the house a good deal, she is a regular visitor here▾ *de~ met iem. aanvegen* walk all over sb
**vloerbedekking** floor-covering★ *vaste~* fitted carpets *mv*
**vloeren** floor, knock down
**vloerkleed** carpet, (klein) rug
**vloermat** floor mat, doormat
**vloerwisser, vloertrekker** squeegee
**vlok** flake

**vlokkentest** chorionic villus sampling
**vlokkig** (van zeep) flaky, (haar, watten) flocky
**vlonder** ❶ *slootplank* plank bridge ❷ *plankier* planking
**vlooien** flea
**vlooienband** flea collar
**vlooienmarkt** flea market
**vloot** ❶ *oorlogsvloot* fleet, navy ❷ *groep schepen* fleet ❸ *luchtvloot* fleet
**vlootbasis** naval base
**vlootschouw** naval review
**vlot I** *zn* [het] raft **II** *bnw* ❶ *snel* prompt, smooth ★ *vlotte afwikkeling* prompt settlement ❷ *gemakkelijk* ready, (stijl) fluent, (stijl) smooth ★ *hij is een vlotte spreker* he is a fluent speaker, he is an easy speaker ❸ *ongedwongen* jovial, easy-going ❹ *drijvend afloat*★ *vlot krijgen* set afloat
**vlotten** *vlot verlopen* go smoothly★ *het gesprek vlotte niet* the conversation dragged★ *het vlotte niet erg tussen die twee* they didn't hit it off very well★ *het werk wilde helemaal niet~* we weren't making any headway / progress
**vlotter** float
**vlotweg** readily, easily, promptly
**vlucht** ❶ *het ontvluchten* flight★ *op de~ slaan* take flight, flee★ *op de~ zijn voor de politie* be on the run from the police★ *~ in het verleden* escape into the past★ *de~ nemen naar* fly to, take refuge in ❷ *een vogel in de~* a bird on the wing ❸ *vliegtocht* flight★ *een~ van drie uur* a three hour flight ❹ *troep vogels* flock, flight▾ *een hoge~ nemen* assume large proportions
**vluchtauto** getaway car
**vluchteling** fugitive, (i.v.m. politiek, e.d.) refugee
**vluchtelingenkamp** refugee camp
**vluchten** ❶ *ontvluchten* flee★ *~ naar* flee to★ *het land uit~* flee (from) the country ❷ *fig toevlucht zoeken* take refuge
**vluchthaven** *toevluchtsoord* port of refuge
**vluchtheuvel** traffic island
**vluchthuis** *BN blijf-van-mijn-lijfhuis* home for battered women (and their children), women's shelter
**vluchtig I** *bnw* ❶ *natk snel vervliegend* volatile ❷ *oppervlakkig* brief, (begroeting, inspectie) perfunctory, (blik) cursory★ *een~e kennismaking* a superficial acquaintance★ *~ bezoek* flying visit ❸ *voorbijgaand* fleeting, passing **II** *bijw*, *oppervlakkig* ★ *iets~ doorzien* skim / glance through sth★ *~ bekijken* glimpse at
**vluchtleider** *luchtv* flight controller
**vluchtleiding** *luchtv* flight control / command
**vluchtleidingscentrum** *luchtv* flight control (centre)
**vluchtnummer** *luchtv* flight number
**vluchtrecorder** *luchtv* flight recorder, black box
**vluchtschema** *luchtv* flight schedule
**vluchtstrook** hard shoulder
**vluchtweg** escape route
**vlug I** *bnw* ❶ *snel gaand* quick, fast★ *vlug achter elkaar* in quick succession ❷ *snel handelend* quick, (m.b.t. lichaam) agile, (m.b.t. lichaam) nimble★ *iem. te vlug af zijn* be too quick for sb ★ *vlugge vingers* nimble fingers★ *hij is niet al te*

**vl**

*vlug* he's none too quick ❸ *bijdehand* quick, sharp ★*vlug van begrip zijn* be quick on the uptake ❚❚ *bijw, snel* ★*vlug wat!* (be) quick!, look sharp! ★*als je er niet vlug bij bent...* if you are not quick about it...

**vluggertje** quickie

**vlugschrift** pamphlet

**vlugzout** sal volatile, smelling salts *mv*

**vmbo** *voorbereidend middelbaar beroepsonderwijs* pre-vocational secondary education

**VN** *Verenigde Naties* UN, United Nations *mv*

**vocaal** ❙ *zn* [de] vowel ❚❚ *bnw* vocal

**vocabulaire** *woordenschat* vocabulary

**vocalisatie** vocalization

**vocaliseren** vocalize

**vocalist** vocalist

**vocht** ❶ *vloeistof* liquid, <u>med</u> fluid ❷ *vochtigheid* moisture, dampness

**vochtgehalte** moisture content, ⟨v.d. lucht⟩ humidity

**vochtig** moist, ⟨klimaat⟩ humid, ⟨ongewenst vochtig⟩ damp, ⟨ongewenst vochtig⟩ soggy ★*iets ~maken* moisten / dampen sth, wet sth

**vochtigheid** ❶ *het vochtig zijn* moistness, dampness ❷ *vochtgehalte* moisture, ⟨van lucht⟩ humidity

**vochtigheidsgraad** humidity (level), degree / level of humidity

**vochtigheidsmeter** hygrometer

**vochtvrij** ❶ *zonder vocht* moisture free, free of moisture ★ ~*bewaren* keep free of / from moisture ❷ *vochtwerend* moistureproof, dampproof, damp-resistant

**vod** ❶ *prul* rag, tatter ❷ <u>BN</u> *schoonmaakdoekje* ⟨stofdoek⟩ duster, ⟨vaatdoek⟩ dishcloth ▼*iem. achter de vodden zitten* keep sb hard at it ▼*iem. bij de vodden pakken* collar sb

**voddenbaal** ❶ *prul* (piece of) trash ❷ *mens* tramp

**voddenboer** old-clothes man, rag-and-bone man

**voeden** ❙ *ov ww* ❶ *voedsel geven* feed, ⟨van gasten⟩ entertain ★*zich ~met* feed on ❷ *zogen* feed, ⟨van baby's⟩ nurse ★*zij voedt haar kind zelf* she breast-feeds her baby ❸ *aanwakkeren* foster, ⟨hoop⟩ cherish, ⟨haat, liefde⟩ nourish ❚❚ *on ww, voedzaam zijn* be nourishing

**voeder** fodder

**voederbak** manger

**voederen** feed

**voeding** ❶ *het voeden* feeding, ⟨van baby⟩ feed ❷ *voedsel* food, nutrition, ⟨voor dieren⟩ feed ★*slechte ~* malnutrition ❸ techn ⟨van machine⟩ (power) supply, ⟨kabel⟩ lead ▼ ~*geven aan geruchten* feed rumours

**voedingsbodem** ❶ <u>lett</u> medium ❷ <u>fig</u> breeding ground

**voedingskabel** elek supply / feeder cable

**voedingsleer** dietetics *mv*

**voedingsmiddel** (article of) food, foodstuff ★*gezonde ~en* healthy / wholesome foods ★*tekort aan ~en* shortage of foods

**voedingspatroon** eating / feeding pattern

**voedingsstof** nutrient

**voedingswaarde** food / nutritional value

**voedsel** ❶ *voeding* food, nourishment ❷ <u>fig</u> food, fuel ★*geestelijk ~* mental food, food for thought

**voedselbank** food bank

**voedselhulp** food aid

**voedselketen** food chain

**voedselpakket** ❶ *ingepakt eten* food parcel ❷ *assortiment* food range

**voedselrijk** having food in abundance, having an abundant supply of food

**voedselvergiftiging** food poisoning

**voedselvoorziening** food supply

**voedster** *mens* wet nurse

**voedzaam** nutritious, nourishing

**voeg** joint, ⟨naad⟩ seam

**voege** ▼<u>BN</u> *in ~zijn* be in force

**voegen** ❙ *ov ww* ❶ *verbinden* connect, join ❷ *met specie opvullen* point ★ ~ **bij** add (to), join ★*postzegels bij een verzameling* ~add stamps to a collection ★*zich ~bij iem.* join sb ❚❚ *wkk ww* [ *zich ~*] ~ **naar** *schikken in*, adjust / conform to, ⟨naar wens⟩ comply with ★*zich ~naar iemands wil* comply with sb's wishes ★*zich ~naar de regels* conform to the rules

**voegijzer** jointer

**voegwoord** conjunction

**voelbaar** ❶ *merkbaar* noticeable, palpable ❷ *tastbaar* tangible, perceptible

**voelen** ❙ *ov ww* ❶ *gewaarworden* feel ❷ *aanvoelen* feel, sense ★*ik zal het hem goed laten* ~I'll make it clear to him, I'll show him ★*zijn macht doen* ~make one's power felt ❸ *bevoelen* feel for / after ★*iemands pols* ~feel sb's pulse ❹ ~ **voor** fancy, feel like ★*ik voel wel iets voor het idee* I rather fancy / like the idea ★*ik voel er niet veel / niets voor* I'm not very / not at all keen about it ❚❚ *on ww, aanvoelen* feel ★*het voelt koud* it feels cold ★*een steek in de borst* ~feel a twinge in the chest ❚❚❚ *wkd ww* [ *zich ~*] ★*zich gezond* ~feel well ★*zich ziek* ~feel ill ▼*zij ~zich heel wat* they think the world of themselves, they fancy themselves

**voelhoorn** tentacle ▼*zijn ~s uitsteken* put out feelers

**voeling** feeling, touch ★ ~*hebben met* be in touch with

**voelspriet** feeler, tentacle, ⟨van insecten, schaaldieren⟩ antenna [mv: antennae]

**voer** feed, food, ⟨van vee⟩ forage

**voeren** ❶ *voeden* feed ❷ *leiden* lead, bring ★*wat voert je hierheen?* what brings you here? ★*dat zou me te ver* ~that would be taking things too far, that would be exceeding my brief ★*de reis voert deze keer naar Utrecht* this time the trip goes to Utrecht ❸ *van voering voorzien* line

**voering** lining

**voerman** driver

**voertaal** official language, medium of communication

**voertuig** vehicle

**voet** ❶ *lichaamsdeel* foot *mv: feet* ★*voetje voor voetje* foot by foot, inch by inch ★*op blote voeten* on bare feet ★*op blote voeten lopen* walk barefoot ★*te voet* on / foot ★*voet aan wal zetten* set foot ashore ★*geen voet buiten de deur zetten* not set foot outside the door ❷ *basis, onderste deel* foot, ⟨van lamp, pilaar⟩ base ★*belastingvrije voet* personal tax allowance ★*de voet van een glas* the stem / base of a glass ★*aan de voet van de heuvel* at the foot of the hill ❸ *wijze, grondslag* footing, terms *mv* ★*op goede voet staan met iem.* be on good terms with sb ★*op gespannen voet met iem. staan* be on bad terms with sb ★*op voet van gelijkheid* on equal terms ★*op grote voet leven* live beyond one's income ★*op dezelfde voet* on the same footing ▼*met voeten treden* set at naught, trample on ▼BN *met een zware voet rijden* drive at full throttle, USA step on the gas ▼BN *met iemands voeten spelen* make a fool of sb ▼*onder de voet lopen* tread underfoot, overrun ▼*op vrije voeten stellen* set free ▼*op vrije voeten zijn* be at large ▼*op staande voet* on the spot, there and then ▼*iem. op de voet volgen* follow sb closely, dog sb's footsteps ▼*dat is hem ten voeten uit* that is typical of him ▼*zich uit de voeten maken* make o.s. scarce ▼*iem. iets voor de voeten werpen* lay blame at sb else's feet ▼*voet bij stuk houden* make a firm stand, stick to one's guns ▼*vaste voet krijgen* obtain a foothold ▼*iem. de voet dwars zetten* thwart sb, make trouble for sb ▼*veel voeten in de aarde hebben* take some doing ▼*een voet tussen de deur krijgen* gain a foothold ▼*voetjes van de vloer!* shake a leg! ▼*een wit voetje bij iem. hebben*, BN *een voetje voor hebben bij iem.* be in sb's good books

**voetangel** mantrap ▼*~s en klemmen* pitfalls, snags

**voetbad** footbath

**voetbal** I *zn* [de]*, bal* football II *zn* [het]*, spel* GB soccer, GB football, form Association football

**voetbalclub** GB soccer / football club

**voetbalelftal** GB soccer / football team / eleven ★*het Nederlandse ~* the Dutch eleven / side

**voetbalknie** cartilage trouble in the knee

**voetballen** play soccer, ⟨niet in USA⟩ play (foot)ball

**voetballer** ⟨prof⟩ GB footballer, GB soccer / football player

**voetbalschoen** football boot, USA cleat

**voetbalveld** GB soccer / football pitch

**voetbalwedstrijd** GB soccer / football game / match

**voetenbank** footrest, footstool

**voeteneinde** foot

**voetganger** pedestrian, ⟨op veerboot, e.d.⟩ foot-passenger

**voetgangersbrug** pedestrian bridge, footbridge

**voetgangersgebied** pedestrian area, pedestrian precinct

**voetgangerslicht** (pedestrian) crossing lights *mv*

**voetgangersoversteekplaats** pedestrian crossing

**voetgangerstunnel** subway

**voetlicht** footlights *mv* ▼*voor het ~ brengen* put on the stage, bring into the limelight

**voetnoot** *noot onderaan bladzijde* footnote

**voetpad** *paadje* footpath

**voetreis** walking-trip

**voetspoor** footprint, track ▼*in iemands voetsporen treden* follow in sb's tracks

**voetstap** ❶ *stap* footstep ❷ *spoor* footprint, footmark ▼*in iemands ~pen treden* follow / tread in sb's steps

**voetsteun** footrest

**voetstoots** without further ado, out of hand ★*ik kan dat niet ~ aannemen* I can't accept it just like that

**voetstuk** pedestal ▼*iem. op een ~ plaatsen* put sb on a pedestal ▼*iem. van zijn ~ stoten* knock sb off his pedestal

**voettocht** walking tour, hike

**voetveeg** ❶ *lett deurmat* doormat ❷ *fig pispaal* ★*iemands ~ zijn* be sb's doormat

**voetvolk** ❶ *mil infanterie* foot soldiers *mv*, infantry ❷ *fig gewone volk* rank and file, masses *mv*

**voetzoeker** firecracker, jumping jack

**voetzool** sole, sole (of one's foot)

**vogel** ❶ *dier* bird ★*zo vrij als een ~ in de lucht* as free as a bird (on the wing) ❷ *persoon* customer, character ★*een vroege ~* an early bird ★*een gladde ~* a sly dog, a slippery customer ★*een rare ~* an odd customer ▼*beter één ~ in de hand dan tien in de lucht* a bird in the hand is worth two in the bush ▼*de ~ is gevlogen* the bird has flown ▼*~s van diverse pluimage* all sorts and conditions of men

**vogelaar** ❶ *vogelvanger* fowler, bird-catcher ❷ *vogelliefhebber* bird-watcher, spotter

**vogelgriep** avian influenza, inform bird flu

**vogelhuisje** bird table

**vogelkooi** birdcage

**vogelnest** bird's nest

**vogelpest** fowl plague / pest

**vogelpik** BN *darts* darts

**vogelsoort** species of bird

**vogelspin** bird spider

**vogelstand** bird population, avifauna

**vogeltrek** bird migration

**vogelverschrikker** scarecrow

**vogelvlucht** *perspectief* bird's-eye view

**vogelvrij** outlawed ★*iem. ~ verklaren* outlaw sb

**Vogezen** Vosges

**voicemail** voice mail

**voice-over** voice-over

**voile** ⟨sluier⟩ veil

**vol** ❶ *geheel gevuld* full (of), filled (with), ⟨van bus, theater, trein⟩ inform full (up) ★*vol maken* complete ★*het huis staat vol rook* the house is thick with smoke ★*het werk zit vol fouten* the work is full of / riddled with errors ★*we zitten helemaal vol* we're full up ❷ *vervuld* ★*vol zijn van iets* be full of sth ❸ *intens* ⟨van kleur⟩ deep, ⟨van geluid, kleur⟩ rich, ⟨van geluid⟩ full ❹ *bedekt* full (of), covered (with) ★*de grond lag vol met kranten en boeken* the ground was littered with books and papers ❺ *volledig* full ★*een volle dag* a full day ★*drie volle weken* three solid weeks ★*ten volle* fully, to the full ▼*iem. voor vol aanzien* taken sb seriously

**volautomatisch** fully automatic

**volbloed** I *zn* [de] thoroughbred II *bnw* ❶ *raszuiver* full-blooded, pedigree, ⟨van paard⟩ thoroughbred ❷ *door en door* out-and-out ★*ik ben een ~ socialist* I am an out-and-out socialist

**volbouwen** build over

**volbrengen** ❶ *uitvoeren* perform, carry out, fulfil ★*een taak ~* perform a task ❷ *afmaken* complete, accomplish ★*een reis ~* complete / accomplish a journey

**voldaan** ❶ *tevreden* satisfied, content ★*een ~ gevoel* a feeling of satisfaction ❷ *betaald* paid,

**VO**

⟨onder rekening⟩ received (with thanks)★ *voor~ tekenen* receipt (a bill)

**voldoen** I *ov ww, betalen* pay, settle II *on ww* ❶ *bevredigen* be satisfactory ❷~**aan** satisfy★ *aan een verzoek~* comply with a request★ *aan de verwachtingen~* live / come up to expectations ★ *~ aan de behoeften van...* meet the needs of... ★ *aan een bevel / eis~* obey a command / demand

**voldoende** I *bnw* ❶ *bevredigend* adequate, (up) to the mark ❷ *genoeg* enough, sufficient★ *~ zijn* suffice, be enough / sufficient★ *ruimschoots~* ample, more than enough II *zn* [de], *schoolcijfer* pass★ *een ~ hebben / halen voor Latijn* pass one's Latin

**voldoening** ❶ *betaling* payment, settlement ❷ *tevredenheid* satisfaction

**voldongen** →**feit**

**voldragen** *biol* full-term, full-born★ *niet~* born prematurely, premature

**volgauto** ❶ *begeleidende auto* car in a procession ❷ *sport* (official) following car

**volgboot** dinghy, escort, *sport* umpire's launch

**volgeboekt** fully booked, booked up

**volgeling** follower, *rel* disciple

**volgen** I *ov ww* ❶ *achternagaan* follow, ⟨van nabij⟩ dog, ⟨van nabij⟩ shadow★ *een weg~* follow a road ❷ *nabootsen*★ *iem. blindelings~* follow sb through thick and thin ❸ *handelen naar* follow, ⟨van plan, beleid⟩ pursue★ *iemands voorbeeld~* follow sb's example ❹ *bijwonen* attend, ⟨een cursus, e.d.⟩ follow★ *colleges~* attend lectures ❺ *begrijpen, bijhouden*★ *ik kan je niet~* I can't follow you ❻ *BN begeleiden* guide, counsel II *on ww* ❶ *erna komen* follow, ⟨in reeks⟩ be next★ *wie volgt?* who is next?★ *~ op* follow after / on, succeed★ *de reden is als volgt* the reason is as follows★ *~ uit* follow from, seguirse de★ *hieruit volgt dat...* (hence) it follows that...

**volgend** *erna komend* next★ *de~e keer* next time

**volgens** ❶ *naar mening van* according to★ *~ mij* in my view / opinion ❷ *overeenkomstig* in accordance with

**volgnummer** *reeksnummer* rotation number

**volgooien** fill (up)★ *wilt u de tank~ met benzine?* fill her up, please!★ *de tank~* fill up the tank

**volgorde** sequence, ⟨min of meer willekeurig⟩ order

**volgroeid** full(y-)grown, mature

**volgwagen** ❶ *begeleidende auto* car in a procession ❷ *sport* (official) following car

**volgzaam** docile

**volharden** persevere, persist (in)★ *in een besluit~* stick to one's decision

**volhardend** persevering, persistent

**volharding** perseverance, persistence

**volhouden** I *ov ww* ❶ *niet opgeven* carry on, keep up, ⟨de strijd⟩ maintain, ⟨van rol⟩ sustain ❷ *blijven beweren* maintain, insist★ *hij hield vol dat het verhaal waar was* he insisted that the story was true★ *bij hoog en bij laag~* maintain through thick and thin II *on ww, doorgaan* hold on, infrm keep it up, *form* persevere

**volière** aviary, birdhouse

**volk** ❶ *natie* people, nation★ *de volken van Afrika* the peoples of Africa ❷ *bevolking* people *mv*

❸ *lagere klassen* common people *mv★ een man uit het volk* a working-class man ❹ *menigte*★ *er was veel volk op de been* there were many people about ❺ *soort mensen* folk★ *het gewone volk* the common people *mv★ een raar volkje* queer folk ▼ *volk!* anybody there?, shop!▼ *iets onder het volk brengen* popularize sth

**Volkenbond** League of Nations

**volkenkunde** cultural anthropology, ⟨vergelijkend⟩ ethnology, ⟨beschrijvend⟩ ethnography

**volkenkundig** ethnological

**volkenmoord** genocide

**volkenrecht** *jur* international law

**volkomen** I *bnw* ❶ *volledig* complete ❷ *volmaakt* perfect II *bijw* absolutely, completely★ *zij zijn het~ eens* they are in complete agreement★ *hij zat er~ naast* he was completely wrong★ *~ zeker* quite certain

**volkoren** *cul* wholemeal

**volkorenbrood** *cul* wholemeal bread

**volks** common, popular

**volksaard** national character

**volksboek** chapbook

**volksbuurt** working-class neighbourhood / area

**volksdans** folk dance

**volksdansen** folk dancing

**volksetymologie** folk / popular etymology

**volksfeest** national / popular festival

**volksgeloof** ❶ *bijgeloof* superstition ❷ *volksreligie* national religion

**volksgezondheid** public health

**volkshuisvesting** public housing, ⟨dienst⟩ (public) housing department

**volksjongen** working-class lad, ordinary boy

**volkslied** ❶ *officieel nationaal lied* national anthem ❷ *overgeleverd lied* folk-song

**volksmenner** demagogue

**volksmond** ★ *in de~* in everyday / popular language★ *in de~ noemt men dit...* this is popularly called...

**volksmuziek** folk music, traditional music

**volksrepubliek** people's republic★ *de Volksrepubliek China* the People's Republic of China

**volksstam** ❶ *volk* tribe ❷ *menigte* crowd, horde ★ *hele~men* masses of people

**volksstemming** referendum, plebiscite★ *een~ houden* hold a referendum

**volkstaal** ❶ *landstaal* national language ❷ *informele taal* vernacular, common usage

**volkstelling** census★ *een~ houden* take a census

**volkstoneel** popular drama, amateur dramatics *mv*

**volkstuin** allotment (garden)

**volksuniversiteit** ≈ adult education centre

**volksverhuizing** *het trekken van een volk* migration of a nation★ *gesch de grote~* the migration of the Germanic peoples

**volksverlakkerij** the misleading of public opinion

**volksvermaak** popular amusement

**volksvertegenwoordiger** representative (of the people), GB MP, Member of Parliament, USA Congressman

**volksvertegenwoordiging** *parlement* house of

representatives, parliament

**volksverzekering** national / social insurance

**volksvijand** public enemy

**volksvrouw** working-class woman

**volkswijsheid** conventional wisdom

**volkswoede** popular anger / fury

**volledig I** *bnw* complete, full, entire★ ~ *maken* complete★ *een~e bekentenis afleggen* make a full confession★ *~e betrekking* full-time job **II** *bijw*★ ~ *bevoegd* fully qualified

**volledigheidshalve** for the sake of completeness

**volleerd** *geschoold* fully qualified, ⟨ervaren⟩ accomplished, ⟨ervaren⟩ consummate, ⟨ervaren⟩ perfect

**volley** *sport* volley

**volleybal I** *zn* [de], *bal* volleyball **II** *zn* [het], *spel* volleyball

**volleyballen** play volleyball

**vollopen** get filled, fill (up)★ *zich laten~* get tanked up

**volmaakt** perfect

**volmacht** *opdracht tot handelen* power, authority, mandate, *jur* power (of attorney) ★ *blanco~* full plenary powers *mv*★ *bij~* by proxy★ *iem. ~ geven om* authorize sb to

**volmaken** perfect

**volmondig** whole-hearted, unconditional, frank ★ *een~ 'ja'* a heartfelt / straight forward 'yes'

**volop** plenty of, in abundance★ *er is~* there is plenty★ *men kan er~ genieten van...* one can fully enjoy...

**volpension** full board

**volpompen** fill, pump up

**volproppen** cram, stuff, pack★ *zich~* stuff o.s.

**volschenken** fill

**volslagen** complete, utter, ⟨van mislukking, vreemdeling⟩ total★ *dat is~ onzin* that is utter nonsense★ *hij is~ getikt* he's raving mad

**volslank** well-rounded, plump

**volstaan ❶** *voldoende zijn* do, be sufficient, suffice **❷**~**met** limit oneself to★ *daar kun je niet mee~* that is not enough, that won't do★ *laat ik ~ met te zeggen...* suffice it to say...

**volstoppen** stuff (full)

**volstorten** *aflossen* pay off

**volstrekt** *absoluut* complete, absolute★ ~ *niet* by no means, absolutely not★ *een~ belachelijk voorstel* a completely ridiculous suggestion

**volstromen** fill up

**volt** volt

**voltage** voltage

**voltallig** complete, full, ⟨van vergadering⟩ fully attended, ⟨van vergadering⟩ plenary★ *we zijn~* we are all here

**voltarief** full rate

**voltigeren** vault, tumble, do acrobatics, ⟨op paard⟩ do tricks on horseback

**voltijdbaan** full-time job

**voltijder** full-timer

**voltijds, voltijd** full-time

**voltooien** complete, finish

**voltooiing** completion

**voltreffer** *lett* direct hit★ *een~ plaatsen* score a direct hit

**voltrekken I** *ov ww* ⟨van vonnis⟩ execute, ⟨van

huwelijk⟩ perform, ⟨van huwelijk⟩ celebrate, ⟨van overeenkomst⟩ complete **II** *wkd ww* [zich ~] occur, happen

**voltrekking** ⟨van vonnis⟩ execution, ⟨van huwelijk⟩ celebration, ⟨van huwelijk⟩ performing

**voluit** in full★ *een woord / zijn naam~ schrijven* write a word / one's name in full▼~ *gaan* give one's all, pull out all the stops, go flat out

**volume ❶** *inhoud* volume, content **❷** *geluidssterkte* volume, loudness

**volumeknop** volume control

**volumewagen** BN *transp* spacious family car

**volumineus** voluminous, ample

**voluptueus** voluptuous

**volvet** full-cream

**volvoeren** fulfil, perform, accomplish

**volwaardig** ⟨van partner⟩ fully-fledged, ⟨van munt⟩ undepreciated, ⟨van munt⟩ sound★ *een~ bestaan* a satisfactory life★ *een~ lid* a full member

**volwassen** adult, grown, grown-up, mature, ⟨planten, dieren⟩ full-grown★ ~ *gedrag* adult behaviour★ *... en dat van een~ vent!* he should act his age!

**volwassene** adult, grown-up

**volwasseneneducatie** adult education

**volwassenheid** adulthood, maturity

**volzet** BN *vol* full (up), fully booked

**volzin** (complete) sentence, *taalk* period★ *spreken in~nen* use well-turned sentences

**vondeling** abandoned child★ *een kind te~ leggen* abandon a child

**vondst ❶** *het vinden* finding, discovery **❷** *het gevondene* find★ *een belangrijke archeologische~* an important archeological find **❸** *bedenksel★ er zitten wel een paar leuke~en in je verhaal* there are quite a few felicitous phrases and ideas in the story

**vonk ❶** *gloeiend deeltje* spark **❷** *fig gevoelsflits* spark★ *de vonk sprong over* the spark flashed across

**vonken** spark, sparkle

**vonnis** judgment, ⟨strafmaat⟩ sentence, ⟨van jury⟩ verdict★ ~ *vellen / wijzen* pass / pronounce judgement / sentence (on)

**vonnissen** pass sentence on, convict, condemn

**voodoo** voodoo

**voogd** guardian★ *toeziend~* supervising guard, warder, legal guardian

**voogdij** custody, guardianship

**voogdijraad** Guardianship Board

**voor I** *vz* **❶** *aan de voorkant van* in front of★ *voor het huis* in front of the house **❷** *naar voren★ voor zich uit kijken* stare into space **❸** *eerder dan* before, ahead of★ *voor 1992* before 1992★ *het is vijf voor acht* it's five to eight★ *wat deed je hiervoor?* what did you do before this?

**❹** *gedurende* for★ *hij gaat voor een jaar weg* he is leaving for a year★ *voor zijn leven verminkt* maimed for life **❺** *in tegenwoordigheid van* before★ *zich verbergen voor iem.* hide from sb

**❻** *jegens* for★ *achting hebben voor iem.* have respect for sb **❼** *in ruil voor★ voor 5 euro* for five euros **❽** *wat... betreft* for★ *niet slecht voor een beginner* not bad for a beginner★ *nogal groot voor een auto* fairly / quite big for a car★ *zij had*

**VO**

*een goed cijfer voor Engels* she got a good mark for English ★ *net iets voor hem, om niet te komen* just like him not to come ★ *dat is net iets voor hem* ⟨typisch⟩ that's just like him ★ *niet duur voor dat geld* cheap at the price ★ *ik voor mij* I for one ❶ *ten bate / behoeve van* for ★ *voor het goede doel* for the good cause ★ *ik deed het voor jou* I did it for you ★ *er is iets voor te zeggen* there is sth to be said for it ★ *voor de lol* for fun ▼ *iets voor zich houden* keep sth to yourself **II** *vw* before ★ *ik zie je nog wel voor ik vertrek* I'll see you before I leave **III** *bijw* ❶ *aan de voorkant* in front ★ *hij woont voor* he lives in the front of the house ★ *van voor naar achter* from front to rear ★ *voor in het boek* in the beginning of the book ★ *voor je uit* in front of you, ahead of you ★ *voor in de zaal* in / at the front of the hall ❷ *met voorsprong* in front of, ahead of ★ *hij is voor bij de anderen* he's ahead of the others ★ *iem. voor zijn* be ahead of sb, ⟨te vlug af⟩ be too quick for sb ❸ *aan het begin van* ★ *hij was voor in de dertig* he was in his early thirties ❹ *gunstig gestemd* for, in favour of ★ *voor zijn* be in favour of ★ *ik ben er voor om te spelen* I am (all) for playing ★ *zij die voor zijn moeten hun hand opsteken* all (those) in favour raise their hands ▼ *het was dokter voor en dokter na* it was doctor this and doctor that **IV** *zn* [de] furrow ★ *voren trekken* make / plough furrows **V** *zn* [het] pro ★ *de voors en tegens* the pros and cons

**vooraan** in front ★ *~ staan* stand in front, be in the front rank, rank first ★ *~ instappen* get in at the front

**vooraanstaand** leading, prominent

**vooraanzicht** front view

**vooraf** beforehand, previously ★ *even een woord ~* just a word before we start ★ *iets ~ nemen* have an aperitif, have an appetizer ★ *dat had je ~ moeten doen* you should have done that to start with ★ *~ te betalen* prepayable

**voorafgaan aan** precede, go before

**voorafje** appetizer, hors d'œuvre

**vooral** especially, particularly ★ *~ niet* on no account ★ *ga ~ by* all means, go ★ *hij is ~ daar goed in* that is his forte / speciality ★ *vergeet het ~ niet* be sure not to forget it, whatever you do, don't forget it ★ *sluit ~ de deur* be sure to close / lock the door

**vooralsnog** as yet, for the time being ★ *~ kunnen we bitter weinig doen* for the time being there is precious little we can do

**voorarrest** detention on remand ★ *in ~ stellen* remand

**vooravond** ❶ *begin van de avond* early evening ❷ *avond voor iets* eve ★ *aan de ~ van...* on the eve of...

**voorbaat** ▼ *bij ~* in anticipation, in advance ▼ *bij ~ dank* thank you in advance

**voorbarig** premature, ⟨onbezonnen⟩ rash, ⟨onbezonnen⟩ hasty

**voorbeeld** ❶ *iets ter navolging* example, model, pattern ★ *naar het ~ van* after the example of ★ *een ~ nemen aan iem.* follow sb's example ★ *het goede ~ geven* set an example ★ *tot ~ stellen* hold up as an example ❷ *iets ter illustratie* example, instance, specimen ★ *een ~ geven* give

an example ★ *'n ~ aanhalen* cite an example

**voorbeeldig** exemplary

**voorbehoedmiddel** contraceptive, USA prophylactic

**voorbehoud** reservation ★ *onder ~ dat* subject to the condition that, provided that ★ *een ~ maken* make a reservation ★ *zonder ~* unreservedly, without any reservation ★ *met dit ~* on this condition

**voorbehouden** ❶ reserve ★ *ongelukken ~ barring accidents* ★ *dat is aan de koningin ~* that is the queen's prerogative ❷ BN *reserveren* book, reserve

**voorbereiden** prepare, be ready ★ *zich ~* prepare o.s.

**voorbereiding** preparation ★ *~ treffen* make preparations

**voorbeschikken** predestine

**voorbeschikking** predestination

**voorbeschouwen** preview

**voorbeschouwing** preview

**voorbespreken** have a preliminary discussion, preview, ⟨plaatsen⟩ book in advance

**voorbespreking** ❶ *gesprek* preliminary discussion ❷ *reservering* advance booking / reservation

**voorbestemmen** predetermine, predestine

**voorbij** **I** *bnw, afgelopen* past, over ★ *de vakantie is ~* the holidays are over ★ *de winter is ~* the winter has come to an end **II** *vz* ❶ *langs* past ★ *de kerk en dan rechts* past the church and turn right ❷ *verder dan* beyond, past ★ *het kruispunt ~* past the crossroads, USA past the intersection ★ *zijn we Utrecht al ~?* have we passed Utrecht yet?

**voorbijgaan** ❶ *passeren* pass (by), go by ★ *iem. ~* pass sb ★ *in het ~* in passing, incidentally ❷ *verstrijken* pass / go by, ⟨van duizeligheid⟩ pass off ★ *vele jaren gingen voorbij* many years went / slipped by ★ *zij liet de gelegenheid ~* she let the opportunity slip, she missed the opportunity ★ *er gaat geen week voorbij of...* not a week goes by but... ❸ *~ aan* pass over ★ *aan iem. ~* pass sb over, leave sb out ★ *we kunnen niet aan die feiten ~* we cannot ignore those facts ★ *met ~ van* ignoring, without regard to

**voorbijgaand** passing, transitory ★ *van ~e aard* of a temporary nature

**voorbijganger** passer-by

**voorbijgestreefd** BN *achterhaald* superseded, out of date, trasnochado ★ *~ zijn* be outdated

**voorbijkomen** come past / by, pass (by)

**voorbijlaten** let pass ★ *laat me voorbij!* away!, out of my way!

**voorbijlopen** ★ *je bent er vlak voorbij gelopen* you passed right by it, you went right past it

**voorbijpraten** → **mond**

**voorbijsteken** BN *voorbijgaan* overtake ★ *verboden voorbij te steken* no overtaking

**voorbijstreven** outstrip, outpace, surpass

**voorbijvliegen** ❶ *vlug voorbijkomen* fly / rush past ❷ *snel verstrijken* fly (by / past) ★ *de tijd vliegt voorbij* time flies

**voorbijzien** overlook, ⟨verwaarlozen⟩ neglect

**voorbode** forerunner, herald, ⟨voorteken⟩ omen

**voordat** before

**voordeel ❶** *wat gunstig is* advantage ★*in je* ~ to your advantage ★*in zijn* ~ *veranderen* change for the better ★*de voor- en nadelen kennen* know the advantages and disadvantages ❷ *winst* advantage, benefit, profit ★*met* ~ with advantage, with profit ★~ *hebben bij* profit / benefit by ★*zijn* ~ *doen met iets* take advantage of sth, turn sth to account ❸ *sport* (tennis) advantage ★*de stand was 2-0 in het* ~ *van België* the score was 2-0 in favour of Belgium ▾*het* ~ *van de twijfel* the benefit of the doubt

**voordek** foredeck, forward deck

**voordelig** (goedkoop) inexpensive, (goedkoop) low-buget, (winstgevend) profitable, ( zuinig) economical, (zuinig) cheap

**voordeur** front door

**voordeurdeler** person sharing accommodation

**voordien** before (that), previously

**voordoen I** *ov ww* **❶** *als voorbeeld doen* show, demonstrate ★*ik zal het je eens* ~ I'll show you (how to do it) **❷** *aandoen* put on **II** *wkd ww* [ zich ~] **❶** *zich gedragen* present oneself, pose as, make oneself out to be ★*zich goed voor weten te doen* make a good impression **❷** *plaatsvinden* occur, turn up, (van vraag, omstandigheid) arise

**voordracht ❶** *het voordragen* muz recital, (van gedicht) recitation, (wijze van uitvoeren) execution, (wijze van declameren) delivery **❷** *nominatie* nomination, (lijst) short list, (lijst) list of candidates ★*zij staat als eerste op de* ~ she is number one on the short list **❸** *lezing* lecture ★*een* ~ *houden (over)* give a lecture (on)

**voordragen ❶** *ten gehore brengen* muz execute, muz render, (van gedicht) recite **❷** *aanbevelen* nominate, propose ★*Harry werd als presidentskandidaat voorgedragen* Harry was nominated for President

**voordringen** push forward / past, jump the queue

**vooreerst ❶** BN *ten eerste* first(ly) **❷** *voorlopig* as yet, for the present, for the time being

**voorfilm** short

**voorgaan ❶** *voor iem. gaan* go before, precede, (wegwijzen) lead the way ★*gaat u voor* after you, please ★*hij liet haar* ~ he let her go first **❷** *voorrang hebben* take precedence ★*zijn werk laten* ~ put one's work first **❸** *het voorbeeld geven* set an example **❹** rel conduct ★ ~ *in een dienst* conduct a service

**voorgaand** preceding, former, last ★*het* ~ *e* the foregoing ★*in de* ~*e jaren* in the previous years

**voorgaande** BN jur *precedent* precedent

**voorganger ❶** *iem. die men opvolgt* predecessor **❷** rel pastor, minister

**voorgeleiden** bring in

**voorgenomen** intended, proposed ★*de* ~ *maatregelen* the proposed measures

**voorgerecht** cul first course, form entrée

**voorgeschiedenis** *het voorafgaande* (van zaak) (previous) history, (van persoon) past history

**voorgeschreven** obligatory, (aantal) requisite, (medicijnen e.d.) prescribed, (tijdstip) appointed, (uniform e.d.) regulation

**voorgeslacht** ancestry, forefathers mv, ancestors mv

**voorgevel ❶** *gevel* face, façade **❷** *boezem* boobs mv

**voorgeven** *voorwenden* pretend

**voorgevoel** presentiment, inform hunch ★*angstig* ~ misgiving(s), anxious foreboding

**voorgoed** for good, once and for all

**voorgrond** foreground

**voorhamer** sledge(hammer)

**voorhand** forehand ★*op* ~ beforehand, in advance

**voorhanden** (in voorraad) on hand, (in voorraad) in stock, (verkrijgbaar) available ★*dit artikel is niet meer* ~ this article is out of stock / sold out

**voorhebben ❶** *voor zich hebben* ★*wie denk je dat je voor je hebt?* who(m) do you think you are talking to? **❷** *beogen* mean, intend ★*wat heeft hij voor?* what is he up to? ★*ik heb het goed met je voor* I mean well by you **❸** *als voordeel hebben* ★*dat heeft hij op je voor* there he has the advantage of you **❹** *dragen* have on ▾BN *het goed* ~ (het goed weten) be right

**voorheen** formerly, in former days ★ ~ *wonende te Groningen* formerly / late of Groningen

**voorheffing** econ ★BN *onroerende* ~ property tax, ≈ GB council tax

**voorhistorisch** *prehistorisch* prehistoric

**voorhoede** vanguard, mil advance guard, sport forward-line

**voorhoedespeler** sport forward

**voorhoofd** forehead

**voorhoofdsholte** sinus cavity

**voorhoofdsholteontsteking** sinusitis

**voorhouden ❶** *voor iem. houden* hold before ★*iem. een spiegel* ~ hold up a mirror to sb **❷** *wijzen op* impress (upon), confront ★*iem. de noodzaak van iets* ~ impress on sb the necessity of sth

**voorhuid** foreskin

**voorin** (in bus, e.d.) in front, (in boek) at the beginning

**vooringenomen** prejudiced, biased ★ ~ *zijn tegen iem.* be prejudiced against sb

**voorjaar** spring

**voorjaarsmoeheid** springtime fatigue

**voorkamer** front room

**voorkant** front

**voorkauwen** fig ★*iem. iets* ~ spell sth out to sb

**voorkennis** foreknowledge ★*buiten mijn* ~ unknown to me, without my knowledge ★*handelen met* ~ act with prior knowledge

**voorkeur** preference ★*bij* ~ preferably ★*de* ~ *geven aan* prefer ★*de* ~ *verdienen* be preferable (to)

**voorkeursbehandeling** preferential treatment

**voorkeurspelling** preferred spelling

**voorkeurstem** write-in (vote)

**voorkeurzender** pre-set station

**voorkoken ❶** *voorbereiden* spoonfeed **❷** *vooraf koken* precook

**voorkomen I** *zn* [het], *uiterlijk* appearance, looks mv ★*dat geeft alles een heel ander* ~ that makes things look a lot different **II** *on ww* **❶** *gebeuren* occur, happen ★*het komt nog regelmatig voor dat...* it still happens regularly that... **❷** *te vinden zijn* occur, be found ★*rugklachten komen in zijn familie veel voor* back troubles occur frequently in his family ➌ jur appear (in court), come before★ *zij moet morgen~* she has to appear in court tomorrow ➍ *toeschijnen* look to, seem, appear★ *het komt ons onwaarschijnlijk voor* it looks improbable to us

**voorkomen** prevent★ ~ *is beter dan genezen* prevention is better than cure

**voorkomend** *gebeurend,* →**geval**

**voorkomend** *attent* considerate, obliging

**voorlaatst** last but one, penultimate★ *de~e keer* the last time but one★ *het accent valt op de~e lettergreep* the stress falls on the penultimate syllable

**voorlader** front loader

**voorlangs** in front of

**voorleggen** ➊ *ter beoordeling geven* submit (to), lay / put before★ *iem. een vraag~* put a question to sb★ *iets aan de vergadering~* put sth to the meeting ➋ BN *overleggen* produce, submit

**voorleiden** bring up, bring before

**voorletter** initial (letter)

**voorlezen** ⟨aan kinderen⟩ read (to), ⟨aankondiging⟩ read (out)★ *de aanklacht~* read the charge

**voorlichten** inform, enlighten (on)★ *niet goed voorgelicht zijn* be misinformed

**voorlichting** information, guidance, advice ★ *seksuele~* sex education★ *iem. seksuele~ geven* tell sb the facts of life, tell sb about the birds and bees

**voorlichtingsbrochure** information brochure

**voorlichtingscampagne** information campaign

**voorlichtingsdienst** information service

**voorlichtingsfilm** information film

**voorliefde** predilection, preference★ *een~ hebben voor* have a predilection for, have a special liking for

**voorliegen** ★ *iem. ~* lie to sb

**voorliggen** ➊ *aan de voorkant liggen* be in front ➋ *verder zijn* be ahead of somebody, have a lead over somebody★ *hij ligt ver voor* he is way ahead, he is leading

**voorlijk** precocious

**voorlopen** ➊ *voorop lopen* walk in front ➋ *te snel gaan* be fast, gain★ *de klok loopt drie minuten voor* the clock is three minutes fast★ *mijn horloge loopt elke dag tien minuten voor* my watch gains ten minutes a day

**voorloper** precursor, forerunner

**voorlopig I** *bnw* provisional, temporary★ *~ verslag* interim report**II** *bijw* for the time being, for now★ *~ blijft hij een weekje thuis* to begin with he'll stay home for a week

**voormalig** former

**voorman** ➊ *ploegbaas* foreman ➋ *leider* leader

**voormiddag** ➊ *ochtend* morning ➋ *deel van middag* early afternoon

**voorn** ⟨blanke voorn⟩ roach, ⟨grondelvoorn⟩ minnow

**voornaam** first name, Christian name★ *iem. bij zijn~ noemen* call sb by his first name

**voornaam** ➊ *eminent* distinguished★ *een~ voorkomen* a dignified / distinguished appearance / bearing ➋ *belangrijk* main, leading ★ *dat is het~ste* that is the main / most important thing

**voornaamwoord** pronoun

**voornaamwoordelijk** pronominal

**voornamelijk** mainly, principally, chiefly

**voornemen I** *zn* [het] intention★ *goede~s maken* make good resolutions★ *goede~s hebben* have good intentions **II** *wkd ww* [zich ~ ] resolve, determine, make up one's mind (to)★ *zich vast~ om...* firmly resolve to..., make up one's mind to...

**voornemens** intending, planning★ *~ zijn om...* be planning to...

**voornoemd** abovementioned, aforementioned

**vooronder** forecastle, fo'c'sle

**vooronderstellen** presuppose

**vooronderstelling** ➊ *vermoeden* presupposition ➋ *voorwaarde* prerequisite

**vooronderzoek** preliminary investigation

**vooroordeel** prejudice, bias

**vooroorlogs** prewar

**voorop** ➊ *aan de voorkant* in front ➋ *aan het hoofd* in front, in the lead★ ~ *gaan* lead the way ➌ *eerst* first★ *dat staat~* that's the main thing, that comes first

**vooropgezet** preconceived★ *~ dat* provided (that)

**vooropleiding** preliminary / preparatory training

**vooroplopen** ➊ *aan het hoofd lopen* walk / run in front★ *hij liep voorop in de demonstratie* he led the way in the demonstration ➋ *voorbeeld geven* lead the way, be at the forefront

**vooropstellen** assume, presuppose, ⟨als belangrijkste⟩ put first★ *vooropgesteld dat* assuming that★ *het belang van de zaak~* put the interest of the business first

**voorouder** ancestor★ *~s* ancestors *mv*, forefathers *mv*

**voorover** forward, prostrate, head first, headlong

**voorpagina** front page

**voorpaginanieuws** front-page news

**voorplecht** forward deck, ⟨verhoogd⟩ forecastle, fo'c'sle

**voorpoot** foreleg, forepaw

**voorportaal** vestibule, porch

**voorpost** outpost

**voorpret** anticipatory pleasure

**voorproefje** (fore)taste

**voorprogramma** support act

**voorprogrammeren** pre-program

**voorpublicatie** pre-publication

**voorraad** stock, supply, store★ *in / op~ hebben* have in stock, have on hand★ *uit~ leverbaar* available from stock★ *zolang de~ strekt* as long as stocks last★ *~ aanleggen van* stock up

**voorraadkast** larder, store cupboard

**voorraadschuur** storehouse

**voorradig** in stock, in store★ *in alle maten~* available in all sizes

**voorrang** precedence, ⟨ook m.b.t. verkeer⟩ priority, ⟨in verkeer⟩ right of way★ *~ verlenen* give (right of) way, yield★ *verkeer van rechts~ geven* give way to the right★ *de~ hebben boven* have priority over, take precedence over★ *om de ~ strijden* fight for supremacy

**voorrangsbord** right-of-way sign

**voorrangskruising** intersection with main / major road

**voorrangsweg** major road, main road

**voorrecht** *privilege* privilege, <u>form</u> prerogative

**voorrijden I** *ov ww, naar voren rijden* ★ *de auto~* bring the car round to the front **II** *on ww* ❶ *voorop rijden* drive / ride at / in (the) front ❷ *naar voren rijden* drive up to the front (entrance)

**voorrijkosten** call-out charge

**voorronde** qualifying / preliminary round

**voorruit** windscreen

**voorschieten** advance ★ *ik kan het je niet~* can't lend you the money

**voorschoot** ▾ <u>BN</u> *dat is maar een~ groot* it's no bigger than a pocket handkerchief, it's tiny

**voorschot** advance, loan ★ *iem. een~ geven* give sb an advance / a loan

**voorschotelen** ❶ *opdienen* dish / serve up ❷ *vertellen* present ★ *hij schotelde ons zijn plannen voor* he presented his plans to us

**voorschrift** ❶ *het voorschrijven* prescription, direction ★ *op~ van de dokter* on / under doctor's orders ❷ *regel (reglement)* regulation ★ *tegen de~en* against the regulations

**voorschrijven** *verordenen* prescribe ★ *lichaamsbeweging~* prescribe exercise ★ *de wettelijk voorgeschreven termijn* the legally required period ★ *zich niets laten~* refuse to be dictated to

**voorseizoen** early season

**voorselectie** preselection

**voorsmaakje** <u>BN</u> (fore)taste

**voorsnijden** carve

**voorsorteren** *rijstrook kiezen* get in lane ★ *rechts / links~* get in the right- / left-hand lane

**voorspannen** ❶ *voor iets spannen* hang in front (of) ❷ *van tevoren spannen* prestress

**voorspel** ❶ *inleiding* <u>muz</u> prelude, <u>muz</u> overture, 〈toneel〉 prologue, prelude ❷ <u>fig</u> *voorafgaand stadium* prelude ❸ *liefdesspel* foreplay

**voorspelbaar** predictable

**voorspelen** play

**voorspellen** ❶ *voorspelling doen* predict, forecast ★ *iem. de toekomst~* tell sb his future ★ *ik heb het altijd al voorspeld* I always told you so ❷ *beloven* promise ★ *die lucht voorspelt niet veel goeds* the sky doesn't look very promising, the sky looks threatening

**voorspelling** prophecy, prediction, 〈v.h. weer〉 forecast ★ *de~ voor de komende week* the forecast for the coming week

**voorspiegelen** ★ *iem. iets~* hold out false hopes to sb

**voorspoed** prosperity ★ *~ hebben* prosper, flourish ★ *voor- en tegenspoed* ups and downs

**voorspoedig** ❶ *gunstig* successful ❷ *gelukkig* prosperous, flourishing

**voorspraak** ❶ *bemiddeling* intercession (with), mediation ★ *op~ van* at the intercession of ❷ *persoon* advocate, intercessor, mediator ★ *iemands~ zijn bij* intercede for sb with, put in a (good) word for sb with

**voorsprong** ❶ *lett* (head)start, lead ★ *een~ hebben op iem.* have a headstart on sb ❷ <u>fig</u> *voordeel* start, headstart, advantage

**voorstaan** ❶ *voorstander zijn* 〈van idee〉 advocate, 〈van doel〉 champion ❷ *voorsprong hebben* ★ *FC Utrecht stond voor met 2-0* FC Utrecht was leading by 2-nil ★ *zij staan twee punten voor* they lead by two points ❸ *voor iets staan* be in front ★ *de auto staat voor* the car is at the door ❹ *heugen* ★ *daar staat me iets van voor* I seem to remember that ▾ *zich laten~ op* pride o.s. on

**voorstad** suburb

**voorstadium** preliminary / early stage(s)

**voorstander** advocate, champion ★ *ik ben er geen~ van* I don't believe in it

**voorsteken** <u>BN</u> *voordringen* push forward / past, jump the queue

**voorstel** *plan* proposal, suggestion, 〈van wetswijziging〉 bill ★ *op~ van* on the proposal of, at the suggestion of ★ *een~ indienen* move / table a proposal / motion

**voorstellen I** *ov ww* ❶ *presenteren* introduce ★ *mag ik u even~, mijnheer A.* may I introduce you to Mr. A.?, <u>inform</u> I'd like you to meet Mr A. ★ *zij werd aan de koningin voorgesteld* she was presented to the queen ❷ *als plan opperen* propose, suggest, make a suggestion ★ *ik stel voor de vergadering te verdagen* I move / propose that the meeting be adjourned ❸ *betekenen* ★ *wat moet dit~?* what is this supposed to mean / be? ★ *dat stelt niets voor* that doesn't mean anything / a thing ❹ *verbeelden* depict, represent ★ *het is niet zo erg als zij het~* it is not as bad as they make out ★ *wat moet dit schilderij ~?* what is this supposed to be a picture of? ❺ *de rol spelen* represent **II** *wkd ww* [zich ~] ❶ *zich indenken* imagine ★ *stel je voor!* just fancy! ★ *ik kan het mij niet~* I can't imagine / conceive it ★ *zij stelt zich er veel van voor* she expects much will come of it, she has great hopes of it ★ *ik kan mij het dorp nog~* even now I can recall the village ❷ *van plan zijn* intend, mean ★ *ik stel mij voor spoedig te vertrekken* I intend / mean to leave soon ★ *ik had me dat anders voorgesteld* that's not how I planned it, that's not how I meant it to be

**voorstelling** ❶ *vertoning* show, performance, 〈van toneel〉 play ★ *doorlopende~* continuous / non-stop performance ❷ *afbeelding* representation ❸ *denkbeeld* idea, notion ★ *zich een~ maken van iets* imagine sth ★ *ik had daar een heel andere~ van* I had a quite different view of the matter ★ *verkeerde~ van zaken* misrepresentation

**voorstellingsvermogen** imagination

**voorstemmen** vote for ★ *hij stemde voor de wetswijziging* he voted in favour of the proposed amendment

**voorsteven** stem

**voorstudie** *voorafgaande studie* preparatory study

**voorstuk** front part

**voort** *voorwaarts* on, onwards, forward

**voortaan** from now on, in future, <u>form</u> henceforth

**voortand** front tooth *mv: teeth*

**voortbestaan** survival, (continued) existence

**voortbewegen** drive, propel ★ *zich~* move (on)

**voortborduren** *op* elaborate on ★ *op een thema*

~ embroider / elaborate on a theme

**voortbrengen** ❶ *doen ontstaan* produce, create, bring about ★ *nationalisme heeft rampen voortgebracht* nationalism has brought about disasters ❷ *opleveren* bring forth

**voortbrengsel** product

**voortduren** continue, last, wear / drag on

**voortdurend** constant, continual, continuous ★ *een ~e bron van hilariteit* a constant source of hilarity

**voorteken** sign, omen

**voortent** front bell

**voortgaan** go on, continue

**voortgang** ❶ *voortzetting* continuation, advancement ★ ~ *vinden* proceed, go on ❷ *vooruitgang* progress ★ ~ *boeken / maken* make headway

**voortgezet** continued

**voorthelpen** help along, assist

**voortijdig** premature

**voortjagen** I *ov ww, opjagen* drive something on / along, push somebody on / along II *on ww, rusteloos zijn* hurry

**voortkomen** ❶ *voortvloeien* stem / follow (from) ★ *daar kan niets goeds uit* ~ nothing good can come from it ❷ *afkomstig zijn* stem / originate from

**voortleven** live on

**voortmaken** hurry (up), make haste ★ *maak voort of je komt te laat* get a move on or you'll be late

**voortouw** ▼ *het* ~ *nemen* take charge / the lead

**voortplanten** I *ov ww, vermenigvuldigen* reproduce, multiply, breed II *wkd ww* [zich ~] *van zaken* be transmitted, travel ★ *licht plant zich voort in golven* light is transmitted in waves

**voortplanting** ❶ *biol vermenigvuldiging* reproduction, multiplication, breeding, ⟨v. soort⟩ propagation ★ *geslachtelijke / ongeslachtelijke* ~ sexual / asexual reproduction ❷ *natk verbreiding* ⟨v. licht e.d.⟩ transmission

**voortreffelijk** excellent

**voortrekken** favour, give preference to ★ *iem.* ~ favour sb

**voortrekker** pioneer

**voorts** furthermore, besides, moreover

**voortschrijden** proceed, advance ★ *met het* ~ *der jaren* with each passing year

**voortslepen** drag along ★ *zich* ~ linger, drag on

**voortspruiten** spring / stem / result from

**voortstuwen** drive on, propel

**voortstuwing** propulsion

**voorttrekken** I *ov ww, vooruittrekken* drag, pull II *on ww, verder trekken* move on / forward

**voortuin** front garden

**voortvarend** energetic, dynamic, ⟨in ongunstige zin⟩ pushy ★ *zij is heel erg* ~ she has plenty of go, she is sb with a lot of drive

**voortvloeien** result (from), arise (out of / from)

**voortvluchtig** fugitive

**voortwoekeren** fester, spread (insidiously)

**voortzetten** continue, go on with, carry on, proceed with ★ *de onderhandelingen* ~ continue (the) negotiations

**voortzetting** continuation, ⟨na pauze⟩ resumption

**vooruit** I *bijw* ❶ *verder* forward ★ *daar kunnen we een poosje mee* ~ this will keep us going for a while ★ *recht* ~ straight ahead ★ *ik kan niet voorof achteruit* I'm completely stuck ❷ *van tevoren* in advance, beforehand ★ *had ik dat maar* ~ *geweten* if only I had known in advance II *tw* come on!, go ahead! ★ ~ *nou!* come on now!

**vooruitbetalen** pay in advance

**vooruitbetaling** prepayment, payment in advance

**vooruitblik** preview

**vooruitdenken** think ahead

**vooruitgaan** ❶ *voorop gaan* lead the way, go on before ❷ *voorwaarts gaan* progress, go forward ❸ *vorderingen maken* improve, get on, ⟨van barometer⟩ rise ★ *zij gaat goed vooruit* she is making good progress ★ *de buurt is er niet op vooruitgegaan* it hasn't done the neighbourhood much good ★ *we zijn er financieel niet op vooruit gegaan* we are no better off financially ❹ *van tevoren gaan* go on ahead, precede

**vooruitgang** *vordering* progress, advance, ⟨verbetering⟩ improvement

**vooruithelpen** help on

**vooruitkijken** look ahead

**vooruitkomen** make headway, get on / ahead ★ *in de wereld* ~ make one's way in the world, get on in the world

**vooruitlopen** ❶ *voorop lopen* go on ahead ❷ *anticiperen* anticipate ★ *op de dingen vooruit lopen* anticipate things, run ahead of things

**vooruitsteken** jut (out), protrude

**vooruitstrevend** progressive, go-ahead

**vooruitzicht** prospect, outlook ★ *iets in het* ~ *stellen* hold out a prospect of sth

**vooruitzien** *zien naar het toekomstige* look ahead / forward, anticipate

**vooruitziend** *form* prescient, ⟨van beleid⟩ far-sighted ★ ~*e blik* foresight

**voorvader** ancestor, forefather

**voorval** incident

**voorvallen** happen, occur

**voorvechter** champion, advocate

**voorverkiezing** *pol* preliminary election, USA primary (election)

**voorverkoop** ⟨in winkel⟩ advance sale

**voorverpakt** prepacked, packaged

**voorvertoning** preview

**voorverwarmen** preheat

**voorvoegsel** prefix

**voorvoelen** sense in advance, anticipate

**voorwaarde** condition, stipulation, ⟨handel⟩ terms *mv*, ⟨vereiste⟩ requirement ★ *een eerste* ~ a prerequisite ★ *huwelijkse* ~*n* marriage settlement, marriage contract ★ *onder geen* ~ on no account ★ *de* ~ *stellen dat...* make the condition that..., stipulate that...

**voorwaardelijk** *onder bepaalde voorwaarde* conditional ★ ~*e veroordeling* conditional / suspended sentence ★ ~ *ontslaan* release on parole ★ ~ *veroordelen* bind over, put on probation, give a suspended sentence ★ *een* ~ *in vrijheid gestelde gevangene* prisoner on parole

**voorwaarts** I *bnw* forward II *bijw* forward ★ *een stap* ~ *maken* take a step forward

**voorwas** prewash

**vo**

**voorwenden** feign, pretend
**voorwendsel** pretext, pretence, <u>inform</u> blind ★ *onder ~ van* under / on the pretext of
**voorwerk** ❶ *voorafgaand werk* preliminary work ★ *~ verrichten voor een vergadering* do preliminary work for a meeting ❷ *deel van boek* preliminary pages *mv*
**voorwerp** ❶ *ding* object ★ *gevonden ~en* lost and found ★ *bureau van gevonden ~en* lost property office ❷ <u>taalk</u> object ★ *lijdend ~* direct object ★ *meewerkend ~* indirect object
**voorwiel** front wheel
**voorwielaandrijving** front-wheel drive ★ *auto met ~* front-wheel drive car
**voorwoord** preface, foreword
**voorzanger** precentor
**voorzeggen** *het antwoord geven* prompt
**voorzet** <u>sport</u> cross(pass) ★ *een goede ~ geven* send in a good cross, do the ground work for sb
**voorzetsel** preposition
**voorzetten I** *ov ww* ❶ *plaatsen voor* put before ❷ *vooruit zetten* put / set forward **II** *on ww* <u>sport</u> centre
**voorzichtig I** *bnw* careful, cautious, <u>form</u> prudent ★ *in ~e bewoording* in guarded language **II** *bijw* ★ *(wees) ~!* watch out!, (be) careful!, caution!
**voorzichtigheid** caution, care, prudence
**voorzichtigheidshalve** by way of precaution
**voorzien** ❶ *zien aankomen* foresee, anticipate ★ *het was te ~* it was to be expected ★ *niet te ~e gevolgen* unforeseeable consequences ❷ *~ in zorgen voor* provide (for), (behoefte) meet, (behoefte) supply, (van vacature) fill (up) ❸ *verschaffen* provide / supply (van with) ★ *goed ~* well-stocked, well-spread ★ *ik ben al ~* I've already been seen to, I've got what I need, I'm okay / fine ★ *zich ~ van* provide o.s. with ★ *~ van een veiligheidsslot* fitted with a safety lock ❹ <u>BN</u> *bepalen* determine, decide, (prijs, tijd) fix, (voorwaarde) stipulate, (waarde) assess ▼ *het op iem. ~ hebben* be after sb
**voorzienigheid** providence
**voorziening** ❶ *het voorzien* provision ★ *ter ~ in zijn levensonderhoud* to provide for one's upkeep ❷ *faciliteit* facilities *mv* ★ *met alle moderne ~en* with all mod conveniences, <u>inform</u> with all mod cons ★ *sanitaire ~en* sanitary facilities ★ *sociale ~en* social security, (lokaal) social services ❸ *maatregel* provision, supply ★ *~en treffen* make provisions
**voorzijde** *voorkant* front
**voorzitten** preside, chair ★ *een vergadering ~* preside a meeting
**voorzitter** chairman [v: chairwoman], president ★ *~ zijn* chair a meeting, be in the chair
**voorzitterschap** chairmanship [v: chairwomanship] ★ *het ~ bekleden* fill the chairmanship ★ *onder ~ van* under the chairmanship of
**voorzorg** precaution ★ *uit ~* by way of precaution, as a precaution
**voorzorgsmaatregel** precaution, precautionary measure
**voos** rotten
**vorderen I** *ov ww, eisen* demand, claim, (door overheid) requisition **II** *on ww, vorderingen maken* make progress ★ *het werk vordert goed* the work is making good headway, the work is going ahead well
**vordering** ❶ *vooruitgang* progress, headway ❷ *eis* claim, (van overheid) requisitioning
**voren** *aan de voorkant* front ★ *naar ~* to the front ★ *van ~* in front ★ *naar ~ brengen* put forward ★ *naar ~ komen* step / come forward ▼ *van ~ af aan* from the beginning, once more
**vorig** ❶ *direct voorafgaand* previous, last, (van gebeurtenis) preceding ★ *de ~e maandag* last Monday, the previous Monday ★ *~e week woensdag* on Wednesday of last week ❷ *vroeger* former, previous, past ★ *de ~e eigenaar* the previous owner
**vork** ❶ *deel van bestek* fork ❷ *vorkvormig deel* fork ▼ *weten hoe de vork in de steel zit* know how matters stand, know what is what
**vorkheftruck** forklift (truck)
**vorm** ❶ *gedaante* form, shape ★ *zonder vorm van proces* without (any form of) trial, summarily ★ *vaste vorm aannemen* take shape ★ *vorm geven aan een idee* give shape to an idea, express an idea ❷ *gietvorm* mould ❸ *conditie* ★ *in vorm zijn* be on form ★ *uit vorm zijn* be out of shape, be off form, be out of form ❹ *omgangsvormen* manners *mv*, formality ★ *de vormen in acht nemen* observe the forms ★ *dat is alleen maar voor de vorm* that's a mere formality ★ *voor de vorm* for form's sake ❺ <u>taalk</u> ★ *de lijdende vorm* passive voice
**vormbehoud** <u>sport</u> keeping in shape
**vormelijk** formal
**vormen** ❶ *vorm geven* shape, mould, form ★ *zich ~ form* ★ *~ naar* model upon ❷ *doen ontstaan* build up, (regering, karakter, opinie) form ★ *zich een oordeel ~ over iets* form an opinion about sth ❸ *zijn* make up, be, constitute ★ *een uitdaging ~* constitute a challenge ❹ *opvoeden* educate, train ★ *iemands karakter ~* mould sb's character
**vormfout** technicality, irregularity, <u>jur</u> formal defect
**vormgever** designer
**vormgeving** design, styling, (van schilderijen) composition
**vorming** ❶ *het vormen* forming, moulding ❷ *geestelijke ontwikkeling* education, training
**vormingscentrum** (socio-cultural) training centre, (partieel leerplichtigen) centre for non-formal education
**vormingswerk** socio-cultural training, (partieel leerplichtigen) non-formal education
**vormingswerker** worker in socio-cultural education
**vormleer** <u>biol</u> morphology, <u>taalk</u> morphology, <u>muz</u> theory of musical forms, (bouwkunde) theory of forms
**vormsel** <u>rel</u> confirmation
**vormvast** retaining its form / shape
**vorsen** investigate, research
**vorst** ❶ *staatshoofd* sovereign, monarch ❷ *het vriezen* frost ★ *vijf graden ~* five degrees below freezing ★ *~ aan de grond* ground frost ★ *de ~ zit in de grond* the ground is frostbound ★ *bij ~* in case of frost
**vorstelijk** ❶ *(als) van een vorst* royal ★ *een ~*

*onthaal* a royal welcome ★ *~e personen* royalty ❷ *fig groot* princely ★ *een ~ salaris* a princely salary ★ *een ~e beloning* a generous reward
**vorstendom** principality
**vorstenhuis** dynasty, royal house
**vorstschade** frost damage
**vorstverlet** loss of working hours due to frost
**vorstvrij** frostproof
**vos** ❶ *roofdier* fox [v: vixen] ❷ *paard* sorrel, chestnut ❸ *sluwe vent* fox ★ *oude vos* old fox ▼ *een vos verliest wel zijn haren maar niet zijn streken* a wolf may lose his teeth but never his nature ▼ *als de vos de passie preekt, boer pas op je ganzen / kippen* when the fox preaches, then beware your geese
**vossenjacht** ❶ *jacht* fox-hunt(ing) ★ *op ~ gaan* ride to hounds ❷ *spel* treasure hunt
**voucher** ❶ *bewijs van betaling* receipt, voucher ❷ *tegoedbon* credit note, voucher
**vousvoyeren** not be on first-name terms
**vouw** fold, (in broek, papier) crease ★ *uit de vouw gaan* lose the (trouser) crease ▼ *iem. de vouwen uit de broek rijden* narrowly miss sb
**vouwblad** folder
**vouwcaravan** folding caravan, USA tent trailer
**vouwdeur** folding door
**vouwen** fold ★ *het papier was in tweeën ~* the paper was folded in two
**vouwfiets** folding bicycle
**vouwstoel** folding chair
**voyeur** voyeur, peeping Tom
**voyeurisme** voyeurism
**vozen** frig, fuck, screw
**vraag** ❶ *onopgeloste kwestie* question ★ *iem. een ~ stellen* ask sb a question ❷ *verzoek* request ★ *BN op ~ van* at the request of ❸ *problematische kwestie* question, issue ★ *dat is nog maar de ~* that's an open question, that remains to be seen ❹ *kooplust* demand ★ *~ en aanbod* supply and demand ★ *er is veel ~ naar* it is in great demand ★ *er is ~ / geen ~ naar...* there is a / no demand / call for... ▼ *BN iets in ~ stellen* question sth
**vraagbaak** ❶ *boek* encyclopedia ❷ *persoon* walking encyclopedia, oracle
**vraaggesprek** interview
**vraagprijs** asking price
**vraagstelling** phrasing / presentation of a question
**vraagstuk** ❶ *probleem* problem, (ter discussie) issue ❷ *opgave* problem, assignment
**vraagteken** leesteken query, question mark ▼ *ergens ~s bij zetten* have doubts about sth, query sth
**vraatzucht** gluttony, med bulimia (nervosa)
**vraatzuchtig** lit voracious, (van mensen) gluttonous ★ *wat is hij ~* he's a glutton
**vracht** ❶ *lading* load, (auto, schip, vliegtuig) cargo, (schip, trein, vliegtuig) freight ❷ *grote massa* load ★ *een ~ boeken* a load of books
**vrachtauto** lorry, USA truck, (klein) van
**vrachtbrief** waybill, delivery note, (van schip) BL, (van schip) bill of lading, (van schip, trein, vliegtuig) consignment note
**vrachtgoed** freight, (vliegtuig, schip) cargo, (trein, auto) goods ★ *als ~ verzenden* send as freight

**vrachtprijs** (land) carriage, (van schip, vliegtuig) freight, (trein) haulage
**vrachtrijder** carrier, lorry driver, USA truck driver
**vrachtruimte** ❶ *laadruimte* cargo space, hold ❷ *grootte* tonnage
**vrachtschip** freighter, cargo ship
**vrachtvaart** cargo trade
**vrachtverkeer** ❶ *verkeer* lorry traffic, USA truck traffic ❷ *vervoer* cargo trade
**vrachtvervoer** freight traffic, cargo transport
**vrachtvliegtuig** cargo plane / aircraft
**vrachtwagen** lorry, truck
**vrachtwagenchauffeur** lorry driver, USA trucker
**vrachtwagencombinatie** articulated lorry, inform artic, USA trailer truck
**vragen I** *ov ww* ❶ *vraag stellen* ask, inquire (after) ★ *iets ~ aan iem.* ask sb sth ★ *laten ~* send to ask ★ *nou vraag ik je!* I ask you! ❷ *verzoeken* ask, request ★ *iem. iets ~* ask sth of sb ★ *om een onderhoud ~* ask for an interview ❸ *verlangen* ★ *dat is te veel gevraagd* that is asking too much ★ *dat vraagt veel van je tijd* that makes great demands on your time ❹ *uitnodigen* ask, invite ★ *iem. op een feestje ~* ask / invite sb to a party ★ *te eten ~* ask to dinner, invite for a meal ❺ *in kaartspel* ★ *er wordt schoppen gevraagd* the lead is spades **II** *on ww* ❶ *~ naar* ask, inquire after ❷ *~ om* ask (for) ★ *je hoeft er maar om te ~* it's yours for the asking ▼ *dat is ~ om moeilijkheden* that's asking for trouble
**vragenderwijs** interrogatively, inquiringly
**vragenlijst** questionnaire
**vragenuurtje** question time
**vrede** ❶ *tijd zonder oorlog* peace ★ *~ sluiten met* make peace with ❷ *rust* peace, quiet ★ *ik heb er ~ mee*, BN *ik neem er ~ mee* I've got no objections to it ★ *~ hebben met iets*, BN *~ nemen met iets* be resigned to sth ★ *~ met zichzelf hebben*, BN *~ met zichzelf nemen* be at peace with o.s. ▼ *om de lieve ~* for the sake of peace ▼ *hij ruste in ~* may he rest in peace
**vredegerecht** BN jur *laagste burgerlijke rechtbank* justice of the peace court
**vredelievend** peace loving, peaceful
**vrederechter** BN jur *laagste burgerlijke rechter* justice of the peace
**vredesactivist** peace activist
**vredesakkoord** peace agreement / treaty
**vredesbeweging** peace movement
**vredesdemonstratie** peace demonstration
**vredesmacht** peacekeeping force
**vredesnaam** ▼ *in ~ for* heaven's sake, for goodness' sake ▼ *in ~, dan ga ik wel* for the sake of peace, I'll go
**vredesoverleg** peace talks *mv*
**vredespijp** peace pipe
**vredestichter** peacemaker
**vredestijd** peacetime
**vredesverdrag** peace treaty
**vredig** peaceful, quiet
**vreedzaam** *vredelievend* peace-loving, peaceful
**vreemd** ❶ *niet-eigen* strange, outside ❷ *uitheems* foreign, exotic, alien ★ *een ~e taal* a foreign language ★ *~ geld* foreign currency ❸ *niet bekend*

**vo**

strange, alien ★ *zich (ergens)* ~ *voelen* feel strange ★ *het werk was nog wat* ~ *voor hem* he was still a little strange to the work, he was still unfamiliar with the work ★ *ik ben hier zelf ook* ~ I'm a stranger here myself ❹ *ongewoon* strange, odd ★ ~ *genoeg* strangely enough ★ *een* ~*e geschiedenis* an odd story ★ *een* ~*e gewoonte* a strange habit

**vreemde ❶** *vreemdeling* foreigner, stranger ❷ *buitenstaander* stranger, outsider ▼ *dat heeft hij van geen* ~ he is a chip off the old block ▼ *in den* ~ abroad, in foreign parts

**vreemdeling ❶** *onbekende* foreigner, stranger ❷ *buitenlander* foreigner, ‹buitenaards ook› alien ★ *ongewenste* ~ undesirable alien

**vreemdelingendienst** aliens office

**vreemdelingenhaat** xenophobia

**vreemdelingenlegioen** foreign legion

**vreemdelingenpolitie** aliens police

**vreemdelingenverkeer** tourist traffic

**vreemdgaan** have an affair, ‹informeel› sleep around

**vreemdsoortig** peculiar, singular, odd

**vrees** *angst* ‹in geringe mate› apprehension, fear, ‹in sterke mate› dread ★ *uit* ~ *voor* for fear of ★ *zonder* ~ *of blaam* without fear or reproach ★ *iem.* ~ *aanjagen* frighten sb, terrify sb ★ ~ *koesteren voor* be afraid of

**vreesachtig** timid

**vreetzak** glutton, pig

**vrek** miser, skinflint

**vrekkig** miserly

**vreselijk I** *bnw, afschuwelijk* dreadful, terrible, frightful ★ *hij had een* ~*e dorst* he was terribly thirsty **II** *bijw, in hoge mate* ★ *dat was* ~ *aardig* that was awfully kind ★ *we hebben* ~ *gelachen* we nearly died laughing

**vreten I** *ov ww* ❶ *gulzig eten* stuff / cram (oneself) ★ *hij eet niet, hij vreet* he doesn't eat, he stuffs himself ★ *ze zaten zich vol te* ~ they were busy stuffing themselves ★ *het is niet te* ~ it isn't even fit for pigs ❷ *verbruiken* eat (up) ★ *dat apparaat vreet stroom* that machine just eats up electricity ❸ *accepteren* swallow, stomach ★ *dat vreet ik niet langer* I won't swallow it any longer **II** *on ww, knagen* eat away, gnaw at ★ *verlangen vrat aan hem* longing gnawed at him **III** *zn* [het] grub, ‹van vee› fodder, ‹van huisdieren e.d.› food

**vreugde** joy, gladness ★ *tot mijn* ~ *zie ik...* I am pleased to see... ★ ~ *scheppen in* enjoy

**vreugdekreet** cry / shout of joy

**vreugdevuur** bonfire

**vrezen I** *ov ww, bang zijn voor* fear, dread, be afraid ★ *ik vrees van wel* I'm afraid so ★ *ik vrees van niet* I am afraid not ★ *het is te* ~ *dat...* it is to be feared that... **II** *on ww* ~ **voor** fear for

**vriend ❶** *kameraad* friend, ‹informeel› chum, inform pal ★ *mijn beste* ~ my best friend ★ *dikke* ~*en* close friends ★ *gezworen* ~*en* sworn friends ★ *kwade* ~*en zijn* be on bad terms ★ *goede* ~*en worden met* become friendly with, make friends with ★ *iem. te* ~ *houden* remain on good terms with sb, keep in with sb ★ *beide partijen te* ~ *willen houden* run with the hare and hunt with the hounds ❷ *geliefde* boyfriend ★ *een vaste* ~ a steady boyfriend ▼ *even goeie* ~*en* no offence

**vriendelijk I** *bnw* kind, friendly ★ *wilt u zo* ~ *zijn om...* will you kindly... ★ *je moet wat* ~*er zijn* you should be more friendly **II** *bijw* kind, friendly

**vriendelijkheid** kindness, friendliness

**vriendendienst** friendly turn

**vriendenkring** circle of friends

**vriendenprijsje** give-away (price) ★ *voor een* ~ for next-to-nothing

**vriendin** *geliefde* girl / ladyfriend

**vriendjespolitiek** nepotism, old-boy network

**vriendschap** friendship ★ ~ *sluiten met* make friends with ★ *uit* ~ out of friendship

**vriendschappelijk I** *bnw* friendly, amicable ★ *op* ~*e voet staan* be on friendly terms **II** *bijw* in a friendly way

**vriendschapsband** tie of friendship

**vriesdrogen** freeze-dry

**vrieskast** deepfreeze, freezer

**vrieskist** ‹chest-type› freezer

**vrieskou** frost

**vriespunt** freezing (point)

**vriesvak** freezer, freezing compartment

**vriesweer** frosty weather

**vriezen** freeze ★ *het vroor vijf graden* it was five degrees below freezing ▼ *het vriest dat het kraakt* there is a sharp frost, inform it's brass monkey weather ▼ *het kan* ~ *of dooien* wait and see

**vriezer** freezer, deep freeze

**vrij I** *bnw* ❶ *onafhankelijk* free ❷ *ongebonden, onbeperkt* free ★ *de weg was vrij* the road was clear ★ *ik ben vrij in mijn doen en laten* I am free to do as I like ❸ *vrijaf* free ★ *vrij hebben / zijn* be off duty ★ *vrij krijgen* get time off ❹ *onbezet* free, vacant ★ *is die plaats nog vrij?* is this place / table / seat taken? ★ *een kamer vrij houden* reserve a room ❺ *stoutmoedig* bold, easy, ‹ongeremd› uninhibited ★ *mag ik zo vrij zijn om...?* may I take the liberty of...?, may I make so bold as...? ❻ *gratis* free ★ *vrij reizen* travel free of charge ★ *vrije toegang* entrance free ❼ *niet getrouw* free ★ *een vrije vertaling* a free translation **II** *bijw* ❶ *tamelijk* rather, pretty ★ *vrij veel* a good deal of, quite a lot of ❷ *onbelemmerd* ★ *vrij ademhalen* breathe freely

**-vrij** -free

**vrijaf** off ★ *een dag* ~ *vragen* ask for a day off

**vrijage** courtship, ‹informeel› snogging, ‹vrijen› love-making, ‹informeel› necking

**vrijblijvend** non-committal, free of obligations ★ ~*e offerte* offer without engagement / obligations ★ *een* ~ *antwoord* a non-committal answer

**vrijbrief** lett licence, permit

**vrijbuiter ❶** *zeerover* freebooter, buccaneer ❷ *fig avonturier* adventurer, min libertine

**vrijdag** Friday ★ *'s* ~*s* (on a / the) Friday ★ *Goede Vrijdag* Good Friday

**vrijdagavond** Friday evening

**vrijdagmiddag** Friday afternoon

**vrijdagmorgen, vrijdagochtend** Friday morning

**vrijdagnacht** Friday night

**vrijdags I** *bnw* Friday **II** *bijw* (on a / the) Friday ★ ~ *nooit* never on a Friday

**vrijdenker** freethinker

**vrijelijk** freely

**vrijen ❶** *liefkozen* make out, neck, pet, inform

snog ❷ *geslachtsgemeenschap hebben* make love (**met** to), go to bed (**met** with) ★ *veilig* ~ practice safe sex
**vrijer** lover, sweetheart
**vrijetijdsbesteding** leisure activities *mv*, recreation
**vrijetijdskleding** leisure wear, casual·clothes *mv*
**vrijgeleide** ❶ *escorte* escort ❷ *vrije doorgang* safe-conduct, safeguard
**vrijgeven** I *ov ww, niet meer blokkeren* release, *econ* decontrol II *on ww, vrijaf geven* give a holiday / a day off
**vrijgevig** liberal, generous
**vrijgevochten** easy-going, unconventional, ⟨ongunstig⟩ undisciplined, ⟨ongunstig⟩ lawless ★ *het is daar een ~ boel* it is Liberty Hall there
**vrijgezel** I *zn* [de] bachelor II *bnw* single, bachelor
**vrijhandel** free trade
**vrijhandelszone** free-trade zone
**vrijhaven** free port
**vrijheid** ❶ *niet gevangen zijn* liberty, freedom, ⟨vrijspel⟩ latitude ★ *in* ~ *stellen* release, set free ★ *in* ~ *zijn* be free ★ *in* ~ *leven* live in freedom ❷ *onafhankelijkheid* freedom ★ ~ *van meningsuiting* freedom of speech ★ ~ *van handelen* liberty / freedom of action ★ *dichterlijke* ~ poetic licence ❸ *privilege* privilege ❹ *vrijmoedigheid* liberty ★ *zich vrijheden veroorloven* take liberties ★ *de* ~ *nemen om te...* take the liberty to... ★ ~, *blijkbaar* it's a free world
**vrijheidlievend** freedom-loving
**Vrijheidsbeeld** Statue of Liberty
**vrijheidsberoving** deprivation of freedom
**vrijheidsbeweging** liberation / freedom movement
**vrijheidsstrijder** freedom fighter
**vrijhouden** ❶ *onbezet houden* keep free, reserve, ⟨van tijd⟩ set aside ❷ *betalen voor* pay for ★ *iem.* ~ pay sb's expenses
**vrijkaart** free ticket, free pass
**vrijkomen** ❶ *vrijgelaten worden* be released, be set free, ⟨voorwaardelijk⟩ be on parole ❷ *beschikbaar komen* become free, become available, fall vacant ❸ *zich afscheiden* be set free, ⟨van gassen⟩ be given off
**vrijlaten** ❶ *de vrijheid geven* release, set free ★ *op borgtocht* ~ release on bail ❷ *onbezet houden* leave free, leave vacant ★ *ruimte* ~ leave space clear ❸ *niet verplichten* leave free, put no control / pressure on ★ *iem.* ~ *om te kiezen* leave sb free to choose
**vrijlating** release
**vrijloop** neutral ★ *in de* ~ in neutral
**vrijmaken** ❶ *bevrijden* liberate, release, ⟨van overheersing, slavernij⟩ set free ★ *zich* ~ *van verplichting* free o.s. from, rid o.s. of, contract out of ❷ *leegmaken* ⟨ruimte, weg, goederen⟩ clear ★ *de weg* ~ *voor* clear the way for
**vrijmetselaar** freemason
**vrijmetselarij** Freemasonry
**vrijmoedig** frank, free, candid ★ ~ *spreken* speak openly, speak one's mind
**vrijpartij** petting, necking, love-making
**vrijplaats** sanctuary, refuge

**vrijpleiten** clear (of), *form* exculpate
**vrijpostig** impertinent, bold, *inform* saucy
**vrijschop** BN *sport vrije schop* free kick
**vrijspraak** acquittal, exoneration
**vrijspreken** acquit (from), clear ★ *iem.* ~ *van een beschuldiging* acquit sb of a charge
**vrijstaan** ❶ *geoorloofd zijn* be free (to), be permitted (to) ★ *het staat u vrij...* you are free to..., at liberty to... ★ *dat staat u vrij* that's open to you ❷ *los staan* stand clear / apart from, stand alone, ⟨van huis⟩ be detached
**vrijstaand** apart, ⟨van huis⟩ detached
**vrijstaat** free state
**vrijstellen** *inform* let off, ⟨van lessen⟩ excuse (from), ⟨van plicht, taak⟩ release from, ⟨van belasting, (dienst)plicht⟩ exempt (from) ★ *vrijgesteld van* exempt from
**vrijstelling** exemption
**vrijster** ▾ *een oude* ~ an old maid
**vrijuit** freely, frankly ▾ ~ *gaan* go scot-free, be blameless
**vrijwaren** ★ ~ *tegen* protect against, safeguard against ★ *gevrijwaard zijn tegen* be immune to, be protected from
**vrijwaring** *jur* warranty, ⟨m.b.t. vergoeding⟩ indemnification
**vrijwel** almost, practically, nearly ★ *dat is* ~ *onmogelijk* that is practically / virtually impossible ★ *het is* ~ *hetzelfde* it is pretty much the same
**vrijwillig** voluntary
**vrijwilliger** volunteer
**vrijwilligerswerk** volunteer / voluntary work
**vrijzinnig** ❶ *vrijdenkend* liberal ❷ BN *ongelovig* unbelieving
**vroedvrouw** midwife
**vroeg** I *bnw* ❶ *aan het begin* early ★ *te* ~ too soon ★ *een uur te* ~ an hour early ★ *'s morgens* ~ early in the morning ★ *vrijdagmorgen heel* ~ in the early hours of Friday morning, in the small hours of Friday morning ★ *het is nog* ~ the day is still young ❷ *eerder dan normaal* early, soon, premature II *bijw* ❶ *op vroeg tijdstip* early ★ *op zijn* ~*st*, BN *ten* ~*ste* at the earliest ★ ~ *beginnen* make an early start ★ ~ *of laat* sooner or later ★ *van* ~ *tot laat* from early in the morning till late at night ❷ *eerder dan normaal* early, prematurely ★ ~ *oud* prematurely old
**vroeger** I *bnw* ❶ *voorheen* earlier, former, previous ❷ *voormalig* former, previous ★ *zijn* ~*e vrouw* his former / ex-wife II *bijw* ❶ *eerder* earlier ❷ *eertijds* previously, formerly ★ *het is niet wat het* ~ *was* it isn't what it used to be ★ ~ *ging hij altijd vissen* he used to go fishing
**vroegmis** early mass
**vroegrijp** precocious
**vroegte** ★ *in de* ~ early in the morning ★ *in alle* ~ at the crack of dawn
**vroegtijdig** ❶ *vroeg* early, timely ❷ *voortijdig* premature, ⟨van dood⟩ untimely
**vrolijk** *blij* cheerful, merry, gay ★ *zich* ~ *maken over* laugh about, make merry over
**vrolijkheid** *het vrolijk zijn* gaiety, cheerfulness, merriment ★ *tot grote* ~ *van* much to the merriment of
**vroom** pious

**vrouw ❶** *vrouwelijk persoon* woman [mv: women] ⟨bazin⟩ mistress ★ *de ~ des huizes* the lady of the house, the mistress of the house ★ *publieke ~* prostitute **❷** *echtgenote* wife mv: wives, jur spouse ★ *iem. tot ~ nemen* take sb as one's wife **❸** *speelkaart* queen **❹** → **vrouwtje**

**vrouwelijk** taalk feminine, ⟨m.b.t. geslacht⟩ female, woman, ⟨m.b.t. beroep⟩ womanly ★ *een ~e dokter* a woman doctor ★ *~e charme* feminine / womanly charm ★ *het ~ geslacht* the female sex, taalk the feminine gender

**vrouwenarts** gynaecologist

**vrouwenbesnijdenis** female circumcision

**vrouwenbeweging** women's / feminist movement

**vrouwenblad** women's magazine

**vrouwencondoom** female condom

**vrouwenemancipatie** women's liberation, emancipation of women

**vrouwenhandel** traffic in women

**vrouwenhater** woman hater

**vrouwenkiesrecht** jur pol women's right to vote

**vrouwonvriendelijk** anti-women, disadvantageous to women, min sexist

**vrouwtje ❶** *(kleine) vrouw* (little) woman **❷** *vrouwelijk dier* female ★ *is het een mannetje of een ~?* is it a he or a she?

**vrouwvriendelijk** ⟨van beleid⟩ non-sexist, ⟨van beleid⟩ woman friendly

**vrucht ❶** *fruit* fruit **❷** *ongeboren kind / jong* foetus **❸** fig *resultaat* result ★ *de ~en plukken van* reap the fruits of ▼ *~(en) afwerpen* bear / yield fruit ★ *aan de ~en kent men de boom* a tree is known by its fruit

**vruchtafdrijving** abortion

**vruchtbaar ❶** *in staat tot voortplanting* fertile ★ *een vrouw in de vruchtbare leeftijd* a woman of childbearing age **❷** *vruchten voortbrengend* ⟨van grond⟩ rich **❸** fig *productief* fruitful, fertile, ⟨zeer⟩ prolific **❹** *lonend* fruitful ★ *dat was een ~ gesprek* it was a fruitful conversation

**vruchtbaarheid** fruitfulness, fertility

**vruchtbeginsel** ovary

**vruchtboom** fruit tree

**vruchtdragend** biol fruit-bearing

**vruchteloos** fruitless, vain, ineffectual ★ *een vruchteloze poging* a futile / an abortive attempt

**vruchtensalade** cul fruit salad

**vruchtensap** cul fruit juice

**vruchtenwijn** cul fruit wine, ⟨van appels⟩ cider

**vruchtgebruik** usufruct ★ *iem. het ~ geven van iets* grant sb the usufruct (of sth)

**vruchtvlees** pulp

**vruchtvlies** amnion

**vruchtwater** amniotic fluid, inform water(s)

**vruchtwaterpunctie** med amniocentesis

**VS** US *mv*, United States *mv*

**VSA** USA, United States of America

**V-snaar** V-belt

**V-teken** V-sign

**vuil I** *zn* [het] **❶** *viezigheid* dirt, grime, filth ★ *iem. als een stuk vuil behandelen* treat sb like dirt **❷** *afval* refuse, USA garbage, ⟨huishoudelijk⟩ domestic waste ★ *vuil storten* tip / dump rubbish **II** *bijw* **❶** *niet schoon* dirty, grimy, grubby, ⟨in

sterke mate⟩ filthy, ⟨van kleur⟩ dirty, ⟨van kleur⟩ muddy ★ *vuile was* dirty clothes **❷** *vulgair* ⟨van grap, verhaal⟩ smutty, ⟨van grap, verhaal⟩ dirty, ⟨taal⟩ foul, ⟨taal⟩ scurrilous **❸** *gemeen* dirty ★ *vuile streek* dirty trick ★ *een vuil zaakje* a dirty business ★ *hij keek me vuil aan* he gave me a dirty / black look **❹** *bruto* gross

**vuilak ❶** *viezerik* filthy person ★ *jij kleine ~* you mucky pup / grub **❷** *gemenerik* stinking / filthy swine, rotter

**vuilbekken** talk dirty, use filthy language

**vuilblik** BN *stofblik* dustpan

**vuilheid ❶** *gemeenheid* obscenity, filth, smut **❷** *vuil* filth, grime, dirt

**vuilnis** dirt, rubbish, USA garbage

**vuilnisbak** dust-bin, USA trashcan, USA garbage can

**vuilnisbakkenras** mongrel

**vuilnisbelt** rubbish / refuse dump

**vuilnisemmer** rubbish bin, USA garbage can

**vuilnisman** refuse-collector, USA garbage collector

**vuilniswagen** dustcart, form refuse lorry, USA garbage truck

**vuilniszak** refuse sack / bag, bin liner

**vuilstortplaats** rubbish / refuse tip / dump, USA garbage dump

**vuiltje** speck of dust, grit ▼ *er is geen ~ aan de lucht* there is not the slightest problem

**vuilverbranding ❶** *proces* refuse incineration **❷** *installatie* (refuse) incinerator

**vuilverwerkingsbedrijf** waste utilization plant

**vuist** fist ★ *gebalde ~en* clenched fists ▼ *met ijzeren ~* with an iron hand ▼ *met de ~ op tafel slaan* bang / thump the table, put one's foot down ▼ BN *recht voor de ~* straight from the shoulder ▼ *voor de ~ weg* off-hand

**vuistregel** rule of thumb

**vuistslag** punch, thump

**vulgair** vulgar, ⟨taal, gedrag⟩ rude

**vulkaan** volcano

**vulkanisch** aardk volcanic

**vullen ❶** *vol maken* ⟨tand⟩ fill, ⟨volmaken⟩ fill up, ⟨met lucht⟩ inflate, ⟨gevogelte⟩ stuff ★ *een gat ~* stop / fill a hole ★ *haar ogen vulden zich met tranen* her eyes filled with tears **❷** *opvullen* ▼ *zijn zakken ~* grease one's palms

**vulling ❶** *vulsel* filling, ⟨van kussens, matras e.d.⟩ stuffing, ⟨van bonbon⟩ centre **❷** *vulling in kies* filling, inlay **❸** *penpatroon* cartridge, refill

**vulpen** fountain pen

**vulpotlood** propelling pencil

**vulsel** filling, filler, ⟨van gevogelte⟩ stuffing

**vulva** vulva

**vunzig ❶** *muf* musty, fusty **❷** *smerig* dirty, filthy, mucky **❸** *schunnig* obscene ★ *~ gedrag* obscene behaviour

**vuren I** *bnw* pine **II** *on ww, schieten* open fire on, shoot at

**vurenhout** pine(wood), deal

**vurig ❶** *gloeiend* fiery ★ *~e kolen* fiery / red-hot coals **❷** *hartstochtelijk* ⟨aanhanger⟩ fervent, ⟨blik, paard⟩ fiery, ⟨liefde⟩ ardent, ⟨minnaar⟩ passionate, ⟨toespraak⟩ spirited, ⟨verlangen⟩ burning

**VUT** *Vervroegde Uittreding* ERS, Early Retirement

Scheme ★ *met de VUT gaan* take early retirement, fall under the ERS
**VUT-regeling** early retirement scheme
**vuur** ❶ *brand* fire ★ *het vuur aanwakkeren* fan the flames ★ *een vuur aanleggen* make a fire ★ lett *vuur vatten* catch fire, flare up ❷ *het schieten* fire ★ *het vuur openen op* open fire at / on ★ *onder vuur nemen / zijn* take / be under fire ❸ *hevigheid* ardour, warmth ★ *in het vuur van het debat* in the heat of the debate ★ *in vuur geraken over een onderwerp* warm up to a subject ★ *vol vuur zijn* over be enthusiastic about ❹ → **vuurtje** ▾ *door het vuur gaan voor iem.* go through fire and water for sb ▾ *met vuur spelen* play with fire ▾ *tussen twee vuren* between the devil and the deep blue sea, between two fires ▾ *ik heb wel voor hetere vuren gestaan* I have been in warmer corners / in worse predicaments ▾ *iem. het vuur na aan de schenen leggen* make it hot for sb ▾ *zich het vuur uit de sloffen lopen* run one's legs off ▾ *haar ogen spuwden vuur* her eyes were flashing / blazing ▾ fig BN *vuur vatten* do one's best
**vuurbol** ball of fire
**vuurdoop** baptism of fire
**vuurdoorn** firethorn
**vuurgevecht** gunfight, mil exchange of fire ★ *in het daaropvolgende ~* in the ensuing shoot-out
**vuurhaard** seat of the fire
**vuurkorf** fire basket
**Vuurland** Tierra del Fuego
**vuurlinie** firing line
**vuurmond** ❶ *voorste deel van vuurwapen* muzzle ❷ *kanon* gun
**vuurpeloton** firing squad
**vuurpijl** rocket
**vuurproef** ❶ lett trial by fire ❷ fig crucial test, ordeal ★ *de ~ doorstaan* stand the test, pass through the ordeal
**vuurrood** (as) red as a beetroot
**vuurspuwend** fire-spitting ★ *~e berg* volcano ★ *een ~e draak* a fire-spitting dragon
**vuursteen** flint
**vuurtje** *iets om mee aan te steken* light ★ *heb je een ~ voor mij?* got a light? ★ *iem. een ~ geven* give sb a light ▾ *zich als een lopend ~ verspreiden* spread like wildfire
**vuurtoren** ❶ *lichtbaken* lighthouse ❷ *iemand met rood haar* carrot-top
**vuurvast** fireproof, heat resistant
**vuurvliegje** firefly
**vuurvreter** ❶ *circusartiest* fire-eater ❷ *vechtjas* fire-eater, warhorse
**vuurwapen** firearm
**vuurwerk** ❶ *materiaal* firework ❷ *voorstelling* fireworks mv
**vuurzee** sea of fire
**VVV** *Vereniging voor Vreemdelingenverkeer* Tourist (Information) Office
**vwo** *voorbereidend wetenschappelijk onderwijs* pre-university education
**vzw** BN econ *vereniging zonder winstoogmerk* non-profit organization

# W

w w ★ *de w van Willem* W as in William
**W** *Watt* W
**WA** *Wettelijke Aansprakelijkheid* third-party liability ★ *WA verzekerd zijn* have a third-party insurance
**waadvogel** wader, wading bird
**waaghals** daredevil
**waaghalzerij** recklessness, daredevilry
**waagschaal** ▾ *in de ~ stellen* jeopardize, risk
**waagstuk** bold venture, risky undertaking
**waaien** I onp ww blow ★ *het waait hard* it's very windy II on ww ❶ *wapperen* 〈van vlag〉 fly / flutter, 〈met waaier〉 fan ❷ *blazen* blow ★ *de wind waait uit het oosten* the wind is blowing from the east ★ *er is iets in mijn oog gewaaid* sth has blown into my eye ▾ *laat maar ~!* let it be!, never mind! ▾ *alles maar laten ~* let things drift
**waaier** fan
**waakhond** watchdog
**waaks** watchful
**waakvlam** pilot light
**waakzaam** watchful, vigilant
**waakzaamheid** watchfulness, vigilance
**Waal** *bewoner* Walloon
**Waals** Walloon
**Waalse** Walloon (woman / girl) ★ *zij is een ~* she's from Wallonia
**waan** delusion, illusion ★ *in de waan brengen* lead to believe ★ *in de waan verkeren* be under the illusion ★ *iem. in de waan laten* leave sb under the impression
**waanidee** delusion, fallacy
**waanvoorstelling** delusion, hallucination
**waanwereld** fantasy world
**waanzin** ❶ *krankzinnigheid* madness, insanity ❷ *onzin* nonsense ★ *je reinste ~* sheer madness / nonsense
**waanzinnig** I bnw ❶ *krankzinnig* insane, mad, deranged ❷ *onzinnig* crazy, mad, zany ★ *~ plan* a crazy plan II bijw, *verschrikkelijk* ★ *~ populair* wildly popular ★ *~ slim* fiendishly clever ★ *~ verliefd* madly in love
**waar** I bnw ❶ *niet gelogen* true ★ *niet waar!* no, it is not (true)! ★ *er is niets van waar* nothing could be further from the truth ★ *er is geen woord van waar* there is not a word of truth in it ★ *iets voor waar houden* hold sth true ★ *er zit iets waars in* there's some truth in it ❷ 〈versterkend〉 *echt*, *groot* true, real, genuine ★ *een ware opluchting* a real relief ★ *een waar juweeltje* a real gem ★ *zo waar ik hier sta* honest to God / goodness ▾ *dat is waar ook* of course ▾ *dat is je ware* inform it's the real thing / McCoy II bijw ❶ *vragend* where, 〈met voorzetsel〉 what ★ *waar ben je geboren?* where were you born? ★ *waar gaat het om?* what is it about? ❷ *betrekkelijk* where, 〈met voorzetsel〉 that / which ★ *waar hij ook is* wherever he is ★ *waar ook ter wereld* anywhere in the world ★ *dit is het huis waar hij geboren is* this is the house where he was born III zn [de] merchandise ev en mv, goods mv, inform stuff, 〈op straat / de markt〉 wares mv ★ *prima waar*

prime stuff ▾ *waar voor zijn geld krijgen* get one's money's worth, get good value, **fig** get a good run for one's money

**waaraan ❶** *vragend* what... to, of, etc. ★ *waar zat je aan te denken?* what were you thinking of? **❷** *betrekkelijk* what / which... to, of, etc. ★ *ik weet ~ zij zat te denken* I know what she was thinking of

**waarachter ❶** *vragend* behind what / which **❷** *betrekkelijk* ⟨zaken⟩ behind which, ⟨personen⟩ behind whom

**waarachtig I** *bnw, waar* true, real **II** *bijw* truly, really, indeed ★ *hij geloofde het ~ ook nog!* he actually believed it! ★ *ik weet het ~ niet!* I really / just don't know! ★ *~ niet!* not a bit of it!

**waarbij** *betrekkelijk* at / by / near / ...which ★ *het ongeval ~ hij om het leven kwam* the accident in which he was killed ★ *het punt ~ we gebleven zijn* the point where we left off ★ *een overeenkomst ~ besloten werd...* an agreement by which it was decided (that)... ★ *de uitzending ~...* the broadcast in / during which... ★ *~ nog komt dat...* in addition to which... ★ *~ men in aanmerking moet nemen dat* taking into account that

**waarborg ❶** *onderpand* security ★ *de bank kan een ~ vragen* the bank may ask for security **❷ BN** borgsom caution money, ⟨huur, e.d. ook⟩ deposit **❸** *garantie* guarantee, safeguard (against)

**waarborgen** guarantee, warrant, safeguard

**waarborgfonds** guarantee fund

**waarborgsom** security, (aanbetaling) deposit

**waard I** *bnw* **❶** *genoemde waarde hebbend* worth ★ *niet veel ~ zijn als...* be not much good as (a)... ★ *(het was vermoeiend) maar het was het ~...* but it was well worth it ★ *niets ~* worth nothing ★ *het is de moeite niet ~* it isn't worth the trouble ★ *twintig euro ~ zijn* be worth twenty euros ★ *dat is niets ~* it's worth nothing ★ *het zou hem heel wat ~ zijn geweest om* it would have meant a lot to him to **❷** *waardig* worth ★ *hij is het ~* he deserves it ★ *hij is haar niet ~* he isn't worthy of her ★ *het is de moeite ~* it's worthwhile ★ *het is het proberen ~* it's worth trying ★ *uw aandacht ~ worthy of your attention ★ *het vermelden niet ~* not worth mentioning **❸** *dierbaar* dear ★ *~e vriend* dear friend **II** *zn* [de], *herbergier* landlord, innkeeper ▾ *buiten de ~ rekenen* reckon without sb / sth, not take sth into account ▾ *zo de ~ is vertrouwt hij zijn gasten* judge other people by one's own standards

**waarde ❶** *bezitswaarde* value, worth ★ *de belastbare ~* the / taxable value ★ *nominale ~ (v. geld)* face / nominal value ★ *toegevoegde ~* added value ★ *in ~ achteruitgaan* depreciate, decrease in value ★ *in ~ stijgen* appreciate, increase in value ★ *onder de ~* below the value ★ *ter ~ van* to the value of ★ *van gelijke ~* of the same value ★ *dingen van ~* things of value, valuables ★ *~ hebben* be of value **❷** *belang* value, importance ★ *op de juiste ~ schatten* rate its true value ★ *op zijn eigen ~ beoordelen* judge on its own merit ★ *van nul en gener ~* null and void ★ *~ hechten aan* attach value to, set store by **❸** *getal dat meter aangeeft* figure, reading ▾ *iem. in zijn ~ laten* accept sb as he / she is

**waardebepaling** valuation, evaluation

**waardebon** token, voucher

**waardedaling** depreciation, decrease in value

**waardeloos ❶** *zonder waarde* worthless, valueless ★ *~ maken* cancel, invalidate **❷** *slecht* worthless, useless ★ *het eten is ~* the food is terrible ★ *een waardeloze film* a trashy / rubbishy film

**waardeoordeel** value judgement

**waardepapier** stocks and shares *mv*, securities *mv*

**waarderen ❶** *op prijs stellen* value, appreciate, esteem ★ *iem. hooglijk ~* esteem / respect sb highly **❷** *waarde bepalen* value, estimate ★ *te hoog / laag ~* overvalue / undervalue

**waardering ❶** *waardebepaling* valuation, ⟨beoordeling⟩ assessment, ⟨v. schoolwerk⟩ marking **❷** *erkenning* appreciation ★ *weinig / veel ~ hebben voor* have / show little / much appreciation of ★ *uit ~ voor* in appreciation of

**waardestijging** increase / rise in value

**waardevast** stable, (geïndexeerd) index-linked

**waardeverlies** loss of value

**waardevermeerdering** increase / rise in value, ⟨valuta⟩ revaluation

**waardevermindering** decrease in value, ⟨valuta⟩ devaluation

**waardevol** valuable, of value

**waardig I** *bnw* **❶** *eerbiedwaardig* dignified **❷** *waard* worth, worthy of ★ *iem. geen blik ~ keuren* not deign to glance at sb **II** *bijw* with dignity

**waardigheid** *eigenwaarde* dignity, ⟨innerlijk⟩ worthiness ★ *dat is beneden zijn ~* it's beneath his dignity, it's beneath him

**waardin** landlady, hostess

**waardoor ❶** *vragend* (as a result of) what, how **❷** *betrekkelijk* through which ★ *de deur ~ hij naar binnen kwam* the door through which he entered

**waarheen ❶** *vragend* where, where to ★ *waar ga je heen?* where are you going? ★ *~ voert dit alles?* where does all this lead to? **❷** *betrekkelijk* where, to which ★ *~ je ook gaat* wherever you (may) go

**waarheid** truth ★ *de naakte ~* the naked truth ★ *de volle ~* the whole truth ★ *bezijden de ~* far from the truth ★ *naar ~* truthfully, in truth ★ *om je de ~ te zeggen...* frankly..., to tell you the truth... ★ *de ~ geweld aandoen* bend / stretch the truth ★ *de ~ spreken / zeggen* tell the truth ★ *de ~ tekortdoen* be economical with the truth ▾ *een ~ als een koe* a truism ▾ *de ~ ligt in het midden* the truth lies somewhere in between ▾ *iem. flink de ~ zeggen* give sb a piece of one's mind, tell sb a few home truths

**waarheidsgehalte** (degree of) truth(fulness) ★ *verklaring op zijn ~ toetsen* verify a statement

**waarheidsgetrouw** true, truthful

**waarin ❶** *vragend* where, in what **❷** *betrekkelijk* in which, ⟨plaats⟩ where ★ *de krant ~ ik dat had gelezen* the paper in which I had read it ★ *het huis ~ hij is geboren* the house where he was born

**waarlangs ❶** *vragend* what... past / along **❷** *betrekkelijk* past / along which ★ *het kanaal ~ de weg loopt* the canal along which the road runs

**waarlijk** truly, actually, really ★ *zo ~ helpe mij*

*God Almachtig!* so help me God!

**waarmaken** I *ov ww* ❶ *verwezenlijken* fulfil ★ *plannen* ~ realize plans ❷ *bewijzen* prove ★ *een bewering / beschuldiging* ~ prove an allegation / accusation II *wkd ww* [zich ~] *bewijzen* prove oneself

**waarmee** ❶ *vragend* what... with / by ★ ~ *kan ik u van dienst zijn?* what can I do for you?, can I help you? ★ ~ *heb je dit geverfd?* what did you paint it with? ❷ *betrekkelijk* with / by which ★ ~ *ik wil zeggen dat...* by which I mean to say that... ★ ~ *eens te meer bewezen is dat...* which goes to prove once more that...

**waarmerk** stamp, ⟨mbt echtheid⟩ authentication, ⟨op goud, e.d.⟩ hallmark

**waarmerken** stamp, ⟨mbt echtheid⟩ authenticate, ⟨op goud enz.⟩ hallmark

**waarna** *betrekkelijk* after which ★ *...~ hij verdween* ...after which he disappeared

**waarnaar** ❶ *vragend* what... at / for ★ ~ *ruikt het?* what does it smell of? ❷ *betrekkelijk* to which, which / that... to / after ★ *het doel* ~ *wij streven* the goal we're trying to achieve ★ *de regels* ~ *wij leven* the rules we live by

**waarnaast** I *vr vnw* ❶ what... next to, what... beside ❷ beside what, ⟨schrijftaal⟩ next to what II *betr vnw* which / that... beside, which / that... next to

**waarneembaar** perceptible, discernible

**waarnemen** ❶ *opmerken* observe, perceive, ⟨gadeslaan⟩ watch ❷ *benutten* ★ *zijn kans* ~ take one's chance ★ *een gelegenheid* ~ avail o.s. of an opportunity ❸ *vervangen* replace, fill / stand in ★ *voor iem.* ~ fill / stand in for sb ★ *iemands belangen* ~ look after sb's interests

**waarnemend** acting, deputy

**waarnemer** ❶ *iem. die waarneemt* observer ❷ *vervanger* substitute, ⟨van hogergeplaatste⟩ deputy

**waarneming** ❶ *perceptie* observation, perception ❷ *vervanging* substitution, ⟨van hogergeplaatste⟩ deputizing

**waarnemingsfout** observation error

**waarnemingspost** observation post

**waarnemingsvermogen** powers of observation *mv*

**waarom** I *bijw* ❶ ⟨vragend⟩ why, what ★ ~ *zeg je dat?* why do you say so?, what makes you say so? ★ ~ *niet?* why not? ❷ ⟨betrekkelijk⟩ why, that ★ *de reden* ~ *hij ging* the reason why / that he went II *zn* [het] why

**waaronder** ❶ *vragend* what... under / among, among what ★ ~ *lag het?* what was it lying under? ❷ *betrekkelijk* under which, including, among which / whom ★ *een aantal postzegels,* ~ *zeer zeldzame* a number of stamps including very rare ones, a numer of stamps among which very rare ones

**waarop** ❶ *betrekkelijk* that / which... on / in ★ *de stoel* ~ *hij zat* the chair (which / that) he was sitting on ❷ *vragend* what... on ★ ~ *zaten ze?* what were they sitting on?

**waarover** ❶ *betrekkelijk* that / which... over / about ★ *het boek waar ik het over had* the book (which / that) I was talking about ❷ *vragend* what... over / about ★ ~ *spraken ze?* what were

they talking about?

**waarschijnlijk** ❶ probable, likely ❷ *geloofwaardig* credible

**waarschijnlijkheid** probability, likelihood ★ *naar alle* ~ in all probability / likelihood

**waarschuwen** ❶ *verwittigen* ⟨inlichten⟩ notify, ⟨alarmeren⟩ alert ★ *waarschuw me als ze er zijn* let me know when they are here ★ *van tevoren* ~ warn in advance ★ ~ *tegen* warn / caution against ❷ *vermanen* warn, caution (against) ★ *een* ~ *de stem laten horen* sound a warning note ★ *iem. duidelijk* ~ give sb fair warning ❸ *op zijn hoede doen zijn* warn ⟨tegen⟩ against / about) ▼ *een gewaarschuwd man telt voor twee* forewarned is forearmed

**waarschuwing** ❶ *het waarschuwen* warning ★ *zonder voorafgaande* ~ without previous warning ❷ *vermaning* warning, caution ★ *alle* ~*en in de wind slaan* ignore all warnings ★ *een* ~ *krijgen* sport be booked ★ *laatste* ~ final notice

**waarschuwingsbord** warning sign

**waarschuwingsschot** warning shot

**waarschuwingsteken** warning sign / signal

**waartegen** ❶ *vragend* what... against / to ★ ~ *helpt dit middel?* what is this medicine for? ❷ *betrekkelijk* against / to which ★ *een argument* ~ *niets valt in te brengen* an argument against which no objections can be raised, an unanswerable argument

**waartoe** ❶ *vragend* what... for / to ★ ~ *dient het?* what is it for?, what's the use / point of it? ❷ *betrekkelijk* which / that... for / to ★ *de groep* ~ *zij behoorden* the group (that / which) they belonged to

**waartussen** I *vr vnw* what... between / among / from II *betr vnw* between / among / from... which

**waaruit** ❶ *vragend* what...from / of ★ ~ *bestaat het toestel?* what does the apparatus consist of? ❷ *betrekkelijk* from which, which...from ★ *het land* ~ *zij vluchtten* the country which they fled from

**waarvan** ❶ *vragend* what... from / of ★ ~ *maakt hij dat?* what does he make that of / from ❷ *betrekkelijk* which / that... from / of, ⟨m.b.t. persoon⟩ from / of whom ★ *een gelegenheid* ~ *we nooit hadden gedroomd* an opportunity (which / that) we had never dreamt of

**waarvandaan** from where

**waarvoor** ❶ *vragend* what... for / about / etc. ★ ~ *heb je dat nodig?* what do you need it for? ★ ~ *gebruiken ze dat?* what do they use it for? ❷ *betrekkelijk* which / that... for ★ *een schilderij* ~ *hij veel krijgt* a painting (which / that) he gets a lot for

**waarzeggen** tell fortunes ★ *iem.* ~ tell sb's fortune

**waarzegger** fortune-teller

**waarzegster** fortune-teller

**waas** ❶ *nevelige sluier* haze ❷ *fig* ★ *in een waas van geheimzinnigheid gehuld* shrouded in secrecy

**wacht** ❶ *het moeten waken* watch ★ *de* ~ *betrekken* go on duty, *mil* mount guard *scheepv* go on watch ★ *de* ~ *hebben*, *BN van* ~ *zijn* be on duty / guard, *scheepv* be on watch ★ *op* ~ *staan*

⟨algemeen⟩ be on the lookout, *mil* stand guard *mil* be on (sentry) duty ❷ *één persoon* guard ❸ *geheel van wachters mil* sentry, *scheepv* watch ★ *de ~ aflossen* change / relieve guard, *scheepv* relieve the watch ▼ *in de ~ slepen* (prijs) carry off, ⟨(doel)punt⟩ bag, (geld) scoop ▼ *iem. in de ~ zetten* put sb on hold ▼ *iem. de ~ aanzeggen* give sb a (good) talking to

**wachtdag** qualifying day for sickness benefit
**wachtdienst** ❶ *waakdienst* guard duty, *scheepv* watch ❷ *BN onregelmatige dienst* ⟨van bus⟩ irregular service, ⟨van werk⟩ irregular shift ★ *~ hebben* be on call
**wachten** ❶ *in afwachting zijn* wait ★ *~ op* wait for ★ *op zich laten ~* keep people waiting ❷ *in het vooruitzicht staan* ★ *hij weet wat hem te ~ staat* he knows what he is in for, he knows what he is up against ★ *er staat je iets te ~* there is sth in store for you ★ *er staat je een zware taak te ~* you've got a tough job ahead of you, you're facing a tough job ❸ *nog niet beginnen* wait ★ *wacht eens even* wait a moment (please), *inform* hold on ★ *te lang ~ met iets* delay sth too long ❹ *ongedaan blijven* ★ *dat kan (wel) ~* that can wait, there's no hurry ▼ *wacht maar!* you just wait!
**wachter** guard, ⟨van park, enz.⟩ keeper
**wachtgeld** reduced pay, redundancy pay ★ *iem. op ~ stellen* put sb on reduced pay
**wachtgelder** person on reduced / redundancy pay
**wachthuisje** ❶ *schildwachthuisje mil* sentry box ❷ *bus- / tramhokje* bus / tram shelter
**wachtkamer** waiting room
**wachtlijst** waiting list
**wachtmeester** sergeant
**wachtpost** ❶ *persoon* sentry ❷ *plaats* guard post
**wachtruimte** waiting room
**wachttijd** wait(ing) time
**wachtwoord** *herkenningswoord* password
**wachtzaal** *BN* waiting room
**wad** mudflat ★ *de Wadden* the (Dutch) Wadden
**Waddeneiland** Frisian Island, ⟨Nederlands⟩ West Frisian Island
**Waddenzee** Wadden Sea
**waden** ford, wade
**wadjan, wadjang** wok
**wadlopen** walk across the mudflats
**wadloper** somebody who walks the mudflats
**waf** woof
**wafel** waffle, ⟨bij ijs⟩ wafer
**wafelijzer** waffle iron
**wafelpatroon** waffle pattern
**waffel** ▼ *houd je ~!* shut your face / trap / gob!, shut up!
**wagen** I *zn* [de] ❶ *kar* ⟨ook licht⟩ cart, ⟨in optocht⟩ float ❷ *auto* (motor) car ❸ *wagon* ⟨voor mensen⟩ carriage, ⟨voor goederen⟩ wagon ▼ *BN de ~ aan het rollen brengen* get the ball rolling II *ov ww* ❶ *durven* dare, risk, venture ★ *waag het niet!* don't you dare! ★ *waag het eens!* I dare / defy you to do it! ★ *~ iets te doen* venture to do sth ★ *zich buiten ~ in de sneeuw* venture out in the snow ❷ *riskeren* risk, venture ★ *zich ~ aan iets* take the risk on sth ★ *het erop ~* take one's chance, risk it ★ *zijn leven ~* risk one's life ★ *alles ~* stake

everything ▼ *wie niet waagt, die niet wint* nothing ventured, nothing gained
**wagenpark** fleet (of cars, vans, etc.)
**wagenwijd** wide (open) ★ *~ openzetten* open wide
**wagenziek** carsick, travel-sick
**waggelen** ❶ *wankelend lopen* totter, stagger, ⟨van eend, dikzak⟩ waddle, ⟨van peuter⟩ toddle ❷ *wiebelen* wobble
**wagon** ⟨voor mensen⟩ carriage, ⟨voor vracht⟩ wagon
**wajangpop** (Indonesian) shadow puppet
**wak** ≈ hole (in the ice), patch of thin ice
**wake** watch, vigil
**waken** ❶ *wakker blijven* stay awake, ⟨bij zieke⟩ sit up (**bij** with), ⟨bij dode⟩ hold a wake (**bij** over) ★ *tussen ~ en dromen* between waking and sleeping ❷ *beschermend toezien* (keep) watch, guard ★ *~ over* watch over ★ *ervoor ~ dat...*, *BN erover ~ dat...* see to it that..., take care that... ★ *~ tegen* (be on one's) guard against
**waker** guard
**wakker** *niet slapend* awake ★ *~ worden* wake up ★ *~ maken* wake ★ *(de hele nacht) ~ liggen* lie awake (all night), not sleep a wink ★ *~ schrikken* wake with a start ★ *bij iem. iets ~ maken* evoke sth in sb ★ *~ schudden* rouse, *inform* shake awake ▼ *ergens ~ van liggen* lose sleep over sth ▼ *de herinnering ~ houden aan* keep the memory alive of
**wal** ❶ *dam* ⟨stadswal⟩ rampart, ⟨dijkje⟩ bank / embankment ❷ *kade* quay(side) ❸ *vasteland* land, shore, coast ★ *vaste wal* shore ★ *aan wal* ashore ★ *aan wal brengen* land, bring ashore ★ *aan wal gaan* go ashore, disembark ★ *aan wal liggen* be in the harbour ★ *van wal steken* push off ❹ *huiduitzakking onder ogen* bag ▼ *de Amsterdamse wallen* the Amsterdam red-light district ▼ *van de wal in de sloot raken* get out of the frying pan into the fire ▼ *van twee walletjes eten* have your cake and eat it ▼ *steek maar van wal!* fire away! ▼ *tussen de wal en het schip vallen* fall between two stools
**waldhoorn** French horn
**Wales** Wales
**walgelijk** disgusting, revolting, *inform* gross
**walgen** be disgusted (**van** with) ★ *ik walg ervan* it makes me sick ★ *doen ~* disgust ★ *ik walg van dit eten* this food turns my stomach
**walging** loathing, disgust
**Walhalla** *myth* Valhalla
**walhalla** *fig* paradise
**walkietalkie** walkie-talkie
**wallingant** *BN pol Waal die streeft naar autonomie voor Wallonië* wallingant
**Wallonië** Walloon provinces
**walm** (dense) smoke
**walmen** smoke
**walnoot** ❶ *vrucht* walnut ❷ *boom* walnut (tree)
**walrus** walrus
**wals** ❶ *dans* waltz ❷ *pletrol* roller ❸ *toestel* ⟨wegenbouw⟩ steamroller
**walsen** I *ov ww*, pletten roll, ⟨wegenbouw⟩ steamroller II *on ww* ❶ *dansen* waltz ❷ *~ over* steamroller, bulldoze
**walserij** rolling mill

**wa**

**walsmuziek** waltz music
**walvis** whale
**walvisvaarder** whaler
**wanbedrijf** BN jur *misdrijf of zware overtreding* ≈ criminal offence, ≈ misdemeanour
**wanbegrip** fallacy, false idea / notion
**wanbeheer** mismanagement
**wanbeleid** maladministration, mismanagement ★ *een ~ voeren* mismanage (the business, etc.)
**wanbetaler** defaulter
**wand** *muur* wall, ⟨v. steile rots⟩ face
**wandaad** outrage ★ *de wandaden van het regime* the enormities of the regime
**wandbetimmering** panelling
**wandcontactdoos** wall socket
**wandel** ❶ *het wandelen* walk, stroll ❷ *gedrag* conduct, behaviour
**wandelaar** walker, ⟨langeafstand⟩ hiker
**wandelen** walk ★ *gaan ~* go for a walk ▾ BN *iem. ~ sturen* fob sb off, send sb off empty-handed
**wandelgang** lobby
**wandeling** walk, ⟨rustig⟩ stroll ★ *een ~ maken* take a walk / stroll, go for a walk
**wandelkaart** walking map
**wandelpad** footpath
**wandelpas** walking pace
**wandelroute** walk ★ *een ~ uitzetten* signpost a walk
**wandelschoen** walking shoe, ⟨stevig⟩ walking / hiking boot
**wandelsport** hiking
**wandelstok** walking stick, cane
**wandeltocht** walking tour, hike
**wandelwagen** pushchair, USA stroller
**wandkleed** tapestry
**wandluis** bedbug
**wandmeubel** wall unit
**wandrek** sport ⟨gymnastic⟩ wall bars *mv*
**wandschildering** mural, wall painting
**wanen** imagine, fancy
**wang** cheek
**wangedrag** misbehaviour, misconduct
**wangedrocht** monster, monstrosity
**wanhoop** despair
**wanhoopsdaad** act of despair, desperate act
**wanhoopskreet** cry of despair
**wanhopen** despair (**aan** of)
**wanhopig** desperate ★ *~ maken* drive to despair ★ *het is om ~ van te worden* it drives you to despair ★ *~ worden* become desperate, give way to despair ★ *~ zijn* be in despair
**wankel** ❶ *onvast* unsteady, unstable ★ *~ op de benen staan* be unsteady on one's feet ★ *~ evenwicht* shaky balance ❷ *ongewis* shaky, insecure ★ *~e gezondheid* delicate health
**wankelen** ❶ *onvast gaan / staan* stagger, reel ❷ *fig instabiel zijn* waver, vacillate ★ *~ in zijn geloof* waver in one's faith ★ *aan het ~ brengen* undermine
**wankelmoedig** wavering, vacillating
**wanklank** ❶ *lett* discordant sound, dissonance ❷ *fig* jarring note, discordant note
**wanneer** I *vr vnw* when II *vw* ❶ *op het moment dat* when ★ *~ hij komt* when he comes ★ *~ hij ook komt* whenever he comes ❷ *in het geval dat* if ★ *~ hij komt* if he comes ★ *~ dat zo is,...* if that's the case,...

**wanorde** disorder
**wanordelijk** disorderly, in disorder
**wanprestatie** ❶ *slechte prestatie* failure, econ non-performance ❷ jur default
**wanproduct** failure, flop, min dud
**wansmaak** bad taste
**wanstaltig** misshapen, deformed
**want** I *zn* [de], *handschoen* mitten II *zn* [het], *tuigage* rigging ▾ *van wanten weten* know the ropes III *vw* for, because
**wantoestand** abuse, wrong ★ *de ~en herstellen* right the wrongs
**wantrouwen** I *zn* [het] distrust ★ *~ wekken* arouse suspicion II *ov ww* distrust
**wantrouwig** distrustful, suspicious
**wants** bug, ⟨wandluis⟩ bedbug
**wanverhouding** discrepancy, disproportion, ⟨misstand⟩ abuse
**WAO** *Wet op de Arbeidsongeschiktheidsverzekering* Disablement Insurance Act ★ *in de WAO zitten* receive disability benefit
**wap** comp *wireless application protocol* WAP
**wapen** ❶ *strijdmiddel* weapon, arms *mv* ★ *~s dragen* bear / carry arms ★ *de ~s neerleggen* lay down arms ★ *de ~s opnemen* take up arms ❷ *wapenschild* (coat of) arms ★ *koninklijk ~* Royal Arms ▾ *iem. met zijn eigen ~s bestrijden* beat sb at his own game ▾ *iem. met gelijke ~en tegemoet treden* meet sb on equal terms ▾ *onder de ~s roepen* call up ▾ *onder de ~s zijn* be in the army
**wapenarsenaal** arsenal, arms depot
**wapenbeheersing** arms control
**wapenbezit** possession of (fire)arms / weapons
**wapenembargo** arms embargo *mv: embargoes*
**wapenen** ❶ *bewapenen* arm ★ *zich ~ tegen* arm o.s. against ❷ *fig versterken* arm, ⟨van beton⟩ reinforce, ⟨van glas⟩ armour
**wapenfeit** ❶ *oorlogsdaad* feat of arms ❷ *roemrijke daad* feat, exploit
**wapengeweld** armed force, force of arms
**wapenhandel** *handel* arms trade, ⟨illegaal⟩ traffic in fire arms
**wapenhandelaar** arms dealer
**wapenleverantie** arms supply
**wapenrusting** armour
**wapenschild** coat of arms
**wapenschouw** review
**wapenspreuk** motto
**wapenstilstand** armistice
**wapenstok** baton, truncheon, USA nightstick
**wapentuig** arms *mv*
**wapenvergunning** firearms / gun licence
**wapenwedloop** arms race
**wappen** comp wap
**wapperen** blow, fly, ⟨v. haar⟩ stream / wave, ⟨v. vlag⟩ wave / fly / flutter ★ *met je creditcard ~* wave your credit card ★ *met ~de haren* with hair streaming / waving in the wind
**war** ▾ psych *in de war zijn* be confused, be muddled, ⟨gestoord⟩ be disturbed ▾ psych *iem. in de war brengen* confuse sb, bewilder sb ▾ psych *in de war raken* get confused / muddled, get mixed up ▾ *in de war zijn* ⟨ongeordend⟩ be mixed / messed up ▾ *in de war raken* ⟨ongeordend⟩ get entangled / knotted, get mixed up ▾ *iets in de war*

*sturen* make a (proper) mess of sth ▾ *uit de war halen* disentangle, unravel

**warboel** muddle, mess, confusion

**warempel** truly, really

**waren → waar**

**warenhuis** department store

**warenwet** ≈ Food Safety Act

**warhoofd** scatterbrain

**warm I** *bnw* ❶ *met hoge temperatuur* warm, ⟨heet⟩ hot ★ *warm maken* warm up, heat ★ *warm houden* keep hot / warm ★ *warme bronnen / baden* thermal / hot springs / baths ★ *het warm hebben* be warm ★ *warm lopen* warm up ★ *ik word er niet warm of koud van* I don't care one way or the other ❷ *hartelijk* warm(-hearted) ★ *een warm onthaal* a warm welcome ❸ *geïnteresseerd* warmed up, enthusiastic ★ *iem. warm maken voor iets* warm sb up to sth ★ *een warm voorstander* a staunch advocate ▾ *iets warm houden* keep sth to the fire ▾ *het ging er warm toe* there was quite a fight **II** *bijw* ❶ *hartelijk* ★ *warm aanbevolen* highly recommended ❷ *geïnteresseerd* ★ *warm lopen voor* be sold on (sth)

**warmbloedig** ❶ biol warmblooded ❷ *vurig* hot-blooded, passionate

**warmdraaien** ❶ *op juiste temperatuur komen* warm up ❷ fig *zich op iets voorbereiden* ★ *voor iets ~* warm up to sth

**warmen** *warm maken* warm (up), heat ★ *zich ~* warm o.s. up

**warming-up** sport warm-up (exercises)

**warmlopen** ❶ sport warm up, do a warming-up ❷ *te heet worden* get hot, (over)heat ❸ *enthousiast worden* warm to / towards, be(come) enthusiastic for

**warmpjes** ▾ *er ~ bij zitten* be well off

**warmte** ❶ *(hoge) temperatuur* warmth, heat ★ *~ afgeven* give off heat ❷ *hartelijkheid* warmth

**warmtebesparing** heat saving / economy

**warmtebron** source of heat

**warmtegeleider** conductor of heat

**warmwaterbron** thermal spring

**warmwaterkraan** hot-water tap

**warrelen** whirl

**warrig** confused, muddled ★ *een ~ mens* scatterbrain

**wars** *~ van afkerig van* averse to

**Warschau** Warsaw

**Warschaus** Warsaw

**wartaal** gibberish, nonsense ★ *~ uitslaan* talk gibberish / nonsense

**warwinkel** chaos, muddle, mess

**was I** *zn* [de] ❶ *het wassen* wash, washing ★ *de was doen* do the wash(ing) / laundry ❷ *wasgoed* wash, laundry ★ *fijne was* delicate fabrics ★ *schone was* clean / fresh laundry ★ *vuile was* dirty / soiled laundry ★ *de was uitzoeken* sort the laundry ★ *bonte was* coloured wash ▾ *de vuile was buiten hangen* wash one's dirty linen in public **II** *zn* [de/het], *vettige stof* wax ★ *in de was zetten* wax ▾ *goed in de slappe was zitten* be rolling in money ▾ *als was in iemands handen zijn* be like putty on sb's hands

**wasautomaat** washing machine, washer

**wasbak** washbasin, ⟨in keuken enz.⟩ sink

**wasbeer** rac(c)oon

**wasbenzine** benzine

**wasbeurt** wash, washing

**wasbord** ❶ *wasplank* washboard ❷ fig *platte buik* six-pack

**wasdag** wash(ing)day

**wasdom** growth ★ *zijn volle ~ bereiken* reach its full growth / stature

**wasdroger** tumble dryer / drier

**wasecht** fast-dyed, washable

**wasem** steam, vapour

**wasemen** steam

**wasemkap** cooker hood

**wasgelegenheid** washroom

**wasgoed** washing, laundry

**washandje** face cloth / flannel, USA wash cloth

**wasinrichting** laundry

**wasknijper** clothes peg

**waskrijt** grease pencil

**waslijn** clothes / washing line

**waslijst** *lange lijst* catalogue ★ *een ~ met klachten* a catalogue of complaints

**wasmachine** washing machine

**wasmand** laundry basket

**wasmiddel** washing powder, detergent

**waspeen** washed carrot

**waspoeder** washing powder

**wasprogramma** washing programme

**wassen I** *ov ww, reinigen* wash, ⟨wonden ook⟩ cleanse ★ *zich ~* wash o.s., (have a) wash, USA wash up ★ *hij is aan het ~* he's doing the laundry **II** *on ww, toenemen* ⟨v. maan⟩ wax, ⟨v. waterpeil⟩ rise **III** *bnw, van was* wax(en)

**wassenbeeldenmuseum** wax museum, waxworks

**wasserette** laund(e)rette

**wasserij** laundry

**wasstraat** (automatic) car wash

**wastafel** washbasin ★ *vaste ~* fixed basin

**wastobbe** washtub

**wasverzachter** fabric softener

**wasvoorschrift** washing instructions *mv*

**wat I** *bijw* ❶ *erg* very, quite ★ *ik ben er wát blij mee* I'm very pleased with it ❷ *een beetje* somewhat, a little / bit ★ *het gaat wat langzaam* it's a bit slow ★ *nogal wat* quite a bit **II** *vr vnw* what ★ *wat is er?* what is it?, what's the matter? ★ *wat zal het zijn?* what will you have?, inform ⟨drankje⟩ what's yours? ★ *wat een boeken!* what a lot of books! ★ *al is hij oud, wat dan nog?* so what, if he is old? ★ *van wat voor boeken houd je?* what kind of books do you like? ★ *wat is hij voor een man?* what sort of man is he? ★ *en wat al niet!* and what not! ★ *wat mooi!* how beautiful / pretty! ★ *wat een aardig huis!* what a nice house! **III** *betr vnw* what, ⟨terugwijzend⟩ which / that, ⟨met 'ook'⟩ whatever ★ *doe wat ik je zeg* do what / as I tell you ★ *dat is alles wat ik nodig heb* that's all (that) I need ★ *het ergste wat je kan overkomen* the worst thing that may happen to you ★ *iets wat nooit gebeurt* sth that never happens ★ *hij zegt dat hij ziek is, wat ik niet geloof* he says he's ill, which I don't believe ★ *wat hij ook doet* whatever he does **IV** *onb vnw* ⟨zelfstandig gebruikt⟩ something, ⟨bijvoeglijk gebruikt⟩ some ★ *er zit wat in* there is sth in it

**wa**

★ *geef haar ook wat* give her some(thing) too
★ *neem nog wat druiven* have some more grapes
★ *blijf nog wat* stay a bit / little longer ★ *speel nog wat* play some more ★ *wat er ook gebeurt* whatever happens **V** *tw* what

**water** ❶ *vloeistof* water ★ *koolzuurhoudend ~,* BN *bruisend ~* soda water, carbonated water ★ BN *plat ~* plain / mineral water ★ *stromend ~,* BN *lopend ~* running water ★ *zacht / hard ~* soft / hard water ★ *zoet ~* fresh water ★ *zwaar ~* heavy water ★ *boven ~ komen* surface ★ *onder ~ lopen* be flooded ★ *onder ~ staan* be under water, be flooded ★ *onder ~ zetten* inundate, flood ★ *op ~ en brood* on bread and water ★ *~ binnenkrijgen* swallow water ★ *planten ~ geven* water plants ❷ *natuurlijke bedding met water* 〈algemeen〉 water, 〈bevaarbaar〉 waterway ★ *bevaarbare ~en* navigable waters / waterways ★ *de internationale ~en* the international waters ★ *hoog / laag ~* high / low tide ★ *stilstaand ~* stagnant water ★ *te ~ laten* launch ★ *de ~en van Nederland* the waters of Holland ▼ *stille ~s hebben diepe gronden* still waters run deep ▼ *ik voel het aan mijn ~* I feel it in my bones ▼ *zo vlug als ~* as fast as lightning ▼ *als ~ en vuur zijn* be at daggers drawn, be at each other's throats ▼ *weer boven ~ komen* turn / pop up again ▼ *zijn geld in het ~ gooien* pour one's money down the drain ▼ *in het ~ vallen* come to nothing, fall through ▼ *in troebel ~ vissen* fish in troubled waters ▼ *van het zuiverste ~* first-rate ★ *~ bij de wijn doen* moderate one's demands ▼ *het ~ loopt me ervan in de mond* it makes my mouth water ▼ *~ maken* make water ▼ *~ naar de zee dragen* carry coals to Newcastle ▼ *het ~ staat hem tot de lippen* he is in it (=trouble) up to his neck ▼ BN *~ en bloed zweten* sweat buckets, 〈v. angst〉 be in a cold sweat
**waterachtig** watery
**waterafstotend** water-repellent
**waterballet** water ballet
**waterbed** waterbed
**waterbekken** reservoir
**waterbestendig** water-resistant
**waterbloem** aquatic flower
**waterbouwkunde** hydraulic engineering, hydraulics *mv*
**waterdamp** water vapour, steam
**waterdicht** ❶ *niet waterdoorlatend* 〈kleding〉 waterproof, 〈ruimte〉 watertight ❷ *onweerlegbaar* watertight
**waterdier** aquatic animal
**waterdruk** water pressure
**waterdruppel** drop of water
**wateren** ❶ *vocht afscheiden* ★ *mijn ogen ~* my eyes water ❷ *urineren* make / pass water, urinate
**waterfiets** pedalo, USA paddle / pedal boat
**waterfietsen** pedal boating
**watergekoeld** water-cooled
**waterglas** *drinkglas* drinking glass, tumbler
**watergolf** wave, artificial curl
**watergolven** (wash and) set
**watergruwel** ≈ (water) gruel
**waterhardheid** hardness of water
**waterhoen** moorhen
**waterhoofd** ❶ *med* waterhead, hydrocephalus ★ *een ~ hebben* have water on the brain ❷ *fig*

★ *met een ~* top-heavy
**waterhuishouding** 〈v. planten〉 water balance, 〈in bodem〉 soil hydrology, 〈voor samenleving〉 water management
**waterig** ❶ *als water* watery ❷ *met veel water* watery
**waterijsje** Popsicle^fi, ice lolly
**watering** BN *waterschap* ≈ district water board
**waterjuffer** 〈groot〉 dragonfly, 〈klein〉 damselfly
**waterkanon** water cannon
**waterkant** waterside, 〈in stad, e.d.〉 waterfront
**waterkering** dam, dike, 〈laag〉 weir
**waterkers** watercress
**waterkoeling** water cooling
**waterkoker** electric kettle
**waterkonijn** BN *cul* muskrat
**waterkraan** tap, USA faucet
**waterkracht** hydropower, water power ★ *werkend op ~* hydropowered
**waterkrachtcentrale** hydroelectric power plant / station
**waterlanders** tears *mv* ★ *de ~ kwamen* the waterworks were turned on
**waterleiding** 〈buis〉 water pipe, 〈buizenstelsel〉 water pipes *mv*, 〈de dienst〉 waterworks *mv*
**waterleidingbedrijf** waterworks *mv*
**waterlelie** water lily
**waterlijn** *lijn van waterniveau* waterline
**waterloo** ▼ *zijn ~ vinden* meet one's Waterloo
**Waterman** *dierenriemteken* Aquarius
**watermeloen** watermelon
**watermerk** watermark
**watermolen** watermill
**wateroppervlak** ❶ *bovenste watervlak* water surface ❷ *watervlakte* expanse of water
**wateroverlast** flooding
**waterpas** I *bnw* level II *zn* [het] spirit level
**waterpeil** water level
**waterpijp** water pipe
**waterpistool** water / squirt gun
**waterplaats** ❶ *urinoir* urinal ❷ *scheepv* watering place
**waterplant** water plant, aquatic plant
**waterpokken** chicken pox
**waterpolitie** 〈haven〉 port police, 〈rivier〉 river police *mv*
**waterpolo** water polo
**waterpomptang** pair of (adjustable-)joint pliers, (adjustable-)joint pliers *mv*
**waterproof** waterproof
**waterput** well
**waterrad** water wheel
**waterrat** 〈ook〉 *fig* water rat
**waterreservoir** (water) reservoir
**waterrijk** watery
**waterschade** water damage
**waterschap** district water board
**waterschapsbelasting** land-draining rates *mv*
**waterscheiding** watershed
**waterschildpad** turtle
**waterschuw** afraid / frightened of water
**waterscooter** water scooter
**waterski** waterski
**waterskiën** waterski
**waterslang** ❶ *dier* water snake ❷ *gereedschap* hose(pipe)

**watersnip** snipe
**watersnood** flood(s)
**watersnoodramp** flood (disaster)
**waterspiegel** ❶ *oppervlakte* water surface ❷ *peil* waterlevel
**watersport** water sport(s), aquatic sport(s)
**waterstaat** ❶ *watergesteldheid* water situation ❷ *dienst* water management
**waterstand** water level
**waterstof** hydrogen
**waterstofbom** hydrogen bomb, H-bomb
**waterstofperoxide** hydrogen peroxide
**waterstraal** jet of water
**watertanden** ★ *het is om van te ~* it makes your mouth water
**watertaxi** taxi boat, water taxi
**watertoevoer** water supply
**watertoren** water tower
**watertrappen, watertrappelen** treading water
**waterval** waterfall, falls ⟨*meerdere*⟩ *mv*, ⟨*grote*⟩ cascade
**waterverf** watercolour(s), water-based paint ★ *met ~ schilderen* paint in watercolours
**waterverontreiniging** water pollution
**watervlak** water surface
**watervliegtuig** hydroplane, seaplane
**watervlug** darting, in / like a flash, lightning-fast
**watervogel** water bird
**watervoorziening** water supply
**watervrees** hydrophobia
**waterweg** waterway
**waterwerk** *geheel van fonteinen* waterworks *mv*, fountain
**waterwingebied** water catchment area
**waterzooi** BN *cul* chicken casserole
**waterzuiveringsinstallatie** water purification plant
**watje** ❶ *propje watten* wad of cotton wool ★ *~s in de oren* ear plugs ❷ *persoon* wet, wimp
**watt** watt
**wattage** wattage
**watten** I *de mv* cotton wool, USA absorbent cotton ▼ *iem. in de ~ leggen* pamper sb II *bnw* cotton wool
**wattenstaafje** cotton bud, USA cotton swab
**watteren** wad, quilt, pad
**wauw** wow
**wauwelen** waffle, blather (on)
**wave** Mexican wave
**WA-verzekering** third-party insurance
**waxen** wax
**waxinelichtje** tealight
**wazig** hazy, foggy
**wc** lavatory, toilet, *inform* loo ★ *naar de wc gaan* go to the toilet
**wc-borstel** toilet brush
**wc-bril** toilet seat
**wc-papier** toilet paper
**wc-pot** toilet bowl
**wc-rol** toilet roll
**we** → **wij**
**web** ❶ *spinnenweb* web ❷ *netwerk* web ❸ *comp internet* web
**webadres** *comp* web address
**webcam** *comp* webcam
**webdesign** web design
**weblog** *comp* weblog

**webmaster** *comp* webmaster
**webpagina** *comp* webpage
**website** *comp* website
**wecken** preserve, bottle
**weckfles** preserving jar
**weckpot** preserving jar
**wedde** BN *loon* salary, pay
**wedden** bet, *form* wager ★ *waar ~ we om?* what's the betting? ★ *ik wed (met je) om al wat je wilt* I'll bet (you) anything you like ★ *~ op* bet on
**weddenschap** bet, *form* wager ★ *een ~ aangaan* make a bet
**wederdienst** service in return ★ *altijd tot ~ bereid* always ready to reciprocate, *inform* if you scratch my back, I'll scratch yours
**wedergeboorte** ❶ *reïncarnatie* rebirth, reincarnation ❷ *fig herleving* rebirth, revival
**wederhelft** *inform* better half
**wederhoor** → **hoor**
**wederkerend** *taalk* reflexive
**wederkerig** mutual, reciprocal
**wederom** again, once more
**wederopbouw** reconstruction, rebuilding
**wederopstanding** *rel* resurrection
**wederrechtelijk** *jur* unlawful, illegal
**wederverkoper** retailer
**wedervraag** counter-question ★ *een ~ stellen* answer a question with a question
**wederzien** → **weerzien**
**wederzijds** mutual, reciprocal ★ *~ begrip* mutual understanding
**wedijver** competition, ⟨*tussen 2 partijen*⟩ rivalry
**wedijveren** compete
**wedje** bet
**wedloop** race
**wedren** race, ⟨*met hindernissen*⟩ steeplechase
**wedstrijd** match, game, ⟨*meerdere partijen*⟩ competition, ⟨*met jury*⟩ contest
**wedstrijdbeker** (sports) cup
**wedstrijdleider** ⟨*voetbal*⟩ ref(eree), ⟨*honkbal, tennis, enz.*⟩ ump(ire)
**wedstrijdleiding** referee, umpire, ⟨*organisatoren*⟩ stewards *mv*
**wedstrijdsport** competitive sport(s)
**weduwe** widow ★ *onbestorven ~* grass widow
**weduwepensioen** widow's pension
**weduwnaar** widower ★ *onbestorven ~* grass widower
**wee** I *zn* [de/het], *barensweeë* contraction, labour pain II *bnw* ⟨*onwel*⟩ faint / shaky, ⟨*geur, smaak*⟩ sickly ★ *ik word er wee van* it makes me sick ★ *wee van de honger* faint from / with hunger
**weefgetouw** loom
**weefsel** ❶ *stof* texture, fabric ❷ *biol* tissue
**weegbree** *plantk* waybread
**weegbrug** weighbridge
**weegs** ▼ *ik ging mijns ~* I went on my way ▼ *zij gingen ieder huns ~* they went their several ways
**Weegschaal** *dierenriemteken* Libra
**weegschaal** *weeginstrument* pair of scales, scales *mv*, balance
**weeïg** sickly
**week** I *zn* [de] ❶ *zeven dagen* week ★ *de Goede / Stille Week* Holy Week ★ *verleden week* last week ★ *volgende week* next week ★ *door de week* during / in the week, on weekdays ★ *over een*

*week* in a week's time ★ *vandaag over een week* today week ★ *morgen over een week* a week from tomorrow ❷ *het weken* ★ *de was in de week zetten* put the laundry in to soak **II** *bnw* ❶ *zacht* soft ★ *week maken* soften ❷ *teerhartig* soft, weak

**weekblad** weekly magazine / journal

**weekdag** BN *werkdag* weekday, working day

**weekdier** mollusc

**weekeinde, weekend** weekend

**weekenddienst** weekend duty

**weekendretour** weekend return ticket

**weekendtas** holdall, USA duffel bag

**weekhartig** soft-hearted

**weeklagen** wail, lament

**weekloon** weekly wage

**weekoverzicht** weekly review

**weelde** ❶ *overvloed* abundance, wealth, ⟨v. plantengroei⟩ luxuriance ★ *een ~ van bloemen* a wealth of flowers ★ *een ~ aan kleuren* a riot of colour ❷ *luxe* luxury ★ *in ~ baden* be rolling in wealth ★ *die ~ kan ik mij niet veroorloven* I can't afford it

**weelderig** ❶ *overvloedig* ★ *~(e) haar / groei* luxuriant hair / growth ★ *~e vegetatie* lush / luxuriant vegetation ❷ *luxueus* luxurious, ⟨interieur, e.d.⟩ opulent ★ *~ leventje* luxurious life

**weemoed** melancholy, sadness

**weemoedig** melancholic, sad

**Weens** Viennese

**weer I** *zn* [het] ❶ *weersgesteldheid* weather ★ *mooi weer* fine / fair weather ★ *zwaar weer* heavy weather ★ *als het weer het toelaat* weather permitting ★ *weer of geen weer* in all weathers ★ *wat voor weer is 't?* what's the weather like? ★ *we krijgen ander weer* the weather is changing ★ *het weer slaat om* the weather is turning / breaking ❷ *verwering* weathering ★ *het weer zit in de spiegel* the mirror is weatherstained ▼ *mooi weer spelen* put on a show (of friendliness) ▼ BN *het mooie weer maken* ⟨populair zijn⟩ be popular **II** *bijw, opnieuw* again **III** *zn* [de] ▼ *zich te weer stellen* offer resistance, make a stand ▼ *in de weer zijn met* be busy wih ▼ *vroeg in de weer zijn* be up and about early ▼ *altijd in de weer zijn* always be on the go

**weerbaar** able-bodied

**weerballon** weather balloon

**weerbarstig** ❶ *koppig* stubborn, obstinate, recalcitrant ❷ *stijf en stug* ⟨v. haar⟩ unruly, ⟨v. materiaal⟩ unmanageable

**weerbericht** (weather) forecast, USA weather report

**weerga** equal, peer, match ▼ *zonder ~* without a(n) equal / peer, unrivalled

**weergalmen** reverberate, echo, resound

**weergaloos** matchless, unequalled, unparalleled

**weergave** ❶ *representatie* reproduction ❷ *vertolking* reproduction, ⟨van voorval⟩ account, ⟨vertaling⟩ rendering, ⟨van muziek⟩ performance

**weergeven** ❶ *reproduceren* reproduce ❷ *vertolken* ⟨van gevoel, situatie⟩ describe, ⟨van gevoel⟩ convey, ⟨in een taal⟩ render, ⟨van publieke opinie⟩ voice ★ *iemands woorden onjuist ~* misrepresent sb

**weerhaak** barb

**weerhaan** ❶ *lett* weathercock ❷ *fig* timeserver

**weerhouden** ❶ *beletten* hold back, restrain, stop ★ *dat zal mij niet ~ te gaan* that will not keep me from going ❷ BN *bezighouden* keep busy ❸ BN *in overweging nemen* take into consideration

**weerhuisje** weather house

**weerkaart** weather chart / map

**weerkaatsen I** *ov ww, terugkaatsen* reflect, mirror, ⟨van geluid⟩ reverberate **II** *on ww, teruggekaatst worden* reflect, ⟨van geluid⟩ reverberate

**weerklank** ❶ *echo* echo *mv: echoes* ❷ *instemming* ★ *~ vinden* meet with a response

**weerklinken** resound, ring out ★ *er weerklonken schoten* shots rang out

**weerkunde** meteorology

**weerkundige** meteorologist, weather expert

**weerleggen** refute

**weerlegging** refutation, rebuttal

**weerlicht** lightning ▼ *als de ~* like (greased) lightning, on the double

**weerlichten** flash with lightning

**weerloos** defenceless

**weermacht** armed forces / services *mv*

**weerman** weatherman, weather forecaster

**weerom** ❶ *terug* back ❷ *opnieuw* again

**weeromstuit** ▼ *van de ~ lachen* laugh in spite of o.s.

**weeroverzicht** weather synopsis *mv: synopses*

**weersatelliet** weather satellite

**weerschijn** lustre, reflection

**weerschijnen** reflect

**weersgesteldheid** weather conditions *mv*

**weerskanten** ★ *aan ~* on both sides, on either side ★ *van ~* from / on both sides

**weerslag** *reactie* repercussion

**weersomstandigheden** weather conditions *mv*

**weerspannig** recalcitrant, refractory

**weerspiegelen** *een spiegelbeeld geven van* reflect

**weerspiegeling** reflection

**weerspreken** contradict

**weerstaan** resist

**weerstand** ❶ *tegenstand* resistance, opposition ★ *~ bieden aan* offer resistance ★ *~ is zinloos!* resistance is futile! ❷ *deel van stroomkring* resistance

**weerstandsvermogen** resistance, endurance

**weerstation** weather station

**weersverandering** weather change, change in the weather

**weersverbetering** improvement in the weather

**weersverschijnsel** weather phenomenon *mv: phenomena*

**weersverwachting** weather forecast

**weersvoorspeller** weather forecaster

**weersvoorspelling** weather forecast

**weerszijden** ▼ *aan ~* on both sides, on either side ▼ *van ~* from / on both sides

**weertoestand** weather condition

**weertype** type of weather

**weerwil** ▼ *in ~ van* in spite of, notwithstanding

**weerwolf** werewolf

**weerwoord** answer, reply ★ *~ geven* answer, reply

**weerzien I** *zn* [het] reunion, ⟨na korte periode⟩ meeting (again) ★ *tot ~s* goodbye, *inform* see you (around / later) **II** *ov ww* meet / see again

**weerzin** disgust, aversion, reluctance ★ *haar ~ tegen* her aversion to ★ *met ~ iets doen do* sth reluctantly ★ *met ~ vervullen* fill with disgust
**weerzinwekkend** disgusting, revolting
**wees** orphan
**Weesgegroet** Hail Mary
**weeshuis** orphanage
**weeskind** orphan
**weet** ★ *aan de weet komen* find out ★ *ergens weet van hebben* be in the know ★ *nergens weet van hebben* be unaware of sth ★ *het is maar een weet* it's only a knack ▼ *dat is voor jou een vraag en voor mij een weet* that's for me to know and for you to find out
**weetal** know-(it-)all
**weetgierig** inquisitive, eager to learn ★ *~ zijn* have an inquiring mind
**weetje** fact, detail ▼ *zijn ~ wel weten* know what's what
**weg** I *zn* [de] ❶ *straat* road, path ★ *verharde weg* ⟨asfalt⟩ metalled road, ⟨steen⟩ paved road ★ *eigen weg* private road ★ *de grote weg* the main road, the motorway ★ *kortere weg* short cut ★ *de openbare weg* the public road ★ *langs de weg* by the roadside / wayside, along the road / way ★ *goed op de weg liggen* hold the road well ★ *van de weg afraken* get off the road ★ *een kortere weg nemen* take a short cut ★ *weg met bomen* tree-lined way ❷ *lett traject* route, way, course ★ *een weg volgen* follow a route ★ *de weg kwijtraken* lose your way ★ *de weg kwijt zijn* have lost one's way, be lost ★ *iem. de weg vragen* ask sb the way ★ *op weg gaan* set off / out ⟨**naar** for⟩ ★ *op weg zijn* be on the / one's way, be underway ★ *het schip was op weg naar* the ship was bound for ❸ *fig ⟨levens⟩loop* ★ *zijn eigen weg gaan* go one's own way ★ *dat ligt niet op mijn weg* it is none of my business ★ *zij zijn goed op weg om te...* they are well on the way to... ★ *op de goede weg zijn* be on the right way ★ *van de rechte weg afdwalen* stray from the right path / way ❹ *lett fig doortocht* way ★ *zich een weg banen* fight one's way through ★ *de weg effenen voor iets / iemand* pave the way for sth / sb ★ *iem. iets in de weg leggen* thwart sb ★ *loop me niet in de weg* don't get in my way ★ *in de weg staan* be in the way ★ *dat zit hem in de weg* it's bothering him ★ *uit de weg gaan* get out of the way ★ *uit de weg ruimen* remove, get rid of, ⟨doden⟩ kill ❺ *manier, middel* way, means *ev en mv* ★ *geen weg weten met* be at a loss what to do with ★ *langs de officiële weg* through official channels ▼ *zo oud als de weg naar Rome* as old as the hills ▼ *aan de weg timmeren* draw attention to o.s. ▼ *naar de bekende weg vragen* ask (for) the obvious ▼ *alle wegen leiden naar Rome* all roads lead to Rome ▼ *de weg naar de hel is geplaveid met goede voornemens* the road to hell is paved with good intentions ▼ *de weg van de minste weerstand kiezen* take the easy way out II *bijw* ❶ *afwezig* away, gone ★ *ik moet weg* I must be off ★ *hij moet hier weg* ⟨volgens de spreker⟩ he must go, ⟨vanwege omstandigheden⟩ he has to go ★ *weg met X!* down with X! ★ *weg ermee!* away with it! ★ *weg mogen* be allowed to go ❷ *zoek* gone, lost ★ *het is weg* it's gone / lost, it has disappeared

❸ *~ van* crazy about ★ *ze was er weg van* she was crazy about it ▼ *hij was helemaal weg* ⟨de kluts kwijt⟩ he was all at sea, ⟨bewusteloos⟩ he had passed out ▼ *veel van iem. weg hebben* be very like sb ▼ *het heeft er veel van weg dat...* it looks very much as if,,, ▼ *weg weten met iets* know what to do with sth ▼ *alles moet weg!* everything must go!
**wegaanduiding** road sign
**wegbenen** stalk off
**wegbereider** pioneer
**wegbergen** put away
**wegblazen** blow away
**wegblijven** ❶ *niet komen* stay away ⟨**van** from⟩, stop coming ⟨**van** to⟩ ★ *van school ~* cut / skip school ❷ *niet terugkomen* stay away, not return ★ *de pijn bleef weg* the pain didn't return ★ *ik zal niet lang ~* I won't be long
**wegbonjouren** send packing, send away
**wegbranden** I *ov ww, verbranden* burn away / off II *on ww, verbrand worden* burn away / down ▼ *ze is niet weg te branden* there's no getting rid of her
**wegbreken** pull / tear down, demolish
**wegbrengen** ❶ *elders brengen* take (away) ★ *iets ~ naar het postkantoor* take sth to the post office ❷ *vergezellen* see off
**wegcijferen** I *ov ww, wegredeneren* ignore II *ww wdk, op de achtergrond stellen* ★ *zichzelf ~* efface o.s.
**wegcircuit** road racing circuit
**wegcode** BN *verkeersreglement* traffic regulations, GB Highway Code
**wegdek** road surface
**wegdenken** ★ *pijn ~* think away pain ★ *de computer is niet meer weg te denken* you can't imagine life without the computer ★ *dat is niet meer weg te denken* that's unimaginable
**wegdoen** ❶ *niet langer houden* dispose of, part with, ⟨iets onbruikbaars⟩ scrap ❷ *opbergen* put away
**wegdoezelen** doze off
**wegdommelen** doze / nod off
**wegdraaien** ❶ *geleidelijk laten verdwijnen* fade / turn out ❷ *terzijde draaien* turn away
**wegdragen** ❶ *naar elders dragen* carry away / off ❷ *verwerven* ★ *iemands goedkeuring ~* meet with sb's approval
**wegdrijven** I *ov ww, verdrijven* drive away II *on ww, zich drijvend verwijderen* drift / float away
**wegdrukken** push aside / away
**wegduiken** ⟨om onzichtbaar te worden⟩ duck out of sight, ⟨zich in veiligheid brengen⟩ dive for cover ★ *weggedoken* be hidden
**wegduwen** push away
**wegebben** ebb (away), ⟨geluid⟩ fade (away), ⟨geluid⟩ die down, ⟨kracht⟩ drain away
**wegen** I *ov ww* ❶ *gewicht bepalen* weigh ❷ *goed overdenken* weigh ▼ *gewogen en te licht bevonden* weighed and found wanting II *on ww* ❶ *genoemde gewicht hebben* weigh ★ *zwaar ~* weigh / be heavy ❷ *van belang zijn* ★ *zwaarder ~ dan* outweigh ★ *iets niet te zwaar laten ~* not attach too much importance to sth ★ *zwaar ~* carry a lot of weight ▼ *wat het zwaarst is moet het zwaarst ~* first things first
**wegenaanleg** road building / construction

**wegenatlas** road atlas
**wegenbelasting** road tax
**wegenbouw** road building / construction
**wegenkaart** road map
**wegennet** road network, road system
**wegens** because of, on account of, owing to, due to ⋆ *gesloten ~ vakantie* closed for holidays
**wegenwacht** ❶ *dienst* 〈algemeen〉 motoring association, GB AA (Automobile Association), GB RAC (Royal Automobile Club), USA AAA (American Automobile Association) ❷ *persoon* AA-man, RAC-man
**weg- en waterbouw** civil engineering
**weggaan** ❶ *vertrekken* go away, leave ❷ *verkocht worden* be sold ⋆ *grif* ~ sell readily ▾ *ga weg!* you're kidding!
**weggebruiker** road user
**weggeven** ❶ *cadeau doen* give away ❷ *ten beste geven* perform, play, sing
**weggevertje** giveaway, inform freebie
**wegglippen** sneak away / off, slip away / off
**weggooiartikel** disposable (article / thing)
**weggooien** *wegdoen* throw away, inform chuck away / out ⋆ *weggegooid geld* a waste of money
**weggooiverpakking** disposable packaging / package
**weggrissen** snatch away
**weghalen** *wegnemen* remove, take away
**weghelft** (one) side of the road
**wegjagen** drive away, chase away, 〈van universiteit〉 send down, 〈van school〉 expel
**wegkapen** snatch away, nick, pinch
**wegkomen** get / come away ⋆ *maak dat je wegkomt!* clear / get out! ⋆ *maken dat men wegkomt* make o.s. scarce ▾ *goed / slecht ~ bij iets* come off well / badly in sth
**wegkruipen** ❶ *weggaan* crawl / creep away ❷ *zich verstoppen* crawl / creep away, hide
**wegkwijnen** languish, 〈door gemis〉 pine away
**weglaten** leave out, omit
**wegleggen** ❶ *terzijde leggen* put aside / away ❷ *sparen* lay / put aside ⋆ *er is een mooie toekomst voor haar weggelegd* there's a bright future in store for her ▾ *dat is niet voor iedereen weggelegd* not everybody is so fortunate
**wegleiden** lead away / off
**wegligging** 〈van auto〉 roadholding
**weglokken** lure / entice away
**wegloophuis** runaway shelter
**weglopen** ❶ *naar elders lopen* walk away ❷ *wegvloeien* run off / out ⋆ *water laten ~* drain water ❸ *er vandoor gaan* run away, make off ⋆ *zij is bij haar man weggelopen* she walked out on her husband ❹ *~ met dol zijn op* ⋆ *erg ~ met* make much of, be greatly taken with ▾ *dat loopt niet weg!* there's no hurry!
**wegloper** runaway, mil deserter
**wegmaken** ❶ *zoekmaken* lose, mislay ❷ *onder narcose brengen* anaesthetize
**wegmarkering** road marking
**wegmoffelen** quickly hide, 〈verdoezelen〉 cover up
**wegnemen** ❶ *weghalen* take away, remove ❷ *doen verdwijnen* remove, take away ❸ *stelen* ▾ *dat neemt niet weg dat...* that does not alter the fact that...

**wegomlegging** diversion
**wegpesten** ⋆ *iem. ~* harass / pester sb till he / she leaves, harass sb out of his / her job
**wegpinken** *wegnemen* ⋆ *een traan ~* brush away a tear
**wegpiraat** road hog
**wegpromoveren** inform kick upstairs
**wegraken** ❶ *zoek raken* be / get lost ❷ *buiten bewustzijn raken* faint, pass out
**wegrennen** run off / away
**wegrestaurant** road- / wayside restaurant
**wegrijden** *weggaan* drive away / off, 〈rijdier, fiets〉 ride away, 〈trein〉 pull out
**wegroepen** call away
**wegrotten** rot away
**wegrukken** snatch / tear away ⋆ *weggerukt uit ons midden* snatched from our midst
**wegscheren** I *ov ww, scherend verwijderen* shave off II *wkd ww* [zich ~] *opkrassen* make off ⋆ *scheer je weg!* clear off!, buzz off!
**wegschieten** I *ov ww* ❶ *afschieten* shoot off ❷ *met schiettuig weglingeren* shoot (away) II *on ww, snel verplaatsen* dart / shoot off
**wegschrijven** *gegevens opslaan* write to disk, save
**wegslaan** I *ov ww, verwijderen* knock away / off, 〈bal〉 hit / strike away, 〈vlieg〉 swat (away) ⋆ *hij is niet bij haar weg te slaan* he can't be dragged away from her II *on ww, verwijderd worden* be swept / knocked away ⋆ *de dijk werd weggeslagen* the dyke was washed away
**wegslepen** drag away, 〈van auto, schip〉 tow away
**wegslikken** ❶ *doorslikken* swallow (down) ❷ fig *verwerken* ⋆ *even iets moeten ~* swallow
**wegsluipen** sneak away / off
**wegsmelten** melt (away)
**wegsmijten** fling / throw away
**wegspoelen** I *ov ww* ❶ *spoelend verwijderen* 〈van voedsel〉 wash down, 〈in wc〉 flush down ❷ *meevoeren* carry / wash away II *on ww, meegevoerd worden* be washed / swept away
**wegstemmen** vote down / out ⋆ *de minister-president werd weggestemd* the Prime Minister was voted out of office
**wegsterven** *gaandeweg onhoorbaar worden* die away / down, fade away
**wegstoppen** ❶ *verbergen* hide / tuck away, conceal ❷ psych *verdringen* suppress
**wegstrepen** cross out, delete ⋆ *die twee zaken kun je tegen elkaar ~* those two things cancel each other out
**wegsturen** ❶ *wegzenden* send away, 〈ontslaan〉 dismiss, 〈niet toelaten〉 turn away, onderw expel ❷ *verzenden* send, mail
**wegteren** waste away
**wegtoveren** spirit away / off
**wegtransport** road transport
**wegtreiteren** ⋆ *iem. ~* harass / pester sb till he / she leaves
**wegtrekken** I *ov ww, van zijn plaats trekken* draw / pull away II *on ww* ❶ *weggaan* move off, 〈ergens uit〉 pull out, 〈mensen〉 leave, 〈bui〉 blow over, 〈mist〉 lift ❷ *verdwijnen* 〈pijn〉 disappear / ease ▾ *wit ~* blanch, turn white / pale
**wegvagen** sweep away, wipe out

**we**

**wegvallen** ❶ *weggelaten worden* be left out, be omitted ❷ *vervallen* ★ *tegen elkaar* ~ cancel each other out ❸ *uitvallen* be lost, ⟨van functie⟩ cease, ⟨geleidelijk⟩ fall / drop off, ⟨van geluid⟩ fade away ★ *de druk viel weg* the pressure dropped

**wegverkeer** road traffic

**wegversmalling** narrowing of the road, ⟨op verkeersbord⟩ road narrows

**wegversperring** *barricade* roadblock

**wegvervoer** road transport, haulage

**wegvliegen** ❶ *vliegend weggaan* fly away / off ❷ *snel heengaan* tear / dart off ★ *hij vloog meteen weer weg* he immediately darted off again ❸ *goed verkocht worden* sell / go like hot cakes

**wegvoeren** carry off, lead away

**wegwaaien** I *ov ww, wegvoeren* blow away II *on ww, weggevoerd worden* be blown away

**wegwerken** get rid of, *wisk* eliminate, ⟨van eten⟩ put away ★ *een tekort* ~ eliminate a deficit ★ *een achterstand* ~ catch up with arrears

**wegwerker** road worker

**wegwerp-** disposable, throw-away, ⟨fles⟩ non-returnable ★ *wegwerpartikel* disposable ⟨article⟩ ★ *wegwerpcamera* single-use camera ★ *wegwerpverpakking* disposable packaging / packing

**wegwerpen** throw away / out

**wegwerpmaatschappij** throw-away society

**wegwezen** clear off / out ★ ~ *jullie!* beat it!, buzz off! ▾ *terug van weggeweest* back again

**wegwijs** familiar, informed ★ *iem.* ~ *maken* ⟨met omgeving⟩ make sb familiar (with the environment), ⟨mbt werk⟩ show sb the ropes

**wegwijzer** ❶ *wegaanduiding* sign(post) ❷ *gids* guide

**wegwuiven** brush aside, dismiss ★ *bezwaren* ~ dismiss objections

**wegzakken** ❶ *verdwijnen* sink, go down ★ *mijn Engels is volledig weggezakt* I've forgotten all my English ❷ *versuffen* nod off

**wegzetten** ❶ *terzijde zetten* set / put aside, move ★ *de auto* ~ park the car ❷ *wegbergen* put away / aside ★ *geld* ~ put money aside, put money in the bank

**wei** ❶ *weiland* ⟨voor vee⟩ pasture, ⟨(klein) voor paard⟩ paddock, ⟨hooiland⟩ meadow ❷ *melkwei* whey ❸ *med bloedwei* serum

**weide** ⟨voor vee⟩ pasture, ⟨(klein) voor paard⟩ paddock, ⟨hooiland⟩ meadow

**weidebloem** meadow flower

**weidegrond** pasture, grazing

**weiden** I *ov ww, laten grazen* graze II *on ww, grazen* graze

**weidevogel** meadow bird

**weids** ❶ *groots* grand, ⟨gebaren⟩ exaggerated ❷ *statig* magnificent, splendid

**weifelaar** waverer

**weifelachtig** wavering, hesitant

**weifelen** waver, hesitate

**weifeling** wavering, hesitation

**weigeraar** refuser

**weigeren** I *ov ww* ❶ *niet toestaan* refuse, ⟨verzoek⟩ turn down ★ *iem. iets* ~ deny sb sth ★ *dienst* ~ *mil* refuse conscription ❷ *niet willen doen* refuse ★ ~ *iets te doen* refuse to do sth ❸ *niet aannemen* refuse, ⟨uitnodiging⟩ decline, ⟨kandidaat, bod, goederen⟩ reject II *on ww, het niet doen* refuse, ⟨van rem, e.d.⟩ fail, ⟨van vuurwapen⟩ misfire

**weigering** *het weigeren* refusal, ⟨van rem, e.d.⟩ failure, ⟨van vuurwapen⟩ misfire ★ *bij zijn* ~ *blijven* adamantly refuse

**weiland** pasture, grazing

**weinig** I *bijw* ❶ *in geringe mate* little ★ ~ *of niets* little or nothing ★ ~ *bekend* little known ★ ~ *overtuigend* not very convincing ★ *het doet me* ~ I don't care much ❷ *zelden* rarely, seldom ★ *zij is* ~ *thuis* she's hardly ever home II *onb telw* few, little, not much [vóór enkelvoud], not many [vóór meervoud] ★ ~ *mensen* few people ★ ~ *geld* little money ★ *veel te* ~ much too little [vóór enkelvoud], far too few [vóór meervoud] ★ *het* ~*e dat ik bezit* what little I own ★ *we kunnen er* ~ *aan doen* there's little we can do about it ★ *slechts* ~*en weten...* only few people know,,, ★ *ik heb er drie te* ~ I am three short

**wekdienst** wake-up / alarm call service

**wekelijks** I *bnw* weekly ★ ~*e termijn* weekly instalment II *bijw* weekly, every week, once a week

**weken** soak

**wekenlang** I *bnw* lasting several weeks II *bijw* for weeks (on end), week after week

**wekken** ❶ *wakker maken* wake (up), rouse, call ★ *hoe laat wilt u gewekt worden?* what time would you like to be called? ❷ *opwekken* ⟨belangstelling⟩ excite, ⟨hoop, argwaan⟩ raise, ⟨verontwaardiging⟩ create ★ *verbazing* ~ come as a surprise

**wekker** alarm (clock) ★ *de* ~ *op zeven uur zetten* set the alarm for seven o'clock

**wekkerradio** radio alarm clock, clock radio

**weksignaal** alarm call

**wel** I *bijw* ❶ *goed* well ★ *ik voel me niet wel* I don't feel well ★ *als ik het wel heb* if I'm not mistaken ★ *ik mag hem wel* I quite / rather like him ★ *wel thuis!* take care!, ⟨begin reis⟩ safe journey! ★ *als ik me wel herinner* if I remember rightly ❷ *tegenover niet* ★ *ik denk van wel* I think so ★ *ik houd er wel van* I do like it ★ *hij wil wel* he's all for it ❸ *tamelijk* rather, quite ❹ *waarschijnlijk* ★ *je zult wel moe zijn* you must / will be tired ★ *het zal wel goed zijn* I daresay it'll be all right ★ *het kan wel (waar) zijn* it may be (true) ★ *het zal wel niet gebeuren* it's not likely to happen ★ *zij zal het wel weten* she will (certainly) know ❺ *vragend* ★ *hij komt toch wel?* he is coming, isn't he? ❻ *minstens* at least, as much / many as ★ *wel 100 mensen* as many as 100 people ❼ *versterkend* very ★ *dank u wel* thanks very much ★ *dat is wel zo aardig* that would be very nice / kind indeed ★ *zij heeft het boek wel gelezen!* she certainly did read the book! ★ *welnee!* oh no! ★ *zeg dat wel* you may well say so, *inform* you can say that again ★ *wel zeker!* certainly! ❽ *weliswaar* ★ *dat kan wel wezen, maar...* that may be true, but... ★ *het is wel niet veel, maar...* it's true it isn't much, but... II *tw* well ★ *wel, nu nog mooier!* that's the last straw! III *zn* [het], *voorspoed* welfare, well-being ★ *het wel en wee van de gemeenschap* the weal and woe of the community

**welbehagen** *genoegen* pleasure ★ *het gevoel van*

~ the sense of well-being
**welbekend** well-known
**welbemind** well-beloved
**welbeschouwd** all things considered, all in all
**welbespraakt** eloquent, fluent, voluble
**welbesteed** well-spent
**welbevinden** well-being
**welbewust** deliberate, well-considered
**weldaad** ❶ *goede daad* boon, (liefdadigheid) charity, ⟨vnl. giften⟩ benefaction ★ *het is een ~ voor oude mensen* it's a boon for old people ❷ *genot* blessing
**weldadig** ❶ *heilzaam* beneficent ❷ *aangenaam* agreeable ★ *~e warmte* pleasant warmth ★ *~e zalf* soothing cream
**weldenkend** right-minded / -thinking
**weldoen** do good ▼ *doe wel en zie niet om* do right, and fear no one
**weldoener** benefactor
**weldoordacht** well thought-out
**weldoorvoed** well-fed
**weldra** soon, presently ★ *zij zullen ~ hier zijn* they'll be here presently / shortly
**weleens** ⟨een keer⟩ once, ⟨soms⟩ sometimes, ⟨in vraag⟩ ever
**weleer** formerly, olden days / times ★ *van ~* from the past
**weleerwaard** reverend ★ *de ~e heer C. Brown* (the) Reverend C. Brown ★ *de ~e pater* (the) Reverend Father
**welfare** welfare, well-being
**welgemanierd** well-mannered, ⟨typisch voor hogere kringen⟩ well-bred
**welgemeend** ❶ *oprecht* sincere ★ *een ~ excuus* a heartfelt apology ❷ *goed bedoeld* well-meaning ★ *~e raad* well-meaning advice
**welgemoed** cheerful
**welgesteld** well-to-do, comfortably / well off
**welgeteld** all in all, all told
**welgevallen** pleasure ★ *naar ~* at (one's) pleasure, at will ★ *handel naar ~* use your discretion
**welgevallig** agreeable, pleasing
**welgezind** well-disposed (towards)
**welig** I *bnw* luxuriant II *bijw* ★ *~ tieren* thrive, flourish, ⟨ongewenst⟩ be rampant / rife
**welingelicht** well-informed
**weliswaar** it is true, indeed
**welk** I *vr vnw* what, ⟨bij beperkte keuze⟩ which ★ *van welke muziek hou je?* what music do you like? ★ *welke sollicitant heeft de baan?* which applicant has got the job? II *betr vnw* which, that III *onb vnw* whatever, ⟨bij beperkte keuze⟩ whichever
**welkom** I *tw* welcome ★ *~ thuis!* welcome home! II *bnw* ❶ *gewenst* welcome ★ *iem. ~ heten* welcome sb ★ *iem. hartelijk ~ heten* warmly welcome sb ❷ *gelegen komend* welcome III *zn* [het] welcome ★ *een hartelijk ~* a warm welcome
**welkomstwoord** welcoming / opening speech, word(s) of welcome
**wellen** I *ov ww* ❶ *weken* ⟨rozijnen, e.d.⟩ steep ❷ *lassen* weld II *on ww, opborrelen* well (up)
**welles** 't is!, it does! ★ *- ~! - nietes!* - 't is! - 't isn't!, - it does! - it doesn't!
**welletjes** ▼ *zo / nu is het ~* enough is enough

**wellevend** courteous, polite
**wellicht** perhaps, maybe
**welluidend** melodious, harmonious ★ *een ~e stem* a melodious voice
**wellust** sensuality, voluptuousness, min lasciviousness / lust
**wellustig** sensual, voluptuous, min lascivious, min lustful
**welnee** of course not
**welnemen** ★ *met uw ~* by your leave
**welnu** well then
**welopgevoed** well brought-up, ⟨welgemanierd⟩ well-mannered
**weloverwogen** ❶ *opzettelijk* deliberate ❷ *doordacht* (well)-considered
**welp** ❶ *dier* cub ❷ *padvinder* Cub (Scou)t
**welriekend** sweet-smelling, fragrant
**Welsh** *taalk* Welsh
**welslagen** success
**welsprekend** eloquent
**welsprekendheid** *vaardigheid* eloquence
**welstand** ❶ *welvaart* prosperity ❷ *gezondheid* well-being, health ★ *in blakende ~* in the best of health
**weltergewicht** *sport klasse* welterweight
**welterusten** sleep well, good night ★ *iem. ~ zeggen* say goodnight to sb
**welteverstaan** that is
**weltevreden** well-pleased, satisfied
**welvaart** prosperity
**welvaartsmaatschappij** affluent society
**welvaartsstaat** welfare state
**welvaartsziekte** Western disease
**welvaren** ⟨voorspoed⟩ prosperity, ⟨gezondheid⟩ good health ▼ *eruitzien als Hollands ~* be the picture of (good) health
**welvarend** prosperous, ⟨zaak⟩ thriving ★ *er ~ uitziend* look healthy / well
**welven** [zich ~] *boogvormig zijn* arch, vault
**welverdiend** well-deserved, ⟨salaris, rust⟩ well-earned
**welverzorgd** well-groomed
**welving** curvature, ⟨van lichaam⟩ curve
**welwillend** kind, sympathetic, obliging ★ *met ~e medewerking van* with the kind cooperation of ★ *een ~ gehoor vinden* find a sympathetic ear ★ *iem. ~ te woord staan* lend sb a sympathetic ear
**welzijn** ❶ *welbevinden* welfare, well-being ★ *het algemeen ~* the common good ❷ *gezondheid* health ★ *op iemands ~ drinken* drink sb's health
**welzijnssector** social welfare sector
**welzijnswerk** welfare work
**welzijnswerker** welfare / social worker
**welzijnszorg** welfare services *mv*
**wemelen van** swarm / teem with ★ *het wemelde er van de politie* the place was swarming with police ★ *het wemelde van de fouten* it was full of mistakes
**wendbaar** manoeuvrable
**wenden** I *ov ww, keren* turn ▼ *je kunt je er niet ~ of keren* there's not enough room to swing a cat ▼ *hoe je het ook wendt of keert* whichever way you look at it II *wkd ww* [zich ~] ~ *tot* turn to, apply to ★ *voor inlichtingen kunt u zich ~ tot X* for information apply to X

**wending** turn ★ *het gesprek een andere ~ geven* change the conversation ★ *een ongunstige ~ nemen* take a turn for the worse

**Wenen** Vienna

**wenen** weep, cry ★ *~ over / van* weep for

**wenk** ❶ *gebaar* sign, ⟨met hoofd⟩ nod ❷ *aanwijzing* tip, ⟨indirect⟩ hint ▼ *iem. op zijn wenken bedienen* be at sb's beck and call

**wenkbrauw** (eye)brow ★ *de ~en optrekken* raise one's eyebrows ★ *de ~en fronsen* frown ▼ *op zijn ~en lopen* be dead on one's feet

**wenkbrauwpotlood** eyebrow pencil

**wenken** beckon

**wennen** I *ov ww, vertrouwd maken (met)* accustom to II *on ww, vertrouwd raken (met)* get used / accustomed to ★ *alles went* you get used to anything ★ *dat went wel* you'll get used to it

**wens** ❶ *verlangen* wish, desire ★ *alles gaat naar wens* things are going well ★ *is alles naar wens?* is everything to your liking? ★ *een wens doen* make a wish ★ *heb je nog wensen?* is there anything you'd like (to have)? ❷ *gelukwens* wish ★ *de beste wensen voor het nieuwe jaar* (our) best wishes for the New Year

**wensdroom** fantasy, ⟨droombeeld⟩ pipe dream

**wenselijk** ❶ *te wensen* desirable ❷ *raadzaam* advisable

**wensen** ❶ *verlangen* wish, desire ★ *zoals u wenst* as you wish ★ *niets te ~ overlaten* leave nothing to be desired ★ *het is te ~ dat* it is to be wished that ❷ *toewensen* wish ★ *iem. alles goeds ~* wish sb well

**wenskaart** greeting card

**wentelen** I *ov ww, laten draaien* roll, turn, rotate ★ *zich in het slijk ~* wallow in the mud II *on ww, draaien* turn, rotate, revolve ★ *de aarde wentelt om haar as* the earth rotates on its axis

**wentelteefje** French toast

**wenteltrap** winding / spiral staircase

**wereld** ❶ *planeet aarde* world, earth ★ *de hele ~ door* all over the world ★ *de ~ ingaan* go out into the world ★ *op de ~* in the world ❷ *samenleving, mensen* world ★ *de hele ~ weet 't* all the world knows ★ *de derde ~* the Third World ★ *de ~ inzenden* send out into the world ❸ → **wereldje** ▼ *ter ~ brengen* bring into the world ▼ *iem. naar de andere ~ helpen* send sb to kingdom come ▼ *niet van deze ~* out of this world ▼ *de omgekeerde ~* the world (turned) upside down ▼ *daar ligt een ~ van verschil tussen* there's a world of difference (between them) ▼ *er ging een ~ voor hem open* a new world opened for him ▼ *zo oud als de ~* as old as the hills ▼ *moeilijkheden uit de ~ helpen* settle problems ▼ *voor niets ter ~* not for (all) the world ▼ *zo gaat het in de ~* that's the way of the world ▼ *weten wat er in de ~ te koop is* know the ways of the world

**wereldatlas** world atlas

**Wereldbank** World Bank

**wereldbeeld** world view

**wereldbeker** World Cup

**wereldberoemd** world-famous

**wereldbeschouwing** *wereldbeeld* world view, outlook (on life)

**wereldbevolking** world population

**wereldbol** globe

**wereldburger** world citizen ★ *de nieuwe ~* the new arrival

**wereldcup** World Cup

**werelddeel** continent

**wereldeconomie** world economy

**wereldgeschiedenis** world history

**wereldhandel** world trade

**Wereldhandelsorganisatie** World Trade Organization, WTO

**wereldje** small world ★ *zij behoort ook tot het ~* she also belongs to the scene / in-crowd

**wereldkaart** world map, map of the world

**wereldkampioen** world champion

**wereldkampioenschap** world championship ★ *het ~ voetbal* the Soccer World Cup

**wereldklok** world clock

**wereldkundig** known all over the world, public ★ *~ maken* divulge, make public

**wereldlijk** worldly, ⟨niet-kerkelijk⟩ secular

**wereldliteratuur** world literature

**wereldmacht** world power

**wereldnaam** worldwide reputation

**Wereld Natuur Fonds** World Wildlife Fund

**wereldnieuws** world news

**Wereldomroep** world service

**wereldontvanger** world receiver

**wereldoorlog** world war ★ *de Eerste / Tweede Wereldoorlog* the First / Second World War

**wereldorganisatie** worldwide organization

**wereldpremière** world premiere

**wereldranglijst** world rankings *mv*

**wereldrecord** world record

**wereldrecordhouder** world record holder

**wereldreis** world tour

**wereldreiziger** world traveller, <u>inform</u> globetrotter

**wereldrijk** empire

**werelds** ❶ *aards* worldly, ⟨niet-kerkelijk⟩ secular ★ *~e bezittingen* worldly goods ❷ *mondain* wordly, mondain ★ *~e genoegens* worldly pleasures

**wereldschokkend** world-shaking

**wereldstad** metropolis

**wereldtaal** world language

**wereldtentoonstelling** world fair, international exhibition

**wereldtitel** world title

**wereldverbeteraar** do-gooder

**wereldvrede** world peace

**wereldvreemd** unworldly

**wereldwijd** I *bnw* world-wide II *bijw* all over the world

**wereldwijs** worldly-wise

**wereldwinkel** Third World shop

**wereldwonder** wonder of the world

**wereldzee** ocean

**weren** I *ov ww, weghouden* keep out, bar ★ *iem. ~* refuse admittance to sb, exclude sb II *wkd ww* [zich ~] ❶ *zich verdedigen* defend oneself ❷ *zich inspannen* exert oneself

**werf** ❶ *scheepv* shipyard, ⟨marine⟩ dockyard ★ *van de werf laten lopen* launch ❷ <u>BN</u> *bouwterrein* building site

**wering** ⟨persoon⟩ exclusion, ⟨ziekte⟩ prevention

**werk** ❶ *arbeid* work ★ *publieke werken* public works ★ *zwaar werk* (heavy) labour ★ *werk in*

**we**

*uitvoering* roadworks *mv* ★ *aan het werk!* get going!, to work! ★ *aan het werk gaan* set | go | get to work ★ *aan het werk zijn* be at work, be working ★ *onder het werk* while working, while at work ★ *veel werk maken van* take great pains over ▼ *er is werk aan de winkel* there's work to be done, ❷ *baan* work, job ★ *los werk* casual work ★ *tijdelijk werk* temporary work ★ *veel mensen aan het werk hebben* employ many people ★ *naar zijn werk gaan* go to work ★ *op zijn werk zijn* be at work, be on duty ★ *zonder werk zitten* be out of work, be without a job ★ *werk aannemen* contract work ★ *vast werk vinden* find a permanent job ❸ *product work* ★ *de verzamelde werken van X* the collected works of X ★ *een knap stukje werk* a clever piece of work ❹ *daad* work ★ *goede werken* good works ❺ → **werkje** ▼ *hoe gaat dat in z'n werk?* how is it done? ▼ *alles in het werk stellen om* leave no stone unturned to, do one's utmost to ▼ *voorzichtig te werk gaan* proceed cautiously ▼ *werk maken van iets* take up sth ▼ *ik zal er dadelijk werk van maken* I will see | attend to it at once ▼ *er is werk aan de winkel* there is work to do ▼ *dat is geen werk!* that's unfair!

**werkbalk** *comp* toolbar
**werkbank** *workbench*, bench
**werkbespreking** work meeting
**werkbezoek** working visit
**werkbij** worker (bee)
**werkboek** workbook
**werkbriefje** worksheet
**werkcollege** tutorial, seminar
**werkcoupé** quiet compartment
**werkdag** *dag dat men werkt* working day, weekday ★ *op ~en* on weekdays
**werkdruk** work pressure, pressure of work
**werkelijk** I *bnw* ❶ *bestaand* real, true ❷ *effectief* active ★ *in ~e dienst* in active service II *bijw* ★ *ik weet het ~ niet* I really don't know
**werkelijkheid** reality ★ *in strijd met de ~* in conflict with the facts
**werkelijkheidszin** realism ★ *de ~ verliezen* lose one's sense of reality
**werkeloos** ❶ *inactief* idly ★ *~ toezien* stand around watching ❷ → **werkloos**
**werken** I *on ww* ❶ *werk doen* work, *techn* operate ★ *hard ~* work hard ★ *z'n verbeelding laten ~* use one's imagination ★ *aan een vertaling, e.d. ~* work at | on a translation, etc. ★ *bij een baas ~* work for a boss ❷ *functioneren* function, (van machine) work ★ *hoe werkt dat?* how does it work? ★ *een machine laten ~* operate a machine ★ *de nieuwe opzet werkt goed* the new set-up is functioning well ★ *de rem werkte niet* the brake failed ❸ *uitwerking hebben* work, take effect ★ *nadelig ~ op* have a bad effect on ★ *op de verbeelding ~* stir the imagination ★ *op iemands gevoel ~* work on sb's feelings ❹ *beroep uitoefenen* work ★ *langer | korter gaan ~* work longer | shorter hours ❺ *vervormen* (van vloer, muur) settle, (van hout) warp, (van lading) shift ▼ *wie niet werkt, die zal niet eten* if you won't work, you shan't eat ▼ *werk ze!* have a good day at work! II *ov ww, in genoemde toestand brengen* ★ *voedsel naar binnen ~* shovel one's food down ★ *zich*

*ergens doorheen ~* work one's way through sth ★ *iem. eruit ~* oust sb
**werkend** ❶ *arbeidend* working, active ★ *~e jongeren* working youngsters ★ *~ lid* active member ★ *de ~e stand* the working class(es) ★ *een ~e vulkaan* an active volcano ❷ *bewegend* working ❸ *effectief* acting
**werker** worker ★ *maatschappelijk ~* social | welfare worker
**werkervaring** work experience
**werkezel** workhorse, drudge
**werkgeheugen** *comp* main memory, RAM
**werkgelegenheid** employment ★ *volledige ~* full employment ★ *beperkte ~* underemployment
**werkgemeenschap** ❶ *groep die onderneming exploiteert* cooperative group ❷ *groep die probleem bestudeert* study group
**werkgever** employer
**werkgeversbijdrage** employer's contribution
**werkgeversorganisatie** employers' association
**werkgroep** working party, study group
**werkhanden** calloused hands *mv*
**werkhandschoen** work(ing) glove
**werkhouding** ❶ *houding v.h. lichaam* posture during work ❷ *motivatie* attitude to(wards) work
**werking** ❶ *het functioneren* working, action, operation ★ *buiten ~ stellen* put out of action, (v. wet) suspend ★ *in volle ~* fully operational, in full swing ★ *in ~ stellen* put into operation ★ *in ~ treden* (v. wet) come into force | operation ❷ *uitwerking* effect ★ *een heilzame ~ hebben* have a wholesome effect ❸ *BN* activiteiten activity
**werkingskosten** *BN* exploitatiekosten running | operating costs
**werkje** ❶ *klusje* piece of work ❷ *dessin in textiel* pattern
**werkkamer** study
**werkkamp** ❶ *activiteitenkamp* work camp ❷ *strafkamp* labour camp
**werkkapitaal** working capital
**werkkleding** work(ing) clothes *mv*
**werkklimaat** work climate | atmosphere
**werkkracht** ❶ *werknemer* employee, worker ★ *~en* workforce, manpower ❷ *arbeidsvermogen* energy
**werkkring** ❶ *werkomgeving* working environment ❷ *betrekking* job, position, post ★ *een prettige ~* a pleasant job
**werkloos** ❶ *zonder baan* unemployed, out of work ★ *~ zijn* be out of work, be unemployed ★ *~ maken* make redundant ❷ → **werkeloos**
**werkloosheid** unemployment ★ *verborgen ~* hidden unemployment
**werkloosheidscijfer** unemployment figure
**werkloosheidsuitkering** unemployment benefit, *inform* dole (money)
**werkloosheidswet** Unemployment Insurance Act
**werkloze** unemployed person ★ *de ~n* the unemployed ★ *langdurig ~* prolonged unemployed person
**werklunch** working lunch
**werklust** zest for work, willingness to work
**werkmaatschappij** ❶ *maatschappij die werken uitvoert* operating company ❷ *onderdeel van maatschappij* subsidiary (company)

**werkman** workman, labourer
**werknemer** employee
**werknemersbijdrage** employee's contribution
**werknemersorganisatie** (trade(s) union, USA (labor) union
**werkomstandigheden** working conditions *mv*
**werkonbekwaam** BN disabled, unfit for work
**werkonderbreking** stoppage
**werkoverleg** discussion of progress
**werkplaats** ❶ workshop ❷ ★ *sociale* ~ sheltered workshop
**werkplan** plan of work / action
**werkplek** workplace, comp workstation
**werkploeg** team of workmen, (in ploegendienst) shift
**werkrooster** roster
**werkschuw** work-shy
**werksfeer** work atmosphere / climate
**werkslaaf** ❶ *een werkverslaafde* workaholic ❷ *uitgebuite arbeider* wage slave
**werkstaking** strike, (spontaan) walkout
**werkster** ❶ *schoonmaakster* cleaning woman / lady ❷ *dierk insect* worker
**werkstudent** working student
**werkstuk** ❶ *vervaardigd stuk werk* piece of work ❷ *scriptie* onderw paper
**werktafel** worktable, (bureau) desk, techn workbench
**werktekening** working drawing
**werktempo** speed of work, working speed
**werkterrein** ❶ *werkplaats* work area, working space ❷ fig *terrein van werkzaamheid* field of activity
**werktijd** working hours *mv*, (kantoor) office hours *mv*, (van ploeg werklieden) shift
**werktijdverkorting** reduction in / of working hours, short-time working
**werktuig** tool, techn instrument, agrar implement
**werktuigbouwkunde** mechanical engineering
**werktuigbouwkundig** mechanical ★ ~ *ingenieur* mechanical engineer
**werktuiglijk** mechanical
**werkveld** field / sphere of action
**werkvergunning** work permit
**werkverschaffing** unemployment relief work
**werkverslaafde** work addict, inform workaholic
**werkvloer** shop floor, USA work floor
**werkvrouw** BN *schoonmaakster* cleaning woman / lady
**werkweek** ❶ *deel van de week* work(ing) week ★ *een driedaagse* ~ a three-day working week ❷ *werkkamp voor scholieren* project week ★ *op* ~ *gaan* have a project / study week
**werkweigeraar** ❶ *persoon die werk weigert te doen* omschr person who refuses to carry out work ❷ *persoon die weigert werk aan te nemen* omschr person who refuses to accept work
**werkwijze** (working) method, procedure
**werkwillige** non-striker, min scab
**werkwoord** verb
**werkwoordsvorm** verb(al) form
**werkzaam** ❶ *actief* active, industrious ★ *een* ~ *aandeel nemen in* take an active part in ❷ *uitwerking hebbend* active, effective ★ *het werkzame bestanddeel* the active ingredient

❸ *arbeidzaam* working, employed ★ ~ *zijn bij* work for, be employed by ★ ~ *zijn op een kantoor* work in an office
**werkzaamheden** ❶ *werk* activities ★ ~ *aan de brug* work on the bridge ❷ *verplichtingen* duties, responsibilities
**werkzoekende** job seeker ★ *zich als* ~ *laten inschrijven* register for employment
**werpanker** scheepv kedge anchor
**werpen** ❶ *gooien* throw, form cast, (met kracht) fling, (met kracht) hurl, (met steen, sneeuwbal, e.d.) pelt ★ *zich in de strijd* ~ throw o.s. into the fray ★ *aan land geworpen* cast ashore ❷ *baren* (hond) have puppies, (poes) have kittens, (leeuw) have cubs ★ *jongen* ~ have a litter
**werper** thrower, sport pitcher
**werphengel** casting rod
**wervel** vertebra [mv: vertebrae]
**wervelen** whirl, swirl
**wervelend** sparkling, bubbling with life ★ *een* ~*e show* a dazzling show
**wervelkolom** med spinal column, spine
**wervelstorm** cyclone, tornado
**wervelwind** whirlwind
**werven** ❶ *in dienst nemen* recruit, (soldaten) enlist ❷ *trachten te winnen* (klanten) attract, (leden) bring in, (stemmen) canvass ★ *stemmen* ~ canvass for votes
**werving** ❶ *het in dienst nemen* recruitment ❷ *het overhalen* canvassing
**wervingsactie** recruitment drive / campaign
**wesp** wasp
**wespennest** wasps' nest ▾ *zich in een* ~ *steken* stir up a hornets' nest
**wespensteek** wasp sting
**wespentaille** wasp waist
**west I** bnw west, (wind ook) westerly ★ *de wind is west* the wind is west, there's a west(erly) wind **II** zn [de] west
**West-Duits** West German
**West-Duitse** West German (woman / girl) ★ *zij is een* ~ she's from West Germany
**West-Duitser** West German
**West-Duitsland** Federal Republic of Germany, West Germany
**westelijk** *uit / van het westen* western, (van wind) west(erly) ★ ~ *van* (to the ) west of ★ *de* ~*e hellingen* the western slopes ★ *de* ~*e mogendheden* the Western powers ★ *de wind is* ~ the wind is west, there's a west(erly) wind
**Westelijke Jordaanoever** West Bank
**Westelijke Sahara** Western Sahara
**Westen** *gebied* (the) West ▾ *het Wilde* ~ the Wild West
**westen** ❶ *windstreek* west ★ *op het* ~ *liggen* face west ★ *ten* ~ *van* (to the) west of ❷ *gebied* ▾ *buiten* ~ *raken* pass out ▾ *buiten* ~ *zijn* be unconscious
**westenwind** west(erly) wind
**westerbuur** western neighbour
**westerlengte** west(ern) longitude ★ *op 5 graden* ~ at 5° longitude
**westerling** westerner, (mbt cultuur) Westerner ★ *zij komt uit het westen van het land* she's a westerner, she's from the west
**western** western
**westers** western, (mbt de cultuur) Western,

occidental
**westerstorm** westerly gale
**West-Europa** Western Europe
**West-Europeaan** West(ern) European
**West-Europees** Western European
**West-Europese** West(ern) European (woman / girl) ★ *zij is een* ~ she's from Western Europe
**westkant** west side
**westkust** west(ern) coast
**West-Vlaams** West Flemish
**West-Vlaamse** West Flemish (woman / girl) ★ *zij is een West Vlaamse* she's from West Flandres
**West-Vlaanderen** West Flandres
**West-Vlaming** West Fleming
**westwaarts** I *bnw* westward II *bijw* westward(s)
**wet** ❶ *strikte regel* law, ⟨specifieke wet⟩ act ★ *bij de wet verboden* prohibited by law ★ *bij de wet bepalen* regulate by law ★ *buiten de wet stellen* outlaw ★ *conform de wet* lawful(ly) ★ *volgens / krachtens de wet* according to the law ★ *voor de wet* in the eyes of the law, before the law ★ *een wet aannemen* pass a bill / law ★ *wetten maken / uitvaardigen* legislate ★ *tot wet verheffen* enact a bill ★ *ieder wordt geacht de wet te kennen* everybody is supposed to know the law ★ *Wet Gelijke Behandeling* Equal Opportunities Act ❷ *wetmatigheid* law ★ *de wet van de zwaartekracht* the law of gravitation ▾ *iem. de wet voorschrijven* lay down the law to sb ▾ *boven de wet staan* be above the law ▾ *dat is geen wet van Meden en Perzen* that's not a hard and fast rule
**wetboek** code (of law) ★ *Burgerlijk Wetboek* civil code ★ *Wetboek van Koophandel* commercial code ★ *Wetboek van Strafrecht* penal code
**weten** I *ov ww* ❶ *kennis / besef hebben van* know ★ *zeker* ~! absolutely! ★ *te* ~... namely... ★ *iets te komen* find out sth ★ *er iets op* ~ know a way out, know how to fix it ★ *er niets van* ~ not know the first thing about it ★ *voordat je het weet* before you know where you are ★ *zonder het te* ~ unwittingly ★ *ik zal het je laten* ~ I'll let you know ★ *hij kan het* ~ he ought to know ★ *ik had het kunnen* ~ I could have known ★ *je kunt niet / nooit* ~ one never knows, you never can tell ★ *twee* ~ *meer dan een* two heads are better than one ★ *niet dat ik weet* not to my knowledge, not that I know of ★ *God mag het* ~! God knows! ❷ ~ *te* ★ *zich* ~ *te gedragen* know how to behave ★ *zich* ~ *te bevrijden* succeed in freeing o.s., manage to free o.s. ★ *hoe kwam je dat te* ~? how did you come / get to know that?, how did you find that out? ❸ ~ *van* know about ★ *iets* ~ *van computers* know sth about computers ▾ *wat niet weet, wat niet deert* what the eye doesn't see (the heart doesn't grieve over) ▾ *weet ik veel!* how should I know! ▾ *ik wist niet wat ik hoorde* I couldn't believe my ears ▾ *wie weet* who knows ▾ *dat weet ik nog zo net niet* I'm not so sure about that ▾ *dat moet jij zelf maar* ~ that's your lookout ▾ *zij wil niets van hem* ~ she doesn't want to have anything to do with him II *zn [het]* knowledge ★ *bij mijn* ~ to my knowledge ★ *buiten mijn* ~ without my knowledge ★ *naar mijn beste* ~ to the best of my knowledge ★ *tegen beter* ~ *in* against one's better judgement
**wetens** → **willens**

**wetenschap** ❶ *het weten* knowledge ★ *in de* ~ *dat...* knowing that... ❷ *kennis en onderzoek van werkelijkheid* ⟨exact⟩ science, ⟨niet exact⟩ learning ★ *sociale* ~*pen* social science, social studies *mv*
**wetenschappelijk** academic, ⟨exact⟩ scientific, ⟨niet-exact⟩ scholarly
**wetenschapper** *geleerde* ⟨academicus⟩ academic, ⟨exacte wetenschap⟩ scientist, ⟨niet-exacte wetenschap⟩ scholar
**wetenswaardig** interesting, informative, inform worth knowing
**wetenswaardigheid** a piece of information ★ *veel wetenswaardigheden* a wealth of information
**wetgeleerde** ❶ *schriftgeleerde* biblical scholar ❷ *jurist* lawyer
**wetgevend** legislative ★ *de* ~*e macht* the legislature
**wetgever** legislator
**wetgeving** legislation
**wethouder** chairman of the... executive ⟨committee⟩, gesch alderman ★ ~ *van onderwijs* chairman of the education executive ⟨committee⟩
**wetlook** wet look
**wetmatig** systematic, regular
**wetmatigheid** ❶ *regelmatigheid* regularity, order ❷ *verschijnsel* pattern, law
**wetsartikel** article (of a / the law)
**wetsbepaling** statutory / legal provision
**wetsbesluit** statutory order
**wetsherziening** revision of a / the law
**wetskennis** legal knowledge, knowledge of the law
**wetsontwerp** bill ★ *een* ~ *indienen / goedkeuren / verwerpen* introduce / approve / reject a bill
**wetsovertreding** breach / violation of the law
**wetsuit** wetsuit
**wetsvoorstel** bill ★ *een* ~ *indienen / aannemen / verwerpen* introduce / approve / reject a bill
**wetswinkel** legal advice centre
**wettekst** text of a law
**wettelijk** I *bnw* ❶ *volgens de wet* legal ★ ~*e aansprakelijkheid* liability ❷ *wetgevend* statutory II *bijw* ★ ~ *voorgeschreven* laid down by law
**wetten** whet, sharpen
**wettig** legal, lawful, legitimate ★ ~ *betaalmiddel* legal tender ★ *de* ~*e erfgenaam* the lawful / legal heir ★ *het* ~ *gezag* the lawful authority ★ *een* ~ *huwelijk* a legal / lawful marriage ★ ~ *kind* legitimate child ★ ~ *verklaren* legalize
**wettigen** ❶ *wettig maken* ⟨van akte⟩ legalize, ⟨van kind⟩ legitimize ❷ *rechtvaardigen* justify
**weven** weave
**wever** weaver
**weverij** weaving mill
**wezel** weasel ▾ *zo bang zijn als een* ~ be as timid as a mouse
**wezen** I *zn [het]* ❶ *schepsel* being, creature ★ *geen levend* ~ not a living soul ❷ *essentie* essence, ⟨aard⟩ nature ★ *in* ~ in essence, essentially ★ *het* ~ *van de zaak* the heart / root of the matter II *on ww* be ★ *we zijn er* ~ *kijken* we went there to have a look ★ *het kan* ~ may be ▾ *hij mag er* ~ ⟨knap⟩ he's gorgeous, ⟨flink⟩ he's a strapping lad

**wezenlijk ❶** *essentieel* essential ★ *van ~ belang* of vital importance ❷ *werkelijk bestaand* real

**wezenloos I** *bnw* ❶ *onwerkelijk* insubstantial, immaterial ❷ *uitdrukkingsloos* vacant, blank, expressionless ★ *iem. ~ aanstaren* stare blankly at sb **II** *bijw* ★ *~ kijken* stare vacantly ▾ *zich ~ schrikken* be scared silly, be scared out of one's wits

**WGO** *Wereldgezondheidsorganisatie* WHO, World Health Organization

**whiplash** *med* whiplash injury

**whisky** *cul* whisky, Scotch, USA Iers whiskey

**whizzkid** whizz-kid

**whodunit** whodu(n)nit

**WIA** *wet Werk en Inkomen naar Arbeidsvermogen* Work and Income according to Labour Capacity Act

**wichelroede** divining rod

**wicht ❶** *meisje* chick, girl ★ *een onnozel ~* a silly thing ❷ *kind* baby, child

**wie I** *vr vnw* ⟨onderwerp⟩ who, ⟨wiens⟩ whose, ⟨voorwerp⟩ whom, ⟨keuze uit twee of meer⟩ which ★ *wie kan ik zeggen dat er is?* what name, please? ★ *van wie is dit?* whose is this? ★ *wie van hen?* which of them? ★ *wie denkt hij dat hij is?* who does he think he is? ★ *wie heb je ontmoet?* who(m) did you meet? ★ *wie z'n vrouw is dat?* whose wife is she? ★ *wie waren dat?* who were they? **II** *betr vnw* ⟨onderwerp⟩ who, ⟨wiens⟩ whose, ⟨voorwerp⟩ whom **III** *onb vnw* whoever ★ *wie er ook aanwezig is...* whoever is present... ★ *wie dan ook* whoever, anybody, anyone

**wiebelen ❶** *schommelen* wobble, wiggle ❷ *onvast staan* wobble

**wiebelig** wobbly, shaky

**wieden** weed

**wiedes** ▾ *dat is nogal ~!* that goes without saying!

**wiedeweerga** ▾ *als de ~* in a flash

**wieg** cradle ▾ *aan de wieg staan van iets* be one of the founders of sth ★ *in de wieg gelegd zijn voor leraar* be a born teacher ▾ *niet in de wieg gelegd zijn voor* not be cut out for ▾ *van de wieg tot het graf* from the cradle to the grave

**wiegelied** lullaby

**wiegen I** *ov ww, schommelen* rock ★ *met de heupen ~* sway one's hips **II** *on ww, deinen* rock, sway

**wiegendood** sudden infant death syndrome, cot death, USA crib death

**wiek ❶** *vleugel* wing ❷ *molenwiek* sail ❸ BN *kaarsenpit* wick ▾ *in zijn wiek geschoten zijn* be offended, be affronted

**wiel** wheel ▾ *iem. in de wielen rijden* queer sb's pitch ▾ *opnieuw het wiel uitvinden* reinvent the wheel ▾ *het vijfde wiel aan de wagen* the fifth wheel (to the coach)

**wieldop** wheel cover, hub cap

**wieldruk** wheel load

**wielerbaan** cycling track

**wielerklassieker** sport cycling classic

**wielerkoers** (bi)cycle race

**wielerploeg** cycling team

**wielerronde** (bi)cycle race

**wielersport** cycling

**wielewaal** golden oriole

**wielklem** wheel clamp

**wielophanging** suspension

**wielrennen** cycle racing

**wielrenner** racing cyclist

**wielrijder** cyclist

**wienerschnitzel** Wiener schnitzel

**wiens** whose

**wier I** *zn* [het] plantk seaweed **II** *betr vnw, van wie* whose

**wierook** incense, ⟨wierookstokje⟩ joss stick

**wierookgeur** (smell / scent of) incense

**wierookvat** censer

**wiet** marijuana, weed, pot

**wig** wedge ▾ *een wig drijven tussen* drive a wedge between

**wigwam** wigwam

**wij** we ★ *laten we gaan* let's go ★ *wij Nederlanders zijn...* we Dutch are...

**wijd I** *bnw* ❶ *ruim* wide, broad, ⟨van kleren⟩ loose(-fitting) ★ *een wijde vlakte* an open plain ★ *wijder worden / maken* widen ❷ sport ★ *2 wijd, 2 slag* 2 wides, 2 strikes ★ *4 wijd* base on balls ▾ *wijd en zijd* far and wide ▾ *wijd en zijd bekend* widely known **II** *bijw* wide(ly) ★ *wijd open zetten* open wide ★ *met wijd open ogen* wide-eyed

**wijdbeens** with legs wide apart

**wijden ❶** *inzegenen* ⟨priester⟩ ordain, ⟨koning, bisschop, kerk⟩ consecrate ★ *iem. tot priester ~* ordain sb (as) a priest ❷ **~aan** devote to, dedicate to ★ *een boek ~ aan* dedicate a book to ★ *zijn leven aan de kunst ~* dedicate one's life to art ★ *zich aan een taak ~* devote o.s. to a task

**wijdlopig** verbose, wordy ★ *een ~ verhaal* a long-winded story

**wijdte** breadth, width, ⟨van spoor⟩ gauge

**wijduit** wide apart, spread wide out

**wijdverbreid** widespread

**wijdverspreid** widespread, min rife

**wijdvertakt** ramified, widespread

**wijf** woman, vulg bitch ★ *een best wijf* a good old thing ★ *een lekker wijf* a bit of all right ★ *een lelijk oud wijf* a hag ★ *mooi wijf* looker ★ *een rot wijf* a bitch

**wijfje** biol female

**wij-gevoel** feeling of fellowship, team spirit

**wijk ❶** *stadsdeel* district, quarter ❷ *rayon* ⟨politie⟩ beat, ⟨melk-, krantbezorger⟩ round, ⟨postbode⟩ walk ▾ *de wijk nemen naar* take refuge in, flee to

**wijkagent** local policeman

**wijkcentrum** community centre

**wijken ❶** *verdwijnen* disappear, go ★ *het gevaar is geweken* the danger is past / over ★ *de koorts is geweken* the fever has gone ❷ *zich terugtrekken* give way (**voor** to), make way (**voor** for), ⟨achteruitwijken⟩ fall back ▾ *van geen ~ weten* stick to one's guns

**wijkgebouw** community centre

**wijkkrant** neighbourhood paper

**wijkplaats** refuge, asylum, sanctuary

**wijkraad** neighbourhood council

**wijkvereniging** *vereniging van buurtbewoners* community association

**wijkverpleging** district nursing (service)

**wijkwinkel** local / corner shop

**wijkzuster** health visitor, district nurse

**wijlen** late, deceased ★ *~ X* the late X

**wijn ❶** *cul* wine ★ *rode wijn* red wine ★ *witte wijn*

**wi**

white wine ❷ → **wijntje** ▾ *goede wijn behoeft geen krans* good wine needs no bush ▾ *als de wijn is in de man, is de wijsheid in de kan* when wine is in, wit is out

**wijnazijn** cul wine vinegar

**wijnbes** wineberry

**wijnboer** winegrower

**wijnbouw** wine growing, viniculture

**wijnbouwer** viniculturalist, wine grower

**wijnfeest** *feest na wijnoogst* wine festival

**wijnfles** wine bottle

**wijngaard** vineyard

**wijnglas** wine glass

**wijnhandel** ❶ *winkel* wine shop ❷ *bedrijfstak* wine trade

**wijnjaar** wine year

**wijnkaart** wine list

**wijnkelder** (wine) cellar

**wijnkenner** wine connoisseur

**wijnkoeler** wine cooler

**wijnlokaal** wine bar

**wijnoogst** vintage

**wijnpers** wine press

**wijnproeverij** wine tasting

**wijnrank** vine branch

**wijnrek** wine rack

**wijnrood** wine-red / -coloured, burgundy

**wijnsaus** cul wine sauce

**wijnstok** vine

**wijnstreek** wine (growing) region / district

**wijntje** cul *glas wijn* (glass of) wine ▾ *van – en trijntje houden* be a lover of wine, women and song

**wijnvat** wine barrel / cask

**wijnvlek** ❶ *vlek door wijn* wine stain ❷ *huidvlek* strawberry mark

**wijs** I *bnw* ❶ *verstandig* wise, sensible ★ *wijzer worden* become (older and ) wiser ★ *zij is niet wijzer!* she doesn't know any better! ★ *hij zal wel wijzer zijn* he'll know better (than that) ★ *wees wijzer!* use your head / loaf! ❷ *wetend* wise ★ *zich alles wijs laten maken* be gullible ❸ *gaaf* ▾ *ik kan er niet uit wijs worden* I can't make / figure it out, I can't make head nor tail of it ▾ *hij is niet goed wijs* he's out of his mind ▾ *daar word ik niet wijzer van* it leaves me none the wiser II *zn* [de] ❶ *melodie* melody, tune ★ *op de wijs van* to the tune of ❷ *taalk* mood ★ *aantonende wijs* indicative (mood) ★ *aanvoegende wijs* subjunctive (mood) ★ *gebiedende wijs* imperative (mood) ★ *onbepaalde wijs* infinitive (mood) ▾ *van de wijs brengen* put out ▾ *van de wijs raken* get confused, lose one's head ▾ *van de wijs zijn* be all at sea

**wijsbegeerte** philosophy

**wijselijk** wisely ★ *hij is ~ thuis gebleven* he had the sense to stay at home

**wijsgeer** philosopher

**wijsgerig** philosophic(al)

**wijsheid** wisdom ▾ *de ~ in pacht hebben* have a monopoly on wisdom

**wijsheidstand** BN *verstandskies* wisdom tooth *mv:* teeth

**wijsmaken** ★ *iem. iets ~* make sb believe sth, inform kid sb ★ *hij laat zich alles ~* he'll swallow anything ▾ *maak dat een ander maar wijs!* tell it to the marines!, pull the other one!

**wijsneus** wise guy, know-all, smart alec

**wijsvinger** forefinger, index finger

**wijten** blame, attribute ★ *iets aan iem. ~* blame sth on sb, blame sb for sth ★ *dat heb je aan jezelf te ~* you only have yourself to blame (for it) ▾ *te ~ aan* owing / due to

**wijting** whiting

**wijwater** holy water

**wijze** ❶ *manier* way, manner, fashion ★ *~ van handelen* procedure ★ *~ van zeggen* mode of expression ★ *op deze ~* in this way ★ *op gelijke ~* in the same way ★ *op geen enkele ~* in no way ❷ *persoon* wise man / woman ★ *de Wijzen uit het Oosten* the Wise Men from the East, the Magi ▾ *bij ~ van* as, in a manner of ▾ *bij ~ van spreken* in a manner of speaking ▾ *bij ~ van uitzondering* by way of exception

**wijzelf** we ourselves, ourselves ★ *~ zullen het moeten doen* we ourselves will have to do it ★ *iem. anders dan ~* sb other than ourselves

**wijzen** I *ov ww* ❶ *aanduiden* show, point out ★ *iem. de deur ~* show sb the door ★ *iem. de weg ~* show sb the way ❷ *attenderen* point out ★ *iem. op iets ~* point sb to sth ❸ *uitspreken* pronounce ★ *een vonnis ~* pronounce / pass sentence II *on ww* ❶ *aanwijzen* ★ *~ naar* point at / to ❷ *doen vermoeden* indicate ★ *dat wijst op zwakte* that indicates / suggests weakness ★ *alles wijst erop dat...* there is every indication that...

**wijzer** (van klok) hand, (van barometer, e.d.) pointer, (handwijzer) signpost ★ *grote / kleine ~* minute / hour hand ★ *met de ~s van de klok mee* clockwise ▾ *tegen de ~s van de klok in* anti- / counterclockwise

**wijzerplaat** dial, (van klok) face

**wijzigen** change, alter, (aanpassen) modify

**wijziging** change, alteration, modification

**wijzigingsvoorstel** proposed change / alteration, (van tekst ook) amendment

**wikkel** wrapper

**wikkelen** ❶ *inwikkelen* wrap (up), (in verband) swathe, (van draad) wind ❷ *betrekken* involve in, (in twist) mix up ★ *in een gesprek gewikkeld* wrapped up in conversation

**wikkelrok** wraparound skirt

**wikken** weigh (up), deliberate about ★ *~ en wegen* weigh up the pros and cons ★ *na lang ~ en wegen* after much deliberation ★ *zijn woorden ~* weigh one's words

**wil** will, (wens) desire, (bedoeling) intention ★ *goede / kwade wil* good / ill will ★ *vrije wil* free will ★ *buiten zijn wil* without his will and consent ★ *met de beste wil van de wereld* with the best will in the world ★ *tegen mijn wil* against my will, unwillingly ★ *tegen wil en dank* willy-nilly ★ *uit vrije wil* voluntarily ★ *zijn goede wil tonen* show willing ★ *zijn wil doordrijven / opleggen* impose one's will (on) ▾ *iem. ter wille zijn* do sb a favour ▾ *ter / om wille van...* for the sake of... ▾ *zijn wil is wet* he lays down the law ▾ *voor elk wat wils* to everyone's taste ▾ *waar een wil is, is een weg* where there's a will there's a way

**wild** I *bnw* ❶ *ongetemd* wild, (agressief) savage ❷ *ongecultiveerd* wild, primitive ❸ *onbeheerst* wild, savage ★ *wilde geruchten* wild rumours ★ *wilde staking* unofficial / wildcat strike ❹ *dol,* *uitbundig* ★ *wild op* wild about, mad for ▼ *in het wilde weg* at random, wildly ▼ *zich wild schrikken* jump out of one's skin II *zn* [het] ❶ *dieren* game, ⟨prooi van jager⟩ quarry ★ *groot / klein wild* big / small game ❷ *natuurstaat* wildness, natural state ★ *in het wild* in the wild ★ *in het wild levende dieren* wild animals, wildlife ★ *in het wild opgroeien* grow wild

**wildachtig** gam(e)y
**wildbaan** (game) reserve
**wildbraad** game
**wilde** savage
**wildebeest** wildebeest, gnu
**wildebras** tearaway, ⟨meisje⟩ tomboy
**wildernis** *wilde natuur* wilderness
**wildgroei** ❶ *ongecontroleerde groei* proliferation, uncontrolled growth ❷ *med* proliferation
**wildkamperen** camp wild
**wildpark** wildlife game reserve
**wildplassen** urinate in public
**wildplasser** somebody who urinates in public
**wildreservaat** wildlife reserve, ⟨voor jacht⟩ game reserve
**wildstand** wildlife, ⟨voor jacht⟩ game population
**wildviaduct** wildlife viaduct
**wildvreemd** ★ *een ~e* a total stranger
**wildwaterbaan** wild water flume
**wildwaterkanoën** white-water canoeing
**wildwatervaren** white-water rafting
**wildwestavontuur** wild-west adventure
**wildwestfilm** western
**wilg** willow
**wilgenkatje** (willow) catkin
**Wilhelmus** omschr Wilhelmus, omschr Dutch national anthem
**willekeur** *goeddunken* arbitrariness ★ *naar ~* at will ★ *naar ~ handelen* act at one's own discretion
**willekeurig** ❶ *naar willekeur* arbitrary ★ *een ~e beslissing* an arbitrary decision ❷ *onverschillig welk* random ★ *een ~ boek* any book (you like) ★ *een ~e keuze* a random choice ★ *op iedere ~e dag* on any (given) day
**willen** I *ov ww* ❶ *wensen* want, wish ★ *zoals u wilt* (just) as you wish ★ *wat zou je ~ dat ik deed?* what would you like me to do? ★ *wat wil je ermee doen?* what do you want to do with it? ★ *wie wil, die kan* where there is a will there is a way ★ *of jij het wil of niet!* whether you want to or not! ★ *dat zou je wel ~!* you'd like that, wouldn't you?! ★ *je hebt het zelf gewild* you've been asking for it ★ *ik wou dat het waar was* I wish it were true ★ *dat wil ik niet hebben* I won't have it ❷ *bereid zijn* be willing / prepared ★ *zij wil wel gaan* she's willing to go ★ *je wil toch niet zeggen...* you don't mean to say... ★ *dat wil er bij niet in* I don't believe it ❸ *lukken* will ★ *als het een beetje wil* with a bit of luck ★ *dat wil gewoon niet* it just won't go / work ❹ *beweren* ★ *het gerucht wil dat...* rumour has it that... II *hww* ❶ *uitdrukking van wenselijkheid* will, would ★ *help eens even, wil je?* give us a hand, will you? ★ *wil je me de boter even aangeven?* could / would you pass me the butter please? ❷ *uitdrukking van intentie* ★ *hij wou juist uitgaan* he was just going out ❸ *uitdrukking van mogelijkheid* ★ *het wil weleens*

*laat worden voor hij thuis is* it tends to be late when he gets home ★ *het moet raar lopen, wil zij nog komen* she's not likely to come ▼ *dat wil er bij mij niet in* I won't swallow that
**willens** deliberately, on purpose ★ *~ en wetens* knowingly ▼ BN *~ nillens* willy-nilly
**willig** *volgzaam* docile, obedient
**willoos** not putting up resistance, apathetic
**wilsbeschikking** will, testament
**wilskracht** willpower, energy
**wilsonbekwaam** unable to give informed consent
**wilsovereenstemming** jur consensus ad idem
**wilsuiting** expression of (one's) will
**wimpel** pennant ★ *de blauwe* ~ the blue ribbon
**wimper** (eye)lash
**wind** ❶ *luchtstroom* wind ★ *harde / krachtige wind* high / strong wind ★ *een zuchtje wind* a breath of wind ★ *boven de wind* windward ★ *door de wind gaan* go about, change tack ★ *onder de wind* leeward ★ *tegen de wind in* against the wind ★ *voor de wind zeilen* sail before the wind ★ *de wind mee hebben* have the wind behind one ★ *wind tegen* against the wind ★ *de wind steekt op* the wind is getting up ★ *de wind gaat liggen* the wind is dropping ❷ *scheet* wind, vulg fart ★ *een wind laten* break wind ▼ *in de wind slaan* fling / throw to the winds ▼ *de wind van voren krijgen* get lectured at ▼ *het gaat hem voor de wind* he's doing well ▼ *hij heeft er de wind goed onder* he is a good disciplinarian ▼ *iem. de wind uit de zeilen nemen* take the wind out of sb's sails ▼ *van de wind kan men niet leven* one cannot live on air ▼ *met alle winden meewaaien* blow hot and cold, go / swim with the tide
**windbestuiving** wind pollination / fertilization
**windbuil** show-off, gasbag
**windbuks** air gun
**winddicht** windproof
**windei** ▼ *dat zal je geen ~eren leggen* that will bring grist to your mill
**winden** *wikkelen* wind, twist
**windenergie** wind energy
**winderig** *met veel wind* windy, blowy
**windhoek** ❶ *streek vanwaar de wind komt* quarter from which the wind blows ❷ *plek waar het vaak waait* windy spot
**windhond** greyhound
**windhoos** whirlwind, ⟨zwaar⟩ tornado
**windjack** windcheater, USA windbreaker
**windkracht** wind force ★ *~ 10* gale force 10
**windmolen** windmill ▼ *tegen ~s vechten* tilt at windmills
**windrichting** direction of the wind
**windroos** compass rose
**windscherm** windshield, ⟨heg, e.d.⟩ windbreak
**windsnelheid** wind speed / velocity
**windstil** calm
**windstilte** calm, ⟨tijdelijk⟩ lull
**windstoot** gust / blast (of wind)
**windstreek** quarter, ⟨op kompas⟩ point of the compass ★ *uit alle windstreken* from the four winds
**windsurfen** windsurf, go windsurfing
**windtunnel** wind tunnel
**windvaan** weather vane

**wi**

**windvlaag** gust of wind, ⟨met regen⟩ squall
**windwijzer** weathervane, ⟨haan⟩ weathercock
**wingebied** mining area, ⟨water⟩ water catchment area
**wingerd** ⟨wijnstok⟩ vine ★ wilde ~ Virginia(n) creeper
**wingewest** conquered land
**winkel** shop, ⟨groot⟩ store ★ de ~ sluiten shut up shop ★ op de ~ letten mind the shop
**winkelassortiment** range / selection of a shop
**winkelbediende** shop assistant
**winkelbedrijf** retail business
**winkelcentrum** shopping centre, ⟨verkeersvrij⟩ shopping precinct
**winkeldief** shoplifter
**winkeldiefstal** shoplifting
**winkelen** shop, go / be out shopping, ⟨etalages kijken⟩ window-shopping
**winkelgalerij** shopping arcade
**winkelhaak** ❶ scheur corner tear ❷ gereedschap try-square
**winkelier** shopkeeper
**winkeljuffrouw** saleswoman, ⟨jong⟩ shopgirl
**winkelkarretje** ⟨shopping⟩ trolley
**winkelketen** chain ⟨of shops / stores⟩
**winkelpand** shop / business premises mv
**winkelpersoneel** shop employeesmv, ⟨in bepaalde zaak⟩ shop staff
**winkelprijs** retail price
**winkelpromenade** shopping precinct, USA shopping mall
**winkelruit** shop window
**winkelsluitingswet** Shop Trading Hours Act
**winkelstraat** shopping street
**winkelwaarde** shop / selling price
**winkelwagen** ❶ rijdende winkel mobile shop ❷ boodschappenwagentje shopping trolley
**winnaar** winner ★ winnares winner
**winnen** ❶ zegevieren win ★ zich gewonnen geven admit defeat ★ ~ met 3-2 win by 3 to 2 ★ het van iem. ~ get the better of sb, beat sb ★ het ~ (van de anderen) win, come out on top ★ met gemak ~ win hands down ★ met groot verschil ~ win by a large margin ❷ behalen ⟨een prijs⟩ win a prize ★ er veel bij ~ gain much by sth ❸ verwerven ⟨aardgas⟩ extract, ⟨kolen, erts⟩ mine, ⟨land⟩ reclaim, ⟨tijd⟩ gain, ⟨zout⟩ obtain ★ leden ~ find new members ★ stemmen ~ gain new voters ★ iem. voor zich ~ win sb over (to one's side) ❹ vorderen gain ★ aan duidelijkheid ~ gain in clarity ★ terrein / veld ~ op gain ground upon ▼ zo gewonnen zo geronnen easy come, easy go
**winning** production, ⟨aardgas⟩ extraction, ⟨kolen, erts⟩ mining, ⟨land⟩ reclamation
**winst** profit, gain, benefit, ⟨bij spel⟩ winnings mv ★ ~ opleveren yield a profit ★ ~ maken make a profit (on) ★ ~ slaan uit cash in on, profit by ★ met ~ at a profit ▼ tel uit je ~! it's easy money!, iron big deal!
**winstaandeel** share of / in the profit(s), bonus
**winstbejag** pursuit of profit, min love of lucre ★ uit ~ for profit / money
**winstbelasting** tax on profits
**winstberekening** profit calculation
**winstbewijs** aandeel profit-sharing certificate
**winstdaling** fall / decrease in profits

**winstdeling** profit-sharing
**winstderving** loss of profit(s)
**winst-en-verliesrekening** profit and loss account
**winstgevend** profitable, lucrative
**winstmarge** ⟨profit⟩ margin
**winstoogmerk** profit motive, pursuit of profit ★ zonder ~ non-profit
**winstpercentage** ❶ wat als winst overblijft profit margin ❷ percentage v.d. winst percentage of the profit
**winstpunt** ❶ gewonnen punt point (scored) ❷ pluspunt plus
**winststijging** rise / increase in profits
**winstuitkering** distribution of profits
**winstwaarschuwing** econ profit warning
**winter** winter ★ 's ~s in (the) winter
**winteravond** winter evening
**winterband** winter / snow tyre
**wintercollectie** winter collection
**winterdag** winter's day, ⟨winterweer⟩ wintry day
**winterdijk** winter dike / dyke
**winteren** ★ het begint te ~ it is getting wintry
**wintergast** ❶ vogel winter migrant ❷ persoon winter visitor
**wintergroente** winter vegetables mv
**winterhanden** chilblained hands mv
**winterhard** hardy
**winterjas** winter coat
**winterkleding** winter clothes mv, wear
**winterkoninkje** vogel wren
**winterlandschap** winter landscape
**wintermaand** winter month
**winterpeen** winter carrot
**winters** wintry
**winterslaap** winter sleep, hibernation ★ de ~ houden hibernate
**winterspelen** winter games mv ★ Olympische Winterspelen Winter Olympics / Games
**wintersport** sport winter sports mv ★ op ~ gaan go on a winter sports holiday
**wintersportcentrum** winter sports resort, ski resort
**wintersportplaats** winter sports resort, ski resort
**wintersportvakantie** winter sports holiday
**wintertenen** chilblained toes mv
**wintertijd** ❶ tijdregeling wintertime ❷ seizoen wintertime, winter season
**winteruur** BN wintertijdregeling wintertime
**wintervoeten** chilblained feet mv
**winterweer** winter / wintry weather
**winterwortel** winter carrot
**win-winsituatie** win-win situation
**wip** ❶ sprongetje skip, hop ❷ speeltuig see-saw ❸ inform vrijpartij lay ★ een wip maken screw ▼ in een wip in a trice ▼ op de wip zitten ⟨de doorslag kunnen geven⟩ hold the balance, ⟨dreigend ontslag⟩ have one's job on the line
**wipkip** playground spring animal
**wipneus** turned-up nose
**wippen** I ov ww ❶ iets met een hefboom oplichten lever ❷ ontslaan, afzetten topple, unseat II on ww ❶ met sprongetjes bewegen hop, bounce ★ met zijn stoel ~ rock / tilt one's chair ★ even binnen ~ (bij) pop in (at) ❷ spelen op de wip see-saw ❸ vrijen

screw
**wipstaartje** ❶ *winterkoninkje* wren ❷ *kwikstaart* wagtail
**wipstoeltje** baby's rocking chair ▾ *op de wipstoel zitten* have one's job on the line
**wipwap** see-saw
**wirwar** ⟨draad⟩ tangle, ⟨straten, enz.⟩ maze
**wis** ▾ *wis en waarachtig* absolutely, for sure
**wisent** wisent, European bison
**wiskunde** mathematics *mv*, inform maths *mv*, USA math
**wiskundeknobbel** head / gift for mathematics
**wiskundeleraar** mathematics teacher, inform maths teacher
**wiskundig** mathematical
**wiskundige** mathematician
**wispelturig** fickle, inconstant
**wissel** ❶ *spoorwissel* switch, points *mv* ★ *de* ~*s bedienen* operate the points ❷ econ B / E, bill of exchange, draft ▾ *een* ~ *trekken op de toekomst* bank on the future
**wisselautomaat** change machine
**wisselbad** alternating hot and cold baths *mv*
**wisselbeker** challenge cup
**wisselen** ❶ *veranderen* change ★ *van plaats* ~ change places ★ *van tanden* ~ get one's second teeth, ⟨dier⟩ shed (one's) teeth, ⟨met ~d succes⟩ with varying success ❷ *uitwisselen* exchange ★ *woorden* ~ *met* speak with, ⟨geschil⟩ argue with ★ *van gedachten* ~ exchange views ❸ *geld ruilen* change ★ *ik kan niet* ~ I have no change
**wisselgeld** (small) change ★ *houd het* ~ *maar* keep the change
**wisselgesprek** comm call waiting
**wisseling** ❶ *ruil* exchange ❷ *verandering* change
**wisselkantoor** (currency) exchange office
**wisselkoers** exchange rate
**wissellijst** interchangeable picture frame
**wisselmarkt** exchange market
**wisseloplossing** BN *alternatieve oplossing* alternative solution
**wisselslag** (individual) medley
**wisselspeler** substitute
**wisselspoor** siding
**wisselstroom** alternating current
**wisselstuk** BN *reserveonderdeel* spare part
**wisseltruc** money-changing trick
**wisselvallig** changeable, ⟨bestaan⟩ precarious, ⟨markt⟩ unstable ★ ~ *weer* changeable / unstable weather ★ ~ *karakter / klimaat* fickle character / climate ★ ~*e resultaten* varying results
**wisselwerking** interaction
**wisselwoning** temporary house
**wissen** wipe ★ *een bestand* ~ erase a file
**wisser** squeegee
**wissewasje** trifle
**wit** I *bnw* ❶ *niet zwart* white ❷ *bleek* pale II *zn* [het], *kleur* white ★ *in het wit gekleed* dressed in white ★ *gebroken wit* off-white
**witbier** cul white beer
**witboek** white paper
**witbrood** cul white bread
**witgoed** domestic appliances *mv*
**witgoud** ❶ *witte legering met goud* white gold ❷ *platina* platinum
**witheet** ❶ *witgloeiend* white-hot ❷ fig *woedend*

livid
**witjes** pale, off-colour
**witkalk** whitewash
**witlof** chicory
**Wit-Rus** Belarusian
**Wit-Rusland** Belarus
**Wit-Russisch** Belarusian
**Wit-Russische** Belarusian (woman / girl)
**witteboordencriminaliteit** white-collar crime
**wittebrood** cul white bread
**wittebroodsweken** honeymoon
**witten** *wit schilderen* whitewash
**Witte Zee** White Sea
**witvis** whitefish
**witwassen** launder ★ *het* ~ money laundering
**WK** *Wereldkampioenschap* world championship, the World Cup
**WNF** *Wereld Natuur Fonds* WWF, World Wildlife Fund
**WO** *wetenschappelijk onderwijs* University Education
**wodka** cul vodka
**woede** rage, fury, anger ★ *in* ~ *ontsteken* fly into a rage / fury ★ *buiten zichzelf van* ~ *zijn* be beside o.s. with rage / fury / anger ★ *zijn* ~ *koelen op* vent one's rage / fury / anger on
**woedeaanval** fit of anger / rage, ⟨kind⟩ tantrum ★ *een* ~ *krijgen* fly into a rage, ⟨kind⟩ have / throw a tantrum
**woeden** rage
**woedend** furious ★ ~ *maken* enrage, infuriate ★ ~ *zijn op / over* be furious with / about
**woede-uitbarsting** outburst of anger / fury
**woef** woof, bowwow
**woekeraar** loan shark, oud usurer
**woekeren** ❶ *woeker drijven* profiteer, take advantage ❷ *wild groeien* (onkruid) be / grow rampant / rank, ⟨kwaad⟩ be rampant / rife ❸ ~ *met* make the most of
**woekering** *wildgroei* uncontrolled / rampant growth
**woekerprijs** exorbitant price
**woekerrente** exorbitant interest rate
**woelen** ❶ *onrustig bewegen* toss about ★ *in bed* ~ be tossing and turning in bed ★ *zich bloot* ~ kick the bedclothes off ❷ *wroeten* (in de aarde) grub / root around / about
**woelig** ⟨van persoon⟩ restless, ⟨tijden⟩ turbulent, ⟨zee⟩ choppy
**woensdag** Wednesday ★ *'s* ~*s* ⟨elke woensdag⟩ on Wednesdays, ⟨op woensdag⟩ on Wednesday
**woensdagavond** Wednesday evening
**woensdagmiddag** Wednesday afternoon
**woensdagmorgen, woensdagochtend** Wednesday morning
**woensdagnacht** Wednesday night
**woensdags** I *bnw* Wednesday II *bijw* ⟨elke woensdag⟩ on Wednesdays, ⟨op woensdag⟩ on Wednesday
**woerd** drake
**woest** ❶ *woedend* furious, USA inform mad ★ ~ *maken* infuriate, enrage ★ ~ *worden* see red ★ ~ *om iets zijn* be furious at sth ★ ~ *op iem. zijn* be furious at / with sb ❷ *wild* savage, barbarian, ⟨zee⟩ wild / turbulent ❸ *ongecultiveerd* ⟨braak⟩ waste, ⟨onbewoond⟩ desolate ★ ~*e grond*

**WO**

wasteland ★ ~ *gebied* rugged landscape
**woesteling** brute, ruffian
**woestenij** wasteland, wilderness
**woestijn** desert
**woestijnklimaat** desert climate
**woestijnrat** gerbil, jerbil
**woestijnwind** desert wind
**woestijnzand** desert sand
**wok** wok
**wol** wool ▼ *door de wol geverfd zijn* be experienced ▼ *onder de wol kruipen* turn in, hit the hay / sack
**wolachtig** woolly
**wolf** wolf *mv: wolves* ▼ *een wolf in schaapskleren* a wolf in sheep's clothing ▼ BN *fig jonge wolf* young turk
**wolfraam** tungsten
**wolfshond** wolfhound
**wolfskers** belladonna, deadly nightshade
**wolk** ❶ *dampmassa* cloud ❷ *fig* ★ *een wolkje melk* a dash of milk ▼ *in de wolken zijn* be over the moon, be on cloud nine ▼ *een wolk van een baby* a bouncing baby ▼ *achter de wolken schijnt de zon* every cloud has a silver lining
**wolkbreuk** cloudburst, downpour
**wolkeloos** cloudless
**wolkendek** cloud cover, layer of clouds
**wolkenhemel** cloudy sky
**wolkenkrabber** skyscraper
**wolkenlucht** cloudy sky
**wolkenveld** cloud cover, bank / mass of cloud
**wollen** woollen ★ ~ *goed* woollens
**wollig** ❶ *als / van wol* woolly ❷ *fig vaag* woolly, vague
**wolvet** ❶ *vette substantie in ruwe wol* wool oil / fat / grease ❷ *gezuiverd vet van schapenwol* lanolin
**wolvin** she-wolf *mv: wolves*
**wombat** wombat
**wond** wound, injury ★ *een open wond* an open wound ★ *een gapende wond* a gash ▼ *zijn wonden likken* lick one's wounds ▼ *oude wonden openrijten* reopen old wounds
**wonder I** *zn* [het] ❶ *iets buitengewoons* marvel, wonder, ⟨persoon, zaak⟩ prodigy ★ *het is een ~ dat...* it's a wonder (that)... ★ *geen ~ dat...* no wonder that... ★ *een ~ van geleerdheid* a prodigy of learning ❷ rel *mirakel* miracle ★ *~en verrichten* work / perform wonders / miracles ★ *het geloof doet ~en* faith works miracles ▼ *de ~en zijn de wereld nog niet uit* wonders will never cease ▼ *~ boven ~* miracle of miracles **II** *bnw* wonderful
**wonderbaarlijk** miraculous, marvellous
**wonderdokter** quack
**wonderkind** ⟨child / infant⟩ prodigy
**wonderlamp** Aladdin's lamp
**wonderland** wonderland
**wonderlijk** ❶ *wonderbaar* miraculous ❷ *merkwaardig* strange, odd ★ *het is ~ dat...* it's amazing that...
**wondermiddel** cure-all, panacea
**wonderschoon** wondrously beautiful, wonderful
**wonderwel** wonderfully well
**wondkoorts** wound fever
**wondzalf** antiseptic ointment

**wonen** live, form reside ★ *buiten* ~ live in the country ★ *ruimer gaan* ~ move to somewhere bigger ★ *op jezelf gaan* ~ go and live on your own ★ *op kamers* ~ live in a rented room
**woning** house, form residence
**woningaanbod** housing market
**woningbouw** house building / construction ★ *sociale* ~ council housing
**woningbouwvereniging** housing association
**woningcorporatie** housing corporation
**woninginrichting** ❶ *het inrichten* furnishing ❷ *benodigdheden* home furnishing(s)
**woninginspectie** housing inspection
**woningnood** housing shortage
**woningruil** house exchange, ⟨in vakantie⟩ house swap
**woningtoezicht** housing inspection
**woningwet** Housing Act
**woningzoekende** person seeking housing, ⟨koopwoning⟩ house hunter
**woofer** woofer
**woonachtig** living, form residing
**woonblok** block of houses
**woonboot** houseboat
**wooneenheid** ❶ *appartement* home unit ❷ *geheel van woningen en winkels* housing unit
**woonerf** living street
**woongemeente** place of residence
**woongroep** commune
**woonhuis** home, (private) house
**woonkamer** living room, lounge, GB ⟨ook⟩ sitting room
**woonkazerne** tenement building, humor barracks *mv*
**woonkern** residential nucleus, population cluster
**woonkeuken** kitchen diner
**woonlaag** storey
**woonlasten** housing costs *mv*
**woonplaats** place of residence ★ *een vaste ~ hebben* have a permanent address ★ *zonder vaste woon- of verblijfplaats* of no fixed abode ★ *zijn huidige woon- of verblijfplaats is onbekend* his present whereabouts are unknown
**woonruimte** *ruimte om te bewonen* living accommodation
**woonvergunning** residence permit
**woonvorm** type of housing
**woonwagen** caravan, USA trailer
**woonwagenbewoner** caravan dweller, USA trailer park resident
**woonwagenkamp** caravan camp / site, ⟨zigeunerkamp⟩ gypsy camp
**woon-werkverkeer** commuter traffic
**woonwijk** residential area ★ *nieuwe* ~ new housing estate
**woord** ❶ *taaleenheid* word ★ *geen* ~ not a word ★ *samengesteld* ~ compound ★ *vies* ~ dirty word, four-letter word ★ *grote ~en* big words ★ *holle ~en* hollow words, empty talk ★ *mooie ~en* fine words ★ ~ *voor* ~ word for word ★ *met andere ~en* in other words ★ *in één* ~ in a / one word ★ *onder ~en brengen* put into words ★ *in* ~ *en geschrift* in speech and in writing ★ *met een enkel* ~ in a few words ★ *met zoveel ~en* in so many words ★ *niet onder ~en te brengen* inexpressible, beyond

words ★ *geen ~ meer!* not another word! ★ *zijn ~en terugnemen* retract / eat one's words ★ *bij deze ~en* at these words ❷ *erewoord* word, promise ★ *op mijn ~ (van eer)* upon my word, on my word of honour ★ *iem. op zijn ~ geloven* take sb at their word ★ *zijn ~ breken* break one's word, go back on one's word ★ *iem. zijn ~ geven* give sb one's word ★ *zijn ~ gestand doen* keep one's promise ★ *zijn ~ houden* keep one's word ❸ *het spreken* word ★ *er geen ~ tussen krijgen* not get a word in (edgeways / USA edgewise) ★ *het ~ is aan u* the floor is yours ★ *het ~ vragen* ask permission to speak ★ *iem. het ~ geven* call upon sb (to speak), give sb the floor ★ *het ~ nemen* take the floor, rise to speak ★ *het ~ hebben* have the floor ★ *het ~ doen* do the talking, act as spokesman ★ *het ~ voeren* speak, act as spokesman ★ *iem. het ~ ontnemen* silence sb ★ *ik zou graag het ~ hebben* I should like to say a few words ★ *goed zijn ~je kunnen doen* be never at the loss for words, have the gift of the gab ★ *het laatste ~ hebben* have the last word ★ *het ~ richten tot iem.* address sb ★ *ik wil hem niet meer te ~ staan* I won't speak to him again ▼ *gevleugelde ~en* winged / famous words ▼ *zij heeft aan een half ~ genoeg* she can take a hint ▼ *in één ~* in a / one word ▼ *in ~ en daad* in word and deed ▼ *niet uit zijn ~en kunnen komen* flounder / fumble for words ▼ BN *geen gebenedijd ~* not a single word ▼ *geen ~en maar daden* actions speak louder than words ▼ *het hoogste ~ hebben* dominate the conversation ▼ *een goed ~je doen voor* put in a (good) word for ▼ *een aardig ~je Frans spreken* speak quite good French ▼ *ik kan er geen ~en voor vinden* words fail me ▼ *~en krijgen met iem.* get into an argument with sb ▼ *~en met iem. hebben* have words with sb ▼ *je haalt me de ~en uit de mond* you take the words right out of my mouth ▼ *iem. de ~en uit de mond kijken* hang on sb's every word ▼ *het hoge ~ is eruit* the truth is out ▼ *zijn ~en op een goudschaaltje wegen* weigh one's every word

**woordbeeld** word picture
**woordblind** word-blind, dyslexic
**woordbreuk** breach of promise
**woordelijk** word for word, ⟨letterlijk⟩ literal ★ *~ verslag* verbatim report
**woordenboek** dictionary
**woordenlijst** vocabulary, ⟨verklarend⟩ glossary
**woordenschat** vocabulary
**woordenstrijd** (verbal) dispute
**woordenvloed, woordenstroom** torrent of words
**woordenwisseling** form altercation, disagreement
**woordgebruik** use of words
**woordgroep** word group
**woordkeus** choice of words, wording
**woordsoort** part of speech
**woordspeling** wordplay, pun(ning) ★ *~en maken* play on words, pun
**woordvoerder** spokesman ★ *woordvoerster* spokeswoman
**woordvolgorde** word order
**worden I** *hww* be ★ *er wordt gezegd dat* it is said (that) ★ *van hem wordt gezegd dat* he is said to

be, people / they say that he ★ *er werd gedanst* there was dancing **II** *kww* ⟨met bn⟩ grow, ⟨met bn⟩ get, ⟨met bn⟩ go, ⟨met bn en zn⟩ turn, ⟨met bn en zn⟩ become ★ *bleek ~* turn pale ★ *gek ~* go mad / crazy ★ *kwaad ~* get angry ★ *rijk ~* get / become rich ★ *zij wil dokter ~* she wants to become a doctor ★ *ziek ~* fall ill, be taken ill ★ *wat zal er van hen ~?* what will become of them? ★ *hij is 80 jaar ge~* he lived to be 80 ★ *het wordt donker* it's getting dark ★ *zij zal een goede moeder ~* she'll make a good mother ★ *wat wil jij later ~?* what do you want to be / do when you grow up? ★ *hij wordt morgen 9 jaar* he'll be nine tomorrow ★ *ik ben vandaag 20 jaar ge~* I'm twenty today ★ *wat is er van hem ge~?* what has become of him?
**wording** origin, genesis ★ *in ~ zijn* be in the making
**workaholic** workaholic
**workmate** Workmate[R]
**workshop** *studiewerkgroep* workshop
**worm** ❶ *pier* worm ❷ *made* grub, maggot
**wormenkuur** med deworming
**wormstekig** worm-eaten, wormy
**wormvirus** comp worm
**worp** ❶ *gooi* throw ★ *een vrije worp* a free throw ❷ *nest jongen* litter
**worst** cul sausage ★ *het zal me ~ wezen* I don't give a hoot
**worstelaar** wrestler
**worstelen** ❶ sport wrestle ❷ *vechten* struggle, wrestle ★ *tegen de slaap ~* fight sleep ★ *met een probleem ~* wrestle / struggle with a problem
**worsteling** wrestle, ⟨ook⟩ fig struggle
**worstenbroodje** cul sausage roll
**wortel** ❶ *plantenorgaan* root ★ *~ schieten* take root, fig get rooted ★ *met ~ en al uittrekken* pull up by the roots ❷ *groente* carrot ★ *witte ~* parsnip ❸ *tandwortel* root ❹ *oorsprong* root ❺ wisk root ★ *de ~ van 100 is 10* the square root of 100 is 10 ★ *de ~ trekken uit* find the square root of ▼ *met ~ en tak uitroeien* destroy root and branch
**wortelen** ❶ *wortel schieten* take root ❷ *oorsprong vinden* ★ *~ in* be rooted in
**wortelkanaal** (tooth-)root canal
**wortelteken** radical sign
**worteltrekken** ★ *het ~* root extraction
**woud** forest
**woudloper** trapper
**wouw** ❶ *vogel* kite ❷ *plant* weld
**wow** **I** *tw* wow, gosh **II** *zn* [de], *laag vervormd geluid* wow
**wraak** revenge, form vengeance ★ *~ nemen op* take revenge on ★ *uit ~* in revenge (for) ▼ *~ is zoet* revenge is sweet
**wraakactie** act of revenge, retaliation
**wraakgevoel** feeling of revenge
**wraakgodin** goddess of vengeance ★ *de ~nen* the Furies
**wraaklust** thirst / hunger / lust for revenge
**wraakneming** (act of) revenge, retaliation
**wraakoefening** (act of) revenge, retaliation
**wraakzuchtig** vengeful
**wrak I** *zn* [het] ❶ *resten* wreck ❷ *persoon* wreck **II** *bnw* ramshackle, rickety
**wraken** jur challenge

**wr**

**wrakhout** driftwood
**wrakkig** rickety, broken-down, ⟨auto, enz.⟩ clapped-out
**wrakstuk** piece of wreckage
**wrang ❶** *zuur* sour, acid **❷** *bitter* unpleasant, wry ★ *~e humor* wry humour
**wrap** cul wrap
**wrat** wart
**wrattenzwijn** warthog
**wreed** cruel
**wreedaard** cruel person, brute
**wreedheid I** *zn* [de] [gmv] *het wreed zijn* cruelty, brutality **II** *zn* [de] [mv: -heden] *wrede daad* cruelty, atrocity ★ *wreedheden begaan* commit atrocities
**wreef** instep
**wreken I** *ov ww* avenge **II** *wkd ww* [zich ~] **❶** *wraak nemen* ★ *zich ~ op* avenge o.s. on **❷** *opbreken* ★ *dat zal zich later ~* you'll pay for it in the end
**wreker** avenger
**wrevel** *wrok* resentment, ⟨sterk⟩ rancour, ⟨geprikkeldheid⟩ peevishness
**wrevelig** resentful, ⟨prikkelbaar⟩ peevish
**wriemelen** *peuteren* fiddle (**aan** with)
**wrijfpaal** rubbing post
**wrijven** *strijken* rub, brush ★ *zich in de handen ~* rub one's hands
**wrijving ❶** *het wrijven* rubbing, natk friction **❷** *onenigheid* friction
**wrikken** *heen en weer bewegen* prise, wrench
**wringen I** *ov ww, draaiend persen* wring ★ *iem. iets uit de handen ~* wrench sth from sb's grasp ★ *wasgoed ~* wring laundry ★ *de handen ~* wring one's hands **II** *on ww, knellen* pinch ▼ *dat is waar de schoen wringt* there's the rub **III** *wkd ww* [zich ~] **❶** *~ door* worm oneself through **❷** *~ tussen* squeeze in between
**wroeging** remorse, compunction ★ *~ hebben* be remorseful, feel compunction
**wroeten ❶** *graven* root, grub, ⟨kip⟩ scratch, ⟨mol⟩ burrow **❷** *snuffelen* burrow, rummage ★ *in iemands verleden ~* delve into sb's past **❸** BN *zwoegen* drudge, toil, slave (away)
**wrok** grudge, resentment ★ *een wrok koesteren tegen iem.* bear sb a grudge, hold a grudge against sb
**wrokkig** resentful, spiteful
**wrong** *haardracht* bun, knot
**wrongel** curd, curds *mv*
**wuft** frivolous, flighty
**wuiven ❶** *heen en weer bewegen* wave **❷** *groeten* wave ★ *naar iem. ~* wave at / to sb ★ *iem. vaarwel ~* wave goodbye to sb
**wulp** curlew
**wulps** voluptuous, ⟨geil⟩ lascivious
**wurgcontract** killer contract
**wurgen** strangle, throttle
**wurggreep** stranglehold
**wurgslang** constrictor (snake)
**wurm ❶** *worm* worm **❷** *kind* mite ★ *dat arme wurm!* poor little mite!
**wurmen** squeeze, wriggle ★ *zich ergens tussen ~* wriggle one's way into sth ★ *zich ~ uit* wriggle out of
**WW** *werkloosheidswet* Unemployment Insurance

Act ★ *in de WW zitten* inform be on the dole
**www** comp *world wide web* WWW
**wysiwyg** *what you see is what you get* WYSIWYG

**wr**

# X

x *letter* x ★ *de x van Xantippe* X as in X-ray
x-as x-axis
X-benen knock knees *mv* ★ *met* ~ knock-kneed
X-chromosoom X chromosome
xenofobie xenophobia
xenofoob I *zn* [de] xenophobe II *bnw* xenophobic
XL *extra large* XL
xtc Ecstasy, E
xylofoon xylophone

# Y

y y ★ *de y van Ypsilon* Y as in Yellow
yahtzee yahtzee
yahtzeeën play Yahtzee
yang yang
yankee Yankee, min Yank
y-as y-axis
Y-chromosoom Y chromosome
yell yell
yen yen
yin yin
yoga yoga
yoghurt <u>cul</u> yog(h)urt, yoghourt ★ *Bulgaarse* ~ Bulgarian yoghurt
yogi yogi
ypsilon upsilon
yucca yucca
yuppie yuppie, yuppy

# Z

**z** z ★ *de z van Zaandam* Z as in Zebra
**zaad** ❶ *kiem* seed ❷ *sperma* sperm ▼ *op zwart zaad zitten, BN op droog zaad zitten* be hard up
**zaadbal** testicle, anat testis
**zaadbank** *spermabank* sperm bank, plantk seed bank
**zaadcel** sperm cell, plantk seed cell
**zaaddodend** spermicidal ★ *~e pasta* spermicidal jelly
**zaaddonor** sperm donor
**zaaddoos** plantk capsule
**zaadlob** seed leaf *mv: leaves*, plantk cotyledon
**zaadlozing** ejaculation
**zaag** *gereedschap* saw
**zaagbank** sawbench
**zaagblad** saw blade
**zaagmachine** power / electric saw, indus sawing machine
**zaagmolen** sawmill
**zaagsel** sawdust
**zaagsnede** saw cut, kerf
**zaagvis** sawfish
**zaaibed** seedbed
**zaaien** sow ▼ *wie zaait zal oogsten* you reap what you sow
**zaaier** sower
**zaaigoed** sowing seed
**zaaimachine** sowing machine, seed drill
**zaak** ❶ *ding* thing, object ❷ *aangelegenheid* affair, business, matter ★ *dat is jouw zaak* that is your business / concern ★ *de zaak is dat...* the fact is that... ★ *de zaak waar het over gaat* the point at issue ★ *bemoei je met je eigen zaken* mind your own business ★ *dat doet niets ter zake* that's irrelevant, that's beside the point ★ *ter zake komen* come to the point ❸ *handel* business, deal ★ *hoe gaat het met de zaken?* how is business?, how are you getting on? ★ *voor zaken* on business ★ *een zaak afsluiten* conclude a deal / transaction ★ *goede zaken doen* do well (in business) ★ *hoe staan de zaken?* how is life / business? ★ *zaken zijn zaken* business is business ❹ *bedrijf* ★ *een zaak opzetten* start a business, open a shop ❺ *winkel* shop ❻ *rechtszaak* case ★ *er een zaak van te maken* go to court / law ❼ *doel* cause ★ *een verloren zaak* a lost cause ★ *het is voor de goede zaak* it's all to the good, it's for a good cause ★ *iem. voor zijn zaak winnen* win sb over (to one's side) ▼ *onverrichter zake terugkeren* return empty-handed, return with nothing achieved ▼ *zeker zijn van zijn zaak* be sure of one's ground ▼ *gemene zaak met iem. maken* be in collusion with sb ▼ *gedane zaken nemen geen keer* it is no use crying over spilt milk, what's done is done ▼ *het is niet veel zaaks* it is not much good ▼ *de zaak is dat* the fact is that ▼ *het is zaak om dat te doen* it's essential to do that ▼ *het hele zaakje* the whole lot / caboodle
**zaakgelastigde** agent, proxy, representative, ⟨diplomatiek⟩ chargé d'affaires
**zaakje** ❶ *kleine transactie* small deal ❷ *winkeltje* small shop / business ❸ *mannelijk geslachtsdeel*

inform privates *mv*
**zaakvoerder** BN *bedrijfsleider* (works) manager, ⟨van filiaal⟩ branch manager
**zaakwaarnemer** acting manager
**zaal** room, ⟨groot⟩ hall, ⟨ziekenhuis⟩ ward, ⟨in schouwburg, e.d.⟩ auditorium ★ *een volle zaal* a full house
**zaalsport** indoor sport
**zaalvoetbal** indoor football, USA indoor soccer
**zaalwachter** attendant
**zacht** I *bnw* ❶ *week* soft ★ *een ~ ei* a soft-boiled egg ❷ *niet ruw* smooth ★ *~e huid* soft / smooth skin ★ *een ~ verwijt* a gentle reproach ★ *~e landing* smooth landing ❸ *niet luid* quiet, soft ★ *met ~e stem* in a low / soft voice ❹ ⟨van kleur, licht⟩ *niet fel* soft, mellow ❺ *gematigd* mild ★ *~e wind* light / gentle wind ★ *~e helling* gentle slope ★ *een ~ prijsje* a bargain price ★ *~ klimaat* mild climate ❻ *zachtmoedig* kind, gentle ▼ *een halve ~e* a halfwit ▼ *met ~e hand* with a light touch, gently ▼ *op z'n ~st genomen / gezegd* to put it mildly, to say the least II *bijw* ❶ *niet ruw / hevig* gently ★ *~ aanvoelen* be soft to the touch ★ *~ aanraken* touch lightly ★ *iem. ~ behandelen* treat sb gently ❷ *niet luid* softly ★ *~jes!* shush!, quiet! ★ *~ praten* speak under one's breath ★ *~er spreken* drop / lower one's voice ★ *het geluid ~er zetten* turn down the volume ❸ *niet snel* slowly ★ *~ lopen* walk slowly ★ *~er gaan rijden* slow down
**zachtaardig** gentle, kind, good-natured
**zachtboard** softboard
**zachtgroen** soft green
**zachtheid** ❶ *het zacht zijn* softness ❷ *behandeling* gentleness, kindness ▼ *behandel de dieren met ~* be kind to animals
**zachtjes** → *zacht*
**zachtjesaan** gradually ★ *we moeten ~ vertrekken* we must be going soon ★ *het wordt ~ tijd* it's getting near time
**zachtmoedig** gentle, kind ▼ *de ~en zullen de aarde beërven* the meek shall inherit the earth
**zachtzinnig** gentle, good-natured
**zadel** saddle ★ *iem. in het ~ helpen* give sb a leg up ▼ *vast in het ~ zitten* sit firmly in the saddle, be in firm control
**zadeldek** saddle cloth, ⟨van fiets⟩ saddle cover
**zadelen** saddle
**zadelpijn** saddle soreness ★ *~ hebben* be saddle sore
**zadeltas** saddlebag
**zagen** saw
**zagerij** sawmill
**Zagreb** Zagreb
**Zagrebs** Zagreb
**Zaïre** Zaïre
**Zaïrees** Zairean
**zak** ❶ *verpakking* bag, ⟨groot⟩ sack ★ *iets in een zak doen* bag / sack sth ★ *een zak aardappelen* a sack of potatoes ❷ *bergplek in kleding* pocket ★ *het geld in eigen zak steken* pocket the money ★ *ik heb geen cent op zak* I haven't a penny on me ❸ *buidel* pouch ❹ *balzak* balls *mv* ❺ *min persoon* jerk, arsehole, USA asshole ▼ *het kan me geen zak schelen* I don't give a damn ▼ *dat gaat je geen zak aan* that's none of your damn business ▼ *BN in het zakje blazen* ⟨alcoholtest⟩ be

breathalised ▾ *iem. in zijn zak hebben* have sb in one's pocket ▾ *iem. in zijn zak kunnen steken* run rings (a)round sb ▾ *in zak en as zitten* be in sackcloth and ashes ▾ *die kan je in je zak steken!* put that in your pipe and smoke it! ▾ *op iemands zak leven* sponge on sb ▾ *uit eigen zak betalen* pay out of one's own pocket ▾ *de zak krijgen* be sacked ▾ *zijn zakken vullen* fill / line one's pockets

**zakagenda** pocket diary
**zakbijbel** pocket Bible
**zakboekje** notebook
**zakcentje** pocket money ★ *een aardig ~* quite a bit of pocket money
**zakdoek** handkerchief, inform hanky
**zakelijk** ❶ *nuchter, objectief* objective, matter-of-fact ❷ *praktisch* practical, pragmatic, to the point ★ *~ blijven* keep / stick to the point ❸ *bondig* concise, succinct ❹ *commercieel* business(like), commercial, ⟨houding⟩ businesslike ★ *'n ~e bijeenkomst* a business meeting
**zakelijkheid** ❶ *het zakelijk zijn* objectivity, pragmatism ❷ *bondigheid* conciseness
**zakenadres** business address
**zakenbespreking** business meeting
**zakencentrum** business centre
**zakencijfer** BN *omzetcijfer* sales figure, turnover
**zakendiner** business dinner
**zakendoen** do business ★ *~ met een bedrijf* do business with a company
**zakenleven** business (life), commerce ★ *het ~ ingaan* go into business
**zakenlunch** business lunch
**zakenman** businessman
**zakenreis** business trip
**zakenrelatie** business contact, ⟨handelsbetrekking⟩ business relationship
**zakenvrouw** businesswoman
**zakenwereld** business world
**zakformaat** pocket size
**zakgeld** pocket money
**zakken I** *on ww* ❶ *dalen* sink, ⟨van vliegtuig⟩ lose height ★ *zich laten ~* lower o.s. ★ *in elkaar ~* collapse ★ *door het ijs ~* go through the ice ★ *het doek laten ~* lower the curtain ❷ *lager / minder worden* ⟨barometer, koers, water⟩ fall, ⟨barometer, koers, water⟩ drop, ⟨v. muur⟩ sag, ⟨v. toon⟩ go flat, ⟨v. woede, pijn⟩ subside ★ *de moed laten ~* lose courage / heart ❸ *onderw niet slagen* fail ★ *iem. laten ~* *voor een examen* fail sb **II** *ov ww*, BN *onderw niet laten slagen* fail
**zakkenrollen** pick (somebody's) pocket
**zakkenroller** pickpocket
**zakkenvuller** profiteer
**zaklamp** (pocket) torch, USA flashlight
**zaklantaarn** (pocket) torch, USA flashlight
**zaklopen** (run a) sack race
**zakmes** pocketknife
**zalf** ointment, salve
**zalig** ❶ *heerlijk* glorious, divine, blissful ★ *~ weer* glorious weather ❷ rel *gelukzalig* blessed, ⟨gelukkig⟩ blissful ★ *~e glimlach* contented smile ★ *de ~en* the blessed
**zaligheid** ❶ rel *verlossing* salvation ★ *de eeuwige ~* eternal salvation ❷ *hoogste geluk* happiness, bliss ❸ *iets heerlijks* delight, bliss ▾ BN *iem. zijn ~ geven*

give sb a piece of one's mind, tell sb a few home truths
**zaligmakend** soul-saving, beatific
**zaligverklaring** rel beatification
**zalm** salmon *mv: id.*
**zalmforel** salmon trout
**zalmkleurig** salmon(-coloured), salmon pink
**zalmsalade** cul salmon salad
**zalven** ❶ *met zalf bestrijken* rub with ointment ❷ *wijden* anoint
**zalvend** unctuous
**Zambia** Zambia
**Zambiaans** Zambian
**zand** sand, ⟨vuil⟩ grit ▾ *zand erover!* let bygones be bygones! ▾ *iem. zand in de ogen strooien* pull the wool over sb's eyes ▾ *in het zand bijten* bite the dust ▾ *als los zand aan elkaar hangen* be incoherent
**zandafgraving** ❶ *plaats* sand quarry ❷ *het afgraven* sand excavation
**zandbak** sandpit, USA sandbox
**zandbank** sandbank
**zandbodem** sandy soil
**zanderig** sandy
**zandgebak** shortbread, shortcake
**zandgeel** sandy-coloured, ⟨vnl haar⟩ sandy
**zandgrond** sandy soil
**zandkasteel** sandcastle
**zandkleurig** sandy-coloured, ⟨vnl haar⟩ sandy
**zandkoekje** cul shortcake
**zandloper** hourglass, ⟨in keuken⟩ egg timer
**zandpad** sandy path
**zandplaat** sandbank, ⟨onderlopend⟩ shoal
**zandsteen** sandstone
**zandstorm** sandstorm
**zandstralen** sandblast
**zandstrand** sandy beach
**zandverstuiving** sand drift
**zandvlakte** sandy plain
**zandweg** sandy road
**zandzak** sandbag
**zang** ❶ *het zingen* singing, song, ⟨vogels ook⟩ warbling ❷ *gezang* song
**zangbundel** songbook, ⟨van kerk⟩ hymn book
**zanger** *iem. die zingt* singer, ⟨vnl. popmuziek, e.d.⟩ vocalist ★ *~es* singer
**zangeres** (female) singer, vocalist
**zangerig** melodious, tuneful
**zangkoor** choir
**zangles** singing lesson
**zanglijster** song thrush
**zangstem** stem singing voice
**zangvereniging** choir, choral society
**zangvogel** songbird
**zanik** bore, windbag
**zaniken** nag ★ *over iets ~* whine about sth
**zappen** *tv-zenders bekijken* zap
**zat I** *bnw* ❶ *verzadigd* full (up) ★ *zich zat eten* stuff o.s. ❷ *beu* ★ *ik ben het zat* I'm sick of it, I'm fed up with it ❸ *dronken* drunk, vulg pissed ★ *zo zat als een aap* as drunk as a skunk **II** *bijw*, *in overvloed* plenty ★ *geld zat* loads / heaps / pots of money
**zaterdag** Saturday ★ *'s ~s* on Saturdays
**zaterdagavond** Saturday evening / night
**zaterdagmiddag** Saturday afternoon

**zaterdagmorgen, zaterdagochtend** Saturday morning
**zaterdagnacht** Saturday night
**zaterdags** on Saturdays
**zatlap** boozer, soak
**ze ❶** *onderwerp* she [mv: they] **❷** *onbepaald voornaamwoord* they ★ *ze zeggen* they / people say **❸** *lijdend voorwerp* her [mv: them]
**zebra** *dier* zebra
**zebrapad** zebra crossing
**zede ❶** *zedelijk gedrag* ★ *zeden* morals, manners ★ *een vrouw van lichte zeden* a woman of easy virtue ★ *strijdig met de goede zeden* contrary to good manners **❷** *gewoonte* custom, tradition ★ *zeden en gewoonten* customs and traditions
**zedelijk** moral
**zedelijkheid** morality
**zedeloos** immoral, corrupt
**zedendelict** indecency, indecent assault, sexual offence
**zedendelinquent** sex offender
**zedenleer** BN onderw *schoolvak* social science / studies
**zedenmeester** moralist
**zedenmisdrijf** indecency, indecent assault, sexual offence
**zedenpolitie** vice squad
**zedenpreek** (moralizing) sermon / lecture ★ *een ~ houden tegen iem.* lecture sb, preach at sb
**zedenschandaal** sex scandal
**zedenwet** moral law / code
**zedig** modest, demure
**zee ❶** *zoutwatermassa* sea, ocean ★ *aan zee* at / by the seaside, ⟨met plaatsnaam⟩ -on-Sea ★ *in open / volle zee* on the open sea, on the high seas ★ *naar zee gaan* ⟨als beroep⟩ go to sea, ⟨als tourist⟩ go to the seaside ★ *op zee* at sea ★ *over zee* by sea ★ *zee kiezen* put to sea **❷** *grote hoeveelheid* sea, flood ★ *een zee van tranen* a flood of tears ★ *een zee van licht* a flood of light ★ *een zee van woorden* a torrent of words ★ *een zee van mensen* a mass of people ★ *zeeën van tijd* heaps / oceans of time ▼ *recht door zee gaan* be straightforward ▼ *in zee gaan met iem.* throw in one's lot with sb ▼ *geen zee gaat hem te hoog* he's game for anything
**zeeaal** conger (eel)
**zeeanemoon** sea anemone
**zeearend** (European) sea eagle
**zeearm** arm of the sea, inlet
**zeebaars** bass
**zeebanket** *vis en schaaldieren* seafood
**zeebenen** ▼ *~ hebben* have sea legs ▼ *~ krijgen* find / get one's sea legs
**zeebeving** seaquake
**zeebodem** bottom of the sea, seabed
**zeebonk** old salt, sea dog
**zeeduivel** dierk anglerfish, monkfish
**zee-egel** sea urchin
**zee-engte** straits mv
**zeef** sieve, ⟨ voor fine enz.⟩ strainer ▼ *zo lek als een zeef zijn* be full of leaks / holes
**zeefauna** marine fauna
**zeefdruk** screen print
**zeegang** swell ★ *hoge / korte ~* heavy / light swell
**zeegat** (tidal) inlet / outlet ★ *het ~ uitgaan* put to sea

**zeegevecht** naval battle / action
**zeegezicht ❶** *uitzicht* sea view **❷** *schilderij* seascape
**zeegras** seagrass, eelgrass
**zeegroen** sea-green
**zeehaven** seaport
**zeehond** seal
**zeehondencrèche** seal sanctuary
**zeehoofd** pier
**zeekaart** nautical / sea chart
**zeeklimaat** maritime / oceanic climate
**zeekoe** sea cow, dierk manatee
**zeekreeft** lobster
**zeel** ▼ BN *aan één / hetzelfde zeel trekken* pull together
**Zeeland** Zeeland
**zeeleeuw** sea lion
**zeelucht** sea air
**zeem I** zn [de] shammy / chamois (leather) **II** zn [het] shammy / chamois (leather)
**zeemacht** *marine* naval forces mv, navy
**zeeman** seaman, sailor ★ *zeelieden* seamen, sailors
**zeemeermin** mermaid
**zeemeeuw** (sea)gull
**zeemijl** nautical mile
**zeemlap** chamois / shammy (leather)
**zeemleer** shammy, shammy / chamois leather
**zeemleren** chamois, shammy
**zeemogendheid** naval / maritime power
**zeen** sinew, tendon
**zeeniveau** sea level
**zeeolifant** sea elephant, elephant seal
**zeeoorlog** naval war
**zeep** soap ★ *groene zeep*, BN *bruine zeep* soft soap ▼ *om zeep gaan* go west, kick the bucket ▼ *iem. om zeep helpen* do sb in ▼ *iets om zeep helpen* botch / bungle sth
**zeepaardje** sea horse
**zeepbakje** soap dish
**zeepbel** (soap) bubble ★ *als een ~ uit elkaar spatten* burst like a bubble
**zeepdoos** soapbox
**zeeppoeder** soap / washing powder
**zeepsop** soap suds mv
**zeer I** bijw very, ⟨voor deelwoord⟩ much / greatly / highly ★ *zeer verbaasd* (very) much surprised, astonished ★ *Dank u zeer!* many thanks! **II** bnw ⟨huid, ogen⟩ painful, ⟨huid, ogen, keel⟩ sore ★ *zere voeten* sore feet ★ *zeer doen* ache, hurt ★ *zich zeer doen* hurt o.s. ★ *dat doet zeer* it hurts ★ *je doet me zeer* you're hurting me **III** zn [het], *pijn* pain, ache ▼ *oud zeer* an old sore
**zeeramp** shipping / maritime disaster
**zeerecht** jur maritime law
**zeereis** (sea) voyage
**zeerob ❶** *dier* seal **❷** *persoon* sea dog, inform old salt
**zeerover** pirate
**zeeschip** sea / ocean-going vessel
**zeeschuim** foam, ⟨in vogelkooi⟩ cuttlebone
**zeeslag** sea / naval battle
**zeeslang** sea snake, ⟨legendarisch⟩ sea serpent
**zeesleper** sea-going tug
**zeespiegel** sea level ★ *boven / beneden de ~* above / below sea level

**zeester** starfish
**zeestraat** strait
**zeestroming** (ocean) current
**zeetong** sole
**Zeeuw** inhabitant of Zeeland ★ *hij is een ~* he's from Zeeland
**Zeeuws** Zeeland
**Zeeuwse** (woman / female) inhabitant of Zeeland ★ *zij is een ~* she's from Zeeland
**zeevaarder** seaman, sailor
**zeevaart** shipping, navigation
**zeevaartschool** onderw nautical college, ⟨marine⟩ naval college
**zeevarend** seafaring
**zeeverkenner** sea scout
**zeevis** sea fish, biol marine fish
**zeevisserij** offshore fishing
**zeevruchten** shellfish, cul fruits de mer
**zeewaardig** seaworthy
**zeewaarts** seaward(s)
**zeewater** seawater
**zeeweg** sea route
**zeewering** sea wall
**zeewier** seaweed
**zeewind** sea breeze / wind
**zeezeilen** sea / ocean sailing
**zeeziek** seasick
**zeeziekte** seasickness
**zeezout** sea salt
**zege** victory, triumph ★ *de zege behalen op* win a victory over
**zegekrans** laurel wreath
**zegel** I zn [de], *plakzegel* stamp II zn [het] ❶ *zegelafdruk* seal ❷ *stempel* seal, ⟨post⟩ stamp
**zegelring** signet ring
**zegen** ❶ rel blessing, ⟨bede⟩ benediction ★ *de ~ geven* bless ★ *zijn ~ geven aan* give one's blessing to ★ *Gods ~* God's blessing ▼ *op hoop van ~* hoping for the best, inform with one's fingers crossed, ❷ *weldaad* boon, godsend ▼ *nou, mijn ~ heb je!* well, good luck to you! ▼ *er rust geen ~ op* it brings no luck
**zegenen** rel *de zegen geven* bless ★ *God zegene u* God bless you
**zegening** blessing
**zegenrijk** salutary, beneficial
**zegepalm** palm of victory
**zegepraal** victory, triumph
**zegeteken** trophy
**zegetocht** triumphal march
**zegevieren** triumph (over over)
**zeggen** I ov ww ❶ *meedelen* say ★ *beter gezegd* put in another way ★ *eerlijk gezegd* frankly ★ *bij zichzelf ~* say to o.s. ★ *daar is alles mee gezegd* that's all there's to it ★ *naar men zegt* it is said ★ *onder ons gezegd* between you and me, between ourselves ★ *hij zei er niets op* he said nothing in reply ★ *daar kon ik niets op ~* it was unanswerable ★ *iets ~ tegen iem.* say sth to sb ★ *daar is alles voor te ~* there's everything to be said for it ★ *hoe zal ik het ~?* how shall I put it? ★ *wie kan ik ~ dat er is?* who (shall I say) is calling? ★ *wie zal het ~?* what name, please? ★ *wat men ook zegt* whatever they (may) say ★ *wat ik ~ wou* incidentally, by the way ★ *wat zegt u?* (I beg your) pardon? ★ *wat heb ik je*

*gezegd?* what did I tell you? ★ *zeg dat wel!* you can say that again!, you may well say so! ★ *heb ik het niet gezegd!* didn't I tell you? ★ *ik zeg geen nee* I wouldn't say no (**tegen** to) ★ *men zegt dat hij rijk is* he is said to be rich ★ *men zegt zoveel* people will say anything ★ *zij liet het zich geen twee maal ~* she did not need to be told twice ★ *jij moet het maar ~* it's for you to say, it's up to you ★ *je hoeft het maar te ~* just say the word ★ *wie zal het ~?* who knows? ❷ *beduiden* say, tell ★ *dat wil ~* that's to say ★ *wat wilt u daarmee ~?* what do you mean by that? ★ *dat zegt niets* that doesn't mean a thing ★ *hij weet niet wat hij zegt* he doesn't know what he is talking about ★ *dat wil ~ (d.w.z.)* that is (i.e.) ★ *wat wil dit ~?* what does this mean? ❸ *oordelen* say ★ *zeg nou zelf!* don' t you think (so)? ★ *al zeg ik het zelf* though I say so myself ★ *wat zeg je me daarvan?* how's that?, what do you say to that? ❹ *aanmerken* say, tell ★ *er is veel voor te ~* there is much to be said for it ★ *hij heeft op alles wat te ~* he disagrees with everything ❺ *bevelen* tell ★ *houdt u dat voor gezegd!* don't you forget it!, let that be clear! ★ *u zegt het maar* it's up to you ★ *dat laat ik mij niet ~* I won't put up with it ★ *jij hebt hier niets te ~* you're not in charge here ★ *er niets in te ~ hebben* have no say / voice in the matter ★ *daar heb ik niets over te ~* I have no control over that ❻ *veronderstellen* say, assume ★ *laten we ~ dat* let's say that ▼ *zeg (eens)* say, I say ▼ *zegge en schrijve* no more than, a paltry ▼ *zo gezegd, zo gedaan* no sooner said than done ▼ *eens gezegd, blijft gezegd* what is said is said ▼ *dat valt veel voor te ~* there's much to be said for it II zn [het] ❶ *saying* ★ *naar / volgens zijn ~* according to him ❷ *bevel* ★ *het voor het ~ hebben* be in charge ★ *als ik het voor het ~ had...* if I had it my way... ★ *ik heb het hier voor het ~* I call the shots / tune here
**zeggenschap** (right of) say, control ★ *~ over iets hebben* have a say (in the matter) ★ *daar heb ik geen ~ over* I have no authority / control over that
**zeggingskracht** eloquence, expressiveness
**zegje** ▼ *zijn ~ zeggen / doen* say one's piece / bit
**zegsman** informant
**zegswijze** saying, phrase, expression
**zeiken** I on ww ❶ *plassen* piss, take a leak ❷ *zeuren* harp / carry on, bitch ★ *zeik niet zo!* stop nagging / bitching! II onp ww, regenen piss down
**zeikerd** pain in the arse / neck
**zeiknat** sopping (wet)
**zeil** I zn [het] [mv: +en] scheepv sail ★ *met volle zeilen* under full sail ★ *onder zeil gaan* get under sail ★ *de zeilen hijsen* raise the sails ★ *de zeilen strijken* strike sail ★ *alle zeilen bijzetten* make all sail, fig pull out all the stops ★ *zeil minderen* take in sail ▼ *onder zeil gaan* doze off ▼ *onder zeil zijn* be sound asleep II zn [het] [gmv] ❶ *dekzeil* tarpaulin ❷ *vloerbedekking* lino(leum)
**zeilboot** sailing boat
**zeildoek** canvas, sail cloth
**zeilen** varen sail
**zeiler** yachtsman
**zeiljacht** sailing yacht
**zeilkamp** sailing camp

**zeilmaker** sailmaker
**zeilplank** windsurfer
**zeilschip** sailing ship
**zeilschool** sailing school
**zeilsport** yachting, sailing
**zeilvliegen** hang-gliding
**zeilwedstrijd** sailing race / match
**zeis** scythe
**zeker I** *bnw* ❶ *veilig* secure ❷ *vaststaand* sure, safe ★ *zo ~ als wat* dead certain ❸ *overtuigd* certain, sure ▼ *het ~ voor het on~e nemen* better be safe than sorry **II** *bijw* ❶ *stellig* certainly, surely ★ *zo ~ als wat* as sure as fate ★ *ik weet het ~* I know it for sure ★ BN *~ en vast* definitely, absolutely ❷ *denkelijk* ★ *je weet het ~ al* I suppose / daresay you know it already ★ *dat doe je toch ~ niet?* surely you won't do that? ▼ *~ weten!* for sure! **III** *onb vnw, niet nader genoemd* certain, one way or the other ★ *een ~e De Vries* a certain De Vries, a / one De Vries ★ *een ~ iem. sb* ★ *een ~ iets* a certain sth
**zekeren** secure, fasten, *bergsport* belay
**zekerheid** ❶ *het zeker zijn* certainty ★ *~ hebben* be certain ★ *~ verschaffen* offer assurance ★ *zich ~ verschaffen* make sure ❷ *veiligheid* security, safety ★ *voor alle ~* to be on the safe side, to make sure / certain ★ *sociale ~* social security ❸ *waarborg* security
**zekerheidshalve** for safety's sake
**zekering** fuse ★ *de ~ is doorgeslagen* the fuse has blown
**zelden** seldom, rarely ★ *niet ~* not infrequently ★ *~ of nooit* seldom, if ever
**zeldzaam** ❶ *schaars* rare ★ *hotels zijn daar ~* hotels are few and far between ❷ *uitzonderlijk* exceptional ❸ *vreemd* strange, odd, peculiar
**zeldzaamheid I** *zn* [de] [gmv] *het zeldzaam zijn* rarity **II** *zn* [de] [mv: -heden] *iets zeldzaams* rarity, curiosity
**zelf** self *mv: selves* ★ *de schrijver zelf* the writer himself ★ *het boek zelf* the book itself ★ *de goedheid zelf* goodness itself ★ *zelf een bedrijf beginnen* start one's own business ★ *zij doet het zelf* she does it herself ★ *kunt u dat zélf doen?* can you do it yourself? ★ *zij hebben het zelf gedaan* they've done it themselves
**zelfanalyse** self-analysis
**zelfbediening** self-service
**zelfbedrog** self-deception
**zelfbeeld** self-image
**zelfbeheersing** self-control, self-restraint ★ *zijn ~ verliezen* lose one's self-control, inform lose one's cool ★ *~ tonen* show self-control, inform keep one's cool ★ *zijn ~ terugvinden* regain / recover one's self-control, pull o.s. together
**zelfbehoud** self-preservation
**zelfbeklag** self-pity
**zelfbeschikking** self-determination
**zelfbeschikkingsrecht** *jur* right of self-determination
**zelfbestuiving** self-pollination
**zelfbestuur** self-government
**zelfbevrediging** *masturbatie* masturbation
**zelfbewust** ❶ *bewust van zichzelf* self-conscious ❷ *zelfverzekerd* self-assured, self-confident
**zelfbewustzijn** self-awareness

**zelfcensuur** self-censorship
**zelfde** same
**zelfdiscipline** self-discipline
**zelfdoding** suicide, killing oneself
**zelfgekozen** self-appointed, self-elected ★ *een ~ bewaker van de openbare zeden* a self-appointed guardian of public morals
**zelfgemaakt** home / self-made
**zelfgenoegzaam** self-satisfied, complacent, smug
**zelfhulp** self-help
**zelfhulpgroep** self-help group
**zelfingenomen** self-important, conceited, smug
**zelfkant** ❶ *buitenkant van stof* selvedge ❷ *dubieus grensgebied* fringe, seamy side ★ *aan de ~ van de maatschappij* on the fringes of society ★ *de ~ van het leven* the seamy side of life
**zelfkastijding** self-punishment
**zelfkennis** self-knowledge
**zelfklevend** self-adhesive
**zelfklever** BN *sticker* sticker
**zelfkritiek** self-criticism
**zelfmedelijden** self-pity
**zelfmedicatie** self-medication
**zelfmoord** suicide ★ *~ plegen* commit suicide
**zelfmoordactie** suicide mission
**zelfmoordenaar** suicide
**zelfmoordneiging** suicidal tendency
**zelfmoordpoging** suicide attempt
**zelfontbranding** spontaneous combustion
**zelfontplooiing** self-realization, self-actualization
**zelfontspanner** self-timer
**zelfopoffering** self-sacrifice
**zelfoverschatting** overestimation of oneself ★ *lijden aan ~* suffer from an inflated ego
**zelfoverwinning** self-conquest
**zelfportret** self-portrait
**zelfredzaam** ★ *~ zijn* be able to manage / cope for o.s.
**zelfredzaamheid** ability to manage / cope for oneself
**zelfreinigend** ❶ *met het vermogen zichzelf te reinigen* self-cleaning ❷ *weinig schoonmaak eisend* easy-to-clean
**zelfrespect** self-respect
**zelfrijzend** self-raising
**zelfs** even ★ *~ als* even if ★ *~ in dat geval* even so / then ★ *~ niet* not even ★ *~ de gedachte eraan* the very thought of it
**zelfspot** self-mockery
**zelfstandig** independent, econ self-employed
**zelfstandige** ★ *kleine ~* self-employed person ★ *de kleine ~n* the self-employed ★ *~ zonder personeel* self-employed without personnel
**zelfstandigheid** *onafhankelijkheid* independence, autonomy
**zelfstudie** ❶ self-study / tuition ❷ *onderwijs aan zichzelf* self-directed learning ❸ *studie van eigen gedrag* study of the self
**zelfverdediging** self-defence ★ *uit ~* in self-defence
**zelfverloochening** self-denial
**zelfverminking** self-mutilation
**zelfvernietiging** self-destruction
**zelfvertrouwen** self-confidence ★ *~ hebben* be

(self-)confident
**zelfverwijt** self-reproach
**zelfverzekerd** self-confident, self-assured
**zelfvoldaan** self-satisfied
**zelfwerkzaam** self-motivated
**zelfwerkzaamheid** self-motivation
**zelfzucht** selfishness, ego(t)ism ★ *uit* ~ out of
self-interest / selfishness
**zelfzuchtig** selfish, ego(t)istic, self-seeking
**zelve** → **zelf**
**zemel** *vlies van graankorrel* bran *ev en mv*
**zemelaar** twaddler, driveller
**zemelen** twaddle, drivel
**zemen** I *bnw* (chamois) leather II *ov ww* clean
with a shammy
**zen** Zen
**zenboeddhisme** Zen Buddhism
**zendamateur** amateur radio operator, inform
(radio) ham
**zendapparatuur** transmitting equipment,
transmitter
**zendeling** missionary
**zenden** send, (vnl. goederen, inlichtingen)
forward, (alleen van goederen) consign / ship
**zender** ❶ *persoon* sender, (verscheper) shipper
❷ *apparaat* transmitter ❸ *zendstation*
broadcasting station, channel
**zendgemachtigde** broadcasting licence holder
**zending** ❶ *het zenden* sending ❷ *het gezondene*
shipment, consignment, (pakket) parcel ❸ rel
*missie* mission
**zendingswerk** missionary work
**zendinstallatie** transmitting station,
transmitting equipment
**zendmast** (radio / tv) mast
**zendpiraat** radio / TV pirate
**zendstation** broadcasting station, transmitting
station
**zendtijd** broadcasting time
**zendvergunning** broadcasting licence,
(amateur) amateur radio licence
**zenuw** ❶ *zenuwvezel* nerve ❷ *gesteldheid* [als mv]
nerves *mv* ★ *in de* ~*en zitten* be nervous, inform
have the jitters ★ *dat werkt op mijn* ~*en* it gets on
my nerves ★ *het op zijn* ~*en krijgen* go into
hysterics, inform get the jitters ★ *op zijn van de*
~*en* be a bag / bundle of nerves ★ *ik ben op van*
*de* ~*en* my nerves are worn to shreds ▼ *stalen* ~*en*
*hebben* have nerves of steel ▼ *krijg de* ~*en!* drop
dead!
**zenuwaandoening** nervous disease / disorder
**zenuwachtig** nervous, inform jittery,
(geagiteerd) flustered
**zenuwarts** neurologist
**zenuwbehandeling** root canal treatment
**zenuwcel** nerve cell, biol neuron
**zenuwcentrum** nerve centre
**zenuwenoorlog** war of nerves
**zenuwgas** nerve gas
**zenuwgestel** nervous system
**zenuwinzinking** nervous breakdown
**zenuwlijder** ❶ *zenuwpatiënt* mental patient,
med neurotic ❷ *zenuwachtig persoon* (tobber)
worrier, (onrustig persoon) fidget
**zenuwontsteking** neuritis
**zenuwpees** bundle of nerves, inform fusspot

**zenuwpijn** med neuralgia
**zenuwslopend** nerve-racking
**zenuwstelsel** nervous system
**zenuwtoeval** fit of nerves
**zenuwtrekje** (nervous) tic
**zenuwziek** neurotic
**zenuwziekte** nervous disorder, med neurosis
**zeppelin** Zeppelin
**zerk** tombstone
**zes** I *telw* ❶ six ❷ → **vier** II *zn* [de] ❶ *getal* six
❷ onderw *schoolcijfer* ≈ D ★ *zes min* ≈ E ▼ *hij is*
*van zessen klaar* he can turn his hand to
anything, he's never at a loss
**zesdaags** six-day, six-days'
**zesde** ❶ sixth ❷ → **vierde**
**zeshoek** hexagon
**zestien** ❶ sixteen ❷ → **vier**
**zestiende** ❶ sixteenth ❷ → **vierde**
**zestig** ❶ sixty ❷ → **vier, veertig**
**zestiger** sixty-year-old, sexagenarian, person in
his / her sixties
**zestigste** ❶ sixtieth ❷ → **vierde, veertigste**
**zet** ❶ *duw* push, shove ★ *iem. een zetje geven* give
sb a push ❷ *zet in spel* move ★ *jij bent aan zet* it's
your move ★ *een zet doen* make a move ❸ *daad*
move, trick ★ *een geniale zet* a masterstroke, a
stroke of genius ★ *een gemene zet* a dirty trick
▼ *iem. een zetje geven* give sb a leg-up ▼ *strijk en*
*zet* again and again
**zetbaas** ❶ *leidinggevende* manager ❷ *stroman*
figurehead
**zetel** ❶ BN *stoel* seat, chair ❷ *vestigingsplaats* seat
★ ~ *van de regering* seat of government ★ BN
*maatschappelijke* ~ head office, headquarters [ev
en mv] ❸ pol *plaats voor stemmend persoon* seat
★ *vaste* ~ permanent seat ★ *zijn* ~ *ter beschikking*
*stellen* resign one's seat ▼ *de pauselijke* ~ the Holy
See
**zetelen** ❶ *gevestigd zijn* reside, be established /
seated ★ *de maatschappij zetelt in* the company
has its registered office in ❷ ~ *in* BN *deel*
*uitmaken van* form part of
**zetelverdeling** distribution / division of seats
**zetelwinst** gain in seats
**zetfout** printer's error, misprint
**zetmachine** typesetting machine
**zetmeel** starch
**zetpil** suppository
**zetsel** type
**zetten** I *ov ww* ❶ *plaatsen* put, place ★ *een*
*diamant in goud* ~ set / mount a diamond in
gold ★ *iets in elkaar* ~ assemble sth, put sth
together ★ *achter de tralies* ~ put sb behind bars
★ *er een punt achter* ~ call it a day ★ *een artikel in*
*de krant laten* ~ put an article in the newspaper
★ *iem. uit het land* ~ expel sb (from the country)
❷ *bereiden* ★ *koffie / thee* ~ make coffee / tea
❸ *een zet doen* make a move, play ❹ *arrangeren*
★ *iets op muziek* ~ set sth to music
❺ *gereedmaken voor druk* set up in type ❻ med
set ★ *een arm* ~ set an arm ▼ *ik kan hem niet* ~ I
can't stand him ★ *het op een lopen* ~ make a dash
for it ▼ *zet 'm op!* go for it! II *wkd ww* [zich ~]
❶ *doen zitten* seat ★ *zich* ~ sit down, take a seat
❷ *doen beginnen* ★ *zich* ~ *tot* settle down to ★ *zich*
*aan het werk* ~ set to work ▼ *zich over iets heen* ~

**ze**

get over sth

**zetter** typesetter, compositor, ⟨juwelen⟩ setter

**zetterij** composing room / shop

**zetwerk** typesetting

**zeug** sow

**zeulen** drag, lug

**zeur** bore, nag, <u>inform</u> bellyacher

**zeurderig** fretful, whin(e)y, nagging

**zeuren** nag, pester, moan ★ *hou op met ~!* stop nagging! ★ *om iets ~ bij iem.* keep on at sb for sth ★ *net zo lang ~ tot iem. wat geeft* nag / pester sb into giving sth ★ *zeur me niet aan mijn hoofd* don't bother me ★ *hij heeft altijd wel iets om over te ~* he has always got sth to moan about ★ *zeur niet zo!* stop nagging!

**zeurkous, zeurpiet** bore, ⟨wauwelend⟩ waffler, ⟨klagend⟩ whinger

**zeurpiet** bore, ⟨wauwelend⟩ waffler, ⟨klagend⟩ whinger

**zeven I** *telw* ❶ seven ❷ → **vier II** *zn* [de] ❶ *getal* seven ❷ *onderw schoolcijfer* ≈ C **III** *ov ww* sift, sieve, ⟨vloeistof⟩ strain

**zevende** ❶ seventh ❷ → **vierde**

**zeventien** ❶ seventeen ❷ → **vier**

**zeventiende** ❶ seventeenth ❷ → **vierde**

**zeventig** ❶ seventy ❷ → **vier, veertig**

**zeventiger** person in his / her seventies, septuagenarian

**zeventigste** ❶ seventieth ❷ → **vierde, veertigste**

**zeveren** ❶ *leuteren* drivel ❷ <u>BN</u> *kwijlen* drool, dribble, ⟨van dier ook⟩ slaver

**zich** ⟨2e persoon⟩ yourself [mv: yourselves] ⟨3e persoon⟩ himself, herself, itself, oneself [mv: themselves] ★ *heeft hij het boek bij zich?* has he brought the book with him?, has he got the book with him? ▼ *op zich* in itself

**zicht** ❶ *gezichtsveld* sight, view ★ *met het ~ op* with a view of ★ *in ~* in sight / view ★ *uit het ~ verdwijnen* disappear from sight / view ❷ *zichtbaarheid* visibility ★ *slecht ~* poor visibility ★ *het ~ is minder dan 50 meter* visibility is less than 50 metres ❸ *inzicht* insight ❹ *beoordeling* sight ★ *op ~* on approval ▼ *in het ~ van de haven schipbreuk lijden* be pipped at the post

**zichtbaar I** *bnw* ❶ *te zien* visible ❷ *merkbaar* noticeable, perceptible ★ *~ worden* become noticeable / apparent **II** *bijw* ★ *~ aangedaan zijn* be visibly affected

**zichtrekening** <u>BN</u> *rekening-courant* current account

**zichzelf** oneself, himself [m], herself [v], itself [o] ★ *niet ~ zijn* not be o.s. ★ *hij dacht bij ~* he thought to himself ★ *buiten ~ zijn van* be beside o.s. with ★ *in ~ praten* talk to o.s. ★ *met ~ ingenomen zijn* be pleased with o.s. ★ *een klasse op ~ vormen* be in a class of one's own ★ *op ~ beschouwd* as it is ★ *op ~ wonen* live on one's own ★ *op ~ zijn* keep (o.s.) to o.s. ★ *tot ~ komen* come to o.s. ★ *uit ~* of one's own accord ★ *van ~ heet zij De Vries* her maiden name is De Vries ★ *voor ~ beginnen* become self-employed, start a business of one's own

**ziedaar** there, there you are, <u>iron</u> lo and behold

**zieden I** *ov ww, laten koken* ⟨zeep⟩ boil **II** *on ww* ❶ *koken* boil, seethe ❷ *fig boos zijn* seethe

**ziedend** ❶ *kolkend* seething ❷ *fig woedend* seething, fuming ★ *~ zijn* boil with rage, fume

**ziehier** look, see

**ziek** ❶ *niet gezond* ill, sick, ⟨aangetast⟩ diseased ★ *zich ziek melden* report sick, ⟨telefonisch⟩ call in sick ★ *ziek worden* <u>form</u> fall ill be taken ill ★ *ernstig ziek zijn* be <u>seriously</u> ill ❷ *fig morbide* sick ▼ *zich ziek lachen* laugh one's head off, be in stitches

**ziekbed** ❶ *bed van een zieke* sickbed ❷ *ziekte* ★ *na een langdurig ~* after a long illness

**zieke** patient

**ziekelijk** ❶ *telkens ziek* sickly, ailing ❷ *abnormaal* morbid ★ *~e gewoontes hebben* have morbid habits

**zieken** spoil things, be a pain (in the neck) ★ *zit niet zo te ~!* stop being such a pain (in the neck)

**ziekenauto** ambulance

**ziekenbezoek** ⟨van familie, e.d.⟩ visit to a patient, ⟨van arts⟩ house call ★ *op ~ gaan* visit a sick person

**ziekenboeg** sickbay

**ziekenfonds** health insurance fund, <u>GB</u> National Health Service, <u>USA</u> (voor de armen) Medicaid, <u>USA</u> (senioren) Medicare

**ziekenhuis** hospital ★ *academisch ~*, <u>BN</u> *universitair ~* university / teaching hospital ★ *in het ~ liggen* be in hospital, <u>USA</u> be in the hospital ★ *in het ~ opnemen* admit to (the) hospital

**ziekenhuisbacterie** <u>med</u> methicillin-resistant Staphylococcus aureus, <u>inform</u> superbug

**ziekenhuisopname** hospitalization

**ziekenomroep** hospital radio (station)

**ziekenverpleger** (male) nurse ★ *ziekenverpleegster* nurse

**ziekenverzorger** nursing auxiliary

**ziekenwagen** ambulance

**ziekenzaal** ward

**ziekenzorg** care of the sick, ⟨verpleging⟩ nursing (of the sick)

**ziekjes** off colour

**ziekmakend** ❶ *ziekte veroorzakend* unhealthy ❷ *walging inboezemend* sickening, nauseating

**ziekmelding** reporting ill / sick

**ziekte** illness, ⟨mbt infectie, organen⟩ disease, ⟨ivm werk, verzekering⟩ sickness ★ *vallende ~* epilepsy ★ *besmettelijke ~* contagious disease ★ *Engelse ~* rickets ★ *~ van Creutzfeldt-Jakob* Creutzfeldt-Jakob disease ★ *~ van Lyme* Lyme's disease ★ *~ van Parkinson* Parkinson's disease ★ *~ van Pfeiffer* glandular fever, <u>inform</u> kissing disease ★ *~ wegens* owing to ill health ★ *een ~ oplopen* catch a disease ▼ *als de ~* like hell

**ziektebeeld** clinical picture, syndrome

**ziektegeschiedenis** case history, <u>med</u> anamnesis

**ziektekiem** germ, pathogen

**ziektekosten** medical expenses *mv*

**ziektekostenverzekering** health insurance

**ziekteleer** pathology

**ziekteverlof** sick leave ★ *met ~ zijn / gaan* be / go on sick leave

**ziekteverschijnsel** (medical) symptom

**ziekteverwekkend** pathogenic

**ziekteverwekker** pathogen(ic organism)

**ziekteverzuim** sickness absence, ⟨ongeoorloofd⟩

sickness absenteeism

**ziektewet** health insurance act ▼ *in de ~ lopen* receive sickness benefit

**ziel** ❶ *geest* soul ★ *het ging mij door de ziel* it cut me to the quick / core ★ *diep in zijn ziel* in his heart of hearts ❷ *persoon* soul ★ *arme ziel!* poor soul! ★ *geen levende ziel* not a (living) soul ★ *verwante ziel* kindred spirit ❸ *bezieling* ▼ *met zijn ziel onder de arm lopen* be at a loose end ▼ *iem. op zijn ziel geven* sock it to sb ▼ *ter ziele zijn* ⟨mens⟩ be dead and gone ▼ *iem. op zijn ziel trappen* stab sb to the heart ▼ *hoe meer zielen, hoe meer vreugd* the more the merrier ▼ *op zijn ziel krijgen* get a good hiding ▼ *met zijn ziel en zaligheid* with all one's heart ▼ *twee zielen, één gedachte* great minds think alike

**zielenheil** salvation

**zielenpiet** poor soul, wretch

**zielenpoot** poor soul, wretch

**zielenroerselen** inner life, deepest thoughts

**zielenrust** peace of mind

**zielig** pitiful, pathetic ★ *wat ~!* how sad!

**zielloos** ❶ *zonder innerlijke waarde* soulless ❷ *levenloos* inanimate, lifeless

**zielsbedroefd** broken-hearted, heartbroken

**zielsblij** overjoyed, <u>inform</u> over the moon

**zielsgelukkig** blissfully happy

**zielsgraag** passionately, fervently

**zielsveel** deeply, dearly ★ *~ houden van* love dearly, worship

**zielsverlangen** heartfelt / profound longing / desire

**zielsverwant I** *zn* [de] soulmate, kindred spirit **II** *bnw* congenial

**zieltogen** be dying ★ *~d* moribund

**zielzorg** pastoral care

**zien I** *ov ww* ❶ *waarnemen* see, perceive ★ *het is aan je gezicht te zien dat* I can tell by the look on your face that ★ *ik kan hem niet zien* I can't stand the sight of him ★ *laten zien* show ★ *zij wou me niet zien* she gave me the cold shoulder ★ *hij wou zijn gebreken niet zien* he turned a blind eye to his faults ★ *er was niemand te zien* there was no one to be seen ★ *de vlek is niet meer te zien* the mark is no longer showing ★ *zien te krijgen* catch sight of ★ *ik zie hem nóg voor me* I can see him now ★ *ik zie je nog wel* I'll see you later ★ *ik zie hem liever niet dan wel* I'd rather not see him at all ❷ *bezien* ★ *dat zullen we wel eens zien* we'll see ★ *zij moet maar zien dat zij het redt* she must look after / fend for herself ★ *zie maar wat je doet* do as you please ★ *dan zul je eens wat zien* you'll see what happens ❸ *inzien* see, understand ★ *dat is verkeerd gezien van je* that is a misconception on your part ❹ *proberen* try ★ *zie eens of je het kan* try if you can do it ★ *je moet maar zien hoe je er komt* I leave it to you to get there ★ *zie maar dat je het voor elkaar krijgt* see that you manage somehow ❺ <u>BN</u> *graag mogen* ★ *ik zie u graag* I love you ▼ *tot ziens* see you later, bye-bye ▼ *mij niet gezien!* count me out!, I'm not having any! ▼ <u>BN</u> *dat zie je van hier* that speaks for itself, that goes without saying ▼ *zie je nou wel!* there you are! ▼ *het voor gezien houden* have had enough ▼ *ik zie je liever gaan dan komen* I'm glad to see the back of you **II** *on ww* ❶ *kunnen zien* see ★ *goed / slecht zien* have good / poor eyesight ★ *scherp zien* be sharp-eyed ❷ *eruitzien* look ★ *bleek zien* look pale ★ *zwart zien van de mensen* be thick with people

**zienderogen** visibly, noticeably

**ziener** seer, prophet

**ziens** ▼ *tot ~* goodbye, <u>inform</u> bye-bye

**zienswijze** view, opinion ★ *ik kan deze ~ niet delen* I cannot share this view ★ *ik ben een andere ~ toegedaan* I hold a different view

**zier** whit, iota ★ *het kan me geen zier schelen* I don't care one whit / iota, I couldn't care less ★ *hij heeft geen zier(tje) verstand* he doesn't have a grain of sense

**ziezo** all right, that's it

**ziften** *zeven* sieve

**zigeuner** Gipsy / Gypsy, Romany

**zigeunerbestaan** <u>ook fig</u> Gypsy's life, life of the Gypsies

**zigeunerkamp** Gypsy camp / settlement

**zigeunerkoning** Gypsy king / chief

**zigeunermuziek** Gypsy music

**zigeunerorkest** Gypsy orchestra / band

**zigzag I** *zn* [de] zigzag **II** *bijw* ★ *~ lopen* zigzag

**zigzaggen** zigzag

**zigzagsteek** zigzag stitch

**zij I** *zn* [de] ❶ *kant* side ★ *zij aan zij* side by side ★ *met de handen in de zij* with arms akimbo ❷ *vrouwelijk wezen* she, female ★ *is het een hij of een zij?* is it a he or a she? **II** *pers vnw* ❶ *enkelvoud* she ❷ *meervoud* they ★ *zij die* those who

**zijaanzicht** side view, ⟨van gelaat⟩ profile

**zijbeuk** side aisle

**zijde I** *zn* [de] [mv: +s, +n] ❶ *zijkant* side ★ *aan beide ~n* on both sides, on either side ★ *aan deze ~* on this side ★ *de schuine ~ van een driehoek* hypotenuse ❷ *groep* ★ *iemands ~ kiezen* side with sb ★ *ik sta aan jouw ~* I'm on your side ★ *van de ~ van de regering* on the part of the Government ▼ *niet van iemands ~ wijken* stick to sb **II** *zn* [de] [gmv] *stof* silk

**zijdeachtig** silky

**zijdeglans** eggshell, semi-gloss

**zijdelings I** *bnw* ❶ *van de zijkant* sidelong, sideways ❷ <u>fig</u> *indirect* indirect **II** *bijw* ❶ *van de zijkant* sideways ❷ <u>fig</u> *indirect* indirectly ★ *~ vernemen* hear indirectly / unofficially

**zijden** ❶ *van zijde* silk ❷ *als van zijde* silken

**zijderups** silkworm

**zijdeur** side door

**zijdevlinder** silk moth

**zijgang** side passage / corridor

**zijgebouw** annexe

**zijgevel** side wall

**zijingang** side entrance

**zijkamer** side room

**zijkant** side, edge, flank ★ *aan de ~* on the side

**zijligging** lying on one('s) side ★ *stabiele ~* recovery position

**zijlijn** ❶ *vertakking* branch line ❷ *sport* sideline, ⟨voetbal, rugby⟩ touchline

**zijlinie** collateral line

**zijn I** *on ww* ❶ *bestaan* be ★ *hoe het ook zij* however it may be ★ *wat is er?* what's up?, what's the matter? ★ *er was eens...* once upon a

time ★ *ik ben het* it's me ★ *er zijn er veel die* there are many who ★ *de beste die er zijn* the best going ★ *hoe is het met hem?* how's he? ❷ *zich bevinden* be ★ *daar is hij!* there he is! ★ *waar zijn ze toch?* where have they gone? ★ *er is nog wat brood* there is still some bread left ❸ *leven* ★ *hij is er geweest* he is done for ❹ ~ **van** ★ *van wie is die auto?* whose car is that? ★ *van welke componist is deze sonate?* who is the composer of this sonata? **II** *hww* ⟨van tijd⟩ have, ⟨van lijdende vorm⟩ be ★ *zij is in Schotland geweest* she has been to Scotland ★ *hij is gestraft* he has been punished **III** *kww* ❶ *in hoedanigheid / toestand zijn* ★ *2 maal 2 is 4* twice two is / makes four ★ *zij is een Nederlandse* she is Dutch ★ *ze is nog steeds flink verkouden* she still has a nasty cold ❷ ~ **te** [+ inf.] ★ *dat is niet te doen* that can't be done ★ *het is niet te geloven* it's unbelievable **IV** *bez vnw* ⟨persoonlijk⟩ his, ⟨dier, zaak⟩ its, ⟨onpersoonlijk⟩ one's ★ *men moet zijn plicht doen* one must do one's duty ★ *hij is gestraft* everyone his due ▼ *ieder het zijne* to each his own ★ *ieder het zijne geven* give the devil his due, give every man his due **V** *zn* [het] being
**zijpad** side path / road
**zijrivier** tributary (stream / river)
**zijspan** sidecar ★ *motor met* ~ motorcycle with sidecar
**zijspiegel** wing mirror, <u>USA</u> side-view mirror
**zijspoor** siding ★ *'n trein op een* ~ *brengen* shunt a train into a siding ▼ *iem. op een* ~ *brengen* sidetrack sb
**zijsprong** lett jump / leap to the side, jump / leap aside, ⟨ontwijkend⟩ dodge
**zijstraat** side street ▼ *om maar een* ~ *te noemen* just to give an example
**zijtak** *aftakking* branch
**zijvleugel** wing
**zijwaarts** sideways
**zijweg** ❶ lett side road ❷ fig ★ ~*en bewandelen* go astray
**zijwind** crosswind
**zijzelf** ❶ ⟨enkelvoud⟩ she herself, herself ★ ~ *zal het moeten doen* she herself will have to do it ★ *iem. anders dan* ~ sb other than herself ❷ [meervoud] they themselves, themselves ★ ~ *zullen het moeten doen* they themselves will have to do it ★ *iem. anders dan* ~ sb other than themselves
**zilt** salt(y), briny ★ *het zilte nat* the brine
**ziltig** salty
**zilver** ❶ *metaal* silver ❷ *zilverwerk* silver ★ *het* ~ *poetsen* polish the silver ▼ *spreken is* ~, *zwijgen is goud* (speech is silver,) silence is golden
**zilverachtig** silvery
**zilverberk** silver birch
**zilveren** ❶ *van zilver* silver ❷ *als van zilver* silvery
**zilverkleurig** silver(y) (-coloured)
**zilvermeeuw** herring gull
**zilverpapier** silver paper, tinfoil
**zilverpopulier** white poplar, abele
**zilverreiger** white heron
**zilversmid** silversmith
**zilverspar** silver fir
**zilveruitje** pearl / cocktail onion
**zilververf** silver paint

**zilvervliesrijst** unpolished / brown rice
**zilvervos** silver fox
**zilverwerk** silver ware, plate
**Zimbabwaans** Zimbabwean
**Zimbabwe** Zimbabwe
**zin** ❶ *taalk volzin* sentence ★ *die zin loopt niet goed* this sentence doesn't work ❷ *wil* mind, inclination ★ *zin hebben in / om* feel like…ing ★ *ik heb er geen zin in* I don't feel like it ★ *ik heb zin om te lezen* I would like to read ★ *eigenlijk wel zin hebben om te gaan* have (half) a mind to go ★ *het naar zijn zin hebben* be in a good mood ★ *het iem. naar de zin maken* please sb ★ *is het naar uw zin?* is it to your liking? ★ *tegen de zin van* against the wishes / will of ★ *zijn eigen zin doen* have one's own way, do as one pleases ★ *iem. zijn zin geven* let sb have his way ★ *nu heb je je zin* now you've got what you wanted ★ *zijn zin krijgen* get / have one's own way ❸ *verstand* senses *mv* ★ *bij zinnen zijn* be in one's senses ★ *niet bij zinnen zijn* be out of one's senses ★ *buiten zinnen zijn* be beside o.s. ★ *ik had / hield mijn zinnen goed bij elkaar* I kept my wits about me ★ *weer bij zinnen komen* come to / round ❹ *betekenis* sense, meaning ★ *de zin van het leven* the meaning of life ★ *in de ruimste zin van het woord* in the broadest sense of the word ★ *in eigenlijke / figuurlijke zin* in the proper / figurative sense ★ *in zekere zin* in a way ❺ *nut* sense, point ★ *het heeft geen zin* it makes no sense ★ *het heeft geen zin om te gaan* there is no point in going ❻ *zintuig* sense ★ *zin voor het schone* sense of beauty ▼ *iets in de zin hebben* be up to sth ▼ *kwaad in de zin hebben* be up to mischief ▼ *van zins zijn om* intend to ★ *zijn zinnen op iets zetten* set one's mind on sth ▼ *zo veel hoofden, zo veel zinnen* so many men, so many minds
**zindelijk** ❶ *het toilet gebruikend* ⟨kind⟩ potty- / toilet-trained, ⟨huisdier⟩ house-trained ❷ *schoon* clean
**zinderen** shimmer ★ ~*de hitte* blistering / sweltering heat
**zingen** sing ★ *vals* ~ sing out of tune ★ *zuiver* ~ sing in tune
**zingeving** giving meaning (to)
**zink** zinc
**zinken I** *on ww* ❶ sink ★ *een schip tot* ~ *brengen* sink a ship, ⟨zelf en opzettelijk⟩ scuttle a ship ❷ fig *zich verlagen* ★ *diep gezonken zijn* have sunk / fallen low **II** *bnw, van zink* zinc
**zinklood** lood aan visnet sinker
**zinkput** cesspool, sump
**zinkstuk** ≈ ⟨fascine⟩ mattress
**zinkzalf** zinc ointment
**zinloos** senseless, meaningless, pointless, ⟨nutteloos⟩ useless ★ *het is* ~ *om te gaan* there's no point / sense in going ★ ~ *geweld* senseless violence
**zinnebeeld** symbol
**zinnebeeldig** symbolic(al)
**zinnelijk** sensual, sensuous
**zinnen** ❶ *bevallen* like ★ *dat zint mij niet* I don't like it ❷ ~ **op** be intent on, ponder (on) ★ *op wraak* ~ be intent on revenge, brood on revenge
**zinnenprikkelend** titillating

**zinnens** ▾ BN *van ~ zijn om...* plan / intend to...

**zinnig** sensible ★ *iets ~s zeggen* say sth meaningful / useful ★ *geen ~ mens...* no one in his right mind / senses...

**zinsbegoocheling** illusion, hallucination

**zinsbouw** sentence structure

**zinsconstructie** sentence structure

**zinsdeel** part of a sentence

**zinsnede** phrase

**zinsontleding** analysis *mv: analyses*

**zinspelen** allude (**op** to), hint (**op** at)

**zinspeling** allusion

**zinspreuk** ⟨leus⟩ motto, ⟨aforisme⟩ maxim

**zinsverband** context

**zinswending** turn of phrase

**zintuig** sense ⟨organ / faculty⟩ ★ *het zesde ~* the sixth sense

**zintuiglijk** sensory ★ *~e waarneming* sensory perception

**zinvol** meaningful, significant

**zionisme** Zionism

**zionist** Zionist

**zionistisch** Zionist

**zippen** comp zip, compress

**zirkonium** zirconium

**zirkoon** zircon

**zit** ▾ *een hele zit* a long time to sit ▾ BN onderw *tweede zit* re-examination

**zitbad** hip bath

**zitbank** sofa, couch, ⟨buiten⟩ bench, ⟨in kerk⟩ pew

**zitdag** BN ≈ *spreekuur* consulting hour(s)

**zitelement** seating module

**zithoek** sitting area

**zitje** ❶ *zitplek* ★ *een gezellig ~* a snug corner, a nice place to sit down in ❷ *(kinder)stoeltje* baby chair, ⟨aan tafel⟩ high chair ❸ BN pol *zetel* seat

**zitkamer** sitting room

**zitkuil** sunken sitting area

**zitkussen** cushion

**zitplaats** seat

**zitstaking** BN sit-down (strike)

**zitten** ❶ *gezeten zijn* sit ★ *blijft u ~* keep your seat(s), please ★ *ga ~* sit down, take a seat ★ *hij kwam bij me ~* he came and sat by me ❷ *zich bevinden* sit, ⟨verblijven⟩ sojourn ★ *hoe zit dat?* how is that? ★ *daar zit hem de moeilijkheid* that's the sticking point ★ *er zit niets anders op dan te gaan* there is nothing for it but to go ★ *er goed bij ~* be well off ★ *het zit zo* it's like this ★ *voor een examen ~* be reading for an exam ★ *mijn haar wil niet blijven ~* my hair will not stay in place ★ *waar zit die jongen toch?* where is that boy? ❸ *passen* fit ★ *de jurk zit je goed* the dress is a good fit ❹ *in positie / toestand gelaten worden* ★ *laat maar ~* keep the change, this is on me ★ *hij zat er mee* it puzzled him ★ *hij zat ermee opgescheept* he was saddled with it ❺ *blijven ~ met* be left with ❻ *gevangen zitten* do time ★ *hij heeft 2 jaar gezeten* he has served / done 2 years ❻ *bevestigd zijn* ★ *hoe zit zoiets in elkaar?* how does that fit together? ★ *dat zit in de war* it's in a tangle ★ *zit het zo weer goed?* is that how it was? ★ *dat verhaal zit goed in elkaar* that story has a good plot, that story is well put together ❼ *bedekt zijn met* ★ *onder de modder / het vuil ~*

be covered with mud / dirt ❽ *doel treffen* ★ *die zit!* that's a hit! ★ *hij zit!* sport goal! ❾ *functie bekleden* be ★ *in 'n commissie / de raad ~* be / sit on a committee / on the council ❿ *bezig zijn met* be [+ -ing] ★ *ik zit te lezen* I am reading ★ *hij zit zich weer te vervelen* he's bored again ⓫ *~ op beoefenen* practise ⓬ *aanraken* ★ *overal aan ~* touch everything ⓭ *werken* ▾ *blijven ~* ⟨klas overdoen⟩ stay down a class ★ *het zit me tot hier!* I'm fed up with it, I'm fed up to the back teeth ▾ *daar zit iets achter* there's more to it than meets the eye ▾ *daar zit Roeland achter* Roeland is at the bottom of it ▾ *maar ik laat het er niet bij ~* but I won't take it lying down ▾ *je hebt het er lelijk bij laten ~* you've made a poor show ▾ *dat kan je je niet op je laten ~* don't sit back and take it

**zittenblijver** omschr pupil who stayed down a year

**zittend** sitting, seated ★ *~ leven* sedentary life

**zittijd** BN onderw *examenperiode* exam period

**zitting** ❶ *deel van stoel* seat, bottom ❷ *vergadering* session, sitting ★ *publieke ~* open court ★ *~ hebben in een bestuur* sit on a board ★ *~ houden* be in session, sit

**zitvlak** bottom, seat

**zitvlees** ★ *geen ~ hebben* be fidgety, inform have ants in one's pants

**zitzak** beanbag

**zo** I bijw ❶ *op deze wijze* so, like this, thus, in this way ★ *in zo'n geval* in such a case ★ *zo maar* like this ★ *zo is het!* quite so!, that's right! ★ *het zij zo* so be it ★ *mooi zo!* well done! ★ *het zit zo* it's like this ★ *het is nu eenmaal zo* that's how it is, there it is ▾ *och, zo gaat het in het leven* such is life ★ *zo een / iemand* such a one ★ *hij doet maar zo* it's only make-believe ★ *zo werkt het niet!* that won't do! ★ *dat gaat zo maar niet* you can't do a thing like that ❷ *in deze mate* as, so ★ *ik heb zo'n dorst* I'm so thirsty ★ *ik hoop toch zo...* I do hope ★ *zo moe als hij was, ging hij toch* tired as he was, he went ★ *niet zo oud als* not so old as ★ *ó zo vriendelijk* ever so kind ★ *om 10 uur of zo* around ten (o'clock) ❸ *direct* right away, in a minute ★ *ik kom zo* I'll be with you in a minute ★ *zo van de universiteit* straight / fresh from University ❹ *uitstekend* ★ *die vent is zo!* he's a great guy! II vw ❶ *zoals* as ★ *zo vader, zo zoon* like father like son ❷ *indien* if ★ *zo ja* if so ★ *zo al niet* if not ★ *zo neen / niet* if not III tw well ★ *zo?* indeed? ★ *hoe zo?* why?, how's that? ★ *zo maar* because, for no reason at all, without further ado ★ *zo, zo* so-so

**zoab** *zeer open asfaltbeton* porous asphalt

**zoal** ★ *wat lust je zoal?* what sort of things do you like?

**zoals** as, such as, like ★ *mensen ~ hij* men such as he, people like him

**zodanig** I bijw so (much), in such a way / manner II aanw vnw such (as this / these) ★ *als ~* as such

**zodat** so that

**zode** turf, sod (of grass) ★ *zoden steken* cut turf ▾ *dat zet geen zoden aan de dijk* that cuts no ice ▾ *onder de groene zoden* six feet under

**zodiak** zodiac

**zodoende** ❶ *op die manier* in this / that way ❷ *bij gevolg* thus, consequently, so

**zodra** as soon as ★ ~ *hij komt* as soon as he comes, the moment he comes

**zoef** woosh

**zoek** missing, gone ★ *zoek raken* get lost ★ *op zoek naar* in search of ★ *het is zoek* it has been mislaid

**zoekactie** search (operation)

**zoekbrengen** ★ *tijd* ~ pass time, ⟨wachtend⟩ kill time

**zoeken I** *ov ww* ❶ *trachten te vinden* look for ★ *hij wordt door de politie gezocht* he is wanted by the police ★ *een oplossing is ver te* ~ a solution is a long way off ★ *de oorzaak is niet ver te* ~ the reason is (quite) obvious ❷ *uit zijn op* look for, ⟨geluk⟩ seek, ⟨waarheid⟩ pursue ★ *een oplossing* ~ find a solution ★ *hulp* ~ go for help, find help ❸ ~ *achter fig aantreffen* ★ *overal iets achter* ~ be very suspicious ★ *dat had ik niet achter hem gezocht* I'd never thought he had it in him ★ *we hebben hier niets te* ~ we have no business here ▼ *hij wist niet waar hij het* ~ *moest* he didn't know where to turn ▼ *zoekt en gij zult vinden* seek and you shall find **II** *on ww*, ~**naar** *trachten te vinden*, ★ *ik zal wel eens* ~ I'll have a look ★ ~ *naar woorden* grope for words

**zoeker** ❶ *persoon* searcher, seeker ❷ *venster van camera* viewfinder

**zoekertje** BN *kleine advertentie* wanted ad

**zoeklicht** searchlight

**zoekmachine. zoekengine** www search engine

**zoekmaken** mislay

**zoekopdracht** ❶ comp *in database* query ❷ comp *in programma / op internet* search command

**zoekplaatje** puzzle picture

**zoektocht** search (**naar** for), hunt (**naar** for)

**zoel** *aangenaam warm* mild, balmy

**Zoeloe** *bewoner* Zulu

**zoemen** buzz, hum

**zoemer** buzzer

**zoemtoon** buzzing / humming sound, ⟨telefoon⟩ (dialling) tone

**zoen** kiss

**zoenen** kiss ★ *om te* ~ absolutely delightful, cute

**zoenlippen** full sensual lips

**zoenoffer** peace offering

**zoet I** *bnw* ❶ *zoet smakend* sweet ★ *zoet maken* sweeten ❷ (m.b.t. water) fresh ❸ *braaf* good, sweet ★ *zoet houden* keep happy **II** *zn* [het] ★ *van zoet houden* like sweet things

**zoetekauw** ★ *een* ~ *zijn* have a sweet tooth

**zoeten** sweeten

**zoethoudertje** sop, sweetener

**zoethout** liquorice, USA licorice

**zoetig** sweetish

**zoetigheid** *snoep* sweets *mv*, sweet things / stuff

**zoetje** sweetener

**zoetjesaan** gradually ★ *het is* ~ *tijd om* it's just about time to

**zoetmiddel** sweetener, sweetening

**zoetsappig** sugary

**zoetstof** sweetener

**zoetwaren** sweets *mv*

**zoetwateraquarium** freshwater aquarium

**zoetwaterfauna** freshwater fauna

**zoetwaterflora** freshwater flora

**zoetwatervis** freshwater fish

**zoetzuur I** *zn* [het] (sour and) sweet pickles *mv* **II** *bnw* sweet-and-sour

**zoeven** zoom, whizz

**zo-even** just now, a moment ago

**zog** ❶ *kielzog* wake ❷ *moedermelk* (mother's) milk

**zogeheten** so-called, ⟨in schijn⟩ alleged

**zogen** breastfeed, nurse

**zogenaamd** ❶ *zogeheten* so-called ❷ *quasi* so-called, supposed, alleged

**zogenoemd** so-called

**zogezegd** *om zo te zeggen* so to say / speak, as it were

**zoiets** something ★ ~ *als...* sth like... ★ ~, *ja* sth like that ★ ~ *doe je niet* it's not the done thing ★ *hij is ziek of* ~ he's ill or sth ★ ~ *heb ik nog nooit gezien* I've never seen anything like it ★ *ik heb* ~ *gehoord* I've heard as much ★ ~ *bestaat niet* there is no such thing ★ *daar zeg je* ~ that's a good idea, that reminds me ★ *...of* ~ *...*or sth like that, ...or sth to that effect

**zojuist** just now, a minute ago

**zolang I** *bijw* meanwhile ★ *zet de auto* ~ *in de garage* meanwhile, put the car in the garage **II** *vw* as / so long as

**zolder** loft, attic ★ *op* ~ in the attic

**zolderetage** attic, ⟨armzalig⟩ garret, ⟨berging⟩ loft

**zoldering** ceiling

**zolderkamer** attic (bed)room, ⟨armzalig⟩ garret

**zolderluik** attic / loft trapdoor

**zoldertrap** attic / loft stairs *mv*

**zolderverdieping** attic

**zomaar** ❶ *zonder aanleiding* just like that, without any reason ❷ *zonder beperkingen* just like that, without any problem ★ *mag dat* ~? is that the way it works?

**zombie** zombie

**zomen** hem

**zomer** summer ★ *'s* ~*s* in summer ★ *van de* ~ this summer, in the summer

**zomerachtig** summery

**zomeravond** summer evening

**zomerbed** aardk summer bed

**zomerdienstregeling** summer timetable / service

**zomerdijk** summer dyke / dike

**zomeren** be / get / turn summery

**zomerfeest** summer party

**zomergast** ❶ biol *vogel* summer visitor ❷ recr *persoon* summer visitor / guest

**zomerjas** summer coat

**zomerjurk** summer dress

**zomerkleding** summer clothes *mv*

**zomerkleed** *van dieren* summer coat, ⟨vogels⟩ breeding plumage

**zomermaand** summer month

**zomerreces** pol summer recess

**zomers** summery ★ *op zijn* ~ *gekleed zijn* wear summer clothes, look summery

**zomerseizoen** summer season, summertime

**zomerspelen** summer games *mv* ★ *Olympische Zomerspelen* Summer Olympics *mv*

**zomersport** summer sport

**zomersproet** freckle ★ *met* ~*en* freckled

**zomertijd** *tijdregeling* GB summer time, USA daylight saving time

**zomeruur** BN *zomertijdregeling* GB summer time, USA daylight saving time
**zomervakantie** onderw summer holiday(s)
**zomerweer** summer(y) weather
**zomerzon** summer sun
**zomin** as little as ★ *(net) ~ als* no more than
**zompig** squelchy, squishy
**zon ❶** sun ★ *tegen de zon in kijken* have the sun in one's eyes ★ *tegen de zon in lopen* walk into the sun ❷ → **zonnetje** ▼ *niets nieuws onder de zon* nothing new under the sun ▼ *voor niets gaat de zon op* you don't get sth for nothing ▼ *hij kan de zon niet in het water zien schijnen* he's a dog in the manger
**zo'n ❶** *zo één* such (a) ★ *op zo'n dag als vandaag* on a day like this / today ★ *ik heb zo'n vreemd voorgevoel* I have this strange foreboding / hunch ★ *zo'n fiets wil ik ook* I want a bike just like that / yours ❷ *ongeveer* about, around ★ *zo'n beetje* more or less ★ *zo'n twee uur* some two hours
**zonaanbidder** sun-worshipper
**zondaar** sinner
**zondag** Sunday ★ *op zon- en feestdagen* on Sundays and holidays ★ *'s ~s* on Sundays
**zondagavond** Sunday evening
**zondagmiddag** Sunday afternoon
**zondagmorgen, zondagochtend** Sunday morning
**zondagnacht** Sunday night
**zondags I** *bnw* Sunday ★ *op zijn ~ gekleed* dressed in one's Sunday best **II** *bijw* on Sundays
**zondagsdienst ❶** *kerkdienst* Sunday service ❷ *dienstregeling* Sunday timetable / service ❸ *werk op zondag* ★ *~ hebben* be on call on a / the Sunday
**zondagskind ❶** *kind geboren op zondag* Sunday('s) child ❷ *gelukskind* ★ *een ~ zijn* been born with a silver spoon in one's mouth
**zondagskleren** one's Sunday best
**zondagskrant** Sunday (news)paper
**zondagsrijder** Sunday driver
**zondagsrust** Sunday('s) rest
**zondagsschilder** Sunday painter
**zondagsschool** rel Sunday school
**zondagviering** Sunday observance
**zonde ❶** *slechte daad* sin ★ *een ~ begaan* commit a sin ★ *kleine ~* peccadillo *mv -peccadilloes* ❷ *betreurenswaardigheid* ★ *het is ~ van het geld* it's a waste of money ★ *het is eeuwig ~* it's a crying shame ★ *wat ~* what a pity / shame
**zondebok** fig scapegoat ★ *iem. als ~ aanwijzen* turn sb into a scapegoat / fall guy
**zonder ❶** *niet met* without ★ *een cd ~ een doosje* a CD without a case ★ *niet ~... kunnen* be unable to do without... ★ *~ hem zou het misgegaan zijn* but for him it would have gone wrong ❷ *~ te* without ★ *~ te kijken* without looking ★ *~ iets te zeggen* without saying anything ❸ *~ dat* ★ *~ dat hij het wist* without his knowledge
**zonderling I** *bnw* odd, singular, peculiar **II** *zn* [de] eccentric
**zondeval** rel Fall (of man)
**zondig** sinful
**zondigen** sin ★ *~ tegen de regels* offend / violate / break the rules

**zondvloed** deluge, ⟨Bijbels⟩ Flood
**zone** zone ★ BN *groene zone* ≈ green belt ★ *blauwe zone* parking disc zone
**zoneclips** solar eclipse, eclipse of the sun
**zonet** just (now)
**zonkant** sunny side
**zonkracht** *schaal voor UV-straling in zonlicht* UV index
**zonlicht** sunlight
**zonnebad** sunbath
**zonnebaden** sunbathe
**zonnebank** sunbed, ⟨instelling⟩ solarium
**zonnebloem** sunflower
**zonnebloemolie** sunflower oil
**zonnebrand** sunburn, ⟨beschermingsmiddel⟩ suncream
**zonnebrandcrème** suncream, sunscreen
**zonnebrandolie** sun lotion, sunscreen
**zonnebril** pair of sunglasses, sunglasses *mv*
**zonnecel** solar cell
**zonnecollector** solar collector
**zonnedek** sun deck
**zonne-energie** solar energy
**zonnehoed** sun hat
**zonneklaar** obvious, crystal clear ★ *iets ~ bewijzen* prove sth beyond a shadow of a doubt
**zonneklep ❶** *klep van pet* eyeshade ❷ *klep in auto* visor / vizor
**zonneklopper** BN *zonnebader* sun-worshipper
**Zonnekoning** gesch Sun King
**zonnen** sunbathe, sun oneself
**zonnepaneel** solar panel
**zonnescherm** markies sunblind
**zonneschijn** sunshine
**zonnesteek,** BN **zonneslag** sunstroke ★ *een ~ oplopen* get / have sunstroke
**zonnestelsel** solar system
**zonnestraal** sunbeam, ⟨dun⟩ sunray
**zonnestudio** suntan studio
**zonneterras** sun terrace
**zonnetje** *zon* ★ *een waterig ~* a watery sun ▼ *iem. in het ~ zetten* make sb the centre of attention ▼ *zij is het ~ in huis* she's our (little) ray of sunshine
**zonnevlek** sunspot
**zonnewijzer** sundial
**zonnig ❶** sunny ❷ *opgewekt / blij* ★ *een ~ humeur* a sunny mood
**zonovergoten** sun-drenched, ⟨alleen predicatief⟩ bathed in sunshine
**zonsondergang** sunset
**zonsopgang** sunrise
**zonsverduistering** solar eclipse
**zonvakantie** holiday in the sun
**zonwering** sunblind(s), ⟨alleen buiten⟩ awning
**zonzijde** sunny side
**zoo** zoo
**zoöfobie** zoophobia
**zoogdier** mammal
**zooi ❶** *flinke hoeveelheid* lot, heap ★ *de hele zooi* the whole caboodle / lot ❷ *troep* mess
**zool ❶** *ondervlak van voet* sole ❷ *ondervlak van schoen* ▼ *halve zool* idiot, nitwit
**zoölogie** zoology
**zoöloog** zoologist
**zoom ❶** *omgenaaide rand* hem ❷ *buitenrand* edge

**zoomen** ❶ *beeld dichterbij halen* zoom in (on) ❷ *fotograferen met zoomlens* use a zoom (lens)

**zoomlens** zoom (lens)

**zoomnaad** hem

**zoon** son ★ *de verloren zoon* the prodigal (son) ★ *de Zoon des Mensen* the Son of Man ▼ *de Verloren Zoon* the prodigal son

**zoonlief** sonny, dear son, ⟨jong⟩ junior

**zootje** ❶ *hoeveelheid* lot, load, bunch, heap ★ *een ~ dieven* a pack of thieves ★ *het hele ~* the whole lot / shebang ❷ *rommeltje* mess ▼ *een ~ ongeregeld* ⟨personen / zaken⟩ a mixed bag / bunch, ⟨personen⟩ a motley crew

**zopas** just (now)

**zorg** ❶ *verzorging* care ★ BN med *eerste zorgen* first aid ★ BN med *intensieve zorgen* intensive care ★ *zorg dragen voor* take care of, look after ★ *ik laat het aan uw zorgen over* I entrust it to your care ★ *zorg besteden aan* care for, take care of ★ *door de goede zorgen van* form through the good offices of ★ *de zorg voor de kinderen hebben* have the children to look after, provide for the children ★ *met zorg* with care ❷ *bezorgdheid* concern, worry, anxiety ★ *zich zorgen maken* worry, be worried ★ *maak je geen zorgen* don't worry ★ *zorgen hebben* have worries, be worried ★ *mij 'n zorg!* I couldn't care less! ★ *dat is van later zorg* we'll worry about that later ★ *zorgen baren* cause anxiety / concern ❸ *zorgsector* health care ▼ *geen zorgen voor de dag van morgen* have no thought for tomorrow

**zorgelijk** ❶ *bezorgdheid uitdrukkend* worried ❷ *onrustbarend* alarming, worrisome

**zorgeloos** carefree

**zorgen** ❶ *~ voor verzorgen* care for, look after, take care of ★ *voor zichzelf ~* fend for o.s. ★ *voor de oude dag ~* provide for one's old age ❷ *het nodige doen* see to, take care of ★ *zorg dat hij het krijgt* make sure he gets it ★ *hij moet voor de kinderen ~* he has to see to the children ❸ *regelen* take care of, see to ★ *voor het eten ~* see to the food ★ *daar moeten zij voor ~* that's up to them, that's their business

**zorgenkind** ❶ *kind* problem child ❷ *kwestie* source of concern

**zorgsector** social service sector

**zorgverlener** ❶ *zorginstelling* health care organization ❷ *persoon* health care worker

**zorgverlof** compassionate (care) leave, ⟨dependant⟩ care leave

**zorgverzekeraar** health insurance company

**zorgvuldig** ❶ *met zorg* careful ❷ *nauwkeurig* meticulous, precise

**zorgwekkend** alarming, critical

**zorgzaam** careful, considerate

**zot** I *zn* [de] fool II *bnw* foolish, silly

**zout** I *bnw* salt(y), ⟨gezouten⟩ salted ▼ *heb je het ooit zo zout gegeten?* have you ever seen anything like it? II *zn* [het] ❶ salt ❷ ★ *het zout der aarde* the salt of the earth ▼ *het zout in de pap niet verdienen* earn peanuts ▼ *iets met een korreltje zout nemen* take sth with a grain of salt ▼ *zout in de wond strooien* rub salt into the wound

**zoutachtig** salt(y), techn saline

**zoutarm** low-salt, with little salt

**zouten** ❶ *zout maken* salt ❷ *inzouten* brine,

⟨haring⟩ pickle

**zoutig** salty

**zoutje** savoury biscuit

**zoutkoepel** salt dome

**zoutkorrel** grain of salt

**zoutloos** salt-free, saltless

**zoutoplossing** salt / saline solution

**zoutpan** salt pan

**zoutvaatje** salt cellar

**zoutvlakte** salt flats *mv*

**zoutwateraquarium** saltwater aquarium

**zoutzak** ❶ *zak* salt bag ❷ *persoon* lump ▼ *als een ~ erbij zitten* slouch

**zoutzuur** hydrochloric acid

**zoveel** I *bijw* ★ *~ te beter* so much the better II *onb vnw* as much [vóór enkelvoud], as many [vóór meervoud] ★ *~ rijst, dat...* so much rice that... ★ *~ (als) mogelijk* as much as possible ★ *tweemaal ~* twice as much / many ★ *twee euro ~* two euros odd ★ *de trein van 9 uur ~* the nine sth train ★ *~ is zeker, dat...* that much is certain that...

**zoveelste** ★ *de ~ keer* the nth / umpteenth time ★ *het is de ~ juni* it's the nth day of June

**zover** so far, this / that far ★ *als het ~ is* when we've reached that point, at the proper time ★ *in ~re dat...* to the extent that..., to such an extent that... ★ *in ~(re) als* so far as ★ *in ~re* insofar, insomuch ★ *tot ~* as far as this, so far ★ *(voor) ~* as far as, (in) so far as ★ *voor ~ ik weet* as far as I know, to my knowledge ★ *voor ~ mogelijk* as far as possible ★ *~ gaan dat* go to such lengths that

**zoverre** → **zover**

**zowaar** I *bijw* actually, really II *tw* ★ *je hebt ~ gelijk!* surprisingly, you're right!

**zowat** about ★ *~ niets* next to nothing ★ *~ niemand* hardly anybody

**zowel** ★ *~ X als Y* X as well as Y, both X and Y

**z.o.z.** *zie ommezijde* pto, please turn over

**zozeer** so much ★ *~ zelfs dat* so much so that ★ *niet ~... als wel...* not so much... as...

**zozo** so-so

**zucht** ❶ *uitademing* sigh ★ *een ~ slaken* heave a sigh ★ *een ~ van verlichting* a sigh of relief ❷ *drang* desire (**naar** for), ⟨hunkering⟩ craving (**naar** for), ⟨verlangen⟩ longing (**naar** for) ★ *~ naar avontuur* love of adventure ★ *~ naar sensatie* craving for excitement

**zuchten** ❶ *uitademen* sigh ❷ *lijden* groan (**onder** under) ❸ *~ naar* yearn for

**zuchtje** ⟨zacht briesje⟩ breath of wind

**zuid** south, ⟨wind ook⟩ southerly ★ *de wind is zuid* the wind is south, there's a south(erly) wind

**Zuid-Afrika** South Africa

**Zuid-Afrikaan** South African

**Zuid-Afrikaans** South African

**Zuid-Afrikaanse** South African (woman / girl)

**Zuid-Amerika** South America

**Zuid-Amerikaan** South American

**Zuid-Amerikaans** South American

**Zuid-Amerikaanse** South American (woman / girl) ★ *zij is een ~* she's from South America

**Zuid-Chinese Zee** South China Sea

**zuidelijk** I *bnw*, *uit / van het zuiden* southern, ⟨van wind⟩ south(erly) ★ *de wind is ~* the wind is south, there's a south(erly) wind ★ *~ van* (to the)

south of **II** *bijw, naar het zuiden* southward(s)
**Zuidelijke IJszee** Antarctic (Ocean)
**zuiden** *windstreek* south ★ *op het ~ liggen* face
south ★ *ten ~ van* (to the) south of
**zuidenwind** south(erly) wind
**zuiderbreedte** south(ern) latitude
**zuiderbuur** southern neighbour
**zuiderkeerkring** tropic of Capricorn
**zuiderlicht** southern lights *mv*
**zuiderling** southerner
**zuiders** BN ≈ *uit / van het zuiden* south(ern)
**Zuid-Europa** Southern Europe
**Zuid-Europees** Southern European
**Zuid-Holland** South Holland
**Zuid-Hollander** inhabitant of South Holland
★ *hij is een ~* he's from South Holland
**Zuid-Hollands** South Holland
**Zuid-Hollandse** woman / girl from South
Holland ★ *zij is een ~* she's from South Holland
**Zuid-Korea** South Korea
**Zuid-Koreaans** South Korean
**zuidkust** south(ern) coast
**Zuid-Molukken** South Moluccan
**Zuid-Molukker** South Moluccan
**Zuid-Moluks** South Moluccan
**zuidoost** south-east
**Zuidoost-Aziatisch** South-East Asian
**Zuidoost-Azië** South-East Asia
**zuidoosten** (the) south-east
**Zuidpool** South Pole, Antarctic
**zuidpool** ❶ *minpool van magneet* south
❷ *zuidelijke streken van planeet* South Pole
**zuidpoolcirkel** Antarctic Circle
**Zuidpoolexpeditie** Antarctic / South Pole
expedition
**zuidpoolgebied** Antarctic (region)
**zuidvrucht** subtropical fruit
**zuidwaarts** southward(s)
**zuidwest** south-west
**zuidwesten** south-west
**zuidwester** ❶ *wind* southwester ❷ *hoed*
sou'wester
**Zuidzee** → **Stille Oceaan**
**zuigeling** baby, infant
**zuigelingenzorg** infant care
**zuigen** ❶ *opzuigen* suck ❷ *stofzuigen* vacuum,
*inform* hoover
**zuiger** ❶ *deel van motor* piston ❷ *baggermolen*
dredger
**zuigfles** feeding bottle
**zuigkracht** *zuigvermogen* suction (power / force)
**zuignap** suction cup / pad
**zuigtablet** lozenge, pastille
**zuigzoen** love bite, USA hickey
**zuil** pillar, column
**zuilengalerij** colonnade, arcade
**zuinig I** *bnw* ❶ *spaarzaam* economical, thrifty,
frugal ★ *een ~e auto* a fuel-efficient car ❷ *gierig*
close, sparing ★ *~ zijn met iets* be sparing /
economical with sth ❸ *behoedzaam* ▼ *en niet zo ~
ook* with a vengeance **II** *bijw, spaarzaam* ★ *~
leven* live frugally ▼ *~ kijken* look glum
**zuinigheid** economy, thrift ★ *dat is verkeerde ~*
that's penny-wise and pound-foolish ★ *uit ~* for
reasons of economy
**zuipen I** *ov ww* ❶ *onmatig drinken* swill, guzzle

❷ *fig* *veel verbruiken* ★ *die auto zuipt benzine* that
car guzzles petrol **II** *on ww, veel alcohol drinken*
booze
**zuiplap** boozer, vulg piss artist
**zuipschuit** boozer
**zuivel** dairy produce, dairy products *mv*
**zuivelfabriek** dairy factory
**zuivelindustrie** dairy industry
**zuivelproduct** dairy product
**zuiver I** *bnw* ❶ *ongemengd* pure ★ *~ goud* pure /
solid gold ★ *~ ras* pure breed ❷ *oprecht* clear
★ *een ~ geweten* a clear conscience ❸ *louter* pure,
sheer ★ *het is ~ toeval* it's pure chance ❹ *netto*
net ★ *~e winst* clear / net profit ★ *het ~e inkomen*
net income / earnings **II** *bijw* ❶ *ongemengd*
purely ❷ *louter* ★ *~ en alleen* purely and simply
**zuiveren** ❶ *reinigen* clean, ⟨huid, wond⟩ cleanse,
⟨bloed, lucht, water⟩ purify ❷ *vrijpleiten* clear
★ *zich van zonden ~* cleanse o.s. of sins ★ *zijn
geweten ~* clear one's conscience ★ *iem. van alle
blaam ~* exonerate sb from all charges ❸ *euf
ontdoen* ⟨van tegenstanders⟩ purge (**van of**) ★ *de
partij ~* purge the party
**zuivering** ❶ *het reinigen* cleaning, ⟨huid, wond⟩
cleansing, ⟨bloed, lucht, water⟩ purification
❷ *euf eliminatie van tegenstanders* purge
★ *etnische ~* ethnic cleansing
**zuiveringsactie** pol purge, mil mopping-up
operation
**zuiveringsinstallatie** water purification plant
**zuiveringszout** bicarbonate of soda
**zulk I** *bijw, dermate* such **II** *aanw vnw* ❶ *zodanig*
such ❷ *zo groot* ★ *zulke schoenen* shoes this / that
big
**zullen** ❶ *toekomst uitdrukkend* ⟨I, we⟩ shall, ⟨I,we⟩
will, ⟨verleden tijd⟩ should, ⟨you, he, she, it, they⟩
will, ⟨verleden tijd⟩ would ❷ *mogen / moeten*
shall ★ *gij zult niet doden* thou shalt not kill ★ *hij
zál het doen* he shall do it ▼ *wat zou dat?* what
about it?
**zult** brawn
**zurig** sourish
**zuring** sorrel, dock
**zus I** *zn* [de], *inform* zuster sister, *inform* sis
**II** *bijw* ★ *zus of zo (op de een of andere manier)*
one way or the other ★ *nu eens zus, dan weer zo*
now this way, now that ★ *zus en zo* so-so
**zuster** ❶ *form* zus sister ❷ *verpleegster* nurse ❸ rel
*non* sister, nun
**zusterlijk** sisterly
**zustermaatschappij** sister company
**zusterorganisatie** sister organisation
**zusterstad** twin town
**zustervereniging** sister society / association
**zuur I** *bnw* ❶ *scheik* acid ❷ *zurig van smaak* sour
★ *zuur worden* turn (go) sour ❸ *onaangenaam*
sour ★ *een zuur gezicht trekken* make a sour / wry
face ★ *iem. het leven zuur maken* make sb's life a
misery ★ *dat is zuur voor je* it's tough on you ▼ *nu
ben je zuur!* now you're in for it! **II** *bijw* ★ *zuur
kijken* look sourly ★ *zijn zuur verdiende centen* his
hard-earned cash ▼ *dat zal hem zuur opbreken*
he'll come to regret it **III** *zn* [het] ❶ *scheik* acid
❷ *cul* ★ *in het zuur* pickled ★ *in het zuur leggen*
pickle ❸ *maagzuur* ★ *last van het zuur hebben*
suffer from heartburn

**zu**

**zuurdesem** leaven, sourdough
**zuurdesembrood** leavened / sourdough bread
**zuurgraad** degree of acidity, pH value
**zuurkool** sauerkraut
**zuurpruim** sourpuss, grouch
**zuurstof** oxygen
**zuurstofapparaat** resuscitator
**zuurstofcilinder** oxygen cylinder
**zuurstofles** oxygen cylinder
**zuurstofgebrek** lack of oxygen
**zuurstofmasker** oxygen mask
**zuurstofopname** intake of oxygen
**zuurstoftekort** lack of oxygen
**zuurstok** stick of rock, USA candy cane
**zuurtje** acid drop
**zuurverdiend** hard-earned
**zuurwaren** pickles *mv*
**zuurzoet** sour-sweet ★ *een zoetzuur gezicht zetten* make a wry face
**zwaai** swing, sweep, ⟨met armen⟩ wave
**zwaaideur** swing door
**zwaaien** I *ov ww, heen en weer bewegen* swing, ⟨vlag⟩ wave, ⟨wapen⟩ brandish ★ *met zijn armen ~ wave* one's arms about II *on ww* ❶ *groeten* wave ⟨naar at / to⟩ ❷ *heen en weer bewegen worden* swing, ⟨van takken⟩ sway ❸ *slingeren* ⟨van dronkaard⟩ reel / sway ❹ *zwenken* swing, ⟨van auto⟩ swerve ▼ *er zwaait wat* there'll be the devil to pay
**zwaailicht** flashing light
**zwaan** swan
**zwaantje** BN motorcycle cop
**zwaar** I *bnw* ❶ *veel wegend* heavy ★ *een zware last* a heavy burden ★ *te ~ zijn* ⟨van personen⟩ be overweight ❷ *omvangrijk* heavy, bulky ❸ *moeilijk* ⟨beslissing⟩ difficult, ⟨taak⟩ hard, ⟨werk⟩ heavy ★ *een zware strijd* a hard / severe struggle ❹ *ernstig* heavy, severe, ⟨zonde⟩ grievous ★ *een zware straf* a severe punishment ★ *een zware ziekte* a severe illness ★ *een ~ vergrijp* a serious offence / crime ❺ *hevig* rough, ⟨aanval, storm⟩ heavy ★ *een zware bui* a heavy shower ❻ *krachtig van smaak of substantie* heavy, ⟨van drank, tabak, vergif⟩ strong ❼ *laag klinkend* heavy, ⟨stem⟩ deep ▼ *~ wegen* carry a lot of weight II *bijw, hevig* heavily, seriously, grievously ★ *~ getroffen (door)* hard hit (by) ★ *~ gewond* grievously / seriously wounded ★ *~ verkouden zijn* have a bad cold ★ *~ ziek* seriously ill ★ *~ zondigen* sin grievously
**zwaarbeladen** heavily loaded
**zwaarbewapend** heavily armed
**zwaarbewolkt** (dull and) overcast
**zwaard** ❶ *wapen* sword ❷ *scheepv deel van boot* ⟨aan zijkant⟩ leeboard, ⟨in midden⟩ centreboard
**zwaardvechter** gladiator
**zwaardvis** swordfish
**zwaargebouwd** heavily built, massive
**zwaargeschapen** ❶ *van man* well-endowed, well-hung ❷ *van vrouw* well-endowed, busty
**zwaargewapend** heavily armed
**zwaargewicht** *sport gewichtsklasse* heavyweight
**zwaargewond** badly / seriously injured
**zwaargewonde** seriously injured casualty
**zwaarlijvig** corpulent, stout, *med* obese
**zwaarmoedig** melancholy
**zwaarte** ❶ *gewicht* weight, heaviness ❷ *ernst*

weight, seriousness
**zwaartekracht** gravity, gravitation
**zwaartelijn** median
**zwaartepunt** ❶ *natk* centre of gravity ❷ *hoofdzaak* main point
**zwaartillend** gloomy, pessimistic
**zwaarwegend** important, considerable ★ *een ~e beslissing* a weighty / important decision
**zwaarwichtig** weighty
**zwabber** mop
**zwabberen** *schoonmaken* mop
**zwachtel** bandage
**zwachtelen** bandage, swathe
**zwager** brother-in-law
**zwak** I *bnw* ❶ *niet krachtig* weak, feeble, ⟨ogen⟩ poor / weak, ⟨gezondheid⟩ poor / delicate, ⟨ouderen⟩ frail ★ *een zwakke gezondheid hebben* be in poor health ★ *zwak worden* weaken ★ *het zwakke geslacht* the weaker sex ❷ *bijna niet waarneembaar* weak, ⟨kreet⟩ feeble, ⟨lachje, licht⟩ faint, ⟨wind⟩ light ❸ *zonder geestelijke weerstand* weak ★ *zijn zwakke punt / zijde* his weak spot ★ *in 'n zwak ogenblik* in a weak moment ❹ *niet kundig* weak, ⟨poging, verstand⟩ feeble ★ *zwak zijn in iets* be bad / poor at sth ❺ *taalk* ★ *zwakke werkwoorden* regular verbs II *zn* [het] ❶ *imperfectie* weakness ❷ *voorliefde* weakness, ⟨voor dieren, mensen⟩ soft / weak spot ★ *een zwak hebben voor* have a weakness for
**zwakbegaafd** with / having learning difficulties, backward
**zwakheid** weakness, feebleness, frailty
**zwakjes** I *bnw* weak, weakish, frail II *bijw* weakly ★ *dat is nog ~ uitgedrukt* that's putting it mildly
**zwakkeling** ⟨lichamelijk⟩ weakling, ⟨van karakter⟩ wet, ⟨van karakter⟩ wimp
**zwakstroom** weak current
**zwakte** weakness, feebleness
**zwaktebod** admission of weakness
**zwakzinnig** mentally handicapped / deficient
**zwakzinnigenzorg** care of the mentally handicapped / deficient
**zwalken**, BN **zwalpen** drift / wander about ★ *op zee ~* roam / rove the seas
**zwaluw** swallow ▼ *één ~ maakt nog geen zomer* one swallow doesn't make a summer
**zwaluwstaart** *houtverbinding* dovetail joint
**zwam** fungus
**zwammen** blather, drivel
**zwanenhals** gooseneck
**zwanenzang** swansong
**zwang** ▼ *in ~ zijn* be fashionable, be in / the vogue ▼ *in ~ komen* come into fashion
**zwanger** pregnant ★ *ze is ~ van hem* she's pregnant by him
**zwangerschap** pregnancy ★ *ongewenste ~* unwanted pregnancy
**zwangerschapsafbreking** abortion, termination of pregnancy
**zwangerschapscontrole** antenatal appointment
**zwangerschapsgymnastiek** antenatal exercises *mv*
**zwangerschapsstriemen** stretch marks *mv*
**zwangerschapstest** pregnancy test
**zwangerschapsverlof** maternity leave

**zwanzen ❶** BN *inform onzin kletsen* (talk) bullshit **❷** BN *grappen maken* tell funny stories

**zwart I** *bnw* **❶** *niet wit* black **❷** *clandestien* black **❸** *rampzalig* black ▼ *iets ~ op wit hebben* have sth in black and white **II** *zn* [het] black ★ *in het ~ gekleed* dressed in black **III** *bijw* **❶** *somber* ★ *alles ~ inzien* take a gloomy view (of things) **❷** *clandestien* ★ *~ bijverdienen* moonlight ★ *~ betalen* pay with black money

**zwartboek** black book

**zwartbont** piebald, black-and-white-spotted ★ *een ~e koe* a piebald / Frisian cow

**zwartbruin** black-brown

**zwarte** black, min Negro *mv:* Negroes

**zwartekousenkerk** rigidly orthodox Protestants

**zwartepiet ❶** *kaart* jack of spades **❷** *houder van die kaart* ▼ *iem. de ~ toespelen* pass the buck to sb

**zwartepieten** *kaartspel spelen* play Old Maid

**Zwarte Woud** Black Forest

**Zwarte Zee** Black Sea

**zwartgallig** melancholy, pessimistic

**zwartgeldcircuit** black market / economy

**zwarthandelaar** black marketeer

**zwartkijken** watch TV illegally

**zwartkijker** *pessimist* pessimist, TC licence dodger

**zwartmaken** *belasteren* blacken, slander ★ *iem. ~ blacken* sb's name / reputation

**zwartrijden** *reizen zonder betalen* (van kaartje) dodge fare, (van wegenbelasting) evade road tax

**zwartrijder** fare dodger, (in auto) road tax dodger

**zwartwerken** moonlight, work outside the tax system

**zwartwerker** moonlighter

**zwart-wit I** *bnw, ongenuanceerd* black-and-white, over-simplified **II** *bijw* **❶** *met beeld in zwart en wit* black-and-white **❷** *ongenuanceerd* ★ *alles ~ zien* see everything in black-and-white terms

**zwart-wit- ❶** *met beeld in zwart en wit* black-and-white **❷** *ongenuanceerd* black-and-white

**zwart-witafdruk** black-and-white print

**zwart-witfilm** black-and-white film / movie

**zwart-witfoto** black-and-white photo(graph)

**zwavel** sulphur

**zwaveldioxide** sulphur dioxide

**zwavelstokje** matchstick

**zwavelzuur** sulphuric acid

**Zweden** Sweden

**Zweed** Swede

**Zweeds I** *bnw, m.b.t. Zweden* Swedish **II** *zn* [het], *taal* Swedish

**Zweedse** Swede, Swedish (woman / girl)

**zweefbrug** suspension bridge

**zweefclub** gliding club

**zweefduik** swallow dive, (van keeper) diving save

**zweefmolen** giant('s) stride

**zweefsport** gliding

**zweeftrein** hovertrain

**zweefvliegen** glide

**zweefvliegtuig** glider

**zweefvlucht** glide, (motor uit) volplane

**zweem** (van spot) touch / hint, (van vrees) semblance / trace ★ *geen ~ van bewijs* not a

shred of evidence / proof ★ *geen ~ van twijfel* without a shadow of a doubt

**zweep** whip ▼ *het klappen van de ~ kennen* know the ropes

**zweepslag ❶** *slag met zweep* lash **❷** med whiplash

**zweer** ulcer, (uitwendig) sore

**zweet** *transpiratie* sweat, perspiration ★ *badend in het ~* sweating buckets ★ *zich in het ~ werken* work o.s. into a sweat ★ *het koude ~ brak me uit* I broke into a cold sweat

**zweetband** sweatband

**zweetdruppel** bead of sweat / perspiration

**zweethanden** sweaty / clammy hands

**zweetkakkies** inform smelly / sweaty feet

**zweetklier** sweat gland

**zweetlucht** sweaty smell, body odour

**zweetvlek** sweat stain

**zweetvoeten** sweaty feet *mv*

**zwelgen I** *ov ww, gulzig eten / drinken* gobble, guzzle, (drank) swill **II** *on ww ~ in* wallow in

**zwellen** *in volume toenemen* swell ★ *doen ~* swell ▼ *~ van trots* swell with pride

**zwellichaam** corpus cavernosum

**zwelling ❶** *het zwellen* swelling **❷** *gezwollen plek* swelling, (bult, buil) bump

**zwemabonnement** season ticket for the swimming pool

**zwembad** swimming pool

**zwembandje** scherts vetrolletje love handles *mv*, spare tyre

**zwembroek** pair of swimming trunks, swimming trunks *mv*, speedo

**zwemdiploma** swimming certificate / diploma

**zwemen** incline, tend to ★ *~ naar rood* incline to red ★ *~ naar oneerlijkheid* border upon dishonesty

**zwemleraar** swimming instructor

**zwemmen** swim ★ *het ~* swimming ★ *reddend ~* rescue swimming ★ *gaan ~* go for / have a swim ▼ *~ in het geld* roll in money

**zwemmer** swimmer

**zwemmerseczeem** athlete's foot

**zwempak** swimsuit, bathing suit

**zwemsport** swimming

**zwemtas** swimming bag

**zwemvest** life jacket

**zwemvin** scuba (diving) fin

**zwemvlies ❶** *vlies* web ★ *met zwemvliezen* webbed, web-footed **❷** *schoeisel* flipper

**zwemvogel** swimming bird

**zwemwedstrijd** swimming race

**zwendel** swindle, fraud

**zwendelaar** swindler, fraud

**zwendelarij** swindle, fraud

**zwendelen** swindle

**zwengel** *slinger* handle, (van motor) crank

**zwenken** *van richting veranderen* swerve ★ *naar links ~* swerve to the left

**zwenkwiel** swivel caster / castor

**zweren I** *ov ww, eed doen* swear ★ *ik zweer het* I swear (to it) ★ *~ bij X* swear to X ★ *~ op de Bijbel ~* swear on the Bible ★ *wraak ~ tegen* vow vengeance against **II** *on ww* **❶** *ontstoken zijn* ulcerate, (van wond) fester ★ *~de vinger* septic / bad finger **❷** fig *~ bij vertrouwen op* swear by

**ZW**

**zwerfafval** (street) litter
**zwerfhond** stray dog
**zwerfkat** stray (cat), alley cat
**zwerfkei** erratic boulder
**zwerftocht** ramble
**zwerm** *troep* (insecten) swarm / cloud, (mensen, vogels) flock
**zwermen** *rondvliegen* swarm
**zwerven ❶** *ronddwalen* wander, roam ★ *hij zwierf door het land* he roamed the country ★ *een ~d bestaan* a nomadic life **❷** *rondslingeren* lie about / around ★ *spullen laten rond~* leave things lying around
**zwerver** *landloper* vagabond, tramp, USA hobo, (dier) stray
**zweten ❶** *transpireren* sweat, perspire **❷** *vocht uitslaan* sweat **❸** *~ op zwoegen* ★ *op iets ~* sweat over sth
**zweterig** sweaty
**zwetsen** *dom kletsen* blether, jabber
**zweven ❶** *vrij hangen* float, (van vogel) hover, (vliegtuig) glide **❷** *zich onzeker bevinden* hover ★ *tussen hoop en vrees ~* hover between hope and fear **❸** *vagelijk voordoen* float ★ *het zweeft mij op de tong* it's on the tip of my tongue ★ *er zweeft mij iets van voor de geest* I seem vaguely to remember ▼ *~de kiezers* floating voters
**zweverig ❶** *vaag* vague, woolly **❷** *duizelig* dizzy, light-headed
**zwezerik** sweetbread, <u>anat</u> thymus
**zwichten** submit (**voor** to), (argumenten) yield (**voor** to), (de vijand) surrender (**voor** to) ★ *voor niemand ~* give in to no one ★ *~ voor de verleiding* yield to temptation
**zwiepen I** *ov ww, smijten* hurl, fling **II** *on ww* **❶** *doorbuigen* bend, sway ★ *de takken zwiepten in de wind* the branches / twigs swayed in the wind **❷** *krachtig slaan* swish, lash
**zwier ❶** *zwaai* flourish **❷** *gratie* grace ★ *met ~* gracefully **❸** *opschik* ▼ *aan de ~ gaan,* BN *op de ~ gaan* go out on a spree
**zwieren** *slingerend draaien* (dronken) reel, (van danser) whirl about, (over ijs) glide
**zwierig** (bevallig) graceful / elegant, (modieus) stylish, (opvallend) flamboyant ★ *~ gekleed zijn* be dressed stylishly
**zwijgen I** *on ww* **❶** *niet spreken* be silent, keep silence ★ *om maar te ~ van...* to say nothing of..., let alone... ★ *zwijg!* be silent!, hold your tongue! ★ *zwijg daarover!* don't talk about it! ★ *iem. tot ~ brengen* silence sb **❷** <u>fig</u> *niet weerklinken* keep silent, (van muziek) stop ▼ *wie zwijgt, stemt toe* silence gives consent ▼ BN *~ als vermoord* as silent as the grave **II** *zn* [het] silence ★ *iem. het ~ opleggen* silence sb ★ *er het ~ toe doen* say no more about it, let it pass
**zwijggeld** hush money ★ *iem. ~ betalen* buy sb off
**zwijgplicht** oath of secrecy ★ *iem. de ~ opleggen* swear to silence
**zwijgzaam** silent, quiet
**zwijm** ▼ *in ~ vallen* swoon, faint
**zwijmelen** feel giddy, swoon
**zwijn ❶** *dier* swine ★ *een wild ~* a wild boar **❷** *persoon* swine
**zwijnen** be in luck
**zwijnenhok ❶** *stal voor zwijnen* pigsty, pigpen **❷** *smerige boel* pigsty
**zwijnenstal ❶** *lett* pigsty **❷** *fig* pigsty
**zwijnerij** *vuiligheid* filth, muck
**zwik** batch, lot ★ *de hele zwik* the whole lot
**zwikken** *verstuiken* sprain ★ *mijn voet zwikte* I sprained my ankle
**Zwitser** Swiss
**Zwitserland** Switzerland
**Zwitsers I** *bnw, m.b.t. Zwitserland* Swiss **II** *zn* [het], *taal* Swiss
**Zwitserse** Swiss (woman / girl)
**zwoegen** labour, slave (away) ★ *~ op iets* slave / peg away at sth
**zwoeger** drudge, plodder
**zwoel ❶** *drukkend warm* sultry, (benauwd) muggy **❷** *sensueel* sultry, sensual
**zwoerd** (pork / bacon) rind
**zzp'er** *zelfstandige zonder personeel* self-employed person

# Beknopte grammatica

## ONREGELMATIGE WERKWOORDEN

| infinitief | o.v.t. | volt. deelwoord | vertaling |
|---|---|---|---|
| abide | <u>form</u> abode | <u>form</u> abode | (ver)blijven |
| | abided | abided | verdragen, dulden |
| arise | arose | arisen | ontstaan |
| awake | awoke | awoken | wakker worden |
| be | was/were | been | zijn, worden |
| bear | bore | borne | (ver)dragen |
| beat | beat | beaten | (ver)slaan |
| become | became | become | worden |
| begin | began | begun | beginnen |
| behold | beheld | beheld | aanschouwen |
| bend | bent | bent | buigen |
| bet | bet | bet | wedden |
| bid | bid | bid | bieden |
| | bid/bade | bid/bidden | wensen |
| bind | bound | bound | binden |
| bite | bit | bitten | bijten |
| bleed | bled | bled | bloeden |
| blow | blew | blown | blazen, waaien |
| break | broke | broken | breken |
| breed | bred | bred | kweken, fokken |
| bring | brought | brought | brengen |
| broadcast | broadcast | broadcast | uitzenden |
| build | built | built | bouwen |
| burn | burnt/burned | burnt/burned | branden |
| burst | burst | burst | barsten |
| buy | bought | bought | kopen |
| cast | cast | cast | werpen |
| catch | caught | caught | vangen |
| choose | chose | chosen | kiezen |
| cling | clung | clung | zich vastgrijpen |
| come | came | come | komen |
| cost | cost | cost | kosten |
| creep | crept | crept | kruipen |
| cut | cut | cut | snijden |
| deal | dealt | dealt | (be)handelen |
| dig | dug | dug | graven |
| do | did | done | doen |
| draw | drew | drawn | tekenen, trekken |
| dream | dreamt/dreamed | dreamt/dreamed | dromen |
| drink | drank | drunk | drinken |
| drive | drove | driven | drijven, besturen |
| dwell | dwelt/dwelled | dwelt/dwelled | wonen |
| eat | ate | eaten | eten |
| fall | fell | fallen | vallen |
| feed | fed | fed | (zich) voeden |
| feel | felt | felt | (zich) voelen |
| fight | fought | fought | vechten |
| find | found | found | vinden |
| flee | fled | fled | vluchten |
| fling | flung | flung | smijten |
| flee | fled | fled | ontvluchten |
| fly | flew | flown | vliegen |
| forbid | forbade | forbidden | verbieden |
| forget | forgot | forgotten | vergeten |
| forgive | forgave | forgiven | vergeven |
| forsake | forsook | forsaken | in de steek laten |
| freeze | froze | frozen | (be)vriezen |
| get | got | got | krijgen |
| | | <u>USA inf</u> gotten | |
| give | gave | given | geven |
| go | went | gone | gaan |

| infinitief | o.v.t. | volt. deelwoord | vertaling |
|---|---|---|---|
| grind | ground | ground | malen, slijpen |
| grow | grew | grown | groeien, kweken, worden |
| hang | hung | hung | hangen |
| | hanged | hanged | ophangen |
| have | had | had | hebben |
| hear | heard | heard | horen |
| hide | hid | hidden | (zich) verbergen |
| hit | hit | hit | slaan, raken, treffen |
| hold | held | held | (vast)houden |
| hurt | hurt | hurt | pijn doen, bezeren |
| keep | kept | kept | houden, bewaren |
| kneel | knelt | knelt | knielen |
| | USA ook kneeled | USA ook kneeled | |
| knit | knit | knit | samentrekken/-voegen |
| | knitted | knitted | breien |
| know | knew | known | weten |
| lay | laid | laid | leggen |
| lead | led | led | leiden |
| lean | leaned | leaned | leunen |
| | GB ook leant | GB ook leant | |
| leap | leapt/leaped | leapt/leaped | springen |
| learn | learnt/learned | learnt/learned | leren |
| leave | left | left | (ver)laten |
| lend | lent | lent | uitlenen |
| let | let | let | laten, verhuren |
| lie | lay | lain | liggen |
| light | lit | lit | aansteken, verlichten |
| | lighted (vóór zelfst. nw.) | lighted (vóór zelfst. nw.) | |
| lose | lost | lost | verliezen |
| make | made | made | maken |
| mean | meant | meant | bedoelen, betekenen |
| meet | met | met | ontmoeten |
| mow | mowed | mown/mowed | maaien |
| pay | paid | paid | betalen |
| put | put | put | leggen, plaatsen, zetten |
| quit | quit | quit | ophouden, verlaten |
| | GB ook quitted | GB ook quitted | |
| read | read | read | lezen |
| rid | rid | rid | bevrijden |
| ride | rode | ridden | rijden |
| ring | rang | rung | bellen, klinken |
| rise | rose | risen | opstaan, stijgen, rijzen |
| run | ran | run | rennen, lopen |
| saw | sawed | sawn | zagen |
| | | USA ook sawed | |
| say | said | said | zeggen |
| see | saw | seen | zien |
| seek | sought | sought | zoeken |
| sell | sold | sold | verkopen |
| send | sent | sent | sturen, zenden |
| set | set | set | zetten, ondergaan |
| sew | sewed | sewn/sewed | naaien |
| shake | shook | shaken | schudden, beven |
| shed | shed | shed | vergieten, storten |
| shine | shone | shone | schijnen |
| | shined | shined | poetsen |
| shoot | shot | shot | schieten |
| show | showed | shown | tonen |
| | | soms showed | |
| shrink | shrank | shrunk | krimpen |
| shut | shut | shut | sluiten |
| sing | sang | sung | zingen |
| sink | sank | sunk | zinken, tot zinken brengen |
| sit | sat | sat | zitten |
| sleep | slept | slept | slapen |
| slide | slid | slid | glijden |

| infinitief | o.v.t. | volt. deelwoord | vertaling |
|---|---|---|---|
| smell | smelled | smelled | ruiken |
| | GB ook smelt | GB ook smelt | |
| sow | sowed | sown | zaaien |
| speak | spoke | spoken | spreken |
| spell | spelt/spelled | spelt/spelled | spellen |
| spend | spent | spent | uitgeven, doorbrengen |
| spin | spun | spun | ronddraaien, spinnen |
| spill | spilled | spilled | morsen |
| | GB ook spilt | GB ook spilt | |
| spit | spat | spat | spuwen |
| split | split | split | splijten |
| spoil | spoiled | spoiled | bederven, verwennen |
| | GB ook spoilt | GB ook spoilt | |
| spread | spread | spread | (zich ver)spreiden |
| stand | stood | stood | staan |
| steal | stole | stolen | stelen |
| stick | stuck | stuck | steken, kleven |
| sting | stung | stung | steken, prikken |
| stink | stank/stunk | stunk | stinken |
| stride | strode | stridden | schrijden, stappen |
| strike | struck | struck | slaan, treffen, staken |
| strive | strove | striven | streven |
| swear | swore | sworn | zweren, vloeken |
| sweep | swept | swept | vegen |
| swell | swelled | swollen/swelled | (op)zwellen |
| swim | swam | swum | zwemmen |
| swing | swung | swung | zwaaien, slingeren |
| take | took | taken | nemen, brengen |
| teach | taught | taught | onderwijzen |
| tear | tore | torn | scheuren, rukken |
| tell | told | told | vertellen, zeggen |
| think | thought | thought | denken |
| throw | threw | thrown | gooien |
| thrust | thrust | thrust | duwen, stoten |
| understand | understood | understood | begrijpen, verstaan |
| wake | woke | woken | wekken, wakker worden |
| wear | wore | worn | dragen |
| weave | wove | woven | weven |
| weep | wept | wept | huilen, wenen |
| wet | wet/wetted | wet/wetted | nat maken |
| win | won | won | winnen |
| wind | wound | wound | winden, draaien |
| wring | wrung | wrung | wringen |
| write | wrote | written | schrijven |

## HET ZELFSTANDIG NAAMWOORD, MEERVOUD EN VERKLEINVORM

In het Engels wordt een zelfstandig naamwoord meestal in het meervoud gezet door er een -s achter te plaatsen:
    1 house – 2 houses (huis)
    1 market – 2 markets (markt)
De meeste uitzonderingen zijn gemakkelijk te herkennen:
    1 victory – 2 victories (overwinning)
    1 bus – 2 buses (bus)

In het Engels wordt zelden een verkleinvorm (bv.'huisje') gebruikt, al komt het suffix '-let' nog weleens voor: 'starlet' (sterretje).

## HET LIDWOORD

Terwijl het Nederlands twee bepaalde lidwoorden heeft ('de' en 'het'), is er in het Engels maar één: **the**.
    **the** bike of **the** girl – de fiets van het meisje
Het onbepaalde lidwoord ('een') komt in het Engels daarentegen in twee vormen voor:
**a** – wanneer er een medeklinker op volgt:
    **a** call, **a** great song
**an** – wanneer er een klinker of een *h* op volgt:
    **an** evening, **an** oval office, **an** hour

## HET BIJVOEGLIJK NAAMWOORD

Het bijvoeglijk naamwoord wordt in het Engels niet verbogen:
    a big plane (een groot vliegtuig)
    the big plane (het grote vliegtuig)
    big planes (grote vliegtuigen)

## HET BIJWOORD

Engelse bijwoorden worden gevormd door **-ly** te plakken achter een stam:
    the absolute majority (de absolute meerderheid)
    you are absolute**ly** right (je hebt absoluut gelijk)
Als het bijvoeglijk naamwoord eindigt op een **y**, dan wordt deze vervangen door een **i**:
    a hasty answer (een haastig antwoord)
    he answered hast**ily** (hij antwoordde haastig)

## ENGELSE WERKWOORDEN

*regelmatige werkwoorden*
Het vervoegen van Engelse werkwoorden is in de regel heel simpel: voor de tegenwoordige tijd wordt altijd het hele werkwoord gebruikt. Alleen in de derde persoon enkelvoud komt er een **-s** achter. Voor de verleden tijd komt er in alle persoonsvormen **-ed** achter het hele werkwoord. Dus:

|                          | tegenwoordige tijd | verleden tijd       |
|--------------------------|--------------------|---------------------|
| I (ik)                   | work (ik werk)     | worked (ik werkte)  |
| you (jij, u)             | work               | worked              |
| he/she/it (hij/zij/het)  | works              | worked              |
| we (wij)                 | work               | worked              |
| you (jullie)             | work               | worked              |
| they (zij)               | work               | worked              |

Het voltooid deelwoord wordt gevormd met **-ed** achter het hele werkwoord: I have work**ed** (ik heb gewerkt).

HULPWERKWOORDEN

De hulpwerkwoorden 'be', 'have' en 'do' worden onregelmatig vervoegd:

| | be tegenw td | verl td | have tegenw td | verl td | do tegenw td | verl td |
|---|---|---|---|---|---|---|
| I (ik) | am | was | have | had | do | did |
| you (jij, u) | are | were | have | had | do | did |
| he/she/it (hij/zij/het) | is | was | has | had | does | did |
| we (wij) | are | were | have | had | do | did |
| you (jullie) | are | were | have | had | do | did |
| they (zij) | are | were | have | had | do | did |

Andere hulpwerkwoorden ('shall', 'will') worden regelmatig vervoegd
Bij 'be' en 'have' worden persoonlijk voornaamwoord en hulpwerkwoord in de
tegenwoordige tijd vaak samengetrokken; bij shall' en 'will' gebeurt dat zowel in de
tegenwoordige als in de verleden tijd. Bij 'shall' en 'will' leidt dat tot identieke vormen:

| | be | have | shall/will tegenw td | verl td |
|---|---|---|---|---|
| I (ik) | I'm | I've | I'll | I'd |
| you (jij, u) | you're | you've | you'll | you'd |
| he/she/it (hij/zij/het) | he's | he has | he'll | he'd |
| we (wij) | we're | we've | we'll | we'd |
| you (jullie) | you're | you've | you'll | you'd |
| they (zij) | they're | they've | they'll | they'd |

*be*
Engelse werkwoorden worden op twee manieren gebruikt: met de normale vervoeging of
samen met het hulpwerkwoord 'be'.

Voor het uitdrukken van de algemene, normale gang van zaken kan men de normale
vervoeging gebruiken:
  this is the building I work in (dit is het gebouw waar ik werk)

Voor het uitdrukken van iets dat op het moment zelf gaande is, wordt het werkwoord 'be'
vervoegd en gevolgd door het hele (hoofd)werkwoord, waaraan **-ing** is toegevoegd (I am
work+ing).
  I'm working now, but I will be ready soon (ik ben nu aan het werken, maar ik ben snel
  klaar)

*have*
Alle voltooide werkwoordsvormen worden vervoegd met 'have', ook als je in het
Nederlands 'zijn' zou gebruiken:
  we have left (wij zijn weggegaan)
  I had fallen (ik was gevallen)

*do*
Om iets tegen te spreken kan 'do' worden gebruikt, gevolgd door het hele werkwoord:
  I dó think it's beautiful (ik vind wél dat het mooi is)
Op dezelfde manier kan iets worden benadrukt:
  I dó think it's beautiful (ik vind écht dat het mooi is)

De belangrijkste functie van 'do' is echter die in ontkennende en vragende zinnen.

ONTKENNENDE ZINNEN

In het Nederlands wordt een zin ontkennend gemaakt door er 'niet' of een ander
ontkennend woord aan toe te voegen:
    ik woon hier – ik woon hier niet
In het Engels wordt hiervoor meestal het werkwoord 'do' gebruikt, gevolgd door de
ontkenning:
    I live here – I do not live here
Maar als andere werkwoorden worden gebruikt die een *zijn* uitdrukken ('be', 'may', 'will'),
blijven deze zo staan in de ontkennende zin:
    she is – not – at home (zij is – niet – thuis)
    we may – not – be abroad (we zijn wellicht – niet – in het buitenland)

Het is gebruikelijk om werkwoorden samen te trekken met 'not':
    I do not *wordt* I don't
    he/she/it does not *wordt* he/she/it doesn't

Dus ze worden aan elkaar geschreven en de o van not wordt vervangen door een
apostrof (').
Hetzelfde gebeurt bij 'have':
    I have not *wordt* I haven't
Bij 'shall' en 'will' leidt het tot onregelmatige vormen:
    he shall not *wordt* he shan't
    we will not *wordt* we won't
Hetzelfde gebeurt ook bij de verleden tijd:
    I was not *wordt* I wasn't
    he had not *wordt* he hadn't
    we should not *wordt* we shouldn't
    you would not *wordt* you wouldn't


VRAGENDE ZINNEN

Meestal worden vragende zinnen gevormd met het werkwoord 'do', dat vervoegd wordt,
gevolgd door het persoonlijk voornaamwoord en het hele werkwoord:
    do you work here? (werkt u hier?)
    does he like candy? (houdt hij van snoep?)
Maar deze regel gaat niet op als er werkwoorden worden gebruikt die een *zijn* uitdrukken
('be', 'may', 'will'):
    are you ill? (ben je ziek?)
    when will you be back? (wanneer zul je weer terug zijn?)
Ook bij andere hulpwerkwoorden gaat de *do*-regel niet op:
    have you seen her? (heb je haar gezien?)
    can you do this?

Om een vraag te beantwoorden, wordt het hulpwerkwoord herhaald dat in de vraag
wordt gebruikt:
    – do you know that? (– weet je dat?)
    – yes, I do *of* – no, I don't (– ja *of* – nee)
Als vragende zinnen gevormd zijn met koppelwerkwoorden, worden deze herhaald:
    – are you from Holland? (kom je uit Nederland?)
    – yes, I am *of* – no, I'm not (– ja *of* – nee)

Als de vraag betrekking heeft op iets wat op dat moment gebeurt, wordt de
-ing-constructie gebruikt:
    – is she baking cookies? (is ze koekjes aan het bakken?)
    – yes, she is *of* – no, she isn't (– ja *of* – nee)

Vragende zinnen met een voltooid deelwoord worden gevormd met 'have':
  – have you seen her? (heb je haar gezien?)
  – yes, I have *of* – no, I haven't (– ja *of* – nee)

# Praktische tips

## HET SAMENVOEGEN VAN WOORDEN

In het Nederlands worden dikwijls twee of meer woorden samengevoegd tot één woord. In het Engels wordt dat zelden gedaan. Twee woorden die samen één begrip vormen, staan in het Engels meestal los van elkaar:

*food problem*          voedselprobleem
*insurance company*     verzekeringsmaatschappij

Woorden die kort zijn of die erg veel gebruikt worden, worden dikwijls aan elkaar geschreven:

*bus stop* wordt:       busstop
*motor-car* wordt:      motorcar

Het verbindingsstreepje wordt wel gebruikt bij samengestelde bijvoeglijke naamwoorden:

*a seven-year-old girl*     een meisje van zeven jaar
*on-the-job training*       training binnen het bedrijf

## HET AFBREKEN VAN WOORDEN

Bij voorkeur voorkomt men het afbreken van een woord aan het einde van de regel, door het woord aan het begin van de nieuwe regel te schrijven. Er zijn geen eenduidige regels voor het afbreken van woorden, maar de volgende regels worden het meest toegepast.

1  Niet afgebroken wordt:
a  bij woorden met één lettergreep:
   *care, week, love*, enz.
b  voor de uitgang *-ed* van de verleden tijd en het voltooid deelwoord:
c  voor de uitgangen *cial, cian, cious, sion, tion* die in de uitspraak één lettergreep vormen:
   *social, conscious, starvation, mission*

2  Bij voorkeur worden niet afgebroken:
a  woorden met één letter aan het begin of aan het eind:
   *apart, above, windy*, enz.
b  korte woorden met twee lettergrepen:
   *city, water*, enz.
c  woorden waarvan na het verbindingsstreepje twee letters zouden overblijven (met uitzondering van bijwoorden die eindigen op *-ly*):
   *against, mixer, beauty*, enz.

3  Indien een woord moet worden afgebroken, gebeurt dit bij voorkeur:
a  na een klinker:
   *fe-ver, de-pend*
b  voor de uitgang *ing:*
   *think-ing, keep-ing*
c  tussen twee medeklinkers:
   *mil-lion, mes-sage, recom-mend*
d  voor het tweede deel van een samenstelling:
   *anti-hero, tele-phone, happi-ness*